港　　湾

公有水面埋
立・運河

海　　岸

災害対策等

環　　境

海上交通
の安全

安全保障

国土交通省港湾局　監修

令和６年版
港湾小六法

東京法令出版

――令和6年版によせて――

四方を海に開かれた海洋国家である我が国において、港湾は経済成長や国民生活を支える社会資本として重要な役割を担っています。その一方で、港湾では関係者間のやり取りにおいて主に紙や電話等が用いられており電子化が進んでいないなど、解決すべき課題も多くあります。そこで、我が国における港湾機能の更なるデジタル化の推進及び情報セキュリティ対策の強化を図るべく、昨年から主に次のような港湾関係法令の改正を行いました。

まず、港湾を取り巻く様々な情報を電子化するための情報プラットフォームである「サイバーポート」を国土交通大臣が設置及び管理する電子情報処理組織の一つとして位置付けた令和四年の港湾法改正を受け、同法施行規則を改正し、その対象となる情報及び届出等の規定を整備しました。

次に、これまで港湾運送事業者の営業所において掲示されていた運賃及び料金並びに港湾運送約款について、インターネット上においても閲覧に供することを義務付けるため、港湾運送事業法を改正しました。これに伴い同法施行規則を改正し、インターネットにおける具体の公表方法を定めるとともに、小規模事業者に過度な負担が及ぶことがないよう適用除外規定を設けました。

さらに、昨年七月、名古屋港のコンテナターミナルへのサイバー攻撃によるシステム障害により物流に大きな混乱が生じた事案を踏まえ、港湾運送事業法施行規則を改正し、一般港湾運送事業者が提出する事業計画に情報セキュリティ対策の確保に関する事項を記載することを義務付けるための規定を整備しました。

令和6年版の本書は、こうした港湾行政の動向に対応した最新の条文を収録しております。本書が、港湾関係業務に携わる方々のみならず、広く港湾に関心を寄せる国民の皆様にも利用され、港湾に対する理解の一助となることを期待しております。

令和六年八月

国土交通省港湾局長　稲田雅裕

凡　例

◈編集方針

令和6年版の港湾小六法は、昨年版から約半分に分量を削減する大幅なリニューアルを行った。これまでの本書は港湾行政に係わる法令を網羅的・体系的に収録しており分量が膨大になっていたが、より多くの人が手に取りやすく、より使い勝手のよいものとなるよう、本年版からは収録法令を厳選することとした。加えて、「港湾行政に係る法令一覧表」の登載により、関係法令を一覧で俯瞰できるようにした。港湾分野の法令に初めて触れる方にも手に取りやすくなった一方で、リニューアル後も引き続き、港湾関係業務に携わる方々がその業務を遂行するに当たり欠くことのできない法令は確実に登載されたものとなっている。

◈準拠する原典

本書に収録した法令等の内容は、官報、法令全書、国土交通省の資料を原典とし、編集校正に当たっては特に厳正を期した。

◈掲載の形式

1　公布年月日及び法令番号は、題名の次に（昭和二十五年五月三十日法律第二百十八号）と掲げた。

2　改正沿革は、題名の左肩上に、次のように表示した。

全文登載の法令

〔沿革〕　昭和**六二**年一月一〇日法律第一号、平成**二八**年五月一八日第三九号、令和**五**年三月三一日第九号改正

抄録登載の法令

改正　前略…令和五年三月三一日法律第九号

3　各条文の改正注記は、抄録の法令を除き、条文の末尾に、一部改正、全部改正、繰上、繰下、削除等に区分けして項ごとに表示した。

◈法令の項の表示

原典に項数の表示のあるものは、そのまま2、3、4……をもって示し、原典にはないが編集者において便宜上付したものは、②、③、④……をもって示した。

◈条文内容の表示

条文内容を簡潔に表示することは最近の例であるが、原文に既にこれが付してあるものは原典のとおり（　）を

もってゴシック体で示した。また、原典にはないが、編集者において便宜上付したものは、〔 〕をもってゴシック体で示した。

❖附則の表示

附則は、制定、改正を問わず、全て掲げることが原則であるが、本書においては、制定附則及び最終の改正附則を掲げ、その他の改正附則については、経過措置、特例措置等を含むものは原則として掲げ、施行期日のみのものは省略した。

❖本書の内容現在

令和6年版の本書は、令和六年七月一日現在公布されている法令を収録した。令和七年一月一日以降に施行される法令改正については、現行の条文の次に改正後の条文を[ ]で囲って掲載した。

法令名索引

【う】

【お】

【か】

【さ】

【す】

【と】

【な】

【は】

【ふ】

【ほ】

【り】

目次

◎港湾◎

港湾の整備・運営

ページ

○港湾運送事業報告規則……………（昭和五三年運輸省令一〇号）………三九九
○流通業務の総合化及び効率化の促進に関する法律…………………（平成一七年法律八五号）………四一四
○流通業務の総合化及び効率化の促進に関する法律施行令…………（平成一七年政令二九八号）………四三七
○流通業務の総合化及び効率化の促進に関する法律施行規則………（平成一七年農林水産・経済産業・国土交通省令一号）………四三九
○流通業務総合効率化事業の実施に関する基本的な方針…………（平成二八年農林水産・経済産業・国土交通省告示二号）………四四九
○排他的経済水域及び大陸棚の保全及び利用の促進のための低潮線の保全及び拠点施設の整備等に関する法律…………（平成二二年法律四一号）………四五六
○排他的経済水域及び大陸棚の保全及び利用の促進のための低潮線の保全及び拠点施設の整備等に関する法律施行令…………（平成二二年政令一五七号）………四六一
○排他的経済水域及び大陸棚の保全及び利用の促進のための低潮線の保全及び拠点施設の整備等に関する法律施行規則…………（平成二二年国土交通省令三五号）………四七九
○海洋再生可能エネルギー発電設備の整備に係る海域の利用の促進に関する法律…………………（平成三〇年法律八九号）………四八三
○海洋再生可能エネルギー発電設備の整備に係る海域の利用の促進に関する法律施行令…………（平成三一年政令四六号）………四九一
○海洋再生可能エネルギー発電設備の整備に係る海域の利用の促進に関する法律施行規則……（平成三一年経済産業・国土交通省令一号）………四九二
○国土交通省関係海洋再生可能エネルギー発電設備の整備に係る海域の利用の促進に関する法律施行規則……（平成三一年国土交通省令一七号）………四九五
○海洋再生可能エネルギー発電設備又はその維持管理の方法の基準に関し必要な事項を定める告示…………（令和二年国土交通省告示三八八号）………四九八
○海洋再生可能エネルギー発電設備等拠点港湾を指定した件…………（令和六年国土交通省告示三八一号）………五〇〇

地域特例

外貿埠頭

公有水面埋立・運河

海　岸

○**海岸法**……………(昭和三一年法律一〇一号)………五七一
○海岸法施行令………(昭和三一年政令三三二号)………五九一
○海岸法施行規則
………(昭和三一年農林・運輸・建設省令一号)………六〇〇
○海岸法第三十七条の二第一項の海岸を指定する政令……………(平成一一年政令一九三号)………六二〇
○海岸保全施設の技術上の基準を定める省令
……(平成一六年農林水産・国土交通省令一号)………六二〇
○海岸保全区域等に係る海岸の保全に関する基本的な方針
……(令和二年農林水産・国土交通省告示一号)………六二二

災害対策等

○緊急輸送を確保するため必要な港湾施設の基準及び円滑な避難を確保するため必要な海岸保全施設の基準を定める件
…………(昭和五五年運輸省告示三四六号)………六五一

環　境

○港湾環境影響評価の項目並びに当該項目に係る調査、予測及び評価を合理的に行うための手法を選定するための指針、環境の保全のための措置に関する指針等を定める省令
……………(平成一〇年運輸省令三九号)………六六一
○公有水面の埋立て又は干拓の事業に係る環境影響評価の項目並びに当該項目に係る調査、予測及び評価を合理的に行うための手法を選定するための指針、環境の保全のための措置に関する指針等を定める省令
…(平成一〇年農林水産・運輸・建設省令一号)………六七四
○**海洋汚染等及び海上災害の防止に関する法律**
……………(昭和四五年法律一三六号)………六九六
○海洋汚染等及び海上災害の防止に関する法律施行令……………(昭和四六年政令二〇一号)………七七三
○海洋汚染等及び海上災害の防止に関する法律施行規則(抄)………(昭和四六年運輸省令三八号)………八二四
○**広域臨海環境整備センター法**
……………………(昭和五六年法律七六号)………八四二

海上交通の安全

安全保障

港湾

○港湾法〈政省令対照、参照条文付〉

（昭和二十五年五月三十一日法律第二百十八号）

〔沿革〕　昭和二六年三月三〇日法律第六三号、六月四日第一九六号、**二七**年六月七日第一七一号、七月三一日第二五一号、**二八**年八月一〇日第一九四号、**二九**年五月一七日第一一号、**三一**年五月四日第九四号、一二日第一〇一号、**三二**年三月三〇日第二五号、**三四**年四月二〇日第一四八号、第一四九号、**三五**年六月三〇日第一一三号、**三六**年四月一七日第六五号、**三七**年五月一六日第一四〇号、九月一五日第一六一号、**三八**年六月八日第九九号、**三九**年七月一〇日第一六八号、**四〇**年五月二二日第八〇号、**四二**年七月二〇日第七三号、八月一日第一二七号、**四三**年六月一五日第一〇一号、**四五**年五月一九日第七六号、六月一日第一〇九号、一二月二五日第一三六号、**四六**年五月二六日第七〇号、**四八**年七月一七日第五四号、九月二〇日第八四号、**五一**年六月一日第四七号、**五三**年七月五日第八七号、**五四**年一二月二五日第七〇号、**五五**年五月七日第四一号、**五六**年四月二五日第二八号、**五八**年五月二六日第五八号、一二月二日第七八号、**五九**年八月一〇日第七一号、一二月二五日第八七号、**六〇**年五月一八日第三七号、**六一**年五月八日第四六号、一二月四日第九三号、**六二**年三月三一日第二一号、九月四日第八七号、**六三**年五月六日第三〇号、平成**元**年四月一〇日第二二号、**三**年三月三〇日第一五号、**五**年三月三一日第八号、一一月一二日第八九号、**六**年六月二九日第四九号、**一一**年七月一六日第八七号、一二月二二日第一六〇号、**一二**年三月三一日第三三号、**一四**年二月八日第一号、三月三一日第一四号、**一五**年五月一六日第四一号、**一六**年四月二一日第三六号、六月九日第八四号、**一七**年五月二〇日第四五号、七月二六日第八七号、**一八**年三月三一日第一八号、五月一七日第三八号、六月二日第五〇号、七日第五三号、**一九**年六月一日第七一号、**二〇**年六月一三日第六六号、**二二**年三月三一日第二〇号、六月二日第四一号、**二三**年三月三一日第九号、五月二日第三七号、二五日第五三号、八月三〇日第一〇五号、**二五**年六月五日第三一号、一四日第四四号、一一月二二日第七六号、**二六**年三月三一日第六号、五月一日第三三号、三〇日第四二号、六月四日第五一号、一三日第六九号、二七日第九一号、**二七**年六月二六日第四八号、**二八**年三月三一日第一四号、五月二〇日第四五号、**二九**年五月三一日第四一号、六月九日第五五号、**三〇**年一二月七日第八九号、令和**元**年五月三一日第一六号、六月一四日第三七号、一二月六日第六八号、**二**年六月一二日第四九号、**四**年三月三一日第七号、一一月一八日第八七号改正

注　令和四年六月一七日法律第六八号の改正は、令和七年六月一日から施行のため、現行の条文の次に改正後の条文を掲載いたしました。

※港湾法については、使用の便を図るため、港湾法の各条文に対応する同施行令及び同施行規則を当該条文の次に掲載してあります。

令　**○港湾法施行令**

（昭和二十六年一月十九日政令第四号）

最終改正　令和六年六月二一日政令第二二一号

規　**○港湾法施行規則**

（昭和二十六年十一月二十二日運輸省令第九十八号）

最終改正　令和六年四月三〇日国土交通省令第五八号

目　次

ページ

第一章　総則

（目的）

第一条　この法律は、交通の発達及び国土の適正な利用と均衡ある発展に資するため、環境の保全に配慮しつつ、港湾の秩序ある整備と適正な運営を図るとともに、航路を開発し、及び保全することを目的とする。

本条…全部改正〔昭和四八年七月法律五四号〕、一部改正〔平成一二年三月法律三三号〕

（定義）

第二条　この法律で「港湾管理者」とは、第二章第一節の規定により設立された港務局又は第三十三条の規定による地方公共団体をいう。

2　この法律で「国際戦略港湾」とは、長距離の国際海上コンテナ運送に係る国際海上貨物輸送網の拠点となり、かつ、当該国際海上貨物輸送網と国内海上貨物輸送網とを結節する機能が高い港湾であつて、その国際競争力の強化を重点的に図ることが必要な港湾として政令で定めるものをいい、「国際拠点港湾」とは、国際戦略港湾以外の港湾であつて、国際海上貨物輸送網の拠点となる港湾として政令で定めるものをいい、「重要港湾」とは、国際戦略港湾及び国際拠点港湾以外の港湾であつて、海上輸送網の拠点となる港湾その他の国の利害に重大な関係を有する港湾として政令で定めるものをいい、「地方港湾」とは、国際戦略港湾、国際拠点港湾及び重要港湾以外の港湾をいう。

3　この法律で「港湾区域」とは、第四条第四項又は第八項（これらの規定を第九条第二項及び第三十三条第二項において準用する場合を含む。）の規定による同意又は届出があつた水域をいう。

4　この法律で「臨港地区」とは、都市計画法（昭和四十三年法律第百号）第二章の規定により臨港地区として定められた地区又は第三十八条の規定により港湾管理者が定めた地区をいう。

5　この法律で「港湾施設」とは、港湾区域及び臨港地区内における第一号から第十一号までに掲げる施設並びに港湾の利用又は管理に必要な第十二号から第十四号までに掲げる施設をいう。

一　水域施設　航路、泊地及び船だまり

二　外郭施設　防波堤、防砂堤、防潮堤、導流堤、水門、閘門、護岸、堤防、突堤及び胸壁

三　係留施設　岸壁、係船浮標、係船くい、桟橋、浮桟橋、物揚場及び船揚場

四　臨港交通施設　道路、駐車場、橋梁、鉄道、軌道、運河及びヘリポート

五　航行補助施設　航路標識並びに船舶の入出港のための信号施設、照明施設及び港務通信施設

六　荷さばき施設　固定式荷役機械、軌道走行式荷役機械、荷さばき地及び上屋

七　旅客施設　旅客乗降用固定施設、手荷物取扱所、待合所及び宿泊所

八　保管施設　倉庫、野積場、貯木場、貯炭場、危険物置場及び貯油施設

八の二　船舶役務用施設　船舶のための給水施設及び動力源の供給の用に供する施設（第十三号に掲げる施設を除く。）、船舶修理施設並びに船舶保管施設

八の三　港湾情報提供施設　案内施設、見学施設その他の港湾の利用に関する情報を提供するための施設

九　港湾公害防止施設　汚濁水の浄化のための導水施設、公害防止用緩衝地帯その他の港湾における公害の防止のための施設

九の二　廃棄物処理施設　廃棄物埋立護岸、廃棄物受入施設、廃棄物焼却施設、廃棄物破砕施設、廃油処理施設その他の廃棄物の処理のための施設（第十三号に掲げる施設を除く。）

九の三　港湾環境整備施設　海浜、緑地、広場、植栽、休憩所その他の港湾の環境の整備のための施設

十　港湾厚生施設　船舶乗組員及び港湾における労働者の休泊所、診療所その他の福利厚生施設

十の二　港湾管理施設　港湾管理事務所、港湾管理用資材倉庫その他の港湾の管理のための施設（第十四号に掲げる施設を除く。）

十一　港湾施設用地　前各号の施設の敷地

十二　移動式施設　移動式荷役機械及び移動式旅客乗降用施設

十三　港湾役務提供用移動施設　船舶の離着岸を補助するための船舶並びに船舶のための給水及び動力源の供給並びに廃棄物の処理の用に供する船舶及び車両

十四　港湾管理用移動施設　清掃船、通船その他の港湾の管理のための移動施設

6　前項第一号から第十一号までに掲げる施設で、港湾区域及び臨港地区内にないものについても、国土交通大臣が港湾管理者の申請によつて認定したものは、港湾施設とみなす。

7　この法律で「港湾工事」とは、港湾施設を建設し、改良し、維持し、又は復旧する工事及びこれらの工事以外の工事で港湾における汚泥その他公害の原因となる物質の堆積の排除、汚濁水の浄化、漂流物の除去その他の港湾の保全のために行うものをいう。

8　この法律で「開発保全航路」とは、港湾区域及び河川法（昭和三十九年法律第百六十七号）第三条第一項に規定する河川の河川区域（以下単に「河川区域」という。）以外の水域における船舶の交通を確保するため開発及び保全に関する工事を必要とする航路をいい、その構造の保全並びに船舶の航行の安全及び待避のため必要な施設を含むものとし、その区域は、政令で定める。

9　この法律で「避難港」とは、暴風雨に際し小型船舶が避難のため停泊することを主たる目的とし、通常貨物の積卸し又は旅客の乗降の用に供せられない

港湾で、政令で定めるものをいう。

10　この法律で「埠頭」とは、岸壁その他の係留施設及びこれに附帯する荷さばき施設その他の国土交通省令で定める係留施設以外の港湾施設の総体をいう。

五項…一部改正・六項…追加・旧六・七項…七・八項に繰下〔昭和二六年六月法律一九六号〕、一項…一部改正〔昭和二七年六月法律一七一号〕、五・六項…一部改正〔昭和二九年五月法律一一一号〕、五項…一部改正〔昭和四二年八月法律一二七号〕、四項…一部改正〔昭和四三年六月法律一〇一号〕、五項…一部改正〔昭和四五年一二月法律一三六号〕、五・七項…一部改正〔昭和四六年五月法律七〇号〕、五・七項…一部改正・八項…追加・旧八項…九項に繰下〔昭和四八年七月法律五四号〕、四項…一部改正〔平成一一年七月法律八七号〕、六項…一部改正〔平成一一年一二月法律一六〇号〕、二・五項…一部改正〔平成一二年三月法律三三号〕、二項…一部改正〔平成一五年五月法律四一号〕、五項…一部改正〔平成一七年五月法律四五号〕、二項…全部改正〔平成二三年三月法律九号〕、三項…一部改正〔平成二三年五月法律三七号〕、一〇項…追加〔平成二三年三月法律九号〕、八項…一部改正〔平成二五年六月法律三一号〕、五項…一部改正〔平成二八年五月法律四五号〕、五・七・九項…一部改正〔令和四年一一月法律八七号〕

参照　二項・八項・九項〔政令〕令一・一の二、六項〔港湾施設の認定申請〕規則一、一〇項〔国土交通省令〕規則一の二

令（**国際戦略港湾、国際拠点港湾、重要港湾及び避難港**）

第一条　港湾法（以下「法」という。）第二条第二項に規定する国際戦略港湾、国際拠点港湾及び重要港湾並びに同条第九項に規定する避難港は、別表第一のとおりとする。

令（**開発保全航路**）

第一条の二　法第二条第八項に規定する開発保全航路の区域は、別表第二のとおりとする。

規（**港湾施設の認定申請**）

第一条　港湾法（昭和二十五年法律第二百十八号。以下「法」という。）第二条第六項の認定を受けようとする港湾管理者は、次に掲げる事項を記載した港湾施設認定申請書を国土交通大臣に提出するものとする。

一　当該港湾管理者の名称
二　認定を受けようとする施設の位置
三　認定を受けようとする施設の種類及び構造
四　認定を受けようとする施設が他の工作物と効用を兼ねるときはその概要
五　認定を必要とする理由

2　前項の申請書には、認定を受けようとする施設の位置図、平面図、縦断面図、横断面図及び構造図を添附するものとする。但し、当該施設の種類により、その必要がないときは、その一部を省略することができる。

規（**法第二条第十項の国土交通省令で定める港湾施設**）

第一条の二　法第二条第十項の国土交通省令で定める港湾施設は、岸壁その他の係留施設に附帯する次に掲げるものとする。

一　荷さばき施設
二　野積場
三　駐車場
四　旅客施設
五　前各号の施設の機能を確保するための護岸
六　船舶のための給水施設及び動力源の供給の用に供する施設
七　港湾管理事務所
八　当該岸壁その他の係留施設及び前各号の施設の敷地
九　移動式施設

（**特定貨物輸入拠点港湾の指定**）

第二条の二　国土交通大臣は、国際戦略港湾、国際拠点港湾又は重要港湾であつて、主として輸入されるばら積みの貨物（以下「輸入ばら積み貨物」という。）の海上運送の用に供され、又は供されることとなる国土交通省令で定める規模その他の要件に該当する埠頭（以下この項及び第五十条の六第二項第三号において「特定貨物取扱埠頭」という。）を有するもののうち、輸入ばら積み貨物の取扱量その他の国土交通省令で定める事情を勘案し、当該特定貨物取扱埠頭を中核として輸入ばら積み貨物の海上運送の共同化の促進に資する当該国際戦略港湾、国際拠点港湾又は重要港湾の効果的な利用の推進を図ることが我が国産業の国際競争力の強化のために特に重要なものを、特定貨物輸入拠点港湾として指定することができる。

2　国土交通大臣は、前項の規定による指定をしたときは、国土交通省令で定めるところにより、その旨を公示しなければならない。

3　国土交通大臣は、第一項の特定貨物輸入拠点港湾（以下単に「特定貨物輸入拠点港湾」という。）について指定の事由がなくなつたと認めるときは、当該特定貨物輸入拠点港湾について指定を取り消すものとする。

4　第二項の規定は、前項の規定による指定の取消しについて準用する。

本条…追加〔平成二五年六月法律三一号〕

参照　一項〔国土交通省令〕規則一の三・一の四、二項〔国土交通省令〕規則一の五

規（**法第二条の二第一項の国土交通省令で定める規模その他の要件**）

第一条の三　法第二条の二第一項の国土交通省令で定める規模その他の要件は、次の各号のいずれにも該当するもので

あることとする。

一　埠頭を構成する少なくとも一の係留施設の前面の泊地の水深が十四メートルを超えるものであることが、港湾計画において定められていること。

二　埠頭が同一の民間事業者により一体的に運営されること。

規（法第二条の二第一項の国土交通省令で定める事情）

第一条の四　法第二条の二第一項の国土交通省令で定める事情は、次の各号に掲げるものとする。

一　輸入ばら積み貨物であつて、その種類ごとの我が国における取扱量の現況及び将来の見通し、海上運送に係る特性その他の事情に照らし、海上運送の共同化を図ることが我が国産業の国際競争力強化に特に資すると認められるものが当該港湾において取り扱われること。

二　当該港湾における当該輸入ばら積み貨物の取扱量の現況及び将来の見通し並びに当該港湾の周辺地域における当該輸入ばら積み貨物の需要の現況に照らし、当該港湾が当該輸入ばら積み貨物の海上輸送網の拠点となるにふさわしいものであること。

三　当該特定貨物取扱埠頭を中核として当該輸入ばら積み貨物の海上運送の共同化の促進に資する当該港湾の効果的な利用の推進を図るため、港湾管理者、前条第二号に規定する民間事業者、当該輸入ばら積み貨物の荷主その他の関係者の連携が確保されること。

四　前条第一号に掲げるもののほか、当該港湾において、当該特定貨物取扱埠頭を中核として当該輸入ばら積み貨物の海上運送の共同化の促進に資する港湾の効果的な利用の推進を図るための施設の機能が確保されること。

規（特定貨物輸入拠点港湾の指定の公示）

第一条の五　法第二条の二第二項（同条第四項において準用する場合を含む。）の規定による指定の公示は、官報に掲載して行うものとする。

（国際旅客船拠点形成港湾の指定）

第二条の三　国土交通大臣は、主として本邦と本邦以外の地域の港との間の航路に就航する旅客船（以下「国際旅客船」という。）の利用に供され、又は供されることとなる国土交通省令で定める規模その他の要件に該当する埠頭（以下「国際旅客船取扱埠頭」という。）を有する港湾のうち、船舶乗降旅客数その他の国土交通省令で定める事情を勘案し、当該国際旅客船取扱埠頭を中核として官民の連携による国際旅客船の受入れの促進を図ることにより国際旅客船の寄港の拠点を形成することが我が国の観光の国際競争力の強化及び地域経済の活性化その他の地域の活力の向上のために特に重要なものを、国際旅客船拠点形成港湾として指定することができる。

2　国土交通大臣は、前項の規定による指定をしたときは、国土交通省令で定めるところにより、その旨を公示しなければならない。

3　国土交通大臣は、第一項の国際旅客船拠点形成港湾（以下この項及び第五十条の十六第一項において単に「国際旅客船拠点形成港湾」という。）について指定の事由がなくなつたと認めるときは、当該国際旅客船拠点形成港湾について指定を取り消すものとする。

4　第二項の規定は、前項の規定による指定の取消しについて準用する。

本条…追加〔平成二九年六月法律五五号〕

参照　一項〔国土交通省令〕規則一の六・一の七、二項〔国土交通省令〕規則一の八

規（法第二条の三第一項の国土交通省令で定める規模その他の要件）

第一条の六　法第二条の三第一項の国土交通省令で定める規模その他の要件は、次の各号のいずれにも該当するものであることとする。

一　総トン数五万トンの旅客船を係留することができる係留施設が確保されること。

二　旅客の利便の増進を図るための旅客施設及びこれに附帯する駐車場が確保されること。

規（法第二条の三第一項の国土交通省令で定める事情）

第一条の七　法第二条の三第一項の国土交通省令で定める事情は、次に掲げるものとする。

一　当該港湾における国際旅客船の乗降旅客数の将来の見通しその他の事情に照らし、当該港湾が国際旅客船の寄港の拠点を形成するにふさわしいものであること。

二　当該国際旅客船取扱埠頭を中核として国際旅客船の寄港の拠点を形成するため、港湾管理者及び国際旅客船の運航を行う事業者の連携が確保されること。

三　国際旅客船の受入れの円滑な促進を図るため、関係する地方公共団体その他の地域の関係者の協力が得られると見込まれること。

四　国際旅客船を受け入れることにより、地域経済の発展に相当程度寄与すると見込まれること。

規（国際旅客船拠点形成港湾の指定の公示）

第一条の八　法第二条の三第二項（同条第四項において準用する場合を含む。）の規定による指定の公示は、官報に掲載して行うものとする。

（海洋再生可能エネルギー発電設備等拠点港湾の指定）

第二条の四　国土交通大臣は、海洋再生可能エネルギー発電設備（海洋再生可能エネルギー発電設備の整備に係る海域の利用の促進に関する法律（平成三十年法律第八十九号）第二条第二項に規定する海洋再生可能エネルギー発電設備をいう。）又は港湾区域に設置される再生可能エネルギー源（再生可能エネルギー電気の利用の促進に関する特別措置法（平成二十三年法律第百八号）第二条第三項に規定する再生可能エネルギー源をいう。第三十七条の三第一項において同じ。）の利用に資する施設若しくは工作物（以下この項及び第五十五条の二第一項において「海洋再生可能エネルギー発電設備等」という。）の設置及び維持管理に必要な人員及び物資の輸送の用に供され、又は供されることとなる国土交通省令で定める規模その他の要件に該当する埠頭（以下「海洋再生可能エネルギー発電設備等取扱埠頭」という。）を有する港湾のうち、当該港湾の利用状況その他の国土交通省令で定める事情を勘案し、当該海洋再生可能エネルギー発電設備等取扱埠頭を中核として海洋再生可能エネルギー発電設備等の設置及び維持管理の円滑な実施の促進に資する当該港湾の効果的な利用の推進を図ることが我が国の経済社会の健全な発展及び国民生活の安定向上のために特に重要なものを、海洋再生可能エネルギー発電設備等拠点港湾として指定することができる。

2　国土交通大臣は、前項の規定による指定をしたときは、国土交通省令で定めるところにより、その旨を公示しなければならない。

3　国土交通大臣は、第一項の海洋再生可能エネルギー発電設備等拠点港湾（以下単に「海洋再生可能エネルギー発電設備等拠点港湾」という。）について指定の事由がなくなつたと認めるときは、当該海洋再生可能エネルギー発電設備等拠点港湾について指定を取り消すものとする。

4　第二項の規定は、前項の規定による指定の取消しについて準用する。

本条…追加〔令和元年一二月法律六八号〕、一項…一部改正〔令和二年六月法律四九号〕

参照　一項〔国土交通省令〕規則一の九・一の一〇、二項〔国土交通省令〕規則一の一一

規（法第二条の四第一項の国土交通省令で定める規模その他の要件）

第一条の九　法第二条の四第一項の国土交通省令で定める規模その他の要件は、次の各号のいずれにも該当するものであることとする。

一　係留施設及び荷さばき施設について、海洋再生可能エネルギー発電設備等の設置及び維持管理に使用することが予想される物資の組立て及び保管に対して必要な面積及び地盤の強度を有し、又は有することが見込まれること。

二　前号の物資の輸送の用に供される船舶において安全な荷役を行うのに必要な係留施設の構造の安定が損なわれないよう、必要な措置が講じられ、又は講じられることが見込まれること。

規（法第二条の四第一項の国土交通省令で定める事情）

第一条の一〇　法第二条の四第一項の国土交通省令で定める事情は、次に掲げるものとする。

一　当該港湾の利用状況、当該港湾及びその周辺の海域における海洋再生可能エネルギー発電設備等の出力の量の現況及び将来の見通しその他の事情に照らし、当該港湾が海洋再生可能エネルギー発電設備等の設置及び維持管理のための拠点となるにふさわしいものであること。

二　一以上の海洋再生可能エネルギー発電設備の整備に係る海域の利用の促進に関する法律（平成三十年法律第八十九号）第十条第一項の許可を受けた者が当該港湾を利用することが見込まれるものであること。

三　二以上の許可事業者（法第五十五条の二第一項に規定する許可事業者をいう。第十七条の十において同じ。）が当該港湾を利用することが見込まれるものであること。

規（海洋再生可能エネルギー発電設備等拠点港湾の指定の公示）

第一条の一一　法第二条の四第二項（同条第四項において準用する場合を含む。）の規定による指定の公示は、官報に掲載して行うものとする。

（漁港に関する規定）

第三条　この法律は、漁業の用に供する港湾として他の法律によつて指定された港湾には適用しない。但し、当該指定された港湾で、政令で定めるものについては、この限りでない。

本条…一部改正〔昭和二六年六月法律一九六号〕

参照　〔他の法律〕漁港及び漁場の整備等に関する法律五〔政令〕令一の三

令（漁業の用に供する港湾）

第一条の三　法第三条ただし書に規定する港湾は、別表第三のとおりとする。

第一章の二　港湾計画等

本章…追加〔昭和四八年七月法律五四号〕

（港湾及び開発保全航路の開発等に関する基本方針）

第三条の二　国土交通大臣は、港湾の開発、利用及び保全並びに開発保全航路の開発に関する基本方針（以下「基本方針」という。）を定めなければならない。

2　基本方針においては、次に掲げる事項を定めるものとする。

一　港湾の開発、利用及び保全の方向に関する事項

二　港湾の配置、機能及び能力に関する基本的な事項

三　開発保全航路の配置その他開発に関する基本的な事項

四　港湾の開発、利用及び保全並びに開発保全航路の開発に際し配慮すべき環境の保全に関する基本的な事項

五　経済的、自然的又は社会的な観点からみて密接な関係を有する港湾相互間の連携の確保に関する基本的な事項

六　官民の連携による港湾の効果的な利用に関する基本的な事項

七　民間の能力を活用した港湾の運営その他の港湾の効率的な運営に関する基本的な事項

3　基本方針は、交通体系の整備、国土の適正な利用及び均衡ある発展並びに国民の福祉の向上のため果たすべき港湾及び開発保全航路の役割を考慮するとともに、地球温暖化の防止及び気候の変動への適応並びに国際観光の振興のため果たすべき港湾及び開発保全航路の役割に配慮して定めるものとする。

4　国土交通大臣は、基本方針を定め、又は変更しようとするときは、関係行政機関の長に協議し、かつ、交通政策審議会の意見を聴かなければならない。

5　港湾管理者は、基本方針に関し、国土交通大臣に対し、意見を申し出ることができる。

6　国土交通大臣は、基本方針を定め、又は変更したときは、遅滞なく、これを公表しなければならない。

本条…追加〔昭和四八年七月法律五四号〕、四項…一部改正〔昭和五八年一二月法律七八号〕、一・四―六項…一部改正〔平成一一年一二月法律一六〇号〕、二項…一部改正〔平成一二年三月法律三三号・二三年三月九号〕、二・三項…一部改正〔平成二九年六月法律五五号〕、三項…一部改正〔令和四年一一月法律八七号〕

参照　一項〔国土交通省告示〕港湾の開発、利用及び保全並びに開発保全航路の開発に関する基本方針

（港湾計画）

第三条の三　国際戦略港湾、国際拠点港湾又は重要港湾の港湾管理者は、港湾の開発、利用及び保全並びに港湾に隣接する地域の保全に関する政令で定める事項に関する計画（以下「港湾計画」という。）を定めなければならない。

2　港湾計画は、基本方針に適合し、かつ、港湾の取扱可能貨物量その他の能力に関する事項、港湾の能力に応ずる港湾施設の規模及び配置に関する事項、港湾の環境の整備及び保全に関する事項、港湾の効率的な運営に関する事項その他の基本的な事項に関する国土交通省令で定める基準に適合したものでなければならない。

3　国際戦略港湾、国際拠点港湾又は重要港湾の港湾管理者は、港湾計画を定め、又は変更しようとするときは、地方港湾審議会の意見を聴かなければならない。

4　国際戦略港湾、国際拠点港湾又は重要港湾の港湾管理者は、港湾計画を定め、又は変更したとき（国土交通省令で定める軽易な変更をしたときを除く。）は、遅滞なく、当該港湾計画を国土交通大臣に提出しなければならない。

5　国土交通大臣は、前項の規定により提出された港湾計画について、交通政策審議会の意見を聴かなければならない。

6　国土交通大臣は、第四項の規定により提出された港湾計画が、基本方針又は第二項の国土交通省令で定める基準に適合していないと認めるとき、その他当該港湾の開発、利用又は保全上著しく不適当であると認めるときは、当該港湾管理者に対し、これを変更すべきことを求めることができる。

7　国土交通大臣は、第四項の規定により提出された港湾計画について前項の規定による措置を執る必要がないと認めるときは、その旨を当該港湾管理者に通知しなければならない。

8　国際戦略港湾、国際拠点港湾又は重要港湾の港湾管理者は、港湾計画について第四項の国土交通省令で定める軽易な変更をしたときは、遅滞なく、当該

港湾計画を国土交通大臣に送付しなければならない。

9　国際戦略港湾、国際拠点港湾又は重要港湾の港湾管理者は、第七項の規定による通知を受けたとき又は港湾計画について第四項の国土交通省令で定める軽易な変更をしたときは、遅滞なく、当該港湾計画の概要を公示しなければならない。

10　地方港湾の港湾管理者は、港湾計画を定め、又は変更したときは、遅滞なく、国土交通省令で定めるところにより、当該港湾計画の概要を公示しなければならない。

11　第三項の規定は、地方港湾の港湾管理者が港湾計画を定め、又は変更する場合に準用する。

本条…追加〔昭和四八年七月法律五四号〕、四・七項…一部改正・八・九項…追加・旧八・九項…一〇・一一項に繰下〔昭和五四年一二月法律七〇号〕、五項…一部改正〔昭和五八年一二月法律七八号〕、一・二・四－一〇項…一部改正〔平成一一年一二月法律一六〇号〕、一－四・八・九項…一部改正〔平成二三年三月法律九号〕

参照　一項〔政令〕令一の四、二項〔国土交通省令〕港湾計画の基本的な事項に関する基準を定める省令、四項・九項・一〇項〔国土交通省令〕規則一の一二・一の一三

令（港湾計画）

第一条の四　法第三条の三第一項の政令で定める事項は、次のとおりとする。

一　港湾の開発、利用及び保全並びに港湾に隣接する地域の保全の方針

二　港湾の取扱貨物量、船舶乗降旅客数その他の能力に関する事項

三　港湾の能力に応ずる水域施設、係留施設その他の港湾施設の規模及び配置に関する事項

四　港湾の環境の整備及び保全に関する事項

五　港湾の効率的な運営に関する事項

六　その他港湾の開発、利用及び保全並びに港湾に隣接する地域の保全に関する重要事項

規（港湾計画の軽易な変更）

第一条の一二　法第三条の三第四項の国土交通省令で定める軽易な変更は、当該港湾計画についての港湾法施行令（昭和二十六年政令第四号。以下「令」という。）第一条の四第三号から第六号までに掲げる事項のうち次に掲げるもの以外のものに係る変更とする。

一　第十五条の二十六第一項から第三項までに掲げる施設（規模又は配置の変更により当該施設となるものを含む。）に関する事項の追加、削除又は当該施設の規模若しくは配置に関する事項の変更

二　第十五条の二十六第一項及び第二項第三号に掲げる係留施設の用に供する荷さばき施設及び保管施設の敷地の面積が三ヘクタール以上増減することとなる規模に関する事項の変更及び当該係留施設の用に供する主要な荷役機械に関する事項の追加、削除又は主要な荷役機械の種類若しくは配置に関する事項の変更

三　面積二十ヘクタール以上の一団の土地の造成に関する事項の追加若しくは削除又は造成する土地の規模若しくは配置に関する事項の変更（当該港湾において造成する土地が複数存する場合であつて、その土地の面積の合計が二十ヘクタール以上増減することとなる土地の造成に関する事項の追加又は削除及び当該港湾において造成する土地の規模又は配置の変更に係る部分の土地が複数存する場合であつて、その土地の面積の合計が二十ヘクタール以上である規模又は配置に関する事項の変更を含む。）

四　面積二十ヘクタール以上の一団の土地に係る土地利用に関する事項の追加若しくは削除又は土地利用の区分に関する事項の変更（当該港湾の土地に係る土地利用に関する事項の追加又は削除が複数存する場合であつて、その土地の面積の合計が二十ヘクタール以上増減することとなる土地利用に関する事項の追加又は削除及び当該港湾の土地に係る土地利用の区分に関する事項の変更が複数存する場合であつて、その土地の面積の合計が二十ヘクタール以上である土地利用の区分に関する事項の変更を含む。）

五　第十五条の二十六第一項から第三項までに掲げる施設（利用形態の変更により同条第一項及び第二項第三号に掲げる係留施設となるものを含む。）の利用形態に関する事項の変更（当該施設に係る港湾の効率的な運営に関する事項の変更を含む。）

六　港湾計画の基本的な事項に関する基準を定める省令（昭和四十九年運輸省令第三十五号）第十六条及び第二十二条に規定する事項のうち、第十五条の二十六第一項から第三項までに規定する港湾施設に係るものの追加、削除又は変更

規（港湾計画の公示）

第一条の一三　法第三条の三第九項の規定による公示は、当該港湾計画に係る水域施設、外郭施設、係留施設その他の主要な港湾施設の種類、位置、規模及び用途、廃棄物の処理に関する計画その他当該港湾の開発、利用及び保全並びに当該港湾に隣接する地域の保全に関する主要な事項並びに当該港湾計画の縦覧の場所を公告することにより行う。ただし、港湾計画の変更の場合にあつては、当該変更に関する事項及び変更後の港湾計画の縦覧の場所を公告することにより行う。

2　前項の規定は、法第三条の三第十項の規定による公示について準用する。

（港湾計画の変更の提案）

第三条の四　第四十三条の十一第一項の規定による指定を受けた者は当該指定に係る国際戦略港湾の港湾管理者に対して、同条第六項の規定による指定を受けた者はその指定をした港湾管理者に対して、それぞれ港湾計画を変更することを提案することができる。この場合においては、基本方針に即して、当該提案に係る港湾計画の素案を作成して、これを提示しなければならない。

2　前項の規定による提案を受けた港湾管理者は、当該提案に基づき港湾計画を変更するか否かについて、遅滞なく、当該提案をした者に通知しなければならない。この場合において、港湾計画を変更しないこととするときは、その理由を明らかにしなければならない。

本条…追加〔平成二三年三月法律九号〕

第二章　港務局

第一節　港務局の設立等

（設立等）

第四条　現に当該港湾において港湾の施設を管理する地方公共団体、従来当該港湾において港湾の施設の設置若しくは維持管理の費用を負担した地方公共団体又は予定港湾区域を地先水面とする地域を区域とする地方公共団体（以下「関係地方公共団体」という。）は、単独で又は共同して、定款を定め、港務局を設立することができる。

2　前項の規定は、国及び地方公共団体以外の者が、水域施設及び外郭施設の全部又は大部分を維持管理している港湾においては、その者が関係地方公共団体のいずれかに港務局の設立を求めた場合を除きこれを適用しない。

3　港務局の設立を発起する関係地方公共団体は、その議会の議決を経た上、単独で又は共同して港務局を設立しようとする旨、予定港湾区域及び他の関係地方公共団体が意見を申し出るべき期間を公告し、かつ、他の関係地方公共団体から意見の申出があつたときは、これと協議しなければならない。この場合において、関係地方公共団体が意見を申し出るべき期間は、一月を下ることができない。

4　次の各号に掲げる港湾において港務局を設立しようとする関係地方公共団体は、前項の期間内に他の関係地方公共団体から同項の意見の申出がなかつたとき、又は同項の規定による関係地方公共団体の協議が議会の議決を経て調つたときは、港務局の港湾区域について、国土交通省令で定めるところにより、それぞれ当該各号に定める者に協議し、その同意を得なければならない。

一　国際戦略港湾、国際拠点港湾又は重要港湾　国土交通大臣

二　避難港であつて都道府県が港務局の設立に加わつているもの　国土交通大臣

三　前号に掲げるもの以外の避難港　予定港湾区域を地先水面とする地域を区域とする都道府県を管轄する都道府県知事

5　国土交通大臣又は都道府県知事は、河川区域又は海岸法（昭和三十一年法律第百一号）第三条の規定により指定される海岸保全区域の全部又は一部を含む港湾区域について、前項の同意をしようとするときは、当該河川を管理する河川法第七条に規定する河川管理者又は当該海岸保全区域を管理する海岸法第二条第三項に規定する海岸管理者に協議しなければならない。

6　国土交通大臣又は都道府県知事は、予定港湾区域が、当該水域を経済的に一体の港湾として管理運営するために必要な最小限度の区域であつて、当該予定港湾区域に隣接する水域を地先水面とする地方公共団体の利益を害せず、かつ、港則法（昭和二十三年法律第百七十四号）に基づく港の区域の定めのあるものについてはその区域を超えないものでなければ、第四項の同意をすることができない。ただし、同法に基づく港の区域の定めのある港湾について、経済的に一体の港湾として管理運営するために必要な最小限度の区域を定めるために同法に基づく港の区域を超えることがやむを得ないときは、当該港の区域を超えて同意をすることができる。

7　避難港以外の地方港湾において港務局を設立しようとする関係地方公共団体は、港湾区域について、当該水域を経済的に一体の港湾として管理運営するために必要な最小限度の区域であつて、当該港湾区域に隣接する水域を地先水面とする地方公共団体の利益を害せず、かつ、港則法に基づく港の区域の定めのあるものについてはその区域を超えないものを定めなければならない。ただし、同法に基づく港の区域の定めのある港湾について、経済的に一体の港

湾として管理運営するために必要な最小限度の区域を定めるために同法に基づく港の区域を超えることがやむを得ないときは、当該港の区域を超えた区域を定めることができる。

8　前項の関係地方公共団体は、第三項の期間内に他の関係地方公共団体から同項の意見の申出がなかつたとき、又は同項の規定による関係地方公共団体の協議が議会の議決を経て調つたときは、港務局の港湾区域について、国土交通省令で定めるところにより、国土交通大臣（都道府県が港務局の設立に加わつていない場合にあつては、当該港湾区域を地先水面とする地域を区域とする都道府県を管轄する都道府県知事）に届け出なければならない。

9　前項の規定による届出をしようとする関係地方公共団体は、河川区域又は海岸法第三条の規定により指定される海岸保全区域の全部又は一部を含む予定港湾区域について、あらかじめ、当該河川を管理する河川法第七条に規定する河川管理者又は当該海岸保全区域を管理する海岸法第二条第三項に規定する海岸管理者に協議しなければならない。

10　第三項の規定による協議が調わないときは、関係地方公共団体は、次の各号に掲げる争いの区分に応じ、それぞれ当該各号に定める者に申し出て、その調停を求めることができる。

一　国際戦略港湾、国際拠点港湾又は重要港湾に係る争い　国土交通大臣

二　地方港湾に係る争いであつて都道府県が争いの当事者であるもの　国土交通大臣

三　前二号に掲げるもの以外の港湾に係る争い　予定港湾区域を地先水面とする地域を区域とする都道府県を管轄する都道府県知事

11　前項の申出には、協議のてん末及び関係地方公共団体の意見を附さなければならない。

12　第十項の規定による申出があつたときは、国土交通大臣又は都道府県知事は、従来の沿革、関係地方公共団体の財政の事情、将来の発展の計画及び当該港湾の利用の程度その他当該港湾と、関係地方公共団体の関係を考慮し、かつ、国際戦略港湾、国際拠点港湾又は重要港湾については総務大臣に協議して調停する。

13　都道府県知事は、第四項の同意をしたとき若しくは第八項の規定による届出があつたとき又は前項の規定による調停をしたときは、遅滞なくその旨を国土交通大臣に報告しなければならない。

一・四・七項…一部改正・三項…全部改正〔昭和二六年六月法律一九六号〕、六項…一部改正〔昭和二七年六月法律一七一号〕、五項…一部改正〔昭和三一年五月法律一〇一号〕、九項…一部改正〔昭和三五年六月法律一一三号〕、五項…一部改正〔昭和三九年七月法律一六八号〕、六項…一部改正〔昭和四〇年五月法律八〇号〕、五項…一部改正〔昭和四八年七月法律五四号〕、四－七項・九・一〇項…一部改正〔平成一一年一二月法律一六〇号〕、二項…一部改正〔平成一二年三月法律三三号〕、四・九項…一部改正〔平成二三年三月法律九号〕、三－六項…一部改正・七－九項…追加・旧七・九・一〇項…一部改正し一〇・一二・一三項に繰下・旧八項…一一項に繰下〔平成二三年五月法律三七号〕

参照　四項・八項〔国土交通省令〕規則二・二の三、六項〔港則法に基づく港の区域の定め〕港則法施行令一、四項・五項・八項・一二項・一三項〔事務の区分〕六〇条の五

規　**（港湾区域についての同意を要する協議）**

第二条　法第四条第四項（法第三十三条第二項において準用する場合を含む。次条において同じ。）の規定により港湾区域について国土交通大臣又は都道府県知事に協議し、その同意を得ようとする地方公共団体は、次に掲げる事項を記載した港湾区域協議書を国土交通大臣又は都道府県知事に提出するものとする。

一　当該地方公共団体の名称

二　予定港湾区域

三　予定港湾区域と港則法（昭和二十三年法律第百七十四号）に基づく港の区域、河川法（昭和三十九年法律第百六十七号）第三条第一項に規定する河川の河川区域、海岸法（昭和三十一年法律第百一号）第三条の規定により指定される海岸保全区域又は漁港及び漁場の整備等に関する法律（昭和二十五年法律第百三十七号）第六条第一項から第四項までの規定により指定される漁港の区域との関係

四　当該港湾が国際戦略港湾、国際拠点港湾又は重要港湾であるか、避難港であるかの別

五　当該地方公共団体が港務局を設立するか、単独で港湾管理者となるか又は地方自治法（昭和二十二年法律第六十七号）第二百八十四条第二項若しくは第三項の地方公共団体を設立するかの別

六　法第四条第三項（法第三十三条第二項において準用する場合を含む。次項及び第二条の三において同じ。）の規定による関係地方公共団体の意見及びこれとの協議のてん末

2　前項の協議書には、次に掲げる書類及び図面を添付するものとする。

一　当該地方公共団体が法第四条第一項に規定する関係地方公共団体であることを証する書類

二　予定港湾区域を示す図面

三　前項第三号の関係を示す図面
四　当該港湾の港湾管理者の設立（単独で港湾管理者となる場合を含む。）に関する当該関係地方公共団体の議会の議事及び議決を記録した書面
五　法第四条第三項の規定による公告の写し
六　当該港湾の港湾管理者の組織を明らかにする書類
七　港務局、地方自治法第二百八十四条第二項若しくは第三項の地方公共団体又は法第三十五条の規定による委員会を設置しようとするときは、それと当該地方公共団体との間における業務処理に関する基本事項を記載した書類
八　臨港地区の指定を受け、又は定めようとするときは、当該予定地区を示す図面

規（港湾管理者の告示）
第二条の二　国土交通大臣は、国際戦略港湾、国際拠点港湾及び重要港湾について、法第四条第四項の港湾区域の同意を得て港湾管理者となつた者の名称を官報で告示するものとする。

規（港湾区域の届出）
第二条の三　法第四条第八項（法第三十三条第二項において準用する場合を含む。）の規定により港湾区域について届出をしようとする地方公共団体は、次に掲げる事項を記載した港湾区域届出書を国土交通大臣又は都道府県知事に提出するものとする。
一　当該地方公共団体の名称
二　港湾区域
三　港湾区域と港則法に基づく港の区域、河川法第三条第一項に規定する河川の河川区域、海岸法第三条の規定により指定される海岸保全区域又は漁港及び漁場の整備等に関する法律第六条第一項から第四項までの規定により指定される漁港の区域との関係
四　当該地方公共団体が港務局を設立するか、単独で港湾管理者となるか又は地方自治法第二百八十四条第二項若しくは第三項の地方公共団体を設立するかの別
五　法第四条第三項の規定による関係地方公共団体の意見及びこれとの協議のてん末
2　前項の届出書には、次に掲げる書類及び図面を添付するものとする。
一　当該地方公共団体が法第四条第一項に規定する関係地方公共団体であることを証する書類
二　港湾区域を示す図面
三　前項第三号の関係を示す図面
四　当該港湾の港湾管理者の設立（単独で港湾管理者となる場合を含む。）に関する当該関係地方公共団体の議会の議事及び議決を記録した書面
五　法第四条第三項の規定による公告の写し
六　当該港湾の港湾管理者の組織を明らかにする書類
七　港務局、地方自治法第二百八十四条第二項若しくは第三項の地方公共団体又は法第三十五条の規定による委員会を設置しようとするときは、それと当該地方公共団体との間における業務処理に関する基本事項を記載した書類
八　臨港地区の指定を受け、又は定めようとするときは、当該予定地区を示す図面

規（港湾区域の変更についての同意を要する協議）
第三条　法第九条第二項又は第三十三条第二項において準用する法第四条第四項の規定により港湾区域の変更について国土交通大臣又は都道府県知事に協議し、その同意を得ようとする港湾管理者は、次に掲げる事項を記載した港湾区域変更協議書を国土交通大臣又は都道府県知事に提出するものとする。
一　当該港湾管理者の名称
二　変更しようとする区域
三　変更しようとする区域と港則法に基づく港の区域、河川法第三条第一項に規定する河川の河川区域、海岸法第三条の規定により指定される海岸保全区域又は漁港及び漁場の整備等に関する法律第六条第一項から第四項までの規定により指定される漁港の区域との関係
四　変更を必要とする理由
2　前項の協議書には、同項第二号及び第三号に掲げる事項を示す図面並びに当該区域の新旧の対照を示す図面を添付するものとする。

規（港湾区域の変更の届出）
第三条の二　法第九条第二項又は第三十三条第二項において準用する法第四条第八項の規定により港湾区域の変更について届出をしようとする港湾管理者は、次に掲げる事項を記載した港湾区域変更届出書を国土交通大臣又は都道府県知事に提出するものとする。
一　当該港湾管理者の名称
二　変更する区域
三　変更する区域と港則法に基づく港の区域、河川法第三条第一項に規定する河川の河川区域、海岸法第三条の規定により指定される海岸保全区域又は漁港及び漁場の整備等に関する法律第六条第一項から第四項までの規定により指定される漁港の区域との関係
四　変更を必要とする理由
2　前項の届出書には、同項第二号及び第三号に掲げる事項を示す図面並びに当該区域の新旧の対照を示す図面を添付するものとする。

（法人格）
第五条　港務局は、営利を目的としない公法上の法人とする。

（定款）
第六条　港務局の定款には、左の事項を記載しなければ

ばならない。

一　名称
二　港務局を組織する地方公共団体
三　事務所の所在地
四　業務
五　港湾区域
六　委員の定数、任期、選任、罷免及び給与並びに委員会の議事に関する事項
七　事務局の組織及び職員に関する事項
八　財産及び会計に関する事項
九　港務局を組織する地方公共団体の出資又は経費の分担に関する事項
十　剰余金の処分及び損失の処理に関する事項
十一　公告の方法
十二　解散に関する事項

2　定款又はその変更は、港務局を組織する地方公共団体の議会の承認を受けなければ、その効力を生じない。

一項…一部改正〔昭和二九年五月法律一二一号〕

（登記）

第七条　港務局は、その設立、主たる事務所の所在地の変更その他政令で定める事項について、政令で定める手続により、登記しなければならない。

2　港務局に関して登記を必要とする事項は、登記の後でなければ、これをもつて第三者に対抗することはできない。

参照　一項〔政令〕組合等登記令

（成立）

第八条　港務局は、設立の登記をすることによつて成立する。

（港湾区域の公告等）

第九条　港務局は、成立後遅滞なくその旨及び港湾区域を公告しなければならない。港湾区域に変更があつたときも同様である。

2　第四条第四項から第九項までの規定は、港務局が港湾区域を変更しようとする場合に準用する。

3　国土交通大臣又は都道府県知事は、前項において準用する第四条第八項の規定による変更の届出のあつた港湾区域が同条第七項の規定に違反していると認めるときは、当該届出を行つた港務局に対し、港湾区域を変更すべきことを求めることができる。

4　港務局は、前項の規定による要求があつたときは、遅滞なく、港湾区域について、必要な変更を行わなければならない。

見出し…改正・二項…一部改正・三・四項…追加〔平成一三年五月法律三七号〕

（港務局の解散事由）

第九条の二　港務局は、定款で定めた解散事由の発生によつて解散する。

本条…追加〔平成一八年六月法律五〇号〕

（解散の特例等）

第一〇条　港務局の解散は、当該港湾について、地方公共団体が第三十三条第一項後段の規定により港湾管理者となるまでは、その効力を生じない。但し、港務局を組織する地方公共団体が当該港務局の解散について国土交通大臣の承認を受けた場合は、この限りでない。

2　港務局を組織する地方公共団体は、港務局が解散した場合において、第三十条第一項の債券に係る債務その他政令で定める債務が存するときは、定款の定めるところにより連帯してその債務を負担する。

本条…全部改正〔昭和二九年五月法律一二一号〕、一項…一部改正〔平成一一年一二月法律一六〇号〕

参照　一項〔国土交通大臣の承認〕規則三の二の二、二項〔政令〕令一二

令（港務局の債務）

第一二条　法第十条第二項の政令で定める債務は、借入金に係る債務であつて、その借入期間が一年をこえるものとする。

規（港務局の解散の特例に関する承認申請）

第三条の二の二　法第十条第一項但書の承認を受けようとする地方公共団体は、左に掲げる事項を記載した港務局の解散の特例に関する承認申請書を国土交通大臣に提出するものとする。

一　港務局の名称
二　港務局を組織する地方公共団体の名称
三　港務局の解散事由及び解散の時期
四　承認を必要とする理由

（清算中の港務局の能力）

第一〇条の二　解散した港務局は、清算の目的の範囲内において、その清算の結了に至るまではなお存続するものとみなす。

本条…追加〔平成一八年六月法律五〇号〕

（清算人）

第一〇条の三　港務局が解散したときは、委員がその

清算人となる。ただし、定款に別段の定めがあるとき、又は港務局を組織する地方公共団体の長が、当該地方公共団体の議会の同意を得て、委員以外の者を選任したときは、この限りでない。

本条…追加〔平成一八年六月法律五〇号〕

（裁判所による清算人の選任）

第一〇条の四　前条の規定により清算人となる者がないとき、又は清算人が欠けたため損害を生ずるおそれがあるときは、裁判所は、利害関係人若しくは検察官の請求により又は職権で、清算人を選任することができる。

本条…追加〔平成一八年六月法律五〇号〕

（清算人の解任）

第一〇条の五　重要な事由があるときは、裁判所は、利害関係人若しくは検察官の請求により又は職権で、清算人を解任することができる。

本条…追加〔平成一八年六月法律五〇号〕

（清算人及び解散の報告）

第一〇条の六　清算人は、その氏名及び住所並びに解散の原因及び年月日を港務局を組織する地方公共団体の議会に報告しなければならない。

２　清算中に就職した清算人は、その氏名及び住所を港務局を組織する地方公共団体の議会に報告しなければならない。

本条…追加〔平成一八年六月法律五〇号〕

（清算人の職務及び権限）

第一〇条の七　清算人の職務は、次のとおりとする。

一　現務の結了

二　債権の取立て及び債務の弁済

三　残余財産の引渡し

２　清算人は、前項各号に掲げる職務を行うために必要な一切の行為をすることができる。

本条…追加〔平成一八年六月法律五〇号〕

（債権の申出の催告等）

第一〇条の八　清算人は、その就職の日から二月以内に、少なくとも三回の公告をもつて、債権者に対し、一定の期間内にその債権の申出をすべき旨の催告をしなければならない。この場合において、その期間は、二月を下ることができない。

２　前項の公告には、債権者がその期間内に申出をしないときは清算から除斥されるべき旨を付記しなければならない。ただし、清算人は、知れている債権者を除斥することができない。

３　清算人は、知れている債権者には、各別にその申出の催告をしなければならない。

４　第一項の公告は、官報に掲載してする。

本条…追加〔平成一八年六月法律五〇号〕

（期間経過後の債権の申出）

第一〇条の九　前条第一項の期間の経過後に申出をした債権者は、港務局の債務が完済された後まだ権利の帰属すべき者に引き渡されていない財産に対してのみ、請求をすることができる。

本条…追加〔平成一八年六月法律五〇号〕

（残余財産の帰属）

第一〇条の一〇　解散した港務局の財産は、定款で指定した者に帰属する。

２　定款で権利の帰属すべき者を指定せず、又はその者を指定する方法を定めなかつたときは、清算人は、港務局を組織する地方公共団体の議会の同意を得て、その港務局の目的に類似する目的のために、その財産を処分することができる。

３　前二項の規定により処分されない財産は、港務局を組織する地方公共団体の財産に帰属する。

本条…追加〔平成一八年六月法律五〇号〕

（裁判所による監督）

第一〇条の一一　港務局の解散及び清算は、裁判所の監督に属する。

２　裁判所は、職権で、いつでも前項の監督に必要な検査をすることができる。

本条…追加〔平成一八年六月法律五〇号〕

（清算結了の報告）

第一〇条の一二　清算が結了したときは、清算人は、その旨を港務局を組織する地方公共団体の議会に報告しなければならない。

本条…追加〔平成一八年六月法律五〇号〕

（特別代理人の選任等に関する事件の管轄）

第一〇条の一三　次に掲げる事件は、港務局の主たる事務所の所在地を管轄する地方裁判所の管轄に属する。

一　特別代理人の選任に関する事件

二　港務局の解散及び清算の監督に関する事件

三　清算人に関する事件

本条…追加〔平成一八年六月法律五〇号〕

（不服申立ての制限）

第一〇条の一四　清算人の選任の裁判に対しては、不服を申し立てることができない。

本条…追加〔平成一八年六月法律五〇号〕

（裁判所の選任する清算人の報酬）

第一〇条の一五　裁判所は、第十条の四の規定により清算人を選任した場合には、港務局が当該清算人に対して支払う報酬の額を定めることができる。この場合においては、裁判所は、当該清算人（監事を置く港務局にあつては、当該清算人及び監事）の陳述を聴かなければならない。

本条…追加〔平成一八年六月法律五〇号〕

（一般社団法人及び一般財団法人に関する法律の準用）

第一一条　一般社団法人及び一般財団法人に関する法律（平成十八年法律第四十八号）第四条及び第七十八条の規定は、港務局について準用する。

本条…一部改正〔昭和二七年六月法律一七一号・平成一七年七月八七号〕、全部改正〔平成一八年六月法律五〇号〕

第二節　港務局の業務

（業務）

第一二条　港務局は、次の業務を行う。

一　港湾計画を作成すること。

二　港湾区域及び港務局の管理する港湾施設を良好な状態に維持すること（港湾区域内における漂流物、廃船その他船舶航行に支障を及ぼすおそれがある物の除去及び港湾区域内の水域の清掃その他の汚染の防除を含む。）。

三　港湾の開発、利用及び保全並びに港湾に隣接する地域の保全のため必要な港湾施設（第十一号の三に掲げる施設以外の廃棄物処理施設を除く。）の建設及び改良に関する港湾工事をすること。

三の二　前号に掲げるもののほか、港湾区域内又は臨港地区内における水面の埋立て、盛土、整地等による土地の造成又は整備を行うこと。

四　委託により、国又は地方公共団体の所有に属する港湾施設（港湾の運営に必要な土地を含む。）であつて一般公衆の利用に供するものを管理すること。

四の二　水域施設の使用に関し必要な規制を行うこと。

五　一般公衆の利用に供する係留施設のうち一般公衆の利便を増進するため必要なものを自ら運営し、及びこれを利用する船舶に対し係留場所の指定その他使用に関し必要な規制を行うこと。

五の二　港湾区域内における入港船又は出港船から入港届又は出港届を受理すること。

六　消火、救難及び警備に必要な設備を設け、並びに港湾区域内に流出した油の防除に必要なオイルフェンス、薬剤その他の資材を備えること。

七　港湾の開発、利用及び保全のため必要な調査研究及び統計資料の作成を行い、並びに当該港湾の利用を宣伝すること。

八　船舶に対する給水、離着岸の補助、船舶の廃油の処理その他船舶に対する役務が、他の者によつて適当かつ十分に提供されない場合において、これらの役務を提供すること。

九　港務局が管理する港湾施設で、一般公衆の利用に供することを要せず、又は自ら運営することを適当としないものを貸し付けること。

十　港務局が管理する上屋、荷役機械等の港湾施設を使用して港湾運営に必要な役務を提供する者に対し、貨物の移動を円滑に行い又は港湾施設の有効な利用を図るため当該施設の使用を規制すること。

十一　港湾運営に必要な役務の提供をあつせんすること。

十一の二　前号に掲げるもののほか、港湾区域及び臨港地区内における貨物の積卸し、保管、荷さばき及び運送の改善についてあつせんすること。

十一の三　廃棄物埋立護岸、海洋性廃棄物処理施設（船舶若しくは海洋汚染等及び海上災害の防止に関する法律（昭和四十五年法律第百三十六号）第三条第十号に規定する海洋施設において生じた廃棄物（同法第四十四条に規定する廃有害液体物質等を含む。）又は第二号に掲げる業務の実施その他海洋における汚染の防除により収集された廃棄物の処理のための施設で廃棄物埋立護岸以外のものをいう。以下同じ。）、廃油処理施設（同法第三条第十四号に規定する廃油処理施設をいう。）及び排出ガス処理施設（同法第四十四条に規定する排出ガス処理施設をいう。）を管理運営すること。

十二　船舶乗組員又は港湾における労働者の休泊所等これらの者の福利厚生を増進するための施設を

設置し、又は管理すること。

十三　港湾の利用に必要な役務及び施設に関する所定の料金を示す最新の料率表を作成し、及び公表すること。

十四　その他前各号の業務を行うため必要な業務

2　前項第五号の二に規定する入港届又は出港届に関し必要な事項は、港務局を組織する地方公共団体のうち定款で定めるものの条例で定める。

3　前項の条例の制定は、当該港務局の作成した原案を尊重してこれをしなければならない。

4　第一項第十三号に規定する料率表においては、港務局が自ら定めた料金に係る料率のほか、第四十五条第一項若しくは第二項（第五十条の二十一において準用する場合を含む。）の規定により提出を受けた書面に記載された料率又は第四十五条第五項の規定による通知に係る料率を記載しなければならない。

5　港務局は、国土交通省令で定めるところにより、その管理する港湾施設の概要を公示しなければならない。

一項…一部改正・二・三項…追加・旧二項…一部改正し四項に繰下〔昭和二六年六月法律一九六号〕、一項…一部改正・五項…追加〔昭和二九年五月法律一一一号〕、一項…一部改正〔昭和四二年八月法律一二七号・四八年七月五四号・五一年六月四七号・五五年五月四一号・五八年五月五八号〕、五項…一部改正〔平成一一年一二月法律一六〇号〕、一項…一部改正〔平成一二年五月法律三三号・一六年四月三六号・一七年五月四五号〕、四項…全部改正〔平成二三年三月法律九号〕、一部改正〔平成二九年六月法律五五号〕

参照　五項〔国土交通省令〕規則三の三

規（港湾施設の公示）

第三条の三　法第十二条第五項の規定により公示しなければならない事項は、港湾施設の種類、位置、数量及び能力とする。

2　前項の公示しなければならない事項のうち図面により表示することができるものは、図面により表示するものとする。

（規程）

第一二条の二　港務局は、法令又は当該港務局を組織する地方公共団体の条例若しくは規則に違反しない限りにおいて、その権限に属する事務に関し、規程を定めることができる。

本条…追加〔昭和二九年五月法律一一一号〕

（私企業への不干与等）

第一三条　港務局は、港湾運送業、倉庫業その他輸送及び保管に関連する私企業の公正な活動を妨げ、その活動に干渉し、又はこれらの者と競争して事業を営んではならない。

2　港務局は、何人に対しても施設の利用その他港湾の管理運営に関し、不平等な取扱をしてはならない。

第三節　港務局の組織

（委員会）

第一四条　港務局に、委員会を置く。

（委員会の権限及び責任）

第一五条　委員会は、港務局の施策を決定し、港務局の事務の運営を指導統制する。

（委員会の組織及び委員の任命）

第一六条　委員会は、定款の定めるところにより七人以内の委員をもつて組織する。

2　港務局を組織する地方公共団体の数が三をこえるものに置かれる委員会にあつては、前項の規定にかかわらず、十一人に達するまで委員の数を増加することができる。

3　前二項の委員は、港湾に関し十分な知識と経験を有する者又は声望のある者のうちから、港務局を組織する地方公共団体の長が、当該地方公共団体の議会の同意を得て任命する。

4　第一項及び第二項に規定する委員の定数は、次条第一項第二号但書の規定による委員の数の倍数をこえるものでなければならない。

旧二項…一部改正し三項に繰下・二項…追加〔昭和二六年六月法律一九六号〕、二項…全部改正・四項…追加〔昭和二七年六月法律一七一号〕

（委員の欠格条件）

第一七条　左の各号の一に該当する者は、委員になることができない。

一　国会議員

二　地方公共団体の議会の議員。但し、港務局を組織する地方公共団体のそれぞれの議会が推薦した議員の中から、一地方公共団体について一人の委員を限り、委員を任命する場合は、この限りでない。

三　港務局の工事の請負を業とする者又はこれらの者が法人であるときはその役員若しくは名称の如何にかかわらず役員と同等以上の職権若しくは支配力を有する者（任命の日以前一年間においてこ

れらに該当した者を含む。）

四　前号に掲げる事業者の団体の役員又は名称の如何にかかわらず役員と同等以上の職権又は支配力を有する者（任命の日以前一年間においてこれらに該当した者を含む。）

2　委員が、前項各号の一に該当するに至つたときは、退職しなければならない。

一項…一部改正〔昭和二六年六月法律一九六号・二七年六月一七一号〕

（委員の任期）

第一八条　委員の任期は、三年以内とする。但し、補欠の委員の任期は、前任者の残任期間とする。

2　委員は、再任されることができる。

3　港務局設立後最初に任命される委員の任期は、多数の委員が同時に退任することがないように、任命の時において、港務局を組織する地方公共団体の長が定める。

（委員の罷免）

第一九条　港務局を組織する地方公共団体の長は、委員が心身の故障のため職務の執行ができないと認める場合又は委員に職務上の義務違反その他委員たるに適しない非行があると認める場合においては、当該地方公共団体の議会の同意を得て、これを罷免することができる。

（委員長）

第二〇条　委員会に、委員長を置き、委員の互選によつて定める。

2　委員長は、委員会の会議を総理する。

（議決方法）

第二一条　委員会の議事は、全委員の過半数で決する。

2　委員は、委員会の決定するところにより、自己に特別の利害関係を有する事項に関しては、議決に加わることができない。

一項…全部改正〔昭和二九年五月法律一一一号〕

（監事）

第二二条　港務局に、定款の定めるところにより監事を置くことができる。

2　第十六条第三項、第十七条及び第十九条の規定は、監事の任免に準用する。

二項…一部改正〔昭和二六年六月法律一九六号・二九年五月一一一号〕

（委員長等の職務及び権限）

第二三条　委員長は、港務局を代表し、港務局の長としてその業務を総理するとともに、法令又は第五十六条の三の二の条例によりその権限に属させられた港湾の開発、利用、保全及び管理に関する事務を行う。

2　委員長以外の委員は、定款の定めるところにより、港務局を代表し、委員長を補佐して港務局の業務を掌理し、委員長に事故があるときにはその職務を代理し、委員長が欠員のときにはその職務を行う。

3　監事は、港務局の業務を監査する。

一項…全部改正〔昭和二九年五月法律一一一号〕、一項…一部改正〔昭和四八年七月法律五四号・令和四年一一月八七号〕

（委員の代理権の制限）

第二三条の二　委員の代理権に加えた制限は、善意の第三者に対抗することができない。

本条…追加〔平成一八年六月法律五〇号〕

（利益相反行為）

第二三条の三　港務局と委員との利益が相反する事項については、委員は、代理権を有しない。この場合においては、裁判所は、利害関係人又は検察官の請求により、特別代理人を選任しなければならない。

本条…追加〔平成一八年六月法律五〇号〕

（事務局）

第二四条　港務局に、その事務を処理させるため、定款の定めるところにより、事務局を置き、所要の職員を置く。

（地方港湾審議会）

第二四条の二　委員長の諮問に応じ、当該港湾に関する重要事項を調査審議させるため、国際戦略港湾、国際拠点港湾又は重要港湾の港務局に、地方港湾審議会を置くものとし、地方港湾の港務局に、必要に応じ、第十二条の二の規程で定めるところにより、地方港湾審議会を置くものとする。

2　地方港湾審議会の名称、組織及び運営に関し必要な事項は、第十二条の二の規程で定める。

本条…追加〔昭和四八年七月法律五四号〕、一項…一部改正〔平成二三年三月法律九号〕

（委員長等の給与）

第二五条　港務局は、常勤する委員、監事及び職員に対して、給与を支払わなければならない。

2　前項の給与の額は、その職務の内容と責任に応ずるものでなければならず、且つ、当該地方における同様な職務に従事する者の給与と同等の基準において定められなければならない。但し、港務局を組織する地方公共団体の長（該当者が二人以上ある場合は、高い給与を受けている者）の給与をこえるものであつてはならない。

3　第一項の給与を受ける委員及び監事は、報酬を得て他の業務に従事してはならない。

（公務員たるの性質）

第二六条　委員、監事及び職員は、刑罰法規の適用については、法令により公務に従事する者とみなす。

（港務局を組織する地方公共団体が二以上あるときの委員等の任免）

第二七条　港務局を組織する地方公共団体が二以上あるときは、第十六条第三項、第十七条第一項第二号但書、第十八条第三項、第十九条及び第二十二条第二項の規定による委員及び監事の任免に関する地方公共団体の長及び議会の権限の行使については、港務局の定款で定めなければならない。

本条…一部改正〔昭和二六年六月法律一九六号〕

第四節　港務局の財務

（出資）

第二八条　港務局を組織する地方公共団体以外の者は、当該港務局に出資することができない。

（財務原則）

第二九条　港務局がその業務を行うために要する経費（港湾工事に要する経費を除く。）は、その管理する港湾施設等の使用料及び賃貸料並びに港務局の提供する給水等の役務の料金その他港湾の管理運営に伴う収入をもつて、まかなわなければならない。

（債券発行等）

第三〇条　港務局は、港湾施設の建設、改良又は復旧の費用に充てるため、債券を発行することができる。

2　地方財政法（昭和二十三年法律第百九号）第五条の三第一項、第二項及び第十項（許可をするかどうかを判断するために必要とされる基準に係る部分に限る。）並びに第五条の四第一項（第一号及び第二号を除く。）、第二項及び第六項（同法第五条の三第一項ただし書に係る部分に限る。）の規定は、前項の場合に準用する。この場合において、同法第五条の四第一項各号列記以外の部分中「次に掲げる地方公共団体」とあるのは、「次に掲げる港務局及び当該年度の前年度に生じた損失について港湾法（昭和二十五年法律第二百十八号）第三十一条第二項の規定による補てんを受けた港務局」と読み替えるものとする。

3　港務局は、第一項の規定により発行した債券の償還に充てるため、毎事業年度、定款の定めるところにより償還準備金を積み立てなければならない。

4　前項の償還準備金は、債券の償還の目的以外に使用してはならない。

二項…全部改正〔平成一一年七月法律八七号〕、一部改正〔平成二三年八月法律一〇五号・二八年三月一四号〕

（損益の処理）

第三一条　港務局は、剰余金を前条の償還準備金及び欠損補充のための準備金として積み立ててなお残額があるときは、その金額を、定款の定めるところにより港務局を組織する地方公共団体に納付しなければならない。

2　港務局を組織する地方公共団体は、港務局に損失を生じた場合において前項の欠損補充のための準備金をこれに充ててなお不足額があるときは、定款の定めるところによりその不足額を補てんしなければならない。

（財産目録等）

第三二条　港務局は、毎事業年度終了後二箇月以内に、財産目録、貸借対照表及び損益計算書を作成し、港務局を組織する地方公共団体に提出しなければならない。

第三章　港湾管理者としての地方公共団体

（港湾管理者としての地方公共団体の決定等）

第三三条　関係地方公共団体は、港務局を設立しない港湾について、単独で港湾管理者となり、又は港湾管理者として地方自治法（昭和二十二年法律第六十七号）第二百八十四条第二項若しくは第三項の地方公共団体を設立することができる。港務局の設立されている港湾において、当該港務局が定款の定めるところにより解散しようとする場合も同様である。

2　第四条第二項から第十三項までの規定は、前項の場合に、同条第四項から第九項までの規定は、港湾管理者としての地方公共団体が港湾区域を変更する場合に、第九条第一項の規定は、港湾管理者としての地方公共団体が港湾区域を定め、又はこれを変更した場合に準用する。この場合において、第四条第三項中「港務局の設立を発起する関係地方公共団体」とあるのは「単独で港湾管理者となり、又は港湾管理者としての地方自治法第二百八十四条第二項若しくは第三項の地方公共団体の設立を発起する関係地方公共団体」と読み替えるものとする。

本条…全部改正〔昭和二六年六月法律一九六号〕、一項…一部改正〔昭和二九年五月法律一一一号〕、一・二項…一部改正〔平成六年六月法律四九号〕、一項…一部改正〔平成一一年七月法律八七号〕、二項…一部改正〔平成二三年五月法律三七号〕

（業務）

第三四条　港湾管理者としての地方公共団体の業務に関しては、第十二条及び第十三条の規定を準用する。

（委員会）

第三五条　港湾管理者としての地方公共団体は、前条の規定による業務を執行する機関として、委員会を置くことができる。

2　委員会の名称、組織及び権限は、条例で定める。

三項…追加〔昭和二九年五月法律一一一号〕、一部改正〔平成一一年一二月法律一六〇号〕、三項…削除〔平成二五年六月法律四四号〕

（地方港湾審議会）

第三五条の二　港湾管理者としての地方公共団体の長（当該地方公共団体に前条第一項の委員会が設置されているときは、その委員会）の諮問に応じ、当該港湾に関する重要事項を調査審議させるため、国際戦略港湾、国際拠点港湾又は重要港湾の港湾管理者としての地方公共団体に、地方港湾審議会を置くものとし、地方港湾の港湾管理者としての地方公共団体に、必要に応じ、条例で定めるところにより、地方港湾審議会を置くものとする。

2　地方港湾審議会の名称、組織及び運営に関し必要な事項は、条例で定める。

本条…追加〔昭和四八年七月法律五四号〕、一項…一部改正〔平成二三年三月法律九号〕

（港務局が成立した場合等）

第三六条　地方公共団体が第三十三条の規定により港湾管理者であつた港湾について、港務局が成立したとき又は他の地方公共団体が、第三十三条の規定により港湾管理者となつたときは、新たに港湾管理者になつた者の港湾区域内にあつては、従来港湾管理者であつた地方公共団体は、港湾管理者としての地位を失う。

2　前項の規定は、港務局が港湾管理者であつた港湾について、地方公共団体が、第三十三条第一項後段の規定により港湾管理者となつた場合に準用する。

二項…追加〔昭和二九年五月法律一一一号〕

第四章　港湾区域及び臨港地区

（港湾区域内の工事等の許可）

第三七条　港湾区域内において又は港湾区域に隣接する地域であつて港湾管理者が指定する区域（以下「港湾隣接地域」という。）内において、次の各号のいずれかに該当する行為をしようとする者は、港湾管理者の許可を受けなければならない。ただし、公有水面埋立法（大正十年法律第五十七号）第二条第一項の規定による免許を受けた者が免許に係る水域についてこれらの行為をする場合は、この限りでない。

一　港湾区域内の水域（政令で定めるその上空及び水底の区域を含む。以下同じ。）又は公共空地（以下「港湾区域内水域等」という。）の占用

二　港湾区域内水域等における土砂の採取

三　水域施設、外郭施設、係留施設、運河、用水渠又は排水渠の建設又は改良（第一号の占用を伴うものを除く。）

四　前各号に掲げるものを除き、港湾の開発、利用又は保全に著しく支障を与えるおそれのある政令で定める行為

2　港湾管理者は、前項の行為が、港湾の利用若しくは保全に著しく支障を与え、又は第三条の三第九項若しくは第十項の規定により公示された港湾計画の遂行を著しく阻害し、その他港湾の開発発展に著しく支障を与えるものであるときは、許可をしてはならず、また、政令で定める場合を除き、港湾管理者の管理する水域施設について前項第一号の水域の占用又は同項第四号の行為の許可をしてはならない。

3　国又は地方公共団体が、第一項の行為をしようとする場合には、第一項中「港湾管理者の許可を受け」とあるのは「港湾管理者と協議し」と、前項中「許可をし」とあるのは「協議に応じ」と読み替えるものとする。

4　港湾管理者は、条例又は第十二条の二の規程で定めるところにより、港湾区域内水域等に係る第一項第一号又は第二号の許可を受けた者から占用料又は

土砂採取料を徴収することができる。ただし、前項に規定する者の協議に係るものについては、この限りでない。

5　港湾管理者は、条例又は第十二条の二の規程で定めるところにより、詐偽その他不正の行為により、前項の占用料又は土砂採取料の徴収を免かれた者からその徴収を免かれた金額の五倍に相当する金額以下の過怠金を徴収することができる。

6　第四項の占用料、土砂採取料又は前項の過怠金は、当該港湾管理者の収入に帰属するものとする。

一・三項…一部改正・二項…全部改正〔昭和二六年六月法律一九六号〕、一・二・四項…一部改正・五項…追加〔昭和二七年六月法律一七一号〕、三項…一部改正〔昭和二七年七月法律二五一号〕、一・四項…全部改正・二・三項…一部改正・五項…追加・旧五項…一部改正し六項に繰下〔昭和二九年五月法律一一一号〕、三項…一部改正〔昭和三一年五月法律九四号・四二年七月七三号〕、一・二項…一部改正〔昭和四八年七月法律五四号〕、一項…一部改正〔昭和四八年九月法律八四号〕、二項…一部改正〔昭和五四年一二月法律七〇号〕、三項…一部改正〔昭和五九年八月法律七一号・一二月八七号・六一年一二月九三号〕、一―五項…一部改正〔平成一一年七月法律八七号〕、一項…一部改正〔平成一一年一二月法律一六〇号〕、一・四項…一部改正〔平成一二年三月法律三三号〕、〔平成二八年五月法律四五号〕

参照　一項一号・四号・二項〔政令〕令一三・一四・一五、一項・三項〔港湾管理者の許可〕規則三の四

令（港湾区域内の工事等の許可）

第一三条　法第三十七条第一項第一号の政令で定める区域は、水域の上空百メートルまでの区域及び水底下六十メートルまでの区域とする。

令

第一四条　法第三十七条第一項第四号の政令で定める行為は、次の各号に掲げるものとする。

一　港湾管理者が指定する護岸、堤防、岸壁、さん橋又は物揚場の水際線から二十メートル以内の地域においてする構築物（載荷重が港湾管理者が指定する重量を超えるものに限る。）の建設（改築により載荷重がその指定する重量を超えることとなる場合を含む。）又は改築（載荷重を増加させることとなる場合に限る。）

二　港湾管理者が指定する廃物の投棄

三　動力を用いて地下水を採取するための施設であつて、揚水機の吐出口の断面積の合計が六平方センチメートルを超え、かつ、そのストレーナーの位置が港湾管理者が指定する位置より浅い位置にあるもの（工業用水法（昭和三十一年法律第百四十六号）第二条に規定する工業の用に供する地下水を採取するための井戸であつて同法第三条第一項に規定する指定地域内のもの及び建築物用地下水の採取の規制に関する法律（昭和三十七年法律第百号）第二条に規定する建築物用地下水を採取するための揚水設備であつて同法第四条第一項に規定する指定地域内のものを除く。以下「揚水施設」という。）の建設（揚水機の吐出口の断面積の合計を大きくし、又はストレーナーの位置を浅くすることにより揚水施設となる場合を含む。）又は改良（揚水機の吐出口の断面積の合計を大きくし、又はストレーナーの位置を浅くすることとなる場合に限る。）

令

第一五条　法第三十七条第二項の政令で定める場合は、次の各号に掲げる場合とする。

一　水域施設、外郭施設、係留施設、臨港交通施設又は航行補助施設の建設、改良、維持又は復旧の工事のため水域の占用が必要となる場合

二　沈没船等の引揚のため水域の占用が必要となる場合

三　港湾管理者が指定する行為のため水域の占用が必要となる場合

規（港湾区域内等における技術基準対象施設の建設等の許可）

第三条の四　法第三十七条第一項の港湾管理者の許可を受けようとする者は、次に掲げる書類（技術基準対象施設（法第五十六条の二の二第一項に規定する技術基準対象施設をいう。以下同じ。）の建設又は改良を行おうとする者以外の者にあつては、第四号に掲げる書類に限る。）を港湾管理者に提出するものとする。

一　次に掲げる事項を示し又は記載した書類

イ　建設又は改良を行おうとする技術基準対象施設の諸元及び要求性能（技術基準対象施設に必要とされる性能をいう。以下同じ。）

ロ　建設又は改良を行おうとする技術基準対象施設への作用及びその設定の根拠

ハ　イ及びロの照査方法

二　建設又は改良を行おうとする技術基準対象施設の施工方法、施工管理方法及び安全管理方法を記載した書類

三　建設又は改良を行おうとする技術基準対象施設を適切に維持するための維持管理方法を記載した書類

四　前三号に掲げるもののほか、港湾管理者が必要と認める書類

2　前項の規定は、法第三十七条第三項の規定により港湾管理者と協議しようとする者について準用する。この場合において、前項中「港湾管理者の許可を受け」とあるのは「港湾管理者と協議し」と読み替えるものとする。

（港湾隣接地域）

第三七条の二　前条第一項の規定による港湾隣接地域の指定は、港湾区域外百メートル以内の地域内の区域について、当該港湾区域及び港湾区域に隣接する地域を保全するため必要な最小限度の範囲でしなければならない。

2　港湾管理者は、港湾隣接地域を指定しようとするときは、あらかじめ期日、場所及び指定しようとする地域を公告して、公聴会を開き、当該地域に利害関係を有する者にその指定に関する意見を述べる機会を与えなければならない。港湾隣接地域を変更しようとするときも同様である。

3　港湾管理者は、港湾隣接地域の指定をしたときは、その区域を公告し、且つ、その旨を国土交通大臣に報告しなければならない。

本条…追加〔昭和二九年法律一一一号〕、三項…一部改正〔昭和四八年七月法律五四号〕、二・三項…一部改正〔平成一一年七月法律八七号〕、三項…一部改正〔平成一一年一二月法律一六〇号〕

参照　三項〔国土交通大臣への報告〕規則三の五

規　（港湾隣接地域の報告）

第三条の五　法第三十七条の二第三項の報告は、指定（変更の指定を含む。）の日後一箇月以内に、左に掲げる事項を記載した港湾隣接地域指定（変更）報告書を国土交通大臣に提出してするものとする。

一　指定（変更）の期日
二　指定（変更）した港湾隣接地域の区域
三　公聴会における利害関係者の意見の概要

2　前項の報告書には、同項第二号に掲げる事項を示す図面（変更の場合にあつては当該地域の新旧の対照を示す図面）及び法第三十七条の二第三項の規定による公告の写しを添付するものとする。

（公募対象施設等の公募占用指針）

第三七条の三　港湾管理者は、第三十七条第一項の許可（長期間にわたり使用される施設又は工作物の設置のための同項第一号の占用に係るものに限る。第三項、第三十七条の八第二項及び第三項並びに第三十七条の十第三項において同じ。）の申請を行うことができる者を公募により決定することが、港湾区域内水域等を占用する者の公平な選定を図るとともに、再生可能エネルギー源の利用その他の公共の利益の増進を図る上で有効であると認められる施設又は工作物（以下「公募対象施設等」という。）について、港湾区域内水域等の占用及び公募の実施に関する指針（以下「公募占用指針」という。）を定めることができる。

2　公募占用指針には、次に掲げる事項を定めなければならない。

一　公募占用指針の対象とする公募対象施設等の種類
二　当該公募対象施設等のための港湾区域内水域等の占用の区域
三　当該公募対象施設等のための港湾区域内水域等の占用の開始の時期
四　港湾区域内水域等の占用の期間が満了した場合その他の事由により港湾区域内水域等の占用をしないこととなつた場合における当該公募対象施設等の撤去に関する事項
五　第三十七条の六第一項の認定の有効期間
六　占用料の額の最低額
七　占用予定者を選定するための評価の基準
八　前各号に掲げるもののほか、公募の実施に関する事項その他必要な事項

3　前項第二号の区域は、港湾管理者の管理する水域施設の区域その他の第三十七条第一項の許可の申請を行うことができる者を公募により決定することが港湾の開発、利用、保全又は管理上適切でない区域として国土交通省令で定める区域については定めないものとする。

4　第二項第五号の有効期間は、三十年を超えないものとする。

5　第二項第六号の占用料の額の最低額は、第三十七条第四項の規定により条例又は第十二条の二の規程で定める額を下回つてはならないものとする。

6　港湾管理者は、第二項第七号の評価の基準を定めようとするときは、国土交通省令で定めるところにより、あらかじめ、学識経験者の意見を聴かなければならない。

7　港湾管理者は、公募占用指針を定め、又はこれを変更したときは、遅滞なく、これを公示しなければならない。

本条…追加〔平成二八年五月法律四五号〕、一・四項…一部改正〔令和元年一二月法律六八号〕

参照　三項・六項〔国土交通省令〕規則三の六・三の七

規　（占用公募を実施することが港湾の開発、利用、保全又は管理上適切でない区域）

第三条の六　法第三十七条の三第三項の国土交通省令で定める区域は、次に掲げるものとする。

一　港湾管理者の管理する水域施設の区域
二　前号の水域施設以外の水域施設の区域
三　港湾計画に定める港湾施設（水域施設を除く。）の区

域

四　船舶の避難のため一時的にてい泊する区域として港湾計画に定められた区域

五　港湾広域防災区域

六　検疫法（昭和二十六年法律第二百一号）第八条第一項及び第二項の検疫区域

規　**（学識経験者からの意見聴取）**

第三条の七　港湾管理者は、法第三十七条の三第六項及び第三十七条の五第四項の規定により学識経験者の意見を聴くときは、二人以上の学識経験者の意見を聴かなければならない。

（公募占用計画の提出）

第三十七条の四　公募対象施設等を設置するため港湾区域内水域等を占用しようとする者は、公募対象施設等のための港湾区域内水域等の占用に関する計画（以下「公募占用計画」という。）を作成し、その公募占用計画が適当である旨の認定を受けるための選定の手続に参加するため、これを港湾管理者に提出することができる。

2　公募占用計画には、次に掲げる事項を記載しなければならない。

一　港湾区域内水域等の占用の目的

二　港湾区域内水域等の占用の区域

三　港湾区域内水域等の占用の期間

四　公募対象施設等の構造

五　工事実施の方法

六　工事の時期

七　当該公募対象施設等の維持管理の方法

八　港湾区域内水域等の占用の期間が満了した場合その他の事由により港湾区域内水域等の占用をしないこととなつた場合における当該公募対象施設等の撤去の方法

九　占用料の額

十　資金計画及び収支計画

十一　その他国土交通省令で定める事項

3　公募占用計画の提出は、港湾管理者が公示する一月を下らない期間内に行わなければならない。

本条…追加〔平成二八年五月法律四五号〕

参照　二項一一号〔国土交通省令〕規則三の八

規　**（公募占用計画の記載事項）**

第三条の八　法第三十七条の四第二項第十一号の国土交通省令で定める事項は、次に掲げるものとする。

一　公募対象施設等を設置するため港湾区域内水域等を占用しようとする者が法人又は団体である場合においては、その役員の氏名、生年月日その他必要な事項

二　公募対象施設等を設置するため港湾区域内水域等を占用しようとする者が個人である場合においては、その者の氏名、生年月日その他必要な事項

三　その他港湾管理者が必要と認める事項

（占用予定者の選定）

第三十七条の五　港湾管理者は、前条第一項の規定により港湾区域内水域等を占用しようとする者から公募占用計画が提出されたときは、当該公募占用計画が次に掲げる基準に適合しているかどうかを審査しなければならない。

一　当該公募占用計画が公募占用指針に照らし適切なものであること。

二　当該公募対象施設等のための港湾区域内水域等の占用が第三十七条第二項の許可をしてはならない場合に該当しないものであること。

三　当該公募対象施設等及びその維持管理の方法が国土交通省令で定める基準に適合すること。

四　当該公募占用計画を提出した者が不正又は不誠実な行為をするおそれが明らかな者でないこと。

2　港湾管理者は、前項の規定により審査した結果、公募占用計画が同項各号に掲げる基準に適合していると認められるときは、第三十七条の三第二項第七号の評価の基準に従つて、その適合していると認められた全ての公募占用計画について評価を行うものとする。

3　港湾管理者は、前項の評価に従い、港湾の機能を損なうことなく公共の利益の増進を図る上で最も適切であると認められる公募占用計画を提出した者を占用予定者として選定するものとする。

4　港湾管理者は、前項の規定により占用予定者を選定しようとするときは、国土交通省令で定めるところにより、あらかじめ、学識経験者の意見を聴かなければならない。

5　港湾管理者は、第三項の規定により占用予定者を選定したときは、その者にその旨を通知しなければならない。

本条…追加〔平成二八年五月法律四五号〕

参照　一項三号〔国土交通省令〕規則三の九、四項〔国土交通省令〕規則三の七

規（学識経験者からの意見聴取）

第三条の七　港湾管理者は、法第三十七条の三第六項及び第三十七条の五第四項の規定により学識経験者の意見を聴くときは、二人以上の学識経験者の意見を聴かなければならない。

規（公募対象施設等及びその維持管理の方法の基準）

第三条の九　法第三十七条の五第一項第三号の国土交通省令で定める公募対象施設等の基準は、次に掲げるものとする。

一　自然状況その他の条件を勘案して、自重、水圧、波力、土圧及び風圧並びに地震、漂流物等による振動及び衝撃に対して安全な構造であること。

二　船舶からの視認性を向上させるための措置その他の船舶の航行に支障を及ぼさないための措置を講じたものであること。

2　法第三十七条の五第一項第三号の国土交通省令で定める公募対象施設等の維持管理の方法の基準は、次に掲げるものとする。

一　自然状況その他の条件を勘案して、定期及び臨時に当該公募対象施設等を点検し、その損傷、劣化その他の変状についての診断を行い、その結果に応じて必要な措置を講じること。

二　前号の結果その他の当該公募対象施設等の維持管理に必要な事項の記録及び保存を行うこと。

3　前二項に規定するもののほか、公募対象施設等又はその維持管理の方法の基準に関し必要な事項は、国土交通大臣が告示で定める。

（公募占用計画の認定）

第三七条の六　港湾管理者は、前条第五項の規定により通知した占用予定者が提出した公募占用計画について、港湾区域内水域等の区域及び占用の期間を指定して、当該公募占用計画が適当である旨の認定をするものとする。

2　港湾管理者は、前項の認定をしたときは、当該認定をした日及び認定の有効期間並びに同項の規定により指定した港湾区域内水域等の区域及び占用の期間を公示しなければならない。

本条…追加〔平成二八年五月法律四五号〕

（公募占用計画の変更等）

第三七条の七　前条第一項の認定を受けた者（以下「認定計画提出者」という。）は、当該認定を受けた公募占用計画を変更しようとする場合においては、港湾管理者の認定を受けなければならない。

2　港湾管理者は、前項の変更の認定の申請があつたときは、次に掲げる基準に適合すると認める場合に限り、同項の認定をするものとする。

一　変更後の公募占用計画が第三十七条の五第一項第一号から第三号までに掲げる基準を満たしていること。

二　当該公募占用計画の変更をすることについて、公共の利益の一層の増進に寄与するものであると見込まれること又はやむを得ない事情があること。

3　前条第二項の規定は、第一項の変更の認定をした場合について準用する。

本条…追加〔平成二八年五月法律四五号〕

（公募を行つた場合における港湾区域内水域等の占用の許可等）

第三七条の八　認定計画提出者は、第三十七条の六第一項の認定（前条第一項の変更の認定を含む。以下「計画の認定」という。）を受けた公募占用計画（変更があつたときは、その変更後のもの。以下「認定公募占用計画」という。）に従つて公募対象施設等の設置及び維持管理をしなければならない。

2　港湾管理者は、認定計画提出者から認定公募占用計画に基づき第三十七条第一項の許可の申請があつた場合においては、同項の許可を与えなければならない。

3　港湾管理者が前項の規定により第三十七条第一項の許可を与えた場合においては、当該許可に係る占用料の額は、同条第四項の規定にかかわらず、認定公募占用計画に記載された占用料の額（当該額が第三十七条第四項の規定により条例又は第十二条の二の規程で定める額を下回る場合にあつては、当該条例又は当該規程で定める額）とする。

4　計画の認定がされた場合においては、認定計画提出者以外の者は、第三十七条の六第二項の占用の期間（前条第一項の変更の認定があつたときは、同条第三項において準用する第三十七条の六第二項の占用の期間）内は、第三十七条の六第二項の港湾区域内水域等の区域（前条第一項の変更の認定があつたときは、同条第三項において準用する第三十七条の六第二項の港湾区域内水域等の区域）については、第三十七条第一項の許可（同項第一号に係るものに限る。）の申請をすることができない。

本条…追加〔平成二八年五月法律四五号〕

（地位の承継）

第三七条の九　次に掲げる者は、港湾管理者の承認を受けて、認定計画提出者が有していた計画の認定に基づく地位を承継することができる。

一　認定計画提出者の一般承継人

二　認定計画提出者から、認定公募占用計画に基づき設置及び維持管理が行われ、又は行われた施設又は工作物の所有権その他当該施設又は工作物の設置及び維持管理に必要な権原を取得した者

本条…追加〔平成二八年五月法律四五号〕

（計画の認定の取消し）

第三七条の一〇　港湾管理者は、次に掲げる場合には、計画の認定を取り消すことができる。

一　認定計画提出者が第三十七条の八第一項の規定に違反したとき。

二　認定計画提出者が詐欺その他不正な手段により計画の認定を受けたとき。

2　港湾管理者は、前項の規定により計画の認定を取り消したときは、その旨を公示しなければならない。

3　第一項の規定により計画の認定が取り消されたときは、当該計画の認定に係る認定公募占用計画に基づき与えられた第三十七条第一項の許可は、その効力を失う。

本条…追加〔平成二八年五月法律四五号〕

（禁止行為）

第三七条の一一　何人も、港湾区域、港湾隣接地域、臨港地区又は第二条第六項の規定により国土交通大臣の認定した港湾施設の区域（これらのうち、港湾施設の利用、配置その他の状況により、港湾の開発、利用又は保全上特に必要があると認めて港湾管理者が指定した区域に限る。）内において、みだりに、船舶その他の物件で港湾管理者が指定したものを捨て、又は放置してはならない。

2　港湾管理者は、前項の規定による区域又は物件の指定をするときは、国土交通省令で定めるところにより、その旨を公示しなければならない。これを廃止するときも、同様とする。

3　前項の指定又はその廃止は、同項の公示によつてその効力を生ずる。

本条…追加〔平成一二年三月法律三三号〕、二項…一部改正〔平成一一年一二月法律一六〇号〕、一項…一部改正〔平成一八年五月法律三八号〕、旧三七条の三…繰下〔平成二八年五月法律四五号〕

参照　二項〔国土交通省令〕規則三の一〇

規（船舶の放置等を禁止する区域等の指定又はその廃止の公示）

第三条の一〇　法第三十七条の十一第二項（法第五十六条の二第二項において準用する場合を含む。）の規定による区域若しくは物件の指定又はその廃止の公示は、公報又は新聞紙に掲載するほか、当該指定又はその廃止に係る区域又はその周辺の見やすい場所に掲示するとともに、港湾管理者にあつては当該港湾管理者の、都道府県知事にあつては当該都道府県のウェブサイトへの掲載により行うものとする。

2　前項の指定の公示は、当該公示に係る指定の適用の日の十日前までに行わなければならない。ただし、緊急に区域又は物件の指定の適用を行わなければ港湾の開発、利用又は保全に重大な支障を及ぼすおそれがあると認められるときは、この限りでない。

（臨港地区）

第三八条　港湾管理者は、都市計画法第五条の規定により指定された都市計画区域以外の地域について臨港地区を定めることができる。

2　前項の臨港地区は、当該港湾区域を地先水面とする地域において、当該港湾の管理運営に必要な最小限度のものでなければならない。

3　港湾管理者は、第一項の臨港地区を定めようとするときは、あらかじめ、国土交通省令で定めるところにより、その旨を公告し、当該臨港地区の区域の案を、当該公告の日から二週間公衆の縦覧に供しなければならない。

4　利害関係人は、前項の臨港地区の区域の案が第二項の規定に適合しないと認めるときは、前項の縦覧期間満了の日までに、その事実を具して国土交通大臣に申し出て、臨港地区の区域の案の変更を港湾管理者に求めることを請求することができる。

5　前項の請求があつたときは、国土交通大臣は、当該港湾で運輸審議会の開催する公聴会において、港湾管理者にその臨港地区の区域の案が第二項の規定に適合するものであることを述べる十分な機会を与えた後、当該請求に理由があると認めたときは、港湾管理者に対し理由を示して臨港地区の区域の案を変更すべきことを求めることができる。

6　国土交通大臣は、第三項の臨港地区の区域の案について前項の措置を執る必要がないと認めるときは、その旨を当該港湾管理者に通知しなければならない。

7 港湾管理者は、第五項の要求があつた場合において臨港地区の区域の案に必要な変更を加えたとき又は前項の通知を受けたときでなければ、第一項の臨港地区を定めてはならない。

8 港湾管理者は、第一項の臨港地区を定めたときは、国土交通省令で定めるところにより、その旨を公告し、当該臨港地区の区域を公衆の縦覧に供しなければならない。

9 第一項の臨港地区の決定は、前項の公告によつてその効力を生ずる。

一項…一部改正〔昭和四三年六月法律一〇一号〕、三項…追加〔昭和四八年七月法律五四号〕、一項…一部改正・三項…全部改正・四－九項…追加〔平成一一年七月法律八七号〕、三－六項・八項…一部改正〔平成一一年一二月法律一六〇号〕

参照 三項・八項〔国土交通省令〕規則四、四項〔臨港地区の分区の指定〕規則四

規（臨港地区設定の公告等）

第四条 法第三十八条第三項の規定による公告は、次に掲げる事項について、港湾管理者の定める方法で行うものとする。

一 臨港地区の区域の案

二 臨港地区の区域の案の縦覧場所

2 法第三十八条第四項の規定による請求をしようとする者は、次に掲げる事項を記載した臨港地区変更請求書を国土交通大臣に提出するものとする。

一 請求者の氏名又は名称及び住所

二 当該臨港地区を定めようとする港湾管理者の名称

三 当該臨港地区並びにそれについて法第三十八条第二項の規定に適合しないと認める部分及びその理由

3 法第三十八条第八項の規定による公告は、次に掲げる事項について、港湾管理者の定める方法で行うものとする。

一 臨港地区の区域

二 臨港地区の区域の縦覧場所

4 港湾管理者は、次の各号に掲げる場合には、当該各号に定める書類を国土交通大臣に提出するものとする。

一 法第三十九条第一項の規定により臨港地区において分区を指定したとき 当該分区の概要を記載した書類

二 法第四十条第一項（法第五十条の五第二項の規定により読み替えて適用する場合を含む。）の規定による条例を定めたとき 当該条例の規定を記載した書類

三 法第五十条の五第一項の規定により脱炭素化推進地区を定めたとき 当該脱炭素化推進地区の概要を記載した書類

（臨港地区内における行為の届出等）

第三十八条の二 臨港地区内において、次の各号の一に掲げる行為をしようとする者は、当該行為に係る工事の開始の日の六十日前までに、国土交通省令で定めるところにより、その旨を港湾管理者に届け出なければならない。但し、第三十七条第一項の許可を受けた者が当該許可に係る行為をしようとするとき、又は同条第三項に掲げる者が同項の規定による港湾管理者との協議の調つた行為をしようとするときは、この限りでない。

一 水域施設、運河、用水きよ又は排水きよの建設又は改良

二 次号に規定する工場等の敷地内の廃棄物処理施設（もつぱら当該工場等において発生する廃棄物を処理するためのものに限る。）以外の廃棄物処理施設で政令で定めるものの建設又は改良

三 工場又は事業場で、一の団地内における作業場の床面積の合計又は工場若しくは事業場の敷地面積が政令で定める面積以上であるもの（以下「工場等」という。）の新設又は増設

四 前三号に掲げるものを除き、港湾の開発、利用又は保全に著しく支障を与えるおそれのある政令で定める施設の建設又は改良

2 前項の規定により届出をしようとする者は、次に掲げる事項を記載した届出書を港湾管理者に提出しなければならない。

一 氏名又は名称及び住所並びに法人にあつては、その代表者の氏名

二 前項第一号及び第二号に掲げる行為にあつては、次に掲げる事項

イ 当該施設の位置、種類及び構造

ロ 当該施設の使用の計画

三 前項第三号に掲げる行為にあつては、次に掲げる事項

イ 工場等の位置、種類及び敷地面積並びに作業場の床面積

ロ 工場等の事業活動に伴い搬入し、又は搬出することとなる貨物の量の概計及び輸送に関する計画

ハ 工場等の事業活動に伴い生ずることとなる廃棄物の量の概計及び処理に関する計画

四 その他国土交通省令で定める事項

3 前項の届出書には、当該届出に係る行為に係る施設の工事設計書その他の国土交通省令で定める書類

を添附しなければならない。

4　第一項の規定により届出をした者は、当該届出に係る行為に関し第二項第二号から第四号までに掲げる事項を変更しようとするときは、当該事項の変更に係る工事の開始の日の六十日前までに、国土交通省令で定めるところにより、その旨を港湾管理者に届け出なければならない。

5　第一項の規定により届出をした者は、当該届出に係る行為の実施の間において第二項第一号に掲げる事項に変更があつたときは、遅滞なく、その旨を港湾管理者に届け出なければならない。

6　第三項の規定は、第四項の規定による届出について準用する。

7　港湾管理者は、第一項又は第四項の規定による届出があつた場合において、当該届出に係る行為が次の各号（第一項第一号、第二号及び第四号に掲げる行為にあつては、第三号及び第四号。次項及び第十項において同じ。）に掲げる基準に適合しないと認めるときは、その届出を受理した日から六十日以内に限り、その届出をした者に対し、その届出に係る行為に関し計画の変更その他の必要な措置をとることを勧告することができる。

一　新設又は増設される工場等の事業活動に伴い搬入し、又は搬出することとなる貨物の輸送に関する計画が当該港湾の港湾施設の能力又は第三条の三第九項若しくは第十項の規定により公示された港湾計画に照らし適切であること。

二　新設又は増設される工場等の事業活動により生ずることとなる廃棄物のうち、当該港湾区域又は臨港地区（当該工場等の敷地を除く。）内において処理されることとなるものの量又は種類が第三条の三第九項又は第十項の規定により公示された港湾計画において定めた廃棄物の処理に関する計画に照らし適切であること。

三　第三条の三第九項又は第十項の規定により公示された港湾計画の遂行を著しく阻害するものでないこと。

四　その他港湾の利用及び保全に著しく支障を与えるおそれがないものであること。

8　港湾管理者は、第一項又は第四項の規定による届出があつた場合において、当該届出に係る行為（第一項第二号及び第四号に掲げる行為を除く。）が前項各号に掲げる基準に適合せず、且つ、その実施により水域施設、外郭施設、係留施設又は臨港交通施設の開発に関する港湾計画を著しく変更しなければ港湾の管理運営が困難となると認めるときは、その届出を受理した日から六十日以内に限り、その届出をした者に対し、その届出に係る行為に関する計画を変更すべきことを命ずることができる。

9　第三十七条第三項に掲げる者は、第一項各号に掲げる行為（同項但書に規定する行為を除く。）をしようとするときは、同項の規定による届出の例により、その旨を港湾管理者に通知しなければならず、その通知した事項を変更しようとするときは、第四項の規定による届出の例により、その旨を港湾管理者に通知しなければならない。

10　港湾管理者は、前項の規定による通知があつた場合において、当該通知に係る行為が第七項各号に掲げる基準に適合しないと認めるときは、その通知を受けた日から六十日以内に限り、その通知をした者に対し、その通知に係る行為に関し計画の変更その他の必要な措置をとることを要請することができる。

本条…追加〔昭和四八年七月法律五四号〕、七項…一部改正〔昭和五四年一二月法律七〇号〕、一・二・四・五・七－一〇項…一部改正〔平成一一年七月法律八七号〕、一－四項…一部改正〔平成一一年一二月法律一六〇号〕

参照　一項・二項四号・三項・四項〔国土交通省令〕規則五－八、一項二号・三号・四号〔政令〕令一五の二・一五の三・一五の四

令（臨港地区内における行為の届出等）

第一五条の二　法第三十八条の二第一項第二号の政令で定める廃棄物処理施設は、工場又は事業場の敷地内の廃棄物処理施設（専ら当該工場又は事業場において発生する廃棄物を処理するためのものに限る。）以外の廃棄物処理施設であつて、港湾管理者が指定する廃棄物処理施設の種類ごとにその指定する数量以上の数量の廃棄物を処理することができるものとする。

令

第一五条の三　法第三十八条の二第一項第三号の政令で定める面積は、床面積の合計にあつては二千五百平方メートル、敷地面積にあつては五千平方メートルとする。

令

第一五条の四　法第三十八条の二第一項第四号の政令で定める施設は、次に掲げる施設とする。

一　爆発物その他の国土交通省令で定める危険物のうち港湾管理者が指定する危険物を取り扱うための施設

二　揚水施設（揚水機の吐出口の断面積の合計を大きくし、又はストレーナーの位置を浅くすることにより揚水施設となるものを含む。）

規（**臨港地区内における行為の届出**）

第五条　法第三十八条の二第一項の規定による届出をしようとする者は、第一号様式（同項第三号に掲げる行為をしようとする場合にあつては、第二号様式）による臨港地区内行為届出書を港湾管理者に提出するものとする。

2　前項の届出書には、次に掲げる書類を添付するものとする。ただし、第三号に掲げる書類は、当該届出に係る行為に係る施設の種類、規模等により、その必要がないときは、その一部を省略することができる。

一　当該届出に係る行為に係る施設の工事設計書

二　当該届出に係る行為に係る施設の位置及び付近の状況を表示した縮尺一万分の一以上の図面

三　当該届出に係る行為に係る施設の規模、配置及び構造を表示した縮尺千分の一以上の平面図、立面図、断面図及び構造図

四　その他参考となるべき事項を記載した書類

3　法第三十八条の二第一項の規定による届出をしようとする者のうち技術基準対象施設の建設又は改良を行おうとする者は、前項第一号の書類に代えて、次に掲げる書類を添付するものとする。

一　次に掲げる事項を示し又は記載した書類

イ　当該届出に係る行為に係る施設の諸元及び要求性能

ロ　当該届出に係る行為に係る施設への作用及びその設定の根拠

ハ　イ及びロの照査方法

二　当該届出に係る行為に係る施設の施工方法、施工管理方法及び安全管理方法を記載した書類

三　当該届出に係る行為に係る施設を適切に維持するための維持管理方法を記載した書類

4　令第十五条の四第二号に掲げる揚水施設を改良しようとする者であつて、揚水機の吐出口の断面積の合計を大きくし、又はストレーナーの位置を浅くしようとするもの以外のものは、法第三十八条の二第一項の規定による届出をすることを要しない。

規 **第六条**　令第十五条の四第一号の国土交通省令で定める危険物は、港則法施行規則（昭和二十三年運輸省令第二十九号）第十二条に定める危険物（火薬類取締法（昭和二十五年法律第百四十九号）第二条第一項に規定する火薬類及び高圧ガス保安法（昭和二十六年法律第二百四号）第二条に規定する高圧ガスを除く。）とする。

規 **第七条**　法第三十八条の二第二項第四号の国土交通省令で定める事項は、次に掲げる事項とする。

一　法第三十八条の二第一項第一号、第二号又は第四号に掲げる行為にあつては、当該行為に係る施設の規模

二　当該行為に係る工事の開始及び完了の予定期日

三　法第三十八条の二第一項第三号に掲げる行為にあつては、当該工場等に係る事業の開始の予定期日

四　法第三十八条の二第一項第四号に掲げる行為にあつては、同条第二項第二号に掲げる事項

規 **第八条**　法第三十八条の二第四項の規定による届出をしようとする者は、第三号様式による臨港地区内行為変更届出書を港湾管理者に提出するものとする。

2　前項の届出書には、第五条第二項各号に掲げる書類のうち変更に関する事項を記載したものを添付するものとする。

（**分区の指定**）

第三十九条　港湾管理者は、臨港地区内において次に掲げる分区を指定することができる。

一　商港区　旅客又は一般の貨物を取り扱わせることを目的とする区域

二　特殊物資港区　石炭、鉱石その他大量ばら積みを通例とする物資を取り扱わせることを目的とする区域

三　工業港区　工場その他工業用施設を設置させることを目的とする区域

四　鉄道連絡港区　鉄道と鉄道連絡船との連絡を行わせることを目的とする区域

五　漁港区　水産物を取り扱わせ、又は漁船の出漁の準備を行わせることを目的とする区域

六　バンカー港区　船舶用燃料の貯蔵及び補給を行わせることを目的とする区域

七　保安港区　爆発物その他の危険物を取り扱わせることを目的とする区域

八　マリーナ港区　スポーツ又はレクリエーションの用に供するヨット、モーターボートその他の船舶の利便に供することを目的とする区域

九　クルーズ港区　専ら観光旅客の利便に供することを目的とする区域

十　修景厚生港区　その景観を整備するとともに、港湾関係者の厚生の増進を図ることを目的とする区域

2　前項の分区は、当該港湾管理者としての地方公共団体（港湾管理者が港務局である場合には港務局を組織する地方公共団体）の区域の範囲内で指定しなければならない。

一項…一部改正〔昭和四八年七月法律五四号・平成二九年六月五五号〕

参照 一項〔臨港地区の分区の指定〕規則四

規（臨港地区設定の公告等）

第四条 1～3〔略〕

4 港湾管理者は、次の各号に掲げる場合には、当該各号に定める書類を国土交通大臣に提出するものとする。

一 法第三十九条第一項の規定により臨港地区において分区を指定したとき 当該分区の概要を記載した書類

二 法第四十条第一項（法第五十条の五第二項の規定により読み替えて適用する場合を含む。）の規定による条例を定めたとき 当該条例の規定を記載した書類

三 法第五十条の五第一項の規定により脱炭素化推進地区を定めたとき 当該脱炭素化推進地区の概要を記載した書類

（分区内の規制）

第四〇条 前条に掲げる分区の区域内においては、各分区の目的を著しく阻害する建築物その他の構築物であつて、港湾管理者としての地方公共団体（港湾管理者が港務局である場合には港務局を組織する地方公共団体であつて当該分区の区域を区域とするもののうち定款で定めるもの）の条例で定めるものを建設してはならず、また、建築物その他の構築物を改築し、又はその用途を変更して当該条例で定める構築物としてはならない。

2 港務局を組織する地方公共団体がする前項の条例の制定は、当該港務局の作成した原案を尊重してこれをしなければならない。

3 第一項の地方公共団体は、条例で、同項の規定に違反した者に対し、三十万円以下の罰金を科する旨の規定を設けることができる。

一項…一部改正・三項…追加〔昭和二九年五月法律一一一号〕、三項…一部改正〔平成一二年三月法律三三号〕

参照 一項〔臨港地区の分区の指定〕規則四

規（臨港地区設定の公告等）

第四条 1～3〔略〕

4 港湾管理者は、次の各号に掲げる場合には、当該各号に定める書類を国土交通大臣に提出するものとする。

一 法第三十九条第一項の規定により臨港地区において分区を指定したとき 当該分区の概要を記載した書類

二 法第四十条第一項（法第五十条の五第二項の規定により読み替えて適用する場合を含む。）の規定による条例を定めたとき 当該条例の規定を記載した書類

三 法第五十条の五第一項の規定により脱炭素化推進地区を定めたとき 当該脱炭素化推進地区の概要を記載した書類

（違反構築物に対する措置）

第四〇条の二 港湾管理者は、前条第一項の規定に違反して建設され、又は改築若しくは用途の変更により同項の条例で定める構築物となつた建築物その他の構築物については、その所有者又は占有者に対し、当該構築物の撤去、移転若しくは改築又は用途の変更をすべきことを命ずることができる。

2 港湾管理者は、前項の規定による命令をしようとするときは、行政手続法（平成五年法律第八十八号）第十三条第一項の規定による意見陳述のための手続の区分にかかわらず、聴聞を行わなければならない。

3 前項の聴聞の主宰者は、行政手続法第十七条第一項の規定により当該命令に係る利害関係人が当該聴聞に関する手続に参加することを求めたときは、これを許可しなければならない。

本条…追加〔昭和二九年五月法律一一一号〕、二・三項…全部改正〔平成五年一一月法律八九号〕、一・二項…一部改正〔平成一一年七月法律八七号〕

参照 一項〔処分に係る聴聞〕規則九

規（聴聞の方法の特例）

第九条 港湾管理者は、法第四十条の二第一項（法第五十条の五第二項の規定により読み替えて適用する場合を含む。）の規定による処分に係る聴聞を行うに当たつては、あらかじめ、聴聞の期日及び場所を公示しなければならない。

（有害構築物の改築等）

第四一条 港湾管理者は、分区内に存する建築物その他の構築物が、第四十条第一項の条例の制定施行によりその条例に定められたものに該当するに至り、且つ、当該分区の目的を著しく阻害するときは、当該構築物の所有者又は占有者に対し、当該構築物の改築、移転又は撤去をすべきことを命ずることができる。

2 前条第二項及び第三項の規定は、港湾管理者が前項の命令をしようとする場合に準用する。

3 第一項の規定による命令によつて生じた損失に対

しては、港湾管理者は、当該構築物の所有者又は占有者に対し、その命令がなかつたならば通常生じなかつた損失及び通常得らるべき利益が得られなかつたことによる損失を補償しなければならない。

4　前項の規定により補償を受けることのできる者が金額の決定について不服があるときは、その金額の決定の通知を受けた日から六箇月以内に、港湾管理者を被告として、訴えをもつて金額の増加を請求することができる。

一項…一部改正・二項…全部改正〔昭和二九年五月法律一一一号〕、四項…一部改正〔昭和三七年五月法律一四〇号〕、一・二項…一部改正〔平成一一年七月法律八七号〕、四項…一部改正〔平成一六年六月法律八四号〕

第四章の二　港湾協力団体

本章…追加〔平成二八年五月法律四五号〕

（港湾協力団体の指定）

第四一条の二　港湾管理者は、次条に規定する業務を適正かつ確実に行うことができると認められる法人その他これに準ずるものとして国土交通省令で定める団体を、その申請により、港湾協力団体として指定することができる。

2　港湾管理者は、前項の規定による指定をしたときは、当該港湾協力団体の名称、住所及び事務所の所在地を公示しなければならない。

3　港湾協力団体は、その名称、住所又は事務所の所在地を変更しようとするときは、あらかじめ、その旨を港湾管理者に届け出なければならない。

4　港湾管理者は、前項の規定による届出があつたときは、当該届出に係る事項を公示しなければならない。

本条…追加〔平成二八年五月法律四五号〕

参照　一項〔国土交通省令〕規則九の二〔指定〕規則九の三

規（港湾協力団体として指定することができる法人に準ずる団体）

第九条の二　法第四十一条の二第一項の国土交通省令で定める団体は、法人でない団体であつて、事務所の所在地、構成員の資格、代表者の選任方法、総会の運営、会計に関する事項その他当該団体の組織及び運営に関する事項を内容とする規約その他これに準ずるものを有しているものとする。

規（港湾協力団体の指定）

第九条の三　法第四十一条の二第一項の規定による指定は、法第四十一条の三各号に掲げる業務を行う港湾の区域を明らかにしてするものとする。

（港湾協力団体の業務）

第四一条の三　港湾協力団体は、当該港湾協力団体を指定した港湾管理者が管理する港湾について、次に掲げる業務を行うものとする。

一　港湾管理者に協力して、港湾情報提供施設その他の港湾施設の整備又は管理を行うこと。

二　港湾の開発、利用、保全及び管理に関する情報又は資料を収集し、及び提供すること。

三　港湾の開発、利用、保全及び管理に関する調査研究を行うこと。

四　港湾の開発、利用、保全及び管理に関する知識の普及及び啓発を行うこと。

五　前各号に掲げる業務に附帯する業務を行うこと。

本条…追加〔平成二八年五月法律四五号〕

（監督等）

第四一条の四　港湾管理者は、前条各号に掲げる業務の適正かつ確実な実施を確保するため必要があると認めるときは、港湾協力団体に対し、その業務に関し報告をさせることができる。

2　港湾管理者は、港湾協力団体が前条各号に掲げる業務を適正かつ確実に実施していないと認めるときは、港湾協力団体に対し、その業務の運営の改善に関し必要な措置を講ずべきことを命ずることができる。

3　港湾管理者は、港湾協力団体が前項の規定による命令に違反したときは、その指定を取り消すことができる。

4　港湾管理者は、前項の規定により指定を取り消したときは、その旨を公示しなければならない。

本条…追加〔平成二八年五月法律四五号〕

（情報の提供等）

第四一条の五　国土交通大臣又は港湾管理者は、港湾協力団体に対し、その業務の実施に関し必要な情報の提供又は指導若しくは助言をするものとする。

本条…追加〔平成二八年五月法律四五号〕

（港湾協力団体に対する許可の特例）

第四一条の六　港湾協力団体が第四十一条の三各号に掲げる業務として行う国土交通省令で定める行為についての第三十七条第一項の規定の適用について

は、港湾協力団体と港湾管理者との協議が成立することをもつて、当該規定による許可があつたものとみなす。

本条…追加〔平成二八年五月法律四五号〕

参照〔国土交通省令〕規則九の四

規（港湾協力団体に対する許可の特例の対象となる行為）

第九条の四　法第四十一条の六の国土交通省令で定める行為は、次の各号に掲げる許可の区分に応じ、当該各号に定める行為（当該港湾協力団体がその業務を行う港湾の区域において行うものに限る。）とする。

一　法第三十七条第一項第一号の規定による許可　港湾施設の整備若しくは管理又は港湾の開発、利用、保全及び管理に関する情報若しくは資料の収集及び提供、調査研究若しくは知識の普及及び啓発のために必要な港湾区域内水域等の占用

二　法第三十七条第一項第三号の規定による許可　港湾施設の整備若しくは管理又は港湾の開発、利用、保全及び管理に関する情報若しくは資料の収集及び提供、調査研究若しくは知識の普及及び啓発のために必要な水域施設、外郭施設、係留施設、運河、用水渠又は排水渠の建設又は改良

三　法第三十七条第一項第四号の規定による許可　港湾施設の整備若しくは管理又は港湾の開発、利用、保全及び管理に関する情報若しくは資料の収集及び提供、調査研究若しくは知識の普及及び啓発のために必要な令第十四条第二号に定める行為

第五章　港湾工事の費用

（費用の負担）

第四二条　港湾管理者が、国際戦略港湾、国際拠点港湾又は重要港湾において、一般公衆の利用に供する目的で、水域施設、外郭施設又は係留施設（これらの施設のうち国土交通省令で定める小規模なものを除く。）の建設又は改良の重要な工事をする場合には、その工事に要する費用は、国と港湾管理者がそれぞれその十分の五を負担する。

2　港湾管理者が、避難港において、水域施設又は外郭施設の建設又は改良の工事をする場合には、その工事に要する費用は、国と港湾管理者がそれぞれその十分の五を負担する。

3　前二項の規定は、これによつて国が負担することとなる金額についてあらかじめ国土交通大臣に申し出て国会の議決を経た予算に組み入れられていないときは、これを適用しない。

4　地方財政法第十七条及び第十九条第一項の規定は、港務局について第一項の場合に準用する。この場合において、「地方公共団体」とあるのは「港務局」と読み替えるものとする。

旧三項…一部改正し四項に繰下・旧二・四項…三・五項に繰下・二項…追加〔昭和二六年六月法律一九六号〕、五項…一部改正〔昭和二九年五月法律一一一号〕、一項…一部改正〔昭和三二年三月法律二五号・四八年七月五四号〕、二・三項…一部改正〔平成五年三月法律八号〕、五項…一部改正〔平成一一年七月法律八七号〕、一項…一部改正・二項…削除・旧三項…二項に繰上・旧四・五項…一部改正し三・四項に繰上〔平成一二年三月法律三三号〕、一・三項…一部改正〔平成一一年一二月法律一六〇号〕、一項…一部改正〔平成二三年三月法律九号〕

参照　一項〔国土交通省令〕規則一〇

規（法第四十二条第一項の国土交通省令で定める小規模な施設）

第一〇条　法第四十二条第一項の国土交通省令で定める小規模なものは、次に掲げる施設とする。

一　水深五・五メートル以下の水域施設又は係留施設

二　前号の施設を専ら防護するための外郭施設

（費用の補助）

第四三条　国は、特に必要があると認めるときは、前条に規定するもののほか、予算の範囲内で、一般公衆の利用に供する目的で（第四号に掲げる港湾施設に係る場合を除く。）港湾管理者のする港湾工事の費用に対し、次に掲げる基準で補助することができる。

一　国際戦略港湾、国際拠点港湾又は重要港湾における水域施設、外郭施設又は係留施設のうち、前条第一項の国土交通省令で定める小規模なものの建設又は改良の港湾工事については十分の四以内

二　国際戦略港湾、国際拠点港湾又は重要港湾における臨港交通施設の建設又は改良の港湾工事については十分の四以内

三　地方港湾における水域施設、外郭施設、係留施設又は臨港交通施設の建設又は改良の港湾工事については十分の五以内

四　港湾公害防止施設又は港湾環境整備施設の建設又は改良の港湾工事については十分の五以内

五　廃棄物埋立護岸又は海洋性廃棄物処理施設の建設又は改良の港湾工事については三分の一以内

本条…一部改正〔昭和二六年六月法律一九六号・四八年七月五四号・平成五年三月八号・一一年一二月一六〇号・一二年三月三三号・一九年六月七一号・二三年三月九号〕

（他の工作物と効用を兼ねる港湾施設の港湾工事の施行及び費用の負担）

第四三条の二　港湾施設で他の工作物と効用を兼ねるものの港湾工事の施行及び費用の負担については、港湾管理者と当該工作物の管理者とが、協議して定めるものとする。

本条…追加〔昭和二六年六月法律一九六号〕

（原因者の負担）

第四三条の三　港湾管理者は、港湾管理者以外の者の行う工事又は行為により必要を生じた港湾工事の費用については、その必要を生じさせた限度において、その必要を生じさせた者に費用の全部又は一部を負担させることができる。

2　前項の場合において、負担金の徴収を受ける者の範囲及びその徴収の方法については、港湾管理者としての地方公共団体（港湾管理者が港務局である場合には港務局を組織する地方公共団体のうち定款で定めるもの）の条例で定める。

本条…追加〔昭和二六年六月法律一九六号〕、全部改正〔昭和二九年五月法律一一一号〕、三項…削除〔昭和三八年六月法律九九号〕

（受益者の負担）

第四三条の四　港湾工事によつて著しく利益を受ける者があるときは、港湾管理者は、その者に、その利益を受ける限度において、その港湾工事の費用の一部を負担させることができる。

2　前条第二項の規定は、前項の場合に準用する。

本条…追加〔昭和二七年六月法律一七一号〕、二項…追加〔昭和二九年五月法律一一一号〕、一部改正〔昭和三八年六月法律九九号〕

（港湾環境整備負担金）

第四三条の五　国土交通大臣又は港湾管理者は、その実施する港湾工事（国土交通大臣の実施する港湾工事にあつては、港湾施設を建設し、又は改良するものに限る。）で、港湾の環境を整備し、又は保全することを目的とするもの（公害防止事業費事業者負担法（昭和四十五年法律第百三十三号）第二条第二項に規定する公害防止事業であるものを除く。）が、港湾区域又は臨港地区内にある工場又は事業場についてその環境を保全し、又はその立地若しくはその事業活動に伴う当該工場若しくは事業場の周辺地域の生活環境の悪化を防止し、若しくは軽減することに資するときは、政令で定める基準に従い、国土交通大臣にあつては国土交通省令で、港湾管理者にあつては条例で、当該工場又は事業場に係る事業者に、当該港湾工事に要する費用の一部を負担させることができる。

2　国土交通大臣又は港湾管理者は、前項の規定により負担させようとするときは、あらかじめ、国土交通大臣にあつては交通政策審議会、港湾管理者にあつては地方港湾審議会の意見を聴かなければならない。

3　国土交通大臣は、第一項の規定により納付された負担金の額に第五十二条第二項に規定する負担割合を乗じて得た金額に相当する額の同項の規定による負担金を、同項の規定により費用を負担した港湾管理者に還付するものとする。

本条…追加〔昭和四八年七月法律五四号〕、一・二項…一部改正・三項…追加〔平成一八年五月法律三八号〕

参照　一項〔政令〕令一五の五

令 **（港湾環境整備負担金の負担の基準）**

第一五条の五　法第四十三条の五第一項の政令で定める基準は、次に掲げるものとする。

一　法第四十三条の五第一項の規定による負担金（以下この項において「港湾環境整備負担金」という。）を負担させる事業者は、次に掲げる者とすること。ただし、国土交通大臣等（当該港湾工事を実施する国土交通大臣又は港湾管理者をいう。以下この条において同じ。）が公益上その他の事由により港湾環境整備負担金を負担させることが不適当であると認める国、地方公共団体その他の者を除くものとする。

イ　当該港湾工事の完了した日に現に負担区域内にある工場又は事業場であつて、当該工場又は事業場の負担区域内にある敷地（水面を含む。以下同じ。）の面積の合計が一万平方メートル（国土交通大臣等が、当該港湾に係る工場又は事業場の種類、規模等を考慮して五千平方メートル以上一万平方メートル未満の範囲内でこれと異なる面積を定めたときは、当該面積。ロにおいて同じ。）以上であるものに係る事業者

ロ　当該港湾工事が港湾施設を建設し、又は改良する工事である場合にあつては、イに掲げる事業者のほか、当該港湾工事の完了した日後十年間に負担区域内において、その敷地の面積の合計が一万平方メートル以上となつた工場又は事業場に係る事業者

二　港湾環境整備負担金の額は、イに掲げる額にロ㈠若しくは㈡又はハに掲げる割合を乗じて得た額に相当する金額（国土交通大臣等が公益上その他の事由により必要があると認めてその金額を軽減した金額を定めたときは、当該金額）とすること。

イ　当該港湾工事に要する費用の額に二分の一の割合

（国土交通大臣等が当該港湾工事の種類、規模等を考慮して二分の一未満でこれと異なる割合を定めたときは、当該割合）を乗じて得た額

ロ　当該港湾工事が港湾施設を建設し、又は改良する工事である場合にあつては、次に掲げる割合

㈠　当該港湾工事の完了した日に現に負担区域内にある工場又は事業場の敷地の面積の合計に負担区域内における工場又は事業場の設置予定区域の面積として国土交通大臣等が定める面積を加算した面積（㈡において「工場等敷地面積」という。）に対する前号に規定する事業者の工場又は事業場の負担区域内にある敷地の面積（既に当該港湾工事に係る港湾環境整備負担金の負担の対象となつた敷地の面積を除く。）の合計の割合

㈡　当該港湾工事の完了した日後十年間に前号に規定する事業者が工場又は事業場の敷地の面積を増加した場合にあつては、工場等敷地面積に対する増加後の当該工場又は事業場の負担区域内にある敷地の面積（既に当該港湾工事に係る港湾環境整備負担金の負担の対象となつた敷地の面積を除く。）の合計の割合

ハ　当該港湾工事がロに掲げる工事以外の工事である場合にあつては、当該港湾工事の完了した日に現に負担区域内にある工場又は事業場の敷地の面積の合計に対する前号に規定する事業者の工場又は事業場の負担区域内にある敷地の面積の合計の割合

2　前項の負担区域は、次の各号に掲げる場合に応じ、当該各号に定める区域とする。

一　当該港湾工事が港湾公害防止施設（公害防止用緩衝地帯に限る。）及び港湾環境整備施設並びにこれらの敷地に係る工事である場合　当該港湾における土地の利用状況、自然条件等を考慮して、一体的にその環境を整備し、又は保全する必要がある区域として、あらかじめ、国土交通大臣等が臨港地区（予定埋立区域を含む。）を区分して定めた区域のうち、当該港湾工事が実施された場所を含む区域及び当該区域以外の区域であつて国土交通大臣等が指定するもの

二　当該港湾工事が前号に掲げる工事以外の工事である場合　港湾区域及び臨港地区（港湾区域の形状等により、港湾工事が当該港湾区域及び臨港地区の一部の環境を整備し、又は保全するものである場合にあつては、国土交通大臣等が指定する一部の水域及び地域）

第六章　開発保全航路

本章…追加〔昭和四八年七月法律五四号〕

（開発及び保全）

第四三条の六　開発保全航路の開発及び保全は、国土交通大臣が行なう。

本条…追加〔昭和四八年七月法律五四号〕、一部改正〔平成一一年一二月法律一六〇号〕

参照 〔国土交通省告示〕開発保全航路において確保すべき水深を定める件

第四三条の七　第五十五条の二の二、第五十五条の四及び第五十五条の五の規定は、開発保全航路に関する工事について準用する。

本条…追加〔昭和四八年七月法律五四号〕、一部改正〔令和元年一二月法律六八号〕

（禁止行為等）

第四三条の八　何人も、開発保全航路内において、みだりに、船舶、土石その他の物件で国土交通省令で定めるものを捨て、又は放置してはならない。

2　開発保全航路内において、水域を工作物の設置等により占用し、又は土砂を採取しようとする者は、国土交通大臣の許可を受けなければならない。

3　国土交通大臣は、前項の行為が船舶の交通に支障を与えるものであるとき、その他開発保全航路の開発又は保全に著しく支障を与えるものであるときは、許可をしてはならない。

4　第三十七条第三項の規定は、前二項の場合に準用する。

本条…追加〔昭和四八年七月法律五四号〕、一―三項…一部改正〔平成一一年一二月法律一六〇号〕、一項…一部改正〔平成一二年三月法律三三号〕

参照 一項〔国土交通省令〕規則一一、二項〔国土交通大臣の許可〕規則一一の二

規（開発保全航路内における放置等禁止物件）

第一一条　法第四十三条の八第一項の国土交通省令で定める物件は、次に掲げるものとする。

一　船舶

二　土石

三　いかだ

四　竹木

五　車両

六　前各号に掲げるもののほか、開発保全航路における船舶の交通その他開発保全航路の開発又は保全に支障を与える程度においてこれらの物件に類するもの

規（開発保全航路内における技術基準対象施設の建設等の許可）

第一一条の二　法第四十三条の八第二項の国土交通大臣の許可を受けようとする者は、次に掲げる書類（技術基準対象施設の建設又は改良を行おうとする者以外の者にあつては、第四号に掲げる書類に限る。）を国土交通大臣に提出するものとする。

一　次に掲げる事項を示し又は記載した書類

イ　建設又は改良を行おうとする技術基準対象施設の諸元及び要求性能

ロ　建設又は改良を行おうとする技術基準対象施設への作用及びその設定の根拠

ハ　イ及びロの照査方法

二　建設又は改良を行おうとする技術基準対象施設の施工方法、施工管理方法及び安全管理方法を記載した書類

三　建設又は改良を行おうとする技術基準対象施設を適切に維持するための維持管理方法を記載した書類

四　前三号に掲げるもののほか、国土交通大臣が必要と認める書類

2　前項の規定は、法第四十三条の八第四項の規定により準用する法第三十七条第三項の規定により国土交通大臣と協議しようとする者について準用する。この場合において、前項中「国土交通大臣の許可を受け」とあるのは「国土交通大臣と協議し」と読み替えるものとする。

（費用の負担）

第四三条の九　開発保全航路の開発及び保全に要する費用は、次項及び次条の規定による場合を除き、国が負担する。

2　第四十三条の二、第四十三条の三第一項及び第四十三条の四第一項の規定は、開発保全航路に関する工事の費用について準用する。

3　前項において準用する第四十三条の三第一項又は第四十三条の四第一項の規定により負担金の徴収を受ける者の範囲及びその徴収方法は、国土交通省令で定める。

本条…追加〔昭和四八年七月法律五四号〕、三項…一部改正〔平成一一年一二月法律一六〇号〕

（事業者の申請による工事の施行）

第四三条の一〇　企業合理化促進法（昭和二十七年法律第五号）第八条第一項及び第二項の規定は、開発保全航路に関する工事について準用する。

本条…追加〔昭和四八年七月法律五四号〕

第七章　港湾運営会社

本章…追加〔平成二三年三月法律九号〕

第一節　港湾運営会社の指定等

本節…追加〔平成二三年三月法律九号〕

（港湾運営会社の指定）

第四三条の一一　国土交通大臣は、次に掲げる要件を備えていると認められる株式会社を、その申請により、国際戦略港湾ごとに一を限つて、当該国際戦略港湾における埠頭群（同一の港湾における二以上の埠頭（これを構成する係留施設及び当該係留施設に附帯する荷さばき地その他の国土交通省令で定める係留施設以外の港湾施設が国有財産法（昭和二十三年法律第七十三号）第三条第二項又は地方自治法第二百三十八条第四項に規定する行政財産からなるもののうち、その用途及び配置に応じて国土交通省令で定める基準に適合するものに限る。）の総体をいう。以下同じ。）を運営する者として指定することができる。

一　埠頭群の運営の事業の内容が当該国際戦略港湾の港湾計画に適合するものであること。

二　前号に掲げるもののほか、埠頭群の運営の事業に関する適正かつ確実な計画を有するものであること。

三　埠頭群を運営することについて十分な経理的基礎を有するものであること。

四　当該国際戦略港湾において埠頭群に含まれない埠頭を運営する場合にあつては、当該埠頭と埠頭群とを一体的に運営することが当該国際戦略港湾における埠頭群の運営の効率化に資するものであること。

2　その埠頭群を一体的に運営することが国際競争力の強化に資するものとして国土交通大臣が指定する二以上の国際戦略港湾に係る前項の規定による指定は、当該二以上の国際戦略港湾の埠頭群について、一体として一を限つてするものとする。この場合において、同項中「当該国際戦略港湾」とあるのは、「当該申請に係る二以上の国際戦略港湾」とする。

3　国土交通大臣は、前項の規定による指定をしたときは、国土交通省令で定めるところにより、その旨を公示しなければならない。

4　国土交通大臣は、第二項の規定による指定について指定の事由がなくなつたと認めるときは、当該指定を取り消すものとする。

5　第三項の規定は、前項の規定による指定の取消しについて準用する。

6　国際拠点港湾の港湾管理者は、次に掲げる要件を備えていると認められる株式会社を、その申請により、一を限つて、当該国際拠点港湾における埠頭群を運営する者として指定することができる。

一　埠頭群の運営の事業の内容が当該国際拠点港湾の港湾計画に適合するものであること。

二　前号に掲げるもののほか、埠頭群の運営の事業に関する適正かつ確実な計画を有するものであること。

三　埠頭群を運営することについて十分な経理的基礎を有するものであること。

四　当該国際拠点港湾において埠頭群に含まれない埠頭を運営する場合にあつては、当該埠頭と埠頭群とを一体的に運営することが当該国際拠点港湾における埠頭群の運営の効率化に資するものであること。

7　国土交通大臣又は国際拠点港湾の港湾管理者は、第一項又は前項の申請をした者が次の各号のいずれかに該当するときは、第一項又は前項の規定による指定をしないものとする。

一　取締役及び監査役（監査等委員会設置会社にあつては取締役、指名委員会等設置会社にあつては取締役及び執行役。以下この項において「役員」という。）のうちに、破産手続開始の決定を受けて復権を得ない者があること。

二　役員のうちに、禁錮以上の刑に処せられ、その執行を終わり、又はその執行を受けることがなくなつた日から五年を経過していない者があること。

本条七項二号は、令和四法六八により改正され、令和七年六月一日から施行

二　役員のうちに、拘禁刑以上の刑に処せられ、その執行を終わり、又はその執行を受けることがなくなつた日から五年を経過していない者があること。

三　役員のうちに、心身の故障により埠頭群の運営の事業を適正に行うことができない者として国土交通省令で定めるものがあること。

8　国土交通大臣又は国際拠点港湾の港湾管理者は、第一項又は第六項の申請があつたときは、国土交通省令で定めるところにより、当該申請の内容を二週間公衆の縦覧に供しなければならない。

9　前項の規定により縦覧に供された申請の内容について利害関係を有する者は、縦覧期間満了の日までの間に、当該縦覧をした国土交通大臣又は国際拠点港湾の港湾管理者に意見書を提出することができる。

10　国土交通大臣は、第一項の規定による指定をしようとするときは、あらかじめ、当該指定に係る国際戦略港湾の港湾管理者の同意を得なければならない。

11　国際拠点港湾の港湾管理者は、第六項の申請に係る埠頭群が次に掲げる港湾施設を含むものである場合において、同項の規定による指定をしようとするときは、あらかじめ、国土交通大臣の同意を得なければならない。

一　国有財産法第三条第二項に規定する行政財産である港湾施設

二　その工事の費用を国が負担し、又は補助した地方自治法第二百三十八条第四項に規定する行政財産である港湾施設

12　国土交通大臣又は国際拠点港湾の港湾管理者は、第一項又は第六項の規定による指定をしたときは、国土交通省令で定めるところにより、当該指定を受けた者（以下「港湾運営会社」という。）の商号及び本店の所在地を公示しなければならない。

13　港湾運営会社は、その商号又は本店の所在地を変更しようとするときは、あらかじめ、その指定をした国土交通大臣又は国際拠点港湾の港湾管理者に届け出なければならない。

14　国土交通大臣又は国際拠点港湾の港湾管理者は、前項の規定による届出があつたときは、国土交通省令で定めるところにより、その旨を公示しなければならない。

本条…追加〔平成二三年三月法律九号〕、七項…一部改正〔平成二六年六月法律九一号・令和元年六月三七号〕

参照　一項・三項・七項三号・八項・一二項・一四項〔国土交通省令〕規則一一の三－一一の八

規（法第四十三条の十一第一項の国土交通省令で定める港湾施設）

第一一条の三　法第四十三条の十一第一項の国土交通省令で定める港湾施設は、岸壁その他の係留施設に附帯する次に掲げるものとする。

一　荷さばき地

二　野積場

三　当該岸壁その他の係留施設及び前二号の施設の敷地

規（法第四十三条の十一第一項の国土交通省令で定める基準）

第一一条の四　法第四十三条の十一第一項の国土交通省令で定める基準は、次の各号のいずれかに該当する埠頭であることとする。

一　コンテナ船により運送されるコンテナ貨物、ロールオ

ン・ロールオフ船により運送される貨物又は自動車航送船（本土と離島とを連絡するものを除く。）により運送される自動車若しくは旅客を取り扱う埠頭（老朽化その他の事由によりその機能を十分に発揮できないものを除く。）

二　主としてばら積みの貨物を取り扱う埠頭であつて、水深十メートル以上の岸壁その他の係留施設を有するもの（老朽化その他の事由によりその機能を十分に発揮できないものを除く。）

三　前二号に掲げる埠頭（以下この号において「主たる埠頭」という。）以外の埠頭であつて、主たる埠頭に隣接し、かつ、主たる埠頭と一体的に運営することが当該埠頭群の運営の効率化に資すると認められるもの

規（埠頭群を一体的に運営する二以上の国際戦略港湾の指定の公示）

第一一条の五　法第四十三条の十一第三項の規定による指定の公示は、官報に掲載して行うものとする。

規（心身の故障により埠頭群の運営の事業を適正に行うことができない者）

第一一条の五の二　法第四十三条の十一第七項第三号の国土交通省令で定める者は、精神の機能の障害により埠頭群の運営の事業を適正に行うに当たつて必要な認知、判断及び意思疎通を適切に行うことができない者とする。

規（指定の申請の内容の公衆の縦覧手続）

第一一条の六　国土交通大臣又は国際拠点港湾の港湾管理者は、法第四十三条の十一第八項の規定により指定の申請の内容を公衆の縦覧に供しようとするときは、あらかじめ、縦覧の開始の日、縦覧の場所及び縦覧の時間を、国土交通大臣にあつては官報により、国際拠点港湾の港湾管理者にあつては公報、掲示その他の方法により公告しなければならない。

2　国土交通大臣又は国際拠点港湾の港湾管理者は、法第四十三条の十一第八項の規定により指定の申請の内容を公衆の縦覧に供するときは、次に掲げる事項を、国土交通大臣にあつては官報により、国際拠点港湾の港湾管理者にあつては公報、掲示その他の方法により公告しなければならない。

一　法第四十三条の十一第一項又は第六項の規定による指定を受けようとする者（第十一条の九において「申請者」という。）の商号及び本店の所在地

二　運営計画の概要

三　意見書の提出方法、提出期限及び提出先

四　前三号に掲げるもののほか、当該指定に係る国土交通大臣又は国際拠点港湾の港湾管理者が必要と認める事項

規（港湾運営会社の指定の公示）

第一一条の七　法第四十三条の十一第十二項の規定による公示は、港湾運営会社の商号及び本店の所在地のほか、同条第九項の規定により提出された意見書の処理の経過、当該港湾運営会社の指定の理由その他当該港湾運営会社の指定をした国土交通大臣又は国際拠点港湾の港湾管理者が必要と認める事項を明示して、国土交通大臣にあつては官報により、国際拠点港湾の港湾管理者にあつては公報、掲示その他の方法により行うものとする。

規（商号等変更の届出の公示）

第一一条の八　法第四十三条の十一第十四項の規定による公示は、国土交通大臣にあつては官報により、国際拠点港湾の港湾管理者にあつては公報、掲示その他の方法により行うものとする。

第四三条の一二　前条第一項又は第六項の規定による指定を受けようとする者は、国土交通省令で定めるところにより、次に掲げる事項を記載した申請書を国土交通大臣又は国際拠点港湾の港湾管理者に提出しなければならない。

一　商号及び本店の所在地

二　次に掲げる事項（前条第六項の規定による指定を受けようとする者にあつては、ニに掲げる事項を除く。）を記載した埠頭群の運営の事業に関する計画（以下「運営計画」という。）

イ　埠頭群（当該港湾において埠頭群に含まれない埠頭を運営する場合にあつては、当該埠頭を含む。以下この号において同じ。）において施設又は役務を提供する時間

ロ　埠頭群の運営に必要な荷さばき施設その他の国土交通省令で定める港湾施設であつて、自らその建設又は改良を行うものの位置、種類、構造その他の国土交通省令で定める事項

ハ　埠頭群の運営の体制に関する事項として国土交通省令で定めるもの

ニ　埠頭群の運営の推進に関する事項のうち国際基幹航路（国際戦略港湾と本邦以外の地域の港との間の航路のうち、長距離の国際海上コンテナ運送に係る国際海上貨物輸送網を形成するものとして国土交通省令で定めるものをいう。第四十三条の三十一において同じ。）に就航する外貿コンテナ貨物定期船（本邦の港と本邦以外の地域の港との間に航路を定めて一定の日程表に従つて船舶を就航させ、主としてコンテナ貨物の運送を行う事業の用に供される船舶をいう。同条において同じ。）の寄港回数の維持又は増加を図るための取組として国土交通省令で

定めるものの内容

ホ　イからニまでに掲げるもののほか、国土交通省令で定める事項

2　前項の申請書には、事業収支見積書その他国土交通省令で定める書類を添付しなければならない。

本条…追加〔平成二三年三月法律九号〕、一項…一部改正〔令和元年一二月法律六八号〕

参照　一項二号ロ・ハ・ニ・ホ・二項〔国土交通省令〕規則一二の九

規（**港湾運営会社の指定の申請**）

第一二条の九　法第四十三条の十二第一項の規定により提出する申請書には、申請の年月日及び申請者の代表者の氏名を記載しなければならない。

2　法第四十三条の十二第一項第二号ロの国土交通省令で定める港湾施設（以下「荷さばき施設等」という。）は、次に掲げるものとする。

一　荷さばき施設

二　旅客施設

三　港湾管理事務所

四　移動式施設

3　法第四十三条の十二第一項第二号ロの国土交通省令で定める事項は、次に掲げるものとする。

一　荷さばき施設等のうち申請者がその建設又は改良を行うもの（以下「特定荷さばき施設等」という。）の位置、種類、数、規模及び構造

二　特定荷さばき施設等の工事に要する費用の概算

三　特定荷さばき施設等の工事の着手及び完成の予定期日並びに供用開始の予定期日

四　法第五十五条の九第一項の国の貸付けに係る国際戦略港湾又は国際拠点港湾の港湾管理者の貸付けを申請する場合にあつては、次に掲げる事項を記載した当該貸付けに係る特定荷さばき施設等に係る資金計画

イ　資金計画の概要

ロ　資金の調達方法

ハ　資金の使途

五　前号の特定荷さばき施設等に係る収支計画

4　法第四十三条の十二第一項第二号ハの国土交通省令で定める事項は、役員及び職員の配置の状況並びに事務の機構及び分掌に関する事項とする。

5　法第四十三条の十二第一項第二号ニの国土交通省令で定める航路は、外貿コンテナ貨物定期船が就航する航路であつて、別表第一の各項に掲げるいずれかの地域内にある港を寄港地とするものとする。

6　法第四十三条の十二第一項第二号ニの国土交通省令で定める取組は、次に掲げるものとする。

一　国際基幹航路に就航する外貿コンテナ貨物定期船の寄港回数の維持又は増加に関する目標の設定

二　国際基幹航路により形成される長距離の国際海上コンテナ運送に係る国際海上貨物輸送網の状況に関する情報の収集、整理及び提供

三　国際戦略港湾の取扱貨物量の増加、国際戦略港湾への寄港に要する費用の低減及び国際戦略港湾の利用上の利便の増進のための取組

四　次に掲げる者に対する国際戦略港湾の利用を促進するための働きかけ

イ　海上運送法（昭和二十四年法律第百八十七号）第二十三条の三第二項に規定する船舶運航事業者

ロ　貨物利用運送事業法（平成元年法律第八十二号）第五十五条第一項に規定する貨物利用運送事業者

ハ　荷主

ニ　イからハまでに掲げる者のほか、国際戦略港湾を利用し、又は利用することが見込まれる者

五　前各号に掲げるもののほか、国際基幹航路に就航する外貿コンテナ貨物定期船の寄港回数の維持又は増加を図るために必要な取組

7　法第四十三条の十二第一項第二号ホの国土交通省令で定める事項は次に掲げるものとする。

一　埠頭群（当該港湾において埠頭群に含まれない埠頭を運営する場合にあつては、当該埠頭を含む。次号、第三号及び次項第三号において同じ。）の運営の事業の実施時期

二　埠頭群を構成する港湾施設（特定荷さばき施設等を除く。）の位置、種類、数、規模及び構造

三　埠頭群の運営の効率化に資する取組

四　法第五十五条第一項、第四項又は第五項の埠頭群を構成する港湾施設の貸付けを希望する期間

8　法第四十三条の十二第二項の国土交通省令で定める書類は、次に掲げるものとする。

一　資金収支見積書

二　取扱貨物量の目標を記載した書類

三　埠頭群の運営の効率性の向上の程度を示す指標を記載した書類

四　申請者に関する次に掲げる書類

イ　定款及び登記事項証明書

ロ　役員の履歴書

ハ　株主名簿の写し

ニ　最近の事業年度の財産目録、貸借対照表及び損益計算書

五　法第四十三条の十一第七項各号に該当しない旨を誓約する書類

六　埠頭群の運営の事業以外の事業を行う場合には、その種類及び概要を記載した書類

七　その他参考となるべき事項を記載した書類

（運営計画の変更）

第四三条の一三　港湾運営会社は、運営計画を変更しようとするときは、その指定をした国土交通大臣又は国際拠点港湾の港湾管理者の認可を受けなければならない。ただし、国土交通省令で定める軽微な変更については、この限りでない。

2　第四十三条の十一第一項（第三号を除く。）の規定は前項の国土交通大臣の認可について、同条第六項（第三号を除く。）の規定は前項の国際拠点港湾の港湾管理者の認可について、それぞれ準用する。

3　第四十三条の十一第十項の規定は、国土交通大臣が第一項の認可をしようとする場合について準用する。

4　国際拠点港湾の港湾管理者は、その指定について第四十三条の十一第十一項の規定により国土交通大臣の同意を得た港湾運営会社について第一項の認可をしようとするときは、あらかじめ、国土交通大臣の同意を得なければならない。

5　港湾運営会社は、第一項ただし書の国土交通省令で定める軽微な変更をしたときは、遅滞なく、その旨をその指定をした国土交通大臣又は国際拠点港湾の港湾管理者に届け出なければならない。

本条…追加〔平成二三年三月法律九号〕

参照　一項・五項〔国土交通省令〕規則一一の一〇

規（港湾運営会社の指定の申請）

第一一条の九　1～3〔略〕

4　法第四十三条の十二第一項第二号ハの国土交通省令で定める事項は、役員及び職員の配置の状況並びに事務の機構及び分掌に関する事項とする。

5～8〔略〕

規（運営計画の変更の届出）

第一一条の一〇　法第四十三条の十三第一項ただし書の国土交通省令で定める軽微な変更は、次に掲げる変更とする。

一　前条第四項の事項に係る変更

二　前号に掲げるもののほか、特定荷さばき施設等の名称の変更その他の運営計画に記載されている内容の実質的な変更を伴わない変更

2　法第四十三条の十三第五項の規定により運営計画の変更の届出をしようとする者は、次に掲げる事項を記載した運営計画変更届出書を提出しなければならない。

一　商号及び本店の所在地

二　変更した事項（新旧の対照を明示すること。）

（臨港地区内における行為の届出の特例）

第四三条の一四　港湾運営会社が第四十三条の十一第一項若しくは第六項の規定による指定又は前条第一項の認可を受けたときは、当該指定又は認可に係る運営計画に記載された第四十三条の十二第一項第二号ロの国土交通省令で定める港湾施設の建設又は改良のうち、当該建設又は改良を行うに当たり、第三十八条の二第一項又は第四項の規定による届出をしなければならないものについては、これらの規定により届出をしたものとみなす。

本条…追加〔平成二三年三月法律九号〕

（合併及び分割）

第四三条の一五　港湾運営会社の合併及び分割の決議は、その指定をした国土交通大臣又は国際拠点港湾の港湾管理者の認可を受けなければ、その効力を生じない。

2　第四十三条の十一第十項の規定は国土交通大臣が前項の認可をしようとする場合について、第四十三条の十三第四項の規定は国際拠点港湾の港湾管理者が前項の認可をしようとする場合について、それぞれ準用する。

本条…追加〔平成二三年三月法律九号〕

（区分経理）

第四三条の一六　港湾運営会社は、国土交通省令で定めるところにより、埠頭群の運営の事業に係る経理とその他の事業に係る経理とを区分して整理しなければならない。

本条…追加〔平成二三年三月法律九号〕

参照　〔国土交通省令〕規則一一の一一

規（区分経理の方法）

第一一条の一一　港湾運営会社は、法第四十三条の十六の規定により埠頭群の運営の事業に係る経理とその他の事業に係る経理とを区分して整理する場合においては、埠頭群の運営の事業とその他の事業との双方に関連する収益及び費用は、次に掲げる割合によりそれぞれの事業に配賦するものとする。

一　受取利子その他の事業外収益にあつては、それぞれの事業に専属する事業収益による割合

二　事業費用にあつては、次に掲げる割合

イ　法人税、道府県民税、事業税及び市町村民税にあつては、それぞれの事業に専属する利益による割合

ロ　その他のものにあつては、それぞれの事業に専属する事業費用（諸税及び減価償却費を除く。次号ロにおいて同じ。）による割合

三　支払利子その他の事業外費用にあつては、次に掲げる割合

イ　支払利子にあつては、それぞれの事業に専属する事業用固定資産の価額による割合（当該固定資産につき前事業年度末における貸借対照表に付せられた価額から当該固定資産につき当該貸借対照表に計上された減価償却引当金の額を控除した価額による割合をいう。）

ロ　その他のものにあつては、それぞれの事業に専属する事業費用による割合

（監督命令）

第四三条の一七　国土交通大臣又は国際拠点港湾の港湾管理者は、埠頭群の運営の事業の適正な実施を確保するため必要があると認めるときは、その指定を受けた港湾運営会社に対し、業務に関し監督上必要な命令をすることができる。

2　国土交通大臣は、前項の命令をするに当たり、必要があると認めるときは、当該港湾運営会社の指定に係る国際戦略港湾の港湾管理者に対し、意見を求めることができる。

本条…追加〔平成二三年三月法律九号〕

（事業の休止及び廃止）

第四三条の一八　港湾運営会社は、埠頭群の運営の事業の全部を休止し、又は廃止しようとするときは、その指定をした国土交通大臣又は国際拠点港湾の港湾管理者の許可を受けなければならない。

2　第四十三条の十一第十項の規定は、国土交通大臣が前項の許可をしようとする場合について準用する。

3　国際拠点港湾の港湾管理者は、その指定について第四十三条の十一第十一項の規定により国土交通大臣の同意を得た港湾運営会社について第一項の許可をしようとするときは、あらかじめ、国土交通大臣にその旨を通知しなければならない。

4　国土交通大臣は、前項の規定による通知があつたときは、その通知をした国際拠点港湾の港湾管理者に対し、第一項の許可に関し必要と認める意見を述べることができる。

本条…追加〔平成二三年三月法律九号〕

（指定の取消し）

第四三条の一九　国土交通大臣又は国際拠点港湾の港湾管理者は、その指定を受けた港湾運営会社が次の各号のいずれかに該当するときは、第四十三条の十一第一項又は第六項の規定による指定を取り消すことができる。

一　埠頭群の運営の事業を適正に行うことができないと認められるとき。

二　この法律又はこの法律に基づく命令の規定に違反したとき。

三　第四十三条の十七第一項の規定による命令に違反したとき。

2　国土交通大臣又は国際拠点港湾の港湾管理者は、その指定を受けた港湾運営会社が前条第一項の規定による埠頭群の運営の事業の全部の廃止の許可を受けたときは、第四十三条の十一第一項又は第六項の規定による指定を取り消すものとする。

3　国土交通大臣又は国際拠点港湾の港湾管理者は、前二項の規定により第四十三条の十一第一項又は第六項の規定による指定を取り消したときは、国土交通省令で定めるところにより、その旨を公示しなければならない。

4　第四十三条の十一第十項の規定は国土交通大臣が第一項の規定による指定の取消しをしようとする場合について、前条第三項及び第四項の規定は国際拠点港湾の港湾管理者が第一項の規定による指定の取消しをしようとする場合について、それぞれ準用する。

本条…追加〔平成二三年三月法律九号〕

参照　一項・二項〔指定の取消し〕規則一一の一三、三項〔国土交通省令〕規則一一の八・一一の一二

規（商号等変更の届出の公示）

第一一条の八　法第四十三条の十一第十四項の規定による公示は、国土交通大臣にあつては官報により、国際拠点港湾の港湾管理者にあつては公報、掲示その他の方法により行うものとする。

規（指定の取消しの公示）

第一一条の一二　第十一条の八の規定は、法第四十三条の十九第三項の規定による公示について準用する。

規（埠頭群の運営の事業の引継ぎ等）

第一一条の一三　法第四十三条の十九第一項又は第二項の規定による指定の取消しに係る国際戦略港湾又は国際拠点港湾の港湾運営会社は、次に掲げる事項を行わなければならない。

一　埠頭群の運営の事業に関する書類を国際戦略港湾若しくは国際拠点港湾の港湾管理者又は当該埠頭群の運営の

事業の全部を承継するものとして国土交通大臣若しくは国際拠点港湾の港湾管理者が指定する港湾運営会社に引き継ぐこと。

二　その他国土交通大臣が必要と認める事項

（指定を取り消した場合における措置）

第四三条の二〇　国際戦略港湾の港湾運営会社は、前条第一項又は第二項の規定により第四十三条の十一第一項の規定による指定を取り消されたときは、その指定に係る埠頭群の運営の事業の全部を、当該国際戦略港湾の港湾管理者又は当該埠頭群の運営の事業の全部を承継するものとして国土交通大臣が指定する港湾運営会社に引き継がなければならない。

2　国際拠点港湾の港湾運営会社は、前条第一項又は第二項の規定により第四十三条の十一第六項の規定による指定を取り消されたときは、その指定に係る埠頭群の運営の事業の全部を、当該国際拠点港湾の港湾管理者又は当該埠頭群の運営の事業の全部を承継するものとして当該国際拠点港湾の港湾管理者が指定する港湾運営会社に引き継がなければならない。

3　前二項に規定するもののほか、前条第一項又は第二項の規定により第四十三条の十一第一項又は第六項の規定による指定を取り消された場合における埠頭群の運営の事業の引継ぎその他の必要な事項は、国土交通省令で定める。

本条…追加〔平成二三年三月法律九号〕

第二節　港湾運営会社の適正な運営を確保するための議決権の保有制限等

本節…追加〔平成二三年三月法律九号〕

（議決権の保有制限）

第四三条の二一　何人も、港湾運営会社の総株主の議決権（株主総会において決議をすることができる事項の全部につき議決権を行使することができない株式についての議決権を除き、会社法（平成十七年法律第八十六号）第八百七十九条第三項の規定により議決権を有するものとみなされる株式についての議決権を含む。以下この章において同じ。）の百分の二十（その者が港湾運営会社の財務及び営業の方針の決定に対して重要な影響を与えることが推測される事実として国土交通省令で定める事実がある場合には、百分の十五。以下この条において「保有基準割合」という。）以上の数の議決権（社債、株式等の振替に関する法律（平成十三年法律第七十五号）第百四十七条第一項又は第百四十八条第一項の規定により発行者に対抗することができない株式に係る議決権を含み、取得又は保有の態様その他の事情を勘案して国土交通省令で定めるものを除く。以下この章において「対象議決権」という。）を取得し、又は保有してはならない。ただし、政府、地方公共団体若しくは港務局又はその総株主の議決権の三分の二以上の数の議決権を地方公共団体が保有している株式会社が取得し、又は保有する場合は、この限りでない。

2　前項本文の規定は、保有する対象議決権の数に増加がない場合その他の国土交通省令で定める場合において、港湾運営会社の総株主の議決権の保有基準割合以上の数の対象議決権を取得し、又は保有することとなるときには、適用しない。

3　前項の場合において、港湾運営会社の総株主の議決権の保有基準割合以上の数の対象議決権を取得し、又は保有することとなつた者（以下この条において「特定保有者」という。）は、国土交通省令で定めるところにより、特定保有者になつた旨その他国土交通省令で定める事項を当該港湾運営会社の指定をした国土交通大臣又は国際拠点港湾の港湾管理者に届け出なければならない。

4　第二項の場合において、特定保有者は、特定保有者となつた日から三月以内に、港湾運営会社の保有基準割合未満の数の対象議決権の保有者となるために必要な措置をとらなければならない。

5　次の各号に掲げる場合における前各項の規定の適用については、当該各号に定める対象議決権は、これを取得し、又は保有するものとみなす。

一　金銭の信託契約その他の契約又は法律の規定に基づき、港湾運営会社の対象議決権を行使することができる権限又は当該対象議決権の行使について指図を行うことができる権限を有し、又は有することとなる場合　当該対象議決権

二　株式の所有関係、親族関係その他の国土交通省令で定める特別の関係にある者が港湾運営会社の対象議決権を取得し、又は保有する場合　当該特別の関係にある者が取得し、又は保有する対象議決権

6　前各項の規定の適用に関し必要な事項は、国土交

通省令で定める。

本条…追加〔平成二三年三月法律九号〕、一項…一部改正〔平成二六年五月法律三三号〕

参照 一―三項・五項二号・六項〔国土交通省令〕規則一一の一四―一一の一八

規 **（財務及び営業の方針の決定に対して重要な影響を与えることが推測される事実）**

第一一条の一四 法第四十三条の二十一第一項に規定する国土交通省令で定める事実は、次に掲げる事実とする。

一 役員若しくは使用人である者又はこれらであつた者であつて港湾運営会社の財務及び営業又は事業の方針の決定に関して影響を与えることができるものが、当該港湾運営会社の取締役若しくは執行役又はこれらに準ずる役職に就任していること。

二 港湾運営会社に対して重要な融資を行つていること。

三 港湾運営会社に対して重要な技術を提供していること。

四 港湾運営会社との間に重要な営業上又は事業上の取引があること。

五 その他港湾運営会社の財務及び営業又は事業の方針の決定に対して重要な影響を与えることができることが推測される事実が存在すること。

規 **（取得又は保有の態様その他の事情を勘案して取得又は保有する議決権から除く議決権）**

第一一条の一五 法第四十三条の二十一第一項に規定する国土交通省令で定めるものは、次に掲げるものとする。

一 信託業（信託業法（平成十六年法律第百五十四号）第二条第一項に規定する信託業をいう。）を営む者が信託財産として取得し、又は所有する港湾運営会社の株式に係る議決権（法第四十三条の二十一第五項第一号の規定により当該信託業を営む者が自ら取得し、又は保有する議決権とみなされるものを除く。）

二 法人の代表権を有する者又は法人の代理権を有する支配人が当該代表権又は代理権に基づき、議決権を行使することができる権限又は議決権の行使について指図を行うことができる権限を有し、又は有することとなる場合における当該法人が取得し、又は所有する港湾運営会社の株式に係る議決権

三 港湾運営会社の役員又は従業員が当該港湾運営会社の他の役員又は従業員と共同して当該港湾運営会社の株式の取得（一定の計画に従い、個別の投資判断に基づかず、継続的に行われ、各役員又は従業員の一回当たりの拠出金額が百万円に満たないものに限る。）をした場合（当該港湾運営会社が会社法（平成十七年法律第八十六号）第百五十六条第一項（同法第百六十五条第三項の規定により読み替えて適用する場合を含む。）の規定に基づき取得した株式以外の株式を取得したときは、金融商品取引法（昭和二十三年法律第二十五号）第二条第九項に規定する金融商品取引業者に委託して行つた場合に限る。）において当該取得をした港湾運営会社の株式を信託された者が取得し、又は所有する当該港湾運営会社の株式に係る議決権（法第四十三条の二十一第五項第一号の規定により当該信託された者が自ら取得し、又は保有する議決権とみなされるものを除く。）

四 相続人が相続財産として取得し、又は所有する港湾運営会社の株式（当該相続人（共同相続の場合を除く。）が単純承認（単純承認をしたものとみなされる場合を含む。）若しくは限定承認をした日までのもの又は当該相続財産の共同相続人が遺産分割を了していないものに限る。）に係る議決権

五 港湾運営会社が自己の株式の消却を行うために取得し、又は所有する当該港湾運営会社の株式に係る議決権

規 **（取得等の制限の適用除外）**

第一一条の一六 法第四十三条の二十一第二項に規定する国土交通省令で定める場合は、次に掲げる場合とする。

一 保有する対象議決権の数に増加がない場合

二 担保権の行使又は代物弁済の受領により対象議決権を取得し、又は保有する場合

三 金融商品取引業者（金融商品取引法第二十八条第一項に規定する第一種金融商品取引業を行う者に限る。）が業務として対象議決権を取得し、又は保有する場合（同法第二条第八項第一号に掲げる行為により取得し、又は保有する場合を除く。）

四 金融商品取引法第二条第三十項に規定する証券金融会社が同法第百五十六条の二十四第一項に規定する業務として対象議決権を取得し、又は保有する場合

規 **（特定保有者の届出）**

第一一条の一七 法第四十三条の二十一第三項の届出は、特定保有者となつた日から二週間以内に行わなければならない。

2 法第四十三条の二十一第三項に規定する国土交通省令で定める事項は、次に掲げる事項とする。

一 特定保有者になつた日

二 特定保有者に該当することとなつた原因

三 その保有する対象議決権の数

四 港湾運営会社の保有基準割合未満の数の対象議決権の保有者となるために必要な措置として予定している措置

規 **（特別の関係にある者）**

第一一条の一八 法第四十三条の二十一第五項第二号（法第四十三条の二十二第二項において準用する場合を含む。）に規定する国土交通省令で定める特別の関係にある者は、次に掲げる関係にある者（地方公共団体若しくは港務局又はその総株主の議決権の三分の二以上の数の議決権を地方公共団体が保有している株式会社を除く。）とする。

一 共同で港湾運営会社の対象議決権を取得し、若しくは

保有し、又は当該港湾運営会社の対象議決権を行使することを合意している者（以下この条において「共同保有者」という。）の関係

二　会社の総株主等の議決権（総株主又は総出資者の議決権をいい、株式会社にあつては、株主総会において決議をすることができる事項の全部につき議決権を行使することができない株式についての議決権を除き、会社法第八百七十九条第三項の規定により議決権を有するものとみなされる株式についての議決権を含む。以下この条において同じ。）の百分の五十を超える議決権を保有している者（以下この条において「支配株主等」という。）と当該会社（以下この条において「被支配会社」という。）との関係

三　被支配会社とその支配株主等の他の被支配会社との関係

四　夫婦の関係

2　共同保有者が合わせて会社の総株主等の議決権の百分の五十を超える議決権を保有している場合には、当該共同保有者は、それぞれ当該会社の支配株主等とみなして前項の規定を適用する。

3　支配株主等とその被支配会社が合わせて他の会社の総株主等の議決権の百分の五十を超える議決権を保有している場合には、当該他の会社も、当該支配株主等の被支配会社とみなして第一項の規定を適用する。

4　夫婦が合わせて会社の総株主等の議決権の百分の五十を超える議決権を保有している場合には、当該夫婦は、それぞれ当該会社の支配株主等とみなして第一項の規定を適用する。

5　第一項第二号及び第二項から前項までの場合において、これらの規定に規定する者が保有する議決権には、社債、株式等の振替に関する法律（平成十三年法律第七十五号）第百四十七条第一項又は第百四十八条第一項の規定により発行者に対抗することができない株式に係る議決権を含むものとする。

（対象議決権保有届出書の提出）

第四三条の二二　港湾運営会社の総株主の議決権の百分の五を超える対象議決権の保有者（政府、地方公共団体及び港務局以外の者に限る。以下この項において「対象議決権保有者」という。）となつた者は、国土交通省令で定めるところにより、対象議決権保有割合（対象議決権保有者の保有する当該対象議決権の数を当該港湾運営会社の総株主の議決権の数で除して得た割合をいう。）、保有の目的その他国土交通省令で定める事項を記載した対象議決権保有届出書を当該港湾運営会社の指定をした国土交通大臣又は国際拠点港湾の港湾管理者に提出しなければならない。

2　前条第五項の規定は、前項の規定を適用する場合について準用する。

本条…追加〔平成二三年三月法律九号〕、一項…一部改正〔平成二六年五月法律三三号〕

参照　一項〔証明書〕規則一一の一九

規 **（対象議決権保有届出書の提出等）**

第一一条の一九　法第四十三条の二十二第一項の規定により対象議決権保有届出書を提出する者は、対象議決権保有者となつた日から二週間以内に、第三号の二様式により作成した対象議決権保有届出書を、当該港湾運営会社の指定をした国土交通大臣又は国際拠点港湾の港湾管理者に提出するものとする。

2　法第四十三条の二十二第一項に規定する対象議決権保有割合、保有の目的その他国土交通省令で定める事項は、第三号の二様式に定める事項とする。

（対象議決権保有届出書の提出者に対する報告の徴収及び検査）

第四三条の二三　前条第一項の規定により対象議決権保有届出書の提出を受けた国土交通大臣又は国際拠点港湾の港湾管理者は、当該対象議決権保有届出書のうちに虚偽の記載があり、又は記載すべき事項の記載が欠けている疑いがあると認めるときは、当該対象議決権保有届出書の提出者に対し参考となるべき報告若しくは資料の提出を命じ、又はその職員に当該提出者の書類その他の物件の検査（当該対象議決権保有届出書の記載に関し必要な検査に限る。）をさせることができる。

2　前項の規定により検査をする職員は、その身分を示す証明書を携帯し、関係人にこれを提示しなければならない。

3　第一項の規定による検査の権限は、犯罪捜査のために認められたものと解してはならない。

本条…追加〔平成二三年三月法律九号〕

参照　二項〔証明書〕規則一一の二〇

規 **（証明書の様式）**

第一一条の二〇　法第四十三条の二十三第二項の規定による証明書（国の職員が携帯するものを除く。）は、第三号の三様式によるものとする。

（発行済株式の総数等の公表）

第四三条の二四　港湾運営会社は、国土交通省令で定めるところにより、その発行済株式の総数、総株主の議決権の数その他の国土交通省令で定める事項を公表しなければならない。

本条…追加〔平成二三年三月法律九号〕

参照〔国土交通省令〕規則一一の二

規（発行済株式総数の公表等）

第一一条の二　法第四十三条の二十四の規定による公表は、港湾運営会社のウェブサイトへの掲載その他の適切な方法により行うものとする。

2　法第四十三条の二十四に規定する国土交通省令で定める事項は、当該港湾運営会社の発行済株式の総数及び総株主の議決権の数とする。

3　法第四十三条の二十四の規定により公表する場合において、株式の転換（当該株式がその発行会社に取得され、引換えに他の種類の株式が交付されることをいう。）又は新株予約権の行使によつて発行済株式の総数又は総株主の議決権の数に変更があつた場合における発行済株式の総数又は総株主の議決権の数は、前月末日現在のものによることができる。

4　法第四十三条の二十四の規定により公表する場合において、港湾運営会社の発行済株式の総数に変更があつたときは、その登記が行われるまでの間は、登記されている発行済株式の総数をもつて、第二項の発行済株式の総数とみなすことができる。

第三節　国際戦略港湾の港湾運営会社に対する特別の措置

本節…追加〔平成二六年五月法律三三号〕、節名…一部改正〔令和元年一二月法律六八号〕

（政府の出資）

第四三条の二五　政府は、国際戦略港湾の国際競争力を強化するため、国際戦略港湾の港湾運営会社が行う埠頭群の運営の事業の効率化及び高度化を図ることが特に必要であると認めるときは、当該港湾運営会社に対し、予算の範囲内で、出資することができる。

本条…追加〔平成二六年五月法律三三号〕

（事業計画等）

第四三条の二六　前条の規定により政府が出資している国際戦略港湾の港湾運営会社（以下「特定港湾運営会社」という。）は、毎事業年度開始前に（同条の規定による出資を受けた日の属する事業年度にあつては、その出資を受けた後速やかに）、その事業年度の事業計画及び収支予算を作成し、国土交通大臣に提出しなければならない。これを変更しようとするときも、同様とする。

2　国土交通大臣は、前項の規定による事業計画及び収支予算の提出があつたときは、遅滞なく、これらの写しを当該特定港湾運営会社に係る国際戦略港湾の港湾管理者に送付するものとする。

3　特定港湾運営会社は、毎事業年度経過後三月以内に、その事業年度の貸借対照表、損益計算書及び事業報告書を作成し、国土交通大臣に提出しなければならない。

本条…追加〔平成二六年五月法律三三号〕

（定款の変更等）

第四三条の二七　特定港湾運営会社の定款の変更及び剰余金の配当その他の剰余金の処分の決議は、国土交通大臣の認可を受けなければ、その効力を生じない。

2　第四十三条の十一第十項の規定は、国土交通大臣が前項の認可をしようとする場合について準用する。

本条…追加〔平成二六年五月法律三三号〕

（協議）

第四三条の二八　国土交通大臣は、第四十三条の二十五の規定により政府が国際戦略港湾の港湾運営会社に対し出資している場合において、次に掲げるときは、あらかじめ、財務大臣に協議しなければならない。

一　第四十三条の十三第一項、第四十三条の十五第一項又は前条第一項の認可をしようとするとき。

二　第四十三条の十八第一項の許可をしようとするとき。

三　第四十三条の十九第一項の規定により第四十三条の十一第一項の規定による指定の取消しをしようとするとき。

本条…追加〔平成二六年五月法律三三号〕

（国派遣職員に係る特例）

第四三条の二九　国派遣職員（国家公務員法（昭和二十二年法律第百二十号）第二条に規定する一般職に属する職員が、任命権者又はその委任を受けた者の要請に応じ、国際戦略港湾の港湾運営会社の職員

（常時勤務に服することを要しない者を除き、埠頭群の運営の事業に関する業務に従事する者に限る。以下この項において同じ。）となるため退職し、引き続いて当該港湾運営会社の職員となり、引き続き当該港湾運営会社の職員として在職している場合における当該港湾運営会社の職員をいう。以下この条において同じ。）は、同法第八十二条第二項の規定の適用については、同項に規定する特別職国家公務員等とみなす。

2　国家公務員法第百六条の二第三項に規定する退職手当通算法人には、国際戦略港湾の港湾運営会社を含むものとする。

3　国派遣職員は、一般職の職員の給与に関する法律（昭和二十五年法律第九十五号）第十一条の七第三項、第十一条の八第三項、第十二条第四項、第十二条の二第三項及び第十四条第二項の規定の適用については、同法第十一条の七第三項に規定する行政執行法人職員等とみなす。

4　国派遣職員は、国家公務員退職手当法（昭和二十八年法律第百八十二号）第七条の二及び第二十条第三項の規定の適用については、同法第七条の二第一項に規定する公庫等職員とみなす。

5　国際戦略港湾の港湾運営会社又は国派遣職員は、国家公務員共済組合法（昭和三十三年法律第百二十八号）第百二十四条の二の規定の適用については、それぞれ同条第一項に規定する公庫等又は公庫等職員とみなす。

6　国派遣職員は、一般職の職員の勤務時間、休暇等に関する法律（平成六年法律第三十三号）第十七条第一項の規定の適用については、同項第三号に規定する行政執行法人職員等とみなす。

7　国派遣職員は、国家公務員の留学費用の償還に関する法律（平成十八年法律第七十号）第四条（第五号に係る部分に限る。）及び第五条（同号に係る部分に限る。）の規定の適用については、同法第二条第四項に規定する特別職国家公務員等とみなす。

本条…追加〔令和元年一二月法律六八号〕

令　（国派遣職員に係る国家公務員倫理規程の特例）

第一五条の六　法第四十三条の二十九第一項（海外社会資本事業への我が国事業者の参入の促進に関する法律（平成三十年法律第四十号）第十一条第二項の規定により読み替えて適用する場合を含む。）に規定する国派遣職員は、国家公務員倫理規程（平成十二年政令第百一号）第四条第三項の規定の適用については、国家公務員法（昭和二十二年法律第百二十号）第八十二条第二項に規定する特別職国家公務員等とみなす。

（職員の派遣等についての配慮）

第四三条の三〇　前条に規定するもののほか、国は、国際戦略港湾の港湾運営会社が行う埠頭群の運営の事業の効率化及び高度化を図るため必要があると認めるときは、職員の派遣その他の適当と認める人的援助について必要な配慮を加えるよう努めるものとする。

本条…追加〔令和元年一二月法律六八号〕

（情報の提供等）

第四三条の三一　国土交通大臣は、国際基幹航路に就航する外貿コンテナ貨物定期船の寄港回数の維持又は増加に資するため、国際戦略港湾の港湾運営会社に対し、当該港湾運営会社の第四十三条の十二第一項第二号ニに規定する取組に係る業務の実施に関し必要な情報の提供又は指導若しくは助言をするものとする。

本条…追加〔令和元年一二月法律六八号〕

第八章　港湾の適正な管理運営等に関する措置

旧六章…七章に繰下〔昭和四八年七月法律五四号〕、旧七章…八章に繰下〔平成二三年三月法律九号〕、章名…改正〔令和四年一一月法律八七号〕

第一節　港湾の利用に関する料金

節名…追加〔令和四年一一月法律八七号〕

（港湾管理者の料金）

第四四条　港湾管理者がその提供する施設又は役務の利用に対し料金（次条第一項の入港料を除く。）を徴収する場合には、あらかじめ料率を定めて、その施行の日の少くとも三十日前に、これを公表しなければならない。これを変更しようとするときも同様である。

2　港湾管理者は、水域施設（泊地を除く。）又は外郭施設の利用に対し、前項の料金を徴収することができない。

3　利害関係人は、第一項の規定により港湾管理者の定めた料率が不当であり又はこの法律に違反すると認めるときは、その施行の日までに、その事実を具して国土交通大臣に申し出て、料率の変更を港湾管理者に求めることを請求することができる。

4　前項の請求があつたときは、国土交通大臣は、当該港湾で運輸審議会の開催する公聴会において、港湾管理者にその料率が不当でなく、且つ、この法律に違反しないものであることを述べる十分な機会を与えた後、当該請求に理由があると認めたときは、港湾管理者に対し理由を示して料率を変更すべきことを求めることができる。

5　港湾管理者は、前項の国土交通大臣の要求があつたときは、遅滞なく、料率について、必要な変更を行わなければならない。

6　港務局は、第十二条の二の規程の定めるところにより、詐偽その他不正の行為により第一項の料金の徴収を免かれた者からその徴収を免かれた金額の五倍に相当する金額以下の過怠金を徴収することができる。

一項…一部改正・二・五項…追加・旧二項…一部改正し三項に繰下・旧三項…四項に繰下〔昭和二九年五月法律一一一号〕、三・四項…一部改正・五項…追加・旧五項…六項に繰下〔平成一一年七月法律八七号〕、三―五項…一部改正〔平成一一年一二月法律一六〇号〕、二項…一部改正〔平成一二年三月法律三三号〕

参照　三項〔料率変更の請求〕規則一二、〔その他法令〕地方自治法二二五条

規　**（料率変更の請求）**

第一二条　法第四十四条第三項の規定による請求をしようとする者は、左に掲げる事項を記載した料率変更請求書を国土交通大臣に提出するものとする。

一　請求者の氏名又は名称及び住所

二　当該料率を定めた港湾管理者の名称

三　当該料率並びにそれについて不当又は違法と認める部分及びその理由

四　請求者が正当と認める料率

（入港料）

第四四条の二　港湾管理者は、当該港湾に入港する船舶から、当該港湾の利用につき入港料を徴収することができる。ただし、警備救難に従事する船舶、海象又は気象の観測に従事する船舶、漁業監視船その他政令で定める船舶については、入港料を徴収することができない。

2　国際戦略港湾の港湾管理者は、前項の入港料を徴収しようとするときは、料率の上限を定め、国土交通省令で定めるところにより、あらかじめ、国土交通大臣に協議し、その同意を得なければならない。これを変更しようとするときも、同様とする。

3　前項の港湾管理者は、同項の同意を得た料率の上限の範囲内で料率を定め、国土交通省令で定めるところにより、あらかじめ、国土交通大臣に届け出なければならない。これを変更しようとするときも、同様とする。

4　前条第一項、第三項、第四項及び第五項の規定は、第二項の港湾管理者以外の港湾管理者が徴収する入港料に、前条第六項の規定は、港務局が徴収する入港料に関して準用する。

本条…追加〔昭和二九年五月法律一一一号〕、一項…一部改正〔昭和六一年一二月法律九三号〕、二・三項…一部改正〔平成一一年七月法律八七号〕、二項…一部改正〔平成一一年一二月法律一六〇号〕、二項…一部改正・三項…追加・旧三項…一部改正し四項に繰下〔平成二〇年六月法律六六号〕、二項…一部改正〔平成二三年三月法律九号〕

参照　一項〔政令〕令一六、二項〔国土交通省告示〕港湾法第四十四条の二第二項の同意の基準を定める件、二項・三項〔国土交通省令〕規則一二の二・一二の三

令　**（入港料を徴収されない船舶）**

第一六条　法第四十四条の二第一項但書の政令で定める船舶は、左の各号に掲げるものとする。

一　航海訓練に従事する船舶

二　漁業練習又は漁業調査に従事する船舶

三　航路標識の管理に従事する船舶

四　水路の測量に従事する船舶

五　学術研究に従事する船舶

六　海外からの日本国民の集団的引揚輸送に従事する船舶

規　**（入港料についての同意を要する協議）**

第一二条の二　法第四十四条の二第二項前段の規定により入港料について国土交通大臣に協議し、その同意を得ようとする港湾管理者は、次に掲げる事項を記載した入港料協議書を国土交通大臣に提出するものとする。

一　当該港湾管理者の名称

二　料率の上限及びその算出の基礎

三　入港料を徴収する理由

2　法第四十四条の二第二項後段の規定により入港料の料率の上限の変更について国土交通大臣に協議し、その同意を得ようとする港湾管理者は、次に掲げる事項を記載した料率上限変更協議書を国土交通大臣に提出するものとする。

一　当該港湾管理者の名称

二　現行の料率の上限

三　変更しようとする料率の上限及びその算出の基礎

四　変更を必要とする理由

3　前二項の規定による同意を得ようとする港湾管理者は、入港料の料率を第一項第二号又は前項第三号の料率の上限

と同じものとしようとする場合にあつては、前二項の協議書にその旨を記載した書類を添付することができる。この場合において、国土交通大臣が、法第四十四条の二第二項の同意をしたときは、当該料率について同条第三項の規定による届出がなされたものとみなす。

規（入港料の料率の届出）

第一二条の三　法第四十四条の二第三項の規定により入港料の料率の設定又は変更の届出をしようとする港湾管理者は、次に掲げる事項を記載した料率設定（変更）届出書を国土交通大臣に提出するものとする。

一　当該港湾管理者の名称
二　設定し、又は変更しようとする料率
三　実施予定日

（滞納処分）

第四四条の三　地方自治法第二百三十一条の三第一項、第二項及び第三項前段の規定は、入港料その他の料金、過怠金その他港務局の収入に関して準用する。この場合において、同条第二項中「条例」とあるのは「港湾法第十二条の二の規程」と読み替えるものとする。

2　前項の収入並びに同項において準用する地方自治法第二百三十一条の三第二項の規定による手数料及び延滞金は、国税及び地方税に次いで先取特権を有し、その時効については地方税法（昭和二十五年法律第二百二十六号）第十八条から第十八条の三までの規定を、その取扱については同法第十七条から第十七条の四までの規定を準用する。

3　第一項において準用する地方自治法第二百三十一条の三第二項の規程は、港務局を組織する地方公共団体の議会の承認を受けなければ、その効力を生じない。

本条…追加〔昭和二九年五月法律一一一号〕、二項…一部改正〔昭和三四年四月法律一四八号・一四九号〕、一－三項…一部改正〔昭和三八年六月法律九九号〕

（港湾管理者以外の者の料金）

第四五条　港湾管理者以外の者で当該港湾において港湾の利用に必要な施設又は役務の提供に対し料金（港湾運営会社が収受する次項の国土交通省令で定める料金及び第五十条の十八第五項第二号イに規定する協定民間国際旅客船受入促進施設の所有者が収受する第五十条の二十一の国土交通省令で定める料金を除く。）を収受しようとするものは、料率を定め、港湾管理者に料率を記載した書面を提出しなければならない。

2　港湾運営会社は、その運営する埠頭群の利用に関する料金として国土交通省令で定める料金を収受しようとするときは、料率を定め、その指定をした国土交通大臣又は国際拠点港湾の港湾管理者に料率を記載した書面を提出しなければならない。

3　前項の規定により港湾運営会社から書面の提出を受けた国土交通大臣又は国際拠点港湾の港湾管理者は、当該書面に記載された料率が次の各号のいずれかに該当すると認めるときは、当該港湾運営会社に対し、期限を定めてその料率を変更すべきことを命ずることができる。

一　特定の利用者に対し不当な差別的取扱いをするものであるとき。
二　社会的経済的事情に照らして著しく不適切であり、利用者が当該埠頭群を利用することを著しく困難にするおそれがあるものであるとき。

4　第四十三条の十一第十項の規定は、国土交通大臣が前項の規定による命令をしようとする場合について準用する。

5　国土交通大臣は、第二項の規定による書面の提出を受けた場合において、第三項の規定による命令をしないこととしたときは、当該港湾運営会社の指定に係る国際戦略港湾の港湾管理者に当該書面の内容を通知するものとする。

6　前各項の規定は、その都度契約によつて提供される施設又は役務については、適用しない。

一項…一部改正・二－五項…追加・旧二項…一部改正し六項に繰下〔平成二三年三月法律九号〕、一項…一部改正〔平成二九年六月法律五五号〕

参照　二項〔国土交通省令〕規則一二の四

規（料率を記載した書面の提出を要する料金）

第一二条の四　法第四十五条第二項の国土交通省令で定める料金は、次に掲げる港湾施設の利用に関するものとする。

一　係留施設
二　荷さばき施設
三　旅客施設

第二節　滞船の場合における要請

節名…追加〔令和四年一一月法律八七号〕

第四五条の二　港湾管理者は、多数の船舶が入港したため、係留施設の不足により当該港湾の円滑な運営が著しく阻害されていると認めるときは、港湾管理者以外の係留施設を管理する者に対し、当該係留施設をできる限り広く入港船舶に利用させるよう要請することができる。

本条…追加〔昭和四八年七月法律五四号〕、見出し…削除・旧四五条の三を繰上〔令和四年一一月法律八七号〕

第三節　特定港湾情報提供施設協定

節名…追加〔令和四年一一月法律八七号〕

（特定港湾情報提供施設協定の締結等）

第四五条の三　港湾管理者は、港湾の利用に関する情報の効率的かつ効果的な提供を図るため、その管理する港湾において港湾管理者以外の者が所有する港湾情報提供施設（これに附帯する港湾情報提供施設以外の港湾施設を含む。以下この項において「特定港湾情報提供施設」という。）を自ら管理する必要があると認めるときは、特定港湾情報提供施設所有者等（当該特定港湾情報提供施設の所有者又は当該特定港湾情報提供施設の敷地である土地（建築物その他の工作物に特定港湾情報提供施設が設けられている場合にあつては、当該建築物その他の工作物のうち当該特定港湾情報提供施設に係る部分）の所有者若しくは使用及び収益を目的とする権利（臨時設備その他一時使用のため設定されたことが明らかなものを除く。）を有する者をいう。次項及び第四十五条の五において同じ。）との間において、次に掲げる事項を定めた協定（以下「特定港湾情報提供施設協定」という。）を締結して、当該特定港湾情報提供施設の管理を行うことができる。

一　特定港湾情報提供施設協定の目的となる特定港湾情報提供施設（以下「協定特定港湾情報提供施設」という。）
二　協定特定港湾情報提供施設の管理の方法
三　特定港湾情報提供施設協定の有効期間
四　特定港湾情報提供施設協定に違反した場合の措置
五　特定港湾情報提供施設協定の掲示方法
六　その他協定特定港湾情報提供施設の管理に関し必要な事項

2　特定港湾情報提供施設協定については、特定港湾情報提供施設所有者等の全員の合意がなければならない。

本条…追加〔平成二八年五月法律四五号〕、一項…一部改正・旧四五条の四…繰上〔令和四年一一月法律八七号〕

（特定港湾情報提供施設協定の縦覧等）

第四五条の四　港湾管理者は、特定港湾情報提供施設協定を締結しようとするときは、国土交通省令で定めるところにより、その旨を公告し、当該特定港湾情報提供施設協定を当該公告の日から二週間利害関係人の縦覧に供さなければならない。

2　前項の規定による公告があつたときは、利害関係人は、同項の縦覧期間満了の日までに、当該特定港湾情報提供施設協定について、港湾管理者に意見書を提出することができる。

3　港湾管理者は、特定港湾情報提供施設協定を締結したときは、国土交通省令で定めるところにより、遅滞なく、その旨を公示し、かつ、当該特定港湾情報提供施設協定の写しを港湾管理者の事務所に備えて一般の閲覧に供するとともに、特定港湾情報提供施設協定において定めるところにより、協定特定港湾情報提供施設又はその敷地内の見やすい場所に、港湾管理者の事務所においてこれを閲覧に供している旨を掲示しなければならない。

4　前条第二項及び前三項の規定は、特定港湾情報提供施設協定において定めた事項の変更について準用する。

本条…追加〔平成二八年五月法律四五号〕、旧四五条の五…繰上〔令和四年一一月法律八七号〕

参照　一項・三項〔国土交通省令〕規則一二の五

規 **（特定港湾情報提供施設協定の公告等）**

第一二条の五　法第四十五条の四第一項（同条第四項において準用する場合を含む。）の規定による公告及び同条第三項（同条第四項において準用する場合を含む。）の規定による公示は、次に掲げる事項について行うものとする。

一　特定港湾情報提供施設協定の名称
二　協定特定港湾情報提供施設の名称及びその所在地
三　特定港湾情報提供施設協定の有効期間
四　特定港湾情報提供施設協定の縦覧又は特定港湾情報提供施設協定の写しの閲覧の場所

（特定港湾情報提供施設協定の効力）

第四五条の五　前条第三項（同条第四項において準用する場合を含む。）の規定による公示のあつた特定港湾情報提供施設協定は、その公示のあつた後において協定特定港湾情報提供施設の特定港湾情報提供施設所有者等となつた者に対しても、その効力があるものとする。

本条…追加〔平成二八年五月法律四五号〕、旧四五条の六…繰上〔令和四年一一月法律八七号〕

第四節　港湾管理者の業務に関する国の関与

節名…追加〔令和四年一一月法律八七号〕

（国が負担し又は補助した港湾施設の譲渡等）

第四六条　港湾管理者は、その工事の費用を国が負担し又は補助した港湾施設を譲渡し、担保に供し、又は貸し付けようとするときは、国土交通大臣の認可を受けなければならない。ただし、国が負担し、若しくは補助した金額に相当する金額を国に返還した場合又は貸付けを受けた者がその物を一般公衆の利用に供し、かつ、その貸付けが三年の期間内である場合は、この限りでない。

2　港湾管理者は、前項の規定により国土交通大臣の認可を受けた場合又は同項ただし書の場合のほか、その管理する一般公衆の利用に供する港湾施設を一般公衆の利用に供されなくする行為をしてはならない。

一項…一部改正〔昭和二九年五月法律一一一号〕、一・二項…一部改正〔平成一一年一二月法律一六〇号・令和元年一二月六八号〕

参照　〔その他法令〕補助金等に係る予算の執行の適正化に関する法律二二条

（不平等取扱の禁止）

第四七条　国土交通大臣は、港湾管理者が第十三条（第三十四条の規定により準用する場合を含む。）の規定に違反していると認めるときは、港湾管理者に対し、当該行為の停止又は変更を求めることができる。

2　港湾管理者は、前項の国土交通大臣の要求があつたときは、遅滞なく、当該行為を停止し、又は当該行為について、必要な変更を行わなければならない。

一項…一部改正・二項…追加〔平成一一年七月法律八七号〕、一・二項…一部改正〔平成一一年一二月法律一六〇号〕

第五節　港湾に関する情報の管理等

節名…追加〔令和四年一一月法律八七号〕

（収支報告）

第四八条　国際戦略港湾、国際拠点港湾又は重要港湾の港湾管理者は、国土交通省令で定めるところにより、その業務に関する収入及び支出その他港湾に関する報告を毎年一回作成して公表しなければならない。

2　国土交通大臣は、必要があると認めるときは、港務局に対し、前項の報告の写しの提出を求めることができる。

本条…一部改正〔平成一一年一二月法律一六〇号・二三年三月九号〕、一項…一部改正・二項…追加〔平成二五年六月法律四四号〕、旧四九条…繰上〔令和四年一一月法律八七号〕

参照　一項〔国土交通省令〕規則一三

規（報告）

第一三条　法第四十八条第一項の規定による報告は、事業年度ごとに当該事業年度終了後五月以内に公表するものとする。

2　前項の規定による報告のうち、収支報告は第四号様式によるものとする。

（港湾台帳）

第四八条の二　港湾管理者は、その管理する港湾について、港湾台帳を調製しなければならない。

2　港湾台帳に関し必要な事項は、国土交通省令で定める。

本条…追加〔昭和二六年六月法律一九六号〕、二項…一部改正〔平成一一年一二月法律一六〇号〕、旧四九条の二…繰上〔令和四年一一月法律八七号〕

参照　二項〔国土交通省令〕規則一四・一四の二

規（港湾台帳）

第一四条　港湾台帳は、帳簿及び図面をもつて組成するものとする。

2　帳簿には、港湾につき、少なくとも次に掲げる事項を記載するものとし、その様式は、第五号様式とする。

一　港湾管理者の名称、港湾区域及び国際戦略港湾、国際拠点港湾、重要港湾又は地方港湾の別

二　港湾における潮位

三　港湾施設の種類、名称、管理者名又は所有者名その他当該港湾施設の概要をは握するために必要な事項

四　港湾に関する条例、規則等

3　図面は、区域平面図、施設位置図及び施設断面図とし、港湾につき、次に定めるところにより調製するものとする。

一　区域平面図は、縮尺五万分の一以上の平面図とし、付近の地形、方位及び縮尺を表示し、少なくとも次に掲げる事項を記載するものとする。ただし、ハ、ニ又はホにあつては、当該区域が、港湾区域、臨港地区又は港湾隣接地域と重複し、又は隣接している場合に限る。

イ　港湾区域、臨港地区及び港湾隣接地域

ロ　港則法に基づく港の区域

ハ　河川法第三条第一項に規定する河川の河川区域

ニ　海岸法第三条の規定により指定される海岸保全区域

ホ　漁港及び漁場の整備等に関する法律第六条第一項か

ら第四項までの規定により指定される漁港の区域
二　施設位置図は、縮尺一万分の一以上の平面図とし、方位及び縮尺を表示し、少なくとも次に掲げる事項を記載するものとする。
イ　港湾区域及び臨港地区
ロ　港湾施設の位置（当該施設の施設番号を付記すること。）
ハ　水域施設、外郭施設、係留施設等のうち主要なものの規模
三　施設断面図には、少なくとも外郭施設及び係留施設のうち主要なものの標準的な断面図を記載するものとする。

4　帳簿及び図面の記載事項に変更があつたときは、港湾管理者は、速やかにこれを訂正しなければならない。

規 **第一四条の二**　港湾管理者は、港湾台帳をその事務所に備えておき、その閲覧を求められたときは、正当な理由がなければこれを拒むことができない。

（入出港書類の統一）

第四八条の三　第十二条第二項（第三十四条において準用する場合を含む。以下この項及び次条第四項において同じ。）の規定に基づく条例その他の条例又は第十二条の二の規定に基づく規程で定めるところにより行われる一般公衆の利用に供される港湾施設に係る使用の申請、第十二条第一項第五号の二に規定する入港届又は出港届その他の港湾管理者に対して行われる通知（以下「申請等」という。）であつて国土交通省令で定めるものの様式（次条第四項の規定により電子情報処理組織を使用してする申請等に係るものを除く。）は、第十二条第二項の規定にかかわらず、国土交通省令で定める。

2　国土交通大臣は、前項に掲げるもののほか、港湾管理者が受理する船舶の入出港に関する書類の様式の統一を図るため、港湾管理者に対し必要な勧告をすることができる。

参照　一項〔国土交通省令〕規則一五

本条…一部改正〔平成一一年七月法律八七号・一二月一六〇号〕、一項…追加・本条…一部改正し二項に繰下〔平成一七年五月法律四五号〕、旧五〇条…繰上〔令和四年一一月法律八七号〕

規 **（法第四十八条の三第一項の国土交通省令で定める申請等及びその様式）**

第一五条　法第四十八条の三第一項の国土交通省令で定める申請等は、入港届及び出港届とする。

2　前項に掲げるものの様式は、第五号の二様式とする。

（電子情報処理組織の設置及び管理等）

第四八条の四　国土交通大臣は、次に掲げる電子情報処理組織を設置し、及び管理することができる。
一　申請等であつて国土交通省令で定めるもの及び当該申請等に対する処分の通知、受理の通知その他の港湾管理者が行う通知であつて国土交通省令で定めるもの（以下この条において「処分通知等」という。）を迅速かつ的確に処理するためのもの
二　波浪に関する情報その他国土交通省令で定める情報（以下この条において「波浪情報等」という。）の収集、分析及び提供により港湾工事を効率的に実施するためのもの
三　重要国際埠頭施設（国際航海船舶及び国際港湾施設の保安の確保等に関する法律（平成十六年法律第三十一号）第二十九条第一項に規定する重要国際埠頭施設をいう。次項において同じ。）の制限区域（同条第一項の規定により設定及び管理されるものをいう。）に出入りする者の個人識別情報（写真その他の個人を識別することができる情報であつて国土交通省令で定めるものをいう。以下この条において同じ。）を国土交通省令で定める方法で照合することにより当該制限区域への人の出入りを確実かつ円滑に管理するためのもの
四　港湾において取り扱われる貨物に係る情報であつて国土交通省令で定めるもの（第六項第四号において「港湾取扱貨物情報」という。）の授受を迅速かつ的確に行うことにより港湾における当該貨物の運送の効率化を促進するためのもの
五　港湾施設の位置、種類及び構造に関する情報その他の港湾の開発、保全及び管理に必要な情報であつて国土交通省令で定めるもの（以下この条において「港湾施設等情報」という。）の収集、整理及び提供により港湾の開発、保全及び管理を効率的に実施するためのもの

2　前項第一号の電子情報処理組織を使用する港湾管理者、同項第二号の電子情報処理組織による波浪情報等の提供を受ける者（国及び港湾管理者を除く。）、同項第三号の電子情報処理組織を使用する重要国際埠頭施設の管理者若しくは当該電子情報処理

組織による個人識別情報の照合を受ける者、同項第四号の電子情報処理組織を使用する者又は同項第五号の電子情報処理組織による港湾施設等情報の提供を受ける者（国及び港湾管理者を除く。）は、国土交通省令で定めるところにより、その使用料を負担しなければならない。

3 国土交通大臣は、前項の港湾管理者を官報で告示するものとする。

4 電子情報処理組織を使用してする申請等及び処分通知等の様式については、第十二条第二項の規定にかかわらず、国土交通省令で定める。

5 前各項に定めるもののほか、電子情報処理組織の設置及び管理に関し必要な事項は、国土交通省令で定める。

6 前各項（第三項を除く。）の電子情報処理組織とは、次の各号に掲げるものについて、当該各号に定めるものをいう。

一 第一項第一号に掲げるもの　国土交通大臣の指定する電子計算機（入出力装置を含む。以下この項において同じ。）と港湾管理者並びに申請等をする者及び処分通知等を受ける者の使用に係る電子計算機とを電気通信回線で接続した電子情報処理組織

二 第一項第二号に掲げるもの　国土交通大臣の指定する波浪情報等の収集のための機器と波浪情報等の提供を受ける者の使用に係る電子計算機とを電気通信回線で接続した電子情報処理組織

三 第一項第三号に掲げるもの　国土交通大臣の指定する電子計算機と個人識別情報の照合のための機器とを電気通信回線で接続した電子情報処理組織

四 第一項第四号に掲げるもの　国土交通大臣の指定する電子計算機と港湾取扱貨物情報を授受する者の使用に係る電子計算機とを電気通信回線で接続した電子情報処理組織

五 第一項第五号に掲げるもの　国土交通大臣の指定する電子計算機と港湾施設等情報の提供を受ける者の使用に係る電子計算機とを電気通信回線で接続した電子情報処理組織

本条…追加〔平成一五年五月法律四一号〕、一項…一部改正〔平成一七年五月法律四五号〕、一・二項…全部改正・六項…一部改正〔平成一八年五月法律三八号〕、一・二項…一部改正〔平成二〇年六月法律六六号〕、旧五〇条の二…繰上・一・二・六項…一部改正〔令和四年一一月法律八七号〕

参照 一―五項〔国土交通省令〕規則一五の二―一五の九・四〇、六項一号・三号〔国土交通大臣の指定〕国土交通大臣の指定する電子計算機を定める件

規 （電子情報処理組織を使用してする申請等及び処分通知等）

第一五条の二 法第四十八条の四第一項第一号の国土交通省令で定める港湾管理者に対して行われる通知（以下「申請等」という。）は、次の各号に掲げるものとする。

一 入港届
二 出港届
三 船舶の運航の動静に関する通知
四 係留施設の使用の許可の申請
五 荷さばき施設の使用の許可の申請
六 旅客施設（旅客乗降用固定施設に限る。）の使用の許可の申請
七 保管施設（野積場に限る。）の使用の許可の申請
八 船舶役務用施設（船舶のための給水施設に限る。）の使用の許可の申請
九 廃棄物処理施設（廃油処理施設に限る。）の使用の許可の申請
十 移動式施設の使用の許可の申請
十一 港湾役務提供用移動施設（船舶の離着岸を補助するための船舶並びに船舶のための給水の用に供する船舶及び車両に限る。）の使用の許可の申請
十二 コンテナ用電源設備の使用の許可の申請
十三 入港料の減免の申請
十四 入港料の還付の申請
十五 法第三十七条第一項の許可の申請
十六 法第三十八条の二第一項及び第四項の届出
十七 前各号に掲げるもののほか、港湾管理者が必要と認める申請等

2 法第四十八条の四第一項第一号の国土交通省令で定める港湾管理者が行う通知（以下「処分通知等」という。）は、次の各号に掲げるものとする。

一 前項第一号に掲げる入港届を受理した旨の通知
二 前項第二号に掲げる出港届を受理した旨の通知
三 前項第三号に掲げる船舶の運航の動静に関する通知を受理した旨の通知
四 前項第四号に掲げる係留施設の使用の許可の申請に対する処分の通知
五 前項第五号に掲げる荷さばき施設の使用の許可の申請に対する処分の通知
六 前項第六号に掲げる旅客施設（旅客乗降用固定施設に限る。）の使用の許可の申請に対する処分の通知
七 前項第七号に掲げる保管施設（野積場に限る。）の使用の許可の申請に対する処分の通知

八　前項第八号に掲げる船舶役務用施設（船舶のための給水施設に限る。）の使用の許可の申請に対する処分の通知

九　前項第九号に掲げる廃棄物処理施設（廃油処理施設に限る。）の使用の許可の申請に対する処分の通知

十　前項第十号に掲げる移動式施設の使用の許可の申請に対する処分の通知

十一　前項第十一号に掲げる港湾役務提供用移動施設（船舶の離着岸を補助するための船舶並びに船舶のための給水の用に供する船舶及び車両に限る。）の使用の許可の申請に対する処分の通知

十二　前項第十二号に掲げるコンテナ用電源設備の使用の許可の申請に対する処分の通知

十三　前項第十三号に掲げる入港料の減免の申請に対する処分の通知

十四　前項第十四号に掲げる入港料の還付の申請に対する処分の通知

十五　前項第十五号に掲げる法第三十七条第一項の許可の申請に対する処分の通知

十六　前項第十六号に掲げる法第三十八条の二第一項及び第四項の届出を受理した旨の通知

十七　前項第十七号に掲げる申請等に対する処分通知等

規（法第四十八条の四第一項第二号の国土交通省令で定める情報）

第一五条の二の二　法第四十八条の四第一項第二号の国土交通省令で定める情報は、次の各号に掲げるものとする。

一　潮位に関する情報

二　入出港船舶の動静に関する情報

規（法第四十八条の四第一項第三号の国土交通省令で定める個人識別情報）

第一五条の二の三　法第四十八条の四第一項第三号の国土交通省令で定める個人識別情報は、写真及び指紋とする。

規（個人識別情報を照合する方法）

第一五条の二の四　法第四十八条の四第一項第三号の国土交通省令で定める方法は、同条第六項第三号の個人識別情報の照合のための機器（第十五条の七第一項において「照合機器」という。）に入力された重要国際埠頭施設の制限区域に出入りする者に係る前条の個人識別情報のうち一又は二の情報を同号の電気通信回線を通じて同号の電子計算機に記録されている個人識別情報と照合する方法とする。

規（法第四十八条の四第一項第四号の国土交通省令で定める情報）

第一五条の二の五　法第四十八条の四第一項第四号の国土交通省令で定める情報は、次の各号に掲げるものとする。

一　送り状及び船荷証券に係る情報その他の貨物の運送に関する情報

二　前号に掲げるもののほか、国土交通大臣が必要と認める情報

規（法第四十八条の四第一項第五号の国土交通省令で定める情報）

第一五条の二の六　法第四十八条の四第一項第五号の国土交通省令で定める情報は、次の各号に掲げるものとする。

一　港湾施設の位置、種類、数、規模及び構造に関する情報

二　港湾施設の調査及び測量に関する情報

三　港湾施設の設計及び施工に関する情報

四　港湾施設の維持管理計画等に関する情報

五　港湾施設の点検及び診断並びに評価に関する情報

六　前各号に掲げるもののほか、国土交通大臣が必要と認める情報

規（電子情報処理組織の使用料）

第一五条の三　法第四十八条の四第二項の規定により港湾管理者が負担する同条第一項第一号の電子情報処理組織の使用料は、当該電子情報処理組織の設置及び管理に必要な経費を基礎として、その使用状況等を勘案して国土交通大臣が定める額とする。

2　法第四十八条の四第二項の規定により波浪情報等の提供を受ける者（国及び港湾管理者を除く。）が負担する同条第一項第二号の電子情報処理組織の使用料は、当該電子情報処理組織の設置及び管理に必要な経費のうち波浪情報等の提供に必要なものを基礎として、その使用状況等を勘案して国土交通大臣が定める額とする。

3　法第四十八条の四第二項の規定により重要国際埠頭施設の管理者又は個人識別情報の照合を受ける者が負担する同条第一項第三号の電子情報処理組織の使用料は、当該電子情報処理組織の設置及び管理に必要な経費を基礎として、その使用状況等を勘案して国土交通大臣が定める額とする。

4　法第四十八条の四第二項の規定により同条第一項第四号の電子情報処理組織を使用する者が負担する当該電子情報処理組織の使用料は、当該電子情報処理組織の設置及び管理に必要な経費を基礎として、その使用状況等を勘案して国土交通大臣が定める額とする。

5　法第四十八条の四第二項の規定により港湾施設等情報の提供を受ける者（国及び港湾管理者を除く。）が負担する同条第一項第五号の電子情報処理組織の使用料は、当該電子情報処理組織の設置及び管理に必要な経費を基礎として、その使用状況等を勘案して国土交通大臣が定める額とする。

6　前五項の使用料は、年額として定めるものとする。ただし、第三項の個人識別情報の照合を受ける者が負担する使用料は、個人識別情報を法第四十八条の四第六項第三号の電子計算機に記録する際に定額を支払うものとして定めるものとする。

規（電子情報処理組織を使用してする申請等及び処分通知等の様式）

第一五条の四　法第四十八条の四第四項の国土交通省令で定める電子情報処理組織を使用してする申請等及び処分通知等の様式は、第十五条の二第一項各号及び第二項各号に掲げる区分に応じて、法第四十八条の四第六項第一号に規定する国土交通大臣が指定する電子計算機に備えられたファイルから入手可能な様式とする。

規（電子情報処理組織を使用する者の届出等）

第一五条の五　法第四十八条の四第一項第一号の電子情報処理組織を使用して申請等をしようとする者は、申請等をしようとする者の氏名又は名称及び住所又は主たる事務所の所在地を記載した届出書を国土交通大臣に提出しなければならない。

2　法第四十八条の四第一項第一号の電子情報処理組織を使用して処分通知等をしようとする港湾管理者は、次の事項を記載した届出書を国土交通大臣に提出しなければならない。

一　処分通知等をしようとする港湾管理者の名称

二　処分通知等の対象とする港湾の名称

3　国土交通大臣は、第一項又は前項の届出書を受理したときは、当該届出をした者に識別番号、暗証番号その他必要と認める事項を通知又は交付するものとする。

4　第一項又は第二項の届出をした者は、届け出た事項に変更があつたとき又は電子情報処理組織の使用を廃止したときは、速やかにその旨を記載した届出書を国土交通大臣に提出しなければならない。

規

第一五条の六　法第四十八条の四第一項第二号の電子情報処理組織による波浪情報等の提供を受けようとする者は、あらかじめ次の事項を記載した届出書を国土交通大臣に提出しなければならない。

一　波浪情報等の提供を受けようとする者の氏名又は名称及び住所又は主たる事務所の所在地

二　提供を受けようとする波浪情報等の収集地点

2　前項の届出をした者は、届け出た事項に変更があつたとき又は電子情報処理組織の使用を廃止したときは、速やかにその旨を記載した届出書を国土交通大臣に提出しなければならない。

規

第一五条の七　法第四十八条の四第一項第三号の電子情報処理組織による個人識別情報の照合を受けることができる者は、照合機器が設置された重要国際埠頭施設に出入りする者であつて、国土交通大臣が定める者とする。

2　前項の照合を受けようとする者は、次に掲げる事項を記載した届出書に届出前六月以内に撮影した無帽、正面、上半身、無背景の写真及び個人識別情報の照合を受けることができる者であることを証明する書類を添えて、国土交通大臣に提出しなければならない。

一　氏名、生年月日及び住所

二　勤務先の名称及び所在地

3　前項の届出をした者は、届け出た事項に変更があつたとき又は電子情報処理組織の使用を廃止しようとするときは、速やかにその旨を記載した届出書を国土交通大臣に提出しなければならない。

4　法第四十八条の四第一項第三号の電子情報処理組織を使用しようとする重要国際埠頭施設の管理者は、次に掲げる事項を記載した届出書を国土交通大臣に提出しなければならない。

一　管理者の名称及び主たる事務所の所在地

二　重要国際埠頭施設の名称及び所在地

5　前項の届出をした重要国際埠頭施設の管理者は、届け出た事項に変更があつたとき又は電子情報処理組織の使用を廃止したときは、速やかにその旨を記載した届出書を国土交通大臣に提出しなければならない。

規

第一五条の八　法第四十八条の四第一項第四号の電子情報処理組織を使用しようとする者は、次に掲げる事項を記載した届出書を国土交通大臣に提出しなければならない。

一　電子情報処理組織を使用しようとする者の氏名又は名称及び住所又は主たる事務所の所在地

二　前号に掲げるもののほか、国土交通大臣が必要と認めるもの

2　前項の届出をした者は、届け出た事項に変更があつたとき又は電子情報処理組織の使用を廃止したときは、速やかにその旨を記載した届出書を国土交通大臣に提出しなければならない。

規

第一五条の九　法第四十八条の四第一項第五号の電子情報処理組織による港湾施設等情報の提供を受けようとする者は、次に掲げる事項を記載した届出書を国土交通大臣に提出しなければならない。

一　港湾施設等情報の提供を受けようとする者の氏名又は名称及び住所又は主たる事務所の所在地

二　前号に掲げるもののほか、国土交通大臣が必要と認めるもの

2　前項の届出をした者は、届け出た事項に変更があつたとき又は電子情報処理組織の使用を廃止したときは、速やかにその旨を記載した届出書を国土交通大臣に提出しなければならない。

規（職権の委任）

第四〇条　第十五条の七第二項から第五項の規定による国土交通大臣の職権は、地方整備局長又は北海道開発局長が行うものとする。

第六節　協議会

節名…追加〔令和四年一一月法律八七号〕

（港湾管理者の協議会の設置等）

第四九条　国土交通大臣は、港湾管理者を異にする二以上の港湾について広域的かつ総合的な見地からこれらの開発、利用及び保全を図る必要があると認めるときは、これらの港湾の港湾管理者に対し、港湾計画の作成、港湾の利用の方法、港湾の環境の整備その他の港湾の開発、利用及び保全に関する重要な事項について相互に連絡調整を図るため、協議により規約を定め、協議会を設けるべきことを勧告することができる。

2　国土交通大臣は、前項の規定により勧告をしようとする場合において、その勧告が地方公共団体である港湾管理者に対するものであるときは、総務大臣に協議するものとする。

3　国土交通大臣は、必要があると認めるときは、港務局に対し、その加入する第一項の協議会の設置の有無について報告を求め、及び当該協議会が設置された場合には、その規約の提出を求めることができる。

4　第一項の協議会で地方公共団体である港湾管理者が加入するものについては、地方自治法第二百五十二条の二の二第二項及び第六項、第二百五十二条の三、第二百五十二条の四第一項並びに第二百五十二条の六（同法第二百五十二条の二の二第二項に係る部分に限る。）の規定の適用があるものとする。この場合において、当該協議会に港務局が加入するときは、当該港務局は、これらの規定の適用については普通地方公共団体とみなす。

5　地方自治法第二百五十二条の二の二第六項、第二百五十二条の三及び第二百五十二条の四第一項の規定は、第一項の協議会で港務局のみが加入するものについて準用する。

本条…追加〔昭和四八年七月法律五四号〕、一－三項…一部改正〔平成一一年一二月法律一六〇号〕、旧五〇条の二…繰下〔平成一五年五月法律四一号〕、三項…全部改正〔平成二五年六月法律四四号〕、四・五項…一部改正〔平成二六年五月法律四二号〕、一項…一部改正・旧五〇条の三…繰上〔令和四年一一月法律八七号〕

（港湾広域防災協議会）

第四九条の二　国土交通大臣、港湾管理者の長その他の関係行政機関の長又はこれらの指名する職員は、港湾管理者を異にする二以上の港湾について、これらの港湾相互間の広域的な連携による災害時における港湾の機能の維持に関し必要な協議を行うため、港湾広域防災協議会（以下この条において「協議会」という。）を組織することができる。

2　協議会は、必要があると認めるときは、その構成員以外の関係行政機関及び事業者に対し、資料の提供、意見の表明、説明その他の必要な協力を求めることができる。

3　協議会において協議が調つた事項については、協議会の構成員は、その協議の結果を尊重しなければならない。

4　前三項に定めるもののほか、協議会の運営に関し必要な事項は、協議会が定める。

本条…追加〔平成二五年六月法律三一号〕、三項…一部改正・旧五〇条の四…繰上〔令和四年一一月法律八七号〕

（国際戦略港湾運営効率化協議会）

第五〇条　国土交通大臣、国際戦略港湾の港湾管理者の長その他の関係行政機関の長又はこれらの指名する職員及び国際戦略港湾の港湾運営会社は、国際戦略港湾（第四十三条の十一第二項の規定による二以上の国際戦略港湾の指定があつた場合にあつては、当該二以上の国際戦略港湾。以下この条において同じ。）ごとに、当該国際戦略港湾に係る埠頭群の一体的な運営による当該国際戦略港湾の運営の効率化に関し必要な協議を行うため、国際戦略港湾運営効率化協議会を組織することができる。

2　前条第二項から第四項までの規定は、国際戦略港湾運営効率化協議会について準用する。この場合において、同項中「前三項」とあるのは、「次条第一項及び同条第二項において準用する前二項」と読み替えるものとする。

本条…追加〔平成一七年五月法律四五号〕、一項…一部改正・見出し…改正・一項…全部改正・二項…削除・旧三・四項…二・三項に繰上・旧五項…一部改正し四項に繰上・旧五〇条の五…繰上〔平成二三年三月法律九号〕、一項…一部改正・二項…全部改正・三・四項…削除・旧五〇条の四…繰下〔平成二五年六月法律三一号〕、二項…一部改正・旧五〇条の五…繰上〔令和四年一一月法律八七号〕

第九章　港湾の効果的な利用に関する計画

章名…追加〔令和四年一一月法律八七号〕

第一節　港湾脱炭素化推進計画

本節…追加〔令和四年一一月法律八七号〕

（港湾脱炭素化推進計画の作成）

第五〇条の二　港湾管理者は、官民の連携による脱炭素化（地球温暖化対策の推進に関する法律（平成十年法律第百十七号）第二条の二に規定する脱炭素社会の実現に寄与することを旨として、社会経済活動その他の活動に伴つて発生する温室効果ガス（同法

第二条第三項に規定する温室効果ガスをいう。）の排出の量の削減並びに吸収作用の保全及び強化を行うことをいう。次項において同じ。）の促進に資する港湾の効果的な利用の推進を図るための計画（以下「港湾脱炭素化推進計画」という。）を作成することができる。

2　港湾脱炭素化推進計画においては、おおむね次に掲げる事項を定めるものとする。

一　官民の連携による脱炭素化の促進に資する港湾の効果的な利用の推進に関する基本的な方針

二　港湾脱炭素化推進計画の目標

三　前号の目標を達成するために行う港湾における脱炭素化の促進に資する事業（以下「港湾脱炭素化促進事業」という。）及びその実施主体に関する事項

四　港湾脱炭素化推進計画の達成状況の評価に関する事項

五　計画期間

六　前各号に掲げるもののほか、港湾脱炭素化推進計画の実施に関し当該港湾管理者が必要と認める事項

3　前項第三号に掲げる事項には、港湾脱炭素化促進事業の実施に係る次に掲げる事項を定めることができる。

一　第二条第六項の規定による認定の申請を行おうとする施設に関する事項

二　第三十七条第一項の許可を要する行為に関する事項

三　第三十八条の二第一項又は第四項の規定による届出を要する行為に関する事項

四　第五十四条の三第二項の認定を受けるために必要な同条第一項に規定する特定埠頭の運営の事業に関する事項

五　第五十五条の七第一項の規定による同項の政令で定める基準に適合する者である旨の認定を受けるために必要な同条第二項に規定する特定用途港湾施設の建設又は改良を行う者に関する事項

4　港湾脱炭素化推進計画は、基本方針に適合したものでなければならない。

5　港湾管理者は、港湾脱炭素化推進計画に第二項第三号に掲げる事項を定めるときは、あらかじめ、同号の実施主体として定めようとする者の同意を得なければならない。

6　港湾管理者は、港湾脱炭素化推進計画に第三項第一号又は第五号に掲げる事項を定めるときは、あらかじめ、国土交通大臣の同意を得なければならない。

7　港湾管理者は、港湾脱炭素化推進計画に第三項第四号に掲げる事項を定める場合において、当該事項に係る第五十四条の三第一項に規定する特定埠頭が次に掲げる港湾施設を含むものであるときは、あらかじめ、国土交通大臣の同意を得なければならない。

一　国有財産法第三条第二項に規定する行政財産である港湾施設

二　その工事の費用を国が負担し、又は補助した地方自治法第二百三十八条第四項に規定する行政財産である港湾施設

8　前項に定めるもののほか、港湾管理者は、港湾脱炭素化推進計画に第三項第四号に掲げる事項を定めるときは、あらかじめ、国土交通省令で定めるところにより、当該事項について第五十四条の三第四項に規定する措置を講じなければならない。

9　港湾管理者は、港湾脱炭素化推進計画を作成したときは、遅滞なく、これを公表するとともに、国土交通大臣及び第二項第三号の実施主体に送付しなければならない。

10　国土交通大臣は、前項の規定により港湾脱炭素化推進計画の送付を受けたときは、当該港湾管理者に対し、必要な助言をすることができる。

11　第五項から前項までの規定は、港湾脱炭素化推進計画の変更について準用する。

本条…追加〔令和四年一一月法律八七号〕

参照　八項〔国土交通省令〕規則一五の一〇

規　**（法第五十条の二第八項の規定による措置）**

第一五条の一〇　港湾管理者は、港湾脱炭素化推進計画に法第五十条の二第三項第四号に掲げる事項を定め、又は当該事項に係る港湾脱炭素化推進計画の変更をするときは、あらかじめ、第十七条の二第一項各号に掲げる事項の内容を二週間公衆の縦覧に供しなければならない。

2　第十七条の四第二項から第四項までの規定は、前項の規定による縦覧について準用する。この場合において、同条第二項及び第三項中「認定の申請」とあるのは「第十七条の二第一項各号に掲げる事項」と、同項第一号中「申請

者」とあるのは「特定埠頭の運営の事業の実施主体」と、同条第四項中「認定の申請」とあるのは「事項」と読み替えるものとする。

（港湾脱炭素化推進協議会）

第五〇条の三　港湾脱炭素化推進計画を作成しようとする港湾管理者は、港湾脱炭素化推進計画の作成及び実施に関し必要な協議を行うため、港湾脱炭素化推進協議会（以下この条において「協議会」という。）を組織することができる。

2　協議会は、次に掲げる者をもつて構成する。

一　港湾脱炭素化推進計画を作成しようとする港湾管理者

二　港湾脱炭素化推進計画に定めようとする港湾脱炭素化促進事業を実施すると見込まれる者

三　関係する地方公共団体

四　当該港湾の利用者、学識経験者その他の当該港湾管理者が必要と認める者

3　第一項の規定により協議会を組織する港湾管理者は、協議会において協議を行うときは、あらかじめ、前項第二号に掲げる者であつて協議会の構成員であるものに、当該協議を行う事項を通知しなければならない。

4　前項の規定による通知を受けた者は、正当な理由がある場合を除き、当該通知に係る事項の協議に応じなければならない。

5　国土交通大臣は、港湾脱炭素化推進計画の作成が円滑に行われるように、協議会の構成員の求めに応じて、必要な助言をすることができる。

6　協議会において協議が調つた事項については、協議会の構成員は、その協議の結果を尊重しなければならない。

7　前各項に定めるもののほか、協議会の運営に関し必要な事項は、協議会が定める。

本条…追加〔令和四年一一月法律八七号〕

（港湾脱炭素化推進計画に係る港湾施設等の認定等の特例）

第五〇条の四　第五十条の二第三項第一号に掲げる事項が定められた港湾脱炭素化推進計画が同条第九項（同条第十一項において準用する場合を含む。以下この条において同じ。）の規定により公表されたときは、当該公表の日に当該事項に係る施設についての第二条第六項の規定による認定があつたものとみなす。

2　第五十条の二第三項第二号、第四号又は第五号に掲げる事項が定められた港湾脱炭素化推進計画が同条第九項の規定により公表されたときは、当該公表の日に当該事項に係る港湾脱炭素化促進事業の実施主体に対する第三十七条第一項の許可、第五十四条の三第二項の認定又は第五十五条の七第一項の規定による同項の政令で定める基準に適合する者である旨の認定があつたものとみなす。

3　第五十条の二第三項第三号に掲げる事項が定められた港湾脱炭素化推進計画が同条第九項の規定により公表されたときは、第三十八条の二第一項又は第四項の規定による届出があつたものとみなす。

本条…追加〔令和四年一一月法律八七号〕

（脱炭素化推進地区）

第五〇条の五　港湾脱炭素化推進計画を作成した港湾管理者は、当該港湾脱炭素化推進計画の目標を達成するために必要があると認めるときは、第三十九条の規定により指定した分区の区域内において、当該目標の達成に資する土地利用の増進を図ることを目的とする一又は二以上の区域（次項において「脱炭素化推進地区」という。）を定めることができる。

2　脱炭素化推進地区の区域内における第四十条から第四十一条までの規定の適用については、次の表の上欄に掲げる規定中同表の中欄に掲げる字句は、それぞれ同表の下欄に掲げる字句とする。

第四十条第一項	ものを	もの（第五十条の五第一項に規定する脱炭素化推進地区の区域内においては、当該脱炭素化推進地区に係る第五十条の二第一項に規定する港湾脱炭素化推進計画の目標の達成に資するものとして当該地方公共団体の条例で定めるものを除き、当該脱炭素化推進地区の目的を著しく阻害する建築物その他の構築物であつて当該条例で定めるものを含む。以下「特定構築物」とい

		う。）を
	当該条例で定める構築物	特定構築物
第四十条の二第一項	同項の条例で定める構築物	特定構築物
第四十一条第一項	その条例に定められたもの	特定構築物
	当該分区	当該分区又は当該脱炭素化推進地区

本条…追加〔令和四年一一月法律八七号〕

第二節　特定利用推進計画

節名…追加〔令和四年一一月法律八七号〕

（特定利用推進計画の作成）

第五〇条の六　特定貨物輸入拠点港湾の港湾管理者（以下「特定港湾管理者」という。）は、当該特定貨物輸入拠点港湾について、輸入ばら積み貨物の海上運送の共同化の促進に資する特定貨物輸入拠点港湾の効果的な利用の推進を図るための計画（以下「特定利用推進計画」という。）を作成することができる。

2　特定利用推進計画においては、おおむね次に掲げる事項を定めるものとする。

一　輸入ばら積み貨物の海上運送の共同化の促進に資する特定貨物輸入拠点港湾の効果的な利用の推進に関する基本的な方針

二　特定利用推進計画の目標

三　前号の目標を達成するために行う特定貨物取扱埠頭の機能の高度化を図る事業（次項及び第五十条の八第一項において「特定貨物取扱埠頭機能高度化事業」という。）その他の事業及びその実施主体に関する事項

四　輸入ばら積み貨物の海上運送の共同化の促進に資する他の港湾との連携に関する事項

五　前各号に掲げるもののほか、特定利用推進計画の実施に関し当該特定港湾管理者が必要と認める事項

3　前項第三号に掲げる事項には、特定貨物取扱埠頭機能高度化事業の実施に係る次に掲げる事項を定めることができる。

一　第三十七条第一項の許可を要する行為に関する事項

二　第三十八条の二第一項又は第四項の規定による届出を要する行為に関する事項

三　第五十四条の三第二項の認定を受けるために必要な同条第一項に規定する特定埠頭の運営の事業に関する事項

4　特定利用推進計画は、基本方針に適合したものでなければならない。

5　特定港湾管理者は、特定利用推進計画に第二項第三号に掲げる事項を定めるときは、あらかじめ、同号の実施主体として定めようとする者の同意を得なければならない。

6　特定港湾管理者は、特定利用推進計画に第二項第四号に掲げる事項を定めるときは、あらかじめ、同号の他の港湾の港湾管理者に協議しなければならない。

7　特定港湾管理者は、特定利用推進計画に第三項第三号に掲げる事項を定める場合において、当該事項に係る第五十四条の三第一項に規定する特定埠頭が次に掲げる港湾施設を含むものであるときは、あらかじめ、国土交通大臣の同意を得なければならない。

一　国有財産法第三条第二項に規定する行政財産である港湾施設

二　その工事の費用を国が負担し、又は補助した地方自治法第二百三十八条第四項に規定する行政財産である港湾施設

8　前項に定めるもののほか、特定港湾管理者は、特定利用推進計画に第三項第三号に掲げる事項を定めるときは、あらかじめ、国土交通省令で定めるところにより、当該事項について第五十四条の三第四項に規定する措置を講じなければならない。

9　特定港湾管理者は、特定利用推進計画を作成したときは、遅滞なく、これを公表するとともに、国土交通大臣、第二項第三号の実施主体及び同項第四号の他の港湾の港湾管理者に送付しなければならない。

10　国土交通大臣は、前項の規定により特定利用推進計画の送付を受けたときは、当該特定港湾管理者に対し、必要な助言をすることができる。

11　第五項から前項までの規定は、特定利用推進計画の変更について準用する。

本条…追加〔平成二五年六月法律三一号〕、見出し…全部改正・三・五－一〇項…一部改正〔令和四年一一月法律八七号〕

参照 八項〔国土交通省令〕規則一五の一一

規 **（法第五十条の六第八項の規定による措置）**

第一五条の一一 前条第一項の規定は、特定港湾管理者が特定利用推進計画に法第五十条の六第三項第三号に掲げる事項を定め、又は当該事項に係る特定利用推進計画の変更をする場合に準用する。

2 第十七条の四第二項から第四項までの規定は、前項において準用する前条第一項の規定による縦覧について準用する。この場合において、これらの規定中「港湾管理者」とあるのは「特定港湾管理者」と、第十七条の四第二項及び第三項中「認定の申請」とあるのは「第十七条の二第一項各号に掲げる事項」と、同項第一号中「申請者」とあるのは「特定埠頭の運営の事業の実施主体」と、同条第四項中「認定の申請」とあるのは「事項」と読み替えるものとする。

（特定貨物輸入拠点港湾利用推進協議会）

第五〇条の七 特定利用推進計画を作成しようとする特定港湾管理者は、特定利用推進計画の作成及び実施に関し必要な協議を行うため、特定貨物輸入拠点港湾利用推進協議会（以下この条において「協議会」という。）を組織することができる。

2 協議会は、次に掲げる者をもつて構成する。

一 特定利用推進計画を作成しようとする特定港湾管理者

二 特定利用推進計画に定めようとする事業を実施すると見込まれる者

三 関係する地方公共団体

四 当該特定貨物輸入拠点港湾の利用者、学識経験者その他の当該特定港湾管理者が必要と認める者

3 第一項の規定により協議会を組織する特定港湾管理者は、協議会において協議を行うときは、あらかじめ、前項第二号に掲げる者であつて協議会の構成員であるものに、当該協議を行う事項を通知しなければならない。

4 前項の規定による通知を受けた者は、正当な理由がある場合を除き、当該通知に係る事項の協議に応じなければならない。

5 国土交通大臣は、特定利用推進計画の作成が円滑に行われるように、協議会の構成員の求めに応じて、必要な助言をすることができる。

6 第四十九条の二第三項及び第四項の規定は、協議会について準用する。この場合において、同項中「前三項」とあるのは、「第五十条の七第一項から第五項まで及び同条第六項において準用する前項」と読み替えるものとする。

本条…追加〔平成二五年六月法律三一号〕、二－四・六項…一部改正〔令和四年一一月法律八七号〕

（特定利用推進計画に係る港湾区域内の工事等の許可等の特例）

第五〇条の八 第五十条の六第三項第一号又は第三号に掲げる事項が定められた特定利用推進計画が同条第九項（同条第十一項において準用する場合を含む。次項において同じ。）の規定により公表されたときは、当該公表の日に当該事項に係る特定貨物取扱埠頭機能高度化事業の実施主体に対する第三十七条第一項の許可又は第五十四条の三第二項の認定があつたものとみなす。

2 第五十条の六第三項第二号に掲げる事項が定められた特定利用推進計画が同条第九項の規定により公表されたときは、第三十八条の二第一項又は第四項の規定による届出があつたものとみなす。

本条…追加〔平成二五年六月法律三一号〕、一項…一部改正〔平成二九年六月法律五五号〕、見出し…一部改正〔令和四年一一月法律八七号〕

（共同化促進施設協定の締結等）

第五〇条の九 特定利用推進計画に定められた第五十条の六第二項第三号に掲げる事項に係る輸入ばら積み貨物の積卸し、保管又は荷さばきの共同化を促進するために必要な港湾施設として国土交通省令で定めるもの（以下この条において「共同化促進施設」という。）の施設所有者等（当該共同化促進施設の所有者、その敷地である土地の所有者又は当該土地の使用及び収益を目的とする権利（臨時設備その他一時使用のため設定されたことが明らかなものを除く。次項において同じ。）を有する者をいう。次項、第五十条の十二第一項、第五十条の十三、第五十条の十四第一項及び第五十条の十五において同じ。）は、その全員の合意により、当該共同化促進施設の整備又は管理に関する協定を締結することができる。

2 特定利用推進計画に定められた第五十条の六第二項第三号に掲げる事項に係る建設が予定されている共同化促進施設又は建設中の共同化促進施設の施設

所有者等となろうとする者（当該共同化促進施設の敷地である土地の所有者又は当該土地の使用及び収益を目的とする権利を有する者を含む。第五十条の十二第一項、第五十条の十三及び第五十条の十四第一項において「予定施設所有者等」という。）は、その全員の合意により、当該共同化促進施設の整備又は管理に関する協定を締結することができる。

3　第一項又は前項に規定する協定（以下「共同化促進施設協定」という。）においては、次に掲げる事項を定めるものとする。

一　共同化促進施設協定の目的となる共同化促進施設（以下「協定共同化促進施設」という。）

二　次に掲げる協定共同化促進施設の整備又は管理に関する事項のうち、必要なもの

イ　協定共同化促進施設を構成する荷さばき施設、保管施設その他の港湾施設の規模、構造又は用途に関する基準

ロ　協定共同化促進施設を構成する荷さばき施設、保管施設その他の港湾施設の整備又は管理に要する費用の負担の方法

ハ　その他協定共同化促進施設の整備又は管理に関する事項

三　共同化促進施設協定の有効期間

四　共同化促進施設協定に違反した場合の措置

4　共同化促進施設協定は、特定港湾管理者の認可を受けなければならない。

本条…追加〔平成二五年六月法律三一号〕、一・二項…一部改正〔平成二九年六月法律五五号〕

参照　一項〔国土交通省令〕規則一五の一二

規 **（共同化促進施設）**

第一五条の一二　法第五十条の九第一項の国土交通省令で定める港湾施設は、次に掲げるものとする。

一　係留施設

二　荷さばき施設

三　保管施設

（認可の申請に係る共同化促進施設協定の縦覧等）

第五〇条の一〇　特定港湾管理者は、前条第四項の認可の申請があつたときは、国土交通省令で定めるところにより、その旨を公告し、当該共同化促進施設協定を当該公告の日から二週間関係人の縦覧に供さなければならない。

2　前項の規定による公告があつたときは、関係人は、同項の縦覧期間満了の日までに、当該共同化促進施設協定について、特定港湾管理者に意見書を提出することができる。

本条…追加〔平成二五年六月法律三一号〕

参照　一項〔国土交通省令〕規則一五の一三

規 **（共同化促進施設協定の認可等の申請の公告）**

第一五条の一三　法第五十条の十第一項（法第五十条の十二第二項において準用する場合を含む。）の規定による公告は、次に掲げる事項について、公報、掲示その他の方法で行うものとする。

一　共同化促進施設協定の名称

二　協定共同化促進施設の名称

三　共同化促進施設協定の縦覧場所

（共同化促進施設協定の認可）

第五〇条の一一　特定港湾管理者は、第五十条の九第四項の認可の申請が次の各号のいずれにも該当するときは、同項の認可をしなければならない。

一　申請手続が法令に違反しないこと。

二　協定共同化促進施設の利用を不当に制限するものでないこと。

三　第五十条の九第三項第二号から第四号までに掲げる事項について国土交通省令で定める基準に適合するものであること。

2　特定港湾管理者は、第五十条の九第四項の認可をしたときは、国土交通省令で定めるところにより、その旨を公告し、かつ、当該共同化促進施設協定を当該特定港湾管理者の事務所に備えて公衆の縦覧に供するとともに、協定共同化促進施設又はその敷地である土地の区域内の見やすい場所に、それぞれ協定共同化促進施設である旨又は協定共同化促進施設が当該区域内に存する旨を明示しなければならない。

本条…追加〔平成二五年六月法律三一号〕

参照　一項三号・二項〔国土交通省令〕規則一五の一四・一五の一五

規 **（共同化促進施設協定の認可の基準）**

第一五条の一四　法第五十条の十一第一項第三号（法第五十条の十二第二項において準用する場合を含む。）の国土交通省令で定める基準は、次に掲げるものとする。

一　法第五十条の九第三項第二号に掲げる事項が、特定利用推進計画に適合すること。

二　法第五十条の九第三項第四号に掲げる措置が、共同化促進施設協定に違反した者に対して不当に重い負担を課するものではないこと。

規 **（共同化促進施設協定の認可等の公告）**
第一五条の一五　第十五条の十三の規定は、法第五十条の十一第二項（法第五十条の十二第二項において準用する場合を含む。）の規定による公告について準用する。

（共同化促進施設協定の変更）
第五〇条の一二　協定共同化促進施設の施設所有者等又は予定施設所有者等は、共同化促進施設協定において定めた事項を変更しようとする場合においては、その全員の合意をもつてその旨を定め、特定港湾管理者の認可を受けなければならない。
2　前二条の規定は、前項の変更の認可について準用する。

本条…追加〔平成二五年六月法律三一号〕

（共同化促進施設協定の効力）
第五〇条の一三　第五十条の十一第二項（前条第二項において準用する場合を含む。）の規定による認可の公告のあつた共同化促進施設協定は、その公告のあつた後において当該協定共同化促進施設の施設所有者等又は予定施設所有者等となつた者に対しても、その効力があるものとする。

本条…追加〔平成二五年六月法律三一号〕

（共同化促進施設協定の廃止）
第五〇条の一四　協定共同化促進施設の施設所有者等又は予定施設所有者等は、第五十条の九第四項又は第五十条の十二第一項の認可を受けた共同化促進施設協定を廃止しようとする場合においては、その過半数の合意をもつてその旨を定め、特定港湾管理者の認可を受けなければならない。
2　特定港湾管理者は、前項の認可をしたときは、その旨を公告しなければならない。

本条…追加〔平成二五年六月法律三一号〕

（借主の地位）
第五〇条の一五　共同化促進施設協定に定める事項が協定共同化促進施設の借主の権限に係る場合においては、その共同化促進施設協定については、当該協定共同化促進施設の借主を施設所有者等とみなして、第五十条の九から前条までの規定を適用する。

本条…追加〔平成二五年六月法律三一号〕

第三節　国際旅客船拠点形成計画

節名…追加〔令和四年一一月法律八七号〕

（国際旅客船拠点形成計画の作成）
第五〇条の一六　国際旅客船拠点形成港湾の港湾管理者（以下「国際旅客船港湾管理者」という。）は、当該国際旅客船拠点形成港湾について、国際旅客船取扱埠頭を中核として官民の連携による国際旅客船の受入れの促進を図ることにより国際旅客船の寄港の拠点を形成するための計画（以下「国際旅客船拠点形成計画」という。）を作成することができる。
2　国際旅客船拠点形成計画においては、おおむね次に掲げる事項を定めるものとする。
一　国際旅客船取扱埠頭における旅客施設を整備する者による係留施設の優先的な利用その他の官民の連携による国際旅客船の受入れの促進を通じた国際旅客船の寄港の拠点の形成に関する基本的な方針
二　国際旅客船拠点形成計画の目標
三　前号の目標を達成するために行う国際旅客船取扱埠頭の機能の高度化を図る事業（次項及び次条第二項において「国際旅客船取扱埠頭機能高度化事業」という。）その他の事業及びその実施主体に関する事項
四　前三号に掲げるもののほか、国際旅客船拠点形成計画の実施に関し当該国際旅客船港湾管理者が必要と認める事項
3　前項第三号に掲げる事項には、国際旅客船取扱埠頭機能高度化事業の実施に係る次に掲げる事項を定めることができる。
一　第二条第六項の規定による認定の申請を行おうとする施設に関する事項
二　第三十七条第一項の許可を要する行為に関する事項
三　第三十八条の二第一項又は第四項の規定による届出を要する行為に関する事項
四　第五十五条の七第一項の規定による同項の政令で定める基準に適合する者である旨の認定を受けるために必要な同条第二項に規定する特定用途港湾施設の建設又は改良を行う者に関する事項
4　国際旅客船拠点形成計画は、基本方針に適合したものでなければならない。
5　国際旅客船港湾管理者は、国際旅客船拠点形成計画に第二項第三号に掲げる事項を定めるときは、あ

らかじめ、同号の実施主体として定めようとする者の同意を得なければならない。

6　国際旅客船港湾管理者は、国際旅客船拠点形成計画に第三項第一号又は第四号に掲げる事項を定めるときは、あらかじめ、国土交通大臣の同意を得なければならない。

7　国際旅客船港湾管理者は、国際旅客船拠点形成計画を作成したときは、遅滞なく、これを公表するとともに、国土交通大臣及び第二項第三号の実施主体に送付しなければならない。

8　国土交通大臣は、前項の規定により国際旅客船拠点形成計画の送付を受けたときは、当該国際旅客船港湾管理者に対し、必要な助言をすることができる。

9　第五項から前項までの規定は、国際旅客船拠点形成計画の変更について準用する。

本条…追加〔平成二九年六月法律五五号〕、見出し…全部改正・三・五－八項…一部改正〔令和四年一一月法律八七号〕

（国際旅客船拠点形成計画に係る港湾施設等の認定等の特例）

第五〇条の一七　前条第三項第一号に掲げる事項が定められた国際旅客船拠点形成計画が同条第七項（同条第九項において準用する場合を含む。以下この条において同じ。）の規定により公表されたときは、当該公表の日に当該事項に係る施設についての第二条第六項の規定による認定があつたものとみなす。

2　前条第三項第二号又は第四号に掲げる事項が定められた国際旅客船拠点形成計画が同条第七項の規定により公表されたときは、当該公表の日に当該事項に係る国際旅客船取扱埠頭機能高度化事業の実施主体に対する第三十七条第一項の許可又は第五十五条の七第一項の規定による同項の政令で定める基準に適合する者である旨の認定があつたものとみなす。

3　前条第三項第三号に掲げる事項が定められた国際旅客船拠点形成計画が同条第七項の規定により公表されたときは、第三十八条の二第一項又は第四項の規定による届出があつたものとみなす。

本条…追加〔平成二九年六月法律五五号〕、見出し・二項…一部改正〔令和四年一一月法律八七号〕

（官民連携国際旅客船受入促進協定の締結等）

第五〇条の一八　国際旅客船港湾管理者は、官民の連携による国際旅客船の受入れの促進を図るため必要があると認めるときは、国際旅客船拠点形成計画に定められた第五十条の十六第二項第三号に掲げる事項に係る旅客施設その他の国際旅客船の受入れを促進するために必要な港湾施設として国土交通省令で定めるもののうち、国際旅客船港湾管理者以外の者が整備するもの（以下「民間国際旅客船受入促進施設」という。）の施設所有者等（当該民間国際旅客船受入促進施設の所有者等（所有者及びその者の株式の所有その他の事由を通じてその者の事業を実質的に支配し、又はその事業に重要な影響を与える関係にあるものとして国土交通省令で定める者をいう。以下この条において同じ。）、その敷地である土地の所有者又は当該土地の使用及び収益を目的とする権利（臨時設備その他一時使用のため設定されたことが明らかなものを除く。第三項において同じ。）を有する者をいう。以下同じ。）との間において、国際旅客船取扱埠頭の係留施設の優先的な利用及び当該民間国際旅客船受入促進施設の一般公衆への供用その他当該民間国際旅客船受入促進施設の整備又は管理に関する協定を締結することができる。

2　前項に規定する協定については、民間国際旅客船受入促進施設の施設所有者等の全員の合意がなければならない。

3　国際旅客船港湾管理者は、官民の連携による国際旅客船の受入れの促進を図るため必要があると認めるときは、国際旅客船拠点形成計画に定められた第五十条の十六第二項第三号に掲げる事項に係る建設が予定されている民間国際旅客船受入促進施設又は建設中の民間国際旅客船受入促進施設の施設所有者等となろうとする者（当該民間国際旅客船受入促進施設の敷地である土地の所有者又は当該土地の使用及び収益を目的とする権利を有する者を含む。以下「予定施設所有者等」という。）との間において、国際旅客船取扱埠頭の係留施設の優先的な利用及び建設後の当該民間国際旅客船受入促進施設の一般公衆への供用その他当該民間国際旅客船受入促進施設の整備又は管理に関する協定を締結することができる。

4　前項に規定する協定については、民間国際旅客船受入促進施設の予定施設所有者等の全員の合意がなければならない。

5　第一項又は第三項に規定する協定（以下「官民連

携国際旅客船受入促進協定」という。）においては、次に掲げる事項を定めるものとする。

一　官民連携国際旅客船受入促進協定の目的となる係留施設及び民間国際旅客船受入促進施設（以下「協定国際旅客船受入促進施設」という。）

二　次に掲げる官民の連携による国際旅客船の受入れの促進に関する事項のうち、必要なもの

イ　協定国際旅客船受入促進施設を構成する民間国際旅客船受入促進施設（以下「協定民間国際旅客船受入促進施設」という。）の所有者等による協定国際旅客船受入促進施設を構成する係留施設の優先的な利用に関する事項

ロ　協定民間国際旅客船受入促進施設の規模、構造又は用途に関する基準

ハ　協定民間国際旅客船受入促進施設の整備又は管理の方法

ニ　協定民間国際旅客船受入促進施設の整備又は管理に要する費用の負担の方法

三　官民連携国際旅客船受入促進協定を変更し、又は廃止する場合の手続

四　官民連携国際旅客船受入促進協定の有効期間

五　官民連携国際旅客船受入促進協定に違反した場合の措置

六　官民連携国際旅客船受入促進協定の掲示方法

七　その他必要な事項

6　官民連携国際旅客船受入促進協定の内容は、次に掲げる基準のいずれにも適合するものでなければならない。

一　協定民間国際旅客船受入促進施設の利用を不当に制限するものでないこと。

二　前項第二号から第七号までに掲げる事項について国土交通省令で定める基準に適合するものであること。

7　国際旅客船港湾管理者は、官民連携国際旅客船受入促進協定を締結しようとする場合において、協定国際旅客船受入促進施設が次に掲げる港湾施設を含むものであるときは、あらかじめ、国土交通大臣の同意を得なければならない。

一　国有財産法第三条第二項に規定する行政財産である港湾施設

二　その工事の費用を国が負担し、又は補助した地方自治法第二百三十八条第四項に規定する行政財産である港湾施設

8　協定民間国際旅客船受入促進施設の所有者等は、正当な理由がある場合を除き、官民連携国際旅客船受入促進協定に従つて当該協定民間国際旅客船受入促進施設をその者以外の者の利用に供しなければならない。

本条…追加〔平成二九年六月法律五五号〕

参照　一項〔国土交通省令〕規則一五の一六・一五の一七、六項二号〔国土交通省令〕規則一五の一八

規（法第五十条の十八第一項の国土交通省令で定める港湾施設）

第一五条の一六　法第五十条の十八第一項の国土交通省令で定める港湾施設は、次に掲げるものとする。

一　臨港交通施設

二　荷さばき施設

三　旅客施設

四　保管施設

五　船舶役務用施設

六　港湾情報提供施設

七　廃棄物処理施設

八　港湾環境整備施設

九　港湾厚生施設

十　移動式施設

規（法第五十条の十八第一項の国土交通省令で定める者）

第一五条の一七　法第五十条の十八第一項の国土交通省令で定める者は、次に掲げるものとする。

一　所有者（株式会社である場合に限る。）の議決権の過半数を所有している者

二　所有者（持分会社（会社法第五百七十五条第一項に規定する持分会社をいう。）である場合に限る。）の資本金の二分の一を超える額を出資している者

三　所有者の事業の方針の決定に関して、前二号に掲げる者と同等以上の支配力を有すると認められる者

規（官民連携国際旅客船受入促進協定の基準）

第一五条の一八　法第五十条の十八第六項第二号（法第五十条の十九第四項において準用する場合を含む。）の国土交通省令で定める基準は、次に掲げるものとする。

一　法第五十条の十八第五項第二号に掲げる事項が、国際旅客船拠点形成計画に適合すること。

二　法第五十条の十八第五項第四号に掲げる有効期間が、不当に長いものではないこと。

三　法第五十条の十八第五項第五号に掲げる措置が、官民連携国際旅客船受入促進協定に違反した者に対して不当に重い負担を課するものではないこと。

（官民連携国際旅客船受入促進協定の縦覧等）

第五〇条の一九　国際旅客船受入促進協定を締結しようとする港湾管理者は、官民連携国際旅客船受入促進協定を締結しようとするときは、国土交通省令で定めるところにより、その旨を公告し、当該官民連携国際旅客船受入促進協定を当該公告の日から二週間利害関係人の縦覧に供さなければならない。

2　前項の規定による公告があつたときは、利害関係人は、同項の縦覧期間満了の日までに、当該官民連携国際旅客船受入促進協定について、国際旅客船港湾管理者に意見書を提出することができる。

3　国際旅客船港湾管理者は、官民連携国際旅客船受入促進協定を締結したときは、国土交通省令で定めるところにより、遅滞なく、その旨を公示し、かつ、当該官民連携国際旅客船受入促進協定の写しを国際旅客船港湾管理者の事務所に備えて一般の閲覧に供するとともに、当該官民連携国際旅客船受入促進協定において定めるところにより、協定国際旅客船受入促進施設又はその敷地内の見やすい場所に、国際旅客船港湾管理者の事務所においてこれを閲覧に供している旨を掲示しなければならない。

4　前条第二項、第四項、第六項及び第七項並びに前三項の規定は、官民連携国際旅客船受入促進協定において定めた事項の変更について準用する。この場合において、前条第四項中「予定施設所有者等」とあるのは、「予定施設所有者等（当該民間国際旅客船受入促進施設の建設後にあつては、施設所有者等）」と読み替えるものとする。

本条…追加〔平成二九年六月法律五五号〕

参照　一項〔国土交通省令〕規則一五の一九

規　（官民連携国際旅客船受入促進協定の公告）
第一五条の一九　法第五十条の十九第一項（同条第四項において準用する場合を含む。）の規定による公告及び同条第三項（同条第四項において準用する場合を含む。）の規定による公示は、次に掲げる事項について行うものとする。
一　官民連携国際旅客船受入促進協定の名称
二　協定国際旅客船受入促進施設の名称及びその所在地
三　官民連携国際旅客船受入促進協定の有効期間
四　官民連携国際旅客船受入促進協定の縦覧又は官民連携国際旅客船受入促進協定の写しの閲覧の場所

（官民連携国際旅客船受入促進協定の効力）
第五〇条の二〇　前条第三項（同条第四項において準用する場合を含む。）の規定による公示のあつた官民連携国際旅客船受入促進協定は、その公示のあつた後において協定民間国際旅客船受入促進施設の施設所有者等又は予定施設所有者等となつた者に対しても、その効力があるものとする。

本条…追加〔平成二九年六月法律五五号〕

（協定民間国際旅客船受入促進施設の所有者の料金）
第五〇条の二一　第四十五条第二項、第三項及び第六項の規定は、協定民間国際旅客船受入促進施設の所有者がその所有する協定民間国際旅客船受入促進施設の利用に関する料金として国土交通省令で定める料金を収受しようとする場合について準用する。この場合において、同条第二項中「その指定をした国土交通大臣又は国際拠点港湾の港湾管理者」とあり、及び同条第三項中「国土交通大臣又は国際拠点港湾の港湾管理者」とあるのは「第五十条の十六第一項に規定する国際旅客船港湾管理者」と、同条第六項中「前各項」とあるのは「第五十条の二十一において準用する第二項及び第三項」と読み替えるものとする。

本条…追加〔平成二九年六月法律五五号〕

参照　〔国土交通省令〕規則一五の二〇

規　（料率を記載した書面の提出を要する料金）
第一五条の二〇　法第五十条の二十一の国土交通省令で定める料金は、協定民間国際旅客船受入促進施設を構成する旅客施設及びこれに附帯する臨港交通施設の利用に関するものとする。

（国土交通大臣の援助）
第五〇条の二二　国土交通大臣は、官民連携国際旅客船受入促進協定を締結し、又は締結しようとする民間国際旅客船受入促進施設の施設所有者等又は予定施設所有者等に対し、官民連携国際旅客船受入促進協定の締結及びその円滑な実施に関し必要な情報の提供、指導、助言その他の援助を行うよう努めるものとする。

本条…追加〔平成二九年六月法律五五号〕

第四節　港湾環境整備計画

節名…追加〔令和四年一一月法律八七号〕

（港湾環境整備計画の作成及び認定の申請）

第五一条　港湾において、港湾の環境の整備に関する事業を実施するため、緑地又は広場（国有財産法第三条第二項又は地方自治法第二百三十八条第四項に規定する行政財産であるものに限る。以下「緑地等」という。）について第五十一条の三第一項の規定による貸付け（次項及び次条第三項において単に「貸付け」という。）を受けようとする者は、国土交通省令で定めるところにより、港湾の環境の整備に関する事業の実施に関する計画（以下「港湾環境整備計画」という。）を作成し、当該港湾の港湾管理者（以下この節において単に「港湾管理者」という。）の認定を申請することができる。

2　港湾環境整備計画には、次に掲げる事項を記載しなければならない。

一　貸付けを受けようとする緑地等の区域

二　緑地等の貸付けを受けようとする期間

三　第一号の区域において整備する飲食店、売店その他の施設であつて、当該施設から生ずる収益の一部を次号に規定する港湾施設の整備に要する費用の全部又は一部に充てることができると認められるものに関する事項

四　第一号の区域において整備する休憩所、案内施設その他の港湾の環境の向上に資する港湾施設に関する事項

五　前二号に掲げるもののほか、第一号の区域において行う緑地等の維持その他の港湾の環境の整備に関する事業に関する事項

六　資金計画及び収支計画

3　前項第三号及び第四号に掲げる事項には、同項第三号又は第四号に規定する施設の整備の実施に係る第三十七条第一項の許可を要する行為に関する事項を記載することができる。

本条…一部改正〔昭和四八年七月法律五四号・平成一一年一二月一六〇号・二三年三月九号〕、本条…全部改正〔令和四年一一月法律八七号〕

参照　一項〔国土交通省令〕規則一五の二

規　**（港湾環境整備計画の作成及び認定の申請）**

第一五条の二　法第五十一条第一項の港湾管理者の認定を受けようとする者（次項第一号において「申請者」という。）は、第五号の二の二様式による申請書を港湾管理者に提出しなければならない。

2　前項の申請書には、次に掲げる書類を添付しなければならない。

一　法人にあつては、次に掲げる書類

イ　定款又は寄附行為及び登記事項証明書

ロ　最近の事業年度の財産目録、貸借対照表及び損益計算書

二　個人にあつては、次に掲げる書類

イ　住民票の写し

ロ　財産目録

三　緑地等の位置図

四　法第五十一条第三項に規定する事項を記載する場合には、第三条の四第一項各号に掲げる書類

五　その他参考となるべき事項を記載した書類

（港湾環境整備計画の認定等）

第五一条の二　港湾管理者は、前条第一項の規定による認定の申請があつた場合において、当該申請に係る港湾環境整備計画が次の各号のいずれにも適合するものであると認めるときは、その認定をするものとする。

一　当該港湾環境整備計画の内容が当該港湾の港湾計画に適合するものであること。

二　当該港湾環境整備計画の実施が港湾の環境の向上に資すると認められるものであること。

三　当該港湾環境整備計画の内容が当該港湾の利用又は保全に著しく支障を与えるおそれがないものであること。

四　当該港湾環境整備計画が円滑かつ確実に実施されると見込まれるものであること。

2　港湾管理者は、前条第一項の規定による認定の申請に係る港湾環境整備計画に記載された同条第二項第一号の区域に次に掲げる緑地又は広場が含まれる場合において、前項の認定をするときは、あらかじめ、国土交通大臣の同意を得なければならない。

一　国有財産法第三条第二項に規定する行政財産である緑地又は広場

二　その工事の費用を国が負担し、又は補助した地方自治法第二百三十八条第四項に規定する行政財産である緑地又は広場

3　前項に定めるもののほか、港湾管理者は、第一項の認定をするときは、あらかじめ、国土交通省令で定めるところにより、当該認定を申請した者の氏名又は名称及び前条第二項第一号から第五号までに掲げる事項の概要を公衆の縦覧に供することその他の緑地等の貸付けが公正な手続に従つて行われること

を確保するために必要な措置を講じなければならない。

4　港湾管理者は、第一項の認定をしたときは、遅滞なく、当該認定を受けた者の氏名又は名称、前条第二項第一号から第五号までに掲げる事項の概要その他国土交通省令で定める事項を公表しなければならない。

5　第一項の認定を受けた者（以下「認定計画実施者」という。）は、当該認定を受けた港湾環境整備計画を変更しようとする場合においては、港湾管理者の認定を受けなければならない。

6　第一項から第四項までの規定は、前項の規定による港湾環境整備計画の変更の認定について準用する。

本条…追加〔令和四年一一月法律八七号〕

参照　三・四項〔国土交通省令〕規則一五の二二・一五の二三

規（法第五十一条の二第三項の公正な手続を確保するための措置）

第一五条の二二　港湾管理者は、法第五十一条の二第一項（同条第六項において準用する場合を含む。）の認定をするに当たつては、当該認定を申請した者の氏名又は名称及び法第五十一条第二項第一号から第五号までに掲げる事項の概要を二週間公衆の縦覧に供しなければならない。

2　港湾管理者は、前項の規定による縦覧をするときは、あらかじめ、縦覧の開始の日、縦覧の場所及び縦覧の時間を公報、掲示その他の方法で公告しなければならない。

3　港湾管理者は、第一項の規定による縦覧をするときは、次に掲げる事項（公表することが不適切であると港湾管理者が認めるものを除く。）を公報、掲示その他の方法で公告しなければならない。

一　当該認定を申請した者の氏名又は名称

二　法第五十一条第二項第一号から第五号までに掲げる事項の概要

三　意見書の提出方法、提出期限及び提出先

四　前三号に掲げるもののほか、港湾管理者が必要と認める事項

4　第一項の規定により縦覧に供された事項の内容について利害関係を有する者は、縦覧期間満了の日までの間に、港湾管理者に意見書を提出することができる。

規（法第五十一条の二第四項の国土交通省令で定める事項）

第一五条の二三　法第五十一条の二第四項（同条第六項において準用する場合を含む。）の国土交通省令で定める事項は、次の各号に掲げるものとする。

一　前条第四項の規定により提出された意見書の処理の経過

二　法第五十一条の二第一項（同条第六項において準用する場合を含む。）の認定を受けた者の認定理由

三　前二号に掲げるもののほか、港湾管理者が必要と認める事項

規（港湾環境整備計画の変更の認定の申請）

第一五条の二四　法第五十一条の二第五項の規定により港湾環境整備計画の変更の認定を受けようとする者は、第五号の二の三様式による申請書を港湾管理者に提出しなければならない。

2　前項の申請書には、第十五条の二十一第二項各号に掲げる書類のうち港湾環境整備計画の変更に伴いその内容が変更されるものを添付しなければならない。

（港湾環境整備計画に係る行政財産の貸付け等の特例）

第五一条の三　港湾管理者は、国有財産法第十八条第一項又は地方自治法第二百三十八条の四第一項の規定にかかわらず、前条第一項の認定を受けた港湾環境整備計画（同条第五項の変更の認定があつたときは、その変更後のもの。次条第一項において「認定計画」という。）に記載された第五十一条第二項第一号に規定する緑地等を認定計画実施者に貸し付けることができる。

2　前項の規定による貸付けについては、民法（明治二十九年法律第八十九号）第六百四条並びに借地借家法（平成三年法律第九十号）第三条及び第四条の規定は、適用しない。

3　国有財産法第二十一条（第一項第二号に係る部分を除く。）、第二十三条及び第二十四条並びに地方自治法第二百三十八条の二第二項及び第二百三十八条の五第四項から第六項までの規定は、第一項の規定による貸付けについて準用する。

4　第一項の規定により港湾管理者が緑地等を認定計画実施者に貸し付ける場合における第四十六条第一項の規定の適用については、同項ただし書中「又は貸付け」とあるのは「、貸付け」と、「場合は」とあるのは「場合又は第五十一条の三第一項の規定により貸付けをする場合は」とする。

5　第五十一条第三項に規定する事項が記載された港湾環境整備計画が前条第一項又は第五項の認定を受けたときは、当該認定の日に当該事項に係る認定計画実施者に対する第三十七条第一項の許可があつたものとみなす。

本条…追加〔令和四年一一月法律八七号〕

規（緑地等の貸付契約の内容）

第一五条の二五　港湾管理者は、法第五十一条の三第一項の規定により認定計画実施者に緑地等を貸し付けるときは、少なくとも次に掲げる事項を貸付契約の内容としなければならない。

一　港湾管理者は、認定計画実施者が法第五十一条の四第二項の取消しを受けたときは、当該貸付契約を解除するものとすること。

二　港湾管理者は、認定計画実施者が認定計画に従つて港湾の環境の整備に関する事業を実施していないと認めるとき、認定計画実施者が法令若しくは当該貸付契約に違反したとき又は当該事業の実施に関し不正の行為があつたと認めるときは、当該貸付契約を解除することができるものとすること。

三　港湾管理者は、認定計画の適正かつ確実な遂行を確保するため必要な限度において、認定計画実施者に対し、質問し、帳簿書類その他の物件を調査し、又は参考となるべき報告若しくは資料の提出を求めることができ、認定計画実施者はこれに応じなければならないものとすること。

四　認定計画実施者は、貸し付けられた緑地等に関し、これを第三者に転貸し、及びこれに係る賃借権を譲渡してはならないこと。ただし、認定計画実施者が、貸し付けられた緑地等の一部について、当該緑地等の本来の用途又は目的を妨げない限度において、これを第三者に転貸することについて港湾管理者の承諾を得たときは、この限りでないこと。

五　認定計画実施者は、貸し付けられた緑地等に自己の権原によつて附属させた物を担保に供しようとするときは、港湾管理者の承諾を得なければならないものとすること。

六　非常災害に際し円滑な物資輸送及び避難地の確保を図る必要がある場合その他公益上特別の必要がある場合において、港湾管理者が貸し付けられた緑地等を認定計画実施者以外の者の利用に供すべきことを認定計画実施者に指示したときは、認定計画実施者はその利用を受忍しなければならないものとすること。

（港湾環境整備計画に係る勧告及び認定の取消し）

第五一条の四　港湾管理者は、認定計画が第五十一条の二第一項各号のいずれかに適合しないものとなつたと認めるときは、認定計画実施者に対し、必要な措置をとるべきことを勧告することができる。

2　港湾管理者は、前項の規定による勧告を受けた者が当該勧告に従い必要な措置をとらなかつたときは、第五十一条の二第一項又は第五項の認定を取り消すことができる。

3　港湾管理者は、第五十一条の二第二項の規定により国土交通大臣の同意を得た港湾環境整備計画について前項の規定による認定の取消しをしたときは、速やかに、国土交通大臣にその旨を通知しなければならない。

本条…追加〔令和四年一一月法律八七号〕

（国土交通省令への委任）

第五一条の五　この節に定めるもののほか、第五十一条の三第一項の規定による貸付けに関し必要な事項は、国土交通省令で定める。

本条…追加〔令和四年一一月法律八七号〕

第十章　港湾等の機能の維持及び増進を図るための措置

章名…追加〔令和四年一一月法律八七号〕

第一節　国土交通大臣がする港湾工事等

節名…追加〔令和四年一一月法律八七号〕

（直轄工事）

第五二条　国際戦略港湾、国際拠点港湾又は重要港湾において一般交通の利便の増進、公害の発生の防止又は環境の整備を図り、避難港において一般交通の利便の増進を図るため必要がある場合において国と港湾管理者の協議が調つたときは、国土交通大臣は、予算の範囲内で次に掲げる港湾工事を自らすることができる。

一　国際戦略港湾が長距離の国際海上コンテナ運送に係る国際海上貨物輸送網の拠点として機能するために必要な係留施設として国土交通省令で定めるもの及びこれに附帯する荷さばき地の港湾工事

二　国際戦略港湾、国際拠点港湾又は重要港湾が海上輸送網の拠点として機能するために必要な水域施設、外郭施設、係留施設（前号に規定する係留施設を除く。）又は臨港交通施設として国土交通省令で定めるものの港湾工事

三　国際戦略港湾、国際拠点港湾又は重要港湾が前号の拠点としての機能を発揮するために必要な港湾公害防止施設、港湾環境整備施設、廃棄物埋立護岸又は海洋性廃棄物処理施設のうち国土交通省令で定める大規模なものの港湾工事

四　避難港における水域施設又は外郭施設のうち国

土交通省令で定める大規模なものの港湾工事

五　前各号に掲げる港湾工事以外の港湾工事であつて高度の技術を必要とするものその他港湾管理者が自らすることが困難である港湾工事

2　前項の規定により国土交通大臣がする港湾工事に係る費用のうち次の各号に掲げる施設の建設又は改良に係るものは、当該港湾の港湾管理者が当該各号に定める割合で負担する。

一　国際戦略港湾における係留施設であつて、前項第一号の国土交通省令で定めるもの　十分の三

二　前号に掲げる施設に附帯する荷さばき地　三分の一

三　国際戦略港湾又は国際拠点港湾における水域施設、外郭施設若しくは係留施設（これらの施設のうち、国際海上貨物輸送網の拠点として機能するために必要な施設であつて国土交通省令で定めるものに限る。）又は臨港交通施設（第一号及び第八号に掲げる施設を除く。）　三分の一

四　国際戦略港湾、国際拠点港湾又は重要港湾における水域施設、外郭施設、係留施設又は臨港交通施設（第一号、前号及び第八号に掲げる施設を除く。）　十分の四・五

五　国際戦略港湾、国際拠点港湾又は重要港湾における港湾公害防止施設又は港湾環境整備施設　十分の五

六　国際戦略港湾、国際拠点港湾又は重要港湾における廃棄物埋立護岸又は海洋性廃棄物処理施設　三分の二

七　避難港における水域施設又は外郭施設（次号に掲げる施設を除く。）　三分の一

八　水域施設、外郭施設、係留施設又は臨港交通施設（前項第五号に掲げる港湾工事に係るものに限る。）　十分の五

3　地方財政法第十七条の二第一項及び第十九条第二項の規定は、港務局について前項の場合に準用する。この場合において、「地方公共団体」とあるのは、「港務局」と読み替えるものとする。

一・二項…一部改正、三項…全部改正〔昭和二六年六月法律一九六号〕、二項…一部改正〔昭和二九年五月法律一一一号〕、一・三項…一部改正〔昭和四八年七月法律五四号〕、二・三項…一部改正〔平成五年三月法律八号〕、一項…一部改正〔平成一一年七月法律八七号〕、一・二項…一部改正〔平成一一年一二月法律一六〇号〕、二項…削除・旧三項…一部改正し二項に繰上・三項…追加〔平成一二年三月法律三三号〕、二項…一部改正〔平成一九年六月法律七一号〕、一・二項…一部改正〔平成二三年三月法律九号〕

参照　一項一号－四号〔国土交通省令〕規則一五の二六、二項三号〔国土交通省令〕規則一五の二七

規（直轄工事の対象とする港湾施設）

第一五条の二四　1・2〔略〕

3　法第五十二条第一項第三号の国土交通省令で定める大規模なものは、次に掲げるものとする。

一　港湾公害防止施設のうち面積二十ヘクタール以上の公害防止用緩衝地帯

二　港湾環境整備施設で、面積二十ヘクタール（非常災害が発生した場合において、緊急輸送の確保その他の災害対策基本法（昭和三十六年法律第二百二十三号）第二条第一項第三号に規定する指定行政機関の長が実施する広域的な災害応急対策の拠点としての機能を発揮するものにあつては、十五ヘクタール）以上のもの

三　埋立処分の用に供される場所の埋立容量が千五百万立方メートル以上の廃棄物埋立護岸

四　海洋性廃棄物処理施設のうち汚泥の処理のための施設であつて一日当たりの処理能力が二千五百立方メートル以上のもの又は廃棄物の焼却のための施設であつて一日当たりの処理能力が三十トン以上のもの

4　〔略〕

規（直轄工事の対象とする港湾施設）

第一五条の二六　法第五十二条第一項第一号の国土交通省令で定めるものは、国土交通大臣が港湾の配置及び取扱貨物量を考慮して地震に対する安全性の向上を図る必要があると認める外貿コンテナ岸壁等（コンテナ貨物の運送に係る外国貿易船（外国貿易のため本邦と外国の間を往来する船舶をいう。以下同じ。）を専ら係留するための岸壁又は桟橋をいう。以下同じ。）であつて水深十六メートル以上のものとする。

2　法第五十二条第一項第二号の国土交通省令で定めるものは、次に掲げるものとする。

一　次に掲げる水域施設

イ　水深及び配置からみて当該港湾において主要と認められる航路

ロ　イの航路とハの泊地とを接続するための航路

ハ　第三号の係留施設の機能を確保するための泊地

二　次に掲げる外郭施設

イ　補助的防波堤（他の防波堤により防護される水域内に設置される防波堤をいう。）以外の防波堤であつて前号又は次号の施設を防護するもの

ロ　次号の係留施設の機能を確保するための護岸

三　次に掲げる係留施設

イ　外国貿易船を係留するための係留施設であつて水深十二メートル以上のもの（前項に規定するものを除く。）

ロ　内国貿易船（内国貿易のため本邦内の各地間を往来する船舶をいう。）であつてコンテナ船、自動車航送船又はロールオン・ロールオフ船であるものを係留するための係留施設

四　前号の係留施設の機能を確保するための臨港交通施設のうち主要なもの

3　法第五十二条第一項第三号の国土交通省令で定める大規模なものは、次に掲げるものとする。

一　港湾公害防止施設のうち面積二十ヘクタール以上の公害防止用緩衝地帯

二　港湾環境整備施設で、面積二十ヘクタール（非常災害が発生した場合において、緊急輸送の確保その他の災害対策基本法（昭和三十六年法律第二百二十三号）第二条第一項第三号に規定する指定行政機関の長が実施する広域的な災害応急対策の拠点としての機能を発揮するものにあつては、十五ヘクタール）以上のもの

三　埋立処分の用に供される場所の埋立容量が千五百万立方メートル以上の廃棄物埋立護岸

四　海洋性廃棄物処理施設のうち汚泥の処理のための施設であつて一日当たりの処理能力が二千五百立方メートル以上のもの又は廃棄物の焼却のための施設であつて一日当たりの処理能力が三十トン以上のもの

4　法第五十二条第一項第四号の国土交通省令で定める大規模なものは、面積二十五ヘクタール以上の泊地及び当該泊地を防護する防波堤とする。

規（法第五十二条第二項第三号の国土交通省令で定める施設）

第一五条の二七　法第五十二条第二項第三号の国土交通省令で定めるものは、次に掲げる施設とする。

一　外貿コンテナ岸壁等の機能を確保するための航路

二　外貿コンテナ岸壁等又は前号の航路を防護するための防波堤

三　国土交通大臣が港湾の配置及び取扱貨物量を考慮して地震に対する安全性の向上を図る必要があると認める外貿コンテナ岸壁等（前条第一項に規定するもの及び国際戦略港湾における外貿コンテナ岸壁等であつて水深十四メートル未満のものを除く。）

（土地又は工作物の譲渡）

第五三条　前条に規定する港湾工事によつて生じた土地又は工作物は、国土交通大臣において、港湾管理者に譲渡することができる。この場合の譲渡は、港湾管理者が負担した費用の額に相当する価額の範囲内で無償とする。

本条…一部改正〔平成一一年一二月法律一六〇号〕

参照　〔港湾施設の認定申請〕規則一　〔土地等の譲渡〕規則一六

規（港湾施設の認定申請）

第一条　港湾法（昭和二十五年法律第二百十八号。以下「法」という。）第二条第六項の認定を受けようとする港湾管理者は、次に掲げる事項を記載した港湾施設認定申請書を国土交通大臣に提出するものとする。

一　当該港湾管理者の名称

二　認定を受けようとする施設の位置

三　認定を受けようとする施設の種類及び構造

四　認定を受けようとする施設が他の工作物と効用を兼ねるときはその概要

五　認定を必要とする理由

2　前項の申請書には、認定を受けようとする施設の位置図、平面図、縦断面図、横断面図及び構造図を添附するものとする。但し、当該施設の種類により、その必要がないときは、その一部を省略することができる。

規（土地又は工作物の譲渡）

第一六条　法第五十三条に規定する土地又は工作物を譲り受けようとする港湾管理者は、次に掲げる事項を記載した土地工作物譲渡申請書を国土交通大臣に提出するものとする。

一　当該港湾管理者の名称

二　土地の譲渡にあつてはその区域、面積及び価額、工作物の譲受にあつてはその種類、構造及び価額

三　当該港湾管理者が、当該土地又は工作物につき費用を負担した場合はその額に相当する価額

2　第一条第二項の規定は前項の場合に準用する。この場合において「認定を受けようとする施設」及び「当該施設」とあるのは「当該土地又は工作物」と読み替えるものとする。

（港湾施設の貸付け等）

第五四条　前条に規定する場合のほか、第五十二条に規定する港湾工事によつて生じた港湾施設（港湾の管理運営に必要な土地を含む。）は、国土交通大臣（国有財産法第三条の規定による普通財産については財務大臣）において港湾管理者に貸し付け、又は管理を委託しなければならない。

2　前項の規定により港湾管理者が管理することとなつた港湾施設については、港湾管理者においてその管理の費用を負担する。この場合において、当該施設の使用料及び賃貸料は、港湾管理者の収入とする。

3　前項に定めるもののほか、港湾施設の管理の委託に関し必要な事項は、政令で定める。

一項…一部改正〔昭和二八年八月法律一九四号・平成一一年一

二月一六〇号）、見出し…改正・一項…一部改正・三項…追加〔平成一五年五月法律四一号〕、一項…一部改正〔平成二三年三月法律九号〕

参照　三項〔政令〕令一七－一七の九

令（管理委託の手続）

第一七条　国土交通大臣は、法第五十四条第一項（法第五十四条の二第二項において準用する場合を含む。）の規定により港湾施設の管理（港湾施設を維持し、及び一般公衆の利用その他公共の用に供することをいい、港湾施設を維持するために必要な港湾工事をすることを含む。以下第十七条の九までにおいて同じ。）を港湾管理者に委託するときは、契約書において次の事項を定めておかなければならない。

一　管理を委託する港湾施設の種類、名称、所在地、構造、規模及び価額
二　管理の委託を開始する年月日
三　管理の委託の期間
四　管理の方法
五　管理の委託の条件
六　その他必要な事項

令（管理責任の移転の時期）

第一七条の二　港湾施設の管理の委託を受けた港湾管理者（以下「管理受託者」という。）は、前条の規定により定められた同条第二号の管理の委託を開始する年月日以後、当該港湾施設の管理の責に任ずる。

令（管理受託者の義務）

第一七条の三　管理受託者は、受託に係る港湾施設をその用途又は目的に応じて善良な管理者の注意をもつて管理しなければならない。

2　管理受託者は、受託に係る港湾施設について、水害、火災、盗難、損壊その他当該港湾施設の管理上支障のある事故が発生したときは、直ちに必要な応急の措置を講じなければならない。

令（他の用途への使用等）

第一七条の四　管理受託者は、受託に係る港湾施設をその本来の用途又は目的を妨げない限度において他の用途又は目的に使用し、若しくは収益し、又は他人に使用させ、若しくは収益させようとするときは、あらかじめ、国土交通大臣の承認を受けなければならない。ただし、国土交通大臣が契約書において定める軽微な場合については、この限りでない。

2　管理受託者は、前項本文の承認を受けようとするときは、次の事項を記載した申請書を国土交通大臣に提出しなければならない。

一　使用又は収益の対象となる港湾施設の範囲
二　他人に使用させ、又は収益させる場合には、その者の氏名又は名称及び住所
三　使用又は収益の用途又は目的及び方法
四　使用又は収益の期間
五　使用又は収益による管理受託者の予定収入
六　他人に使用させ、又は収益させる場合には、使用又は収益の条件

令（滅失又は損傷の場合の報告）

第一七条の五　管理受託者は、天災その他の事故により受託に係る港湾施設が滅失し、又は損傷したときは、遅滞なく、次の事項を書面で国土交通大臣に報告しなければならない。

一　当該港湾施設の名称及び所在地
二　被害の程度
三　滅失又は損傷の原因
四　損害見積価額及び復旧可能のものについては復旧費見込額
五　応急の措置を講じた場合には、当該措置の内容

令（原状等の変更）

第一七条の六　管理受託者は、受託に係る港湾施設の原状又は用途を変更しようとするときは、あらかじめ、国土交通大臣の承認を受けなければならない。ただし、天災その他の事故のため応急の措置を講ずるときは、この限りでない。

令（管理台帳）

第一七条の七　管理受託者は、受託に係る港湾施設について次の事項を記載した管理台帳をその事務所に備えて置かなければならない。

一　第十七条第一号及び第二号に掲げる事項
二　他の用途への使用等及び原状等の変更の有無又はその概要

2　管理受託者は、管理台帳の記載事項に変更があつたときは、その都度、変更に係る事項を当該管理台帳に記載しなければならない。

令（管理状況の報告）

第一七条の八　管理受託者は、受託に係る港湾施設について、毎年度の管理の状況を翌年度の四月三十日までに国土交通大臣に報告しなければならない。

令（報告の徴収等）

第一七条の九　国土交通大臣は、必要があると認めるときは、委託に係る港湾施設の管理の状況に関し、管理受託者から報告を求め、その職員に実地の監査を行わせ、及び管理受託者に必要な指示をすることができる。

第五四条の二　港湾管理者が設立されたときは、その時において国の所有又は管理に属する港湾施設で、一般公衆の利用に供するため必要なもの（航行補助施設を除く。）は、港湾管理者に譲渡し、貸し付け、又は管理を委託しなければならない。

2　前二条の規定は、前項の場合に準用する。この場合において、第五十三条後段中「港湾管理者」とあるのは「港湾管理者としての地方公共団体（当該地方公共団体が地方自治法第二百八十四条第二項又は第三項の地方公共団体である場合には当該地方公共団体を組織する地方公共団体）又は港務局を組織する地方公共団体」と読み替えるものとする。

二項…一部改正〔昭和二九年五月法律一二一号・平成六年六月四九号〕、旧五五条…繰上〔平成一七年五月法律四五号〕

参照　〔港湾施設の認定申請〕規則一、〔土地等の譲渡〕規則一六、〔準用〕規則一七

規（**港湾施設の認定申請**）

第一条　港湾法（昭和二十五年法律第二百十八号。以下「法」という。）第二条第六項の認定を受けようとする港湾管理者は、次に掲げる事項を記載した港湾施設認定申請書を国土交通大臣に提出するものとする。

一　当該港湾管理者の名称
二　認定を受けようとする施設の位置
三　認定を受けようとする施設の種類及び構造
四　認定を受けようとする施設が他の工作物と効用を兼ねるときはその概要
五　認定を必要とする理由

2　前項の申請書には、認定を受けようとする施設の位置図、平面図、縦断面図、横断面図及び構造図を添附するものとする。但し、当該施設の種類により、その必要がないときは、その一部を省略することができる。

規（**土地又は工作物の譲渡**）

第一六条　法第五十三条に規定する土地又は工作物を譲り受けようとする港湾管理者は、次に掲げる事項を記載した土地工作物譲渡申請書を国土交通大臣に提出するものとする。

一　当該港湾管理者の名称
二　土地の譲渡にあつてはその区域、面積及び価額、工作物の譲受にあつてはその種類、構造及び価額
三　当該港湾管理者が、当該土地又は工作物につき費用を負担した場合はその額に相当する価額

2　第一条第二項の規定は前項の場合に準用する。この場合において「認定を受けようとする施設」及び「当該施設」とあるのは「当該土地又は工作物」と読み替えるものとする。

規（**準用規定**）

第一七条　第一条第二項及び前条第一項の規定は、港湾管理者が法第五十四条の二第一項に規定する港湾施設を譲り受けようとする場合に準用する。この場合において、第一条第二項中「認定を受けようとする施設」及び「当該施設」とあるのは「当該港湾施設」と、前条第一項中「土地工作物譲渡申請書」とあるのは「港湾施設譲渡申請書」と、同項第三号中「当該港湾管理者」とあるのは「当該港湾管理者としての地方公共団体（当該地方公共団体が地方自治法第二百八十四条第二項又は第三項の地方公共団体である場合には当該地方公共団体を組織する地方公共団体）又は当該港務局を組織する地方公共団体」と読み替えるものとする。

第二節　埠頭を構成する行政財産の貸付け

節名…追加〔令和四年一一月法律八七号〕

（**特定埠頭を構成する行政財産の貸付け**）

第五四条の三　重要港湾における特定埠頭（同一の者により一体的に運営される埠頭をいう。以下この条において同じ。）を運営し、又は運営しようとする者は、当該港湾の港湾管理者（以下この条において単に「港湾管理者」という。）に対し、国土交通省令で定めるところにより、当該特定埠頭の運営の事業が当該港湾の港湾計画に適合することその他国土交通省令で定める要件に該当するものである旨の認定を申請することができる。

2　港湾管理者は、前項の認定の申請があつた場合において、当該申請に係る特定埠頭の運営の事業が同項に定める要件に該当すると認めるときは、その認定をするものとする。

3　港湾管理者は、第一項の認定の申請に係る特定埠頭が次に掲げる港湾施設を含むものである場合において、前項の認定をしようとするときは、あらかじめ、国土交通大臣の同意を得なければならない。

一　国有財産法第三条第二項に規定する行政財産である港湾施設
二　その工事の費用を国が負担し、又は補助した地方自治法第二百三十八条第四項に規定する行政財産である港湾施設

4　港湾管理者は、第二項の認定をするに当たつては、国土交通省令で定めるところにより、当該認定の申請の内容を公衆の縦覧に供することその他の第七項の規定による貸付けが公正な手続に従つて行われることを確保するために必要な措置を講じなければならない。

5　港湾管理者は、第二項の認定（第三項の規定により国土交通大臣の同意を得てしたものを除く。）をしたときは、遅滞なく、国土交通省令で定めるところにより、その旨を国土交通大臣に通知しなければならない。

6　港湾管理者は、第二項の認定をしたときは、遅滞なく、当該認定を受けた者の氏名又は名称、特定埠頭の運営の事業の概要その他国土交通省令で定める事項を公表しなければならない。

7　港湾管理者は、国有財産法第十八条第一項又は地方自治法第二百三十八条の四第一項の規定にかかわらず、特定埠頭を構成する行政財産（国有財産法第三条第二項又は地方自治法第二百三十八条第四項に規定する行政財産をいう。）を第二項の認定を受けた者に貸し付けることができる。

8　前項の規定による貸付けについては、民法第六百四条並びに借地借家法第三条及び第四条の規定は、適用しない。

9　国有財産法第二十一条、第二十三条及び第二十四条並びに地方自治法第二百三十八条の二第二項及び第二百三十八条の五第四項から第六項までの規定は、第七項の規定による貸付けについて準用する。

10　第七項の規定により港湾管理者が同項に規定する行政財産を第二項の認定を受けた者に貸し付ける場合における第四十六条第一項の規定の適用については、同項ただし書中「又は貸付けを受けた者」とあるのは「、貸付けを受けた者」と、「三年の期間内である場合」とあるのは「三年の期間内である場合又は第五十四条の三第七項の規定により貸付けをする場合」とする。

11　港湾管理者は、特定埠頭の運営の事業が第一項に定める要件に該当しなくなつたと認めるときは、第二項の認定を受けた者に対し、必要な措置をとるべきことを勧告することができる。

12　港湾管理者は、前項の規定による勧告を受けた者が当該勧告に従い必要な措置をとらなかつたときは、第二項の認定を取り消すことができる。この場合において、港湾管理者は、速やかに、国土交通大臣にその旨を通知しなければならない。

13　前各項に定めるもののほか、特定埠頭の貸付けに関し必要な事項は、国土交通省令で定める。

本条…追加〔平成一八年五月法律三八号〕、七項…一部改正〔平成一八年六月法律五〇号〕、八項…一部改正〔平成一八年六月法律五三号〕、一項…一部改正〔平成二三年三月法律九号〕、三・四項…一部改正・五項…追加・旧五－七項・一〇－一二項…六－八項・一一－一三項に繰下・旧八・九項…一部改正し九・一〇項に繰下〔平成二三年五月法律三七号〕、一項…一部改正〔平成二三年三月法律九号〕、一〇項…一部改正〔令和元年一二月法律六八号〕、八項…一部改正〔令和四年一一月法律八七号〕

参照　一項・四項－六項・一三項〔国土交通省令〕規則一七の二－一七の八

規　**（特定埠頭の運営の事業の認定に係る申請手続）**

第一七条の二　法第五十四条の三第一項の港湾管理者の認定を受けようとする者（以下この条から第十七条の四までにおいて「申請者」という。）は、次に掲げる事項を記載した第五号の三様式による申請書を港湾管理者に提出するものとする。

一　特定埠頭の運営の事業の名称

二　次に掲げる事項を記載した特定埠頭の運営の事業の計画

イ　特定埠頭の運営の事業の概要

ロ　特定埠頭の運営の事業の実施時期

ハ　特定埠頭の位置

ニ　特定埠頭を構成する港湾施設の種類、数、規模及び構造

三　特定埠頭の運営の事業の実施が当該港湾の効率的な運営に特に資するものであることを明らかにするために参考となるべき事項

四　資金計画

五　貸付けを希望する特定埠頭を構成する港湾施設の一部を第三者に転貸することを希望するときは、その旨及び理由

六　その他特定埠頭の運営の事業の実施に関し必要な事項

2　前項の申請書には、次に掲げる書類を添付するものとする。

一　既存の法人にあつては、次に掲げる書類

イ　定款又は寄附行為及び登記事項証明書

ロ　役員又は社員の履歴書

ハ　株式会社にあつては、発行済株式の総数の五パーセント以上の株式を所有する株主の名簿

ニ　最近の事業年度の財産目録、貸借対照表及び損益計算書

ホ　組織を明らかにする書類

二　法人を設立しようとする者にあつては、次に掲げる書類

イ　定款又は寄附行為の謄本

ロ　発起人、社員又は設立者の履歴書

ハ　株式の引受け、出資又は財産の寄附の状況又は見込みを記載した書類

ニ　組織を明らかにする書類

三　貸付けを希望する特定埠頭の総体の位置を表示した縮尺五万分の一以上の平面図及び当該特定埠頭を構成する港湾施設の位置を表示した縮尺一万分の一以上の平面図

四　特定埠頭の運営の事業の遂行に必要な資金の調達の相手方並びに当該相手方ごとのおおむねの調達額及びその調達方法を記載した書類

五　貸付けを希望する特定埠頭を構成する港湾施設の一部

を第三者に転貸することを希望するときは、転貸を受ける者の概要を記載した書類

六　その他参考となるべき事項を記載した書類

規（法第五十四条の三第一項の国土交通省令で定める要件）

第一七条の三　法第五十四条の三第一項の国土交通省令で定める要件は、次に掲げるものとする。

一　特定埠頭の運営の事業が次のいずれかに該当するものであること。

イ　コンテナ船により運送されるコンテナ貨物を取り扱う特定埠頭を運営する事業であつて、当該コンテナ船を係留するための岸壁その他の係留施設（水深が七・五メートル以上のものに限る。）及びこれに連続する岸壁その他の係留施設（水深が五・五メートルを超えるものに限る。）を一体的に運営しようとする場合は当該係留施設並びにこれらに附帯する荷さばき地又は野積場の一体的な運営を含むもの

ロ　ロールオン・ロールオフ船により運送される貨物を取り扱う特定埠頭を運営する事業であつて、当該ロールオン・ロールオフ船を係留するための岸壁その他の係留施設（水深が七・五メートル以上のものに限る。）及びこれに連続する岸壁その他の係留施設（水深が五・五メートルを超えるものに限る。）を一体的に運営しようとする場合は当該係留施設並びにこれらに附帯する荷さばき地又は野積場の一体的な運営を含むもの

ハ　自動車航送船により運送される自動車又は旅客を取り扱う特定埠頭を運営する事業であつて、当該自動車航送船を係留するための岸壁その他の係留施設（水深が七・五メートル以上のものに限る。）及びこれに連続する岸壁その他の係留施設（水深が五・五メートルを超えるものに限る。）を一体的に運営しようとする場合は当該係留施設並びにこれらに附帯する駐車場又は旅客施設の一体的な運営を含むもの

ニ　主としてばら積みの貨物を取り扱う特定埠頭を高性能な荷さばき施設を整備し一体的に運営する事業であつて、法第三条の二に規定する基本方針に基づき、輸送、保管、荷さばき、流通加工その他の物資の流通に係る業務を行うための土地の確保、道路法（昭和二十七年法律第百八十号）第三条第一号に規定する高速自動車国道又は同法第五条第一項第一号に規定する一般国道との連絡の確保に関する状況等を勘案して港湾管理者が指定する臨港地区又は臨港地区の予定地区内の区域にあるばら積みの貨物を取り扱う岸壁その他の係留施設（水深が十四メートル以上のものに限る。）及びこれらに附帯する荷さばき地又は野積場の一体的な運営を含むもの

二　特定埠頭の運営の事業が当該港湾の効率的な運営に特に資するものであり、かつ、当該港湾の適正な運営の確保の見地から支障がないと認められること。

三　特定埠頭の運営の事業に係る資金計画が当該事業を適正かつ確実に遂行するために適切なものであること。

四　申請者が、特定埠頭の運営の事業を遂行するために必要な経済的基礎及びこれを的確に遂行するために必要なその他の能力が十分であること。

五　特定の利用者に対して不当な差別的取扱いをするものでないこと。

規（法第五十四条の三第四項の公正な手続を確保するための措置）

第一七条の四　港湾管理者は、法第五十四条の三第二項の認定をするに当たつては、当該認定の申請の内容を二週間公衆の縦覧に供しなければならない。

2　港湾管理者は、前項の規定により認定の申請の内容を公衆の縦覧に供しようとするときは、あらかじめ、縦覧の開始の日、縦覧の場所及び縦覧の時間を公報、掲示その他の方法で公告しなければならない。

3　港湾管理者は、第一項の規定により認定の申請の内容を公衆の縦覧に供するときは、次に掲げる事項（公表することが不適切であると港湾管理者が認めるものを除く。）を公報、掲示その他の方法で公告しなければならない。

一　申請者の氏名又は名称

二　第十七条の二第一項第一号から第三号まで及び第五号に掲げる事項の概要

三　意見書の提出方法、提出期限及び提出先

四　前三号に掲げるもののほか、港湾管理者が必要と認める事項

4　第一項の規定により縦覧に供された認定の申請の内容について利害関係を有する者は、縦覧期間満了の日までの間に、港湾管理者に意見書を提出することができる。

規（法第五十四条の三第五項の通知）

第一七条の五　港湾管理者は、法第五十四条の三第二項の認定（同条第三項の規定により国土交通大臣の同意を得てしたものを除く。）をしたときは、次に掲げる事項を記載した通知書を国土交通大臣に提出するものとする。

一　当該認定を受けた者の氏名又は名称

二　第十七条の二第一項第一号から第三号まで及び第五号に掲げる事項

三　当該認定を受けた者の認定理由

2　前項の通知書には、次に掲げる書類を添付するものとする。

一　当該認定を行つた運営の事業を実施する特定埠頭の総体の位置を表示した縮尺五万分の一以上の平面図及び当該特定埠頭を構成する港湾施設の位置を表示した縮尺一万分の一以上の平面図

二　法第五十四条の三第六項の規定による公表をしたこと並びに前条第二項及び第三項の規定による公告をしたことを証する書類

規（法第五十四条の三第六項の国土交通省令で定める事項）

第一七条の六　法第五十四条の三第六項の国土交通省令で定める事項は、次の各号に掲げるものとする。

一　第十七条の二第一項第一号、第二号ロからニまで、第三号及び第五号に掲げる事項の概要

二　第十七条の四第四項の規定により提出された意見書の処理の経過

三　当該認定を受けた者（次条において「事業者」という。）の認定理由

四　前三号に掲げるもののほか、港湾管理者が必要と認める事項

規（特定埠頭の貸付契約の内容）

第一七条の七　港湾管理者は、法第五十四条の三第七項の規定により事業者に特定埠頭を構成する港湾施設を貸し付けるときは、少なくとも次に掲げる事項を貸付契約の内容としなければならない。

一　港湾管理者は、事業者が法第五十四条の三第十二項の取消しを受けたときは、当該貸付契約を解除するものとすること。

二　港湾管理者は、事業者が法第五十四条の三第一項に規定する要件を欠くに至つたとき、事業者が法令若しくは当該貸付契約に違反したとき又は特定埠頭の運営の事業の実施に関し不正の行為があつたと認めるときは、当該貸付契約を解除することができるものとすること。

三　港湾管理者は、特定埠頭の運営の事業の適正かつ確実な遂行を確保するため必要な限度において、事業者に対し、質問し、帳簿書類その他の物件を調査し、又は参考となるべき報告若しくは資料の提出を求めることができ、事業者はこれに応じなければならないものとすること。

四　事業者は、貸し付けられた港湾施設に関し、これを第三者に転貸し、及びこれに係る賃借権を譲渡してはならないこと。ただし、事業者が、貸し付けられた港湾施設の一部について、当該港湾施設の本来の用途又は目的を妨げない限度において、これを第三者に転貸することについて港湾管理者の承諾を得たときは、この限りではないこと。

五　事業者は、貸し付けられた港湾施設に自己の権原によつて附属させた物を担保に供しようとするときは、港湾管理者の承諾を得なければならないものとすること。

六　異常な滞船の解消を図る必要がある場合、港湾施設における感染症の発生の予防又はそのまん延の防止を図る必要がある場合その他公益上特別の必要がある場合において、港湾管理者が貸し付けられた港湾施設を事業者以外の者の利用に供すべきこと又は特定の船舶の利用に供してはならないことを事業者に指示したときは、事業者はその利用又は利用制限を受忍しなければならないものとすること。

規（港湾計画の軽易な変更の特例）

第一七条の八　法第五十四条の三第一項の規定による申請が見込まれ、かつ、港湾管理者が同条第二項の規定により認定しようとする特定埠頭の運営の事業に係る港湾計画の変更についての第一条の十二第五号の規定の適用については、同号中「含む。）」とあるのは、「含み、法第五十四条の三第一項の規定による申請が見込まれ、かつ、港湾管理者が同条第二項の規定により認定しようとする特定埠頭の運営の事業に係る特定埠頭を構成するものを除く。）」とする。

（埠頭群を構成する行政財産の貸付け）

第五五条　国土交通大臣は、第五十四条第一項及び国有財産法第十八条第一項の規定にかかわらず、その指定を受けた港湾運営会社が運営する埠頭群を構成する同法第三条第二項に規定する行政財産である第五十二条に規定する港湾工事によつて生じた港湾施設を当該港湾運営会社に貸し付けることができる。

2　国土交通大臣は、前項の規定による貸付けをしようとするときは、当該貸付けに係る港湾施設の貸付けの期間について、あらかじめ、当該港湾運営会社の指定に係る国際戦略港湾の港湾管理者の同意を得なければならない。

3　国土交通大臣は、第一項の規定による貸付けをするときは、あらかじめ、財務大臣に協議しなければならない。

4　国際戦略港湾の港湾管理者は、地方自治法第二百三十八条の四第一項の規定にかかわらず、第四十三条の十一第一項の規定による指定を受けた港湾運営会社が運営する埠頭群を構成する同法第二百三十八条第四項に規定する行政財産を当該港湾運営会社に貸し付けることができる。

5　国際拠点港湾の港湾管理者は、国有財産法第十八条第一項又は地方自治法第二百三十八条の四第一項の規定にかかわらず、その指定を受けた港湾運営会社が運営する埠頭群を構成する国有財産法第三条第二項又は地方自治法第二百三十八条第四項に規定する行政財産を当該港湾運営会社に貸し付けることができる。

6　第一項又は前二項の規定による貸付けについては、民法第六百四条並びに借地借家法第三条、第四条、第十三条及び第十四条の規定は、適用しない。

7　国有財産法第二十一条及び第二十三条から第二十

五条までの規定は第一項の規定による貸付けについて、同法第二十一条、第二十三条及び第二十四条の規定は第五項の規定による貸付けについて、地方自治法第二百三十八条の二第二項及び第二百三十八条の五第四項から第六項までの規定は第四項又は第五項の規定による貸付けについて、それぞれ準用する。

8　第四項の規定により国際戦略港湾の港湾管理者が同項に規定する行政財産を第四十三条の十一第一項の規定による指定を受けた港湾運営会社に貸し付ける場合における第四十六条第一項の規定の適用については、同項ただし書中「又は貸付けを受けた者」とあるのは「、貸付けを受けた者」と、「三年の期間内である場合」とあるのは「三年の期間内である場合又は第五十五条第四項の規定により貸付けをする場合」とする。

9　第五項の規定により国際拠点港湾の港湾管理者が同項に規定する行政財産をその指定を受けた港湾運営会社に貸し付ける場合における第四十六条第一項の規定の適用については、同項ただし書中「又は貸付けを受けた者」とあるのは「、貸付けを受けた者」と、「三年の期間内である場合」とあるのは「三年の期間内である場合又は第五十五条第五項の規定により貸付けをする場合」とする。

10　前各項に定めるもののほか、埠頭群の貸付けに関し必要な事項は、国土交通省令で定める。

本条…追加〔平成一七年五月法律四五号〕、見出し…改正・五項…削除・旧六項…一部改正し五項に繰上・旧七－九項…六－八項に繰上〔平成一八年五月法律三八号〕、六項…一部改正〔平成一八年六月法律五三号〕、見出し・一－四項…一部改正・五・八項…追加・旧五－八項…一部改正し六・七・九・一〇項に繰下〔平成二三年三月法律九号〕、六・八・九項…一部改正〔令和元年一二月法律六八号〕

参照　一〇項〔国土交通省令〕規則一七の九

規　**（埠頭群の貸付契約の内容）**

第一七条の九　法第五十五条第一項、第四項又は第五項の規定により埠頭群を構成する港湾施設を貸し付ける者（以下この条において「貸付者」という。）は、港湾運営会社に当該港湾施設を貸し付けるときは、少なくとも次に掲げる事項を貸付契約の内容としなければならない。

一　港湾運営会社は、貸し付けられた港湾施設を第三者に長期間転貸し、又はこれに係る賃借権を譲渡してはならないものとすること。

二　港湾運営会社は、貸し付けられた港湾施設に自己の権原によって附属させた物を担保に供しようとするときは、貸付者の承諾を得なければならないものとすること。

三　異常な滞船の解消を図る必要がある場合、港湾施設における感染症の発生の予防又はそのまん延の防止を図る必要がある場合その他公益上特別の必要がある場合において、貸付者が貸し付けられた港湾施設を港湾運営会社以外の者の利用に供すべきこと又は特定の船舶の利用に供してはならないことを港湾運営会社に指示したときは、港湾運営会社はその利用又は利用制限を受忍しなければならないものとすること。

（海洋再生可能エネルギー発電設備等取扱埠頭を構成する行政財産の貸付け）

第五五条の二　国土交通大臣は、第五十四条第一項及び国有財産法第十八条第一項の規定にかかわらず、海洋再生可能エネルギー発電設備等拠点港湾の海洋再生可能エネルギー発電設備等取扱埠頭を構成する同法第三条第二項に規定する行政財産である第五十二条に規定する港湾工事によつて生じた港湾施設を第三十七条第一項又は海洋再生可能エネルギー発電設備の整備に係る海域の利用の促進に関する法律第十条第一項の許可を受けた者（海洋再生可能エネルギー発電設備等の設置及び維持管理をする者に限る。以下この条において「許可事業者」という。）に貸し付けることができる。

2　国土交通大臣は、前項の規定による貸付けをしようとするときは、当該貸付けを受ける者及び当該貸付けに係る港湾施設の貸付けの期間について、あらかじめ、同項の海洋再生可能エネルギー発電設備等拠点港湾の港湾管理者の同意を得なければならない。

3　国土交通大臣は、第一項の規定による貸付けをするときは、あらかじめ、財務大臣に協議しなければならない。

4　海洋再生可能エネルギー発電設備等拠点港湾の港湾管理者は、地方自治法第二百三十八条の四第一項の規定にかかわらず、当該海洋再生可能エネルギー発電設備等拠点港湾の海洋再生可能エネルギー発電設備等取扱埠頭を構成する同法第二百三十八条第四項に規定する行政財産を許可事業者に貸し付けることができる。

5　第一項又は前項の規定による貸付けについては、民法第六百四条並びに借地借家法第三条、第四条、

第十三条及び第十四条の規定は、適用しない。

6　国有財産法第二十一条及び第二十三条から第二十五条までの規定は第一項の規定による貸付けについて、地方自治法第二百三十八条の二第二項及び第二百三十八条の五第四項から第六項までの規定は第四項の規定による貸付けについて、それぞれ準用する。

7　第四項の規定により海洋再生可能エネルギー発電設備等拠点港湾の港湾管理者が同項に規定する行政財産を許可事業者に貸し付ける場合における第四十六条第一項の規定の適用については、同項ただし書中「又は貸付けを受けた者」とあるのは「、貸付けを受けた者」と、「三年の期間内である場合」とあるのは「三年の期間内である場合又は第五十五条の二第四項の規定により貸付けをする場合」とする。

8　前各項に定めるもののほか、海洋再生可能エネルギー発電設備等取扱埠頭の貸付けに関し必要な事項は、国土交通省令で定める。

本条…追加〔令和元年一二月法律六八号〕

参照　八項〔国土交通省令〕規則一七の一〇

規（海洋再生可能エネルギー発電設備等取扱埠頭の貸付契約の内容）

第一七条の一〇　法第五十五条の二第一項又は第四項の規定により海洋再生可能エネルギー発電設備等拠点港湾の海洋再生可能エネルギー発電設備等取扱埠頭を構成する港湾施設を貸し付ける者（以下この条において「貸付者」という。）は、許可事業者に当該港湾施設を貸し付けるときは、少なくとも次に掲げる事項を貸付契約の内容としなければならない。

一　許可事業者は、貸し付けられた港湾施設を第三者に転貸し、又はこれに係る賃借権を譲渡してはならないものとすること。

二　許可事業者は、貸し付けられた港湾施設に自己の権原によつて附属させた物を担保に供しようとするときは、貸付者の承諾を得なければならないものとすること。

三　異常な滞船の解消を図る必要がある場合、港湾施設における感染症の発生の予防又はそのまん延の防止を図る必要がある場合その他公益上特別の必要がある場合において、貸付者が貸し付けられた港湾施設を許可事業者以外の者の利用に供すべきこと又は特定の船舶の利用に供してはならないことを許可事業者に指示したときは、許可事業者はその利用又は利用制限を受忍しなければならないものとすること。

第三節　公用負担及び非常災害等の場合における措置

節名…追加〔令和四年一一月法律八七号〕

（他人の土地への立入り）

第五五条の二の二　国土交通大臣又は港湾管理者は、港湾工事のための調査又は測量を行うためやむを得ない必要があるときは、その業務に従事する職員又はその委任した者を他人の土地に立ち入らせることができる。

2　国土交通大臣又は港湾管理者は、前項の規定によりその職員又はその委任した者を他人の土地に立ち入らせようとするときは、その五日前までに、その土地の所有者又は占有者にその旨を通知しなければならない。ただし、これらの者に対し通知することが困難であるときは、この限りでない。

3　第一項の規定による立入りは、所有者又は占有者の承諾があつた場合を除き、日出前及び日没後においては、してはならない。

4　第一項の規定により他人の土地に立ち入ろうとする者は、その身分を示す証明書を携帯し、関係人の請求があつたときは、これを提示しなければならない。

本条…追加〔昭和二九年五月法律一一一号〕、一・二項…一部改正〔平成一一年一二月法律一六〇号〕、見出し・一―四項…一部改正・旧五五条の二…繰下〔令和元年一二月法律六八号〕、一・二・四項…一部改正〔令和四年一一月法律八七号〕

参照　四項〔証明書〕規則一八

規（証明書の様式）

第一八条　法第五十五条の二の二第四項の規定による証明書（国の職員が携帯するものを除く。）は、第六号様式によるものとする。

（非常災害の場合における土地の一時使用等）

第五五条の三　港湾管理者は、非常災害による港湾施設に対する緊急の危険を防止するためやむを得ない必要があるときは、その現場に居る者若しくはその附近に居住する者に対し防ぎよに従事すべきことを命じ、又はその現場において、他人の土地を一時使用し、若しくは土石、竹木その他の物件を使用し、収用し、若しくは処分することができる。

2　前項の規定による命令については、行政手続法第三章の規定は、適用しない。

本条…追加〔昭和二九年五月法律一一一号〕、二項…追加〔平

成五年一一月法律八九号〕

（国土交通大臣による港湾広域防災施設の管理等）

第五五条の三の二　国土交通大臣は、広域災害応急対策（一の都道府県の区域を越えて行われる緊急輸送の確保その他の災害応急対策（災害対策基本法（昭和三十六年法律第二百二十三号）第五十条第一項に規定する災害応急対策をいう。）であつて、港湾施設を使用して行うものとして国土交通省令で定めるものをいう。以下この条において同じ。）の実施のため必要があると認めるときは、第五十四条第一項の規定にかかわらず、港湾広域防災区域（港湾区域、臨港地区又は第二条第六項の規定により国土交通大臣の認定した港湾施設の区域のうち、港湾施設の利用、配置その他の状況により、広域災害応急対策を実施するために特に必要があると認めて国土交通大臣があらかじめ告示した区域をいう。以下この条において同じ。）内における第五十二条に規定する港湾工事によつて生じた港湾施設のうち、広域災害応急対策の実施のため必要なものとして国土交通省令で定めるもの（以下この条において「港湾広域防災施設」という。）について、期間を定めて、自ら管理することができる。

2　国土交通大臣は、港湾広域防災区域を定めようとするときは、あらかじめ、港湾広域防災施設が設置されている港湾の港湾管理者に協議し、その同意を得るものとする。

3　国土交通大臣は、港湾広域防災区域を定めたときは、遅滞なく、当該港湾広域防災区域の範囲を告示しなければならない。

4　前二項の規定は、港湾広域防災区域の変更又は廃止について準用する。

5　国土交通大臣は、第一項の規定により港湾広域防災施設の管理を開始したときは、遅滞なく、当該港湾広域防災施設を管理する期間その他国土交通省令で定める事項を告示しなければならない。

6　国土交通大臣は、第一項の規定により港湾広域防災施設を管理するときは、当該港湾広域防災施設が設置されている港湾の港湾管理者に対し、広域災害応急対策を実施するために必要な措置（次項に規定するものを除く。）をとるべきことを要請することができる。

7　国土交通大臣は、第一項の規定により港湾広域防災施設を管理する場合において、広域災害応急対策を実施するためやむを得ない必要があるときは、港湾広域防災区域内において、他人の土地を一時使用し、又は土石、竹木その他の物件を使用し、収用し、若しくは処分することができる。

本条…追加〔平成二〇年六月法律六六号〕

参照　一項〔国土交通省告示〕港湾法第五十五条の三の二第一項の港湾広域防災区域の範囲、一項・五項〔国土交通省令〕規則一八の二―一八の四

規（港湾施設を使用して行う広域災害応急対策）

第一八条の二　法第五十五条の三の二第一項の国土交通省令で定める災害応急対策は、非常災害が発生した場合において、災害対策基本法第二条第三号に規定する指定行政機関の長が実施する災害応急対策のうち、緊急輸送の確保、施設及び設備の応急復旧その他災害の拡大の防止を図るため実施すべき応急の対策とする。

規（港湾広域防災施設）

第一八条の三　法第五十五条の三の二第一項の国土交通省令で定める港湾施設は、港湾環境整備施設（第十五条の二十六第三項第二号括弧書に規定するものに限る。）及び非常災害が発生した場合において当該施設と一体的に使用する港湾施設（同項第一号及び第四号に掲げるものを除く。）とする。

規（法第五十五条の三の二第五項の国土交通省令で定める事項）

第一八条の四　法第五十五条の三の二第五項の国土交通省令で定める事項は、次に掲げるものとする。

一　国土交通大臣が管理する港湾広域防災施設（以下この条において「大臣管理施設」という。）が設置されている港湾の名称

二　大臣管理施設が設置されている港湾の港湾管理者の名称

三　大臣管理施設の種類、名称及び所在地

（非常災害等の場合における国土交通大臣による港湾施設の管理等）

第五五条の三の三　国土交通大臣は、非常災害、世界的規模の感染症の流行その他の港湾の機能を著しく損なうおそれのある事象（以下この項において「非常災害等」という。）が発生した場合において、当該非常災害等の発生によりその機能に支障が生じ、又は生ずるおそれがある港湾の港湾管理者から要請があり、かつ、物資の輸送の状況、当該港湾管理者における業務の実施体制その他の事情を勘案して必要があると認めるときは、その事務の遂行に支障の

ない範囲内で、当該港湾管理者の管理する港湾施設の管理の全部又は一部を、期間を定めて、自ら行うことができる。この場合においては、第五十四条第一項及び第五十四条の二第一項の規定は、適用しない。

2　国土交通大臣は、前項の規定により港湾施設の管理を開始したときは、遅滞なく、当該港湾施設を管理する期間その他国土交通省令で定める事項を告示しなければならない。

3　国土交通大臣は、第一項の規定により港湾施設の管理を自ら行う場合において、同項の港湾管理者から要請があり、かつ、物資の輸送の状況、当該港湾管理者における業務の実施体制その他の事情を勘案して必要があると認めるときは、その事務の遂行に支障のない範囲内で、当該管理の内容又は期間を変更するものとする。

4　国土交通大臣は、前項の規定により第二項の規定による告示をした事項に変更があつたときは、遅滞なく、変更に係る事項を告示しなければならない。

5　第五十五条の三の規定は、第一項の規定により国土交通大臣が港湾施設の管理を行う場合について準用する。

本条…追加〔平成二九年六月法律五五号〕、見出し・一項…一部改正〔令和四年一一月法律八七号〕

参照　二項〔国土交通省令〕規則一八の五

規（法第五十五条の三の三第二項の国土交通省令で定める事項）

第一八条の五　法第五十五条の三の三第二項の国土交通省令で定める事項は、次に掲げるものとする。

一　国土交通大臣が管理する港湾施設（以下この条において「大臣管理施設」という。）が設置されている港湾の名称

二　大臣管理施設が設置されている港湾の港湾管理者の名称

三　大臣管理施設の種類、名称及び所在地

四　国土交通大臣が大臣管理施設について行う管理の内容

（国土交通大臣による開発保全航路内の物件の使用等）

第五五条の三の四　国土交通大臣は、非常災害が発生し、船舶の交通に支障が生じている場合において、緊急輸送の用に供する船舶の交通を確保するためやむを得ない必要があるときは、開発保全航路の区域のうち、非常災害が発生した場合の船舶の交通を確保するために特に必要があるものとして国土交通省令で定めた区域内において、船舶、船舶用品その他の物件を使用し、収用し、又は処分することができる。

本条…追加〔平成二五年六月法律三一号〕、旧五五条の三の三…繰下〔平成二九年六月法律五五号〕

参照　〔国土交通省令〕規則一八の六

規（開発保全航路内の物件の使用等ができる区域）

第一八条の六　法第五十五条の三の四の国土交通省令で定める区域は、別表第二のとおりとする。

（緊急確保航路内の禁止行為等）

第五五条の三の五　何人も、緊急確保航路（非常災害が発生した場合において、港湾区域、開発保全航路及び河川区域以外の水域における船舶の交通を緊急に確保する必要があるものとして政令でその区域を定めた航路をいう。以下同じ。）内において、みだりに、船舶、土石その他の物件で国土交通省令で定めるものを捨て、又は放置してはならない。

2　緊急確保航路内において、水域を工作物の設置等により占用し、又は土砂を採取しようとする者は、国土交通大臣の許可を受けなければならない。

3　国土交通大臣は、前項の行為が非常災害が発生した場合における船舶の交通に支障を与えるものであるとき、又は非常災害が発生した場合における沈没物その他の物件の除去に著しく支障を与えるものであるときは、許可をしてはならない。

4　第三十七条第三項の規定は、前二項の場合に準用する。

5　国土交通大臣は、非常災害が発生し、船舶の交通に支障が生じている場合において、緊急輸送の用に供する船舶の交通を確保するためやむを得ない必要があるときは、緊急確保航路内において、船舶、船舶用品その他の物件を使用し、収用し、又は処分することができる。

本条…追加〔平成二五年六月法律三一号〕、旧五五条の三の四…繰下〔平成二九年六月法律五五号〕

参照　一項〔政令〕令一七の一〇、一項〔国土交通省令〕規則一八の七、二項〔国土交通大臣の許可〕規則一八の八

令（緊急確保航路）

第一七条の一〇　法第五十五条の三の五第一項に規定する緊

急確保航路の区域は、別表第五のとおりとする。

規（緊急確保航路内における放置等禁止物件）

第一八条の七　法第五十五条の三の五第一項の国土交通省令で定める物件は、次に掲げるものとする。

一　船舶
二　土石
三　いかだ
四　竹木
五　車両
六　前各号に掲げるもののほか、緊急確保航路における非常災害が発生した場合の船舶の交通又は沈没物その他の物件の除去に支障を与える程度においてこれらの物件に類するもの

規（緊急確保航路内における技術基準対象施設の建設等の許可）

第一八条の八　法第五十五条の三の五第二項の国土交通大臣の許可を受けようとする者は、次に掲げる書類（技術基準対象施設の建設又は改良を行おうとする者以外の者にあつては、第四号に掲げる書類に限る。）を国土交通大臣に提出するものとする。

一　次に掲げる事項を示し又は記載した書類
　イ　建設又は改良を行おうとする技術基準対象施設の諸元及び要求性能
　ロ　建設又は改良を行おうとする技術基準対象施設への作用及びその設定の根拠
　ハ　イ及びロの照査方法
二　建設又は改良を行おうとする技術基準対象施設の施工方法、施工管理方法及び安全管理方法を記載した書類
三　建設又は改良を行おうとする技術基準対象施設を適切に維持するための維持管理方法を記載した書類
四　前三号に掲げるもののほか、国土交通大臣が必要と認める書類

2　前項の規定は、法第五十五条の三の五第四項の規定により準用する法第三十七条第三項の規定により国土交通大臣と協議しようとする者について準用する。この場合において、前項中「国土交通大臣の許可を受け」とあるのは「国土交通大臣と協議し」と読み替えるものとする。

（損失の補償）

第五五条の四　国又は港湾管理者は、第五十五条の二第一項、第五十五条の三第一項（第五十五条の三の三第五項において準用する場合を含む。）、第五十五条の三の二第七項、第五十五条の三の四又は前条第五項の規定による行為により損失を受けた者に対し、その損失を補償しなければならない。

2　第四十一条第三項及び第四項の規定は、前項の場合に準用する。この場合において、同条第四項中「国又は港湾管理者」とあるのは「港湾管理者」と読み替えるものとする。

本条…追加〔昭和二九年五月法律一一一号〕、二項…一部改正〔昭和三七年五月法律一四〇号〕、一項…一部改正〔平成二〇年六月法律六六号・二五年六月三一号・二九年六月五五号・令和元年一二月六八号〕

第四節　港湾工事の費用の負担の特例

節名…追加〔令和四年一一月法律八七号〕

（港湾工事に伴う工事の費用の補償）

第五五条の五　国土交通大臣又は港湾管理者は、港湾管理者の行う港湾工事の結果、港湾管理者以外の者に工事の必要を生じさせた場合においては、国又は港湾管理者は、その必要を生じさせた限度において、その費用を補償しなければならない。但し、その補償を受ける者が必要を生じさせられた工事によつて特に利益を受けるときは、その利益を受ける限度において、その者に補償をしないことができる。

2　第四十一条第四項の規定は、前項の場合に準用する。この場合において、同項中「港湾管理者」とあるのは「国又は港湾管理者」と読み替えるものとする。

本条…追加〔昭和二九年五月法律一一一号〕、二項…一部改正〔昭和三七年五月法律一四〇号〕、一項…一部改正〔平成一一年一二月法律一六〇号〕

（事業者の負担金を徴収する港湾工事に係る国庫負担等の特例）

第五五条の六　国土交通大臣又は港湾管理者のする港湾工事が、企業合理化促進法第八条第一項の規定による事業者の申請に係るものである場合においては、その工事に要する費用の額から当該事業者が同条第二項若しくは第四項の規定に基づく処分により納付すべき負担金の額を控除した額について、公害防止事業費事業者負担法第二条第二項に規定する公害防止事業である場合においては、その工事に要する費用の額から事業者が同法の規定により納付すべき負担金の額を控除した額について、この法律又は港湾工事に関する他の法令に規定する港湾工事に要する費用の負担又は補助の割合により、国と港湾管理者がそれぞれ負担し、又は国が補助する。

本条…追加〔昭和四八年七月法律五四号〕、一部改正〔平成一一年一二月法律一六〇号〕、旧五五条の五の二…繰下〔平成一二年三月法律三三号〕

参照　〔他の法令〕北海道開発のためにする港湾工事に関する法律、特定港湾施設整備特別措置法等

第五節　港湾施設の建設等に係る資金の貸付け

節名…追加〔令和四年一一月法律八七号〕

（特定用途港湾施設の建設等に係る資金の貸付け）

第五五条の七　国は、国際戦略港湾、国際拠点港湾又は重要港湾の港湾管理者が港湾管理者以外の者（国を除く。）で国土交通大臣が政令で定める基準に適合すると認める者に対し、特定用途港湾施設の建設又は改良に要する費用に充てる資金を無利子で貸し付ける場合において、その貸付けの条件が第三項の規定によるほか第五項の政令で定める基準に適合しているときは、その貸付金に充てるため、その貸付金額の範囲内で政令で定める金額を無利子で当該港湾管理者に貸し付けることができる。

2　前項の特定用途港湾施設は、次に掲げる港湾施設で、第三条の三第九項の規定により公示された港湾計画においてその建設又は改良に関する計画が定められたものをいう。

一　政令で定める用途に供する岸壁又は桟橋及びこれに附帯する政令で定める荷さばき施設その他の港湾施設

二　政令で定める用途に供する荷さばき施設又は保管施設（保管施設にあつては、国際戦略港湾におけるものに限る。）であつて埠頭の近傍に立地するもの及びこれらに附帯する政令で定める道路その他の港湾施設

三　政令で定める用途に供する旅客施設及びこれに附帯する政令で定める駐車場その他の港湾施設

3　港湾管理者は、第一項の国の貸付けに係る貸付けをしようとする場合においては、政令で定めるところにより、その貸付けを受ける者がその貸付金を貸付けの目的以外の目的に使用したとき、その他貸付けの条件に違反したときに、当該貸付けを受ける者から加算金を徴収することができる旨をその貸付けの条件に定めるものとする。

4　港湾管理者は、前項の規定により貸付けの条件に定めたところにより加算金を徴収したときは、その徴収した加算金の全部又は一部に相当する金額を、政令で定めるところにより、国に納付するものとする。

5　前二項に定めるもののほか、第一項の国の貸付金及び同項の国の貸付けに係る港湾管理者の貸付金に関する償還方法、償還期限の繰上げ及び延長、延滞金の徴収その他必要な貸付けの条件の基準については、政令で定める。

本条…追加〔昭和四五年五月法律七六号〕、二項…一部改正〔昭和四八年七月法律五四号・五四年一二月七〇号〕、一項…一部改正〔昭和五六年四月法律二八号・平成一一年一二月一六〇号〕、二項…一部改正〔平成一八年五月法律三八号〕、一項…一部改正〔平成二三年三月法律九号〕、二項…一部改正〔平成二六年五月法律三三号・二八年五月四五号〕

参照　一項〔貸付けの条件〕令五・六、一－五項〔政令〕令二－八、一項〔認定申請の手続〕規則一九－二七

令 **（貸付けを受ける者の基準）**

第二条　法第五十五条の七第一項の政令で定める基準は、次のとおりとする。

一　当該特定用途港湾施設の建設又は改良に関し、次の要件に適合する工事実施計画を有する者であること。

イ　法第三条の三第九項の規定により公示された港湾計画において定められた特定用途港湾施設の建設又は改良の計画に適合すること。

ロ　当該特定用途港湾施設の位置、規模及び構造が当該施設の用途に対し適切であること。

ハ　当該特定用途港湾施設の供用を開始する時期が当該港湾における需要に対し適切なものであること。

二　当該特定用途港湾施設の公正、かつ、効率的な利用に資する管理運営計画を有する者であること。

三　第一号の工事実施計画及び前号の管理運営計画を実施するため適切な資金計画及び収支計画を有する者であること。

四　当該特定用途港湾施設の建設又は改良及び管理を適確に行う能力を有する者であること。

令 **（港湾管理者に対する貸付金の金額）**

第三条　法第五十五条の七第一項の政令で定める金額は、当該特定用途港湾施設の建設又は改良に要する費用に充てる資金として港湾管理者がする同項の貸付け及び当該貸付けを受ける者に対する出資の合計額の二分の一以内の金額とする。

令 **（特定用途港湾施設）**

第四条　法第五十五条の七第二項第一号の政令で定める用途は、次のとおりとする。

一　輸出入に係るコンテナ貨物の積込み及び取卸しのためにする船舶の係留

二　自動車の積込み及び取卸し並びに旅客の乗船及び下船のためにする自動車航送船の係留

三　スポーツ又はレクリエーションの用に供するヨット、モーターボートその他の船舶の係留であつて、それを使用する者の乗船及び下船並びにその保管のためにするもの

四　港湾区域内において行う廃棄物の積込み及び取卸しそ

の他の廃棄物の埋立処分に係る作業のためにする船舶の係留

2　法第五十五条の七第二項第一号の政令で定める港湾施設は、次の施設とする。

一　当該岸壁又は桟橋の前面の泊地

二　当該岸壁若しくは桟橋に係留される船舶に係る輸出入に係るコンテナ貨物の荷さばきを行うため又は当該岸壁若しくは桟橋に係留される自動車航送船に係る積込み若しくは取卸しをする自動車を待機させ若しくは整理するための固定的な施設

三　当該岸壁又は桟橋に係留される自動車航送船に係る固定的な旅客施設

四　当該岸壁又は桟橋に係留される前項第三号に規定する船舶に係る船揚場、船舶修理施設、船舶保管施設及び港湾厚生施設

五　当該岸壁又は桟橋に係留される前項第四号に規定する船舶に係る廃棄物埋立護岸及び廃棄物受入施設

六　当該岸壁又は桟橋及びこれに附帯する第二号から第四号までの施設の機能を確保するための護岸及び臨港交通施設

七　当該岸壁又は桟橋に係留される自動車航送船又は前項第三号に規定する船舶の係留を補助するための係船浮標、係船くい及び浮桟橋並びに当該岸壁又は桟橋への係留を待機する自動車航送船を係留するための係船浮標及び係船くい

八　当該岸壁又は桟橋及び前各号の施設の敷地

令

第四条の二　法第五十五条の七第二項第二号の政令で定める用途は、国際海上コンテナ運送に係る貨物の荷さばき又は保管であつて、流通加工（物資の流通の過程における簡易な加工をいう。）を伴うものとする。

2　法第五十五条の七第二項第二号の政令で定める港湾施設は、次の施設とする。

一　当該荷さばき施設又は保管施設の機能を確保するための道路、駐車場及び橋梁（りよう）

二　当該荷さばき施設又は保管施設の周辺の環境を整備するための緑地及び広場

令

第四条の三　法第五十五条の七第二項第三号の政令で定める用途は、本邦の港と本邦以外の地域の港との間の航路に就航する船舶に係る旅客の利用とする。

2　法第五十五条の七第二項第三号の政令で定める港湾施設は、次の施設とする。

一　当該旅客施設の機能を確保するための道路、駐車場及び橋梁

二　当該旅客施設の周辺の環境を整備するための緑地及び広場

令 **（国の貸付けの条件の基準）**

第五条　法第五十五条の七第一項の国の貸付金に関する貸付けの条件の基準は、次のとおりとする。

一　貸付金の償還は、均等半年賦償還とすること。

二　国は、貸付金に係る港湾管理者の貸付金に関し、次条第二号及び第三号の基準により港湾管理者が償還期限を繰り上げることができる場合並びに当該貸付けを受ける者が繰上償還をした場合には、貸付金の全部又は一部について償還期限を繰り上げることができるものとすること。

三　港湾管理者は、貸付金に係る港湾管理者の貸付金に関する経理を明確に整理しなければならないものとすること。

四　港湾管理者は、国土交通省令で定める事項につき次条第七号の承認をしようとする場合にはあらかじめ国土交通大臣の承認を受けなければならず、同条第八号の指示をしようとする場合にはあらかじめその旨を国土交通大臣に届け出なければならないものとすること。

五　港湾管理者は、貸付金に係る港湾管理者の貸付けを受ける者が適切に特定用途港湾施設の建設又は改良及び管理を行うよう港湾管理者の貸付金に関する貸付けの条件に定めるところにより必要な措置をとらなければならないものとすること。

2　港湾管理者が法第五十五条の七第一項の国の貸付けに係る港湾管理者の貸付けを受ける者に対しその貸付金の全部又は一部の償還期限を延長する場合において、国土交通大臣がその延長について災害その他特別の事情により償還が著しく困難であるためやむを得ないものと認めるときは、国及び港湾管理者は、当該貸付金に係る国の貸付金の全部又は一部について、担保の提供をせず、かつ、利息を附さないで、償還期限を延長するよう貸付けの条件を変更することができるものとする。

令 **（港湾管理者の貸付けの条件の基準）**

第六条　法第五十五条の七第一項の国の貸付けに係る港湾管理者の貸付金に関する貸付けの条件の基準は、次のとおりとする。

一　貸付金の償還は、均等半年賦償還とすること。

二　港湾管理者は、貸付けを受ける者が貸付金を貸付けの目的以外の目的に使用した場合その他貸付けの条件に違反した場合には、貸付金（償還期限が到来していないものに限る。）の全部又は一部について償還期限を繰り上げることができるものとすること。

三　港湾管理者は、貸付けに係る特定用途港湾施設の運営に係る損益の計算において利益が生じた場合にその額が国土交通省令で定めるところにより算定した当該施設の価額に国土交通省令で定める割合を乗じて得た金額を超えるときは、その超える額の二分の一の範囲内の金額について償還期限を繰り上げることができるものとすること。

四　港湾管理者は、貸付けを受ける者が貸付金の償還を怠つたときは、償還期限の翌日から償還の日までの日数に応じ、当該償還すべき金額につき年十・七五パーセントの割合により計算した金額の延滞金を徴収することができるものとすること。
五　貸付けを受ける者は、港湾管理者の指示により、貸付金についての強制執行の受諾の記載のある公正証書を作成するために必要な手続をとらなければならないものとすること。
六　貸付けを受ける者は、所定の工事実施計画、管理運営計画及び資金計画に従い、適切に特定用途港湾施設の建設又は改良及び管理を行わなければならないものとすること。
七　貸付けを受ける者は、次に掲げる事項につき、あらかじめ、港湾管理者の承認を受けなければならないものとすること。
イ　貸付けに係る特定用途港湾施設に係る工事実施計画、管理運営計画又は資金計画を変更すること。
ロ　貸付けに係る特定用途港湾施設の供用を休止し、又は廃止すること。
ハ　貸付けに係る特定用途港湾施設を譲渡し、交換し、又は担保に供すること。
八　貸付けを受ける者は、港湾管理者が所定の工事実施計画、管理運営計画又は資金計画について第二条各号に定める要件に適合しないものとなつたと認めてその変更を指示したときは、その指示に従いこれらの計画を変更しなければならないものとすること。
九　貸付けを受ける者は、国土交通省令で定めるところにより、その経営する事業の会計を処理するとともに、貸付けに係る特定用途港湾施設の運営に係る損益の計算をしなければならないものとすること。
十　貸付けを受ける者は、貸付けに係る特定用途港湾施設の供用を貸付けの方法によりする場合においては、港湾管理者が当該施設の貸付けを受ける者に対し異常な滞船の解消その他緊急、かつ、公益上の必要によりその者以外の者の利用に供すべきことを指示したときにその利用を受忍しなければならない旨を当該施設の貸付けの条件に定めなければならないものとすること。
十一　貸付けを受ける者は、国又は港湾管理者が、貸付けに係る債権の保全その他貸付けの条件の適正な実施を図るため必要があると認めて、貸付けを受ける者の業務及び資産の状況に関し報告を求め、又はその職員に、貸付けを受ける者の事務所その他の事業場に立ち入り、帳簿、書類その他の必要な物件を調査させ、若しくは関係者に質問させる場合において、報告をし、立入調査を受忍し、又は質問に応じなければならないものとすること。

令

（加算金）

第七条　港湾管理者は、法第五十五条の七第三項の加算金を徴収する場合においては、加算金を課すべき貸付金の範囲を指定し、当該指定した貸付金を貸し付けた日の翌日からその償還の日までの日数に応じ、当該指定した貸付金の金額に年十・七五パーセントの割合で計算した金額の加算金を徴収するものとする。
2　前項の指定した貸付金（償還期限が到来していないものに限る。）については、港湾管理者は、その償還期限を繰り上げるものとする。

令

第八条　法第五十五条の七第四項の規定により港湾管理者が国に納付すべき金額は、その徴収した加算金の金額に、前条第一項の指定した貸付金の貸付けをした日の属する会計年度における、当該貸付けを受ける者に係る法第五十五条の七第一項の国の貸付金の金額の同項の当該港湾管理者の貸付金の金額に対する割合を乗じて得た金額とする。
2　港湾管理者は、前項の金額をその徴収した日の属する月の翌月の末日までに国に納付するものとする。

規

（認定申請の手続）

第一九条　法第五十五条の七第一項の認定を受けようとする者は、次に掲げる事項を記載した申請書を国土交通大臣に提出するものとする。
一　法第五十五条の七第二項第一号に掲げる港湾施設である同項の特定用途港湾施設の建設又は改良を行おうとする者にあつては、次に掲げる事項を記載した当該特定用途港湾施設の工事実施計画
イ　特定用途港湾施設の総体の名称及び位置（縮尺五万分の一以上の平面図をもつて表示すること。）
ロ　岸壁又は桟橋の長さ、係留能力及び構造
ハ　建設又は改良を行う泊地の水深及び面積
ニ　令第四条第二項第二号の施設の種類、数、規模及び構造
ホ　令第四条第二項第三号の施設の種類、数、規模及び構造
ヘ　令第四条第二項第四号の施設の種類、数、規模及び構造
ト　令第四条第二項第五号の施設の種類、数、規模及び構造
チ　護岸の長さ及び構造
リ　臨港交通施設の種類及び規模
ヌ　令第四条第二項第七号の施設の種類、数、係留能力及び構造
ル　令第四条第二項第八号の敷地の面積
ヲ　ロからヌまでに掲げる施設の配置（縮尺一万分の一以上の平面図をもつて表示すること。）
ワ　工事に要する費用の概算
カ　工事の着手及び完成の予定期日並びに供用開始の予定期日

二　法第五十五条の七第二項第二号又は第三号に掲げる港湾施設である同項の特定用途港湾施設の建設又は改良を行おうとする者にあつては、次に掲げる事項を記載した当該特定用途港湾施設の工事実施計画
イ　特定用途港湾施設の総体の名称及び位置（縮尺五万分の一以上の平面図をもつて表示すること。）
ロ　荷さばき施設若しくは保管施設（保管施設にあつては、国際戦略港湾におけるものに限る。）又は旅客施設の規模及び構造
ハ　令第四条の二第二項第一号又は第四条の三第二項第一号の施設の種類及び規模
ニ　令第四条の二第二項第二号又は第四条の三第二項第二号の施設の種類及び規模
ホ　ロからニまでに掲げる施設の配置（縮尺一万分の一以上の平面図をもつて表示すること。）
ヘ　工事に要する費用の概算
ト　工事の着手及び完成の予定期日並びに供用開始の予定期日
三　次に掲げる事項を記載した特定用途港湾施設の管理運営計画
イ　特定用途港湾施設の使用者の選定の基準及び方法
ロ　特定用途港湾施設の使用形態
ハ　特定用途港湾施設の使用料の算出方法
ニ　その他特定用途港湾施設の管理運営に関し必要な事項
四　次に掲げる事項を記載した特定用途港湾施設に係る資金計画
イ　資金の調達方法
ロ　資金の使途
五　特定用途港湾施設に係る収支計画
2　前項の申請書には、次に掲げる書類を添附するものとする。
一　既存の法人にあつては、次に掲げる書類
イ　定款又は寄附行為及び登記事項証明書
ロ　役員又は社員の履歴書
ハ　株式会社にあつては、発行済株式の総数の五パーセント以上の株式を所有する株主の名簿
ニ　最近の事業年度の財産目録、貸借対照表及び損益計算書
ホ　貸付申請に関する意思の決定を証する書類
ヘ　組織を明らかにする書類
二　法人を設立しようとする者にあつては、次に掲げる書類
イ　定款又は寄附行為の謄本
ロ　発起人、社員又は設立者の履歴書
ハ　株式の引受け、出資又は財産の寄附の状況又は見込みを記載した書類
ニ　組織を明らかにする書類

規（認定の通知）

第二〇条　国土交通大臣は、前条の申請をした者が令第二条の基準に適合すると認めるときは、当該申請をした者及び当該特定用途港湾施設に係る港湾の港湾管理者に対し、その旨を通知するものとする。

規（貸付申請の手続）

第二一条　前条の通知を受けた港湾管理者は、法第五十五条の七第一項の国の貸付けを受けようとするときは、次に掲げる事項を記載した申請書を国土交通大臣に提出するものとする。
一　港湾管理者の当該年度における当該特定用途港湾施設に係る貸付けの金額及び出資の金額並びにその時期
二　港湾管理者の貸付けを受ける者の当該年度における当該特定用途港湾施設の工事実施計画の明細
三　港湾管理者の貸付けを受ける者の当該年度における当該特定用途港湾施設に係る資金計画の明細
四　港湾管理者の貸付金に関する貸付けの条件
2　前項の申請書には、次に掲げる当該特定用途港湾施設に関する書類を添付するものとする。
一　平面図、縦断面図、標準横断面図、深浅図その他の必要な図面
二　岸壁又は桟橋並びに令第四条第二項第二号及び第四号から第七号までの施設（第五号の施設にあつては、廃棄物埋立護岸に限る。）の安定計算の概要

規（国土交通大臣の承認事項）

第二二条　令第五条第一項第四号の国土交通省令で定める事項は、令第六条第七号に掲げる事項のうち次に掲げる事項以外のものとする。
一　貸付けに係る特定用途港湾施設に係る管理運営計画を変更すること（当該施設の使用者の選定の基準若しくは方法、使用形態又は使用料の算出方法を変更する場合を除く。）。
二　貸付けに係る特定用途港湾施設の供用を一月以下の期間を定めて休止すること。

規（令第六条第三号の特定用途港湾施設の価額）

第二三条　令第六条第三号の特定用途港湾施設の価額は、当該施設の取得価額又は製作価額とする。

規（令第六条第三号の国土交通省令で定める割合）

第二四条　令第六条第三号の国土交通省令で定める割合は、年三パーセントとする。

規（令第六条第三号の利益の額）

第二五条　令第六条第三号の利益の額は、特定用途港湾施設の運営に係る毎事業年度における収益から費用を控除した額とする。
2　前項の収益は、特定用途港湾施設の使用料その他の事業収益及び受取利子その他の事業外収益（積立金取りくずし額以外の特別利益を含む。次条において同じ。）の合計額とする。

3　第一項の費用は、事業費用（法人税、道府県民税及び市町村民税を含む。次条において同じ。）及び支払利子その他の事業外費用（特別損失を含む。次条において同じ。）の合計額とする。

規 **第二六条**　前条の規定により収益及び費用を計算する場合において、貸付けに係る特定用途港湾施設の運営と特定用途港湾施設の運営以外の事業との双方に関連する収益及び費用は、次の各号に掲げる割合によりそれぞれの事業に配賦するものとする。

一　受取利子その他の事業外収益にあつては、それぞれの事業に専属する事業収益による割合

二　事業費用にあつては、次の各号に掲げる割合

イ　法人税、道府県民税、事業税及び市町村民税にあつては、それぞれの事業に専属する利益による割合

ロ　その他のものにあつては、それぞれの事業に専属する事業費用（諸税及び減価償却費を除く。次号において同じ。）による割合

三　支払利子その他の事業外費用にあつては、次に掲げる割合

イ　支払利子にあつては、それぞれの事業に専属する事業用固定資産の価額による割合（当該固定資産につき前事業年度末における貸借対照表に付せられた価額から当該固定資産につき当該貸借対照表に計上された減価償却引当金の額を控除した価額による割合をいう。）

ロ　その他のものにあつては、それぞれの事業に専属する事業費用による割合

規 **（区分経理）**

第二七条　法第五十五条の七第一項の港湾管理者の貸付けを受ける者は、特定用途港湾施設の運営に関する経理について特別の勘定を設け、特定用途港湾施設の運営以外の事業に関する経理と区分して整理するものとする。この場合において、特定用途港湾施設の運営と特定用途港湾施設の運営以外の事業との双方に関連する収益及び費用は、前条の規定に従い、それぞれの事業に配賦して経理するものとする。

（特別特定技術基準対象施設の改良に係る資金の貸付け）

第五五条の八　国は、国際戦略港湾、国際拠点港湾又は重要港湾の港湾管理者が港湾管理者以外の者（国を除く。）で国土交通大臣が政令で定める基準に適合すると認める者に対し、特別特定技術基準対象施設の改良に要する費用に充てる資金を無利子で貸し付ける場合において、その貸付けの条件が第三項において準用する前条第三項の規定によるほか第三項において準用する同条第五項の政令で定める基準に適合しているときは、その貸付金に充てるため、その貸付金額の範囲内で政令で定める金額を無利子で当該港湾管理者に貸し付けることができる。

2　前項の特別特定技術基準対象施設は、第五十六条の二の二十一第一項に規定する特定技術基準対象施設のうち、非常災害により損壊した場合において、大量の土砂その他の物件を水域施設（非常災害が発生した場合の船舶の交通を確保するために特に必要があるものとして国土交通省令で定めるものに限る。）に流入させることにより、長期間にわたり船舶の交通に特に著しい支障を及ぼすおそれのあるものとして国土交通省令で定める港湾施設で、第三条の三第九項の規定により公示された港湾計画においてその改良に関する計画が定められたものをいう。

3　前条第三項から第五項までの規定は、第一項の国の貸付け及び同項の国の貸付けに係る国際戦略港湾、国際拠点港湾又は重要港湾の港湾管理者の貸付けについて準用する。

本条…追加〔平成二六年五月法律三三号〕

参照　一項〔政令〕令九―九の三、二項〔国土交通省令〕規則二七の二―二七の四、三項〔準用〕規則二七の五

令 **（特別特定技術基準対象施設の改良に要する費用に充てる資金の貸付けを受ける者の基準）**

第九条　法第五十五条の八第一項の政令で定める基準は、次のとおりとする。

一　当該特別特定技術基準対象施設の改良に関し、次の要件に適合する工事実施計画を有する者であること。

イ　法第三条の三第九項の規定により公示された港湾計画において定められた特別特定技術基準対象施設の改良の計画に適合すること。

ロ　当該特別特定技術基準対象施設が、非常災害が発生した場合においても、大量の土砂その他の物件を法第五十五条の八第二項に規定する水域施設に流入させることがないよう必要な強度を有するものであること。

二　当該特別特定技術基準対象施設の改良後の強度の低下の防止又は軽減に資する管理運営計画を有する者であること。

三　第一号の工事実施計画及び前号の管理運営計画を実施するため適切な資金計画及び収支計画を有する者であること。

四　当該特別特定技術基準対象施設の改良及び管理を適確に行う能力を有する者であること。

令 **（特別特定技術基準対象施設の改良に係る港湾管理者に対**

する貸付金の金額）

第九条の二　法第五十五条の八第一項の政令で定める金額は、当該特別特定技術基準対象施設の改良に要する費用に充てる資金として港湾管理者がする同項の貸付けの金額の二分の一以内の金額とする。

令（貸付けの条件の基準及び加算金の規定の準用）

第九条の三　第五条及び第六条の規定は、法第五十五条の八第一項の国の貸付け及び同項の国の貸付けに係る国際戦略港湾、国際拠点港湾又は重要港湾の港湾管理者の貸付けについて準用する。この場合において、第五条第一項第五号並びに第六条第三号、第六号、第七号イからハまで、第九号及び第十号中「特定用途港湾施設」とあるのは「特別特定技術基準対象施設」と、同項第五号及び同条第六号中「建設又は改良」とあるのは「改良」と、同条第八号中「第二条各号」とあるのは「第九条各号」と読み替えるものとする。

2　第七条及び第八条の規定は、法第五十五条の八第三項において準用する法第五十五条の七第三項の加算金について準用する。この場合において、第八条第一項中「第五十五条の七第四項」とあるのは「第五十五条の八第三項において準用する法第五十五条の七第四項」と、「第五十五条の七第一項」とあるのは「第五十五条の八第一項」と読み替えるものとする。

規（特別特定技術基準対象施設の改良に係る認定申請の手続）

第二十七条の二　法第五十五条の八第一項の認定を受けようとする者は、次に掲げる事項を記載した申請書を国土交通大臣に提出するものとする。

一　次に掲げる事項を記載した当該特別特定技術基準対象施設の工事実施計画

イ　特別特定技術基準対象施設の総体の名称及び位置（縮尺五万分の一以上の平面図をもつて表示すること。）

ロ　護岸の長さ及び構造

ハ　岸壁又は物揚場の長さ、係留能力及び構造

ニ　ロ及びハに掲げる施設の配置（縮尺一万分の一以上の平面図をもつて表示すること。）

ホ　工事に要する費用の概算

ヘ　工事の着手及び完成の予定期日

ト　特別特定技術基準対象施設の要求性能

チ　特別特定技術基準対象施設への作用及びその設定の根拠

リ　ト及びチの照査方法

ヌ　その他国土交通大臣が必要と認める事項

二　次に掲げる事項を記載した特別特定技術基準対象施設の管理運営計画

イ　特別特定技術基準対象施設の点検及び診断の実施方針

ロ　特別特定技術基準対象施設の維持工事等の実施方針

ハ　その他特別特定技術基準対象施設の管理運営に関し必要な事項

三　次に掲げる事項を記載した特別特定技術基準対象施設に係る資金計画

イ　資金の調達方法

ロ　資金の使途

四　特別特定技術基準対象施設に係る収支計画

規（法第五十五条の八第二項の国土交通省令で定める水域施設）

第二十七条の三　法第五十五条の八第二項の国土交通省令で定める水域施設は、次に掲げる施設とする。

一　岸壁又は桟橋（いずれも当該港湾の港湾計画において、大規模地震対策施設（港湾計画の基本的な事項に関する基準を定める省令第十六条の大規模地震対策施設をいう。以下同じ。）として定められているものに限る。）の機能を確保するための航路及び泊地（次号に掲げるものを除く。）

二　石油の備蓄の確保等に関する法律（昭和五十年法律第九十六号）第二条第二項に規定する指定石油製品を取り扱う係留施設（当該港湾の港湾計画において、大規模地震対策施設として定められているものに限る。）の機能を確保するための航路及び泊地

規（特別特定技術基準対象施設）

第二十七条の四　法第五十五条の八第二項の国土交通省令で定める港湾施設は、護岸、岸壁及び物揚場とする。

規（準用規定）

第二十七条の五　第十九条第二項の規定は第二十七条の二の申請書について、第二十条の規定は法第五十五条の八第一項の認定について、第二十一条の規定は法第五十五条の八第一項の国の貸付けを受けようとする場合について、第二十二条の規定は令第九条の三第一項において準用する令第五条第一項第四号の国土交通省令で定める事項について、第二十三条の規定は令第九条の三第一項において準用する令第六条第三号の特別特定技術基準対象施設の価額について、第二十四条の規定は令第九条の三第一項において準用する令第六条第三号の国土交通省令で定める割合について、第二十五条及び第二十六条の規定は令第九条の三第一項において準用する令第六条第三号の利益の額について、第二十七条の規定は法第五十五条の八第一項の港湾管理者の貸付けを受ける者について準用する。この場合において、第二十条、第二十一条、第二十二条、第二十五条第一項及び第二項、第二十六条並びに第二十七条中「特定用途港湾施設」とあるのは「特別特定技術基準対象施設」と、第二十条中「前条」とあるのは「第二十七条の二」と、「令第二条」とあるのは「令第九条」と、第二十一条第一項第一号中「出資の金額並びにその時期」とあるのは「その時期」と、同条第二項第二号中「岸壁又は桟橋並びに令

第四条第二項第二号及び第四号から第七号までの施設（第五号の施設にあつては、廃棄物埋立護岸に限る。）」とあるのは「第二十七条の四の港湾施設」と、第二十二条中「令第六条第七号」とあるのは「令第九条の三第一項において準用する令第六条第七号」と、同条第一号中「使用者の選定の基準若しくは方法、使用形態又は使用料の算出方法」とあるのは「点検及び診断の実施方針又は維持工事等の実施方針」と読み替えるものとする。

（埠頭群を構成する港湾施設の建設等に係る資金の貸付け）

第五五条の九　国は、国際戦略港湾又は国際拠点港湾の港湾管理者が港湾運営会社に対し、埠頭群を構成する荷さばき施設その他の国土交通省令で定める港湾施設の建設又は改良に要する費用に充てる資金を無利子で貸し付ける場合において、その貸付けの条件が次項において準用する第五十五条の七第三項の規定によるほか次項において準用する同条第五項の政令で定める基準に適合しているときは、その貸付金に充てるため、その貸付金額の範囲内で政令で定める金額を無利子で当該港湾管理者に貸し付けることができる。

2　第五十五条の七第三項から第五項までの規定は、前項の国の貸付け及び同項の国の貸付けに係る国際戦略港湾又は国際拠点港湾の港湾管理者の貸付けについて準用する。この場合において、これらの規定中「港湾管理者」とあるのは「国際戦略港湾又は国際拠点港湾の港湾管理者」と、「貸付けを受ける者」とあるのは「貸付けを受ける港湾運営会社」と読み替えるものとする。

本条…追加（平成一七年五月法律四五号）、見出し…改正・一・二項…一部改正〔平成二三年三月法律九号〕、一・二項…一部改正・旧五五条の八…繰下〔平成二六年五月法律三三号〕

参照　一項〔政令〕令一〇・一一〔国土交通省令〕規則二七の六、二項〔準用〕規則二七の七

令（国際戦略港湾又は国際拠点港湾の港湾管理者に対する貸付金の金額）

第一〇条　法第五十五条の九第一項の政令で定める金額は、当該埠頭群を構成する港湾施設の建設又は改良に要する費用に充てる資金として国際戦略港湾又は国際拠点港湾の港湾管理者がする同項の貸付けの金額の二分の一以内の金額とする。

令（貸付けの条件の基準及び加算金の規定の準用）

第一一条　第五条及び第六条（第六号、第七号イ及び第八号を除く。）の規定は、法第五十五条の九第一項の国の貸付け及び同項の国の貸付けに係る国際戦略港湾又は国際拠点港湾の港湾管理者の貸付けについて準用する。この場合において、これらの規定（第六条第十一号を除く。）中「港湾管理者」とあるのは「国際戦略港湾又は国際拠点港湾の港湾管理者」と、「貸付けを受ける者」とあるのは「貸付けを受ける港湾運営会社」と、第五条第一項第四号中「ならず、同条第八号の指示をしようとする場合にはあらかじめその旨を国土交通大臣に届け出なければならない」とあるのは「ならない」と、同項第五号並びに第六条第三号、第七号ロ及びハ、第九号並びに第十号中「特定用途港湾施設」とあるのは「埠頭群を構成する港湾施設」と、同条第十一号中「貸付けを受ける者」とあるのは「貸付けを受ける港湾運営会社」と、「港湾管理者」とあるのは「国際戦略港湾若しくは国際拠点港湾の港湾管理者」と読み替えるものとする。

2　第七条及び第八条の規定は、法第五十五条の九第二項において準用する法第五十五条の七第三項の加算金について準用する。この場合において、これらの規定中「港湾管理者」とあるのは「国際戦略港湾又は国際拠点港湾の港湾管理者」と、第八条第一項中「第五十五条の七第四項」とあるのは「第五十五条の九第二項において準用する法第五十五条の七第四項」と、「貸付けを受ける者」とあるのは「貸付けを受ける港湾運営会社」と、「第五十五条の七第一項」とあるのは「第五十五条の九第一項」と読み替えるものとする。

規（法第五十五条の九第一項の国土交通省令で定める港湾施設）

第二七条の六　法第五十五条の九第一項の国土交通省令で定める港湾施設は、埠頭群を構成する岸壁その他の係留施設に係留される船舶に係る輸出入に係るコンテナ貨物の荷さばきを行うため又は当該岸壁その他の係留施設に係留される自動車航送船に係る積込み若しくは取卸しをする自動車を待機させ若しくは整理するための固定的な施設及び当該岸壁その他の係留施設に係留される自動車航送船に係る固定的な旅客施設とする。

規（準用規定）

第二七条の七　第二十一条の規定は国際戦略港湾又は国際拠点港湾の港湾管理者が法第五十五条の九第一項の国の貸付けを受けようとする場合について、第二十二条（第一号を除く。）の規定は令第十一条第一項において準用する令第五条第一項第四号の国土交通省令で定める事項について、第二十三条の規定は令第十一条第一項において準用する令第六条第三号の埠頭群を構成する港湾施設の価額について、第二十四条の規定は令第十一条第一項において準用する令第六条第三号の国土交通省令で定める割合について、第二十五条及び第二十六条の規定は令第十一条第一項において準用する令第六条第三号の利益の額について、第二十七条の規定は法第五十五条の九第一項の国際戦略港湾又は

国際拠点港湾の港湾管理者の貸付けを受ける港湾運営会社について準用する。この場合において、第二十一条、第二十二条及び第二十五条中「特定用途港湾施設」とあるのは「埠頭群を構成する港湾施設」と、第二十一条第一項中「前条の通知を受けた港湾管理者」とあり、及び「港湾管理者」とあるのは「国際戦略港湾又は国際拠点港湾の港湾管理者」と、同項第一号中「出資の金額並びにその時期」とあるのは「その時期」と、同項第二号及び第三号中「貸付けを受ける者」とあるのは「貸付けを受ける港湾運営会社」と、同項第二号中「の工事実施計画の明細」とあるのは「に係る第十一条の九第三項第一号から第三号までに掲げる事項に係る明細」と、同項第三号中「資金計画の明細」とあるのは「第十一条の九第三項第四号に掲げる事項に係る明細」と、同条第二項第二号中「岸壁又は桟橋並びに令第四条第二項第二号及び第四号から第七号までの施設（第五号の施設にあつては、廃棄物埋立護岸に限る。）」とあるのは「第二十七条の六の港湾施設」と、第二十二条中「令第六条第七号」とあるのは「令第十一条第一項において準用する令第六条第七号ロ及びハ」と、第二十六条中「特定用途港湾施設の運営と特定用途港湾施設」とあるのは「埠頭群を構成する港湾施設の運営と貸付けに係る埠頭群を構成する港湾施設」と、第二十七条中「特定用途港湾施設」とあるのは「貸付けに係る埠頭群を構成する港湾施設」と読み替えるものとする。

第六節　港湾区域の定めのない港湾

節名…追加〔令和四年一一月法律八七号〕

（港湾区域の定めのない港湾に係る水域の占用等の許可）

第五六条　港湾区域の定めのない港湾において予定する水域を地先水面とする地域を区域とする都道府県を管轄する都道府県知事が、水域を定めて公告した場合において、その水域（開発保全航路及び緊急確保航路の区域を除く。）において、水域施設、外郭施設若しくは係留施設を建設し、その他水域の一部を占用し（公有水面の埋立てによる場合を除く。）、土砂を採取し、又はその他の港湾の利用若しくは保全に支障を与えるおそれのある政令で定める行為をしようとする者は、当該都道府県知事の許可を受けなければならない。

2　第四条第五項及び第六項の規定は、前項の規定により都道府県知事が水域を定める場合に準用する。

3　第三十七条第二項から第六項までの規定は、第一項の場合に準用する。

一項…一部改正・四項…削除〔昭和四八年七月法律五四号〕、一項…一部改正〔平成一二年三月法律三三号〕、見出し…改正・一項…一部改正〔平成二五年六月法律三一号〕、見出し…削除・追加〔令和四年一一月法律八七号〕

参照　一項〔政令〕令一八〔都道府県知事の許可〕規則二七の八

令　**（港湾区域の定めのない港湾の利用又は保全に支障を与えるおそれのある行為）**

第一八条　法第五十六条第一項の政令で定める行為は、都道府県知事が指定する廃物の投棄とする。

規　**（公告水域における技術基準対象施設の建設等の許可）**

第二七条の八　法第五十六条第一項の都道府県知事の許可を受けようとする者は、次に掲げる書類（技術基準対象施設の建設を行おうとする者以外の者にあつては、第四号に掲げる書類に限る。）を都道府県知事に提出するものとする。

一　次に掲げる事項を示し又は記載した書類

イ　建設を行おうとする技術基準対象施設の諸元及び要求性能

ロ　建設を行おうとする技術基準対象施設への作用及びその設定の根拠

ハ　イ及びロの照査方法

二　建設を行おうとする技術基準対象施設の施工方法、施工管理方法及び安全管理方法を記載した書類

三　建設を行おうとする技術基準対象施設を適切に維持するための維持管理方法を記載した書類

四　前三号に掲げるもののほか、都道府県知事が必要と認める書類

2　前項の規定は、法第五十六条第三項の規定により準用する法第三十七条第三項の規定により都道府県知事と協議しようとする者について準用する。この場合において、前項中「都道府県知事の許可を受け」とあるのは「都道府県知事と協議し」と読み替えるものとする。

（港湾区域の定めのない港湾に係る水域内の禁止行為）

第五六条の二　何人も、前条第一項の規定により公告されている水域（港湾の施設の利用、配置その他の状況により、港湾の利用又は保全上特に必要があると認めて都道府県知事が指定した区域（開発保全航路及び緊急確保航路の区域を除く。）に限る。）内において、みだりに、船舶その他の物件で都道府県知事が指定したものを捨て、又は放置してはならない。

2　第三十七条の十一第二項及び第三項の規定は、前項の規定により都道府県知事が区域又は物件を指定し、又は廃止する場合に準用する。

本条…追加〔平成一二年三月法律三三号〕、一項…一部改正

〔平成二五年六月法律三一号〕、二項…一部改正〔平成二八年五月法律四五号〕、見出し…追加〔令和四年一一月法律八七号〕

第十一章　港湾の施設に関する技術上の基準

章名…追加〔令和四年一一月法律八七号〕

第一節　技術基準対象施設の適合義務

節名…追加〔令和四年一一月法律八七号〕

第五六条の二の二　水域施設、外郭施設、係留施設その他の政令で定める港湾の施設（以下「技術基準対象施設」という。）は、他の法令の規定の適用がある場合においては当該法令の規定によるほか、技術基準対象施設に必要とされる性能に関して国土交通省令で定める技術上の基準（以下「技術基準」という。）に適合するように、建設し、改良し、又は維持しなければならない。

2　前項の規定による技術基準対象施設の維持は、定期的に点検を行うことその他の国土交通省令で定める方法により行わなければならない。

3　技術基準対象施設であつて、公共の安全その他の公益上影響が著しいと認められるものとして国土交通省令で定めるものを建設し、又は改良しようとする者（国を除く。）は、その建設し、又は改良することについて、国土交通大臣又は次条の規定により国土交通大臣の登録を受けた者（以下「登録確認機関」という。）の確認を受けなければならない。ただし、国土交通大臣が定めた設計方法を用いる場合は、この限りでない。

4　前項の規定による確認を受けようとする者は、国土交通省令で定めるところにより、国土交通大臣又は登録確認機関に確認の申請をすることができる。

5　前二項に定めるもののほか、確認の申請書の様式その他確認に関し必要な事項は、国土交通省令で定める。

本条…追加〔昭和四八年七月法律五四号〕、一部改正〔平成一一年一二月法律一六〇号〕、旧五六条の二…繰下〔平成一二年三月法律三三号〕、見出し…改正・一項…一部改正・二－四項…追加〔平成一八年五月法律三八号〕、一項…一部改正・二項…追加・旧二－四項…三－五項に繰下〔平成二五年六月法律三一号〕、見出し…削除〔令和四年一一月法律八七号〕

参照　一項〔政令〕令一九〔他の法令〕消防法、高圧ガス保安法、倉庫業法等〔国土交通省令〕規則二八、港湾の施設の技術上の基準を定める省令〔国土交通省告示〕港湾の施設の技術上の基準の細目を定める告示・技術基準対象施設の施工に関する基準を定める告示・技術基準対象施設の維持に関し必要な事項を定める告示、二項〔国土交通省令〕港湾の施設の技術上の基準を定める省令、三項〔国土交通省令〕規則二八の二〔国土交通省告示〕港湾法第五十六条の二の二第三項ただし書の設計方法、四項・五項〔国土交通省令〕規則二八の三

令（港湾の施設）

第一九条　法第五十六条の二の二第一項の政令で定める港湾の施設は、次に掲げる港湾の施設（その規模、構造等を考慮して国土交通省令で定める港湾の施設を除く。）とする。ただし、第四号から第七号まで及び第十号から第十二号までに掲げる施設にあつては、港湾施設であるものに限る。

一　水域施設

二　外郭施設（海岸管理者が設置する海岸法（昭和三十一年法律第百一号）第二条第一項に規定する海岸保全施設及び河川管理者が設置する河川法（昭和三十九年法律第百六十七号）第三条第二項に規定する河川管理施設を除く。）

三　係留施設

四　臨港交通施設

五　荷さばき施設

六　保管施設

七　船舶役務用施設

八　移動式施設（移動式荷役機械にあつては、自動的に、又は遠隔操作により荷役を行うことができるものに限る。）

九　旅客乗降用固定施設

十　廃棄物埋立護岸

十一　海浜（海岸管理者が設置する海岸法第二条第一項に規定する海岸保全施設を除く。）

十二　緑地及び広場

規（令第十九条及び第二十条の国土交通省令で定める港湾の施設）

第二八条　令第十九条及び第二十条の国土交通省令で定める港湾の施設は、次に掲げる港湾の施設（令第二十条の国土交通省令で定める港湾の施設にあつては、第七号を除く。）とする。

一　ろかいのみをもつて運転する船舶を専ら係留するための係留施設

二　都市公園法（昭和三十一年法律第七十九号）第二条第一項に規定する都市公園又は都市計画施設（都市計画法（昭和四十三年法律第百号）第四条第五項に規定する都市計画施設をいう。）である公園で国が設置するものに設けられる施設として地方公共団体又は国が建設し、又は改良する係留施設

三　漁業を行うために必要な施設（港湾管理者が建設し、又は改良する港湾施設を除く。）

四　砂防法（明治三十年法律第二十九号）第一条に規定する砂防工事及びその砂防工事にあわせて施行される工事として国土交通大臣又は都道府県知事が建設し、又は改良する港湾の施設

五　海岸法第二条第一項に規定する海岸保全施設に関する工事及び同法第十七条第一項の規定によるその工事にあ

わせて施行される工事として海岸管理者が建設し、又は改良する港湾の施設

六　河川法第八条に規定する河川工事及び同法第十九条の規定によるその河川工事にあわせて施行される工事として河川管理者が建設し、又は改良する港湾の施設

七　当該港湾の港湾計画において、大規模地震対策施設として定められておらず、かつ、当該港湾に関し定められている災害対策基本法第四十条の都道府県地域防災計画又は同法第四十二条の市町村地域防災計画において定められていない緑地及び広場

規（確認対象施設）

第二八条の二　法第五十六条の二の二第三項の国土交通省令で定める技術基準対象施設は、次の各号に掲げるものとする。

一　外郭施設

二　次に掲げる係留施設

イ　水深七・五メートル以上の係留施設

ロ　危険物積載船（海上交通安全法（昭和四十七年法律第百十五号）第二十二条第三号の危険物積載船をいう。）、旅客船（十三人以上の旅客定員を有する船舶をいう。）又は自動車航送船を係留するための係留施設（貨物の積込み若しくは取卸しをすることができるもの又は人が乗船し、若しくは下船することができるものに限る。）

ハ　レベル二地震動（港湾の施設の技術上の基準を定める省令第一条第六号のレベル二地震動をいう。以下同じ。）への耐震性を有する係留施設

ニ　海洋再生可能エネルギー発電設備等が備える係留施設

三　道路及び橋梁（りょう）

四　固定式荷役機械及び軌道走行式荷役機械（当該港湾の港湾計画において、大規模地震対策施設として定められているものに限る。）

五　廃棄物埋立護岸

六　海浜

七　緑地及び広場（当該港湾の港湾計画において、大規模地震対策施設として定められているものに限る。）

規（確認の申請）

第二八条の三　法第五十六条の二の二第三項の確認（以下「確認」という。）を受けようとする者は、確認申請書を国土交通大臣又は登録確認機関に提出しなければならない。

2　確認申請書は、第六号の二様式によるものとする。

3　前項の申請書には、次に掲げる書類を添付するものとする。

一　確認対象施設（確認を受けようとする技術基準対象施設をいう。以下同じ。）の位置図

二　確認対象施設の諸元及び要求性能を示す書類並びに主要寸法を示す図面

三　確認対象施設への作用及びその設定の根拠を記載した書類

四　前二号の照査方法を記載した書類

4　国土交通大臣又は登録確認機関は、前二項に規定するもののほか、確認のため必要があると認めるときは、必要な書面の提出を求めることができる。

5　第一項又は前項の規定により国土交通大臣にする提出は、確認対象施設の所在地を管轄する地方整備局長又は北海道開発局長を経由してするものとする。

第二節　登録確認機関

節名…追加〔令和四年一一月法律八七号〕

（登録）

第五六条の二の三　前条第三項の登録（以下「登録」という。）は、同項に規定する確認の業務（以下「確認業務」という。）を行おうとする者の申請により行う。

2　国土交通大臣は、前項の規定により登録を申請した者（以下この項において「登録申請者」という。）が次に掲げる要件の全てに適合しているときは、その登録をしなければならない。この場合において、登録に関して必要な手続は、国土交通省令で定める。

一　建設し、又は改良する施設が技術基準に適合するかどうかの判定（次号において「適合判定」という。）について、施設の性能を総合的に評価する手法を用いて確認業務を行うものであること。

二　第五十六条の二の八第一項の確認員が適合判定を実施し、その人数が二名以上であること。

三　登録申請者が、前条第三項の規定により確認を受けなければならないこととされる者又は港湾の施設の設計若しくは建設を請け負う者（以下この号及び第五十六条の二の十第二項において「港湾建設等関係者」という。）に支配されているものとして次のいずれかに該当するものでないこと。

イ　登録申請者が株式会社である場合にあつては、港湾建設等関係者がその親法人（会社法第八百七十九条第一項に規定する親法人をいう。）であること。

ロ　登録申請者の役員（持分会社（会社法第五百七十五条第一項に規定する持分会社をいう。）にあつては、業務を執行する社員）に占める港

湾建設等関係者の役員又は職員（過去二年間に当該港湾建設等関係者の役員又は職員であつた者を含む。）の割合が二分の一を超えていること。

ハ　登録申請者（法人にあつては、その代表権を有する役員）が、港湾建設等関係者の役員又は職員（過去二年間に当該港湾建設等関係者の役員又は職員であつた者を含む。）であること。

3　次の各号のいずれかに該当する者は、登録を受けることができない。

一　この法律又はこの法律に基づく命令の規定に違反し、罰金以上の刑に処せられ、その執行を終わり、又は執行を受けることがなくなつた日から起算して二年を経過しない者

二　第五十六条の二の十五の規定により登録を取り消され、その取消しの日から起算して二年を経過しない者

三　法人であつて、その業務を行う役員のうちに前二号のいずれかに該当する者があるもの

4　登録は、登録確認機関登録簿に次に掲げる事項を記載してするものとする。

一　登録年月日及び登録番号

二　登録確認機関の氏名又は名称及び住所並びに法人にあつては、その代表者の氏名

三　登録確認機関が確認業務を行う事業場の所在地

四　前三号に掲げるもののほか、国土交通省令で定める事項

5　国土交通大臣は、登録確認機関が行うことができる確認業務については、これを行わないものとする。

本条…追加〔平成一八年五月法律三八号〕、二項…一部改正〔平成二三年三月法律九号〕、一・二項…一部改正〔平成二五年六月法律三一号〕

参照　二項〔国土交通省令〕規則二八の四、四項四号〔国土交通省令〕規則二八の五

規　**（登録の申請）**

第二八条の四　法第五十六条の二の三（法第五十六条の二の四第二項において準用する場合を含む。）の規定による登録（以下「登録」という。）を受けようとする者は、次に掲げる事項を記載した申請書を国土交通大臣に提出しなければならない。

一　登録申請者の氏名又は名称及び住所並びに法人にあつては、その代表者の氏名

二　確認業務を行おうとする事業場の名称及び所在地

三　確認員の数

四　第二号の事業場ごとの確認業務を行おうとする範囲

五　確認業務を開始しようとする年月日

2　前項の申請書には、次に掲げる書類を添付しなければならない。

一　登録申請者が法人である場合には、定款又は寄附行為及び登記事項証明書、個人である場合には、住民票の写し（外国人にあつては、これに準ずるもの。）

二　確認員が法第五十六条の二の八第一項に規定する要件に適合する者であることを証する書類及び確認員の住民票の写し（外国人にあつては、これに準ずるもの。）

三　登録申請者が法第五十六条の二の三第二項第三号及び第三項各号に該当しないことを信じさせるに足る書類

規　**（登録確認機関登録簿の記載事項）**

第二八条の五　法第五十六条の二の三第四項第四号（法第五十六条の二の四第二項において準用する場合を含む。）の国土交通省令で定める事項は、次に掲げるものとする。

一　確認業務を行う事業場の名称

二　事業場ごとの確認業務を行う範囲

三　確認業務を開始しようとする年月日

（登録の更新）

第五六条の二の四　登録は、三年を下らない政令で定める期間ごとにその更新を受けなければ、その期間の経過によつて、その効力を失う。

2　前条（第五項を除く。）の規定は、前項の登録の更新について準用する。

本条…追加〔平成一八年五月法律三八号〕

参照　一項〔政令〕令一九の二

令　**（登録確認機関の登録の有効期間）**

第一九条の二　法第五十六条の二の四第一項の政令で定める期間は、三年とする。

（確認の義務）

第五六条の二の五　登録確認機関は、確認業務を行うことを求められたときは、正当な理由がある場合を除き、遅滞なく、確認業務を行わなければならない。

2　登録確認機関は、公正に、かつ、国土交通省令で定める方法により確認業務を行わなければならない。

本条…追加〔平成一八年五月法律三八号〕

参照　二項〔国土交通省令〕規則二八の六・二八の七

規（確認業務の実施方法）

第二八条の六　法第五十六条の二の五第二項の国土交通省令で定める方法は、確認員が次に掲げる事項を確認することにより施設の性能を総合的に評価する手法を用いる方法とする。

一　確認対象施設への作用及びその設定の根拠が適切であること

二　確認対象施設の諸元が、前号の作用及び当該施設の要求性能に対して適切であること

三　前二号の照査の実施方法が適切であること

規（確認証等の交付）

第二八条の七　国土交通大臣又は登録確認機関は、確認対象施設が技術基準に適合すると確認したときは、確認証を確認の申請者に交付しなければならない。

2　国土交通大臣又は登録確認機関は、確認対象施設が技術基準に適合すると認められないときは、その旨及びその理由を記載した通知書を確認の申請者に交付しなければならない。

3　確認証及び通知書の様式は、それぞれ第六号の三様式及び第六号の四様式によるものとする。

（登録事項の変更の届出）

第五六条の二の六　登録確認機関は、第五十六条の二の三第四項第二号から第四号までに掲げる事項を変更しようとするときは、変更しようとする日の二週間前までに、国土交通大臣に届け出なければならない。

本条…追加〔平成一八年五月法律三八号〕

参照　〔変更の届出〕規則二八の八

規（登録事項の変更の届出）

第二八条の八　登録確認機関は、法第五十六条の二の六の規定による届出をしようとするときは、次に掲げる事項を記載した届出書を国土交通大臣に提出しなければならない。

一　変更しようとする事項

二　変更しようとする年月日

三　変更を必要とする理由

（確認業務規程）

第五六条の二の七　登録確認機関は、確認業務の開始前に、確認業務の実施に関する規程（以下「確認業務規程」という。）を定め、国土交通大臣の認可を受けなければならない。これを変更しようとするときも、同様とする。

2　国土交通大臣は、前項の認可をした確認業務規程が確認業務の適正かつ確実な実施上不適当となつたと認めるときは、その確認業務規程を変更すべきことを命ずることができる。

3　確認業務規程には、確認業務の実施方法、確認業務に関する料金その他の国土交通省令で定める事項を定めておかなければならない。

本条…追加〔平成一八年五月法律三八号〕

参照　一項〔認可の申請〕規則二八の九、三項〔国土交通省令〕規則二八の一〇

規（確認業務規程の認可の申請）

第二八条の九　登録確認機関は、法第五十六条の二の七第一項前段の規定による認可を受けようとするときは、その旨を記載した申請書に、当該認可に係る確認業務規程を添付して、国土交通大臣に提出しなければならない。

2　登録確認機関は、法第五十六条の二の七第一項後段の規定による認可を受けようとするときは、次に掲げる事項を記載した申請書に、当該認可に係る確認業務規程（変更に係る部分に限る。）を添付して、国土交通大臣に提出しなければならない。

一　変更しようとする事項

二　変更しようとする年月日

三　変更を必要とする理由

規（確認業務規程の記載事項）

第二八条の一〇　法第五十六条の二の七第三項の国土交通省令で定める確認業務規程で定めるべき事項は、次に掲げる事項とする。

一　確認の申請の受理に関する事項

二　確認業務の料金に関する事項

三　確認業務の実施方法に関する事項

四　確認証及び通知書の交付に関する事項

五　確認業務に関する秘密の保持に関する事項

六　確認業務に関する公正の確保に関する事項

七　確認業務に関する責任に関する事項

八　その他確認業務の実施に関し必要な事項

（確認員）

第五六条の二の八　確認員は、学校教育法（昭和二十二年法律第二十六号）に基づく大学若しくは高等専門学校において土木工学その他港湾の施設の建設に関して必要な課程を修めて卒業した者（これらを修めて同法に基づく専門職大学の前期課程を修了した者を含む。）又は国土交通省令で定めるこれと同等以上の学力を有すると認められる者であつて、国土交通省令で定める試験研究機関において十年以上港

湾の施設の性能を総合的に評価する手法に関する試験研究の業務（国土交通省令で定めるものに限る。）に従事した経験を有するもののうちから選任しなければならない。

2　登録確認機関は、確認員を選任したときは、その日から十五日以内に、国土交通大臣にその旨を届け出なければならない。これを変更したときも、同様とする。

3　国土交通大臣は、確認員が、この法律、この法律に基づく命令若しくは処分若しくは確認業務規程に違反する行為をしたとき、又は確認業務に関し著しく不適当な行為をしたときは、登録確認機関に対し、確認員の解任を命ずることができる。

4　前項の規定による命令により確認員を解任され、解任の日から起算して二年を経過しない者は、確認員となることができない。

本条…追加〔平成一八年五月法律三八号〕、一項…一部改正〔平成二九年五月法律四一号〕

参照　一項〔国土交通省令〕規則二八の一一－二八の一三、二項〔登録・申請〕規則二八の四・二八の一四

規（登録の申請）

第二八条の四　法第五十六条の二の三（法第五十六条の二の四第二項において準用する場合を含む。）の規定による登録（以下「登録」という。）を受けようとする者は、次に掲げる事項を記載した申請書を国土交通大臣に提出しなければならない。

一　登録申請者の氏名又は名称及び住所並びに法人にあつては、その代表者の氏名

二　確認業務を行おうとする事業場の名称及び所在地

三　確認員の数

四　第二号の事業場ごとの確認業務を行おうとする範囲

五　確認業務を開始しようとする年月日

2　前項の申請書には、次に掲げる書類を添付しなければならない。

一　登録申請者が法人である場合には、定款又は寄附行為及び登記事項証明書、個人である場合には、住民票の写し（外国人にあつては、これに準ずるもの。）

二　確認員が法第五十六条の二の八第一項に規定する要件に適合する者であることを証する書類及び確認員の住民票の写し（外国人にあつては、これに準ずるもの。）

三　登録申請者が法第五十六条の二の三第二項第三号及び第三項各号に該当しないことを信じさせるに足る書類

規（確認員の学力）

第二八条の一一　法第五十六条の二の八第一項の国土交通省令で定める者は、学校教育法（昭和二十二年法律第二十六号）に基づく大学に相当する外国の学校において土木工学その他港湾の施設の建設に関して必要な課程を修めて卒業（大学院においては修了）した者とする。

規（試験研究機関）

第二八条の一二　法第五十六条の二の八第一項の国土交通省令で定める試験研究機関は、港湾の施設の性能を総合的に評価する手法に関する試験研究を行う機関とする。

規（確認員の業務経験）

第二八条の一三　法第五十六条の二の八第一項の国土交通省令で定める試験研究の業務は、港湾の施設の性能を総合的に評価する手法に関する学術上の論文の作成及びこれに付随する業務とする。

規（確認員の選任の届出等）

第二八条の一四　登録確認機関は、法第五十六条の二の八第二項前段の規定による届出をしようとするときは、確認員の氏名、生年月日及び経歴を記載した届出書を国土交通大臣に提出しなければならない。

2　登録確認機関は、確認員について前項の届出書に記載した内容に変更があつたとき、又は確認員を解任したときは、その日から十五日以内に、その旨を国土交通大臣に届け出なければならない。

3　前二項の届出書には、選任した確認員が法第五十六条の二の八第一項に規定する要件に適合する者であることを証する書類及び選任した確認員の住民票の写し（外国人にあつては、これに準ずるもの）を添付しなければならない。ただし、第二十八条の四第二項の規定により提出している書類の内容に変更がないときは、その旨を届出書に記載して、当該書類の添付を省略することができる。

（秘密保持義務等）

第五六条の二の九　登録確認機関（その者が法人である場合にあつては、その役員。次項において同じ。）及びその職員（確認員を含む。次項において同じ。）並びにこれらの者であつた者は、確認業務に関して知り得た秘密を漏らし、又は自己の利益のために使用してはならない。

2　登録確認機関及びその職員で確認業務に従事するものは、刑法（明治四十年法律第四十五号）その他の罰則の適用については、法令により公務に従事する職員とみなす。

本条…追加〔平成一八年五月法律三八号〕

（財務諸表等の備付け及び閲覧等）

第五六条の二の一〇　登録確認機関は、毎事業年度経過後三月以内に、その事業年度の財産目録、貸借対照表及び損益計算書又は収支計算書並びに事業報告

書（その作成に代えて電磁的記録（電子的方式、磁気的方式その他人の知覚によつては認識することができない方式で作られる記録であつて、電子計算機による情報処理の用に供されるものをいう。以下この条において同じ。）の作成がされている場合における当該電磁的記録を含む。次項及び第六十六条第二項において「財務諸表等」という。）を作成し、国土交通大臣に提出するとともに、五年間事務所に備えて置かなければならない。

2 港湾建設等関係者その他の利害関係人は、登録確認機関の業務時間内は、いつでも、次に掲げる請求をすることができる。ただし、第二号又は第四号の請求をするには、登録確認機関の定めた費用を支払わなければならない。

一 財務諸表等が書面をもつて作成されているときは、当該書面の閲覧又は謄写の請求

二 前号の書面の謄本又は抄本の請求

三 財務諸表等が電磁的記録をもつて作成されているときは、当該電磁的記録に記録された事項を国土交通省令で定める方法により表示したものの閲覧又は謄写の請求

四 前号の電磁的記録に記録された事項を電磁的方法（電子情報処理組織を使用する方法その他の情報通信の技術を利用する方法であつて国土交通省令で定めるものをいう。）により提供することの請求又は当該事項を記載した書面の交付の請求

本条…追加〔平成一八年五月法律三八号〕、一項…一部改正〔平成二三年三月法律九号・二八年五月四五号〕

参照 二項三号〔国土交通省令〕規則二八の一五、二項四号〔国土交通省令〕規則二八の一六

規 **（電磁的記録に記録された事項の表示方法）**

第二八条の一五 法第五十六条の二の十第二項第三号の国土交通省令で定める方法は、当該電磁的記録に記録された情報の内容を紙面又は出力装置の映像面に表示する方法とする。

規 **（電磁的記録に記録された事項を提供するための電磁的方法）**

第二八条の一六 法第五十六条の二の十第二項第四号の国土交通省令で定める方法は、次に掲げるもののうち、登録確認機関が定めるものとする。

一 送信者の使用に係る電子計算機と受信者の使用に係る電子計算機とを電気通信回線で接続した電子情報処理組織を使用する方法であつて、当該電気通信回線を通じて情報が送信され、受信者の使用に係る電子計算機に備えられたファイルに当該情報が記録されるもの

二 磁気ディスクその他これに準ずる方法により一定の情報を確実に記録しておくことができる物をもつて調製するファイルに情報を記録したものを交付する方法

2 前項各号に掲げる方法は、受信者がファイルへの記録を出力することによる書面を作成できるものでなければならない。

（業務の休廃止）

第五六条の二の一一 登録確認機関は、国土交通大臣の許可を受けなければ、確認業務の全部又は一部を休止し、又は廃止してはならない。

本条…追加〔平成一八年五月法律三八号〕

参照 〔許可申請〕規則二八の一七

規 **（業務の休廃止の許可の申請）**

第二八条の一七 登録確認機関は、法第五十六条の二の十一の規定による許可を受けようとするときは、次に掲げる事項を記載した申請書を国土交通大臣に提出しなければならない。

一 休止し、又は廃止しようとする確認業務の範囲

二 確認業務の全部又は一部を休止し、又は廃止しようとする年月日

三 確認業務の全部又は一部を休止しようとする期間

四 確認業務の全部又は一部を休止し、又は廃止しようとする理由

（適合命令）

第五六条の二の一二 国土交通大臣は、登録確認機関が第五十六条の二の三第二項各号のいずれかに適合しなくなつたと認めるときは、その登録確認機関に対し、これらの規定に適合するため必要な措置をとるべきことを命ずることができる。

本条…追加〔平成一八年五月法律三八号〕

（改善命令）

第五六条の二の一三 国土交通大臣は、登録確認機関が第五十六条の二の五の規定に違反していると認めるときは、その登録確認機関に対し、同条の規定による確認業務を行うべきこと又は確認業務の方法その他の業務の方法の改善に関し必要な措置をとるべきことを命ずることができる。

本条…追加〔平成一八年五月法律三八号〕

（報告及び検査）

第五六条の二の一四 国土交通大臣は、この法律の施

行に必要な限度において、登録確認機関に対し、確認業務若しくは経理の状況に関し報告をさせ、又はその職員に、登録確認機関の事務所その他の事業場に立ち入り、確認業務の実施状況若しくは帳簿書類その他の物件を検査させることができる。

2　前項の規定により立入検査をする職員は、その身分を示す証明書を携帯し、関係人にこれを提示しなければならない。

3　第一項の規定による立入検査の権限は、犯罪捜査のために認められたものと解してはならない。

本条…追加〔平成一八年五月法律三八号〕

（登録の取消し等）

第五六条の二の一五　国土交通大臣は、登録確認機関が次の各号のいずれかに該当するときは、その登録を取り消し、又は期間を定めて確認業務の全部若しくは一部の停止を命ずることができる。

一　第五十六条の二の三第三項第一号又は第三号に該当するに至つたとき。

二　第五十六条の二の六、第五十六条の二の八第二項、第五十六条の二の十第一項、第五十六条の二の十一又は次条の規定に違反したとき。

三　第五十六条の二の七第一項の認可を受けず、又は同項の認可を受けた確認業務規程によらないで確認業務を実施したとき。

四　第五十六条の二の七第二項、第五十六条の二の八第三項、第五十六条の二の十二又は第五十六条の二の十三の規定による命令に違反したとき。

五　正当な理由がないのに第五十六条の二の十第二項各号の規定による請求を拒んだとき。

六　不正の手段により登録を受けたとき。

本条…追加〔平成一八年五月法律三八号〕

（帳簿の記載）

第五六条の二の一六　登録確認機関は、国土交通省令で定めるところにより、帳簿を備え、確認業務に関し国土交通省令で定める事項を記載し、これを保存しなければならない。

本条…追加〔平成一八年五月法律三八号〕

参照　〔国土交通省令〕規則二八の一九

規（帳簿の記載等）

第二八条の一九　法第五十六条の二の十六の国土交通省令で定める事項は、次に掲げる事項とする。

一　確認の申請者の氏名又は名称及び住所並びに法人にあつては、その代表者の氏名

二　確認の申請を受けた年月日

三　確認業務を実施した確認対象施設の名称、種類及び位置

四　確認業務を実施した年月日

五　確認業務を実施した確認員の氏名

六　確認業務を実施した確認対象施設の概要

七　その他必要な事項

2　登録確認機関は、確認業務を行う事業場ごとに前項に定める事項を記載した帳簿を備え、確認業務を実施した日から五年間保存しなければならない。

（公示）

第五六条の二の一七　国土交通大臣は、次の場合には、その旨を官報に公示しなければならない。

一　登録をしたとき。

二　第五十六条の二の六の規定による届出があつたとき。

三　第五十六条の二の十一の許可をしたとき。

四　第五十六条の二の十五の規定により登録を取り消し、又は確認業務の全部若しくは一部の停止を命じたとき。

五　第五十六条の二の十九第一項の規定により国土交通大臣が確認業務の全部若しくは一部を自ら行うこととするとき、又は自ら行つていた確認業務の全部若しくは一部を行わないこととするとき。

本条…追加〔平成一八年五月法律三八号〕

（審査請求）

第五六条の二の一八　登録確認機関が行う確認業務に係る処分又はその不作為については、国土交通大臣に対し審査請求をすることができる。この場合において、国土交通大臣は、行政不服審査法（平成二十六年法律第六十八号）第二十五条第二項及び第三項、第四十六条第一項及び第二項、第四十七条並びに第四十九条第三項の規定の適用については、登録確認機関の上級行政庁とみなす。

本条…追加〔平成一八年五月法律三八号〕、一部改正〔平成二六年六月法律六九号〕

（国土交通大臣による確認業務の実施等）

第五六条の二の一九　国土交通大臣は、登録確認機関が第五十六条の二の十一の許可を受けて確認業務の全部若しくは一部を休止したとき、第五十六条の二の十五の規定により登録確認機関に対し確認業務の

全部若しくは一部の停止を命じたとき、又は登録確認機関が天災その他の事由により確認業務の全部若しくは一部を実施することが困難となつた場合において必要があると認めるときは、その確認業務の全部又は一部を自ら行うものとする。

2　国土交通大臣が前項の規定により確認業務の全部若しくは一部を自ら行う場合、登録確認機関が第五十六条の二の十一の許可を受けて確認業務の全部若しくは一部を廃止する場合又は国土交通大臣が第五十六条の二の十五の規定により登録を取り消した場合における確認業務の引継ぎその他の必要な事項については、国土交通省令で定める。

本条…追加〔平成一八年五月法律三八号〕

参照　二項〔国土交通省令〕規則二八の二〇

規（確認業務の引継ぎ等）

第二八条の二〇　登録確認機関は、法第五十六条の二の十九第二項に規定する場合には、次に掲げる事項を行わなければならない。

一　確認業務を国土交通大臣に引き継ぐこと
二　確認業務に関する帳簿及び書類を国土交通大臣に引き継ぐこと
三　その他国土交通大臣が必要と認める事項

（手数料の納付）

第五六条の二の二〇　第五十六条の二の二第三項の確認（国土交通大臣が行うものに限る。）を受けようとする者（独立行政法人通則法（平成十一年法律第百三号）第二条第一項に規定する独立行政法人であつて当該独立行政法人の業務の内容その他の事情を勘案して政令で定めるものを除く。）は、実費を勘案して国土交通省令で定める額の手数料を国に納付しなければならない。

2　前項の手数料の納付は、収入印紙をもつてしなければならない。

本条…追加〔平成一八年五月法律三八号〕、一項…一部改正〔平成二五年六月法律三一号〕、二項…一部改正〔令和元年五月法律一六号〕

参照　一項〔政令〕令一九の三、一項〔国土交通省令〕規則二八の二一

令（手数料の納付を要しない独立行政法人）

第一九条の三　法第五十六条の二の二十第一項の政令で定める独立行政法人は、国立研究開発法人水産研究・教育機構、国立研究開発法人海上・港湾・航空技術研究所、独立行政法人海技教育機構及び独立行政法人国立高等専門学校機構とする。

規（手数料）

第二八条の二一　法第五十六条の二の二十第一項の国土交通省令で定める手数料の額は、別表第三の上欄に掲げる確認対象施設の種類の区分に応じてそれぞれ同表の下欄に掲げる金額とする。

第三節　特定技術基準対象施設等に関する措置

節名…追加〔令和四年一一月法律八七号〕

（特定技術基準対象施設を管理する者に対する勧告等）

第五六条の二の二一　港湾管理者は、技術基準対象施設であつて、外郭施設その他の非常災害により損壊した場合において船舶の交通に支障を及ぼすおそれのあるものとして国土交通省令で定めるもの（以下「特定技術基準対象施設」という。）のうち、港湾管理者以外の者（国及び地方公共団体を除く。第五十六条の五第三項において同じ。）が管理するものが、技術基準に適合しなくなり、かつ、非常災害により損壊した場合において船舶の交通に著しい支障を及ぼすおそれがあると認められるときは、当該特定技術基準対象施設を管理する者に対し、必要な措置をとるべきことを勧告することができる。

2　港湾管理者は、前項の規定による勧告を受けた者が、正当な理由がなくてその勧告に係る措置をとらなかつたときは、その者に対し、その勧告に係る措置をとるべきことを命ずることができる。

本条…追加〔平成二五年六月法律三一号〕

参照　一項〔国土交通省令〕規則二八の二二

規（特定技術基準対象施設）

第二八条の二二　法第五十六条の二の二十一第一項の国土交通省令で定める技術基準対象施設は、港湾区域内及び港湾区域外二十メートル以内の地域内に存する次に掲げるものとする。

一　外郭施設
二　係留施設
三　橋梁並びにトンネルの構造を有する道路、鉄道及び軌道
四　固定式荷役機械及び軌道走行式荷役機械
五　廃棄物埋立護岸

（国土交通大臣への報告等）

第五六条の二の二二　国土交通大臣は、港湾管理者に対し、その管理する港湾における特定技術基準対象施設の維持管理の状況に関し必要な報告を求め、又は技術的な援助をすることができる。

本条…追加〔平成二五年六月法律三一号〕

（水域施設等の建設又は改良）

第五六条の三　水域（港湾区域、第五十六条第一項及び排他的経済水域及び大陸棚の保全及び利用の促進のための低潮線の保全及び拠点施設の整備等に関する法律（平成二十二年法律第四十一号）第九条第一項の規定により公告されている水域並びに海洋再生可能エネルギー発電設備の整備に係る海域の利用の促進に関する法律第二条第五項に規定する海洋再生可能エネルギー発電設備整備促進区域を除く。以下この条において同じ。）において、水域施設、外郭施設又は係留施設で政令で定めるもの（以下「水域施設等」という。）を建設し、又は改良しようとする者は、当該行為に係る工事の開始の日の六十日前までに、国土交通省令で定めるところにより、水域施設等の構造及び所在する水域の範囲その他国土交通省令で定める事項を都道府県知事に届け出なければならない。届け出た事項を変更しようとするときも、同様とする。ただし、当該変更により工事を要しない場合においては、その変更があつた後遅滞なく、届け出なければならない。

2　都道府県知事は、前項の規定による届出があつた場合において、当該届出に係る水域施設等が技術基準に適合しないものであると認めるときは、その届出を受理した日から六十日以内に限り、その届出をした者に対し、当該水域施設等の建設若しくは改良を禁止し、若しくは制限し、又は必要な措置をとるべきことを命ずることができる。

3　第三十七条第三項に掲げる者は、水域において、水域施設等を建設し、又は改良しようとするときは、第一項の規定による届出の例により、その旨を都道府県知事に通知しなければならず、その通知した事項を変更しようとするときは、同項の規定による届出の例により、その旨を都道府県知事に通知しなければならない。

4　都道府県知事は、前項の規定による通知があつた場合において、当該通知に係る水域施設等が、技術基準に適合しないものであると認めるときは、その通知を受けた日から六十日以内に限り、その通知をした者に対し、必要な措置をとることを要請することができる。

5　都道府県知事は、第一項の規定による届出又は第三項の規定による通知があつたときは、国土交通省令で定めるところにより、届出又は通知のあつた事項を公示しなければならない。

本条…追加〔昭和四八年七月法律五四号〕、一・五項…一部改正〔平成一一年一二月法律一六〇号〕、二・四項…一部改正〔平成一八年五月法律三八号〕、一項…一部改正〔平成二二年六月法律四一号・三〇年一二月八九号・令和元年一二月六八号〕

参照　一項〔政令〕令二〇、一項・五項〔国土交通省令〕規則二八・二九－三一

令 **（水域施設等）**

第二〇条　法第五十六条の三第一項の政令で定める水域施設、外郭施設又は係留施設は、次に掲げる港湾の施設（その規模、構造等を考慮して国土交通省令で定める港湾の施設を除く。）とする。

一　水域施設

二　外郭施設（海岸管理者が設置する海岸法第二条第一項に規定する海岸保全施設及び河川管理者が設置する河川法第三条第二項に規定する河川管理施設を除く。）

三　次に掲げる係留施設

イ　危険物積載船（海上交通安全法（昭和四十七年法律第百十五号）第二十二条第三号の危険物積載船をいう。）、旅客船（十三人以上の旅客定員を有する船舶をいう。）又は自動車航送船を係留するための係留施設（貨物の積込み若しくは取卸しをすることができるもの又は人が乗船し、若しくは下船することができるものに限る。）

ロ　スポーツ又はレクリエーションの用に供するヨット、モーターボートその他の船舶を係留するための係留施設（同時に五隻以上の船舶を係留することができ、かつ、人が乗船し、又は下船することができるものに限る。）

ハ　総トン数五百トン以上の船舶を係留することができる係留施設

規 **（令第十九条及び第二十条の国土交通省令で定める港湾の施設）**

第二八条　令第十九条及び第二十条の国土交通省令で定める港湾の施設は、次に掲げる港湾の施設（令第二十条の国土交通省令で定める港湾の施設にあつては、第七号を除く。）とする。

一　ろかいのみをもつて運転する船舶を専ら係留するための係留施設

二　都市公園法（昭和三十一年法律第七十九号）第二条第一項に規定する都市公園又は都市計画施設（都市計画法（昭和四十三年法律第百号）第四条第五項に規定する都市計画施設をいう。）である公園で国が設置するものに設けられる施設として地方公共団体又は国が建設し、又は改良する係留施設

三　漁業を行うために必要な施設（港湾管理者が建設し、又は改良する港湾施設を除く。）

四　砂防法（明治三十年法律第二十九号）第一条に規定する砂防工事及びその砂防工事にあわせて施行される工事として国土交通大臣又は都道府県知事が建設し、又は改良する港湾の施設

五　海岸法第二条第一項に規定する海岸保全施設に関する工事及び同法第十七条第一項の規定によるその工事にあわせて施行される工事として海岸管理者が建設し、又は改良する港湾の施設

六　河川法第八条に規定する河川工事及び同法第十九条の規定によるその河川工事にあわせて施行される工事として河川管理者が建設し、又は改良する港湾の施設

七　当該港湾の港湾計画において、大規模地震対策施設として定められておらず、かつ、当該港湾に関し定められている災害対策基本法第四十条の都道府県地域防災計画又は同法第四十二条の市町村地域防災計画において定められていない緑地及び広場

規（水域施設等の建設又は改良）

第二九条　法第五十六条の三第一項の規定による届出をしようとする者は、第七号様式による水域施設等建設（改良）届出書を当該届出に係る水域施設等の所在する水域を地先水面とする地域を区域とする都道府県を管轄する都道府県知事に提出するものとする。この場合において、当該都道府県が二以上あるときは、同一の届出書をそれぞれの都道府県を管轄する都道府県知事に提出するものとする。

2　前項の届出書には、次に掲げる書類を添付するものとする。ただし、第六号に掲げる書類は、当該届出に係る行為に係る施設の種類、規模等により、その必要がないときは、その一部を省略することができる。

一　次に掲げる事項を示し又は記載した書類

イ　当該届出に係る水域施設等の諸元及び要求性能

ロ　当該届出に係る水域施設等への作用及びその設定の根拠

ハ　イ及びロの照査方法

二　当該届出に係る水域施設等の施工方法、施工管理方法及び安全管理方法を記載した書類

三　当該届出に係る水域施設等を適切に維持するための維持管理方法を記載した書類

四　当該届出に係る水域施設等の位置及び付近の状況を表示した縮尺一万分の一以上の図面

五　当該届出に係る水域施設等の所在する水域の範囲及び水深を表示した縮尺千分の一以上の平面図

六　当該届出に係る水域施設等の規模及び構造を表示した縮尺千分の一以上の平面図、立面図、断面図及び構造図

七　その他当該届出に係る水域施設等の所在する水域及びその周辺の水域の利用状況その他の参考となるべき事項を記載した書類

規

第三〇条　法第五十六条の三第一項の国土交通省令で定める事項は、次に掲げる事項とする。

一　氏名又は名称及び住所並びに法人にあつては、その代表者の氏名

二　当該届出に係る水域施設等の種類及び規模

三　当該届出に係る施設が、水域施設である場合にあつては船舶許容能力、係留施設である場合にあつては係留能力

四　当該届出に係る水域施設等の建設又は改良の工事の開始及び完了の予定期日

五　当該届出に係る水域施設等の使用及び管理の計画

規

第三一条　都道府県知事は、法第五十六条の三第一項の規定による届出又は同条第三項の規定による通知があつたときは、遅滞なく、届出又は通知のあつた事項を公示しなければならない。この場合において、公示しなければならない事項のうち図面により表示することができるものは、図面により表示するものとする。

第十二章　雑則

章名…追加〔令和四年一一月法律八七号〕

（地方公共団体の事務の委任）

第五六条の三の二　港務局を組織する地方公共団体は、港湾の開発、利用、保全及び管理に関する事務（法律又は政令により当該地方公共団体が処理することとされる事務を除く。）を港務局の委員会の委員長に委任することができる。ただし、義務を課し、又は権利を制限する事務を委任するには、条例によらなければならない。

本条…追加〔令和四年一一月法律八七号〕

（港湾管理者の設立に係る勧告）

第五六条の三の三　国土交通大臣は、国際戦略港湾、国際拠点港湾又は重要港湾において、港湾の開発、利用又は保全に関し特に必要があると認めるときは、港湾管理者を設けるべきことを関係地方公共団体に対し勧告することができる。

本条…追加〔令和四年一一月法律八七号〕

（監督処分）

第五六条の四　国土交通大臣、都道府県知事又は港湾管理者は、第一号に該当する者（国土交通大臣にあつては同号イ、都道府県知事にあつては同号ロ、港湾管理者にあつては同号ハに掲げる規定に違反した者）又は第二号若しくは第三号に該当する者に対し、工事その他の行為の中止、工作物若しくは船舶その他の物件（以下「工作物等」という。）の改築、移転若しくは撤去、工事その他の行為若しくは工作物等により生じた若しくは生ずべき障害を除去し、若しくは予防するため必要な施設の設置その他の措置をとること又は原状の回復を命ずることができ、第二号又は第三号に該当する者に対し、第一号に掲げる規定によつて与えた許可を取り消し、その効力を停止し、その条件を変更し、又は新たな条件を付することができる。

一　次の規定に違反した者

イ　第四十三条の八第一項若しくは第二項又は第五十五条の三の五第一項若しくは第二項

ロ　第五十六条第一項又は第五十六条の二第一項

ハ　第三十七条第一項又は第三十七条の十一第一項

二　第三十七条第一項、第四十三条の八第二項、第五十五条の三の五第二項又は第五十六条第一項の規定による許可に付した条件に違反した者

三　詐欺その他不正な手段により第三十七条第一項、第四十三条の八第二項、第五十五条の三の五第二項又は第五十六条第一項の規定による許可を受けた者

2　第四十条の二第一項若しくは第四十一条第一項（これらの規定を第五十条の五第二項の規定により読み替えて適用する場合を含む。第五十九条第二項において同じ。）又は前項の規定により必要な措置をとることを命じようとする場合において、過失がなくて当該措置を命ずべき者を確知することができないときは、国土交通大臣、都道府県知事又は港湾管理者は、当該措置を自ら行い、又はその命じた者若しくはその委任した者にこれを行わせることができる。この場合においては、相当の期限を定めて、当該措置を行うべき旨及びその期限までに当該措置を行わないときは、国土交通大臣、都道府県知事若しくは港湾管理者又はその命じた者若しくは委任した者が当該措置を行う旨を、あらかじめ、公告しなければならない。

3　国土交通大臣、都道府県知事又は港湾管理者は、前項の規定により工作物等を撤去し、又は撤去させたときは、当該工作物等を保管しなければならない。

4　国土交通大臣、都道府県知事又は港湾管理者は、前項の規定により工作物等を保管したときは、当該工作物等の所有者、占有者その他当該工作物等について権原を有する者（以下「所有者等」という。）に対し当該工作物等を返還するため、国土交通省令で定めるところにより、国土交通省令で定める事項を公示しなければならない。

5　国土交通大臣、都道府県知事又は港湾管理者は、第三項の規定により保管した工作物等が滅失し、若しくは破損するおそれがあるとき、又は前項の規定による公示の日から起算して三月を経過してもなお当該工作物等を返還することができない場合において、国土交通省令で定めるところにより評価した当該工作物等の価額に比し、その保管に不相当な費用若しくは手数を要するときは、国土交通省令で定めるところにより、当該工作物等を売却し、その売却した代金を保管することができる。

6　国土交通大臣、都道府県知事又は港湾管理者は、前項の規定による工作物等の売却につき買受人がない場合において、同項に規定する価額が著しく低いときは、当該工作物等を廃棄することができる。

7　第五項の規定により売却した代金は、売却に要した費用に充てることができる。

8　第二項から第五項までに規定する撤去、保管、売却、公示その他の措置に要した費用は、当該工作物等の返還を受けるべき所有者等その他第二項に規定する当該措置を命ずべき者の負担とする。

9　第四項の規定による公示の日から起算して六月を経過してもなお第三項の規定により保管した工作物等（第五項の規定により売却した代金を含む。以下この項において同じ。）を返還することができないときは、当該工作物等の所有権は、国土交通大臣が保管する工作物等にあつては国、都道府県知事が保管する工作物等にあつては当該都道府県知事が統括する都道府県、港湾管理者が保管する工作物等にあつては当該港湾管理者に帰属する。

本条…追加〔昭和四八年七月法律五四号〕、一・二項…一部改

正〔平成一一年七月法律八七号〕、一－六項・九項…一部改正〔平成一一年一二月法律一六〇号〕、一・二項…一部改正・三－九項…追加〔平成一二年三月法律三三号〕、一項…一部改正〔平成二五年六月法律三一号・二八年五月四五号・二九年六月五五号〕、二項…一部改正〔令和四年一一月法律八七号〕

参照 四項〔国土交通省令〕規則三二・三三、五項〔国土交通省令〕規則三四－三七

規（**工作物等を保管した場合の公示事項**）

第三二条 法第五十六条の四第四項の国土交通省令で定める事項は、次に掲げるものとする。

一 工作物等の名称又は種類、形状及び数量

二 工作物等の放置されていた場所及び当該工作物等を撤去した日時

三 工作物等の保管を始めた日時及び保管の場所

四 前三号に掲げるもののほか、工作物等を返還するため必要と認められる事項

規（**工作物等を保管した場合の公示の方法**）

第三三条 法第五十六条の四第四項の規定による公示は、次に掲げる方法により行わなければならない。

一 前条各号に掲げる事項を、保管を始めた日から起算して十四日間、当該工作物等の放置されていた場所を管轄する地方整備局の事務所、当該都道府県知事が統括する都道府県の事務所又は当該港湾管理者の事務所に掲示すること。

二 前号の公示の期間が満了しても、なお当該工作物等の所有者、占有者その他当該工作物等について権原を有する者（第三十七条において「所有者等」という。）の氏名及び住所を知ることができないときは、前条各号に掲げる事項の要旨を官報、公報又は新聞紙に掲載すること。

2 国土交通大臣、都道府県知事又は港湾管理者は、前項に規定する方法による公示を行うとともに、第八号様式による保管した工作物等一覧簿を当該工作物等の放置されていた場所を管轄する地方整備局の事務所、当該都道府県知事が統括する都道府県の事務所又は当該港湾管理者の事務所に備え付け、かつ、これをいつでも関係者に自由に閲覧させなければならない。

規（**工作物等の価額の評価の方法**）

第三四条 法第五十六条の四第五項の規定による工作物等の価額の評価は、当該工作物等の購入又は製作に要する費用、使用年数、損耗の程度その他当該工作物等の価額の評価に関する事情を勘案してするものとする。この場合において、国土交通大臣、都道府県知事又は港湾管理者は、必要があると認めるときは、工作物等の価額の評価に関し専門的知識を有する者の意見を聴くことができる。

規（**保管した工作物等を売却する場合の手続**）

第三五条 法第五十六条の四第五項の規定による保管した工作物等の売却は、競争入札に付して行わなければならない。ただし、競争入札に付しても入札者がない工作物等その他競争入札に付することが適当ではないと認められる工作物等については、随意契約により売却することができる。

規

第三六条 国土交通大臣、都道府県知事又は港湾管理者は、当該工作物等を前条本文の競争入札のうち一般競争入札に付そうとするときは、その入札期日の前日から起算して少なくとも五日前までに、次に掲げる事項を当該工作物等の放置されていた場所を管轄する地方整備局の事務所、当該都道府県知事が統括する都道府県の事務所若しくは当該港湾管理者の事務所に掲示し、又は官報、公報若しくは新聞紙に掲載する等当該掲示に準ずる適当な方法で公示しなければならない。

一 当該工作物等の名称又は種類、形状及び数量

二 当該競争入札の執行を担当する職員の職及び氏名

三 当該競争入札の執行の日時及び場所

四 契約条項の概要

五 その他国土交通大臣、都道府県知事又は港湾管理者が必要と認める事項

2 国土交通大臣、都道府県知事又は港湾管理者は、当該工作物等を前条本文の競争入札のうち指名競争入札に付そうとするときは、なるべく三人以上の入札者を指定し、かつ、それらの者に前項各号に掲げる事項をあらかじめ通知しなければならない。

3 国土交通大臣、都道府県知事又は港湾管理者は、前条ただし書の随意契約によろうとするときは、なるべく二人以上の者から見積書を徴さなければならない。

規（**工作物等を返還する場合の手続**）

第三七条 国土交通大臣、都道府県知事又は港湾管理者は、保管した工作物等（法第五十六条の四第五項の規定により売却した代金を含む。）を所有者等に返還するときは、返還を受ける者にその所有権等を証するに足りる書類を提出させる等の方法によってその者が当該工作物等の返還を受けるべき所有者等であることを証明させ、かつ、第九号様式による受領書と引換えに返還するものとする。

（**報告の徴収等**）

第五六条の五 国土交通大臣、都道府県知事又は港湾管理者は、この法律の施行に必要な限度において、国土交通省令で定めるところにより、第三十七条第一項、第四十三条の八第二項、第五十五条の三の五第二項若しくは第五十六条第一項の規定による許可を受けた者に対し必要な報告を求め、又はその職員に、当該許可に係る行為に係る場所若しくは当該許可を受けた者の事務所若しくは事業場に立ち入り、

当該許可に係る行為の状況若しくは工作物、帳簿、書類その他必要な物件を検査させることができる。

2　国土交通大臣又は国際拠点港湾の港湾管理者は、この法律の施行に必要な限度において、国土交通省令で定めるところにより、その指定を受けた港湾運営会社に対し、その業務若しくは経理の状況に関し報告を求め、又はその職員に、その指定を受けた港湾運営会社の事務所その他の事業場に立ち入り、業務若しくは経理の状況若しくは事業の用に供する施設、帳簿、書類その他の物件を検査させ、若しくは関係者に質問させることができる。

3　港湾管理者は、この法律の施行に必要な限度において、国土交通省令で定めるところにより、港湾管理者以外の者で特定技術基準対象施設を管理するものに対し、当該特定技術基準対象施設の維持管理の状況に関し報告を求め、又はその職員に、当該特定技術基準対象施設を管理する者の事務所若しくは事業場に立ち入り、当該特定技術基準対象施設の維持管理の状況若しくは当該特定技術基準対象施設、帳簿、書類その他の物件を検査させることができる。

4　前三項の規定により立入検査をする職員は、その身分を示す証明書を携帯し、関係人にこれを提示しなければならない。

5　第一項から第三項までの規定による立入検査の権限は、犯罪捜査のために認められたものと解してはならない。

本条…追加〔昭和四八年七月法律五四号〕、一項…一部改正〔平成一一年七月法律八七号・一二月一六〇号〕、一項…一部改正・二項…追加・旧二・三項…一部改正し三・四項に繰下〔平成二三年三月法律九号〕、一項…一部改正・三項…追加・旧三・四項…一部改正し四・五項に繰下〔平成二五年六月法律三一号〕、一項…一部改正〔平成二九年六月法律五五号〕

参照　一項－三項〔国土交通省令〕規則三八

規　**（報告の徴収等）**

第三八条　法第五十六条の五第一項の規定により法第三十七条第一項、第四十三条の八第二項、第五十五条の三の四第二項又は第五十六条第一項の規定による許可を受けた者に対し、当該許可に係る事項に関し必要な報告を求める場合には、報告すべき事項、報告の期限その他必要な事項を明示し、これを行うものとする。

2　法第五十六条の五第二項の規定により港湾運営会社に対し、その業務又は経理の状況に関し報告を求める場合には、報告すべき事項、報告の期限その他必要な事項を明示し、これを行うものとする。

3　法第五十六条の五第三項の規定により港湾管理者以外の者で特定技術基準対象施設を管理するものに対し、当該特定技術基準対象施設の維持管理の状況に関し報告を求める場合には、報告すべき事項、報告の期限その他必要な事項を明示し、これを行うものとする。

4　法第五十六条の五第一項の規定による立入検査に係る同条第四項の規定による証明書（国の職員が携帯するものを除く。）は第十号様式によるものとし、同条第二項の規定による立入検査に係る同条第四項の規定による証明書（国の職員が携帯するものを除く。）は第十一号様式によるものとし、同条第三項の規定による立入検査に係る同条第四項の規定による証明書は第十二号様式によるものとする。

（強制徴収）

第五六条の六　第四十三条の五第一項の規定に基づく処分（国土交通大臣に係るものに限る。）、第四十三条の九第二項において準用する第四十三条の二、第四十三条の三第一項若しくは第四十三条の四第一項の規定に基づく処分、第四十三条の十において準用する企業合理化促進法第八条第二項の規定に基づく処分、同条第四項の規定に基づく港湾工事に係る処分又は第五十六条の四第八項の規定に基づく処分（国土交通大臣に係るものに限る。）により納付すべき負担金をその納期限までに納付しない者がある場合においては、国土交通大臣は、督促状によつて納付すべき期限を指定して督促しなければならない。この場合において、督促状により指定すべき期限は、督促状を発する日から起算して二十日以上経過した日でなければならない。

2　国土交通大臣は、前項の規定による督促をした場合においては、政令で定めるところにより、延滞金を徴収することができる。この場合において、延滞金は、年十四・五パーセントの割合で計算した額をこえない範囲内で定めなければならない。

3　第一項の規定による督促を受けた者がその指定の期限までにその納付すべき金額を納付しないときは、国土交通大臣は、国税滞納処分の例により第一項の負担金及び前項の延滞金を徴収することができる。この場合における負担金及び延滞金の先取特権は、国税及び地方税に次ぐものとする。

4　延滞金は、負担金に先だつものとする。

本条…追加〔昭和四八年七月法律五四号〕、一－三項…一部改正〔平成一一年一二月法律一六〇号〕、一項…一部改正〔平成一二年三月法律三三号・一八年五月三八号〕

参照　二項〔政令〕令二一

令

第二一条（延滞金）　法第五十六条の六第二項の規定により国土交通大臣が徴収する延滞金の額は、負担金を納付すべき期限の翌日からその納付の日までの日数に応じ負担金の額に年十・七五パーセントの割合を乗じて計算した額とする。この場合において、負担金の額の一部につき納付があつたときは、その納付の日以後の期間に係る延滞金の計算の基礎となる負担金の額は、その納付のあつた負担金の額を控除した額による。

（関係行政機関の長との協議）

第五七条　国土交通大臣は、主として漁業の用に供する施設について第四十六条第一項の認可をし、又は漁業に重大な関係のある事項に関し第三条の三第六項若しくは第四十七条の要求をしようとするときは、農林水産大臣に協議しなければならない。

2　国土交通大臣は、国際戦略港湾、国際拠点港湾又は重要港湾において企業合理化促進法第八条第四項の規定により水域施設、外郭施設又は係留施設の建設又は改良の工事を施行しようとする場合において、同項の規定による負担金の額がその工事に要する費用の額の十分の五を超えることとなるときは、経済産業大臣に協議しなければならない。

見出し…改正・一項…一部改正・二項…追加〔昭和四八年七月法律五四号〕、一項…一部改正〔昭和五三年七月法律八七号・平成一一年七月八七号〕、一・二項…一部改正〔平成一一年一二月法律一六〇号〕、二項…一部改正〔平成二三年三月法律九号〕

（他の法令との関係）

第五八条　建築基準法（昭和二十五年法律第二百一号）第四十八条及び第四十九条の規定は、第三十九条の規定により指定された分区については、適用しない。

2　公有水面埋立法の規定による都道府県知事（地方自治法第二百五十二条の十九第一項の指定都市の区域内にあつては、当該指定都市の長。以下この項において同じ。）の職権は、港湾区域内又は港湾区域内の公有水面の埋立てに係る埋立地については港湾管理者（河川区域内における港湾区域内又は港湾区域内の公有水面の埋立てに係る埋立地については都道府県知事及び港湾管理者）が行う。

3　港湾管理者が、その管理する港湾における公有水面の埋立てに係る公有水面埋立法第二十二条第二項の竣功認可の告示がされている埋立地の全部又は一部が現に相当期間にわたり同法第十一条若しくは第十三条の二第二項の規定により告示された用途に供されておらず、又は将来にわたり当該用途に供される見込みがないと認められることからその有効かつ適切な利用を促進する必要があると認めて、当該埋立地の全部又は一部の区域その他国土交通省令で定める事項を告示したときは、その告示の日から、当該区域について、同法第二十七条第一項中「十年間」とあるのは「五年間」と、同法第二十九条第一項中「十年内」とあるのは「五年内」とする。この場合において、当該区域が同法第四十七条第一項の規定により国土交通大臣の認可を受けた埋立地の全部又は一部であるときは、港湾管理者は、あらかじめ、国土交通大臣に協議しなければならない。

4　漁港区域に関する特則については、漁港に関する法律で定めるところによる。

一項…一部改正・五項…削除〔昭和二六年六月法律一九六号〕、二項…一部改正〔昭和二九年五月法律一一一号〕、三項…削除・旧四項…三項に繰上〔昭和三八年六月法律九九号〕、二項…一部改正〔昭和三九年七月法律一六八号〕、一項…一部改正〔昭和四三年六月法律一〇一号・四五年六月一〇九号〕、二項…一部改正〔昭和四八年七月法律五四号・九月八四号・平成一一年七月八七号〕、三項…追加・旧三項…四項に繰下〔平成一八年五月法律三八号〕、二項…一部改正〔平成二六年六月法律五一号〕

参照　三項〔国土交通省令〕規則三九、四項〔漁港に関する法律〕漁港及び漁場の整備等に関する法律

規

第三九条（法第五十八条第三項の国土交通省令で定める事項）　法第五十八条第三項の国土交通省令で定める事項は、次の各号に掲げるものとする。

一　当該区域の位置及び面積

二　当該区域の公有水面埋立法（大正十年法律第五十七号）第二十二条第二項の竣功認可の告示がされた年月日

三　当該区域の公有水面埋立法第二十二条第二項の竣功認可を受けた者の氏名又は名称及び住所並びに法人にあつては、その代表者の氏名

四　当該区域の有効かつ適切な利用を促進する必要があると認めた理由

五　前各号に掲げるもののほか、港湾管理者が必要と認める事項

（審査庁）

第五八条の二　市町村長が港湾管理者としてした前条第二項の規定に基づく公有水面埋立法による職権の行使（地方自治法第二条第九項第一号に規定する第一号法定受託事務であるものに限る。）についての審査請求は、国土交通大臣に対してするものとする。この場合において、当該審査請求のうち不作為

についての審査請求については、当該不作為に係る市町村長に対してすることもできる。

本条…追加〔昭和三七年九月法律一六一号〕、一部改正〔昭和四八年七月法律五四号・平成一一年七月八七号・一二月一六〇号・二六年六月六九号〕

（行政事件訴訟法等の適用）

第五九条　港務局の管理する一般公衆の利用に供する港湾施設に関する公共団体の管理する公共用土地物件の使用に関する法律の適用については、港務局の委員会の委員長は、行政庁とみなす。

2　第三十八条の二第八項、第四十条の二第一項、第四十一条第一項、第五十六条の二の二十一第二項及び第五十六条の四第一項の命令、第五十八条第二項の規定に基づく公有水面埋立法による職権の行使並びに公共団体の管理する公共用土地物件の使用に関する法律第一条の命令に関する行政代執行法（昭和二十三年法律第四十三号）の適用については、港務局の委員会の委員長は、行政庁とみなす。

3　この法律による職権の行使、第五十六条の三の二の規定による委任に基づく職権の行使、第五十八条第二項の規定に基づく公有水面埋立法による職権の行使及び公共団体の管理する公共用土地物件の使用に関する法律による職権の行使、企業合理化促進法又は公害防止事業費事業者負担法の規定による負担金の徴収に関する職権の行使並びに行政代執行法の適用に関する訴えに関する行政事件訴訟法（昭和三十七年法律第百三十九号）の適用については、港務局の委員会の委員長は、行政庁とみなす。

本条…全部改正〔昭和二九年五月法律一一一号〕、見出し…改正・三項…一部改正〔昭和三七年五月法律一四〇号〕、一－三項…一部改正〔昭和三七年九月法律一六一号〕、三項…一部改正〔昭和三八年六月法律九九号〕、二項…一部改正・三項…全部改正〔昭和四八年七月法律五四号〕、二項…一部改正〔平成二五年六月法律三一号〕、三項…一部改正〔令和四年一一月法律八七号〕

（運輸審議会への諮問）

第六〇条　国土交通大臣は、次の事項に関しては、これを運輸審議会に諮らなければならない。

一　第四条第四項（第九条第二項及び第三十三条第二項において準用する場合を含む。）の同意（国際戦略港湾、国際拠点港湾又は重要港湾に係るものに限る。）

二　第四条第十二項（第三十三条第二項において準用する場合を含む。）の規定による調停

二の二　第十条第一項ただし書の規定による承認

三　第三十八条の規定による臨港地区の区域の変更に関する請求に係る事項

四　第四十四条（第四十四条の二第四項において準用する場合を含む。）の規定による料率の変更に関する請求に係る事項

四の二　第四十四条の二の規定による入港料についての同意

五　第五十六条の三の三の規定による港湾管理者を設けるべきことの勧告

本条…一部改正〔昭和二六年六月法律一九六号・二九年五月一一一号・平成一一年七月八七号〕、見出し…改正・本条…一部改正〔平成一一年一二月法律一六〇号・二〇年六月六六号〕、本条…一部改正〔平成二三年五月法律三七号・令和四年一一月八七号〕

（許可の条件）

第六〇条の二　国土交通大臣、都道府県知事又は港湾管理者は、この法律の規定による許可には、必要な条件を附することができる。

2　前項の条件は、許可に係る事項の確実な実施を図るため必要な最小限度のものに限り、且つ、許可を受けた者に対し、不当な義務を課することとなるものであつてはならない。

本条…追加〔昭和四八年七月法律五四号〕、一項…一部改正〔平成一一年七月法律八七号・一二月一六〇号〕

（経過措置）

第六〇条の三　この法律の規定に基づき政令又は国土交通省令を制定し、又は改廃する場合においては、それぞれ、政令又は国土交通省令で、その制定又は改廃に伴い合理的に必要と判断される範囲内において、所要の経過措置（罰則に関する経過措置を含む。）を定めることができる。

本条…追加〔昭和四八年七月法律五四号〕、一部改正〔平成一一年一二月法律一六〇号〕

参照　〔政令〕令〔国土交通省令〕規則

（職権の委任）

第六〇条の四　この法律に規定する国土交通大臣の職権の一部は、政令で定めるところにより、地方整備局長又は北海道開発局長に委任することができる。

本条…追加〔昭和四八年七月法律五四号〕、一部改正〔平成一一年一二月法律一六〇号〕

参照　〔政令〕令二二

令（職権の委任）

第二二条　次に掲げる国土交通大臣の職権は、地方整備局長又は北海道開発局長が行うものとする。

一　法第六章、第五十五条の三の四、第五十五条の三の五

及び第五十六条の六の規定による国土交通大臣の職権（企業合理化促進法（昭和二十七年法律第五号）第八条第四項の規定に基づく港湾工事に係る処分により納付すべき負担金に係るものを除く。）

二　法第四十六条第一項の規定による国土交通大臣の職権（同項の港湾施設について補助金等に係る予算の執行の適正化に関する法律（昭和三十年法律第百七十九号）第二十六条第一項の規定により補助金等の交付の決定に関する事務を国土交通大臣が地方整備局長又は北海道開発局長に委任した場合に限る。）

三　法第五十八条第三項の規定による国土交通大臣の職権（公有水面埋立法（大正十年法律第五十七号）第四十八条の規定により同法第四十七条第一項の規定による認可に関する事務を国土交通大臣が地方整備局長又は北海道開発局長に委任した場合に限る。）

四　第十七条の四第一項本文、第十七条の五、第十七条の六本文及び第十七条の八の規定による国土交通大臣の職権

2　法第四十一条の五、第五十条の二第十項（同条第十一項において準用する場合を含む。）、第五十条の三第五項、第五十条の六第十項（同条第十一項において準用する場合を含む。）、第五十条の七第五項、第五十条の十六第八項（同条第九項において準用する場合を含む。）、第五十条の二十二、第五十六条の二の二十二、第五十六条の四及び第五十六条の五の規定並びに第十七条の九の規定による国土交通大臣の職権は、地方整備局長又は北海道開発局長も行うことができる。

（事務の区分）

第六〇条の五　第四条第四項（第九条第二項及び第三十三条第二項において準用する場合を含む。以下同じ。）、第五項（第九条第二項、第三十三条第二項及び第五十六条第二項において準用する場合を含む。以下同じ。）、第八項（第九条第二項及び第三十三条第二項において準用する場合を含む。以下同じ。）並びに第十二項及び第十三項（これらの規定を第三十三条第二項において準用する場合を含む。）、第九条第三項並びに第五十六条第一項（水域を定める事務に係る部分に限る。）の規定により都道府県が処理することとされている事務（第四条第四項の規定により処理することとされているものについては、同項の規定による都道府県知事の同意に関するものに限り、同条第五項の規定により処理することとされているものについては、同項の規定による都道府県知事が行う協議に関するものに限り、同条第八項の規定により処理することとされているものについては、同項の規定による都道府県が行う届出に関するものを除く。）は、地方自治法第二条第九項第一号に規定する第一号法定受託事務とする。

本条…追加〔平成一一年七月法律八七号〕、一部改正〔平成二三年五月法律三七号〕

第十三章　罰則

章名…追加〔令和四年一一月法律八七号〕

第六一条　地方公共団体の職員又は港務局の委員、監事若しくは職員が、第三十七条の六第一項の規定による認定に関し、その職務に反し、当該認定を受けようとする者に談合を唆すこと、当該認定を受けようとする者に当該認定に係る公募（以下「占用公募」という。）に関する秘密を教示すること又はその他の方法により、当該占用公募の公正を害すべき行為を行つたときは、五年以下の懲役又は二百五十万円以下の罰金に処する。

> 本条は、令和四法六八により改正され、令和七年六月一日から施行
>
> **第六一条**　地方公共団体の職員又は港務局の委員、監事若しくは職員が、第三十七条の六第一項の規定による認定に関し、その職務に反し、当該認定を受けようとする者に談合を唆すこと、当該認定を受けようとする者に当該認定に係る公募（以下「占用公募」という。）に関する秘密を教示すること又はその他の方法により、当該占用公募の公正を害すべき行為を行つたときは、五年以下の拘禁刑又は二百五十万円以下の罰金に処する。

本条…追加〔平成二八年五月法律四五号〕、見出し…削除〔令和四年一一月法律八七号〕

第六二条　偽計又は威力を用いて、占用公募の公正を害すべき行為をした者は、三年以下の懲役若しくは二百五十万円以下の罰金に処し、又はこれを併科する。

> 本条一項は、令和四法六八により改正され、令和七年六月一日から施行
>
> **第六二条**　偽計又は威力を用いて、占用公募の公正を害すべき行為をした者は、三年以下の拘禁刑若しくは二百五十万円以下の罰金に処し、又はこれを併科する。

2　占用公募につき、公正な価額を害し又は不正な利

益を得る目的で、談合した者も、前項と同様とする。

本条…追加〔平成二八年五月法律四五号〕

第六三条　第四十三条の二十三第一項の規定による報告若しくは資料の提出をせず、若しくは虚偽の報告若しくは資料の提出をし、又は同項の規定による検査を拒み、妨げ、若しくは忌避した者は、一年以下の懲役若しくは三百万円以下の罰金に処し、又はこれを併科する。

2　第四十三条の二十一第一項又は第四項の規定に違反した者は、一年以下の懲役若しくは百万円以下の罰金に処し、又はこれを併科する。

3　次の各号のいずれかに該当する者は、一年以下の懲役又は百万円以下の罰金に処する。

一　第五十六条の二の九第一項の規定に違反した者

二　第五十六条の二の十五の規定による業務の停止の命令に違反した者

4　次の各号のいずれかに該当する者は、一年以下の懲役又は五十万円以下の罰金に処する。

一　第三十七条第一項、第四十三条の八第二項、第五十五条の三の五第二項又は第五十六条第一項の規定に違反した者

二　第三十七条の十一第一項、第四十三条の八第一項、第五十五条の三の五第一項又は第五十六条の二第一項の規定に違反した者

5　次の各号のいずれかに該当する者は、六月以下の懲役若しくは五十万円以下の罰金に処し、又はこれを併科する。

一　第四十三条の二十一第三項の規定による届出をせず、又は虚偽の届出をした者

二　第四十三条の二十二第一項の規定による対象議決権保有届出書を提出せず、又は虚偽の記載をした対象議決権保有届出書を提出した者

本条一―五項は、令和四法六八により改正され、令和七年六月一日から施行

第六三条　第四十三条の二十三第一項の規定による報告若しくは資料の提出をせず、若しくは虚偽の報告若しくは資料の提出をし、又は同項の規定による検査を拒み、妨げ、若しくは忌避した者は、一年以下の拘禁刑若しくは三百万円以下の罰金に処し、又はこれを併科する。

2　第四十三条の二十一第一項又は第四項の規定に違反した者は、一年以下の拘禁刑若しくは百万円以下の罰金に処し、又はこれを併科する。

3　次の各号のいずれかに該当する者は、一年以下の拘禁刑又は百万円以下の罰金に処する。

一・二　〔略〕

4　次の各号のいずれかに該当する者は、一年以下の拘禁刑又は五十万円以下の罰金に処する。

一・二　〔略〕

5　次の各号のいずれかに該当する者は、六月以下の拘禁刑若しくは五十万円以下の罰金に処し、又はこれを併科する。

一・二　〔略〕

6　次の各号のいずれかに該当する者は、五十万円以下の罰金に処する。

一　第三十八条の二第八項、第五十六条の三第二項又は第五十六条の四第一項の規定による処分に違反した者

二　第五十条の二十一において準用する第四十五条第二項の規定による書面の提出をしないで、又は提出した書面に記載された料率によらないで、料金を収受した者

三　第五十条の二十一において準用する第四十五条第三項の規定による命令に違反した者

7　次の各号のいずれかに該当する場合には、その違反行為をした港湾運営会社の取締役、執行役、会計参与（会計参与が法人であるときは、その職務を行うべき社員）、監査役又は職員は、五十万円以下の罰金に処する。

一　第四十三条の十七第一項の規定による命令に違反したとき。

二　第四十五条第二項の規定による書面の提出をしないで、又は提出した書面に記載された料率によらないで、料金を収受したとき。

三　第四十五条第三項の規定による命令に違反して、料金を収受したとき。

8　次の各号のいずれかに該当する者は、三十万円以下の罰金に処する。

一　第三十八条の二第一項若しくは第四項又は第五十六条の三第一項前段若しくは後段本文の規定による届出をせず、又は虚偽の届出をした者

二　第五十六条の二の十一の規定による許可を受け

ないで確認業務の全部を廃止した者

三　第五十六条の二の十四第一項の規定による報告をせず、若しくは虚偽の報告をし、又は同項の規定による検査を拒み、妨げ、若しくは忌避した者

四　第五十六条の二の十六の規定に違反して、帳簿を備えず、帳簿に記載せず、若しくは帳簿に虚偽の記載をし、又は帳簿を保存しなかつた者

五　第五十六条の五第一項若しくは第三項の規定による報告をせず、若しくは虚偽の報告をし、又はこれらの規定による検査を拒み、妨げ、若しくは忌避した者

9　第五十六条の五第二項の規定による報告をせず、若しくは虚偽の報告をし、又は同項の規定による検査を拒み、妨げ、若しくは忌避し、若しくは同項の規定による質問に対して陳述せず、若しくは虚偽の陳述をした場合には、その違反行為をした港湾運営会社の取締役、執行役、会計参与（会計参与が法人であるときは、その職務を行うべき社員）、監査役又は職員は、三十万円以下の罰金に処する。

10　第二十五条第一項の規定による給与を受ける委員が、営利を目的とする団体の役員となり、又は自ら営利事業に従事したときは、六月以下の懲役又は三十万円以下の罰金に処する。

本条一〇項は、令和四法六八により改正され、令和七年六月一日から施行

10　第二十五条第一項の規定による給与を受ける委員が、営利を目的とする団体の役員となり、又は自ら営利事業に従事したときは、六月以下の拘禁刑又は三十万円以下の罰金に処する。

一項…全部改正・二・三項…追加・旧二項…四項に繰下〔昭和四八年七月法律五四号〕、一－三項…一部改正〔平成一二年三月法律三三号〕、一項…追加・旧一－三項…一部改正し二・四項に繰下・旧二・四項…三・五項に繰下〔平成一八年五月法律三八号〕、一・二・五・七・九項…追加・旧一－四項…三・四・六・八項に繰下・旧五項…一部改正し一〇項に繰下〔平成二三年三月法律九号〕、四・八項…一部改正〔平成二五年六月法律三一号〕、見出し…削除・四項…一部改正・旧六一条…繰下〔平成二八年五月法律四五号〕、四項…一部改正・六項…全部改正〔平成二九年六月法律五五号〕

第六四条　法人（法人でない団体で代表者又は管理人の定めのあるものを含む。以下この項において同じ。）の代表者又は法人若しくは人の代理人、使用人その他の従業者が、その法人又は人の業務又は財産に関し、次の各号に掲げる規定の違反行為をしたときは、その行為者を罰するほか、その法人に対して当該各号に定める罰金刑を、その人に対して各本項の罰金刑を科する。

一　前条第一項　二億円以下の罰金刑

二　前条第二項　一億円以下の罰金刑

三　前条第五項　同項の罰金刑

2　前項の規定により法人でない団体を処罰する場合には、その代表者又は管理人がその訴訟行為につきその団体を代表するほか、法人を被告人又は被疑者とする場合の刑事訴訟に関する法律の規定を準用する。

本条…追加〔平成二三年三月法律九号〕、旧六二条…繰下〔平成二八年五月法律四五号〕

第六五条　法人の代表者又は法人若しくは人の代理人、使用人その他の従業者が、その法人又は人の業務に関し、第六十二条又は第六十三条第三項、第四項、第六項若しくは第八項の違反行為をしたときは、行為者を罰するほか、その法人又は人に対しても、各本条の罰金刑を科する。

見出し…削除・本条…一部改正〔昭和四八年七月法律五四号〕、本条…一部改正〔平成一八年五月法律三八号〕、旧六二条…一部改正し繰下〔平成二三年三月法律九号〕、旧六三条…一部改正し繰下〔平成二八年五月法律四五号〕

第六六条　次の各号のいずれかに該当する場合には、その違反行為をした港湾運営会社の取締役、執行役、会計参与若しくはその職務を行うべき社員又は監査役は、五十万円以下の過料に処する。

一　第四十三条の十三第一項の規定による認可を受けないで運営計画の変更をしたとき。

二　第四十三条の十八第一項の規定に違反して、埠頭群の運営の事業の全部を休止し、又は廃止したとき。

三　第四十三条の二十六第一項の規定に違反して、事業計画又は収支予算を提出しなかつたとき。

四　第四十三条の二十六第三項の規定に違反して、貸借対照表、損益計算書若しくは事業報告書を提出せず、又は虚偽の記載若しくは記録をしたこれらのものを提出したとき。

2　第五十六条の二の十第一項の規定に違反して財務諸表等を備えて置かず、財務諸表等に記載すべき事項を記載せず、若しくは虚偽の記載をし、又は正当な理由がないのに同条第二項各号の規定による請求を拒んだ者は、二十万円以下の過料に処する。

3　第三十八条の二第五項又は第五十六条の三第一項後段ただし書の規定による届出をせず、又は虚偽の

届出をした者は、十万円以下の過料に処する。

本条…追加〔昭和四八年七月法律五四号〕、一部改正〔平成一二年三月法律三三号〕、一項…追加・旧一項…一部改正し二項に繰下〔平成一八年五月法律三八号〕、一項…追加・旧一・二項…二・三項に繰下・旧六三条…繰下〔平成二三年三月法律九号〕、一項…一部改正〔平成二六年五月法律三三号〕、旧六四条…繰下〔平成二八年五月法律四五号〕

附　則

（施行期日）

1　この法律は、公布の日から施行する。但し、第四十二条の規定は、昭和二十六年四月一日から施行する。

（国内産業の開発上特に重要な港湾に関する特例）

2　重要港湾のうち国内産業の開発上特に重要な港湾で、政令で定めるものにおいて港湾管理者又は国土交通大臣がする港湾工事の費用に関する国の負担又は補助については、当分の間、国際拠点港湾における港湾工事の例による。

（国の無利子貸付け等）

3　国は、当分の間、港湾管理者に対し、第四十二条第一項又は第二項の規定により国がその費用について負担する港湾施設の建設又は改良の工事で日本電信電話株式会社の株式の売払収入の活用による社会資本の整備の促進に関する特別措置法（昭和六十二年法律第八十六号。以下「社会資本整備特別措置法」という。）第二条第一項第二号に該当するものに要する費用に充てる資金について、予算の範囲内において、第四十二条第一項又は第二項の規定（これらの規定による国の負担の割合について、これらの規定と異なる定めをした法令の規定がある場合には、当該異なる定めをした法令の規定を含む。以下同じ。）により国が負担する金額に相当する金額を無利子で貸し付けることができる。

4　国は、当分の間、港湾管理者に対し、第四十三条の規定により国がその費用について補助することができる港湾施設の建設又は改良の工事で社会資本整備特別措置法第二条第一項第二号に該当するものに要する費用に充てる資金について、予算の範囲内において、第四十三条の規定（この規定による国の補助の割合について、この規定と異なる定めをした法令の規定がある場合には、当該異なる定めをした法令の規定を含む。以下同じ。）により国が補助することができる金額に相当する金額を無利子で貸し付けることができる。

5　国は、当分の間、港湾管理者に対し、前二項に規定する港湾工事以外の港湾施設の建設又は改良の工事で社会資本整備特別措置法第二条第一項第二号に該当するものに要する費用に充てる資金の一部を、予算の範囲内において、無利子で貸し付けることができる。

6　前三項の国の貸付金の償還期間は、五年（二年以内の据置期間を含む。）以内で政令で定める期間とする。

7　前項に定めるもののほか、附則第三項から第五項までの規定による貸付金の償還方法、償還期限の繰上げその他償還に関し必要な事項は、政令で定める。

8　附則第三項の規定により国が港湾管理者に対し貸付けを行う場合における第四十二条第三項の規定の適用については、同項中「これによつて国が負担することとなる金額」とあるのは、「附則第三項の規定により国が貸し付けることとなる金額」とする。

9　国は、附則第三項の規定により、港湾管理者に対し貸付けを行つた場合には、当該貸付けの対象である工事に係る第四十二条第一項又は第二項の規定による国の負担については、当該貸付金の償還時において、当該貸付金の償還金に相当する金額を交付することにより行うものとする。

10　国は、附則第四項の規定により、港湾管理者に対し貸付けを行つた場合には、当該貸付けの対象である工事について、第四十三条の規定による当該貸付金に相当する金額の補助を行うものとし、当該補助については、当該貸付金の償還時において、当該貸付金の償還金に相当する金額を交付することにより行うものとする。

11　国は、附則第五項の規定により、港湾管理者に対し貸付けを行つた場合には、当該貸付けの対象である工事について、当該貸付金に相当する金額の補助を行うものとし、当該補助については、当該貸付金の償還時において、当該貸付金の償還金に相当する金額を交付することにより行うものとする。

12　港湾管理者が、附則第三項から第五項までの規定による貸付けを受けた無利子貸付金について、附則第六項及び第七項の規定に基づき定められる償還期限を繰り上げて償還を行つた場合（政令で定める場合を除く。）における前三項の規定の適用については、当該償還は、当該償還期限の到来時に行われたものとみなす。

13　第四十六条の規定は、附則第三項から第五項まで、北海道開発のためにする港湾工事に関する法律（昭和二十六年法律第七十三号）附則第七項、奄美群島振興開発特別措置法（昭和二十九年法律第百八十九号）附則第六項、失効前の沖縄振興開発特別措置法（昭和四十六年法律第百三十一号）附則第九条第一項又は沖縄振興特別措置法（平成十四年法律第十四号）附則第四条第一項の規定により国がその工事に要する費用に充てる資金を無利子で貸し付けた港湾施設について準用する。この場合において、第四十六条第一項中「その工事の費用を国が負担し又は補助した」とあるのは「附則第三項から第五項まで、北海道開発のためにする港湾工事に関する法律附則第七項、奄美群島振興開発特別措置法附則第六項、失効前の沖縄振興開発特別措置法附則第九条第一項又は沖縄振興特別措置法附則第四条第一項の規定により国がその工事に要する費用に充てる資金を無利子で貸し付けた」と、「国が負担し、若しくは補助した」とあるのは「附則第九項、北海道開発のためにする港湾工事に関する法律附則第十一項、奄美群島振興開発特別措置法附則第九項、失効前の沖縄振興開発特別措置法附則第九条第八項若しくは沖縄振興特別措置法附則第四条第七項に規定する国の負担若しくは補助若しくは附則第十項若しくは第十一項の規定による国の補助に係る」と読み替えるものとする。

14　第四十六条の規定は、前項に規定する港湾施設で附則第九項、北海道開発のためにする港湾工事に関する法律附則第十一項、奄美群島振興開発特別措置法附則第九項、失効前の沖縄振興開発特別措置法附則第九条第八項若しくは沖縄振興特別措置法附則第四条第七項に規定する国の負担若しくは補助又は附則第十項若しくは第十一項の規定による国の補助に係るものについては、適用しない。

15　国は、当分の間、地方公共団体（その出資され、又は拠出された金額の全部が地方公共団体により出資され、又は拠出されている法人を含む。）の出資又は拠出に係る法人（港務局を除く。）で国土交通大臣が政令で定める基準に適合すると認めるものに対し、一般公衆の利用に供する港湾施設の建設又は改良の工事で政令で定めるもののうち、社会資本整備特別措置法第二条第一項第一号に該当するものに要する費用に充てる資金の一部を無利子で貸し付けることができる。

16　前項の国の貸付金の償還期間は、二十年（五年以内の据置期間を含む。）以内とする。

17　国土交通大臣は、附則第十五項の規定による貸付けを受けた者に対し、当該貸付けに係る事業（その収益をもつて当該貸付けの対象である工事に要する費用を支弁することができると認められる当該工事と密接に関連する事業を含む。以下この項において同じ。）の適正な実施を確保するため必要があると認めるときは、当該貸付けに係る事業に係る業務若しくは資産の状況に関して、報告若しくは資料の提出を求め、若しくはその職員に、帳簿、書類その他の必要な物件を調査させ、若しくは関係者に質問させ、又は当該貸付けに係る事業に係る業務の改善に関する勧告をすることができる。

18　国は、附則第十五項の規定による貸付けを受けた者が、前項の規定による報告若しくは資料提出の要求、調査若しくは質問に応じなかつたとき又は同項の規定による勧告に従わなかつたときは、当該貸付けに係る貸付金の全部又は一部について償還期限を繰り上げることができる。

19　前三項に定めるもののほか、附則第十五項の国の貸付金に関する償還方法その他貸付けの条件の基準については、政令で定める。

（特定の国際拠点港湾の港湾運営会社に関する特例）

20　長距離の国際海上コンテナ運送の用に供される国土交通省令で定める規模以上の埠頭を有する国際拠点港湾であつて、コンテナ取扱量その他の国土交通省令で定める事情を勘案し、民間の能力の活用によりその運営の効率化を図ることが国際競争力の強化を図るため特に重要なものとして政令で定めるものについては、当分の間、当該国際拠点港湾を国際戦略港湾とみなして、国際戦略港湾における港湾運営会社に関する規定（第四十三条の二十一第一項ただし書（政府に係る部分に限る。）、第四十三条の二十二第一項（政府に係る部分に限る。）、第四十三条の二十五から第四十三条の三十まで並びに第六十六条第一項第三号及び第四号を除く。）を適用する。

五－七項…追加〔昭和二六年六月法律一九六号〕、八・九項…追加〔昭和二七年六月法律一七一号〕、一〇項…追加〔昭和六〇年五月法律三七号〕、一一・一二項…追加〔昭和六一年五月法律四六号〕、一一・一二項…一部改正・一三・一四項…追加〔昭和六二年三月法律二一号〕、一五－二六項…追加〔昭和六二年九月法律八七号〕、二七－三一項…追加〔昭和六三年五月法律三〇号〕、一三・一四・二五・二六項…一部改正〔平成元年四月法律二二号〕、一一・一二項…一部改正〔平成三年三月法律一五号〕、一一・一二・二〇項…一部改正〔平成五年三月法律八号〕、三二項…追加〔平成一一年七月法律八七号〕、五・二七・二九項…一部改正〔平成一一年一二月法律一六〇号〕、一五・二〇・二一項…一部改正〔平成一二年三月法律三三号〕、一八・二五・二六項…一部改正〔平成一四年二月法律一号〕、二五・二六項…一部改正〔平成一四年三月法律一四号・一八年三月一八号・二二年三月二〇号〕、五項…一部改正・二－四・六－一四・三二項…削除・旧五・一五－一八・二七・二八項…二・三－六・一五・一六項に繰上・旧一九－二六・二九－三一項…一部改正し七－一四・一七－一九項に繰上・二〇－三一項…追加〔平成二三年三月法律九号〕、二六項…一部改正〔平成二五年一一月法律七六号〕、一三・一四項…一部改正〔平成二六年三月法律六号〕、二六・三一項…一部改正〔平成二六年五月法律三三号〕、一三・一四項…一部改正〔平成二七年六月法律四八号〕、二六・三一項…一部改正〔平成二八年五月法律四五号〕、二〇項…見出し削除・二〇－三〇項…削除・旧三一項…一部改正し二〇項に繰上〔令和元年一二月法律六八号〕、一三・一四項…一部改正〔令和四年三月法律七号〕

参照　二項〔政令〕令一の五、六項・七項・一二項・一五項・一九項〔政令〕令附則三・四・七－一〇項、二一項・三一項〔国土交通省令〕規則附則八－一〇項、三一項〔政令〕令附則一一項

令（国内産業の開発上特に重要な港湾）

第一条の五　法附則第五項に規定する港湾は、別表第四のとおりとする。

令　**附　則**

1・2　〔略〕

3　法附則第六項の政令で定める期間は、五年（二年の据置期間を含む。）とする。

4　前項の期間は、日本電信電話株式会社の株式の売払収入の活用による社会資本の整備の促進に関する特別措置法（昭和六十二年法律第八十六号）第五条第一項の規定により読み替えて準用される補助金等に係る予算の執行の適正化に関する法律第六条第一項の規定による貸付けの決定（以下「貸付決定」という。）ごとに、当該貸付決定に係る法附則第三項から第五項までの規定による国の貸付金（次項及び第六項において「国の貸付金」という。）の交付を完了した日（その日が当該貸付決定があつた日の属する年度の末日の前日以後の日である場合には、当該年度の末日の前々日）の翌日から起算する。

5・6　〔略〕

7　法附則第十二項の政令で定める場合は、前項の規定により償還期限を繰り上げて償還を行つた場合とする。

8　法附則第十五項の政令で定める基準は、次のとおりとする。

一　当該港湾施設の建設又は改良の工事に関し、次の要件に適合する工事実施計画を有し、かつ、当該工事実施計画について港湾管理者の承認を受けている者であること。

イ　法第三条の三第九項又は第十項の規定により公示された港湾計画がある場合には、当該港湾計画において定められた港湾施設の建設又は改良の計画で当該港湾施設に係るものに適合すること。

ロ　当該港湾施設の位置、規模及び構造が当該施設の用途に対し適切なものであること。

ハ　当該港湾施設の供用を開始する時期が当該港湾における需要に対し適切なものであること。

二　その収益をもつて当該港湾施設の建設又は改良の工事に要する費用を支弁することができると認められる当該工事と密接に関連する事業（以下「密接関連事業」という。）に関する適切な事業計画を有する者であること。

三　第一号の工事実施計画及び前号の事業計画を実施するため適切な資金計画及び収支計画を有する者であること。

四　当該港湾施設の建設又は改良の工事及び密接関連事業を適確に行う能力を有する者であること。

9　法附則第十五項の政令で定める港湾施設の建設又は改良の工事は、水域施設、外郭施設、係留施設、臨港交通施設、港湾公害防止施設、廃棄物埋立護岸、海洋性廃棄物処理施設、港湾環境整備施設又は港湾施設用地の建設又は改良の工事であつて、当該工事によつて生じた港湾施設が港湾管理者の所有（当該港湾施設が水域施設である場合には、港湾管理者の管理）に属することとなることについて当該港湾管理者が同意しているものとする。

10　法附則第十九項の貸付けの条件の基準は、次のとおりとする。

一　法附則第十五項の国の貸付金（以下「国の貸付金」という。）の償還は、均等半年賦償還の方法によるものとすること。

二　国の貸付金の貸付けを受ける者は、担保を提供し、又は当該貸付けを受ける者と連帯して債務を負担する保証人を立てなければならないこと。

三　国の貸付金の貸付けを受けた者は、附則第八項第一号の工事実施計画を変更する場合にあつては国土交通大臣及び港湾管理者の、同項第二号の事業計画又は同項第三号の資金計画を変更する場合にあつては国土交通大臣の承認を受けなければならないこと。

四　国は、国の貸付金の貸付けを受けた者が前号の承認を受けないで同号に規定する工事実施計画、事業計画又は資金計画を変更した場合には、国の貸付金の全部又は一部について償還期限を繰り上げることができること。

（特定の国際拠点港湾）

11　法附則第二十項の政令で定める国際拠点港湾は、次の表のとおりとする。

都道府県	
愛　知	名古屋
三　重	四日市

規　附　則

1～7〔略〕

8　法附則第二十項の国土交通省令で定める規模は、次の各号に掲げるものであつて、当該国際拠点港湾の港湾計画において定められているものとする。

一　埠頭を構成する係留施設の総延長がおおむね千メートル

二　少なくとも一の係留施設等（外国コンテナ貨物定期船（一定の日程表に従つて就航するコンテナ貨物の運送に係る外国貿易船をいう。）の使用の一単位に係る埠頭を構成する係留施設及び荷さばき地をいう。次号において同じ。）の前面の泊地の水深が十五メートル

三　少なくとも一の前号に掲げる規模以上の係留施設等を含む連続する三の係留施設等の奥行き（当該係留施設等の総面積（単位　平方メートル）を当該係留施設等に係る係留施設の総延長（単位　メートル）で除して得たものをいう。）がおおむね五百メートル

9　法附則第二十項の国土交通省令で定める事情は、次に掲げるものとする。

一　当該国際拠点港湾における年間のコンテナ取扱量及びコンテナ貨物の取扱いによる地域経済の発展に対する寄与の程度が、国民経済上特に重要であること。

二　当該埠頭の機能の高度化による当該国際拠点港湾の運営の効率化を図るため、港湾管理者その他の行政機関と当該埠頭の運営者その他の民間事業者との連携協力体制が整備されること。

三　当該埠頭の利用の効率化及び高度化を図るための情報システムが整備されること。

四　当該埠頭と道路法第三条第一号に規定する高速自動車国道又は同法第五条第一項第一号に規定する一般国道との連絡が確保されること。

五　当該埠頭の近傍において、輸送、保管、荷さばき、流通加工その他の物資の流通に係る業務を行うための施設の用に供する土地の確保が容易であること。

附　則〔昭和二九年五月一七日法律第一一一号〕

1　この法律は、公布の日から施行する。

2　この法律の施行の際現に存する港務局を組織する地方公共団体には、改正後の第十条第二項の規定は、適用しない。但し、同条同項の規定により債務を負担すべき旨を当該港務局の定款で定めた場合は、この限りでない。

附　則〔昭和三一年三月三〇日法律第二五号〕

1　この法律は、昭和三十一年四月一日から施行する。

2　地方財政の再建等のための公共事業に係る国庫負担等の臨時特例に関する法律（昭和三十一年法律第九十九号）の効力を有する間は、改正後の第四十二条第一項ただし書中「十分の二・五」とあるのは「十分の三」とする。

附　則〔昭和三六年四月一七日法律第六五号〕

1　この法律は、公布の日から施行する。

2　改正後の第五十五条の六の規定は、昭和三十六年度以降の予算に係る工事について適用する。

附　則〔昭和四八年七月一七日法律第五四号抄〕

（施行期日等）

第一条　この法律は、公布の日から施行する。ただし、第一条の規定中港湾法の目次の改正規定、同法第一章の次に一章を加える改正規定、同法第三十七条第二項の改正規定、同法第三十七条の三を削る改正規定、同法第三十八条の次に一条を加える改正規定、同法第四十三条の四の次に一条を加える改正規定、同法第六章を同法第七章とし、同法第五章の次に一章を加える改正規定、同法第四十八条及び第五十五条の七第二項の改正規定、同法第五十六条の次に五条を加える改正規定、同法第五十七条の改正規定（同条の見出しを改める部分及び同条に一項を加える部分を除く。）、同法第五十九条第二項の改正規定、同法第六十一条の前に一条を加える改正規定、同法第六十一条及び第六十二条の改正規定並びに同法本則に一条を加える改正規定、〔中略〕附則第二条第二項及び第四項から第六項まで、〔中略〕の改正規定は、公布の日から起算して一年をこえない範囲内において政令で定める日から施行する。

〔昭和四九年五月政令一八〇号により、第一章の次に一章を加える改正規定（第三条の二に係る部分に限る。）は、昭和四九・五・三〇から施行。昭和四九年七月政令二六四号により、目次の改正規定、同法第一章の次に一章を加える改正規定（第三条の二に係る部分を除く。）、同法第三十七条第二項の改正規定、同法第三十七条の三を削る改正規定、同法第三十八条の次に一条を加える改正規定、同法第四十三条の四の次に一条を加える改正規定、同法第六章を同法第七章とし、同法第五章の次に一章を加える改正規定、同法第四十八条及び第五十五条の七第二項の改正規定、同法第五十六条の次に五条を加える改正規定、同法第五十七条の改正規定（同条の見出しを改める部分及び同条に一項を加える部分を除く。）、同法第五十九条第二項の改正規定、同法第六十一条の前に一条を加える改正規定、同法第六十一条及び第六十二条の改正規定並びに同法本則に一条を加える改正規定は、昭和四九・七・一六から施行〕

2　第一条の規定による改正後の港湾法（以下「新港湾法」という。）第四十二条の規定は、昭和四十八

年度の予算に係る国の補助金に係る港湾工事の費用から適用する。

5　新港湾法第五十六条第三項において準用する同法第三十七条第六項の規定は、この法律の施行の日以後において同法第五十六条第一項の規定による許可を受けた者に係る占用料又は土砂採取料から適用する。

（経過措置）

第二条　この法律の施行の際現に港湾法第三十七条第一項の規定により指定されている港湾隣接地域については、当該港湾隣接地域を指定した港湾管理者の長は、この法律の施行の日から起算して三月を経過する日までに、その区域を公告しなければならない。ただし、既に当該区域について公告がなされている場合においては、この限りでない。

2　第一条の規定による改正前の港湾法第三十七条の三の規定によりされた許可の取消し、その効力の停止若しくはその条件の変更又は施設の改築、移転、撤去若しくは原状の回復の命令は、新港湾法第五十六条の四第一項の規定によりされた許可の取消し、その効力の停止若しくはその条件の変更又は工作物の改築、移転、撤去若しくは原状の回復の命令とみなす。

3　この法律の施行の際現に港湾法第三十八条第一項の規定により定められている臨港地区については、当該臨港地区を定めた港湾の港湾管理者は、この法律の施行の日から起算して三月を経過する日までに、その区域を公告しなければならない。この場合において、第一項ただし書の規定を準用する。

4　新港湾法第三十八条の二の規定の施行の際現に臨港地区内において、同条第一項各号に掲げる施設を設置している者（当該施設の建設の工事をしている者を含む。）は、同条の規定の施行の日から起算して三月を経過する日までに、運輸省令で定めるところにより、当該施設に関する事項に関し、港湾管理者の長に届出（同法第三十七条第三項に掲げる者にあつては、通知）をしなければならない。

5　新港湾法第五十六条の三の規定の施行の際現に水域（港湾区域及び港湾法第五十六条第一項の規定により公告されている水域を除く。）において、新港湾法第五十六条の三第一項の政令で定める水域施設、外郭施設又は係留施設を設置している者（当該施設の建設の工事をしている者を含む。）は、同条の規定の施行の日から起算して三月を経過する日までに、運輸省令で定めるところにより、当該施設に関する事項に関し、都道府県知事に届出（同法第三十七条第三項に掲げる者にあつては、通知）をしなければならない。

6　前二項の規定による届出をせず、又は虚偽の届出をした者は、三万円以下の過料に処する。

7　前各項に規定するもののほか、この法律の施行に関して必要となる経過措置は、政令で定めることができる。

参照　四項・五項〔運輸省令〕港湾法の施行規則の一部を改正する省令（昭和四九年七月運輸省令二八号）附則二―五項、七項〔政令〕港湾法施行令等の一部を改正する政令（昭和四九年七月政令二六五号）附則二―四項

附　則〔昭和五四年一二月二五日法律第七〇号抄〕

（施行期日）

1　この法律〔中略〕は、当該各号に定める日〔公布の日から起算して三月を超えない範囲内において政令で定める日〕から施行する。〔以下略〕

〔昭和五五年三月政令一七号により、昭和五五・三・二四から施行〕

（経過措置）

8　第十一条の規定の施行前に同条の規定による改正前の港湾法第三条の三第四項の規定により運輸大臣に提出された港湾計画については、なお従前の例による。

9　この法律（附則第一項各号に掲げる規定については、当該各規定）の施行前にした行為及び附則第六項又は第七項の規定により従前の例によることとされる場合におけるこの法律の施行後にした行為に対する罰則の適用については、なお従前の例による。

附　則〔昭和五九年八月一〇日法律第七一号抄〕

（施行期日）

第一条　この法律は、昭和六十年四月一日から施行する。〔以下略〕

（港湾法の一部改正に伴う経過措置）

第二二条　この法律の施行前に第四十八条の規定による改正前の港湾法第三十七条第三項において読み替えられた同条第一項の規定により旧公社が港湾管理者の長とした協議に基づく行為は、第四十八条の規定による改正後の港湾法第三十七条第一項の規定により会社に対して港湾管理者の長がした許可に基づ

く行為とみなす。

（政令への委任）

第二七条　附則第二条から前条までに定めるもののほか、この法律の施行に関し必要な経過措置は、政令で定める。

附　則〔昭和五九年一二月二五日法律第八七号抄〕

（施行期日）

第一条　この法律は、昭和六十年四月一日から施行する。〔以下略〕

（港湾法の一部改正に伴う経過措置）

第一七条　この法律の施行前に第四十三条の規定による改正前の港湾法第三十七条第三項において読み替えられた同条第一項の規定により旧公社が港湾管理者の長とした協議に基づく行為は、第四十三条の規定による改正後の港湾法第三十七条第一項の規定により会社に対して港湾管理者の長がした許可に基づく行為とみなす。

附　則〔昭和六〇年五月一八日法律第三七号抄〕

（施行期日等）

1　この法律は、公布の日から施行する。

3　この法律による改正後の法律の昭和六十年度の特例に係る規定は、同年度の予算に係る国の負担又は補助（昭和五十九年度以前の年度における事務又は事業の実施により昭和六十年度に支出される国の負担又は補助及び昭和五十九年度以前の年度の国庫債務負担行為に基づき昭和六十年度に支出すべきものとされた国の負担又は補助を除く。）並びに同年度における事務又は事業の実施により昭和六十一年度以降の年度に支出される国の負担又は補助、昭和六十年度の国庫債務負担行為に基づき昭和六十一年度以降の年度に支出すべきものとされる国の負担又は補助及び昭和六十年度の歳出予算に係る国の負担又は補助で昭和六十一年度以降の年度に繰り越されるものについて適用し、昭和五十九年度以前の年度における事務又は事業の実施により昭和六十年度に支出される国の負担又は補助、昭和五十九年度以前の年度の国庫債務負担行為に基づき昭和六十年度に支出すべきものとされた国の負担又は補助及び昭和五十九年度以前の年度の歳出予算に係る国の負担又は補助で昭和六十年度に繰り越されたものについては、なお従前の例による。

附　則〔昭和六一年五月八日法律第四六号抄〕

1　この法律は、公布の日から施行する。

2　この法律〔中略〕による改正後の法律の昭和六十一年度から昭和六十三年度までの各年度の特例に係る規定並びに昭和六十一年度及び昭和六十二年度の特例に係る規定は、昭和六十一年度から昭和六十三年度までの各年度（昭和六十一年度及び昭和六十二年度の特例に係るものにあつては、昭和六十一年度及び昭和六十二年度。以下この項において同じ。）の予算に係る国の負担（当該国の負担に係る都道府県又は市町村の負担を含む。以下この項において同じ。）又は補助（昭和六十年度以前の年度における事務又は事業の実施により昭和六十一年度以降の年度に支出される国の負担又は補助及び昭和六十年度以前の年度の国庫債務負担行為に基づき昭和六十一年度以降の年度に支出すべきものとされた国の負担又は補助を除く。）並びに昭和六十一年度から昭和六十三年度までの各年度における事務又は事業の実施により昭和六十四年度（昭和六十一年度及び昭和六十二年度の特例に係るものにあつては、昭和六十三年度。以下この項において同じ。）以降の年度に支出される国の負担又は補助、昭和六十一年度から昭和六十三年度までの各年度の国庫債務負担行為に基づき昭和六十四年度以降の年度に支出すべきものとされる国の負担又は補助及び昭和六十一年度から昭和六十三年度までの各年度の歳出予算に係る国の負担又は補助で昭和六十四年度以降の年度に繰り越されるものについて適用し、昭和六十年度以前の年度における事務又は事業の実施により昭和六十一年度以降の年度に支出される国の負担又は補助、昭和六十年度以前の年度の国庫債務負担行為に基づき昭和六十一年度以降の年度に支出すべきものとされた国の負担又は補助及び昭和六十年度以前の年度の歳出予算に係る国の負担又は補助で昭和六十一年度以降の年度に繰り越されたものについては、なお従前の例による。

附　則〔昭和六一年一二月四日法律第九三号抄〕

（施行期日）

第一条　この法律は、昭和六十二年四月一日から施行する。〔以下略〕

（港湾法の一部改正に伴う経過措置）

第二六条　この法律の施行前に第百二十条の規定による改正前の港湾法（以下この条において「旧法」と

いう。）第三十七条第三項（旧法第四十三条の八第四項及び第五十六条第三項において準用する場合を含む。）において読み替えられた旧法第三十七条第一項の規定により日本国有鉄道が港湾管理者の長、運輸大臣又は都道府県知事とした協議に基づく行為は、政令で定めるところにより、第百二十条の規定による改正後の港湾法（次項において「新法」という。）第三十七条第一項、第四十三条の八第二項又は第五十六条第一項の規定により、承継法人及び清算事業団のうち政令で定める者に対して港湾管理者の長、運輸大臣又は都道府県知事がした許可に基づく行為とみなす。

2　この法律の施行前に旧法第三十八条の二第九項又は第五十六条の三第三項の規定により日本国有鉄道が港湾管理者の長又は都道府県知事に対してした通知は、政令で定めるところにより、新法第三十八条の二第一項若しくは第四項又は第五十六条の三第一項の規定により、承継法人及び清算事業団のうち政令で定める者が港湾管理者の長又は都道府県知事に対してした届出とみなす。

附　則〔昭和六二年三月三一日法律第二一号〕

1　この法律は、昭和六十二年四月一日から施行する。

2　この法律による改正後の法律の規定は、昭和六十二年度及び昭和六十三年度の予算に係る国の負担（当該国の負担に係る港湾管理者又は地方公共団体の負担を含む。以下同じ。）又は補助（昭和六十一年度以前の年度の国庫債務負担行為に基づき昭和六十二年度以降の年度に支出すべきものとされた国の負担又は補助を除く。）、昭和六十二年度及び昭和六十三年度以降の年度に支出すべきものとされる国の負担又は補助並びに昭和六十二年度及び昭和六十三年度の歳出予算に係る国の負担又は補助で昭和六十四年度以降の年度に繰り越されるものについて適用し、昭和六十一年度以前の年度の国庫債務負担行為に基づき昭和六十二年度以降の年度に支出すべきものとされた国の負担又は補助及び昭和六十一年度以前の年度の歳出予算に係る国の負担又は補助で昭和六十二年度以降の年度に繰り越されたものについては、なお従前の例による。

○港湾法の一部を改正する等の法律（抄）

〔昭和六二年三月三一日法律第二一号〕

（地方公共団体に対する財政金融上の措置）

第五条　国は、この法律の規定による改正後の法律の規定により昭和六十二年度及び昭和六十三年度の予算に係る国の負担又は補助の割合の引下げ措置の対象となる地方公共団体に対し、その事業の執行及び財政運営に支障を生ずることのないよう財政金融上の措置を講ずるものとする。

附　則〔平成元年四月一〇日法律第二二号抄〕

（施行期日等）

1　この法律は、公布の日から施行する。

2　この法律〔中略〕による改正後の法律の平成元年度及び平成二年度の特例に係る規定並びに平成元年度の特例に係る規定は、平成元年度及び平成二年度（平成元年度の特例に係るものにあっては、平成元年度。以下この項において同じ。）の予算に係る国の負担（当該国の負担に係る都道府県又は市町村の負担を含む。以下この項及び次項において同じ。）又は補助（昭和六十三年度以前の年度における事務又は事業の実施により平成元年度以降の年度に支出される国の負担及び昭和六十三年度以前の年度の国庫債務負担行為に基づき平成元年度以降の年度に支出すべきものとされた国の負担又は補助を除く。）並びに平成元年度及び平成二年度における事務又は事業の実施により平成三年度（平成元年度の特例に係るものにあっては、平成二年度。以下この項において同じ。）以降の年度に支出される国の負担、平成元年度及び平成二年度の国庫債務負担行為に基づき平成三年度以降の年度に支出すべきものとされる国の負担又は補助並びに平成元年度及び平成二年度の歳出予算に係る国の負担又は補助で平成三年度以降の年度に繰り越されるものについて適用し、昭和六十三年度以前の年度における事務又は事業の実施により平成元年度以降の年度に支出される国の負担、昭和六十三年度以前の年度の国庫債務負担行為に基づき平成元年度以降の年度に支出すべきものとされた国の負担又は補助及び昭和六十三年度以前の年度の歳出予算に係る国の負担又は補助で平成元年度以降の年度に繰り越されたものについては、なお従前の例による。

○国の補助金等の整理及び合理化並びに臨時特例等に関する法律(抄)

〔平成元年四月一〇日法律第二二号〕

(地方公共団体に対する財政金融上の措置)

第四八条 国は、この法律の規定(第十一条、第十二条、第十六条から第二十八条まで及び第三十四条の規定を除く。)による改正後の法律の規定により平成元年度及び平成二年度の予算に係る国の負担又は補助の割合の引下げ措置の対象となる地方公共団体に対し、その事務又は事業の執行及び財政運営に支障を生ずることのないよう財政金融上の措置を講ずるものとする。

附　則〔平成三年三月三〇日法律第一五号〕

〔沿革〕平成五年三月三一日法律第八号改正

1　この法律は、平成三年四月一日から施行する。

2　この法律〔中略〕による改正後の法律の平成三年度及び平成四年度の特例に係る規定並びに平成三年度の特例に係る規定は、平成三年度及び平成四年度(平成三年度の特例に係るものにあっては平成三年度とする。以下この項において同じ。)の予算に係る国の負担(当該国の負担に係る都道府県又は市町村の負担を含む。以下この項において同じ。)又は補助(平成二年度以前の年度における事務又は事業の実施により平成三年度以降の年度に支出される国の負担及び平成二年度以前の年度の国庫債務負担行為に基づき平成三年度以降の年度に支出すべきものとされた国の負担又は補助を除く。)並びに平成三年度及び平成四年度における事務又は事業の実施により平成五年度(平成三年度の特例に係るものにあっては平成四年度とする。以下この項において同じ。)以降の年度に支出される国の負担、平成三年度及び平成四年度の国庫債務負担行為に基づき平成五年度以降の年度に支出すべきものとされる国の負担又は補助並びに平成三年度及び平成四年度の歳出予算に係る国の負担又は補助で平成五年度以降の年度に繰り越されるものについて適用し、平成二年度以前の年度における事務又は事業の実施により平成三年度以降の年度に支出される国の負担、平成二年度以前の年度の国庫債務負担行為に基づき平成三年度以降の年度に支出すべきものとされた国の負担又は補助及び平成二年度以前の年度の歳出予算に係る国の負担又は補助で平成三年度以降の年度に繰り越されたものについては、なお従前の例による。

○国の補助金等の臨時特例等に関する法律(抄)

〔平成三年三月三〇日法律第一五号〕

〔沿革〕平成五年三月三一日法律第八号改正

第八章　地方公共団体に対する財政金融上の措置

(地方公共団体に対する財政金融上の措置)

第三四条 国は、この法律の規定による改正後の法律の規定により平成三年度及び平成四年度の予算に係る国の負担又は補助の割合の引下げ措置の対象となる地方公共団体に対し、その事務又は事業の執行及び財政運営に支障を生ずることのないよう財政金融上の措置を講ずるものとする。

附　則〔平成五年三月三一日法律第八号抄〕

(施行期日等)

1　この法律は、平成五年四月一日から施行する。

2　この法律〔中略〕による改正後の法律の規定は、平成五年度以降の年度の予算に係る国の負担(当該国の負担に係る都道府県又は市町村の負担を含む。以下この項において同じ。)又は補助(平成四年度以前の年度における事務又は事業の実施により平成五年度以降の年度に支出される国の負担及び平成四年度以前の年度の国庫債務負担行為に基づき平成五年度以降の年度に支出すべきものとされた国の負担又は補助を除く。)について適用し、平成四年度以前の年度における事務又は事業の実施により平成五年度以降の年度に支出される国の負担、平成四年度以前の年度の国庫債務負担行為に基づき平成五年度以降の年度に支出すべきものとされた国の負担又は補助及び平成四年度以前の年度の歳出予算に係る国の負担又は補助で平成五年度以降の年度に繰り越されたものについては、なお従前の例による。

附　則〔平成一一年七月一六日法律第八七号抄〕

(施行期日)

第一条 この法律は、平成十二年四月一日から施行する。ただし、次の各号に掲げる規定は、当該各号に定める日から施行する。

一　〔前略〕附則〔中略〕第百六十条、第百六十三条、第百六十四条並びに第二百二条の規定　公布

の日

二～六〔略〕

（港湾法の一部改正に伴う経過措置）

第一一二条　施行日前に第三百五十九条の規定による改正前の港湾法（以下この条において「旧港湾法」という。）第三十八条第一項の規定によりされた申請に係る臨港地区の決定については、なお従前の例による。

2　この法律の施行の際現にされている旧港湾法第四十四条第三項の規定による変更を命ずべきことの請求は、第三百五十九条の規定による改正後の港湾法（以下この条において「新港湾法」という。）第四十四条第三項の規定による変更を求めることの請求とみなす。

3　施行日前に旧港湾法第四十四条の二第二項の規定によりされた認可又はこの法律の施行の際現に同項の規定によりされている認可の申請は、それぞれ新港湾法第四十四条の二第二項の規定によりされた同意又は協議の申出とみなす。

4　この法律の施行の際現に施行中の旧港湾法第五十二条第一項の規定による港湾工事であって新港湾法第五十二条第一項の規定による港湾工事の対象とならないものについては、当該工事の完了するまでの間に限り、なお従前の例による。

5　施行日前にされた行政庁の処分に係る旧港湾法第五十八条の二の規定による審査請求であって新港湾法第五十八条の二の規定による審査請求の対象とならないものについては、なお従前の例による。

（国等の事務）

第一五九条　この法律による改正前のそれぞれの法律に規定するもののほか、この法律の施行前において、地方公共団体の機関が法律又はこれに基づく政令により管理し又は執行する国、他の地方公共団体その他公共団体の事務（附則第百六十一条において「国等の事務」という。）は、この法律の施行後は、地方公共団体が法律又はこれに基づく政令により当該地方公共団体の事務として処理するものとする。

（処分、申請等に関する経過措置）

第一六〇条　この法律（附則第一条各号に掲げる規定については、当該各規定。以下この条及び附則第百六十三条において同じ。）の施行前に改正前のそれぞれの法律の規定によりされた許可等の処分その他の行為（以下この条において「処分等の行為」という。）又はこの法律の施行の際現に改正前のそれぞれの法律の規定によりされている許可等の申請その他の行為（以下この条において「申請等の行為」という。）で、この法律の施行の日においてこれらの行為に係る行政事務を行うべき者が異なることとなるものは、附則第二条から前条までの規定又は改正後のそれぞれの法律（これに基づく命令を含む。）の経過措置に関する規定に定めるものを除き、この法律の施行の日以後における改正後のそれぞれの法律の適用については、改正後のそれぞれの法律の相当規定によりされた処分等の行為又は申請等の行為とみなす。

2　この法律の施行前に改正前のそれぞれの法律の規定により国又は地方公共団体の機関に対し報告、届出、提出その他の手続をしなければならない事項で、この法律の施行の日前にその手続がされていないものについては、この法律及びこれに基づく政令に別段の定めがあるもののほか、これを、改正後のそれぞれの法律の相当規定により国又は地方公共団体の相当の機関に対して報告、届出、提出その他の手続をしなければならない事項についてその手続がされていないものとみなして、この法律による改正後のそれぞれの法律の規定を適用する。

（不服申立てに関する経過措置）

第一六一条　施行日前にされた国等の事務に係る処分であって、当該処分をした行政庁（以下この条において「処分庁」という。）に施行日前に行政不服審査法に規定する上級行政庁（以下この条において「上級行政庁」という。）があったものについての同法による不服申立てについては、施行日以後においても、当該処分庁に引き続き上級行政庁があるものとみなして、行政不服審査法の規定を適用する。この場合において、当該処分庁の上級行政庁とみなされる行政庁は、施行日前に当該処分庁の上級行政庁であった行政庁とする。

2　前項の場合において、上級行政庁とみなされる行政庁が地方公共団体の機関であるときは、当該機関が行政不服審査法の規定により処理することとされる事務は、新地方自治法第二条第九項第一号に規定する第一号法定受託事務とする。

（手数料に関する経過措置）

第一六二条　施行日前においてこの法律による改正前のそれぞれの法律（これに基づく命令を含む。）の規定により納付すべきであった手数料については、この法律及びこれに基づく政令に別段の定めがあるもののほか、なお従前の例による。

（罰則に関する経過措置）

第一六三条　この法律の施行前にした行為に対する罰則の適用については、なお従前の例による。

（その他の経過措置の政令への委任）

第一六四条　この附則に規定するもののほか、この法律の施行に伴い必要な経過措置（罰則に関する経過措置を含む。）は、政令で定める。

2　〔略〕

附　則〔平成一二年三月三一日法律第三三号抄〕

〔沿革〕平成二三年三月三一日法律第九号改正

（施行期日）

第一条　この法律は、平成十二年四月一日から施行する。ただし、次の各号に掲げる規定は、当該各号に定める日から施行する。

一　第三十七条の二の次に一条を加える改正規定、第四十条及び第四十三条の八の改正規定、第五十六条の二を第五十六条の二の二とし、第五十六条の次に一条を加える改正規定並びに第五十六条の四、第五十六条の六、第六十一条及び第六十三条の改正規定　公布の日から起算して六月を超えない範囲内において政令で定める日

〔平成一二年九月政令四四〇号により、平成一二・九・三〇から施行〕

二　第三条の二の改正規定　公布の日から起算して一年を超えない範囲内において政令で定める日

〔平成一二年一二月政令五三四号により、平成一二・一二・二八から施行〕

（経過措置）

第二条　この法律による改正後の港湾法（以下「新港湾法」という。）第四十二条、第四十三条及び第五十二条の規定並びに特定港湾施設整備特別措置法（昭和三十四年法律第六十七号）第四条の規定は、平成十二年度以降の年度の予算に係る国の負担（当該国の負担に係る港湾管理者の負担を含む。以下同じ。）又は補助（平成十一年度以前の年度の国庫債務負担行為に基づき平成十二年度以降の年度に支出すべきものとされた国の負担又は補助を除く。）について適用し、平成十一年度以前の年度の国庫債務負担行為に基づき平成十二年度以降の年度に支出すべきものとされた国の負担又は補助及び平成十一年度以前の年度の歳出予算に係る国の負担又は補助で平成十二年度以降の年度に繰り越されたものについては、なお従前の例による。

第三条　地方分権の推進を図るための関係法律の整備等に関する法律（平成十一年法律第八十七号）附則第百十二条第四項の規定によりなお従前の例によることとされた港湾工事については、港湾法第五十二条第一項第五号に掲げる港湾工事とみなして、同条第二項の規定を適用する。

第四条　附則第一条第一号に掲げる改正規定の施行前にした行為に対する罰則の適用については、なお従前の例による。

附　則〔平成一七年五月二〇日法律第四五号抄〕

（施行期日）

第一条　この法律は、平成十七年十一月一日から施行する。ただし、次の各号に掲げる規定は、当該各号に定める日から施行する。

一　第一条の規定（港湾法第五十条及び第五十条の二の改正規定を除く。）及び附則第七条の規定　公布の日から起算して六月を超えない範囲内において政令で定める日

〔平成一七年六月政令二一二号により、平成一七・七・一から施行〕

二　〔略〕

（罰則に関する経過措置）

第五条　この法律（附則第一条第二号に掲げる規定については、当該規定）の施行前にした行為に対する罰則の適用については、なお従前の例による。

（政令への委任）

第六条　附則第二条から前条までに定めるもののほか、この法律の施行に関し必要となる経過措置（罰則に関する経過措置を含む。）は、政令で定める。

附　則〔平成一八年五月一七日法律第三八号抄〕

〔沿革〕平成二五年一一月二二日法律第七六号改正

（施行期日）

第一条　この法律は、平成十八年十月一日から施行する。ただし、次の各号に掲げる規定は、当該各号に定める日から施行する。

一　第一条中港湾法第五十条の二及び第五十五条の

七第二項の改正規定並びに第四条の規定並びに附則第十三条、第十四条第一項、第十五条及び第二十二条の規定　平成十八年四月一日又はこの法律の公布の日のいずれか遅い日

二　第一条中港湾法第五十六条の二の二の改正規定、同条の次に十八条を加える改正規定並びに同法第五十六条の三第二項及び第四項並びに第六十一条から第六十三条までの改正規定〔中略〕　平成十九年四月一日

（港湾法の一部改正に伴う経過措置）

第二条　第一条の規定による改正後の港湾法（以下「新港湾法」という。）第五十六条の二の二第二項の登録を受けようとする者は、前条第二号に定める日（以下「一部施行日」という。）前においても、その申請をすることができる。新港湾法第五十六条の二の七第一項の確認業務規程の認可の申請についても、同様とする。

（罰則に関する経過措置）

第一四条　この法律（附則第一条各号に掲げる規定については、当該規定）の施行前にした行為及び附則第三条の規定によりなおその効力を有することとされる場合における附則第四条第四項の規定により指定法人が解散するまでの間にした行為に対する罰則の適用については、なお従前の例による。

２　新港湾法第五十八条第三項の規定により港湾管理者が告示した埋立地の区域に係る当該告示前にした公有水面埋立法（大正十年法律第五十七号）の規定に違反する行為に対する罰則の適用については、なお従前の例による。

（政令への委任）

第一五条　附則第二条から前条までに定めるもののほか、この法律の施行に関し必要となる経過措置（罰則に関する経過措置を含む。）は、政令で定める。

（検討）

第一六条　政府は、この法律の施行後七年以内に、この法律の施行の状況について検討を加え、必要があると認めるときは、その結果に基づいて所要の措置を講ずるものとする。

附　則〔平成一八年六月二日法律第五〇号〕

〔沿革〕平成二三年六月二四日法律第七四号改正

この法律は、一般社団・財団法人法の施行の日〔平成二〇年一二月一日〕から施行する。〔以下略〕

○一般社団法人及び一般財団法人に関する法律及び公益社団法人及び公益財団法人の認定等に関する法律の施行に伴う関係法律の整備等に関する法律（抄）〔平成一八年六月二日法律第五〇号〕

第十三章　罰則に関する経過措置及び政令への委任

（罰則に関する経過措置）

第四五七条　施行日前にした行為及びこの法律の規定によりなお従前の例によることとされる場合における施行日以後にした行為に対する罰則の適用については、なお従前の例による。

（政令への委任）

第四五八条　この法律に定めるもののほか、この法律の規定による法律の廃止又は改正に伴い必要な経過措置は、政令で定める。

附　則〔平成一九年六月一日法律第七一号〕

（施行期日）

１　この法律は、平成十九年四月一日又はこの法律の公布の日のいずれか遅い日から施行する。

（経過措置）

２　第一条の規定による改正後の港湾法第四十三条第五号及び第五十二条第一項第四号の規定〔中略〕は、平成十九年度以降の年度の予算に係る国の補助又は負担（当該国の負担に係る港湾管理者の負担を含む。以下同じ。）（平成十八年度以前の年度の国庫債務負担行為に基づき平成十九年度以降の年度に支出すべきものとされた国の補助又は負担を除く。）について適用し、平成十八年度以前の年度の国庫債務負担行為に基づき平成十九年度以降の年度に支出すべきものとされた国の補助又は負担及び平成十八年度以前の年度の歳出予算に係る国の補助又は負担で平成十九年度以降の年度に繰り越されたものについては、なお従前の例による。

附　則〔平成二〇年六月一三日法律第六六号抄〕

（施行期日）

第一条　この法律は、公布の日から施行する。〔以下略〕

（経過措置）

第二条　この法律の施行の際現にこの法律による改正

前の港湾法（次項において「旧法」という。）第四十四条の二第二項の同意を得ている料率は、この法律による改正後の港湾法（次項において「新法」という。）第四十四条の二第二項の同意を得た料率の上限及び同条第三項の規定により届け出た料率とみなす。

2　この法律の施行の際現に旧法第四十四条の二第二項の規定によりされている協議の申出は、国土交通省令で定めるところにより、新法第四十四条の二第二項の規定によりした協議の申出又は同条第三項の規定によりした届出とみなす。

（検討）

第三条　政府は、この法律の施行後適当な時期において、この法律の施行の状況を勘案し、必要があると認めるときは、この法律の規定について検討を加え、その結果に基づいて必要な措置を講ずるものとする。

附　則〔平成二二年三月三一日法律第二〇号抄〕

（施行期日）

第一条　この法律は、平成二十二年四月一日から施行する。

（政令への委任）

第三条　前条に定めるもののほか、この法律の施行に関し必要な経過措置は、政令で定める。

附　則〔平成二三年三月三一日法律第九号抄〕

〔**沿革**〕平成二三年五月二日法律第三七号、二四年三月三一日第一五号、二五年一一月二二日第七六号、令和元年一二月六日第六八号改正

（施行期日）

第一条　この法律は、平成二十三年四月一日から施行する。ただし、次の各号に掲げる規定は、当該各号に定める日から施行する。

一　第二条中港湾法第三条の二第二項に一号を加える改正規定及び同法第三条の三第二項の改正規定並びに附則第三条第一項及び第三項の規定　公布の日から起算して六月を超えない範囲内において政令で定める日

〔平成二三年八月政令二七〇号により、平成二三・九・一五から施行〕

二　第二条（前号に掲げる改正規定を除く。）（中略）並びに附則第三条第二項及び第四項から第九項まで並びに附則（中略）第二十一条までの規定　公布の日から起算して一年を超えない範囲内において政令で定める日

〔平成二三年一一月政令三四二号により、平成二三・一二・一五から施行〕

三　附則第十六条の規定　この法律の公布の日又は地域の自主性及び自立性を高めるための改革の推進を図るための関係法律の整備に関する法律（平成二十三年法律第三十七号）の公布の日のいずれか遅い日〔平成二三年五月二日〕

（第一条の規定による改正に伴う経過措置）

第二条　第一条の規定による改正前の港湾法（以下「第一条による改正前の法」という。）第二条の二第一項の規定により指定特定重要港湾として指定された港湾であって、第一条の規定による改正後の港湾法（以下「第一条による改正後の法」という。）第二条第二項に規定する国際戦略港湾又は国際拠点港湾に該当するものは、第一条による改正後の法第二条の二第一項の規定により指定港湾として指定されたものとみなす。

2　第一条による改正前の法第五十条の四第二項の規定による認定を受けた者であって、当該認定が前項の規定により指定港湾として指定されたものとみなされた港湾の港湾管理者によりされたものであるものは、第一条による改正後の法第五十条の四第二項の規定により当該港湾管理者の認定を受けた者とみなす。

3　第一条による改正後の法第五十二条の規定は、平成二十三年度以降の年度の予算に係る国の負担（当該国の負担に係る港湾管理者の負担を含む。以下この項において同じ。）であって、平成二十二年度以前の年度の国庫債務負担行為に基づき平成二十三年度以降の年度に支出すべきものとされたもの以外のものについて適用し、平成二十二年度以前の年度の国庫債務負担行為に基づき平成二十三年度以降の年度に支出すべきものとされた国の負担及び平成二十二年度以前の年度の歳出予算に係る国の負担で平成二十三年度以降の年度に繰り越されたものについては、なお従前の例による。

（第二条の規定による改正に伴う経過措置）

第三条　国土交通大臣又は国際拠点港湾の港湾管理者が港湾法第四十三条の十一第一項又は第六項の規定による指定をする場合において、当該指定に係る国際戦略港湾又は国際拠点港湾における埠頭群に第三項の規定によりなおその効力を有するものとされる

第二条の規定による改正前の港湾法（以下「第二条による改正前の法」という。）第五十四条の三第七項の規定により貸し付けられている行政財産又は第五項の規定によりなおその効力を有するものとされる第二条による改正前の法第五十五条第一項若しくは第四項の規定により貸し付けられている行政財産を含む埠頭があるときは、当該埠頭は、当該埠頭に係るこれらの行政財産の貸付けがされている間は、当該埠頭群に含まれないものとする。

2　附則第一条第二号に掲げる規定の施行の際現に国際戦略港湾又は国際拠点港湾において第二条による改正前の法第五十四条の三第七項の規定による行政財産の貸付けを受けていた者については、同条第二項の認定並びに同条第十一項及び第十二項の規定は、当該貸付けに係る契約の期間が満了するまでの間は、なおその効力を有する。

3　前項に規定する者に係る同項に規定する行政財産の貸付けについては、第二条による改正前の法第五十四条の三第七項から第九項まで及び第十三項の規定は、当該貸付けに係る契約の期間が満了するまでの間は、なおその効力を有する。

4　附則第一条第二号に掲げる規定の施行の際現に第二条による改正前の法第五十五条第一項又は第四項の規定による行政財産の貸付けを受けていた者については、第二条による改正前の法第五十条の四第二項の認定及び同条第七項から第九項までの規定は、当該貸付けに係る契約の期間が満了するまでの間は、なおその効力を有する。

5　前項に規定する者に係る同項に規定する行政財産の貸付けについては、第二条による改正前の法第五十五条第一項、第四項から第六項まで及び第八項の規定は、当該貸付けに係る契約の期間が満了するまでの間は、なおその効力を有する。

6　附則第一条第二号に掲げる規定の施行前に第二条による改正前の法第五十五条の八第一項の国の貸付けに係る特定港湾管理者の貸付けを受けて行われた港湾施設の建設若しくは改良又は同号に掲げる規定の施行の際現に同項の国の貸付けに係る特定港湾管理者の貸付けを受けて行われていた港湾施設の建設若しくは改良に係る同項の国の貸付け及び当該国の貸付けに係る特定港湾管理者の貸付けについては、同条の規定は、同号に掲げる規定の施行後においても、なおその効力を有する。

（処分、手続等の効力に関する経過措置）

第四条　前二条に定めるもののほか、この法律の各改正規定の施行前にこの法律による改正前のそれぞれの法律（これに基づく命令を含む。）の規定によってした処分、手続その他の行為であって、この法律による改正後のそれぞれの法律（これに基づく命令を含む。）に相当する規定があるものは、これらの規定によってした処分、手続その他の行為とみなす。

（罰則の適用に関する経過措置）

第五条　附則第一条第二号に掲げる規定の施行前にした行為に対する罰則の適用については、なお従前の例による。

（政令への委任）

第六条　附則第二条から前条までに定めるもののほか、この法律の施行に関し必要となる経過措置（罰則に関する経過措置を含む。）は、政令で定める。

（検討）

第七条　政府は、この法律の施行後十年を経過した場合において、第一条及び第二条の規定による改正後の港湾法並びに第三条の規定による改正後の特定外貿埠頭の管理運営に関する法律の施行の状況を勘案し、必要があると認めるときは、これらの法律の規定について検討を加え、その結果に基づいて必要な措置を講ずるものとする。

（調整規定）

第二一条　附則第一条第二号に掲げる規定の施行の日が地域の自主性及び自立性を高めるための改革の推進を図るための関係法律の整備に関する法律附則第一条第一号に掲げる規定の施行の日前である場合には、附則第三条第二項及び第四項中「第五十四条の三第七項」とあるのは「第五十四条の三第六項」と、同項中「同条第十一項及び第十二項」とあるのは「同条第十項及び第十一項」と、同条第五項中「第五十四条の三第七項から第九項まで及び第十三項」とあるのは「第五十四条の三第六項から第八項まで及び第十二項」とする。

附　則　〔平成二三年五月二日法律第三七号抄〕

〔沿革〕平成二三年三月三一日法律第九号改正

（施行期日）

第一条　この法律は、公布の日から施行する。ただし、次の各号に掲げる規定は、当該各号に定める日から施行する。

一 〔前略〕第三十一条〔中略〕並びに附則〔中略〕第十三条〔中略〕の規定 公布の日から起算して三月を経過した日

二〜四 〔略〕

（港湾法の一部改正に伴う経過措置）

第一三条 第三十一条の規定の施行前に同条の規定による改正前の港湾法（以下この条において「旧港湾法」という。）第四条第四項（旧港湾法第九条第二項及び第三十三条第二項において準用する場合を含む。次項において同じ。）の規定による認可があった港湾区域は、国際戦略港湾、国際拠点港湾、重要港湾及び避難港については第三十一条の規定による改正後の港湾法（以下この条において「新港湾法」という。）第四条第四項（新港湾法第九条第二項及び第三十三条第二項において準用する場合を含む。次項において同じ。）の同意があった港湾区域とみなし、避難港以外の地方港湾については新港湾法第四条第八項（新港湾法第九条第二項及び第三十三条第二項において準用する場合を含む。次項において同じ。）の規定による届出があった港湾区域とみなす。

2 第三十一条の規定の施行の際現に旧港湾法第四条第四項の規定によりされている認可の申請は、国際戦略港湾、国際拠点港湾、重要港湾及び避難港に係るものにあっては新港湾法第四条第四項の規定によりされた協議の申出と、避難港以外の地方港湾に係るものにあっては同条第八項の規定によりされた届出とみなす。

3 第三十一条の規定の施行の際現に旧港湾法第五十四条の三第三項の規定によりされている同意の申請であって、新港湾法第五十四条の三第三項各号に掲げる港湾施設を含まない特定埠頭に係るものは、同条第五項の規定によりされた通知とみなす。

（罰則に関する経過措置）

第二三条 この法律（附則第一条各号に掲げる規定にあっては、当該規定）の施行前にした行為に対する罰則の適用については、なお従前の例による。

（政令への委任）

第二四条 附則第二条から前条まで及び附則第三十六条に規定するもののほか、この法律の施行に関し必要な経過措置は、政令で定める。

附 則 〔平成二三年五月二五日法律第五三号〕

この法律は、新非訟事件手続法〔平成二三年法律第五一号〕の施行の日〔平成二五年一月一日〕から施行する。

○非訟事件手続法及び家事事件手続法の施行に伴う関係法律の整備等に関する法律（抄）

〔平成二三年五月二五日法律第五三号〕

（罰則に関する経過措置）

第一六八条 第六条又は第七条に規定するもののほか、この法律の施行前にした行為及びこの法律の他の規定によりなお従前の例によることとされる場合におけるこの法律の施行後にした行為に対する罰則の適用については、なお従前の例による。

（政令への委任）

第一六九条 この法律に定めるもののほか、この法律の規定による法律の廃止又は改正に伴い必要な経過措置は、政令で定める。

附 則 〔平成二三年八月三〇日法律第一〇五号抄〕

（施行期日）

第一条 この法律は、公布の日から施行する。ただし、次の各号に掲げる規定は、当該各号に定める日から施行する。

一〜五 〔略〕

六 〔前略〕附則第八十六条〔中略〕の規定 公布の日から起算して一年を超えない範囲内において政令で定める日

〔平成二四年一月政令一八号により、平成二四・二・一から施行〕

（罰則に関する経過措置）

第八一条 この法律（附則第一条各号に掲げる規定にあっては、当該規定。以下この条において同じ。）の施行前にした行為及びこの附則の規定によりなお従前の例によることとされる場合におけるこの法律の施行後にした行為に対する罰則の適用については、なお従前の例による。

（政令への委任）

第八二条 この附則に規定するもののほか、この法律の施行に関し必要な経過措置（罰則に関する経過措置を含む。）は、政令で定める。

附　則　〔平成二五年六月五日法律第三一号抄〕

（施行期日）

第一条　この法律は、公布の日から起算して二月を超えない範囲内において政令で定める日から施行する。ただし、次の各号に掲げる規定は、当該各号に定める日から施行する。

〔平成二五年七月政令二二八号により、平成二五・八・一から施行〕

一　第二条の次に一条を加える改正規定、第五十条の四を第五十条の五とし、同条の次に十条を加える改正規定（第五十条の四を第五十条の五とする部分を除く。）並びに第五十六条の二の二、第五十六条の二の三第一項及び第二項第三号並びに第五十六条の二の二十第一項の改正〔中略〕の規定　公布の日から起算して六月を超えない範囲内において政令で定める日

〔平成二五年一一月政令三二一号により、平成二五・一二・一から施行〕

二　第五十六条の二の二十の次に二条を加える改正規定、第五十六条の五の改正規定（同条第一項の改正規定を除く。）並びに第五十九条第二項及び第六十一条第八項第五号の改正規定　公布の日から起算して一年を超えない範囲内において政令で定める日

〔平成二六年五月政令一九七号により、平成二六・六・一から施行〕

（政令への委任）

第二条　この法律の施行に関し必要な経過措置は、政令で定める。

（検討）

第三条　政府は、この法律の施行後五年を経過した場合において、この法律による改正後の港湾法の施行の状況について検討を加え、必要があると認めるときは、その結果に基づいて所要の措置を講ずるものとする。

附　則　〔平成二五年六月一四日法律第四四号抄〕

（施行期日）

第一条　この法律は、公布の日から施行する。ただし、次の各号に掲げる規定は、当該各号に定める日から施行する。

一　〔前略〕第五十四条（港湾法第五十条の三第三項の改正規定を除く。）〔中略〕の規定　公布の日から起算して三月を経過した日

二・三　〔略〕

（罰則に関する経過措置）

第一〇条　この法律（附則第一条各号に掲げる規定にあっては、当該規定）の施行前にした行為に対する罰則の適用については、なお従前の例による。

（政令への委任）

第一一条　この附則に規定するもののほか、この法律の施行に関し必要な経過措置（罰則に関する経過措置を含む。）は、政令で定める。

附　則　〔平成二六年五月一日法律第三三号〕

（施行期日）

1　この法律は、公布の日から起算して三月を超えない範囲内において政令で定める日から施行する。

〔平成二六年六月政令二三六号により、平成二六・七・一から施行〕

（政令への委任）

2　この法律の施行に関し必要な経過措置は、政令で定める。

（検討）

3　政府は、この法律の施行後五年を経過した場合において、この法律による改正後の港湾法の施行の状況について検討を加え、必要があると認めるときは、その結果に基づいて所要の措置を講ずるものとする。

附　則　〔平成二六年六月一三日法律第六九号抄〕

（施行期日）

第一条　この法律は、行政不服審査法（平成二十六年法律第六十八号）の施行の日〔平成二八年四月一日〕から施行する。

（経過措置の原則）

第五条　行政庁の処分その他の行為又は不作為についての不服申立てであってこの法律の施行前にされた行政庁の処分その他の行為又はこの法律の施行前にされた申請に係る行政庁の不作為に係るものについては、この附則に特別の定めがある場合を除き、なお従前の例による。

（訴訟に関する経過措置）

第六条　この法律による改正前の法律の規定により不服申立てに対する行政庁の裁決、決定その他の行為を経た後でなければ訴えを提起できないこととされる事項であって、当該不服申立てを提起しないでこ

の法律の施行前にこれを提起すべき期間を経過したもの（当該不服申立てが他の不服申立てに対する行政庁の裁決、決定その他の行為を経た後でなければ提起できないとされる場合にあっては、当該他の不服申立てを提起しないでこの法律の施行前にこれを提起すべき期間を経過したものを含む。）の訴えの提起については、なお従前の例による。

2　この法律の規定による改正前の法律の規定（前条の規定によりなお従前の例によることとされる場合を含む。）により異議申立てが提起された処分その他の行為であって、この法律の規定による改正後の法律の規定により審査請求に対する裁決を経た後でなければ取消しの訴えを提起することができないこととされるものの取消しの訴えの提起については、なお従前の例による。

3　不服申立てに対する行政庁の裁決、決定その他の行為の取消しの訴えであって、この法律の施行前に提起されたものについては、なお従前の例による。

（罰則に関する経過措置）

第九条　この法律の施行前にした行為並びに附則第五条及び前二条の規定によりなお従前の例によることとされる場合におけるこの法律の施行後にした行為に対する罰則の適用については、なお従前の例による。

（その他の経過措置の政令への委任）

第一〇条　附則第五条から前条までに定めるもののほか、この法律の施行に関し必要な経過措置（罰則に関する経過措置を含む。）は、政令で定める。

附　則〔平成二六年六月二七日法律第九一号〕

この法律は、会社法の一部を改正する法律の施行の日〔平成二七年五月一日〕から施行する。〔以下略〕

○会社法の一部を改正する法律の施行に伴う関係法律の整備等に関する法律(抄)

〔平成二六年六月二七日法律第九一号〕

第十二章　罰則に関する経過措置及び政令への委任

（罰則に関する経過措置）

第一一七条　施行日前にした行為及びこの法律の規定によりなお従前の例によることとされる場合における施行日以後にした行為に対する罰則の適用については、なお従前の例による。

（政令への委任）

第一一八条　この法律に定めるもののほか、この法律の施行に関し必要な経過措置は、政令で定める。

附　則〔平成二七年六月二六日法律第四八号抄〕

（施行期日）

第一条　この法律〔中略〕は、当該各号に定める日〔公布の日から起算して二十日を経過した日〕から施行する。

附　則〔平成二八年三月三一日法律第一四号抄〕

（施行期日）

第一条　この法律は、平成二十八年四月一日から施行する。〔以下略〕

附　則〔平成二八年五月二〇日法律第四五号〕

（施行期日）

1　この法律は、公布の日から起算して三月を超えない範囲内において政令で定める日から施行する。

〔平成二八年六月政令二四三号により、平成二八・七・一から施行〕

（政令への委任）

2　この法律の施行に関し必要な経過措置は、政令で定める。

（検討）

3　政府は、この法律の施行後五年を経過した場合において、この法律による改正後の港湾法の施行の状況について検討を加え、必要があると認めるときは、その結果に基づいて所要の措置を講ずるものとする。

附　則〔平成二九年五月三一日法律第四一号抄〕

（施行期日）

第一条　この法律は、平成三十一年四月一日から施行する。ただし、次条及び附則第四十八条の規定は、公布の日から施行する。

（政令への委任）

第四八条　この附則に規定するもののほか、この法律の施行に関し必要な経過措置は、政令で定める。

附　則〔平成二九年六月九日法律第五五号〕

（施行期日）

1　この法律は、公布の日から起算して一月を超えない範囲内において政令で定める日から施行する。

〔平成二九年七月政令一八七号により、平成二九・七・八から施行〕

（政令への委任）

2　この法律の施行に関し必要な経過措置は、政令で定める。

（検討）

3　政府は、この法律の施行後五年を経過した場合において、この法律による改正後の港湾法の施行の状況について検討を加え、必要があると認めるときは、その結果に基づいて所要の措置を講ずるものとする。

附　則〔平成三〇年一二月七日法律第八九号抄〕

（施行期日）

第一条　この法律は、公布の日から起算して四月を超えない範囲内において政令で定める日から施行する。

〔平成三一年三月政令四五号により、平成三一・四・一から施行〕

（罰則に関する経過措置）

第六条　この法律の施行前にした附則第四条の規定による改正前の港湾法の規定に違反する行為及びこの法律の施行前にした前条の規定による改正前の水産資源保護法の規定に違反する行為に対する罰則の適用については、なお従前の例による。

附　則〔令和元年五月三一日法律第一六号抄〕

（施行期日）

第一条　この法律は、公布の日から起算して九月を超えない範囲内において政令で定める日から施行する。〔以下略〕

〔令和元年一二月政令一八二号により、令和元・一二・一六から施行〕

附　則〔令和元年六月一四日法律第三七号抄〕

（施行期日）

第一条　この法律は、公布の日から起算して三月を経過した日から施行する。ただし、次の各号に掲げる規定は、当該各号に定める日から施行する。

一　〔前略〕次条並びに附則第三条〔中略〕の規定　公布の日

二〜四　〔略〕

（行政庁の行為等に関する経過措置）

第二条　この法律（前条各号に掲げる規定にあっては、当該規定。以下この条及び次条において同じ。）の施行の日前に、この法律による改正前の法律又はこれに基づく命令の規定（欠格条項その他の権利の制限に係る措置を定めるものに限る。）に基づき行われた行政庁の処分その他の行為及び当該規定により生じた失職の効力については、なお従前の例による。

（罰則に関する経過措置）

第三条　この法律の施行前にした行為に対する罰則の適用については、なお従前の例による。

（検討）

第七条　政府は、会社法（平成十七年法律第八十六号）及び一般社団法人及び一般財団法人に関する法律（平成十八年法律第四十八号）における法人の役員の資格を成年被後見人又は被保佐人であることを理由に制限する旨の規定について、この法律の公布後一年以内を目途として検討を加え、その結果に基づき、当該規定の削除その他の必要な法制上の措置を講ずるものとする。

附　則〔令和元年一二月六日法律第六八号抄〕

（施行期日）

第一条　この法律は、公布の日から起算して四月を超えない範囲内において政令で定める日から施行する。ただし、第三十七条の三第四項の改正規定並びに次条及び附則第四条の規定は、公布の日から施行する。

〔令和二年一月政令一四号により、令和二・二・一四から施行〕

（運営計画に関する経過措置）

第二条　この法律の施行前に港湾法第四十三条の十一第一項の規定による指定を受けた者（以下この条において「既存国際戦略港湾運営会社」という。）は、この法律の施行前に、当該指定に係るこの法律による改正前の港湾法第四十三条の十二第一項第二号に規定する運営計画（変更があったときは、その変更後のもの。第三項において「旧運営計画」という。）にこの法律による改正後の港湾法（第三項及び附則第五条において「新法」という。）第四十三条の十二第一項第二号ニに掲げる事項を記載する変更をし、港湾法第四十三条の十三の規定の例により、国土交通大臣の認可を受けなければならない。

2　国土交通大臣は、港湾法第四十三条の二十五の規定により政府が既存国際戦略港湾運営会社に対し出資している場合において、前項の認可をしようとするときは、あらかじめ、財務大臣に協議しなければならない。

3　第一項の認可を受けた旧運営計画は、この法律の施行の時において港湾法第四十三条の十三第一項の認可を受けた新法第四十三条の十二第一項第二号に規定する運営計画とみなす。

4 既存国際戦略港湾運営会社についての港湾法第四十三条の十九第一項の規定の適用については、同項第二号中「この法律又はこの法律に基づく命令」とあるのは、「この法律若しくは港湾法の一部を改正する法律（令和元年法律第六十八号）又はこれらの法律に基づく命令」とする。

5 第一項の規定に違反して、同項の認可を受けなかった場合には、その違反行為をした既存国際戦略港湾運営会社の取締役、執行役、会計参与若しくはその職務を行うべき社員又は監査役は、五十万円以下の過料に処する。

（罰則に関する経過措置）

第三条 この法律の施行前にした行為に対する罰則の適用については、なお従前の例による。

（政令への委任）

第四条 前二条に定めるもののほか、この法律の施行に関し必要な経過措置は、政令で定める。

（検討）

第五条 政府は、この法律の施行後五年を経過した場合において、新法の施行の状況について検討を加え、必要があると認めるときは、その結果に基づいて所要の措置を講ずるものとする。

附 則〔令和二年六月一二日法律第四九号抄〕

（施行期日）

第一条 この法律は、令和四年四月一日から施行する。〔以下略〕

附 則〔令和四年三月三一日法律第七号抄〕

（施行期日）

第一条 この法律は、令和四年四月一日から施行する。〔以下略〕

附 則〔令和四年六月一七日法律第六八号抄〕

（施行期日）

1 この法律は、刑法等一部改正法〔令和四年法律第六十七号〕施行日〔令和七年六月一日〕から施行する。ただし、次の各号に掲げる規定は、当該各号に定める日から施行する。

一 第五百九条の規定 公布の日

二 〔略〕

○刑法等の一部を改正する法律の施行に伴う関係法律の整理等に関する法律（抄）〔令和四年六月一七日法律第六八号〕

（罰則の適用等に関する経過措置）

第四四一条 刑法等の一部を改正する法律（令和四年法律第六十七号。以下「刑法等一部改正法」という。）及びこの法律（以下「刑法等一部改正法等」という。）の施行前にした行為の処罰については、次章に別段の定めがあるもののほか、なお従前の例による。

2 刑法等一部改正法等の施行後にした行為に対して、他の法律の規定によりなお従前の例によることとされ、なお効力を有することとされ又は改正前若しくは廃止前の法律の規定の例によることとされる罰則を適用する場合において、当該罰則に定める刑（刑法施行法第十九条第一項の規定又は第八十二条の規定による改正後の沖縄の復帰に伴う特別措置に関する法律第二十五条第四項の規定の適用後のものを含む。）に刑法等一部改正法第二条の規定による改正前の刑法（明治四十年法律第四十五号。以下この項において「旧刑法」という。）第十二条に規定する懲役（以下「懲役」という。）、旧刑法第十三条に規定する禁錮（以下「禁錮」という。）又は旧刑法第十六条に規定する拘留（以下「旧拘留」という。）が含まれるときは、当該刑のうち無期の懲役又は禁錮はそれぞれ無期拘禁刑と、有期の懲役又は禁錮はそれぞれその刑と長期及び短期（刑法施行法第二十条の規定の適用後のものを含む。）を同じくする有期拘禁刑と、旧拘留は長期及び短期（刑法施行法第二十条の規定の適用後のものを含む。）を同じくする拘留とする。

（裁判の効力とその執行に関する経過措置）

第四四二条 懲役、禁錮及び旧拘留の確定裁判の効力並びにその執行については、次章に別段の定めがあるもののほか、なお従前の例による。

（人の資格に関する経過措置）

第四四三条 懲役、禁錮又は旧拘留に処せられた者に係る人の資格に関する法令の規定の適用については、無期の懲役又は禁錮に処せられた者はそれぞれ無期拘禁刑に処せられた者と、有期の懲役又は禁錮に処せられた者はそれぞれ刑期を同じくする有期拘禁刑に処せられた者と、旧拘留に処せられた者は拘留に処せられた者とみなす。

2　拘禁刑又は拘留に処せられた者に係る他の法律の規定によりなお従前の例によることとされ、なお効力を有することとされ又は改正前若しくは廃止前の法律の規定の例によることとされる人の資格に関する法令の規定の適用については、無期拘禁刑に処せられた者は無期禁錮に処せられた者と、有期拘禁刑に処せられた者は刑期を同じくする有期禁錮に処せられた者と、拘留に処せられた者は刑期を同じくする旧拘留に処せられた者とみなす。

（経過措置の政令への委任）

第五〇九条　この編に定めるもののほか、刑法等一部改正法等の施行に伴い必要な経過措置は、政令で定める。

附　則〔令和四年一一月一八日法律第八七号抄〕

（施行期日）

第一条　この法律は、公布の日から起算して一月を超えない範囲内において政令で定める日から施行する。ただし、次の各号に掲げる規定は、当該各号に定める日から施行する。

〔令和四年一二月政令三八〇号により、令和四・一二・一六から施行〕

一　次条の規定　公布の日

二　第二条の規定　公布の日から起算して一年を超えない範囲内において政令で定める日

〔令和五年九月政令二八七号により、令和五・一〇・一から施行〕

（政令への委任）

第二条　この法律の施行に関し必要な経過措置は、政令で定める。

（検討）

第三条　政府は、この法律の施行後五年を経過した場合において、この法律による改正後の規定について、その施行の状況等を勘案しつつ検討を加え、必要があると認めるときは、その結果に基づいて必要な措置を講ずるものとする。

○港湾法

（昭和二十五年五月三十一日法律第二百十八号）

〔沿革〕　昭和二六年三月三〇日法律第六三号、六月四日第一九六号、二七年六月七日第一七一号、七月三一日第二五一号、二八年八月一〇日第一九四号、二九年五月一七日第一一一号、三一年五月四日第九四号、一二日第一〇一号、三二年三月三〇日第二五号、三四年四月二〇日第一四八号、第一四九号、三五年六月三〇日第一一三号、三六年四月一七日第六五号、三七年五月一六日第一四〇号、九月一五日第一六一号、三八年六月八日第九九号、三九年七月一〇日第一六八号、四〇年五月二二日第八〇号、四二年七月二〇日第七三号、八月一日第一二七号、四三年六月一五日第一〇一号、四五年五月一九日第七六号、六月一日第一〇九号、一二月二五日第一三六号、四六年五月二六日第七〇号、四八年七月一七日第五四号、九月二〇日第八四号、五一年六月一日第四七号、五三年七月五日第八七号、五四年一二月二五日第七〇号、五五年五月七日第四一号、五六年四月二五日第二八号、五八年五月二六日第五八号、一二月二日第七八号、五九年八月一〇日第七一号、一二月二五日第八七号、六〇年五月一八日第三七号、六一年五月八日第四六号、一二月四日第九三号、六二年三月三一日第二一号、九月四日第八七号、六三年五月六日第三〇号、平成元年四月一〇日第二二号、三年三月三〇日第一五号、五年三月三一日第八号、一一月一二日第八九号、六年六月二九日第四九号、一一年七月一六日第八七号、一二月二二日第一六〇号、一二年三月三一日第三三号、一四年二月八日第一号、三月三一日第一四号、一五年五月一六日第四一号、一六年四月二一日第三六号、六月九日第八四号、一七年五月二〇日第四五号、七月二六日第八七号、一八年三月三一日第一八号、五月一七日第三八号、六月二日第五〇号、七日第五三号、一九年六月一日第七一号、二〇年六月一三日第六六号、二二年三月三一日第二〇号、六月二日第四一号、二三年三月三一日第九号、五月二日第三七号、二五日第五三号、八月三〇日第一〇五号、二五年六月五日第三一号、一四日第四四号、一一月二二日第七六号、二六年三月三一日第六号、五月一日第三三号、三〇日第四二号、六月四日第五一号、一三日第六九号、二七日第九一号、二七年六月二六日第四八号、二八年三月三一日第一四号、五月二〇日第四五号、二九年五月三一日第四一号、六月九日第五五号、三〇年一二月七日第八九号、令和元年五月三一日第一六号、六月一四日第三七号、一二月六日第六八号、二年六月一二日第四九号、四年三月三一日第七号、一一月一八日第八七号改正

注　令和四年六月一七日法律第六八号の改正は、令和七年六月一日から施行のため、現行の条文の次に改正後の条文を掲載いたしました。

目　次

第一章　総則

（目的）

第一条　この法律は、交通の発達及び国土の適正な利用と均衡ある発展に資するため、環境の保全に配慮しつつ、港湾の秩序ある整備と適正な運営を図るとともに、航路を開発し、及び保全することを目的とする。

本条…全部改正〔昭和四八年七月法律五四号〕、一部改正〔平成一二年三月法律三三号〕

（定義）

第二条　この法律で「港湾管理者」とは、第二章第一節の規定により設立された港務局又は第三十三条の規定による地方公共団体をいう。

2　この法律で「国際戦略港湾」とは、長距離の国際海上コンテナ運送に係る国際海上貨物輸送網の拠点となり、かつ、当該国際海上貨物輸送網と国内海上貨物輸送網とを結節する機能が高い港湾であつて、その国際競争力の強化を重点的に図ることが必要な港湾として政令で定めるものをいい、「国際拠点港湾」とは、国際戦略港湾以外の港湾であつて、国際海上貨物輸送網の拠点となる港湾として政令で定めるものをいい、「重要港湾」とは、国際戦略港湾及び国際拠点港湾以外の港湾であつて、海上輸送網の拠点となる港湾その他の国の利害に重大な関係を有する港湾として政令で定めるものをいい、「地方港湾」とは、国際戦略港湾、国際拠点港湾及び重要港湾以外の港湾をいう。

3　この法律で「港湾区域」とは、第四条第四項又は第八項（これらの規定を第九条第二項及び第三十三条第二項において準用する場合を含む。）の規定による同意又は届出があつた水域をいう。

4　この法律で「臨港地区」とは、都市計画法（昭和四十三年法律第百号）第二章の規定により臨港地区として定められた地区又は第三十八条の規定により港湾管理者が定めた地区をいう。

5　この法律で「港湾施設」とは、港湾区域及び臨港地区内における第一号から第十一号までに掲げる施設並びに港湾の利用又は管理に必要な第十二号から第十四号までに掲げる施設をいう。

一　水域施設　航路、泊地及び船だまり

二　外郭施設　防波堤、防砂堤、防潮堤、導流堤、水門、閘門、護岸、堤防、突堤及び胸壁

三　係留施設　岸壁、係船浮標、係船くい、桟橋、浮桟橋、物揚場及び船揚場

四　臨港交通施設　道路、駐車場、橋梁、鉄道、軌道、運河及びヘリポート

五　航行補助施設　航路標識並びに船舶の入出港のための信号施設、照明施設及び港務通信施設

六　荷さばき施設　固定式荷役機械、軌道走行式荷役機械、荷さばき地及び上屋

七　旅客施設　旅客乗降用固定施設、手荷物取扱所、待合所及び宿泊所

八　保管施設　倉庫、野積場、貯木場、貯炭場、危険物置場及び貯油施設

八の二　船舶役務用施設　船舶のための給水施設及び動力源の供給の用に供する施設（第十三号に掲げる施設を除く。）、船舶修理施設並びに船舶保管施設

八の三　港湾情報提供施設　案内施設、見学施設その他の港湾の利用に関する情報を提供するための施設

九　港湾公害防止施設　汚濁水の浄化のための導水施設、公害防止用緩衝地帯その他の港湾における公害の防止のための施設

九の二　廃棄物処理施設　廃棄物埋立護岸、廃棄物受入施設、廃棄物焼却施設、廃棄物破砕施設、廃油処理施設その他の廃棄物の処理のための施設（第十三号に掲げる施設を除く。）

九の三　港湾環境整備施設　海浜、緑地、広場、植栽、休憩所その他の港湾の環境の整備のための施設

十　港湾厚生施設　船舶乗組員及び港湾における労働者の休泊所、診療所その他の福利厚生施設

十の二　港湾管理施設　港湾管理事務所、港湾管理用資材倉庫その他の港湾の管理のための施設（第十四号に掲げる施設を除く。）

十一　港湾施設用地　前各号の施設の敷地

十二　移動式施設　移動式荷役機械及び移動式旅客乗降用施設

十三　港湾役務提供用移動施設　船舶の離着岸を補助するための船舶並びに船舶のための給水及び動力源の供給並びに廃棄物の処理の用に供する船舶及び車両

十四　港湾管理用移動施設　清掃船、通船その他の港湾の管理のための移動施設

6　前項第一号から第十一号までに掲げる施設で、港湾区域及び臨港地区内にないものについても、国土交通大臣が港湾管理者の申請によつて認定したものは、港湾施設とみなす。

7　この法律で「港湾工事」とは、港湾施設を建設し、改良し、維持し、又は復旧する工事及びこれらの工事以外の工事で港湾における汚泥その他公害の原因となる物質の堆積の排除、汚濁水の浄化、漂流物の除去その他の港湾の保全のために行うものをいう。

8　この法律で「開発保全航路」とは、港湾区域及び河川法（昭和三十九年法律第百六十七号）第三条第一項に規定する河川の河川区域（以下単に「河川区域」という。）以外の水域における船舶の交通を確保するため開発及び保全に関する工事を必要とする航路をいい、その構造の保全並びに船舶の航行の安全及び待避のため必要な施設を含むものとし、その区域は、政令で定める。

9　この法律で「避難港」とは、暴風雨に際し小型船舶が避難のため停泊することを主たる目的とし、通常貨物の積卸し又は旅客の乗降の用に供せられない港湾で、政令で定めるものをいう。

10　この法律で「埠頭」とは、岸壁その他の係留施設及びこれに附帯する荷さばき施設その他の国土交通省令で定める係留施設以外の港湾施設の総体をいう。

五項…一部改正・六項…追加・旧六・七項…七・八項に繰下〔昭和二六年六月法律一九六号〕、一項…一部改正〔昭和二七年六月法律一七一号〕、五・六項…一部改正〔昭和二九年五月法律一一一号〕、五項…一部改正〔昭和四二年八月法律一二七号〕、四項…一部改正〔昭和四三年六月法律一〇一号〕、五項…一部改正〔昭和四五年一二月法律一三六号〕、五・七項…一部改正〔昭和四六年五月法律七〇号〕、五・七項…一部改正・八項…追加・旧八項…九項に繰下〔昭和四八年七月法律五四号〕、四項…一部改正〔平成一一年七月法律八七号〕、六項…一部改正〔平成一一年一二月法律一六〇号〕、一・五項…一部改正〔平成一二年三月法律三三号〕、一項…一部改正〔平成一五年五月法律四一号〕、五項…一部改正〔平成一七年五月法律四五号〕、二項…全部改正〔平成二三年三月法律九号〕、三項…一部改正〔平成二三年五月法律三七号〕、一〇項…追加〔平成二三年三月法律九号〕、八項…一部改正〔平成二五年六月法律三一号〕、五項…一部改正〔平成二八年五月法律四五号〕、五・七・九項…一部改正〔令和四年一一月法律八七号〕

（特定貨物輸入拠点港湾の指定）

第二条の二　国土交通大臣は、国際戦略港湾、国際拠点港湾又は重要港湾であつて、主として輸入されるばら積みの貨物（以下「輸入ばら積み貨物」という。）の海上運送の用に供され、又は供されることとなる国土交通省令で定める規模その他の要件に該当する埠頭（以下この項及び第五十条の六第二項第三号において「特定貨物取扱埠頭」という。）を有するもののうち、輸入ばら積み貨物の取扱量その他の国土交通省令で定める事情を勘案し、当該特定貨物取扱埠頭を中核として輸入ばら積み貨物の海上運送の共同化の促進に資する当該国際戦略港湾、国際拠点港湾又は重要港湾の効果的な利用の推進を図ることが我が国産業の国際競争力の強化のために特に重要なものを、特定貨物輸入拠点港湾として指定することができる。

2　国土交通大臣は、前項の規定による指定をしたときは、国土交通省令で定めるところにより、その旨を公示しなければならない。

3　国土交通大臣は、第一項の特定貨物輸入拠点港湾（以下単に「特定貨物輸入拠点港湾」という。）について指定の事由がなくなつたと認めるときは、当該特定貨物輸入拠点港湾について指定を取り消すものとする。

4　第二項の規定は、前項の規定による指定の取消しについて準用する。

本条…追加〔平成二五年六月法律三一号〕

（国際旅客船拠点形成港湾の指定）

第二条の三　国土交通大臣は、主として本邦の港と本邦以外の地域の港との間の航路に就航する旅客船（以下「国際旅客船」という。）の利用に供され、又は供されることとなる国土交通省令で定める規模その他の要件に該当する埠頭（以下「国際旅客船取扱埠頭」という。）を有する港湾のうち、船舶乗降旅客数その他の国土交通省令で定める事情を勘案し、当該国際旅客船取扱埠頭を中核として官民の連携による国際旅客船の受入れの促進を図ることにより国際旅客船の寄港の拠点を形成することが我が国の観光の国際競争力の強化及び地域経済の活性化その他の地域の活力の向上のために特に重要なものを、国際旅客船拠点形成港湾として指定することができる。

2　国土交通大臣は、前項の規定による指定をしたときは、国土交通省令で定めるところにより、その旨を公示しなければならない。

3　国土交通大臣は、第一項の国際旅客船拠点形成港湾（以下この項及び第五十条の十六第一項において単に「国際旅客船拠点形成港湾」という。）について指定の事由がなくなつたと認めるときは、当該国際旅客船拠点形成港湾について指定を取り消すものとする。

4　第二項の規定は、前項の規定による指定の取消しについて準用する。

本条…追加〔平成二九年六月法律五五号〕

（海洋再生可能エネルギー発電設備等拠点港湾の指定）

第二条の四　国土交通大臣は、海洋再生可能エネルギー発電設備（海洋再生可能エネルギー発電設備の整備に係る海域の利用の促進に関する法律（平成三十年法律第八十九号）第二条第二項に規定する海洋再生可能エネルギー発電設備をい

う。）又は港湾区域に設置される再生可能エネルギー源（再生可能エネルギー電気の利用の促進に関する特別措置法（平成二十三年法律第百八号）第二条第三項に規定する再生可能エネルギー源をいう。第三十七条の三第一項において同じ。）の利用に資する施設若しくは工作物（以下この項及び第五十五条の二第一項において「海洋再生可能エネルギー発電設備等」という。）の設置及び維持管理に必要な人員及び物資の輸送の用に供され、又は供されることとなる国土交通省令で定める規模その他の要件に該当する埠頭（以下「海洋再生可能エネルギー発電設備等取扱埠頭」という。）を有する港湾のうち、当該港湾の利用状況その他の国土交通省令で定める事情を勘案し、当該海洋再生可能エネルギー発電設備等取扱埠頭を中核として海洋再生可能エネルギー発電設備等の設置及び維持管理の円滑な実施の促進に資する当該港湾の効果的な利用の推進を図ることが我が国の経済社会の健全な発展及び国民生活の安定向上のために特に重要なものを、海洋再生可能エネルギー発電設備等拠点港湾として指定することができる。

2　国土交通大臣は、前項の規定による指定をしたときは、国土交通省令で定めるところにより、その旨を公示しなければならない。

3　国土交通大臣は、第一項の海洋再生可能エネルギー発電設備等拠点港湾（以下単に「海洋再生可能エネルギー発電設備等拠点港湾」という。）について指定の事由がなくなつたと認めるときは、当該海洋再生可能エネルギー発電設備等拠点港湾について指定を取り消すものとする。

4　第二項の規定は、前項の規定による指定の取消しについて準用する。

本条…追加〔令和元年一二月法律六八号〕、一項…一部改正〔令和二年六月法律四九号〕

（漁港に関する規定）

第三条　この法律は、漁業の用に供する港湾として他の法律によつて指定された港湾には適用しない。但し、当該指定された港湾で、政令で定めるものについては、この限りでない。

本条…一部改正〔昭和二六年六月法律一九六号〕

第一章の二　港湾計画等

本章…追加〔昭和四八年七月法律五四号〕

（港湾及び開発保全航路の開発等に関する基本方針）

第三条の二　国土交通大臣は、港湾の開発、利用及び保全並びに開発保全航路の開発に関する基本方針（以下「基本方針」という。）を定めなければならない。

2　基本方針においては、次に掲げる事項を定めるものとする。

一　港湾の開発、利用及び保全の方向に関する事項

二　港湾の配置、機能及び能力に関する基本的な事項

三　開発保全航路の配置その他開発に関する基本的な事項

四　港湾の開発、利用及び保全並びに開発保全航路の開発に際し配慮すべき環境の保全に関する基本的な事項

五　経済的、自然的又は社会的な観点からみて密接な関係を有する港湾相互間の連携の確保に関する基本的な事項

六　官民の連携による港湾の効果的な利用に関する基本的な事項

七　民間の能力を活用した港湾の運営その他の港湾の効率的な運営に関する基本的な事項

3　基本方針は、交通体系の整備、国土の適正な利用及び均衡ある発展並びに国民の福祉の向上のため果たすべき港湾及び開発保全航路の役割を考慮するとともに、地球温暖化の防止及び気候の変動への適応並びに国際観光の振興のため果たすべき港湾及び開発保全航路の役割に配慮して定めるものとする。

4　国土交通大臣は、基本方針を定め、又は変更しようとするときは、関係行政機関の長に協議し、かつ、交通政策審議会の意見を聴かなければならない。

5　港湾管理者は、基本方針に関し、国土交通大臣に対し、意見を申し出ることができる。

6　国土交通大臣は、基本方針を定め、又は変更したときは、遅滞なく、これを公表しなければならない。

本条…追加〔昭和四八年七月法律五四号〕、四項…一部改正〔昭和五八年一二月法律七八号〕、一・四－六項…一部改正〔平成一一年一二月法律一六〇号〕、二項…一部改正〔平成一二年三月法律三三号・二三年三月九号〕、二・三項…一部改正〔平成二九年六月法律五五号〕、三項…一部改正〔令和四年一一月法律八七号〕

（港湾計画）

第三条の三　国際戦略港湾、国際拠点港湾又は重要港湾の港湾管理者は、港湾の開発、利用及び保全並びに港湾に隣接する地域の保全に関する政令で定める事項に関する計画（以下「港湾計画」という。）を定めなければならない。

2　港湾計画は、基本方針に適合し、かつ、港湾の取扱可能貨物量その他の能力に関する事項、港湾の能力に応ずる港湾施設の規模及び配置に関する事項、港湾の環境の整備及び保全に関する事項、港湾の効率的な運営に関する事項その他の基本的な事項に関する国土交通省令で定める基準に適合したものでなければならない。

3　国際戦略港湾、国際拠点港湾又は重要港湾の港湾管理者は、港湾計画を定め、又は変更しようとするときは、地方港湾審議会の意見を聴かなければならない。

4　国際戦略港湾、国際拠点港湾又は重要港湾の港湾管理者は、港湾計画を定め、又は変更したとき（国土交通省令で定める軽易な変更をしたときを除く。）は、遅滞なく、当該港湾計画を国土交通大臣に提出しなければならない。

5　国土交通大臣は、前項の規定により提出された港湾計画について、交通政策審議会の意見を聴かなければならない。

6　国土交通大臣は、第四項の規定により提出された港湾計画が、基本方針又は第二項の国土交通省令で定める基準に適合していないと認めるとき、その他当該港湾の開発、利用又は保全上著しく不適当であると認めるときは、当該港湾管理者

に対し、これを変更すべきことを求めることができる。

7　国土交通大臣は、第四項の規定により提出された港湾計画について前項の規定による措置を執る必要がないと認めるときは、その旨を当該港湾管理者に通知しなければならない。

8　国際戦略港湾、国際拠点港湾又は重要港湾の港湾管理者は、港湾計画について第四項の国土交通省令で定める軽易な変更をしたときは、遅滞なく、当該港湾計画を国土交通大臣に送付しなければならない。

9　国際戦略港湾、国際拠点港湾又は重要港湾の港湾管理者は、第七項の規定による通知を受けたとき又は港湾計画について第四項の国土交通省令で定める軽易な変更をしたときは、遅滞なく、国土交通省令で定めるところにより、当該港湾計画の概要を公示しなければならない。

10　地方港湾の港湾管理者は、港湾計画を定め、又は変更したときは、遅滞なく、国土交通省令で定めるところにより、当該港湾計画の概要を公示しなければならない。

11　第三項の規定は、地方港湾の港湾管理者が港湾計画を定め、又は変更する場合に準用する。

本条…追加〔昭和四八年七月法律五四号〕、四・七項…一部改正・八・九項…追加・旧八・九項…一〇・一一項に繰下〔昭和五四年一二月法律七〇号〕、五項…一部改正〔昭和五八年一二月法律七八号〕、二・四―一〇項…一部改正〔平成一一年一二月法律一六〇号〕、一―四・八・九項…一部改正〔平成二三年三月法律九号〕

（港湾計画の変更の提案）

第三条の四　第四十三条の十一第一項の規定による指定を受けた者は当該指定に係る国際戦略港湾の港湾管理者に対して、同条第六項の規定による指定を受けた者はその指定をした港湾管理者に対して、それぞれ港湾計画を変更することを提案することができる。この場合においては、基本方針に即して、当該提案に係る港湾計画の素案を作成して、これを提示しなければならない。

2　前項の規定による提案を受けた港湾管理者は、当該提案に基づき港湾計画を変更するか否かについて、遅滞なく、当該提案をした者に通知しなければならない。この場合において、港湾計画を変更しないこととするときは、その理由を明らかにしなければならない。

本条…追加〔平成二三年三月法律九号〕

第二章　港務局

第一節　港務局の設立等

（設立等）

第四条　現に当該港湾において港湾の施設を管理する地方公共団体、従来当該港湾において港湾の施設の設置若しくは維持管理の費用を負担した地方公共団体又は予定港湾区域を地先水面とする地域を区域とする地方公共団体（以下「関係地方公共団体」という。）は、単独で又は共同して、定款を定め、港務局を設立することができる。

2　前項の規定は、国及び地方公共団体以外の者が、水域施設及び外郭施設の全部又は大部分を維持管理している港湾においては、その者が関係地方公共団体のいずれかに港務局の設立を求めた場合を除きこれを適用しない。

3　港務局の設立を発起する関係地方公共団体は、その議会の議決を経た上、単独で又は共同して港務局を設立しようとする旨、予定港湾区域及び他の関係地方公共団体が意見を申し出るべき期間を公告し、かつ、他の関係地方公共団体から意見の申出があつたときは、これと協議しなければならない。この場合において、関係地方公共団体が意見を申し出るべき期間は、一月を下ることができない。

4　次の各号に掲げる港湾において港務局を設立しようとする関係地方公共団体は、前項の期間内に他の関係地方公共団体から同項の意見の申出がなかつたとき、又は同項の規定による関係地方公共団体の協議が議会の議決を経て調つたときは、港務局の港湾区域について、国土交通省令で定めるところにより、それぞれ当該各号に定める者に協議し、その同意を得なければならない。

一　国際戦略港湾、国際拠点港湾又は重要港湾　国土交通大臣

二　避難港であつて都道府県が港務局の設立に加わつているもの　国土交通大臣

三　前号に掲げるもの以外の避難港　予定港湾区域を地先水面とする地域を区域とする都道府県を管轄する都道府県知事

5　国土交通大臣又は都道府県知事は、河川区域又は海岸法（昭和三十一年法律第百一号）第三条の規定により指定される海岸保全区域の全部又は一部を含む港湾区域について、前項の同意をしようとするときは、当該河川を管理する河川法第七条に規定する河川管理者又は当該海岸保全区域を管理する海岸法第二条第三項に規定する海岸管理者に協議しなければならない。

6　国土交通大臣又は都道府県知事は、予定港湾区域が、当該水域を経済的に一体の港湾として管理運営するために必要な最小限度の区域であつて、当該予定港湾区域に隣接する水域を地先水面とする地方公共団体の利益を害せず、かつ、港則法（昭和二十三年法律第百七十四号）に基づく港の区域の定めのあるものについてはその区域を超えないものでなければ、第四項の同意をすることができない。ただし、同法に基づく港の区域の定めのある港湾について、経済的に一体の港湾として管理運営するために必要な最小限度の区域を定めるために同法に基づく港の区域を超えることがやむを得ないときは、当該港の区域を超えて同意をすることができる。

7　避難港以外の地方港湾において港務局を設立しようとする関係地方公共団体は、港湾区域について、当該水域を経済的に一体の港湾として管理運営するために必要な最小限度の区域であつて、当該港湾区域に隣接する水域を地先水面とする地方公共団体の利益を害せず、かつ、港則法に基づく港の区域の定めのあるものについてはその区域を超えないものを定めなければならない。ただし、同法に基づく港の区域の定め

のある港湾について、経済的に一体の港湾として管理運営するために必要な最小限度の区域を定めるために同法に基づく港の区域を超えることがやむを得ないときは、当該港の区域を超えた区域を定めることができる。

8　前項の関係地方公共団体は、第三項の期間内に他の関係地方公共団体から同項の意見の申出がなかつたとき、又は同項の規定による関係地方公共団体の協議が議会の議決を経て調つたときは、港務局の港湾区域について、国土交通省令で定めるところにより、国土交通大臣（都道府県が港務局の設立に加わつていない場合にあつては、当該港湾区域を地先水面とする地域を区域とする都道府県を管轄する都道府県知事）に届け出なければならない。

9　前項の規定による届出をしようとする関係地方公共団体は、河川区域又は海岸法第三条の規定により指定される海岸保全区域の全部又は一部を含む予定港湾区域について、あらかじめ、当該河川を管理する河川法第七条に規定する河川管理者又は当該海岸保全区域を管理する海岸法第二条第三項に規定する海岸管理者に協議しなければならない。

10　第三項の規定による協議が調わないときは、関係地方公共団体は、次の各号に掲げる争いの区分に応じ、それぞれ当該各号に定める者に申し出て、その調停を求めることができる。

一　国際戦略港湾、国際拠点港湾又は重要港湾に係る争い　国土交通大臣

二　地方港湾に係る争いであつて都道府県が争いの当事者であるもの　国土交通大臣

三　前二号に掲げるもの以外の港湾に係る争い　予定港湾区域を地先水面とする地域を区域とする都道府県を管轄する都道府県知事

11　前項の申出には、協議のてん末及び関係地方公共団体の意見を附さなければならない。

12　第十項の規定による申出があつたときは、国土交通大臣又は都道府県知事は、従来の沿革、関係地方公共団体の財政の事情、将来の発展の計画及び当該港湾の利用の程度その他当該港湾と、関係地方公共団体の関係を考慮し、かつ、国際戦略港湾、国際拠点港湾又は重要港湾については総務大臣に協議して調停する。

13　都道府県知事は、第四項の同意をしたとき若しくは第八項の規定による届出があつたとき又は前項の規定による調停をしたときは、遅滞なくその旨を国土交通大臣に報告しなければならない。

一・四・七項…一部改正・三項…全部改正〔昭和二六年六月法律一九六号〕、六項…一部改正〔昭和二七年六月法律一七一号〕、五項…一部改正〔昭和三一年五月法律一〇一号〕、九項…一部改正〔昭和三五年六月法律一一三号〕、五項…一部改正〔昭和三九年七月法律一六八号〕、六項…一部改正〔昭和四〇年五月法律八〇号〕、五項…一部改正〔昭和四八年七月法律五四号〕、四―七項・九・一〇項…一部改正〔平成一一年一二月法律一六〇号〕、二項…一部改正〔平成一二年三月法律三三号〕、四・九項…一部改正〔平成二三年三月法律九号〕、三―六項…一部改正・七―九項…追加・旧七・九・一〇項…一部改正し一〇・一二・一三項に繰下・旧八項…一一項に繰下〔平成二三年五月法律三七号〕

（法人格）

第五条　港務局は、営利を目的としない公法上の法人とする。

（定款）

第六条　港務局の定款には、左の事項を記載しなければならない。

一　名称

二　港務局を組織する地方公共団体

三　事務所の所在地

四　業務

五　港湾区域

六　委員の定数、任期、選任、罷免及び給与並びに委員会の議事に関する事項

七　事務局の組織及び職員に関する事項

八　財産及び会計に関する事項

九　港務局を組織する地方公共団体の出資又は経費の分担に関する事項

十　剰余金の処分及び損失の処理に関する事項

十一　公告の方法

十二　解散に関する事項

2　定款又はその変更は、港務局を組織する地方公共団体の議会の承認を受けなければ、その効力を生じない。

一項…一部改正〔昭和二九年五月法律一二一号〕

（登記）

第七条　港務局は、その設立、主たる事務所の所在地の変更その他政令で定める事項について、政令で定める手続により、登記しなければならない。

2　港務局に関して登記を必要とする事項は、登記の後でなければ、これをもつて第三者に対抗することはできない。

（成立）

第八条　港務局は、設立の登記をすることによつて成立する。

（港湾区域の公告等）

第九条　港務局は、成立後遅滞なくその旨及び港湾区域を公告しなければならない。港湾区域に変更があつたときも同様である。

2　第四条第四項から第九項までの規定は、港務局が港湾区域を変更しようとする場合に準用する。

3　国土交通大臣又は都道府県知事は、前項において準用する第四条第八項の規定による変更の届出のあつた港湾区域が同条第七項の規定に違反していると認めるときは、当該届出を行つた港務局に対し、港湾区域を変更すべきことを求めることができる。

4　港務局は、前項の規定による要求があつたときは、遅滞なく、港湾区域について、必要な変更を行わなければならない。

見出し…改正・二項…一部改正・三・四項…追加〔平成二三年五月法律三七号〕

（港務局の解散事由）

第九条の二　港務局は、定款で定めた解散事由の発生によつて解散する。

本条…追加〔平成一八年六月法律五〇号〕

（解散の特例等）

第一〇条　港務局の解散は、当該港湾について、地方公共団体が第三十三条第一項後段の規定により港湾管理者となるまでは、その効力を生じない。但し、港務局を組織する地方公共団体が当該港務局の解散について国土交通大臣の承認を受けた場合は、この限りでない。

2　港務局を組織する地方公共団体は、港務局が解散した場合において、第三十条第一項の債券に係る債務その他政令で定める債務が存するときは、定款の定めるところにより連帯してその債務を負担する。

本条…全部改正〔昭和二九年五月法律一一一号〕、一項…一部改正〔平成一一年一二月法律一六〇号〕

（清算中の港務局の能力）

第一〇条の二　解散した港務局は、清算の目的の範囲内において、その清算の結了に至るまではなお存続するものとみなす。

本条…追加〔平成一八年六月法律五〇号〕

（清算人）

第一〇条の三　港務局が解散したときは、委員がその清算人となる。ただし、定款に別段の定めがあるとき、又は港務局を組織する地方公共団体の長が、当該地方公共団体の議会の同意を得て、委員以外の者を選任したときは、この限りでない。

本条…追加〔平成一八年六月法律五〇号〕

（裁判所による清算人の選任）

第一〇条の四　前条の規定により清算人となる者がないとき、又は清算人が欠けたため損害を生ずるおそれがあるときは、裁判所は、利害関係人若しくは検察官の請求により又は職権で、清算人を選任することができる。

本条…追加〔平成一八年六月法律五〇号〕

（清算人の解任）

第一〇条の五　重要な事由があるときは、裁判所は、利害関係人若しくは検察官の請求により又は職権で、清算人を解任することができる。

本条…追加〔平成一八年六月法律五〇号〕

（清算人及び解散の報告）

第一〇条の六　清算人は、その氏名及び住所並びに解散の原因及び年月日を港務局を組織する地方公共団体の議会に報告しなければならない。

2　清算中に就職した清算人は、その氏名及び住所を港務局を組織する地方公共団体の議会に報告しなければならない。

本条…追加〔平成一八年六月法律五〇号〕

（清算人の職務及び権限）

第一〇条の七　清算人の職務は、次のとおりとする。

一　現務の結了
二　債権の取立て及び債務の弁済
三　残余財産の引渡し

2　清算人は、前項各号に掲げる職務を行うために必要な一切の行為をすることができる。

本条…追加〔平成一八年六月法律五〇号〕

（債権の申出の催告等）

第一〇条の八　清算人は、その就職の日から二月以内に、少なくとも三回の公告をもつて、債権者に対し、一定の期間内にその債権の申出をすべき旨の催告をしなければならない。この場合において、その期間は、二月を下ることができない。

2　前項の公告には、債権者がその期間内に申出をしないときは清算から除斥されるべき旨を付記しなければならない。ただし、清算人は、知れている債権者を除斥することができない。

3　清算人は、知れている債権者には、各別にその申出の催告をしなければならない。

4　第一項の公告は、官報に掲載してする。

本条…追加〔平成一八年六月法律五〇号〕

（期間経過後の債権の申出）

第一〇条の九　前条第一項の期間の経過後に申出をした債権者は、港務局の債務が完済された後まだ権利の帰属すべき者に引き渡されていない財産に対してのみ、請求をすることができる。

本条…追加〔平成一八年六月法律五〇号〕

（残余財産の帰属）

第一〇条の一〇　解散した港務局の財産は、定款で指定した者に帰属する。

2　定款で権利の帰属すべき者を指定せず、又はその者を指定する方法を定めなかつたときは、清算人は、港務局を組織する地方公共団体の議会の同意を得て、その港務局の目的に類似する目的のために、その財産を処分することができる。

3　前二項の規定により処分されない財産は、港務局を組織する地方公共団体の財産に帰属する。

本条…追加〔平成一八年六月法律五〇号〕

（裁判所による監督）

第一〇条の一一　港務局の解散及び清算は、裁判所の監督に属する。

2　裁判所は、職権で、いつでも前項の監督に必要な検査をすることができる。

本条…追加〔平成一八年六月法律五〇号〕

（清算結了の報告）

第一〇条の一二　清算が結了したときは、清算人は、その旨を港務局を組織する地方公共団体の議会に報告しなければならない。

本条…追加〔平成一八年六月法律五〇号〕

（特別代理人の選任等に関する事件の管轄）

第一〇条の一三　次に掲げる事件は、港務局の主たる事務所の所在地を管轄する地方裁判所の管轄に属する。

一　特別代理人の選任に関する事件
二　港務局の解散及び清算の監督に関する事件
三　清算人に関する事件

本条…追加〔平成一八年六月法律五〇号〕

（不服申立ての制限）

第一〇条の一四　清算人の選任の裁判に対しては、不服を申し立てることができない。

本条…追加〔平成一八年六月法律五〇号〕

（裁判所の選任する清算人の報酬）

第一〇条の一五　裁判所は、第十条の四の規定により清算人を選任した場合には、港務局が当該清算人に対して支払う報酬の額を定めることができる。この場合においては、裁判所は、当該清算人（監事を置く港務局にあつては、当該清算人及び監事）の陳述を聴かなければならない。

本条…追加〔平成一八年六月法律五〇号〕

（一般社団法人及び一般財団法人に関する法律の準用）

第一一条　一般社団法人及び一般財団法人に関する法律（平成十八年法律第四十八号）第四条及び第七十八条の規定は、港務局について準用する。

本条…一部改正〔昭和二七年六月法律一七一号・平成一七年七月八七号〕、全部改正〔平成一八年六月法律五〇号〕

第二節　港務局の業務

（業務）

第一二条　港務局は、次の業務を行う。

一　港湾計画を作成すること。
二　港湾区域及び港務局の管理する港湾施設を良好な状態に維持すること（港湾区域内における漂流物、廃船その他船舶航行に支障を及ぼすおそれがある物の除去及び港湾区域内の水域の清掃その他の汚染の防除を含む。）。
三　港湾の開発、利用及び保全並びに港湾に隣接する地域の保全のため必要な港湾施設（第十一号の三に掲げる施設以外の廃棄物処理施設を除く。）の建設及び改良に関する港湾工事をすること。
三の二　前号に掲げるもののほか、港湾区域内又は臨港地区内における水面の埋立て、盛土、整地等による土地の造成又は整備を行うこと。
四　委託により、国又は地方公共団体の所有に属する港湾施設（港湾の運営に必要な土地を含む。）であつて一般公衆の利用に供するものを管理すること。
四の二　水域施設の使用に関し必要な規制を行うこと。
五　一般公衆の利用に供する係留施設のうち一般公衆の利便を増進するため必要なものを自ら運営し、及びこれを利用する船舶に対し係留場所の指定その他使用に関し必要な規制を行うこと。
五の二　港湾区域内における入港船又は出港船から入港届又は出港届を受理すること。
六　消火、救難及び警備に必要な設備を設け、並びに港湾区域内に流出した油の防除に必要なオイルフェンス、薬剤その他の資材を備えること。
七　港湾の開発、利用及び保全のため必要な調査研究及び統計資料の作成を行い、並びに当該港湾の利用を宣伝すること。
八　船舶に対する給水、離着岸の補助、船舶の廃油の処理その他船舶に対する役務が、他の者によつて適当かつ十分に提供されない場合において、これらの役務を提供すること。
九　港務局が管理する港湾施設で、一般公衆の利用に供することを要せず、又は自ら運営することを適当としないものを貸し付けること。
十　港務局が管理する上屋、荷役機械等の港湾施設を使用して港湾運営に必要な役務を提供する者に対し、貨物の移動を円滑に行い又は港湾施設の有効な利用を図るため当該施設の使用を規制すること。
十一　港湾運営に必要な役務の提供をあつせんすること。
十一の二　前号に掲げるもののほか、港湾区域及び臨港地区内における貨物の積卸し、保管、荷さばき及び運送の改善についてあつせんすること。
十一の三　廃棄物埋立護岸、海洋性廃棄物処理施設（船舶若しくは海洋汚染等及び海上災害の防止に関する法律（昭和四十五年法律第百三十六号）第三条第十号に規定する海洋施設において生じた廃棄物（同法第四十四条に規定する廃有害液体物質等を含む。）又は第二号に掲げる業務の実施その他海洋における汚染の防除により収集された廃棄物の処理のための施設で廃棄物埋立護岸以外のものをいう。以下同じ。）、廃油処理施設（同法第三条第十四号に規定する廃油処理施設をいう。）及び排出ガス処理施設（同法第四十四条に規定する排出ガス処理施設をいう。）を管理運営すること。
十二　船舶乗組員又は港湾における労働者の休泊所等これらの者の福利厚生を増進するための施設を設置し、又は管理すること。
十三　港湾の利用に必要な役務及び施設に関する所定の料金を示す最新の料率表を作成し、及び公表すること。
十四　その他前各号の業務を行うため必要な業務

2　前項第五号の二に規定する入港届又は出港届に関し必要な事項は、港務局を組織する地方公共団体のうち定款で定めるものの条例で定める。

3　前項の条例の制定は、当該港務局の作成した原案を尊重してこれをしなければならない。

4　第一項第十三号に規定する料率表においては、港務局が自ら定めた料金に係る料率のほか、第四十五条第一項若しくは第二項（第五十条の二十一において準用する場合を含む。）の規定により提出を受けた書面に記載された料率又は第四十五条第五項の規定による通知に係る料率を記載しなければならない。

5　港務局は、国土交通省令で定めるところにより、その管理する港湾施設の概要を公示しなければならない。

一項…一部改正・二・三項…追加・旧二項…一部改正し四項に繰下〔昭和二六年六月法律一九六号〕、一項…一部改正・五項…追加〔昭和二九年五月法律一一一号〕、一項…一部改正〔昭和四二年八月法律一二七号・四八年七月五四号・五一年六月四七号・五五年五月四一号・五八年五月五八号〕、五項…一部改正〔平成一一年一二月法律一六〇号〕、一項…一部改正〔平成一二年五月法律三三号・一六年四月三六号・一七年五月四五号〕、四項…全部改正〔平成二三年三月法律九号〕、一部改正〔平成二九年六月法律五五号〕

(規程)

第一二条の二　港務局は、法令又は当該港務局を組織する地方公共団体の条例若しくは規則に違反しない限りにおいて、その権限に属する事務に関し、規程を定めることができる。

本条…追加〔昭和二九年五月法律一一一号〕

(私企業への不干与等)

第一三条　港務局は、港湾運送業、倉庫業その他輸送及び保管に関連する私企業の公正な活動を妨げ、その活動に干渉し、又はこれらの者と競争して事業を営んではならない。

2　港務局は、何人に対しても施設の利用その他港湾の管理運営に関し、不平等な取扱をしてはならない。

第三節　港務局の組織

(委員会)

第一四条　港務局に、委員会を置く。

(委員会の権限及び責任)

第一五条　委員会は、港務局の施策を決定し、港務局の事務の運営を指導統制する。

(委員会の組織及び委員の任命)

第一六条　委員会は、定款の定めるところにより七人以内の委員をもつて組織する。

2　港務局を組織する地方公共団体の数が三をこえるものに置かれる委員会にあつては、前項の規定にかかわらず、十一人に達するまで委員の数を増加することができる。

3　前二項の委員は、港湾に関し十分な知識と経験を有する者又は声望のある者のうちから、港務局を組織する地方公共団体の長が、当該地方公共団体の議会の同意を得て任命する。

4　第一項及び第二項に規定する委員の定数は、次条第一項第二号但書の規定による委員の数の倍数をこえるものでなければならない。

旧二項…一部改正し三項に繰下・二項…追加〔昭和二六年六月法律一九六号〕、二項…全部改正・四項…追加〔昭和二七年六月法律一七一号〕

(委員の欠格条件)

第一七条　左の各号の一に該当する者は、委員になることができない。

一　国会議員

二　地方公共団体の議会の議員。但し、港務局を組織する地方公共団体のそれぞれの議会が推薦した議員の中から、一地方公共団体について一人の委員を限り、委員を任命する場合は、この限りでない。

三　港務局の工事の請負を業とする者又はこれらの者が法人であるときはその役員若しくは名称の如何にかかわらず役員と同等以上の職権若しくは支配力を有する者（任命の日以前一年間においてこれらに該当した者を含む。）

四　前号に掲げる事業者の団体の役員又は名称の如何にかかわらず役員と同等以上の職権又は支配力を有する者（任命の日以前一年間においてこれらに該当した者を含む。）

2　委員が、前項各号の一に該当するに至つたときは、退職しなければならない。

一項…一部改正〔昭和二六年六月法律一九六号・二七年六月一七一号〕

(委員の任期)

第一八条　委員の任期は、三年以内とする。但し、補欠の委員の任期は、前任者の残任期間とする。

2　委員は、再任されることができる。

3　港務局設立後最初に任命される委員の任期は、多数の委員が同時に退任することがないように、任命の時において、港務局を組織する地方公共団体の長が定める。

(委員の罷免)

第一九条　港務局を組織する地方公共団体の長は、委員が心身の故障のため職務の執行ができないと認める場合又は委員に職務上の義務違反その他委員たるに適しない非行があると認める場合においては、当該地方公共団体の議会の同意を得て、これを罷免することができる。

(委員長)

第二〇条　委員会に、委員長を置き、委員の互選によつて定める。

2　委員長は、委員会の会議を総理する。

(議決方法)

第二一条　委員会の議事は、全委員の過半数で決する。

2　委員は、委員会の決定するところにより、自己に特別の利害関係を有する事項に関しては、議決に加わることができない。

一項…全部改正〔昭和二九年五月法律一一一号〕

(監事)

第二二条　港務局に、定款の定めるところにより監事を置くことができる。

2　第十六条第三項、第十七条及び第十九条の規定は、監事の任免に準用する。

二項…一部改正〔昭和二六年六月法律一九六号・二九年五月一一一号〕

(委員長等の職務及び権限)

第二三条　委員長は、港務局を代表し、港務局の長としてその業務を総理するとともに、法令又は第五十六条の三の二の条例によりその権限に属させられた港湾の開発、利用、保全及び管理に関する事務を行う。

2　委員長以外の委員は、定款の定めるところにより、港務局を代表し、委員長を補佐して港務局の業務を掌理し、委員長に事故があるときにはその職務を代理し、委員長が欠員のときにはその職務を行う。

3　監事は、港務局の業務を監査する。

一項…全部改正〔昭和二九年五月法律一一二号〕、一項…一部改正〔昭和四八年七月法律五四号・令和四年一一月八七号〕

（委員の代理権の制限）

第二三条の二　委員の代理権に加えた制限は、善意の第三者に対抗することができない。

本条…追加〔平成一八年六月法律五〇号〕

（利益相反行為）

第二三条の三　港務局と委員との利益が相反する事項については、委員は、代理権を有しない。この場合においては、裁判所は、利害関係人又は検察官の請求により、特別代理人を選任しなければならない。

本条…追加〔平成一八年六月法律五〇号〕

（事務局）

第二四条　港務局に、その事務を処理させるため、定款の定めるところにより、事務局を置き、所要の職員を置く。

（地方港湾審議会）

第二四条の二　委員長の諮問に応じ、当該港湾に関する重要事項を調査審議させるため、国際戦略港湾、国際拠点港湾又は重要港湾の港務局に、地方港湾審議会を置くものとし、地方港湾の港務局に、必要に応じ、第十二条の二の規程で定めるところにより、地方港湾審議会を置くものとする。

2　地方港湾審議会の名称、組織及び運営に関し必要な事項は、第十二条の二の規程で定める。

本条…追加〔昭和四八年七月法律五四号〕、一項…一部改正〔平成二三年三月法律九号〕

（委員長等の給与）

第二五条　港務局は、常勤する委員、監事及び職員に対して、給与を支払わなければならない。

2　前項の給与の額は、その職務の内容と責任に応ずるものでなければならず、且つ、当該地方における同様な職務に従事する者の給与と同等の基準において定められなければならない。但し、港務局を組織する地方公共団体の長（該当者が二人以上ある場合は、高い給与を受けている者）の給与をこえるものであつてはならない。

3　第一項の給与を受ける委員及び監事は、報酬を得て他の業務に従事してはならない。

（公務員たるの性質）

第二六条　委員、監事及び職員は、刑罰法規の適用については、法令により公務に従事する者とみなす。

（港務局を組織する地方公共団体が二以上あるときの委員等の任免）

第二七条　港務局を組織する地方公共団体が二以上あるときは、第十六条第三項、第十七条第一項第二号但書、第十八条第三項、第十九条及び第二十二条第二項の規定による委員及び監事の任免に関する地方公共団体の長及び議会の権限の行使については、港務局の定款で定めなければならない。

本条…一部改正〔昭和二六年六月法律一九六号〕

第四節　港務局の財務

（出資）

第二八条　港務局を組織する地方公共団体以外の者は、当該港務局に出資することができない。

（財務原則）

第二九条　港務局がその業務を行うために要する経費（港湾工事に要する経費を除く。）は、その管理する港湾施設等の使用料及び賃貸料並びに港務局の提供する給水等の役務の料金その他港湾の管理運営に伴う収入をもつて、まかなわなければならない。

（債券発行等）

第三〇条　港務局は、港湾施設の建設、改良又は復旧の費用に充てるため、債券を発行することができる。

2　地方財政法（昭和二十三年法律第百九号）第五条の三第一項、第二項及び第十項（許可をするかどうかを判断するために必要とされる基準に係る部分に限る。）並びに第五条の四第一項（第一号及び第二号を除く。）、第二項及び第六項（同法第五条の三第一項ただし書に係る部分に限る。）の規定は、前項の場合に準用する。この場合において、同法第五条の四第一項各号列記以外の部分中「次に掲げる地方公共団体」とあるのは、「次に掲げる港務局及び当該年度の前年度に生じた損失について港湾法（昭和二十五年法律第二百十八号）第三十一条第二項の規定による補てんを受けた港務局」と読み替えるものとする。

3　港務局は、第一項の規定により発行した債券の償還に充てるため、毎事業年度、定款の定めるところにより償還準備金を積み立てなければならない。

4　前項の償還準備金は、債券の償還の目的以外に使用してはならない。

二項…全部改正〔平成一一年七月法律八七号〕、一項…一部改正〔平成二三年八月法律一〇五号・二八年三月一四号〕

（損益の処理）

第三一条　港務局は、剰余金を前条の償還準備金及び欠損補充のための準備金として積み立ててなお残額があるときは、その金額を、定款の定めるところにより港務局を組織する地方公共団体に納付しなければならない。

2　港務局を組織する地方公共団体は、港務局に損失を生じた場合において前項の欠損補充のための準備金をこれに充ててなお不足額があるときは、定款の定めるところによりその不足額を補てんしなければならない。

（財産目録等）

第三二条　港務局は、毎事業年度終了後二箇月以内に、財産目録、貸借対照表及び損益計算書を作成し、港務局を組織する地方公共団体に提出しなければならない。

第三章　港湾管理者としての地方公共団体

（港湾管理者としての地方公共団体の決定等）

第三三条　関係地方公共団体は、港務局を設立しない港湾について、単独で港湾管理者として地方自治法（昭和二十二年法律第六十七号）第二百八十四条第二項若しくは第三項の地方公共団体を設立することができる。港務局の設立されている港湾において、当該港務局が定款の定めるところにより解散しようとする場合も同様である。

2　第四条第二項から第十三項までの規定は、前項の場合に、同条第四項から第九項までの規定は、港湾管理者としての地方公共団体が港湾区域を変更する場合に、第九条第一項の規定は、港湾管理者としての地方公共団体が港湾区域を定め、又はこれを変更した場合に準用する。この場合において、第四条第三項中「港務局の設立を発起する関係地方公共団体」とあるのは「単独で港湾管理者となり、又は港湾管理者としての地方自治法第二百八十四条第二項若しくは第三項の地方公共団体の設立を発起する関係地方公共団体」と読み替えるものとする。

本条…全部改正〔昭和二六年六月法律一九六号〕、一項…一部改正〔昭和二九年五月法律一一一号〕、一・二項…一部改正〔平成六年六月法律四九号〕、一項…一部改正〔平成一一年七月法律八七号〕、二項…一部改正〔平成二三年五月法律三七号〕

（業務）

第三十四条　港湾管理者としての地方公共団体の業務に関しては、第十二条及び第十三条の規定を準用する。

（委員会）

第三十五条　港湾管理者としての地方公共団体は、前条の規定による業務を執行する機関として、委員会を置くことができる。

2　委員会の名称、組織及び権限は、条例で定める。

三項…追加〔昭和二九年五月法律一一一号〕、一部改正〔平成一一年一二月法律一六〇号〕、三項…削除〔平成二五年六月法律四四号〕

（地方港湾審議会）

第三十五条の二　港湾管理者としての地方公共団体の長（当該地方公共団体に前条第一項の委員会が設置されているときは、その委員会）の諮問に応じ、当該港湾に関する重要事項を調査審議させるため、国際戦略港湾、国際拠点港湾又は重要港湾の港湾管理者としての地方公共団体に、地方港湾審議会を置くものとし、地方港湾の港湾管理者としての地方公共団体に、必要に応じ、条例で定めるところにより、地方港湾審議会を置くものとする。

2　地方港湾審議会の名称、組織及び運営に関し必要な事項は、条例で定める。

本条…追加〔昭和四八年七月法律五四号〕、一項…一部改正〔平成二三年三月法律九号〕

（港務局が成立した場合等）

第三十六条　地方公共団体が第三十三条の規定により港湾管理者であつた港湾について、港務局が成立したとき又は他の地方公共団体が、第三十三条の規定により港湾管理者となつたときは、新たに港湾管理者になつた者の港湾区域内にあつては、従来港湾管理者であつた地方公共団体は、港湾管理者としての地位を失う。

2　前項の規定は、港務局が港湾管理者であつた港湾について、地方公共団体が、第三十三条第一項後段の規定により港湾管理者となつた場合に準用する。

二項…追加〔昭和二九年五月法律一一一号〕

第四章　港湾区域及び臨港地区

（港湾区域内の工事等の許可）

第三十七条　港湾区域内において又は港湾区域に隣接する地域であつて港湾管理者が指定する区域（以下「港湾隣接地域」という。）内において、次の各号のいずれかに該当する行為をしようとする者は、港湾管理者の許可を受けなければならない。ただし、公有水面埋立法（大正十年法律第五十七号）第二条第一項の規定による免許を受けた者が免許に係る水域についてこれらの行為をする場合は、この限りでない。

一　港湾区域内の水域（政令で定めるその上空及び水底の区域を含む。以下同じ。）又は公共空地（以下「港湾区域内水域等」という。）の占用

二　港湾区域内水域等における土砂の採取

三　水域施設、外郭施設、係留施設、運河、用水渠又は排水渠の建設又は改良（第一号の占用を伴うものを除く。）

四　前各号に掲げるものを除き、港湾の開発、利用又は保全に著しく支障を与えるおそれのある政令で定める行為

2　港湾管理者は、前項の行為が、港湾の利用若しくは保全に著しく支障を与え、又は第三条の三第九項若しくは第十項の規定により公示された港湾計画の遂行を著しく阻害し、その他港湾の開発発展に著しく支障を与えるものであるときは、許可をしてはならず、また、政令で定める場合を除き、港湾管理者の管理する水域施設について前項第一号の水域の占用又は同項第四号の行為の許可をしてはならない。

3　国又は地方公共団体が、第一項の行為をしようとする場合には、第一項中「港湾管理者の許可を受け」とあるのは「港湾管理者と協議し」と、前項中「許可をし」とあるのは「協議に応じ」と読み替えるものとする。

4　港湾管理者は、条例又は第十二条の二の規程で定めるところにより、港湾区域内水域等に係る第一項第一号又は第二号の許可を受けた者から占用料又は土砂採取料を徴収することができる。ただし、前項に規定する者の協議に係るものについては、この限りでない。

5　港湾管理者は、条例又は第十二条の二の規程で定めるところにより、詐偽その他不正の行為により、前項の占用料又は土砂採取料の徴収を免かれた者からその徴収を免かれた金額の五倍に相当する金額以下の過怠金を徴収することができる。

6　第四項の占用料、土砂採取料又は前項の過怠金は、当該港湾管理者の収入に帰属するものとする。

一・三項…一部改正・二項…全部改正〔昭和二六年六月法律一九六号〕、一・二・四項…一部改正・五項…追加〔昭和二七年六月法律一七一号〕、三項…一部改正〔昭和二七年七月法律二五一号〕、一・四項…全部改正・二・三項…一部改正・五項…追加・

旧五項…一部改正し六項に繰下〔昭和二九年五月法律一一一号〕、三項…一部改正〔昭和三一年五月法律九四号・四二年七月七三号〕、一・二項…一部改正〔昭和四八年七月法律五四号〕、一項…一部改正〔昭和四八年九月法律八四号〕、二項…一部改正〔昭和四九年一二月法律七〇号〕、三項…一部改正〔昭和五九年八月法律七一号・一二月八七号・六一年一二月九三号〕、一―五項…一部改正〔平成一一年七月法律八七号〕、三項…一部改正〔平成一一年一二月法律一六〇号〕、一項…一部改正〔平成一二年三月法律三三号〕、一・四項…一部改正〔平成二八年五月法律四五号〕

（港湾隣接地域）

第三十七条の二　前条第一項の規定による港湾隣接地域の指定は、港湾区域外百メートル以内の地域内の区域について、当該港湾区域及び港湾区域に隣接する地域を保全するため必要な最小限度の範囲でしなければならない。

2　港湾管理者は、港湾隣接地域を指定しようとするときは、あらかじめ期日、場所及び指定しようとする地域を公告して、公聴会を開き、当該地域に利害関係を有する者にその指定に関する意見を述べる機会を与えなければならない。港湾隣接地域を変更しようとするときも同様である。

3　港湾管理者は、港湾隣接地域の指定をしたときは、その区域を公告し、且つ、その旨を国土交通大臣に報告しなければならない。

本条…追加〔昭和二九年法律一一一号〕、三項…一部改正〔昭和四八年五月法律五四号〕、二・三項…一部改正〔平成一一年七月法律八七号〕、三項…一部改正〔平成一一年一二月法律一六〇号〕

（公募対象施設等の公募占用指針）

第三十七条の三　港湾管理者は、第三十七条第一項の許可（長期間にわたり使用される施設又は工作物の設置のための同項第一号の占用に係るものに限る。第三項、第三十七条の八第二項及び第三項並びに第三十七条の十第三項において同じ。）の申請を行うことができる者を公募により決定することが、港湾区域内水域等を占用する者の公平な選定を図るとともに、再生可能エネルギー源の利用その他の公共の利益の増進を図る上で有効であると認められる施設又は工作物（以下「公募対象施設等」という。）について、港湾区域内水域等の占用及び公募の実施に関する指針（以下「公募占用指針」という。）を定めることができる。

2　公募占用指針には、次に掲げる事項を定めなければならない。

一　公募占用指針の対象とする公募対象施設等の種類

二　当該公募対象施設等のための港湾区域内水域等の占用の区域

三　当該公募対象施設等のための港湾区域内水域等の占用の開始の時期

四　港湾区域内水域等の占用の期間が満了した場合その他の事由により港湾区域内水域等の占用をしないこととなつた場合における当該公募対象施設等の撤去に関する事項

五　第三十七条の六第一項の認定の有効期間

六　占用料の額の最低額

七　占用予定者を選定するための評価の基準

八　前各号に掲げるもののほか、公募の実施に関する事項その他必要な事項

3　前項第二号の区域は、港湾管理者の管理する水域施設の区域その他の第三十七条第一項の許可の申請を行うことができる者を公募により決定することが港湾の開発、利用、保全又は管理上適切でない区域として国土交通省令で定める区域については定めないものとする。

4　第二項第五号の有効期間は、三十年を超えないものとする。

5　第二項第六号の占用料の額の最低額は、第三十七条第四項の規定により条例又は第十二条の二の規程で定める額を下回つてはならないものとする。

6　港湾管理者は、第二項第七号の評価の基準を定めようとするときは、国土交通省令で定めるところにより、あらかじめ、学識経験者の意見を聴かなければならない。

7　港湾管理者は、公募占用指針を定め、又はこれを変更したときは、遅滞なく、これを公示しなければならない。

本条…追加〔平成二八年五月法律四五号〕、一・四項…一部改正〔令和元年一二月法律六八号〕

（公募占用計画の提出）

第三十七条の四　公募対象施設等を設置するため港湾区域内水域等を占用しようとする者は、公募対象施設等のための港湾区域内水域等の占用に関する計画（以下「公募占用計画」という。）を作成し、その公募占用計画が適当である旨の認定を受けるための選定の手続に参加するため、これを港湾管理者に提出することができる。

2　公募占用計画には、次に掲げる事項を記載しなければならない。

一　港湾区域内水域等の占用の目的

二　港湾区域内水域等の占用の区域

三　港湾区域内水域等の占用の期間

四　公募対象施設等の構造

五　工事実施の方法

六　工事の時期

七　当該公募対象施設等の維持管理の方法

八　港湾区域内水域等の占用の期間が満了した場合その他の事由により港湾区域内水域等の占用をしないこととなつた場合における当該公募対象施設等の撤去の方法

九　占用料の額

十　資金計画及び収支計画

十一　その他国土交通省令で定める事項

3　公募占用計画の提出は、港湾管理者が公示する一月を下らない期間内に行わなければならない。

本条…追加〔平成二八年五月法律四五号〕

（占用予定者の選定）

第三十七条の五　港湾管理者は、前条第一項の規定により港湾区域内水域等を占用しようとする者から公募占用計画が提出されたときは、当該公募占用計画が次に掲げる基準に適合して

いるかどうかを審査しなければならない。
一　当該公募占用計画が公募占用指針に照らし適切なものであること。
二　当該公募対象施設等のための港湾区域内水域等の占用が第三十七条第二項の許可をしてはならない場合に該当しないものであること。
三　当該公募対象施設等及びその維持管理の方法が国土交通省令で定める基準に適合すること。
四　当該公募占用計画を提出した者が不正又は不誠実な行為をするおそれが明らかな者でないこと。

2　港湾管理者は、前項の規定により審査した結果、公募占用計画が同項各号に掲げる基準に適合していると認められるときは、第三十七条の三第二項第七号の評価の基準に従つて、その適合していると認められた全ての公募占用計画について評価を行うものとする。

3　港湾管理者は、前項の評価に従い、港湾の機能を損なうことなく公共の利益の増進を図る上で最も適切であると認められる公募占用計画を提出した者を占用予定者として選定するものとする。

4　港湾管理者は、前項の規定により占用予定者を選定しようとするときは、国土交通省令で定めるところにより、あらかじめ、学識経験者の意見を聴かなければならない。

5　港湾管理者は、第三項の規定により占用予定者を選定したときは、その者にその旨を通知しなければならない。

本条…追加〔平成二八年五月法律四五号〕

（公募占用計画の認定）

第三七条の六　港湾管理者は、前条第五項の規定により通知した占用予定者が提出した公募占用計画について、港湾区域内水域等の区域及び占用の期間を指定して、当該公募占用計画が適当である旨の認定をするものとする。

2　港湾管理者は、前項の認定をしたときは、当該認定をした日及び認定の有効期間並びに同項の規定により指定した港湾区域内水域等の区域及び占用の期間を公示しなければならない。

本条…追加〔平成二八年五月法律四五号〕

（公募占用計画の変更等）

第三七条の七　前条第一項の認定を受けた者（以下「認定計画提出者」という。）は、当該認定を受けた公募占用計画を変更しようとする場合においては、港湾管理者の認定を受けなければならない。

2　港湾管理者は、前項の変更の認定の申請があつたときは、次に掲げる基準に適合すると認める場合に限り、同項の認定をするものとする。
一　変更後の公募占用計画が第三十七条の五第一項第一号から第三号までに掲げる基準を満たしていること。
二　当該公募占用計画の変更をすることについて、公共の利益の一層の増進に寄与するものであると見込まれること又はやむを得ない事情があること。

3　前条第二項の規定は、第一項の変更の認定をした場合について準用する。

本条…追加〔平成二八年五月法律四五号〕

（公募を行つた場合における港湾区域内水域等の占用の許可等）

第三七条の八　認定計画提出者は、第三十七条の六第一項の認定（前条第一項の変更の認定を含む。以下「計画の認定」という。）を受けた公募占用計画（変更があつたときは、その変更後のもの。以下「認定公募占用計画」という。）に従つて公募対象施設等の設置及び維持管理をしなければならない。

2　港湾管理者は、認定計画提出者から認定公募占用計画に基づき第三十七条第一項の許可の申請があつた場合においては、同項の許可を与えなければならない。

3　港湾管理者が前項の規定により第三十七条第一項の許可を与えた場合においては、当該許可に係る占用料の額は、同条第四項の規定にかかわらず、認定公募占用計画に記載された占用料の額（当該額が第三十七条第四項の規定により条例又は第十二条の二の規程で定める額を下回る場合にあつては、当該条例又は当該規程で定める額）とする。

4　計画の認定がされた場合においては、認定計画提出者以外の者は、第三十七条の六第二項の占用の期間（前条第一項の変更の認定があつたときは、同条第三項において準用する第三十七条の六第二項の占用の期間）内は、第三十七条の六第二項の港湾区域内水域等の区域（前条第一項の変更の認定があつたときは、同条第三項において準用する第三十七条の六第二項の港湾区域内水域等の区域）については、第三十七条第一項の許可（同項第一号に係るものに限る。）の申請をすることができない。

本条…追加〔平成二八年五月法律四五号〕

（地位の承継）

第三七条の九　次に掲げる者は、港湾管理者の承認を受けて、認定計画提出者が有していた計画の認定に基づく地位を承継することができる。
一　認定計画提出者の一般承継人
二　認定計画提出者から、認定公募占用計画に基づき設置及び維持管理が行われ、又は行われた施設又は工作物の所有権その他当該施設又は工作物の設置及び維持管理に必要な権原を取得した者

本条…追加〔平成二八年五月法律四五号〕

（計画の認定の取消し）

第三七条の一〇　港湾管理者は、次に掲げる場合には、計画の認定を取り消すことができる。
一　認定計画提出者が第三十七条の八第一項の規定に違反したとき。
二　認定計画提出者が詐欺その他不正な手段により計画の認定を受けたとき。

2　港湾管理者は、前項の規定により計画の認定を取り消した

ときは、その旨を公示しなければならない。

3　第一項の規定により計画の認定が取り消されたときは、当該計画の認定に係る認定公募占用計画に基づき与えられた第三十七条第一項の許可は、その効力を失う。

本条…追加〔平成二八年五月法律四五号〕

（禁止行為）

第三七条の一一　何人も、港湾区域、港湾隣接地域、臨港地区又は第二条第六項の規定により国土交通大臣の認定した港湾施設の区域（これらのうち、港湾の開発、利用又は保全上特に必要があると認めて港湾管理者が指定した区域に限る。）内において、みだりに、船舶その他の物件で港湾管理者が指定したものを捨て、又は放置してはならない。

2　港湾管理者は、前項の規定による区域又は物件の指定をするときは、国土交通省令で定めるところにより、その旨を公示しなければならない。これを廃止するときも、同様とする。

3　前項の指定又はその廃止は、同項の公示によつてその効力を生ずる。

本条…追加〔平成一二年三月法律三三号〕、二項…一部改正〔平成一一年一二月法律一六〇号〕、一項…一部改正〔平成一八年五月法律三八号〕、旧三七条の三…繰下〔平成二八年五月法律四五号〕

（臨港地区）

第三八条　港湾管理者は、都市計画法第五条の規定により指定された都市計画区域以外の地域について臨港地区を定めることができる。

2　前項の臨港地区は、当該港湾区域を地先水面とする地域において、当該港湾の管理運営に必要な最小限度のものでなければならない。

3　港湾管理者は、第一項の臨港地区を定めようとするときは、あらかじめ、国土交通省令で定めるところにより、その旨を公告し、当該臨港地区の区域の案を、当該公告の日から二週間公衆の縦覧に供しなければならない。

4　利害関係人は、前項の臨港地区の区域の案が第二項の規定に適合しないと認めるときは、前項の縦覧期間満了の日までに、その事実を具して国土交通大臣に申し出て、臨港地区の区域の案の変更を港湾管理者に求めることを請求することができる。

5　前項の請求があつたときは、国土交通大臣は、当該港湾で運輸審議会の開催する公聴会において、港湾管理者にその臨港地区の区域の案が第二項の規定に適合するものであることを述べる十分な機会を与えた後、当該請求に理由があると認めたときは、港湾管理者に対し理由を示して臨港地区の区域の案を変更すべきことを求めることができる。

6　国土交通大臣は、第三項の臨港地区の区域の案について前項の措置を執る必要がないと認めるときは、その旨を当該港湾管理者に通知しなければならない。

7　港湾管理者は、第五項の要求があつた場合において臨港地区の区域の案に必要な変更を加えたとき又は前項の通知を受けたときでなければ、第一項の臨港地区を定めてはならない。

8　港湾管理者は、第一項の臨港地区を定めたときは、国土交通省令で定めるところにより、その旨を公告し、当該臨港地区の区域を公衆の縦覧に供しなければならない。

9　第一項の臨港地区の決定は、前項の公告によつてその効力を生ずる。

一項…一部改正〔昭和四三年六月法律一〇一号〕、三項…追加〔昭和四八年七月法律五四号〕、一項…一部改正・三項…全部改正・四－九項…追加〔平成一一年七月法律八七号〕、三－六項・八項…一部改正〔平成一一年一二月法律一六〇号〕

（臨港地区内における行為の届出等）

第三八条の二　臨港地区内において、次の各号の一に掲げる行為をしようとする者は、当該行為に係る工事の開始の日の六十日前までに、国土交通省令で定めるところにより、その旨を港湾管理者に届け出なければならない。但し、第三十七条第一項の許可を受けた者が当該許可に係る行為をしようとするとき、又は同条第三項に掲げる者が同項の規定による港湾管理者との協議の調つた行為をしようとするときは、この限りでない。

一　水域施設、運河、用水きよ又は排水きよの建設又は改良

二　次号に規定する工場等の敷地内の廃棄物処理施設（もつぱら当該工場等において発生する廃棄物を処理するためのものに限る。）以外の廃棄物処理施設で政令で定めるものの建設又は改良

三　工場又は事業場で、一の団地内における作業場の床面積の合計又は工場若しくは事業場の敷地面積が政令で定める面積以上であるもの（以下「工場等」という。）の新設又は増設

四　前三号に掲げるものを除き、港湾の開発、利用又は保全に著しく支障を与えるおそれのある政令で定める施設の建設又は改良

2　前項の規定により届出をしようとする者は、次に掲げる事項を記載した届出書を港湾管理者に提出しなければならない。

一　氏名又は名称及び住所並びに法人にあつては、その代表者の氏名

二　前項第一号及び第二号に掲げる行為にあつては、次に掲げる事項

イ　当該施設の位置、種類及び構造

ロ　当該施設の使用の計画

三　前項第三号に掲げる行為にあつては、次に掲げる事項

イ　工場等の位置、種類及び敷地面積並びに作業場の床面積

ロ　工場等の事業活動に伴い搬入し、又は搬出することとなる貨物の量の概計及び輸送に関する計画

ハ　工場等の事業活動に伴い生ずることとなる廃棄物の量の概計及び処理に関する計画

四　その他国土交通省令で定める事項

3　前項の届出書には、当該届出に係る行為に係る施設の工事設計書その他の国土交通省令で定める書類を添附しなければならない。

4　第一項の規定により届出をした者は、当該届出に係る行為に関し第二項第二号から第四号までに掲げる事項を変更しようとするときは、当該事項の変更に係る工事の開始の日の六十日前までに、国土交通省令で定めるところにより、その旨を港湾管理者に届け出なければならない。

5　第一項の規定により届出をした者は、当該届出に係る行為の実施の間において第二項第一号に掲げる事項に変更があつたときは、遅滞なく、その旨を港湾管理者に届け出なければならない。

6　第三項の規定は、第四項の規定による届出について準用する。

7　港湾管理者は、第一項又は第四項の規定による届出があつた場合において、当該届出に係る行為が次の各号（第一項第一号、第二号及び第四号に掲げる行為にあつては、第三号及び第四号。次項及び第十項において同じ。）に掲げる基準に適合しないと認めるときは、その届出を受理した日から六十日以内に限り、その届出をした者に対し、その届出に係る行為に関し計画の変更その他の必要な措置をとることを勧告することができる。

一　新設又は増設される工場等の事業活動に伴い搬入し、又は搬出することとなる貨物の輸送に関する計画が当該港湾の港湾施設の能力又は第三条の三第九項若しくは第十項の規定により公示された港湾計画に照らし適切であること。

二　新設又は増設される工場等の事業活動により生ずることとなる廃棄物のうち、当該港湾区域又は臨港地区（当該工場等の敷地を除く。）内において処理されることとなるものの量又は種類が第三条の三第九項又は第十項の規定により公示された港湾計画において定めた廃棄物の処理に関する計画に照らし適切であること。

三　第三条の三第九項又は第十項の規定により公示された港湾計画の遂行を著しく阻害するものでないこと。

四　その他港湾の利用及び保全に著しく支障を与えるおそれがないものであること。

8　港湾管理者は、第一項又は第四項の規定による届出があつた場合において、当該届出に係る行為（第一項第二号及び第四号に掲げる行為を除く。）が前項各号に掲げる基準に適合せず、且つ、その実施により水域施設、外郭施設、係留施設又は臨港交通施設の開発に関する港湾計画を著しく変更しなければ港湾の管理運営が困難となると認めるときは、その届出を受理した日から六十日以内に限り、その届出をした者に対し、その届出に係る行為に関する計画を変更すべきことを命ずることができる。

9　第三十七条第三項に掲げる者は、第一項各号に掲げる行為（同項但書に規定する行為を除く。）をしようとするときは、同項の規定による届出の例により、その旨を港湾管理者に通知しなければならず、その通知した事項を変更しようとするときは、第四項の規定による届出の例により、その旨を港湾管理者に通知しなければならない。

10　港湾管理者は、前項の規定による通知があつた場合において、当該通知に係る行為が第七項各号に掲げる基準に適合しないと認めるときは、その通知を受けた日から六十日以内に限り、その通知をした者に対し、その通知に係る行為に関し計画の変更その他の必要な措置をとることを要請することができる。

本条…追加〔昭和四八年七月法律五四号〕、七項…一部改正〔昭和五四年一二月法律七〇号〕、一・二・四・五・七―一〇項…一部改正〔平成一一年七月法律八七号〕、一―四項…一部改正〔平成一一年一二月法律一六〇号〕

（分区の指定）

第三九条　港湾管理者は、臨港地区内において次に掲げる分区を指定することができる。

一　商港区　旅客又は一般の貨物を取り扱わせることを目的とする区域

二　特殊物資港区　石炭、鉱石その他大量ばら積みを通例とする物資を取り扱わせることを目的とする区域

三　工業港区　工場その他工業用施設を設置させることを目的とする区域

四　鉄道連絡港区　鉄道と鉄道連絡船との連絡を行わせることを目的とする区域

五　漁港区　水産物を取り扱わせ、又は漁船の出漁の準備を行わせることを目的とする区域

六　バンカー港区　船舶用燃料の貯蔵及び補給を行わせることを目的とする区域

七　保安港区　爆発物その他の危険物を取り扱わせることを目的とする区域

八　マリーナ港区　スポーツ又はレクリエーションの用に供するヨット、モーターボートその他の船舶の利便に供することを目的とする区域

九　クルーズ港区　専ら観光旅客の利便に供することを目的とする区域

十　修景厚生港区　その景観を整備するとともに、港湾関係者の厚生の増進を図ることを目的とする区域

2　前項の分区は、当該港湾管理者としての地方公共団体（港湾管理者が港務局である場合には港務局を組織する地方公共団体）の区域の範囲内で指定しなければならない。

一項…一部改正〔昭和四八年七月法律五四号・平成二九年六月五五号〕

（分区内の規制）

第四〇条　前条に掲げる分区の区域内においては、各分区の目的を著しく阻害する建築物その他の構築物であつて、港湾管理者としての地方公共団体（港湾管理者が港務局である場合には港務局を組織する地方公共団体であつて当該分区の区域を区域とするもののうち定款で定めるもの）の条例で定める

ものを建設してはならず、また、建築物その他の構築物を改築し、又はその用途を変更して当該条例で定める構築物としてはならない。

2　港務局を組織する地方公共団体がする前項の条例の制定は、当該港務局の作成した原案を尊重してこれをしなければならない。

3　第一項の地方公共団体は、条例で、同項の規定に違反した者に対し、三十万円以下の罰金を科する旨の規定を設けることができる。

一項…一部改正・三項…追加〔昭和二九年五月法律一一一号〕、三項…一部改正〔平成一二年三月法律三三号〕

（違反構築物に対する措置）

第四〇条の二　港湾管理者は、前条第一項の規定に違反して建設され、又は改築若しくは用途の変更により同項の条例で定める構築物となつた建築物その他の構築物については、その所有者又は占有者に対し、当該構築物の撤去、移転若しくは改築又は用途の変更をすべきことを命ずることができる。

2　港湾管理者は、前項の規定による命令をしようとするときは、行政手続法（平成五年法律第八十八号）第十三条第一項の規定による意見陳述のための手続の区分にかかわらず、聴聞を行わなければならない。

3　前項の聴聞の主宰者は、行政手続法第十七条第一項の規定により当該命令に係る利害関係人が当該聴聞に関する手続に参加することを求めたときは、これを許可しなければならない。

本条…追加〔昭和二九年五月法律一一一号〕、二・三項…全部改正〔平成五年一一月法律八九号〕、一・二項…一部改正〔平成一一年七月法律八七号〕

（有害構築物の改築等）

第四一条　港湾管理者は、分区内に存する建築物その他の構築物が、第四十条第一項の条例の制定施行によりその条例に定められたものに該当するに至り、且つ、当該分区の目的を著しく阻害するときは、当該構築物の所有者又は占有者に対し、当該構築物の改築、移転又は撤去をすべきことを命ずることができる。

2　前条第二項及び第三項の規定は、港湾管理者が前項の命令をしようとする場合に準用する。

3　第一項の規定による命令によつて生じた損失に対しては、港湾管理者は、当該構築物の所有者又は占有者に対し、その命令がなかつたならば通常生じなかつた損失及び通常得らるべき利益が得られなかつたことによる損失を補償しなければならない。

4　前項の規定により補償を受けることのできる者が金額の決定について不服があるときは、その金額の決定の通知を受けた日から六箇月以内に、港湾管理者を被告として、訴えをもつて金額の増加を請求することができる。

一項…一部改正・二項…全部改正〔昭和二九年五月法律一一一号〕、四項…一部改正〔昭和三七年五月法律一四〇号〕、一・二項…一部改正〔平成一一年七月法律八七号〕、四項…一部改正〔平成一六年六月法律八四号〕

第四章の二　港湾協力団体

本章…追加〔平成二八年五月法律四五号〕

（港湾協力団体の指定）

第四一条の二　港湾管理者は、次条に規定する業務を適正かつ確実に行うことができると認められる法人その他これに準ずるものとして国土交通省令で定める団体を、その申請により、港湾協力団体として指定することができる。

2　港湾管理者は、前項の規定による指定をしたときは、当該港湾協力団体の名称、住所及び事務所の所在地を公示しなければならない。

3　港湾協力団体は、その名称、住所又は事務所の所在地を変更しようとするときは、あらかじめ、その旨を港湾管理者に届け出なければならない。

4　港湾管理者は、前項の規定による届出があつたときは、当該届出に係る事項を公示しなければならない。

本条…追加〔平成二八年五月法律四五号〕

（港湾協力団体の業務）

第四一条の三　港湾協力団体は、当該港湾協力団体を指定した港湾管理者が管理する港湾について、次に掲げる業務を行うものとする。

一　港湾管理者に協力して、港湾情報提供施設その他の港湾施設の整備又は管理を行うこと。

二　港湾の開発、利用、保全及び管理に関する情報又は資料を収集し、及び提供すること。

三　港湾の開発、利用、保全及び管理に関する調査研究を行うこと。

四　港湾の開発、利用、保全及び管理に関する知識の普及及び啓発を行うこと。

五　前各号に掲げる業務に附帯する業務を行うこと。

本条…追加〔平成二八年五月法律四五号〕

（監督等）

第四一条の四　港湾管理者は、前条各号に掲げる業務の適正かつ確実な実施を確保するため必要があると認めるときは、港湾協力団体に対し、その業務に関し報告をさせることができる。

2　港湾管理者は、港湾協力団体が前条各号に掲げる業務を適正かつ確実に実施していないと認めるときは、港湾協力団体に対し、その業務の運営の改善に関し必要な措置を講ずべきことを命ずることができる。

3　港湾管理者は、港湾協力団体が前項の規定による命令に違反したときは、その指定を取り消すことができる。

4　港湾管理者は、前項の規定により指定を取り消したときは、その旨を公示しなければならない。

本条…追加〔平成二八年五月法律四五号〕

（情報の提供等）

第四一条の五　国土交通大臣又は港湾管理者は、港湾協力団体に対し、その業務の実施に関し必要な情報の提供又は指導若しくは助言をするものとする。

本条…追加〔平成二八年五月法律四五号〕

（港湾協力団体に対する許可の特例）

第四十一条の六　港湾協力団体が第四十一条の三各号に掲げる業務として行う国土交通省令で定める行為についての第三十七条第一項の規定の適用については、港湾協力団体と港湾管理者との協議が成立することをもつて、当該規定による許可があつたものとみなす。

本条…追加〔平成二八年五月法律四五号〕

第五章　港湾工事の費用

（費用の負担）

第四十二条　港湾管理者が、国際戦略港湾、国際拠点港湾又は重要港湾において、一般公衆の利用に供する目的で、水域施設、外郭施設又は係留施設（これらの施設のうち国土交通省令で定める小規模なものを除く。）の建設又は改良の重要な工事をする場合には、その工事に要する費用は、国と港湾管理者がそれぞれその十分の五を負担する。

2　港湾管理者が、避難港において、水域施設又は外郭施設の建設又は改良の工事をする場合には、その工事に要する費用は、国と港湾管理者がそれぞれその十分の五を負担する。

3　前二項の規定は、これによつて国が負担することとなる金額についてあらかじめ国土交通大臣に申し出て国会の議決を経た予算に組み入れられていないときは、これを適用しない。

4　地方財政法第十七条及び第十九条第一項の規定は、港務局について第一項の場合に準用する。この場合において、「地方公共団体」とあるのは「港務局」と読み替えるものとする。

旧三項…一部改正し四項に繰下・旧二・四項…三・五項に繰下・二項…追加〔昭和二六年六月法律一九六号〕、五項…一部改正〔昭和二九年五月法律一一一号〕、一項…一部改正〔昭和三二年三月法律二五号・四八年七月五四号〕、二・三項…一部改正〔平成五年三月法律八号〕、五項…一部改正〔平成一一年七月法律八七号〕、一項…一部改正・二項…削除・旧三項…二項に繰上・旧四・五項…一部改正し三・四項に繰上〔平成一二年三月法律三三号〕、一・三項…一部改正〔平成一一年一二月法律一六〇号〕、一項…一部改正〔平成二三年三月法律九号〕

（費用の補助）

第四十三条　国は、特に必要があると認めるときは、前条に規定するもののほか、予算の範囲内で、一般公衆の利用に供する目的で（第四号に掲げる港湾施設に係る場合を除く。）港湾管理者のする港湾工事の費用に対し、次に掲げる基準で補助することができる。

一　国際戦略港湾、国際拠点港湾又は重要港湾における水域施設、外郭施設又は係留施設のうち、前条第一項の国土交通省令で定める小規模なものの建設又は改良の港湾工事については十分の四以内

二　国際戦略港湾、国際拠点港湾又は重要港湾における臨港交通施設の建設又は改良の港湾工事については十分の五以内

三　地方港湾における水域施設、外郭施設、係留施設又は臨港交通施設の建設又は改良の港湾工事については十分の四以内

四　港湾公害防止施設又は港湾環境整備施設の建設又は改良の港湾工事については十分の五以内

五　廃棄物埋立護岸又は海洋性廃棄物処理施設の建設又は改良の港湾工事については三分の一以内

本条…一部改正〔昭和二六年六月法律一九六号・四八年七月五四号・平成五年三月八号・一一年一二月一六〇号・一二年三月三三号・一九年六月七一号・二三年三月九号〕

（他の工作物と効用を兼ねる港湾施設の港湾工事の施行及び費用の負担）

第四十三条の二　港湾施設で他の工作物と効用を兼ねるものの港湾工事の施行及び費用の負担については、港湾管理者と当該工作物の管理者とが、協議して定めるものとする。

本条…追加〔昭和二六年六月法律一九六号〕

（原因者の負担）

第四十三条の三　港湾管理者は、港湾管理者以外の者の行う工事又は行為により必要を生じた港湾工事の費用については、その必要を生じさせた限度において、その必要を生じさせた者に費用の全部又は一部を負担させることができる。

2　前項の場合において、負担金の徴収を受ける者の範囲及びその徴収の方法については、港湾管理者としての地方公共団体（港湾管理者が港務局である場合には港務局を組織する地方公共団体のうち定款で定めるもの）の条例で定める。

本条…追加〔昭和二六年六月法律一九六号〕、全部改正〔昭和二九年五月法律一一一号〕、三項…削除〔昭和三八年六月法律九九号〕

（受益者の負担）

第四十三条の四　港湾工事によつて著しく利益を受ける者があるときは、港湾管理者は、その者に、その利益を受ける限度において、その港湾工事の費用の一部を負担させることができる。

2　前条第二項の規定は、前項の場合に準用する。

本条…追加〔昭和二七年六月法律一七一号〕、二項…追加〔昭和二九年五月法律一一一号〕、一部改正〔昭和三八年六月法律九九号〕

（港湾環境整備負担金）

第四十三条の五　国土交通大臣又は港湾管理者は、その実施する港湾工事（国土交通大臣の実施する港湾工事にあつては、港湾施設を建設し、又は改良するものに限る。）で、港湾の環境を整備し、又は保全することを目的とするもの（公害防止事業費事業者負担法（昭和四十五年法律第百三十三号）第二条第二項に規定する公害防止事業であるものを除く。）が、港湾区域又は臨港地区内にある工場又は事業場についてその環境を保全し、又はその立地若しくはその事業活動に伴う当該工場若しくは事業場の周辺地域の生活環境の悪化を防止し、若しくは軽減することに資するときは、政令で定める基準に従い、国土交通大臣にあつては国土交通省令で、港湾管理者にあつては条例で、当該工場又は事業場に係る事業者に、当該港湾工事に要する費用の一部を負担させることができる。

2　国土交通大臣又は港湾管理者は、前項の規定により負担させようとするときは、あらかじめ、国土交通大臣にあつては交通政策審議会、港湾管理者にあつては地方港湾審議会の意見を聴かなければならない。

3　国土交通大臣は、第一項の規定により納付された負担金の額に第五十二条第二項に規定する負担割合を乗じて得た金額に相当する額の同項の規定による負担金を、同項の規定により費用を負担した港湾管理者に還付するものとする。

本条…追加〔昭和四八年七月法律五四号〕、一・二項…一部改正・三項…追加〔平成一八年五月法律三八号〕

第六章　開発保全航路

本章…追加〔昭和四八年七月法律五四号〕

（開発及び保全）

第四三条の六　開発保全航路の開発及び保全は、国土交通大臣が行なう。

本条…追加〔昭和四八年七月法律五四号〕、一部改正〔平成一一年一二月法律一六〇号〕

第四三条の七　第五十五条の二の二、第五十五条の四及び第五十五条の五の規定は、開発保全航路に関する工事について準用する。

本条…追加〔昭和四八年七月法律五四号〕、一部改正〔令和元年一二月法律六八号〕

（禁止行為等）

第四三条の八　何人も、開発保全航路内において、みだりに、船舶、土石その他の物件で国土交通省令で定めるものを捨て、又は放置してはならない。

2　開発保全航路内において、水域を工作物の設置等により占用し、又は土砂を採取しようとする者は、国土交通大臣の許可を受けなければならない。

3　国土交通大臣は、前項の行為が船舶の交通に支障を与えるものであるとき、その他開発保全航路の開発又は保全に著しく支障を与えるものであるときは、許可をしてはならない。

4　第三十七条第三項の規定は、前二項の場合に準用する。

本条…追加〔昭和四八年七月法律五四号〕、一－三項…一部改正〔平成一一年一二月法律一六〇号〕、一項…一部改正〔平成一二年三月法律三三号〕

（費用の負担）

第四三条の九　開発保全航路の開発及び保全に要する費用は、次項及び次条の規定による場合を除き、国が負担する。

2　第四十三条の二、第四十三条の三第一項及び第四十三条の四第一項の規定は、開発保全航路に関する工事の費用について準用する。

3　前項において準用する第四十三条の三第一項又は第四十三条の四第一項の規定により負担金の徴収を受ける者の範囲及びその徴収方法は、国土交通省令で定める。

本条…追加〔昭和四八年七月法律五四号〕、三項…一部改正〔平成一一年一二月法律一六〇号〕

（事業者の申請による工事の施行）

第四三条の一〇　企業合理化促進法（昭和二十七年法律第五号）第八条第一項及び第二項の規定は、開発保全航路に関する工事について準用する。

本条…追加〔昭和四八年七月法律五四号〕

第七章　港湾運営会社

本章…追加〔平成二三年三月法律九号〕

第一節　港湾運営会社の指定等

本節…追加〔平成二三年三月法律九号〕

（港湾運営会社の指定）

第四三条の一一　国土交通大臣は、次に掲げる要件を備えていると認められる株式会社を、その申請により、国際戦略港湾ごとに一を限つて、当該国際戦略港湾における埠頭群（同一の港湾における二以上の埠頭（これを構成する係留施設及び当該係留施設に附帯する荷さばき地その他の国土交通省令で定める係留施設以外の港湾施設が国有財産法（昭和二十三年法律第七十三号）第三条第二項又は地方自治法第二百三十八条第四項に規定する行政財産からなるもののうち、その用途及び配置に応じて国土交通省令で定める基準に適合するものに限る。）の総体をいう。以下同じ。）を運営する者として指定することができる。

一　埠頭群の運営の事業の内容が当該国際戦略港湾の港湾計画に適合するものであること。

二　前号に掲げるもののほか、埠頭群の運営の事業に関する適正かつ確実な計画を有するものであること。

三　埠頭群を運営することについて十分な経理的基礎を有するものであること。

四　当該国際戦略港湾において埠頭群に含まれない埠頭を運営する場合にあつては、当該埠頭と埠頭群とを一体的に運営することが当該国際戦略港湾における埠頭群の運営の効率化に資するものであること。

2　その埠頭群を一体的に運営することが国際競争力の強化に資するものとして国土交通大臣が指定する二以上の国際戦略港湾に係る前項の規定による指定は、当該二以上の国際戦略港湾の埠頭群について、一体として一を限つてするものとする。この場合において、同項中「当該国際戦略港湾」とあるのは、「当該申請に係る二以上の国際戦略港湾」とする。

3　国土交通大臣は、前項の規定による指定をしたときは、国土交通省令で定めるところにより、その旨を公示しなければならない。

4　国土交通大臣は、第二項の規定による指定について指定の事由がなくなつたと認めるときは、当該指定を取り消すものとする。

5　第三項の規定は、前項の規定による指定の取消しについて準用する。

6　国際拠点港湾の港湾管理者は、次に掲げる要件を備えていると認められる株式会社を、その申請により、一を限つて、当該国際拠点港湾における埠頭群を運営する者として指定することができる。

一　埠頭群の運営の事業の内容が当該国際拠点港湾の港湾計画に適合するものであること。

二　前号に掲げるもののほか、埠頭群の運営の事業に関する適正かつ確実な計画を有するものであること。

三　埠頭群を運営することについて十分な経理的基礎を有するものであること。

四　当該国際拠点港湾において埠頭群に含まれない埠頭を運営する場合にあつては、当該埠頭と埠頭群とを一体的に運営することが当該国際拠点港湾における埠頭群の運営の効率化に資するものであること。

7　国土交通大臣又は国際拠点港湾の港湾管理者は、第一項又は前項の申請をした者が次の各号のいずれかに該当するときは、第一項又は前項の規定による指定をしないものとする。

一　取締役及び監査役（監査等委員会設置会社にあつては取締役、指名委員会等設置会社にあつては取締役及び執行役。以下この項において「役員」という。）のうちに、破産手続開始の決定を受けて復権を得ない者があること。

二　役員のうちに、禁錮以上の刑に処せられ、その執行を終わり、又はその執行を受けることがなくなつた日から五年を経過していない者があること。

> 本条七項二号は、令和四法六八により改正され、令和七年六月一日から施行
>
> 二　役員のうちに、拘禁刑以上の刑に処せられ、その執行を終わり、又はその執行を受けることがなくなつた日から五年を経過していない者があること。

三　役員のうちに、心身の故障により埠頭群の運営の事業を適正に行うことができない者として国土交通省令で定めるものがあること。

8　国土交通大臣又は国際拠点港湾の港湾管理者は、第一項又は第六項の申請があつたときは、国土交通省令で定めるところにより、当該申請の内容を二週間公衆の縦覧に供しなければならない。

9　前項の規定により縦覧に供された申請の内容について利害関係を有する者は、縦覧期間満了の日までの間に、当該縦覧をした国土交通大臣又は国際拠点港湾の港湾管理者に意見書を提出することができる。

10　国土交通大臣は、第一項の規定による指定をしようとするときは、あらかじめ、当該指定に係る国際戦略港湾の港湾管理者の同意を得なければならない。

11　国際拠点港湾の港湾管理者は、第六項の申請に係る埠頭群が次に掲げる港湾施設を含むものである場合において、同項の規定による指定をしようとするときは、あらかじめ、国土交通大臣の同意を得なければならない。

一　国有財産法第三条第二項に規定する行政財産である港湾施設

二　その工事の費用を国が負担し、又は補助した地方自治法第二百三十八条第四項に規定する行政財産である港湾施設

12　国土交通大臣又は国際拠点港湾の港湾管理者は、第一項又は第六項の規定による指定をしたときは、国土交通省令で定めるところにより、当該指定を受けた者（以下「港湾運営会社」という。）の商号及び本店の所在地を公示しなければならない。

13　港湾運営会社は、その商号又は本店の所在地を変更しようとするときは、あらかじめ、その指定をした国土交通大臣又は国際拠点港湾の港湾管理者に届け出なければならない。

14　国土交通大臣又は国際拠点港湾の港湾管理者は、前項の規定による届出があつたときは、国土交通省令で定めるところにより、その旨を公示しなければならない。

本条…追加〔平成二三年三月法律九号〕、七項…一部改正〔平成二六年六月法律九一号、令和元年六月三七号〕

第四三条の一二　前条第一項又は第六項の規定による指定を受けようとする者は、国土交通省令で定めるところにより、次に掲げる事項を記載した申請書を国土交通大臣又は国際拠点港湾の港湾管理者に提出しなければならない。

一　商号及び本店の所在地

二　次に掲げる事項（前条第六項の規定による指定を受けようとする者にあつては、ニに掲げる事項を除く。）を記載した埠頭群の運営の事業に関する計画（以下「運営計画」という。）

イ　埠頭群（当該港湾において埠頭群に含まれない埠頭を運営する場合にあつては、当該埠頭を含む。以下この号において同じ。）において施設又は役務を提供する時間

ロ　埠頭群の運営に必要な荷さばき施設その他の国土交通省令で定める港湾施設であつて、自らその建設又は改良を行うものの位置、種類、構造その他の国土交通省令で定める事項

ハ　埠頭群の運営の体制に関する事項として国土交通省令で定めるもの

ニ　埠頭群の運営の推進に関する事項のうち国際基幹航路（国際戦略港湾と本邦以外の地域の港との間の航路のうち、長距離の国際海上コンテナ運送に係る国際海上貨物輸送網を形成するものとして国土交通省令で定めるものをいう。第四十三条の三十一において同じ。）に就航する外貿コンテナ貨物定期船（本邦の港と本邦以外の地域の港との間に航路を定めて一定の日程表に従つて船舶を就航させ、主としてコンテナ貨物の運送を行う事業の用に供される船舶をいう。同条において同じ。）の寄港回数の維持又は増加を図るための取組として国土交通省令で定めるものの内容

ホ　イからニまでに掲げるもののほか、国土交通省令で定める事項

2　前項の申請書には、事業収支見積書その他国土交通省令で定める書類を添付しなければならない。

本条…追加〔平成二三年三月法律九号〕、一項…一部改正〔令和元年一二月法律六八号〕

（運営計画の変更）

第四三条の一三　港湾運営会社は、運営計画を変更しようとす

るときは、その指定をした国土交通大臣又は国際拠点港湾の港湾管理者の認可を受けなければならない。ただし、国土交通省令で定める軽微な変更については、この限りでない。

2　第四十三条の十一第一項（第三号を除く。）の規定は前項の国土交通大臣の認可について、同条第六項（第三号を除く。）の規定は前項の国際拠点港湾の港湾管理者の認可について、それぞれ準用する。

3　第四十三条の十一第十項の規定は、国土交通大臣が第一項の認可をしようとする場合について準用する。

4　国際拠点港湾の港湾管理者は、その指定について第四十三条の十一第十一項の規定により国土交通大臣の同意を得た港湾運営会社について第一項の認可をしようとするときは、あらかじめ、国土交通大臣の同意を得なければならない。

5　港湾運営会社は、第一項ただし書の国土交通省令で定める軽微な変更をしたときは、遅滞なく、その旨をその指定をした国土交通大臣又は国際拠点港湾の港湾管理者に届け出なければならない。

本条…追加〔平成二三年三月法律九号〕

（臨港地区内における行為の届出の特例）

第四三条の一四　港湾運営会社が第四十三条の十一第一項若しくは第六項の規定による指定又は前条第一項の認可を受けたときは、当該指定又は認可に係る運営計画に記載された第四十三条の十二第一項第二号ロの国土交通省令で定める港湾施設の建設又は改良のうち、当該建設又は改良を行うに当たり、第三十八条の二第一項又は第四項の規定による届出をしなければならないものについては、これらの規定により届出をしたものとみなす。

本条…追加〔平成二三年三月法律九号〕

（合併及び分割）

第四三条の一五　港湾運営会社の合併及び分割の決議は、その指定をした国土交通大臣又は国際拠点港湾の港湾管理者の認可を受けなければ、その効力を生じない。

2　第四十三条の十一第十項の規定は国土交通大臣が前項の認可をしようとする場合について、第四十三条の十三第四項の規定は国際拠点港湾の港湾管理者が前項の認可をしようとする場合について、それぞれ準用する。

本条…追加〔平成二三年三月法律九号〕

（区分経理）

第四三条の一六　港湾運営会社は、国土交通省令で定めるところにより、埠頭群の運営の事業に係る経理とその他の事業に係る経理とを区分して整理しなければならない。

本条…追加〔平成二三年三月法律九号〕

（監督命令）

第四三条の一七　国土交通大臣又は国際拠点港湾の港湾管理者は、埠頭群の運営の事業の適正な実施を確保するため必要があると認めるときは、その指定を受けた港湾運営会社に対し、業務に関し監督上必要な命令をすることができる。

2　国土交通大臣は、前項の命令をするに当たり、必要があると認めるときは、当該港湾運営会社の指定に係る国際戦略港湾の港湾管理者に対し、意見を求めることができる。

本条…追加〔平成二三年三月法律九号〕

（事業の休止及び廃止）

第四三条の一八　港湾運営会社は、埠頭群の運営の事業の全部を休止し、又は廃止しようとするときは、その指定をした国土交通大臣又は国際拠点港湾の港湾管理者の許可を受けなければならない。

2　第四十三条の十一第十項の規定は、国土交通大臣が前項の許可をしようとする場合について準用する。

3　国際拠点港湾の港湾管理者は、その指定について第四十三条の十一第十一項の規定により国土交通大臣の同意を得た港湾運営会社について第一項の許可をしようとするときは、あらかじめ、国土交通大臣にその旨を通知しなければならない。

4　国土交通大臣は、前項の規定による通知があつたときは、その通知をした国際拠点港湾の港湾管理者に対し、第一項の許可に関し必要と認める意見を述べることができる。

本条…追加〔平成二三年三月法律九号〕

（指定の取消し）

第四三条の一九　国土交通大臣又は国際拠点港湾の港湾管理者は、その指定を受けた港湾運営会社が次の各号のいずれかに該当するときは、第四十三条の十一第一項又は第六項の規定による指定を取り消すことができる。

一　埠頭群の運営の事業を適正に行うことができないと認められるとき。

二　この法律又はこの法律に基づく命令の規定に違反したとき。

三　第四十三条の十七第一項の規定による命令に違反したとき。

2　国土交通大臣又は国際拠点港湾の港湾管理者は、その指定を受けた港湾運営会社が前条第一項の規定による埠頭群の運営の事業の全部の廃止の許可を受けたときは、第四十三条の十一第一項又は第六項の規定による指定を取り消すものとする。

3　国土交通大臣又は国際拠点港湾の港湾管理者は、前二項の規定により第四十三条の十一第一項又は第六項の規定による指定を取り消したときは、国土交通省令で定めるところにより、その旨を公示しなければならない。

4　第四十三条の十一第十項の規定は国土交通大臣が第一項の規定による指定の取消しをしようとする場合について、前条第三項及び第四項の規定は国際拠点港湾の港湾管理者が第一項の規定による指定の取消しをしようとする場合について、それぞれ準用する。

本条…追加〔平成二三年三月法律九号〕

（指定を取り消した場合における措置）

第四三条の二〇　国際戦略港湾の港湾運営会社は、前条第一項又は第二項の規定により第四十三条の十一第一項の規定による指定を取り消されたときは、その指定に係る埠頭群の運営の事業の全部を、当該国際戦略港湾の港湾管理者又は当該埠頭群の運営の事業の全部を承継するものとして国土交通大臣が指定する港湾運営会社に引き継がなければならない。

2　国際拠点港湾の港湾運営会社は、前条第一項又は第二項の規定により第四十三条の十一第六項の規定による指定を取り消されたときは、その指定に係る埠頭群の運営の事業の全部を、当該国際拠点港湾の港湾管理者又は当該埠頭群の運営の事業の全部を承継するものとして当該国際拠点港湾の港湾管理者が指定する港湾運営会社に引き継がなければならない。

3　前二項に規定するもののほか、前条第一項又は第二項の規定により第四十三条の十一第一項又は第六項の規定による指定を取り消された場合における埠頭群の運営の事業の引継ぎその他の必要な事項は、国土交通省令で定める。

本条…追加〔平成二三年三月法律九号〕

第二節　港湾運営会社の適正な運営を確保するための議決権の保有制限等

本節…追加〔平成二三年三月法律九号〕

（議決権の保有制限）

第四三条の二一　何人も、港湾運営会社の総株主の議決権（株主総会において決議をすることができる事項の全部につき議決権を行使することができない株式についての議決権を除き、会社法（平成十七年法律第八十六号）第八百七十九条第三項の規定により議決権を有するものとみなされる株式についての議決権を含む。以下この章において同じ。）の百分の二十（その者が港湾運営会社の財務及び営業の方針の決定に対して重要な影響を与えることが推測される事実として国土交通省令で定める事実がある場合には、百分の十五。以下この条において「保有基準割合」という。）以上の数の議決権（社債、株式等の振替に関する法律（平成十三年法律第七十五号）第百四十七条第一項又は第百四十八条第一項の規定により発行者に対抗することができない株式に係る議決権を含み、取得又は保有の態様その他の事情を勘案して国土交通省令で定めるものを除く。以下この章において「対象議決権」という。）を取得し、又は保有してはならない。ただし、政府、地方公共団体若しくは港務局又はその総株主の議決権の三分の二以上の数の議決権を地方公共団体が保有している株式会社が取得し、又は保有する場合は、この限りでない。

2　前項本文の規定は、保有する対象議決権の数に増加がない場合その他の国土交通省令で定める場合において、港湾運営会社の総株主の議決権の保有基準割合以上の数の対象議決権を取得し、又は保有することとなるときには、適用しない。

3　前項の場合において、港湾運営会社の総株主の議決権の保有基準割合以上の数の対象議決権を取得し、又は保有することとなつた者（以下この条において「特定保有者」という。）は、国土交通省令で定めるところにより、特定保有者になつた旨その他国土交通省令で定める事項を当該港湾運営会社の指定をした国土交通大臣又は国際拠点港湾の港湾管理者に届け出なければならない。

4　第二項の場合において、特定保有者は、特定保有者となつた日から三月以内に、港湾運営会社の保有基準割合未満の数の対象議決権の保有者となるために必要な措置をとらなければならない。

5　次の各号に掲げる場合における前各項の規定の適用については、当該各号に定める対象議決権は、これを取得し、又は保有するものとみなす。

一　金銭の信託契約その他の契約又は法律の規定に基づき、港湾運営会社の対象議決権を行使することができる権限又は当該対象議決権の行使について指図を行うことができる権限を有し、又は有することとなる場合　当該対象議決権

二　株式の所有関係、親族関係その他の特別の関係として国土交通省令で定める特別の関係にある者が港湾運営会社の対象議決権を取得し、又は保有する場合　当該特別の関係にある者が取得し、又は保有する対象議決権

6　前各項の規定の適用に関し必要な事項は、国土交通省令で定める。

本条…追加〔平成二三年三月法律九号〕、一項…一部改正〔平成二六年五月法律三三号〕

（対象議決権保有届出書の提出）

第四三条の二二　港湾運営会社の総株主の議決権の百分の五を超える対象議決権の保有者（政府、地方公共団体及び港務局以外の者に限る。以下この項において「対象議決権保有者」という。）となつた者は、国土交通省令で定めるところにより、対象議決権保有割合（対象議決権保有者の保有する当該対象議決権の数を当該港湾運営会社の総株主の議決権の数で除して得た割合をいう。）、保有の目的その他国土交通省令で定める事項を記載した対象議決権保有届出書を当該港湾運営会社の指定をした国土交通大臣又は国際拠点港湾の港湾管理者に提出しなければならない。

2　前条第五項の規定は、前項の規定を適用する場合について準用する。

本条…追加〔平成二三年三月法律九号〕、一項…一部改正〔平成二六年五月法律三三号〕

（対象議決権保有届出書の提出者に対する報告の徴収及び検査）

第四三条の二三　前条第一項の規定により対象議決権保有届出書の提出を受けた国土交通大臣又は国際拠点港湾の港湾管理者は、当該対象議決権保有届出書のうちに虚偽の記載があり、又は記載すべき事項の記載が欠けている疑いがあると認めるときは、当該対象議決権保有届出書の提出者に対し参考となるべき報告若しくは資料の提出を命じ、又はその職員に当該提出者の書類その他の物件の検査（当該対象議決権保有届出書の記載に関し必要な検査に限る。）をさせることができる。

2　前項の規定により検査をする職員は、その身分を示す証明書を携帯し、関係人にこれを提示しなければならない。

3　第一項の規定による検査の権限は、犯罪捜査のために認められたものと解してはならない。

本条…追加〔平成二三年三月法律九号〕

（発行済株式の総数等の公表）

第四三条の二四　港湾運営会社は、国土交通省令で定めるところにより、その発行済株式の総数、総株主の議決権の数その他の国土交通省令で定める事項を公表しなければならない。

本条…追加〔平成二三年三月法律九号〕

第三節　国際戦略港湾の港湾運営会社に対する特別の措置

本節…追加〔平成二六年五月法律三三号〕、節名…一部改正〔令和元年一二月法律六八号〕

（政府の出資）

第四三条の二五　政府は、国際戦略港湾の国際競争力を強化するため、国際戦略港湾の港湾運営会社が行う埠頭群の運営の事業の効率化及び高度化を図ることが特に必要であると認めるときは、当該港湾運営会社に対し、予算の範囲内で、出資することができる。

本条…追加〔平成二六年五月法律三三号〕

（事業計画等）

第四三条の二六　前条の規定により政府が出資している国際戦略港湾の港湾運営会社（以下「特定港湾運営会社」という。）は、毎事業年度開始前に（同条の規定による出資を受けた日の属する事業年度にあつては、その出資を受けた後速やかに）、その事業年度の事業計画及び収支予算を作成し、国土交通大臣に提出しなければならない。これを変更しようとするときも、同様とする。

2　国土交通大臣は、前項の規定による事業計画及び収支予算の提出があつたときは、遅滞なく、これらの写しを当該特定港湾運営会社に係る国際戦略港湾の港湾管理者に送付するものとする。

3　特定港湾運営会社は、毎事業年度経過後三月以内に、その事業年度の貸借対照表、損益計算書及び事業報告書を作成し、国土交通大臣に提出しなければならない。

本条…追加〔平成二六年五月法律三三号〕

（定款の変更等）

第四三条の二七　特定港湾運営会社の定款の変更及び剰余金の配当その他の剰余金の処分の決議は、国土交通大臣の認可を受けなければ、その効力を生じない。

2　第四十三条の十一第十項の規定は、国土交通大臣が前項の認可をしようとする場合について準用する。

本条…追加〔平成二六年五月法律三三号〕

（協議）

第四三条の二八　国土交通大臣は、第四十三条の二十五の規定により政府が国際戦略港湾の港湾運営会社に対し出資している場合において、次に掲げるときは、あらかじめ、財務大臣に協議しなければならない。

一　第四十三条の十三第一項、第四十三条の十五第一項又は前条第一項の認可をしようとするとき。

二　第四十三条の十八第一項の許可をしようとするとき。

三　第四十三条の十九第一項の規定により第四十三条の十一第一項の規定による指定の取消しをしようとするとき。

本条…追加〔平成二六年五月法律三三号〕

（国派遣職員に係る特例）

第四三条の二九　国派遣職員（国家公務員法（昭和二十二年法律第百二十号）第二条に規定する一般職に属する職員が、任命権者又はその委任を受けた者の要請に応じ、国際戦略港湾の港湾運営会社の職員（常時勤務に服することを要しない者を除き、埠頭群の運営の事業に関する業務に従事する者に限る。以下この項において同じ。）となるため退職し、引き続いて当該港湾運営会社の職員となり、引き続き当該港湾運営会社の職員として在職している場合における当該港湾運営会社の職員をいう。以下この条において同じ。）は、同法第八十二条第二項の規定の適用については、同項に規定する特別職国家公務員等とみなす。

2　国家公務員法第百六条の二第三項に規定する退職手当通算法人には、国際戦略港湾の港湾運営会社を含むものとする。

3　国派遣職員は、一般職の職員の給与に関する法律（昭和二十五年法律第九十五号）第十一条の七第三項、第十一条の八第三項、第十二条第四項、第十二条の二第三項及び第十四条第二項の規定の適用については、同法第十一条の七第三項に規定する行政執行法人職員等とみなす。

4　国派遣職員は、国家公務員退職手当法（昭和二十八年法律第百八十二号）第七条の二及び第二十条第三項の規定の適用については、同法第七条の二第一項に規定する公庫等職員とみなす。

5　国際戦略港湾の港湾運営会社又は国派遣職員は、国家公務員共済組合法（昭和三十三年法律第百二十八号）第百二十四条の二の規定の適用については、それぞれ同条第一項に規定する公庫等又は公庫等職員とみなす。

6　国派遣職員は、一般職の職員の勤務時間、休暇等に関する法律（平成六年法律第三十三号）第十七条第一項の規定の適用については、同項第三号に規定する行政執行法人職員等とみなす。

7　国派遣職員は、国家公務員の留学費用の償還に関する法律（平成十八年法律第七十号）第四条（第五号に係る部分に限る。）及び第五条（同号に係る部分に限る。）の規定の適用については、同法第二条第四項に規定する特別職国家公務員等とみなす。

本条…追加〔令和元年一二月法律六八号〕

（職員の派遣等についての配慮）

第四三条の三〇　前条に規定するもののほか、国は、国際戦略港湾の港湾運営会社が行う埠頭群の運営の事業の効率化及び高度化を図るため必要があると認めるときは、職員の派遣その他の適当と認める人的援助について必要な配慮を加えるよう努めるものとする。

本条…追加〔令和元年一二月法律六八号〕

（情報の提供等）

第四三条の三一　国土交通大臣は、国際基幹航路に就航する外貿コンテナ貨物定期船の寄港回数の維持又は増加に資するため、国際戦略港湾の港湾運営会社に対し、当該港湾運営会社の第四十三条の十二第一項第二号ニに規定する取組に係る業務の実施に関し必要な情報の提供又は指導若しくは助言をするものとする。

本条…追加〔令和元年一二月法律六八号〕

第八章　港湾の適正な管理運営等に関する措置

旧六章…七章に繰下〔昭和四八年七月法律五四号〕、旧七章…八章に繰下〔平成二三年三月法律九号〕、章名…改正〔令和四年一一月法律八七号〕

第一節　港湾の利用に関する料金

節名…追加〔令和四年一一月法律八七号〕

（港湾管理者の料金）

第四四条　港湾管理者がその提供する施設又は役務の利用に対し料金（次条第一項の入港料を除く。）を徴収する場合には、あらかじめ料率を定めて、その施行の日の少くとも三十日前に、これを公表しなければならない。これを変更しようとするときも同様である。

2　港湾管理者は、水域施設（泊地を除く。）又は外郭施設の利用に対し、前項の料金を徴収することができない。

3　利害関係人は、第一項の規定により港湾管理者の定めた料率が不当であり又はこの法律に違反すると認めるときは、その施行の日までに、その事実を具して国土交通大臣に申し出て、料率の変更を港湾管理者に求めることを請求することができる。

4　前項の請求があつたときは、国土交通大臣は、当該港湾で運輸審議会の開催する公聴会において、港湾管理者にその料率が不当でなく、且つ、この法律に違反しないものであることを述べる十分な機会を与えた後、当該請求に理由があると認めたときは、港湾管理者に対し理由を示して料率を変更すべきことを求めることができる。

5　港湾管理者は、前項の国土交通大臣の要求があつたときは、遅滞なく、料率について、必要な変更を行わなければならない。

6　港務局は、第十二条の二の規程の定めるところにより、詐偽その他不正の行為により第一項の料金の徴収を免かれた者からその徴収を免かれた金額の五倍に相当する金額以下の過怠金を徴収することができる。

一項…一部改正・二・五項…追加・旧二項…一部改正し三項に繰下・旧三項…四項に繰下〔昭和二九年五月法律一一一号〕、三・四項…一部改正・五項…追加・旧五項…六項に繰下〔平成一一年七月法律八七号〕、三－五項…一部改正〔平成一一年一二月法律一六〇号〕、二項…一部改正〔平成一二年三月法律三三号〕

（入港料）

第四四条の二　港湾管理者は、当該港湾に入港する船舶から、当該港湾の利用につき入港料を徴収することができる。ただし、警備救難に従事する船舶、海象又は気象の観測に従事する船舶、漁業監視船その他政令で定める船舶については、入港料を徴収することができない。

2　国際戦略港湾の港湾管理者は、前項の入港料を徴収しようとするときは、料率の上限を定め、国土交通省令で定めるところにより、あらかじめ、国土交通大臣に協議し、その同意を得なければならない。これを変更しようとするときも、同様とする。

3　前項の港湾管理者は、同項の同意を得た料率の上限の範囲内で料率を定め、国土交通省令で定めるところにより、あらかじめ、国土交通大臣に届け出なければならない。これを変更しようとするときも、同様とする。

4　前条第一項、第三項、第四項及び第五項の規定は、第二項の港湾管理者以外の港湾管理者が徴収する入港料に、前条第六項の規定は、港務局が徴収する入港料に関して準用する。

本条…追加〔昭和二九年五月法律一一一号〕、一項…一部改正〔昭和六一年一二月法律九三号〕、二・三項…一部改正〔平成一一年七月法律八七号〕、二項…一部改正〔平成一一年一二月法律一六〇号〕、二項…一部改正・三項…追加・旧三項…一部改正し四項に繰下〔平成二〇年六月法律六六号〕、二項…一部改正〔平成二三年三月法律九号〕

（滞納処分）

第四四条の三　地方自治法第二百三十一条の三第一項、第二項及び第三項前段の規定は、入港料その他の料金、過怠金その他港務局の収入に関して準用する。この場合において、同条第二項中「条例」とあるのは「港湾法第十二条の二の規程」と読み替えるものとする。

2　前項の収入並びに同項において準用する地方自治法第二百三十一条の三第二項の規定による手数料及び延滞金は、国税及び地方税に次いで先取特権を有し、その時効については地方税法（昭和二十五年法律第二百二十六号）第十八条から第十八条の三までの規定を、その取扱については同法第十七条から第十七条の四までの規定を準用する。

3　第一項において準用する地方自治法第二百三十一条の三第二項の規程は、港務局を組織する地方公共団体の議会の承認を受けなければ、その効力を生じない。

本条…追加〔昭和二九年五月法律一一一号〕、二項…一部改正〔昭和三四年四月法律一四八号・一四九号〕、一－三項…一部改正〔昭和三八年六月法律九九号〕

（港湾管理者以外の者の料金）

第四五条　港湾管理者以外の者で当該港湾において港湾の利用に必要な施設又は役務の提供に対し料金（港湾運営会社が収受する次項の国土交通省令で定める料金及び第五十条の十八第五項第二号イに規定する協定民間国際旅客船受入促進施設の所有者が収受する第五十条の二十一の国土交通省令で定める料金を除く。）を収受しようとするものは、料率を定め、港湾管理者に料率を記載した書面を提出しなければならない。

2　港湾運営会社は、その運営する埠頭群の利用に関する料金として国土交通省令で定める料金を収受しようとするときは、料率を定め、その指定をした国土交通大臣又は国際拠点港湾の港湾管理者に料率を記載した書面を提出しなければならない。

3　前項の規定により港湾運営会社から書面の提出を受けた国土交通大臣又は国際拠点港湾の港湾管理者は、当該書面に記載された料率が次の各号のいずれかに該当すると認めるときは、当該港湾運営会社に対し、期限を定めてその料率を変更すべきことを命ずることができる。

一　特定の利用者に対し不当な差別的取扱いをするものであるとき。

二　社会的経済的事情に照らして著しく不適切であり、利用者が当該埠頭群を利用することを著しく困難にするおそれがあるものであるとき。

4　第四十三条の十一第十項の規定は、国土交通大臣が前項の規定による命令をしようとする場合について準用する。

5　国土交通大臣は、第二項の規定による書面の提出を受けた場合において、第三項の規定による命令をしないこととしたときは、当該港湾運営会社の指定に係る国際戦略港湾の港湾管理者に当該書面の内容を通知するものとする。

6　前各項の規定は、その都度契約によつて提供される施設又は役務については、適用しない。

一項…一部改正・二―五項…追加・旧二項…一部改正し六項に繰下〔平成二三年三月法律九号〕、一項…一部改正〔平成二九年六月法律五五号〕

第二節　滞船の場合における要請

節名…追加〔令和四年一一月法律八七号〕

第四五条の二　港湾管理者は、多数の船舶が入港したため、係留施設の不足により当該港湾の円滑な運営が著しく阻害されていると認めるときは、港湾管理者以外の係留施設を管理する者に対し、当該係留施設をできる限り広く入港船舶に利用させるよう要請することができる。

本条…追加〔昭和四八年七月法律五四号〕、見出し…削除・旧四五条の三を繰上〔令和四年一一月法律八七号〕

第三節　特定港湾情報提供施設協定

節名…追加〔令和四年一一月法律八七号〕

（特定港湾情報提供施設協定の締結等）

第四五条の三　港湾管理者は、港湾の利用に関する情報の効率的かつ効果的な提供を図るため、その管理する港湾において港湾管理者以外の者が所有する港湾情報提供施設（これに附帯する港湾情報提供施設以外の港湾施設を含む。以下この項において「特定港湾情報提供施設」という。）を自ら管理する必要があると認めるときは、特定港湾情報提供施設所有者等（当該特定港湾情報提供施設の所有者又は当該特定港湾情報提供施設の敷地である土地（建築物その他の工作物に特定港湾情報提供施設が設けられている場合にあつては、当該建築物その他の工作物のうち当該特定港湾情報提供施設に係る部分）の所有者若しくは使用及び収益を目的とする権利（臨時設備その他一時使用のため設定されたことが明らかなものを除く。）を有する者をいう。次項及び第四十五条の五において同じ。）との間において、次に掲げる事項を定めた協定（以下「特定港湾情報提供施設協定」という。）を締結して、当該特定港湾情報提供施設の管理を行うことができる。

一　特定港湾情報提供施設協定の目的となる特定港湾情報提供施設（以下「協定特定港湾情報提供施設」という。）

二　協定特定港湾情報提供施設の管理の方法

三　特定港湾情報提供施設協定の有効期間

四　特定港湾情報提供施設協定に違反した場合の措置

五　特定港湾情報提供施設協定の掲示方法

六　その他協定特定港湾情報提供施設の管理に関し必要な事項

2　特定港湾情報提供施設協定については、特定港湾情報提供施設所有者等の全員の合意がなければならない。

本条…追加〔平成二八年五月法律四五号〕、一項…一部改正・旧四五条の四…繰上〔令和四年一一月法律八七号〕

（特定港湾情報提供施設協定の縦覧等）

第四五条の四　港湾管理者は、特定港湾情報提供施設協定を締結しようとするときは、国土交通省令で定めるところにより、その旨を公告し、当該特定港湾情報提供施設協定を当該公告の日から二週間利害関係人の縦覧に供さなければならない。

2　前項の規定による公告があつたときは、利害関係人は、同項の縦覧期間満了の日までに、当該特定港湾情報提供施設協定について、港湾管理者に意見書を提出することができる。

3　港湾管理者は、特定港湾情報提供施設協定を締結したときは、国土交通省令で定めるところにより、遅滞なく、その旨を公示し、かつ、当該特定港湾情報提供施設協定の写しを港湾管理者の事務所に備えて一般の閲覧に供するとともに、特定港湾情報提供施設協定において定めるところにより、協定特定港湾情報提供施設又はその敷地内の見やすい場所に、港湾管理者の事務所においてこれを閲覧に供している旨を掲示しなければならない。

4　前条第二項及び前三項の規定は、特定港湾情報提供施設協定において定めた事項の変更について準用する。

本条…追加〔平成二八年五月法律四五号〕、旧四五条の五…繰上〔令和四年一一月法律八七号〕

（特定港湾情報提供施設協定の効力）

第四五条の五　前条第三項（同条第四項において準用する場合を含む。）の規定による公示のあつた特定港湾情報提供施設協定は、その公示のあつた後において協定特定港湾情報提供施設の特定港湾情報提供施設所有者等となつた者に対しても、その効力があるものとする。

本条…追加〔平成二八年五月法律四五号〕、旧四五条の六…繰上〔令和四年一一月法律八七号〕

第四節　港湾管理者の業務に関する国の関与

節名…追加〔令和四年一一月法律八七号〕

（国が負担し又は補助した港湾施設の譲渡等）

第四六条　港湾管理者は、その工事の費用を国が負担し又は補助した港湾施設を譲渡し、担保に供し、又は貸し付けようとするときは、国土交通大臣の認可を受けなければならない。ただし、国が負担し、若しくは補助した金額に相当する金額を国に返還した場合又は貸付けを受けた者がその物を一般公衆の利用に供し、かつ、その貸付けが三年の期間内である場合は、この限りでない。

2　港湾管理者は、前項の規定により国土交通大臣の認可を受けた場合又は同項ただし書の場合のほか、その管理する一般公衆の利用に供する港湾施設を一般公衆の利用に供されなくする行為をしてはならない。

一項…一部改正〔昭和二九年五月法律一一一号〕、一・二項…一部改正〔平成一一年一二月法律一六〇号・令和元年一二月六八号〕

（不平等取扱の禁止）

第四七条　国土交通大臣は、港湾管理者が第十三条（第三十四条の規定により準用する場合を含む。）の規定に違反していると認めるときは、港湾管理者に対し、当該行為の停止又は変更を求めることができる。

2　港湾管理者は、前項の国土交通大臣の要求があつたときは、遅滞なく、当該行為を停止し、又は当該行為について、必要な変更を行わなければならない。

一項…一部改正・二項…追加〔平成一一年七月法律八七号〕、一・二項…一部改正〔平成一一年一二月法律一六〇号〕

第五節　港湾に関する情報の管理等

節名…追加〔令和四年一一月法律八七号〕

（収支報告）

第四八条　国際戦略港湾、国際拠点港湾又は重要港湾の港湾管理者は、国土交通省令で定めるところにより、その業務に関する収入及び支出その他港湾に関する報告を毎年一回作成して公表しなければならない。

2　国土交通大臣は、必要があると認めるときは、港務局に対し、前項の報告の写しの提出を求めることができる。

本条…一部改正〔平成一一年一二月法律一六〇号・二三年三月九号〕、一項…一部改正・二項…追加〔平成二五年六月法律四四号〕、旧四九条…繰上〔令和四年一一月法律八七号〕

（港湾台帳）

第四八条の二　港湾管理者は、その管理する港湾について、港湾台帳を調製しなければならない。

2　港湾台帳に関し必要な事項は、国土交通省令で定める。

本条…追加〔昭和二六年六月法律一九六号〕、二項…一部改正〔平成一一年一二月法律一六〇号〕、旧四九条の二…繰上〔令和四年一一月法律八七号〕

（入出港書類の統一）

第四八条の三　第十二条第二項（第三十四条において準用する場合を含む。以下この項及び次条第四項において同じ。）の規定に基づく条例その他の条例又は第十二条の二の規定に基づく規程で定めるところにより行われる一般公衆の利用に供される港湾施設に係る使用の申請、第十二条第一項第五号の二に規定する入港届又は出港届その他の港湾管理者に対して行われる通知（以下「申請等」という。）であつて国土交通省令で定めるものの様式（次条第四項の規定により電子情報処理組織を使用してする申請等に係るものを除く。）は、第十二条第二項の規定にかかわらず、国土交通省令で定める。

2　国土交通大臣は、前項に掲げるもののほか、港湾管理者が受理する船舶の入出港に関する書類の様式の統一を図るため、港湾管理者に対し必要な勧告をすることができる。

本条…一部改正〔平成一一年七月法律八七号・一二月一六〇号〕、一項…追加・本条…一部改正し二項に繰下〔平成一七年五月法律四五号〕、旧五〇条…繰上〔令和四年一一月法律八七号〕

（電子情報処理組織の設置及び管理等）

第四八条の四　国土交通大臣は、次に掲げる電子情報処理組織を設置し、及び管理することができる。

一　申請等であつて国土交通省令で定めるもの及び当該申請等に対する処分の通知、受理の通知その他の港湾管理者が行う通知であつて国土交通省令で定めるもの（以下この条において「処分通知等」という。）を迅速かつ的確に処理するためのもの

二　波浪に関する情報その他国土交通省令で定める情報（以下この条において「波浪情報等」という。）の収集、分析及び提供により港湾工事を効率的に実施するためのもの

三　重要国際埠頭施設（国際航海船舶及び国際港湾施設の保安の確保等に関する法律（平成十六年法律第三十一号）第二十九条第一項に規定する重要国際埠頭施設をいう。次項において同じ。）の制限区域（同条第一項の規定により設定及び管理されるものをいう。）に出入りする者の個人識別情報（写真その他の個人を識別することができる情報であつて国土交通省令で定めるものをいう。以下この条において同じ。）を国土交通省令で定める方法で照合することにより当該制限区域への人の出入りを確実かつ円滑に管理するためのもの

四　港湾において取り扱われる貨物に係る情報であつて国土交通省令で定めるもの（第六項第四号において「港湾取扱貨物情報」という。）の授受を迅速かつ的確に行うことにより港湾における当該貨物の運送の効率化を促進するためのもの

五　港湾施設の位置、種類及び構造に関する情報その他の港湾の開発、保全及び管理に必要な情報であつて国土交通省令で定めるもの（以下この条において「港湾施設等情報」という。）の収集、整理及び提供により港湾の開発、保全及び管理を効率的に実施するためのもの

2　前項第一号の電子情報処理組織を使用する港湾管理者、同項第二号の電子情報処理組織による波浪情報等の提供を受ける者（国及び港湾管理者を除く。）、同項第三号の電子情報処理組織を使用する重要国際埠頭施設の管理者若しくは当該電子情報処理組織による個人識別情報の照合を受ける者、同項第四号の電子情報処理組織を使用する者又は同項第五号の電子情報処理組織による港湾施設等情報の提供を受ける者（国及び港湾管理者を除く。）は、国土交通省令で定めるところにより、その使用料を負担しなければならない。

3　国土交通大臣は、前項の港湾管理者を官報で告示するもの

とする。

4 電子情報処理組織を使用してする申請等及び処分通知等の様式については、第十二条第二項の規定にかかわらず、国土交通省令で定める。

5 前各項に定めるもののほか、電子情報処理組織の設置及び管理に関し必要な事項は、国土交通省令で定める。

6 前各項（第三項を除く。）の電子情報処理組織とは、次の各号に掲げるものについて、当該各号に定めるものをいう。

一 第一項第一号に掲げるもの　国土交通大臣の指定する電子計算機（入出力装置を含む。以下この項において同じ。）と港湾管理者並びに申請等をする者及び処分通知等を受ける者の使用に係る電子計算機とを電気通信回線で接続した電子情報処理組織

二 第一項第二号に掲げるもの　国土交通大臣の指定する波浪情報等の収集のための機器と波浪情報等の提供を受ける者の使用に係る電子計算機とを電気通信回線で接続した電子情報処理組織

三 第一項第三号に掲げるもの　国土交通大臣の指定する電子計算機と個人識別情報の照合のための機器とを電気通信回線で接続した電子情報処理組織

四 第一項第四号に掲げるもの　国土交通大臣の指定する電子計算機と港湾取扱貨物情報を授受する者の使用に係る電子計算機とを電気通信回線で接続した電子情報処理組織

五 第一項第五号に掲げるもの　国土交通大臣の指定する電子計算機と港湾施設等情報の提供を受ける者の使用に係る電子計算機とを電気通信回線で接続した電子情報処理組織

本条…追加〔平成一五年五月法律四一号〕、一項…一部改正〔平成一七年五月法律四五号〕、一・二項…全部改正・六項…一部改正〔平成一八年五月法律三八号〕、一・二項…一部改正・六項…全部改正〔平成二〇年六月法律六六号〕、旧五〇条の二…繰上・一・二・六項…一部改正〔令和四年一一月法律八七号〕

第六節　協議会

節名…追加〔令和四年一一月法律八七号〕

（港湾管理者の協議会の設置等）

第四九条　国土交通大臣は、港湾管理者を異にする二以上の港湾について広域的かつ総合的な見地からこれらの開発、利用及び保全を図る必要があると認めるときは、これらの港湾の港湾管理者に対し、港湾計画の作成、港湾の利用の方法、港湾の環境の整備その他の港湾の開発、利用及び保全に関する重要な事項について相互に連絡調整を図るため、協議により規約を定め、協議会を設けるべきことを勧告することができる。

2 国土交通大臣は、前項の規定により勧告をしようとする場合において、その勧告が地方公共団体である港湾管理者に対するものであるときは、総務大臣に協議するものとする。

3 国土交通大臣は、必要があると認めるときは、港務局に対し、その加入する第一項の協議会の設置の有無について報告を求め、及び当該協議会が設置された場合には、その規約の提出を求めることができる。

4 第一項の協議会で地方公共団体である港湾管理者が加入するものについては、地方自治法第二百五十二条の二の二第二項及び第六項、第二百五十二条の三、第二百五十二条の四第一項並びに第二百五十二条の六（同法第二百五十二条の二の二第二項に係る部分に限る。）の規定の適用があるものとする。この場合において、当該協議会に港務局が加入するときは、当該港務局は、これらの規定の適用については普通地方公共団体とみなす。

5 地方自治法第二百五十二条の二の二第六項、第二百五十二条の三及び第二百五十二条の四第一項の規定は、第一項の協議会で港務局のみが加入するものについて準用する。

本条…追加〔昭和四八年七月法律五四号〕、一－三項…一部改正〔平成一一年一二月法律一六〇号〕、旧五〇条の二…繰下〔平成一五年五月法律四一号〕、三項…全部改正〔平成二五年六月法律四四号〕、四・五項…一部改正〔平成二六年五月法律四二号〕、一項…一部改正・旧五〇条の三…繰上〔令和四年一一月法律八七号〕

（港湾広域防災協議会）

第四九条の二　国土交通大臣、港湾管理者の長その他の関係行政機関の長又はこれらの指名する職員は、港湾管理者を異にする二以上の港湾について、これらの港湾相互間の広域的な連携による災害時における港湾の機能の維持に関し必要な協議を行うため、港湾広域防災協議会（以下この条において「協議会」という。）を組織することができる。

2 協議会は、必要があると認めるときは、その構成員以外の関係行政機関及び事業者に対し、資料の提供、意見の表明、説明その他の必要な協力を求めることができる。

3 協議会において協議が調つた事項については、協議会の構成員は、その協議の結果を尊重しなければならない。

4 前三項に定めるもののほか、協議会の運営に関し必要な事項は、協議会が定める。

本条…追加〔平成二五年六月法律三一号〕、三項…一部改正・旧五〇条の四…繰上〔令和四年一一月法律八七号〕

（国際戦略港湾運営効率化協議会）

第五〇条　国土交通大臣、国際戦略港湾の港湾管理者の長その他の関係行政機関の長又はこれらの指名する職員及び国際戦略港湾の港湾運営会社は、国際戦略港湾（第四十三条の十一第二項の規定による二以上の国際戦略港湾の指定があつた場合にあつては、当該二以上の国際戦略港湾。以下この条において同じ。）ごとに、当該国際戦略港湾に係る埠頭群の一体的な運営による当該国際戦略港湾の運営の効率化に関し必要な協議を行うため、国際戦略港湾運営効率化協議会を組織することができる。

2 前条第二項から第四項までの規定は、国際戦略港湾運営効率化協議会について準用する。この場合において、同項中「前三項」とあるのは、「次条第一項及び同条第二項において準用する前二項」と読み替えるものとする。

本条…追加〔平成一七年五月法律四五号〕、一項…一部改正・見出し…改正・一項…全部改正・二項…削除・旧三・四項…二・三項に繰上・旧五項…一部改正し四項に繰上・旧五〇条の五…繰上

〔平成二三年三月法律九号〕一項…一部改正・二項…全部改正・三・四項…削除・旧五〇条の四…繰下〔平成二五年六月法律三一号〕二項…一部改正・旧五〇条の五…繰上〔令和四年一一月法律八七号〕

第九章　港湾の効果的な利用に関する計画

章名…追加〔令和四年一一月法律八七号〕

第一節　港湾脱炭素化推進計画

本節…追加〔令和四年一一月法律八七号〕

（港湾脱炭素化推進計画の作成）

第五〇条の二　港湾管理者は、官民の連携による脱炭素化（地球温暖化対策の推進に関する法律（平成十年法律第百十七号）第二条の二に規定する脱炭素社会の実現に寄与することを旨として、社会経済活動その他の活動に伴つて発生する温室効果ガス（同法第二条第三項に規定する温室効果ガスをいう。）の排出の量の削減並びに吸収作用の保全及び強化を行うことをいう。次項において同じ。）の促進に資する港湾の効果的な利用の推進を図るための計画（以下「港湾脱炭素化推進計画」という。）を作成することができる。

2　港湾脱炭素化推進計画においては、おおむね次に掲げる事項を定めるものとする。

一　官民の連携による脱炭素化の促進に資する港湾の効果的な利用の推進に関する基本的な方針

二　港湾脱炭素化推進計画の目標

三　前号の目標を達成するために行う港湾における脱炭素化の促進に資する事業（以下「港湾脱炭素化促進事業」という。）及びその実施主体に関する事項

四　港湾脱炭素化推進計画の達成状況の評価に関する事項

五　計画期間

六　前各号に掲げるもののほか、港湾脱炭素化推進計画の実施に関し当該港湾管理者が必要と認める事項

3　前項第三号に掲げる事項には、港湾脱炭素化促進事業の実施に係る次に掲げる事項を定めることができる。

一　第二条第六項の規定による認定の申請を行おうとする施設に関する事項

二　第三十七条第一項の許可を要する行為に関する事項

三　第三十八条の二第一項又は第四項の規定による届出を要する行為に関する事項

四　第五十四条の三第二項の認定を受けるために必要な同条第一項に規定する特定埠頭の運営の事業に関する事項

五　第五十五条の七第一項の規定による同項の政令で定める基準に適合する者である旨の認定を受けるために必要な同条第二項に規定する特定用途港湾施設の建設又は改良を行う者に関する事項

4　港湾脱炭素化推進計画は、基本方針に適合したものでなければならない。

5　港湾管理者は、港湾脱炭素化推進計画に第二項第三号に掲げる事項を定めるときは、あらかじめ、同号の実施主体として定めようとする者の同意を得なければならない。

6　港湾管理者は、港湾脱炭素化推進計画に第三項第一号又は第五号に掲げる事項を定めるときは、あらかじめ、国土交通大臣の同意を得なければならない。

7　港湾管理者は、港湾脱炭素化推進計画に第三項第四号に掲げる事項を定める場合において、当該事項に係る第五十四条の三第一項に規定する特定埠頭が次に掲げる港湾施設を含むものであるときは、あらかじめ、国土交通大臣の同意を得なければならない。

一　国有財産法第三条第二項に規定する行政財産である港湾施設

二　その工事の費用を国が負担し、又は補助した地方自治法第二百三十八条第四項に規定する行政財産である港湾施設

8　前項に定めるもののほか、港湾管理者は、港湾脱炭素化推進計画に第三項第四号に掲げる事項を定めるときは、あらかじめ、国土交通省令で定めるところにより、当該事項について第五十四条の三第四項に規定する措置を講じなければならない。

9　港湾管理者は、港湾脱炭素化推進計画を作成したときは、遅滞なく、これを公表するとともに、国土交通大臣及び第二項第三号の実施主体に送付しなければならない。

10　国土交通大臣は、前項の規定により港湾脱炭素化推進計画の送付を受けたときは、当該港湾管理者に対し、必要な助言をすることができる。

11　第五項から前項までの規定は、港湾脱炭素化推進計画の変更について準用する。

本条…追加〔令和四年一一月法律八七号〕

（港湾脱炭素化推進協議会）

第五〇条の三　港湾脱炭素化推進計画を作成しようとする港湾管理者は、港湾脱炭素化推進計画の作成及び実施に関し必要な協議を行うため、港湾脱炭素化推進協議会（以下この条において「協議会」という。）を組織することができる。

2　協議会は、次に掲げる者をもつて構成する。

一　港湾脱炭素化推進計画を作成しようとする港湾管理者

二　港湾脱炭素化推進計画に定めようとする港湾脱炭素化促進事業を実施すると見込まれる者

三　関係する地方公共団体

四　当該港湾の利用者、学識経験者その他の当該港湾管理者が必要と認める者

3　第一項の規定により協議会を組織する港湾管理者は、協議会において協議を行うときは、あらかじめ、前項第二号に掲げる者であつて協議会の構成員であるものに、当該協議を行う事項を通知しなければならない。

4　前項の規定による通知を受けた者は、正当な理由がある場合を除き、当該通知に係る事項の協議に応じなければならない。

5　国土交通大臣は、港湾脱炭素化推進計画の作成が円滑に行われるように、協議会の構成員の求めに応じて、必要な助言をすることができる。

6　協議会において協議が調つた事項については、協議会の構

成員は、その協議の結果を尊重しなければならない。

7 前各項に定めるもののほか、協議会の運営に関し必要な事項は、協議会が定める。

本条…追加〔令和四年一一月法律八七号〕

（港湾脱炭素化推進計画に係る港湾施設等の認定等の特例）

第五〇条の四 第五十条の二第三項第一号に掲げる事項が定められた港湾脱炭素化推進計画が同条第九項（同条第十一項において準用する場合を含む。以下この条において同じ。）の規定により公表されたときは、当該公表の日に当該事項に係る施設についての第二条第六項の規定による認定があつたものとみなす。

2 第五十条の二第三項第二号、第四号又は第五号に掲げる事項が定められた港湾脱炭素化推進計画が同条第九項の規定により公表されたときは、当該公表の日に当該事項に係る港湾脱炭素化促進事業の実施主体に対する第三十七条第一項の許可、第五十四条の三第二項の認定又は第五十五条の七第一項の規定による同項の政令で定める基準に適合する者である旨の認定があつたものとみなす。

3 第五十条の二第三項第三号に掲げる事項が定められた港湾脱炭素化推進計画が同条第九項の規定により公表されたときは、第三十八条の二第一項又は第四項の規定による届出があつたものとみなす。

本条…追加〔令和四年一一月法律八七号〕

（脱炭素化推進地区）

第五〇条の五 港湾脱炭素化推進計画を作成した港湾管理者は、当該港湾脱炭素化推進計画の目標を達成するために必要があると認めるときは、第三十九条の規定により指定した分区の区域内において、当該目標の達成に資する土地利用の増進を図ることを目的とする一又は二以上の区域（次項において「脱炭素化推進地区」という。）を定めることができる。

2 脱炭素化推進地区の区域内における第四十条から第四十一条までの規定の適用については、次の表の上欄に掲げる規定中同表の中欄に掲げる字句は、それぞれ同表の下欄に掲げる字句とする。

第四十条第一項	ものを	もの（第五十条の五第一項に規定する脱炭素化推進地区の区域内においては、当該脱炭素化推進地区に係る第五十条の二第一項に規定する港湾脱炭素化推進計画の目標の達成に資するものとして当該地方公共団体の条例で定めるものを除き、当該脱炭素化推進地区の目的を著しく阻害する建築物その他の構築物であつて当該条例で定めるものを含む。以下「特定構築物」という。）を
	当該条例で定める構築物	特定構築物
第四十条の二第一項	同項の条例で定める構築物	特定構築物
第四十一条第一項	その条例に定められたもの	特定構築物
	当該分区	当該分区又は当該脱炭素化推進地区

本条…追加〔令和四年一一月法律八七号〕

第二節 特定利用推進計画

節名…追加〔令和四年一一月法律八七号〕

（特定利用推進計画の作成）

第五〇条の六 特定貨物輸入拠点港湾の港湾管理者（以下「特定港湾管理者」という。）は、当該特定貨物輸入拠点港湾について、輸入ばら積み貨物の海上運送の共同化の促進に資する特定貨物輸入拠点港湾の効果的な利用の推進を図るための計画（以下「特定利用推進計画」という。）を作成することができる。

2 特定利用推進計画においては、おおむね次に掲げる事項を定めるものとする。

一 輸入ばら積み貨物の海上運送の共同化の促進に資する特定貨物輸入拠点港湾の効果的な利用の推進に関する基本的な方針

二 特定利用推進計画の目標

三 前号の目標を達成するために行う特定貨物取扱埠頭の機能の高度化を図る事業（次項及び第五十条の八第一項において「特定貨物取扱埠頭機能高度化事業」という。）その他の事業及びその実施主体に関する事項

四 輸入ばら積み貨物の海上運送の共同化の促進に資する他の港湾との連携に関する事項

五 前各号に掲げるもののほか、特定利用推進計画の実施に関し当該特定港湾管理者が必要と認める事項

3 前項第三号に掲げる事項には、特定貨物取扱埠頭機能高度化事業の実施に係る次に掲げる事項を定めることができる。

一 第三十七条第一項の許可を要する行為に関する事項

二 第三十八条の二第一項又は第四項の規定による届出を要する行為に関する事項

三 第五十四条の三第二項の認定を受けるために必要な同条第一項に規定する特定埠頭の運営の事業に関する事項

4 特定利用推進計画は、基本方針に適合したものでなければならない。

5 特定港湾管理者は、特定利用推進計画に第二項第三号に掲げる事項を定めるときは、あらかじめ、同号の実施主体として定めようとする者の同意を得なければならない。

6 特定港湾管理者は、特定利用推進計画に第二項第四号に掲げる事項を定めるときは、あらかじめ、同号の他の港湾の港湾管理者に協議しなければならない。

7 特定港湾管理者は、特定利用推進計画に第三項第三号に掲

げる事項を定める場合において、当該事項に係る第五十四条の三第一項に規定する特定埠頭が次に掲げる港湾施設を含むものであるときは、あらかじめ、国土交通大臣の同意を得なければならない。

一　国有財産法第三条第二項に規定する行政財産である港湾施設

二　その工事の費用を国が負担し、又は補助した地方自治法第二百三十八条第四項に規定する行政財産である港湾施設

8　前項に定めるもののほか、特定港湾管理者は、特定利用推進計画に第三項第三号に掲げる事項を定めるときは、あらかじめ、国土交通省令で定めるところにより、当該事項について第五十四条の三第四項に規定する措置を講じなければならない。

9　特定港湾管理者は、特定利用推進計画を作成したときは、遅滞なく、これを公表するとともに、国土交通大臣、第二項第三号の実施主体及び同項第四号の他の港湾の港湾管理者に送付しなければならない。

10　国土交通大臣は、前項の規定により特定利用推進計画の送付を受けたときは、当該特定港湾管理者に対し、必要な助言をすることができる。

11　第五項から前項までの規定は、特定利用推進計画の変更について準用する。

本条…追加〔平成二五年六月法律三一号〕、見出し…全部改正・三・五－一〇項…一部改正〔令和四年一一月法律八七号〕

（特定貨物輸入拠点港湾利用推進協議会）

第五〇条の七　特定利用推進計画を作成しようとする特定港湾管理者は、特定利用推進計画の作成及び実施に関し必要な協議を行うため、特定貨物輸入拠点港湾利用推進協議会（以下この条において「協議会」という。）を組織することができる。

2　協議会は、次に掲げる者をもつて構成する。

一　特定利用推進計画を作成しようとする特定港湾管理者

二　特定利用推進計画に定めようとする事業を実施すると見込まれる者

三　関係する地方公共団体

四　当該特定貨物輸入拠点港湾の利用者、学識経験者その他の当該特定港湾管理者が必要と認める者

3　第一項の規定により協議会を組織する特定港湾管理者は、協議会において協議を行うときは、あらかじめ、前項第二号に掲げる者であつて協議会の構成員であるものに、当該協議を行う事項を通知しなければならない。

4　前項の規定による通知を受けた者は、正当な理由がある場合を除き、当該通知に係る事項の協議に応じなければならない。

5　国土交通大臣は、特定利用推進計画の作成が円滑に行われるように、協議会の構成員の求めに応じて、必要な助言をすることができる。

6　第四十九条の二第三項及び第四項の規定は、協議会について準用する。この場合において、同項中「前三項」とあるのは、「第五十条の七第一項から第五項まで及び同条第六項において準用する前項」と読み替えるものとする。

本条…追加〔平成二五年六月法律三一号〕、二－四・六項…一部改正〔令和四年一一月法律八七号〕

（特定利用推進計画に係る港湾区域内の工事等の許可等の特例）

第五〇条の八　第五十条の六第三項第一号又は第三号に掲げる事項が定められた特定利用推進計画が同条第九項（同条第十一項において準用する場合を含む。次項において同じ。）の規定により公表されたときは、当該公表の日に当該事項に係る特定貨物取扱埠頭機能高度化事業の実施主体に対する第三十七条第一項の許可又は第五十四条の三第二項の認定があつたものとみなす。

2　第五十条の六第三項第二号に掲げる事項が定められた特定利用推進計画が同条第九項の規定により公表されたときは、第三十八条の二第一項又は第四項の規定による届出があつたものとみなす。

本条…追加〔平成二五年六月法律三一号〕、一項…一部改正〔平成二九年六月法律五五号〕、見出し…一部改正〔令和四年一一月法律八七号〕

（共同化促進施設協定の締結等）

第五〇条の九　特定利用推進計画に定められた第五十条の六第二項第三号に掲げる事項に係る輸入ばら積み貨物の積卸し、保管又は荷さばきの共同化を促進するために必要な港湾施設として国土交通省令で定めるもの（以下この条において「共同化促進施設」という。）の施設所有者等（当該共同化促進施設の所有者、その敷地である土地の所有者又は当該土地の使用及び収益を目的とする権利（臨時設備その他一時使用のため設定されたことが明らかなものを除く。次項において同じ。）を有する者をいう。次項、第五十条の十二第一項、第五十条の十三、第五十条の十四第一項及び第五十条の十五において同じ。）は、その全員の合意により、当該共同化促進施設の整備又は管理に関する協定を締結することができる。

2　特定利用推進計画に定められた第五十条の六第二項第三号に掲げる事項に係る建設が予定されている共同化促進施設又は建設中の共同化促進施設の施設所有者等となろうとする者（当該共同化促進施設の敷地である土地の所有者又は当該土地の使用及び収益を目的とする権利を有する者を含む。第五十条の十二第一項、第五十条の十三及び第五十条の十四第一項において「予定施設所有者等」という。）は、その全員の合意により、当該共同化促進施設の整備又は管理に関する協定を締結することができる。

3　第一項又は前項に規定する協定（以下「共同化促進施設協定」という。）においては、次に掲げる事項を定めるものとする。

一　共同化促進施設協定の目的となる共同化促進施設（以下「協定共同化促進施設」という。）

二　次に掲げる協定共同化促進施設の整備又は管理に関する事項のうち、必要なもの
イ　協定共同化促進施設を構成する荷さばき施設、保管施設その他の港湾施設の規模、構造又は用途に関する基準
ロ　協定共同化促進施設を構成する荷さばき施設、保管施設その他の港湾施設の整備又は管理に要する費用の負担の方法
ハ　その他協定共同化促進施設の整備又は管理に関する事項
三　共同化促進施設協定の有効期間
四　共同化促進施設協定に違反した場合の措置
4　共同化促進施設協定は、特定港湾管理者の認可を受けなければならない。

本条…追加〔平成二五年六月法律三一号〕、一・二項…一部改正〔平成二九年六月法律五五号〕

（認可の申請に係る共同化促進施設協定の縦覧等）

第五〇条の一〇　特定港湾管理者は、前条第四項の認可の申請があつたときは、国土交通省令で定めるところにより、その旨を公告し、当該共同化促進施設協定を当該公告の日から二週間関係人の縦覧に供さなければならない。
2　前項の規定による公告があつたときは、関係人は、同項の縦覧期間満了の日までに、当該共同化促進施設協定について、特定港湾管理者に意見書を提出することができる。

本条…追加〔平成二五年六月法律三一号〕

（共同化促進施設協定の認可）

第五〇条の一一　特定港湾管理者は、第五十条の九第四項の認可の申請が次の各号のいずれにも該当するときは、同項の認可をしなければならない。
一　申請手続が法令に違反しないこと。
二　協定共同化促進施設の利用を不当に制限するものでないこと。
三　第五十条の九第三項第二号から第四号までに掲げる事項について国土交通省令で定める基準に適合するものであること。
2　特定港湾管理者は、第五十条の九第四項の認可をしたときは、国土交通省令で定めるところにより、その旨を公告し、かつ、当該共同化促進施設協定を当該特定港湾管理者の事務所に備えて公衆の縦覧に供するとともに、協定共同化促進施設又はその敷地である土地の区域内の見やすい場所に、それぞれ協定共同化促進施設である旨又は協定共同化促進施設が当該区域内に存する旨を明示しなければならない。

本条…追加〔平成二五年六月法律三一号〕

（共同化促進施設協定の変更）

第五〇条の一二　協定共同化促進施設の施設所有者等又は予定施設所有者等は、共同化促進施設協定において定めた事項を変更しようとする場合においては、その全員の合意をもつてその旨を定め、特定港湾管理者の認可を受けなければならない。
2　前二条の規定は、前項の変更の認可について準用する。

本条…追加〔平成二五年六月法律三一号〕

（共同化促進施設協定の効力）

第五〇条の一三　第五十条の十一第二項（前条第二項において準用する場合を含む。）の規定による認可の公告のあつた共同化促進施設協定は、その公告のあつた後において当該協定共同化促進施設の施設所有者等又は予定施設所有者等となつた者に対しても、その効力があるものとする。

本条…追加〔平成二五年六月法律三一号〕

（共同化促進施設協定の廃止）

第五〇条の一四　協定共同化促進施設の施設所有者等又は予定施設所有者等は、第五十条の九第四項又は第五十条の十二第一項の認可を受けた共同化促進施設協定を廃止しようとする場合においては、その過半数の合意をもつてその旨を定め、特定港湾管理者の認可を受けなければならない。
2　特定港湾管理者は、前項の認可をしたときは、その旨を公告しなければならない。

本条…追加〔平成二五年六月法律三一号〕

（借主の地位）

第五〇条の一五　共同化促進施設協定に定める事項が協定共同化促進施設の借主の権限に係る場合においては、その共同化促進施設協定については、当該協定共同化促進施設の借主を施設所有者等とみなして、第五十条の九から前条までの規定を適用する。

本条…追加〔平成二五年六月法律三一号〕

第三節　国際旅客船拠点形成計画

節名…追加〔令和四年一一月法律八七号〕

（国際旅客船拠点形成計画の作成）

第五〇条の一六　国際旅客船拠点形成港湾の港湾管理者（以下「国際旅客船港湾管理者」という。）は、当該国際旅客船拠点形成港湾について、国際旅客船取扱埠頭を中核として官民の連携による国際旅客船の受入れの促進を図ることにより国際旅客船の寄港の拠点を形成するための計画（以下「国際旅客船拠点形成計画」という。）を作成することができる。
2　国際旅客船拠点形成計画においては、おおむね次に掲げる事項を定めるものとする。
一　国際旅客船取扱埠頭における旅客施設を整備する者による係留施設の優先的な利用その他の官民の連携による国際旅客船の受入れの促進を通じた国際旅客船の寄港の拠点の形成に関する基本的な方針
二　国際旅客船拠点形成計画の目標
三　前号の目標を達成するために行う国際旅客船取扱埠頭の機能の高度化を図る事業（次項及び次条第二項において「国際旅客船取扱埠頭機能高度化事業」という。）その他の事業及びその実施主体に関する事項
四　前三号に掲げるもののほか、国際旅客船拠点形成計画の実施に関し当該国際旅客船港湾管理者が必要と認める事項
3　前項第三号に掲げる事項には、国際旅客船取扱埠頭機能高

度化事業の実施に係る次に掲げる事項を定めることができる。
一　第二条第六項の規定による認定の申請を行おうとする施設に関する事項
二　第三十七条第一項の許可を要する行為に関する事項
三　第三十八条の二第一項又は第四項の規定による届出を要する行為に関する事項
四　第五十五条の七第一項の規定による同項の政令で定める基準に適合する者である旨の認定を受けるために必要な同条第二項に規定する特定用途港湾施設の建設又は改良を行う者に関する事項

4　国際旅客船拠点形成計画は、基本方針に適合したものでなければならない。

5　国際旅客船港湾管理者は、国際旅客船拠点形成計画に第二項第三号に掲げる事項を定めるときは、あらかじめ、同号の実施主体として定めようとする者の同意を得なければならない。

6　国際旅客船港湾管理者は、国際旅客船拠点形成計画に第三項第一号又は第四号に掲げる事項を定めるときは、あらかじめ、国土交通大臣の同意を得なければならない。

7　国際旅客船港湾管理者は、国際旅客船拠点形成計画を作成したときは、遅滞なく、これを公表するとともに、国土交通大臣及び第二項第三号の実施主体に送付しなければならない。

8　国土交通大臣は、前項の規定により国際旅客船拠点形成計画の送付を受けたときは、当該国際旅客船港湾管理者に対し、必要な助言をすることができる。

9　第五項から前項までの規定は、国際旅客船拠点形成計画の変更について準用する。

本条…追加〔平成二九年六月法律五五号〕、見出し・全部改正・三・五－八項…一部改正〔令和四年一一月法律八七号〕

（国際旅客船拠点形成計画に係る港湾施設等の認定等の特例）

第五〇条の一七　前条第三項第一号に掲げる事項が定められた国際旅客船拠点形成計画が同条第七項（同条第九項において準用する場合を含む。以下この条において同じ。）の規定により公表されたときは、当該公表の日に当該事項に係る施設についての第二条第六項の規定による認定があつたものとみなす。

2　前条第三項第二号又は第四号に掲げる事項が定められた国際旅客船拠点形成計画が同条第七項の規定により公表されたときは、当該公表の日に当該事項に係る国際旅客船取扱埠頭機能高度化事業の実施主体に対する第三十七条第一項の許可又は第五十五条の七第一項の規定による同項の政令で定める基準に適合する者である旨の認定があつたものとみなす。

3　前条第三項第三号に掲げる事項が定められた国際旅客船拠点形成計画が同条第七項の規定により公表されたときは、第三十八条の二第一項又は第四項の規定による届出があつたものとみなす。

本条…追加〔平成二九年六月法律五五号〕、見出し・二項…一部改正〔令和四年一一月法律八七号〕

（官民連携国際旅客船受入促進協定の締結等）

第五〇条の一八　国際旅客船港湾管理者は、官民の連携による国際旅客船の受入れの促進を図るため必要があると認めるときは、国際旅客船拠点形成計画に定められた第五十条の十六第二項第三号に掲げる事項に係る旅客施設その他の国際旅客船の受入れを促進するために必要な港湾施設として国土交通省令で定めるもののうち、国際旅客船港湾管理者以外の者が整備するもの（以下「民間国際旅客船受入促進施設」という。）の施設所有者等（当該民間国際旅客船受入促進施設の所有者等（所有者及びその者の株式の所有その他の事由を通じてその者の事業を実質的に支配し、又はその事業に重要な影響を与える関係にあるものとして国土交通省令で定める者をいう。以下この条において同じ。）、その敷地である土地の所有者又は当該土地の使用及び収益を目的とする権利（臨時設備その他一時使用のため設定されたことが明らかなものを除く。第三項において同じ。）を有する者をいう。以下同じ。）との間において、国際旅客船取扱埠頭の係留施設の優先的な利用及び当該民間国際旅客船受入促進施設の一般公衆への供用その他当該民間国際旅客船受入促進施設の整備又は管理に関する協定を締結することができる。

2　前項に規定する協定については、民間国際旅客船受入促進施設の施設所有者等の全員の合意がなければならない。

3　国際旅客船港湾管理者は、官民の連携による国際旅客船の受入れの促進を図るため必要があると認めるときは、国際旅客船拠点形成計画に定められた第五十条の十六第二項第三号に掲げる事項に係る建設が予定されている民間国際旅客船受入促進施設又は建設中の民間国際旅客船受入促進施設の施設所有者等となろうとする者（当該民間国際旅客船受入促進施設の敷地である土地の所有者又は当該土地の使用及び収益を目的とする権利を有する者を含む。以下「予定施設所有者等」という。）との間において、国際旅客船取扱埠頭の係留施設の優先的な利用及び建設後の当該民間国際旅客船受入促進施設の一般公衆への供用その他当該民間国際旅客船受入促進施設の整備又は管理に関する協定を締結することができる。

4　前項に規定する協定については、民間国際旅客船受入促進施設の予定施設所有者等の全員の合意がなければならない。

5　第一項又は第三項に規定する協定（以下「官民連携国際旅客船受入促進協定」という。）においては、次に掲げる事項を定めるものとする。
一　官民連携国際旅客船受入促進協定の目的となる係留施設及び民間国際旅客船受入促進施設（以下「協定国際旅客船受入促進施設」という。）
二　次に掲げる官民の連携による国際旅客船の受入れの促進

に関する事項のうち、必要なもの

イ　協定国際旅客船受入促進施設を構成する民間国際旅客船受入促進施設（以下「協定民間国際旅客船受入促進施設」という。）の所有者等による協定国際旅客船受入促進施設を構成する係留施設の優先的な利用に関する事項

ロ　協定民間国際旅客船受入促進施設の規模、構造又は用途に関する基準

ハ　協定民間国際旅客船受入促進施設の整備又は管理の方法

ニ　協定民間国際旅客船受入促進施設の整備又は管理に要する費用の負担の方法

三　官民連携国際旅客船受入促進協定を変更し、又は廃止する場合の手続

四　官民連携国際旅客船受入促進協定の有効期間

五　官民連携国際旅客船受入促進協定に違反した場合の措置

六　官民連携国際旅客船受入促進協定の掲示方法

七　その他必要な事項

6　官民連携国際旅客船受入促進協定の内容は、次に掲げる基準のいずれにも適合するものでなければならない。

一　協定民間国際旅客船受入促進施設の利用を不当に制限するものでないこと。

二　前項第二号から第七号までに掲げる事項について国土交通省令で定める基準に適合するものであること。

7　国際旅客船港湾管理者は、官民連携国際旅客船受入促進協定を締結しようとする場合において、協定国際旅客船受入促進施設が次に掲げる港湾施設を含むものであるときは、あらかじめ、国土交通大臣の同意を得なければならない。

一　国有財産法第三条第二項に規定する行政財産である港湾施設

二　その工事の費用を国が負担し、又は補助した地方自治法第二百三十八条第四項に規定する行政財産である港湾施設

8　協定民間国際旅客船受入促進施設の所有者等は、正当な理由がある場合を除き、官民連携国際旅客船受入促進協定に従つて当該協定民間国際旅客船受入促進施設をその者以外の者の利用に供しなければならない。

本条…追加〔平成二九年六月法律五五号〕

（官民連携国際旅客船受入促進協定の縦覧等）

第五〇条の一九　国際旅客船港湾管理者は、官民連携国際旅客船受入促進協定を締結しようとするときは、国土交通省令で定めるところにより、その旨を公告し、当該官民連携国際旅客船受入促進協定を当該公告の日から二週間利害関係人の縦覧に供さなければならない。

2　前項の規定による公告があつたときは、利害関係人は、同項の縦覧期間満了の日までに、当該官民連携国際旅客船受入促進協定について、国際旅客船港湾管理者に意見書を提出することができる。

3　国際旅客船港湾管理者は、官民連携国際旅客船受入促進協定を締結したときは、国土交通省令で定めるところにより、遅滞なく、その旨を公示し、かつ、当該官民連携国際旅客船受入促進協定の写しを国際旅客船港湾管理者の事務所に備えて一般の閲覧に供するとともに、当該官民連携国際旅客船受入促進協定において定めるところにより、協定国際旅客船受入促進施設又はその敷地内の見やすい場所に、国際旅客船港湾管理者の事務所においてこれを閲覧に供している旨を掲示しなければならない。

4　前条第二項、第四項、第六項及び第七項並びに前三項の規定は、官民連携国際旅客船受入促進協定において定めた事項の変更について準用する。この場合において、前条第四項中「予定施設所有者等」とあるのは、「予定施設所有者等（当該民間国際旅客船受入促進施設の建設後にあつては、施設所有者等）」と読み替えるものとする。

本条…追加〔平成二九年六月法律五五号〕

（官民連携国際旅客船受入促進協定の効力）

第五〇条の二〇　前条第三項（同条第四項において準用する場合を含む。）の規定による公示のあつた官民連携国際旅客船受入促進協定は、その公示のあつた後において協定民間国際旅客船受入促進施設の施設所有者等又は予定施設所有者等となつた者に対しても、その効力があるものとする。

本条…追加〔平成二九年六月法律五五号〕

（協定民間国際旅客船受入促進施設の所有者の料金）

第五〇条の二一　第四十五条第二項、第三項及び第六項の規定は、協定民間国際旅客船受入促進施設の所有者がその所有する協定民間国際旅客船受入促進施設の利用に関する料金として国土交通省令で定める料金を収受しようとする場合について準用する。この場合において、同条第二項中「その指定をした国土交通大臣又は国際拠点港湾の港湾管理者」とあり、及び同条第三項中「国土交通大臣又は国際拠点港湾の港湾管理者」とあるのは「第五十条の十六第一項に規定する国際旅客船港湾管理者」と、同条第六項中「前各項」とあるのは「第五十条の二十一において準用する第二項及び第三項」と読み替えるものとする。

本条…追加〔平成二九年六月法律五五号〕

（国土交通大臣の援助）

第五〇条の二二　国土交通大臣は、官民連携国際旅客船受入促進協定を締結し、又は締結しようとする民間国際旅客船受入促進施設の施設所有者等又は予定施設所有者等に対し、官民連携国際旅客船受入促進協定の締結及びその円滑な実施に関し必要な情報の提供、指導、助言その他の援助を行うよう努めるものとする。

本条…追加〔平成二九年六月法律五五号〕

第四節　港湾環境整備計画

節名…追加〔令和四年一一月法律八七号〕

（港湾環境整備計画の作成及び認定の申請）

第五一条　港湾管理者は、港湾において、港湾の環境の整備に関する事業を実施するため、緑地又は広場（国有財産法第三条第二項又は地方自治法第二百三十八条第四項に規定する行政財産であるも

のに限る。以下「緑地等」という。）について第五十一条の三第一項の規定による貸付け（次項及び次条第三項において単に「貸付け」という。）を受けようとする者は、国土交通省令で定めるところにより、港湾の環境の整備に関する事業の実施に関する計画（以下「港湾環境整備計画」という。）を作成し、当該港湾の港湾管理者（以下この節において単に「港湾管理者」という。）の認定を申請することができる。

2　港湾環境整備計画には、次に掲げる事項を記載しなければならない。

一　貸付けを受けようとする緑地等の区域

二　緑地等の貸付けを受けようとする期間

三　第一号の区域において整備する飲食店、売店その他の施設であつて、当該施設から生ずる収益の一部を次号に規定する港湾施設の整備に要する費用の全部又は一部に充てることができると認められるものに関する事項

四　第一号の区域において整備する休憩所、案内施設その他の港湾の環境の向上に資する港湾施設に関する事項

五　前二号に掲げるもののほか、第一号の区域において行う緑地等の維持その他の港湾の環境の整備に関する事業に関する事項

六　資金計画及び収支計画

3　前項第三号及び第四号に掲げる事項には、同項第三号又は第四号に規定する施設の整備の実施に係る第三十七条第一項の許可を要する行為に関する事項を記載することができる。

本条…一部改正〔昭和四八年七月法律五四号・平成一一年一二月一六〇号・二三年三月九号〕、本条…全部改正〔令和四年一一月法律八七号〕

（港湾環境整備計画の認定等）

第五一条の二　港湾管理者は、前条第一項の規定による認定の申請があつた場合において、当該申請に係る港湾環境整備計画が次の各号のいずれにも適合するものであると認めるときは、その認定をするものとする。

一　当該港湾環境整備計画の内容が当該港湾の港湾計画に適合するものであること。

二　当該港湾環境整備計画の実施が港湾の環境の向上に資すると認められるものであること。

三　当該港湾環境整備計画の内容が当該港湾の利用又は保全に著しく支障を与えるおそれがないものであること。

四　当該港湾環境整備計画が円滑かつ確実に実施されると見込まれるものであること。

2　港湾管理者は、前条第一項の規定による認定の申請に係る港湾環境整備計画に記載された同条第二項第一号の区域に次に掲げる緑地又は広場が含まれる場合において、前項の認定をするときは、あらかじめ、国土交通大臣の同意を得なければならない。

一　国有財産法第三条第二項に規定する行政財産である緑地又は広場

二　その工事の費用を国が負担し、又は補助した地方自治法第二百三十八条第四項に規定する行政財産である緑地又は広場

3　前項に定めるもののほか、港湾管理者は、第一項の認定をするときは、あらかじめ、国土交通省令で定めるところにより、当該認定を申請した者の氏名又は名称及び前条第二項第一号から第五号までに掲げる事項の概要を公衆の縦覧に供することその他の緑地等の貸付けが公正な手続に従つて行われることを確保するために必要な措置を講じなければならない。

4　港湾管理者は、第一項の認定をしたときは、遅滞なく、当該認定を受けた者の氏名又は名称、前条第二項第一号から第五号までに掲げる事項の概要その他国土交通省令で定める事項を公表しなければならない。

5　第一項の認定を受けた者（以下「認定計画実施者」という。）は、当該認定を受けた港湾環境整備計画を変更しようとする場合においては、港湾管理者の認定を受けなければならない。

6　第一項から第四項までの規定は、前項の規定による港湾環境整備計画の変更の認定について準用する。

本条…追加〔令和四年一一月法律八七号〕

（港湾環境整備計画に係る行政財産の貸付け等の特例）

第五一条の三　港湾管理者は、国有財産法第十八条第一項又は地方自治法第二百三十八条の四第一項の規定にかかわらず、前条第一項の認定を受けた港湾環境整備計画（同条第五項の変更の認定があつたときは、その変更後のもの。次条第一項において「認定計画」という。）に記載された第五十一条第二項第一号に規定する緑地等を認定計画実施者に貸し付けることができる。

2　前項の規定による貸付けについては、民法（明治二十九年法律第八十九号）第六百四条並びに借地借家法（平成三年法律第九十号）第三条及び第四条の規定は、適用しない。

3　国有財産法第二十一条（第一項第二号に係る部分を除く。）、第二十三条及び第二十四条並びに地方自治法第二百三十八条の二第二項及び第二百三十八条の五第四項から第六項までの規定は、第一項の規定による貸付けについて準用する。

4　第一項の規定により港湾管理者が緑地等を認定計画実施者に貸し付ける場合における第四十六条第一項の規定の適用については、同項ただし書中「又は貸付け」とあるのは「、貸付け」と、「場合は」とあるのは「場合又は第五十一条の三第一項の規定により貸付けをする場合は」とする。

5　第五十一条第三項に規定する事項が記載された港湾環境整備計画が前条第一項又は第五項の認定を受けたときは、当該認定の日に当該事項に係る認定計画実施者に対する第三十七条第一項の許可があつたものとみなす。

本条…追加〔令和四年一一月法律八七号〕

（港湾環境整備計画に係る勧告及び認定の取消し）

第五一条の四　港湾管理者は、認定計画が第五十一条の二第一

項各号のいずれかに適合しないものとなつたと認めるときは、認定計画実施者に対し、必要な措置をとるべきことを勧告することができる。

2　港湾管理者は、前項の規定による勧告を受けた者が当該勧告に従い必要な措置をとらなかつたときは、第五十一条の二第一項又は第五項の認定を取り消すことができる。

3　港湾管理者は、第五十一条の二第二項の規定により国土交通大臣の同意を得た港湾環境整備計画について前項の規定による認定の取消しをしたときは、速やかに、国土交通大臣にその旨を通知しなければならない。

本条…追加〔令和四年一一月法律八七号〕

（国土交通省令への委任）

第五十一条の五　この節に定めるもののほか、第五十一条の三第一項の規定による貸付けに関し必要な事項は、国土交通省令で定める。

本条…追加〔令和四年一一月法律八七号〕

第十章　港湾等の機能の維持及び増進を図るための措置

章名…追加〔令和四年一一月法律八七号〕

第一節　国土交通大臣がする港湾工事等

節名…追加〔令和四年一一月法律八七号〕

（直轄工事）

第五十二条　国際戦略港湾、国際拠点港湾又は重要港湾において一般交通の利便の増進、公害の発生の防止又は環境の整備を図り、避難港において一般交通の利便の増進を図るため必要がある場合において国と港湾管理者の協議が調つたときは、国土交通大臣は、予算の範囲内で次に掲げる港湾工事を自らすることができる。

一　国際戦略港湾が長距離の国際海上コンテナ運送に係る国際海上貨物輸送網の拠点として機能するために必要な係留施設として国土交通省令で定めるもの及びこれに附帯する荷さばき地の港湾工事

二　国際戦略港湾、国際拠点港湾又は重要港湾が海上輸送網の拠点として機能するために必要な水域施設、外郭施設、係留施設（前号に規定する係留施設を除く。）又は臨港交通施設として国土交通省令で定めるものの港湾工事

三　国際戦略港湾、国際拠点港湾又は重要港湾が前号の拠点としての機能を発揮するために必要な港湾公害防止施設、港湾環境整備施設、廃棄物埋立護岸又は海洋性廃棄物処理施設のうち国土交通省令で定める大規模なものの港湾工事

四　避難港における水域施設又は外郭施設のうち国土交通省令で定める大規模なものの港湾工事

五　前各号に掲げる港湾工事以外の港湾工事であつて高度の技術を必要とするものその他港湾管理者が自らすることが困難である港湾工事

2　前項の規定により国土交通大臣がする港湾工事に係る費用のうち次の各号に掲げる施設の建設又は改良に係るものは、当該港湾の港湾管理者が当該各号に定める割合で負担する。

一　国際戦略港湾における係留施設であつて、前項第一号の国土交通省令で定めるもの　十分の三

二　前号に掲げる施設に附帯する荷さばき地　三分の一

三　国際戦略港湾又は国際拠点港湾における水域施設、外郭施設若しくは係留施設（これらの施設のうち、国際海上貨物輸送網の拠点として機能するために必要な施設であつて国土交通省令で定めるものに限る。）又は臨港交通施設（第一号及び第八号に掲げる施設を除く。）　三分の一

四　国際戦略港湾、国際拠点港湾又は重要港湾における水域施設、外郭施設、係留施設又は臨港交通施設（第一号、前号及び第八号に掲げる施設を除く。）　十分の四・五

五　国際戦略港湾、国際拠点港湾又は重要港湾における港湾公害防止施設又は港湾環境整備施設　十分の五

六　国際戦略港湾、国際拠点港湾又は重要港湾における廃棄物埋立護岸又は海洋性廃棄物処理施設　三分の二

七　避難港における水域施設又は外郭施設（次号に掲げる施設を除く。）　三分の一

八　水域施設、外郭施設、係留施設又は臨港交通施設（前項第五号に掲げる港湾工事に係るものに限る。）　十分の五

3　地方財政法第十七条の二第一項及び第十九条第二項の規定は、港務局について前項の場合に準用する。この場合において、「地方公共団体」とあるのは、「港務局」と読み替えるものとする。

一・二項…一部改正、三項…全部改正〔昭和二六年六月法律一九六号〕、二項…一部改正〔昭和二九年五月法律一二一号〕、一・三項…一部改正〔昭和四八年七月法律五四号〕、二・三項…一部改正〔平成五年三月法律八号〕、一項…一部改正〔平成一一年七月法律八七号〕、一・二項…一部改正〔平成一一年一二月法律一六〇号〕、二項…削除・旧三項…一部改正し二項に繰上・三項…追加〔平成一二年三月法律三三号〕、二項…一部改正〔平成一九年六月法律七一号〕、一・二項…一部改正〔平成二三年三月法律九号〕

（土地又は工作物の譲渡）

第五十三条　前条に規定する港湾工事によつて生じた土地又は工作物は、国土交通大臣において、港湾管理者に譲渡することができる。この場合の譲渡は、港湾管理者が負担した費用の額に相当する価額の範囲内で無償とする。

本条…一部改正〔平成一一年一二月法律一六〇号〕

（港湾施設の貸付け等）

第五十四条　前条に規定する場合のほか、第五十二条に規定する港湾工事によつて生じた港湾施設（港湾の管理運営に必要な土地を含む。）は、国土交通大臣（国有財産法第三条の規定による普通財産については財務大臣）において港湾管理者に貸し付け、又は管理を委託しなければならない。

2　前項の規定により港湾管理者が管理することとなつた港湾施設については、港湾管理者においてその管理の費用を負担する。この場合において、当該施設の使用料及び賃貸料は、港湾管理者の収入とする。

3　前項に定めるもののほか、港湾施設の管理の委託に関し必要な事項は、政令で定める。

一項…一部改正〔昭和二八年八月法律一九四号・平成一一年一二月一六〇号〕、見出し…改正・一項…一部改正・三項…追加〔平成一五年五月法律四一号〕、一項…一部改正〔平成二三年三月法律九号〕

第五四条の二　港湾管理者が設立されたときは、その時において国の所有又は管理に属する港湾施設で、一般公衆の利用に供するため必要なもの（航行補助施設を除く。）は、港湾管理者に譲渡し、貸し付け、又は管理を委託しなければならない。

2　前二条の規定は、前項の場合に準用する。この場合において、第五十三条後段中「港湾管理者」とあるのは「港湾管理者としての地方公共団体（当該地方公共団体が地方自治法第二百八十四条第二項又は第三項の地方公共団体である場合には当該地方公共団体を組織する地方公共団体）又は港務局を組織する地方公共団体」と読み替えるものとする。

二項…一部改正〔昭和二九年五月法律一一二号・平成六年六月四九号〕、旧五五条…繰上〔平成一七年五月法律四五号〕

第二節　埠頭を構成する行政財産の貸付け

節名…追加〔令和四年一一月法律八七号〕

（特定埠頭を構成する行政財産の貸付け）

第五四条の三　重要港湾における特定埠頭（同一の者により一体的に運営される埠頭をいう。以下この条において同じ。）を運営し、又は運営しようとする者は、当該港湾の港湾管理者（以下この条において単に「港湾管理者」という。）に対し、国土交通省令で定めるところにより、当該特定埠頭の運営の事業が当該港湾の港湾計画に適合することその他国土交通省令で定める要件に該当するものである旨の認定を申請することができる。

2　港湾管理者は、前項の認定の申請があつた場合において、当該申請に係る特定埠頭の運営の事業が同項に定める要件に該当すると認めるときは、その認定をするものとする。

3　港湾管理者は、第一項の認定の申請に係る特定埠頭が次に掲げる港湾施設を含むものである場合において、前項の認定をしようとするときは、あらかじめ、国土交通大臣の同意を得なければならない。

一　国有財産法第三条第二項に規定する行政財産である港湾施設

二　その工事の費用を国が負担し、又は補助した地方自治法第二百三十八条第四項に規定する行政財産である港湾施設

4　港湾管理者は、第二項の認定をするに当たつては、国土交通省令で定めるところにより、当該認定の申請の内容を公衆の縦覧に供することその他の第七項の規定による貸付けが公正な手続に従つて行われることを確保するために必要な措置を講じなければならない。

5　港湾管理者は、第二項の認定（第三項の規定により国土交通大臣の同意を得てしたものを除く。）をしたときは、遅滞なく、国土交通省令で定めるところにより、その旨を国土交通大臣に通知しなければならない。

6　港湾管理者は、第二項の認定をしたときは、遅滞なく、当該認定を受けた者の氏名又は名称、特定埠頭の運営の事業の概要その他国土交通省令で定める事項を公表しなければならない。

7　港湾管理者は、国有財産法第十八条第一項又は地方自治法第二百三十八条の四第一項の規定にかかわらず、特定埠頭を構成する行政財産（国有財産法第三条第二項又は地方自治法第二百三十八条第四項に規定する行政財産をいう。）を第二項の認定を受けた者に貸し付けることができる。

8　前項の規定による貸付けについては、民法第六百四条並びに借地借家法第三条及び第四条の規定は、適用しない。

9　国有財産法第二十一条、第二十三条及び第二十四条並びに地方自治法第二百三十八条の二第二項及び第二百三十八条の五第四項から第六項までの規定は、第七項の規定による貸付けについて準用する。

10　第七項の規定により港湾管理者が同項に規定する行政財産を第二項の認定を受けた者に貸し付ける場合における第四十六条第一項の規定の適用については、同項ただし書中「又は貸付けを受けた者」とあるのは「、貸付けを受けた者」と、「三年の期間内である場合」とあるのは「三年の期間内である場合又は第五十四条の三第七項の規定により貸付けをする場合」とする。

11　港湾管理者は、特定埠頭の運営の事業が第一項に定める要件に該当しなくなつたと認めるときは、第二項の認定を受けた者に対し、必要な措置をとるべきことを勧告することができる。

12　港湾管理者は、前項の規定による勧告を受けた者が当該勧告に従い必要な措置をとらなかつたときは、第二項の認定を取り消すことができる。この場合において、港湾管理者は、速やかに、国土交通大臣にその旨を通知しなければならない。

13　前各項に定めるもののほか、特定埠頭の貸付けに関し必要な事項は、国土交通省令で定める。

本条…追加〔平成一八年五月法律三八号〕、七項…一部改正〔平成一八年六月法律五〇号〕、八項…一部改正〔平成一八年六月法律五三号〕、一項…一部改正〔平成二三年三月法律九号〕、三・四項…一部改正・五項…追加・旧五－七項・一〇－一二項…六－八項・一一－一三項に繰下・旧八・九項…一部改正し九・一〇項に繰下〔平成二三年五月法律三七号〕、一項…一部改正〔平成二三年三月法律九号〕、一〇項…一部改正〔令和元年一二月法律六八号〕、八項…一部改正〔令和四年一一月法律八七号〕

（埠頭群を構成する行政財産の貸付け）

第五五条　国土交通大臣は、第五十四条第一項及び国有財産法第十八条第一項の規定にかかわらず、その指定を受けた港湾運営会社が運営する埠頭群を構成する同法第三条第二項に規定する行政財産である第五十二条に規定する港湾工事によつて生じた港湾施設を当該港湾運営会社に貸し付けることができる。

2　国土交通大臣は、前項の規定による貸付けをしようとするときは、当該貸付けに係る港湾施設の貸付けの期間について、あらかじめ、当該港湾運営会社の指定に係る国際戦略港

湾の港湾管理者の同意を得なければならない。

3 国土交通大臣は、第一項の規定による貸付けをするときは、あらかじめ、財務大臣に協議しなければならない。

4 国際戦略港湾の港湾管理者は、地方自治法第二百三十八条の四第一項の規定にかかわらず、第四十三条の十一第一項の規定による指定を受けた港湾運営会社が運営する埠頭群を構成する同法第二百三十八条第四項に規定する行政財産を当該港湾運営会社に貸し付けることができる。

5 国際拠点港湾の港湾管理者は、国有財産法第十八条第一項又は地方自治法第二百三十八条の四第一項の規定にかかわらず、その指定を受けた港湾運営会社が運営する埠頭群を構成する国有財産法第三条第二項又は地方自治法第二百三十八条第四項に規定する行政財産を当該港湾運営会社に貸し付けることができる。

6 第一項又は前二項の規定による貸付けについては、民法第六百四条並びに借地借家法第三条、第四条、第十三条及び第十四条の規定は、適用しない。

7 国有財産法第二十一条及び第二十三条から第二十五条までの規定は第一項の規定による貸付けについて、同法第二十一条、第二十三条及び第二十四条の規定は第五項の規定による貸付けについて、地方自治法第二百三十八条の二第二項及び第二百三十八条の五第四項から第六項までの規定は第四項又は第五項の規定による貸付けについて、それぞれ準用する。

8 第四項の規定により国際戦略港湾の港湾管理者が同項に規定する行政財産を第四十三条の十一第一項の規定による指定を受けた港湾運営会社に貸し付ける場合における第四十六条第一項の規定の適用については、同項ただし書中「又は貸付けを受けた者」とあるのは「、貸付けを受けた者」と、「三年の期間内である場合」とあるのは「三年の期間内である場合又は第五十五条第四項の規定により貸付けをする場合」とする。

9 第五項の規定により国際拠点港湾の港湾管理者が同項に規定する行政財産をその指定を受けた港湾運営会社に貸し付ける場合における第四十六条第一項の規定の適用については、同項ただし書中「又は貸付けを受けた者」とあるのは「、貸付けを受けた者」と、「三年の期間内である場合」とあるのは「三年の期間内である場合又は第五十五条第五項の規定により貸付けをする場合」とする。

10 前各項に定めるもののほか、埠頭群の貸付けに関し必要な事項は、国土交通省令で定める。

本条…追加〔平成一七年五月法律四五号〕、見出し…改正・五項…削除・旧六項…一部改正し五項に繰上・旧七－九項…六－八項に繰上〔平成一八年五月法律三八号〕、六項…一部改正〔平成一八年六月法律五三号〕、見出し・一－四項…一部改正・五・八項…追加・旧五－八項…一部改正し六・七・九・一〇項に繰下〔平成二三年三月法律九号〕、六・八・九項…一部改正〔令和元年一二月法律六八号〕

（海洋再生可能エネルギー発電設備等取扱埠頭を構成する行政財産の貸付け）

第五五条の二 国土交通大臣は、第五十四条第一項及び国有財産法第十八条第一項の規定にかかわらず、海洋再生可能エネルギー発電設備等拠点港湾の海洋再生可能エネルギー発電設備等取扱埠頭を構成する同法第三条第二項に規定する行政財産である第五十二条に規定する港湾工事によつて生じた港湾施設を第三十七条第一項又は海洋再生可能エネルギー発電設備の整備に係る海域の利用の促進に関する法律第十条第一項の許可を受けた者（海洋再生可能エネルギー発電設備等の設置及び維持管理をする者に限る。以下この条において「許可事業者」という。）に貸し付けることができる。

2 国土交通大臣は、前項の規定による貸付けをしようとするときは、当該貸付けを受ける者及び当該貸付けに係る港湾施設の貸付けの期間について、あらかじめ、同項の海洋再生可能エネルギー発電設備等拠点港湾の港湾管理者の同意を得なければならない。

3 国土交通大臣は、第一項の規定による貸付けをするときは、あらかじめ、財務大臣に協議しなければならない。

4 海洋再生可能エネルギー発電設備等拠点港湾の港湾管理者は、地方自治法第二百三十八条の四第一項の規定にかかわらず、当該海洋再生可能エネルギー発電設備等拠点港湾の海洋再生可能エネルギー発電設備等取扱埠頭を構成する同法第二百三十八条第四項に規定する行政財産を許可事業者に貸し付けることができる。

5 第一項又は前項の規定による貸付けについては、民法第六百四条並びに借地借家法第三条、第四条、第十三条及び第十四条の規定は、適用しない。

6 国有財産法第二十一条及び第二十三条から第二十五条までの規定は第一項の規定による貸付けについて、地方自治法第二百三十八条の二第二項及び第二百三十八条の五第四項から第六項までの規定は第四項の規定による貸付けについて、それぞれ準用する。

7 第四項の規定により海洋再生可能エネルギー発電設備等拠点港湾の港湾管理者が同項に規定する行政財産を許可事業者に貸し付ける場合における第四十六条第一項の規定の適用については、同項ただし書中「又は貸付けを受けた者」とあるのは「、貸付けを受けた者」と、「三年の期間内である場合」とあるのは「三年の期間内である場合又は第五十五条の二第四項の規定により貸付けをする場合」とする。

8 前各項に定めるもののほか、海洋再生可能エネルギー発電設備等取扱埠頭の貸付けに関し必要な事項は、国土交通省令で定める。

本条…追加〔令和元年一二月法律六八号〕

第三節 公用負担及び非常災害等の場合における措置

節名…追加〔令和四年一一月法律八七号〕

（他人の土地への立入り）

第五五条の二の二 国土交通大臣又は港湾管理者は、港湾工事のための調査又は測量を行うためやむを得ない必要があるときは、その業務に従事する職員又はその委任した者を他人の土地に立ち入らせることができる。

2　国土交通大臣又は港湾管理者は、前項の規定によりその職員又はその委任した者を他人の土地に立ち入らせようとするときは、その五日前までに、その土地の所有者又は占有者にその旨を通知しなければならない。ただし、これらの者に対し通知することが困難であるときは、この限りでない。

3　第一項の規定による立入りは、所有者又は占有者の承諾があつた場合を除き、日出前及び日没後においては、してはならない。

4　第一項の規定により他人の土地に立ち入ろうとする者は、その身分を示す証明書を携帯し、関係人の請求があつたときは、これを提示しなければならない。

本条…追加〔昭和二九年五月法律一一一号〕、一・二項…一部改正〔平成一一年一二月法律一六〇号〕、見出し・二―四項…一部改正・旧五五条の二…繰下〔令和元年一二月法律六八号〕、一・二・四項…一部改正〔令和四年一一月法律八七号〕

（非常災害の場合における土地の一時使用等）

第五五条の三　港湾管理者は、非常災害による港湾施設に対する緊急の危険を防止するためやむを得ない必要があるときは、その現場に居る者若しくはその附近に居住する者に対し、防ぎよに従事すべきことを命じ、又はその現場において、他人の土地を一時使用し、若しくは土石、竹木その他の物件を使用し、収用し、若しくは処分することができる。

2　前項の規定による命令については、行政手続法第三章の規定は、適用しない。

本条…追加〔昭和二九年五月法律一一一号〕、二項…追加〔平成五年一一月法律八九号〕

（国土交通大臣による港湾広域防災施設の管理等）

第五五条の三の二　国土交通大臣は、広域災害応急対策（一の都道府県の区域を越えて行われる緊急輸送の確保その他の災害応急対策（災害対策基本法（昭和三十六年法律第二百二十三号）第五十条第一項に規定する災害応急対策をいう。）であつて、港湾施設を使用して行うものとして国土交通省令で定めるものをいう。以下この条において同じ。）の実施のため必要があると認めるときは、第五十四条第一項の規定にかかわらず、港湾広域防災区域（港湾区域、臨港地区又は第二条第六項の規定により国土交通大臣の認定した港湾施設の区域のうち、港湾施設の利用、配置その他の状況により、広域災害応急対策を実施するために特に必要があると認めて国土交通大臣があらかじめ告示した区域をいう。以下この条において同じ。）内における第五十二条に規定する港湾工事によつて生じた港湾施設のうち、広域災害応急対策の実施のため必要なものとして国土交通省令で定めるもの（以下この条において「港湾広域防災施設」という。）について、期間を定めて、自ら管理することができる。

2　国土交通大臣は、港湾広域防災区域を定めようとするときは、あらかじめ、港湾広域防災施設が設置されている港湾の港湾管理者に協議し、その同意を得るものとする。

3　国土交通大臣は、港湾広域防災区域を定めたときは、遅滞なく、当該港湾広域防災区域の範囲を告示しなければならない。

4　前二項の規定は、港湾広域防災区域の変更又は廃止について準用する。

5　国土交通大臣は、第一項の規定により港湾広域防災施設の管理を開始したときは、遅滞なく、当該港湾広域防災施設を管理する期間その他国土交通省令で定める事項を告示しなければならない。

6　国土交通大臣は、第一項の規定により港湾広域防災施設を管理するときは、当該港湾広域防災施設が設置されている港湾の港湾管理者に対し、広域災害応急対策を実施するために必要な措置（次項に規定するものを除く。）をとるべきことを要請することができる。

7　国土交通大臣は、第一項の規定により港湾広域防災施設を管理する場合において、広域災害応急対策を実施するためやむを得ない必要があるときは、港湾広域防災区域内において、他人の土地を一時使用し、又は土石、竹木その他の物件を使用し、収用し、若しくは処分することができる。

本条…追加〔平成二〇年六月法律六六号〕

（非常災害等の場合における国土交通大臣による港湾施設の管理等）

第五五条の三の三　国土交通大臣は、非常災害、世界的規模の感染症の流行その他の港湾の機能を著しく損なうおそれのある事象（以下この項において「非常災害等」という。）が発生した場合において、当該非常災害等の発生によりその機能に支障が生じ、又は生ずるおそれがある港湾の港湾管理者から要請があり、かつ、物資の輸送の状況、当該港湾管理者における業務の実施体制その他の事情を勘案して必要があると認めるときは、その事務の遂行に支障のない範囲内で、当該港湾管理者の管理する港湾施設の管理の全部又は一部を、期間を定めて、自ら行うことができる。この場合においては、第五十四条第一項及び第五十四条の二第一項の規定は、適用しない。

2　国土交通大臣は、前項の規定により港湾施設の管理を開始したときは、遅滞なく、当該港湾施設を管理する期間その他国土交通省令で定める事項を告示しなければならない。

3　国土交通大臣は、第一項の規定により港湾施設の管理を自ら行う場合において、同項の港湾管理者から要請があり、かつ、物資の輸送の状況、当該港湾管理者における業務の実施体制その他の事情を勘案して必要があると認めるときは、その事務の遂行に支障のない範囲内で、当該管理の内容又は期間を変更するものとする。

4　国土交通大臣は、前項の規定により第二項の規定による告示をした事項に変更があつたときは、遅滞なく、変更に係る事項を告示しなければならない。

5　第五十五条の三の規定は、第一項の規定により国土交通大臣が港湾施設の管理を行う場合について準用する。

本条…追加〔平成二九年六月法律五五号〕、見出し・一項…一部改正〔令和四年一一月法律八七号〕

（国土交通大臣による開発保全航路内の物件の使用等）

第五五条の三の四 国土交通大臣は、非常災害が発生し、船舶の交通に支障が生じている場合において、緊急輸送の用に供する船舶の交通を確保するためやむを得ない必要があるときは、開発保全航路の区域のうち、非常災害が発生した場合の船舶の交通を確保するために特に必要があるものとして国土交通省令で定めた区域内において、船舶、船舶用品その他の物件を使用し、収用し、又は処分することができる。

本条…追加〔平成二五年六月法律三一号〕、旧五五条の三の三…繰下〔平成二九年六月法律五五号〕

（緊急確保航路内の禁止行為等）

第五五条の三の五 何人も、緊急確保航路（非常災害が発生した場合において、港湾区域、開発保全航路及び河川区域以外の水域における船舶の交通を緊急に確保する必要があるものとして政令でその区域を定めた航路をいう。以下同じ。）内において、みだりに、船舶、土石その他の物件で国土交通省令で定めるものを捨て、又は放置してはならない。

2 緊急確保航路内において、水域を工作物の設置等により占用し、又は土砂を採取しようとする者は、国土交通大臣の許可を受けなければならない。

3 国土交通大臣は、前項の行為が非常災害が発生した場合における船舶の交通に支障を与えるものであるとき、又は非常災害が発生した場合における沈没物その他の物件の除去に著しく支障を与えるものであるときは、許可をしてはならない。

4 第三十七条第三項の規定は、前二項の場合に準用する。

5 国土交通大臣は、非常災害が発生し、船舶の交通に支障が生じている場合において、緊急輸送の用に供する船舶の交通を確保するためやむを得ない必要があるときは、緊急確保航路内において、船舶、船舶用品その他の物件を使用し、収用し、又は処分することができる。

本条…追加〔平成二五年六月法律三一号〕、旧五五条の三の四…繰下〔平成二九年六月法律五五号〕

（損失の補償）

第五五条の四 国又は港湾管理者は、第五十五条の二の二第一項、第五十五条の三第一項（第五十五条の三の三第五項において準用する場合を含む。）、第五十五条の三の二第七項、第五十五条の三の四又は前条第五項の規定による行為により損失を受けた者に対し、その損失を補償しなければならない。

2 第四十一条第三項及び第四項の規定は、前項の場合に準用する。この場合において、同条第四項中「港湾管理者」とあるのは「国又は港湾管理者」と読み替えるものとする。

本条…追加〔昭和二九年五月法律一一一号〕、二項…一部改正〔平成二〇年六月法律六六号・二五年六月三一号・二九年六月五五号・令和元年一二月六八号〕

第四節 港湾工事の費用の負担の特例

節名…追加〔令和四年一一月法律八七号〕

（港湾工事に伴う工事の費用の補償）

第五五条の五 国土交通大臣又は港湾管理者の行う港湾工事の結果、港湾管理者以外の者に工事の必要を生じさせた場合においては、国又は港湾管理者は、その必要を生じさせた限度において、その費用を補償しなければならない。但し、その補償を受ける者が必要を生じさせられた工事によつて特に利益を受けるときは、その利益を受ける限度において、その者に補償をしないことができる。

2 第四十一条第四項の規定は、前項の場合に準用する。この場合において、同項中「港湾管理者」とあるのは「国又は港湾管理者」と読み替えるものとする。

本条…追加〔昭和二九年五月法律一一一号〕、二項…一部改正〔昭和三七年五月法律一四〇号〕、一項…一部改正〔平成一一年一二月法律一六〇号〕

（事業者の負担金を徴収する港湾工事に係る国庫負担等の特例）

第五五条の六 国土交通大臣又は港湾管理者のする港湾工事が、企業合理化促進法第八条第一項の規定による事業者の申請に係るものである場合においては、その工事に要する費用の額から当該事業者が同条第二項若しくは第四項の規定に基づく処分により納付すべき負担金の額を控除した額について、公害防止事業費事業者負担法第二条第二項に規定する公害防止事業である場合においては、その工事に要する費用の額から事業者が同法の規定により納付すべき負担金の額を控除した額について、この法律又は港湾工事に関する他の法令に規定する港湾工事に要する費用の負担又は補助の割合により、国と港湾管理者がそれぞれ負担し、又は国が補助する。

本条…追加〔昭和四八年七月法律五四号〕、一部改正〔平成一一年一二月法律一六〇号〕、旧五五条の五の二…繰下〔平成一二年三月法律三三号〕

第五節 港湾施設の建設等に係る資金の貸付け

節名…追加〔令和四年一一月法律八七号〕

（特定用途港湾施設の建設等に係る資金の貸付け）

第五五条の七 国は、国際戦略港湾、国際拠点港湾又は重要港湾の港湾管理者が港湾管理者以外の者（国を除く。）で国土交通大臣が政令で定める基準に適合すると認める者に対し、特定用途港湾施設の建設又は改良に要する費用に充てる資金を無利子で貸し付ける場合において、その貸付けの条件が第三項の規定によるほか第五項の政令で定める基準に適合しているときは、その貸付金に充てるため、その貸付金額の範囲内で政令で定める金額を無利子で当該港湾管理者に貸し付けることができる。

2 前項の特定用途港湾施設は、次に掲げる港湾施設で、第三条の三第九項の規定により公示された港湾計画においてその建設又は改良に関する計画が定められたものをいう。

一 政令で定める用途に供する岸壁又は桟橋及びこれに附帯する政令で定める荷さばき施設その他の港湾施設

二 政令で定める用途に供する荷さばき施設又は保管施設

（保管施設にあつては、国際戦略港湾におけるものに限る。）であつて埠頭の近傍に立地するもの及びこれらに附帯する政令で定める道路その他の港湾施設

三　政令で定める用途に供する旅客施設及びこれに附帯する政令で定める駐車場その他の港湾施設

3　港湾管理者は、第一項の国の貸付けに係る貸付けをしようとする場合においては、政令で定めるところにより、その貸付けを受ける者がその貸付金を貸付けの目的以外の目的に使用したとき、その他貸付けの条件に違反したときに、当該貸付けを受ける者から加算金を徴収することができる旨をその貸付けの条件に定めるものとする。

4　港湾管理者は、前項の規定により貸付けの条件に定めたところにより加算金を徴収したときは、その徴収した加算金の全部又は一部に相当する金額を、政令で定めるところにより、国に納付するものとする。

5　前二項に定めるもののほか、第一項の国の貸付金及び同項の国の貸付けに係る港湾管理者の貸付金に関する償還方法、償還期限の繰上げ及び延長、延滞金の徴収その他必要な貸付けの条件の基準については、政令で定める。

本条…追加〔昭和四五年五月法律七六号〕、二項…一部改正〔昭和四八年七月法律五四号・五四年一二月七〇号〕、一項…一部改正〔昭和五六年四月法律二八号・平成一一年一二月一六〇号〕、二項…一部改正〔平成一八年五月法律三八号〕、一項…一部改正〔平成二三年三月法律九号〕、二項…一部改正〔平成二六年五月法律三三号・二八年五月四五号〕

（特別特定技術基準対象施設の改良に係る資金の貸付け）

第五五条の八　国は、国際戦略港湾、国際拠点港湾又は重要港湾の港湾管理者が港湾管理者以外の者（国を除く。）で国土交通大臣が政令で定める基準に適合すると認める者に対し、特別特定技術基準対象施設の改良に要する費用に充てる資金を無利子で貸し付ける場合において、その貸付けの条件が第三項において準用する前条第三項の規定によるほか第三項において準用する同条第五項の政令で定める基準に適合しているときは、その貸付金に充てるため、その貸付金額の範囲内で政令で定める金額を無利子で当該港湾管理者に貸し付けることができる。

2　前項の特別特定技術基準対象施設は、第五十六条の二の二十一第一項に規定する特定技術基準対象施設のうち、非常災害により損壊した場合において、大量の土砂その他の物件を水域施設（非常災害が発生した場合の船舶の交通を確保するために特に必要があるものとして国土交通省令で定めるものに限る。）に流入させることにより、長期間にわたり船舶の交通に特に著しい支障を及ぼすおそれのあるものとして国土交通省令で定める港湾施設で、第三条の三第九項の規定により公示された港湾計画においてその改良に関する計画が定められたものをいう。

3　前条第三項から第五項までの規定は、第一項の国の貸付け及び同項の国の貸付けに係る国際戦略港湾、国際拠点港湾又は重要港湾の港湾管理者の貸付けについて準用する。

本条…追加〔平成二六年五月法律三三号〕

（埠頭群を構成する港湾施設の建設等に係る資金の貸付け）

第五五条の九　国は、国際戦略港湾又は国際拠点港湾の港湾管理者が港湾運営会社に対し、埠頭群を構成する荷さばき施設その他の国土交通省令で定める港湾施設の建設又は改良に要する費用に充てる資金を無利子で貸し付ける場合において、その貸付けの条件が次項において準用する第五十五条の七第三項の規定によるほか次項において準用する同条第五項の政令で定める基準に適合しているときは、その貸付金に充てるため、その貸付金額の範囲内で政令で定める金額を無利子で当該港湾管理者に貸し付けることができる。

2　第五十五条の七第三項から第五項までの規定は、前項の国の貸付け及び同項の国の貸付けに係る国際戦略港湾又は国際拠点港湾の港湾管理者の貸付けについて準用する。この場合において、これらの規定中「港湾管理者」とあるのは「国際戦略港湾又は国際拠点港湾の港湾管理者」と、同条第三項中「貸付けを受ける者」とあるのは「貸付けを受ける港湾運営会社」と読み替えるものとする。

本条…追加〔平成一七年五月法律四五号〕、見出し…改正・一・二項…一部改正〔平成二三年三月法律九号〕、一・二項…一部改正・旧五五条の八…繰下〔平成二六年五月法律三三号〕

第六節　港湾区域の定めのない港湾

節名…追加〔令和四年一一月法律八七号〕

（港湾区域の定めのない港湾に係る水域の占用等の許可）

第五六条　港湾区域の定めのない港湾において予定する水域を地先水面とする地域を区域とする都道府県を管轄する都道府県知事が、水域を定めて公告した場合において、その水域（開発保全航路及び緊急確保航路の区域を除く。）において、水域施設、外郭施設若しくは係留施設を建設し、その他水域の一部を占用し（公有水面の埋立てによる場合を除く。）、土砂を採取し、又はその他の港湾の利用若しくは保全に支障を与えるおそれのある政令で定める行為をしようとする者は、当該都道府県知事の許可を受けなければならない。

2　第四条第五項及び第六項の規定は、前項の規定により都道府県知事が水域を定める場合に準用する。

3　第三十七条第二項から第六項までの規定は、第一項の場合に準用する。

一項…一部改正・四項…削除〔昭和四八年七月法律五四号〕、一項…一部改正〔平成一二年三月法律三三号〕、見出し…改正・一項…一部改正〔平成二五年六月法律三一号〕、見出し…削除・追加〔令和四年一一月法律八七号〕

（港湾区域の定めのない港湾に係る水域内の禁止行為）

第五六条の二　何人も、前条第一項の規定により公告されている水域（港湾の施設の利用、配置その他の状況により、港湾の利用又は保全上特に必要があると認めて都道府県知事が指定した区域（開発保全航路及び緊急確保航路の区域を除く。）に限る。）内において、みだりに、船舶その他の物件で都道府県知事が指定したものを捨て、又は放置してはならない。

2　第三十七条の十一第二項及び第三項の規定は、前項の規定

により都道府県知事が区域又は物件を指定し、又は廃止する場合に準用する。

本条…追加〔平成一二年三月法律三三号〕、一項…一部改正〔平成二五年六月法律三一号〕、二項…一部改正〔平成二八年五月法律四五号〕、見出し…追加〔令和四年一一月法律八七号〕

第十一章　港湾の施設に関する技術上の基準

章名…追加〔令和四年一一月法律八七号〕

第一節　技術基準対象施設の適合義務

節名…追加〔令和四年一一月法律八七号〕

第五六条の二の二　水域施設、外郭施設、係留施設その他の政令で定める港湾の施設（以下「技術基準対象施設」という。）は、他の法令の規定の適用がある場合においては当該法令の規定によるほか、技術基準対象施設に必要とされる性能に関して国土交通省令で定める技術上の基準（以下「技術基準」という。）に適合するように、建設し、改良し、又は維持しなければならない。

2　前項の規定による技術基準対象施設の維持は、定期的に点検を行うことその他の国土交通省令で定める方法により行わなければならない。

3　技術基準対象施設であつて、公共の安全その他の公益上影響が著しいと認められるものとして国土交通省令で定めるものを建設し、又は改良しようとする者（国を除く。）は、その建設し、又は改良する技術基準対象施設が技術基準に適合するものであることについて、国土交通大臣又は次条の規定により国土交通大臣の登録を受けた者（以下「登録確認機関」という。）の確認を受けなければならない。ただし、国土交通大臣が定めた設計方法を用いる場合は、この限りでない。

4　前項の規定による確認を受けようとする者は、国土交通省令で定めるところにより、国土交通大臣又は登録確認機関に確認の申請をすることができる。

5　前二項に定めるもののほか、確認の申請書の様式その他確認に関し必要な事項は、国土交通省令で定める。

本条…追加〔昭和四八年七月法律五四号〕、一部改正〔平成一一年一二月法律一六〇号〕、旧五六条の二…繰下〔平成一二年三月法律三三号〕、見出し…改正・一項…一部改正・二―四項…追加〔平成一八年五月法律三八号〕、一項…一部改正・二項…追加・旧二―四項…三―五項に繰下〔平成二五年六月法律三一号〕、見出し…削除〔令和四年一一月法律八七号〕

第二節　登録確認機関

節名…追加〔令和四年一一月法律八七号〕

（登録）

第五六条の二の三　前条第三項の登録（以下「登録」という。）は、同項に規定する確認の業務（以下「確認業務」という。）を行おうとする者の申請により行う。

2　国土交通大臣は、前項の規定により登録を申請した者（以下この項において「登録申請者」という。）が次に掲げる要件の全てに適合しているときは、その登録をしなければならない。この場合において、登録に関して必要な手続は、国土交通省令で定める。

一　建設し、又は改良する施設が技術基準に適合するかどうかの判定（次号において「適合判定」という。）について、施設の性能を総合的に評価する手法を用いて確認業務を行うものであること。

二　第五十六条の二の八第一項の確認員が適合判定を実施し、その人数が二名以上であること。

三　登録申請者が、前条第三項の規定により確認を受けなければならないこととされる者又は港湾の施設の設計若しくは建設を請け負う者（以下この号及び第五十六条の二の十第二項において「港湾建設等関係者」という。）に支配されているものとして次のいずれかに該当するものでないこと。

イ　登録申請者が株式会社である場合にあつては、港湾建設等関係者がその親法人（会社法第八百七十九条第一項に規定する親法人をいう。）であること。

ロ　登録申請者の役員（持分会社（会社法第五百七十五条第一項に規定する持分会社をいう。）にあつては、業務を執行する社員）に占める港湾建設等関係者の役員又は職員（過去二年間に当該港湾建設等関係者の役員又は職員であつた者を含む。）の割合が二分の一を超えていること。

ハ　登録申請者（法人にあつては、その代表権を有する役員）が、港湾建設等関係者の役員又は職員（過去二年間に当該港湾建設等関係者の役員又は職員であつた者を含む。）であること。

3　次の各号のいずれかに該当する者は、登録を受けることができない。

一　この法律又はこの法律に基づく命令の規定に違反し、罰金以上の刑に処せられ、その執行を終わり、又は執行を受けることがなくなつた日から起算して二年を経過しない者

二　第五十六条の二の十五の規定により登録を取り消され、その取消しの日から起算して二年を経過しない者

三　法人であつて、その業務を行う役員のうちに前二号のいずれかに該当する者があるもの

4　登録は、登録確認機関登録簿に次に掲げる事項を記載してするものとする。

一　登録年月日及び登録番号

二　登録確認機関の氏名又は名称及び住所並びに法人にあつては、その代表者の氏名

三　登録確認機関が確認業務を行う事業場の所在地

四　前三号に掲げるもののほか、国土交通省令で定める事項

5　国土交通大臣は、登録確認機関が行うことができる確認業務については、これを行わないものとする。

本条…追加〔平成一八年五月法律三八号〕、二項…一部改正〔平成二三年三月法律九号〕、一・二項…一部改正〔平成二五年六月法律三一号〕

（登録の更新）

第五六条の二の四　登録は、三年を下らない政令で定める期間ごとにその更新を受けなければ、その期間の経過によつて、その効力を失う。

2　前条（第五項を除く。）の規定は、前項の登録の更新について準用する。

本条…追加〔平成一八年五月法律三八号〕

（確認の義務）

第五六条の二の五　登録確認機関は、確認業務を行うことを求められたときは、正当な理由がある場合を除き、遅滞なく、確認業務を行わなければならない。

2　登録確認機関は、公正に、かつ、国土交通省令で定める方法により確認業務を行わなければならない。

本条…追加〔平成一八年五月法律三八号〕

（登録事項の変更の届出）

第五六条の二の六　登録確認機関は、第五十六条の二の三第四項第二号から第四号までに掲げる事項を変更しようとするときは、変更しようとする日の二週間前までに、国土交通大臣に届け出なければならない。

本条…追加〔平成一八年五月法律三八号〕

（確認業務規程）

第五六条の二の七　登録確認機関は、確認業務の開始前に、確認業務の実施に関する規程（以下「確認業務規程」という。）を定め、国土交通大臣の認可を受けなければならない。これを変更しようとするときも、同様とする。

2　国土交通大臣は、前項の認可をした確認業務規程が確認業務の適正かつ確実な実施上不適当となつたと認めるときは、その確認業務規程を変更すべきことを命ずることができる。

3　確認業務規程には、確認業務の実施方法、確認業務に関する料金その他の国土交通省令で定める事項を定めておかなければならない。

本条…追加〔平成一八年五月法律三八号〕

（確認員）

第五六条の二の八　確認員は、学校教育法（昭和二十二年法律第二十六号）に基づく大学若しくは高等専門学校において土木工学その他港湾の施設の建設に関して必要な課程を修めて卒業した者（これらを修めて同法に基づく専門職大学の前期課程を修了した者を含む。）又は国土交通省令で定めるこれと同等以上の学力を有すると認められる者であつて、国土交通省令で定める試験研究機関において十年以上港湾の施設の性能を総合的に評価する手法に関する試験研究の業務（国土交通省令で定めるものに限る。）に従事した経験を有するもののうちから選任しなければならない。

2　登録確認機関は、確認員を選任したときは、その日から十五日以内に、国土交通大臣にその旨を届け出なければならない。これを変更したときも、同様とする。

3　国土交通大臣は、確認員が、この法律、この法律に基づく命令若しくは処分若しくは確認業務規程に違反する行為をしたとき、又は確認業務に関し著しく不適当な行為をしたときは、登録確認機関に対し、確認員の解任を命ずることができる。

4　前項の規定による命令により確認員を解任され、解任の日から起算して二年を経過しない者は、確認員となることができない。

本条…追加〔平成一八年五月法律三八号〕、一項…一部改正〔平成二九年五月法律四一号〕

（秘密保持義務等）

第五六条の二の九　登録確認機関（その者が法人である場合にあつては、その役員。次項において同じ。）及びその職員（確認員を含む。次項において同じ。）並びにこれらの者であつた者は、確認業務に関して知り得た秘密を漏らし、又は自己の利益のために使用してはならない。

2　登録確認機関及びその職員で確認業務に従事するものは、刑法（明治四十年法律第四十五号）その他の罰則の適用については、法令により公務に従事する職員とみなす。

本条…追加〔平成一八年五月法律三八号〕

（財務諸表等の備付け及び閲覧等）

第五六条の二の一〇　登録確認機関は、毎事業年度経過後三月以内に、その事業年度の財産目録、貸借対照表及び損益計算書又は収支計算書並びに事業報告書（その作成に代えて電磁的記録（電子的方式、磁気的方式その他人の知覚によつては認識することができない方式で作られる記録であつて、電子計算機による情報処理の用に供されるものをいう。以下この条において同じ。）の作成がされている場合における当該電磁的記録を含む。次項及び第六十六条第二項において「財務諸表等」という。）を作成し、国土交通大臣に提出するとともに、五年間事務所に備えて置かなければならない。

2　港湾建設等関係者その他の利害関係人は、登録確認機関の業務時間内は、いつでも、次に掲げる請求をすることができる。ただし、第二号又は第四号の請求をするには、登録確認機関の定めた費用を支払わなければならない。

一　財務諸表等が書面をもつて作成されているときは、当該書面の閲覧又は謄写の請求

二　前号の書面の謄本又は抄本の請求

三　財務諸表等が電磁的記録をもつて作成されているときは、当該電磁的記録に記録された事項を国土交通省令で定める方法により表示したものの閲覧又は謄写の請求

四　前号の電磁的記録に記録された事項を電磁的方法（電子情報処理組織を使用する方法その他の情報通信の技術を利用する方法であつて国土交通省令で定めるものをいう。）により提供することの請求又は当該事項を記載した書面の交付の請求

本条…追加〔平成一八年五月法律三八号〕、一項…一部改正〔平成二三年三月法律九号・二八年五月四五号〕

（業務の休廃止）

第五六条の二の一一　登録確認機関は、国土交通大臣の許可を受けなければ、確認業務の全部又は一部を休止し、又は廃止

してはならない。

本条…追加〔平成一八年五月法律三八号〕

（適合命令）

第五六条の二の一二　国土交通大臣は、登録確認機関が第五十六条の二の三第二項各号のいずれかに適合しなくなつたと認めるときは、その登録確認機関に対し、これらの規定に適合するため必要な措置をとるべきことを命ずることができる。

本条…追加〔平成一八年五月法律三八号〕

（改善命令）

第五六条の二の一三　国土交通大臣は、登録確認機関が第五十六条の二の五の規定に違反していると認めるときは、その登録確認機関に対し、同条の規定による確認業務を行うべきこと又は確認業務の方法その他の業務の方法の改善に関し必要な措置をとるべきことを命ずることができる。

本条…追加〔平成一八年五月法律三八号〕

（報告及び検査）

第五六条の二の一四　国土交通大臣は、この法律の施行に必要な限度において、登録確認機関に対し、確認業務若しくは経理の状況に関し報告をさせ、又はその職員に、登録確認機関の事務所その他の事業場に立ち入り、確認業務の実施状況若しくは帳簿書類その他の物件を検査させることができる。

2　前項の規定により立入検査をする職員は、その身分を示す証明書を携帯し、関係人にこれを提示しなければならない。

3　第一項の規定による立入検査の権限は、犯罪捜査のために認められたものと解してはならない。

本条…追加〔平成一八年五月法律三八号〕

（登録の取消し等）

第五六条の二の一五　国土交通大臣は、登録確認機関が次の各号のいずれかに該当するときは、その登録を取り消し、又は期間を定めて確認業務の全部若しくは一部の停止を命ずることができる。

一　第五十六条の二の三第三項第一号又は第三号に該当するに至つたとき。

二　第五十六条の二の六、第五十六条の二の八第二項、第五十六条の二の十第一項、第五十六条の二の十一又は次条の規定に違反したとき。

三　第五十六条の二の七第一項の認可を受けず、又は同項の認可を受けた確認業務規程によらないで確認業務を実施したとき。

四　第五十六条の二の七第二項、第五十六条の二の八第三項、第五十六条の二の十二又は第五十六条の二の十三の規定による命令に違反したとき。

五　正当な理由がないのに第五十六条の二の十第二項各号の規定による請求を拒んだとき。

六　不正の手段により登録を受けたとき。

本条…追加〔平成一八年五月法律三八号〕

（帳簿の記載）

第五六条の二の一六　登録確認機関は、国土交通省令で定めるところにより、帳簿を備え、確認業務に関し国土交通省令で定める事項を記載し、これを保存しなければならない。

本条…追加〔平成一八年五月法律三八号〕

（公示）

第五六条の二の一七　国土交通大臣は、次の場合には、その旨を官報に公示しなければならない。

一　登録をしたとき。

二　第五十六条の二の六の規定による届出があつたとき。

三　第五十六条の二の十一の許可をしたとき。

四　第五十六条の二の十五の規定により登録を取り消し、又は確認業務の全部若しくは一部の停止を命じたとき。

五　第五十六条の二の十九第一項の規定により国土交通大臣が確認業務の全部若しくは一部を自ら行うこととするとき、又は自ら行つていた確認業務の全部若しくは一部を行わないこととするとき。

本条…追加〔平成一八年五月法律三八号〕

（審査請求）

第五六条の二の一八　登録確認機関が行う確認業務に係る処分又はその不作為については、国土交通大臣に対し審査請求をすることができる。この場合において、国土交通大臣は、行政不服審査法（平成二十六年法律第六十八号）第二十五条第二項及び第三項、第四十六条第一項及び第二項、第四十七条並びに第四十九条第三項の規定の適用については、登録確認機関の上級行政庁とみなす。

本条…追加〔平成一八年五月法律三八号〕、一部改正〔平成二六年六月法律六九号〕

（国土交通大臣による確認業務の実施等）

第五六条の二の一九　国土交通大臣は、登録確認機関が第五十六条の二の十一の許可を受けて確認業務の全部若しくは一部を休止したとき、第五十六条の二の十五の規定により登録確認機関に対し確認業務の全部若しくは一部の停止を命じたとき、又は登録確認機関が天災その他の事由により確認業務の全部若しくは一部を実施することが困難となつた場合において必要があると認めるときは、その確認業務の全部又は一部を自ら行うものとする。

2　国土交通大臣が前項の規定により確認業務の全部若しくは一部を自ら行う場合、登録確認機関が第五十六条の二の十一の許可を受けて確認業務の全部若しくは一部を廃止する場合又は国土交通大臣が第五十六条の二の十五の規定により登録を取り消した場合における確認業務の引継ぎその他の必要な事項については、国土交通省令で定める。

本条…追加〔平成一八年五月法律三八号〕

（手数料の納付）

第五六条の二の二〇　第五十六条の二の二第三項の確認（国土交通大臣が行うものに限る。）を受けようとする者（独立行政法人通則法（平成十一年法律第百三号）第二条第一項に規定する独立行政法人であつて当該独立行政法人の業務の内容その他の事情を勘案して政令で定めるものを除く。）は、実費を勘案して国土交通省令で定める額の手数料を国に納付しなければならない。

2　前項の手数料の納付は、収入印紙をもつてしなければならない。

本条…追加〔平成一八年五月法律三八号〕、一項…一部改正〔平成二五年六月法律三一号〕、二項…一部改正〔令和元年五月法律一六号〕

第三節　特定技術基準対象施設等に関する措置

節名…追加〔令和四年一一月法律八七号〕

（特定技術基準対象施設を管理する者に対する勧告等）

第五六条の二の二一　港湾管理者は、技術基準対象施設であつて、外郭施設その他の非常災害により損壊した場合において船舶の交通に支障を及ぼすおそれのあるものとして国土交通省令で定めるもの（以下「特定技術基準対象施設」という。）のうち、港湾管理者以外の者（国及び地方公共団体を除く。第五十六条の五第三項において同じ。）が管理するものが、技術基準に適合しなくなり、かつ、非常災害により損壊した場合において船舶の交通に著しい支障を及ぼすおそれがあると認められるときは、当該特定技術基準対象施設を管理する者に対し、必要な措置をとるべきことを勧告することができる。

2　港湾管理者は、前項の規定による勧告を受けた者が、正当な理由がなくてその勧告に係る措置をとらなかつたときは、その者に対し、その勧告に係る措置をとるべきことを命ずることができる。

本条…追加〔平成二五年六月法律三一号〕

（国土交通大臣への報告等）

第五六条の二の二二　国土交通大臣は、港湾管理者に対し、その管理する港湾における特定技術基準対象施設の維持管理の状況に関し必要な報告を求め、又は技術的な援助をすることができる。

本条…追加〔平成二五年六月法律三一号〕

（水域施設等の建設又は改良）

第五六条の三　水域（港湾区域、第五十六条第一項及び排他的経済水域及び大陸棚の保全及び利用の促進のための低潮線の保全及び拠点施設の整備等に関する法律（平成二十二年法律第四十一号）第九条第一項の規定により公告されている水域並びに海洋再生可能エネルギー発電設備の整備に係る海域の利用の促進に関する法律第二条第五項に規定する海洋再生可能エネルギー発電設備整備促進区域を除く。以下この条において同じ。）において、水域施設、外郭施設又は係留施設で政令で定めるもの（以下「水域施設等」という。）を建設し、又は改良しようとする者は、当該行為に係る工事の開始の日の六十日前までに、国土交通省令で定めるところにより、水域施設等の構造及び所在する水域の範囲その他国土交通省令で定める事項を都道府県知事に届け出なければならない。届け出た事項を変更しようとするときも、同様とする。ただし、当該変更により工事を要しない場合においては、その変更があつた後遅滞なく、届け出なければならない。

2　都道府県知事は、前項の規定による届出があつた場合において、当該届出に係る水域施設等が技術基準に適合しないものであると認めるときは、その届出を受理した日から六十日以内に限り、その届出をした者に対し、当該水域施設等の建設若しくは改良を禁止し、若しくは制限し、又は必要な措置をとるべきことを命ずることができる。

3　第三十七条第三項に掲げる者は、水域において、水域施設等を建設し、又は改良しようとするときは、第一項の規定による届出の例により、その旨を都道府県知事に通知しなければならず、その通知した事項を変更しようとするときは、同項の規定による届出の例により、その旨を都道府県知事に通知しなければならない。

4　都道府県知事は、前項の規定による通知があつた場合において、当該通知に係る水域施設等が、技術基準に適合しないものであると認めるときは、その通知を受けた日から六十日以内に限り、その通知をした者に対し、必要な措置をとることを要請することができる。

5　都道府県知事は、第一項の規定による届出又は第三項の規定による通知があつたときは、国土交通省令で定めるところにより、届出又は通知のあつた事項を公示しなければならない。

本条…追加〔昭和四八年七月法律五四号〕、一・五項…一部改正〔平成一一年一二月法律一六〇号〕、二・四項…一部改正〔平成一八年五月法律三八号〕、一項…一部改正〔平成二二年六月法律四一号・三〇年一二月八九号・令和元年一二月六八号〕

第十二章　雑則

章名…追加〔令和四年一一月法律八七号〕

（地方公共団体の事務の委任）

第五六条の三の二　港務局を組織する地方公共団体は、港湾の開発、利用、保全及び管理に関する事務（法律又は政令により当該地方公共団体が処理することとされる事務を除く。）を港務局の委員会の委員長に委任することができる。ただし、義務を課し、又は権利を制限する事務を委任するには、条例によらなければならない。

本条…追加〔令和四年一一月法律八七号〕

（港湾管理者の設立に係る勧告）

第五六条の三の三　国土交通大臣は、国際戦略港湾、国際拠点港湾又は重要港湾において、港湾の開発、利用又は保全に関し特に必要があると認めるときは、港湾管理者を設けるべきことを関係地方公共団体に対し勧告することができる。

本条…追加〔令和四年一一月法律八七号〕

（監督処分）

第五六条の四　国土交通大臣、都道府県知事又は港湾管理者は、第一号に該当する者（国土交通大臣にあつては同号イ、都道府県知事にあつては同号ロ、港湾管理者にあつては同号ハに掲げる規定に違反した者）又は第二号若しくは第三号に該当する者に対し、工事その他の行為の中止、工作物若しくはは船舶その他の物件（以下「工作物等」という。）の改築、移転若しくは撤去、工事その他の行為若しくは工作物等により生じた若しくは生ずべき障害を除去し、若しくは予防するため必要な施設の設置その他の措置をとること又は原状の回復を命ずることができ、第二号又は第三号に該当する者に対し、第一号に掲げる規定によつて与えた許可を取り消し、その効力を停止し、その条件を変更し、又は新たな条件を付することができる。

一　次の規定に違反した者

イ　第四十三条の八第一項若しくは第二項又は第五十五条の三の五第一項若しくは第二項

ロ　第五十六条第一項又は第五十六条の二第一項

ハ　第三十七条第一項又は第三十七条の十一第一項

二　第三十七条第一項、第四十三条の八第二項、第五十五条の三の五第二項又は第五十六条第一項の規定による許可に付した条件に違反した者

三　詐欺その他不正な手段により第三十七条第一項、第四十三条の八第二項、第五十五条の三の五第二項又は第五十六条第一項の規定による許可を受けた者

2　第四十条の二第一項若しくは第四十一条第一項（これらの規定を第五十条の五第二項の規定により読み替えて適用する場合を含む。第五十九条第二項において同じ。）又は前項の規定により必要な措置をとることを命じようとする場合において、過失がなくて当該措置を命ずべき者を確知することができないときは、国土交通大臣、都道府県知事又は港湾管理者は、当該措置を自ら行い、又はその命じた者若しくはその委任した者にこれを行わせることができる。この場合においては、相当の期限を定めて、当該措置を行うべき旨及びその期限までに当該措置を行わないときは、国土交通大臣、都道府県知事若しくは港湾管理者又はその命じた者若しくは委任した者が当該措置を行う旨を、あらかじめ、公告しなければならない。

3　国土交通大臣、都道府県知事又は港湾管理者は、前項の規定により工作物等を撤去し、又は撤去させたときは、当該工作物等を保管しなければならない。

4　国土交通大臣、都道府県知事又は港湾管理者は、前項の規定により工作物等を保管したときは、当該工作物等の所有者、占有者その他当該工作物等について権原を有する者（以下「所有者等」という。）に対し当該工作物等を返還するため、国土交通省令で定めるところにより、国土交通省令で定める事項を公示しなければならない。

5　国土交通大臣、都道府県知事又は港湾管理者は、第三項の規定により保管した工作物等が滅失し、若しくは破損するおそれがあるとき、又は前項の規定による公示の日から起算して三月を経過してもなお当該工作物等を返還することができない場合において、国土交通省令で定めるところにより評価した当該工作物等の価額に比し、その保管に不相当な費用若しくは手数を要するときは、国土交通省令で定めるところにより、当該工作物等を売却し、その売却した代金を保管することができる。

6　国土交通大臣、都道府県知事又は港湾管理者は、前項の規定による工作物等の売却につき買受人がない場合において、同項に規定する価額が著しく低いときは、当該工作物等を廃棄することができる。

7　第五項の規定により売却した代金は、売却に要した費用に充てることができる。

8　第二項から第五項までに規定する撤去、保管、売却、公示その他の措置に要した費用は、当該工作物等の返還を受けるべき所有者等その他第二項に規定する当該措置を命ずべき者の負担とする。

9　第四項の規定による公示の日から起算して六月を経過してもなお第三項の規定により保管した工作物等（第五項の規定により売却した代金を含む。以下この項において同じ。）を返還することができないときは、当該工作物等の所有権は、国土交通大臣が保管する工作物等にあつては国、都道府県知事が保管する工作物等にあつては当該都道府県知事が統括する都道府県、港湾管理者が保管する工作物等にあつては当該港湾管理者に帰属する。

本条…追加〔昭和四八年七月法律五四号〕、一・二項…一部改正〔平成一一年七月法律八七号〕、一―六項・九項…一部改正〔平成一一年一二月法律一六〇号〕、一・二項…一部改正・三―九項…追加〔平成一二年三月法律三三号〕、一項…一部改正〔平成二五年六月法律三一号・二八年五月四五号・二九年六月五五号〕、二項…一部改正〔令和四年一一月法律八七号〕

（報告の徴収等）

第五六条の五　国土交通大臣、都道府県知事又は港湾管理者は、この法律の施行に必要な限度において、国土交通省令で定めるところにより、第三十七条第一項、第四十三条の八第二項、第五十五条の三の五第二項若しくは第五十六条第一項の規定による許可を受けた者に対し必要な報告を求め、又はその職員に、当該許可に係る行為に係る場所若しくは当該許可を受けた者の事務所若しくは事業場に立ち入り、当該許可に係る行為の状況若しくは工作物、帳簿、書類その他必要な物件を検査させることができる。

2　国土交通大臣又は国際拠点港湾の港湾管理者は、この法律の施行に必要な限度において、国土交通省令で定めるところにより、その指定を受けた港湾運営会社に対し、その業務若しくは経理の状況に関し報告を求め、又はその職員に、その指定を受けた港湾運営会社の事務所その他の事業場に立ち入り、業務若しくは経理の状況若しくは事業の用に供する施設、帳簿、書類その他の物件を検査させ、若しくは関係者に質問させることができる。

3　港湾管理者は、この法律の施行に必要な限度において、国土交通省令で定めるところにより、港湾管理者以外の者で特定技術基準対象施設を管理するものに対し、当該特定技術基準対象施設の維持管理の状況に関し報告を求め、又はその職員に、当該特定技術基準対象施設を管理する者の事務所若し

くは事業場に立ち入り、当該特定技術基準対象施設の維持管理の状況若しくは当該特定技術基準対象施設、帳簿、書類その他の物件を検査させることができる。

4　前三項の規定により立入検査をする職員は、その身分を示す証明書を携帯し、関係人にこれを提示しなければならない。

5　第一項から第三項までの規定による立入検査の権限は、犯罪捜査のために認められたものと解してはならない。

本条…追加〔昭和四八年七月法律五四号〕、一項…一部改正〔平成一一年七月法律八七号・一二月一六〇号〕、一項…一部改正・二項…追加・旧二・三項…一部改正し三・四項に繰下〔平成二三年三月法律九号〕、一項…一部改正・三項…追加・旧三・四項…一部改正し四・五項に繰下〔平成二五年六月法律三一号〕、一項…一部改正〔平成二九年六月法律五五号〕

（強制徴収）

第五六条の六　第四十三条の五第一項の規定に基づく処分（国土交通大臣に係るものに限る。）、第四十三条の九第二項において準用する第四十三条の二、第四十三条の三第一項若しくは第四十三条の四第一項の規定に基づく処分、第四十三条の十において準用する企業合理化促進法第八条第二項の規定に基づく処分、同条第四項の規定に基づく港湾工事に係る処分又は第五十六条の四第八項の規定に基づく処分（国土交通大臣に係るものに限る。）により納付すべき負担金をその納期限までに納付しない者がある場合においては、国土交通大臣は、督促状によつて納付すべき期限を指定して督促しなければならない。この場合において、督促状により指定すべき期限は、督促状を発する日から起算して二十日以上経過した日でなければならない。

2　国土交通大臣は、前項の規定による督促をした場合においては、政令で定めるところにより、延滞金を徴収することができる。この場合において、延滞金は、年十四・五パーセントの割合で計算した額をこえない範囲内で定めなければならない。

3　第一項の規定による督促を受けた者がその指定の期限までにその納付すべき金額を納付しないときは、国土交通大臣は、国税滞納処分の例により第一項の負担金及び前項の延滞金を徴収することができる。この場合における負担金及び延滞金の先取特権は、国税及び地方税に次ぐものとする。

4　延滞金は、負担金に先だつものとする。

本条…追加〔昭和四八年七月法律五四号〕、一－三項…一部改正〔平成一一年一二月法律一六〇号〕、一項…一部改正〔平成一二年三月法律三三号・一八年五月三八号〕

（関係行政機関の長との協議）

第五七条　国土交通大臣は、主として漁業の用に供する施設について第四十六条第一項の認可をし、又は漁業に重大な関係のある事項に関し第三条の三第六項若しくは第四十七条の要求をしようとするときは、農林水産大臣に協議しなければならない。

2　国土交通大臣は、国際戦略港湾、国際拠点港湾又は重要港湾において企業合理化促進法第八条第四項の規定により水域施設、外郭施設又は係留施設の建設又は改良の工事を施行しようとする場合において、同項の規定による負担金の額がその工事に要する費用の額の十分の五を超えることとなるときは、経済産業大臣に協議しなければならない。

見出し…改正・一項…一部改正・二項…追加〔昭和四八年七月法律五四号〕、一項…一部改正〔昭和五三年七月法律八七号・平成一一年七月八七号〕、一・二項…一部改正〔平成一一年一二月法律一六〇号〕、二項…一部改正〔平成二三年三月法律九号〕

（他の法令との関係）

第五八条　建築基準法（昭和二十五年法律第二百一号）第四十八条及び第四十九条の規定は、第三十九条の規定により指定された分区については、適用しない。

2　公有水面埋立法の規定による都道府県知事（地方自治法第二百五十二条の十九第一項の指定都市の区域内にあつては、当該指定都市の長。以下この項において同じ。）の職権は、港湾区域内又は港湾区域内の公有水面の埋立てに係る埋立地については港湾管理者（河川区域内における港湾区域内又は港湾区域内の公有水面の埋立てに係る埋立地については都道府県知事及び港湾管理者）が行う。

3　港湾管理者が、その管理する港湾における公有水面の埋立てに係る公有水面埋立法第二十二条第二項の竣（しゆん）功認可の告示がされている埋立地の全部又は一部が現に相当期間にわたり同法第十一条若しくは第十三条の二第二項の規定により告示された用途に供されておらず、又は将来にわたり当該用途に供される見込みがないと認められることからその有効かつ適切な利用を促進する必要があると認めて、当該埋立地の全部又は一部の区域その他国土交通省令で定める事項を告示したときは、その告示の日から、当該区域について、同法第二十七条第一項中「十年間」とあるのは「五年間」と、同法第二十九条第一項中「十年内」とあるのは「五年内」とする。この場合において、当該区域が同法第四十七条第一項の規定により国土交通大臣の認可を受けた埋立地の全部又は一部であるときは、港湾管理者は、あらかじめ、国土交通大臣に協議しなければならない。

4　漁港区に関する特則については、漁港に関する法律で定めるところによる。

一項…一部改正・五項…削除〔昭和二六年六月法律一九六号〕、二項…一部改正〔昭和二九年五月法律一一一号〕、三項…削除・旧四項…三項に繰上〔昭和三八年六月法律九九号〕、二項…一部改正〔昭和三九年七月法律一六八号〕、一項…一部改正〔昭和四三年六月法律一〇一号・四五年六月一〇九号〕、二項…一部改正〔昭和四八年七月法律五四号・九月八四号・平成一一年七月八七号〕、三項…追加・旧三項…四項に繰下〔平成一八年五月法律三八号〕、二項…一部改正〔平成二六年六月法律五一号〕

（審査庁）

第五八条の二　市町村長が港湾管理者としてした前条第二項の規定に基づく公有水面埋立法による職権の行使（地方自治法第二条第九項第一号に規定する第一号法定受託事務であるものに限る。）についての審査請求は、国土交通大臣に対してするものとする。この場合において、当該審査請求のうち不作為についての審査請求については、当該不作為に係る市町村長に対してすることもできる。

本条…追加〔昭和三七年九月法律一六一号〕、一部改正〔昭和四八年七月法律五四号・平成一一年七月八七号・一二月一六〇号・二六年六月六九号〕

(行政事件訴訟法等の適用)

第五九条 港務局の管理する一般公衆の利用に供する港湾施設に関する公共団体の管理する公共用土地物件の使用に関する法律の適用については、港務局の委員会の委員長は、行政庁とみなす。

2 第三十八条の二第八項、第四十条の二第一項、第四十一条第一項、第五十六条の二の二十一第二項及び第五十六条の四第一項の命令、第五十八条第二項の規定に基づく公有水面埋立法による職権の行使並びに公共団体の管理する公共用土地物件の使用に関する法律第一条の命令に関する行政代執行法（昭和二十三年法律第四十三号）の適用については、港務局の委員会の委員長は、行政庁とみなす。

3 この法律による職権の行使、第五十六条の三の二の規定による委任に基づく職権の行使、第五十八条第二項の規定に基づく公有水面埋立法による職権の行使及び公共団体の管理する公共用土地物件の使用に関する法律による職権の行使、企業合理化促進法又は公害防止事業費事業者負担法の規定による負担金の徴収に関する職権の行使並びに行政代執行法の適用に関する訴えに関する行政事件訴訟法（昭和三十七年法律第百三十九号）の適用については、港務局の委員会の委員長は、行政庁とみなす。

本条…全部改正〔昭和二九年五月法律一一一号〕、見出し…改正・三項…一部改正〔昭和三七年五月法律一四〇号〕、一－三項…一部改正〔昭和三七年九月法律一六一号〕、三項…一部改正〔昭和三八年六月法律九九号〕、二項…一部改正・三項…全部改正〔昭和四八年七月法律五四号〕、二項…一部改正〔平成二五年六月法律三一号〕、三項…一部改正〔令和四年一一月法律八七号〕

(運輸審議会への諮問)

第六〇条 国土交通大臣は、次の事項に関しては、これを運輸審議会に諮らなければならない。

一 第四条第四項（第九条第二項及び第三十三条第二項において準用する場合を含む。）の同意（国際戦略港湾、国際拠点港湾又は重要港湾に係るものに限る。）

二 第四条第十二項（第三十三条第二項において準用する場合を含む。）の規定による調停

二の二 第十条第一項ただし書の規定による承認

三 第三十八条の規定による臨港地区の区域の変更に関する請求に係る事項

四 第四十四条（第四十四条の二第四項において準用する場合を含む。）の規定による料率の変更に関する請求に係る事項

四の二 第四十四条の二の規定による入港料についての同意

五 第五十六条の三の三の規定による港湾管理者を設けるべきことの勧告

本条…一部改正〔昭和二六年六月法律一九六号・二九年五月一一一号・平成一一年七月八七号〕、見出し…改正・本条…一部改正〔平成一一年一二月法律一六〇号・二〇年六月六六号〕、本条…一部改正〔平成二三年五月法律三七号・令和四年一一月八七号〕

(許可の条件)

第六〇条の二 国土交通大臣、都道府県知事又は港湾管理者は、この法律の規定による許可には、必要な条件を附することができる。

2 前項の条件は、許可に係る事項の確実な実施を図るため必要な最小限度のものに限り、且つ、許可を受けた者に対し、不当な義務を課することとなるものであつてはならない。

本条…追加〔昭和四八年七月法律五四号〕、一項…一部改正〔平成一一年七月法律八七号・一二月一六〇号〕

(経過措置)

第六〇条の三 この法律の規定に基づき政令又は国土交通省令を制定し、又は改廃する場合においては、それぞれ、政令又は国土交通省令で、その制定又は改廃に伴い合理的に必要と判断される範囲内において、所要の経過措置（罰則に関する経過措置を含む。）を定めることができる。

本条…追加〔昭和四八年七月法律五四号〕、一部改正〔平成一一年一二月法律一六〇号〕

(職権の委任)

第六〇条の四 この法律に規定する国土交通大臣の職権の一部は、政令で定めるところにより、地方整備局長又は北海道開発局長に委任することができる。

本条…追加〔昭和四八年七月法律五四号〕、一部改正〔平成一一年一二月法律一六〇号〕

(事務の区分)

第六〇条の五 第四条第四項（第九条第二項及び第三十三条第二項において準用する場合を含む。以下同じ。）、第五項（第九条第二項、第三十三条第二項及び第五十六条第二項において準用する場合を含む。以下同じ。）、第八項（第九条第二項及び第三十三条第二項において準用する場合を含む。以下同じ。）並びに第十二項及び第十三項（これらの規定を第三十三条第二項において準用する場合を含む。）、第九条第三項並びに第五十六条第一項（水域を定める事務に係る部分に限る。）の規定により都道府県が処理することとされている事務（第四条第四項の規定により処理することとされているものについては、同項の規定による都道府県知事の同意に関するものに限り、同条第五項の規定により処理することとされているものについては、同項の規定による都道府県知事が行う協議に関するものに限り、同条第八項の規定により処理することとされているものについては、同項の規定による都道府県が行う届出に関するものを除く。）は、地方自治法第二条第九項第一号に規定する第一号法定受託事務とする。

本条…追加〔平成一一年七月法律八七号〕、一部改正〔平成二三年五月法律三七号〕

第十三章　罰則

章名…追加〔令和四年一一月法律八七号〕

第六一条 地方公共団体の職員又は港務局の委員、監事若しく

は職員が、第三十七条の六第一項の規定による認定に関し、その職務に反し、当該認定を受けようとする者に談合を唆すこと、当該認定を受けようとする者に当該認定に係る公募（以下「占用公募」という。）に関する秘密を教示すること又はその他の方法により、当該占用公募の公正を害すべき行為を行つたときは、五年以下の懲役又は二百五十万円以下の罰金に処する。

本条は、令和四法六八により改正され、令和七年六月一日から施行

第六一条　地方公共団体の職員又は港務局の委員、監事若しくは職員が、第三十七条の六第一項の規定による認定に関し、その職務に反し、当該認定を受けようとする者に談合を唆すこと、当該認定を受けようとする者に当該認定に係る公募（以下「占用公募」という。）に関する秘密を教示すること又はその他の方法により、当該占用公募の公正を害すべき行為を行つたときは、五年以下の拘禁刑又は二百五十万円以下の罰金に処する。

本条…追加〔平成二八年五月法律四五号〕、見出し…削除〔令和四年一一月法律八七号〕

第六二条　偽計又は威力を用いて、占用公募の公正を害すべき行為をした者は、三年以下の懲役若しくは二百五十万円以下の罰金に処し、又はこれを併科する。

本条一項は、令和四法六八により改正され、令和七年六月一日から施行

第六二条　偽計又は威力を用いて、占用公募の公正を害すべき行為をした者は、三年以下の拘禁刑若しくは二百五十万円以下の罰金に処し、又はこれを併科する。

2　占用公募につき、公正な価額を害し又は不正な利益を得る目的で、談合した者も、前項と同様とする。

本条…追加〔平成二八年五月法律四五号〕

第六三条　第四十三条の二十三第一項の規定による報告若しくは資料の提出をせず、若しくは虚偽の報告若しくは資料の提出をし、又は同項の規定による検査を拒み、妨げ、若しくは忌避した者は、一年以下の懲役若しくは三百万円以下の罰金に処し、又はこれを併科する。

2　第四十三条の二十一第一項又は第四項の規定に違反した者は、一年以下の懲役若しくは百万円以下の罰金に処し、又はこれを併科する。

3　次の各号のいずれかに該当する者は、一年以下の懲役又は百万円以下の罰金に処する。

一　第五十六条の二の九第一項の規定に違反した者

二　第五十六条の二の十五の規定による業務の停止の命令に違反した者

4　次の各号のいずれかに該当する者は、一年以下の懲役又は五十万円以下の罰金に処する。

一　第三十七条第一項、第四十三条の八第二項、第五十五条の三の五第二項又は第五十六条第一項の規定に違反した者

二　第三十七条の十一第一項、第四十三条の八第一項、第五十五条の三の五第一項又は第五十六条の二第一項の規定に違反した者

5　次の各号のいずれかに該当する者は、六月以下の懲役若しくは五十万円以下の罰金に処し、又はこれを併科する。

一　第四十三条の二十一第三項の規定による届出をせず、又は虚偽の届出をした者

二　第四十三条の二十二第一項の規定による対象議決権保有届出書を提出せず、又は虚偽の記載をした対象議決権保有届出書を提出した者

本条一―五項は、令和四法六八により改正され、令和七年六月一日から施行

第六三条　第四十三条の二十三第一項の規定による報告若しくは資料の提出をせず、若しくは虚偽の報告若しくは資料の提出をし、又は同項の規定による検査を拒み、妨げ、若しくは忌避した者は、一年以下の拘禁刑若しくは三百万円以下の罰金に処し、又はこれを併科する。

2　第四十三条の二十一第一項又は第四項の規定に違反した者は、一年以下の拘禁刑若しくは百万円以下の罰金に処し、又はこれを併科する。

3　次の各号のいずれかに該当する者は、一年以下の拘禁刑又は百万円以下の罰金に処する。

一・二　〔略〕

4　次の各号のいずれかに該当する者は、一年以下の拘禁刑又は五十万円以下の罰金に処する。

一・二　〔略〕

5　次の各号のいずれかに該当する者は、六月以下の拘禁刑若しくは五十万円以下の罰金に処し、又はこれを併科する。

一・二　〔略〕

6　次の各号のいずれかに該当する者は、五十万円以下の罰金に処する。

一　第三十八条の二第八項、第五十六条の三第二項又は第五十六条の四第一項の規定による処分に違反した者

二　第五十条の二十一において準用する第四十五条第二項の規定による書面の提出をしないで、又は提出した書面に記載された料率によらないで、料金を収受した者

三　第五十条の二十一において準用する第四十五条第三項の規定による命令に違反して、料金を収受した者

7　次の各号のいずれかに該当する場合には、その違反行為をした港湾運営会社の取締役、執行役、会計参与（会計参与が法人であるときは、その職務を行うべき社員）、監査役又は職員は、五十万円以下の罰金に処する。

一　第四十三条の十七第一項の規定による命令に違反したとき。

二　第四十五条第二項の規定による書面の提出をしないで、

又は提出した書面に記載された料率によらないで、料金を収受したとき。

三　第四十五条第三項の規定による命令に違反して、料金を収受したとき。

8　次の各号のいずれかに該当する者は、三十万円以下の罰金に処する。

一　第三十八条の二第一項若しくは第四項又は第五十六条の三第一項前段若しくは後段本文の規定による届出をせず、又は虚偽の届出をした者

二　第五十六条の二の十一の規定による許可を受けないで確認業務の全部を廃止した者

三　第五十六条の二の十四第一項の規定による報告をせず、若しくは虚偽の報告をし、又は同項の規定による検査を拒み、妨げ、若しくは忌避した者

四　第五十六条の二の十六の規定に違反して、帳簿を備えず、帳簿に記載せず、若しくは帳簿に虚偽の記載をし、又は帳簿を保存しなかつた者

五　第五十六条の五第一項若しくは第三項の規定による報告をせず、若しくは虚偽の報告をし、又はこれらの規定による検査を拒み、妨げ、若しくは忌避した者

9　第五十六条の五第二項の規定による報告をせず、若しくは虚偽の報告をし、又は同項の規定による検査を拒み、妨げ、若しくは忌避し、若しくは同項の規定による質問に対して陳述せず、若しくは虚偽の陳述をした場合には、その違反行為をした港湾運営会社の取締役、執行役、会計参与（会計参与が法人であるときは、その職務を行うべき社員）、監査役又は職員は、三十万円以下の罰金に処する。

10　第二十五条第一項の規定による給与を受ける委員が、営利を目的とする団体の役員となり、又は自ら営利事業に従事したときは、六月以下の懲役又は三十万円以下の罰金に処する。

本条一〇項は、令和四法六八により改正され、令和七年六月一日から施行

10　第二十五条第一項の規定による給与を受ける委員が、営利を目的とする団体の役員となり、又は自ら営利事業に従事したときは、六月以下の拘禁刑又は三十万円以下の罰金に処する。

一項…全部改正・二・三項…追加・旧二項…四項に繰下〔昭和四八年七月法律五四号〕、一－三項…一部改正〔平成一一年三月法律三三号〕、一項…追加・旧一・三項…一部改正し二・四項に繰下・旧二・四項…三・五項に繰下〔平成一八年五月法律三八号〕、一・二・五・七・九項…追加・旧一－四項…三・四・六・八項に繰下・旧五項…一部改正し一〇項に繰下〔平成二三年三月法律九号〕、四・八項…一部改正〔平成二五年六月法律三一号〕、見出し…削除・四項…一部改正・旧六一条…繰下〔平成二八年五月法律四五号〕、四項…一部改正・六項…全部改正〔平成二九年六月法律五五号〕

第六四条　法人（法人でない団体で代表者又は管理人の定めのあるものを含む。以下この項において同じ。）の代表者又は法人若しくは人の代理人、使用人その他の従業者が、その法人又は人の業務又は財産に関し、次の各号に掲げる規定の違反行為をしたときは、その行為者を罰するほか、その法人に対して当該各号に定める罰金刑を、その人に対して各本項の罰金刑を科する。

一　前条第一項　二億円以下の罰金刑

二　前条第二項　一億円以下の罰金刑

三　前条第五項　同項の罰金刑

2　前項の規定により法人でない団体を処罰する場合には、その代表者又は管理人がその訴訟行為につきその団体を代表するほか、法人を被告人又は被疑者とする場合の刑事訴訟に関する法律の規定を準用する。

本条…追加〔平成二三年三月法律九号〕、旧六二条…繰下〔平成二八年五月法律四五号〕

第六五条　法人の代表者又は法人若しくは人の代理人、使用人その他の従業者が、その法人又は人の業務に関し、第六十二条又は第六十三条第三項、第四項、第六項若しくは第八項の違反行為をしたときは、行為者を罰するほか、その法人又は人に対しても、各本条の罰金刑を科する。

見出し…削除・本条…一部改正〔昭和四八年七月法律五四号〕、本条…一部改正〔平成一八年五月法律三八号〕、旧六二条…一部改正し繰下〔平成二三年三月法律九号〕、旧六三条…一部改正し繰下〔平成二八年五月法律四五号〕

第六六条　次の各号のいずれかに該当する場合には、その違反行為をした港湾運営会社の取締役、執行役、会計参与若しくはその職務を行うべき社員又は監査役は、五十万円以下の過料に処する。

一　第四十三条の十三第一項の規定による認可を受けないで運営計画の変更をしたとき。

二　第四十三条の十八第一項の規定に違反して、埠頭群の運営の事業の全部を休止し、又は廃止したとき。

三　第四十三条の二十六第一項の規定に違反して、事業計画又は収支予算を提出しなかつたとき。

四　第四十三条の二十六第三項の規定に違反して、貸借対照表、損益計算書若しくは事業報告書を提出せず、又は虚偽の記載若しくは記録をしたこれらのものを提出したとき。

2　第五十六条の二の十第一項の規定に違反して財務諸表等を備えて置かず、財務諸表等に記載すべき事項を記載せず、若しくは虚偽の記載をし、又は正当な理由がないのに同条第二項各号の規定による請求を拒んだ者は、二十万円以下の過料に処する。

3　第三十八条の二第五項又は第五十六条の三第一項後段ただし書の規定による届出をせず、又は虚偽の届出をした者は、十万円以下の過料に処する。

本条…追加〔昭和四八年七月法律五四号〕、一部改正〔平成一一年三月法律三三号〕、一項…追加・旧一項…一部改正し二項に繰下〔平成一八年五月法律三八号〕、一項…追加・旧一・二項…二・三項に繰下・旧六三条…繰下〔平成二三年三月法律九号〕、一項…一部改正〔平成二六年五月法律三三号〕、旧六四条…繰下〔平成二八年五月法律四五号〕

附　則

（施行期日）

1　この法律は、公布の日から施行する。但し、第四十二条の規定は、昭和二十六年四月一日から施行する。

（国内産業の開発上特に重要な港湾に関する特例）

2　重要港湾のうち国内産業の開発上特に重要な港湾で、政令で定めるものにおいて港湾管理者又は国土交通大臣がする港湾工事の費用に関する国の負担又は補助については、当分の間、国際拠点港湾における港湾工事の例による。

（国の無利子貸付け等）

3　国は、当分の間、港湾管理者に対し、第四十二条第一項又は第二項の規定により国がその費用について負担する港湾施設の建設又は改良の工事で日本電信電話株式会社の株式の売払収入の活用による社会資本の整備の促進に関する特別措置法（昭和六十二年法律第八十六号。以下「社会資本整備特別措置法」という。）第二条第一項第二号に該当するものに要する費用に充てる資金について、予算の範囲内において、第四十二条第一項又は第二項の規定（これらの規定による国の負担の割合について、これらの規定と異なる定めをした法令の規定がある場合には、当該異なる定めをした法令の規定を含む。以下同じ。）により国が負担する金額に相当する金額を無利子で貸し付けることができる。

4　国は、当分の間、港湾管理者に対し、第四十三条の規定により国がその費用について補助することができる港湾施設の建設又は改良の工事で社会資本整備特別措置法第二条第一項第二号に該当するものに要する費用に充てる資金について、予算の範囲内において、第四十三条の規定（この規定による国の補助の割合について、この規定と異なる定めをした法令の規定がある場合には、当該異なる定めをした法令の規定を含む。以下同じ。）により国が補助することができる金額に相当する金額を無利子で貸し付けることができる。

5　国は、当分の間、港湾管理者に対し、前二項に規定する港湾工事以外の港湾施設の建設又は改良の工事で社会資本整備特別措置法第二条第一項第二号に該当するものに要する費用に充てる資金の一部を、予算の範囲内において、無利子で貸し付けることができる。

6　前三項の国の貸付金の償還期間は、五年（二年以内の据置期間を含む。）以内で政令で定める期間とする。

7　前項に定めるもののほか、附則第三項から第五項までの規定による貸付金の償還方法、償還期限の繰上げその他償還に関し必要な事項は、政令で定める。

8　附則第三項の規定により国が港湾管理者に対し貸付けを行う場合における第四十二条第三項の規定の適用については、同項中「これによつて国が負担することとなる金額」とあるのは、「附則第三項の規定により国が貸し付けることとなる金額」とする。

9　国は、附則第三項の規定により、港湾管理者に対し貸付けを行つた場合には、当該貸付けの対象である工事に係る第四十二条第一項又は第二項の規定による国の負担については、当該貸付金の償還時において、当該貸付金の償還金に相当する金額を交付することにより行うものとする。

10　国は、附則第四項の規定により、港湾管理者に対し貸付けを行つた場合には、当該貸付けの対象である工事について、第四十三条の規定による当該貸付金に相当する金額の補助を行うものとし、当該補助については、当該貸付金の償還時において、当該貸付金の償還金に相当する金額を交付することにより行うものとする。

11　国は、附則第五項の規定により、港湾管理者に対し貸付けを行つた場合には、当該貸付けの対象である工事について、当該貸付金に相当する金額の補助を行うものとし、当該補助については、当該貸付金の償還時において、当該貸付金の償還金に相当する金額を交付することにより行うものとする。

12　港湾管理者が、附則第三項から第五項までの規定による貸付けを受けた無利子貸付金について、附則第六項及び第七項の規定に基づき定められる償還期限を繰り上げて償還を行つた場合（政令で定める場合を除く。）における前三項の規定の適用については、当該償還は、当該償還期限の到来時に行われたものとみなす。

13　第四十六条の規定は、附則第三項から第五項まで、北海道開発のためにする港湾工事に関する法律（昭和二十六年法律第七十三号）附則第七項、奄美群島振興開発特別措置法（昭和二十九年法律第百八十九号）附則第六項、失効前の沖縄振興開発特別措置法（昭和四十六年法律第百三十一号）附則第九条第一項又は沖縄振興特別措置法（平成十四年法律第十四号）附則第四条第一項の規定により国がその工事に要する費用に充てる資金を無利子で貸し付けた港湾施設について準用する。この場合において、第四十六条第一項中「その工事の費用を国が負担し又は補助した」とあるのは「附則第三項から第五項まで、北海道開発のためにする港湾工事に関する法律附則第七項、奄美群島振興開発特別措置法附則第六項、失効前の沖縄振興開発特別措置法附則第九条第一項又は沖縄振興特別措置法附則第四条第一項の規定により国がその工事に要する費用に充てる資金を無利子で貸し付けた」と、「国が負担し、若しくは補助した」とあるのは「附則第九項、北海道開発のためにする港湾工事に関する法律附則第十一項、奄美群島振興開発特別措置法附則第九項、失効前の沖縄振興開発特別措置法附則第九条第八項若しくは沖縄振興特別措置法附則第四条第七項に規定する国の負担若しくは補助若しくは附則第十項若しくは第十一項の規定による国の補助に係る」と読み替えるものとする。

14　第四十六条の規定は、前項に規定する港湾施設で附則第九項、北海道開発のためにする港湾工事に関する法律附則第十一項、奄美群島振興開発特別措置法附則第九項、失効前の沖縄振興開発特別措置法附則第九条第八項若しくは沖縄振興特別措置法附則第四条第七項に規定する国の負担若しくは補助又は附則第十項若しくは第十一項の規定による国の補助に係るものについては、適用しない。

15　国は、当分の間、地方公共団体（その出資され、又は拠出された金額の全部が地方公共団体により出資され、又は拠出されている法人を含む。）の出資又は拠出に係る法人（港務局を除く。）で国土交通大臣が政令で定める基準に適合すると認めるものに対し、一般公衆の利用に供する港湾施設の建設又は改良の工事で政令で定めるもののうち、社会資本整備特別措置法第二条第一項第一号に該当するものに要する費用に充てる資金の一部を無利子で貸し付けることができる。

16　前項の国の貸付金の償還期間は、二十年（五年以内の据置期間を含む。）以内とする。

17　国土交通大臣は、附則第十五項の規定による貸付けを受けた者に対し、当該貸付けに係る事業（その収益をもつて当該貸付けの対象である工事に要する費用を支弁することができると認められる当該工事と密接に関連する事業を含む。以下この項において同じ。）の適正な実施を確保するため必要があると認めるときは、当該貸付けに係る事業に係る業務若しくは資産の状況に関して、報告若しくは資料の提出を求め、若しくはその職員に、帳簿、書類その他の必要な物件を調査させ、若しくは関係者に質問させ、又は当該貸付けに係る事業に係る業務の改善に関する勧告をすることができる。

18　国は、附則第十五項の規定による貸付けを受けた者が、前項の規定による報告若しくは資料提出の要求、調査若しくは質問に応じなかつたとき又は同項の規定による勧告に従わなかつたときは、当該貸付けに係る貸付金の全部又は一部について償還期限を繰り上げることができる。

19　前三項に定めるもののほか、附則第十五項の国の貸付金に関する償還方法その他貸付けの条件の基準については、政令で定める。

（特定の国際拠点港湾の港湾運営会社に関する特例）

20　長距離の国際海上コンテナ運送の用に供される国土交通省令で定める規模以上の埠頭を有する国際拠点港湾であつて、コンテナ取扱量その他の国土交通省令で定める事情を勘案し、民間の能力の活用によりその運営の効率化を図ることが国際競争力の強化を図るため特に重要なものとして政令で定めるものについては、当分の間、当該国際拠点港湾を国際戦略港湾とみなして、国際戦略港湾における港湾運営会社に関する規定（第四十三条の二十一第一項ただし書（政府に係る部分に限る。）、第四十三条の二十二第一項（政府に係る部分に限る。）、第四十三条の二十五から第四十三条の三十まで並びに第六十六条第一項第三号及び第四号を除く。）を適用する。

五－七項…追加〔昭和二六年六月法律一九六号〕、八・九項…追加〔昭和二七年六月法律一七一号〕、一〇項…追加〔昭和六〇年五月法律三七号〕、一一・一二項…追加〔昭和六一年五月法律四六号〕、一一・一二項…一部改正・一三・一四項…追加〔昭和六二年三月法律二一号〕、一五－二六項…追加〔昭和六二年九月法律八七号〕、二七－三一項…追加〔昭和六三年五月法律三〇号〕、一三・一四・二五・二六項…一部改正〔平成元年四月法律二二号〕、一一・一二項…一部改正〔平成三年三月法律一五号〕、一一・一二・二〇項…一部改正〔平成五年三月法律八号〕、三二項…追加〔平成一一年七月法律八七号〕、五・二七・二九項…一部改正〔平成一一年一二月法律一六〇号〕、一五・二〇・二一項…一部改正〔平成一二年三月法律三三号〕、一八・二五・二六項…一部改正〔平成一四年二月法律一号〕、二五・二六項…一部改正〔平成一四年三月法律一四号・一八年三月一八号・二二年三月二〇号〕、五項…一部改正・二－四・六－一四・三二項…削除・旧五・一五－一八・二八項…二・三－六・一五・一六項に繰上・旧一九－二六・二九－三一項…一部改正し七－一四・一七－一九項に繰上・二〇－三一項…追加〔平成二三年三月法律九号〕、二六項…一部改正〔平成二五年一一月法律七六号〕、一三・一四項…一部改正〔平成二六年三月法律六号〕、二六・三一項…一部改正〔平成二六年五月法律三三号〕、一三・一四項…一部改正〔平成二七年六月法律四八号〕、二六・三一項…一部改正〔平成二八年五月法律四五号〕、二〇項…見出し削除・二〇－三〇項…削除・旧三一項…一部改正し二〇項に繰上〔令和元年一二月法律六八号〕、一三・一四項…一部改正〔令和四年三月法律七号〕

附　則〔昭和二九年五月一七日法律第一一一号〕

1　この法律は、公布の日から施行する。

2　この法律の施行の際現に存する港務局を組織する地方公共団体には、改正後の第十条第二項の規定は、適用しない。但し、同条同項の規定により債務を負担すべき旨を当該港務局の定款で定めた場合は、この限りでない。

附　則〔昭和三二年三月三〇日法律第二五号〕

1　この法律は、昭和三十二年四月一日から施行する。

2　地方財政の再建等のための公共事業に係る国庫負担等の臨時特例に関する法律（昭和三十一年法律第九十九号）の効力を有する間は、改正後の第四十二条第一項ただし書中「十分の二・五」とあるのは「十分の三」とする。

附　則〔昭和三六年四月一七日法律第六五号〕

1　この法律は、公布の日から施行する。

2　改正後の第五十五条の六の規定は、昭和三十六年度以降の予算に係る工事について適用する。

附　則〔昭和四八年七月一七日法律第五四号抄〕

（施行期日等）

第一条　この法律は、公布の日から施行する。ただし、第一条の規定中港湾法の目次の改正規定、同法第一章の次に一章を加える改正規定、同法第三十七条第二項の改正規定、同法第三十七条の三を削る改正規定、同法第三十八条の次に一条を加える改正規定、同法第四十三条の四の次に一条を加える改正規定、同法第六章を同法第七章とし、同法第五章の次に一章を加える改正規定、同法第四十八条及び第五十五条の七第二項の改正規定、同法第五十六条の次に五条を加える改正規定、同法第五十七条の改正規定（同条の見出しを改める部分及び同条に一項を加える部分を除く。）、同法第五十九条第二項の改正規定、同法第六十一条の前に一条を加える改正規定、同法第六十一条及び第六十二条の改正規定並びに同法本則に一条を加える改正規定、〔中略〕附則第二条第二項及び第四項から第六項まで、〔中略〕の改正規定は、公布の日から起算して一年をこえない範囲内において政令で定める日から施行する。

〔昭和四九年五月政令一八〇号により、第一章の次に一章を加える改正規定（第三条の二に係る部分に限る。）は、昭和四九・五・三〇から施行。昭和四九年七月政令二六四号により、目次の改正規定、同法第一章の次に一章を加える改正規定（第三条の二に係る部分を除く。）、同法第三十七条第二項の改正規定、同法第三十七条の三を削る改正規定、同法第三十八条の次に一条を加える改正規定、同法第四十三条の四の次に一条を加える改正規定、同法第六章を同法第七章とし、同法第五章の次に一章を加える改正規定、同法第四十八条及び第五十五条の七第二項の改正規定、同法第五十六条の次に五条を加える改正規定、同法第五十七条の改正規定（同条の見出しを改める部分及び同条に一項を加える部分を除く。）、同法第五十九条第二項の改正規定、同法第六十一条の前に一条を加える改正規定、同法第六十一条及び第六十二条の改正規定並びに同法本則に一条を加える改正規定は、昭和四九・七・一六から施行〕

2　第一条の規定による改正後の港湾法（以下「新港湾法」という。）第四十三条の規定は、昭和四十八年度の予算に係る国の補助金に係る港湾工事の費用から適用する。

5　新港湾法第五十六条第三項において準用する同法第三十七条第六項の規定は、この法律の施行の日以後において同法第五十六条第一項の規定による許可を受けた者に係る占用料又は土砂採取料から適用する。

（経過措置）

第二条　この法律の施行の際現に港湾法第三十七条第一項の規定により指定されている港湾隣接地域については、当該港湾隣接地域を指定した港湾管理者の長は、この法律の施行の日から起算して三月を経過する日までに、その区域を公告しなければならない。ただし、既に当該区域について公告がなされている場合においては、この限りでない。

2　第一条の規定による改正前の港湾法第三十七条の三の規定によりされた許可の取消し、その効力の停止若しくはその条件の変更又は施設の改築、移転、撤去若しくは原状の回復の命令は、新港湾法第五十六条の四第一項の規定によりされた許可の取消し、その効力の停止若しくはその条件の変更又は工作物の改築、移転、撤去若しくは原状の回復の命令とみなす。

3　この法律の施行の際現に港湾法第三十八条第一項の規定により定められている臨港地区については、当該臨港地区を定めた港湾の港湾管理者は、この法律の施行の日から起算して三月を経過する日までに、その区域を公告しなければならない。この場合において、第一項ただし書の規定を準用する。

4　新港湾法第三十八条の二の規定の施行の際現に臨港地区内において、同条第一項各号に掲げる施設を設置している者（当該施設の建設の工事をしている者を含む。）は、同条の規定の施行の日から起算して三月を経過する日までに、運輸省令で定めるところにより、当該施設に関する事項に関し、港湾管理者の長に届出（同法第三十七条第三項に掲げる者にあつては、通知）をしなければならない。

5　新港湾法第五十六条の三の規定の施行の際現に水域（港湾区域及び港湾法第五十六条第一項の規定により公告されている水域を除く。）において、新港湾法第五十六条の三第一項の政令で定める水域施設、外郭施設又は係留施設を設置している者（当該施設の建設の工事をしている者を含む。）は、同条の規定の施行の日から起算して三月を経過する日までに、運輸省令で定めるところにより、当該施設に関する事項に関し、都道府県知事に届出（同法第三十七条第三項に掲げる者にあつては、通知）をしなければならない。

6　前二項の規定による届出をせず、又は虚偽の届出をした者は、三万円以下の過料に処する。

7　前各項に規定するもののほか、この法律の施行に関して必要となる経過措置は、政令で定めることができる。

附　則〔昭和五四年一二月二五日法律第七〇号抄〕

（施行期日）

1　この法律〔中略〕は、当該各号に定める日〔公布の日から起算して三月を超えない範囲内において政令で定める日〕から施行する。〔以下略〕

〔昭和五五年三月政令一七号により、昭和五五・三・二四から施行〕

（経過措置）

8　第十一条の規定の施行前に同条の規定による改正前の港湾法第三条の三第四項の規定により運輸大臣に提出された港湾計画については、なお従前の例による。

9　この法律（附則第一項各号に掲げる規定については、当該各規定）の施行前にした行為及び附則第六項又は第七項の規定により従前の例によることとされる場合におけるこの法律の施行後にした行為に対する罰則の適用については、なお従前の例による。

附　則〔昭和五九年八月一〇日法律第七一号抄〕

（施行期日）

第一条　この法律は、昭和六十年四月一日から施行する。〔以下略〕

（港湾法の一部改正に伴う経過措置）

第二二条　この法律の施行前に第四十八条の規定による改正前の港湾法第三十七条第三項において読み替えられた同条第一項の規定により旧公社が港湾管理者の長とした協議に基づく行為は、第四十八条の規定による改正後の港湾法第三十七条第一項の規定により会社に対して港湾管理者の長がした許可に基づく行為とみなす。

（政令への委任）

第二七条　附則第二条から前条までに定めるもののほか、この法律の施行に関し必要な経過措置は、政令で定める。

附　則〔昭和五九年一二月二五日法律第八七号抄〕

（施行期日）

第一条　この法律は、昭和六十年四月一日から施行する。〔以下略〕

（港湾法の一部改正に伴う経過措置）

第一七条　この法律の施行前に第四十三条の規定による改正前の港湾法第三十七条第三項において読み替えられた同条第一項の規定により旧公社が港湾管理者の長とした協議に基づく行為は、第四十三条の規定による改正後の港湾法第三十七条第一項の規定により会社に対して港湾管理者の長がした許可に基づく行為とみなす。

附　則〔昭和六〇年五月一八日法律第三七号抄〕

（施行期日等）

1　この法律は、公布の日から施行する。

3　この法律による改正後の法律の昭和六十年度の特例に係る規定は、同年度の予算に係る国の負担又は補助（昭和五十九年度以前の年度における事務又は事業の実施により昭和六十年度に支出される国の負担又は補助及び昭和五十九年度以前の年度の国庫債務負担行為に基づき昭和六十年度に支出すべきものとされた国の負担又は補助を除く。）並びに同年度における事務又は事業の実施により昭和六十一年度以降の年度に支出される国の負担又は補助、昭和六十年度の国庫債務負担行為に基づき昭和六十一年度以降の年度に支出すべきものとされる国の負担又は補助及び昭和六十年度の歳出予算に係る国の負担又は補助で昭和六十一年度以降の年度に繰り越されるものについて適用し、昭和五十九年度以前の年度における事務又は事業の実施により昭和六十年度に支出される国の負担又は補助、昭和五十九年度以前の年度の国庫債務負担行為に基づき昭和六十年度に支出すべきものとされた国の負担又は補助及び昭和五十九年度以前の年度の歳出予算に係る国の負担又は補助で昭和六十年度に繰り越されたものについては、なお従前の例による。

附　則〔昭和六一年五月八日法律第四六号抄〕

1　この法律は、公布の日から施行する。

2　この法律〔中略〕による改正後の法律の昭和六十一年度から昭和六十三年度までの各年度の特例に係る規定並びに昭和六十一年度及び昭和六十二年度の特例に係る規定は、昭和六十一年度から昭和六十三年度までの各年度（昭和六十一年度及び昭和六十二年度の特例に係るものにあつては、昭和六十一年度及び昭和六十二年度。以下この項において同じ。）の予算に係る国の負担（当該国の負担に係る都道府県又は市町村の負担を含む。以下この項において同じ。）又は補助（昭和六十年度以前の年度における事務又は事業の実施により昭和六十一年度以降の年度に支出される国の負担又は補助及び昭和六十年度以前の年度の国庫債務負担行為に基づき昭和六十一年度以降の年度に支出すべきものとされた国の負担又は補助を除く。）並びに昭和六十一年度から昭和六十三年度までの各年度における事務又は事業の実施により昭和六十二年度（昭和六十一年度及び昭和六十二年度の特例に係るものにあつては、昭和六十三年度。以下この項において同じ。）以降の年度に支出される国の負担又は補助、昭和六十一年度から昭和六十三年度までの各年度の国庫債務負担行為に基づき昭和六十四年度以降の年度に支出すべきものとされる国の負担又は補助及び昭和六十一年度から昭和六十三年度までの各年度の歳出予算に係る国の負担又は補助で昭和六十四年度以降の年度に繰り越されるものについて適用し、昭和六十年度以前の年度における事務又は事業の実施により昭和六十一年度以降の年度に支出される国の負担又は補助、昭和六十年度以前の年度の国庫債務負担行為に基づき昭和六十一年度以降の年度に支出すべきものとされた国の負担又は補助及び昭和六十年度以前の年度の歳出予算に係る国の負担又は補助で昭和六十一年度以降の年度に繰り越されたものについては、なお従前の例による。

附　則〔昭和六一年一二月四日法律第九三号抄〕

（施行期日）

第一条　この法律は、昭和六十二年四月一日から施行する。

〔以下略〕

（港湾法の一部改正に伴う経過措置）

第二六条　この法律の施行前に第百二十条の規定による改正前の港湾法（以下この条において「旧法」という。）第三十七条第三項（旧法第四十三条の八第四項及び第五十六条第三項において準用する場合を含む。）において読み替えられた旧法第三十七条第一項の規定により日本国有鉄道が港湾管理者の長、運輸大臣又は都道府県知事とした協議に基づく行為は、政令で定めるところにより、第百二十条の規定による改正後の港湾法（次項において「新法」という。）第三十七条第一項、第四十三条の八第二項又は第五十六条第一項の規定により、承継法人及び清算事業団のうち政令で定める者に対して港湾管理者の長、運輸大臣又は都道府県知事がした許可に基づく行為とみなす。

2　この法律の施行前に旧法第三十八条の二第九項又は第五十六条の三第三項の規定により日本国有鉄道が港湾管理者の長又は都道府県知事に対してした通知は、政令で定めるところにより、新法第三十八条の二第一項若しくは第四項又は第五十六条の三第一項の規定により、承継法人及び清算事業団のうち政令で定める者が港湾管理者の長又は都道府県知事に対してした届出とみなす。

附　則〔昭和六二年三月三一日法律第一一号〕

1　この法律は、昭和六十二年四月一日から施行する。

2　この法律による改正後の法律の規定は、昭和六十二年度及び昭和六十三年度の予算に係る国の負担（当該国の負担に係る港湾管理者又は地方公共団体の負担を含む。以下同じ。）又は補助（昭和六十一年度以前の年度の国庫債務負担行為に基づき昭和六十二年度以降の年度に支出すべきものとされた国の負担又は補助を除く。）、昭和六十二年度及び昭和六十三年度の国庫債務負担行為に基づき昭和六十四年度以降の年度に支出すべきものとされる国の負担又は補助並びに昭和六十二年度及び昭和六十三年度の歳出予算に係る国の負担又は補助で昭和六十四年度以降の年度に繰り越されるものについて適用し、昭和六十一年度以前の年度の国庫債務負担行為に基づき昭和六十二年度以降の年度に支出すべきものとされた国の負担又は補助及び昭和六十一年度以前の年度の歳出予算に係る国の負担又は補助で昭和六十二年度以降の年度に繰り越されたものについては、なお従前の例による。

○港湾法の一部を改正する等の法律（抄）〔昭和六二年三月三一日　法律第二一号〕

（地方公共団体に対する財政金融上の措置）

第五条　国は、この法律の規定による改正後の法律の規定により昭和六十二年度及び昭和六十三年度の予算に係る国の負担又は補助の割合の引下げ措置の対象となる地方公共団体に対し、その事業の執行及び財政運営に支障を生ずることのないよう財政金融上の措置を講ずるものとする。

附　則〔平成元年四月一〇日法律第二二号抄〕

（施行期日等）

1　この法律は、公布の日から施行する。

2　この法律〔中略〕による改正後の法律の平成元年度及び平成二年度の特例に係る規定並びに平成元年度の特例に係る規定は、平成元年度及び平成二年度（平成元年度の特例に係るものにあっては、平成元年度。以下この項において同じ。）の予算に係る国の負担（当該国の負担に係る都道府県又は市町村の負担を含む。以下この項及び次項において同じ。）又は補助（昭和六十三年度以前の年度における事務又は事業の実施により平成元年度以降の年度に支出される国の負担及び昭和六十三年度以前の年度の国庫債務負担行為に基づき平成元年度以降の年度に支出すべきものとされた国の負担又は補助を除く。）並びに平成元年度及び平成二年度における事務又は事業の実施により平成三年度（平成元年度の特例に係るものにあっては、平成二年度。以下この項において同じ。）以降の年度に支出される国の負担、平成元年度及び平成二年度の国庫債務負担行為に基づき平成三年度以降の年度に支出すべきものとされる国の負担又は補助並びに平成元年度及び平成二年度の歳出予算に係る国の負担又は補助で平成三年度以降の年度に繰り越されるものについて適用し、昭和六十三年度以前の年度における事務又は事業の実施により平成元年度以降の年度に支出される国の負担、昭和六十三年度以前の年度の国庫債務負担行為に基づき平成元年度以降の年度に支出すべきものとされた国の負担又は補助及び昭和六十三年度以前の年度の歳出予算に係る国の負担又は補助で平成元年度以降の年度に繰り越されたものについては、なお従前の例による。

○国の補助金等の整理及び合理化並びに臨時特例等に関する法律（抄）〔平成元年四月一〇日法律第二二号〕

（地方公共団体に対する財政金融上の措置）

第四八条　国は、この法律の規定（第十一条、第十二条、第十六条から第二十八条まで及び第三十四条の規定を除く。）による改正後の法律の規定により平成元年度及び平成二年度の予算に係る国の負担又は補助の割合の引下げ措置の対象となる地方公共団体に対し、その事務又は事業の執行及び財政運営に支障を生ずることのないよう財政金融上の措置を講ずるものとする。

附　則〔平成三年三月三〇日法律第一五号〕

〔沿革〕平成五年三月三一日法律第八号改正

1　この法律は、平成三年四月一日から施行する。

2　この法律〔中略〕による改正後の法律の平成三年度及び平成四年度の特例に係る規定は、平成三年度及び平成四年度（平成三年度の特例に係るものにあっては平成三年度とする。以下この項において同じ。）の予算に係る国の負担（当該国の負担に係る都道府県又は市町村の負担を含む。以下この項において同じ。）又は補助（平成二年度以前の年度における事務又は事業の実施により平成三年度以降の年度に支出される国の負担及び平成二年度以前の年度の国庫債務負担行為に基づき平成三年度以降の年度に支出すべきものとされた国の負担又は補助を除く。）並びに平成三年度及び平成四年度における事務又は事業の実施により平成五年度（平成三年度の特例に係るものにあっては平成四年度とする。以下この項において同じ。）以降の年度に支出される国の負担、平成三年度及び平成四年度の国庫債務負担行為に基づき平成五年度以降の年度に支出すべきものとされる国の負担又は補助並びに平成三年度及び平成四年度の歳出予算に係る国の負担又は補助で平成五年度以降の年度に繰り越されるものについて適用し、平成二年度以前の年度における事務又は事業の実施により平成三年度以降の年度に支出される国の負担、平成二年度以前の年度の国庫債務負担行為に基づき平成三年度以降の年度に支出すべきものとされた国の負担又は補助及び平成二年度以前の年度の歳出予算に係る国の負担又は補助で平成三年度以降の年度に繰り越されたものについては、なお従前の例による。

○国の補助金等の臨時特例等に関する法律（抄）〔平成三年三月三〇日法律第一五号〕

〔沿革〕平成五年三月三一日法律第八号改正

第八章　地方公共団体に対する財政金融上の措置

（地方公共団体に対する財政金融上の措置）

第三四条　国は、この法律の規定による改正後の法律の規定により平成三年度及び平成四年度の予算に係る国の負担又は補助の割合の引下げ措置の対象となる地方公共団体に対し、その事務又は事業の執行及び財政運営に支障を生ずることのないよう財政金融上の措置を講ずるものとする。

附　則〔平成五年三月三一日法律第八号抄〕

（施行期日等）

1　この法律は、平成五年四月一日から施行する。

2　この法律〔中略〕による改正後の法律の規定は、平成五年度以降の年度の予算に係る国の負担（当該国の負担に係る都道府県又は市町村の負担を含む。以下この項において同じ。）又は補助（平成四年度以前の年度における事務又は事業の実施により平成五年度以降の年度に支出される国の負担及び平成四年度以前の年度の国庫債務負担行為に基づき平成五年度以降の年度に支出すべきものとされた国の負担又は補助を除く。）について適用し、平成四年度以前の年度における事務又は事業の実施により平成五年度以降の年度に支出される国の負担、平成四年度以前の年度の国庫債務負担行為に基づき平成五年度以降の年度に支出すべきものとされた国の負担又は補助及び平成四年度以前の年度の歳出予算に係る国の負担又は補助で平成五年度以降の年度に繰り越されたものについては、なお従前の例による。

附　則〔平成一一年七月一六日法律第八七号抄〕

（施行期日）

第一条　この法律は、平成十二年四月一日から施行する。ただし、次の各号に掲げる規定は、当該各号に定める日から施行する。

一　〔前略〕附則〔中略〕第百六十条、第百六十三条、第百六十四条並びに第二百二条の規定　公布の日

二～六　〔略〕

（港湾法の一部改正に伴う経過措置）

第一一二条　施行日前に第三百五十九条の規定による改正前の港湾法（以下この条において「旧港湾法」という。）第三十八条第一項の規定によりされた申請に係る臨港地区の決定については、なお従前の例による。

2　この法律の施行の際現にされている旧港湾法第四十四条第三項の規定による変更を命ずべきことの請求は、第三百五十九条の規定による改正後の港湾法（以下この条において「新港湾法」という。）第四十四条第三項の規定による変更を求めることの請求とみなす。

3　施行日前に旧港湾法第四十四条の二第二項の規定によりされた認可又はこの法律の施行の際現に同項の規定によりされている認可の申請は、それぞれ新港湾法第四十四条の二第二項の規定によりされた同意又は協議の申出とみなす。

4　この法律の施行の際現に施行中の旧港湾法第五十二条第一項の規定による港湾工事であって新港湾法第五十二条第一項の規定による港湾工事の対象とならないものについては、当該工事の完了するまでの間に限り、なお従前の例による。

5　施行日前にされた行政庁の処分に係る旧港湾法第五十八条の二の規定による審査請求であって新港湾法第五十八条の二の規定による審査請求の対象とならないものについては、なお従前の例による。

（国等の事務）

第一五九条　この法律による改正前のそれぞれの法律に規定するもののほか、この法律の施行前において、地方公共団体の機関が法律又はこれに基づく政令により管理し又は執行する国、他の地方公共団体その他公共団体の事務（附則第百六十一条において「国等の事務」という。）は、この法律の施行後は、地方公共団体が法律又はこれに基づく政令により当該地方公共団体の事務として処理するものとする。

（処分、申請等に関する経過措置）

第一六〇条　この法律（附則第一条各号に掲げる規定については、当該各規定。以下この条及び附則第百六十三条において同じ。）の施行前に改正前のそれぞれの法律の規定によりされた許可等の処分その他の行為（以下この条において「処分等の行為」という。）又はこの法律の施行の際現に改正前のそれぞれの法律の規定によりされている許可等の申請その他の行為（以下この条において「申請等の行為」という。）で、この法律の施行の日においてこれらの行為に係る行政事務を行うべき者が異なることとなるものは、附則第二条から前条までの規定又は改正後のそれぞれの法律（これに基づく命令を含む。）の経過措置に関する規定に定めるものを除き、この法律の施行の日以後における改正後のそれぞれの法律の適用については、改正後のそれぞれの法律の相当規定によりされた処分等の行為又は申請等の行為とみなす。

2　この法律の施行前に改正前のそれぞれの法律の規定により国又は地方公共団体の機関に対し報告、届出、提出その他の手続をしなければならない事項で、この法律の施行の日前にその手続がされていないものについては、この法律及びこれに基づく政令に別段の定めがあるもののほか、これを、改正後のそれぞれの法律の相当規定により国又は地方公共団体の相当の機関に対して報告、届出、提出その他の手続をしなければならない事項についてその手続がされていないものとみなして、この法律による改正後のそれぞれの法律の規定を適用する。

（不服申立てに関する経過措置）

第一六一条　施行日前にされた国等の事務に係る処分であった処分をした行政庁（以下この条において「処分庁」という。）に施行日前に行政不服審査法に規定する上級行政庁（以下この条において「上級行政庁」という。）があったものについての同法による不服申立てについては、施行日以後においても、当該処分庁に引き続き上級行政庁があるものとみなして、行政不服審査法の規定を適用する。この場合において、当該処分庁の上級行政庁とみなされる行政庁は、施行日前に当該処分庁の上級行政庁であった行政庁とする。

2　前項の場合において、上級行政庁とみなされる行政庁が地方公共団体の機関であるときは、当該機関が行政不服審査法の規定により処理することとされる事務は、新地方自治法第二条第九項第一号に規定する第一号法定受託事務とする。

（手数料に関する経過措置）

第一六二条　施行日前においてこの法律による改正前のそれぞれの法律（これに基づく命令を含む。）の規定により納付すべきであった手数料については、この法律及びこれに基づく政令に別段の定めがあるもののほか、なお従前の例による。

（罰則に関する経過措置）

第一六三条　この法律の施行前にした行為に対する罰則の適用については、なお従前の例による。

（その他の経過措置の政令への委任）

第一六四条　この附則に規定するもののほか、この法律の施行に伴い必要な経過措置（罰則に関する経過措置を含む。）は、政令で定める。

2　〔略〕

附　則〔平成一二年三月三一日法律第三三号抄〕

〔沿革〕平成一三年三月三一日法律第九号改正

（施行期日）

第一条　この法律は、平成十二年四月一日から施行する。ただし、次の各号に掲げる規定は、当該各号に定める日から施行する。

一　第三十七条の二の次に一条を加える改正規定、第四十条及び第四十三条の八の改正規定、第五十六条の二を第五十六条の二の二とし、第五十六条の次に一条を加える改正規定並びに第五十六条の四、第五十六条の六、第六十一条及び第六十三条の改正規定　公布の日から起算して六月を超えない範囲内において政令で定める日

〔平成一二年九月政令四四〇号により、平成一二・九・三〇から施行〕

二　第三条の二の改正規定　公布の日から起算して一年を超えない範囲内において政令で定める日

〔平成一二年一二月政令五三四号により、平成一二・一二・二八から施行〕

（経過措置）

第二条　この法律による改正後の港湾法（以下「新港湾法」という。）第四十二条、第四十三条及び第五十二条の規定並びに特定港湾施設整備特別措置法（昭和三十四年法律第六十七号）第四条の規定は、平成十二年度以降の年度の予算に係る国の負担（当該国の負担に係る港湾管理者の負担を含む。以下同じ。）又は補助（平成十一年度以前の年度の国庫債務負担行為に基づき平成十二年度以降の年度に支出すべきものとされた国の負担又は補助を除く。）について適用し、平成十一年度以前の年度の国庫債務負担行為に基づき平成十二年度以降の年度に支出すべきものとされた国の負担又は補助及び平成十一年度以前の年度の歳出予算に係る国の負担又は補助で平成十二年度以降の年度に繰り越されたものについては、なお従前の例による。

第三条　地方分権の推進を図るための関係法律の整備等に関する法律（平成十一年法律第八十七号）附則第百十二条第四項の規定によりなお従前の例によることとされた港湾工事については、港湾法第五十二条第一項第五号に掲げる港湾工事とみなして、同条第二項の規定を適用する。

第四条　附則第一条第一号に掲げる改正規定の施行前にした行為に対する罰則の適用については、なお従前の例による。

附　則〔平成一七年五月二〇日法律第四五号抄〕

（施行期日）

第一条　この法律は、平成十七年十一月一日から施行する。ただし、次の各号に掲げる規定は、当該各号に定める日から施行する。

一　第一条の規定（港湾法第五十条及び第五十条の二の改正規定を除く。）及び附則第七条の規定　公布の日から起算して六月を超えない範囲内において政令で定める日

〔平成一七年六月政令二一二号により、平成一七・七・一から施行〕

二　〔略〕

（罰則に関する経過措置）

第五条　この法律（附則第一条第二号に掲げる規定については、当該規定）の施行前にした行為に対する罰則の適用については、なお従前の例による。

（政令への委任）

第六条　附則第二条から前条までに定めるもののほか、この法律の施行に関し必要となる経過措置（罰則に関する経過措置を含む。）は、政令で定める。

附　則〔平成一八年五月一七日法律第三八号〕

〔沿革〕平成二五年一一月二二日法律第七六号改正

（施行期日）

第一条　この法律は、平成十八年十月一日から施行する。ただし、次の各号に掲げる規定は、当該各号に定める日から施行する。

一　第一条中港湾法第五十条の二及び第五十五条の七第二項の改正規定並びに第四条の規定並びに附則第十三条、第十四条第一項、第十五条及び第二十二条の規定　平成十八年四月一日又はこの法律の公布の日のいずれか遅い日

二　第一条中港湾法第五十六条の二の二の改正規定、同条の次に十八条を加える改正規定並びに同法第五十六条の三第二項及び第四項並びに第六十一条から第六十三条までの改正規定〔中略〕　平成十九年四月一日

（港湾法の一部改正に伴う経過措置）

第二条　第一条の規定による改正後の港湾法（以下「新港湾法」という。）第五十六条の二の二第二項の登録を受けようとする者は、前条第二号に定める日（以下「一部施行日」という。）前においても、その申請をすることができる。新港湾法第五十六条の二の七第一項の確認業務規程の認可の申請についても、同様とする。

（罰則に関する経過措置）

第一四条　この法律（附則第一条各号に掲げる規定については、当該規定）の施行前にした行為及び附則第三条の規定によりなおその効力を有することとされる場合における附則第四条第四項の規定により指定法人が解散するまでの間にした行為に対する罰則の適用については、なお従前の例による。

2　新港湾法第五十八条第三項の規定により港湾管理者が告示した埋立地の区域に係る当該告示前にした公有水面埋立法（大正十年法律第五十七号）の規定に違反する行為に対する罰則の適用については、なお従前の例による。

（政令への委任）

第一五条　附則第二条から前条までに定めるもののほか、この法律の施行に関し必要となる経過措置（罰則に関する経過措置を含む。）は、政令で定める。

（検討）

第一六条　政府は、この法律の施行後七年以内に、この法律の施行の状況について検討を加え、必要があると認めるときは、その結果に基づいて所要の措置を講ずるものとする。

附　則〔平成一八年六月二日法律第五〇号〕

〔沿革〕平成二三年六月二四日法律第七四号改正

この法律は、一般社団・財団法人法の施行の日〔平成二〇年

二月一日）から施行する。〔以下略〕

○一般社団法人及び一般財団法人に関する法律及び公益社団法人及び公益財団法人の認定等に関する法律の施行に伴う関係法律の整備等に関する法律（抄）

〔平成一八年六月二日法律第五〇号〕

第十三章　罰則に関する経過措置及び政令への委任

（罰則に関する経過措置）

第四五七条　施行日前にした行為及びこの法律の規定によりなお従前の例によることとされる場合における施行日以後にした行為に対する罰則の適用については、なお従前の例による。

（政令への委任）

第四五八条　この法律に定めるもののほか、この法律の規定による法律の廃止又は改正に伴い必要な経過措置は、政令で定める。

附　則〔平成一九年六月一日法律第七一号〕

（施行期日）

1　この法律は、平成十九年四月一日又はこの法律の公布の日のいずれか遅い日から施行する。

（経過措置）

2　第一条の規定による改正後の港湾法第四十三条第五号及び第五十二条第二項第四号の規定（中略）は、平成十九年度以降の年度の予算に係る国の補助又は負担（当該国の負担に係る港湾管理者の負担を含む。以下同じ。）（平成十八年度以前の年度の国庫債務負担行為に基づき平成十九年度以降の年度に支出すべきものとされた国の補助又は負担を除く。）について適用し、平成十八年度以前の年度の国庫債務負担行為に基づき平成十九年度以降の年度に支出すべきものとされた国の補助又は負担及び平成十八年度以前の年度の歳出予算に係る国の補助又は負担で平成十九年度以降の年度に繰り越されたものについては、なお従前の例による。

附　則〔平成二〇年六月一三日法律第六六号抄〕

（施行期日）

第一条　この法律は、公布の日から施行する。〔以下略〕

（経過措置）

第二条　この法律の施行の際現にこの法律による改正前の港湾法（次項において「旧法」という。）第四十四条の二第二項の同意を得ている料率は、この法律による改正後の港湾法（次項において「新法」という。）第四十四条の二第二項の同意を得た料率の上限及び同条第三項の規定により届け出た料率とみなす。

2　この法律の施行の際現に旧法第四十四条の二第二項の規定によりされている協議の申出は、国土交通省令で定めるところにより、新法第四十四条の二第二項の規定によりされた協議の申出又は同条第三項の規定によりした届出とみなす。

（検討）

第三条　政府は、この法律の施行後適当な時期において、この法律の施行の状況を勘案し、必要があると認めるときは、この法律の規定について検討を加え、その結果に基づいて必要な措置を講ずるものとする。

附　則〔平成二二年三月三一日法律第二〇号抄〕

（施行期日）

第一条　この法律は、平成二十二年四月一日から施行する。

（政令への委任）

第三条　前条に定めるもののほか、この法律の施行に関し必要な経過措置は、政令で定める。

附　則〔平成二三年三月三一日法律第九号抄〕

〔沿革〕平成二三年五月二日法律第三七号、二四年三月三一日第一五号、二五年一一月二二日第七六号、令和元年一二月六日第六八号改正

（施行期日）

第一条　この法律は、平成二十三年四月一日から施行する。ただし、次の各号に掲げる規定は、当該各号に定める日から施行する。

一　第二条中港湾法第三条の二第二項に一号を加える改正規定及び同法第三条の三第二項の改正規定並びに附則第三条第一項及び第三項の規定　公布の日から起算して六月を超えない範囲内において政令で定める日

〔平成二三年八月政令二七〇号により、平成二三・九・一五から施行〕

二　第二条（前号に掲げる改正規定を除く。）（中略）並びに附則第三条第二項及び第四項から第九項まで並びに附則（中略）第二十一条までの規定　公布の日から起算して一年を超えない範囲内において政令で定める日

〔平成二三年一一月政令三四二号により、平成二三・一二・一五から施行〕

三　附則第十六条の規定　この法律の公布の日又は地域の自主性及び自立性を高めるための改革の推進を図るための関係法律の整備に関する法律（平成二十三年法律第三十七号）の公布の日のいずれか遅い日〔平成二三年五月二日〕

（第一条の規定による改正に伴う経過措置）

第二条　第一条の規定による改正前の港湾法（以下「第一条による改正前の法」という。）第二条の二第一項の規定により指定特定重要港湾として指定された港湾であって、第一条の規定による改正後の港湾法（以下「第一条による改正後の法」という。）第二条第二項に規定する国際戦略港湾又は国際拠点港湾に該当するものは、第一条による改正後の法第二条の二第一項の規定により指定港湾として指定されたものとみなす。

2　第一条による改正前の法第五十条の四第二項の規定による認定を受けた者であって、当該認定が前項の規定により指定港湾として指定されたものとみなされた港湾の港湾管理者によりされたものであるものは、第一条による改正後の法第五十条の四第二項の規定により当該港湾管理者の認定を受けた

者とみなす。

3　第一条による改正後の法第五十二条の規定は、平成二十三年度以降の年度の予算に係る国の負担（当該国の負担に係る港湾管理者の負担を含む。以下この項において同じ。）であって、平成二十二年度以前の年度の国庫債務負担行為に基づき平成二十三年度以降の年度に支出すべきものとされたもの以外のものについて適用し、平成二十二年度以前の年度の国庫債務負担行為に基づき平成二十三年度以降の年度に支出すべきものとされた国の負担及び平成二十二年度以前の年度の歳出予算に係る国の負担で平成二十三年度以降の年度に繰り越されたものについては、なお従前の例による。

（第二条の規定による改正に伴う経過措置）

第三条　国土交通大臣又は国際拠点港湾の港湾管理者が港湾法第四十三条の十一第一項又は第六項の規定による指定をする場合において、当該指定に係る国際戦略港湾又は国際拠点港湾における埠頭群に第三項の規定によりなおその効力を有するものとされる第二条の規定による改正前の港湾法（以下「第二条による改正前の法」という。）第五十四条の三第七項の規定により貸し付けられている行政財産又は第五項の規定によりなおその効力を有するものとされる第二条による改正前の法第五十五条第一項若しくは第四項の規定により貸し付けられている行政財産を含む埠頭があるときは、当該埠頭は、当該埠頭に係るこれらの行政財産の貸付けがされている間は、当該埠頭群に含まれないものとする。

2　附則第一条第二号に掲げる規定の施行の際現に国際戦略港湾又は国際拠点港湾において第二条による改正前の法第五十四条の三第七項の規定による行政財産の貸付けを受けていた者については、同条第二項の認定並びに同条第十一項及び第十二項の規定は、当該貸付けに係る契約の期間が満了するまでの間は、なおその効力を有する。

3　前項に規定する者に係る同項に規定する行政財産の貸付けについては、第二条による改正前の法第五十四条の三第七項から第九項まで及び第十三項の規定は、当該貸付けに係る契約の期間が満了するまでの間は、なおその効力を有する。

4　附則第一条第二号に掲げる規定の施行の際現に第二条による改正前の法第五十五条第一項又は第四項の規定による行政財産の貸付けを受けていた者については、第二条による改正前の法第五十条の四第二項の認定及び同条第七項から第九項までの規定は、当該貸付けに係る契約の期間が満了するまでの間は、なおその効力を有する。

5　前項に規定する者に係る同項に規定する行政財産の貸付けについては、第二条による改正前の法第五十五条第一項、第四項から第六項まで及び第八項の規定は、当該貸付けに係る契約の期間が満了するまでの間は、なおその効力を有する。

6　附則第一条第二号に掲げる規定の施行前に第二条による改正前の法第五十五条の八第一項の国の貸付けに係る特定港湾管理者の貸付けを受けて行われた港湾施設の建設若しくは改良又は同号に掲げる規定の施行の際現に同項の国の貸付けに係る特定港湾管理者の貸付けを受けて行われていた港湾施設の建設若しくは改良に係る同項の国の貸付け及び当該国の貸付けに係る特定港湾管理者の貸付けについては、同条の規定は、同号に掲げる規定の施行後においても、なおその効力を有する。

（処分、手続等の効力に関する経過措置）

第四条　前二条に定めるもののほか、この法律の各改正規定の施行前にこの法律による改正前のそれぞれの法律（これに基づく命令を含む。）の規定によってした処分、手続その他の行為であって、この法律による改正後のそれぞれの法律（これに基づく命令を含む。）に相当する規定があるものは、これらの規定によってした処分、手続その他の行為とみなす。

（罰則の適用に関する経過措置）

第五条　附則第一条第二号に掲げる規定の施行前にした行為に対する罰則の適用については、なお従前の例による。

（政令への委任）

第六条　附則第二条から前条までに定めるもののほか、この法律の施行に関し必要となる経過措置（罰則に関する経過措置を含む。）は、政令で定める。

（検討）

第七条　政府は、この法律の施行後十年を経過した場合において、第一条及び第二条の規定による改正後の港湾法並びに第三条の規定による改正後の特定外貿埠頭の管理運営に関する法律の施行の状況を勘案し、必要があると認めるときは、これらの法律の規定について検討を加え、その結果に基づいて必要な措置を講ずるものとする。

（調整規定）

第二一条　附則第一条第二号に掲げる規定の施行の日が地域の自主性及び自立性を高めるための改革の推進を図るための関係法律の整備に関する法律附則第一条第一号に掲げる規定の施行の日前である場合には、附則第三条第二項及び第四項中「第五十四条の三第七項」とあるのは「第五十四条の三第六項」と、同項中「同条第十一項及び第十二項」とあるのは「同条第十項及び第十一項」と、同条第五項中「第五十四条の三第七項から第九項まで及び第十三項」とあるのは「第五十四条の三第六項から第八項まで及び第十二項」とする。

附　則〔平成二三年五月二日法律第三七号抄〕

〔沿革〕平成二三年三月三一日法律第九号改正

（施行期日）

第一条　この法律は、公布の日から施行する。ただし、次の各号に掲げる規定は、当該各号に定める日から施行する。

一　〔前略〕第三十一条〔中略〕並びに附則〔中略〕第十三条〔中略〕の規定　公布の日から起算して三月を経過した日

二～四　〔略〕

（港湾法の一部改正に伴う経過措置）

第一三条　第三十一条の規定の施行前に同条の規定による改正前の港湾法（以下この条において「旧港湾法」という。）第四条第四項（旧港湾法第九条第二項及び第三十三条第二項において準用する場合を含む。次項において同じ。）の規定による認可があった港湾区域は、国際戦略港湾、国際拠点港湾、重要港湾及び避難港については第三十一条の規定による改正後の港湾法（以下この条において「新港湾法」という。）第四条第四項（新港湾法第九条第二項及び第三十三条第二項において準用する場合を含む。次項において同じ。）の同意があった港湾区域とみなし、避難港以外の地方港湾については新港湾法第四条第八項（新港湾法第九条第二項及び第三十三条第二項において準用する場合を含む。次項において同じ。）の規定による届出があった港湾区域とみなす。

2　第三十一条の規定の施行の際現に旧港湾法第四条第四項の規定によりされている認可の申請は、国際戦略港湾、国際拠点港湾、重要港湾及び避難港に係るものにあっては新港湾法第四条第四項の規定によりされた協議の申出と、避難港以外の地方港湾に係るものにあっては同条第八項の規定によりされた届出とみなす。

3　第三十一条の規定の施行の際現に旧港湾法第五十四条の三第三項の規定によりされている同意の申請であって、新港湾法第五十四条の三第三項各号に掲げる港湾施設を含まない特定埠頭に係るものは、同条第五項の規定によりされた通知とみなす。

（罰則に関する経過措置）

第二三条　この法律（附則第一条各号に掲げる規定にあっては、当該規定）の施行前にした行為に対する罰則の適用については、なお従前の例による。

（政令への委任）

第二四条　附則第二条から前条まで及び附則第三十六条に規定するもののほか、この法律の施行に関し必要な経過措置は、政令で定める。

附　則〔平成二三年五月二五日法律第五三号〕

この法律は、新非訟事件手続法〔平成二三年法律第五一号〕の施行の日〔平成二五年一月一日〕から施行する。

○非訟事件手続法及び家事事件手続法の施行に伴う関係法律の整備等に関する法律（抄）

〔平成二三年五月二五日
法律第五三号〕

（罰則に関する経過措置）

第一六八条　第六条又は第七条に規定するもののほか、この法律の施行前にした行為及びこの法律の他の規定によりなお従前の例によることとされる場合におけるこの法律の施行後にした行為に対する罰則の適用については、なお従前の例による。

（政令への委任）

第一六九条　この法律に定めるもののほか、この法律の規定による法律の廃止又は改正に伴い必要な経過措置は、政令で定める。

附　則〔平成二三年八月三〇日法律第一〇五号抄〕

（施行期日）

第一条　この法律は、公布の日から施行する。ただし、次の各号に掲げる規定は、当該各号に定める日から施行する。

一～五〔略〕

六〔前略〕附則第八十六条〔中略〕の規定　公布の日から起算して一年を超えない範囲内において政令で定める日

〔平成二四年一月政令一八号により、平成二四・二・一から施行〕

（罰則に関する経過措置）

第八一条　この法律（附則第一条各号に掲げる規定にあっては、当該規定。以下この条において同じ。）の施行前にした行為及びこの附則の規定によりなお従前の例によることとされる場合におけるこの法律の施行後にした行為に対する罰則の適用については、なお従前の例による。

（政令への委任）

第八二条　この附則に規定するもののほか、この法律の施行に関し必要な経過措置（罰則に関する経過措置を含む。）は、政令で定める。

附　則〔平成二五年六月五日法律第三一号抄〕

（施行期日）

第一条　この法律は、公布の日から起算して二月を超えない範囲内において政令で定める日から施行する。ただし、次の各号に掲げる規定は、当該各号に定める日から施行する。

〔平成二五年七月政令二二八号により、平成二五・八・一から施行〕

一　第二条の次に一条を加える改正規定、第五十条の四を第五十条の五とし、同条の次に十条を加える改正規定（第五十条の四を第五十条の五とする部分を除く。）並びに第五十六条の二の二、第五十六条の二の三第一項及び第二項第三号並びに第五十六条の二の二十第一項の改正〔中略〕の規定　公布の日から起算して六月を超えない範囲内において政令で定める日

〔平成二五年一一月政令三二二号により、平成二五・一二・一から施行〕

二　第五十六条の二の二十の次に二条を加える改正規定、第五十六条の五の改正規定（同条第一項の改正規定を除く。）並びに第五十九条第二項及び第六十一条第八項第五号の改正規定　公布の日から起算して一年を超えない範囲内において政令で定める日

〔平成二六年五月政令一九七号により、平成二六・六・一から施行〕

（政令への委任）

第二条　この法律の施行に関し必要な経過措置は、政令で定める。

（検討）

第三条　政府は、この法律の施行後五年を経過した場合において、この法律による改正後の港湾法の施行の状況について検討を加え、必要があると認めるときは、その結果に基づいて所要の措置を講ずるものとする。

附　則〔平成二五年六月一四日法律第四四号抄〕

（施行期日）

第一条　この法律は、公布の日から施行する。ただし、次の各号に掲げる規定は、当該各号に定める日から施行する。

一　〔前略〕第五十四条（港湾法第五十条の三第三項の改正規定を除く。）〔中略〕の規定　公布の日から起算して三月を経過した日

二・三　〔略〕

（罰則に関する経過措置）

第一〇条　この法律（附則第一条各号に掲げる規定にあっては、当該規定）の施行前にした行為に対する罰則の適用については、なお従前の例による。

（政令への委任）

第一一条　この附則に規定するもののほか、この法律の施行に関し必要な経過措置（罰則に関する経過措置を含む。）は、政令で定める。

附　則〔平成二六年五月一日法律第三三号〕

（施行期日）

1　この法律は、公布の日から起算して三月を超えない範囲内において政令で定める日から施行する。

〔平成二六年六月政令二三六号により、平成二六・七・一から施行〕

（政令への委任）

2　この法律の施行に関し必要な経過措置は、政令で定める。

（検討）

3　政府は、この法律の施行後五年を経過した場合において、この法律による改正後の港湾法の施行の状況について検討を加え、必要があると認めるときは、その結果に基づいて所要の措置を講ずるものとする。

附　則〔平成二六年六月一三日法律第六九号抄〕

（施行期日）

第一条　この法律は、行政不服審査法（平成二十六年法律第六十八号）の施行の日〔平成二八年四月一日〕から施行する。

（経過措置の原則）

第五条　行政庁の処分その他の行為又は不作為についての不服申立てであってこの法律の施行前にされた行政庁の処分その他の行為又はこの法律の施行前にされた申請に係る行政庁の不作為に係るものについては、この附則に特別の定めがある場合を除き、なお従前の例による。

（訴訟に関する経過措置）

第六条　この法律による改正前の法律の規定により不服申立てに対する行政庁の裁決、決定その他の行為を経た後でなければ訴えを提起できないこととされる事項であって、当該不服申立てを提起しないでこの法律の施行前にこれを提起すべき期間を経過したもの（当該不服申立てが他の不服申立てに対する行政庁の裁決、決定その他の行為を経た後でなければ提起できないとされる場合にあっては、当該他の不服申立てを提起しないでこの法律の施行前にこれを提起すべき期間を経過したものを含む。）の訴えの提起については、なお従前の例による。

2　この法律の規定による改正前の法律の規定（前条の規定によりなお従前の例によることとされる場合を含む。）により異議申立てが提起された処分その他の行為であって、この法律の規定による改正後の法律の規定により審査請求に対する裁決を経た後でなければ取消しの訴えを提起することができないこととされるものの取消しの訴えの提起については、なお従前の例による。

3　不服申立てに対する行政庁の裁決、決定その他の行為の取消しの訴えであって、この法律の施行前に提起されたものについては、なお従前の例による。

（罰則に関する経過措置）

第九条　この法律の施行前にした行為並びに附則第五条及び前二条の規定によりなお従前の例によることとされる場合におけるこの法律の施行後にした行為に対する罰則の適用については、なお従前の例による。

（その他の経過措置の政令への委任）

第一〇条　附則第五条から前条までに定めるもののほか、この法律の施行に関し必要な経過措置（罰則に関する経過措置を含む。）は、政令で定める。

附　則〔平成二六年六月二七日法律第九一号〕

この法律は、会社法の一部を改正する法律の施行の日〔平成二七年五月一日〕から施行する。〔以下略〕

○会社法の一部を改正する法律の施行に伴う関係法律の整備等に関する法律（抄）

〔平成二六年六月二七日法律第九一号〕

第十二章　罰則に関する経過措置及び政令への委任

（罰則に関する経過措置）

第一一七条　施行日前にした行為及びこの法律の規定によりなお従前の例によることとされる場合における施行日以後にした行為に対する罰則の適用については、なお従前の例による。

（政令への委任）

第一一八条　この法律に定めるもののほか、この法律の施行に関し必要な経過措置は、政令で定める。

附　則〔平成二七年六月二六日法律第四八号抄〕

（施行期日）

第一条　この法律は、〔中略〕は、当該各号に定める日〔公布の日から起算して二十日を経過した日〕から施行する。

附　則〔平成二八年三月三一日法律第一四号抄〕

（施行期日）

第一条　この法律は、平成二十八年四月一日から施行する。

〔以下略〕

附　則〔平成二八年五月二〇日法律第四五号〕

（施行期日）

1　この法律は、公布の日から起算して三月を超えない範囲内において政令で定める日から施行する。

〔平成二八年六月政令二四三号により、平成二八・七・一から施行〕

(政令への委任)

2　この法律の施行に関し必要な経過措置は、政令で定める。

(検討)

3　政府は、この法律の施行後五年を経過した場合において、この法律による改正後の港湾法の施行の状況について検討を加え、必要があると認めるときは、その結果に基づいて所要の措置を講ずるものとする。

附　則〔平成二九年五月三一日法律第四一号抄〕

(施行期日)

第一条　この法律は、平成三十一年四月一日から施行する。ただし、次条及び附則第四十八条の規定は、公布の日から施行する。

(政令への委任)

第四八条　この附則に規定するもののほか、この法律の施行に関し必要な経過措置は、政令で定める。

附　則〔平成二九年六月九日法律第五五号〕

(施行期日)

1　この法律は、公布の日から起算して一月を超えない範囲内において政令で定める日から施行する。

〔平成二九年七月政令一八七号により、平成二九・七・八から施行〕

(政令への委任)

2　この法律の施行に関し必要な経過措置は、政令で定める。

(検討)

3　政府は、この法律の施行後五年を経過した場合において、この法律による改正後の港湾法の施行の状況について検討を加え、必要があると認めるときは、その結果に基づいて所要の措置を講ずるものとする。

附　則〔平成三〇年一二月七日法律第八九号抄〕

(施行期日)

第一条　この法律は、公布の日から起算して四月を超えない範囲内において政令で定める日から施行する。

〔平成三一年三月政令四五号により、平成三一・四・一から施行〕

(罰則に関する経過措置)

第六条　この法律の施行前にした附則第四条の規定による改正前の港湾法の規定に違反する行為及びこの法律の施行前にした前条の規定による改正前の水産資源保護法の規定に違反する行為に対する罰則の適用については、なお従前の例による。

附　則〔令和元年五月三一日法律第一六号抄〕

(施行期日)

第一条　この法律は、公布の日から起算して九月を超えない範囲内において政令で定める日から施行する。〔以下略〕

〔令和元年一二月政令一八二号により、令和元・一二・一六から施行〕

附　則〔令和元年六月一四日法律第三七号抄〕

(施行期日)

第一条　この法律は、公布の日から起算して三月を経過した日から施行する。ただし、次の各号に掲げる規定は、当該各号に定める日から施行する。

一　〔前略〕次条並びに附則第三条〔中略〕の規定　公布の日

二～四　〔略〕

(行政庁の行為等に関する経過措置)

第二条　この法律(前条各号に掲げる規定にあっては、当該規定。以下この条及び次条において同じ。)の施行の日前に、この法律による改正前の法律又はこれに基づく命令の規定(欠格条項その他の権利の制限に係る措置を定めるものに限る。)に基づき行われた行政庁の処分その他の行為及び当該規定により生じた失職の効力については、なお従前の例による。

(罰則に関する経過措置)

第三条　この法律の施行前にした行為に対する罰則の適用については、なお従前の例による。

(検討)

第七条　政府は、会社法(平成十七年法律第八十六号)及び一般社団法人及び一般財団法人に関する法律(平成十八年法律第四十八号)における法人の役員の資格を成年被後見人又は被保佐人であることを理由に制限する旨の規定について、この法律の公布後一年以内を目途として検討を加え、その結果に基づき、当該規定の削除その他の必要な法制上の措置を講ずるものとする。

附　則〔令和元年一二月六日法律第六八号抄〕

(施行期日)

第一条　この法律は、公布の日から起算して四月を超えない範囲内において政令で定める日から施行する。ただし、第三十七条の三第四項の改正規定並びに次条及び附則第四条の規定は、公布の日から施行する。

〔令和二年一月政令一四号により、令和二・二・一四から施行〕

(運営計画に関する経過措置)

第二条　この法律の施行前に港湾法第四十三条の十一第一項の規定による指定を受けた者(以下この条において「既存国際戦略港湾運営会社」という。)は、この法律の施行前に、当該指定に係るこの法律による改正前の港湾法第四十三条の十二第一項第二号に規定する運営計画(変更があったときは、その変更後のもの。第三項において「旧運営計画」という。)にこの法律による改正後の港湾法(第三項及び附則第五条において「新法」という。)第四十三条の十二第一項第二号ニに掲げる事項を記載する変更をし、港湾法第四十三条の十三の規定の例により、国土交通大臣の認可を受けなければならない。

2　国土交通大臣は、港湾法第四十三条の二十五の規定により政府が既存国際戦略港湾運営会社に対し出資している場合において、前項の認可をしようとするときは、あらかじめ、財務大臣に協議しなければならない。

3　第一項の認可を受けた旧運営計画は、この法律の施行の時において港湾法第四十三条の十三第一項の認可を受けた新法第四十三条の十二第一項第二号に規定する運営計画とみなす。

4 既存国際戦略港湾運営会社についての港湾法第四十三条の十九第一項の規定の適用については、同項第二号中「この法律又はこの法律に基づく命令」とあるのは、「この法律若しくは港湾法の一部を改正する法律（令和元年法律第六十八号）又はこれらの法律に基づく命令」とする。

5 第一項の規定に違反して、同項の認可を受けなかった場合には、その違反行為をした既存国際戦略港湾運営会社の取締役、執行役、会計参与若しくはその職務を行うべき社員又は監査役は、五十万円以下の過料に処する。

（罰則に関する経過措置）

第三条 この法律の施行前にした行為に対する罰則の適用については、なお従前の例による。

（政令への委任）

第四条 前二条に定めるもののほか、この法律の施行に関し必要な経過措置は、政令で定める。

（検討）

第五条 政府は、この法律の施行後五年を経過した場合において、新法の施行の状況について検討を加え、必要があると認めるときは、その結果に基づいて所要の措置を講ずるものとする。

附 則〔令和二年六月一二日法律第四九号抄〕

（施行期日）

第一条 この法律は、令和四年四月一日から施行する。〔以下略〕

附 則〔令和四年三月三一日法律第七号抄〕

（施行期日）

第一条 この法律は、令和四年四月一日から施行する。〔以下略〕

附 則〔令和四年六月一七日法律第六八号抄〕

（施行期日）

1 この法律は、刑法等一部改正法〔令和四年法律第六十七号〕施行日〔令和七年六月一日〕から施行する。ただし、次の各号に掲げる規定は、当該各号に定める日から施行する。

一 第五百九条の規定 公布の日

二 〔略〕

○刑法等の一部を改正する法律の施行に伴う関係法律の整理等に関する法律（抄）

〔令和四年六月一七日法律第六八号〕

（罰則の適用等に関する経過措置）

第四四一条 刑法等の一部を改正する法律（令和四年法律第六十七号。以下「刑法等一部改正法」という。）及びこの法律（以下「刑法等一部改正法等」という。）の施行前にした行為の処罰については、次章に別段の定めがあるもののほか、なお従前の例による。

2 刑法等一部改正法等の施行後にした行為に対して、他の法律の規定によりなお従前の例によることとされ、なお効力を有することとされ又は改正前若しくは廃止前の法律の規定の例によることとされる罰則を適用する場合において、当該罰則に定める刑（刑法施行法第十九条第一項の規定又は第八十二条の規定による改正後の沖縄の復帰に伴う特別措置に関する法律第二十五条第四項の規定の適用後のものを含む。）に刑法等一部改正法第二条の規定による改正前の刑法（明治四十年法律第四十五号。以下この項において「旧刑法」という。）第十二条に規定する懲役（以下「懲役」という。）、旧刑法第十三条に規定する禁錮（以下「禁錮」という。）又は旧刑法第十六条に規定する拘留（以下「旧拘留」という。）が含まれるときは、当該刑のうち無期の懲役又は禁錮はそれぞれ無期拘禁刑と、有期の懲役又は禁錮はそれぞれその刑と長期及び短期（刑法施行法第二十条の規定の適用後のものを含む。）を同じくする有期拘禁刑と、旧拘留は長期及び短期（刑法施行法第二十条の規定の適用後のものを含む。）を同じくする拘留とする。

（裁判の効力とその執行に関する経過措置）

第四四二条 懲役、禁錮及び旧拘留の確定裁判の効力並びにその執行については、次章に別段の定めがあるもののほか、なお従前の例による。

（人の資格に関する経過措置）

第四四三条 懲役、禁錮又は旧拘留に処せられた者に係る人の資格に関する法令の規定の適用については、無期の懲役又は禁錮に処せられた者はそれぞれ無期拘禁刑に処せられた者と、有期の懲役又は禁錮に処せられた者はそれぞれ刑期を同じくする有期拘禁刑に処せられた者と、旧拘留に処せられた者は拘留に処せられた者とみなす。

2 拘禁刑又は拘留に処せられた者に係る他の法律の規定によりなお従前の例によることとされ、なお効力を有することとされ又は改正前若しくは廃止前の法律の規定の例によることとされる人の資格に関する法令の規定の適用については、無期拘禁刑に処せられた者は無期禁錮に処せられた者と、有期拘禁刑に処せられた者は刑期を同じくする有期禁錮に処せられた者と、拘留に処せられた者は旧拘留に処せられた者とみなす。

（経過措置の政令への委任）

第五〇九条 この編に定めるもののほか、刑法等一部改正法等の施行に伴い必要な経過措置は、政令で定める。

附　則〔令和四年一一月一八日法律第八七号抄〕

（施行期日）

第一条　この法律は、公布の日から起算して一月を超えない範囲内において政令で定める日から施行する。ただし、次の各号に掲げる規定は、当該各号に定める日から施行する。

〔令和四年一二月政令三八〇号により、令和四・一二・一六から施行〕

一　次条の規定　公布の日

二　第二条の規定　公布の日から起算して一年を超えない範囲内において政令で定める日

〔令和五年九月政令二八七号により、令和五・一〇・一から施行〕

（政令への委任）

第二条　この法律の施行に関し必要な経過措置は、政令で定める。

（検討）

第三条　政府は、この法律の施行後五年を経過した場合において、この法律による改正後の規定について、その施行の状況等を勘案しつつ検討を加え、必要があると認めるときは、その結果に基づいて必要な措置を講ずるものとする。

○港湾法施行令

（昭和二十六年一月十九日政令第四号）

〔沿革〕　昭和二六年九月二二日政令第三〇五号、二七年二月一日第一〇号、二九年七月二日第一九三号、三二年五月二〇日第一一〇号、三四年六月一一日第二一四号、三五年六月九日第一五四号、三六年四月二〇日第一一二号、三七年六月二〇日第二五五号、三八年三月三〇日第七七号、三九年三月二三日第二九号、二六日第三五号、四〇年三月三〇日第六七号、四二年五月三〇日第九二号、四三年四月一七日第八六号、四四年三月三一日第四六号、四五年五月一日第一一六号、九月二二日第二六九号、四六年四月一日第一一四号、七月一日第二三七号、九月一七日第二九六号、四七年四月二八日第一一三号、四八年四月一六日第八四号、七月一七日第二〇四号、四九年四月二三日第一三六号、七月一三日第二六五号、五〇年四月二二日第一三二号、五一年三月二六日第三七号、一二月一〇日第三〇六号、五二年九月一三日第二六二号、五三年二月二〇日第二一号、四月一二日第一二八号、一二月一九日第三八八号、五四年五月一五日第一四二号、一一月三〇日第二八五号、五五年三月一四日第一九号、五六年五月二六日第一八六号、一〇月一六日第三〇六号、五七年一月九日第二九号、五八年三月二九日第四二号、四月一九日第九一号、一〇月四日第二一一号、五九年五月二九日第一六六号、六月六日第一七六号、六一年六月一七日第二一九号、六二年九月四日第二九七号、六三年五月六日第一三九号、一二月二〇日第三四六号、平成元年八月九日第二四三号、一二月二六日第三四四号、二年七月二〇日第二二四号、四年六月三日第一九〇号、六年一月一四日第六号、一一年六月四日第一七一号、一〇月二七日第三三六号、一二年三月三一日第一九三号、六月七日第三一二号、九月二九日第四四一号、一三年三月三〇日第一二四号、一二月二八日第四三四号、一四年二月八日第二七号、一五年三月二六日第七六号、五月一六日第二二六号、一六年四月一日第一四七号、一七年六月一五日第二一三号、一八年五月一七日第一九七号、八月一八日第二七七号、九月二六日第三一八号、一九年三月二日第三九号、二〇年一一月二一日第三五五号、二一年一二月九日第二七八号、二二年六月二三日第一五五号、二三年三月三一日第八九号、七月一三日第二一七号、八月三〇日第二五九号、一一月二九日第三四三号、二四年一〇月一七日第二五九号、二五年一一月二九日第三二三号、一二月六日第三三四号、二七日第三七一号、二六年五月三〇日第一九八号、六月二七日第二三七号、二七年三月一八日第七四号、二八年三月九日第五七号、三〇日第八六号、六月二四日第二四四号、二九年七月七日第一八八号、八月二七日第二五三号、令和二年一月二九日第一五号、八月五日第二三九号、四年一二月一四日第三八一号、六年六月二一日第二二二号改正

第一章　重要港湾等

章名…改正〔昭和二六年九月政令三〇五号〕

（国際戦略港湾、国際拠点港湾、重要港湾及び避難港）

第一条　港湾法（以下「法」という。）第二条第二項に規定する国際戦略港湾、国際拠点港湾及び重要港湾並びに同条第九項に規定する避難港は、別表第一のとおりとする。

本条…一部改正〔昭和二六年九月政令三〇五号・四五年九月二六九号・四八年七月二〇四号〕、見出し…改正・本条…一部改正〔平成一二年三月政令一九三号・二三年三月八九号〕

（開発保全航路）

第一条の二　法第二条第八項に規定する開発保全航路の区域は、別表第二のとおりとする。

本条…追加〔昭和四九年七月政令二六五号〕

（漁業の用に供する港湾）

第一条の三　法第三条ただし書に規定する港湾は、別表第三のとおりとする。

本条…追加〔昭和二六年九月政令三〇五号〕、一部改正〔昭和四五年九月政令二六九号〕、旧一条の二…一部改正し繰下〔昭和四九年七月政令二六五号〕

（港湾計画）

第一条の四　法第三条の三第一項の政令で定める事項は、次のとおりとする。

一　港湾の開発、利用及び保全並びに港湾に隣接する地域の保全の方針

二　港湾の取扱貨物量、船舶乗降旅客数その他の能力に関する事項

三　港湾の能力に応ずる水域施設、係留施設その他の港湾施設の規模及び配置に関する事項

四　港湾の環境の整備及び保全に関する事項

五　港湾の効率的な運営に関する事項

六　その他港湾の開発、利用及び保全並びに港湾に隣接する地域の保全に関する重要事項

本条…追加〔昭和四九年七月政令二六五号〕、旧一条の四…繰下〔昭和五九年六月政令一七六号〕、旧一条の五…繰上〔平成一二年六月政令三一二号〕、本条…一部改正〔平成二三年八月政令二七一号〕

（国内産業の開発上特に重要な港湾）

第一条の五　法附則第二項に規定する港湾は、別表第四のとおりとする。

本条…追加〔昭和二六年九月政令三〇五号〕、旧一条の四…繰下〔昭和三六年四月政令一一二号〕、旧一条の五…繰上〔昭和四二年五月政令九二号〕、一部改正〔昭和四五年九月政令二六九号〕、旧一条の四…一部改正し繰下〔昭和四九年七月政令二六五号〕、旧一条の六…繰下〔昭和五九年六月政令一七六号〕、旧一条の七…一部改正し繰上〔平成一二年三月政令一九三号〕、旧一条の六…繰上〔平成一二年六月政令三一二号〕、本条…一部改正〔平成二三年一一月政令三四三号〕

第二章　特定用途港湾施設等

章名…全部改正〔昭和四五年九月政令二六九号・平成一七年六月二一三号〕

（貸付けを受ける者の基準）

第二条　法第五十五条の七第一項の政令で定める基準は、次のとおりとする。

一　当該特定用途港湾施設の建設又は改良に関し、次の要件に適合する工事実施計画を有する者であること。

イ　法第三条の三第九項の規定により公示された港湾計画において定められた特定用途港湾施設の建設又は改良の計画に適合すること。

ロ　当該特定用途港湾施設の位置、規模及び構造が当該施設の用途に対し適切であること。

ハ　当該特定用途港湾施設の供用を開始する時期が当該港湾における需要に対し適切なものであること。

二　当該特定用途港湾施設の公正、かつ、効率的な利用に資する管理運営計画を有する者であること。

三　第一号の工事実施計画及び前号の管理運営計画を実施するため適切な資金計画及び収支計画を有する者であるこ

と。

四　当該特定用途港湾施設の建設又は改良及び管理を適確に行う能力を有する者であること。

本条…全部改正〔昭和四五年九月政令二六九号〕、一部改正〔昭和四九年七月政令二六五号・五五年三月一九号〕

（港湾管理者に対する貸付金の金額）

第三条　法第五十五条の七第一項の政令で定める金額は、当該特定用途港湾施設の建設又は改良に要する費用に充てる資金として港湾管理者がする同項の貸付け及び当該貸付けを受ける者に対する出資の合計額の二分の一以内の金額とする。

本条…全部改正〔昭和四五年九月政令二六九号〕

（特定用途港湾施設）

第四条　法第五十五条の七第二項第一号の政令で定める用途は、次のとおりとする。

一　輸出入に係るコンテナ貨物の積込み及び取卸しのためにする船舶の係留

二　自動車の積込み及び取卸し並びに旅客の乗船及び下船のためにする自動車航送船の係留

三　スポーツ又はレクリエーションの用に供するヨット、モーターボートその他の船舶の係留であつて、それを使用する者の乗船及び下船並びにその保管のためにするもの

四　港湾区域内において行う廃棄物の積込み及び取卸しその他の廃棄物の埋立処分に係る作業のためにする船舶の係留

2　法第五十五条の七第二項第一号の政令で定める港湾施設は、次の施設とする。

一　当該岸壁又は桟橋の前面の泊地

二　当該岸壁若しくは桟橋に係留される船舶に係る輸出入に係るコンテナ貨物の荷さばきを行うため又は当該岸壁若しくは桟橋に係留される自動車航送船に係る積込み若しくは取卸しをする自動車を待機させ若しくは整理するための固定的な施設

三　当該岸壁又は桟橋に係留される自動車航送船に係る固定的な旅客施設

四　当該岸壁又は桟橋に係留される前項第三号に規定する船舶に係る船揚場、船舶修理施設、船舶保管施設及び港湾厚生施設

五　当該岸壁又は桟橋に係留される前項第四号に規定する船舶に係る廃棄物埋立護岸及び廃棄物受入施設

六　当該岸壁又は桟橋及びこれに附帯する第二号から第四号までの施設の機能を確保するための護岸及び臨港交通施設

七　当該岸壁又は桟橋に係留される自動車航送船又は前項第三号に規定する船舶の係留を補助するための係船浮標、係船くい及び浮桟橋並びに当該岸壁又は桟橋への係留を待機する自動車航送船を係留するための係船浮標及び係船くい

八　当該岸壁又は桟橋及び前各号の施設の敷地

本条…全部改正〔昭和四五年九月政令二六九号〕、一・二項…一部改正〔昭和四六年九月政令二九六号・六三年一二月三四六号・平成一三年三月一二四号・一八年五月一九七号〕、見出し…削除・追加〔平成二八年六月政令二四四号〕

第四条の二　法第五十五条の七第二項第二号の政令で定める用途は、国際海上コンテナ運送に係る貨物の荷さばき又は保管であつて、流通加工（物資の流通の過程における簡易な加工をいう。）を伴うものとする。

2　法第五十五条の七第二項第二号の政令で定める港湾施設は、次の施設とする。

一　当該荷さばき施設又は保管施設の機能を確保するための道路、駐車場及び橋梁

二　当該荷さばき施設又は保管施設の周辺の環境を整備するための緑地及び広場

本条…追加〔平成一八年五月政令一九七号〕、一・二項…一部改正〔平成二六年六月政令二三七号〕

第四条の三　法第五十五条の七第二項第三号の政令で定める用途は、本邦の港と本邦以外の地域の港との間の航路に就航する船舶に係る旅客の利用とする。

2　法第五十五条の七第二項第三号の政令で定める港湾施設は、次の施設とする。

一　当該旅客施設の機能を確保するための道路、駐車場及び橋梁

二　当該旅客施設の周辺の環境を整備するための緑地及び広場

本条…追加〔平成二八年六月政令二四四号〕

（国の貸付けの条件の基準）

第五条　法第五十五条の七第一項の国の貸付金に関する貸付けの条件の基準は、次のとおりとする。

一　貸付金の償還は、均等半年賦償還とすること。

二　国は、貸付金に係る港湾管理者の貸付金に関し、次条第二号及び第三号の基準により港湾管理者が償還期限を繰り上げることができる場合並びに当該貸付けを受ける者が繰上償還をした場合には、貸付金の全部又は一部について償還期限を繰り上げることができるものとすること。

三　港湾管理者は、貸付金に係る港湾管理者の貸付金に関する経理を明確に整理しなければならないものとすること。

四　港湾管理者は、国土交通省令で定める事項につき次条第七号の承認をしようとする場合にはあらかじめ国土交通大臣の承認を受けなければならず、同条第八号の指示をしようとする場合にはあらかじめその旨を国土交通大臣に届け出なければならないものとすること。

五　港湾管理者は、貸付金に係る港湾管理者の貸付けを受ける者が適切に特定用途港湾施設の建設又は改良及び管理を行うよう港湾管理者の貸付金に関する貸付けの条件に定めるところにより必要な措置をとらなければならないものとすること。

2　港湾管理者が法第五十五条の七第一項の国の貸付けに係る港湾管理者の貸付けを受ける者に対しその貸付金の全部又は一部の償還期限を延長する場合において、国土交通大臣がその延長について災害その他特別の事情により償還が著しく困難であるためやむを得ないものと認めるときは、国及び港湾

管理者は、当該貸付金に係る国の貸付金の全部又は一部について、担保の提供をせず、かつ、利息を附さないで、償還期限を延長するよう貸付けの条件を変更することができるものとする。

本条…全部改正〔昭和四五年九月政令二六九号〕、一・二項…一部改正〔平成一二年六月政令三一二号〕、一項…一部改正〔平成一八年八月政令二七七号・二五年一二月三三四号〕

参照 一項四号〔国土交通省令〕規則二二

（港湾管理者の貸付けの条件の基準）

第六条 法第五十五条の七第一項の国の貸付けに係る港湾管理者の貸付金に関する貸付けの条件の基準は、次のとおりとする。

一 貸付金の償還は、均等半年賦償還とすること。

二 港湾管理者は、貸付けを受ける者が貸付金を貸付けの目的以外の目的に使用した場合その他貸付けの条件に違反した場合には、貸付金（償還期限が到来していないものに限る。）の全部又は一部について償還期限を繰り上げることができるものとすること。

三 港湾管理者は、貸付けに係る特定用途港湾施設の運営に係る損益の計算において利益が生じた場合にその額が国土交通省令で定めるところにより算定した当該施設の価額に国土交通省令で定める割合を乗じて得た金額を超えるときは、その超える額の二分の一の範囲内の金額について償還期限を繰り上げることができるものとすること。

四 港湾管理者は、貸付けを受ける者が貸付金の償還を怠つたときは、償還期限の翌日から償還の日までの日数に応じ、当該償還すべき金額につき年十・七五パーセントの割合により計算した金額の延滞金を徴収することができるものとすること。

五 貸付けを受ける者は、港湾管理者の指示により、貸付金についての強制執行の受諾の記載のある公正証書を作成するために必要な手続をとらなければならないものとすること。

六 貸付けを受ける者は、所定の工事実施計画、管理運営計画及び資金計画に従い、適切に特定用途港湾施設の建設又は改良及び管理を行わなければならないものとすること。

七 貸付けを受ける者は、次に掲げる事項につき、あらかじめ、港湾管理者の承認を受けなければならないものとすること。

イ 貸付けに係る特定用途港湾施設に係る工事実施計画、管理運営計画又は資金計画を変更すること。

ロ 貸付けに係る特定用途港湾施設の供用を休止し、又は廃止すること。

ハ 貸付けに係る特定用途港湾施設を譲渡し、交換し、又は担保に供すること。

八 貸付けを受ける者は、港湾管理者が所定の工事実施計画、管理運営計画又は資金計画について第二条各号に定める要件に適合しないものとなつたと認めてその変更を指示したときは、その指示に従いこれらの計画を変更しなければならないものとすること。

九 貸付けを受ける者は、国土交通省令で定めるところにより、その経営する事業の会計を処理するとともに、貸付けに係る特定用途港湾施設の運営に係る損益の計算をしなければならないものとすること。

十 貸付けを受ける者は、貸付けに係る特定用途港湾施設の供用を貸付けの方法によりする場合においては、港湾管理者が当該施設の貸付けを受ける者に対し異常な滞船の解消その他緊急、かつ、公益上の必要によりその者以外の者の利用に供すべきことを指示したときにその利用を受忍しなければならない旨を当該施設の貸付けの条件に定めなければならないものとすること。

十一 貸付けを受ける者は、国又は港湾管理者が、貸付けに係る債権の保全その他貸付けの条件の適正な実施を図るため必要があると認めて、貸付けを受ける者の業務及び資産の状況に関し報告を求め、又はその職員に、貸付けを受ける者の事務所その他の事業場に立ち入り、帳簿、書類その他の必要な物件を調査させ、若しくは関係者に質問させる場合において、報告をし、立入調査を受忍し、又は質問に応じなければならないものとすること。

本条…全部改正〔昭和四五年九月政令二六九号〕、一部改正〔平成一二年六月政令三一二号・一八年八月二七七号・二五年一二月三三四号〕

参照 三号・九号〔国土交通省令〕規則二三－二七

（加算金）

第七条 港湾管理者は、法第五十五条の七第三項の加算金を徴収する場合においては、加算金を課すべき貸付金の範囲を指定し、当該指定した貸付金を貸し付けた日の翌日からその償還の日までの日数に応じ、当該指定した貸付金の金額に年十・七五パーセントの割合で計算した金額の加算金を徴収するものとする。

2 前項の指定した貸付金（償還期限が到来していないものに限る。）については、港湾管理者は、その償還期限を繰り上げるものとする。

本条…全部改正〔昭和四五年九月政令二六九号〕、二項…一部改正〔平成一八年八月政令二七七号〕

第八条 法第五十五条の七第四項の規定により港湾管理者が国に納付すべき金額は、その徴収した加算金の金額に、前条第一項の指定した貸付金の貸付けをした日の属する会計年度における、当該貸付けを受ける者に係る法第五十五条の七第一項の国の貸付金の金額の同項の当該港湾管理者の貸付金の金額に対する割合を乗じて得た金額とする。

2 港湾管理者は、前項の金額をその徴収した日の属する月の翌月の末日までに国に納付するものとする。

本条…全部改正〔昭和四五年九月政令二六九号〕

（特別特定技術基準対象施設の改良に要する費用に充てる資金の貸付けを受ける者の基準）

第九条 法第五十五条の八第一項の政令で定める基準は、次のとおりとする。

一　当該特別特定技術基準対象施設の改良に関し、次の要件に適合する工事実施計画を有する者であること。

イ　法第三条の三第九項の規定により公示された港湾計画において定められた特別特定技術基準対象施設の改良の計画に適合すること。

ロ　当該特別特定技術基準対象施設が、非常災害が発生した場合においても、大量の土砂その他の物件を法第五十五条の八第二項に規定する水域施設に流入させることがないよう必要な強度を有するものであること。

二　当該特別特定技術基準対象施設の改良後の強度の低下の防止又は軽減に資する管理運営計画を有する者であること。

三　第一号の工事実施計画及び前号の管理運営計画を実施するため適切な資金計画及び収支計画を有する者であること。

四　当該特別特定技術基準対象施設の改良及び管理を適確に行う能力を有する者であること。

本条…追加〔平成二六年六月政令二二七号〕

（特別特定技術基準対象施設の改良に係る港湾管理者に対する貸付金の金額）

第九条の二　法第五十五条の八第一項の政令で定める金額は、当該特別特定技術基準対象施設の改良に要する費用に充てる資金として港湾管理者がする同項の貸付けの金額の二分の一以内の金額とする。

本条…追加〔平成二六年六月政令二二七号〕

（貸付けの条件の基準及び加算金の規定の準用）

第九条の三　第五条及び第六条の規定は、法第五十五条の八第一項の国の貸付け及び同項の国の貸付けに係る国際戦略港湾、国際拠点港湾又は重要港湾の港湾管理者の貸付けについて準用する。この場合において、第五条第一項第五号並びに第六条第三号、第六号、第七号イからハまで、第九号及び第十号中「特定用途港湾施設」とあるのは「特別特定技術基準対象施設」と、同項第五号及び同条第六号中「建設又は改良」とあるのは「改良」と、同条第八号中「第二条各号」とあるのは「第九条各号」と読み替えるものとする。

2　第七条及び第八条の規定は、法第五十五条の八第三項において準用する法第五十五条の七第三項の加算金について準用する。この場合において、第八条第一項中「第五十五条の七第四項」とあるのは「第五十五条の八第三項において準用する法第五十五条の七第四項」と、「第五十五条の七第一項」とあるのは「第五十五条の八第一項」と読み替えるものとする。

本条…追加〔平成二六年六月政令二二七号〕

（国際戦略港湾又は国際拠点港湾の港湾管理者に対する貸付金の金額）

第一〇条　法第五十五条の九第一項の政令で定める金額は、当該埠頭群を構成する港湾施設の建設又は改良に要する費用に充てる資金として国際戦略港湾又は国際拠点港湾の港湾管理者がする同項の貸付けの金額の二分の一以内の金額とする。

本条…全部改正〔平成一七年六月政令二一三号〕、見出し…改正・本条…一部改正〔平成二三年一一月政令三四三号〕、旧九条…一部改正し繰下〔平成二六年六月政令二二七号〕

（貸付けの条件の基準及び加算金の規定の準用）

第一一条　第五条及び第六条（第六号、第七号イ及び第八号を除く。）の規定は、法第五十五条の九第一項の国の貸付け及び同項の国の貸付けに係る国際戦略港湾又は国際拠点港湾の港湾管理者の貸付けについて準用する。この場合において、これらの規定（第六条第十一号を除く。）中「港湾管理者」とあるのは「国際戦略港湾又は国際拠点港湾の港湾管理者」と、「貸付けを受ける者」とあるのは「貸付けを受ける港湾運営会社」と、第五条第一項第四号中「ならず、同条第八号の指示をしようとする場合にはあらかじめその旨を国土交通大臣に届け出なければならない」とあるのは「ならない」と、同項第五号並びに第六条第三号、第七号ロ及びハ、第九号並びに第十号中「特定用途港湾施設」とあるのは「埠頭群を構成する港湾施設」と、同条第十一号中「貸付けを受ける者」とあるのは「貸付けを受ける港湾運営会社」と、「港湾管理者」とあるのは「国際戦略港湾若しくは国際拠点港湾の港湾管理者」と読み替えるものとする。

2　第七条及び第八条の規定は、法第五十五条の九第二項において準用する法第五十五条の七第三項の加算金について準用する。この場合において、これらの規定中「港湾管理者」とあるのは「国際戦略港湾又は国際拠点港湾の港湾管理者」と、第八条第一項中「第五十五条の七第四項」とあるのは「第五十五条の九第二項において準用する法第五十五条の七第四項」と、「貸付けを受ける者」とあるのは「貸付けを受ける港湾運営会社」と、「第五十五条の七第一項」とあるのは「第五十五条の九第一項」と読み替えるものとする。

本条…全部改正〔平成一七年六月政令二一三号〕、一・二項…一部改正〔平成二三年一一月政令三四三号〕、一項…一部改正〔平成二五年一二月政令三三四号〕、一・二項…一部改正、旧一〇条…繰下〔平成二六年六月政令二二七号〕

第三章　雑則

本章…追加〔昭和二九年七月政令一九三号〕

（港務局の債務）

第一二条　法第十条第二項の政令で定める債務は、借入金に係る債務であつて、その借入期間が一年をこえるものとする。

本条…追加〔昭和二九年七月政令一九三号〕、一部改正〔昭和四五年九月政令二六九号〕

（港湾区域内の工事等の許可）

第一三条　法第三十七条第一項第一号の政令で定める区域は、水域の上空百メートルまでの区域及び水底下六十メートルまでの区域とする。

本条…追加〔昭和二九年七月政令一九三号〕、一部改正〔昭和四五年九月政令二六九号・四八年七月二〇四号〕

第一四条　法第三十七条第一項第四号の政令で定める行為は、次の各号に掲げるものとする。

一　港湾管理者が指定する護岸、堤防、岸壁、さん橋又は物揚場の水際線から二十メートル以内の地域においてする構築物（載荷重が港湾管理者が指定する重量を超えるものに限る。）の建設（改築により載荷重がその指定する重量を超えることとなる場合を含む。）又は改築（載荷重を増加させることとなる場合に限る。）

二　港湾管理者が指定する廃物の投棄

三　動力を用いて地下水を採取するための施設であつて、揚水機の吐出口の断面積の合計が六平方センチメートルを超え、かつ、そのストレーナーの位置が港湾管理者が指定する位置より浅い位置にあるもの（工業用水法（昭和三十一年法律第百四十六号）第二条に規定する工業の用に供する地下水を採取するための井戸であつて同法第三条第一項に規定する指定地域内のもの及び建築物用地下水の採取の規制に関する法律（昭和三十七年法律第百号）第二条に規定する建築物用地下水を採取するための揚水設備であつて同法第四条第一項に規定する指定地域内のものを除く。以下「揚水施設」という。）の建設（揚水機の吐出口の断面積の合計を大きくし、又はストレーナーの位置を浅くすることにより揚水施設となる場合を含む。）又は改良（揚水機の吐出口の断面積の合計を大きくし、又はストレーナーの位置を浅くすることとなる場合に限る。）

本条…追加〔昭和二九年七月政令一九三号〕、一部改正〔昭和四五年九月政令二六九号・四八年七月二〇四号・四九年七月二六五号・平成一一年一〇月三三六号〕

第一五条　法第三十七条第二項の政令で定める場合は、次の各号に掲げる場合とする。

一　水域施設、外郭施設、係留施設、臨港交通施設又は航行補助施設の建設、改良、維持又は復旧の工事のため水域の占用が必要となる場合

二　沈没船等の引揚のため水域の占用が必要となる場合

三　港湾管理者が指定する行為のため水域の占用が必要となる場合

本条…追加〔昭和二九年七月政令一九三号〕、一部改正〔昭和四五年九月政令二六九号・平成一一年一〇月三三六号・一二年三月一九三号〕

（臨港地区内における行為の届出等）

第一五条の二　法第三十八条の二第一項第二号の政令で定める廃棄物処理施設は、工場又は事業場の敷地内の廃棄物処理施設（専ら当該工場又は事業場において発生する廃棄物を処理するためのものに限る。）以外の廃棄物処理施設であつて、港湾管理者が指定する廃棄物処理施設の種類ごとにその指定する数量以上の数量の廃棄物を処理することができるものとする。

本条…追加〔昭和四九年七月政令二六五号〕、一部改正〔平成一一年一〇月政令三三六号〕

第一五条の三　法第三十八条の二第一項第三号の政令で定める面積は、床面積の合計にあつては二千五百平方メートル、敷地面積にあつては五千平方メートルとする。

本条…追加〔昭和四九年七月政令二六五号〕

第一五条の四　法第三十八条の二第一項第四号の政令で定める施設は、次に掲げる施設とする。

一　爆発物その他の国土交通省令で定める危険物のうち港湾管理者が指定する危険物を取り扱うための施設

二　揚水施設（揚水機の吐出口の断面積の合計を大きくし、又はストレーナーの位置を浅くすることにより揚水施設となるものを含む。）

本条…追加〔昭和四九年七月政令二六五号〕、一部改正〔平成一一年一〇月政令三三六号・一二年六月三一二号〕

参照　一号〔国土交通省令〕規則六

（港湾環境整備負担金の負担の基準）

第一五条の五　法第四十三条の五第一項の政令で定める基準は、次に掲げるものとする。

一　法第四十三条の五第一項の規定による負担金（以下この項において「港湾環境整備負担金」という。）を負担させる事業者は、次に掲げる者とすること。ただし、国土交通大臣等（当該港湾工事を実施する国土交通大臣又は港湾管理者をいう。以下この条において同じ。）が公益上その他の事由により港湾環境整備負担金を負担させることが不適当であると認める国、地方公共団体その他の者を除くものとする。

イ　当該港湾工事の完了した日に現に負担区域内にある工場又は事業場であつて、当該工場又は事業場の負担区域内にある敷地（水面を含む。以下同じ。）の面積の合計が一万平方メートル（国土交通大臣等が、当該港湾に係る工場又は事業場の種類、規模等を考慮して五千平方メートル以上一万平方メートル未満の範囲内でこれと異なる面積を定めたときは、当該面積。ロにおいて同じ。）以上であるものに係る事業者

ロ　当該港湾工事が港湾施設を建設し、又は改良する工事である場合にあつては、イに掲げる事業者のほか、当該港湾工事の完了した日後十年間に負担区域内において、その敷地の面積の合計が一万平方メートル以上となつた工場又は事業場に係る事業者

二　港湾環境整備負担金の額は、イに掲げる額にロ㈠若しくは㈡又はハに掲げる割合を乗じて得た額に相当する金額（国土交通大臣等が公益上その他の事由により必要があると認めてその金額を軽減した金額を定めたときは、当該金額）とすること。

イ　当該港湾工事に要する費用の額に二分の一の割合（国土交通大臣等が当該港湾工事の種類、規模等を考慮して二分の一未満でこれと異なる割合を定めたときは、当該割合）を乗じて得た額

ロ　当該港湾工事が港湾施設を建設し、又は改良する工事である場合にあつては、次に掲げる割合

㈠　当該港湾工事の完了した日に現に負担区域内にある工場又は事業場の敷地の面積の合計に負担区域内における工場又は事業場の設置予定区域の面積として国土交通大臣等が定める面積を加算した面積（㈡において「工場等敷地面積」という。）に対する前号に規定する事業者の工場又は事業場の負担区域内にある敷地の面積（既に当該港湾工事に係る港湾環境整備負担金の

負担の対象となつた敷地の面積を除く。）の合計の割合

(二) 当該港湾工事の完了した日後十年間に前号に規定する事業者が工場又は事業場の敷地の面積を増加した場合にあつては、工場等敷地面積に対する増加後の当該工場又は事業場の負担区域内にある敷地の面積（既に当該港湾工事に係る港湾環境整備負担金の負担の対象となつた敷地の面積を除く。）の合計の割合

ハ 当該港湾工事がロに掲げる工事以外の工事である場合にあつては、当該港湾工事の完了した日に現に負担区域内にある工場又は事業場の敷地の面積の合計に対する前号に規定する事業者の工場又は事業場の負担区域内にある敷地の面積の合計の割合

2 前項の負担区域は、次の各号に掲げる場合に応じ、当該各号に定める区域とする。

一 当該港湾工事が港湾公害防止施設（公害防止用緩衝地帯に限る。）及び港湾環境整備施設並びにこれらの敷地に係る工事である場合　当該港湾における土地の利用状況、自然条件等を考慮して、一体的にその環境を整備し、又は保全する必要がある区域として、あらかじめ、国土交通大臣等が臨港地区（予定埋立区域を含む。）を区分して定めた区域のうち、当該港湾工事が実施された場所を含む区域及び当該区域以外の区域であつて国土交通大臣等が指定するもの

二 当該港湾工事が前号に掲げる工事以外の工事である場合　港湾区域及び臨港地区（港湾区域の形状等により、港湾工事が当該港湾区域及び臨港地区の一部の環境を整備し、又は保全するものである場合にあつては、国土交通大臣等が指定する一部の水域及び地域）

本条…追加〔昭和四九年七月政令二六五号〕、一・二項…一部改正〔平成一八年八月政令二七七号〕

（国派遣職員に係る国家公務員倫理規程の特例）

第一五条の六　法第四十三条の二十九第一項（海外社会資本事業への我が国事業者の参入の促進に関する法律（平成三十年法律第四十号）第十一条第二項の規定により読み替えて適用する場合を含む。）に規定する国派遣職員は、国家公務員倫理規程（平成十二年政令第百一号）第四条第三項の規定の適用については、国家公務員法（昭和二十二年法律第百二十号）第八十二条第二項に規定する特別職国家公務員等とみなす。

本条…追加〔令和二年一月政令一五号〕

（入港料を徴収されない船舶）

第一六条　法第四十四条の二第一項但書の政令で定める船舶は、左の各号に掲げるものとする。

一 航海訓練に従事する船舶
二 漁業練習又は漁業調査に従事する船舶
三 航路標識の管理に従事する船舶
四 水路の測量に従事する船舶
五 学術研究に従事する船舶
六 海外からの日本国民の集団的引揚輸送に従事する船舶

本条…追加〔昭和二九年七月政令一九三号〕、一部改正〔昭和四五年九月政令二六九号〕

（管理委託の手続）

第一七条　国土交通大臣は、法第五十四条第一項（法第五十四条の二第二項において準用する場合を含む。）の規定により港湾施設の管理（港湾施設を維持し、及び一般公衆の利用その他公共の用に供することをいい、港湾施設を維持するために必要な港湾工事をすることを含む。以下第十七条の九までにおいて同じ。）を港湾管理者に委託するときは、契約書において次の事項を定めておかなければならない。

一 管理を委託する港湾施設の種類、名称、所在地、構造、規模及び価額
二 管理の委託を開始する年月日
三 管理の委託の期間
四 管理の方法
五 管理の委託の条件
六 その他必要な事項

本条…追加〔平成一五年五月政令二二六号〕、一部改正〔平成一七年六月政令二一三号〕、旧一七条の二…一部改正し繰上〔平成二三年三月政令八九号〕

（管理責任の移転の時期）

第一七条の二　港湾施設の管理の委託を受けた港湾管理者（以下「管理受託者」という。）は、前条の規定により定められた同条第二号の管理の委託を開始する年月日以後、当該港湾施設の管理の責に任ずる。

本条…追加〔平成一五年五月政令二二六号〕、旧一七条の三…繰上〔平成二三年三月政令八九号〕

（管理受託者の義務）

第一七条の三　管理受託者は、受託に係る港湾施設をその用途又は目的に応じて善良な管理者の注意をもつて管理しなければならない。

2 管理受託者は、受託に係る港湾施設について、水害、火災、盗難、損壊その他当該港湾施設の管理上支障のある事故が発生したときは、直ちに必要な応急の措置を講じなければならない。

本条…追加〔平成一五年五月政令二二六号〕、旧一七条の四…繰上〔平成二三年三月政令八九号〕

（他の用途への使用等）

第一七条の四　管理受託者は、受託に係る港湾施設をその本来の用途又は目的を妨げない限度において他の用途又は目的に使用し、若しくは収益し、又は他人に使用させ、若しくは収益させようとするときは、あらかじめ、国土交通大臣の承認を受けなければならない。ただし、国土交通大臣が契約書において定める軽微な場合については、この限りでない。

2 管理受託者は、前項本文の承認を受けようとするときは、次の事項を記載した申請書を国土交通大臣に提出しなければならない。

一 使用又は収益の対象となる港湾施設の範囲

二　他人に使用させ、又は収益させる場合には、その者の氏名又は名称及び住所
三　使用又は収益の用途又は目的及び方法
四　使用又は収益の期間
五　使用又は収益による管理受託者の予定収入
六　他人に使用させ、又は収益させる場合には、使用又は収益の条件

本条…追加〔平成一五年五月政令二二六号〕、旧一七条の五…繰上〔平成二三年三月政令八九号〕

（滅失又は損傷の場合の報告）

第一七条の五　管理受託者は、天災その他の事故により受託に係る港湾施設が滅失し、又は損傷したときは、遅滞なく、次の事項を書面で国土交通大臣に報告しなければならない。
一　当該港湾施設の名称及び所在地
二　被害の程度
三　滅失又は損傷の原因
四　損害見積価額及び復旧可能のものについては復旧費見込額
五　応急の措置を講じた場合には、当該措置の内容

本条…追加〔平成一五年五月政令二二六号〕、旧一七条の六…繰上〔平成二三年三月政令八九号〕

（原状等の変更）

第一七条の六　管理受託者は、受託に係る港湾施設の原状又は用途を変更しようとするときは、あらかじめ、国土交通大臣の承認を受けなければならない。ただし、天災その他の事故のため応急の措置を講ずるときは、この限りでない。

本条…追加〔平成一五年五月政令二二六号〕、旧一七条の七…繰上〔平成二三年三月政令八九号〕

（管理台帳）

第一七条の七　管理受託者は、受託に係る港湾施設について次の事項を記載した管理台帳をその事務所に備えて置かなければならない。
一　第十七条第一号及び第二号に掲げる事項
二　他の用途への使用等及び原状等の変更の有無又はその概要

2　管理受託者は、管理台帳の記載事項に変更があつたときは、その都度、変更に係る事項を当該管理台帳に記載しなければならない。

本条…追加〔平成一五年五月政令二二六号〕、旧一七条の八…一部改正し繰上〔平成二三年三月政令八九号〕

（管理状況の報告）

第一七条の八　管理受託者は、受託に係る港湾施設について、毎年度の管理の状況を翌年度の四月三十日までに国土交通大臣に報告しなければならない。

本条…追加〔平成一五年五月政令二二六号〕、旧一七条の九…繰上〔平成二三年三月政令八九号〕

（報告の徴収等）

第一七条の九　国土交通大臣は、必要があると認めるときは、委託に係る港湾施設の管理の状況に関し、管理受託者から報告を求め、その職員に実地の監査を行わせ、及び管理受託者に必要な指示をすることができる。

本条…追加〔平成一五年五月政令二二六号〕、旧一七条の一〇…繰上〔平成二三年三月政令八九号〕

（緊急確保航路）

第一七条の一〇　法第五十五条の三の五第一項に規定する緊急確保航路の区域は、別表第五のとおりとする。

本条…追加〔平成二五年一一月政令三一七号〕、一部改正〔平成二九年七月政令一八八号〕

（港湾区域の定めのない港湾の利用又は保全に支障を与えるおそれのある行為）

第一八条　法第五十六条第一項の政令で定める行為は、都道府県知事が指定する廃物の投棄とする。

本条…追加〔昭和四八年七月政令二〇四号〕

（港湾の施設）

第一九条　法第五十六条の二の二第一項の政令で定める港湾の施設は、次に掲げる港湾の施設（その規模、構造等を考慮して国土交通省令で定める港湾の施設を除く。）とする。ただし、第四号から第七号まで及び第十号から第十二号までに掲げる施設にあつては、港湾施設であるものに限る。
一　水域施設
二　外郭施設（海岸管理者が設置する海岸法（昭和三十一年法律第百一号）第二条第一項に規定する海岸保全施設及び河川管理者が設置する河川法（昭和三十九年法律第百六十七号）第三条第二項に規定する河川管理施設を除く。）
三　係留施設
四　臨港交通施設
五　荷さばき施設
六　保管施設
七　船舶役務用施設
八　移動式施設（移動式荷役機械にあつては、自動的に、又は遠隔操作により荷役を行うことができるものに限る。）
九　旅客乗降用固定施設
十　廃棄物埋立護岸
十一　海浜（海岸管理者が設置する海岸法第二条第一項に規定する海岸保全施設を除く。）
十二　緑地及び広場

本条…追加〔昭和四九年七月政令二六五号〕、一部改正〔平成一二年六月政令三一二号・九月四四一号・一八年九月三一八号・二九年九月二五三号〕

参照　〔国土交通省令〕規則一八

（登録確認機関の登録の有効期間）

第一九条の二　法第五十六条の二の四第一項の政令で定める期間は、三年とする。

本条…追加〔平成一八年九月政令三一八号〕

（手数料の納付を要しない独立行政法人）

第一九条の三　法第五十六条の二の二十第一項の政令で定める独立行政法人は、国立研究開発法人水産研究・教育機構、国立研究開発法人海上・港湾・航空技術研究所、独立行政法人海技教育機構及び独立行政法人国立高等専門学校機構とする。

本条…追加〔平成一八年九月政令三一八号〕、一部改正〔平成二七年三月政令七四号・二八年三月五七号・八六号〕

（水域施設等）

第二〇条　法第五十六条の三第一項の政令で定める水域施設、外郭施設又は係留施設は、次に掲げる港湾の施設（その規模、構造等を考慮して国土交通省令で定める港湾の施設を除く。）とする。

一　水域施設

二　外郭施設（海岸管理者が設置する海岸法第二条第一項に規定する海岸保全施設及び河川管理者が設置する河川法第三条第二項に規定する河川管理施設を除く。）

三　次に掲げる係留施設

イ　危険物積載船（海上交通安全法（昭和四十七年法律第百十五号）第二十二条第三号の危険物積載船をいう。）、旅客船（十三人以上の旅客定員を有する船舶をいう。）又は自動車航送船を係留するための係留施設（貨物の積込み若しくは取卸しをすることができるもの又は人が乗船し、若しくは下船することができるものに限る。）

ロ　スポーツ又はレクリエーションの用に供するヨット、モーターボートその他の船舶を係留するための係留施設（同時に五隻以上の船舶を係留することができ、かつ、人が乗船し、又は下船することができるものに限る。）

ハ　総トン数五百トン以上の船舶を係留することができる係留施設

本条…追加〔昭和四九年七月政令二六五号〕、一部改正〔平成一二年六月政令三一二号・二二年六月一五五号〕

参照　〔国土交通省令〕規則二八

（延滞金）

第二一条　法第五十六条の六第二項の規定により国土交通大臣が徴収する延滞金の額は、負担金を納付すべき期限の翌日からその納付の日までの日数に応じ負担金の額に年十・七五パーセントの割合を乗じて計算した額とする。この場合において、負担金の額の一部につき納付があつたときは、その納付の日以後の期間に係る延滞金の計算の基礎となる負担金の額は、その納付のあつた負担金の額を控除した額による。

本条…追加〔昭和四九年七月政令二六五号〕、一部改正〔平成一二年六月政令三一二号〕

（職権の委任）

第二二条　次に掲げる国土交通大臣の職権は、地方整備局長又は北海道開発局長が行うものとする。

一　法第六章、第五十五条の三の四、第五十五条の三の五及び第五十六条の六の規定による国土交通大臣の職権（企業合理化促進法（昭和二十七年法律第五号）第八条第四項の規定に基づく港湾工事に係る処分により納付すべき負担金に係るものを除く。）

二　法第四十六条第一項の規定による国土交通大臣の職権（同項の港湾施設について補助金等に係る予算の執行の適正化に関する法律（昭和三十年法律第百七十九号）第二十六条第一項の規定により補助金等の交付の決定に関する事務を国土交通大臣が地方整備局長又は北海道開発局長に委任した場合に限る。）

三　法第五十八条第三項の規定による国土交通大臣の職権（公有水面埋立法（大正十年法律第五十七号）第四十八条の規定により同法第四十七条第一項の規定による認可に関する事務を国土交通大臣が地方整備局長又は北海道開発局長に委任した場合に限る。）

四　第十七条の四第一項本文、第十七条の五、第十七条の六本文及び第十七条の八の規定による国土交通大臣の職権

2　法第四十一条の五、第五十条の二第十項（同条第十一項において準用する場合を含む。）、第五十条の三第五項、第五十条の六第十項（同条第十一項において準用する場合を含む。）、第五十条の七第五項、第五十条の十六第八項（同条第九項において準用する場合を含む。）、第五十条の二十二、第五十六条の二の二十二、第五十六条の四及び第五十六条の五の規定並びに第十七条の九の規定による国土交通大臣の職権は、地方整備局長又は北海道開発局長も行うことができる。

本条…追加〔昭和四九年七月政令二六五号〕、一項…全部改正・二項…一部改正〔平成一二年六月政令三一二号〕、一・二項…一部改正〔平成一五年五月政令二二六号〕、一項…一部改正〔平成一八年八月政令二七七号〕、一・二項…一部改正〔平成二三年三月政令八九号〕、二項…一部改正〔平成二五年一月政令三三号〕、一項…一部改正〔平成二五年一二月政令三七一号〕、二項…一部改正〔平成二六年五月政令一九八号・二八年六月二四四号〕、一・二項…一部改正〔平成二九年七月政令一八八号〕、二項…一部改正〔令和四年一二月政令三八一号〕

附　則

1　この政令は、公布の日から施行する。

2　当分の間、港湾管理者が設立した一般財団法人（一般社団法人及び一般財団法人に関する法律及び公益社団法人及び公益財団法人の認定等に関する法律の施行に伴う関係法律の整備等に関する法律（平成十八年法律第五十号）第三十八条の規定による改正前の民法（明治二十九年法律第八十九号）第三十四条の規定により設立した財団法人を含む。）からの株式会社に対する特定用途港湾施設の譲渡（当該特定用途港湾施設の管理運営の効率化に資すると国土交通大臣が認めるものに限る。）に伴い、当該株式会社が法第五十五条の七第一項の国の貸付けに係る港湾管理者の貸付金に係る債務を承継した場合においては、同項の国の貸付金及び同項の国の貸付けに係る港湾管理者の貸付金のうち同項の国の貸付金の金額に相当する部分の償還は、第五条第一項第一号及び第六条第一号の規定にかかわらず、国土交通大臣の定める半年賦償還の方法によるものとする。

3　法附則第六項の政令で定める期間は、五年（二年の据置期間を含む。）とする。

4　前項の期間は、日本電信電話株式会社の株式の売払収入の活用による社会資本の整備の促進に関する特別措置法（昭和六十二年法律第八十六号）第五条第一項の規定により読み替えて準用される補助金等に係る予算の執行の適正化に関する法律第六条第一項の規定による貸付けの決定（以下「貸付決

定」という。）ごとに、当該貸付決定に係る法附則第三項から第五項までの規定による国の貸付金（次項及び第六項において「国の貸付金」という。）の交付を完了した日（その日が当該貸付決定があつた日の属する年度の末日の前日以後の日である場合には、当該年度の末日の前々日）の翌日から起算する。

5　国の貸付金の償還は、均等年賦償還の方法によるものとする。

6　国は、国の財政状況を勘案し、相当と認めるときは、国の貸付金の全部又は一部について、前三項の規定により定められた償還期限を繰り上げて償還させることができる。

7　法附則第十二項の政令で定める場合は、前項の規定により償還期限を繰り上げて償還を行つた場合とする。

8　法附則第十五項の政令で定める基準は、次のとおりとする。

一　当該港湾施設の建設又は改良の工事に関し、次の要件に適合する工事実施計画を有し、かつ、当該工事実施計画について港湾管理者の承認を受けている者であること。

イ　法第三条の三第九項又は第十項の規定により公示された港湾計画がある場合には、当該港湾計画において定められた港湾施設の建設又は改良の計画で当該港湾施設に係るものに適合すること。

ロ　当該港湾施設の位置、規模及び構造が当該施設の用途に対し適切なものであること。

ハ　当該港湾施設の供用を開始する時期が当該港湾における需要に対し適切なものであること。

二　その収益をもつて当該港湾施設の建設又は改良の工事に要する費用を支弁することができると認められる当該工事と密接に関連する事業（以下「密接関連事業」という。）に関する適切な事業計画を有する者であること。

三　第一号の工事実施計画及び前号の事業計画を実施するため適切な資金計画及び収支計画を有する者であること。

四　当該港湾施設の建設又は改良の工事及び密接関連事業を適確に行う能力を有する者であること。

9　法附則第十五項の政令で定める港湾施設の建設又は改良の工事は、水域施設、外郭施設、係留施設、臨港交通施設、港湾公害防止施設、廃棄物埋立護岸、海洋性廃棄物処理施設、港湾環境整備施設又は港湾施設用地の建設又は改良の工事であつて、当該工事によつて生じた港湾施設が港湾管理者の所有（当該港湾施設が水域施設である場合には、港湾管理者の管理）に属することとなることについて当該港湾管理者が同意しているものとする。

10　法附則第十九項の貸付けの条件の基準は、次のとおりとする。

一　法附則第十五項の国の貸付金（以下「国の貸付金」という。）の償還は、均等半年賦償還の方法によるものとすること。

二　国の貸付金の貸付けを受ける者は、担保を提供し、又は当該貸付けを受ける者と連帯して債務を負担する保証人を立てなければならないこと。

三　国の貸付金の貸付けを受けた者は、附則第八項第一号の工事実施計画を変更する場合にあつては国土交通大臣及び港湾管理者の、同項第二号の事業計画又は同項第三号の資金計画を変更する場合にあつては国土交通大臣の承認を受けなければならないこと。

四　国は、国の貸付金の貸付けを受けた者が前号の承認を受けないで同号に規定する工事実施計画、事業計画又は資金計画を変更した場合には、国の貸付金の全部又は一部について償還期限を繰り上げることができること。

（特定の国際拠点港湾）

11　法附則第二十項の政令で定める国際拠点港湾は、次の表のとおりとする。

都道府県	
愛知	名古屋
三重	四日市

二―六項…追加〔昭和六二年九月政令二九七号〕、三項…一部改正・七―九項…追加〔昭和六三年五月政令一三九号〕、三・九項…一部改正〔平成一二年六月政令三一二号〕、二項…一部改正〔平成一四年二月政令二七号〕、二項…追加・旧二―九項…三―一〇項に繰下〔平成一八年八月政令二七七号〕、二項…一部改正〔平成一九年三月政令三九号〕、三・四・七―一〇項…一部改正・一一項…追加〔平成二三年一一月政令三四三号〕、一一項…一部改正〔令和二年一月政令一五号〕

附　則〔昭和三四年六月一一日政令第二一四号抄〕

1　この政令は、公布の日から施行する。

2　港湾工事に要する費用の負担又は補助に関しては、改正後の港湾法施行令別表第一の規定は、昭和三十四年度以後の予算に係る港湾工事について適用する。

附　則〔昭和三五年六月九日政令第一五四号抄〕

1　この政令は、公布の日から施行する。

2　港湾工事に要する費用の負担又は補助に関しては、改正後の港湾法施行令別表第一の規定は、昭和三十五年度以降の予算に係る港湾工事について適用する。

附　則〔昭和三六年四月二〇日政令第一一二号〕

1　この政令は、公布の日から施行する。

2　改正後の第一条の四の規定は、昭和三十六年度以降の予算に係る工事について適用する。

附　則〔昭和四八年七月一七日政令第二〇四号〕

（施行期日）

1　この政令は、港湾法等の一部を改正する法律の施行の日（昭和四十八年七月十七日）から施行する。ただし、第一条中港湾法施行令第十三条の改正規定及び同令本則に一条を加える改正規定は、同年十月一日から施行する。

（港湾整備緊急措置法の一部改正に伴う経過措置）

2　港湾法等の一部を改正する法律第五条の規定による改正前の港湾整備緊急措置法（昭和三十六年法律第二十四号）第二

条第四号に掲げる事業で、港湾法等の一部を改正する法律第一条の規定による改正後の港湾法第四十三条の六の規定の施行の時までに運輸大臣が施行したものは、港湾整備特別会計法第一条第一項に規定する港湾整備事業で国が施行するものに含まれるものとする。

（特定港湾施設整備特別措置法の一部改正に伴う経過措置）

3 港湾法等の一部を改正する法律附則第五条の規定による改正前の特定港湾施設整備特別措置法第四条第一項に規定する特定港湾施設工事に係る企業合理化促進法第八条第四項の規定による事業者の負担金の徴収については、なお従前の例による。

（港湾法施行令の一部改正に伴う罰則に関する経過措置）

4 この政令の施行前にした第一条の規定による改正前の港湾法施行令第十四条第二号に掲げる行為に対する罰則の適用については、なお従前の例による。

附　則〔昭和四九年七月一三日政令第二六五号〕

（施行期日）

1 この政令は、港湾法等の一部を改正する法律（以下「改正法」という。）の一部の施行の日（昭和四十九年七月十六日）から施行する。

（経過措置）

2 改正法第一条の規定による改正前の港湾法（以下「旧港湾法」という。）第四十八条第三項の規定により公示された計画は、改正法第一条の規定による改正後の港湾法（以下「新港湾法」という。）第三条の三第七項の規定により公示された港湾計画とみなす。

3 新港湾法第三十八条の二の規定の施行の日から六十日を経過する日までに、同条第一項各号の一に掲げる行為に係る工事を開始する者（その者が同条第二項第二号から第四号までに掲げる事項の変更に係る工事を開始する場合を含む。）に対する同条の規定の適用については、同条第一項中「当該行為に係る工事の開始の日の六十日前までに」とあり、同条第四項中「当該事項の変更に係る工事の開始の日の六十日前までに」とあるのは「あらかじめ」と、同条第七項及び第八項中「その届出を受理した日から六十日以内」とあるのは「その届出に係る行為に係る工事の開始前」と、同条第十項中「その通知を受けた日から六十日以内」とあるのは「その通知に係る行為に係る工事の開始前」とする。

4 新港湾法第五十六条の三の規定の施行の日から六十日を経過する日までに、同条第一項に規定する水域施設等の建設又は改良に係る工事を開始する者（その者が同項に規定する事項の変更に係る工事を開始する場合を含む。）に対する同条の規定の適用については、同条第一項中「当該行為に係る工事の開始の日の六十日前までに」とあるのは「あらかじめ」と、同条第二項中「その届出を受理した日から六十日以内」とあるのは「その届出に係る行為に係る工事の開始前」と、同条第四項中「その通知を受けた日から六十日以内」とあるのは「その通知に係る行為に係る工事の開始前」とする。

附　則〔昭和五〇年四月二二日政令第一三二号抄〕

（施行期日）

1 この政令は、公布の日から施行する。ただし、別表第二の改正規定は、昭和五十年五月一日から施行する。

（経過措置）

2 昭和四十九年度の予算に係る港湾工事でその工事に係る補助金が昭和五十年度以降に繰り越されたものに要する費用についての国の補助については、なお従前の例による。

附　則〔昭和五一年一二月一〇日政令第三〇六号〕

1 この政令は、公布の日から施行する。

2 この政令の施行の際現に和歌山下津港の港湾管理者が港湾法第四十四条の二第一項の規定により徴収している入港料については、この政令の施行の日に当該港湾管理者が同条第二項の規定による運輸大臣の認可を受けたものとみなす。

附　則〔昭和五四年五月一五日政令第一四二号抄〕

（施行期日）

1 この政令中別表第一及び別表第二第三号の改正規定（中略）は公布の日から、別表第二第十号の改正規定及び次項の規定は昭和五十四年五月十八日から施行する。

（経過措置）

2 昭和五十四年五月十八日において現に改正後の港湾法施行令別表第二第十号に規定する本渡瀬戸航路の区域のうちこの政令の規定により拡張された区域内において水域を工作物の設置等により占用している者は、同年八月十七日までの間、港湾法第四十三条の八第二項の規定による許可を受けないで、又は同条第四項において準用する同法第三十七条第三項の規定による協議を行わないでその水域を占用することができる。

附　則〔昭和五四年一一月三〇日政令第二八五号〕

（施行期日）

1 この政令は、昭和五十四年十二月三日から施行する。

（経過措置）

2 この政令の施行の際現に改正後の港湾法施行令別表第二第四号に規定する鼻栗瀬戸航路の区域内において水域を工作物の設置等により占用している者は、この政令の施行の日から起算して三月を経過する日までの間は、港湾法第四十三条の八第二項の規定による許可を受けないで、又は同条第四項において準用する同法第三十七条第三項の規定による協議を行わないでその水域を占用することができる。

附　則〔昭和五六年五月二六日政令第一八六号〕

1 この政令は、公布の日から施行する。

2 この政令の施行の際現に苫小牧港の港湾管理者が港湾法第四十四条の二第一項の規定により徴収している入港料については、この政令の施行の日に当該港湾管理者が同条第二項の規定による運輸大臣の認可を受けたものとみなす。

附　則〔昭和六一年六月一七日政令第二二九号抄〕

（施行期日）

1 この政令は、公布の日から施行する。

（経過措置）
2　この政令の施行の際現に伏木富山港の港湾管理者が港湾法第四十四条の二第一項の規定により徴収している入港料については、この政令の施行の日に当該港湾管理者が同条第二項の規定による運輸大臣の認可を受けたものとみなす。

附　則〔平成二年七月二〇日政令第二二四号〕

（施行期日）
1　この政令は、公布の日から施行する。
（経過措置）
2　この政令の施行の際現に博多港の港湾管理者が港湾法第四十四条の二第一項の規定により徴収している入港料については、この政令の施行の日に当該港湾管理者が同条第二項の規定による運輸大臣の認可を受けたものとみなす。

附　則〔平成四年六月三日政令第一九〇号〕

（施行期日）
1　この政令は、公布の日から施行する。
（経過措置）
2　この政令の施行の際現に広島湾の港湾管理者が港湾法第四十四条の二第一項の規定により徴収している入港料については、この政令の施行の日に当該港湾管理者が同条第二項の規定による運輸大臣の認可を受けたものとみなす。

附　則〔平成一一年一〇月二七日政令第三三六号〕

（施行期日）
1　この政令は、地方分権の推進を図るための関係法律の整備等に関する法律の施行の日（平成十二年四月一日）から施行する。
（経過措置）
2　この政令の施行前に港湾法（昭和二十五年法律第二百十八号）又は旅行業法（昭和二十七年法律第二百三十九号）（これらの法律に基づく政令を含む。）の規定によりされた命令等の処分その他の行為（以下「処分等の行為」という。）で、この政令の施行の日においてこれらの行為に係る行政事務を行うべき者が異なることとなるものは、この政令の施行の日以後においては、この政令の施行の日において新たに当該行政事務を行うこととなる者のした処分等の行為とみなす。
3　この政令の施行前にした行為に対する罰則の適用については、なお従前の例による。

附　則〔平成一二年三月三一日政令第一九三号抄〕

（施行期日）
第一条　この政令は、平成十二年四月一日から施行する。
（経過措置）
第二条　この政令の施行の際現に改正後の港湾法施行令別表第二第十一号に規定する関門航路の区域のうちこの政令の規定により拡張された区域内において水域を工作物の設置等により占用している者は、この政令の施行の日から起算して一月を経過する日までの間は、港湾法第四十三条の八第二項の規定による許可を受けないでその水域を占用することができる。

附　則〔平成一三年三月三〇日政令第一一四号抄〕

（施行期日）
第一条　この政令は、平成十三年四月一日から施行する。
（経過措置）
第二条　この政令の施行の際現にこの政令による改正前の塩釜港の港湾管理者が港湾法第四十四条の二第一項の規定により徴収している入港料については、この政令の施行の日にこの政令による改正後の仙台塩釜港の港湾管理者が同条第二項の規定により国土交通大臣に協議し、その同意を得たものとみなす。

附　則〔平成一五年三月二六日政令第七六号〕

（施行期日）
第一条　この政令は、平成十五年四月一日から施行する。
（経過措置）
第二条　この政令の施行の際現に水島港の港湾管理者が港湾法第四十四条の二第一項の規定により徴収している入港料については、この政令の施行の日に当該港湾管理者が同条第二項の規定により国土交通大臣に協議し、その同意を得たものとみなす。

附　則〔平成一五年五月一六日政令第二二六号抄〕

（施行期日）
第一条　この政令は、公布の日から施行する。
（経過措置）
第二条　第一条の規定による改正後の港湾法施行令第十七条の四から第十七条の十までの規定は、第一条の規定の施行の日以後に国土交通大臣と港湾管理者との間で締結される委託契約に基づき行われる港湾施設の管理の委託について適用する。

附　則〔平成一八年八月一八日政令第二七七号〕

（施行期日）
第一条　この政令は、平成十八年十月一日から施行する。
（経過措置）
第二条　海上物流の基盤強化のための港湾法等の一部を改正する法律（以下「改正法」という。）附則第四条第四項の規定により改正法第二条の規定による改正前の外貿埠頭公団の解散及び業務の承継に関する法律（昭和五十六年法律第二十八号。附則第六条において「旧外貿法」という。）第二条第一項の規定により指定された法人（附則第五条において「指定法人」という。）が解散したときは、国土交通大臣は、遅滞なく、その解散の登記を登記所に嘱託しなければならない。
2　登記官は、前項の規定による嘱託に係る解散の登記をしたときは、その登記記録を閉鎖しなければならない。
第三条　改正法附則第五条に規定する貸付金の償還期間は、なお従前の例によるものとし、その償還は、国土交通大臣の定める半年賦償還の方法によるものとする。
第四条　改正法附則第四条第四項の規定により改正法第二条の規定による改正後の特定外貿埠頭の管理運営に関する法律第

三条第三項に規定する指定会社が港湾法（昭和二十五年法律第二百十八号）第五十五条の七第一項の国の貸付けに係る港湾管理者の貸付金に係る債務を承継した場合においては、同項の国の貸付金及び同項の国の貸付けに係る港湾管理者の貸付金のうち同項の国の貸付金の金額に相当する部分の償還は、港湾法施行令第五条第一項第一号及び第六条第一号の規定にかかわらず、国土交通大臣の定める半年賦償還の方法によるものとする。

第五条　この政令の施行の際現に存する指定法人については、第三条の規定による改正前の関税法施行令第三十条の二の規定は、改正法附則第四条第四項の規定により指定法人が解散するまでの間は、なおその効力を有する。

第六条　この政令の施行の際現に存する旧外貿法第二条第一項の規定により神戸港につき指定された法人（以下「神戸港指定法人」という。）については、第八条の規定による改正前の阪神・淡路大震災に対処するための特別の財政援助及び助成に関する法律による神戸港の外貿埠頭等の災害復旧事業に対する補助の対象となる施設等を定める政令第一条及び第二条第一項の規定は、改正法附則第四条第四項の規定により神戸港指定法人が解散するまでの間は、なおその効力を有する。

附　則〔平成二〇年一一月二一日政令第三五五号〕

（施行期日）

1　この政令は、平成二十年十二月一日から施行する。

（経過措置）

2　この政令の施行の際現に改正後の港湾法施行令別表第二第六号に規定する来島海峡航路の区域のうちこの政令の規定により拡張された区域内において水域を工作物の設置等により占用している者は、この政令の施行の日から起算して一月を経過する日までの間は、港湾法第四十三条の八第二項の規定による許可を受けないでその水域を占用することができる。

附　則〔平成二一年一一月九日政令第二七八号〕

（施行期日）

1　この政令は、平成二十一年十二月十六日から施行する。

（経過措置）

2　この政令の施行の際現に改正後の港湾法施行令別表第二第四号に規定する備讃瀬戸航路の区域のうちこの政令の規定により拡張された区域内において水域を工作物の設置等により占用している者は、この政令の施行の日から起算して三月を経過する日までの間は、港湾法第四十三条の八第二項の規定による許可を受けないでその水域を占用することができる。

附　則〔平成二三年三月三一日政令第八九号抄〕

（施行期日）

第一条　この政令は、平成二十三年四月一日から施行する。

（経過措置）

第二条　この政令の施行前に京浜港、大阪港又は神戸港の港湾管理者が港湾法及び特定外貿埠頭の管理運営に関する法律の一部を改正する法律（以下この条において「改正法」という。）第一条による改正前の港湾法第四十四条の二第二項の規定により国土交通大臣に協議し、その同意を得た入港料については、この政令の施行の日に当該港湾管理者が改正法第一条による改正後の港湾法第四十四条の二第二項の規定により国土交通大臣に協議し、その同意を得たものとみなす。

附　則〔平成二三年七月一三日政令第二一七号〕

（施行期日）

1　この政令は、平成二十三年七月二十日から施行する。

（経過措置）

2　この政令の施行の際現に、改正後の港湾法施行令別表第十一号に規定する関門航路及び同表第十六号に規定する竹富南航路の区域のうち、この政令の規定により拡張された区域内において水域を工作物の設置等により占用している者は、この政令の施行の日から起算して三月を経過する日までの間は、港湾法第四十三条の八第二項の規定による許可を受けないで、又は同条第四項において準用する同法第三十七条第三項の規定による協議を行わないでその水域を占用することができる。

附　則〔平成二三年八月三〇日政令第二七一号〕

（施行期日）

1　この政令は、港湾法及び特定外貿埠頭の管理運営に関する法律の一部を改正する法律（平成二十三年法律第九号）附則第一条第一号に掲げる規定の施行の日（平成二十三年九月十五日）から施行する。

（経過措置）

2　この政令の施行前に定められた港湾計画については、この政令による改正後の港湾法施行令第一条の四の規定にかかわらず、なお従前の例による。

附　則〔平成二三年一一月一八日政令第三四三号抄〕

〔沿革〕　令和二年一月二九日政令第一五号改正

（施行期日）

第一条　この政令は、港湾法及び特定外貿埠頭の管理運営に関する法律の一部を改正する法律（次条において「改正法」という。）附則第一条第二号に掲げる規定の施行の日（平成二十三年十二月十五日）から施行する。

（経過措置）

第二条　改正法附則第三条第六項の規定によりなおその効力を有するものとされる改正法第二条の規定による改正前の港湾法第五十五条の八の規定の適用については、この政令による改正前の港湾法施行令第九条及び第十条の規定は、なおその効力を有する。

附　則〔平成二四年一〇月一七日政令第二五九号〕

この政令は、公布の日から施行する。

附　則〔平成二五年一一月二九日政令第三二三号抄〕

（施行期日）

1　この政令は、港湾法の一部を改正する法律（平成二十五年法律第三十一号）附則第一条第一号に掲げる規定の施行の日の日（平成二十五年十二月一日）から施行する。

附　則〔平成二五年一二月六日政令第三三四号抄〕

（施行期日）

第一条　この政令は、公布の日から施行する。

（港湾法施行令の一部改正に伴う経過措置）

第二条　この政令の施行前に貸し付けられた港湾法第五十五条の七第一項の国の貸付けに係る港湾管理者の貸付金及び同法第五十五条の八第一項の国の貸付けに係る港湾管理者の貸付金に関する貸付けの条件の基準については、なお従前の例による。

附　則〔平成二五年一二月二七日政令第三七一号〕

（施行期日）

第一条　この政令は、平成二十六年一月十五日から施行する。

（経過措置）

第二条　この政令の施行の際現に改正後の港湾法施行令（以下「新令」という。）別表第二第一号に規定する東京湾中央航路の区域（改正前の港湾法施行令別表第二第一号に規定する中ノ瀬航路及び同表第二号に規定する浦賀水道航路の区域を除く。）内において水域を工作物の設置等により占用している者は、この政令の施行の日から起算して一月を経過する日までの間は、港湾法第四十三条の八第二項の規定による許可を受けないで、又は同条第四項において準用する同法第三十七条第三項の規定による協議を行わないでその水域を占用することができる。

第三条　この政令の施行の際現に新令別表第五に規定する東京湾に係る緊急確保航路又は大阪湾に係る緊急確保航路の区域内において水域を工作物の設置等により占用している者は、この政令の施行の日から起算して一月を経過する日までの間は、港湾法第五十五条の三の四第二項の規定による許可を受けないで、又は同条第四項において準用する同法第三十七条第三項の規定による協議を行わないでその水域を占用することができる。

2　この政令の施行の際現に新令別表第五に規定する伊勢湾に係る緊急確保航路の区域内において水域を工作物の設置等により占用している者は、この政令の施行の日から起算して三月を経過する日までの間は、港湾法第五十五条の三の四第二項の規定による許可を受けないで、又は同条第四項において準用する同法第三十七条第三項の規定による協議を行わないでその水域を占用することができる。

附　則〔平成二八年三月九日政令第五七号抄〕

（施行期日）

1　この政令は、平成二十八年四月一日から施行する。〔以下略〕

附　則〔平成二八年三月三〇日政令第八六号抄〕

（施行期日）

第一条　この政令は、平成二十八年四月一日から施行する。〔以下略〕

附　則〔平成二八年六月二四日政令第二四四号〕

（施行期日）

1　この政令は、港湾法の一部を改正する法律（平成二十八年法律第四十五号）の施行の日（平成二十八年七月一日）から施行する。

（経過措置）

2　この政令の施行の際現に改正後の港湾法施行令別表第五第三号に規定する瀬戸内海に係る緊急確保航路の区域（改正前の港湾法施行令別表第五第三号に規定する大阪湾に係る緊急確保航路の区域を除く。）内において水域を工作物の設置等により占用している者は、この政令の施行の日から起算して三月を経過する日までの間は、港湾法第五十五条の三の四第二項の規定による許可を受けないで、又は同条第四項において準用する同法第三十七条第三項の規定による協議を行わないでその水域を占用することができる。

（罰則に関する経過措置）

3　この政令の施行前にした行為に対する罰則の適用については、なお従前の例による。

附　則〔平成二九年七月七日政令第一八八号〕

この政令は、港湾法の一部を改正する法律の施行の日（平成二十九年七月八日）から施行する。

附　則〔平成二九年九月二七日政令第二五三号〕

この政令は、平成三十年四月一日から施行する。

附　則〔令和二年一月二九日政令第一五号〕

この政令は、港湾法の一部を改正する法律の施行の日（令和二年二月十四日）から施行する。

附　則〔令和二年八月五日政令第二三九号〕

この政令は、令和二年八月十二日から施行する。

附　則〔令和四年一二月一四日政令第三八一号〕

この政令は、港湾法の一部を改正する法律の施行の日（令和四年十二月十六日）から施行する。

附　則〔令和六年六月二一日政令第二一二号〕

（施行期日）

1　この政令は、令和六年七月一日から施行する。

（水域の占用の許可等に関する経過措置）

2　この政令の施行の際現にこの政令による改正後の港湾法施行令別表第五第三号に規定する瀬戸内海に係る緊急確保航路の区域（この政令による改正前の港湾法施行令別表第五第三号に規定する瀬戸内海に係る緊急確保航路の区域を除く。）内において水域を工作物の設置等により占用している者は、この政令の施行の日から起算して三月を経過する日までの間は、港湾法第五十五条の三の五第二項の許可を受けないで、又は同条第四項において準用する同法第三十七条第三項の規定による協議を行わないでその水域を占用することができる。

（罰則に関する経過措置）

3　この政令の施行前にした行為に対する罰則の適用については、なお従前の例による。

別表第一（第一条関係）

都道府県	国際戦略港湾	国際拠点港湾	重要港湾	避難港
北海道		室蘭、苫小牧	函館、小樽、釧路、留萌、稚内、十勝、石狩湾、紋別、網走、根室	松前、奥尻、えりも、椴法華、宗谷、天売
青森			青森、八戸、むつ小川原	尻屋岬、深浦
岩手			宮古、釜石、大船渡、久慈	
宮城		仙台湾		雄勝
秋田			秋田船川、能代	戸賀
山形			酒田	鼠ケ関
福島			小名浜、相馬	久之浜
茨城			鹿島、茨城	
千葉		千葉	木更津	名洗、興津
東京				洞輪沢
東京神奈川	京浜			
神奈川			横須賀	
新潟		新潟	直江津、両津、小木	二見
富山		伏木富山		
石川			七尾、金沢	輪島
福井			敦賀	鷹巣
静岡		清水	田子の浦、御前崎	下田
愛知		名古屋	衣浦、三河	伊良湖
三重		四日市	尾鷲、津松阪	浜島
京都			舞鶴	
大阪	大阪	堺泉北	阪南	
兵庫	神戸	姫路	尼崎西宮芦屋、東播磨	柴山
和歌山		和歌山下津	日高	勝浦、由良
鳥取			鳥取	田後
鳥取島根			境	
島根			浜田、西郷、三隅	七類
岡山		水島	宇野、岡山	
広島		広島	尾道糸崎、呉、福山	
山口		徳山下松	宇部、岩国、三田尻中関、小野田	油谷
山口福岡		関門		
徳島			徳島小松島、橘	
香川			高松、坂出	
愛媛			今治、松山、新居浜、宇和島、東予、三島川之江	
高知			高知、須崎、宿毛湾	上川口、室津
福岡		博多	苅田、三池	大島
佐賀			唐津、伊万里	呼子
長崎			長崎、佐世保、福江、厳原、郷ノ浦	脇岬
熊本			三角、八代、熊本	
大分			大分、津久見、別府、佐伯、中津	
宮崎			細島、油津、宮崎	

鹿児島			鹿児島、名瀬、西之表、志布志、川内	大泊、古仁屋
沖縄			運天、那覇、平良、石垣、金武中城	安護の浦、船浮

本表…全部改正〔昭和二六年九月政令三〇五号〕、一部改正〔昭和二七年二月政令一〇号・二九年七月一九三号・三二年五月一一〇号・三四年六月二一四号・三五年六月一五四号・三七年六月二五五号・三八年三月七七号・三九年三月三五号・四〇年三月六七号・四二年五月九二号・四三年四月八六号・四四年三月四六号・四五年五月一一六号・四六年四月一一四号・七月二三七号・四七年四月一一三号・四八年四月八四号・四九年四月一三六号・五〇年四月一三二号・五二年九月二六二号・五三年四月一二八号・五四年五月一四二号・五六年五月一八六号・一〇月三〇六号・五七年一一月二九九号・五八年三月四二号・一〇月二一一号・六一年六月二一九号・平成一一年六月一七一号〕、全部改正〔平成一二年三月政令一九三号〕、一部改正〔平成一三年三月政令一二四号・一五年三月七六号〕、全部改正〔平成二三年三月政令八九号〕、一部改正〔平成二四年一〇月政令二五九号〕

別表第二（第一条の二関係）

一　東京湾中央航路

次に掲げる地点を順次に結んだ線及び⑴に掲げる地点と㉔に掲げる地点とを結んだ線により囲まれた区域

⑴　川崎東扇島防波堤東灯台（北緯三五度二九分四一秒東経一三九度四六分五九秒）から八〇度三〇分六、〇三〇メートルの地点

⑵　川崎東扇島防波堤東灯台から九九度八、九〇〇メートルの地点

⑶　川崎東扇島防波堤東灯台から一二三度七、六八〇メートルの地点

⑷　木更津港防波堤西灯台（北緯三五度二二分三七秒東経一三九度五一分四〇秒）から五度一五分五、六三〇メートルの地点

⑸　木更津港防波堤西灯台から二九二度三〇分五、一〇〇メートルの地点

⑹　川崎東扇島防波堤西灯台（北緯三五度二八分五一秒東経一三九度四五分三秒）から一六四度八、六二〇メートルの地点

⑺　第二海堡灯台（北緯三五度一八分四二秒東経一三九度四四分二九秒）から一〇度三、八二〇メートルの地点

⑻　第二海堡灯台から三五一度七九〇メートルの地点

⑼　第二海堡灯台から七一度三六〇メートルの地点

⑽　第二海堡灯台から一六六度一五分六三〇メートルの地点

⑾　観音埼灯台（北緯三五度一五分二二秒東経一三九度四四分四三秒）から九〇度三、七〇〇メートルの地点

⑿　海獺島灯台（北緯三五度一二分四三秒東経一三九度四四分七秒）から九〇度四、六五〇メートルの地点

⒀　海獺島灯台から九〇度二、九〇〇メートルの地点

⒁　観音埼灯台から九〇度一、九五〇メートルの地点

⒂　第二海堡灯台から一七九度四五分二、八九〇メートルの地点

⒃　第二海堡灯台から一八六度三〇分三、一七〇メートルの地点

⒄　第二海堡灯台から一九七度二、六五〇メートルの地点

⒅　第二海堡灯台から一九〇度三〇分二、三二〇メートルの地点

⒆　横須賀港東北防波堤東灯台（北緯三五度一九分九秒東経一三九度四〇分三一秒）から六一度三〇分二、八二〇メートルの地点

⒇　横浜金沢木材ふとう東防波堤灯台（北緯三五度二二分四三秒東経一三九度三九分三〇秒）から七五度一五分三、六五〇メートルの地点

㉑　横浜本牧防波堤灯台（北緯三五度二六分三六秒東経一三九度四一分二一秒）から一五四度四五分四、二一〇メートルの地点

㉒　横浜本牧防波堤灯台から一四九度四、〇四〇メートルの地点

㉓　横浜大黒防波堤東灯台（北緯三五度二七分二四秒東経一三九度四二分二五秒）から一三八度一五分四、五〇〇メートルの地点

㉔　川崎東扇島防波堤東灯台から一一七度三〇分四、〇四〇メートルの地点

二　中山水道航路

次に掲げる地点を順次に結んだ線及び⑴に掲げる地点と⑷に掲げる地点とを結んだ線により囲まれた区域

⑴　尾張野島灯台（北緯三四度三九分二七秒東経一三七度二九秒）から一九七度三〇分一、五〇〇メートルの地点

⑵　尾張野島灯台から一七九度三〇分二、〇八〇メートルの地点

⑶　尾張野島灯台から二一二度四、五三〇メートルの地点

⑷　尾張野島灯台から二二二度四、三〇〇メートルの地点

三　備讃瀬戸航路

⑴から㉟までに掲げる地点を順次に結んだ線及び⑴に掲げる地点と㉟に掲げる地点とを結んだ線により囲まれた区域のうち㊱から㊵までに掲げる地点を順次に結んだ線及び㊱に掲げる地点と㊵に掲げる地点とを結んだ線により囲まれた区域以外の区域

⑴　男木島灯台（北緯三四度二六分一秒東経一三四度三分三九秒）から三五二度三〇分二、〇一〇メートルの地点

⑵　カナワ岩灯標（北緯三四度二五分一八秒東経一三四度七分四九秒）から二四度三〇分二、二五〇メートルの地点

⑶　地蔵埼灯台（北緯三四度二四分五七秒東経一三四度一四分七秒）から二一八度三〇分一、一七〇メートルの地点

⑷　地蔵埼灯台から二〇九度一五分二、六五〇メートルの地点

⑸　カナワ岩灯標から三二度四五分七二〇メートルの地点

⑹　男木島灯台から三五三度四三〇メートルの地点

⑺　男木島灯台から二四七度一五分四、五〇〇メートルの地点

⑻　大槌三角点（北緯三四度二五分八秒東経一三三度五五分二二秒）から一四一度一五分二、一八〇メートルの地点

⑼　小瀬居島三角点（北緯三四度二二分二三秒東経一三三度五一分一二秒）から三一一度一五分四三〇メートルの地点

⑽　沙弥島北端（北緯三四度二一分一二秒東経一三三度四九分九秒）から四三度四五分一、一六〇メートルの地点

⑾　波節岩灯標（北緯三四度二〇分四二秒東経一三三度四二分四七秒）から九七度三〇分五、三九〇メートルの地点

⑿　波節岩灯標から二〇〇度四、九〇〇メートルの地点

⒀　二面島灯台（北緯三四度一八分五秒東経一三三度三七分一九秒）から一〇六度三〇分四、七〇〇メートルの地点

⒁　二面島灯台から一八五度四五分一、三三〇メートルの地点

⒂　二面島灯台から一九五度五七〇メートルの地点

⒃　二面島灯台から九七度四、三七〇メートルの地点

⒄　波節岩灯標から二〇六度三〇分四、三六〇メートルの地点

⒅　波節岩灯標から九〇度三〇分五、〇九〇メートルの地点

⒆　牛島灯標（北緯三四度二二分東経一三三度四六分四七秒）から一二八度一五分一、八八〇メートルの地点

⒇　牛島灯標から九〇度四五分二、〇二〇メートルの地点

㉑　牛島灯標から七四度二、〇〇〇メートルの地点

㉒　牛島灯標から二八二度三〇分一七〇メートルの地点

㉓　牛島灯標から二四四度一五分一、一〇〇メートルの地点

㉔　板持鼻灯台（北緯三四度一九分三二秒東経一三三度三九分四七秒）から五八度二、三〇〇メートルの地点

㉕　二面島灯台から五度四五分七七〇メートルの地点

㉖　二面島灯台から三四八度三〇分一、五二〇メートルの地点

㉗　板持鼻灯台から三七度三〇分二、三三〇メートルの地点

㉘　牛島灯標から二七八度一五分一、四二〇メートルの地点

㉙　鍋島灯台（北緯三四度二二分五七秒東経一三三度四九分二五秒）から二七八度四五分二、三九〇メートルの地点

㉚　鍋島灯台から二九〇度三〇分一、七四〇メートルの地点

㉛　鍋島灯台から二七四度四五分七四〇メートルの地点

(32) 鍋島灯台から一二九度三〇分一四〇メートルの地点
(33) 鍋島灯台から七四度三〇分一、一四〇メートルの地点
(34) 大槌三角点から一〇六度四五分九六〇メートルの地点
(35) 男木島灯台から二六五度一五分四、七六〇メートルの地点
(36) 鍋島灯台から一九四度一五分七六〇メートルの地点
(37) 鍋島灯台から一三四度一五分一、二五〇メートルの地点
(38) 鍋島灯台から一七八度一、五八〇メートルの地点
(39) 鍋島灯台から二一八度一五分一、七二〇メートルの地点
(40) 鍋島灯台から二三〇度一、五三〇メートルの地点

四　鼻栗瀬戸航路

次に掲げる地点を順次に結んだ線及び(1)に掲げる地点と(8)に掲げる地点とを結んだ線により囲まれた区域

(1)　鼻栗瀬戸下小丸子島灯台（北緯三四度一三分五秒東経一三三度三分二六秒）から二九度七三〇メートルの地点
(2)　鼻栗瀬戸下小丸子島灯台から六二度六二〇メートルの地点
(3)　鼻栗瀬戸下小丸子島灯台から七四度三〇分五四〇メートルの地点
(4)　鼻栗瀬戸下小丸子島灯台から二〇一度四六〇メートルの地点
(5)　鼻栗瀬戸下小丸子島灯台から二二六度三〇分四一〇メートルの地点
(6)　鼻栗瀬戸下小丸子島灯台から一四〇度三〇メートルの地点
(7)　鼻栗瀬戸下小丸子島灯台から四〇度一五分三六〇メートルの地点
(8)　鼻栗瀬戸下小丸子島灯台から一八度三〇分五六〇メートルの地点

五　来島海峡航路

(1)から(15)までに掲げる地点を順次に結んだ線及び(1)に掲げる地点と(15)に掲げる地点とを結んだ線により囲まれた区域のうち(16)から(22)までに掲げる地点を順次に結んだ線及び(16)に掲げる地点と(22)に掲げる地点とを結んだ線により囲まれた区域以外の区域

(1)　桴磯灯標（北緯三四度八分四四秒東経一三二度五六分五秒）から一八度二、七三〇メートルの地点
(2)　馬島三角点（北緯三四度七分七秒東経一三二度五九分三八秒）から二三度二、三一〇メートルの地点
(3)　ナガセ鼻灯台（北緯三四度七分五秒東経一三二度五九分四六秒）から一〇一度四四〇メートルの地点
(4)　ウズ鼻灯台（北緯三四度六分四五秒東経一三二度五九分二八秒）から一〇二度一、一八〇メートルの地点
(5)　竜神島灯台（北緯三四度六分一六秒東経一三三度一分三九秒）から一九七度八八〇メートルの地点
(6)　竜神島灯台から一三一度三〇分一、〇六〇メートルの地点
(7)　竜神島灯台から一五六度二、四一〇メートルの地点
(8)　竜神島灯台から一九七度二、五二〇メートルの地点
(9)　来島白石灯標（北緯三四度六分二五秒東経一三二度五九分）から五九度一五〇メートルの地点
(10)　ウズ鼻灯台から二九九度一、一六〇メートルの地点
(11)　馬島三角点から三二一度一、二〇〇メートルの地点
(12)　馬島三角点から三三一度一、六〇〇メートルの地点
(13)　桴磯灯標から二六度一、一八〇メートルの地点
(14)　桴磯灯標から三〇一度一、六九〇メートルの地点
(15)　桴磯灯標から三二六度二、八三〇メートルの地点
(16)　馬島三角点から三五四度六六〇メートルの地点
(17)　馬島三角点から三四度四六〇メートルの地点
(18)　馬島三角点から一六六度八〇〇メートルの地点
(19)　ウズ鼻灯台から一八〇度一四〇メートルの地点
(20)　ウズ鼻灯台から二一七度一一〇メートルの地点
(21)　馬島三角点から二七〇度五二〇メートルの地点
(22)　馬島三角点から三二四度五六〇メートルの地点

六　音戸瀬戸航路

次に掲げる地点を順次に結んだ線及び(1)に掲げる地点と(14)に掲げる地点とを結んだ線により囲まれた区域

(1)　音戸灯台（北緯三四度一一分五七秒東経一三二度三二分一二秒）から四二度三〇分二七九メートルの地点
(2)　音戸灯台から五八度三〇分三四一メートルの地点
(3)　音戸灯台から一五六度三八九メートルの地点
(4)　音戸灯台から一六三度四一二メートルの地点
(5)　音戸灯台から一七二度五六九メートルの地点

(6) 音戸灯台から一七一度三〇分六二五メートルの地点
(7) 音戸灯台から一七六度七八七メートルの地点
(8) 音戸灯台から一八四度七六一メートルの地点
(9) 音戸灯台から一八〇度三〇分五七二メートルの地点
(10) 音戸灯台から一七八度五四二メートルの地点
(11) 音戸灯台から一七六度三〇分四八二メートルの地点
(12) 音戸灯台から一七六度三〇分三九八メートルの地点
(13) 音戸灯台から一六五度三〇分二四六メートルの地点
(14) 音戸灯台から一五九度二三四メートルの地点

七 奥南航路

次に掲げる地点を順次に結んだ線及び(1)に掲げる地点と(12)に掲げる地点とを結んだ線により囲まれた区域のうち国土交通大臣が定める陸域以外の区域

(1) 山下灯台（北緯三三度一六分三二秒東経一三二度二八分三四秒）から二九五度一五分四一メートルの地点
(2) 山下灯台から六六度四五分一〇〇メートルの地点
(3) 山下灯台から一二六度一三五メートルの地点
(4) 山下灯台から一三九度一一五メートルの地点
(5) 山下灯台から一四三度一五分三五四メートルの地点
(6) 山下灯台から一四四度三〇分四三三メートルの地点
(7) 山下灯台から一四五度四三三メートルの地点
(8) 山下灯台から一五四度一五分四〇三メートルの地点
(9) 山下灯台から一五一度三〇七メートルの地点
(10) 山下灯台から一四八度一五分二八七メートルの地点
(11) 山下灯台から一五四度四五分八六メートルの地点
(12) 山下灯台から一八六度一五分九八メートルの地点

八 船越航路

次に掲げる地点を順次に結んだ線及び(1)に掲げる地点と(22)に掲げる地点とを結んだ線により囲まれた区域のうち国土交通大臣が定める陸域以外の区域

(1) 船越運河北口防波堤灯台（北緯三三度三分一四秒東経一三二度二六分）から三三二度一一四メートルの地点
(2) 船越運河北口防波堤灯台から四九度三七メートルの地点

(3) 船越運河北口防波堤灯台から一七九度三〇分一五メートルの地点
(4) 船越運河南口防波堤灯台から一八一度四一メートルの地点
(5) 船越運河南口防波堤灯台（北緯三三度三分三秒東経一三二度二六分）から二度三〇分一九〇メートルの地点
(6) 船越運河南口防波堤灯台から三度三〇分一五四メートルの地点
(7) 船越運河南口防波堤灯台から一三度三〇分一一四メートルの地点
(8) 船越運河南口防波堤灯台から二一度三〇分一二七メートルの地点
(9) 船越運河南口防波堤灯台から三二度一四〇メートルの地点
(10) 船越運河南口防波堤灯台から四一度一三二メートルの地点
(11) 船越運河南口防波堤灯台から八二度三〇分八六メートルの地点
(12) 船越運河南口防波堤灯台から一七〇度三〇分二八メートルの地点
(13) 船越運河南口防波堤灯台から二五八度三〇分四九メートルの地点
(14) 船越運河南口防波堤灯台から三〇九度一一〇メートルの地点
(15) 船越運河南口防波堤灯台から三一一度一一メートルの地点
(16) 船越運河南口防波堤灯台から三四〇度三〇分一〇〇メートルの地点
(17) 船越運河南口防波堤灯台から三四六度一〇五メートルの地点
(18) 船越運河南口防波堤灯台から三五二度一九七メートルの地点
(19) 船越運河南口防波堤灯台から三四八度三〇分二二〇メートルの地点
(20) 船越運河北口防波堤灯台から二三四度三〇分七四メートルの地点
(21) 船越運河北口防波堤灯台から二五八度五二メートルの地点
(22) 船越運河北口防波堤灯台から三一二度八四メートルの地点

九 細木航路

次に掲げる地点を順次に結んだ線及び(1)に掲げる地点と(12)に掲げる地点とを結んだ線により囲まれた区域のうち国土交通大臣が定める陸域以外の区域

(1) 細木運河北口灯台（北緯三三度一二分二四秒東経一三二度二四分二五秒）から三四一度三〇分四二メートルの地点
(2) 細木運河北口灯台から八九度一一二メートルの地点
(3) 細木運河北口灯台から一三一度三〇分九四メートルの地点
(4) 細木運河北口灯台から一五二度三〇分八九メートルの地点
(5) 細木運河北口灯台から一五七度三〇分一二三メートルの地点
(6) 細木運河北口灯台から一八三度一三九メートルの地点

(7) 細木運河北口灯台から一八五度一三九メートルの地点
(8) 細木運河北口灯台から一八二度三〇分一七九メートルの地点
(9) 細木運河北口灯台から二〇五度二〇八メートルの地点
(10) 細木運河北口灯台から二〇一度三〇分一五六メートルの地点
(11) 細木運河北口灯台から二一五度三〇分九五メートルの地点
(12) 細木運河北口灯台から二五二度五二メートルの地点

十 関門航路

次に掲げる地点を順次に結んだ線及び(1)に掲げる地点と(46)に掲げる地点とを結んだ線により囲まれた区域

(1) 六連島三角点（北緯三三度五八分三七秒東経一三〇度五一分五一秒）から四〇度四五分二、八九〇メートルの地点
(2) 六連島三角点から七四度一、九七〇メートルの地点
(3) 六連島三角点から一一九度一、八二〇メートルの地点
(4) 若松洞海湾口防波堤灯台（北緯三三度五六分二八秒東経一三〇度五一分二秒）から五一度二、二八〇メートルの地点
(5) 若松洞海湾口防波堤灯台から七〇度一五分一、八八〇メートルの地点
(6) 若松洞海湾口防波堤灯台から一〇六度三〇分三、四八〇メートルの地点
(7) 砂津防波堤灯台（北緯三三度五三分三七秒東経一三〇度五三分三八秒）から二二度二、二三〇メートルの地点
(8) 砂津防波堤灯台から四二度二、三四〇メートルの地点
(9) 砂津防波堤灯台から五三度三、四二〇メートルの地点
(10) 砂津防波堤灯台から五二度三、七四〇メートルの地点
(11) 門司埼灯台（北緯三三度五七分四四秒東経一三〇度五七分四七秒）から二三〇度四五分二、九一〇メートルの地点
(12) 火ノ山三角点（北緯三三度五八分二八秒東経一三〇度五七分三八秒）から一九一度一、〇二〇メートルの地点
(13) 火ノ山三角点から七二度三〇分三、三〇〇メートルの地点
(14) 満珠島灯台（北緯三三度五九分四一秒東経一三一度一分三六秒）から一五六度三〇分六〇〇メートルの地点
(15) 満珠島灯台から一四一度一、一〇〇メートルの地点
(16) 満珠島灯台から一五一度一、七四〇メートルの地点
(17) 満珠島灯台から一四九度三〇分一、七五〇メートルの地点
(18) 部埼灯台（北緯三三度五七分三四秒東経一三一度一分二三秒）から七五度一、八六〇メートルの地点
(19) 部埼灯台から一一二度三、四八〇メートルの地点
(20) 新門司防波堤灯台（北緯三三度五二分二三秒東経一三一度三六秒）から八七度三〇分一五、二五〇メートルの地点
(21) 新門司防波堤灯台から九〇度一四、七七〇メートルの地点
(22) 部埼灯台から一二五度三〇分四、二二〇メートルの地点
(23) 部埼灯台から一二五度四、二二〇メートルの地点
(24) 部埼灯台から一二五度二、五〇〇メートルの地点
(25) 部埼灯台から一〇度三〇分八二〇メートルの地点
(26) 城山三角点（北緯三三度五七分二九秒東経一三〇度五八分七秒）から六三度三、八五〇メートルの地点
(27) 城山三角点から五三度三〇分二、六〇〇メートルの地点
(28) 門司埼灯台
(29) 門司埼灯台から二一六度四五分三、四〇〇メートルの地点
(30) 砂津防波堤灯台から六三度一五分三、六六〇メートルの地点
(31) 砂津防波堤灯台から七三度二、三七〇メートルの地点
(32) 砂津防波堤灯台から七二度一五分一、五四〇メートルの地点
(33) 砂津防波堤灯台から二五度一、〇二〇メートルの地点
(34) 若松洞海湾口防波堤灯台から一〇〇度九〇〇メートルの地点
(35) 若松洞海湾口防波堤灯台から三二七度三〇分一、八六〇メートルの地点
(36) 六連島三角点から二四七度三、二八〇メートルの地点
(37) 六連島三角点から三〇二度一五分二、九七〇メートルの地点
(38) 六連島三角点から三一二度一、一三〇メートルの地点
(39) 六連島三角点から二四五度三〇分一、一九〇メートルの地点
(40) 六連島三角点から二一一度一五分一、一〇〇メートルの地点
(41) 六連島三角点から二一〇度三〇分一、〇八〇メートルの地点
(42) 六連島三角点から一九九度四五分一、一八〇メートルの地点
(43) 六連島三角点から一七七度四五分一、八六〇メートルの地点
(44) 六連島三角点から一二六度三〇分一、〇八〇メートルの地点

(45) 六連島三角点から六五度三〇分一、〇二〇メートルの地点
(46) 六連島三角点から三五度四五分一、二五〇メートルの地点

十一 本渡瀬戸航路

次に掲げる地点を順次に結んだ線及び(1)に掲げる地点と(30)に掲げる地点とを結んだ線により囲まれた区域のうち国土交通大臣が定める陸域以外の区域

(1) 高松山三角点（北緯三二度二六分五六秒東経一三〇度一二分三八秒）から二九七度五五分四六秒六一三メートルの地点（以下「イ地点」という。）から二度四五分五八二メートルの地点
(2) イ地点から三五七度一五分四九九メートルの地点
(3) イ地点から一九四度三〇分一八四メートルの地点
(4) イ地点から一八六度一五分三五七メートルの地点
(5) イ地点から一七五度一五分三六二メートルの地点
(6) 大門三角点（北緯三二度二五分五二秒東経一三〇度一二分三〇秒）から六度二三分四〇秒七六五メートルの地点（以下「ロ地点」という。）から三三二度一五分七二二メートルの地点
(7) ロ地点から三二五度四五分六二三メートルの地点
(8) ロ地点から一四四度三〇分一四〇メートルの地点
(9) 大門三角点から一〇〇度二七分一六秒三九三メートルの地点（以下「ハ地点」という。）から二七〇度一二六メートルの地点
(10) ハ地点から二七〇度一八〇メートルの地点
(11) ハ地点から二一九度四五分一七三メートルの地点
(12) ハ地点から一四八度一五分五六〇メートルの地点
(13) 大門三角点から一三一度一八分三四秒一、三八四メートルの地点（以下「ニ地点」という。）から三三九度二二五メートルの地点
(14) ニ地点から一七八度七〇〇メートルの地点
(15) ニ地点から一八二度四五分七〇六メートルの地点
(16) ニ地点から三一五度一五分一七二メートルの地点
(17) ニ地点から三一九度一五分二七五メートルの地点
(18) ハ地点から一五二度四五分五八七メートルの地点
(19) ハ地点から一二八度三〇分二二六メートルの地点
(20) ハ地点から二七〇度二四八メートルの地点
(21) ハ地点から二七〇度二九四メートルの地点
(22) ロ地点から一八五度四五分三二メートルの地点
(23) ロ地点から二一八度三〇分一三一メートルの地点
(24) ロ地点から二八八度一六七メートルの地点
(25) ロ地点から三一四度五六五メートルの地点
(26) イ地点から一九〇度三〇分六七〇メートルの地点
(27) イ地点から二〇二度一五分四二メートルの地点
(28) イ地点から一九八度一五分三七〇メートルの地点
(29) イ地点から二〇一度四五分三二五メートルの地点
(30) イ地点から三四九度四五分五二九メートルの地点

十二 蟐蛾ノ瀬戸航路

次に掲げる地点を順次に結んだ線及び(1)に掲げる地点と(11)に掲げる地点とを結んだ線により囲まれた区域

(1) 烏帽子埼（北緯三三度四四分一七秒東経一二九度三九分二六秒）から三一八度四五分九三〇メートルの地点
(2) 烏帽子埼から二八九度四五分四五〇メートルの地点
(3) 烏帽子埼から二九四度一五分三三〇メートルの地点
(4) 烏帽子埼から二五五度三〇分三五〇メートルの地点
(5) 烏帽子埼から二一九度一五分三六〇メートルの地点
(6) 烏帽子埼から一八九度一五分三九〇メートルの地点
(7) 烏帽子埼から一六六度四一〇メートルの地点
(8) 烏帽子埼から一六九度六一〇メートルの地点
(9) 烏帽子埼から一九〇度一五分六二〇メートルの地点
(10) 烏帽子埼から二二七度三〇分六〇〇メートルの地点
(11) 烏帽子埼から三〇八度一五分一、〇二〇メートルの地点

十三 平戸瀬戸航路

次に掲げる地点を順次に結んだ線及び(1)に掲げる地点と(14)に掲げる地点とを結んだ線により囲まれた区域のうち国土交通大臣が定める陸域以外の区域

(1) 広瀬灯台（北緯三三度二二分五三秒東経一二九度三四分九秒）から三三七度三〇分二八〇メートルの地点
(2) 広瀬灯台から八三度一一〇メートルの地点

(3) 広瀬灯台から一二三度一五分三四〇メートルの地点
(4) 広瀬灯台から一八〇度四三〇メートルの地点
(5) 広瀬灯台から一八九度一五分六八〇メートルの地点
(6) 広瀬灯台から一八五度一五分一、二一〇メートルの地点
(7) 田平港西防波堤灯台（北緯三三度二一分四八秒東経一二九度三四分二七秒）から三一九度七〇メートルの地点
(8) 田平港西防波堤灯台から一六〇度四五分三八〇メートルの地点
(9) 田平港西防波堤灯台から一七七度三〇分七四〇メートルの地点
(10) 田平港西防波堤灯台から二〇六度三〇分七三〇メートルの地点
(11) 田平港西防波堤灯台から二〇六度四五分七〇〇メートルの地点
(12) 田平港西防波堤灯台から二三五度一五分四六〇メートルの地点
(13) 田平港西防波堤灯台から三〇一度四五分一、一二〇メートルの地点
(14) 広瀬灯台から二九九度五四〇メートルの地点

十四　万関瀬戸航路

次に掲げる地点を順次に結んだ線及び(1)に掲げる地点と(25)に掲げる地点とを結んだ線により囲まれた区域

(1) 万関瀬戸東口灯台（北緯三四度一七分五八秒東経一二九度二一分二五秒）から一七二度三〇分一二メートルの地点
(2) 万関瀬戸東口灯台から一四〇度八五メートルの地点
(3) (2)に掲げる地点から二二五度一〇〇メートルの地点
(4) (3)に掲げる地点から二〇四度八九メートルの地点
(5) (4)に掲げる地点から二三四度三〇分一二二メートルの地点
(6) (5)に掲げる地点から二二一度三〇分二三メートルの地点
(7) (6)に掲げる地点から二〇三度三〇分四二メートルの地点
(8) (7)に掲げる地点から二四一度三〇分四〇メートルの地点
(9) (8)に掲げる地点から二二三度三八メートルの地点
(10) (9)に掲げる地点から二〇〇度三〇分四四メートルの地点
(11) (10)に掲げる地点から二四四度四五分一五二メートルの地点
(12) (11)に掲げる地点から三〇六度一五分二九メートルの地点
(13) 万関瀬戸東口灯台から二二九度四五分八二五メートルの地点
(14) 万関瀬戸東口灯台から二三七度三〇分六三〇メートルの地点
(15) (14)に掲げる地点から一一七度七五メートルの地点
(16) (15)に掲げる地点から五七度四〇メートルの地点
(17) (16)に掲げる地点から八六度四九メートルの地点
(18) (17)に掲げる地点から一〇一度三〇分五六メートルの地点
(19) (18)に掲げる地点から四八度三〇分三八メートルの地点
(20) (19)に掲げる地点から三九度一五分一一〇メートルの地点
(21) (20)に掲げる地点から三一〇度一四メートルの地点
(22) (21)に掲げる地点から三八度三〇分八九メートルの地点
(23) (22)に掲げる地点から八六度一五分一七メートルの地点
(24) (23)に掲げる地点から四七度九一メートルの地点
(25) (24)に掲げる地点から五九度一六メートルの地点

十五　竹富南航路

(1)から(36)までに掲げる地点を順次に結んだ線及び(1)に掲げる地点と(36)に掲げる地点とを結んだ線により囲まれた区域のうち(37)から(61)までに掲げる地点を順次に結んだ線及び(37)に掲げる地点と(61)に掲げる地点とを結んだ線により囲まれた区域以外の区域

(1) 竹富三角点（北緯二四度一九分五五秒東経一二四度五分一〇秒）から二七〇度四五分四、二六四メートルの地点
(2) 竹富三角点から二六〇度四五分三、〇〇四メートルの地点
(3) 竹富三角点から二三八度四五分二、七一一メートルの地点
(4) 竹富三角点から二二九度四五分二、九五〇メートルの地点
(5) 竹富三角点から二二八度三〇分二、九七三メートルの地点
(6) 竹富三角点から二一三度三、一四〇メートルの地点
(7) 竹富三角点から二一一度三、一三二メートルの地点
(8) 竹富三角点から一九六度四五分二、八六八メートルの地点
(9) 竹富三角点から一七八度二、五四四メートルの地点
(10) 竹富三角点から一六八度三〇分二、五六〇メートルの地点
(11) 竹富三角点から一〇八度三〇分二、九二六メートルの地点
(12) 竹富三角点から一一〇度三、〇二四メートルの地点
(13) 竹富三角点から一六七度三〇分二、六七四メートルの地点
(14) 竹富三角点から一七七度四五分二、六五七メートルの地点
(15) 竹富三角点から一九五度四五分二、九六九メートルの地点

(16) 竹富三角点から二〇四度一五分三、四六三メートルの地点
(17) 竹富三角点から二〇六度三〇分三、七〇〇メートルの地点
(18) 竹富三角点から二〇八度三〇分四、五六五メートルの地点
(19) 黒島三角点（北緯二四度一四分一五秒東経一二三度五九分四一秒）から四一度四五分六、七二四メートルの地点
(20) 黒島三角点から二七度四五分五、一四八メートルの地点
(21) 黒島三角点から二五度三〇分四、九六五メートルの地点
(22) 黒島三角点から一八度四五分四、四一七メートルの地点
(23) 黒島三角点から一六度四五分四、二七五メートルの地点
(24) 黒島三角点から一度一五分三、四一六メートルの地点
(25) 黒島三角点から三二〇度四五分三、三一一メートルの地点
(26) ポン山三角点（北緯二四度一四分二一秒東経一二三度五六分四五秒）から二五度一五分二、〇八八メートルの地点
(27) ポン山三角点から三〇七度一五分二、四二六メートルの地点
(28) 大原三角点（北緯二四度一六分三四秒東経一二三度五二分三三秒）から一三一度四五分四、一三九メートルの地点
(29) 大原三角点から一三〇度四五分四、〇四三メートルの地点
(30) ポン山三角点から三一一度三〇分三、九一四メートルの地点
(31) ポン山三角点から三三七度一五分四、二一五メートルの地点
(32) ポン山三角点から三五七度四五分四、六四五メートルの地点
(33) 小浜三角点（北緯二四度二〇分四九秒東経一二三度五八分四二秒）から一五三度四五分五、七二八メートルの地点
(34) 竹富三角点から二五一度三〇分五、三一六メートルの地点
(35) 竹富三角点から二五二度五、二三二メートルの地点
(36) 竹富三角点から二六九度三〇分四、三六〇メートルの地点
(37) 竹富三角点から二六八度一五分四、一二二メートルの地点
(38) 竹富三角点から二五九度三〇分三、一二九メートルの地点
(39) 竹富三角点から二五八度三〇分三、〇七八メートルの地点
(40) 竹富三角点から二三九度一五分二、八二七メートルの地点
(41) 竹富三角点から二二九度四五分三、〇八四メートルの地点
(42) 竹富三角点から二一一度四五分三、二八七メートルの地点
(43) 竹富三角点から二〇〇度三、〇二九メートルの地点
(44) 竹富三角点から二〇五度四五分三、三九七メートルの地点
(45) 竹富三角点から二〇八度一五分三、六六二メートルの地点
(46) 竹富三角点から二一〇度四、五二五メートルの地点
(47) 黒島三角点から四一度六、七七九メートルの地点
(48) 黒島三角点から二六度四五分五、二三五メートルの地点
(49) 黒島三角点から二四度三〇分五、〇四八メートルの地点
(50) 黒島三角点から一六度四五分四、四四一メートルの地点
(51) 黒島三角点から〇度三〇分三、五一九メートルの地点
(52) 黒島三角点から三二一度三〇分三、四一八メートルの地点
(53) ポン山三角点から二三度三〇分二、一八二メートルの地点
(54) ポン山三角点から三〇九度一五分二、五〇七メートルの地点
(55) 大原三角点から一二九度一五分四、一六八メートルの地点
(56) ポン山三角点から三一一度三〇分三、七九九メートルの地点
(57) ポン山三角点から三三七度四五分四、一〇二メートルの地点
(58) ポン山三角点から三五八度一五分四、五三八メートルの地点
(59) 小浜三角点から一五三度四五分五、八四三メートルの地点
(60) 竹富三角点から二五〇度一五分五、二〇五メートルの地点
(61) 竹富三角点から二六七度一五分四、三〇九メートルの地点

本表…追加〔昭和四九年七月政令二六五号〕、一部改正〔昭和五〇年四月政令一三二号・五一年三月三七号・五三年二月二一号・四月一二八号・一二月三八八号・五四年五月一四二号・一一月二八五号・五八年四月九一号・五九年五月一六六号・六三年一二月三四六号・平成元年八月二四三号・一二月三四四号・六年一月六号・平成一二年三月一九三号・六月三一二号・一三年一二月四三四号・一六年四月一四七号・二〇年一一月三五五号・二一年一一月二七八号・二三年七月二一七号・二五年一二月三七一号〕

参照 七号・八号・九号・一一号・一三号〔国土交通大臣が定める陸域〕陸域を定める告示

別表第三（第一条の三関係）

都道府県	
青森	八戸
岩手	釜石
宮城	石巻、塩釜
茨城	久慈
静岡	浜名
京都	舞鶴
和歌山	勝浦
長崎	長崎
熊本	牛深
宮崎	油津

本表…追加〔昭和二六年九月政令三〇五号〕、旧別表二…繰下〔昭和四九年七月政令二六五号〕、本表…一部改正〔昭和五〇年四月政令一三二号〕

別表第四（第一条の五関係）

都道府県	
神奈川	横須賀
京都	舞鶴
広島	呉
福岡	苅田
長崎	佐世保

本表…追加〔昭和二六年九月政令三〇五号〕、旧別表四…繰下〔昭和四九年七月政令二六五号〕、本表…一部改正〔昭和五〇年四月政令一三二号・五九年六月一七六号〕、旧別表五…一部改正し繰上〔平成一二年三月政令一九三号〕、本表…一部改正〔平成二三年一一月政令三四三号〕

別表第五（第十七条の十関係）

一　東京湾に係る緊急確保航路

(1)から(13)までに掲げる地点を順次に結んだ線及び(1)に掲げる地点と(13)に掲げる地点とを結んだ線により囲まれた区域、(14)から(20)までに掲げる地点を順次に結んだ線及び(14)に掲げる地点と(20)に掲げる地点とを結んだ線により囲まれた区域、(21)から(26)までに掲げる地点を順次に結んだ線及び(21)に掲げる地点と(26)に掲げる地点とを結んだ線により囲まれた区域、(27)から(30)までに掲げる地点を順次に結んだ線及び(27)に掲げる地点と(30)に掲げる地点とを結んだ線により囲まれた区域、(31)から(34)までに掲げる地点を順次に結んだ線及び(31)に掲げる地点と(34)に掲げる地点とを結んだ線により囲まれた区域並びに(35)から(37)までに掲げる地点を順次に結んだ線及び(35)に掲げる地点と(37)に掲げる地点とを結んだ線により囲まれた区域

(1)　東京木材投下泊地防波堤西灯台（北緯三五度三七分三秒東経一三九度四九分四秒）から一二六度三〇分二、二七〇メートルの地点

(2)　東京木材投下泊地防波堤西灯台から一三六度三、三八〇メートルの地点

(3)　東京中央防波堤西灯台（北緯三五度三五分三三秒東経一三九度四七分二六秒）から一二九度一五分八、六二〇メートルの地点

(4)　川崎東扇島防波堤東灯台（北緯三五度二九分四一秒東経一三九度四六分五九秒）から七一度四五分八、三六〇メートルの地点

(5)　千葉港五井防波堤灯台（北緯三五度三三分一二秒東経一四〇度三分五九秒）から二七三度一五分一二、一四〇メートルの地点

(6)　川崎東扇島防波堤東灯台から八二度一五分一二、九四〇メートルの地点

(7)　川崎東扇島防波堤東灯台から九九度八、九〇〇メートルの地点

(8)　川崎東扇島防波堤東灯台から八〇度三〇分六、〇三〇メートルの地点

(9)　東京中央防波堤西灯台から一三八度一五分六、一九〇メートルの地点

(10)　東京中央防波堤西灯台から一三九度三〇分五、四六〇メートルの地点

(11)　東京中央防波堤西灯台から一三二度一五分五、一一〇メートルの地点

(12)　東京中央防波堤西灯台から一三一度六、五八〇メートルの地点

(13)　東京木材投下泊地防波堤西灯台から一五四度四五分三、九八〇メートルの地点

(14)　川崎東扇島防波堤東灯台から一〇二度一五分二、七七〇メートルの地点

(15) 川崎東扇島防波堤東灯台から一一七度三〇分四、〇四〇メートルの地点
(16) 川崎東扇島防波堤東灯台から一三八度三、六六〇メートルの地点
(17) 川崎東扇島防波堤東灯台から一三〇度二、三六〇メートルの地点
(18) 川崎東扇島防波堤東灯台から一六二度一五分三、八七〇メートルの地点
(19) 川崎東扇島防波堤東灯台から一七六度四五分四、四〇〇メートルの地点
(20) 川崎東扇島防波堤東灯台から一五二度三〇分二、一二〇メートルの地点
(21) 川崎東扇島防波堤東灯台から一七一度二、三七〇メートルの地点
(22) 横浜大黒防波堤東灯台（北緯三五度二七分二四秒東経一三九度四二分二五秒）から一二五度四、六九〇メートルの地点
(23) 横浜大黒防波堤東灯台から一三八度一五分四、五〇〇メートルの地点
(24) 横浜本牧防波堤灯台（北緯三五度二六分三六秒東経一三九度四一分二一秒）から一四九度四、〇四〇メートルの地点
(25) 横浜大黒防波堤東灯台から一二二度一五分三、四七〇メートルの地点
(26) 川崎東扇島防波堤西灯台（北緯三五度二八分五一秒東経一三九度四五分三秒）から一五六度四五分二、七〇〇メートルの地点
(27) 木更津港富津西防波堤灯台（北緯三五度二〇分四秒東経一三九度四九分一六秒）から三一八度一五分六、五三〇メートルの地点
(28) 木更津港富津西防波堤灯台から三一七度一五分五、八一〇メートルの地点
(29) 第二海堡灯台（北緯三五度一八分四二秒東経一三九度四四分二九秒）から一四度四五分六、四七〇メートルの地点
(30) 第二海堡灯台から一五度三〇分七、三五〇メートルの地点
(31) 横須賀港東北防波堤東灯台（北緯三五度一九分九秒東経一三九度四〇分三一秒）から九九度一五分二、八一〇メートルの地点
(32) 第二海堡灯台から二七八度三〇分二、二八〇メートルの地点
(33) 第二海堡灯台から二〇〇度三〇分二、〇一〇メートルの地点
(34) 第二海堡灯台から二一九度二、五三〇メートルの地点
(35) 横浜金沢木材ふとう東防波堤灯台（北緯三五度二二分四三秒東経一三九度三九分三〇秒）から七五度一五分三、六五〇メートルの地点
(36) 横須賀港東北防波堤東灯台から五六度一五分二、九五〇メートルの地点
(37) 横浜金沢木材ふとう東防波堤灯台から一一〇度四五分二、八四〇メートルの地点

二　伊勢湾に係る緊急確保航路

(1)から(6)までに掲げる地点を順次に結んだ線及び(1)に掲げる地点と(6)に掲げる地点とを結んだ線により囲まれた区域並びに(7)から(43)までに掲げる地点を順次に結んだ線及び(7)に掲げる地点と(43)に掲げる地点とを結んだ線により囲まれた区域
(1) 三河港姫島東防波堤灯台（北緯三四度四二分五六秒東経一三七度一五分一二秒）から二八六度四五分四、四三〇メートルの地点
(2) 三河港姫島東防波堤灯台から二八〇度三、九〇〇メートルの地点
(3) 立馬埼灯台（北緯三四度三九分三八秒東経一三七度四分一二秒）から三二四度一、四四〇メートルの地点
(4) 尾張野島灯台（北緯三四度三九分二七秒東経一三七度二九秒）から一七九度三〇分二、〇八〇メートルの地点
(5) 尾張野島灯台から一九七度三〇分一、五〇〇メートルの地点
(6) 立馬埼灯台から三二六度一五分二、一四〇メートルの地点
(7) 名古屋港高潮防波堤中央堤西灯台（北緯三五度三四秒東経一三六度四八分六秒）から二二六度三〇分四、三四〇メートルの地点
(8) 伊勢湾灯標（北緯三四度五六分一六秒東経一三六度四七分三三秒）から三三七度一五分三、五一〇メートルの地点
(9) 伊勢湾灯標から三一一度一五分一、九五〇メートルの地点
(10) 伊勢湾灯標から三三九度四五分二、四二〇メートルの地点
(11) 伊勢湾灯標から三五八度四五分九五〇メートルの地点
(12) 伊勢湾灯標から二二六度四五分二、二四〇メートルの地点
(13) 野間埼灯台（北緯三四度四五分二八秒東経一三六度五〇分四〇秒）から三〇三度四五分七、六七〇メートルの地点
(14) 内海港第四号防波堤灯台（北緯三四度四四分一六秒東経一三六度五一分二九秒）から一八七度四五分七、二七〇メートルの地点
(15) 伊良湖岬灯台（北緯三四度三四分四六秒東経一三七度五八秒）から二九五度一五分四、九三〇メートルの地点
(16) 篠島港西防波堤灯台（北緯三四度四〇分四二秒東経一三六度五九分五五秒）から二三〇度四五分三、五七〇メートルの地点
(17) 師崎港南防波堤灯台（北緯三四度四一分五二秒東経一三六度五八分二九秒）から一二六度四五分六四〇メートルの地点
(18) 大井港口灯標（北緯三四度四三分二五秒東経一三六度五八分一八秒）から一一二度

(19) 衣浦港東防波堤西灯台（北緯三四度四九分七秒東経一三六度五六分三六秒）から一四五分八五〇メートルの地点

(20) 衣浦港東防波堤西灯台から一六〇度一、六七〇メートルの地点

(21) 大井港口灯標から七五度四五分一、三二〇メートルの地点

(22) 羽島灯標（北緯三四度四一分三四秒東経一三六度五八分二三秒）から一一九度三〇分一、三六〇メートルの地点

(23) 尾張野島灯台から二六九度二、九二〇メートルの地点

(24) 尾張野島灯台から二二一度四五分四、四五〇メートルの地点

(25) 尾張野島灯台から二二二度四、三〇〇メートルの地点

(26) 尾張野島灯台から二一二度四、五三〇メートルの地点

(27) 尾張野島灯台から二一五度三〇分五、一五〇メートルの地点

(28) 伊良湖岬灯台から二九三度四、〇九〇メートルの地点

(29) 伊良湖岬灯台から二七二度三〇分二、四〇〇メートルの地点

(30) 伊良湖岬灯台から一七一度二、六一〇メートルの地点

(31) 神島灯台（北緯三四度三二分五五秒東経一三六度五九分一一秒）から九一度二、三四〇メートルの地点

(32) 神島灯台から三五〇度二、六九〇メートルの地点

(33) 神島港北防波堤灯台（北緯三四度三二分五九秒東経一三六度五八分三四秒）から三四六度四五分三、七九〇メートルの地点

(34) 内海港第四号防波堤灯台から一九七度三〇分八、二二〇メートルの地点

(35) 松阪港東防波堤灯台（北緯三四度三六分五九秒東経一三六度三三分四一秒）から七〇度四五分四、一六〇メートルの地点

(36) 松阪港東防波堤灯台から六〇度四五分四、一五〇メートルの地点

(37) 内海港第四号防波堤灯台から一九九度四五分七、六〇〇メートルの地点

(38) 野間埼灯台から二九六度三〇分八、六五〇メートルの地点

(39) 四日市港防波堤灯台（北緯三四度五六分四四秒東経一三六度三九分四七秒）から九九度三〇分四、九八〇メートルの地点

(40) 揖斐川口灯台（北緯三四度五九分五八秒東経一三六度四三分一一秒）から一七三度三〇分三、七七〇メートルの地点

(41) 鬼崎港北防波堤灯台（北緯三四度五四分一七秒東経一三六度四九分一四秒）から二二一度三〇分八、四八〇メートルの地点

(42) 伊勢湾灯標から二四六度四五分三、三〇〇メートルの地点

(43) 名古屋港高潮防波堤中央堤西灯台から二二五度三〇分四、九八〇メートルの地点

三 瀬戸内海に係る緊急確保航路

(1)から(84)までに掲げる地点を順次に結んだ線及び(1)に掲げる地点と(84)に掲げる地点とを結んだ線により囲まれた区域のうち(85)から(89)までに掲げる地点を順次に結んだ線及び(85)に掲げる地点と(89)に掲げる地点とを結んだ線により囲まれた区域並びに(90)から(108)までに掲げる地点を順次に結んだ線及び(90)に掲げる地点と(108)に掲げる地点とを結んだ線により囲まれた区域以外の区域、(109)から(114)までに掲げる地点を順次に結んだ線及び(109)に掲げる地点と(114)に掲げる地点とを結んだ線により囲まれた区域、(115)から(124)までに掲げる地点を順次に結んだ線及び(115)に掲げる地点と(124)に掲げる地点とを結んだ線により囲まれた区域、(125)から(133)までに掲げる地点を順次に結んだ線及び(125)に掲げる地点と(133)に掲げる地点とを結んだ線により囲まれた区域、(134)から(137)までに掲げる地点を順次に結んだ線及び(134)に掲げる地点と(137)に掲げる地点とを結んだ線により囲まれた区域、(138)から(146)までに掲げる地点を順次に結んだ線及び(138)に掲げる地点と(146)に掲げる地点とを結んだ線により囲まれた区域、(147)から(150)までに掲げる地点を順次に結んだ線及び(147)に掲げる地点と(150)に掲げる地点とを結んだ線により囲まれた区域、(151)から(179)までに掲げる地点を順次に結んだ線及び(151)に掲げる地点と(179)に掲げる地点とを結んだ線により囲まれた区域並びに(180)から(273)までに掲げる地点を順次に結んだ線及び(180)に掲げる地点と(273)に掲げる地点とを結んだ線により囲まれた区域のうち(274)から(278)までに掲げる地点を順次に結んだ線及び(274)に掲げる地点と(278)に掲げる地点とを結んだ線により囲まれた区域以外の区域

(1) 飾磨西防波堤東灯台（北緯三四度四五分四三秒東経一三四度三八分五八秒）から一七六度四五分三、三六〇メートルの地点

(2) 鞍掛島灯台（北緯三四度四一分一〇秒東経一三四度三八分一四秒）から一四度一五分三、二八〇メートルの地点

(3) 上島灯台（北緯三四度四一分一三秒東経一三四度四二分五一秒）から一七九度一五分二、二五〇メートルの地点

(4) 東播磨港別府西防波堤灯台（北緯三四度四一分五四秒東経一三四度四九分五四秒）から二二八度三〇分三、六六〇メートルの地点

(5) 東播磨港別府西防波堤灯台から二一六度三〇分三、七九〇メートルの地点

(6) 上島灯台から一七七度四五分二、九五〇メートルの地点

(7) 淡路山田港西防波堤灯台（北緯三四度二七分一秒東経一三四度四八分一秒）から二九八度一四、八二〇メートルの地点
(8) 淡路室津港西防波堤灯台（北緯三四度三一分三一秒東経一三四度五二分四一秒）から三二四度一五分六、四一〇メートルの地点
(9) 林崎港五号防波堤灯台（北緯三四度三八分三八秒東経一三四度五七分五九秒）から二一三度三〇分四、〇二〇メートルの地点
(10) 江埼灯台（北緯三四度三六分二三秒東経一三四度五九分三六秒）から三二八度三〇分二、九〇〇メートルの地点
(11) 江埼灯台から三一一度三、一一〇メートルの地点
(12) 平磯灯標（北緯三四度三七分一八秒東経一三五度三分五五秒）から二一五度一、九五〇メートルの地点
(13) 平磯灯標から一五三度三〇分四、〇〇〇メートルの地点
(14) 神戸第一防波堤西灯台（北緯三四度三九分一一秒東経一三五度一一分二五秒）から一八九度六、三八〇メートルの地点
(15) 神戸第一防波堤西灯台から一九一度四、五六〇メートルの地点
(16) 神戸第一防波堤西灯台から一八二度一五分四、八八〇メートルの地点
(17) 神戸第一防波堤西灯台から一八二度三〇分六、二五〇メートルの地点
(18) 神戸第七防波堤西灯台（北緯三四度四〇分八秒東経一三五度一五分一四秒）から一九一度一五分七、七五〇メートルの地点
(19) 神戸第七防波堤西灯台から一七一度三〇分七、二八〇メートルの地点
(20) 神戸第七防波堤西灯台から一六六度三〇分四、七〇〇メートルの地点
(21) 神戸第七防波堤西灯台から一四九度四五分四、八五〇メートルの地点
(22) 西宮防波堤西灯台（北緯三四度四〇分四〇秒東経一三五度一八分四八秒）から一九一度四五分七、九二〇メートルの地点
(23) 西宮防波堤西灯台から一八七度四五分七、七四〇メートルの地点
(24) 西宮防波堤西灯台から一九二度三〇分四、七八〇メートルの地点
(25) 西宮防波堤西灯台から一八四度三〇分四、四八〇メートルの地点
(26) 西宮防波堤西灯台から一八三度七、〇五〇メートルの地点
(27) 西宮防波堤東灯台（北緯三四度四〇分二一秒東経一三五度二一分三五秒）から二二八度一五分二、一四〇メートルの地点
(28) 西宮防波堤東灯台から二〇九度一五分二、一二〇メートルの地点

(29) 堺泉北大和川南防波堤北灯台（北緯三四度三六分一八秒東経一三五度二三分一七秒）から二七五度一五分六、六八〇メートルの地点
(30) 堺泉北大和川南防波堤北灯台から二八一度三〇分四、九五〇メートルの地点
(31) 堺泉北大和川南防波堤北灯台から二七八度一五分五、〇六〇メートルの地点
(32) 堺泉北大和川南防波堤北灯台から二七四度一五分四、八二〇メートルの地点
(33) 堺泉北大和川南防波堤北灯台から二五三度四五分五、六〇〇メートルの地点
(34) 堺浜寺北防波堤灯台（北緯三四度三三分二九秒東経一三五度二四分三四秒）から二七〇度四五分一一、二〇〇メートルの地点
(35) 堺浜寺北防波堤灯台から二七一度四五分八、二二〇メートルの地点
(36) 堺浜寺北防波堤灯台から二六六度四五分八、四二〇メートルの地点
(37) 泉北大津南防波堤灯台（北緯三四度三一分四八秒東経一三五度二二分五一秒）から二九〇度一五分七、五四〇メートルの地点
(38) 汐見公園三角点（北緯三四度三〇分四二秒東経一三五度二二分四六秒）から二八八度三〇分一、九九〇メートルの地点
(39) 汐見公園三角点から二七八度三〇分二、〇七〇メートルの地点
(40) 泉北大津南防波堤灯台から二八八度四五分八、〇五〇メートルの地点
(41) 堺浜寺北防波堤灯台から二六七度三〇分一一、九六〇メートルの地点
(42) 亀ケ崎三角点（北緯三四度一七分三三秒東経一三五度一分一四秒）から三五六度一五分六、七八〇メートルの地点
(43) 友ケ島灯台（北緯三四度一六分五一秒東経一三五度二秒）から三二四度一五分二、一二〇メートルの地点
(44) 友ケ島灯台から二二〇度一五分一、九四〇メートルの地点
(45) 生石鼻灯台（北緯三四度一六分三秒東経一三四度五七分）から一四三度四五分五、二八〇メートルの地点
(46) 田倉埼灯台（北緯三四度一五分五四秒東経一三五度三分四二秒）から一六八度四、五二〇メートルの地点
(47) 和歌山青岸北防波堤灯台（北緯三四度一三分一秒東経一三五度七分四〇秒）から二六四度一五分四、七八〇メートルの地点
(48) 生石鼻灯台から一五一度四五分六、四二〇メートルの地点
(49) 日ノ岬三角点（北緯三三度五三分六秒東経一三五度三分四八秒）から二五七度四五分一〇、二五〇メートルの地点

⑸⑽ 伊島灯台（北緯三三度五〇分四一秒東経一三四度四八分五三秒）から七九度四五分一一、六九〇メートルの地点
⑸⑴ 伊島灯台から一八度一五分一三、六五〇メートルの地点
⑸⑵ 伊島灯台から二九三度四五分一〇、七八〇メートルの地点
⑸⑶ 伊島灯台から二八五度三〇分一二、七三〇メートルの地点
⑸⑷ 伊島灯台から二八六度三〇分一二、九二〇メートルの地点
⑸⑸ 伊島灯台から二九四度四五分一一、〇一〇メートルの地点
⑸⑹ 伊島灯台から一七度一五分一三、八四〇メートルの地点
⑸⑺ 沼島三角点（北緯三四度九分三五秒東経一三四度四九分一秒）から二一六度一五分九、三四〇メートルの地点
⑸⑻ 徳島津田外防波堤東灯台（北緯三四度二分四七秒東経一三四度三六分三三秒）から九一度八八〇メートルの地点
⑸⑼ 徳島津田外防波堤東灯台から四六度九六〇メートルの地点
⑹⑽ 沼島三角点から二二〇度三〇分九、一一〇メートルの地点
⑹⑴ 鳴門飛島灯台（北緯三四度一三分五五秒東経一三四度三八分五五秒）から一五一度三〇分二、六〇〇メートルの地点
⑹⑵ 鳴門飛島灯台から七四度四五分一五〇メートルの地点
⑹⑶ 孫埼灯台（北緯三四度一四分二一秒東経一三四度三八分三六秒）から二四度一五分五〇〇メートルの地点
⑹⑷ 孫埼灯台から三一八度一、三七〇メートルの地点
⑹⑸ 大角鼻灯台（北緯三四度二六分東経一三四度二〇分一五秒）から一六六度三〇分四、四一〇メートルの地点
⑹⑹ 地蔵埼灯台（北緯三四度二四分五七秒東経一三四度一四分七秒）から二〇九度一五分二、六五〇メートルの地点
⑹⑺ 地蔵埼灯台から二一八度三〇分一、一七〇メートルの地点
⑹⑻ 大角鼻灯台から一六五度四五分二、九九〇メートルの地点
⑹⑼ 讃岐水ノ子礁灯標（北緯三四度二九分四九秒東経一三四度二四分三五秒）から一〇三度四五分一一、八一〇メートルの地点
⑺⑽ 小松島三角点（北緯三四度三七分二〇秒東経一三四度二五分二七秒）から二六六度五、四八〇メートルの地点
⑺⑴ 鵜石鼻灯台（北緯三四度四二分一三秒東経一三四度二〇分三〇秒）から一五一度一五分四、三五〇メートルの地点
⑺⑵ 鵜石鼻灯台から八八度三〇分二、一五〇メートルの地点
⑺⑶ 網先山三角点（北緯三四度四分三〇秒東経一三四度二〇分四四秒）から一三四度一五分二、五三〇メートルの地点
⑺⑷ 網先山三角点から一一五度四五分二、六九〇メートルの地点
⑺⑸ 網先山三角点から一一六度三〇分二、七七〇メートルの地点
⑺⑹ 網先山三角点から一三三度一五分二、六二〇メートルの地点
⑺⑺ 鵜石鼻灯台から八八度三〇分二、二六〇メートルの地点
⑺⑻ 鵜石鼻灯台から一四八度三〇分四、四七〇メートルの地点
⑺⑼ 小松島三角点から二六七度五、二三〇メートルの地点
⑻⑽ 讃岐水ノ子礁灯標から一〇三度一二、〇三〇メートルの地点
⑻⑴ 都志港北防波堤灯台（北緯三四度二五分八秒東経一三四度四六分三八秒）から三〇七度四五分一五、九九〇メートルの地点
⑻⑵ 上島灯台から二〇四度四五分三、二二〇メートルの地点
⑻⑶ 鞍掛島灯台から三四三度四五分二、七九〇メートルの地点
⑻⑷ 飾磨西防波堤東灯台から二〇〇度三〇分三、六六〇メートルの地点
⑻⑸ 西宮防波堤西灯台から一九〇度九、三二〇メートルの地点
⑻⑹ 堺浜寺北防波堤灯台から二七五度一二、三二〇メートルの地点
⑻⑺ 亀ケ崎三角点から一度九、一二〇メートルの地点
⑻⑻ 平磯灯標から一五七度一五分五、三六〇メートルの地点
⑻⑼ 神戸第七防波堤西灯台から一八八度九、〇八〇メートルの地点
⑼⑽ 江埼灯台から四六度一、六三〇メートルの地点
⑼⑴ 平磯灯標から二一五度三、四五〇メートルの地点
⑼⑵ 平磯灯標から一七一度四、六四〇メートルの地点
⑼⑶ 津名港志筑外南防波堤灯台（北緯三四度二五分五五秒東経一三四度五四分五七秒）から一〇二度九、七五〇メートルの地点
⑼⑷ 津名港志筑外南防波堤灯台から七八度一五分四三〇メートルの地点
⑼⑸ 津名港志筑外南防波堤灯台から一五一度二四〇メートルの地点
⑼⑹ 津名港志筑外南防波堤灯台から一〇四度九、七四〇メートルの地点
⑼⑺ 亀ケ崎三角点から三四六度一五分七、四三〇メートルの地点
⑼⑻ 淡路由良港成ケ島沖灯標（北緯三四度一七分二〇秒東経一三四度五七分四四秒）か

ら三八度四五分一、三〇〇メートルの地点

(99) 生石鼻灯台から九〇度一、九九〇メートルの地点

(100) 日ノ岬三角点から二六九度一五分一一、二九〇メートルの地点

(101) 鳴門飛島灯台から一二〇度四五分二、六九〇メートルの地点

(102) 鳴門飛島灯台から七六度三〇分五二〇メートルの地点

(103) 孫埼灯台から四〇度八二〇メートルの地点

(104) 孫埼灯台から三五三度三〇分二、二七〇メートルの地点

(105) 大角鼻灯台から一四七度四、四四〇メートルの地点

(106) 淡路室津港西防波堤灯台から三三三度一五分五、〇一〇メートルの地点

(107) 江埼灯台から二六三度三〇分四、一四〇メートルの地点

(108) 江埼灯台から三二八度三〇分一、二〇〇メートルの地点

(109) 男木島灯台（北緯三四度二六分一秒東経一三四度三分三九秒）から九二度三、一八〇メートルの地点

(110) カナワ岩灯標（北緯三四度二五分一八秒東経一三四度七分四九秒）から二九八度四五分一、九七〇メートルの地点

(111) 長崎鼻三角点（北緯三四度二三分五秒東経一三四度五分三〇秒）から二七五度一五分一、一二〇メートルの地点

(112) 長崎鼻三角点から二六六度一、一九〇メートルの地点

(113) 女木港鬼ケ島防波堤灯台（北緯三四度二三分一八秒東経一三四度三分一一秒）から一三三度一五分一、〇〇〇メートルの地点

(114) 女木港鬼ケ島防波堤灯台から七三度一五分一、二五〇メートルの地点

(115) 米埼灯台（北緯三四度三四分三六秒東経一三四度二分四八秒）から一一六度二、二八〇メートルの地点

(116) 沖鼓三角点（北緯三四度三三分四六秒東経一三四度六分三四秒）から二四二度三〇分二、四一〇メートルの地点

(117) 沖鼓三角点から一六八度一五分二、六八〇メートルの地点

(118) 宮崎三角点（北緯三四度三〇分一九秒東経一三四度九分二三秒）から二四二度一五分五五〇メートルの地点

(119) カナワ岩灯標から三二六度二、九九〇メートルの地点

(120) カナワ岩灯標から三二〇度三、三三〇メートルの地点

(121) 宮崎三角点から二五三度四五分一、〇七〇メートルの地点

(122) 沖鼓三角点から一七五度二、九八〇メートルの地点

(123) 沖鼓三角点から二三八度三〇分二、八三〇メートルの地点

(124) 米埼灯台から一二九度三〇分二、六五〇メートルの地点

(125) 宇野港口飛州灯台（北緯三四度二八分二六秒東経一三三度五六分五二秒）から三〇四度三〇分二八〇メートルの地点

(126) 荒神島三角点（北緯三四度二七分二五秒東経一三三度五七分三三秒）から三〇七度三〇分五一〇メートルの地点

(127) 荒神島三角点から一九三度三〇分一、七三〇メートルの地点

(128) 大槌三角点（北緯三四度二五分八秒東経一三三度五五分二二秒）から八九度一五分二、二六〇メートルの地点

(129) 大槌三角点から一〇六度四五分九六〇メートルの地点

(130) 大槌三角点から一一七度七九〇メートルの地点

(131) 犬戻鼻灯標（北緯三四度二七分一八秒東経一三三度五六分三六秒）から一九五度一、五二〇メートルの地点

(132) 犬戻鼻灯標から一六五度一、五二〇メートルの地点

(133) 宇野港口飛州灯台から一八一度一、〇六〇メートルの地点

(134) 小瀬居島三角点（北緯三四度二二分二三秒東経一三三度五一分一二秒）から六二度一五分三、二二〇メートルの地点

(135) 小瀬居島三角点から一〇三度二、六五〇メートルの地点

(136) 小瀬居島三角点から一〇九度一、二六〇メートルの地点

(137) 小瀬居島三角点から五五度三〇分一、六五〇メートルの地点

(138) 太濃地嶋三角点（北緯三四度二六分五二秒東経一三三度四五分一二秒）から一二四度四五分二、七五〇メートルの地点

(139) 太濃地嶋三角点から一二九度三、八〇〇メートルの地点

(140) 向笠島三角点（北緯三四度二四分二二秒東経一三三度四七分二秒）から二八度一、三六〇メートルの地点

(141) 向笠島三角点から八五度一、二七〇メートルの地点

(142) 鍋島灯台（北緯三四度二二分五七秒東経一三三度四九分二五秒）から二八九度三〇分一、七八〇メートルの地点

(143) 本島港六号防波堤灯台（北緯三四度二二分五五秒東経一三三度四七分六秒）から七〇度四五分一、二九〇メートルの地点

(144) 向笠島三角点から一〇六度六一〇メートルの地点
(145) 太濃地嶋三角点から一三九度三、六四〇メートルの地点
(146) 太濃地嶋三角点から一三七度二、三二〇メートルの地点
(147) 丸亀港蓬莱町防波堤灯台（北緯三四度一八分三九秒東経一三三度四六分五八秒）から三二四度三、二三〇メートルの地点
(148) 丸亀港蓬莱町防波堤灯台から四三度三〇分四〇〇メートルの地点
(149) 丸亀港蓬莱町防波堤灯台から三一七度一〇〇メートルの地点
(150) 丸亀港蓬莱町防波堤灯台から三一七度三、三一〇メートルの地点
(151) 鴻ノ石三角点（北緯三四度二一分五七秒東経一三三度二五分三五秒）から二六三度二、〇一〇メートルの地点
(152) 鴻ノ石三角点から二二〇度三〇分六三〇メートルの地点
(153) 加治屋島三角点（北緯三四度二一分九秒東経一三三度二五分三五秒）から二八二度一五分一、四三〇メートルの地点
(154) 宇治島三角点（北緯三四度一八分五五秒東経一三三度二七分五八秒）から二一〇度一五分六、七七〇メートルの地点
(155) 六島灯台（北緯三四度一八分東経一三三度三二分二秒）から一三六度四五分一、二五〇メートルの地点
(156) 二面島灯台（北緯三四度一八分五秒東経一三三度三七分一九秒）から三四八度三〇分一、五二〇メートルの地点
(157) 二面島灯台から五度四五分七七〇メートルの地点
(158) 六島灯台から一二七度三〇分二、二二〇メートルの地点
(159) 二面島灯台から一九五度五七〇メートルの地点
(160) 二面島灯台から一八五度四五分一、三三〇メートルの地点
(161) 讃岐三埼灯台（北緯三四度一五分四一秒東経一三三度三三分三〇秒）から三三五度二、二六〇メートルの地点
(162) 宮ノ越鼻三角点（北緯三四度一一分五六秒東経一三三度一六分二〇秒）から二九二度三〇分一、五七〇メートルの地点
(163) 高井神島灯台（北緯三四度一一分四三秒東経一三三度一六分四秒）から二四九度六、四一〇メートルの地点
(164) 新居浜港垣生埼灯台（北緯三三度五九分三八秒東経一三三度一九分一五秒）から三五八度五、九三〇メートルの地点
(165) 新居浜港垣生埼灯台から五二度三〇分二、〇八〇メートルの地点
(166) 新居浜港垣生埼灯台から六度一、二七〇メートルの地点
(167) 新居浜港垣生埼灯台から三四度三〇分五、四四〇メートルの地点
(168) 梶島三角点（北緯三四度七分二一秒東経一三三度九分三一秒）から三〇度一五分五、七七〇メートルの地点
(169) 燧灘沖ノ瀬灯標（北緯三四度六分一九秒東経一三三度六分二一秒）から二六度四五分二、八八〇メートルの地点
(170) 竜神島灯台（北緯三四度六分一六秒東経一三三度一分三九秒）から一二一度四五分二、六四〇メートルの地点
(171) 竜神島灯台から一三四度一五分一三、七四〇メートルの地点
(172) 竜神島灯台から一四〇度四五分一一、四九〇メートルの地点
(173) 竜神島灯台から一五四度一五分二、四〇〇メートルの地点
(174) 竜神島灯台から一五六度二、四一〇メートルの地点
(175) 竜神島灯台から一三一度三〇分一、〇六〇メートルの地点
(176) 燧灘沖ノ瀬灯標から八度一五分三、七八〇メートルの地点
(177) 宮ノ越鼻三角点から三一二度四五分二、七九〇メートルの地点
(178) 宇治島三角点から二一七度一五分七、八九〇メートルの地点
(179) 加治屋島三角点から二七五度一五分二、八二〇メートルの地点
(180) 弁天島三角点（北緯三四度一八分四七秒東経一三二度二四分七秒）から二八三度四五分二、八五〇メートルの地点
(181) 弁天島三角点から二七八度四五分九八〇メートルの地点
(182) 地獄山三角点（北緯三四度一八分四秒東経一三二度二五分）から二三七度四五分一、四九〇メートルの地点
(183) 安渡島三角点（北緯三四度一六分三五秒東経一三二度二四分一七秒）から三五二度一五分一、五四〇メートルの地点
(184) 幸之浦三角点（北緯三四度一七分一六秒東経一三二度二七分三七秒）から三四四度四五分九九〇メートルの地点
(185) 屋形石灯標（北緯三四度一七分五四秒東経一三二度二八分四五秒）から三五八度四五分九四〇メートルの地点
(186) 小用三角点（北緯三四度一五分五一秒東経一三二度二九分三一秒）から五八度三〇分一、八四〇メートルの地点
(187) 小用港中松田一号防波堤灯台（北緯三四度一五分東経一三二度二九分四二秒）から一一三度一五分九三〇メートルの地点

(188) 小麗女島灯台（北緯三四度一四分二五秒東経一三二度三一分九秒）から二五四度八二〇メートルの地点
(189) 小麗女島灯台から二五七度四五分六〇〇メートルの地点
(190) 小麗女島灯台から二二七度四五分五四〇メートルの地点
(191) 小麗女島灯台から二四二度一五分一、〇三〇メートルの地点
(192) 小用港中松田一号防波堤灯台から一三六度四五分七八〇メートルの地点
(193) 小用三角点から五五度四五分一、六一〇メートルの地点
(194) 屋形石灯標から三五一度四五分六二〇メートルの地点
(195) 幸之浦三角点から三四六度一五分七三〇メートルの地点
(196) 安渡島三角点から三四九度一、二九〇メートルの地点
(197) 安渡島三角点から二二六度六六〇メートルの地点
(198) 中ノ瀬灯標（北緯三四度一六分一五秒東経一三二度二二分二八秒）から一六一度六七〇メートルの地点
(199) 安芸狙礁灯標（北緯三四度一五分四秒東経一三二度二一分三六秒）から二七〇度一、四二〇メートルの地点
(200) 安芸白石灯標（北緯三四度一〇分四一秒東経一三二度二〇分五三秒）から二一三度一五分五七〇メートルの地点
(201) 横島三角点（北緯三四度二分二六秒東経一三二度二九分二三秒）から二五〇度四五分二、九一〇メートルの地点
(202) 横島三角点から一八四度一五分二、〇七〇メートルの地点
(203) 館場三角点（北緯三四度一分三八秒東経一三二度三五分二七秒）から一七一度一五分一、三三〇メートルの地点
(204) クダコ島灯台（北緯三三度五八分九秒東経一三二度三三分五一秒）から一五九度三〇分一、九九〇メートルの地点
(205) フグリ岩灯標（北緯三三度五六分八秒東経一三二度三六分二七秒）から一九〇度九八〇メートルの地点
(206) 小市島灯台（北緯三三度五四分三七秒東経一三二度三五分一七秒）から一四〇度三〇分二、二七〇メートルの地点
(207) 釣島灯台（北緯三三度五三分三五秒東経一三二度三八分一九秒）から三三四度一五分二、六四〇メートルの地点
(208) 野忽那島灯台（北緯三三度五七分五八秒東経一三二度四一分五一秒）から一一九度一五分九九〇メートルの地点
(209) 安居島灯台（北緯三四度四分一四秒東経一三二度四二分三九秒）から二九三度二〇分二、九四〇メートルの地点
(210) 呉港阿賀沖防波堤西灯台（北緯三四度一三分一三秒東経一三二度三五分四五秒）から一九一度二、〇六〇メートルの地点
(211) 呉港阿賀沖防波堤西灯台から一四八度二、三七〇メートルの地点
(212) 安居島灯台から三二〇度四五分二、一五〇メートルの地点
(213) 野忽那島灯台から五七度二、三六〇メートルの地点
(214) 波妻ノ鼻灯台（北緯三三度五九分五八秒東経一三二度四六分一秒）から二六八度三〇分三、一四〇メートルの地点
(215) 菊間港防波堤灯台（北緯三四度二分一八秒東経一三二度五〇分一六秒）から三〇四度四、四三〇メートルの地点
(216) 桴磯灯標（北緯三四度八分四四秒東経一三二度五六分五秒）から二九六度三〇分四、一六〇メートルの地点
(217) 桴磯灯標から三二六度二、八三〇メートルの地点
(218) 桴磯灯標から三〇一度一、六九〇メートルの地点
(219) 桴磯灯標から二八一度一五分三、〇〇〇メートルの地点
(220) 菊間港防波堤灯台から三〇二度一五分三、〇三〇メートルの地点
(221) 波妻ノ鼻灯台から二四五度四五分二、一八〇メートルの地点
(222) 野忽那島灯台から一二一度二、五一〇メートルの地点
(223) 釣島灯台から三五〇度三〇分一、三三〇メートルの地点
(224) 釣島灯台から二四三度四五分三、〇四〇メートルの地点
(225) 松山港吉田浜地区防波堤灯台（北緯三三度五〇分五二秒東経一三二度四一分三二秒）から三三四度一五分一、〇三〇メートルの地点
(226) 松山港吉田浜地区防波堤灯台から二二九度八〇〇メートルの地点
(227) 小市島灯台から一六八度一五分四、四六〇メートルの地点
(228) 由利島灯台（北緯三三度五〇分四四秒東経一三二度三一分五七秒）から一四四度三〇分二、五四〇メートルの地点
(229) 佐田岬灯台（北緯三三度二〇分三五秒東経一三二度五四秒）から三〇四度三〇分六、八六〇メートルの地点
(230) 佐田岬灯台から二三一度三、三三〇メートルの地点
(231) 佐田岬灯台から二三一度四、七六〇メートルの地点
(232) 国東港古市C防波堤東灯台（北緯三三度三〇分九秒東経一三一度四四分六秒）から

一〇七度一五分一四、六八〇メートルの地点
(233) 大分港鶴崎東防波堤灯台（北緯三三度一六分四八秒東経一三一度四〇分四六秒）から五三度四五分一、七五〇メートルの地点
(234) 大分港鶴崎東防波堤灯台から一一度一五分六九〇メートルの地点
(235) 大分港鶴崎東防波堤灯台から三九度三〇分六、二五〇メートルの地点
(236) 別府観光港沖防波堤北灯台（北緯三三度一八分二九秒東経一三一度三〇分二四秒）から四八度六六〇メートルの地点
(237) 別府観光港沖防波堤北灯台から二〇度四五分一、二二〇メートルの地点
(238) 大分港鶴崎東防波堤灯台から四〇度七、二六〇メートルの地点
(239) 国東港古市C防波堤東灯台から一〇五度一五分一四、一七〇メートルの地点
(240) 姫島東浦港四号金防波堤灯台（北緯三三度四四分一五秒東経一三一度四一分）から三三度四五分三、三二〇メートルの地点
(241) 本山灯標（北緯三三度五二分五四秒東経一三一度一四分五九秒）から一四二度一五分六、六八〇メートルの地点
(242) 本山灯標から二三九度四五分五、九九〇メートルの地点
(243) 新門司防波堤灯台（北緯三三度五二分二三秒東経一三一度三六秒）から九〇度一四、七七〇メートルの地点
(244) 新門司防波堤灯台から八七度三〇分一五、二五〇メートルの地点
(245) 本山灯標から二五三度五、一七〇メートルの地点
(246) 本山灯標から二七五度一五分四、二四〇メートルの地点
(247) 本山灯標から二七五度一五分三、五三〇メートルの地点
(248) 本山灯標から二四七度一五分四、六六〇メートルの地点
(249) 本山灯標から一三一度四五分五、八九〇メートルの地点
(250) 稲積三角点（北緯三三度四三分五五秒東経一三一度四一分五九秒）から三九度四五分五、三七〇メートルの地点
(251) 岩島灯台（北緯三三度五九分一秒東経一三一度四五分九秒）から二一一度四五分二、七〇〇メートルの地点
(252) 岩島灯台から二一九度四五分一、八〇〇メートルの地点
(253) 粭島三角点（北緯三三度五八分四二秒東経一三一度四五分四九秒）から二一二度三〇分一、六六〇メートルの地点
(254) 粭島三角点から二〇八度三〇分二、一七〇メートルの地点
(255) 稲積三角点から五一度三〇分六、一六〇メートルの地点
(256) 八島灯台（北緯三三度四二分四九秒東経一三二度八分三秒）から一八二度三〇分一、五三〇メートルの地点
(257) 小水無瀬島灯台（北緯三三度四六分三九秒東経一三二度二三分三一秒）から九四度四五分一、五六〇メートルの地点
(258) 由利島灯台から一五〇度四五分一、一一〇メートルの地点
(259) 小市島灯台から一八〇度三〇分三、三一〇メートルの地点
(260) 小市島灯台から八度四五分一、二五〇メートルの地点
(261) 大山三角点（北緯三三度五六分九秒東経一三二度三三分三秒）から三二度三〇分一、二七〇メートルの地点
(262) 風切鼻灯台（北緯三三度五九分四〇秒東経一三二度三四分）から四五度一、四六〇メートルの地点
(263) 横島三角点から一八八度三、四九〇メートルの地点
(264) 柱島港来見沖防波堤北灯台（北緯三四度一分二六秒東経一三二度二五分一八秒）から九四度四五分二、六一〇メートルの地点
(265) 安芸白石灯標から一七七度三、七四〇メートルの地点
(266) 岩国港北防波堤灯台（北緯三四度一一分三八秒東経一三二度一四分五秒）から九九度三、三一〇メートルの地点
(267) 岩国港北防波堤灯台から八六度四五分二、八九〇メートルの地点
(268) 安芸白石灯標から一八六度三〇分二、九八〇メートルの地点
(269) 安芸白石灯標から二四二度一五分一、九五〇メートルの地点
(270) 安芸俎礁灯標から二八七度二、九四〇メートルの地点
(271) 中ノ瀬灯標から一六四度一七〇メートルの地点
(272) 中ノ瀬灯標から七九度三〇分九三〇メートルの地点
(273) 那沙美三角点（北緯三四度一六分四四秒東経一三二度二二分四〇秒）から三〇度四五分一、七二〇メートルの地点
(274) 由利島灯台から二一八度六、四九〇メートルの地点
(275) 佐田岬灯台から三〇九度三〇分八、一七〇メートルの地点
(276) 稲積三角点から三五度三、六五〇メートルの地点
(277) 八島灯台から一七八度一五分二、九八〇メートルの地点
(278) 小水無瀬島灯台から一二三度二、五五〇メートルの地点

本表…追加〔平成二五年一二月政令三七一号〕、一部改正〔平成二八年六月政令二四四号・令和二年八月二三九号・六年六月二二二号〕

○港湾法施行規則

（昭和二十六年十一月二十二日運輸省令第九十八号）

〔沿革〕 昭和二九年九月四日運輸省令第四五号、三〇年六月一五日第二九号、三一年一月一六日第二号、三六年六月二八日第三六号、四一年六月二九日第四一号、四六年三月一〇日第五号、一〇月二九日第六〇号、四九年四月二〇日第一五号、七月一三日第二八号、五四年五月一八日第二〇号、九月二五日第三八号、五五年三月一四日第五号、一二月二二日第四五号、六〇年四月二五日第一八号、六月一五日第二二号、六二年一〇月二日第五九号、六三年五月六日第一五号、一二月二〇日第三九号、平成三年四月一一日第九号、六年三月一一日第五号、三〇日第一二号、九月三〇日第四六号、九年三月一八日第一二号、一二月一五日第八四号、一二年三月二四日第一一号、三一日第一九号、九月二九日第三三号、一一月二九日第三九号、一二月二六日第四八号、一三年三月三〇日国土交通省令第八二号、一四年四月一日第五三号、六月二〇日第六九号、一五年一月二八日第七号、五月一六日第六七号、一七年三月七日第一二号、七月一日第七八号、一八年五月一七日第六四号、九月二九日第九三号、一九年三月二八日第一九号、二〇年六月一三日第四二号、二一年一〇月二三日第六〇号、二二年四月一日第一四号、二三年三月三一日第三三号、八月二日第六二号、九月九日第七一号、一一月七日第八〇号、一二月一三日第九四号、二五年八月一日第六四号、九月一三日第七六号、一八日第七八号、一一月二九日第九一号、一二月六日第九四号、二六年一月一五日第二号、三月三一日第四二号、四月一四日第四七号、七月一日第六一号、二七年七月一五日第五三号、二八年二月二九日第八号、六月二四日第五一号、三〇日第五七号、二九年七月七日第四三号、一二月二六日第七二号、令和元年五月七日第一号、六月二八日第二〇号、九月一三日第三四号、一二月一六日第四七号、令和二年二月七日第七号、一一月一六日第八九号、一二月二三日第九八号、四年三月三一日第三九号、一二月一六日第九〇号、五年九月二九日第七七号、六年二月一日第八号、三月二九日第二六号、四月一日第四九号、三〇日第五八号改正

（港湾施設の認定申請）

第一条 港湾法（昭和二十五年法律第二百十八号。以下「法」という。）第二条第六項の認定を受けようとする港湾管理者は、次に掲げる事項を記載した港湾施設認定申請書を国土交通大臣に提出するものとする。

一 当該港湾管理者の名称
二 認定を受けようとする施設の位置
三 認定を受けようとする施設の種類及び構造
四 認定を受けようとする施設が他の工作物と効用を兼ねるときはその概要
五 認定を必要とする理由

2 前項の申請書には、認定を受けようとする施設の位置図、平面図、縦断面図、横断面図及び構造図を添附するものとする。但し、当該施設の種類により、その必要がないときは、その一部を省略することができる。

一項…一部改正〔昭和六〇年六月運輸省令二二号・平成一二年一一月三九号〕

（法第二条第十項の国土交通省令で定める港湾施設）

第一条の二 法第二条第十項の国土交通省令で定める港湾施設は、岸壁その他の係留施設に附帯する次に掲げるものとする。

一 荷さばき施設
二 野積場
三 駐車場
四 旅客施設
五 前各号の施設の機能を確保するための護岸
六 船舶のための給水施設及び動力源の供給の用に供する施設
七 港湾管理事務所
八 当該岸壁その他の係留施設及び前各号の施設の敷地
九 移動式施設

本条…追加〔平成一七年七月国土交通省令七八号〕、見出し…改正・本条…一部改正〔平成二三年一一月国土交通省令八〇号〕、本条…一部改正〔令和四年一二月国土交通省令九〇号〕

（法第二条の二第一項の国土交通省令で定める規模その他の要件）

第一条の三 法第二条の二第一項の国土交通省令で定める規模その他の要件は、次の各号のいずれにも該当するものであることとする。

一 埠（ふ）頭を構成する少なくとも一の係留施設の前面の泊地の水深が十四メートルを超えるものであることが、港湾計画において定められていること。
二 埠頭が同一の民間事業者により一体的に運営されること。

本条…追加〔平成二五年一一月国土交通省令九一号〕

（法第二条の二第一項の国土交通省令で定める事情）

第一条の四 法第二条の二第一項の国土交通省令で定める事情は、次の各号に掲げるものとする。

一 輸入ばら積み貨物であつて、その種類ごとの我が国における取扱量の現況及び将来の見通し、海上運送に係る特性その他の事情に照らし、海上運送の共同化を図ることが我が国産業の国際競争力強化に特に資すると認められるものが当該港湾において取り扱われること。
二 当該港湾における当該輸入ばら積み貨物の取扱量の現況及び将来の見通し並びに当該港湾の周辺地域における当該輸入ばら積み貨物の需要の現況に照らし、当該港湾が当該輸入ばら積み貨物の海上輸送網の拠点となるにふさわしいものであること。
三 当該特定貨物取扱埠頭を中核として当該輸入ばら積み貨物の海上運送の共同化の促進に資する当該港湾の効果的な利用の推進を図るため、港湾管理者、前条第二号に規定する民間事業者、当該輸入ばら積み貨物の荷主その他の関係者の連携が確保されること。
四 前条第一号に掲げるもののほか、当該港湾において、当該特定貨物取扱埠頭を中核として当該輸入ばら積み貨物の海上運送の共同化の促進に資する港湾の効果的な利用の推進を図るための施設の機能が確保されること。

本条…追加〔平成二五年一一月国土交通省令九一号〕

（特定貨物輸入拠点港湾の指定の公示）

第一条の五　法第二条の二第二項（同条第四項において準用する場合を含む。）の規定による指定の公示は、官報に掲載して行うものとする。

本条…追加〔平成二五年一一月国土交通省令九一号〕

（法第二条の三第一項の国土交通省令で定める規模その他の要件）

第一条の六　法第二条の三第一項の国土交通省令で定める規模その他の要件は、次の各号のいずれにも該当するものであることとする。

一　総トン数五万トンの旅客船を係留することができる係留施設が確保されること。

二　旅客の利便の増進を図るための旅客施設及びこれに附帯する駐車場が確保されること。

本条…追加〔平成二九年七月国土交通省令四三号〕

（法第二条の三第一項の国土交通省令で定める事情）

第一条の七　法第二条の三第一項の国土交通省令で定める事情は、次に掲げるものとする。

一　当該港湾における国際旅客船の乗降旅客数の将来の見通しその他の事情に照らし、当該港湾が国際旅客船の寄港の拠点を形成するにふさわしいものであること。

二　当該国際旅客船取扱埠頭を中核として国際旅客船の寄港の拠点を形成するため、港湾管理者及び国際旅客船の運航を行う事業者の連携が確保されること。

三　国際旅客船の受入れの円滑な促進を図るため、関係する地方公共団体その他の地域の関係者の協力が得られると見込まれること。

四　国際旅客船を受け入れることにより、地域経済の発展に相当程度寄与すると見込まれること。

本条…追加〔平成二九年七月国土交通省令四三号〕

（国際旅客船拠点形成港湾の指定の公示）

第一条の八　法第二条の三第二項（同条第四項において準用する場合を含む。）の規定による指定の公示は、官報に掲載して行うものとする。

本条…追加〔平成二九年七月国土交通省令四三号〕

（法第二条の四第一項の国土交通省令で定める規模その他の要件）

第一条の九　法第二条の四第一項の国土交通省令で定める規模その他の要件は、次の各号のいずれにも該当するものであることとする。

一　係留施設及び荷さばき施設について、海洋再生可能エネルギー発電設備等の設置及び維持管理に使用することが予想される物資の組立て及び保管に対して必要な面積及び地盤の強度を有し、又は有することが見込まれること。

二　前号の物資の輸送の用に供される船舶において安全な荷役を行うのに必要な係留施設の構造の安定が損なわれないよう、必要な措置が講じられ、又は講じられることが見込まれること。

本条…追加〔令和二年二月国土交通省令七号〕

（法第二条の四第一項の国土交通省令で定める事情）

第一条の一〇　法第二条の四第一項の国土交通省令で定める事情は、次に掲げるものとする。

一　当該港湾の利用状況、当該港湾及びその周辺の海域における海洋再生可能エネルギー発電設備等の出力の量の現況及び将来の見通しその他の事情に照らし、当該港湾が海洋再生可能エネルギー発電設備等の設置及び維持管理のための拠点となるにふさわしいものであること。

二　一以上の海洋再生可能エネルギー発電設備の整備に係る海域の利用の促進に関する法律（平成三十年法律第八十九号）第十条第一項の許可を受けた者が当該港湾を利用することが見込まれるものであること。

三　二以上の許可事業者（法第五十五条の二第一項に規定する許可事業者をいう。第十七条の十において同じ。）が当該港湾を利用することが見込まれるものであること。

本条…追加〔令和二年二月国土交通省令七号〕

（海洋再生可能エネルギー発電設備等拠点港湾の指定の公示）

第一条の一一　法第二条の四第二項（同条第四項において準用する場合を含む。）の規定による指定の公示は、官報に掲載して行うものとする。

本条…追加〔令和二年二月国土交通省令七号〕

（港湾計画の軽易な変更）

第一条の一二　法第三条の三第四項の国土交通省令で定める軽易な変更は、当該港湾計画についての港湾法施行令（昭和二十六年政令第四号。以下「令」という。）第一条の四第三号から第六号までに掲げる事項のうち次に掲げるもの以外のものに係る変更とする。

一　第十五条の二十六第一項から第三項までに掲げる施設（規模又は配置の変更により当該施設となるものを含む。）に関する事項の追加、削除又は当該施設の規模若しくは配置に関する事項の変更

二　第十五条の二十六第一項及び第二項第三号に掲げる係留施設の用に供する荷さばき施設及び保管施設の敷地の面積が三ヘクタール以上増減することとなる規模に関する事項の変更及び当該係留施設の用に供する主要な荷役機械に関する事項の追加、削除又は主要な荷役機械の種類若しくは配置に関する事項の変更

三　面積二十ヘクタール以上の一団の土地の造成に関する事項の追加若しくは削除又は造成する土地の規模若しくは配置に関する事項の変更（当該港湾において造成する土地が複数存する場合であつて、その土地の面積の合計が二十ヘクタール以上増減することとなる土地の造成に関する事項の追加又は削除及び当該港湾において造成する土地の規模又は配置の変更に係る部分の土地が複数存する場合であつて、その土地の面積の合計が二十ヘクタール以上である規模又は配置に関する事項の変更を含む。）

四　面積二十ヘクタール以上の一団の土地に係る土地利用に

関する事項の追加若しくは削除又は土地利用の区分に関する事項の変更（当該港湾の土地に係る土地利用に関する事項の追加又は削除が複数存する場合であつて、その土地の面積の合計が二十ヘクタール以上増減することとなる土地利用に関する事項の追加又は削除及び当該港湾の土地に係る土地利用の区分に関する事項の変更が複数存する場合であつて、その土地の面積の合計が二十ヘクタール以上である土地利用の区分に関する事項の変更を含む。）

五　第十五条の二十六第一項から第三項までに掲げる施設（利用形態の変更により同条第一項及び第二項第三号に掲げる係留施設となるものを含む。）の利用形態に関する事項の変更（当該施設に係る港湾の効率的な運営に関する事項の変更を含む。）

六　港湾計画の基本的な事項に関する基準を定める省令（昭和四十九年運輸省令第三十五号）第十六条及び第二十二条に規定する事項のうち、第十五条の二十六第一項から第三項までに規定する港湾施設に係るものの追加、削除又は変更

本条…追加〔昭和五五年三月運輸省令五号〕、一部改正〔昭和六〇年六月運輸省令二二号・平成三年四月九号・一二年三月一一号・一九号・一一月三九号・一二月四八号・一四年六月国土交通省令六九号・一五年五月六七号〕、旧一条の二…繰下〔平成一七年七月国土交通省令七八号〕、本条…一部改正〔平成一八年五月国土交通省令六四号・二三年三月三三号・九月七一号〕、旧一条の六…繰上〔平成二三年一一月国土交通省令八〇号〕、本条…一部改正〔平成二三年一二月国土交通省令九四号〕、旧一条の三…一部改正し繰下〔平成二五年一一月国土交通省令九一号〕、旧一条の六…一部改正し繰下〔平成二九年七月国土交通省令四三号〕、旧一条の九…繰下〔令和二年二月国土交通省令七号〕、本条…一部改正〔令和四年一二月国土交通省令九〇号・五年九月七七号〕

（港湾計画の公示）

第一条の一三　法第三条の三第九項の規定による公示は、当該港湾計画に係る水域施設、外郭施設、係留施設その他の主要な港湾施設の種類、位置、規模及び用途、廃棄物の処理に関する計画その他当該港湾の開発、利用及び保全並びに当該港湾に隣接する地域の保全に関する主要な事項並びに当該港湾計画の縦覧の場所を公告することにより行う。ただし、港湾計画の変更の場合にあつては、当該変更に関する事項及び変更後の港湾計画の縦覧の場所を公告することにより行う。

2　前項の規定は、法第三条の三第十項の規定による公示について準用する。

本条…追加〔昭和四九年七月運輸省令二八号〕、一・二項…一部改正・旧一条の二…繰下〔昭和五五年三月運輸省令五号〕、旧一条の三…繰下〔平成一七年七月国土交通省令七八号〕、旧一条の七…繰上〔平成二三年一一月国土交通省令八〇号〕、旧一条の四…繰下〔平成二五年一一月国土交通省令九一号〕、旧一条の七…繰下〔平成二九年七月国土交通省令四三号〕、旧一条の一〇…繰下〔令和二年二月国土交通省令七号〕

（港湾区域についての同意を要する協議）

第二条　法第四条第四項（法第三十三条第二項において準用する場合を含む。次条において同じ。）の規定により港湾区域について国土交通大臣又は都道府県知事に協議し、その同意を得ようとする地方公共団体は、次に掲げる事項を記載した港湾区域協議書を国土交通大臣又は都道府県知事に提出するものとする。

一　当該地方公共団体の名称

二　予定港湾区域

三　予定港湾区域と港則法（昭和二十三年法律第百七十四号）に基づく港の区域、河川法（昭和三十九年法律第百六十七号）第三条第一項に規定する河川の河川区域、海岸法（昭和三十一年法律第百一号）第三条の規定により指定される海岸保全区域又は漁港及び漁場の整備等に関する法律（昭和二十五年法律第百三十七号）第六条第一項から第四項までの規定により指定される漁港の区域との関係

四　当該港湾が国際戦略港湾、国際拠点港湾又は重要港湾であるか、避難港であるかの別

五　当該地方公共団体が港務局を設立するか、単独で港湾管理者となるか又は地方自治法（昭和二十二年法律第六十七号）第二百八十四条第二項若しくは第三項の地方公共団体を設立するかの別

六　法第四条第三項（法第三十三条第二項において準用する場合を含む。次項及び第二条の三において同じ。）の規定による関係地方公共団体の意見及びこれとの協議のてん末

2　前項の協議書には、次に掲げる書類及び図面を添付するものとする。

一　当該地方公共団体が法第四条第一項に規定する関係地方公共団体であることを証する書類

二　予定港湾区域を示す図面

三　前項第三号の関係を示す図面

四　当該港湾の港湾管理者の設立（単独で港湾管理者となる場合を含む。）に関する当該関係地方公共団体の議会の議事及び議決を記録した書面

五　法第四条第三項の規定による公告の写し

六　当該港湾の港湾管理者の組織を明らかにする書類

七　港務局、地方自治法第二百八十四条第二項若しくは第三項の地方公共団体又は法第三十五条の規定による委員会を設置しようとするときは、それと当該地方公共団体との間における業務処理に関する基本事項を記載した書類

八　臨港地区の指定を受け、又は定めようとするときは、当該予定地区を示す図面

一項…一部改正〔昭和四一年六月運輸省令四一号〕、二項…一部改正〔平成一二年一一月運輸省令三九号〕、一項…一部改正〔平成一三年三月国土交通省令八二号・二三年三月三三号〕、見出し…改正・一・二項…一部改正〔平成二三年八月国土交通省令六二号〕、一項…一部改正〔令和六年四月国土交通省令四九号〕

（港湾管理者の告示）

第二条の二　国土交通大臣は、国際戦略港湾、国際拠点港湾及び重要港湾について、法第四条第四項の港湾区域の同意を得て港湾管理者となつた者の名称を官報で告示するものとする。

本条…追加〔平成二三年三月国土交通省令三三号〕、一部改正〔平成二三年八月国土交通省令六二号〕

（港湾区域の届出）

第二条の三　法第四条第八項（法第三十三条第二項において準用する場合を含む。）の規定により港湾区域について届出をしようとする地方公共団体は、次に掲げる事項を記載した港湾区域届出書を国土交通大臣又は都道府県知事に提出するものとする。

一　当該地方公共団体の名称

二　港湾区域

三　港湾区域と港則法に基づく港の区域、河川法第三条第一項に規定する河川の河川区域、海岸法第三条の規定により指定される海岸保全区域又は漁港及び漁場の整備等に関する法律第六条第一項から第四項までの規定により指定される漁港の区域との関係

四　当該地方公共団体が港務局を設立するか、単独で港湾管理者となるか又は地方自治法第二百八十四条第二項若しくは第三項の地方公共団体を設立するかの別

五　法第四条第三項の規定による関係地方公共団体の意見及びこれとの協議のてん末

2　前項の届出書には、次に掲げる書類及び図面を添付するものとする。

一　当該地方公共団体が法第四条第一項に規定する関係地方公共団体であることを証する書類

二　港湾区域を示す図面

三　前項第三号の関係を示す図面

四　当該港湾の港湾管理者の設立（単独で港湾管理者となる場合を含む。）に関する当該関係地方公共団体の議会の議事及び議決を記録した書面

五　法第四条第三項の規定による公告の写し

六　当該港湾の港湾管理者の組織を明らかにする書類

七　港務局、地方自治法第二百八十四条第二項若しくは第三項の地方公共団体又は法第三十五条の規定による委員会を設置しようとするときは、それと当該地方公共団体との間における業務処理に関する基本事項を記載した書類

八　臨港地区の指定を受け、又は定めようとするときは、当該予定地区を示す図面

本条…追加〔平成二三年八月国土交通省令六二号〕、一項…一部改正〔令和六年四月国土交通省令四九号〕

（港湾区域の変更についての同意を要する協議）

第三条　法第九条第二項又は第三十三条第二項において準用する法第四条第四項の規定により港湾区域の変更について国土交通大臣又は都道府県知事に協議し、その同意を得ようとする港湾管理者は、次に掲げる事項を記載した港湾区域変更協議書を国土交通大臣又は都道府県知事に提出するものとする。

一　当該港湾管理者の名称

二　変更しようとする区域

三　変更しようとする区域と港則法に基づく港の区域、河川法第三条第一項に規定する河川の河川区域、海岸法第三条の規定により指定される海岸保全区域又は漁港及び漁場の整備等に関する法律第六条第一項から第四項までの規定により指定される漁港の区域との関係

四　変更を必要とする理由

2　前項の協議書には、同項第二号及び第三号に掲げる事項を示す図面並びに当該区域の新旧の対照を示す図面を添付するものとする。

一項…一部改正〔昭和四一年六月運輸省令四一号・平成一二年一一月三九号・一三年三月国土交通省令八二号〕、見出し…改正・一・二項…一部改正〔平成二三年八月国土交通省令六二号〕、一項…一部改正〔令和六年四月国土交通省令四九号〕

（港湾区域の変更の届出）

第三条の二　法第九条第二項又は第三十三条第二項において準用する法第四条第八項の規定により港湾区域の変更について届出をしようとする港湾管理者は、次に掲げる事項を記載した港湾区域変更届出書を国土交通大臣又は都道府県知事に提出するものとする。

一　当該港湾管理者の名称

二　変更する区域

三　変更する区域と港則法に基づく港の区域、河川法第三条第一項に規定する河川の河川区域、海岸法第三条の規定により指定される海岸保全区域又は漁港及び漁場の整備等に関する法律第六条第一項から第四項までの規定により指定される漁港の区域との関係

四　変更を必要とする理由

2　前項の届出書には、同項第二号及び第三号に掲げる事項を示す図面並びに当該区域の新旧の対照を示す図面を添付するものとする。

本条…追加〔平成二三年八月国土交通省令六二号〕、一項…一部改正〔令和六年四月国土交通省令四九号〕

（港務局の解散の特例に関する承認申請）

第三条の二の二　法第十条第一項但書の承認を受けようとする地方公共団体は、左に掲げる事項を記載した港務局の解散の特例に関する承認申請書を国土交通大臣に提出するものとする。

一　港務局の名称

二　港務局を組織する地方公共団体の名称

三　港務局の解散事由及び解散の時期

四　承認を必要とする理由

本条…追加〔昭和二九年九月運輸省令四五号〕、一部改正〔平成一二年一一月運輸省令三九号〕、旧三条の二…繰下〔平成二三年八月国土交通省令六二号〕

（港湾施設の公示）

第三条の三　法第十二条第五項の規定により公示しなければならない事項は、港湾施設の種類、位置、数量及び能力とする。

2　前項の公示しなければならない事項のうち図面により表示することができるものは、図面により表示するものとする。

本条…追加〔昭和二九年九月運輸省令四五号〕

（港湾区域内等における技術基準対象施設の建設等の許可）

第三条の四　法第三十七条第一項の港湾管理者の許可を受けようとする者は、次に掲げる書類（技術基準対象施設（法第五十六条の二の二第一項に規定する技術基準対象施設をいう。以下同じ。）の建設又は改良を行おうとする者以外の者にあつては、第四号に掲げる書類に限る。）を港湾管理者に提出するものとする。

一　次に掲げる事項を示し又は記載した書類

イ　建設又は改良を行おうとする技術基準対象施設の諸元及び要求性能（技術基準対象施設に必要とされる性能をいう。以下同じ。）

ロ　建設又は改良を行おうとする技術基準対象施設への作用及びその設定の根拠

ハ　イ及びロの照査方法

二　建設又は改良を行おうとする技術基準対象施設の施工方法、施工管理方法及び安全管理方法を記載した書類

三　建設又は改良を行おうとする技術基準対象施設を適切に維持するための維持管理方法を記載した書類

四　前三号に掲げるもののほか、港湾管理者が必要と認める書類

2　前項の規定は、法第三十七条第三項の規定により港湾管理者と協議しようとする者について準用する。この場合において、前項中「港湾管理者の許可を受け」とあるのは「港湾管理者と協議し」と読み替えるものとする。

本条…追加〔平成一九年三月国土交通省令一九号〕、旧三条の五…繰上〔平成二五年九月国土交通省令七六号〕

（港湾隣接地域の報告）

第三条の五　法第三十七条の二第三項の報告は、指定（変更の指定を含む。）の日後一箇月以内に、左に掲げる事項を記載した港湾隣接地域指定（変更）報告書を国土交通大臣に提出してするものとする。

一　指定（変更）の期日

二　指定（変更）した港湾隣接地域の区域

三　公聴会における利害関係者の意見の概要

2　前項の報告書には、同項第二号に掲げる事項を示す図面（変更の場合にあつては当該地域の新旧の対照を示す図面）及び法第三十七条の二第三項の規定による公告の写しを添付するものとする。

本条…追加〔昭和二九年九月運輸省令四五号〕、一・二項…一部改正〔昭和四九年七月運輸省令二八号〕、一項…一部改正〔平成一二年一一月運輸省令三九号〕、旧三条の五…繰下〔平成一九年三月国土交通省令一九号〕、旧三条の六…繰上〔平成二五年九月国土交通省令七六号〕

（占用公募を実施することが港湾の開発、利用、保全又は管理上適切でない区域）

第三条の六　法第三十七条の三第三項の国土交通省令で定める区域は、次に掲げるものとする。

一　港湾管理者の管理する水域施設の区域

二　前号の水域施設以外の水域施設の区域

三　港湾計画に定める港湾施設（水域施設を除く。）の区域

四　船舶の避難のため一時的にてい泊する区域として港湾計画に定められた区域

五　港湾広域防災区域

六　検疫法（昭和二十六年法律第二百一号）第八条第一項及び第二項の検疫区域

本条…追加〔平成二八年六月国土交通省令五七号〕

（学識経験者からの意見聴取）

第三条の七　港湾管理者は、法第三十七条の三第六項及び第三十七条の五第四項の規定により学識経験者の意見を聴くときは、二人以上の学識経験者の意見を聴かなければならない。

本条…追加〔平成二八年六月国土交通省令五七号〕

（公募占用計画の記載事項）

第三条の八　法第三十七条の四第二項第十一号の国土交通省令で定める事項は、次に掲げるものとする。

一　公募対象施設等を設置するため港湾区域内水域等を占用しようとする者が法人又は団体である場合においては、その役員の氏名、生年月日その他必要な事項

二　公募対象施設等を設置するため港湾区域内水域等を占用しようとする者が個人である場合においては、その者の氏名、生年月日その他必要な事項

三　その他港湾管理者が必要と認める事項

本条…追加〔平成二八年六月国土交通省令五七号〕

（公募対象施設等及びその維持管理の方法の基準）

第三条の九　法第三十七条の五第一項第三号の国土交通省令で定める公募対象施設等の基準は、次に掲げるものとする。

一　自然状況その他の条件を勘案して、自重、水圧、波力、土圧及び風圧並びに地震、漂流物等による振動及び衝撃に対して安全な構造であること。

二　船舶からの視認性を向上させるための措置その他の船舶の航行に支障を及ぼさないための措置を講じたものであること。

2　法第三十七条の五第一項第三号の国土交通省令で定める公募対象施設等の維持管理の方法の基準は、次に掲げるものとする。

一　自然状況その他の条件を勘案して、定期及び臨時に当該公募対象施設等を点検し、その損傷、劣化その他の変状についての診断を行い、その結果に応じて必要な措置を講ずること。

二　前号の結果その他の当該公募対象施設等の維持管理に必要な事項の記録及び保存を行うこと。

3　前二項に規定するもののほか、公募対象施設等又はその維持管理の方法の基準に関し必要な事項は、国土交通大臣が告示で定める。

本条…追加〔平成二八年六月国土交通省令五七号〕

（船舶の放置等を禁止する区域等の指定又はその廃止の公示）

第三条の一〇　法第三十七条の十一第二項（法第五十六条の二第二項において準用する場合を含む。）の規定による区域若

しくは物件の指定又はその廃止の公示は、公報又は新聞紙に掲載するほか、当該指定又はその廃止に係る区域又はその周辺の見やすい場所に掲示するとともに、港湾管理者にあつては当該港湾管理者の、都道府県知事にあつては当該都道府県のウェブサイトへの掲載により行うものとする。

2　前項の指定の公示は、当該公示に係る指定の適用の日の十日前までに行わなければならない。ただし、緊急に区域又は物件の指定の適用を行わなければ港湾の開発、利用又は保全に重大な支障を及ぼすおそれがあると認められるときは、この限りでない。

本条…追加〔平成一二年九月運輸省令三三号〕、旧三条の六…繰下〔平成一九年三月国土交通省令一九号〕、旧三条の七…繰上〔平成二五年九月国土交通省令七六号〕、一項…一部改正・旧三条の六…繰下〔平成二八年六月国土交通省令五七号〕、一項…一部改正〔令和六年四月国土交通省令五八号〕

（臨港地区設定の公告等）

第四条　法第三十八条第三項の規定による公告は、次に掲げる事項について、港湾管理者の定める方法で行うものとする。

一　臨港地区の区域の案

二　臨港地区の区域の案の縦覧場所

2　法第三十八条第四項の規定による請求をしようとする者は、次に掲げる事項を記載した臨港地区変更請求書を国土交通大臣に提出するものとする。

一　請求者の氏名又は名称及び住所

二　当該臨港地区を定めようとする港湾管理者の名称

三　当該臨港地区並びにそれについて法第三十八条第二項の規定に適合しないと認める部分及びその理由

3　法第三十八条第八項の規定による公告は、次に掲げる事項について、港湾管理者の定める方法で行うものとする。

一　臨港地区の区域

二　臨港地区の区域の縦覧場所

4　港湾管理者は、次の各号に掲げる場合には、当該各号に定める書類を国土交通大臣に提出するものとする。

一　法第三十九条第一項の規定により臨港地区において分区を指定したとき　当該分区の概要を記載した書類

二　法第四十条第一項（法第五十条の五第二項の規定により読み替えて適用する場合を含む。）の規定による条例を定めたとき　当該条例の規定を記載した書類

三　法第五十条の五第一項の規定により脱炭素化推進地区を定めたとき　当該脱炭素化推進地区の概要を記載した書類

一項…一部改正〔昭和四九年七月運輸省令二八号・昭和六〇年六月二二号〕、見出し…改正・一項…全部改正・二・三項…追加・旧二項…四項に繰下〔平成一二年三月運輸省令一一号〕、二・四項…一部改正〔平成一二年一一月運輸省令三九号〕、四項…一部改正〔令和四年一二月国土交通省令九〇号〕

（臨港地区内における行為の届出）

第五条　法第三十八条の二第一項の規定による届出をしようとする者は、第一号様式（同項第三号に掲げる行為をしようとする場合にあつては、第二号様式）による臨港地区内行為届出書を港湾管理者に提出するものとする。

2　前項の届出書には、次に掲げる書類を添付するものとする。ただし、第三号に掲げる書類は、当該届出に係る行為に係る施設の種類、規模等により、その必要がないときは、その一部を省略することができる。

一　当該届出に係る行為に係る施設の工事設計書

二　当該届出に係る行為に係る施設の位置及び付近の状況を表示した縮尺一万分の一以上の図面

三　当該届出に係る行為に係る施設の規模、配置及び構造を表示した縮尺千分の一以上の平面図、立面図、断面図及び構造図

四　その他参考となるべき事項を記載した書類

3　法第三十八条の二第一項の規定による届出をしようとする者のうち技術基準対象施設の建設又は改良を行おうとする者は、前項第一号の書類に代えて、次に掲げる書類を添付するものとする。

一　次に掲げる事項を示し又は記載した書類

イ　当該届出に係る行為に係る施設の諸元及び要求性能

ロ　当該届出に係る行為に係る施設への作用及びその設定の根拠

ハ　イ及びロの照査方法

二　当該届出に係る行為に係る施設の施工方法、施工管理方法及び安全管理方法を記載した書類

三　当該届出に係る行為に係る施設を適切に維持するための維持管理方法を記載した書類

4　令第十五条の四第二号に掲げる揚水施設を改良しようとする者であつて、揚水機の吐出口の断面積の合計を大きくし、又はストレーナーの位置を浅くしようとするもの以外のものは、法第三十八条の二第一項の規定による届出をすることを要しない。

本条…全部改正〔昭和四九年七月運輸省令二八号〕、三項…一部改正〔昭和五五年三月運輸省令五号〕、一項…一部改正〔平成一二年三月運輸省令一一号〕、三項…追加・旧三項…四項に繰下〔平成一九年三月国土交通省令一九号〕

第六条　令第十五条の四第一号の国土交通省令で定める危険物は、港則法施行規則（昭和二十三年運輸省令第二十九号）第十二条に定める危険物（火薬類取締法（昭和二十五年法律第百四十九号）第二条第一項に規定する火薬類及び高圧ガス保安法（昭和二十六年法律第二百四号）第二条に規定する高圧ガスを除く。）とする。

本条…全部改正〔昭和四九年七月運輸省令二八号〕、一部改正〔昭和五四年九月運輸省令三八号・平成九年三月一二号・一二年一一月三九号〕

第七条　法第三十八条の二第二項第四号の国土交通省令で定める事項は、次に掲げる事項とする。

一　法第三十八条の二第一項第一号、第二号又は第四号に掲げる行為にあつては、当該行為に係る施設の規模

二　当該行為に係る工事の開始及び完了の予定期日

三　法第三十八条の二第一項第三号に掲げる行為にあつては、当該工場等に係る事業の開始の予定期日

四　法第三十八条の二第一項第四号に掲げる行為にあつては、同条第二項第二号に掲げる事項

本条…全部改正〔昭和四九年七月運輸省令二八号〕、一部改正〔平成一二年一一月運輸省令三九号〕

第八条　法第三十八条の二第四項の規定による届出をしようとする者は、第三号様式による臨港地区内行為変更届出書を港湾管理者に提出するものとする。

２　前項の届出書には、第五条第二項各号に掲げる書類のうち変更に関する事項を記載したものを添付するものとする。

本条…全部改正〔昭和四九年七月運輸省令二八号〕、一項…一部改正〔平成一二年三月運輸省令一一号〕

（聴聞の方法の特例）

第九条　港湾管理者は、法第四十条の二第一項（法第五十条の五第二項の規定により読み替えて適用する場合を含む。）の規定による処分に係る聴聞を行うに当たつては、あらかじめ、聴聞の期日及び場所を公示しなければならない。

本条…全部改正〔平成六年九月運輸省令四六号〕、一部改正〔平成一二年三月運輸省令一一号・令和四年一二月国土交通省令九〇号〕

（港湾協力団体として指定することができる法人に準ずる団体）

第九条の二　法第四十一条の二第一項の国土交通省令で定める団体は、法人でない団体であつて、事務所の所在地、構成員の資格、代表者の選任方法、総会の運営、会計に関する事項その他当該団体の組織及び運営に関する事項を内容とする規約その他これに準ずるものを有しているものとする。

本条…追加〔平成二八年六月国土交通省令五七号〕

（港湾協力団体の指定）

第九条の三　法第四十一条の二第一項の規定による指定は、法第四十一条の三各号に掲げる業務を行う港湾の区域を明らかにしてするものとする。

本条…追加〔平成二八年六月国土交通省令五七号〕

（港湾協力団体に対する許可の特例の対象となる行為）

第九条の四　法第四十一条の六の国土交通省令で定める行為は、次の各号に掲げる許可の区分に応じ、当該各号に定める行為（当該港湾協力団体がその業務を行う港湾の区域において行うものに限る。）とする。

一　法第三十七条第一項第一号の規定による許可　港湾施設の整備若しくは管理又は港湾の開発、利用、保全及び管理に関する情報若しくは資料の収集及び提供、調査研究若しくは知識の普及及び啓発のために必要な港湾区域内水域等の占用

二　法第三十七条第一項第三号の規定による許可　港湾施設の整備若しくは管理又は港湾の開発、利用、保全及び管理に関する情報若しくは資料の収集及び提供、調査研究若しくは知識の普及及び啓発のために必要な水域施設、外郭施設、係留施設、運河、用水渠又は排水渠の建設又は改良

三　法第三十七条第一項第四号の規定による許可　港湾施設の整備若しくは管理又は港湾の開発、利用、保全及び管理に関する情報若しくは資料の収集及び提供、調査研究若しくは知識の普及及び啓発のために必要な令第十四条第二号に定める行為

本条…追加〔平成二八年六月国土交通省令五七号〕

（法第四十二条第一項の国土交通省令で定める小規模な施設）

第一〇条　法第四十二条第一項の国土交通省令で定める小規模なものは、次に掲げる施設とする。

一　水深五・五メートル以下の水域施設又は係留施設

二　前号の施設を専ら防護するための外郭施設

本条…追加〔平成一二年三月運輸省令一九号〕、見出し…改正・本条…一部改正〔平成一二年一一月運輸省令三九号〕

（開発保全航路内における放置等禁止物件）

第一一条　法第四十三条の八第一項の国土交通省令で定める物件は、次に掲げるものとする。

一　船舶

二　土石

三　いかだ

四　竹木

五　車両

六　前各号に掲げるもののほか、開発保全航路における船舶の交通その他開発保全航路の開発又は保全に支障を与える程度においてこれらの物件に類するもの

本条…全部改正〔平成一二年九月運輸省令三三号〕、一部改正〔平成一二年一一月運輸省令三九号〕、見出し…改正〔平成二五年八月国土交通省令六四号〕

（開発保全航路内における技術基準対象施設の建設等の許可）

第一一条の二　法第四十三条の八第二項の国土交通大臣の許可を受けようとする者は、次に掲げる書類（技術基準対象施設の建設又は改良を行おうとする者以外の者にあつては、第四号に掲げる書類に限る。）を国土交通大臣に提出するものとする。

一　次に掲げる事項を示し又は記載した書類

イ　建設又は改良を行おうとする技術基準対象施設の諸元及び要求性能

ロ　建設又は改良を行おうとする技術基準対象施設への作用及びその設定の根拠

ハ　イ及びロの照査方法

二　建設又は改良を行おうとする技術基準対象施設の施工方法、施工管理方法及び安全管理方法を記載した書類

三　建設又は改良を行おうとする技術基準対象施設を適切に維持するための維持管理方法を記載した書類

四　前三号に掲げるもののほか、国土交通大臣が必要と認める書類

２　前項の規定は、法第四十三条の八第四項の規定により準用する法第三十七条第三項の規定により国土交通大臣と協議しようとする者について準用する。この場合において、前項中「国土交通大臣の許可を受け」とあるのは「国土交通大臣と

協議し」と読み替えるものとする。

本条…追加〔平成一九年三月国土交通省令一九号〕

（法第四十三条の十一第一項の国土交通省令で定める港湾施設）

第一一条の三 法第四十三条の十一第一項の国土交通省令で定める港湾施設は、岸壁その他の係留施設に附帯する次に掲げるものとする。

一 荷さばき地

二 野積場

三 当該岸壁その他の係留施設及び前二号の施設の敷地

本条…追加〔平成二三年一二月国土交通省令九四号〕

（法第四十三条の十一第一項の国土交通省令で定める基準）

第一一条の四 法第四十三条の十一第一項の国土交通省令で定める基準は、次の各号のいずれかに該当する埠頭であることとする。

一 コンテナ船により運送されるコンテナ貨物、ロールオン・ロールオフ船により運送される貨物又は自動車航送船（本土と離島とを連絡するものを除く。）により運送される自動車若しくは旅客を取り扱う埠頭（老朽化その他の事由によりその機能を十分に発揮できないものを除く。）

二 主としてばら積みの貨物を取り扱う埠頭であつて、水深十メートル以上の岸壁その他の係留施設を有するもの（老朽化その他の事由によりその機能を十分に発揮できないものを除く。）

三 前二号に掲げる埠頭（以下この号において「主たる埠頭」という。）以外の埠頭であつて、主たる埠頭に隣接し、かつ、主たる埠頭と一体的に運営することが当該埠頭群の運営の効率化に資すると認められるもの

本条…追加〔平成二三年一二月国土交通省令九四号〕、一部改正〔平成二五年一一月国土交通省令九一号〕

（埠頭群を一体的に運営する二以上の国際戦略港湾の指定の公示）

第一一条の五 法第四十三条の十一第三項の規定による指定の公示は、官報に掲載して行うものとする。

本条…追加〔平成二三年一二月国土交通省令九四号〕

（心身の故障により埠頭群の運営の事業を適正に行うことができない者）

第一一条の五の二 法第四十三条の十一第七項第三号の国土交通省令で定める者は、精神の機能の障害により埠頭群の運営の事業を適正に行うに当たつて必要な認知、判断及び意思疎通を適切に行うことができない者とする。

本条…追加〔令和元年九月国土交通省令三四号〕

（指定の申請の内容の公衆の縦覧手続）

第一一条の六 国土交通大臣又は国際拠点港湾の港湾管理者は、法第四十三条の十一第八項の規定により指定の申請の内容を公衆の縦覧に供しようとするときは、あらかじめ、縦覧の開始の日、縦覧の場所及び縦覧の時間を、国土交通大臣にあつては官報により、国際拠点港湾の港湾管理者にあつては公報、掲示その他の方法により公告しなければならない。

2 国土交通大臣又は国際拠点港湾の港湾管理者は、法第四十三条の十一第八項の規定により指定の申請の内容を公衆の縦覧に供するときは、次に掲げる事項を、国土交通大臣にあつては官報により、国際拠点港湾の港湾管理者にあつては公報、掲示その他の方法により公告しなければならない。

一 法第四十三条の十一第一項又は第六項の規定による指定を受けようとする者（第十一条の九において「申請者」という。）の商号及び本店の所在地

二 運営計画の概要

三 意見書の提出方法、提出期限及び提出先

四 前三号に掲げるもののほか、当該指定に係る国土交通大臣又は国際拠点港湾の港湾管理者が必要と認める事項

本条…追加〔平成二三年一二月国土交通省令九四号〕

（港湾運営会社の指定の公示）

第一一条の七 法第四十三条の十一第十二項の規定による公示は、港湾運営会社の商号及び本店の所在地のほか、同条第九項の規定により提出された意見書の処理の経過、当該港湾運営会社の指定の理由その他当該港湾運営会社の指定をした国土交通大臣又は国際拠点港湾の港湾管理者が必要と認める事項を明示して、国土交通大臣にあつては官報により、国際拠点港湾の港湾管理者にあつては公報、掲示その他の方法により行うものとする。

本条…追加〔平成二三年一二月国土交通省令九四号〕

（商号等変更の届出の公示）

第一一条の八 法第四十三条の十一第十四項の規定による公示は、国土交通大臣にあつては官報により、国際拠点港湾の港湾管理者にあつては公報、掲示その他の方法により行うものとする。

本条…追加〔平成二三年一二月国土交通省令九四号〕

（港湾運営会社の指定の申請）

第一一条の九 法第四十三条の十二第一項の規定により提出する申請書には、申請の年月日及び申請者の代表者の氏名を記載しなければならない。

2 法第四十三条の十二第一項第二号ロの国土交通省令で定める港湾施設（以下「荷さばき施設等」という。）は、次に掲げるものとする。

一 荷さばき施設

二 旅客施設

三 港湾管理事務所

四 移動式施設

3 法第四十三条の十二第一項第二号ロの国土交通省令で定める事項は、次に掲げるものとする。

一 荷さばき施設等のうち申請者がその建設又は改良を行うもの（以下「特定荷さばき施設等」という。）の位置、種類、数、規模及び構造

二 特定荷さばき施設等の工事に要する費用の概算

三 特定荷さばき施設等の工事の着手及び完成の予定期日並

びに供用開始の予定期日

四　法第五十五条の九第一項の国の貸付けに係る国際戦略港湾又は国際拠点港湾の港湾管理者の貸付けを申請する場合にあつては、次に掲げる事項を記載した当該貸付けに係る特定荷さばき施設等に係る資金計画

イ　資金計画の概要

ロ　資金の調達方法

ハ　資金の使途

五　前号の特定荷さばき施設等に係る収支計画

4　法第四十三条の十二第一項第二号ハの国土交通省令で定める事項は、役員及び職員の配置の状況並びに事務の機構及び分掌に関する事項とする。

5　法第四十三条の十二第一項第二号ニの国土交通省令で定める航路は、外貿コンテナ貨物定期船が就航する航路であつて、別表第一の各項に掲げるいずれかの地域内にある港を寄港地とするものとする。

6　法第四十三条の十二第一項第二号ニの国土交通省令で定める取組は、次に掲げるものとする。

一　国際基幹航路に就航する外貿コンテナ貨物定期船の寄港回数の維持又は増加に関する目標の設定

二　国際基幹航路により形成される長距離の国際海上コンテナ運送に係る国際海上貨物輸送網の状況に関する情報の収集、整理及び提供

三　国際戦略港湾の取扱貨物量の増加、国際戦略港湾への寄港に要する費用の低減及び国際戦略港湾の利用上の利便の増進のための取組

四　次に掲げる者に対する国際戦略港湾の利用を促進するための働きかけ

イ　海上運送法（昭和二十四年法律第百八十七号）第二十三条の三第二項に規定する船舶運航事業者

ロ　貨物利用運送事業法（平成元年法律第八十二号）第五十五条第一項に規定する貨物利用運送事業者

ハ　荷主

ニ　イからハまでに掲げる者のほか、国際戦略港湾を利用し、又は利用することが見込まれる者

五　前各号に掲げるもののほか、国際基幹航路に就航する外貿コンテナ貨物定期船の寄港回数の維持又は増加を図るために必要な取組

7　法第四十三条の十二第一項第二号ホの国土交通省令で定める事項は次に掲げるものとする。

一　埠頭群（当該港湾において埠頭群に含まれない埠頭を運営する場合にあつては、当該埠頭を含む。次号、第三号及び次項第三号において同じ。）の運営の事業の実施時期

二　埠頭群を構成する港湾施設（特定荷さばき施設等を除く。）の位置、種類、数、規模及び構造

三　埠頭群の運営の効率化に資する取組

四　法第五十五条第一項、第四項又は第五項の埠頭群を構成する港湾施設の貸付けを希望する期間

8　法第四十三条の十二第二項の国土交通省令で定める書類は、次に掲げるものとする。

一　資金収支見積書

二　取扱貨物量の目標を記載した書類

三　埠頭群の運営の効率性の向上の程度を示す指標を記載した書類

四　申請者に関する次に掲げる書類

イ　定款及び登記事項証明書

ロ　役員の履歴書

ハ　株主名簿の写し

ニ　最近の事業年度の財産目録、貸借対照表及び損益計算書

五　法第四十三条の十一第七項各号に該当しない旨を誓約する書類

六　埠頭群の運営の事業以外の事業を行う場合には、その種類及び概要を記載した書類

七　その他参考となるべき事項を記載した書類

本条…追加〔平成二三年一二月国土交通省令九四号〕、三項…一部改正〔平成二六年七月国土交通省令六一号〕、五・六項…追加・旧五項…一部改正し七項に繰下・旧六項…八項に繰下〔令和二年二月国土交通省令七号〕、一項…一部改正〔令和二年一二月国土交通省令九八号〕

（運営計画の変更の届出）

第一一条の一〇　法第四十三条の十三第一項ただし書の国土交通省令で定める軽微な変更は、次に掲げる変更とする。

一　前条第四項の事項に係る変更

二　前号に掲げるもののほか、特定荷さばき施設等の名称の変更その他の運営計画に記載されている内容の実質的な変更を伴わない変更

2　法第四十三条の十三第五項の規定により運営計画の変更の届出をしようとする者は、次に掲げる事項を記載した運営計画変更届出書を提出しなければならない。

一　商号及び本店の所在地

二　変更した事項（新旧の対照を明示すること。）

本条…追加〔平成二三年一二月国土交通省令九四号〕

（区分経理の方法）

第一一条の一一　港湾運営会社は、法第四十三条の十六の規定により埠頭群の運営の事業に係る経理とその他の事業に係る経理とを区分して整理する場合においては、埠頭群の運営の事業とその他の事業との双方に関連する収益及び費用は、次に掲げる割合によりそれぞれの事業に配賦するものとする。

一　受取利子その他の事業外収益にあつては、それぞれの事業に専属する事業収益による割合

二　事業費用にあつては、次に掲げる割合

イ　法人税、道府県民税、事業税及び市町村民税にあつては、それぞれの事業に専属する利益による割合

ロ　その他のものにあつては、それぞれの事業に専属する事業費用（諸税及び減価償却費を除く。次号ロにおいて同じ。）による割合

三　支払利子その他の事業外費用にあつては、次に掲げる割合
イ　支払利子にあつては、それぞれの事業に専属する事業用固定資産の価額による割合（当該固定資産につき前事業年度末における貸借対照表に付せられた価額から当該固定資産につき当該貸借対照表に計上された減価償却引当金の額を控除した価額による割合をいう。）
ロ　その他のものにあつては、それぞれの事業に専属する事業費用による割合

本条…追加〔平成二三年一二月国土交通省令九四号〕

（指定の取消しの公示）

第一一条の一二　第十一条の八の規定は、法第四十三条の十九第三項の規定による公示について準用する。

本条…追加〔平成二三年一二月国土交通省令九四号〕

（埠頭群の運営の事業の引継ぎ等）

第一一条の一三　法第四十三条の十九第一項又は第二項の規定による指定の取消しに係る国際戦略港湾又は国際拠点港湾の港湾運営会社は、次に掲げる事項を行わなければならない。
一　埠頭群の運営の事業に関する書類を国際戦略港湾若しくは国際拠点港湾の港湾管理者又は当該埠頭群の運営の事業の全部を承継するものとして国土交通大臣若しくは国際拠点港湾の港湾管理者が指定する港湾運営会社に引き継ぐこと。
二　その他国土交通大臣が必要と認める事項

本条…追加〔平成二八年二月国土交通省令八号〕

（財務及び営業の方針の決定に対して重要な影響を与えることが推測される事実）

第一一条の一四　法第四十三条の二十一第一項に規定する国土交通省令で定める事実は、次に掲げる事実とする。
一　役員若しくは使用人である者又はこれらであつた者であつて港湾運営会社の財務及び営業又は事業の方針の決定に関して影響を与えることができるものが、当該港湾運営会社の取締役若しくは執行役又はこれらに準ずる役職に就任していること。
二　港湾運営会社に対して重要な融資を行つていること。
三　港湾運営会社に対して重要な技術を提供していること。
四　港湾運営会社との間に重要な営業上又は事業上の取引があること。
五　その他港湾運営会社の財務及び営業又は事業の方針の決定に対して重要な影響を与えることができることが推測される事実が存在すること。

本条…追加〔平成二三年一二月国土交通省令九四号〕、旧一一条の一三…繰下〔平成二八年二月国土交通省令八号〕

（取得又は保有の態様その他の事情を勘案して取得又は保有する議決権から除く議決権）

第一一条の一五　法第四十三条の二十一第一項に規定する国土交通省令で定めるものは、次に掲げるものとする。
一　信託業（信託業法（平成十六年法律第百五十四号）第二条第一項に規定する信託業をいう。）を営む者が信託財産として取得し、又は所有する港湾運営会社の株式に係る議決権（法第四十三条の二十一第五項第一号の規定により当該信託業を営む者が自ら取得し、又は保有する議決権とみなされるものを除く。）
二　法人の代表権を有する者又は法人の代理権を有する支配人が当該代表権又は代理権に基づき、議決権を行使することができる権限又は議決権の行使について指図を行うことができる権限を有し、又は有することとなる場合における当該法人が取得し、又は所有する港湾運営会社の株式に係る議決権
三　港湾運営会社の役員又は従業員が当該港湾運営会社の他の役員又は従業員と共同して当該港湾運営会社の株式の取得（一定の計画に従い、個別の投資判断に基づかず、継続的に行われ、各役員又は従業員の一回当たりの拠出金額が百万円に満たないものに限る。）をした場合（当該港湾運営会社が会社法（平成十七年法律第八十六号）第百五十六条第一項（同法第百六十五条第三項の規定により読み替えて適用する場合を含む。）の規定に基づき取得した株式以外の株式を取得したときは、金融商品取引法（昭和二十三年法律第二十五号）第二条第九項に規定する金融商品取引業者に委託して行つた場合に限る。）において当該取得をした港湾運営会社の株式を信託された者が取得し、又は所有する当該港湾運営会社の株式に係る議決権（法第四十三条の二十一第五項第一号の規定により当該信託された者が自ら取得し、又は保有する議決権とみなされるものを除く。）
四　相続人が相続財産として取得し、又は所有する港湾運営会社の株式（当該相続人（共同相続の場合を除く。）が単純承認（単純承認をしたものとみなされる場合を含む。）若しくは限定承認をした日までのもの又は当該相続財産の共同相続人が遺産分割を了していないものに限る。）に係る議決権
五　港湾運営会社が自己の株式の消却を行うために取得し、又は所有する当該港湾運営会社の株式に係る議決権

本条…追加〔平成二三年一二月国土交通省令九四号〕、旧一一条の一四…繰下〔平成二八年二月国土交通省令八号〕

（取得等の制限の適用除外）

第一一条の一六　法第四十三条の二十一第二項に規定する国土交通省令で定める場合は、次に掲げる場合とする。
一　保有する対象議決権の数に増加がない場合
二　担保権の行使又は代物弁済の受領により対象議決権を取得し、又は保有する場合
三　金融商品取引業者（金融商品取引法第二十八条第一項に規定する第一種金融商品取引業を行う者に限る。）が業務として対象議決権を取得し、又は保有する場合（同法第二条第八項第一号に掲げる行為により取得し、又は保有する場合を除く。）

四　金融商品取引法第二条第三十項に規定する証券金融会社が同法第百五十六条の二十四第一項に規定する業務として対象議決権を取得し、又は保有する場合

本条…追加〔平成二三年一一月国土交通省令九四号〕、旧一一条の一五…繰下〔平成二八年二月国土交通省令八号〕

（**特定保有者の届出**）

第一一条の一七　法第四十三条の二十一第三項の届出は、特定保有者となつた日から二週間以内に行わなければならない。

2　法第四十三条の二十一第三項に規定する国土交通省令で定める事項は、次に掲げる事項とする。

一　特定保有者になつた日

二　特定保有者に該当することとなつた原因

三　その保有する対象議決権の数

四　港湾運営会社の保有基準割合未満の数の対象議決権の保有者となるために必要な措置として予定している措置

本条…追加〔平成二三年一一月国土交通省令九四号〕、旧一一条の一六…繰下〔平成二八年二月国土交通省令八号〕

（**特別の関係にある者**）

第一一条の一八　法第四十三条の二十一第五項第二号（法第四十三条の二十二第二項において準用する場合を含む。）に規定する国土交通省令で定める特別の関係にある者は、次に掲げる関係にある者（地方公共団体若しくは港務局又はその総株主の議決権の三分の二以上の数の議決権を地方公共団体が保有している株式会社を除く。）とする。

一　共同で港湾運営会社の対象議決権を取得し、若しくは保有し、又は当該港湾運営会社の対象議決権を行使することを合意している者（以下この条において「共同保有者」という。）の関係

二　会社の総株主等の議決権（総株主又は総出資者の議決権をいい、株式会社にあつては、株主総会において決議をすることができる事項の全部につき議決権を行使することができない株式についての議決権を除き、会社法第八百七十九条第三項の規定により議決権を有するものとみなされる株式についての議決権を含む。以下この条において同じ。）の百分の五十を超える議決権を保有している者（以下この条において「支配株主等」という。）と当該会社（以下この条において「被支配会社」という。）との関係

三　被支配会社とその支配株主等の他の被支配会社との関係

四　夫婦の関係

2　共同保有者が合わせて会社の総株主等の議決権の百分の五十を超える議決権を保有している場合には、当該共同保有者は、それぞれ当該会社の支配株主等とみなして前項の規定を適用する。

3　支配株主等とその被支配会社が合わせて他の会社の総株主等の議決権の百分の五十を超える議決権を保有している場合には、当該他の会社も、当該支配株主等の被支配会社とみなして第一項の規定を適用する。

4　夫婦が合わせて会社の総株主等の議決権の百分の五十を超える議決権を保有している場合には、当該夫婦は、それぞれ当該会社の支配株主等とみなして第一項の規定を適用する。

5　第一項第二号及び第二項から前項までの場合において、これらの規定に規定する者が保有する議決権には、社債、株式等の振替に関する法律（平成十三年法律第七十五号）第百四十七条第一項又は第百四十八条第一項の規定により発行者に対抗することができない株式に係る議決権を含むものとする。

本条…追加〔平成二三年一一月国土交通省令九四号〕、旧一一条の一七…繰下〔平成二八年二月国土交通省令八号〕

（**対象議決権保有届出書の提出等**）

第一一条の一九　法第四十三条の二十二第一項の規定により対象議決権保有届出書を提出する者は、対象議決権保有者となつた日から二週間以内に、第三号の二様式により作成した対象議決権保有届出書を、当該港湾運営会社の指定をした国土交通大臣又は国際拠点港湾の港湾管理者に提出するものとする。

2　法第四十三条の二十二第一項に規定する対象議決権保有割合、保有の目的その他国土交通省令で定める事項は、第三号の二様式に定める事項とする。

本条…追加〔平成二三年一一月国土交通省令九四号〕、旧一一条の一八…繰下〔平成二八年二月国土交通省令八号〕

（**証明書の様式**）

第一一条の二〇　法第四十三条の二十三第二項の規定による証明書（国の職員が携帯するものを除く。）は、第三号の三様式によるものとする。

本条…追加〔平成二三年一一月国土交通省令九四号〕、旧一一条の一九…繰下〔平成二八年二月国土交通省令八号〕、本条…一部改正〔令和六年三月国土交通省令二六号〕

（**発行済株式総数の公表等**）

第一一条の二一　法第四十三条の二十四の規定による公表は、港湾運営会社のウェブサイトへの掲載その他の適切な方法により行うものとする。

2　法第四十三条の二十四に規定する国土交通省令で定める事項は、当該港湾運営会社の発行済株式の総数及び総株主の議決権の数とする。

3　法第四十三条の二十四の規定により公表する場合において、株式の転換（当該株式がその発行会社に取得され、引換えに他の種類の株式が交付されることをいう。）又は新株予約権の行使によつて発行済株式の総数又は総株主の議決権の数に変更があつた場合における発行済株式の総数又は総株主の議決権の数は、前月末日現在のものによることができる。

4　法第四十三条の二十四の規定により公表する場合において、港湾運営会社の発行済株式の総数に変更があつたときは、その登記が行われるまでの間は、登記されている発行済株式の総数をもつて、第二項の発行済株式の総数とみなすことができる。

本条…追加〔平成二三年一一月国土交通省令九四号〕、旧一一条の二〇…繰下〔平成二八年二月国土交通省令八号〕

（**料率変更の請求**）

第一二条　法第四十四条第三項の規定による請求をしようとする者は、左に掲げる事項を記載した料率変更請求書を国土交通大臣に提出するものとする。
一　請求者の氏名又は名称及び住所
二　当該料率を定めた港湾管理者の名称
三　当該料率並びにそれについて不当又は違法と認める部分及びその理由
四　請求者が正当と認める料率

本条…一部改正〔昭和四一年六月運輸省令四一号・平成一二年一一月二九号〕

（入港料についての同意を要する協議）

第一二条の二　法第四十四条の二第二項前段の規定により入港料について国土交通大臣に協議し、その同意を得ようとする港湾管理者は、次に掲げる事項を記載した入港料協議書を国土交通大臣に提出するものとする。
一　当該港湾管理者の名称
二　料率の上限及びその算出の基礎
三　入港料を徴収する理由

2　法第四十四条の二第二項後段の規定により入港料の料率の上限の変更について国土交通大臣に協議し、その同意を得ようとする港湾管理者は、次に掲げる事項を記載した料率上限変更協議書を国土交通大臣に提出するものとする。
一　当該港湾管理者の名称
二　現行の料率の上限
三　変更しようとする料率の上限及びその算出の基礎
四　変更を必要とする理由

3　前二項の規定による同意を得ようとする港湾管理者は、入港料の料率を第一項第二号又は前項第三号の料率の上限と同じものとしようとする場合にあつては、前二項の協議書にその旨を記載した書類を添付することができる。この場合において、国土交通大臣が、法第四十四条の二第二項の同意をしたときは、当該料率について同条第三項の規定による届出がなされたものとみなす。

本条…追加〔昭和二九年九月運輸省令四五号〕、旧二項…削除・旧三項…二項に繰上・三項…追加〔昭和四一年六月運輸省令四一号〕、見出し…改正・一―三項…一部改正〔平成一二年三月運輸省令一一号〕、一・二項…一部改正〔平成一二年一一月運輸省令三九号〕、一・二項…一部改正・三項…全部改正〔平成二〇年六月国土交通省令四二号〕

（入港料の料率の届出）

第一二条の三　法第四十四条の二第三項の規定により入港料の料率の設定又は変更の届出をしようとする港湾管理者は、次に掲げる事項を記載した料率設定（変更）届出書を国土交通大臣に提出するものとする。
一　当該港湾管理者の名称
二　設定し、又は変更しようとする料率
三　実施予定日

本条…追加〔平成二〇年六月国土交通省令四二号〕

（料率を記載した書面の提出を要する料金）

第一二条の四　法第四十五条第二項の国土交通省令で定める料金は、次に掲げる港湾施設の利用に関するものとする。
一　係留施設
二　荷さばき施設
三　旅客施設

本条…追加〔平成二三年一二月国土交通省令九四号〕、一部改正〔平成二九年七月国土交通省令四三号〕

（特定港湾情報提供施設協定の公告等）

第一二条の五　法第四十五条の四第一項（同条第四項において準用する場合を含む。）の規定による公告及び同条第三項（同条第四項において準用する場合を含む。）の規定による公示は、次に掲げる事項について行うものとする。
一　特定港湾情報提供施設協定の名称
二　協定特定港湾情報提供施設の名称及びその所在地
三　特定港湾情報提供施設協定の有効期間
四　特定港湾情報提供施設協定の縦覧又は特定港湾情報提供施設協定の写しの閲覧の場所

本条…追加〔平成二八年六月国土交通省令五七号〕、一部改正〔平成二九年七月国土交通省令四三号・令和四年一二月九〇号〕

（報告）

第一三条　法第四十八条第一項の規定による報告は、事業年度ごとに当該事業年度終了後五月以内に公表するものとする。

2　前項の規定による報告のうち、収支報告は第四号様式によるものとする。

二項…一部改正〔昭和四九年七月運輸省令二八号〕、一項…一部改正〔昭和六〇年四月運輸省令一八号・平成一二年一一月三九号・二五年九月七六号・令和四年一二月九〇号〕

（港湾台帳）

第一四条　港湾台帳は、帳簿及び図面をもつて組成するものとする。

2　帳簿には、港湾につき、少なくとも次に掲げる事項を記載するものとし、その様式は、第五号様式とする。
一　港湾管理者の名称、港湾区域及び国際戦略港湾、国際拠点港湾、重要港湾又は地方港湾の別
二　港湾における潮位
三　港湾施設の種類、名称、管理者名又は所有者名その他当該港湾施設の概要をは握するために必要な事項
四　港湾に関する条例、規則等

3　図面は、区域平面図、施設位置図及び施設断面図とし、港湾につき、次に定めるところにより調製するものとする。
一　区域平面図は、縮尺五万分の一以上の平面図とし、付近の地形、方位及び縮尺を表示し、少なくとも次に掲げる事項を記載するものとする。ただし、ハ、ニ又はホにあつては、当該区域が、港湾区域、臨港地区又は港湾隣接地域と重複し、又は隣接している場合に限る。
イ　港湾区域、臨港地区及び港湾隣接地域
ロ　港則法に基づく港の区域
ハ　河川法第三条第一項に規定する河川の河川区域
ニ　海岸法第三条の規定により指定される海岸保全区域
ホ　漁港及び漁場の整備等に関する法律第六条第一項から

第四項までの規定により指定される漁港の区域

二　施設位置図は、縮尺一万分の一以上の平面図とし、方位及び縮尺を表示し、少なくとも次に掲げる事項を記載するものとする。

イ　港湾区域及び臨港地区

ロ　港湾施設の位置（当該施設の施設番号を付記すること。）

ハ　水域施設、外郭施設、係留施設等のうち主要なものの規模

三　施設断面図には、少なくとも外郭施設及び係留施設のうち主要なものの標準的な断面図を記載するものとする。

4　帳簿及び図面の記載事項に変更があつたときは、港湾管理者は、速やかにこれを訂正しなければならない。

見出し…追加・本条…全部改正〔昭和五五年一二月運輸省令四五号〕、三項…一部改正〔平成一三年三月国土交通省令八二号〕、二項…一部改正〔平成二三年三月国土交通省令三二号〕、三項…一部改正〔平成二三年八月国土交通省令六二号・令和六年四月四九号〕

第一四条の二　港湾管理者は、港湾台帳をその事務所に備えておき、その閲覧を求められたときは、正当な理由がなければこれを拒むことができない。

本条…追加〔昭和五五年一二月運輸省令四五号〕

（港湾施設の譲渡等）

第一四条の三　法第四十六条第一項の規定による処分の認可を受けようとする港湾管理者は、次に掲げる事項を記載した港湾施設処分申請書を国土交通大臣に提出するものとする。

一　申請者の名称

二　処分しようとする港湾施設の種類及び数量

三　前号の港湾施設の工事に要した費用に関する明細

四　処分の相手方の氏名又は名称及び住所

五　担保の供与にあつては当該担保の供与に係る債務の内容、貸付けにあつては当該貸付の条件

2　前項の港湾施設処分申請書には、次に掲げる書類を添付するものとする。ただし、第一号に掲げる書類の一部にあつては当該港湾施設の種類により、第二号に掲げる書類にあつては当該港湾施設の処分後の用途により、必要がないときは、その添付を省略することができる。

一　当該港湾施設の位置図、平面図、縦断面図、横断面図及び構造図

二　処分後の当該港湾施設の維持管理計画等（港湾の施設の技術上の基準を定める省令（平成十九年国土交通省令第十五号）第四条第一項の維持管理計画等をいう。第十五条の二の六第四号において同じ。）の内容を記載した書類

一項…一部改正〔昭和六〇年六月運輸省令二二号・平成一二年一一月三九号〕、旧一五条…繰上〔平成一七年七月国土交通省令七八号〕、一項…一部改正・二項…全部改正〔平成一九年三月国土交通省令一九号〕、二項…一部改正〔令和五年九月国土交通省令七七号〕

（法第四十八条の三第一項の国土交通省令で定める申請等及びその様式）

第一五条　法第四十八条の三第一項の国土交通省令で定める申請等は、入港届及び出港届とする。

2　前項に掲げるものの様式は、第五号の二様式とする。

本条…追加〔平成一七年七月国土交通省令七八号〕、見出し…改正・一項…一部改正〔令和四年一二月国土交通省令九〇号〕

（電子情報処理組織を使用してする申請等及び処分通知等）

第一五条の二　法第四十八条の四第一項第一号の国土交通省令で定める港湾管理者に対して行われる通知（以下「申請等」という。）は、次の各号に掲げるものとする。

一　入港届

二　出港届

三　船舶の運航の動静に関する通知

四　係留施設の使用の許可の申請

五　荷さばき施設の使用の許可の申請

六　旅客施設（旅客乗降用固定施設に限る。）の使用の許可の申請

七　保管施設（野積場に限る。）の使用の許可の申請

八　船舶役務用施設（船舶のための給水施設に限る。）の使用の許可の申請

九　廃棄物処理施設（廃油処理施設に限る。）の使用の許可の申請

十　移動式施設の使用の許可の申請

十一　港湾役務提供用移動施設（船舶の離着岸を補助するための船舶並びに船舶のための給水の用に供する船舶及び車両に限る。）の使用の許可の申請

十二　コンテナ用電源設備の使用の許可の申請

十三　入港料の減免の申請

十四　入港料の還付の申請

十五　法第三十七条第一項の許可の申請

十六　法第三十八条の二第一項及び第四項の届出

十七　前各号に掲げるもののほか、港湾管理者が必要と認める申請等

2　法第四十八条の四第一項第一号の国土交通省令で定める港湾管理者が行う通知（以下「処分通知等」という。）は、次の各号に掲げるものとする。

一　前項第一号に掲げる入港届を受理した旨の通知

二　前項第二号に掲げる出港届を受理した旨の通知

三　前項第三号に掲げる船舶の運航の動静に関する通知を受理した旨の通知

四　前項第四号に掲げる係留施設の使用の許可の申請に対する処分の通知

五　前項第五号に掲げる荷さばき施設の使用の許可の申請に対する処分の通知

六　前項第六号に掲げる旅客施設（旅客乗降用固定施設に限る。）の使用の許可の申請に対する処分の通知

七　前項第七号に掲げる保管施設（野積場に限る。）の使用の許可の申請に対する処分の通知

八　前項第八号に掲げる船舶役務用施設（船舶のための給水

施設に限る。）の使用の許可の申請に対する処分の通知

九　前項第九号に掲げる廃棄物処理施設（廃油処理施設に限る。）の使用の許可の申請に対する処分の通知

十　前項第十号に掲げる移動式施設の使用の許可の申請に対する処分の通知

十一　前項第十一号に掲げる港湾役務提供用移動施設（船舶の離着岸を補助するための船舶並びに船舶のための給水の用に供する船舶及び車両に限る。）の使用の許可の申請に対する処分の通知

十二　前項第十二号に掲げるコンテナ用電源設備の使用の許可の申請に対する処分の通知

十三　前項第十三号に掲げる入港料の減免の申請に対する処分の通知

十四　前項第十四号に掲げる入港料の還付の申請に対する処分の通知

十五　前項第十五号に掲げる法第三十七条第一項の許可の申請に対する処分の通知

十六　前項第十六号に掲げる法第三十八条の二第一項及び第四項の届出を受理した旨の通知

十七　前項第十七号に掲げる申請等に対する処分通知等

本条…追加〔平成一五年五月国土交通省令六七号〕、見出し…改正〔平成一七年七月国土交通省令七八号〕、一・二項…一部改正〔平成一八年五月国土交通省令六四号・二一年一〇月六〇号・令和四年一二月九〇号・六年二月八号〕

（法第四十八条の四第一項第二号の国土交通省令で定める情報）

第一五条の二の二　法第四十八条の四第一項第二号の国土交通省令で定める情報は、次の各号に掲げるものとする。

一　潮位に関する情報

二　入出港船舶の動静に関する情報

本条…追加〔平成一八年五月国土交通省令六四号〕、見出し…改正・本条…一部改正〔令和四年一二月国土交通省令九〇号〕

（法第四十八条の四第一項第三号の国土交通省令で定める個人識別情報）

第一五条の二の三　法第四十八条の四第一項第三号の国土交通省令で定める個人識別情報は、写真及び指紋とする。

本条…追加〔平成二三年三月国土交通省令三三号〕、見出し…改正・本条…一部改正〔令和四年一二月国土交通省令九〇号〕

（個人識別情報を照合する方法）

第一五条の二の四　法第四十八条の四第一項第三号の国土交通省令で定める方法は、同条第六項第三号の個人識別情報の照合のための機器（第十五条の七第一項において「照合機器」という。）に入力された重要国際埠頭施設の制限区域に出入りする者に係る前条の個人識別情報のうち一又は二の情報を同号の電気通信回線を通じて同号の電子計算機に記録されている個人識別情報と照合する方法とする。

本条…追加〔平成二三年三月国土交通省令三三号〕、一部改正〔平成二三年一一月国土交通省令八〇号・一二月九四号・令和四年一二月九〇号〕

（法第四十八条の四第一項第四号の国土交通省令で定める情報）

第一五条の二の五　法第四十八条の四第一項第四号の国土交通省令で定める情報は、次の各号に掲げるものとする。

一　送り状及び船荷証券に係る情報その他の貨物の運送に関する情報

二　前号に掲げるもののほか、国土交通大臣が必要と認める情報

本条…追加〔令和五年九月国土交通省令七七号〕

（法第四十八条の四第一項第五号の国土交通省令で定める情報）

第一五条の二の六　法第四十八条の四第一項第五号の国土交通省令で定める情報は、次の各号に掲げるものとする。

一　港湾施設の位置、種類、数、規模及び構造に関する情報

二　港湾施設の調査及び測量に関する情報

三　港湾施設の設計及び施工に関する情報

四　港湾施設の維持管理計画等に関する情報

五　港湾施設の点検及び診断並びに評価に関する情報

六　前各号に掲げるもののほか、国土交通大臣が必要と認める情報

本条…追加〔令和五年九月国土交通省令七七号〕

（電子情報処理組織の使用料）

第一五条の三　法第四十八条の四第二項の規定により港湾管理者が負担する同条第一項第一号の電子情報処理組織の使用料は、当該電子情報処理組織の設置及び管理に必要な経費を基礎として、その使用状況等を勘案して国土交通大臣が定める額とする。

2　法第四十八条の四第二項の規定により波浪情報等の提供を受ける者（国及び港湾管理者を除く。）が負担する同条第一項第二号の電子情報処理組織の使用料は、当該電子情報処理組織の設置及び管理に必要な経費のうち波浪情報等の提供に必要なものを基礎として、その使用状況等を勘案して国土交通大臣が定める額とする。

3　法第四十八条の四第二項の規定により重要国際埠頭施設の管理者又は個人識別情報の照合を受ける者が負担する同条第一項第三号の電子情報処理組織の使用料は、当該電子情報処理組織の設置及び管理に必要な経費を基礎として、その使用状況等を勘案して国土交通大臣が定める額とする。

4　法第四十八条の四第二項の規定により同条第一項第四号の電子情報処理組織を使用する者が負担する当該電子情報処理組織の使用料は、当該電子情報処理組織の設置及び管理に必要な経費を基礎として、その使用状況等を勘案して国土交通大臣が定める額とする。

5　法第四十八条の四第二項の規定により港湾施設等情報の提供を受ける者（国及び港湾管理者を除く。）が負担する同条第一項第五号の電子情報処理組織の使用料は、当該電子情報処理組織の設置及び管理に必要な経費を基礎として、その使用状況等を勘案して国土交通大臣が定める額とする。

6　前五項の使用料は、年額として定めるものとする。ただ

し、第三項の個人識別情報の照合を受ける者が負担する使用料は、個人識別情報を法第四十八条の四第六項第三号の電子計算機に記録する際に定額を支払うものとして定めるものとする。

本条…追加〔平成一五年五月国土交通省令六七号〕、見出し…改正・一項…一部改正・二項…追加・旧二項…一部改正し三項に繰下〔平成一八年五月国土交通省令六四号〕、三項…追加・旧三項…一部改正し四項に繰下〔平成二三年三月国土交通省令三三号〕、一－四項…一部改正〔令和四年一二月国土交通省令九〇号〕、四・五項…追加・旧四項…一部改正し六項に繰下〔令和五年九月国土交通省令七七号〕

（電子情報処理組織を使用してする申請等及び処分通知等の様式）

第一五条の四　法第四十八条の四第四項の国土交通省令で定める電子情報処理組織を使用してする申請等及び処分通知等の様式は、第十五条の二第一項各号及び第二項各号に掲げる区分に応じて、法第四十八条の四第六項第一号に規定する国土交通大臣が指定する電子計算機に備えられたファイルから入手可能な様式とする。

本条…追加〔平成一五年五月国土交通省令六七号〕、見出し…改正〔平成一七年七月国土交通省令七八号〕、本条…一部改正〔平成二三年三月国土交通省令三三号・令和四年一二月九〇号〕

（電子情報処理組織を使用する者の届出等）

第一五条の五　法第四十八条の四第一項第一号の電子情報処理組織を使用して申請等をしようとする者は、申請等をしようとする者の氏名又は名称及び住所又は主たる事務所の所在地を記載した届出書を国土交通大臣に提出しなければならない。

2　法第四十八条の四第一項第一号の電子情報処理組織を使用して処分通知等をしようとする港湾管理者は、次の事項を記載した届出書を国土交通大臣に提出しなければならない。

一　処分通知等をしようとする港湾管理者の名称

二　処分通知等の対象とする港湾の名称

3　国土交通大臣は、第一項又は前項の届出書を受理したときは、当該届出をした者に識別番号、暗証番号その他必要と認める事項を通知又は交付するものとする。

4　第一項又は第二項の届出をした者は、届け出た事項に変更があったとき又は電子情報処理組織の使用を廃止したときは、速やかにその旨を記載した届出書を国土交通大臣に提出しなければならない。

本条…追加〔平成一五年五月国土交通省令六七号〕、一・二項…一部改正〔平成一八年五月国土交通省令六四号〕、一項…一部改正〔平成二一年一〇月国土交通省令六〇号〕、見出し…改正〔平成二三年三月国土交通省令三三号〕、一・二項…一部改正〔令和四年一二月国土交通省令九〇号〕、三項…一部改正〔令和六年二月国土交通省令八号〕

第一五条の六　法第四十八条の四第一項第二号の電子情報処理組織による波浪情報等の提供を受けようとする者は、次の事項を記載した届出書を国土交通大臣に提出しなければならない。

一　波浪情報等の提供を受けようとする者の氏名又は名称及び住所又は主たる事務所の所在地

二　提供を受けようとする波浪情報等の収集地点

2　前項の届出をした者は、届け出た事項に変更があったとき又は電子情報処理組織の使用を廃止したときは、速やかにその旨を記載した届出書を国土交通大臣に提出しなければならない。

本条…追加〔平成一八年五月国土交通省令六四号〕、旧一五条の五の二…繰下〔平成二三年一二月国土交通省令九四号〕、一項…一部改正〔令和四年一二月国土交通省令九〇号〕

第一五条の七　法第四十八条の四第一項第三号の電子情報処理組織による個人識別情報の照合を受けることができる者は、照合機器が設置された重要国際埠頭施設に出入りする者であって、国土交通大臣が定める者とする。

2　前項の照合を受けようとする者は、次に掲げる事項を記載した届出書に届出前六月以内に撮影した無帽、正面、上半身、無背景の写真及び個人識別情報の照合を受けることができる者であることを証明する書類を添えて、国土交通大臣に提出しなければならない。

一　氏名、生年月日及び住所

二　勤務先の名称及び所在地

3　前項の届出をした者は、届け出た事項に変更があったとき又は電子情報処理組織の使用を廃止しようとするときは、速やかにその旨を記載した届出書を国土交通大臣に提出しなければならない。

4　法第四十八条の四第一項第三号の電子情報処理組織を使用しようとする重要国際埠頭施設の管理者は、次に掲げる事項を記載した届出書を国土交通大臣に提出しなければならない。

一　管理者の名称及び主たる事務所の所在地

二　重要国際埠頭施設の名称及び所在地

5　前項の届出をした重要国際埠頭施設の管理者は、届け出た事項に変更があったとき又は電子情報処理組織の使用を廃止したときは、速やかにその旨を記載した届出書を国土交通大臣に提出しなければならない。

本条…追加〔平成二三年三月国土交通省令三三号〕、旧一五条の五の三…繰下〔平成二三年一二月国土交通省令九四号〕、一・二・四項…一部改正〔令和四年一二月国土交通省令九〇号〕

第一五条の八　法第四十八条の四第一項第四号の電子情報処理組織を使用しようとする者は、次に掲げる事項を記載した届出書を国土交通大臣に提出しなければならない。

一　電子情報処理組織を使用しようとする者の氏名又は名称及び住所又は主たる事務所の所在地

二　前号に掲げるもののほか、国土交通大臣が必要と認めるもの

2　前項の届出をした者は、届け出た事項に変更があったとき又は電子情報処理組織の使用を廃止したときは、速やかにその旨を記載した届出書を国土交通大臣に提出しなければならない。

本条…追加〔令和五年九月国土交通省令七七号〕

第一五条の九　法第四十八条の四第一項第五号の電子情報処理組織による港湾施設等情報の提供を受けようとする者は、次に掲げる事項を記載した届出書を国土交通大臣に提出しなければならない。

一　港湾施設等情報の提供を受けようとする者の氏名又は名称及び住所又は主たる事務所の所在地

二　前号に掲げるもののほか、国土交通大臣が必要と認めるもの

2　前項の届出をした者は、届け出た事項に変更があつたとき又は電子情報処理組織の使用を廃止したときは、速やかにその旨を記載した届出書を国土交通大臣に提出しなければならない。

本条…追加〔令和五年九月国土交通省令七七号〕

（法第五十条の二第八項の規定による措置）

第一五条の一〇　港湾管理者は、港湾脱炭素化推進計画に法第五十条の二第三項第四号に掲げる事項を定め、又は当該事項に係る港湾脱炭素化推進計画の変更をするときは、あらかじめ、第十七条の二第一項各号に掲げる事項の内容を二週間公衆の縦覧に供しなければならない。

2　第十七条の四第二項から第四項までの規定は、前項の規定による縦覧について準用する。この場合において、同条第二項及び第三項中「認定の申請」とあるのは「第十七条の二第一項各号に掲げる事項」と、同項第一号中「申請者」とあるのは「特定埠頭の運営の事業の実施主体」と、同条第四項中「認定の申請」とあるのは「事項」と読み替えるものとする。

本条…追加〔平成二五年一一月国土交通省令九一号〕、全部改正〔令和四年一二月国土交通省令九〇号〕、旧一五条の八…繰下〔令和五年九月国土交通省令七七号〕

（法第五十条の六第八項の規定による措置）

第一五条の一一　前条第一項の規定は、特定港湾管理者が特定利用推進計画に法第五十条の六第三項第三号に掲げる事項を定め、又は当該事項に係る特定利用推進計画の変更をする場合に準用する。

2　第十七条の四第二項から第四項までの規定は、前項において準用する前条第一項の規定による縦覧について準用する。この場合において、これらの規定中「港湾管理者」とあるのは「特定港湾管理者」と、第十七条の四第二項及び第三項中「認定の申請」とあるのは「第十七条の二第一項各号に掲げる事項」と、同項第一号中「申請者」とあるのは「特定埠頭の運営の事業の実施主体」と、同条第四項中「認定の申請」とあるのは「事項」と読み替えるものとする。

本条…追加〔令和四年一二月国土交通省令九〇号〕、一項…一部改正・旧一五条の九…繰下〔令和五年九月国土交通省令七七号〕

（共同化促進施設）

第一五条の一二　法第五十条の九第一項の国土交通省令で定める港湾施設は、次に掲げるものとする。

一　係留施設

二　荷さばき施設

三　保管施設

本条…追加〔平成二五年一一月国土交通省令九一号〕、旧一五条の九…繰下〔令和四年一二月国土交通省令九〇号〕、旧一五条の一〇…繰下〔令和五年九月国土交通省令七七号〕

（共同化促進施設協定の認可等の申請の公告）

第一五条の一三　法第五十条の十第一項（法第五十条の十二第二項において準用する場合を含む。）の規定による公告は、次に掲げる事項について、公報、掲示その他の方法で行うものとする。

一　共同化促進施設協定の名称

二　協定共同化促進施設の名称

三　共同化促進施設協定の縦覧場所

本条…追加〔平成二五年一一月国土交通省令九一号〕、旧一五条の一〇…繰下〔令和四年一二月国土交通省令九〇号〕、旧一五条の一一…繰下〔令和五年九月国土交通省令七七号〕

（共同化促進施設協定の認可の基準）

第一五条の一四　法第五十条の十一第一項第三号（法第五十条の十二第二項において準用する場合を含む。）の国土交通省令で定める基準は、次に掲げるものとする。

一　法第五十条の九第三項第二号に掲げる事項が、特定利用推進計画に適合すること。

二　法第五十条の九第三項第四号に掲げる措置が、共同化促進施設協定に違反した者に対して不当に重い負担を課するものではないこと。

本条…追加〔平成二五年一一月国土交通省令九一号〕、旧一五条の一一…繰下〔令和四年一二月国土交通省令九〇号〕、旧一五条の一二…繰下〔令和五年九月国土交通省令七七号〕

（共同化促進施設協定の認可等の公告）

第一五条の一五　第十五条の十三の規定は、法第五十条の十一第二項（法第五十条の十二第二項において準用する場合を含む。）の規定による公告について準用する。

本条…追加〔平成二五年一一月国土交通省令九一号〕、旧一五条の一二…一部改正し繰下〔令和四年一二月国土交通省令九〇号〕、旧一五条の一三…一部改正し繰下〔令和五年九月国土交通省令七七号〕

（法第五十条の十八第一項の国土交通省令で定める港湾施設）

第一五条の一六　法第五十条の十八第一項の国土交通省令で定める港湾施設は、次に掲げるものとする。

一　臨港交通施設

二　荷さばき施設

三　旅客施設

四　保管施設

五　船舶役務用施設

六　港湾情報提供施設

七　廃棄物処理施設

八　港湾環境整備施設

九　港湾厚生施設

十　移動式施設

本条…追加〔平成二九年七月国土交通省令四三号〕、旧一五条の一三…繰下〔令和四年一二月国土交通省令九〇号〕、旧一五条の一四…繰下〔令和五年九月国土交通省令七七号〕

（法第五十条の十八第一項の国土交通省令で定める者）

第一五条の一七　法第五十条の十八第一項の国土交通省令で定める者は、次に掲げるものとする。

一　所有者（株式会社である場合に限る。）の議決権の過半数を所有している者

二　所有者（持分会社（会社法第五百七十五条第一項に規定する持分会社をいう。）である場合に限る。）の資本金の二分の一を超える額を出資している者

三　所有者の事業の方針の決定に関して、前二号に掲げる者と同等以上の支配力を有すると認められる者

本条…追加〔平成二九年七月国土交通省令四三号〕、旧一五条の一四…繰下〔令和四年一二月国土交通省令九〇号〕、旧一五条の一五…繰下〔令和五年九月国土交通省令七七号〕

（官民連携国際旅客船受入促進協定の基準）

第一五条の一八　法第五十条の十八第六項第二号（法第五十条の十九第四項において準用する場合を含む。）の国土交通省令で定める基準は、次に掲げるものとする。

一　法第五十条の十八第五項第二号に掲げる事項が、国際旅客船拠点形成計画に適合すること。

二　法第五十条の十八第五項第四号に掲げる有効期間が、不当に長いものではないこと。

三　法第五十条の十八第五項第五号に掲げる措置が、官民連携国際旅客船受入促進協定に違反した者に対して不当に重い負担を課するものではないこと。

本条…追加〔平成二九年七月国土交通省令四三号〕、旧一五条の一五…繰下〔令和四年一二月国土交通省令九〇号〕、旧一五条の一六…繰下〔令和五年九月国土交通省令七七号〕

（官民連携国際旅客船受入促進協定の公告）

第一五条の一九　法第五十条の十九第一項（同条第四項において準用する場合を含む。）の規定による公告及び同条第三項（同条第四項において準用する場合を含む。）の規定による公示は、次に掲げる事項について行うものとする。

一　官民連携国際旅客船受入促進協定の名称

二　協定国際旅客船受入促進施設の名称及びその所在地

三　官民連携国際旅客船受入促進協定の有効期間

四　官民連携国際旅客船受入促進協定の縦覧又は官民連携国際旅客船受入促進協定の写しの閲覧の場所

本条…追加〔平成二九年七月国土交通省令四三号〕、旧一五条の一六…繰下〔令和四年一二月国土交通省令九〇号〕、旧一五条の一七…繰下〔令和五年九月国土交通省令七七号〕

（料率を記載した書面の提出を要する料金）

第一五条の二〇　法第五十条の二十一の国土交通省令で定める料金は、協定民間国際旅客船受入促進施設を構成する旅客施設及びこれに附帯する臨港交通施設の利用に関するものとする。

本条…追加〔平成二九年七月国土交通省令四三号〕、旧一五条の一七…繰下〔令和四年一二月国土交通省令九〇号〕、旧一五条の一八…繰下〔令和五年九月国土交通省令七七号〕

（港湾環境整備計画の作成及び認定の申請）

第一五条の二一　法第五十一条第一項の港湾管理者の認定を受けようとする者（次項第一号において「申請者」という。）は、第五号の二の二様式による申請書を港湾管理者に提出しなければならない。

2　前項の申請書には、次に掲げる書類を添付しなければならない。

一　法人にあっては、次に掲げる書類

イ　定款又は寄附行為及び登記事項証明書

ロ　最近の事業年度の財産目録、貸借対照表及び損益計算書

二　個人にあっては、次に掲げる書類

イ　住民票の写し

ロ　財産目録

三　緑地等の位置図

四　法第五十一条第三項に規定する事項を記載する場合には、第三条の四第一項各号に掲げる書類

五　その他参考となるべき事項を記載した書類

本条…追加〔令和四年一二月国土交通省令九〇号〕、旧一五条の一九…繰下〔令和五年九月国土交通省令七七号〕

（法第五十一条の二第三項の公正な手続を確保するための措置）

第一五条の二二　港湾管理者は、法第五十一条の二第一項（同条第六項において準用する場合を含む。）の認定をするに当たつては、当該認定を申請した者の氏名又は名称及び法第五十一条第二項第一号から第五号までに掲げる事項の概要を二週間公衆の縦覧に供しなければならない。

2　港湾管理者は、前項の規定による縦覧をするときは、あらかじめ、縦覧の開始の日、縦覧の場所及び縦覧の時間を公報、掲示その他の方法で公告しなければならない。

3　港湾管理者は、第一項の規定による縦覧をするときは、次に掲げる事項（公表することが不適切であると港湾管理者が認めるものを除く。）を公報、掲示その他の方法で公告しなければならない。

一　当該認定を申請した者の氏名又は名称

二　法第五十一条第二項第一号から第五号までに掲げる事項の概要

三　意見書の提出方法、提出期限及び提出先

四　前三号に掲げるもののほか、港湾管理者が必要と認める事項

4　第一項の規定により縦覧に供された事項の内容について利害関係を有する者は、縦覧期間満了の日までの間に、港湾管理者に意見書を提出することができる。

本条…追加〔令和四年一二月国土交通省令九〇号〕、旧一五条の二〇…繰下〔令和五年九月国土交通省令七七号〕

（法第五十一条の二第四項の国土交通省令で定める事項）

第一五条の二三　法第五十一条の二第四項（同条第六項において準用する場合を含む。）の国土交通省令で定める事項は、次の各号に掲げるものとする。

一　前条第四項の規定により提出された意見書の処理の経過
二　法第五十一条の二第一項（同条第六項において準用する場合を含む。）の認定を受けた者の認定理由
三　前二号に掲げるもののほか、港湾管理者が必要と認める事項

本条…追加〔令和四年一二月国土交通省令九〇号〕、旧一五条の二一…繰下〔令和五年九月国土交通省令七七号〕

（港湾環境整備計画の変更の認定の申請）

第一五条の二四　法第五十一条の二第五項の規定により港湾環境整備計画の変更の認定を受けようとする者は、第五号の二の三様式による申請書を港湾管理者に提出しなければならない。

2　前項の申請書には、第十五条の二十一第二項各号に掲げる書類のうち港湾環境整備計画の変更に伴いその内容が変更されるものを添付しなければならない。

本条…追加〔令和四年一二月国土交通省令九〇号〕、二項…一部改正・旧一五条の二二…繰下〔令和五年九月国土交通省令七七号〕

（緑地等の貸付契約の内容）

第一五条の二五　港湾管理者は、法第五十一条の三第一項の規定により認定計画実施者に緑地等を貸し付けるときは、少なくとも次に掲げる事項を貸付契約の内容としなければならない。

一　港湾管理者は、認定計画実施者が法第五十一条の四第二項の取消しを受けたときは、当該貸付契約を解除するものとすること。
二　港湾管理者は、認定計画実施者が認定計画に従つて港湾の環境の整備に関する事業を実施していないと認めるとき、認定計画実施者が法令若しくは当該貸付契約に違反したとき又は当該事業の実施に関し不正の行為があつたと認めるときは、当該貸付契約を解除することができるものとすること。
三　港湾管理者は、認定計画の適正かつ確実な遂行を確保するため必要な限度において、認定計画実施者に対し、質問し、帳簿書類その他の物件を調査し、又は参考となるべき報告若しくは資料の提出を求めることができ、認定計画実施者はこれに応じなければならないものとすること。
四　認定計画実施者は、貸し付けられた緑地等に関し、これを第三者に転貸し、及びこれに係る賃借権を譲渡してはならないこと。ただし、認定計画実施者が、貸し付けられた緑地等の一部について、当該緑地等の本来の用途又は目的を妨げない限度において、これを第三者に転貸することについて港湾管理者の承諾を得たときは、この限りでないこと。
五　認定計画実施者は、貸し付けられた緑地等に自己の権原によつて附属させた物を担保に供しようとするときは、港湾管理者の承諾を得なければならないものとすること。
六　非常災害に際し円滑な物資輸送及び避難地の確保を図る必要がある場合その他公益上特別の必要がある場合において、港湾管理者が貸し付けられた緑地等を認定計画実施者以外の者の利用に供すべきことを認定計画実施者に指示したときは、認定計画実施者はその利用を受忍しなければならないものとすること。

本条…追加〔令和四年一二月国土交通省令九〇号〕、旧一五条の二三…繰下〔令和五年九月国土交通省令七七号〕

（直轄工事の対象とする港湾施設）

第一五条の二六　法第五十二条第一項第一号の国土交通省令で定めるものは、国土交通大臣が港湾の配置及び取扱貨物量を考慮して地震に対する安全性の向上を図る必要があると認める外貿コンテナ岸壁等（コンテナ貨物の運送に係る外国貿易船（外国貿易のため本邦と外国の間を往来する船舶をいう。以下同じ。）を専ら係留するための岸壁又は桟橋をいう。以下同じ。）であつて水深十六メートル以上のものとする。

2　法第五十二条第一項第二号の国土交通省令で定めるものは、次に掲げるものとする。

一　次に掲げる水域施設
イ　水深及び配置からみて当該港湾において主要と認められる航路
ロ　イの航路とハの泊地とを接続するための航路
ハ　第三号の係留施設の機能を確保するための泊地
二　次に掲げる外郭施設
イ　補助的防波堤（他の防波堤により防護される水域内に設置される防波堤をいう。）以外の防波堤であつて前号又は次号の施設を防護するもの
ロ　次号の係留施設の機能を確保するための護岸
三　次に掲げる係留施設
イ　外国貿易船を係留するための係留施設であつて水深十二メートル以上のもの（前項に規定するものを除く。）
ロ　内国貿易船（内国貿易のため本邦内の各地間を往来する船舶をいう。）であつてコンテナ船、自動車航送船又はロールオン・ロールオフ船であるものを係留するための係留施設
四　前号の係留施設の機能を確保するための臨港交通施設のうち主要なもの

3　法第五十二条第一項第三号の国土交通省令で定める大規模なものは、次に掲げるものとする。

一　港湾公害防止施設のうち面積二十ヘクタール以上の公害防止用緩衝地帯
二　港湾環境整備施設で、面積二十ヘクタール（非常災害が発生した場合において、緊急輸送の確保その他の災害対策基本法（昭和三十六年法律第二百二十三号）第二条第一項第三号に規定する指定行政機関の長が実施する広域的な災害応急対策の拠点としての機能を発揮するものにあつては、十五ヘクタール）以上のもの
三　埋立処分の用に供される場所の埋立容量が千五百万立方メートル以上の廃棄物埋立護岸
四　海洋性廃棄物処理施設のうち汚泥の処理のための施設で

あつて一日当たりの処理能力が二千五百立方メートル以上のもの又は廃棄物の焼却のための施設であつて一日当たりの処理能力が三十トン以上のもの

4　法第五十二条第一項第四号の国土交通省令で定める大規模なものは、面積二十五ヘクタール以上の泊地及び当該泊地を防護する防波堤とする。

本条…追加〔平成一二年三月運輸省令一一号〕、一項…一部改正〔平成一二年三月運輸省令一九号〕、一－三項…一部改正〔平成一二年一一月運輸省令三九号〕、一項…一部改正〔平成一二年一二月運輸省令四八号〕、二項…一部改正〔平成一五年一月国土交通省令七号〕、旧一五条の二…繰下〔平成一五年五月国土交通省令六七号〕、一項…一部改正・旧一五条の六…繰下〔平成一七年七月国土交通省令七八号〕、一項…追加・旧一－三項…一部改正し二－四項に繰下〔平成二三年三月国土交通省令三三号〕、一項…一部改正〔平成二三年一一月国土交通省令八〇号〕、旧一五条の八…繰下〔平成二三年一二月国土交通省令九四号〕、旧一五条の一〇…繰上〔平成二五年一一月国土交通省令九一号〕、旧一五条の一三…繰下〔平成二九年七月国土交通省令四三号〕、旧一五条の一八…繰下〔令和四年一二月国土交通省令九〇号〕、旧一五条の二四…繰下〔令和五年九月国土交通省令七七号〕

（法第五十二条第二項第三号の国土交通省令で定める施設）

第一五条の二七　法第五十二条第二項第三号の国土交通省令で定めるものは、次に掲げる施設とする。

一　外貿コンテナ岸壁等の機能を確保するための航路

二　外貿コンテナ岸壁等又は前号の航路を防護するための防波堤

三　国土交通大臣が港湾の配置及び取扱貨物量を考慮して地震に対する安全性の向上を図る必要があると認める外貿コンテナ岸壁等（前条第一項に規定するもの及び国際戦略港湾における外貿コンテナ岸壁等であつて水深十四メートル未満のものを除く。）

本条…追加〔平成一二年三月運輸省令一九号〕、見出し…改正・本条…一部改正〔平成一二年一一月運輸省令三九号〕、旧一五条の三…繰下〔平成一五年五月国土交通省令六七号〕、旧一五条の七…繰下〔平成一七年七月国土交通省令七八号〕、見出し…改正・本条…一部改正〔平成二三年三月国土交通省令三三号〕、旧一五条の一一…繰上〔平成二三年一二月国土交通省令九四号〕、旧一五条の九…繰下〔平成二五年一一月国土交通省令九一号〕、旧一五条の一四…繰下〔平成二九年七月国土交通省令四三号〕、旧一五条の一九…繰下〔令和四年一二月国土交通省令九〇号〕、旧一五条の二五…繰下〔令和五年九月国土交通省令七七号〕

（土地又は工作物の譲渡）

第一六条　法第五十三条に規定する土地又は工作物を譲り受けようとする港湾管理者は、次に掲げる事項を記載した土地工作物譲渡申請書を国土交通大臣に提出するものとする。

一　当該港湾管理者の名称

二　土地の譲渡にあつてはその区域、面積及び価額、工作物の譲受にあつてはその種類、構造及び価額

三　当該港湾管理者が、当該土地又は工作物につき費用を負担した場合はその額に相当する価額

2　第一条第二項の規定は前項の場合に準用する。この場合において「認定を受けようとする施設」及び「当該施設」とあるのは「当該土地又は工作物」と読み替えるものとする。

一項…一部改正〔昭和六〇年六月運輸省令二二号・平成一二年一一月三九号〕

（準用規定）

第一七条　第一条第二項及び前条第一項の規定は、港湾管理者が法第五十四条の二第一項に規定する港湾施設を譲り受けようとする場合に準用する。この場合において、第一条第二項中「認定を受けようとする施設」及び「当該施設」とあるのは「当該港湾施設」と、前条第一項中「土地工作物譲渡申請書」とあるのは「港湾施設譲渡申請書」と、同項第三号中「当該港湾管理者」とあるのは「当該港湾管理者としての地方公共団体（当該地方公共団体が地方自治法第二百八十四条第二項又は第三項の地方公共団体である場合には当該地方公共団体を組織する地方公共団体）又は当該港務局を組織する地方公共団体」と読み替えるものとする。

本条…追加〔昭和四一年六月運輸省令四一号〕、一部改正〔平成一七年七月国土交通省令七八号・二三年八月六二号〕

（特定埠頭の運営の事業の認定に係る申請手続）

第一七条の二　法第五十四条の三第一項の港湾管理者の認定を受けようとする者（以下この条から第十七条の四までにおいて「申請者」という。）は、次に掲げる事項を記載した第五号の三様式による申請書を港湾管理者に提出するものとする。

一　特定埠頭の運営の事業の名称

二　次に掲げる事項を記載した特定埠頭の運営の事業の計画

イ　特定埠頭の運営の事業の概要

ロ　特定埠頭の運営の事業の実施時期

ハ　特定埠頭の位置

ニ　特定埠頭を構成する港湾施設の種類、数、規模及び構造

三　特定埠頭の運営の事業の実施が当該港湾の効率的な運営に特に資するものであることを明らかにするために参考となるべき事項

四　資金計画

五　貸付けを希望する特定埠頭を構成する港湾施設の一部を第三者に転貸することを希望するときは、その旨及び理由

六　その他特定埠頭の運営の事業の実施に関し必要な事項

2　前項の申請書には、次に掲げる書類を添付するものとする。

一　既存の法人にあつては、次に掲げる書類

イ　定款又は寄附行為及び登記事項証明書

ロ　役員又は社員の履歴書

ハ　株式会社にあつては、発行済株式の総数の五パーセント以上の株式を所有する株主の名簿

ニ　最近の事業年度の財産目録、貸借対照表及び損益計算書

ホ　組織を明らかにする書類

二　法人を設立しようとする者にあつては、次に掲げる書類

イ　定款又は寄附行為の謄本

ロ　発起人、社員又は設立者の履歴書

ハ　株式の引受け、出資又は財産の寄附の状況又は見込み

を記載した書類

二　組織を明らかにする書類

三　貸付けを希望する特定埠頭の総体の位置を表示した縮尺五万分の一以上の平面図及び当該特定埠頭を構成する港湾施設の位置を表示した縮尺一万分の一以上の平面図

四　特定埠頭の運営の事業の遂行に必要な資金の調達の相手方並びに当該相手方ごとのおおむねの調達額及びその調達方法を記載した書類

五　貸付けを希望する特定埠頭を構成する港湾施設の一部を第三者に転貸することを希望するときは、転貸を受ける者の概要を記載した書類

六　その他参考となるべき事項を記載した書類

本条…追加〔平成一八年九月国土交通省令九三号〕、一項…一部改正・旧一七条の三…繰上〔平成二三年一二月国土交通省令九四号〕

（法第五十四条の三第一項の国土交通省令で定める要件）

第一七条の三　法第五十四条の三第一項の国土交通省令で定める要件は、次に掲げるものとする。

一　特定埠頭の運営の事業が次のいずれかに該当するものであること。

イ　コンテナ船により運送されるコンテナ貨物を取り扱う特定埠頭を運営する事業であつて、当該コンテナ船を係留するための岸壁その他の係留施設（水深が七・五メートル以上のものに限る。）及びこれに連続する岸壁その他の係留施設（水深が五・五メートルを超えるものに限る。）を一体的に運営しようとする場合は当該係留施設並びにこれらに附帯する荷さばき地又は野積場の一体的な運営を含むもの

ロ　ロールオン・ロールオフ船により運送される貨物を取り扱う特定埠頭を運営する事業であつて、当該ロールオン・ロールオフ船を係留するための岸壁その他の係留施設（水深が七・五メートル以上のものに限る。）及びこれに連続する岸壁その他の係留施設（水深が五・五メートルを超えるものに限る。）を一体的に運営しようとする場合は当該係留施設並びにこれらに附帯する荷さばき地又は野積場の一体的な運営を含むもの

ハ　自動車航送船により運送される自動車又は旅客を取り扱う特定埠頭を運営する事業であつて、当該自動車航送船を係留するための岸壁その他の係留施設（水深が七・五メートル以上のものに限る。）及びこれに連続する岸壁その他の係留施設（水深が五・五メートルを超えるものに限る。）を一体的に運営しようとする場合は当該係留施設並びにこれらに附帯する駐車場又は旅客施設の一体的な運営を含むもの

ニ　主としてばら積みの貨物を取り扱う特定埠頭を高性能な荷さばき施設を整備し一体的に運営する事業であつて、法第三条の二に規定する基本方針に基づき、輸送、保管、荷さばき、流通加工その他の物資の流通に係る業務を行うための土地の確保、道路法（昭和二十七年法律第百八十号）第三条第一号に規定する高速自動車国道又は同法第五条第一項第一号に規定する一般国道との連絡の確保に関する状況等を勘案して港湾管理者が指定する臨港地区又は臨港地区の予定地区内の区域にあるばら積みの貨物を取り扱う岸壁その他の係留施設（水深が十四メートル以上のものに限る。）及びこれらに附帯する荷さばき地又は野積場の一体的な運営を含むもの

二　特定埠頭の運営の事業が当該港湾の効率的な運営に特に資するものであり、かつ、当該港湾の適正な運営の確保の見地から支障がないと認められること。

三　特定埠頭の運営の事業に係る資金計画が当該事業を適正かつ確実に遂行するために適切なものであること。

四　申請者が、特定埠頭の運営の事業を遂行するために必要な経済的基礎及びこれを的確に遂行するために必要なその他の能力が十分であること。

五　特定の利用者に対して不当な差別的取扱いをするものでないこと。

本条…追加〔平成一八年九月国土交通省令九三号〕、一部改正〔平成二〇年六月国土交通省令四二号・二三年一一月八〇号〕、旧一七条の四…一部改正し繰上〔平成二三年一二月国土交通省令九四号〕、本条…一部改正〔平成二五年一一月国土交通省令九一号〕

（法第五十四条の三第四項の公正な手続を確保するための措置）

第一七条の四　港湾管理者は、法第五十四条の三第二項の認定をするに当たつては、当該認定の申請の内容を二週間公衆の縦覧に供しなければならない。

2　港湾管理者は、前項の規定により認定の申請の内容を公衆の縦覧に供しようとするときは、あらかじめ、縦覧の開始の日、縦覧の場所及び縦覧の時間を公報、掲示その他の方法で公告しなければならない。

3　港湾管理者は、第一項の規定により認定の申請の内容を公衆の縦覧に供するときは、次に掲げる事項（公表することが不適切であると港湾管理者が認めるものを除く。）を公報、掲示その他の方法で公告しなければならない。

一　申請者の氏名又は名称

二　第十七条の二第一項第一号から第三号まで及び第五号に掲げる事項の概要

三　意見書の提出方法、提出期限及び提出先

四　前三号に掲げるもののほか、港湾管理者が必要と認める事項

4　第一項の規定により縦覧に供された認定の申請の内容について利害関係を有する者は、縦覧期間満了の日までの間に、港湾管理者に意見書を提出することができる。

本条…追加〔平成一八年九月国土交通省令九三号〕、三項…一部改正・旧一七条の五…繰上〔平成二三年一二月国土交通省令九四号〕

（法第五十四条の三第五項の通知）

第一七条の五　港湾管理者は、法第五十四条の三第二項の認定

（同条第三項の規定により国土交通大臣の同意を得てしたものを除く。）をしたときは、次に掲げる事項を記載した通知書を国土交通大臣に提出するものとする。

一　当該認定を受けた者の氏名又は名称

二　第十七条の二第一項第一号から第三号まで及び第五号に掲げる事項

三　当該認定を受けた者の認定理由

2　前項の通知書には、次に掲げる書類を添付するものとする。

一　当該認定を行つた運営の事業を実施する特定埠頭の総体の位置を表示した縮尺五万分の一以上の平面図及び当該特定埠頭を構成する港湾施設の位置を表示した縮尺一万分の一以上の平面図

二　法第五十四条の三第六項の規定による公表をしたこと並びに前条第二項及び第三項の規定による公告をしたことを証する書類

本条…追加〔平成二三年八月国土交通省令六二号〕、一項…一部改正・旧一七条の五の二…繰上〔平成二三年一二月国土交通省令九四号〕

（法第五十四条の三第六項の国土交通省令で定める事項）

第一七条の六　法第五十四条の三第六項の国土交通省令で定める事項は、次の各号に掲げるものとする。

一　第十七条の二第一項第一号、第二号ロからニまで、第三号及び第五号に掲げる事項の概要

二　第十七条の四第四項の規定により提出された意見書の処理の経過

三　当該認定を受けた者（次条において「事業者」という。）の認定理由

四　前三号に掲げるもののほか、港湾管理者が必要と認める事項

本条…追加〔平成一八年九月国土交通省令九三号〕、見出し…改正・本条…一部改正〔平成二三年八月国土交通省令六二号〕、一部改正〔平成二三年一二月国土交通省令九四号〕

（特定埠頭の貸付契約の内容）

第一七条の七　港湾管理者は、法第五十四条の三第七項の規定により事業者に特定埠頭を構成する港湾施設を貸し付けるときは、少なくとも次に掲げる事項を貸付契約の内容としなければならない。

一　港湾管理者は、事業者が法第五十四条の三第十二項の取消しを受けたときは、当該貸付契約を解除するものとすること。

二　港湾管理者は、事業者が法第五十四条の三第一項に規定する要件を欠くに至つたとき、事業者が法令若しくは当該貸付契約に違反したとき又は特定埠頭の運営の事業の実施に関し不正の行為があつたと認めるときは、当該貸付契約を解除することができるものとすること。

三　港湾管理者は、特定埠頭の運営の事業の適正かつ確実な遂行を確保するため必要な限度において、事業者に対し、質問し、帳簿書類その他の物件を調査し、又は参考となるべき報告若しくは資料の提出を求めることができ、事業者はこれに応じなければならないものとすること。

四　事業者は、貸し付けられた港湾施設に関し、これを第三者に転貸し、及びこれに係る賃借権を譲渡してはならないこと。ただし、事業者が、貸し付けられた港湾施設の一部について、当該港湾施設の本来の用途又は目的を妨げない限度において、これを第三者に転貸することについて港湾管理者の承諾を得たときは、この限りではないこと。

五　事業者は、貸し付けられた港湾施設に自己の権原によつて附属させた物を担保に供しようとするときは、港湾管理者の承諾を得なければならないものとすること。

六　異常な滞船の解消を図る必要がある場合、港湾施設における感染症の発生の予防又はそのまん延の防止を図る必要がある場合その他公益上特別の必要がある場合において、港湾管理者が貸し付けられた港湾施設を事業者以外の者の利用に供すべきこと又は特定の船舶の利用に供してはならないことを事業者に指示したときは、事業者はその利用又は利用制限を受忍しなければならないものとすること。

本条…追加〔平成一八年九月国土交通省令九三号〕、一部改正〔平成二三年八月国土交通省令六二号・令和二年一一月八九号〕

（港湾計画の軽易な変更の特例）

第一七条の八　法第五十四条の三第一項の規定による申請が見込まれ、かつ、港湾管理者が同条第二項の規定により認定しようとする特定埠頭の運営の事業に係る港湾計画の変更についての第一条の十二第五号の規定の適用については、同号中「含む。）」とあるのは、「含み、法第五十四条の三第一項の規定による申請が見込まれ、かつ、港湾管理者が同条第二項の規定により認定しようとする特定埠頭の運営の事業に係る特定埠頭を構成するものを除く。）」とする。

本条…追加〔平成一八年九月国土交通省令九三号〕、一部改正〔平成二三年一二月国土交通省令九四号・二五年一一月九一号・二九年七月四三号・令和二年二月七号〕

（埠頭群の貸付契約の内容）

第一七条の九　法第五十五条第一項、第四項又は第五項の規定により埠頭群を構成する港湾施設を貸し付ける者（以下この条において「貸付者」という。）は、港湾運営会社に当該港湾施設を貸し付けるときは、少なくとも次に掲げる事項を貸付契約の内容としなければならない。

一　港湾運営会社は、貸し付けられた港湾施設を第三者に長期間転貸し、又はこれに係る賃借権を譲渡してはならないものとすること。

二　港湾運営会社は、貸し付けられた港湾施設に自己の権原によつて附属させた物を担保に供しようとするときは、貸付者の承諾を得なければならないものとすること。

三　異常な滞船の解消を図る必要がある場合、港湾施設における感染症の発生の予防又はそのまん延の防止を図る必要がある場合その他公益上特別の必要がある場合において、貸付者が貸し付けられた港湾施設を港湾運営会社以外の者の利用に供すべきこと又は特定の船舶の利用に供してはな

らないことを港湾運営会社に指示したときは、港湾運営会社はその利用又は利用制限を受忍しなければならないものとすること。

本条…追加〔平成一七年七月国土交通省令七八号〕、旧一七条の三…一部改正し繰下〔平成一八年九月国土交通省令九三号〕、見出し…改正・本条…一部改正〔平成二三年一二月国土交通省令九四号〕、本条…一部改正〔令和二年二月国土交通省令七号・一一月八九号〕

（海洋再生可能エネルギー発電設備等取扱埠頭の貸付契約の内容）

第一七条の一〇　法第五十五条の二第一項又は第四項の規定により海洋再生可能エネルギー発電設備等拠点港湾の海洋再生可能エネルギー発電設備等取扱埠頭を構成する港湾施設を貸し付ける者（以下この条において「貸付者」という。）は、許可事業者に当該港湾施設を貸し付けるときは、少なくとも次に掲げる事項を貸付契約の内容としなければならない。

一　許可事業者は、貸し付けられた港湾施設を第三者に転貸し、又はこれに係る賃借権を譲渡してはならないものとすること。

二　許可事業者は、貸し付けられた港湾施設に自己の権原によつて附属させた物を担保に供しようとするときは、貸付者の承諾を得なければならないものとすること。

三　異常な滞船の解消を図る必要がある場合、港湾施設における感染症の発生の予防又はそのまん延の防止を図る必要がある場合その他公益上特別の必要がある場合において、貸付者が貸し付けられた港湾施設を許可事業者以外の者の利用に供すべきこと又は特定の船舶の利用に供してはならないことを許可事業者に指示したときは、許可事業者はその利用又は利用制限を受忍しなければならないものとすること。

本条…追加〔令和二年二月国土交通省令七号〕、一部改正〔令和二年一一月国土交通省令八九号〕

（証明書の様式）

第一八条　法第五十五条の二の二第四項の規定による証明書（国の職員が携帯するものを除く。）は、第六号様式によるものとする。

本条…追加〔昭和二九年九月運輸省令四五号〕、旧一七条…繰下〔昭和四一年六月運輸省令四一号〕、本条…一部改正〔昭和四九年七月運輸省令二八号・五五年一二月四五号〕、見出し…改正・本条…一部改正〔令和二年二月国土交通省令七号・六年三月二六号〕

（港湾施設を使用して行う広域災害応急対策）

第一八条の二　法第五十五条の三の二第一項の国土交通省令で定める災害応急対策は、非常災害が発生した場合において、災害対策基本法第二条第三号に規定する指定行政機関の長が実施する災害応急対策のうち、緊急輸送の確保、施設及び設備の応急復旧その他災害の拡大の防止を図るため実施すべき応急の対策とする。

本条…追加〔平成二〇年六月国土交通省令四二号〕

（港湾広域防災施設）

第一八条の三　法第五十五条の三の二第一項の国土交通省令で定める港湾施設は、港湾環境整備施設（第十五条の二十六第三項第二号括弧書に規定するものに限る。）及び非常災害が発生した場合において当該施設と一体的に使用する港湾施設（同項第一号及び第四号に掲げるものを除く。）とする。

本条…追加〔平成二〇年六月国土交通省令四二号〕、一部改正〔平成二三年三月国土交通省令一二号・二五年一一月九一号・二九年七月四三号・令和四年一二月九〇号・五年九月七七号〕

（法第五十五条の三の二第五項の国土交通省令で定める事項）

第一八条の四　法第五十五条の三の二第五項の国土交通省令で定める事項は、次に掲げるものとする。

一　国土交通大臣が管理する港湾広域防災施設（以下この条において「大臣管理施設」という。）が設置されている港湾の名称

二　大臣管理施設が設置されている港湾の港湾管理者の名称

三　大臣管理施設の種類、名称及び所在地

本条…追加〔平成二〇年六月国土交通省令四二号〕

（法第五十五条の三の三第二項の国土交通省令で定める事項）

第一八条の五　法第五十五条の三の三第二項の国土交通省令で定める事項は、次に掲げるものとする。

一　国土交通大臣が管理する港湾施設（以下この条において「大臣管理施設」という。）が設置されている港湾の名称

二　大臣管理施設が設置されている港湾の港湾管理者の名称

三　大臣管理施設の種類、名称及び所在地

四　国土交通大臣が大臣管理施設について行う管理の内容

本条…追加〔平成二九年七月国土交通省令四三号〕

（開発保全航路内の物件の使用等ができる区域）

第一八条の六　法第五十五条の三の四の国土交通省令で定める区域は、別表第二のとおりとする。

本条…追加〔平成二六年一月国土交通省令二号〕、旧一八条の五…一部改正し繰下〔平成二九年七月国土交通省令四三号〕、本条…一部改正〔令和二年二月国土交通省令七号〕

（緊急確保航路内における放置等禁止物件）

第一八条の七　法第五十五条の三の五第一項の国土交通省令で定める物件は、次に掲げるものとする。

一　船舶

二　土石

三　いかだ

四　竹木

五　車両

六　前各号に掲げるもののほか、緊急確保航路における非常災害が発生した場合の船舶の交通又は沈没物その他の物件の除去に支障を与える程度においてこれらの物件に類するもの

本条…追加〔平成二五年八月国土交通省令六四号〕、旧一八条の五…繰下〔平成二六年一月国土交通省令二号〕、旧一八条の六…一部改正し繰下〔平成二九年七月国土交通省令四三号〕

（緊急確保航路内における技術基準対象施設の建設等の許可）

第一八条の八　法第五十五条の三の五第二項の国土交通大臣の許可を受けようとする者は、次に掲げる書類（技術基準対象施設の建設又は改良を行おうとする者以外の者にあつては、第四号に掲げる書類に限る。）を国土交通大臣に提出するものとする。

一　次に掲げる事項を示し又は記載した書類

イ　建設又は改良を行おうとする技術基準対象施設の諸元及び要求性能

ロ　建設又は改良を行おうとする技術基準対象施設への作用及びその設定の根拠

ハ　イ及びロの照査方法

二　建設又は改良を行おうとする技術基準対象施設の施工方法、施工管理方法及び安全管理方法を記載した書類

三　建設又は改良を行おうとする技術基準対象施設を適切に維持するための維持管理方法を記載した書類

四　前三号に掲げるもののほか、国土交通大臣が必要と認める書類

2　前項の規定は、法第五十五条の三の五第四項の規定により準用する法第三十七条第三項の規定により国土交通大臣と協議しようとする者について準用する。この場合において、前項中「国土交通大臣の許可を受け」とあるのは「国土交通大臣と協議し」と読み替えるものとする。

本条…追加〔平成二五年八月国土交通省令六四号〕、旧一八条の六…繰下〔平成二六年一月国土交通省令二号〕、一・二項…一部改正・旧一八条の七…繰下〔平成二九年七月国土交通省令四三号〕

（認定申請の手続）

第一九条　法第五十五条の七第一項の認定を受けようとする者は、次に掲げる事項を記載した申請書を国土交通大臣に提出するものとする。

一　法第五十五条の七第二項第一号に掲げる港湾施設である同項の特定用途港湾施設の建設又は改良を行おうとする者にあつては、次に掲げる事項を記載した当該特定用途港湾施設の工事実施計画

イ　特定用途港湾施設の総体の名称及び位置（縮尺五万分の一以上の平面図をもつて表示すること。）

ロ　岸壁又は桟橋の長さ、係留能力及び構造

ハ　建設又は改良を行う泊地の水深及び面積

ニ　令第四条第二項第二号の施設の種類、数、規模及び構造

ホ　令第四条第二項第三号の施設の種類、数、規模及び構造

ヘ　令第四条第二項第四号の施設の種類、数、規模及び構造

ト　令第四条第二項第五号の施設の種類、数、規模及び構造

チ　護岸の長さ及び構造

リ　臨港交通施設の種類及び規模

ヌ　令第四条第二項第七号の施設の種類、数、係留能力及び構造

ル　令第四条第二項第八号の敷地の面積

ヲ　ロからヌまでに掲げる施設の配置（縮尺一万分の一以上の平面図をもつて表示すること。）

ワ　工事に要する費用の概算

カ　工事の着手及び完成の予定期日並びに供用開始の予定期日

二　法第五十五条の七第二項第二号又は第三号に掲げる港湾施設である同項の特定用途港湾施設の建設又は改良を行おうとする者にあつては、次に掲げる事項を記載した当該特定用途港湾施設の工事実施計画

イ　特定用途港湾施設の総体の名称及び位置（縮尺五万分の一以上の平面図をもつて表示すること。）

ロ　荷さばき施設若しくは保管施設（保管施設にあつては、国際戦略港湾におけるものに限る。）又は旅客施設の規模及び構造

ハ　令第四条の二第二項第一号又は第四条の三第二項第一号の施設の種類及び規模

ニ　令第四条の二第二項第二号又は第四条の三第二項第二号の施設の種類及び規模

ホ　ロからニまでに掲げる施設の配置（縮尺一万分の一以上の平面図をもつて表示すること。）

ヘ　工事に要する費用の概算

ト　工事の着手及び完成の予定期日並びに供用開始の予定期日

三　次に掲げる事項を記載した特定用途港湾施設の管理運営計画

イ　特定用途港湾施設の使用者の選定の基準及び方法

ロ　特定用途港湾施設の使用形態

ハ　特定用途港湾施設の使用料の算出方法

ニ　その他特定用途港湾施設の管理運営に関し必要な事項

四　次に掲げる事項を記載した特定用途港湾施設に係る資金計画

イ　資金の調達方法

ロ　資金の使途

五　特定用途港湾施設に係る収支計画

2　前項の申請書には、次に掲げる書類を添附するものとする。

一　既存の法人にあつては、次に掲げる書類

イ　定款又は寄附行為及び登記事項証明書

ロ　役員又は社員の履歴書

ハ　株式会社にあつては、発行済株式の総数の五パーセント以上の株式を所有する株主の名簿

ニ　最近の事業年度の財産目録、貸借対照表及び損益計算書

ホ　貸付申請に関する意思の決定を証する書類

へ　組織を明らかにする書類
二　法人を設立しようとする者にあつては、次に掲げる書類
イ　定款又は寄附行為の謄本
ロ　発起人、社員又は設立者の履歴書
ハ　株式の引受け、出資又は財産の寄附の状況又は見込みを記載した書類
ニ　組織を明らかにする書類

本条…追加〔昭和四六年三月運輸省令五号〕、一項…一部改正・二項…追加〔昭和四六年一〇月運輸省令六〇号〕、一項…一部改正〔昭和四九年七月運輸省令二八号・六三年一二月三九号・平成一二年一一月三九号・一三年三月国土交通省令八二号〕、二項…一部改正〔平成一七年三月国土交通省令一二号〕、一項…一部改正〔平成一八年五月国土交通省令六四号・二六年七月六一号・二八年六月五七号〕

（認定の通知）

第二〇条　国土交通大臣は、前条の申請をした者が令第二条の基準に適合すると認めるときは、当該申請をした者及び当該特定用途港湾施設に係る港湾の港湾管理者に対し、その旨を通知するものとする。

本条…追加〔昭和四六年三月運輸省令五号〕、一部改正〔平成一二年一一月運輸省令三九号〕

（貸付申請の手続）

第二一条　前条の通知を受けた港湾管理者は、法第五十五条の七第一項の国の貸付けを受けようとするときは、次に掲げる事項を記載した申請書を国土交通大臣に提出するものとする。
一　港湾管理者の当該年度における当該特定用途港湾施設に係る貸付けの金額及び出資の金額並びにその時期
二　港湾管理者の貸付けを受ける者の当該年度における当該特定用途港湾施設の工事実施計画の明細
三　港湾管理者の貸付けを受ける者の当該年度における当該特定用途港湾施設に係る資金計画の明細
四　港湾管理者の貸付金に関する貸付けの条件
2　前項の申請書には、次に掲げる当該特定用途港湾施設に関する書類を添付するものとする。
一　平面図、縦断面図、標準横断面図、深浅図その他の必要な図面
二　岸壁又は桟橋並びに令第四条第二項第二号及び第四号から第七号までの施設（第五号の施設にあつては、廃棄物埋立護岸に限る。）の安定計算の概要

本条…追加〔昭和四六年三月運輸省令五号〕、二項…一部改正〔昭和四六年一〇月運輸省令六〇号・六三年一二月三九号〕、一項…一部改正〔平成一二年一一月運輸省令三九号〕、二項…一部改正〔平成一三年三月国土交通省令八二号〕

（国土交通大臣の承認事項）

第二二条　令第五条第一項第四号の国土交通省令で定める事項は、令第六条第七号に掲げる事項のうち次に掲げる事項以外のものとする。
一　貸付けに係る特定用途港湾施設に係る管理運営計画を変更すること（当該施設の使用者の選定の基準若しくは方法、使用形態又は使用料の算出方法を変更する場合を除く。）。
二　貸付けに係る特定用途港湾施設の供用を一月以下の期間を定めて休止すること。

本条…追加〔昭和四六年三月運輸省令五号〕、一部改正〔昭和四六年一〇月運輸省令六〇号〕、見出し…改正・本条…一部改正〔平成一二年一一月運輸省令三九号〕、本条…一部改正〔平成二五年一二月国土交通省令九四号〕

（令第六条第三号の特定用途港湾施設の価額）

第二三条　令第六条第三号の特定用途港湾施設の価額は、当該施設の取得価額又は製作価額とする。

本条…追加〔昭和四六年三月運輸省令五号〕

（令第六条第三号の国土交通省令で定める割合）

第二四条　令第六条第三号の国土交通省令で定める割合は、年三パーセントとする。

本条…追加〔昭和四六年三月運輸省令五号〕、見出し…改正・本条…一部改正〔平成一二年一一月運輸省令三九号〕

（令第六条第三号の利益の額）

第二五条　令第六条第三号の利益の額は、特定用途港湾施設の運営に係る毎事業年度における収益から費用を控除した額とする。
2　前項の収益は、特定用途港湾施設の使用料その他の事業収益及び受取利子その他の事業外収益（積立金取りくずし額以外の特別利益を含む。次条において同じ。）の合計額とする。
3　第一項の費用は、事業費用（法人税、道府県民税及び市町村民税を含む。次条において同じ。）及び支払利子その他の事業外費用（特別損失を含む。次条において同じ。）の合計額とする。

本条…追加〔昭和四六年三月運輸省令五号〕、二・三項…一部改正〔昭和四六年一〇月運輸省令六〇号〕、三項…一部改正〔昭和四九年四月運輸省令一五号・平成二三年一二月国土交通省令九四号〕

第二六条　前条の規定により収益及び費用を計算する場合において、貸付けに係る特定用途港湾施設の運営と特定用途港湾施設の運営以外の事業との双方に関連する収益及び費用は、次の各号に掲げる割合によりそれぞれの事業に配賦するものとする。
一　受取利子その他の事業外収益にあつては、それぞれの事業に専属する事業収益による割合
二　事業費用にあつては、次の各号に掲げる割合
イ　法人税、道府県民税、事業税及び市町村民税にあつては、それぞれの事業に専属する利益による割合
ロ　その他のものにあつては、それぞれの事業に専属する事業費用（諸税及び減価償却費を除く。次号において同じ。）による割合
三　支払利子その他の事業外費用にあつては、次に掲げる割合
イ　支払利子にあつては、それぞれの事業に専属する事業用固定資産の価額による割合（当該固定資産につき前事業年度末における貸借対照表に付せられた価額から当該

固定資産につき当該貸借対照表に計上された減価償却引当金の額を控除した価額による割合をいう。）

ロ　その他のものにあつては、それぞれの事業に専属する事業費用による割合

本条…追加〔昭和四六年三月運輸省令五号〕、一部改正〔昭和四六年一〇月運輸省令六〇号・四九年四月一五号・平成一二年一二月国土交通省令九四号〕

（区分経理）

第二七条　法第五十五条の七第一項の港湾管理者の貸付けを受ける者は、特定用途港湾施設の運営に関する経理について特別の勘定を設け、特定用途港湾施設の運営以外の事業に関する経理と区分して整理するものとする。この場合において、特定用途港湾施設の運営と特定用途港湾施設の運営以外の事業との双方に関連する収益及び費用は、前条の規定に従い、それぞれの事業に配賦して経理するものとする。

本条…追加〔昭和四六年三月運輸省令五号〕

（特別特定技術基準対象施設の改良に係る認定申請の手続）

第二七条の二　法第五十五条の八第一項の認定を受けようとする者は、次に掲げる事項を記載した申請書を国土交通大臣に提出するものとする。

一　次に掲げる事項を記載した当該特別特定技術基準対象施設の工事実施計画

イ　特別特定技術基準対象施設の総体の名称及び位置（縮尺五万分の一以上の平面図をもつて表示すること。）

ロ　護岸の長さ及び構造

ハ　岸壁又は物揚場の長さ、係留能力及び構造

ニ　ロ及びハに掲げる施設の配置（縮尺一万分の一以上の平面図をもつて表示すること。）

ホ　工事に要する費用の概算

ヘ　工事の着手及び完成の予定期日

ト　特別特定技術基準対象施設の要求性能

チ　特別特定技術基準対象施設への作用及びその設定の根拠

リ　ト及びチの照査方法

ヌ　その他国土交通大臣が必要と認める事項

二　次に掲げる事項を記載した特別特定技術基準対象施設の管理運営計画

イ　特別特定技術基準対象施設の点検及び診断の実施方針

ロ　特別特定技術基準対象施設の維持工事等の実施方針

ハ　その他特別特定技術基準対象施設の管理運営に関し必要な事項

三　次に掲げる事項を記載した特別特定技術基準対象施設に係る資金計画

イ　資金の調達方法

ロ　資金の使途

四　特別特定技術基準対象施設に係る収支計画

本条…追加〔平成二六年七月国土交通省令六一号〕

（法第五十五条の八第二項の国土交通省令で定める水域施設）

第二七条の三　法第五十五条の八第二項の国土交通省令で定める水域施設は、次に掲げる施設とする。

一　岸壁又は桟橋（いずれも当該港湾の港湾計画において、大規模地震対策施設（港湾計画の基本的な事項に関する基準を定める省令第十六条の大規模地震対策施設をいう。以下同じ。）として定められているものに限る。）の機能を確保するための航路及び泊地（次号に掲げるものを除く。）

二　石油の備蓄の確保等に関する法律（昭和五十年法律第九十六号）第二条第二項に規定する指定石油製品を取り扱う係留施設（当該港湾の港湾計画において、大規模地震対策施設として定められているものに限る。）の機能を確保するための航路及び泊地

本条…追加〔平成二六年七月国土交通省令六一号〕

（特別特定技術基準対象施設）

第二七条の四　法第五十五条の八第二項の国土交通省令で定める港湾施設は、護岸、岸壁及び物揚場とする。

本条…追加〔平成二六年七月国土交通省令六一号〕

（準用規定）

第二七条の五　第十九条第二項の規定は第二十七条の二の申請書について、第二十条の規定は法第五十五条の八第一項の認定について、第二十一条の規定は法第五十五条の八第一項の国の貸付けを受けようとする場合について、第二十二条の規定は令第九条の三第一項において準用する令第五条第一項第四号の国土交通省令で定める事項について、第二十三条の規定は令第九条の三第一項において準用する令第六条第三号の特別特定技術基準対象施設の価額について、第二十四条の規定は令第九条の三第一項において準用する令第六条第三号の国土交通省令で定める割合について、第二十五条及び第二十六条の規定は令第九条の三第一項において準用する令第六条第三号の利益の額について、第二十七条の規定は法第五十五条の八第一項の港湾管理者の貸付けを受ける者について準用する。この場合において、第二十条、第二十一条、第二十二条、第二十五条第一項及び第二項、第二十六条並びに第二十七条中「特定用途港湾施設」とあるのは「特別特定技術基準対象施設」と、第二十条中「前条」とあるのは「第二十七条の二」と、「令第二条」とあるのは「令第九条」と、第二十一条第一項第一号中「出資の金額並びにその時期」とあるのは「その時期」と、同条第二項第二号中「岸壁又は桟橋並びに令第四条第二項第二号及び第四号から第七号までの施設（第五号の施設にあつては、廃棄物埋立護岸に限る。）」とあるのは「第二十七条の四の港湾施設」と、第二十二条中「令第六条第七号」とあるのは「令第九条の三第一項において準用する令第六条第七号」と、同条第一号中「使用者の選定の基準若しくは方法、使用形態又は使用料の算出方法」とあるのは「点検及び診断の実施方針又は維持工事等の実施方針」と読み替えるものとする。

本条…追加〔平成二六年七月国土交通省令六一号〕

（法第五十五条の九第一項の国土交通省令で定める港湾施

設）

第二七条の六　法第五十五条の九第一項の国土交通省令で定める港湾施設は、埠頭群を構成する岸壁その他の係留施設に係留される船舶に係る輸出入に係るコンテナ貨物の荷さばきを行うため又は当該岸壁その他の係留施設に係留される自動車航送船に係る積込み若しくは取卸しをする自動車を待機させ若しくは整理するための固定的な施設及び当該岸壁その他の係留施設に係留される自動車航送船に係る固定的な旅客施設とする。

本条…追加〔平成一七年七月国土交通省令七八号〕、一部改正〔平成二三年一二月国土交通省令九四号〕、見出し…改正・旧二七条の二…一部改正し繰下〔平成二六年七月国土交通省令六一号〕

（準用規定）

第二七条の七　第二十一条の規定は国際戦略港湾又は国際拠点港湾の港湾管理者が法第五十五条の九第一項の国の貸付けを受けようとする場合について、第二十二条（第一号を除く。）の規定は令第十一条第一項において準用する令第五条第一項第四号の国土交通省令で定める事項について、第二十三条の規定は令第十一条第一項において準用する令第六条第三号の埠頭群を構成する港湾施設の価額について、第二十四条の規定は令第十一条第一項において準用する令第六条第三号の国土交通省令で定める割合について、第二十五条及び第二十六条の規定は令第十一条第一項において準用する令第六条第三号の利益の額について、第二十七条の規定は法第五十五条の九第一項の国際戦略港湾又は国際拠点港湾の港湾管理者の貸付けを受ける港湾運営会社について準用する。この場合において、第二十一条、第二十二条及び第二十五条中「特定用途港湾施設」とあるのは「埠頭群を構成する港湾施設」と、第二十一条第一項中「前条の通知を受けた港湾管理者」とあり、及び「港湾管理者」とあるのは「国際戦略港湾又は国際拠点港湾の港湾管理者」と、同項第一号中「出資の金額並びにその時期」とあるのは「その時期」と、同項第二号及び第三号中「貸付けを受ける者」とあるのは「貸付けを受ける港湾運営会社」と、同項第二号中「の工事実施計画の明細」とあるのは「に係る第十一条の九第三項第一号から第三号までに掲げる事項に係る明細」と、同項第三号中「資金計画の明細」とあるのは「第十一条の九第三項第四号に掲げる事項に係る明細」と、同条第二項第二号中「岸壁又は桟橋並びに令第四条第二項第二号及び第四号から第七号までの施設（第五号の施設にあつては、廃棄物埋立護岸に限る。）」とあるのは「第二十七条の六の港湾施設」と、第二十二条中「令第六条第七号」とあるのは「令第十一条第一項において準用する令第六条第七号ロ及びハ」と、第二十六条中「特定用途港湾施設の運営と特定用途港湾施設」とあるのは「埠頭群を構成する港湾施設の運営と貸付けに係る埠頭群を構成する港湾施設」と、第二十七条中「特定用途港湾施設」とあるのは「貸付けに係る埠頭群を構成する港湾施設」と読み替えるものとする。

本条…追加〔平成一七年七月国土交通省令七八号〕、一部改正〔平成二三年一二月国土交通省令九四号・二五年一二月九四号〕、旧二七条の三…一部改正し繰下〔平成二六年七月国土交通省令六一号〕、本条…一部改正〔令和二年一月国土交通省令七号〕

（公告水域における技術基準対象施設の建設等の許可）

第二七条の八　法第五十六条第一項の都道府県知事の許可を受けようとする者は、次に掲げる書類（技術基準対象施設の建設を行おうとする者以外の者にあつては、第四号に掲げる書類に限る。）を都道府県知事に提出するものとする。

一　次に掲げる事項を示し又は記載した書類

イ　建設を行おうとする技術基準対象施設の諸元及び要求性能

ロ　建設を行おうとする技術基準対象施設への作用及びその設定の根拠

ハ　イ及びロの照査方法

二　建設を行おうとする技術基準対象施設の施工方法、施工管理方法及び安全管理方法を記載した書類

三　建設を行おうとする技術基準対象施設を適切に維持するための維持管理方法を記載した書類

四　前三号に掲げるもののほか、都道府県知事が必要と認める書類

2　前項の規定は、法第三十七条第三項の規定により準用する法第五十六条第三項の規定により都道府県知事と協議しようとする者について準用する。この場合において、前項中「都道府県知事の許可を受け」とあるのは「都道府県知事と協議し」と読み替えるものとする。

本条…追加〔平成一九年三月国土交通省令一九号〕、旧二七条の四…繰下〔平成二六年七月国土交通省令六一号〕

（令第十九条及び第二十条の国土交通省令で定める港湾の施設）

第二八条　令第十九条及び第二十条の国土交通省令で定める港湾の施設は、次に掲げる港湾の施設（令第二十条の国土交通省令で定める港湾の施設にあつては、第七号を除く。）とする。

一　ろかいのみをもつて運転する船舶を専ら係留するための係留施設

二　都市公園法（昭和三十一年法律第七十九号）第二条第一項に規定する都市公園又は都市計画施設（都市計画法（昭和四十三年法律第百号）第四条第五項に規定する都市計画施設をいう。）である公園で国が設置するものに設けられる施設として地方公共団体又は国が建設し、又は改良する係留施設

三　漁業を行うために必要な施設（港湾管理者が建設し、又は改良する港湾施設を除く。）

四　砂防法（明治三十年法律第二十九号）第一条に規定する砂防工事及びその砂防工事にあわせて施行される工事として国土交通大臣又は都道府県知事が建設し、又は改良する港湾の施設

五　海岸法第二条第一項に規定する海岸保全施設に関する工事及び同法第十七条第一項の規定によるその工事にあわせて施行される工事として海岸管理者が建設し、又は改良する港湾の施設

六　河川法第八条に規定する河川工事及び同法第十九条の規定によるその河川工事にあわせて施行される工事として河川管理者が建設し、又は改良する港湾の施設

七　当該港湾の港湾計画において、大規模地震対策施設として定められておらず、かつ、当該港湾に関し定められている災害対策基本法第四十条の都道府県地域防災計画又は同法第四十二条の市町村地域防災計画において定められていない緑地及び広場

本条…追加〔昭和四九年七月運輸省令二八号〕、見出し…改正・本条…一部改正〔平成一二年一一月運輸省令三九号〕、本条…一部改正〔平成一八年九月国土交通省令九三号・二六年七月六一号〕

（確認対象施設）

第二八条の二　法第五十六条の二の二第三項の国土交通省令で定める技術基準対象施設は、次の各号に掲げるものとする。

一　外郭施設

二　次に掲げる係留施設

イ　水深七・五メートル以上の係留施設

ロ　危険物積載船（海上交通安全法（昭和四十七年法律第百十五号）第二十二条第三号の危険物積載船をいう。）、旅客船（十三人以上の旅客定員を有する船舶をいう。）又は自動車航送船を係留するための係留施設（貨物の積込み若しくは取卸しをすることができるもの又は人が乗船し、若しくは下船することができるものに限る。）

ハ　レベル二地震動（港湾の施設の技術上の基準を定める省令第一条第六号のレベル二地震動をいう。以下同じ。）への耐震性を有する係留施設

ニ　海洋再生可能エネルギー発電設備等が備える係留施設

三　道路及び橋梁

四　固定式荷役機械及び軌道走行式荷役機械（当該港湾の港湾計画において、大規模地震対策施設として定められているものに限る。）

五　廃棄物埋立護岸

六　海浜

七　緑地及び広場（当該港湾の港湾計画において、大規模地震対策施設として定められているものに限る。）

本条…追加〔平成一八年九月国土交通省令九三号〕、一部改正〔平成一九年三月国土交通省令一九号・二二年四月一四号・二五年九月七八号・一一月九一号・令和二年二月七号〕

（確認の申請）

第二八条の三　法第五十六条の二の二第三項の確認（以下「確認」という。）を受けようとする者は、確認申請書を国土交通大臣又は登録確認機関に提出しなければならない。

2　確認申請書は、第六号の二様式によるものとする。

3　前項の申請書には、次に掲げる書類を添付するものとする。

一　確認対象施設（確認を受けようとする技術基準対象施設をいう。以下同じ。）の位置図

二　確認対象施設の諸元及び要求性能を示す書類並びに主要寸法を示す図面

三　確認対象施設への作用及びその設定の根拠を記載した書類

四　前二号の照査方法を記載した書類

4　国土交通大臣又は登録確認機関は、前二項に規定するもののほか、確認のため必要があると認めるときは、必要な書面の提出を求めることができる。

5　第一項又は前項の規定により国土交通大臣にする提出は、確認対象施設の所在地を管轄する地方整備局長又は北海道開発局長を経由してするものとする。

本条…追加〔平成一八年九月国土交通省令九三号〕、三項…一部改正〔平成一九年三月国土交通省令一九号〕、一項…一部改正〔平成二五年一一月国土交通省令九一号〕

（登録の申請）

第二八条の四　法第五十六条の二の三（法第五十六条の二の四第二項において準用する場合を含む。）の規定による登録（以下「登録」という。）を受けようとする者は、次に掲げる事項を記載した申請書を国土交通大臣に提出しなければならない。

一　登録申請者の氏名又は名称及び住所並びに法人にあつては、その代表者の氏名

二　確認業務を行おうとする事業場の名称及び所在地

三　確認員の数

四　第二号の事業場ごとの確認業務を行おうとする範囲

五　確認業務を開始しようとする年月日

2　前項の申請書には、次に掲げる書類を添付しなければならない。

一　登録申請者が法人である場合には、定款又は寄附行為及び登記事項証明書、個人である場合には、住民票の写し（外国人にあつては、これに準ずるもの。）

二　確認員が法第五十六条の二の八第一項に規定する要件に適合する者であることを証する書類及び確認員の住民票の写し（外国人にあつては、これに準ずるもの。）

三　登録申請者が法第五十六条の二の三第二項第三号及び第三項各号に該当しないことを信じさせるに足る書類

本条…追加〔平成一八年九月国土交通省令九三号〕

（登録確認機関登録簿の記載事項）

第二八条の五　法第五十六条の二の三第四項第四号（法第五十六条の二の四第二項において準用する場合を含む。）の国土交通省令で定める事項は、次に掲げるものとする。

一　確認業務を行う事業場の名称

二　事業場ごとの確認業務を行う範囲

三　確認業務を開始しようとする年月日

本条…追加〔平成一八年九月国土交通省令九三号〕

（確認業務の実施方法）

第二八条の六　法第五十六条の二の五第二項の国土交通省令で定める方法は、確認員が次に掲げる事項を確認することにより施設の性能を総合的に評価する手法を用いる方法とする。
一　確認対象施設への作用及びその設定の根拠が適切であること
二　確認対象施設の諸元が、前号の作用及び当該施設の要求性能に対して適切であること
三　前二号の照査の実施方法が適切であること
本条…追加〔平成一八年九月国土交通省令九三号〕

（確認証等の交付）
第二八条の七　国土交通大臣又は登録確認機関は、確認対象施設が技術基準に適合すると確認したときは、確認証を確認の申請者に交付しなければならない。
2　国土交通大臣又は登録確認機関は、確認対象施設が技術基準に適合すると認められないときは、その旨及びその理由を記載した通知書を確認の申請者に交付しなければならない。
3　確認証及び通知書の様式は、それぞれ第六号の三様式及び第六号の四様式によるものとする。
本条…追加〔平成一八年九月国土交通省令九三号〕

（登録事項の変更の届出）
第二八条の八　登録確認機関は、法第五十六条の二の六の規定による届出をしようとするときは、次に掲げる事項を記載した届出書を国土交通大臣に提出しなければならない。
一　変更しようとする事項
二　変更しようとする年月日
三　変更を必要とする理由
本条…追加〔平成一八年九月国土交通省令九三号〕

（確認業務規程の認可の申請）
第二八条の九　登録確認機関は、法第五十六条の二の七第一項前段の規定による認可を受けようとするときは、その旨を記載した申請書に、当該認可に係る確認業務規程を添付して、国土交通大臣に提出しなければならない。
2　登録確認機関は、法第五十六条の二の七第一項後段の規定による認可を受けようとするときは、次に掲げる事項を記載した申請書に、当該認可に係る確認業務規程（変更に係る部分に限る。）を添付して、国土交通大臣に提出しなければならない。
一　変更しようとする事項
二　変更しようとする年月日
三　変更を必要とする理由
本条…追加〔平成一八年九月国土交通省令九三号〕

（確認業務規程の記載事項）
第二八条の一〇　法第五十六条の二の七第三項の国土交通省令で定める確認業務規程で定めるべき事項は、次に掲げる事項とする。
一　確認の申請の受理に関する事項
二　確認業務の料金に関する事項
三　確認業務の実施方法に関する事項
四　確認証及び通知書の交付に関する事項
五　確認業務に関する秘密の保持に関する事項
六　確認業務に関する公正の確保に関する事項
七　確認業務に関する責任に関する事項
八　その他確認業務の実施に関し必要な事項
本条…追加〔平成一八年九月国土交通省令九三号〕

（確認員の学力）

第二八条の一一　法第五十六条の二の八第一項の国土交通省令で定める者は、学校教育法（昭和二十二年法律第二十六号）に基づく大学に相当する外国の学校において土木工学その他港湾の施設の建設に関して必要な課程を修めて卒業（大学院においては修了）した者とする。

本条…追加〔平成一八年九月国土交通省令九三号〕

（試験研究機関）

第二八条の一二　法第五十六条の二の八第一項の国土交通省令で定める試験研究機関は、港湾の施設の性能を総合的に評価する手法に関する試験研究を行う機関とする。

本条…追加〔平成一八年九月国土交通省令九三号〕

（確認員の業務経験）

第二八条の一三　法第五十六条の二の八第一項の国土交通省令で定める試験研究の業務は、港湾の施設の性能を総合的に評価する手法に関する学術上の論文の作成及びこれに付随する業務とする。

本条…追加〔平成一八年九月国土交通省令九三号〕

（確認員の選任の届出等）
第二八条の一四　登録確認機関は、法第五十六条の二の八第二項前段の規定による届出をしようとするときは、確認員の氏名、生年月日及び経歴を記載した届出書を国土交通大臣に提出しなければならない。
2　登録確認機関は、確認員について前項の届出書に記載した内容に変更があつたとき、又は確認員を解任したときは、その日から十五日以内に、その旨を国土交通大臣に届け出なければならない。
3　前二項の届出書には、選任した確認員が法第五十六条の二の八第一項に規定する要件に適合する者であることを証する書類及び選任した確認員の住民票の写し（外国人にあつては、これに準ずるもの）を添付しなければならない。ただし、第二十八条の四第二項の規定により提出している書類の内容に変更がないときは、その旨を届出書に記載して、当該書類の添付を省略することができる。
本条…追加〔平成一八年九月国土交通省令九三号〕

（電磁的記録に記録された事項の表示方法）

第二八条の一五　法第五十六条の二の十第二項第三号の国土交通省令で定める方法は、当該電磁的記録に記録された情報の内容を紙面又は出力装置の映像面に表示する方法とする。

本条…追加〔平成一八年九月国土交通省令九三号〕

（電磁的記録に記録された事項を提供するための電磁的方法）

第二八条の一六　法第五十六条の二の十第二項第四号の国土交通省令で定める方法は、次に掲げるもののうち、登録確認機関が定めるものとする。

一　送信者の使用に係る電子計算機と受信者の使用に係る電子計算機とを電気通信回線で接続した電子情報処理組織を使用する方法であつて、当該電気通信回線を通じて情報が送信され、受信者の使用に係る電子計算機に備えられたファイルに当該情報が記録されるもの

二　磁気ディスクその他これに準ずる方法により一定の情報を確実に記録しておくことができる物をもつて調製するファイルに情報を記録したものを交付する方法

2　前項各号に掲げる方法は、受信者がファイルへの記録を出力することによる書面を作成できるものでなければならない。

本条…追加〔平成一八年九月国土交通省令九三号〕

（業務の休廃止の許可の申請）

第二八条の一七　登録確認機関は、法第五十六条の二の十一の規定による許可を受けようとするときは、次に掲げる事項を記載した申請書を国土交通大臣に提出しなければならない。

一　休止し、又は廃止しようとする確認業務の範囲

二　確認業務の全部又は一部を休止し、又は廃止しようとする年月日

三　確認業務の全部又は一部を休止しようとする期間

四　確認業務の全部又は一部を休止し、又は廃止しようとする理由

本条…追加〔平成一八年九月国土交通省令九三号〕

第二八条の一八　削除〔令和六年三月国土交通省令二六号〕

（帳簿の記載等）

第二八条の一九　法第五十六条の二の十六の国土交通省令で定める事項は、次に掲げる事項とする。

一　確認の申請者の氏名又は名称及び住所並びに法人にあつては、その代表者の氏名

二　確認の申請を受けた年月日

三　確認業務を実施した確認対象施設の名称、種類及び位置

四　確認業務を実施した年月日

五　確認業務を実施した確認員の氏名

六　確認業務を実施した確認対象施設の概要

七　その他必要な事項

2　登録確認機関は、確認業務を行う事業場ごとに前項に定める事項を記載した帳簿を備え、確認業務を実施した日から五年間保存しなければならない。

本条…追加〔平成一八年九月国土交通省令九三号〕

（確認業務の引継ぎ等）

第二八条の二〇　登録確認機関は、法第五十六条の二の十九第二項に規定する場合には、次に掲げる事項を行わなければならない。

一　確認業務を国土交通大臣に引き継ぐこと

二　確認業務に関する帳簿及び書類を国土交通大臣に引き継ぐこと

三　その他国土交通大臣が必要と認める事項

本条…追加〔平成一八年九月国土交通省令九三号〕

（手数料）

第二八条の二一　法第五十六条の二の二十第一項の国土交通省令で定める手数料の額は、別表第三の上欄に掲げる確認対象施設の種類の区分に応じてそれぞれ同表の下欄に掲げる金額とする。

本条…追加〔平成一九年三月国土交通省令一九号〕、一項…一部改正〔平成二六年国土交通省令二号〕、二項…削除〔令和元年一二月国土交通省令四七号〕、本条…一部改正〔令和二年二月国土交通省令七号〕

（特定技術基準対象施設）

第二八条の二二　法第五十六条の二の二十一第一項の国土交通省令で定める技術基準対象施設は、港湾区域内及び港湾区域外二十メートル以内の地域内に存する次に掲げるものとする。

一　外郭施設

二　係留施設

三　橋梁並びにトンネルの構造を有する道路、鉄道及び軌道

四　固定式荷役機械及び軌道走行式荷役機械

五　廃棄物埋立護岸

本条…追加〔平成二六年四月国土交通省令四七号〕

（水域施設等の建設又は改良）

第二九条　法第五十六条の三第一項の規定による届出をしようとする者は、第七号様式による水域施設等建設（改良）届出書を当該届出に係る水域施設等の所在する水域を地先水面とする地域を区域とする都道府県を管轄する都道府県知事に提出するものとする。この場合において、当該都道府県が二以上あるときは、同一の届出書をそれぞれの都道府県を管轄する都道府県知事に提出するものとする。

2　前項の届出書には、次に掲げる書類を添付するものとする。ただし、第六号に掲げる書類は、当該届出に係る行為に係る施設の種類、規模等により、その必要がないときは、その一部を省略することができる。

一　次に掲げる事項を示し又は記載した書類

イ　当該届出に係る水域施設等の諸元及び要求性能

ロ　当該届出に係る水域施設等への作用及びその設定の根拠

ハ　イ及びロの照査方法

二　当該届出に係る水域施設等の施工方法、施工管理方法及び安全管理方法を記載した書類

三　当該届出に係る水域施設等を適切に維持するための維持管理方法を記載した書類

四　当該届出に係る水域施設等の位置及び付近の状況を表示した縮尺一万分の一以上の図面

五　当該届出に係る水域施設等の所在する水域の範囲及び水深を表示した縮尺千分の一以上の平面図

六　当該届出に係る水域施設等の規模及び構造を表示した縮

尺千分の一以上の平面図、立面図、断面図及び構造図

七　その他当該届出に係る水域施設等の所在する水域及びその周辺の水域の利用状況その他の参考となるべき事項を記載した書類

本条…追加〔昭和四九年七月運輸省令二八号〕、一項…一部改正〔昭和五五年一二月運輸省令四五号〕、二項…一部改正〔平成一九年三月国土交通省令一九号〕

第三〇条　法第五十六条の三第一項の国土交通省令で定める事項は、次に掲げる事項とする。

一　氏名又は名称及び住所並びに法人にあつては、その代表者の氏名

二　当該届出に係る水域施設等の種類及び規模

三　当該届出に係る施設が、水域施設である場合にあつては船舶許容能力、係留施設である場合にあつては係留能力

四　当該届出に係る水域施設等の建設又は改良の工事の開始及び完了の予定期日

五　当該届出に係る水域施設等の使用及び管理の計画

本条…追加〔昭和四九年七月運輸省令二八号〕、一部改正〔平成一二年一一月運輸省令三九号〕

第三一条　都道府県知事は、法第五十六条の三第一項の規定による届出又は同条第三項の規定による通知があつたときは、遅滞なく、届出又は通知のあつた事項を公示しなければならない。この場合において、公示しなければならない事項のうち図面により表示することができるものは、図面により表示するものとする。

本条…追加〔昭和四九年七月運輸省令二八号〕

（工作物等を保管した場合の公示事項）

第三二条　法第五十六条の四第四項の国土交通省令で定める事項は、次に掲げるものとする。

一　工作物等の名称又は種類、形状及び数量

二　工作物等の放置されていた場所及び当該工作物等を撤去した日時

三　工作物等の保管を始めた日時及び保管の場所

四　前三号に掲げるもののほか、工作物等を返還するため必要と認められる事項

本条…追加〔平成一二年九月運輸省令三三号〕、一部改正〔平成一二年一一月運輸省令三九号〕

（工作物等を保管した場合の公示の方法）

第三三条　法第五十六条の四第四項の規定による公示は、次に掲げる方法により行わなければならない。

一　前条各号に掲げる事項を、保管を始めた日から起算して十四日間、当該工作物等の放置されていた場所を管轄する地方整備局の事務所、当該都道府県知事が統括する都道府県の事務所又は当該港湾管理者の事務所に掲示すること。

二　前号の公示の期間が満了しても、なお当該工作物等の所有者、占有者その他当該工作物等について権原を有する者（第三十七条において「所有者等」という。）の氏名及び住所を知ることができないときは、前条各号に掲げる事項の要旨を官報、公報又は新聞紙に掲載すること。

2　国土交通大臣、都道府県知事又は港湾管理者は、前項に規定する方法による公示を行うとともに、第八号様式による保管した工作物等一覧簿を当該工作物等の放置されていた場所を管轄する地方整備局の事務所、当該都道府県知事が統括する都道府県の事務所又は当該港湾管理者の事務所に備え付け、かつ、これをいつでも関係者に自由に閲覧させなければならない。

本条…追加〔平成一二年九月運輸省令三三号〕、一・二項…一部改正〔平成一二年一一月運輸省令三九号〕

（工作物等の価額の評価の方法）

第三四条　法第五十六条の四第五項の規定による工作物等の価額の評価は、当該工作物等の購入又は製作に要する費用、使用年数、損耗の程度その他当該工作物等の価額の評価に関する事情を勘案してするものとする。この場合において、国土交通大臣、都道府県知事又は港湾管理者は、必要があると認めるときは、工作物等の価額の評価に関し専門的知識を有する者の意見を聴くことができる。

本条…追加〔平成一二年九月運輸省令三三号〕、一部改正〔平成一二年一一月運輸省令三九号〕

（保管した工作物等を売却する場合の手続）

第三五条　法第五十六条の四第五項の規定による保管した工作物等の売却は、競争入札に付して行わなければならない。ただし、競争入札に付しても入札者がない工作物等その他競争入札に付することが適当ではないと認められる工作物等については、随意契約により売却することができる。

本条…追加〔平成一二年九月運輸省令三三号〕

第三六条　国土交通大臣、都道府県知事又は港湾管理者は、当該工作物等を前条本文の競争入札のうち一般競争入札に付そうとするときは、その入札期日の前日から起算して少なくとも五日前までに、次に掲げる事項を当該工作物等の放置されていた場所を管轄する地方整備局の事務所、当該都道府県知事が統括する都道府県の事務所若しくは当該港湾管理者の事務所に掲示し、又は官報、公報若しくは新聞紙に掲載する等当該掲示に準ずる適当な方法で公示しなければならない。

一　当該工作物等の名称又は種類、形状及び数量

二　当該競争入札の執行を担当する職員の職及び氏名

三　当該競争入札の執行の日時及び場所

四　契約条項の概要

五　その他国土交通大臣、都道府県知事又は港湾管理者が必要と認める事項

2　国土交通大臣、都道府県知事又は港湾管理者は、当該工作物等を前条本文の競争入札のうち指名競争入札に付そうとするときは、なるべく三人以上の入札者を指定し、かつ、それらの者に前項各号に掲げる事項をあらかじめ通知しなければならない。

3　国土交通大臣、都道府県知事又は港湾管理者は、前条ただし書の随意契約によろうとするときは、なるべく二人以上の者から見積書を徴さなければならない。

本条…追加〔平成一二年九月運輸省令三三号〕、一―三項…一部改正〔平成一二年一一月運輸省令三九号〕

（工作物等を返還する場合の手続）

第三七条　国土交通大臣、都道府県知事又は港湾管理者は、保管した工作物等（法第五十六条の四第五項の規定により売却した代金を含む。）を所有者等に返還するときは、返還を受ける者にその所有権等を証するに足りる書類を提出させる等の方法によつてその者が当該工作物等の返還を受けるべき所有者等であることを証明させ、かつ、第九号様式による受領書と引換えに返還するものとする。

本条…追加〔平成一二年九月運輸省令三三号〕、一部改正〔平成一二年一一月運輸省令三九号〕

（報告の徴収等）

第三八条　法第五十六条の五第一項の規定により法第三十七条第一項、第四十三条の八第二項、第五十五条の三の四第二項又は第五十六条第一項の規定による許可を受けた者に対し、当該許可に係る事項に関し必要な報告を求める場合には、報告すべき事項、報告の期限その他必要な事項を明示し、これを行うものとする。

2　法第五十六条の五第二項の規定により港湾運営会社に対し、その業務又は経理の状況に関し報告を求める場合には、報告すべき事項、報告の期限その他必要な事項を明示し、これを行うものとする。

3　法第五十六条の五第三項の規定により港湾管理者以外の者で特定技術基準対象施設を管理するものに対し、当該特定技術基準対象施設の維持管理の状況に関し報告を求める場合には、報告すべき事項、報告の期限その他必要な事項を明示し、これを行うものとする。

4　法第五十六条の五第一項の規定による立入検査に係る同条第四項の規定による証明書（国の職員が携帯するものを除く。）は第十号様式によるものとし、同条第二項の規定による立入検査に係る同条第四項の規定による証明書（国の職員が携帯するものを除く。）は第十一号様式によるものとし、同条第三項の規定による立入検査に係る同条第四項の規定による証明書は第十二号様式によるものとする。

本条…追加〔昭和四九年七月運輸省令二八号〕、二項…一部改正〔昭和五五年一二月運輸省令四五号〕、二項…一部改正・旧三二条…繰下〔平成一二年九月運輸省令三三号〕、一項…一部改正・二項…追加・旧二項…一部改正し三項に繰下〔平成二三年一二月国土交通省令九四号〕、一項…一部改正〔平成二五年八月国土交通省令六四号〕、三項…追加・旧三項…一部改正し四項に繰下〔平成二六年四月国土交通省令四七号〕、四項…一部改正〔令和六年三月国土交通省令二六号〕

（法第五十八条第三項の国土交通省令で定める事項）

第三九条　法第五十八条第三項の国土交通省令で定める事項は、次の各号に掲げるものとする。

一　当該区域の位置及び面積

二　当該区域の公有水面埋立法（大正十年法律第五十七号）第二十二条第二項の竣功認可の告示がされた年月日

三　当該区域の公有水面埋立法第二十二条第二項の竣功認可を受けた者の氏名又は名称及び住所並びに法人にあつては、その代表者の氏名

四　当該区域の有効かつ適切な利用を促進する必要があると認めた理由

五　前各号に掲げるもののほか、港湾管理者が必要と認める事項

本条…追加〔平成一八年九月国土交通省令九三号〕

（職権の委任）

第四〇条　第十五条の七第二項から第五項の規定による国土交通大臣の職権は、地方整備局長又は北海道開発局長が行うものとする。

本条…追加〔平成二三年三月国土交通省令三三号〕、一部改正〔平成二三年一二月国土交通省令九四号〕

附　則

1　この省令は、公布の日から施行する。

2　第十四条の三の規定は、法附則第三項から第五項まで、北海道開発のためにする港湾工事に関する法律（昭和二十六年法律第七十三号）附則第七項、奄美群島振興開発特別措置法（昭和二十九年法律第百八十九号）附則第六項、失効前の沖縄振興開発特別措置法（昭和四十六年法律第百三十一号）附則第九条第一項又は沖縄振興特別措置法（平成十四年法律第十四号）附則第四条第一項の規定により国がその工事に要する費用に充てる資金を無利子で貸し付けた港湾施設について準用する。この場合において、第十四条の三第一項中「法第四十六条第一項」とあるのは、「法附則第十三項の規定により準用された法第四十六条第一項」と読み替えるものとする。

3　法附則第十五項の認定を受けようとする者は、次に掲げる事項を記載した申請書を国土交通大臣に提出するものとする。

一　次に掲げる事項を記載した法附則第十五項の規定による貸付けの対象としようとする港湾施設の建設又は改良の工事に係る工事実施計画

イ　当該港湾施設の種類、名称及び位置（縮尺五万分の一以上の平面図をもつて表示すること。）

ロ　当該港湾施設の規模、構造及び安定計算の概要

ハ　工事方法

ニ　工事工程

ホ　工事に要する費用の概算

ヘ　工事の着手及び完成の予定期日並びに港湾管理者による供用開始の予定期日

二　次に掲げる事項を記載した密接関連事業に係る事業計画

イ　密接関連事業の概要

ロ　密接関連事業に必要な施設等の概要

ハ　密接関連事業の運営方法

ニ　密接関連事業の実施時期

ホ　密接関連事業の開始に要する費用の概算

三　次に掲げる事項を記載した当該港湾施設の建設又は改良の工事及び密接関連事業に係る資金計画

イ　資金の調達方法

ロ　資金の使途

四　当該港湾施設の建設又は改良の工事及び密接関連事業に係る収支計画

4　前項の申請書には、次に掲げる書類を添付するものとする。

一　定款又は寄附行為及び登記事項証明書

二　役員又は社員の名簿及び履歴書

三　最近の事業年度の財産目録又は貸借対照表及び損益計算書

四　組織を明らかにする書類

五　地方公共団体（その出資され、又は拠出された金額の全部が地方公共団体により出資され、又は拠出されている法人を含む。）の出資又は拠出に係る法人であることを証する書類

六　令附則第八項第一号の承認を受けている工事実施計画を有する者であることを証する書類

七　令附則第九項の同意を得ている者であることを証する書類

八　貸付申請に関する意思の決定を証する書類

5　国土交通大臣は、附則第三項の申請をした者が令附則第八項の基準に適合すると認めるときは、当該申請をした者及び当該港湾施設に係る港湾管理者に対し、その旨を通知するものとする。

6　前項の通知を受けた附則第三項の申請をした者は、法附則第十五項の国の貸付けを受けようとするときは、次に掲げる事項を記載した申請書を国土交通大臣に提出するものとする。

一　当該年度における当該港湾施設の建設又は改良の工事に要する費用の額並びに当該貸付金の額及び貸付けの時期

二　当該年度における当該港湾施設の建設又は改良の工事に係る工事実施計画の明細

三　当該年度における密接関連事業に係る事業計画の明細

四　当該年度における当該港湾施設の建設又は改良の工事及び密接関連事業に係る資金計画の明細

7　前項の申請書には、当該港湾施設に関する平面図、縦断面図、標準横断面図、深浅図その他の必要な図面を添付するものとする。

8　法附則第二十項の国土交通省令で定める規模は、次の各号に掲げるものであつて、当該国際拠点港湾の港湾計画において定められているものとする。

一　埠頭を構成する係留施設の総延長がおおむね千メートル

二　少なくとも一の係留施設等（外国コンテナ貨物定期船（一定の日程表に従つて就航するコンテナ貨物の運送に係る外国貿易船をいう。）の使用の一単位に係る埠頭を構成する係留施設及び荷さばき地をいう。次号において同じ。）の前面の泊地の水深が十五メートル

三　少なくとも一の前号に掲げる規模以上の係留施設等を含む連続する三の係留施設等の奥行き（当該係留施設等の総面積（単位　平方メートル）を当該係留施設等に係る係留施設の総延長（単位　メートル）で除して得たものをいう。）がおおむね五百メートル

9　法附則第二十項の国土交通省令で定める事情は、次に掲げるものとする。

一　当該国際拠点港湾における年間のコンテナ取扱量及びコンテナ貨物の取扱いによる地域経済の発展に対する寄与の程度が、国民経済上特に重要であること。

二　当該埠頭の機能の高度化による当該国際拠点港湾の運営の効率化を図るため、港湾管理者その他の行政機関と当該埠頭の運営者その他の民間事業者との連携協力体制が整備されること。

三　当該埠頭の利用の効率化及び高度化を図るための情報システムが整備されること。

四　当該埠頭と道路法第三条第一号に規定する高速自動車国道又は同法第五条第一項第一号に規定する一般国道との連絡が確保されること。

五　当該埠頭の近傍において、輸送、保管、荷さばき、流通加工その他の物資の流通に係る業務を行うための施設の用に供する土地の確保が容易であること。

二項…追加〔昭和六二年一〇月運輸省令五九号〕、三－七項…追加〔昭和六三年五月運輸省令一五号〕、二項…一部改正〔平成一二年一一月運輸省令三九号・一四年六月国土交通省令六九号〕、四項…一部改正〔平成一七年三月国土交通省令一二号〕、八・九項…追加〔平成二三年一一月国土交通省令八〇号〕、二－六項…一部改正・八項…追加・旧八・九項…九・一〇項に繰下〔平成二三年一二月国土交通省令九四号〕、二項…一部改正〔平成二六年三月国土交通省令四二号・二七年七月五三号〕、八項…削除・旧九・一〇項…一部改正し八・九項に繰上〔令和二年二月国土交通省令七号〕、二項…一部改正〔令和四年三月国土交通省令三九号〕

附　則〔平成一八年九月二九日国土交通省令第九三号抄〕

（施行期日）

第一条　この省令は、海上物流の基盤強化のための港湾法等の一部を改正する法律の施行の日（平成十八年十月一日）から施行する。ただし、第二条、附則第三条及び第四条の規定は、平成十九年四月一日から施行する。

（証票等に関する経過措置）

第四条　この省令の施行前に交付した第二条の規定による改正前の第六号様式による証票及び第十号様式による証明書は、それぞれ第二条の規定による改正後の第六号様式による証票及び第十号様式による証明書とみなす。

附　則〔平成一九年三月二八日国土交通省令第一九号〕

（施行期日）

第一条　この省令は、平成十九年四月一日から施行する。ただし、第二条及び附則第三条の規定は、平成二十年一月一日から施行する。

（経過措置）

第二条　この省令の施行前に交付した第一条の規定による改正前の港湾法施行規則第六号様式による証票及び第十号様式による証明書は、それぞれ第一条の規定による改正後の港

湾法施行規則第六号様式による証票及び第十号様式による証明書とみなす。

第三条　港湾の施設の技術上の基準を定める省令（平成十九年国土交通省令第十五号）附則第二項に規定する技術基準対象施設（以下単に「技術基準対象施設」という。）の建設又は改良を行おうとする者については、第二条の規定による改正後の港湾法施行規則（以下「新規則」という。）第三条の五及び第十一条の二の規定は、適用しない。

2　技術基準対象施設の建設を行おうとする者については、新規則第二十七条の四の規定は、適用しない。

3　新規則第五条及び第二十九条の規定にかかわらず、技術基準対象施設の建設又は改良を行おうとする者がする法第三十八条の二第一項及び第五十六条の三第一項の規定による届出については、なお従前の例による。

附　則〔平成二〇年六月一三日国土交通省令第四二号〕

（施行期日）

1　この省令は、港湾法の一部を改正する法律（平成二十年法律第六十六号。次項において「改正法」という。）の施行の日（平成二〇年六月一三日）から施行する。

（経過措置）

2　この省令の施行の際現にされている改正法による改正前の港湾法（次項において「旧法」という。）第四十四条の二第二項の協議の申出であって、当該申出に係る料率が同項の同意を得ている料率を超えるものは、改正法による改正後の港湾法（次項において「新法」という。）第四十四条の二第二項の規定によりされた協議の申出とみなす。

3　この省令の施行の際現にされている旧法第四十四条の二第二項の協議の申出であって、当該申出に係る料率が同項の同意を得ている料率を超えないものは、新法第四十四条の二第三項の規定によりした届出とみなす。

附　則〔平成二三年三月三一日国土交通省令第三三号抄〕

（施行期日）

第一条　この省令は、平成二十三年四月一日から施行する。ただし、第十五条の三の改正規定、第十五条の五の二の次に一条を加える改正規定及び第三十九条の次に一条を加える改正規定は、同年十二月一日から施行する。

（経過措置）

第二条　この省令の施行前に調製された港湾台帳の様式については、この省令による改正後の港湾法施行規則第五号様式にかかわらず、なお従前の例によることができる。

附　則〔平成二三年一二月一三日国土交通省令第九四号抄〕

〔沿革〕令和二年二月七日国土交通省令第七号改正

（施行期日）

第一条　この省令は、港湾法及び特定外貿埠頭の管理運営に関する法律の一部を改正する法律（以下「改正法」という。）附則第一条第二号に掲げる規定の施行の日（平成二十三年十二月十五日）から施行する。

（経過措置）

第二条　改正法附則第三条第四項の規定によりなおその効力を有するものとされる改正法第二条の規定による改正前の港湾法第五十条の四の規定の適用については、第一条の規定による改正前の港湾法施行規則第十五条の七の規定は、なおその効力を有する。

第三条　改正法附則第三条第五項の規定によりなおその効力を有するものとされる改正法第二条の規定による改正前の港湾法第五十五条の規定の適用については、第一条の規定による改正前の港湾法施行規則第十七条の十の規定は、なおその効力を有する。

第四条　改正法附則第三条第六項の規定によりなおその効力を有するものとされる改正法第二条の規定による改正前の港湾法第五十五条の八の規定及び港湾法施行令の一部を改正する政令（平成二十三年政令第三百四十三号）附則第二条の規定によりなおその効力を有するものとされる同令による改正前の港湾法施行令（昭和二十六年政令第四号）第十条の規定の適用については、第一条の規定による改正前の港湾法施行規則第二十七条の二及び第二十七条の三の規定は、なおその効力を有する。

第五条　この省令の施行前に交付した第一条の規定による改正前の港湾法施行規則第十号様式による証明書は、第一条の規定による改正後の港湾法施行規則第十号様式による証明書とみなす。

附　則〔平成二五年八月一日国土交通省令第六四号〕

（施行期日）

1　この省令は、港湾法の一部を改正する法律（平成二十五年法律第三十一号）の施行の日（平成二十五年八月一日）から施行する。

（経過措置）

2　この省令の施行前に交付したこの省令による改正前の港湾法施行規則第十号様式による証明書は、この省令による改正後の港湾法施行規則第十号様式による証明書とみなす。

附　則〔平成二五年九月一三日国土交通省令第七六号〕

この省令は、地域の自主性及び自立性を高めるための改革の推進を図るための関係法律の整備に関する法律附則第一条第一号に掲げる規定の施行の日（平成二十五年九月十四日）から施行する。

附　則〔平成二六年七月一日国土交通省令第六一号〕

この省令は、港湾法の一部を改正する法律の施行の日（平成二十六年七月一日）から施行する。

附　則〔平成二七年七月一五日国土交通省令第五三号〕

この省令は、独立行政法人に係る改革を推進するための国土交通省関係法律の整備に関する法律附則第一条第二号に掲げる規定の施行の日（平成二十七年七月十六日）から施行する。

附　則〔平成二八年二月二九日国土交通省令第八号〕

この省令は、公布の日から施行する。

附　則〔平成二八年六月二四日国土交通省令第五一号〕

この省令は、平成二十八年七月一日から施行する。

附　則〔平成二八年六月三〇日国土交通省令第五七号〕

この省令は、港湾法の一部を改正する法律の施行の日（平成二十八年七月一日）から施行する。

附　則〔平成二九年七月七日国土交通省令第四三号〕

1　この省令は、港湾法の一部を改正する法律の施行の日（平成二十九年七月八日）から施行する。

2　この省令の施行前に交付したこの省令による改正前の港湾法施行規則第十号様式による証明書は、この省令による改正後の港湾法施行規則第十号様式による証明書とみなす。

附　則〔平成二九年一二月二六日国土交通省令第七二号抄〕

（施行期日）

1　この省令は、平成三十年四月一日から施行する。

附　則〔令和元年五月七日国土交通省令第一号〕

この省令は、公布の日から施行する。

附　則〔令和元年六月二八日国土交通省令第二〇号〕

この省令は、不正競争防止法等の一部を改正する法律の施行の日（令和元年七月一日）から施行する。

附　則〔令和元年九月一三日国土交通省令第三四号抄〕

（施行期日）

第一条　この省令は、成年被後見人等の権利の制限に係る措置の適正化等を図るための関係法律の整備に関する法律（以下「整備法」という。）の施行の日（令和元年九月十四日）から施行する。〔以下略〕

附　則〔令和元年一二月一六日国土交通省令第四七号抄〕

（施行期日）

第一条　この省令は、情報通信技術の活用による行政手続等に係る関係者の利便性の向上並びに行政運営の簡素化及び効率化を図るための行政手続等における情報通信の技術の利用に関する法律等の一部を改正する法律の施行の日（令和元年十二月十六日）から施行する。

附　則〔令和二年二月七日国土交通省令第七号〕

（施行期日）

1　この省令は、港湾法の一部を改正する法律の施行の日（令和二年二月十四日）から施行する。

（経過措置）

2　この省令の施行前に交付した第一条の規定による改正前の港湾法施行規則第六号様式による証票及び第十一号様式による証明書は、それぞれ第一条の規定による改正後の港湾法施行規則第六号様式による証明書及び第十一号様式による証明書とみなす。

附　則〔令和二年一一月一六日国土交通省令第八九号〕

この省令は、令和三年四月一日から施行する。

附　則〔令和二年一二月二三日国土交通省令第九八号〕

（施行期日）

1　この省令は、令和三年一月一日から施行する。

（経過措置）

2　この省令の施行の際現にあるこの省令による改正前の様式による用紙は、当分の間、これを取り繕って使用することができる。

附　則〔令和四年三月三一日国土交通省令第三九号〕

この省令は、沖縄振興特別措置法等の一部を改正する法律の施行の日（令和四年四月一日）から施行する。

附　則〔令和四年一二月一六日国土交通省令第九〇号〕

（施行期日）

1　この省令は、港湾法の一部を改正する法律の施行の日（令和四年十二月十六日）から施行する。

（経過措置）

2　この省令の施行前に調製された港湾台帳の様式については、第一条の規定による改正後の港湾法施行規則第五号様式にかかわらず、なお従前の例によることができる。

3　この省令の施行前に交付した第一条の規定による改正前の港湾法施行規則第六号様式による証明書は、第一条の規定による改正後の港湾法施行規則第六号様式による証明書とみなす。

附　則〔令和五年九月二九日国土交通省令第七七号〕

（施行期日）

第一条　この省令は、港湾法の一部を改正する法律附則第一条第二号に掲げる規定の施行の日（令和五年十月一日）から施行する。

（経過措置）

第二条　この省令による改正後の港湾法施行規則（以下「新規則」という。）第十五条の八第一項及び第十五条の九第一項の規定により届出をしなければならない事項で、この省令の施行前に国土交通大臣に届出をし、その後変更がないものについては、それぞれの規定により当該届出をしたものとみなす。

2　この省令による改正前の港湾法施行規則第五号の二の二様式による港湾環境整備計画認定申請書及び第五号の二の三様式による港湾環境整備計画変更認定申請書については、新規則第五号の二の二様式及び第五号の二の三様式にかかわらず、当分の間、なおこれを使用することができる。

附　則〔令和六年二月一日国土交通省令第八号〕

この省令は、公布の日から施行する。

附　則〔令和六年三月二九日国土交通省令第二六号抄〕

（施行期日）

第一条　この省令は、令和六年四月一日から施行する。〔以下略〕

（経過措置）

第三条　この省令の施行の際現にあるこの省令による改正又は廃止前の様式（次項において「旧様式」という。）により使用されている身分証明書は、この省令による改正後の様式によるものとみなす。

2　この省令の施行の際現にある旧様式による用紙は、当分の間、これを取り繕って使用することができる。

附　則〔令和六年四月一日国土交通省令第四九号〕

この省令は、漁港漁場整備法及び水産業協同組合法の一部を改正する法律の施行の日（令和六年四月一日）から施行する。

附　則〔令和六年四月三〇日国土交通省令第五八号抄〕

（施行期日）

1　この省令は、令和六年六月三十日から施行する。

別表第一（第十一条の九関係）

	対象地域の名称	対象地域の範囲
一	北米地域	北アメリカ大陸（メキシコ以南の地域を除く。）
二	欧州地域	ヨーロッパ大陸（ロシア（ベーリング海、オホーツク海及び日本海を含む太平洋に面する地域を除く。）を含む。）
三	中南米地域	メキシコ以南の北アメリカ大陸及び南アメリカ大陸
四	大洋州地域	オーストラリア大陸
五	アフリカ地域	アフリカ大陸

本表…追加〔令和二年二月国土交通省令七号〕

別表第二（第十八条の六関係）

一　令別表第二第一号に規定する東京湾中央航路の区域のうち同号(3)から(6)までに掲げる地点を順次に結んだ線及び同号(3)に掲げる地点と同号(6)に掲げる地点とを結んだ線により囲まれた区域及び次に掲げる地点を順次に結んだ線及び(1)に掲げる地点と(6)に掲げる地点とを結んだ線により囲まれた区域以外の区域

(1)　横浜大黒防波堤東灯台から一四〇度六、八〇〇メートルの地点

(2)　第二海堡灯台から一三度三〇分一、〇六〇メートルの地点

(3)　第二海堡灯台から〇度四、〇三〇メートルの地点

(4)　第二海堡灯台から三二〇度二、六〇〇メートルの地点

(5)　横浜金沢木材ふとう東防波堤灯台から八七度四五分五、四三〇メートルの地点

(6)　横浜本牧防波堤灯台から一四一度四五分五、九二〇メートルの地点

二　令別表第二第二号に規定する中山水道航路の区域

三　令別表第二第三号に規定する備讃瀬戸航路の区域

四　令別表第二第五号に規定する来島海峡航路の区域

五　令別表第二第十号に規定する関門航路の区域

本表…追加〔平成二六年一月国土交通省令二号〕、一部改正〔平成二八年六月国土交通省令五一号・二九年七月四三号〕、旧別表一…繰下〔令和二年二月国土交通省令七号〕

別表第三（第二十八条の二十一関係）

確認対象施設の種類			金額
外郭施設	防波堤、防砂堤、防潮堤、導流堤、護岸、堤防、突堤及び胸壁	津波、偶発波浪（港湾の施設の技術上の基準を定める省令第一条第四号の偶発波浪をいう。以下同じ。）、レベル二地震動等の作用による損傷等を考慮して設計した施設	二百五十九万五千円
		その他の施設	百九十二万五千円
	水門及び閘門	津波、偶発波浪、レベル二地震動等の作用による損傷等を考慮して設計した施設	三百六万三千円
		その他の施設	二百五十九万五千円
係留施設		一　レベル二地震動の作用による損傷等を考慮して設計した施設 二　海洋再生可能エネルギー発電設備等から受ける荷重の作用による損傷等を考慮して設計した施設	二百五十九万五千円
		その他の施設	百九十二万五千円
道路	トンネル構造を有する施設	静的解析を用いた照査により設計した施設	三百五十一万三千円
		動的解析を用いた照査により設計した施設	四百十六万二千円
	その他の施設		百六万円
橋梁		静的解析を用いた照査により設計した施設	三百五十一万三千円
		動的解析を用いた照査により設計した施設	四百十六万二千円
固定式荷役機械及び軌道走行式荷役機械			二百五十九万五千円
廃棄物埋立護岸		津波、偶発波浪、レベル二地震動等の作用による損傷等を考慮して設計した施設	二百五十九万五千円

	その他の施設	百九十二万五千円
海浜		百九十二万五千円
緑地及び広場	人工地盤構造を有する施設	二百五十九万五千円
	その他の施設	百六万円

本表…追加〔平成一九年三月国土交通省令一八号〕、一部改正〔平成二五年九月国土交通省令七八号〕、旧別表…繰下〔平成二六年一月国土交通省令二号〕、本表…一部改正〔平成二九年一一月国土交通省令七二号〕、本表…一部改正・旧別表二…繰下〔令和二年二月国土交通省令七号〕

第一号様式（第五条関係）

臨港地区内行為届出書（工場・事業場以外用）

年　　月　　日

港湾管理者　殿

届出者　氏名又は名称及び住所並びに法人にあつては、その代表者の氏名

港湾法第38条の２第１項の規定により、同項{第１号／第２号／第４号}の施設の{建設／改良}について、次のとおり届け出ます。

1　施設の位置、種類、規模及び構造
2　施設の使用の計画
3　施設の{建設／改良}の工事の開始及び完了の予定期日
4　添付書類の目録

備考　用紙の大きさは、日本産業規格Ａ列４番とすること。

本様式…全部改正〔昭和49年７月運輸省令28号〕、一部改正〔昭和54年５月運輸省令20号・平成６年３月12号・９年12月84号・12年３月11号・令和元年６月国土交通省令20号・２年12月98号〕

第二号様式（第五条関係）

臨港地区内行為届出書（工場・事業場用）

年　　月　　日

港湾管理者　殿

届出者　氏名又は名称及び住所並びに法人にあつては、その代表者の氏名

港湾法第38条の２第１項の規定により、{工　場／事業場}の{新設／増設}について、次のとおり届け出ます。

1　{工　場／事業場}の位置、種類及び敷地面積並びに作業場の床面積
2　{工　場／事業場}の事業活動に伴い搬入し、又は搬出することとなる貨物の量の概計及び輸送に関する計画　別紙１のとおり
3　{工　場／事業場}の事業活動に伴い生ずることとなる廃棄物の量の概計及び処理に関する計画　別紙２のとおり
4　{工　場／事業場}の{新設／増設}の工事の開始及び完了の予定期日
5　{工　場／事業場}に係る事業の開始の予定期日
6　添付書類の目録

備考　届出書及び別紙の用紙の大きさは、表等やむを得ないものを除き、日本産業規格Ａ列４番とすること。

別紙　1

搬入し、又は搬出することとなる貨物の量の概計及び輸送に関する計画

1　搬入することとなる貨物

貨物の種類	当該港湾を利用する貨物		当該港湾を利用しない貨物		貨物の量の合計
	量の概計	輸送に関する計画	量の概計	輸送に関する計画	
合　計					

2　搬出することとなる貨物

貨物の種類	当該港湾を利用する貨物		当該港湾を利用しない貨物		貨物の量の合計
	量の概計	輸送に関する計画	量の概計	輸送に関する計画	
合　計					

備考　1　貨物の量の概計は、通常の１年間の貨物の量の概計を記載すること。

2　港湾を利用する貨物とは、当該港湾において船舶に積み込み、又は船舶から取り卸しされる貨物をいい、港湾を利用しない貨物とは、それ以外の貨物をいう。

3　輸送に関する計画欄には、貨物の輸送の方法等を記載すること。

4　貨物の量の概計の算出の基礎を記載した書面を添付すること。

別紙　2

廃棄物の量の概計及び廃棄物の処理に関する計画

1　廃棄物の量の概計及び廃棄物の処理に関する計画

廃棄物の種類	廃棄物の量の概計	廃棄物の処理に関する計画	
		処理場所	処理方法

2　その他廃棄物の輸送の方法等廃棄物の処理に関する計画

備考　1　廃棄物の量の概計は、通常の1年間の廃棄物の量の概計を記載すること。

2　廃棄物の量の概計の算出の基礎を記載した書面を添付すること。

本様式…全部改正〔昭和49年7月運輸省令28号〕、一部改正〔昭和54年5月運輸省令20号・平成6年3月12号・9年12月84号・12年3月11号・令和元年6月国土交通省令20号・2年12月98号〕

第三号様式（第八条関係）

臨港地区内行為変更届出書

年　　月　　日

港湾管理者　殿

届出者　氏名又は名称及び住所並びに法人にあつては、その代表者の氏名

港湾法第38条の2第4項の規定により、同条第2項{第2号／第3号／第4号}の事項の変更について、次のとおり届け出ます。

1　変更に係る事項

2　変更の内容

3　変更に係る工事の開始及び完了の予定期日

4　変更を必要とする理由

5　添付書類の目録

備考　1　用紙の大きさは、日本産業規格A列4番とすること。

2　変更の内容は、変更前及び変更後の内容を対照させて記載すること。

本様式…全部改正〔昭和49年7月運輸省令28号〕、一部改正〔昭和54年5月運輸省令20号・平成6年3月12号・9年12月84号・12年3月11号・令和元年6月国土交通省令20号・2年12月98号〕

第三号の二様式（第十一条の十九関係）

年　月　日

国土交通大臣　　　　　　　殿
国際拠点港湾の港湾管理者

氏名又は名称及び住所並びに法人
にあつては、その代表者の氏名　　　　　(イ)
届出義務発生日　　　　　年　月　日(ロ)

対象議決権保有届出書

港湾法第43条の22第１項の規定により、下記のとおり届け出ます。

記

1　提出者が対象議決権を保有する港湾運営会社に関する事項

港湾運営会社の商号	
本店の所在地	

2　提出者に関する事項

2－1　提出者（対象議決権保有者）(ハ)

※　1　個　人　　2　法　人					
（ふりがな）					
氏名又は名称					
（ふりがな）					
住　所	〒				
個人	生年月日　年　月　日 ※　1明治　3昭和　5令和 2大正　4平成		（ふりがな）		
			勤務先名称		
	職　業		勤務先住所		
法人	設立年月日　年　月　日 ※　1明治　3昭和　5令和 2大正　4平成		（ふりがな）		代表者役職
			代表者名		
	事業内容				
事務上の連絡先及び担当者名					
			電話番号		

2－2　保有目的㈡

2－3　対象議決権保有割合

対象議決権保有者になつた日	年　月　日
保有議決権数	個（総株主の議決権に対する割合　　%）

2－4　対象議決権を有する株券等に関する担保契約等重要な契約㈭

3　共同保有者に関する事項

3－1　共同保有者㈬

<table>
<tr><td colspan="6">※　1　個　人　　2　法　人</td></tr>
<tr><td colspan="3" rowspan="2">（ふりがな）
氏名又は名称</td><td colspan="3"></td></tr>
<tr><td colspan="3"></td></tr>
<tr><td colspan="3" rowspan="2">（ふりがな）
住　所</td><td colspan="3"></td></tr>
<tr><td colspan="3">〒</td></tr>
<tr><td rowspan="3">個人</td><td colspan="2" rowspan="2">生年月日　年　月　日
※　1明治　3昭和　5令和
2大正　4平成</td><td>（ふりがな）</td><td colspan="2"></td></tr>
<tr><td>勤務先名称</td><td colspan="2"></td></tr>
<tr><td>職　業</td><td></td><td>勤務先住所</td><td colspan="2"></td></tr>
<tr><td rowspan="3">法人</td><td colspan="2" rowspan="2">設立年月日　年　月　日
※　1明治　3昭和　5令和
2大正　4平成</td><td>（ふりがな）</td><td></td><td rowspan="2">代表者役職</td></tr>
<tr><td>代表者名</td><td></td></tr>
<tr><td>事業内容</td><td colspan="4"></td></tr>
<tr><td colspan="2">事務上の連絡先及び担当者名</td><td colspan="4"></td></tr>
<tr><td colspan="3"></td><td>電話番号</td><td colspan="2"></td></tr>
</table>

3－2　対象議決権保有割合

保有議決権数	個（総株主の議決権に対する割合　　%）

4　提出者及び共同保有者に関する総括表

4－1　提出者及び共同保有者(ト)

1		21		41	
2		22		42	
3		23		43	
4		24		44	
5		25		45	
6		26		46	
7		27		47	
8		28		48	
9		29		49	
10		30		50	
11		31		51	
12		32		52	
13		33		53	
14		34		54	
15		35		55	
16		36		56	
17		37		57	
18		38		58	
19		39		59	
20		40		60	

4－2　上記提出者及び共同保有者の対象議決権保有割合(チ)

保有議決権数	個（総株主の議決権に対する割合　　　%）

〔備考〕

1　用紙の大きさは、日本産業規格Ａ列４番とすること。

2　記載事項のうち「２　提出者に関する事項」には、提出者の議決権の保有状況について記載し、「３　共同保有者に関する事項」には、共同保有者がいる場合のみ、共同保有者１人につき１枚ずつ、各共同保有者の議決権の保有状況について記載し、「４　提出者及び共同保有者に関する総括表」には、共同保有者がいる場合にのみ、提出者及び共同保有者の議決権の保有状況を一括して記載すること。共同保有者がいない場合には、この様式のうち「３　共同保有者に関する事項」及び「４　提出者及び共同保有者に関する総括表」に係る部分は提出することを要しない。

3　対象議決権保有届出書（以下この様式において「届出書」という。）の提出者が、共同保有者全員の委任を受けて当該提出者及び当該共同保有者全員の届出書を一つにまとめて提出する場合には、当該提出者及び当該共同保有者のそれぞれの議決権の保有状況について、別々に「2　提出者に関する事項」に記載するとともに、これらの議決権の保有状況を一括して「4　提出者及び共同保有者に関する総括表」に記載すること。この場合には、この様式のうち「3　共同保有者に関する事項」に係る部分は提出することを要しない。

4　※の付されている欄は、該当する番号を○で囲むこと。

5　記号の付されている項目の記載は、次によること。

(イ)　氏名又は名称及び住所並びに法人にあつては、その代表者の氏名

(1)　届出書の提出者本人（代理人が提出する場合には当該代理人）の氏名又は名称及び住所並びに法人にあつては、その代表者の氏名を記載すること。

なお、代理人が提出する場合には、届出書の提出を委任した者が、当該代理人に、届出書の提出に関する一切の行為につき、当該委任した者を代理する権限を付与したことを証する書面を届出書に添付すること。

(2)　届出書の提出者が、共同保有者全員の委任を受けて当該提出者及び当該共同保有者全員の報告書を一つにまとめて提出する場合には、委任を受けた者の氏名又は名称及び住所並びに法人にあつては、その代表者の氏名を記載すること。なお、当該共同保有者が、当該提出者に届出書の提出に関する一切の行為につき、当該共同保有者を代理する権限を付与したことを証する書面を届出書に添付すること。

(ロ)　届出義務発生日

対象議決権保有者となつた日を記載すること。

(ハ)　提出者（対象議決権保有者）

(1)　民法上の組合その他の法人格を有さない組合又は社団等の場合には、当該組合又は社団等を保有者として提出せず、議決権を所有し、又は金融商品取引法第27条の23第3項各号に掲げる者に該当する業務執行組合員等を保有者として提出すること。また、この場合、その旨を届出書の「2－4　対象議決権を有する株券等に関する担保契約等重要な契約」欄に記載すること。

(2)　提出者が個人の場合は「個人」欄に、法人の場合は「法人」欄に必要事項をそれぞれ記載すること。

(3)　「設立年月日」欄には、法人設立の登記年月日を記載すること。

(4)　「事業内容」欄には、届出書の提出義務が生じた日現在の当該法人の定款等に記載された主要な目的を記載すること。

(ニ)　保有目的

「純投資」、「政策投資」、「経営参加」、「支配権の取得」等の目的及びその内容について、できる限り具体的に記載すること。

(ホ)　対象議決権を有する株券等に関する担保契約等重要な契約

保有株券等に関する担保契約、売戻し契約、売り予約、その他の重要な契約又は取決めがある場合には、その契約の種類、契約の相手方、契約の対象となつている議決権の数量等、当該契約又は取決めの内容を記載すること。株券等を法人格のない組合、社団等の業務執行組合員等として保有している場合、共有している場合等には、その旨記載すること。

(ヘ)　共同保有者

共同保有者がいる場合に、提出者が了知している範囲で、(ハ)に準じて記載すること。

(ト)　提出者及び共同保有者

共同保有者がいる場合に、提出者及び共同保有者の氏名又は名称のみを記載すること。

(チ)　上記提出者及び共同保有者の対象議決権保有割合

共同保有者がいる場合に、提出者及び共同保有者の保有議決権数を合計して記載すること。

本様式…追加〔平成23年12月国土交通省令94号〕、一部改正〔平成28年2月国土交通省令8号・令和元年5月1号・6月20号・2年12月98号〕

第三号の三様式（第十一条の二十関係）

（表）

第　　号

身分証明書

写真

住所

氏名

職名

生年月日

右は、港湾法第四十三条の二十三第一項の規定により対象議決権保有届出書の提出者の書類その他の物件の検査ができる者であることを証する。

交付年月日

有効期間

発行機関名

発行機関印

（用紙の寸法は、日本産業規格B8とする。）

（裏）

港湾法抜粋

（対象議決権保有届出書の提出者に対する報告の徴収及び検査）

第四十三条の二十三　前条第一項の規定により対象議決権保有届出書の提出を受けた国土交通大臣又は国際拠点港湾の港湾管理者は、当該対象議決権保有届出書のうちに虚偽の記載があり、又は記載すべき事項の記載が欠けている疑いがあると認めるときは、当該対象議決権保有届出書の提出者に対し参考となるべき報告若しくは資料の提出を命じ、又はその職員に当該提出者の書類その他の物件の検査（当該対象議決権保有届出書の記載に関し必要な検査に限る。）をさせることができる。

2　前項の規定により検査をする職員は、その身分を示す証明書を携帯し、関係人にこれを提示しなければならない。

3　第一項の規定による検査の権限は、犯罪捜査のために認められたものと解してはならない。

本様式…追加〔平成二三年一二月国土交通省令九四号〕、一部改正〔平成二八年二月国土交通省令八号・令和元年六月二〇号〕

第四号様式（第十三条関係）

収支報告

（その一）　経営関係収支報告

収入		支出	
費目	金額（千円）	費目	金額（千円）
施設使用料及び役務利用料		経営関係管理費	
入港料		人件費	
水域施設		庁費	
係留施設		港湾調査費	
岸壁・さん橋		港湾統計調査費	
係船浮標・係船くい		災害復旧費	
物揚場		施設維持補修費	
その他		施設運営費	
臨港交通施設		経営委託費	
鉄道		港湾振興費	
運河		港湾環境整備・保全費	
その他		港湾厚生費	
荷さばき施設等		土地建物等使用料	
荷役機械		その他	
荷さばき地		経営関係公債償還費等	
上屋		公債	
木材整理場		災害復旧	
旅客施設		元金	
保管施設		利子	
野積場		管理的港湾工事	
貯木場		元金	
その他		利子	
港湾情報提供施設		その他	
廃棄物処理施設		元金	
港湾環境整備施設		利子	
港湾厚生施設		一般会計への繰入分等	
船舶給水等			
船舶修理・保管			
引船			
綱取			
土地			
建物			
その他			

占用料等			
水域占用料			
土砂採取料			
埋立免許料			
手数料			
国庫支出金			
港湾統計委託費			
災害復旧負担金			
管理的港湾工事補助金			
その他			
県（市、町、村）支出金			
受益者負担金等			
受益者等負担金			
港湾環境整備負担金			
その他			
公債			
災害復旧			
管理的港湾工事			
財産売払収入			
その他			
一般会計からの繰入分等			
合計		合計	

（その二）　建設関係収支報告

収入		支出	
費目	金額（千円）	費目	金額（千円）
国庫支出金		建設関係管理費	
基本施設		人件費	
運営施設		庁費	
環境整備・保全施設		調査費	
県（市、町、村）支出金		基本施設整備費	
基本施設		直轄事業負担金	
運営施設		補助事業等支出金	
環境整備・保全施設		運営施設整備費	
		直轄事業負担金	
		補助事業等支出金	

厚生施設		環境整備・保全施設整備費	
受益者負担金等		直轄事業負担金	
基本施設		補助事業等支出金	
運営施設		厚生施設整備費	
環境整備・保全施設		作業船整備費	
厚生施設		出資金	
公債		貸付金	
基本施設		その他	
運営施設		建設関係公債償還費等	
環境整備・保全施設		公債	
厚生施設		基本施設	
作業船		元金	
その他		利子	
貸付金元利償還金		運営施設	
その他		元金	
一般会計からの繰入分等		利子	
基本施設		環境整備・保全施設	
運営施設		元金	
環境整備・保全施設		利子	
厚生施設		厚生施設	
作業船		元金	
出資金		利子	
貸付金		作業船	
その他		元金	
		利子	
		その他	
		元金	
		利子	
		その他	
		元金	
		利子	
		一般会計への繰入分等	
合計		合計	

本様式…一部改正〔昭和29年９月運輸省令45号〕、全部改正〔昭和30年６月運輸省令29号・41年６月41号・54年５月20号〕、一部改正〔平成29年７月国土交通省令43号〕

第五号様式（第十四条関係）

○　○　港　港　湾　台　帳

1　港湾管理者の名称、港湾区域及び国際戦略港湾、国際拠点港湾、重要港湾又は地方港湾の別

港湾管理者の名称		
港湾区域	区　域	
	認可年月日	
国際戦略港湾、国際拠点港湾、重要港湾又は地方港湾の別		

2　港湾における潮位

潮位名称	潮位(m)	観測時	備考
既往最高潮位			
最高水面			
さく望平均満潮面			
平均潮位			
東京湾平均海面			
さく望平均干潮面			
工事用基準面			
最低水面			
既往最低潮位			

検潮器	管理者名	種類	所在地

3　港湾施設の種類、名称、管理者名又は所有者名その他当該港湾施設の概要を把握するために必要な事項

(1)　水域施設

(イ)　航路

施設番号		
名称		
管理者名等		
延長(m)		
幅員(m)		
水深(m)	計画上の水深	
	現在の水深	
海底の地質名		
しゅんせつの有無		
構造物による制限	構造物名	
	制限(m)	
防波堤等の内外の区分		
建設開始及び終了年度	開始年度	
	終了年度	
事業費	総額(千円)	
	補助金額(千円)	
備考		

(ロ) 泊地及び船だまり

区分		
施設番号		
名称		
管理者名等		
面積(㎡)	防波堤等の内側	
	防波堤等の外側	
水深(m)	計画上の水深	
	現在の水深	
海底の地質名		
しゅんせつの有無		
建設開始及び終了年度	開始年度	
	終了年度	
事業費	総額(千円)	
	補助金額(千円)	
備考		

(2) 外郭施設

(イ) 防波堤、防砂堤、防潮堤、導流堤、護岸、堤防、突堤及び胸壁

種類		
施設番号		
名称		
管理者名等		
構造形式		
延長(m)	建設延長	
	機能保有延長	
天端高(m)		
消波工延長(m)		
主要用材		
建設開始及び終了年度	開始年度	
	終了年度	
事業費	総額(千円)	
	補助金額(千円)	
備考		

(ロ) 水門及び閘門

種類		
施設番号		
名称		
管理者名等		
構造形式		
ゲート形式		
長さ(m)		
幅(m)		
水深(m)		
主要用材		
建設開始及び終了年度	開始年度	
	終了年度	
事業費	総額(千円)	
	補助金額(千円)	
備考		

(3) 係留施設（岸壁、係船浮標、係船くい、桟橋、浮桟橋、物揚場及び船揚場）

種類			
施設番号			
名称			
管理者名等			
構造形式			
形態			
延長(m)	取付部を除く延長		
	取付部を含む延長		
施設の幅(m)			
エプロン幅(m)			
面積(㎡)			
水深(m)	計画上の水深		
	現在の水深		
天端高(m)			
主要用材			
耐重力(t/㎡)			
主要利用船舶の種類名			
主要取扱貨物名			
附帯設備	係船柱(t×基)		
	防げん材(基)		
	照明設備(基)		
	階段等(個)		
	救命設備(名称×個)		
	車止め(m)		
	車両乗降用設備	基数	
		幅員(m)	
対象船舶	船型(D/W)		
	船席数		
建設開始及び終了年度	開始年度		
	終了年度		
事業費	総額(千円)		
	補助金額(千円)		
備考			

(4) 臨港交通施設（道路、駐車場、橋梁、鉄道、軌道、運河及びヘリポート）

種類			
施設番号			
名称			
管理者名等			
構造形式			
起終点			
規模	延長(m)		
	面積(㎡)		
	車道幅員(m)		
	道路敷幅(m)		
	車線数(車線)		
	駐車場収容台数(台)	バス	
		乗用車	
	単線・複線区分		
	桁下高(m)		
	制限高(m)		
	最小幅員(m)		
	最小水深(m)		
	駐機数(機)		
舗装形態			
主要取扱貨物名			
建設開始及び終了年度	開始年度		
	終了年度		
事業費	総額(千円)		
	補助金額(千円)		
備考			

⑸　航行補助施設（航路標識並びに船舶の入出港のための信号施設、照明施設及び港務通信施設）

種類		
施設番号		
名称		
管理者名等		
概要		
建設開始及び終了年度	開始年度	
	終了年度	
事業費総額(千円)		
備考		

⑹　荷さばき施設及び移動式荷役機械

㈠　固定式荷役機械、軌道走行式荷役機械及び移動式荷役機械

種類		
施設番号		
名称		
管理者名等		
係留施設名		
荷役能力	吊り上げ荷重(t)	
	1時間当たりの能力(t/時間)	
荷姿名		
主要取扱貨物名		
建設開始及び終了年度	開始年度	
	終了年度	
取得年度		
事業費総額(千円)		
備考		

(ロ)　荷さばき地及び上屋

<table>
<tr><td colspan="3">種　　類</td><td></td></tr>
<tr><td colspan="3">施設番号</td><td></td></tr>
<tr><td colspan="3">名　　称</td><td></td></tr>
<tr><td colspan="3">管理者名等</td><td></td></tr>
<tr><td rowspan="4">面積（㎡）</td><td rowspan="2">臨港地区内</td><td>総床面積</td><td></td></tr>
<tr><td>敷地面積</td><td></td></tr>
<tr><td rowspan="2">臨港地区外</td><td>総床面積</td><td></td></tr>
<tr><td>敷地面積</td><td></td></tr>
<tr><td colspan="3">主要用材</td><td></td></tr>
<tr><td colspan="3">主要取扱貨物名</td><td></td></tr>
<tr><td rowspan="2">建設開始及び終了年度</td><td colspan="2">開始年度</td><td></td></tr>
<tr><td colspan="2">終了年度</td><td></td></tr>
<tr><td colspan="3">事業費総額（千円）</td><td></td></tr>
<tr><td colspan="3">備　　考</td><td></td></tr>
</table>

(7) 旅客施設及び移動式旅客乗降用施設

(イ) 旅客乗降用固定施設及び移動式旅客乗降用施設

種類		
施設番号		
名称		
管理者名等		
長さ(m)		
幅員(m)		
主要用材		
建設開始及び終了年度	開始年度	
	終了年度	
取得年度		
事業費総額(千円)		
備考		

(ロ) 手荷物取扱所、待合所及び宿泊所

種類		
施設番号		
名称		
管理者名等		
総床面積(㎡)		
主要用材		
共用施設名		
収容人員(人)		
建設開始及び終了年度	開始年度	
	終了年度	
事業費総額(千円)		
備考		

(8) 保管施設（倉庫、野積場、貯水場、貯炭場、危険物置場及び貯油施設）

種　類			
施設番号			
名　称			
管理者名等			
面積（㎡）	臨港地区内	総床面積	
		敷地面積	
	臨港地区外	総床面積	
		敷地面積	
主要用材			
保管容量（㎥、kℓ）			
主要取扱貨物名			
建設開始及び終了年度	開始年度		
	終了年度		
事業費総額（千円）			
備　考			

(9) 船舶役務用施設並びに船舶の離着岸を補助するための船舶並びに船舶のための給水及び動力源の供給の用に供する船舶及び車両

(イ) 船舶のための給水施設及び動力源の供給の用に供する施設

種類		
施設番号		
名称		
管理者名等		
供給能力		
補給を受ける船舶の係留場所		
建設開始及び終了年度	開始年度	
	終了年度	
事業費総額(千円)		
備考		

(ロ) 船舶修理施設及び船舶保管施設

種類		
施設番号		
名称		
管理者名等		
長さ(m)		
幅(m)		
面積(㎡)		
対象船舶船型(D/W)		
建設開始及び終了年度	開始年度	
	終了年度	
事業費総額(千円)		
備考		

(ハ)　船舶の離着岸を補助するための船舶並びに船舶のための給水及び動力源の供給の用に供する船舶及び車両

種類	
施設番号	
名称	
管理者名等	
船型(G/T)	
能力	
保管施設名	
取得年度	
事業費総額(千円)	
備考	

(10)　港湾情報提供施設（案内施設、見学施設その他の港湾の利用に関する情報を提供するための施設）

施設番号		
名称		
管理者名等		
総床面積(㎡)		
主要用材		
共用施設名		
収容人員(人)		
概要		
建設開始及び終了年度	開始年度	
	終了年度	
事業費総額(千円)		
備考		

⑾　港湾公害防止施設

(イ)　汚濁水の浄化のための導水施設

施設番号		
名称		
管理者名等		
導水の方式		
延長(m)		
断面積(㎡)		
建設開始及び終了年度	開始年度	
	終了年度	
事業費	総額(千円)	
	補助金額(千円)	
備考		

(ロ)　公害防止用緩衝地帯

施設番号		
名称		
管理者名等		
形態		
延長(m)		
幅員(m)		
面積(㎡)		
建設開始及び終了年度	開始年度	
	終了年度	
事業費	総額(千円)	
	補助金額(千円)	
備考		

(ハ) その他の港湾における公害の防止のための施設

<table>
<tr><td colspan="2">施　設　番　号</td><td></td></tr>
<tr><td colspan="2">名　　　　　称</td><td></td></tr>
<tr><td colspan="2">管　理　者　名　等</td><td></td></tr>
<tr><td colspan="2">概　　　　　要</td><td></td></tr>
<tr><td rowspan="2">建設開始及び終了年度</td><td>開　始　年　度</td><td></td></tr>
<tr><td>終　了　年　度</td><td></td></tr>
<tr><td rowspan="2">事　業　費</td><td>総　　額(千円)</td><td></td></tr>
<tr><td>補助金額(千円)</td><td></td></tr>
<tr><td colspan="2">備　　　　　考</td><td></td></tr>
</table>

⑿　廃棄物処理施設並びに廃棄物の処理の用に供する船舶及び車両

(イ)　廃棄物埋立護岸

<table>
<tr><td colspan="2">施設番号</td><td></td></tr>
<tr><td colspan="2">名称</td><td></td></tr>
<tr><td colspan="2">管理者名等</td><td></td></tr>
<tr><td colspan="2">構造形式</td><td></td></tr>
<tr><td rowspan="3">延長(m)</td><td>外周建設延長</td><td></td></tr>
<tr><td>機能保有延長</td><td></td></tr>
<tr><td>内護岸延長</td><td></td></tr>
<tr><td colspan="2">天端高(m)</td><td></td></tr>
<tr><td colspan="2">消波工延長(m)</td><td></td></tr>
<tr><td colspan="2">主要用材</td><td></td></tr>
<tr><td colspan="2">廃棄物の種類</td><td></td></tr>
<tr><td colspan="2">計画処分面積(㎡)</td><td></td></tr>
<tr><td colspan="2">計画処分量(㎥)</td><td></td></tr>
<tr><td rowspan="2">処分開始及び終了年度</td><td>開始年度</td><td></td></tr>
<tr><td>終了年度</td><td></td></tr>
<tr><td rowspan="2">建設開始及び終了年度</td><td>開始年度</td><td></td></tr>
<tr><td>終了年度</td><td></td></tr>
<tr><td rowspan="2">事業費</td><td>総額(千円)</td><td></td></tr>
<tr><td>補助金額(千円)</td><td></td></tr>
<tr><td colspan="2">備考</td><td></td></tr>
</table>

(ロ) 廃棄物受入施設、廃棄物焼却施設、廃棄物破砕施設及び廃油処理施設

種類		
施設番号		
名称		
管理者名等		
処理能力		
受入容量		
建設開始及び終了年度	開始年度	
	終了年度	
事業費	総額(千円)	
	補助金額(千円)	
備考		

(ハ) 廃棄物の処理の用に供する船舶及び車両

施設番号	
名称	
管理者名等	
船型(G/T)	
処理能力	
受入容量	
取得年度	
事業費総額(千円)	
備考	

(ニ) その他の廃棄物処理のための施設

施設番号		
名称		
管理者名等		
概要		
建設開始及び終了年度	開始年度	
	終了年度	
事業費総額(千円)		
備考		

⒀ 港湾環境整備施設

(イ) 海浜、緑地、広場及び植栽

種類		
施設番号		
名称		
管理者名等		
用途等		
延長(m)		
面積(㎡)		
建設開始及び終了年度	開始年度	
	終了年度	
事業費	総額(千円)	
	補助金額(千円)	
備考		

(ロ) 休憩所

施設番号		
名称		
管理者名等		
総床面積(㎡)		
主要用材		
共用施設名		
収容人員(人)		
建設開始及び終了年度	開始年度	
	終了年度	
事業費	総額(千円)	
	補助金額(千円)	
備考		

(ハ) その他の港湾の環境の整備のための施設

施設番号		
名称		
管理者名等		
概要		
建設開始及び終了年度	開始年度	
	終了年度	
事業費	総額(千円)	
	補助金額(千円)	
備考		

⑭　港湾厚生施設（船舶乗組員及び港湾における労働者の休泊所、診療所その他の福利厚生施設）

種類		
施設番号		
名称		
管理者名等		
総床面積（㎡）		
主要用材		
共用施設名		
収容人員（人）		
建設開始及び終了年度	開始年度	
	終了年度	
事業費総額（千円）		
備考		

⑮　港湾管理施設及び港湾管理用移動施設

㈠　港湾管理事務所及び港湾管理用資材倉庫

種類		
施設番号		
名称		
管理者名等		
総床面積（㎡）		
主要用材		
共用施設名		
建設開始及び終了年度	開始年度	
	終了年度	
事業費総額（千円）		
備考		

(ロ) 清掃船及び通船

種　　　　類		
施　設　番　号		
名　　　　称		
管 理 者 名 等		
船　　型(G/T)		
能　　　　力		
取　得　年　度		
事 業 費	総　額(千円)	
	補助金額(千円)	
備　　　　考		

(ハ) その他の港湾の管理のための施設

施　設　番　号		
名　　　　称		
管 理 者 名 等		
概　　　　要		
用　　　　途		
建設開始及び終了年度	開 始 年 度	
	終 了 年 度	
取　得　年　度		
事業費総額(千円)		
備　　　　考		

4　港湾に関する条例、規則等

名　称	制 定 年 月 日	内　　　容	備　考

本様式…追加〔昭和55年12月運輸省令45号〕、全部改正〔平成６年３月運輸省令５号〕、一部改正〔平成14年４月国土交通省令53号・17年７月78号・23年３月33号・29年７月43号・令和４年12月90号〕

第五号の二様式（第十五条関係）

入 出 港 届
GENERAL DECLARATION

	到着 Arrival		出発 Departure

1．船舶の名称、種類及び信号符字 Name, Type and Call Sign of ship	2．到着港／出発港 Port of arrival/departure	3．到着日時／出発日時 Date－time of arrival/departure

4．船舶の国籍 Nationality of ship	5．船長の氏名 Name of Master	6．前寄港地／次寄港地 Port arrived from/Port of destination
7．船籍港、登録年月日※及び船舶番号 Certificate of registry（Port；Date※；Number）		8．船舶の代理人の氏名又は名称及び住所 Name and address of ship' s agent 船舶の運航者の氏名又は名称及び住所 Name and address of ship' s Operator
9．総トン数 Gross tonnage	10．純トン数 Net tonnage	
11．港における船舶の位置（停泊地） Position of the ship in the port（berth or station）		
12．航海に関する簡潔な細目（寄港地及び寄港予定地。積載されたままの貨物が荷揚げされる予定の港に下線を付す。） Brief particulars of voyage（previous and subsequent ports of call；underline where remaining cargo will be discharged）		
13．貨物に関する簡潔な記述 Brief description of the cargo		
14．乗組員の数（船長を含む。） Number of crew（incl. master）	15．旅客の数 Number of passengers	16．備考 Remarks
添付書類の枚数※ Attached document※ （Indicate number of copies）		
17．積荷目録 Cargo Declaration	18．船用品目録 Ship' s Stores Declaration	
19．乗組員名簿 Crew List	20．旅客名簿 Passenger List	21．日付 Date
22．乗組員携帯品申告書 Crew' s Effects Declaration	23．検疫明告書 Maritime Declaration of Health	

当局記入欄　For official use

24．内航船舶 ☐

（注）1　※の付されている項目については、記入不要。

2　傷病者を緊急の治療のために上陸させる目的で寄港し、直ちに出発する意図を有する船舶については、8．欄のうち「船舶の運航者の氏名又は名称及び住所」の記入不要。

3　24．欄には、内航船舶に該当する場合のみチェックを付すこと。

Note 1　It is not necessary to fill in the item marked“※”

2　With regard to ships calling at ports in order to put ashore sick or injured persons for emergency medical treatment and intending to leave again immediately, it is not necessary to fill in“Name and address of ship' s Operator”of the column“8”

備考　用紙の大きさは、日本産業規格Ａ列４番とすること。

本様式…追加〔平成17年７月国土交通省令78号〕、一部改正〔令和元年６月国土交通省令20号・２年12月98号〕

第五号の二の二様式（第十五条の二十一関係）

年　　月　　日

○○港港湾管理者
　　○　○　○　○　　殿

氏名又は名称及び法人にあつては、
その代表者の氏名

港湾環境整備計画認定申請書

港湾法第51条第１項に規定する港湾環境整備計画の認定を受けたいので、港湾法施行規則第15条の21第１項の規定に基づき、下記のとおり関係書類を添えて申請いたします。

記

1　貸付けを受けようとする緑地等の区域
　　○○港○○地区○○（別添位置図のとおり）
2　緑地等の貸付けを受けようとする期間
　　事業開始の予定期日　　　年　　月　　日
　　事業終了の予定期日　　　年　　月　　日
3　１の区域において整備する飲食店、売店その他の施設であつて、当該施設から生ずる収益の一部を４の港湾施設の整備に要する費用の全部又は一部に充てることができると認められるものに関する事項
　イ　当該施設の位置、種類、数、規模及び構造
　ロ　当該施設の工事に要する費用の概算
　ハ　当該施設の工事の着手及び完成の予定期日並びに供用開始の予定期日
　ニ　その他必要な事項
4　１の区域において整備する休憩所、案内施設その他の港湾の環境の向上に資する港湾施設に関する事項
　イ　当該施設の位置、種類、数、規模及び構造
　ロ　当該施設の工事に要する費用の概算及び当該費用のうち３の施設から生ずると見込まれる収益から充当する費用の概算
　ハ　当該施設の工事の着手及び完成の予定期日並びに供用開始の予定期日
　ニ　その他必要な事項
5　３及び４のほか、１の区域において行う緑地等の維持その他の港湾の環境の整備に関する事業に関する事項
6　資金計画及び収支計画
7　添付書類の目録

〔備考〕
　1　用紙の大きさは、日本産業規格Ａ列４番とすること。
　2　３及び４については、少なくとも３イからハまで及び４イからハまでに掲げる事項を記載するものとすること。

本様式…追加〔令和４年12月国土交通省令90号〕、一部改正〔令和５年９月国土交通省令77号〕

第五号の二の三様式（第十五条の二十四関係）

年　　月　　日

○○港港湾管理者

○　○　○　○　　殿

氏名又は名称及び法人にあつては、
その代表者の氏名

港湾環境整備計画変更認定申請書

年　　月　　日付で認定を受けた港湾環境整備計画について、下記のとおり変更したいので、港湾法施行規則第15条の24の規定に基づき、認定を申請します。

記

1　変更しようとする事項
2　変更を必要とする理由
3　添付書類の目録

〔備考〕

用紙の大きさは、日本産業規格Ａ列４番とすること。

本様式…追加〔令和４年12月国土交通省令90号〕、一部改正〔令和５年９月国土交通省令77号〕

第五号の三様式（第十七条の二関係）

年　　月　　日

○○港港湾管理者

　○　○　○　○　　殿

氏名又は名称及び法人にあつては、

その代表者の氏名

特定埠頭の運営の事業認定申請書

　港湾法第54条の３第１項に規定する特定埠頭の運営の事業に係る認定を受けたいので、港湾法施行規則第17条の２の規定に基づき、下記のとおり関係書類を添えて申請いたします。

記

１　特定埠頭の運営の事業の名称

　　名　称　　○○港○○地区○○埠頭○○事業

２　特定埠頭の運営の事業の計画

　２－１　特定埠頭の運営の事業の概要

　２－２　特定埠頭の運営の事業の実施時期

　　　事業開始の予定期日　　　　年　　月　　日

　　　事業終了の予定期日　　　　年　　月　　日

　２－３　特定埠頭の位置

　　　　○○港○○地区○○埠頭（別添位置図のとおり）

　２－４　特定埠頭を構成する港湾施設の種類、数、規模及び構造

種　類	数	規　模	構　造	摘　要

　２－５　上記港湾施設の配置図（別添配置図のとおり）

　２－６　上記港湾施設について原状の変更を行う場合にあつては、その内容（工事概要）

３　特定埠頭の運営の事業の実施が○○港の効率的な運営に特に資するものであることを明らかにするために参考となるべき事項

４　資金計画

（単位：百万円）

年度	収入				支出									単年度過不足額	年度末累積収支
	事業収入	借入金	その他	計	建設・改良費	維持費	一般管理費	元金償還金	支払利息		諸税等	その他	計		
									長期	短期					
計															

５　貸付けを希望する特定埠頭を構成する港湾施設の一部を第三者に転貸することを希望するときは、その旨及び理由

６　その他特定埠頭の運営の事業の実施に関し必要な事項

７　添付書類の目録

〔備考〕

　１　用紙の大きさは、日本産業規格Ａ列４番とすること。

2　申請者が法人を設立しようとする発起人、社員又は設立者であるときは、その旨を明らかにすること。

3　2－1は、取扱い貨物の種類等を具体的に記述し、当該特定埠頭で行おうとする事業内容を明らかにすること。

4　2－2は、特定埠頭の運営の事業の開始時期が特定埠頭を構成する港湾施設ごとに異なるときは、その旨を明らかにすること。

5　2－6は、当該港湾施設の構造上、安全が確保されることを明らかにし、かつ、工程表を添付すること。

6　3は、当該港湾における当該事業の位置付けを貨物流通の観点等から具体的に記述し、当該港湾の効率的な運営に特に資することを明らかにすること。

7　4の資金計画は、

⑴　少なくとも単年度収支が黒字になる年度分まで作成すること。

⑵　「諸税等」欄には、諸税、登記手数料等を記入すること。

本様式…追加〔平成18年9月国土交通省令93号〕、旧五号の四様式…一部改正し繰上〔平成23年12月国土交通省令94号〕、一部改正〔令和元年6月国土交通省令20号・2年12月98号〕

第六号様式（第十八条関係）

（用紙の寸法は、日本産業規格B8とする。）

（表）

第　　号

身分証明書

写真

住所

氏名

所属及び職名

生年月日

右は、港湾法第五十五条の二の二第一項の規定により港湾工事のための調査又は測量を行うため他人の土地に立ち入ることができる者であることを証する。

交付年月日

有効期間

発行機関名

発行機関印

（裏）

港湾法抜粋

（他人の土地への立入り）

第五十五条の二の二　国土交通大臣又は港湾管理者は、港湾工事のための調査又は測量を行うためやむを得ない必要があるときは、その業務に従事する職員又はその委任した者を他人の土地に立ち入らせることができる。

2　国土交通大臣又は港湾管理者は、前項の規定によりその職員又はその委任した者を他人の土地に立ち入らせようとするときは、その五日前までに、その土地の所有者又は占有者にその旨を通知しなければならない。ただし、これらの者に対し通知することが困難であるときは、この限りでない。

3　第一項の規定による立入りは、所有者又は占有者の承諾があつた場合を除き、日出前及び日没後においては、してはならない。

4　第一項の規定により他人の土地に立ち入ろうとする者は、その身分を示す証明書を携帯し、関係人の請求があつたときは、これを提示しなければならない。

本様式…追加〔昭和二九年九月運輸省令四五号〕、一部改正〔昭和五四年五月運輸省令二〇号〕、旧五号様式…繰下〔昭和五五年一二月運輸省令四五号〕、本様式…一部改正〔平成一二年一一月運輸省令三九号・一八年九月国土交通省令九三号・一九年三月一九号・令和元年六月二〇号・二年一二月七号・四年一二月九〇号〕

第六号の二様式（第二十八条の三関係）

年　　月　　日

国土交通大臣　　　殿
登録確認機関

氏名又は名称及び法人にあつては、
その代表者の氏名

確認申請書

港湾法第56条の２の２第３項の確認を受けたいので、港湾法施行規則第28条の３の規定に基づき、下記のとおり関係書類を添えて申請いたします。

記

1　施設の名称、種類及び位置
　名　称　　○○港○○地区○○
　種　類　　港湾法施行規則第28条の２第○号に規定する○○○
　位　置　　○○港○○地区○○埠頭（別添位置図のとおり）
2　照査の実施方法の概要
3　添付書類の目録

〔備考〕
用紙の大きさは、日本産業規格Ａ列４番とすること。

本様式…追加〔平成18年９月国土交通省令93号〕、一部改正〔平成25年11月国土交通省令91号・令和元年６月20号・２年12月98号〕

第六号の三様式（第二十八条の七関係）

年　　月　　日

○　○　○　殿

国土交通大臣
登録確認機関　　印

確認証

下記のとおり確認の申請があつた施設について、技術基準に適合することを確認したので、港湾法施行規則第28条の７第１項の規定に基づき、確認証を交付いたします。

記

1　確認の申請の概要
　1－1　申請者の氏名又は名称
　1－2　申請を受けた年月日
　1－3　施設の名称、種類及び位置
　　名　称　　○○港○○地区○○
　　種　類　　港湾法施行規則第28条の２第○号に規定する○○○
　　位　置　　○○港○○地区○○埠頭（別添位置図のとおり）
2　確認業務の概要
　2－1　確認業務を実施した年月日
　2－2　確認業務を実施した確認員の氏名
　2－3　確認業務を実施した施設の概要
3　添付書類の目録

〔備考〕
用紙の大きさは、日本産業規格Ａ列４番とすること。

本様式…追加〔平成18年９月国土交通省令93号〕、一部改正〔令和元年６月国土交通省令20号〕

第六号の四様式（第二十八条の七関係）

年　　月　　日

○　○　○　殿

国土交通大臣
登録確認機関　　印

通知書

下記のとおり確認の申請があつた施設について、技術基準に適合すると認められないので、港湾法施行規則第28条の７第２項の規定に基づき、通知書を交付いたします。

記

1　確認の申請の概要

　1－1　申請者の氏名又は名称

　1－2　申請を受けた年月日

　1－3　施設の名称、種類及び位置

　　名　称　　○○港○○地区○○

　　種　類　　港湾法施行規則第28条の２第○号に規定する○○○

　　位　置　　○○港○○地区○○埠頭（別添位置図のとおり）

2　確認業務の概要

　2－1　確認業務を実施した年月日

　2－2　確認業務を実施した確認員の氏名

　2－3　確認業務を実施した施設の概要

　2－4　技術基準に適合すると認められない理由

3　添付書類の目録

〔備考〕

用紙の大きさは、日本産業規格Ａ列４番とすること。

本様式…追加〔平成18年９月国土交通省令93号〕、一部改正〔令和元年６月国土交通省令20号〕

第七号様式（第二十九条関係）

水域施設等 {建設／改良} 届出書

年　　月　　日

都道府県知事　殿

届出者　氏名又は名称及び住所並びに法人にあつては、その代表者の氏名

港湾法第56条の３第１項の規定により、{水域施設／外郭施設／係留施設} の {建設／改良} について、次のとおり届け出ます。

1　施設の所在する水域の範囲
2　施設の種類、規模及び構造
3　{水域施設／係留施設} の {船舶許容能力／係　留　能　力}
4　施設の {建設／改良} の工事の開始及び完了の予定期日
5　施設の使用及び管理の計画
6　添付書類の目録

備考　用紙の大きさは、日本産業規格Ａ列４番とすること。

本様式…追加〔昭和49年７月運輸省令28号〕、一部改正〔昭和54年５月運輸省令20号〕、旧６号様式…繰下〔昭和55年12月運輸省令45号〕、本様式…一部改正〔平成６年３月運輸省令12号・９年12月84号・令和元年６月国土交通省令20号・２年12月98号〕

第八号様式（第三十三条関係）

保管した工作物等一覧簿									
整理番号	保管した工作物等			放置されていた場所	撤去した日時	保管を始めた日時	保管の場所	備考
	名称又は種類	形状	数量					

本様式…追加〔平成12年9月運輸省令33号〕

第九号様式（第三十七条関係）

受　　　領　　　書

年　　月　　日

殿

返還を受けた者

住　所

氏　名（ふりがな）

下記のとおり工作物等（現金）の返還を受けました。

返還を受けた日時		
返還を受けた場所		
返還を受けた工作物等	整理番号	
	名称又は種類	
	形状	
	数量	
（返還を受けた金額）		

備考

用紙は、日本産業規格A4の寸法のものとすること。

本様式…追加〔平成12年9月運輸省令33号〕、一部改正〔令和元年6月国土交通省令20号・2年12月98号〕

第十号様式（第三十八条関係）

（表）

第　　号

身分証明書

写真

住所

氏名

職名

生年月日

右は、港湾法第五十六条の五第一項の規定により同法第三十七条第一項（第四十三条の八第二項、第五十五条の三の五第二項、第五十六条第一項）の規定による許可に係る行為に係る場所又は当該許可を受けた者の事務所若しくは事業場に立ち入ることができる者であることを証する。

交付年月日

有効期間

発行機関名

発行機関印

（用紙の寸法は、日本産業規格B8とする。）

（裏）

港湾法抜粋

（報告の徴収等）

第五十六条の五　国土交通大臣、都道府県知事又は港湾管理者は、この法律の施行に必要な限度において、国土交通省令で定めるところにより、第三十七条第一項、第四十三条の八第二項、第五十五条の三の五第二項若しくは第五十六条第一項の規定による許可を受けた者に対し必要な報告を求め、又はその職員に、当該許可に係る行為に係る場所若しくは当該許可を受けた者の事務所若しくは事業場に立ち入り、当該許可に係る行為の状況若しくは工作物、帳簿、書類その他必要な物件を検査させることができる。

4　前三項の規定により立入検査をする職員は、その身分を示す証明書を携帯し、関係人にこれを提示しなければならない。

5　第一項から第三項までの規定による立入検査の権限は、犯罪捜査のために認められたものと解してはならない。

本様式…追加〔昭和四九年七月運輸省令二八号〕、一部改正〔昭和五四年五月運輸省令二〇号〕、旧七号様式…繰下〔昭和五五年一二月運輸省令四五号〕、本様式…一部改正〔平成一二年三月運輸省令一一号〕、旧八号様式を改正し繰下〔平成一二年九月運輸省令三三号〕、一部改正〔平成一二年一一月運輸省令三九号・一八年九月国土交通省令九三号・一九年三月一九号・二三年一二月九四号・二五年八月六四号・二六年四月四七号・二九年七月四三号・令和元年六月二〇号〕

第十一号様式（第三十八条関係）

（表）

第　　　号

身分証明書

写真

住所

氏名

職名

生年月日

右は、港湾法第五十六条の五第二項の規定により同法第四十三条の十一第十二項に規定する港湾運営会社の事務所その他の事業場に立ち入ることができる者であることを証する。

交付年月日

有効期間

発行機関名

発行機関印

（裏）

港湾法抜粋

（報告の徴収等）

第五十六条の五

2　国土交通大臣又は国際拠点港湾の港湾管理者は、この法律の施行に必要な限度において、国土交通省令で定めるところにより、その指定を受けた港湾運営会社に対し、その業務若しくは経理の状況に関し報告を求め、又はその職員に、その指定を受けた港湾運営会社の事務所その他の事業場に立ち入り、業務若しくは経理の状況若しくは事業の用に供する施設、帳簿、書類その他の物件を検査させ、若しくは関係者に質問させることができる。

4　前三項の規定により立入検査をする職員は、その身分を示す証明書を携帯し、関係人にこれを提示しなければならない。

5　第一項から第三項までの規定による立入検査の権限は、犯罪捜査のために認められたものと解してはならない。

（用紙の寸法は、日本産業規格B8とする。）

本様式…追加〔平成二三年一二月国土交通省令九四号〕、一部改正〔平成二六年四月国土交通省令四七号・令和元年六月二〇号・二年二月七号〕

第十二号様式（第三十八条関係）

（表）

第　　　号

身分証明書

写真

住所

氏名

職名

生年月日

右は、港湾法第五十六条の五第三項の規定により同法第五十六条の二の二十一第一項に規定する特定技術基準対象施設を管理する者の事務所又は事業場に立ち入ることができる者であることを証する。

交付年月日

有効期間

発行機関名

発行機関印

（裏）

港湾法抜粋

（報告の徴収等）

第五十六条の五

3　港湾管理者は、この法律の施行に必要な限度において、国土交通省令で定めるところにより、港湾管理者以外の者で特定技術基準対象施設を管理するものに対し、当該特定技術基準対象施設の維持管理の状況に関し報告を求め、又はその職員に、当該特定技術基準対象施設を管理する者の事務所若しくは事業場に立ち入り、当該特定技術基準対象施設の維持管理の状況若しくは当該特定技術基準対象施設、帳簿、書類その他の物件を検査させることができる。

4　前三項の規定により立入検査をする職員は、その身分を示す証明書を携帯し、関係人にこれを提示しなければならない。

5　第一項から第三項までの規定による立入検査の権限は、犯罪捜査のために認められたものと解してはならない。

（用紙の寸法は、日本産業規格B8とする。）

本様式…追加〔平成二六年四月国土交通省令四七号〕、一部改正〔令和元年六月国土交通省令二〇号〕

○港湾計画の基本的な事項に関する基準を定める省令

（昭和四十九年八月三日運輸省令第三十五号）

〔沿革〕 平成五年一一月一九日運輸省令第三七号、一二年三月二四日第一一号、一一月二九日第三九号、一二月二六日第四八号、一七年五月一九日国土交通省令第五六号、二三年八月三〇日第六六号、九月九日第七一号改正

（趣旨）

第一条 港湾法（昭和二十五年法律第二百十八号）第三条の三第二項の国土交通省令で定める港湾計画の基本的な事項に関する基準については、この省令の定めるところによる。

本条…一部改正〔平成一二年一一月運輸省令三九号〕

（用語）

第二条 この省令において使用する用語は、港湾法において使用する用語の例による。

（港湾計画の方針）

第三条 港湾の開発、利用及び保全並びに港湾に隣接する地域の保全の方針は、自然条件、港湾及びその周辺地域の経済的及び社会的条件、港湾及びその周辺における交通の状況、港湾及びその周辺の自然的環境及び生活環境に及ぼす影響、漁業に及ぼす影響等を考慮して、適切なものとなるように、次に掲げる事項に関する方針を一体的かつ総合的に定めるものとする。

一 港湾の位置付け及び機能
二 港湾施設の整備及び利用
三 港湾における土地利用
四 港湾の環境の整備及び保全
五 港湾の効率的な運営
六 港湾の安全の確保
七 港湾に隣接する地域の保全

2 港湾計画の目標年次は、通常十年から十五年程度将来の年次とし、港湾の利用状況の変化の見込み、関連する他の計画の計画期間等を考慮して定めるものとする。

一項…一部改正・二項…追加〔平成一二年一二月運輸省令四八号〕、一項…一部改正〔平成一七年五月国土交通省令五六号・二三年九月七一号〕

（港湾の能力）

第四条 港湾の取扱可能貨物量その他の能力に関する事項は、自然条件、港湾及びその周辺地域の経済的及び社会的条件等を考慮して、適切なものとなるように港湾計画の目標年次における港湾の取扱貨物量、船舶乗降旅客数その他の能力を定めるものとする。この場合においては、港湾における輸送及び荷役方式の変化への対応、港湾及びその周辺における交通の状況、港湾及びその周辺の安全の確保及び環境の保全等について配慮するものとする。

本条…一部改正〔平成一二年一二月運輸省令四八号〕

（港湾相互間の連携の確保）

第四条の二 前二条の港湾計画の方針及び港湾の能力を定めるにあたつては、当該港湾及びその周辺の港湾との機能分担等を考慮して適切なものとなるように配慮するものとする。

本条…追加〔平成一二年一二月運輸省令四八号〕

（港湾施設の規模及び配置）

第五条 港湾の能力に応ずる港湾施設の規模及び配置に関する事項は、自然条件、港湾及びその周辺地域の経済的及び社会的条件、既存の港湾施設の利用状況、港湾及び港湾に隣接する地域の保全等を考慮して、港湾の能力に応じて適切なものとなるように、港湾施設の規模及び配置を一体的かつ総合的に定めるものとする。

2 前項の港湾施設のうち、当該港湾が国際海上輸送網又は国内海上輸送網の拠点として機能するために必要であるものについては、その旨を定めるものとする。

二項…追加〔平成一二年一二月運輸省令四八号〕

（水域施設）

第六条 水域施設の規模及び配置は、水域施設を利用する船舶の種類、船型及び隻数、係留施設の利用状況、水域の静穏の程度等を考慮して、港湾の機能が十分に確保され、かつ、船舶が安全かつ円滑に利用することができるように定めるものとする。

（外郭施設）

第七条 外郭施設の規模及び配置は、外郭施設によつて防護される水域施設及び係留施設の利用状況その他の状況を考慮して、十分に機能を発揮することができるように定めるものとする。

（係留施設）

第八条 係留施設の規模及び配置は、係留施設を利用する船舶の種類、船型及び隻数、取扱貨物の種類及び量、荷役方式、水域施設の利用状況、埠頭保安設備（国際航海船舶及び国際港湾施設の保安の確保等に関する法律（平成十六年法律第三十一号）第二十九条第二項に規定する埠頭保安設備をいう。第十条において同じ。）の配置等を考慮して、港湾の機能及び係留施設の安全かつ効率的な運用その他の適正な運営が十分に確保されるように定めるものとする。

本条…一部改正〔平成一七年五月国土交通省令五六号〕

（臨港交通施設）

第九条 港湾の利用に必要な臨港交通施設の規模及び配置は、港湾及びその周辺における交通の状況、港湾施設の利用状況その他の状況を考慮して、輸送需要の質及び量に適合したものとなるように定めるものとする。

（旅客施設、荷さばき施設、保管施設等）

第一〇条 旅客施設及びその敷地の規模及び配置は、船舶乗降旅客数、埠頭保安設備の配置等を考慮して、旅客が安全かつ円滑に利用することができるように定めるものとする。

2　荷さばき施設及び保管施設の敷地の規模及び配置並びに主要な荷役機械の種類及び配置は、取扱貨物の種類及び量、係留施設及び臨港交通施設の利用状況、埠頭保安設備の配置等を考慮して、十分に機能を発揮することができるように定めるものとする。

見出し…改正・一・二項…一部改正〔平成一二年一二月運輸省令四八号〕、一・二項…一部改正〔平成一七年五月国土交通省令五六号〕

（港湾の環境の整備及び保全）

第一一条　港湾の環境の整備及び保全に関する事項は、生態系その他の自然条件、港湾及びその周辺地域における事業活動の状況、港湾における労働環境等を考慮して、良好な港湾の環境の形成を図ることができるように総合的に定めるものとする。この場合において、必要に応じ、自然的環境を整備又は保全する区域を定めるものとする。

本条…一部改正〔平成一二年一二月運輸省令四八号・一七年五月国土交通省令五六号〕

（廃棄物及び排出ガスの処理）

第一二条　廃棄物の処理に関する事項は、港湾及びその周辺における廃棄物の発生状況その他の状況を考慮して、港湾の環境が良好に維持されるように、港湾において処理する廃棄物の種類及び量並びに主要な廃棄物処理施設の規模及び配置を定めるものとする。この場合において、当該港湾に関し、環境基本法（平成五年法律第九十一号）第十七条に規定する公害防止計画（次項及び次条において単に「公害防止計画」という。）又は廃棄物の処理及び清掃に関する法律（昭和四十五年法律第百三十七号）第五条の五第一項若しくは第六条第一項の計画が定められているときは、これらの計画との整合性について配慮するものとする。

2　排出ガス（海洋汚染等及び海上災害の防止に関する法律（昭和四十五年法律第百三十六号）第三条第六号の三に規定する排出ガスをいう。以下この項において同じ。）の処理に関する事項は、自然条件、港湾の安全の確保、港湾及びその周辺地域における土地利用の状況、港湾における排出ガスの発生状況等を考慮して、港湾及びその周辺の環境が良好に維持されるように、港湾において処理する排出ガスの種類及び量並びに排出ガス処理施設（同法第四十四条に規定する排出ガス処理施設をいう。）の規模及び配置を定めるものとする。この場合において、当該港湾に関し、公害防止計画が定められているときは、当該計画との整合性について配慮するものとする。

本条…一部改正〔平成五年一一月運輸省令三七号・一二年三月一一号・一二月四八号〕、見出し…改正・一項…一部改正・二項…追加〔平成一七年五月国土交通省令五六号〕、一項…一部改正〔平成二三年八月国土交通省令六六号〕

（港湾公害防止施設）

第一三条　港湾公害防止施設に関する事項は、自然条件、港湾及びその周辺地域における土地利用及び事業活動の状況等を考慮して、港湾及びその周辺における公害の防止を図ることができるように、主要な港湾公害防止施設の規模及び配置を定めるものとする。この場合において、当該港湾に関し、公害防止計画が定められているときは、当該計画との整合性について配慮するものとする。

本条…一部改正〔平成五年一一月運輸省令三七号・一二年三月一一号・二三年八月国土交通省令六六号〕

（港湾環境整備施設）

第一四条　港湾環境整備施設に関する事項は、自然条件、港湾及びその周辺地域における土地利用及び事業活動の状況等を考慮して、良好な港湾の環境の形成を図ることができるように、主要な港湾環境整備施設の規模及び配置を定めるものとする。

本条…一部改正〔平成一二年一二月運輸省令四八号〕

（港湾の効率的な運営）

第一四条の二　港湾の効率的な運営に関する事項は、港湾及びその周辺地域における土地利用及び事業活動の状況、港湾施設の利用状況等を考慮して、港湾の効率的な運営を図ることができるように、民間の能力を活用した港湾の運営その他の港湾の効率的な運営に関する取組及びこれを実施する区域を定めるものとする。

本条…追加〔平成二三年九月国土交通省令七一号〕

（港湾及び港湾に隣接する地域の保全）

第一五条　港湾及び港湾に隣接する地域の保全に関する事項（港湾の環境の保全に関する事項を除く。）は、自然条件、港湾の規模、港湾及び港湾に隣接する地域の利用状況等を考慮して、港湾及び港湾に隣接する地域の災害の防止を図ることができるように、災害を防止するための主要な施設の種類及び配置を定めるものとする。この場合において、当該港湾に関し、海岸法（昭和三十一年法律第百一号）第二条の三に規定する基本計画が定められているときは、当該計画との整合性について配慮するものとする。

本条…一部改正〔平成一二年一一月運輸省令三九号〕

（大規模地震対策施設）

第一六条　大規模な地震による災害が発生した際に、港湾及びその周辺地域の復旧及び復興に資する港湾施設（以下「大規模地震対策施設」という。）に関する事項は、自然条件、港湾及びその周辺地域の経済的及び社会的条件並びに土地利用の状況等を考慮して、円滑な物資輸送及び避難地が確保できるように、大規模地震対策施設の種類、規模及び配置を定めるものとする。この場合において、当該港湾に関し、災害対策基本法（昭和三十六年法律第二百二十三号）第四十条又は第四十二条の計画が定められているときは、これらの計画との整合性について配慮するものとする。

本条…追加〔平成一二年一二月運輸省令四八号〕

（港湾区域の利用）

第一七条　港湾区域の利用に関する事項は、自然条件、船舶の航行及び収容の状況等を考慮して、港湾区域を安全かつ円滑に利用することができるように、港湾区域の利用の区分を定めるものとする。

本条…追加〔平成一二年一二月運輸省令四八号〕

（土地の造成及び土地利用）

第一八条　土地の造成に関する事項は、自然条件、港湾の利用状況、港湾の安全の確保、港湾及びその周辺の自然的環境及び生活環境に及ぼす影響等を考慮して、水際線を有効かつ適切に利用することができるように造成する土地の規模及び配置を定めるものとする。

2　土地利用に関する事項は、港湾及びその周辺地域における既存の土地の利用状況、港湾の安全の確保、港湾及びその周辺の自然的環境及び生活環境に及ぼす影響等を考慮して、港湾を有効かつ適切に利用することができるように土地利用の区分を定めるものとする。

旧一六条…繰下〔平成一二年一二月運輸省令四八号〕、一・二項…一部改正〔平成一七年五月国土交通省令五六号〕

（港湾の再開発）

第一九条　港湾の再開発に関する事項は、港湾施設の老朽化又は利用状況の変化、港湾及びその周辺地域における土地利用及び事業活動の変化等を考慮して、既存施設の有効な利用が図られるように、必要に応じ、港湾施設の用途変更、土地利用の転換その他の再開発の内容を定めるものとする。

本条…追加〔平成一二年一二月運輸省令四八号〕

（港湾施設の利用）

第二〇条　港湾施設の利用に関する事項は、港湾施設を利用する船舶、取扱貨物の種類及び量、港湾の利用状況等を考慮して、港湾の適正な運営及び港湾施設の安全かつ効率的な利用を図ることができるように、公共用又は専用の別その他の港湾施設の利用形態を定めるものとする。

旧一七条…繰下〔平成一二年一二月運輸省令四八号〕

（港湾の開発の効率化）

第二一条　港湾の開発の効率化に関する事項は、効果的な港湾の開発を図ることができるように、必要に応じ、段階的な開発の計画、当該開発が港湾及びその周辺地域に与える経済効果等について定めるものとする。

本条…追加〔平成一二年一二月運輸省令四八号〕

（その他港湾の開発、利用及び保全に関する事項）

第二二条　前条までに規定する事項のほか、必要に応じ、船舶航行のための橋梁の桁下空間の確保その他の港湾の開発、利用及び保全に関する事項について、自然条件、港湾及びその周辺地域の利用状況等を考慮して定めるものとする。

本条…追加〔平成一二年一二月運輸省令四八号〕

附　則

この省令は、公布の日から施行する。

附　則〔平成二三年九月九日国土交通省令第七一号〕

この省令は、港湾法及び特定外貿埠頭の管理運営に関する法律の一部を改正する法律（平成二十三年法律第九号）附則第一条第一号に掲げる規定の施行の日（平成二十三年九月十五日）から施行する。

○開発保全航路において確保すべき水深を定める件

（平成二十一年二月九日国土交通省告示第百二十五号）

〔沿革〕　平成二一年一二月一六日国土交通省告示第一三〇六号、二三年七月二一日第七六五号、二六年一月一五日第一八号改正

国土交通大臣が、開発保全航路の区域において船舶が安全に航行するために開発及び保全に関する工事を行うに当たり確保すべき水深は、次の表のとおりとする。

開発保全航路の区域	水深
東京湾中央航路（木更津泊地及び中ノ瀬泊地の区域を除く。）	二十三メートル
東京湾中央航路（木更津泊地の区域に限る。）	二十メートル
東京湾中央航路（中ノ瀬泊地の区域に限る。）	十五メートル
中山水道航路	十四メートル
備讃瀬戸航路（南航路の区域を除く。）	十九メートル
備讃瀬戸航路（南航路の区域に限る。）	十三メートル
鼻栗瀬戸航路	八メートル
来島海峡航路	十四メートル
音戸瀬戸航路	五メートル
奥南航路	三メートル
船越航路	三メートル
細木航路	三メートル

航路	水深
関門航路（六連島東側航路及び六連島西側航路の区域を除く。）	十四メートル
関門航路（六連島東側航路及び六連島西側航路の区域に限る。）	十五メートル
本渡瀬戸航路	四・五メートル
蟐蛾ノ瀬戸航路	六メートル
平戸瀬戸航路（東水道の区域に限る。）	八・五メートル
平戸瀬戸航路（東水道の区域を除く。）	十・五メートル
万関瀬戸航路	五・五メートル
竹富南航路（竹富島南側航路の区域を除く。）	三メートル
竹富南航路（竹富島南側航路の区域に限る。）	四メートル

（備考）

一　東京湾中央航路において「木更津泊地の区域」とは、次に掲げる地点を順次に結んだ線及び(1)に掲げる地点と(4)に掲げる地点とを結んだ線により囲まれた区域をいう。

(1)　川崎東扇島防波堤東灯台（北緯三五度二九分四一秒東経一三九度四六分五九秒）から一二三度七、六八〇メートルの地点

(2)　木更津港防波堤西灯台（北緯三五度二二分三七秒東経一三九度五一分四〇秒）から五度一五分五、六三〇メートルの地点

(3)　木更津港防波堤西灯台から二九二度三〇分五、一〇〇メートルの地点

(4)　川崎東扇島防波堤西灯台（北緯三五度二八分五一秒東経一三九度四五分三秒）から一六四度八、六二〇メートルの地点

二　東京湾中央航路において「中ノ瀬泊地の区域」とは、次に掲げる地点を順次に結んだ線及び(1)に掲げる地点と(6)に掲げる地点とを結んだ線により囲まれた区域をいう。

(1)　横浜大黒防波堤東灯台（北緯三五度二七分二四秒東経一三九度四二分二五秒）から一四〇度六、八〇〇メートルの地点

(2)　第二海堡灯台（北緯三五度一八分四二秒東経一三九度四四分二九秒）から一三度三〇分一一、〇六〇メートルの地点

(3)　第二海堡灯台から〇度四、〇三〇メートルの地点

(4)　第二海堡灯台から三三〇度二、六〇〇メートルの地点

(5)　横浜金沢木材ふとう東防波堤灯台（北緯三五度二二分四三秒東経一三九度三九分三〇秒）から八七度四五分五、四三〇メートルの地点

(6)　横浜本牧防波堤灯台（北緯三五度二六分三六秒東経一三九度四一分二一秒）から一四一度四五分五、九二〇メートルの地点

三　備讃瀬戸航路において「南航路の区域」とは、次に掲げる地点を順次に結んだ線及び(1)に掲げる地点と(19)に掲げる地点とを結んだ線により囲まれた区域をいう。

(1)　小瀬居島三角点（北緯三四度二二分二三秒東経一三三度五一分一二秒）から三〇七度一、三一〇メートルの地点

(2)　小瀬居島三角点から三〇七度五〇〇メートルの地点

(3)　小瀬居島三角点から三一一度一五分四三〇メートルの地点

(4)　沙弥島北端（北緯三四度二一分一二秒東経一三三度四九分九秒）から四三度四五分一、一六〇メートルの地点

(5)　波節岩灯標（北緯三四度二〇分四二秒東経一三三度四二分四七秒）から九七度三〇分五、三九〇メートルの地点

(6)　波節岩灯標から二〇〇度四、九〇〇メートルの地点

(7)　二面島灯台（北緯三四度一八分五秒東経一三三度三七分一九秒）から一〇六度三〇分四、七〇〇メートルの地点

(8)　二面島灯台から一八五度四五分一、三三〇メートルの地点

(9)　二面島灯台から一九五度五七〇メートルの地点

(10)　二面島灯台から九七度四、三七〇メートルの地点

(11)　波節岩灯標から二〇六度三〇分四、三六〇メートルの地点

(12)　波節岩灯標から九〇度三〇分五、〇九〇メートルの地点

(13)　牛島灯標（北緯三四度二二分東経一三三度四六分四七秒）から一二八度一五分一、八八〇メートルの地点

(14)　牛島灯標から九〇度四五分二、〇二〇メートルの地点

(15)　牛島灯標から七四度二、〇〇〇メートルの地点

(16)　鍋島灯台から二三〇度一、五三〇メートルの地点

(17)　鍋島灯台から二一八度一五分一、七二〇メートルの地点

(18)　鍋島灯台から一七八度一、五八〇メートルの地点

(19)　鍋島灯台から一三四度一五分一、二五〇メートルの地点

四　関門航路において「六連島東側航路の区域」とは、次に掲げる地点を順次に結んだ線及び(1)に掲げる地点と(12)に掲げる地点とを結んだ線により囲まれた区域をいう。

(1)　六連島三角点（北緯三三度五八分三七秒東経一三〇度五一分五一秒）から四〇度四五分二、八九〇メートルの地点

(2)　六連島三角点から七四度一、九七〇メートルの地点

(3)　六連島三角点から一一九度一、八二〇メートルの地点

(4)　若松洞海湾口防波堤灯台（北緯三三度五六分二八秒東経一三〇度五一分二秒）から五一度二、二八〇メートルの地点

(5)　若松洞海湾口防波堤灯台から七〇度一五分一、八八〇メートルの地点

(6)　六連島三角点から二一一度一五分二、一〇〇メートルの地点

(7) 六連島三角点から二一〇度三〇分二、〇八〇メートルの地点
(8) 六連島三角点から一九九度四五分二、一八〇メートルの地点
(9) 六連島三角点から一七七度四五分一、八六〇メートルの地点
(10) 六連島三角点から一二六度三〇分一、〇八〇メートルの地点
(11) 六連島三角点から六五度三〇分一、〇二〇メートルの地点
(12) 六連島三角点から三五度四五分一、二五〇メートルの地点

五　関門航路において「六連島西側航路の区域」とは、次に掲げる地点を順次に結んだ線及び(1)に掲げる地点と(7)に掲げる地点とを結んだ線により囲まれた区域をいう。
(1) 六連島三角点（北緯三三度五八分三七秒東経一三〇度五一分五一秒）から三〇二度一五分二、九七〇メートルの地点
(2) 六連島三角点から三一二度二、一三〇メートルの地点
(3) 六連島三角点から二四五度三〇分二、一九〇メートルの地点
(4) 若松洞海湾口防波堤灯台（北緯三三度五六分二八秒東経一三〇度五一分二秒）から三六度一、六七〇メートルの地点
(5) 若松洞海湾口防波堤灯台から一〇〇度九〇〇メートルの地点
(6) 若松洞海湾口防波堤灯台から三一七度三〇分一、八六〇メートルの地点
(7) 六連島三角点から二四七度三、二八〇メートルの地点

六　平戸瀬戸航路において「東水道の区域」とは、次に掲げる地点を順次に結んだ線及び(1)に掲げる地点と(5)に掲げる地点とを結んだ線により囲まれた区域のうち、港湾法施行令（昭和二十六年政令第四号）別表第二第十四号の国土交通大臣が定める陸域以外の区域をいう。
(1) 広瀬灯台（北緯三三度二二分五三秒東経一二九度三四分九秒）から三三七度三〇分二八〇メートルの地点
(2) 広瀬灯台から八三度一一〇メートルの地点
(3) 広瀬灯台から一二三度一五分三四〇メートルの地点
(4) 広瀬灯台から一八〇度四三〇メートルの地点
(5) 広瀬灯台から一八九度一五分六八〇メートルの地点

七　竹富南航路において「竹富島南側航路の区域」とは、次に掲げる地点を順次に結んだ線及び(1)に掲げる地点と(4)に掲げる地点とを結んだ線により囲まれた区域をいう。
(1) 竹富三角点（北緯二四度一九分五五秒東経一二四度五分一〇秒）から一〇八度三〇分二、九二六メートルの地点
(2) 竹富三角点から一一〇度三、〇二四メートルの地点
(3) 竹富三角点から一六七度三〇分二、六七四メートルの地点
(4) 竹富三角点から一六八度三〇分二、五六〇メートルの地点

○港湾法第四十四条の二第二項の同意の基準を定める件

（平成二十年七月十四日国土交通省告示第八百七十八号）

港湾法第四十四条の二第二項の同意の基準は、港湾法施行規則（昭和二十六年運輸省令第九十八号）第十二条の二第一項の入港料協議書又は同条第二項の料率上限変更協議書に記載された料率の上限が、当該協議書を提出した港湾管理者が管理する港湾施設等を良好な状態で提供するために必要な業務が能率的な運営の下において行われる場合に要する経費を基礎として算定した料率を超えないものであることとする。

○港湾法第四十八条の四第一項第一号の電子情報処理組織を使用する港湾管理者を告示する件

（令和六年二月一日国土交通省告示第六十八号）

〔沿革〕令和六年六月三日国土交通省告示第四四九号改正

港湾法（昭和二十五年法律第二百十八号）第四十八条の四第三項の規定に基づき、港湾管理者を次のとおり告示する。

一　港湾法（昭和二十五年法律第二百十八号。以下「法」という。）第四十八条の四第一項第一号の電子情報処理組織のうち、平成二十年国土交通省告示第千百六十六号第一号の規定により指定した輸出入・港湾関連情報処理センター株式会社の使用に係る電子計算機と港湾管理者並びに申請等をする者及び処分通知等を受ける者の使用に係る電子計算機とを電気通信回線で接続した電子情報処理組織を使用する港湾管理者

　函館市、小樽市、室蘭市、釧路市、網走市、留萌市、稚内市、紋別市、根室市、広尾町、苫小牧港管理組合、石狩湾新港管理組合、青森県、岩手県、宮城県、秋田県、山形県、福島県、茨城県、千葉県、東京都、横浜市、川崎市、横須賀市、新潟県、富山県、石川県、福井県、静岡県、愛知県、名古屋港管理組合、三重県、四日市港管理組合、京都府、大阪府、大阪市、兵庫県、神戸市、和歌山県、鳥取県、境港管理組合、島根県、岡山県、広島県、呉市、山口県、下関市、徳島県、香川県、坂出市、新居浜港務局、愛媛県、今治市、高知県、福岡県、北九州市、福岡市、佐賀県、長崎県、佐世保市、熊本県、大分県、宮崎県、鹿児島県、沖縄県、石垣市、宮古島市及び那覇港管理組合

二　法第四十八条の四第一項第一号の電子情報処理組織のうち、平成二十年国土交通省告示第千百六十六号第二号の規定により指定した国土交通省に設置される電子計算機と港湾管理者並びに申請等をする者及び処分通知等を受ける者の使用に係る電子計算機とを電気通信回線で接続した電子情報処理組織を使用する港湾管理者

　富山県、石川県、静岡県、高知県、福岡県、上天草市及び宮崎県

附　則

（施行期日）

第一条　この告示は、公布の日から施行する。

（廃止）

第二条　次に掲げる告示は、廃止する。

一　平成十五年国土交通省告示第千五百三十号
二　平成十六年国土交通省告示第三百二十四号
三　平成十六年国土交通省告示第七百三十三号
四　平成十七年国土交通省告示第千三百三十五号
五　平成十八年国土交通省告示第五百五十号
六　平成十八年国土交通省告示第千八十五号
七　平成二十一年国土交通省告示第六百七号
八　平成二十六年国土交通省告示第五百二十号
九　平成二十六年国土交通省告示第五百七十一号
十　平成二十八年国土交通省告示第五号

附　則〔令和六年六月三日国土交通省告示第四四九号〕

この告示は、公布の日から施行する。

○港湾法第四十八条の四第六項第一号の国土交通大臣の指定する電子計算機

（平成二十年十月一日国土交通省告示第千百六十六号）

〔沿革〕令和六年二月一日国土交通省告示第六六号改正

港湾法（昭和二十五年法律第二百十八号）第四十八条の四第六項第一号の規定に基づき、国土交通大臣の指定する電子計算機を次のように定める。

国土交通大臣の指定する電子計算機は、次のとおりとする。

一　輸出入・港湾関連情報処理センター株式会社の使用に係る電子計算機
二　国土交通省に設置される電子計算機

附　則〔令和六年二月一日国土交通省告示第六六号〕

この告示は、公布の日から施行する。

○港湾法第四十八条の四第六項第四号の国土交通大臣の指定する電子計算機

（令和五年九月二十九日国土交通省告示第九百九十一号）

港湾法（昭和二十五年法律第二百十八号）第四十八条の四第六項第四号の規定に基づき、国土交通大臣の指定する電子計算機を次のように定める。

国土交通省に設置される電子計算機

附　則

この告示は、令和五年十月一日から施行する。

○港湾法第四十八条の四第六項第五号の国土交通大臣の指定する電子計算機

（令和五年九月二十九日国土交通省告示第九百九十二号）

港湾法（昭和二十五年法律第二百十八号）第四十八条の四第六項第五号の規定に基づき、国土交通大臣の指定する電子計算機を次のように定める。

国土交通省に設置される電子計算機

附　則

この告示は、令和五年十月一日から施行する。

○港湾法施行規則第十五条の三第一項の国土交通大臣が定める使用料の額等

（令和六年二月一日国土交通省告示第六十七号）

港湾法施行規則（昭和二十六年運輸省令第九十八号）第十五条の三第一項の規定に基づき、及び同令を実施するため、国土交通大臣が定める使用料の額等を次のように定める。

（使用料の額）

第一条　港湾法施行規則（昭和二十六年運輸省令第九十八号）第十五条の三第一項の国土交通大臣が定める額は、次の各号に掲げる額とする。

一　港湾法（昭和二十五年法律第二百十八号。以下「法」という。）第四十八条の四第一項第一号の電子情報処理組織のうち、平成二十年国土交通省告示第千百六十六号第一号の規定により指定した輸出入・港湾関連情報処理センター株式会社の使用に係る電子計算機と港湾管理者並びに申請等をする者及び処分通知等を受ける者の使用に係る電子計算機とを電気通信回線で接続した電子情報処理組織の使用料の額　別表の上欄に掲げる港湾管理者に応じ、それぞれ同表の下欄に掲げる額

二　法第四十八条の四第一項第一号の電子情報処理組織のうち、平成二十年国土交通省告示第千百六十六号第二号の規定により指定した国土交通省に設置される電子計算機と港湾管理者並びに申請等をする者及び処分通知等を受ける者の使用に係る電子計算機とを電気通信回線で接続した電子情報処理組織の使用料の額　零円

（使用料の減免）

第二条　国土交通大臣は、災害その他の特別な事由が生じた場合においては、国に納付すべき使用料を減額し、又は免除することができる。

（使用料の支払方法）

第三条　使用料は、年度の一年分をとりまとめて、会計法（昭和二十二年法律第三十五号）第四条の二に規定する歳入徴収官の発する納入告知書により、納付するものとする。

別表

港湾管理者	使用料の額
函館市	二十万円
小樽市	十五万八千円
室蘭市	三十四万千円
釧路市	二十万円
網走市	十五万千円
留萌市	十五万六千円
稚内市	十五万四千円
紋別市	十五万二千円
根室市	十五万千円
広尾町	十五万四千円
苫小牧港管理組合	七十五万三千円
石狩湾新港管理組合	三十二万三千円
青森県	四十一万六千円
岩手県	四十一万五千円
宮城県	七十三万二千円
秋田県	三十九万六千円
山形県	三十一万二千円
福島県	三十八万三千円
茨城県	五十四万四千円

千葉県	百十二万八千円
東京都	八十六万九千円
横浜市	百一万円
川崎市	八十二万円
横須賀市	十六万九千円
新潟県	六十九万円
富山県	六十三万円
石川県	三十六万五千円
福井県	三十二万五千円
静岡県	七十六万二千円
愛知県	四十三万四千円
名古屋港管理組合	九十四万六千円
三重県	三十四万千円
四日市港管理組合	七十九万四千円
京都府	三十一万五千円
大阪府	八十四万五千円
大阪市	七十八万五千円
兵庫県	八十五万七千円
神戸市	八十四万八千円
和歌山県	六十八万円
鳥取県	三十万千円
境港管理組合	三十二万二千円
島根県	三十六万九千円
岡山県	九十一万七千円
広島県	八十四万三千円
呉市	十九万千円
山口県	百十五万九千円
下関市	三十四万円
徳島県	三十五万二千円
香川県	三十一万七千円
坂出市	二十万八千円
新居浜港務局	十八万五千円
愛媛県	五十九万三千円
今治市	十五万九千円
高知県	四十万五千円
福岡県	四十五万七千円
北九州市	八十一万三千円
福岡市	七十六万三千円
佐賀県	三十六万二千円
長崎県	四十五万九千円
佐世保市	十六万千円
熊本県	三十九万九千円
大分県	七十二万五千円
宮崎県	四十万三千円
鹿児島県	四十六万三千円
沖縄県	三十五万二千円
石垣市	十六万三千円
宮古島市	十六万四千円
那覇港管理組合	四十万円

附　則

（施行期日）

第一条　この告示は、公布の日から施行する。

（失効）

第二条　第一条第二号の規定は、令和九年三月三十一日限り、その効力を失う。

○港湾法施行規則第十五条の三第四項の国土交通大臣が定める使用料の額等

（令和五年九月二十九日国土交通省告示第九百八十九号）

港湾法施行規則（昭和二十六年運輸省令第九十八号）第十五条の三第四項の規定に基づき、及び同令を実施するため、国土交通大臣が定める使用料の額等を次のように定める。

（使用料の額）

第一条　港湾法施行規則第十五条の三第四項の国土交通大臣が定める額は、港湾法（昭和二十五年法律第二百十八号）第四十八条の四第一項第四号の電子情報処理組織（以下単に「電子情報処理組織」という。）を使用して港湾取扱貨物情報を授受した期間一月につき六千六百円（消費税及び地方消費税に相当する額を含む。）とする。

（使用料の減免）

第二条　前条の規定による使用料の額は、次のいずれかに該当する場合、前条の規定にかかわらず、零円とする。

一　電子情報処理組織を使用して行う取引（一の帳票（港湾取扱貨物情報を記録した電磁的記録をいう。）又は相互に関連する複数の帳票の集合体をいう。次号において同じ。）が、電子情報処理組織の使用を開始してから百件以内のとき。

二　取引が一月につき十件以内のとき。

2　国土交通大臣は、前項に規定する場合のほか、必要があると認めるときは、前条の規定による使用料を減額し、又は免除することができる。

（使用料の支払方法）

第三条　使用料は、年度の一年分をとりまとめて、電子情報処理組織上に示す方法により、電子情報処理組織上に示す支払期限までにこれを支払うものとする。

附　則

（施行期日）

1　この告示は、令和五年十月一日から施行する。

（経過措置）

2　使用料の額は、第一条及び第二条の規定にかかわらず、令和五年十月一日から令和八年三月三十一日までの間において零円とする。

○港湾法施行規則第十五条の三第五項の国土交通大臣が定める使用料の額等

（令和五年九月二十九日国土交通省告示第九百九十号）

港湾法施行規則（昭和二十六年運輸省令第九十八号）第十五条の三第五項の規定に基づき、及び同令を実施するため、国土交通大臣が定める使用料の額等を次のように定める。

（使用料の額）

第一条　港湾法施行規則第十五条の三第五項の国土交通大臣が定める額は、港湾法（昭和二十五年法律第二百十八号）第四十八条の四第一項第五号の電子情報処理組織（以下単に「電子情報処理組織」という。）を使用した期間一月につき九千円（消費税及び地方消費税に相当する額を含む。）とする。

（使用料の減免）

第二条　国土交通大臣は、電子情報処理組織を使用した者、期間、回数、その他の理由により必要があると認めるときは、前条の規定による国に納付すべき使用料を減額し、又は免除することができる。

（使用料の支払方法）

第三条　使用料の額は、年度の一年分をとりまとめて、電子情報処理組織上に示す方法により、電子情報処理組織上に示す支払期限までにこれを支払うものとする。

附　則

（施行期日）

1　この告示は、令和五年十月一日から施行する。

（経過措置）

2　使用料の額は、第一条及び第二条の規定にかかわらず、令和五年十月一日から令和七年三月三十一日までの間において零円とする。

○堺泉北港港湾広域防災区域の区域を変更した件

（平成二十八年三月三十一日国土交通省告示第五百七十号）

堺泉北港について港湾法（昭和二十五年法律第二百十八号）第五十五条の三の二第一項の港湾広域防災区域を変更したので、同条第四項において準用する同条第三項の規定に基づき、当該港湾広域防災区域の範囲を次のとおり告示する。

堺泉北港における港湾広域防災区域の範囲は、別図のうち一点鎖線で囲まれた部分（斜線部を除く。）とする。

別図　堺泉北港港湾広域防災区域

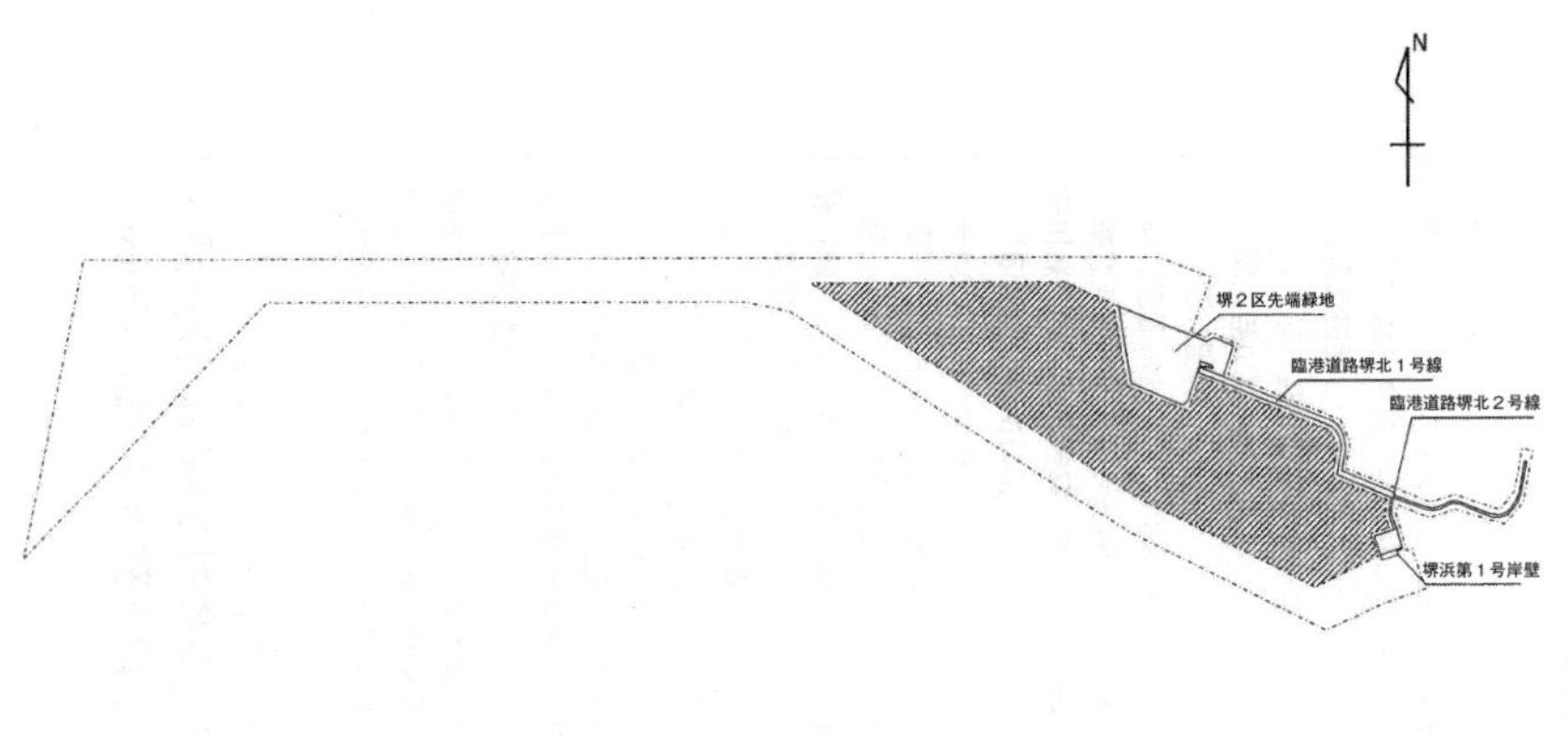

○川崎港港湾広域防災区域の区域を変更した件

（平成二十八年三月三十一日国土交通省告示第五百七十一号）

川崎港について港湾法（昭和二十五年法律第二百十八号）第五十五条の三の二第一項の港湾広域防災区域を変更したので、同条第四項において準用する同条第三項の規定に基づき、当該港湾広域防災区域の範囲を次のとおり告示する。

川崎港における港湾広域防災区域の範囲は、別図のうち一点鎖線で囲まれた部分（斜線部を除く。）とする。

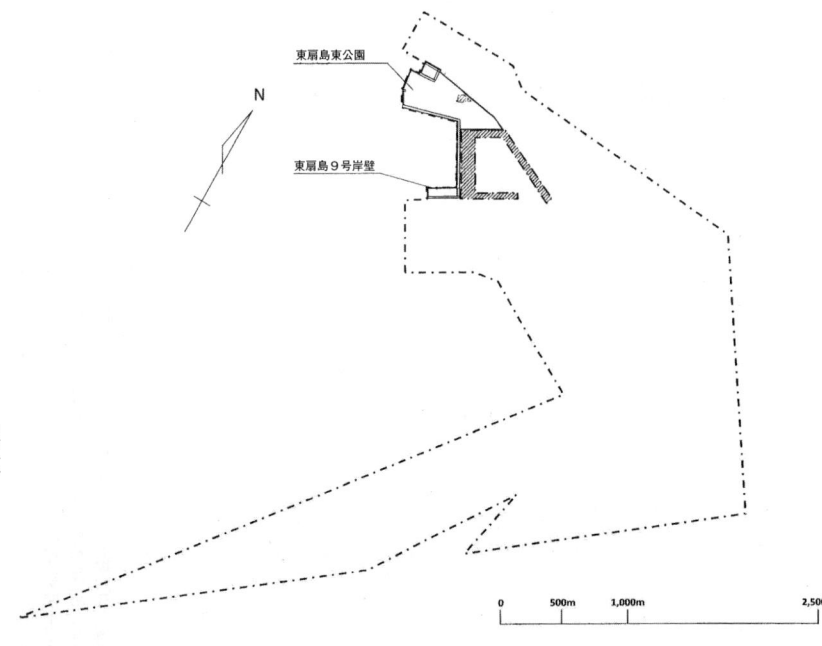

別図　川崎港港湾広域防災区域

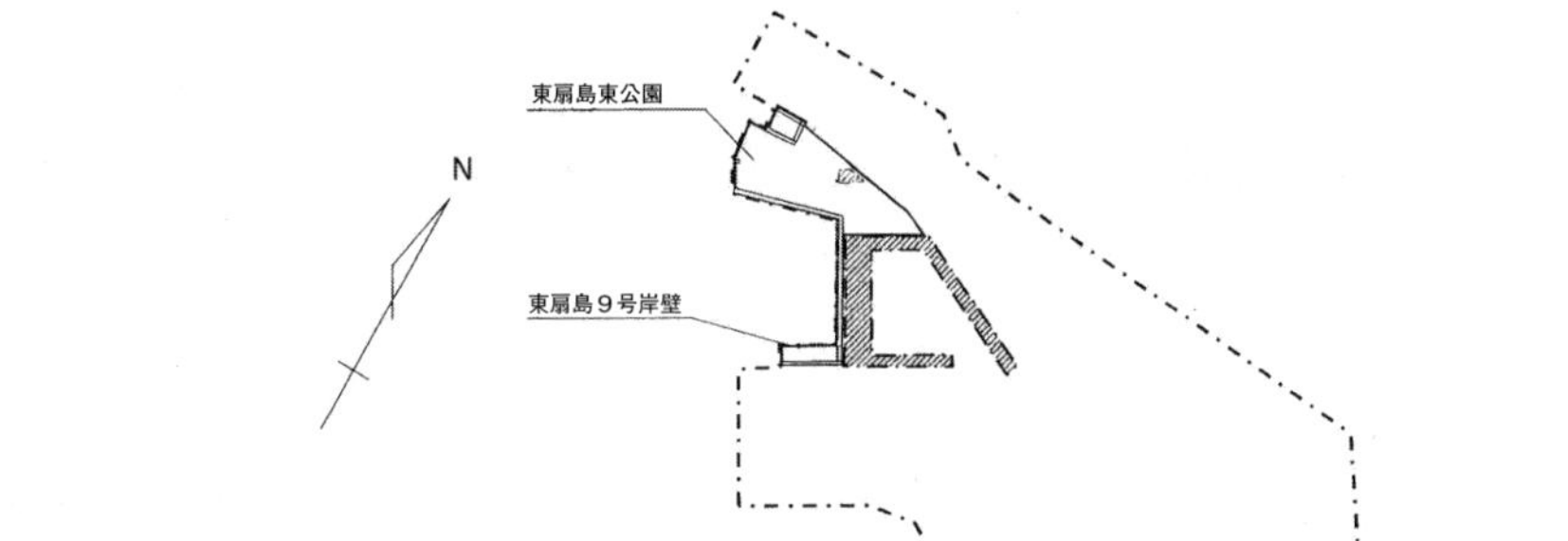

○港湾法の規定に基づき国土交通大臣が指定する二以上の国際戦略港湾を定める件

（平成二十三年十二月十三日国土交通省告示第千二百七十七号）

港湾法（昭和二十五年法律第二百十八号）第四十三条の十一第二項の規定に基づき、次の国際戦略港湾（同法附則第三十一項の規定により国際戦略港湾とみなされる国際拠点港湾を含む。以下同じ。）を同法第四十三条の十一第二項の埠頭群を一体的に運営することが国際競争力の強化に資する二以上の国際戦略港湾として指定するので、港湾法施行規則（昭和二十六年運輸省令第九十八号）第十一条の五の規定により、次のとおり告示する。

大阪及び神戸

名古屋及び四日市

附　則

この告示は、港湾法及び特定外貿埠頭の管理運営に関する法律の一部を改正する法律（平成二十三年法律第九号）附則第一条第二号に掲げる規定の施行の日（平成二十三年十二月十五日）から施行する。

○大阪港及び神戸港における埠頭群を運営する者を指定した件

（平成二十六年十二月十二日国土交通省告示第千百四十四号）

港湾法（昭和二十五年法律第二百十八号）第四十三条の十一第一項の規定により、平成二十六年十一月二十八日付けをもって、大阪港及び神戸港における埠頭群を運営する者を指定したので、当該指定を受けた者について、同法第四十三条の十一第十二項の規定に基づき、次のとおり告示する。

一　港湾運営会社の商号及び本店の所在地

イ　商号

阪神国際港湾株式会社

ロ　本店の所在地

神戸市中央区御幸通八丁目一番六号

二　意見書の処理の経過

意見書の提出なし

三　当該港湾運営会社の指定の理由

1　阪神国際港湾株式会社の埠頭群の運営の事業の内容は、大阪港港湾計画及び神戸港港湾計画に適合するものであると認められる。

2　1のほか、阪神国際港湾株式会社は、埠頭群の運営の事業に関する適正かつ確実な計画を有するものであると認められる。

3　阪神国際港湾株式会社は、埠頭群を運営することについて十分な経理的基礎を有するものであると認められる。

4　大阪港埠頭株式会社及び神戸港埠頭株式会社が所有し、阪神国際港湾株式会社が借り受けて運営する埠頭と埠頭群とを一体的に運営することは、埠頭群の運営の効率化に資するものであると認められる。

5　以上により、阪神国際港湾株式会社は港湾法第四十三条の十一第一項各号に掲げる要件を備えていると認められることから、同社を大阪港及び神戸港における埠頭群を運営する者として指定する。

○京浜港における埠頭群を運営する者を指定した件

（平成二十八年三月二十五日国土交通省告示第五百三十号）

〔沿革〕　平成二八年三月三一日国土交通省告示第五七八号改正

港湾法（昭和二十五年法律第二百十八号）第四十三条の十一第一項の規定により、平成二十八年三月四日付けをもって、京浜港における埠頭群を運営する者を指定したので、当該指定を受けた者について、同法第四十三条の十一第十二項の規定に基づき、次のとおり告示する。

一　港湾運営会社の商号及び本店の所在地

イ　商号

横浜川崎国際港湾株式会社

ロ　本店の所在地

横浜市西区みなとみらい二丁目三番一号

二　意見書の処理の経過

意見書の提出なし

三　当該港湾運営会社の指定の理由

1　横浜川崎国際港湾株式会社の埠頭群の運営の事業の内容は、横浜港港湾計画及び川崎港港湾計画に適合するものであると認められる。

2　1のほか、横浜川崎国際港湾株式会社は、埠頭群の運営の事業に関する適正かつ確実な計画を有するものであると認められる。

3　横浜川崎国際港湾株式会社は、埠頭群を運営することについて十分な経理的基礎を有するものであると認められる。

4　横浜港埠頭株式会社が所有し、横浜川崎国際港湾株式会社が借り受けて運営する埠頭と埠頭群とを一体的に運営することは、埠頭群の運営の効率化に資するものであると認められる。

5　以上により、横浜川崎国際港湾株式会社は港湾法第四十三条の十一第一項各号に掲げる要件を備えていると認められることから、同社を京浜港における埠頭群を運営する者として指定する。

○名古屋港及び四日市港における埠頭群を運営する者を指定した件

（平成二十九年九月二十二日国土交通省告示第八百四十九号）

港湾法（昭和二十五年法律第二百十八号）附則第三十一項の規定により、特定の国際拠点港湾を国際戦略港湾とみなして適用する同法第四十三条の十一第一項の規定により、平成二十九年九月一日付けをもって、名古屋港及び四日市港における埠頭群を運営する者を指定したので、当該指定を受けた者について、同法附則第三十一項の規定により、特定の国際拠点港湾を国際戦略港湾とみなして適用する同法第四十三条の十一第十二項の規定に基づき、次のとおり告示する。

一　港湾運営会社の商号及び本店の所在地

イ　商号

名古屋四日市国際港湾株式会社

ロ　本店の所在地

名古屋市港区港町一番十一号

二　意見書の処理の経過

意見書の提出なし

三　当該港湾運営会社の指定の理由

1　名古屋四日市国際港湾株式会社の埠頭群の運営の事業の内容は、名古屋港港湾計画及び四日市港港湾計画に適合するものであると認められる。

2　1のほか、名古屋四日市国際港湾株式会社は、埠頭群の運営の事業に関する適正かつ確実な計画を有するものであると認められる。

3　名古屋四日市国際港湾株式会社は、埠頭群を運営することについて十分な経理的基礎を有するものであると認められる。

4　名古屋港埠頭株式会社が所有し、名古屋四日市国際港湾株式会社が借り受けて運営する埠頭と埠頭群とを一体的に運営することは、埠頭群の運営の効率化に資するものであると認められる。

5　以上により、名古屋四日市国際港湾株式会社は港湾法第四十三条の十一第一項各号に掲げる要件を備えていると認められることから、同社を名古屋港及び四日市港における埠頭群を運営する者として指定する。

○港湾の施設の技術上の基準を定める省令

（平成十九年三月二十六日国土交通省令第十五号）

〔沿革〕平成二二年九月六日国土交通省令第四六号、二五年九月一八日第七八号、一一月二九日第九一号、二九年一二月二六日第七二号改正

第一章　総則

（用語の定義）

第一条　この省令において使用する用語は、港湾法（昭和二十五年法律第二百十八号）において使用する用語の例によるほか、次の各号に掲げる用語の定義は、それぞれ当該各号に定めるところによる。

一　要求性能　技術基準対象施設に必要とされる性能をいう。

二　設計津波　技術基準対象施設を設置する地点において発生するものと想定される津波のうち、当該施設の設計供用期間（技術基準対象施設の設計に当たって、当該施設の要求性能を満足し続けるものとして設定される期間をいう。以下同じ。）中に発生する可能性が低く、かつ、当該施設に大きな影響を及ぼすものをいう。

三　変動波浪　技術基準対象施設を設置する地点において発生するものと想定される波浪のうち、当該施設の設計供用期間中に発生する可能性の高いものをいう。

四　偶発波浪　技術基準対象施設を設置する地点において発生するものと想定される波浪のうち、当該施設の設計供用期間中に発生する可能性が低く、かつ、当該施設に大きな影響を及ぼすものをいう。

五　レベル一地震動　技術基準対象施設を設置する地点において発生するものと想定される地震動のうち、地震動の再現期間と当該施設の設計供用期間との関係から当該施設の設計供用期間中に発生する可能性の高いものをいう。

六　レベル二地震動　技術基準対象施設を設置する地点において発生するものと想定される地震動のうち、最大規模の強さを有するものをいう。

七　耐震強化施設　港湾計画の基本的な事項に関する基準を定める省令（昭和四十九年運輸省令第三十五号）第十六条に定める大規模地震対策施設又は大規模な地震が発生した場合においてこれと同等の機能を有する必要がある施設であって、技術基準対象施設であるものをいう。

本条…一部改正〔平成二五年九月国土交通省令七八号〕

（技術基準対象施設の設計）

第二条　技術基準対象施設は、自然状況、利用状況その他の当該施設が置かれる諸条件を勘案して、当該施設の要求性能を満足し、かつ、施工時に当該施設の構造の安定が損なわれないよう、適切に設計されるものとする。

2　技術基準対象施設の設計に当たっては、当該施設の設計供用期間を適切に定めるものとする。

3　前二項に規定するもののほか、技術基準対象施設の設計に関し必要な事項は、告示で定める。

（技術基準対象施設の施工）

第三条　技術基準対象施設は、自然状況、利用状況その他の当該施設が置かれる諸条件を勘案して、当該施設の要求性能を満足するよう、告示で定める施工に関する基準に基づき、適切な方法により施工されるものとする。

（技術基準対象施設の維持）

第四条　技術基準対象施設は、供用期間にわたって要求性能を満足するよう、維持管理計画等（点検に関する事項を含む。）に基づき、適切に維持されるものとする。

2　技術基準対象施設の維持に当たっては、自然状況、利用状況その他の当該施設が置かれる諸条件、構造特性、材料特性等を勘案するものとする。

3　技術基準対象施設の維持に当たっては、当該施設の損傷、劣化その他の変状についての定期及び臨時の点検及び診断並びにその結果に基づく当該施設全体の維持に係る総合的な評価を適切に行った上で、必要な維持工事等を適切に行うものとする。

4　技術基準対象施設の維持に当たっては、前項の結果その他の当該施設の適切な維持に必要な事項の記録及び保存を適切に行うものとする。

5　技術基準対象施設の維持に当たっては、当該施設及び当該施設周辺の施設を安全に利用できるよう、運用方法の明確化その他の危険防止に関する対策を適切に行うものとする。

6　前各項に規定するもののほか、技術基準対象施設の維持に関し必要な事項は、告示で定める。

一・三項…一部改正・四項…追加・旧四・五項…五・六項に繰下〔平成二五年一一月国土交通省令九一号〕

（環境等への配慮）

第五条　技術基準対象施設の設計、施工又は維持に当たっては、自然状況、利用状況その他の当該施設が置かれる諸条件を勘案して、港湾の環境の保全、港湾の良好な景観の形成及び港湾の保安の確保について、配慮するよう努めるものとする。

2　不特定かつ多数の者が利用する技術基準対象施設の設置に当たっては、自然状況、利用状況その他の当該施設が置かれる諸条件を勘案して、高齢者、障害者その他日常生活又は社会生活に身体の機能上の制限を受ける者の安全かつ円滑な利用に配慮するよう努めるものとする。

（自然状況等の設定に関し必要な事項）

第六条　技術基準対象施設の設計、施工又は維持における、自然状況、利用状況その他の当該施設が置かれる諸条件の設定に関し必要な事項は、告示で定める。

（技術基準対象施設を構成する部材の要求性能）

第七条　技術基準対象施設を構成する部材の要求性能は、施工

時及び供用時に当該施設が置かれる諸条件に照らし、自重、土圧、水圧、変動波浪、水の流れ、レベル一地震動、漂流物の衝突等の作用による損傷等が、当該施設の機能を損なわず継続して使用することに影響を及ぼさないこととする。

2　前項に規定するもののほか、当該施設の被災に伴い、人命、財産又は社会経済活動に重大な影響を及ぼすおそれのある施設を構成する部材の要求性能にあっては、次の各号に定めるものとする。

一　設計津波、偶発波浪、レベル二地震動等の作用による損傷等が、当該施設の機能が損なわれた場合であっても、当該施設の構造の安定に重大な影響を及ぼさないこと。ただし、当該施設が置かれる自然状況、社会状況等により、更に性能を向上させる必要がある施設を構成する部材の要求性能にあっては、当該作用による損傷等が、軽微な修復による当該施設の機能の回復に影響を及ぼさないこと。

二　設計津波から当該施設の背後地を防護する必要がある施設を構成する部材の要求性能にあっては、設計津波、レベル二地震動等の作用による損傷等が、軽微な修復による当該施設の機能の回復に影響を及ぼさないこと。

3　第一項に規定するもののほか、耐震強化施設を構成する部材の要求性能にあっては、レベル二地震動等の作用による損傷等が、軽微な修復によるレベル二地震動の作用後に当該施設に必要とされる機能の回復に影響を及ぼさないこととする。ただし、当該施設が置かれる自然状況、社会状況等により、更に耐震性を必要とする施設を構成する部材の要求性能にあっては、レベル二地震動の作用後に当該施設に必要とされる機能を損なわず継続して使用することに影響を及ぼさないこととする。

4　前三項に規定するもののほか、技術基準対象施設を構成する部材の要求性能に関し必要な事項は、告示で定める。

二項…一部改正〔平成二五年九月国土交通省令七八号〕

第二章　水域施設

（通則）

第八条　水域施設は、地象、気象、海象その他の自然状況及び船舶の航行その他の当該施設周辺の水域の利用状況に照らし、適切な場所に設置するものとする。

2　静穏に保つ必要がある水域施設には、波浪、水の流れ、風等による影響を防止するための措置を講ずるものとする。

3　土砂等による埋没が生じるおそれがある水域施設には、これを防止するための措置を講ずるものとする。

（航路の要求性能）

第九条　航路の要求性能は、船舶の安全かつ円滑な航行を図るものとして、地象、波浪、水の流れ及び風の状況並びにその周辺の水域の利用状況に照らし、国土交通大臣が定める要件を満たしていることとする。

（泊地の要求性能）

第一〇条　泊地の要求性能は、船舶の安全かつ円滑な利用を図るものとして、地象、波浪、水の流れ及び風の状況並びにその周辺の水域の利用状況に照らし、国土交通大臣が定める要件を満たしていることとする。

（船だまりの要求性能）

第一一条　船だまりの要求性能は、船舶の安全かつ円滑な利用を図るものとして、地象、波浪、水の流れ及び風の状況並びにその周辺の水域の利用状況に照らし、国土交通大臣が定める要件を満たしていることとする。

（水域施設に関し必要な事項）

第一二条　この章に規定する国土交通大臣が定める要件その他の水域施設の要求性能に関し必要な事項は、告示で定める。

第三章　外郭施設

（通則）

第一三条　外郭施設は、地象、気象、海象その他の自然状況及び船舶の航行その他の当該施設周辺の水域の利用状況に照らし、適切な場所に設置するものとする。

（防波堤の要求性能）

第一四条　防波堤の要求性能は、港湾内の水域の静穏を維持することにより、船舶の安全な航行、停泊又は係留、貨物の円滑な荷役及び港湾内の建築物、工作物その他の施設の保全を図るものとして、構造形式に応じて、次の各号に定めるものとする。

一　港湾内に侵入する波浪を低減することができるよう、国土交通大臣が定める要件を満たしていること。

二　自重、変動波浪、レベル一地震動等の作用による損傷等が、当該防波堤の機能を損なわず継続して使用することに影響を及ぼさないこと。

2　前項に規定するもののほか、次の各号に掲げる防波堤の要求性能にあっては、それぞれ当該各号に定めるものとする。

一　高潮又は設計津波から当該防波堤の背後地を防護する必要がある防波堤の要求性能　高潮又は設計津波による港湾内の水位の上昇及び流速を適切に抑制できるよう、国土交通大臣が定める要件を満たしていること。

二　環境の保全を図る防波堤の要求性能　当該防波堤の本来の機能を損なわず港湾の環境を保全できるよう、国土交通大臣が定める要件を満たしていること。

三　不特定かつ多数の者の利用に供する防波堤の要求性能　当該防波堤の利用者の安全を確保できるよう、国土交通大臣が定める要件を満たしていること。

四　当該防波堤の被災に伴い、人命、財産又は社会経済活動に重大な影響を及ぼすおそれのある防波堤の要求性能　構造形式に応じて、設計津波、偶発波浪、レベル二地震動等の作用による損傷等が、当該防波堤の機能が損なわれた場合であっても、当該防波堤の構造の安定に重大な影響を及ぼさないこと。ただし、設計津波から当該防波堤の背後地を防護する必要がある防波堤の要求性能にあっては、設計津波、レベル二地震動等の作用による損傷等が、軽微な修復による当該防波堤の機能の回復に影響を及ぼさないこと。

3　前二項に規定するもののほか、当該防波堤の被災に伴い、人命、財産又は社会経済活動に重大な影響を及ぼすおそれのある防波堤の要求性能にあっては、構造形式に応じて、当該防波堤を設置する地点において設計津波を超える規模の強さを有する津波が発生した場合であっても、当該津波等の作用による損傷等が当該防波堤の構造の安定に重大な影響を及ぼすのを可能な限り遅らせることができるものであることとする。

二項…一部改正・三項…追加〔平成二五年九月国土交通省令七八号〕、二項…一部改正〔平成二九年一二月国土交通省令七二号〕

（防砂堤の要求性能）

第一五条　防砂堤の要求性能は、漂砂による水域施設の埋没の抑制を図るものとして、漂砂を制御できるよう、国土交通大臣が定める要件を満たしていることとする。

2　前条第一項第二号の規定は、防砂堤の要求性能について準用する。

（防潮堤の要求性能）

第一六条　防潮堤の要求性能は、その背後地の防護を図るものとして、構造形式に応じて、次の各号に定めるものとする。

一　波浪及び高潮から当該防潮堤の背後地を防護できるよう、国土交通大臣が定める要件を満たしていること。

二　自重、土圧、変動波浪、レベル一地震動等の作用による損傷等が、当該防潮堤の機能を損なわず継続して使用することに影響を及ぼさないこと。

2　前項に規定するもののほか、当該防潮堤の被災に伴い、人命、財産又は社会経済活動に重大な影響を及ぼすおそれのある防潮堤の要求性能にあっては、構造形式に応じて、次の各号に定めるものとする。

一　設計津波又は偶発波浪から当該防潮堤の背後地を防護する必要がある防潮堤の要求性能にあっては、設計津波又は偶発波浪から当該防潮堤の背後地を防護できるよう、国土交通大臣が定める要件を満たしていること。

二　設計津波、偶発波浪、レベル二地震動等の作用による損傷等が、当該防潮堤の機能が損なわれた場合であっても、当該防潮堤の構造の安定に重大な影響を及ぼさないこと。ただし、当該防潮堤が置かれる自然状況、社会状況等により、更に性能を向上させる必要がある防潮堤の要求性能にあっては、当該作用による損傷等が、軽微な修復による当該防潮堤の機能の回復に影響を及ぼさないこと。

3　前二項に規定するもののほか、当該防潮堤の被災に伴い、人命、財産又は社会経済活動に重大な影響を及ぼすおそれのある防潮堤の要求性能にあっては、構造形式に応じて、当該防潮堤を設置する地点において設計津波を超える規模の強さを有する津波が発生した場合であっても、当該津波等の作用による損傷等が当該防潮堤の構造の安定に重大な影響を及ぼすのを可能な限り遅らせることができるものであることとする。

二項…一部改正・三項…追加〔平成二五年九月国土交通省令七八号〕

（導流堤の要求性能）

第一七条　導流堤の要求性能は、漂砂による水域施設の埋没及び河口の閉塞の抑制を図るものとして、漂砂を制御できるよう、国土交通大臣が定める要件を満たしていることとする。

2　第十四条第一項第二号の規定は、導流堤の要求性能について準用する。

（水門の要求性能）

第一八条　水門の要求性能は、その背後地の防護及び不要な内水の排除を図るものとして、次の各号に定めるものとする。

一　高潮による越流を制御できるよう、国土交通大臣が定める要件を満たしていること。

二　当該水門の背後地の防護及び不要な内水の排除が行えるよう、国土交通大臣が定める要件を満たしていること。

三　自重、水圧、変動波浪、レベル一地震動等の作用による損傷等が、当該水門の機能を損なわず継続して使用することに影響を及ぼさないこと。

2　前項に規定するもののほか、当該水門の被災に伴い、人命、財産又は社会経済活動に重大な影響を及ぼすおそれのある水門の要求性能にあっては、構造形式に応じて、次の各号に定めるものとする。

一　設計津波又は偶発波浪から当該水門の背後地を防護する必要がある水門の要求性能にあっては、設計津波又は偶発波浪による越流を制御できるよう、国土交通大臣が定める要件を満たしていること。

二　設計津波、偶発波浪、レベル二地震動等の作用による損傷等が、当該水門の機能が損なわれた場合であっても、当該水門の構造の安定に重大な影響を及ぼさないこと。ただし、当該水門が置かれる自然状況、社会状況等により、更に性能を向上させる必要がある水門の要求性能にあっては、当該作用による損傷等が、軽微な修復による当該水門の機能の回復に影響を及ぼさないこと。

3　前二項に規定するもののほか、当該水門の被災に伴い、人命、財産又は社会経済活動に重大な影響を及ぼすおそれのある水門の要求性能にあっては、構造形式に応じて、当該水門を設置する地点において設計津波を超える規模の強さを有する津波が発生した場合であっても、当該津波等の作用による損傷等が当該水門の構造の安定に重大な影響を及ぼすのを可能な限り遅らせることができるものであることとする。

二項…一部改正・三項…追加〔平成二五年九月国土交通省令七八号〕

（閘門の要求性能）

第一九条　閘門の要求性能は、船舶が水位の異なる水域間において安全かつ円滑な航行を図るものとして、国土交通大臣が定める要件を満たしていることとする。

2　前条（第一項第二号を除く。）の規定は、閘門の要求性能について準用する。

二項…一部改正〔平成二五年九月国土交通省令七八号〕

（**護岸の要求性能**）
第二〇条　第十六条の規定は、護岸の要求性能について準用する。
2　前項に規定するもののほか、次の各号に掲げる護岸の要求性能にあっては、それぞれ当該各号に定めるものとする。
一　環境の保全を図る護岸の要求性能　当該護岸の本来の機能を損なわず港湾の環境を保全できるよう、国土交通大臣が定める要件を満たしていること。
二　不特定かつ多数の者の利用に供する護岸の要求性能　当該護岸の利用者の安全を確保できるよう、国土交通大臣が定める要件を満たしていること。
二項…一部改正〔平成一九年一二月国土交通省令七二号〕

（**堤防の要求性能**）
第二一条　第十六条の規定は、堤防の要求性能について準用する。

（**突堤の要求性能**）
第二二条　突堤の要求性能は、漂砂による影響の抑制を図るものとして、漂砂を制御できるよう、国土交通大臣が定める要件を満たしていることとする。
2　第十四条第一項第二号の規定は、突堤の要求性能について準用する。

（**胸壁の要求性能**）
第二三条　第十六条の規定は、胸壁の要求性能について準用する。

（**外郭施設に関し必要な事項**）
第二四条　この章に規定する国土交通大臣が定める要件その他の外郭施設の要求性能に関し必要な事項は、告示で定める。

第四章　係留施設

（**通則**）
第二五条　係留施設は、船舶の安全かつ円滑な利用を図るものとして、地象、気象、海象その他の自然状況及び船舶の航行その他の当該施設周辺の水域の利用状況に照らし、適切な場所に設置するものとする。

（**岸壁の要求性能**）
第二六条　岸壁の要求性能は、構造形式に応じて、次の各号に定めるものとする。
一　船舶の安全かつ円滑な係留、人の安全かつ円滑な乗降及び貨物の安全かつ円滑な荷役が行えるよう、国土交通大臣が定める要件を満たしていること。
二　自重、土圧、レベル一地震動、船舶の接岸及び牽（けん）引、載荷重等の作用による損傷等が、当該岸壁の機能を損なわず継続して使用することに影響を及ぼさないこと。
2　前項に規定するもののほか、次の各号に掲げる岸壁の要求性能にあっては、それぞれ当該各号に定めるものとする。
一　環境の保全を図る岸壁の要求性能　当該岸壁の本来の機能を損なわず港湾の環境を保全できるよう、国土交通大臣が定める要件を満たしていること。
二　耐震強化施設である岸壁の要求性能　レベル二地震動等の作用による損傷等が、軽微な修復によるレベル二地震動の作用後に当該岸壁に必要とされる機能の回復に影響を及ぼさないこと。ただし、当該岸壁が置かれる自然状況、社会状況等により、更に耐震性を向上させる必要がある岸壁の要求性能にあっては、レベル二地震動の作用後に当該岸壁に必要とされる機能を損なわず継続して使用することに影響を及ぼさないこと。
二項…一部改正〔平成一九年一二月国土交通省令七二号〕

（**係船浮標の要求性能**）
第二七条　係船浮標の要求性能は、次の各号に定めるものとする。
一　船舶の安全な係留が行えるよう、国土交通大臣が定める要件を満たしていること。
二　変動波浪、水の流れ及び船舶の牽引等の作用による損傷等が、当該係船浮標の機能を損なわず継続して使用することに影響を及ぼさないこと。
2　前項に規定するもののほか、当該係船浮標の被災に伴い、人命、財産又は社会経済活動に重大な影響を及ぼすおそれのある係船浮標の要求性能にあっては、設計津波、偶発波浪等の作用による損傷等が、当該係船浮標の機能が損なわれた場合であっても、当該係船浮標の構造の安定に重大な影響を及ぼさないこととする。
二項…一部改正〔平成二五年九月国土交通省令七八号〕

（**係船くいの要求性能**）
第二八条　係船くいの要求性能は、次の各号に定めるものとする。
一　船舶の安全な係留が行えるよう、国土交通大臣が定める要件を満たしていること。
二　船舶の接岸及び牽引等の作用による損傷等が、当該係船くいの機能を損なわず継続して使用することに影響を及ぼさないこと。

（**桟橋の要求性能**）
第二九条　桟橋の要求性能は、構造形式に応じて、次の各号に定めるものとする。
一　船舶の安全かつ円滑な係留、人の安全かつ円滑な乗降及び貨物の安全かつ円滑な荷役が行えるよう、国土交通大臣が定める要件を満たしていること。
二　自重、土圧、変動波浪、レベル一地震動、船舶の接岸及び牽引、載荷重等の作用による損傷等が、当該桟橋の機能を損なわず継続して使用することに影響を及ぼさないこと。
2　前項に規定するもののほか、次の各号に掲げる桟橋の要求性能にあっては、それぞれ当該各号に定めるものとする。
一　環境の保全を図る桟橋の要求性能　当該桟橋の本来の機能を損なわず港湾の環境を保全できるよう、国土交通大臣が定める要件を満たしていること。
二　耐震強化施設である桟橋の要求性能　レベル二地震動等の作用による損傷等が、軽微な修復によるレベル二地震動の作用後に当該桟橋に必要とされる機能の回復に影響を及ぼさないこと。ただし、当該桟橋が置かれる自然状況、社会状況等により、更に耐震性を必要とする桟橋の要求性能にあっては、レベル二地震動の作用後に当該桟橋に必要とされる機能を損なわず継続して使用することに影響を及ぼさないこと。

二項…一部改正〔平成二九年一二月国土交通省令七二号〕

（浮桟橋の要求性能）

第三〇条　浮桟橋の要求性能は、構造形式に応じて、次の各号に定めるものとする。

一　船舶の安全かつ円滑な係留、人の安全かつ円滑な乗降及び貨物の安全かつ円滑な荷役が行えるよう、国土交通大臣が定める要件を満たしていること。

二　自重、変動波浪、レベル一地震動、船舶の接岸及び牽引、載荷重等の作用による損傷等が、当該浮桟橋の機能を損なわず継続して使用することに影響を及ぼさないこと。

2　前項に規定するもののほか、当該浮桟橋の被災に伴い、人命、財産又は社会経済活動に重大な影響を及ぼすおそれのある浮桟橋の要求性能にあっては、設計津波、偶発波浪等の作用による損傷等が、当該浮桟橋の機能が損なわれた場合であっても、当該浮桟橋の構造の安定に重大な影響を及ぼさないこととする。

二項…一部改正〔平成二五年九月国土交通省令七八号〕

（物揚場の要求性能）

第三一条　第二十六条又は第二十九条の規定は、物揚場の要求性能について準用する。

（船揚場の要求性能）

第三二条　船揚場の要求性能は、構造形式に応じて、次の各号に定めるものとする。

一　船舶の安全かつ円滑な揚げおろしが行えるよう、国土交通大臣が定める要件を満たしていること。

二　自重、土圧、水圧、変動波浪、船舶の接岸及び牽引、レベル一地震動、載荷重等の作用による損傷等が、当該船揚場の機能を損なわず継続して使用することに影響を及ぼさないこと。

（係留施設の附帯設備の要求性能）

第三三条　係留施設の附帯設備の要求性能は、種類に応じて、次の各号に定めるものとする。

一　係留施設の安全かつ円滑な利用に資するよう、国土交通大臣が定める要件を満たしていること。

二　自重、土圧、レベル一地震動、船舶の接岸及び牽引、載荷重、車両の衝突等の作用による損傷等が、当該設備の機能を損なわず継続して使用することに影響を及ぼさないこと。

2　前項に規定するもののほか、耐震強化施設である係留施設の附帯設備の要求性能にあっては、レベル二地震動等の作用による損傷等が、軽微な修復によるレベル二地震動の作用後に当該設備に必要とされる機能の回復に影響を及ぼさないこととする。ただし、当該設備が置かれる自然状況、社会状況等により、更に耐震性を向上させる必要がある施設の附帯設備の要求性能にあっては、レベル二地震動の作用後に当該設備に必要とされる機能を損なわず継続して使用することに影響を及ぼさないこととする。

（係留施設に関し必要な事項）

第三四条　この章に規定する国土交通大臣が定める要件その他の係留施設の要求性能に関し必要な事項は、告示で定める。

第五章　臨港交通施設

（通則）

第三五条　臨港交通施設の要求性能は、種類に応じて、車両、船舶等の安全かつ円滑な利用を図るものとして、地象、気象、海象その他の自然状況並びに港湾及びその背後地の交通の状況に照らし、国土交通大臣が定める要件を満たしていることとする。

2　臨港交通施設の要求性能は、自重、土圧、水圧、波浪、水の流れ、地震動、載荷重、風、火災による火熱、船舶の衝突等に対して安定性を有することとする。

（道路の要求性能）

第三六条　道路の要求性能は、次の各号に定めるものとする。

一　港湾における交通の特性を考慮した上で港湾内及び港湾とその背後地との間における車両等の安全かつ円滑な交通を確保できるよう、国土交通大臣が定める要件を満たしていること。

二　載荷重等の作用による損傷等が、当該道路の機能を損なわず継続して使用することに影響を及ぼさないこと。

2　前項に規定するもののほか、トンネルの構造を有する道路の要求性能にあっては、次の各号に定めるものとする。

一　自重、土圧、水圧、レベル一地震動等の作用による損傷等が、当該道路の機能を損なわず継続して使用することに影響を及ぼさないこと。

二　レベル二地震動、火災による火熱等の作用による損傷等が、軽微な修復による当該道路の機能の回復に影響を及ぼさないこと。

（駐車場の要求性能）

第三七条　駐車場の要求性能は、次の各号に定めるものとする。

一　港湾の利用及び港湾内における車両等の安全かつ円滑な交通に支障がなく、かつ、車両を安全に駐車できるよう、国土交通大臣が定める要件を満たしていること。

二　載荷重等の作用による損傷等が、当該駐車場の機能を損なわず継続して使用することに影響を及ぼさないこと。

（橋梁の要求性能）

第三八条　橋梁の要求性能は、次の各号に定めるものとする。

一　港湾における交通の特性を考慮した上で港湾内及び港湾とその背後地との間における車両等の安全かつ円滑な交通を確保できるよう、国土交通大臣が定める要件を満たしていること。

二　自重、変動波浪、レベル一地震動、載荷重、風、船舶の衝突等の作用による損傷等が、当該橋梁の機能を損なわず継続して使用することに影響を及ぼさないこと。

三　レベル二地震動等の作用による損傷等が、当該橋梁の機能が損なわれた場合であっても、当該橋梁の構造の安定に重大な影響を及ぼさないこと。ただし、当該橋梁が置かれる自然状況、社会状況等により、更に耐震性を向上させる必要がある橋梁の要求性能にあっては、当該作用による損傷等が、軽微な修復による当該橋梁の機能の回復に影響を及ぼさないこと。

2　前項第一号及び第二号に規定するもののほか、耐震強化施設に接続する道路に係る橋梁の要求性能にあっては、レベル二地震動の作用による損傷等が、軽微な修復によるレベル二地震動の作用後に当該橋梁に必要とされる機能の回復に影響を及ぼさないこととする。ただし、当該橋梁が置かれる自然状況、社会状況等により、更に耐震性を向上させる必要がある橋梁の要求性能にあっては、レベル二地震動の作用後に当該橋梁に必要とされる機能を損なわず継続して使用することに影響を及ぼさないこととする。

（運河の要求性能）

第三九条　運河の要求性能は、航行する船舶その他港湾における交通の特性を考慮した上で港湾内における船舶の安全かつ円滑な航行を確保できるよう、国土交通大臣が定める要件を満たしていることとする。

（臨港交通施設に関し必要な事項）

第四〇条　この章に規定する国土交通大臣が定める要件その他の臨港交通施設の要求性能に関し必要な事項は、告示で定める。

第六章　荷さばき施設

（通則）

第四一条　荷さばき施設の要求性能は、地象、気象、海象その他の自然状況及び貨物の取扱状況に照らし、国土交通大臣が定める要件を満たしていることとする。

2　荷さばき施設の要求性能は、自重、波浪、地震動、載荷重、風等に対して安定性を有することとする。

（荷役機械の要求性能）

第四二条　固定式荷役機械及び軌道走行式荷役機械（以下この条において「荷役機械」という。）の要求性能は、安全かつ円滑な貨物の荷役を図るものとして、貨物の安全かつ円滑な荷役が行えるものであるとともに、当該荷役機械が、船舶の係留及び離着岸の支障とならないよう、国土交通大臣が定める要件を満たしていることとする。

2　前項に規定するもののほか、次の各号に掲げる荷役機械の要求性能にあっては、それぞれ当該各号に定めるものとする。

一　船舶との荷役の用に供する荷役機械（石油荷役機械、液化石油ガス荷役機械及び液化天然ガス荷役機械（次号において「石油荷役機械等」という。）を除く。）の要求性能　自重、レベル一地震動、載荷重及び風等の作用による損傷等が、当該荷役機械の機能を損なわず継続して使用することに影響を及ぼさないこと。

二　石油荷役機械等の要求性能　自重、レベル一地震動、風、石油、液化石油ガス及び液化天然ガスの重量及び圧力等の作用による損傷等が、当該石油荷役機械等の機能を損なわず継続して使用することに影響を及ぼさないこと。

三　耐震強化施設に設置される荷役機械の要求性能　レベル二地震動等の作用による損傷等が、軽微な修復による当該荷役機械の機能の回復に影響を及ぼさないこと。

二項…一部改正〔平成二一年九月国土交通省令四六号〕、一・二項…一部改正〔平成二九年一二月国土交通省令七二号〕

（荷さばき地の要求性能）

第四三条　荷さばき地の要求性能は、貨物の安全かつ円滑な荷さばきを図るものとして、次の各号に定めるものとする。

一　貨物の安全かつ円滑な荷さばきが行えるよう、国土交通大臣が定める要件を満たしていること。

二　載荷重等の作用による損傷等が、当該荷さばき地の機能を損なわず継続して使用することに影響を及ぼさないこと。

2　前項に規定するもののほか、災害時に耐震強化施設と一体となって機能を発揮する必要がある荷さばき地の要求性能にあっては、レベル二地震動等の作用による損傷等が、軽微な修復によるレベル二地震動の作用後に当該荷さばき地に必要とされる機能の回復に影響を及ぼさないこととする。ただし、当該荷さばき地が置かれる自然状況、社会状況等により、更に耐震性を向上させる必要がある荷さばき地の要求性能にあっては、レベル二地震動の作用後に当該荷さばき地に必要とされる機能を損なわず継続して使用することに影響を及ぼさないこととする。

（荷さばき施設に関し必要な事項）

第四四条　この章に規定する国土交通大臣が定める要件その他の荷さばき施設の要求性能に関し必要な事項は、告示で定める。

第七章　保管施設

（保管施設の要求性能）

第四五条　保管施設の要求性能は、貨物の安全かつ適切な保管を図るものとして、地象、気象、海象その他の自然状況及び貨物の取扱状況に照らし、国土交通大臣が定める要件を満たしていることとする。

（保管施設に関し必要な事項）

第四六条　この章に規定する国土交通大臣が定める要件その他の保管施設の要求性能に関し必要な事項は、告示で定める。

第八章　船舶役務用施設

（船舶役務用施設の要求性能）

第四七条　船舶役務用施設の要求性能は、船舶への安全かつ円滑な役務の提供を図るものとして、地象、気象、海象その他の自然状況及び船舶の入港の状況に照らし、国土交通大臣が定める要件を満たしていることとする。

2　船舶のための給水施設の要求性能は、船舶への給水が衛生的に行えるよう、国土交通大臣が定める要件を満たしていることとする。

3　船舶保管施設の要求性能は、次の各号に定めるものとする。

一　船舶を安全に搬入し、又は搬出することができるよう、国土交通大臣が定める要件を満たしていること。

二　船舶を適切に固定できるよう、国土交通大臣が定める要件を満たしていること。

（船舶役務用施設に関し必要な事項）

第四八条　この章に規定する国土交通大臣が定める要件その他の船舶役務用施設の要求性能に関し必要な事項は、告示で定める。

第九章　移動式施設

本章…追加〔平成二九年一二月国土交通省令七二号〕

（通則）

第四九条　移動式施設の要求性能は、地象、気象、海象その他の自然状況、貨物の取扱状況及び旅客の利用状況に照らし、国土交通大臣が定める要件を満たしていることとする。

本条…追加〔平成二九年一二月国土交通省令七二号〕

（移動式荷役機械の要求性能）

第五〇条　移動式荷役機械の要求性能は、貨物の安全かつ円滑な荷役を図るものとして、構造形式に応じて、次の各号に定めるものとする。

一　貨物の安全かつ円滑な荷役が行えるよう、国土交通大臣が定める要件を満たしていること。

二　自重、レベル一地震動、載荷重、風等の作用による損傷等が、当該移動式荷役機械の機能を損なわず継続して使用することに影響を及ぼさないこと。

本条…追加〔平成二九年一二月国土交通省令七二号〕

（移動式旅客乗降用施設の要求性能）

第五一条　移動式旅客乗降用施設の要求性能は、旅客の安全かつ円滑な乗降を図るものとして、構造形式に応じて、次の各号に定めるものとする。

一　旅客の安全かつ円滑な乗降が行えるよう、国土交通大臣が定める要件を満たしていること。

二　自重、レベル一地震動、載荷重、風等の作用による損傷等が、当該移動式旅客乗降用施設の機能を損なわず継続して使用することに影響を及ぼさないこと。

本条…追加〔平成二九年一二月国土交通省令七二号〕

（移動式施設に関し必要な事項）

第五二条　この章に規定する国土交通大臣が定める要件その他の移動式施設の要求性能に関し必要な事項は、告示で定める。

本条…追加〔平成二九年一二月国土交通省令七二号〕

第十章　その他の港湾の施設

旧九章…繰下〔平成二九年一二月国土交通省令七二号〕

（旅客乗降用固定施設の要求性能）

第五三条　第五十一条の規定は、旅客乗降用固定施設の要求性能について準用する。

見出し…改正・旧四九条…全部改正し繰下〔平成二九年一二月国土交通省令七二号〕

（廃棄物埋立護岸の要求性能）

第五四条　廃棄物埋立護岸の要求性能は、廃棄物の適切な処分及び埋立地の防護を図るものとして、国土交通大臣が定める要件を満たしていることとする。

2　第十六条の規定は、廃棄物埋立護岸の要求性能について準用する。

旧五〇条…繰下〔平成二九年一二月国土交通省令七二号〕

（海浜の要求性能）

第五五条　海浜の要求性能は、港湾の環境の整備を図るものとして、次の各号に定めるものとする。

一　港湾の良好な環境の整備に資するよう、国土交通大臣が定める要件を満たしていること。

二　変動波浪、水の流れ等の作用に対して長期的に安定した状態を保つことができること。

2　前項に規定するもののほか、不特定かつ多数の者の利用に供する海浜の要求性能にあっては、当該海浜の利用者の安全を確保できるよう、国土交通大臣が定める要件を満たしていることとする。

旧五一条…繰下〔平成二九年一二月国土交通省令七二号〕

（緑地及び広場の要求性能）

第五六条　緑地及び広場の要求性能は、港湾の環境の整備並びに港湾及びその周辺地域の復旧及び復興を図るものとして、次の各号に定めるものとする。

一　港湾の良好な環境の整備に資するとともに、当該緑地及び広場の利用者の安全を確保できるよう、国土交通大臣が定める要件を満たしていること。

二　レベル二地震動の作用後に港湾及びその周辺地域の復旧及び復興に資する拠点として利用できるよう、国土交通大臣が定める要件を満たしていること。

三　レベル二地震動等の作用による損傷等が、軽微な修復によるレベル二地震動の作用後に当該緑地及び広場に必要とされる機能の回復に影響を及ぼさないこと。

旧五二条…繰下〔平成二九年一二月国土交通省令七二号〕

（その他の港湾の施設に関し必要な事項）

第五七条　この章に規定する国土交通大臣が定める要件その他の旅客乗降用固定施設、移動式旅客乗降用施設、廃棄物埋立護岸、海浜並びに緑地及び広場の要求性能に関し必要な事項は、告示で定める。

旧五三条…繰下〔平成二九年一二月国土交通省令七二号〕

附　則

（施行期日）

1　この省令は、平成十九年四月一日から施行する。

（経過措置）

2　この省令の施行の際現に設置されている技術基準対象施設（建設中のものを含む。）がこの省令の規定（第四条を除く。）に適合しない場合においては、この省令の施行後当該施設の改良の工事に着手する場合を除き、当該施設については、当該規定は、適用しない。この場合において、当該規定に相当する改正前の規定があるときは、なお従前の例による。

附　則〔平成二二年九月六日国土交通省令第四六号〕

（施行期日）

1　この省令は、平成二十二年九月六日から施行する。

（経過措置）

2　この省令の施行の際現に設置されている船舶との荷役の用に供する固定式荷役機械及び軌道走行式荷役機械（建設中のものを含み、石油荷役機械を除く。）がこの省令の規定に適合しない場合においては、この省令の施行後当該施設の改良の工事に着手する場合を除き、当該施設については、当該規定は、適用しない。

附　則〔平成二五年九月一八日国土交通省令第七八号抄〕

（施行期日）

1　この省令は、公布の日から施行する。

（経過措置）

2　この省令の施行の際現に設置されている技術基準対象施設（建設中のものを含む。）がこの省令による改正後の港湾の施設の技術上の基準を定める省令の規定に適合しない場合においては、この省令の施行後当該施設の改良の工事に着手する場合を除き、当該施設については、当該規定は、適用しない。

附　則〔平成二九年一二月二六日国土交通省令第七二号〕

（施行期日）

1　この省令は、平成三十年四月一日から施行する。

（経過措置）

2　この省令の施行の際現に設置されている技術基準対象施設（建設中のものを含む。）が第一条の規定による改正後の港湾の施設の技術上の基準を定める省令の規定に適合しない場合においては、この省令の施行後当該施設の改良の工事に着手する場合を除き、当該施設については、当該規定は、適用しない。

○港湾の施設の技術上の基準の細目を定める告示

（平成十九年三月二十八日国土交通省告示第三百九十五号）

〔沿革〕平成二二年九月六日国土交通省告示第一〇一五号、二五年九月一八日第八六一号、二九年一二月二六日第一一九五号、三〇年三月一六日第四四八号、令和二年六月一日第六三二号、六年四月一日第三四四号改正

第一章　総則

第一節　定義

（用語の定義）

第一条　この告示において使用する用語は、港湾の施設の技術上の基準を定める省令（平成十九年国土交通省令第十五号。以下「省令」という。）において使用する用語の例によるほか、次の各号に掲げる用語の定義は、それぞれ当該各号に定めるところによる。

一　永続作用　自重、土圧、環境作用（腐食現象等の施設を構成する材料の劣化を引き起こし、施設の性能を損なうおそれのある力学的、物理的、化学的又は生物学的な作用をいう。以下同じ。）等、設計供用期間中に常に生じるものと想定される作用をいう。

二　変動作用　風、波浪、水圧、水の流れ、船舶の接岸及び牽引による作用、レベル一地震動、載荷重等、設計供用期間中に生じる可能性が高いと想定される作用をいう。

三　偶発作用　津波、レベル二地震動、偶発波浪、船舶の衝突、火災等、設計供用期間中に生じる可能性が低く、かつ、当該施設に大きな影響を及ぼすと想定される作用をいう。

四　性能規定　性能照査を行えるよう、要求性能を具体的に

記述した規定をいう。

五　性能照査　技術基準対象施設が性能規定を満足していることを確認する行為をいう。

六　永続状態　性能規定及び性能照査で考慮する一の作用又は二以上の作用の組合せの状態のうち、主たる作用が永続作用であるものをいう。

七　変動状態　性能規定及び性能照査で考慮する一の作用又は二以上の作用の組合せの状態のうち、主たる作用が変動作用であるものをいう。

八　偶発状態　性能規定及び性能照査で考慮する一の作用又は二以上の作用の組合せの状態のうち、主たる作用が偶発作用であるものをいう。

九　震源特性　震源断層の破壊過程が地震動に与える影響をいう。

十　伝播経路特性　震源から当該地点の地震基盤に至る伝播経路が地震動に与える影響をいう。

十一　サイト特性　地震基盤上の堆積層等が地震動に与える影響をいう。

十二　危険物　港則法施行規則の危険物の種類を定める告示（昭和五十四年運輸省告示第五百四十七号）で定める危険物をいう。

十三　港湾管理用基準面　技術基準対象施設を建設し、改良し、又は維持する場合において基準となる水面であって、最低水面（水路業務法施行令（平成十三年政令第四百三十三号）第一条の規定に基づき定められた最低水面をいう。）をいう。ただし、潮汐の影響が大きくない湖沼又は河川に係る技術基準対象施設の港湾管理用基準面にあっては、港湾の利用の安全を確保するため渇水期等における水位の極めて低い状態を勘案して定めるものとする。

（性能規定の基本）

第二条　この告示で定める技術基準対象施設の性能規定は、当該施設の要求性能を照査するための要件とすることができる。この告示で定める性能規定以外の性能規定であって、技術基準対象施設の要求性能を満足することが確かめられるものも、同様とする。

（性能照査の基本）

第三条　技術基準対象施設の性能照査は、作用、供用に必要な要件及び当該施設の保有する性能の不確定性を考慮できる方法又はその他の方法であって信頼性の高い方法によって行わなければならない。

2　技術基準対象施設の性能照査に当たっては、設計供用期間中に当該施設が置かれる状況を考慮して、次の事項を行うことを基本とするものとする。

一　当該施設が置かれる自然状況等を考慮して、作用を適切に設定すること。

二　主たる作用と従たる作用が同時に生じる可能性を考慮して、作用の組合せを適切に設定すること。

三　材料の特性、環境作用の影響等を考慮して、材料を選定するとともに、その物性値を適切に設定すること。

（設計における施工及び維持への配慮）

第四条　技術基準対象施設の設計に当たっては、施工及び維持を適切に行えるよう、必要な措置を講ずるものとする。

第二節　自然状況等の設定

（自然状況等の設定）

第五条　当該施設が置かれる諸条件の設定に関し省令第六条の告示で定める事項は、次条から第二十条までに定めるとおりとする。

第一款　風に関する事項

（風）

第六条　風については、性能規定及び性能照査で考慮する一の作用又は二以上の作用の組合せの状態に応じて、次の各号に定める方法により設定するものとする。

一　波浪及び高潮の推算に用いる洋上における風については、気象の長期間の実測値又は推算値をもとに、気象の状況及び将来の見通しを勘案して、風速、風向等を適切に設定するものとする。

二　風圧力の算定に用いる風については、風の長期間の実測値又は推算値をもとに、統計的解析等により再現期間に対応した風速及び風向を適切に設定するものとする。

三　風のエネルギーの算定に用いる風については、風の長期間の実測値又は推算値をもとに、一定期間における風速及び風向の相関頻度分布を適切に設定するものとする。

本条…一部改正〔令和六年四月国土交通省告示三四四号〕

第二款　潮位に関する事項

（潮位）

第七条　潮位は、実測値又は推算値をもとに、天文潮及び気象潮、波浪による水位上昇並びに津波等による異常潮位を考慮し、気象の状況及び将来の見通しを勘案して、統計的解析等により、港湾管理用基準面からの水位を適切に設定するものとする。

本条…一部改正〔令和六年四月国土交通省告示三四四号〕

第三款　波に関する事項

（波浪）

第八条　波浪については、性能規定及び性能照査で考慮する一の作用又は二以上の作用の組合せの状態に応じて、次の各号に定める方法により設定するものとする。

一　施設の安定性、構造部材の断面の破壊（疲労によるものを除く。）等の照査に用いる波浪については、長期間の実測値又は推算値をもとに、気象の状況及び将来の見通しを勘案して、統計的解析等により再現期間に対応した波浪の波高、周期及び波向を適切に設定するものとする。

二　構造部材に関する施設の機能の確保及び疲労による断面の破壊の照査に用いる波浪については、長期間の実測値又は推算値をもとに、統計的解析により設計供用期間中に高頻度で発生する波浪の波高、周期、波向等を適切に設定するものとする。

三　静穏度の照査に用いる波浪については、長期間の実測値又は推算値をもとに、一定期間の波浪の波高、周期及び波向の相関頻度分布を適切に設定するものとする。

本条…一部改正〔令和六年四月国土交通省告示三四四号〕

（設計津波）

第九条　設計津波については、既往の設計津波記録又は数値解析をもとに、設計津波高さ等を適切に設定するものとする。

見出し・本条…一部改正〔平成二五年九月国土交通省告示八六一号〕

第四款　水の流れに関する事項

（海水等の流動）

第一〇条　海水等の流動については、実測値又は推算値をもとに、流速及び流向を適切に設定するものとする。

（河口水理）

第一一条　河口水理の影響については、実測値又は推算値をもとに、河川流を考慮して、適切な手法により評価するものとする。

（漂砂）

第一二条　漂砂の影響については、実測値又は推算値をもとに、適切な手法により評価するものとする。

第五款　地盤に関する事項

（地盤条件）

第一三条　地盤条件については、地盤調査及び土質試験の結果をもとに、土の物理的性質、力学的特性等を適切に設定するものとする。

（土圧及び水圧）

第一四条　土圧については、地盤条件をもとに、当該施設の構造、載荷重、地震動による作用等を考慮して、適切に設定するものとする。

2　残留水圧については、当該施設の構造、周囲の地盤条件、潮位等を考慮して、適切に設定するものとする。

3　動水圧については、当該施設の構造、地震動による作用等を考慮して、適切に設定するものとする。

（地盤の沈下）

第一五条　地盤の沈下の影響については、地盤条件をもとに、当該施設の構造、載荷重及び当該施設の周辺の状況を考慮して、適切な手法により評価するものとする。

第六款　地震に関する事項

（地震動）

第一六条　レベル一地震動については、地震動の実測値をもとに、震源特性、伝播経路特性及びサイト特性を考慮して、確率論的時刻歴波形を適切に設定するものとする。

2　レベル二地震動については、地震動の実測値、想定される地震の震源パラメータ等をもとに、震源特性、伝播経路特性及びサイト特性を考慮して、時刻歴波形を適切に設定するものとする。

（地盤の液状化）

第一七条　地盤の液状化については、地盤条件をもとに、地震動による作用を考慮して、適切な手法により評価するものとする。

第七款　船舶に関する事項

（対象船舶の諸元等）

第一八条　対象船舶（技術基準対象施設の性能照査において、条件として用いる船舶をいう。以下同じ。）の諸元については、次の各号に定める方法により設定するものとする。

一　対象船舶を特定できる場合にあっては、当該船舶の諸元とするものとする。

二　対象船舶を特定できない場合にあっては、船舶の諸元に関する統計的解析により適切に設定するものとする。

2　船舶の接岸、動揺及び牽引については、当該施設の性能規定及び性能照査で考慮する一の作用又は二以上の作用の組合せの状態に応じて、次の各号に定める方法により設定するものとする。

一　船舶の接岸による作用については、対象船舶の諸元、当該施設の構造、接岸方法、接岸速度等を考慮して、適切な手法により設定するものとする。

二　船舶の動揺による作用については、対象船舶の諸元、当該施設の構造、係留の方法、係留装置の特性、対象船舶に作用する風、波浪、水の流れ等を考慮して、適切な手法により設定するものとする。

三　船舶の牽引による作用については、対象船舶の諸元、係留の方法、対象船舶に作用する風、波浪、水の流れ等を考慮して、適切な手法により設定するものとする。

第八款　その他の事項

（環境作用）

第一九条　環境作用の影響については、当該施設の設計供用期間、材料特性、自然状況、維持管理の方法その他の当該施設が置かれる諸条件を考慮して、適切な手法により評価するものとする。

（自重及び載荷重）

第二〇条　自重については、材料の単位体積重量をもとに、適切に設定するものとする。

2　載荷重については、想定される当該施設の利用状況等を考慮して、適切に設定するものとする。

第三節　技術基準対象施設を構成する部材

（技術基準対象施設を構成する部材）

第二一条　技術基準対象施設を構成する部材の要求性能に関し省令第七条第四項の告示で定める事項は、次条から第二十八条までに定めるとおりとする。

第二二条　技術基準対象施設を構成する部材に共通する性能規定は、次の各号に定めるものとする。

一　当該施設の被災に伴い人命、財産又は社会経済活動に重大な影響を及ぼすおそれのある施設を構成する部材にあっては、主たる作用が設計津波、偶発波浪又はレベル二地震動である偶発状態に対して、要求性能に応じて、作用による損傷の程度が限界値以下であること。

二　設計津波から背後地を防護する必要がある施設を構成する部材にあっては、主たる作用が設計津波又はレベル二地震動である偶発状態に対して、作用による損傷の程度が限界値以下であること。

2　前項に規定するもののほか、耐震強化施設を構成する部材の性能規定にあっては、主たる作用がレベル二地震動である偶発状態に対して、要求性能に応じて、作用による損傷の程度が限界値以下であることとする。

3　洗掘及び吸出しによる部材の健全性への影響が施設の安定性を損なうおそれがある場合にあっては、適切な措置を講ずるものとする。

一項…一部改正〔平成二五年九月国土交通省告示八六一号〕

（ケーソンの性能規定）

第二三条　鉄筋コンクリート製のケーソン（以下この条において「ケーソン」という。）の性能規定は、施設の種類に応じて、次の各号に定めるものとする。

一　ケーソンの底版及びフーチングについては、主たる作用が自重である永続状態並びに主たる作用が変動波浪、浮遊時の水圧及びレベル一地震動である変動状態に対して、ケーソンの底版及びフーチングの健全性を損なう危険性が限界値以下であること。

二　ケーソンの側壁については、主たる作用が内部土圧である永続状態並びに主たる作用が変動波浪、浮遊時の水圧及びレベル一地震動である変動状態に対して、ケーソンの側壁の健全性を損なう危険性が限界値以下であること。

三　ケーソンの隔壁については、主たる作用が据付時の水圧である変動状態に対して、ケーソンの隔壁の健全性を損なう危険性が限界値以下であること。

四　浮遊させる必要があるケーソンにあっては、主たる作用が水圧である変動状態に対して、浮遊時に浮体の転覆の生じる危険性が限界値以下であること。

（L型ブロックの性能規定）

第二四条　鉄筋コンクリート製のL型ブロック（以下この条において「L型ブロック」という。）の性能規定は、施設の種類に応じて、主たる作用が自重及び土圧である永続状態並びに主たる作用がレベル一地震動及び変動波浪である変動状態に対して、L型ブロックの前壁、底版、扶壁及びフーチングの健全性を損なう危険性が限界値以下であることとする。

（セルラーブロックの性能規定）

第二五条　第二十三条の規定は、鉄筋コンクリート製のセルラーブロックの性能規定について準用する。

（直立消波ケーソンの性能規定）

第二六条　第二十三条の規定は、鉄筋コンクリート製の直立消波ケーソン（以下この条において「直立消波ケーソン」という。）の性能規定について準用する。

2　前項に規定するもののほか、直立消波ケーソンの消波部の性能規定は、施設の種類に応じて、次の各号に定めるものとする。

一　主たる作用が変動波浪である変動状態に対して、直立消波ケーソンの消波部の部材の健全性を損なう危険性が限界値以下であること。

二　主たる作用が漂流物の衝突である偶発状態に対して、作用による損傷の程度が限界値以下であること。

（ハイブリッドケーソンの性能規定）

第二七条　第二十三条の規定は、ハイブリッドケーソン（鋼板とコンクリートの合成構造であるケーソンをいう。）の性能規定について準用する。

（被覆石及びブロックの性能規定）

第二八条　波浪及び水の流れの作用を受ける構造物を被覆する捨石及びコンクリートブロック並びにマウンドの被覆石及び被覆ブロックの性能規定は、主たる作用が変動波浪及び水の流れである変動状態に対して、許容される被害の程度を超える危険性が限界値以下であることとする。

第二章　水域施設

（水域施設）

第二九条　水域施設の要求性能に関し省令第十二条の告示で定める事項は、次条から第三十二条までに定めるとおりとする。

（航路の性能規定）

第三〇条　航路の性能規定は、次の各号に定めるものとする。

一　航路の幅員は、対象船舶の長さ及び幅、船舶航行量、地象、波浪、水の流れ及び風の状況並びに周辺の水域の利用状況に照らし、船舶が行き会う可能性のある航路にあっては対象船舶の長さ以上の、船舶が行き会う可能性のない航路にあっては対象船舶の長さの二分の一以上の適切な幅を有すること。ただし、航行の形態が特殊な場合にあっては、船舶の安全な航行に支障を及ぼさない幅までその幅員を縮小することができる。

二　航路の水深は、波浪、水の流れ、風等による対象船舶の動揺の程度及びトリムを考慮して、対象船舶の喫水以上の適切な深さを有すること。

三　航路の方向は、地象、波浪、水の流れ及び風の状況並びに周辺の水域の利用状況に照らし、船舶の安全な航行に支障を及ぼさないものとすること。

四　船舶の航行が著しく混雑する航路にあっては、往復の方向別又は船舶の大小別に分離されていること。

（泊地の性能規定）

第三一条　泊地の性能規定は、次の各号に定めるものとする。

一　泊地の規模は、次の基準を満たすこと。ただし、対象船舶の総トン数が五百トン未満の泊地にあっては、この限りでない。

イ　船舶の停泊又は係留の用に供される泊地であって、岸壁、係船くい、桟橋及び浮桟橋の前面の泊地以外のものにあっては、対象船舶の長さに地象、波浪、水の流れ及び風の状況並びに周辺の水域の利用状況に照らし、適切な値を加えて得た値を半径とする円を上回る広さであること。ただし、停泊又は係留の形態によりその広さを必要としない場合にあっては、船舶の安全な停泊又は係留に支障を及ぼさない広さまでその規模を縮小することができる。

ロ　船舶の停泊又は係留の用に供される泊地であって、岸壁、係船くい、桟橋及び浮桟橋の前面のものにあっては、地象、波浪、水の流れ及び風の状況、周辺の水域の利用状況並びに停泊又は係留の形態に照らし、その長さ及び幅がそれぞれ対象船舶の長さ以上及び対象船舶の幅以上の適切な広さであること。

ハ　船首の回転の用に供される泊地にあっては、対象船舶の長さに一・五を乗じて得た値を半径とする円を上回る広さであること。ただし、船首の回転の形態によりその広さを必要としない場合にあっては、船首の安全な回転に支障を及ぼさない広さまでその規模を縮小することができる。

二　泊地の水深は、波浪、水の流れ、風等による対象船舶の動揺の程度に照らし、対象船舶の喫水以上の適切な深さを有すること。

三　船舶の停泊又は係留の用に供される泊地であって、岸壁、係船くい、桟橋及び浮桟橋の前面のものにあっては、原則として、年間を通じて、九十七・五パーセント以上の荷役を可能とする静穏度が確保されていること。ただし、係留施設又は係留施設の前面の水域の利用の形態が特殊な場合にあっては、この限りでない。

四　荒天時の避泊の用に供される泊地にあっては、荒天時の波浪の状況が、対象船舶の避泊に許容されるものであること。

五　専ら、木材の整理に使用される船舶の停泊又は係留の用に供される泊地にあっては、木材の流出を防止するための措置が講じられていること。

（船だまりの性能規定）

第三二条　前条第二号の規定は、船だまりの性能規定について準用する。

2　前項に規定するもののほか、船だまりの性能規定は、船舶の安全かつ円滑な利用に必要な形状、広さ及び静穏度を有することとする。

第三章　外郭施設

（外郭施設）

第三三条　外郭施設の要求性能に関し省令第二十四条の告示で定める事項は、次条から第四十六条までに定めるとおりとする。

（防波堤の性能規定）

第三四条　防波堤に共通する性能規定は、次の各号に定めるものとする。

一　第三十一条第三号に規定する静穏度を満たすよう適切に配置され、かつ、許容される伝達波高以下となる所要の諸元を有すること。

二　消波構造を有する防波堤にあっては、所要の消波機能を発揮できる諸元を有すること。

2　前項に規定するもののほか、次の各号に掲げる防波堤の性能規定にあっては、それぞれ当該各号に定めるものとする。

一　高潮から背後地を防護する必要のある防波堤の性能規定　高潮による港湾内の水位の上昇及び流速を低減させるよう適切に配置され、かつ、所要の諸元を有すること。

二　設計津波から背後地を防護する必要がある防波堤の性能規定　設計津波による港湾内の水位の上昇及び流速を低減させるよう適切に配置され、かつ、所要の諸元を有すること。

三　環境の保全を図る防波堤の性能規定　当該施設の本来の機能を損なわず、当該施設が置かれる自然状況等に応じて、港湾の環境を保全できるよう、所要の諸元を有すること。

四　不特定かつ多数の者の利用に供する防波堤の性能規定　当該施設が置かれる自然状況、利用状況等に応じて、利用者の安全を確保できるよう、所要の諸元を有すること。

五　当該施設の被災に伴い人命、財産又は社会経済活動に重大な影響を及ぼすおそれのある防波堤の性能規定　主たる作用が設計津波、偶発波浪又はレベル二地震動である偶発状態に対して、要求性能に応じて、作用による損傷の程度が限界値以下であること。

二項…一部改正〔平成二五年九月国土交通省告示八六一号・二九年一二月一一九五号〕

（重力式防波堤の性能規定）

第三五条　重力式防波堤の性能規定は、次の各号に定めるものとする。

一　主たる作用が自重である永続状態に対して、地盤のすべり破壊の生じる危険性が限界値以下であること。

二　主たる作用が変動波浪及びレベル一地震動である変動状態に対して、堤体の滑動、転倒及び基礎地盤の支持力不足による破壊の生じる危険性が限界値以下であること。

（杭式防波堤の性能規定）

第三六条　杭式防波堤の性能規定は、主たる作用が変動波浪及びレベル一地震動である変動状態に対して、次の各号に定めるものとする。

一　杭に作用する軸方向力が地盤の破壊に基づく抵抗力を超える危険性が限界値以下であること。

二　杭に生じる応力度が降伏応力度を超える危険性が限界値以下であること。

（浮防波堤の性能規定）

第三七条　浮防波堤の性能規定は、主たる作用が変動波浪である変動状態に対して、次の各号に定めるものとする。

一　浮体の転覆の生じる危険性が限界値以下であること。

二　浮体の部材の健全性を損なう危険性が限界値以下であること。

三　係留索に生じる応力度が降伏応力度を超える危険性が限

界値以下であること。
四　係留アンカー等に働く引張力により安定性を損なう危険性が限界値以下であること。

（防砂堤の性能規定）
第三八条　第三十五条又は第三十六条の規定は、構造形式に応じて、防砂堤の性能規定について準用する。
2　前項に規定するもののほか、防砂堤の性能規定は、当該施設が置かれる自然状況等に応じて、漂砂を制御できるよう、適切に配置され、かつ、所要の諸元を有することとする。

（防潮堤の性能規定）
第三九条　第四十九条から第五十二条までの構造の安定に係る規定（船舶の牽引及び接岸に関する規定を除く。）は、構造形式に応じて、防潮堤の性能規定について準用する。
2　前項に規定するもののほか、防潮堤の性能規定は、次の各号に定めるものとする。
一　当該施設が置かれる自然状況等に応じて、越波を制御できるよう適切に配置され、かつ、所要の諸元を有すること。
二　主たる作用が水圧である変動状態に対して、地盤の浸透破壊により安定性を損なう危険性が限界値以下であること。
三　パラペットを有する構造の場合にあっては、主たる作用が変動波浪及びレベル一地震動である変動状態に対して、パラペットの滑動及び転倒の生じる危険性が限界値以下であること。
3　前二項に規定するもののほか、当該施設の被災に伴い、人命、財産又は社会的経済活動に重大な影響を及ぼすおそれのある防潮堤の性能規定にあっては、次の各号に定めるものとする。
一　設計津波又は偶発波浪から背後地を防護する必要がある防潮堤にあっては、設計津波又は偶発波浪から背後地を防護するための所要の諸元を有すること。
二　主たる作用が設計津波、偶発波浪又はレベル二地震動である偶発状態に対して、要求性能に応じて、作用による損傷の程度が限界値以下であること。
三項…一部改正〔平成二五年九月国土交通省告示八六一号〕

（導流堤の性能規定）
第四〇条　第三十八条の規定は、導流堤の性能規定について準用する。

（水門の性能規定）
第四一条　水門の性能規定は、次の各号に定めるものとする。
一　当該施設が置かれる自然状況等に応じて、背後の土地の保全及び不要な内水の排除が行えるよう適切に配置され、かつ、所要の諸元を有すること。
二　高潮、波浪及び設計津波を考慮した所要の諸元を有すること。
三　主たる作用が自重である永続状態に対して、部材の健全性及び構造の安定性を損なう危険性が限界値以下であること。
四　主たる作用が水圧である変動状態に対して、次の基準を満たすこと。
イ　部材の健全性を損なう危険性が限界値以下であること。
ロ　地盤の浸透破壊により安定性を損なう危険性が限界値以下であること。
五　主たる作用が変動波浪及びレベル一地震動である変動状態に対して、次の基準を満たすこと。
イ　部材の健全性を損なう危険性が限界値以下であること。
ロ　水門システムの安定性を損なう危険性が限界値以下であること。
2　前項に規定するもののほか、当該施設の被災に伴い人命、財産又は社会的経済活動に重大な影響を及ぼすおそれのある水門の性能規定にあっては、次の各号に定めるものとする。
一　設計津波又は偶発波浪から背後地を防護する必要がある水門にあっては、越流を制御するための所要の諸元を有すること。
二　主たる作用が設計津波、偶発波浪又はレベル二地震動である偶発状態に対して、要求性能に応じて、作用による損傷の程度が限界値以下であること。
一・二項…一部改正〔平成二五年九月国土交通省告示八六一号〕

（閘門の性能規定）
第四二条　前条の規定は、閘門の性能規定について準用する。
2　前項に規定するもののほか、閘門の性能規定は、当該施設が置かれる自然状況、利用状況等に応じて、船舶が安全かつ円滑に航行できるよう適切に配置され、かつ、所要の諸元を有することとする。

（護岸の性能規定）
第四三条　第三十九条の規定は、護岸の性能規定について準用する。
2　前項に規定するもののほか、次の各号に掲げる護岸の性能規定にあっては、それぞれ当該各号に定めるものとする。
一　環境の保全を図る護岸の性能規定　当該施設の本来の機能を損なわず、当該施設が置かれる自然状況等に応じて、港湾の環境を保全できるよう、所要の諸元を有すること。
二　不特定かつ多数の者の利用に供する護岸の性能規定　当該施設が置かれる自然状況、利用状況等に応じて、利用者の安全を確保できるよう、所要の諸元を有すること。
二項…一部改正〔平成二九年一二月国土交通省告示一一九五号〕

（堤防の性能規定）
第四四条　第三十九条の規定は、堤防の性能規定について準用する。

（突堤の性能規定）
第四五条　第三十八条の規定は、突堤の性能規定について準用する。

（胸壁の性能規定）

第四六条　第三十九条の規定は、胸壁の性能規定について準用する。

第四章　係留施設

（係留施設）

第四七条　係留施設の要求性能に関し省令第三十四条の告示で定める事項は、次条から第七十四条までに定めるとおりとする。

本条…一部改正〔平成三〇年三月国土交通省告示四四八号〕

（岸壁の性能規定）

第四八条　岸壁に共通する性能規定は、次の各号に定めるものとする。

一　対象船舶の諸元に応じた所要の水深及び長さを有すること。

二　潮位の影響、対象船舶の諸元及び岸壁の利用状況に応じた所要の天端高を有すること。

三　利用状況に応じた所要の附帯設備を有すること。

2　前項に規定するもののほか、次の各号に掲げる岸壁の性能規定にあっては、それぞれ当該各号に定めるものとする。

一　環境の保全を図る岸壁の性能規定　当該施設の本来の機能を損なわず、当該施設が置かれる自然状況等に応じて、港湾の環境を保全できるよう、所要の諸元を有すること。

二　耐震強化施設である岸壁の性能規定　主たる作用がレベル二地震動である偶発状態に対して、要求性能に応じて、作用による損傷の程度が限界値以下であること。

二項…一部改正〔平成二九年一二月国土交通省告示一一九五号〕

（重力式係船岸の性能規定）

第四九条　重力式係船岸の性能規定は、次の各号に定めるものとする。

一　主たる作用が自重である永続状態に対して、地盤のすべり破壊の生じる危険性が限界値以下であること。

二　主たる作用が土圧である永続状態及び主たる作用がレベル一地震動である変動状態に対して、壁体の滑動、転倒及び基礎地盤の支持力不足による破壊の生じる危険性が限界値以下であること。

（矢板式係船岸の性能規定）

第五〇条　矢板式係船岸の性能規定は、次の各号に定めるものとする。

一　主たる作用が土圧である永続状態及び主たる作用がレベル一地震動である変動状態に対して、矢板が構造の安定に必要な根入れ長を有し、かつ、矢板に生じる応力度が降伏応力度を超える危険性が限界値以下であること。

二　主たる作用が土圧である永続状態並びに主たる作用がレベル一地震動及び船舶の牽引である変動状態に対して、次の基準を満たすこと。

イ　控え工を有する構造の場合にあっては、控え工が、構造形式に応じて、適切な位置に設置され、かつ、構造の安定性を損なう危険性が限界値以下であること。

ロ　タイ材及び腹起しを有する構造の場合にあっては、タイ材及び腹起しに生じる応力度が降伏応力度を超える危険性が限界値以下であること。

ハ　上部工を有する構造の場合にあっては、上部工の部材の健全性を損なう危険性が限界値以下であること。

三　上部工を有する構造の場合にあっては、主たる作用が船舶の接岸である変動状態に対して、上部工の部材の健全性を損なう危険性が限界値以下であること。

四　主たる作用が自重である永続状態に対して、矢板下端以下を通る地盤のすべり破壊の生じる危険性が限界値以下であること。

2　前項に規定するもののほか、自立矢板式の性能規定にあっては、主たる作用が土圧である永続状態並びに主たる作用がレベル一地震動並びに船舶の接岸及び牽引である変動状態に対して、矢板天端に生じる変形量が変形量の許容値を超える危険性が限界値以下であることとする。

3　第一項に規定するもののほか、二重矢板式の性能規定にあっては、次の各号に定めるものとする。

一　主たる作用が土圧である永続状態及び主たる作用がレベル一地震動である変動状態に対して、壁体の滑動の生じる危険性が限界値以下であること。

二　主たる作用が土圧である永続状態及び主たる作用がレベル一地震動である変動状態に対して、前面及び背面矢板の天端に生じる変形量が変形量の許容値を超える危険性が限界値以下であること。

三　主たる作用が土圧である永続状態に対して、壁体のせん断変形により安定性を損なう危険性が限界値以下であること。

（棚式係船岸の性能規定）

第五一条　棚式係船岸の性能規定は、次の各号に定めるものとする。

一　主たる作用が土圧である永続状態及び主たる作用がレベル一地震動である変動状態に対して、矢板が構造の安定に必要な根入れ長を有し、かつ、矢板に生じる応力度が降伏応力度を超える危険性が限界値以下であること。

二　主たる作用が土圧である永続状態及び主たる作用がレベル一地震動である変動状態に対して、壁体の滑動及び転倒の生じる危険性が限界値以下であること。

三　主たる作用が自重である永続状態に対して、次の基準を満たすこと。

イ　棚杭に作用する軸方向力が地盤の破壊に基づく抵抗力を超える危険性が限界値以下であること。

ロ　棚の部材の健全性を損なう危険性が限界値以下であること。

四　主たる作用が土圧である永続状態並びに主たる作用がレベル一地震動並びに船舶の接岸及び牽引である変動状態に対して、次の基準を満たすこと。

イ　棚杭に作用する軸方向力が地盤の破壊に基づく抵抗力を超える危険性が限界値以下であること。

ロ　棚杭に生じる応力度が降伏応力度を超える危険性が限界値以下であること。

ハ　棚の部材の健全性を損なう危険性が限界値以下であること。

五　主たる作用が自重である永続状態に対して、矢板下端以下を通る地盤のすべり破壊の生じる危険性が限界値以下であること。

（セル式係船岸の性能規定）

第五二条　セル式係船岸の性能規定は、次の各号に定めるものとする。

一　主たる作用が土圧である永続状態に対して、次の基準を満たすこと。

イ　壁体のせん断変形により安定性を損なう危険性が限界値以下であること。

ロ　セル式係船岸の部材の健全性を損なう危険性が限界値以下であること。

二　主たる作用が土圧である永続状態及び主たる作用がレベル一地震動である変動状態に対して、次の基準を満たすこと。

イ　壁体の滑動及び基礎地盤の支持力不足による破壊の生じる危険性が限界値以下であること。

ロ　セル天端に生じる変形量が変形量の許容値を超える危険性が限界値以下であること。

三　主たる作用が自重である永続状態に対して、地盤のすべり破壊の生じる危険性が限界値以下であること。

四　セル式係船岸の上部工が、主たる作用が土圧である永続状態並びに主たる作用がレベル一地震動並びに船舶の接岸及び牽引である変動状態に対して次の基準を満たすこと。

イ　杭に作用する軸方向力が地盤の破壊に基づく抵抗力を超える危険性が限界値以下であること。

ロ　杭に生じる応力度が降伏応力度を超える危険性が限界値以下であること。

ハ　部材の健全性を損なう危険性が限界値以下であること。

2　前項に規定するもののほか、置きセル式の性能規定にあっては、主たる作用がレベル一地震動である変動状態に対して、転倒の生じる危険性が限界値以下であることとする。

（係船浮標の性能規定）

第五三条　係留浮標の性能規定は、次の各号に定めるものとする。

一　利用状況に応じた所要のブイの乾舷を有すること。

二　係留船舶の振回りが、許容される範囲内となる所要の諸元を有すること。

三　主たる作用が変動波浪、水の流れ及び船舶の牽引である変動状態に対して、次の基準を満たすこと。

イ　浮体鎖、地鎖及び沈錘鎖の健全性を損なう危険性が限界値以下であること。

ロ　係留アンカー等に働く引張力により安定性を損なう危険性が限界値以下であること。

2　前項に規定するもののほか、当該施設の被災に伴い人命、財産又は社会経済活動に重大な影響を及ぼすおそれのある係船浮標の性能規定にあっては、主たる作用が設計津波又は偶発波浪である偶発状態に対して、作用による損傷の程度が限界値以下であることとする。

二項…一部改正〔平成二五年九月国土交通省告示八六一号〕

（係船くいの性能規定）

第五四条　係船くいの性能規定は、次の各号に定めるものとする。

一　利用状況に応じた所要の諸元を有すること。

二　主たる作用が船舶の接岸及び牽引である変動状態に対して、次の基準を満たすこと。

イ　上部工を有する構造の場合にあっては、上部工の部材の健全性を損なう危険性が限界値以下であること。

ロ　杭に作用する軸方向力が地盤の破壊に基づく抵抗力を超える危険性が限界値以下であること。

ハ　杭に生じる応力度が降伏応力度を超える危険性が限界値以下であること。

（桟橋の性能規定）

第五五条　第四十八条の規定は、桟橋の性能規定について準用する。

2　前項に規定するもののほか、桟橋の性能規定は、次の各号に定めるものとする。

一　桟橋の渡版が次の基準を満たすこと。

イ　利用状況に応じて、荷役、乗降等を安全かつ円滑に行えるための所要の諸元を有すること。

ロ　桟橋の上部工に水平方向の荷重を伝達させないものであり、かつ、地震動等の作用により生じる桟橋部及び土留部の変形に対して落版しないこと。

二　主たる作用がレベル一地震動、船舶の接岸及び牽引並びに載荷重である変動状態に対して、次の基準を満たすこと。

イ　上部工の部材の健全性を損なう危険性が限界値以下であること。

ロ　杭に作用する軸方向力が地盤の破壊に基づく抵抗力を超える危険性が限界値以下であること。

ハ　杭に生じる応力度が降伏応力度を超える危険性が限界値以下であること。

三　主たる作用が変動波浪である変動状態に対して、次の基準を満たすこと。

イ　渡版に作用する揚圧力により渡版の安定性を損なう危険性が限界値以下であること。

ロ　上部工の部材の健全性を損なう危険性が限界値以下であること。

ハ　杭に作用する軸方向力が地盤の破壊に基づく抵抗力を超える危険性が限界値以下であること。

四　補剛部材を有する構造の場合にあっては、主たる作用が変動波浪、レベル一地震動、船舶の接岸及び牽引並びに載荷重である変動状態に対して、補剛部材及び格点部の健全性を損なう危険性が限界値以下であること。

3　第四十九条から第五十二条までの規定は、構造形式に応じて、桟橋の土留部の性能規定について準用する。

（浮桟橋の性能規定）

第五六条　第四十八条第一項（第二号を除く。）の規定は、浮桟橋の性能規定について準用する。

2　前項に規定するもののほか、浮桟橋の性能規定は、構造形式に応じて、次の各号に定めるものとする。

一　利用状況に応じた浮体の動揺及び傾斜が許容される範囲内となる所要の諸元を有すること。

二　主たる作用が変動波浪である変動状態に対して、浮体の転覆の生じる危険性が限界値以下であること。

三　対象船舶の諸元及び浮桟橋の利用状況に応じた所要の乾舷を有すること。

四　主たる作用が変動波浪、レベル一地震動、船舶の接岸及び牽引並びに載荷重である変動状態に対して、次の基準を満たすこと。

イ　浮体の部材の健全性を損なう危険性が限界値以下であること。

ロ　浮体の係留設備の部材の健全性及び構造の安定性を損なう危険性が限界値以下であること。

3　前二項に規定するもののほか、当該施設の被災に伴い人命、財産又は社会経済活動に重大な影響を及ぼすおそれのある浮桟橋の性能規定にあっては、主たる作用が設計津波又は偶発波浪である偶発状態に対して、作用による損傷の程度が限界値以下であることとする。

4　第六十五条及び第九十五条の規定は、利用状況に応じて、浮体の連絡設備の性能規定について準用する。

三項…一部改正〔平成二五年九月国土交通省告示八六一号〕、四項…一部改正〔平成二九年一二月国土交通省告示一一九五号・三〇年三月四四八号〕

（物揚場の性能規定）

第五七条　第四十八条から第五十二条まで又は第五十五条の規定は、構造形式に応じて、物揚場の性能規定について準用する。

（船揚場の性能規定）

第五八条　船揚場の性能規定は、次の各号に定めるものとする。

一　対象船舶の諸元に応じた所要の水深及び長さを有すること。

二　潮位の影響、対象船舶の諸元及び船揚場の利用状況に応じた所要の天端高を有すること。

三　利用状況に応じた所要の附帯設備を有すること。

2　第四十九条から第五十二条までの規定は、構造形式に応じて、船揚場の揚陸部の性能規定について準用する。

3　船揚場の舗装の性能規定は、次の各号に定めるものとする。

一　荷役が安全かつ円滑に行えるように所要の諸元を有すること。

二　主たる作用が載荷重である変動状態に対して、舗装の健全性を損なう危険性が限界値以下であること。

三　主たる作用が水圧及び変動波浪である変動状態に対して、斜路部の舗装の健全性を損なう危険性が限界値以下であること。

（海洋再生可能エネルギー発電設備等の下部工の性能規定）

第五九条　海洋再生可能エネルギー発電設備等の下部工の性能規定は、次の各号に定めるものとする。

一　利用状況に応じた所要の附帯設備を有すること。

二　主たる作用が載荷重及び変動波浪である変動状態に対して、部材の健全性を損なう危険性が限界値以下であること。

三　主たる作用が載荷重、変動波浪、レベル一地震動並びに船舶の接岸及び牽引である変動状態に対して、構造の安定性を損なう危険性が限界値以下であること。

2　前項に規定するもののほか、重力式の性能規定にあっては、次の各号に定めるものとする。

一　主たる作用が自重である永続状態に対して、地盤のすべり破壊の生じる危険性が限界値以下であること。

二　主たる作用が載荷重、変動波浪及びレベル一地震動である変動状態に対して、基礎の滑動、転倒及び基礎地盤の支持力不足による破壊の生じる危険性が限界値以下であること。

3　第一項に規定するもののほか、杭式の性能規定にあっては、次の各号に定めるものとする。

一　主たる作用が載荷重、変動波浪、レベル一地震動並びに船舶の接岸及び牽引である変動状態に対して、次の基準を満たすこと。

イ　杭に作用する軸方向力が地盤の破壊に基づく抵抗力を超える危険性が限界値以下であること。

ロ　杭に生じる応力度が降伏応力度を超える危険性が限界値以下であること。

二　主たる作用が載荷重及び変動波浪である変動状態に対して、杭の健全性を損なう危険性が限界値以下であること。

4　第一項に規定するもののほか、浮体式の性能規定にあっては、次の各号に定めるものとする。

一　載荷重及び利用状況に応じた浮体の動揺及び傾斜が許容される範囲内となる所要の諸元を有すること。

二　主たる作用が載荷重及び変動波浪である変動状態に対して、浮体の転覆の生じる危険性が限界値以下であること。

三　発電を安全かつ円滑に行うための所要の乾舷を有すること。

四　主たる作用が載荷重、変動波浪、レベル一地震動並びに船舶の接岸及び牽引である変動状態に対して、浮体の係留設備の部材の健全性及び構造の安定性を損なう危険性が限界値以下であること。

本条…追加〔平成三〇年三月国土交通省告示四四八号〕、見出し・一項…一部改正〔令和二年六月国土交通省告示六三三号〕

（係船柱及び係船環の性能規定）

第六〇条　係船柱及び係船環の性能規定は、次の各号に定めるものとする。

一　船舶の安全かつ円滑な係留及び荷役が行えるよう、当該係留施設を利用する船舶の係船索の位置を勘案して、適切に配置されていること。

二　主たる作用が船舶の牽引である変動状態に対して、係船柱及び係船環の部材の健全性及び構造の安定性を損なう危険性が限界値以下であること。

旧五九条…繰下〔平成三〇年三月国土交通省告示四四八号〕

（防衝設備の性能規定）

第六一条　防衝設備の性能規定は、次の各号に定めるものとする。

一　船舶の安全かつ円滑な接岸及び係留が行えるよう、当該施設が置かれる自然状況、利用船舶の接岸及び係留の状況並びに係留施設の構造に応じて、適切に配置され、かつ、所要の諸元を有すること。

二　主たる作用が船舶の接岸である変動状態に対して、船舶接岸時に船舶の接岸エネルギーが防衝設備の吸収エネルギーを超える危険性が限界値以下であること。

旧六〇条…繰下〔平成三〇年三月国土交通省告示四四八号〕

（照明設備の性能規定）

第六二条　照明設備の性能規定は、荷役及び船舶の離着岸並びに人の出入りが行われる係留施設において、安全かつ円滑に利用できるよう、当該施設の利用状況等に応じて、適切な照明設備が配置されていることとする。

旧六一条…繰下〔平成三〇年三月国土交通省告示四四八号〕

（救命設備の性能規定）

第六三条　救命設備の性能規定は、総トン数が五百トン以上の旅客船の利用に供する係留施設において、人の安全を確保できるよう、必要に応じて、適切な救命設備が常備されていることとする。

旧六二条…繰下〔平成三〇年三月国土交通省告示四四八号〕

（車止めの性能規定）

第六四条　車止めの性能規定は、次の各号に定めるものとする。

一　係留施設の構造及び利用状況に応じて、利用の安全が確保でき、船舶の係留及び荷役に支障のないよう、適切に配置され、かつ、所要の諸元を有していること。

二　主たる作用が車両の衝突による作用である変動状態に対して、車止めの健全性を損なう危険性が限界値以下であること。

旧六三条…繰下〔平成三〇年三月国土交通省告示四四八号〕

（車両の乗降設備の性能規定）

第六五条　車両の乗降設備の性能規定は、当該設備を利用する車両の諸元及び特性に応じて、所要の諸元を有することとする。

旧六四条…繰下〔平成三〇年三月国土交通省告示四四八号〕

（給水設備の性能規定）

第六六条　第九十条の規定は、給水設備の性能規定について準用する。

旧六五条…一部改正し繰下〔平成三〇年三月国土交通省告示四四八号〕

（排水設備の性能規定）

第六七条　排水設備の性能規定は、係留施設における排水の水質並びに係留施設の構造及び利用状況に応じて、適切に配置され、かつ、所要の機能及び諸元を有することとする。

旧六六条…繰下〔平成三〇年三月国土交通省告示四四八号〕

（給油設備及び給電設備の性能規定）

第六八条　給油設備及び給電設備の性能規定は、次の各号に定めるものとする。

一　船舶等への給油又は給電が安全かつ円滑に行えるよう、係留施設の構造及び利用状況を考慮して、適切に配置され、かつ、所要の給油能力又は給電能力を有すること。

二　給油管が舗装面下に敷設される場合にあっては、主たる作用が載荷重である変動状態に対して、給油管の健全性を損なう危険性が限界値以下であること。

旧六七条…繰下〔平成三〇年三月国土交通省告示四四八号〕

（人の乗降設備の性能規定）

第六九条　第九十三条又は第九十五条の規定は、人の乗降設備の性能規定について準用する。

本条…一部改正〔平成二九年一二月国土交通省告示一一九五号〕、旧六八条…一部改正し繰下〔平成三〇年三月国土交通省告示四四八号〕

（柵、扉、ロープ等の性能規定）

第七〇条　柵、扉、ロープ等の性能規定は、係留施設及びその関連施設において、旅客の安全の確保、旅客の通路の確保、車両の進入防止等に資するよう、必要に応じて、適切に配置され、かつ、所要の諸元を有することとする。

旧六九条…繰下〔平成三〇年三月国土交通省告示四四八号〕

（監視設備の性能規定）

第七一条　監視の用に供する設備の性能規定は、次の各号に定めるものとする。

一　係留施設及びその関連施設において、旅客の安全の確保、保安の確保、車両の進入防止等に資するよう、必要に応じて、適切に配置され、かつ、所要の諸元を有すること。

二　監視の記録を保持できる所要の機能を備えること。

旧七〇条…繰下〔平成三〇年三月国土交通省告示四四八号〕

（標識等の性能規定）

第七二条　標識等の性能規定は、利用者の安全と利便並びに事故及び災害の防止を図るものとし、施設の位置等の案内、利用者の誘導、危険の警告等に資するよう、必要に応じて、適切に配置され、かつ、所要の諸元を有することとする。

旧七一条…繰下〔平成三〇年三月国土交通省告示四四八号〕

（エプロンの性能規定）

第七三条　エプロンの性能規定は、次の各号に定めるものとする。

一　荷役が安全かつ円滑に行えるよう、所要の諸元を有すること。

二　雨水その他の地表水を排除できるよう、所要の勾配を有すること。

三　載荷重及び係留施設の利用状況に応じて、適切な材料により舗装されていること。

四　主たる作用が載荷重である変動状態に対して、舗装において荷役に支障を与える程度の損傷の生じる危険性が限界値以下であること。

旧七二条…繰下〔平成三〇年三月国土交通省告示四四八号〕

（荷役機械の基礎の性能規定）

第七四条　荷役機械の基礎の性能規定は、荷役機械の種類及び基礎の構造形式に応じて、次の各号に定めるものとする。

一　荷役及び荷役機械の走行等が、安全かつ円滑に行えるための所要の諸元を有すること。

二　主たる作用がレベル一地震動及び載荷重である変動状態に対して、次の基準を満たすこと。

イ　杭を有する構造の場合にあっては、杭に作用する軸方向力が地盤の破壊に基づく抵抗力を超える危険性が限界値以下であること。

ロ　杭を有する構造の場合にあっては、杭に生じる応力度が降伏応力度を超える危険性が限界値以下であること。

ハ　梁の部材の健全性を損なう危険性が限界値以下であること。

ニ　杭を有しない構造の場合にあっては、梁の滑動が生じる危険性が限界値以下であること。

三　主たる作用が載荷重である変動状態に対して、梁に生じるたわみ量が限界値以下であること。

2　前項に規定するもののほか、耐震強化施設に設置される荷役機械の基礎の性能規定にあっては、主たる作用がレベル二地震動である偶発状態に対して、要求性能に応じて、作用による損傷の程度が限界値以下であることとする。

旧七三条…繰下〔平成三〇年三月国土交通省告示四四八号〕

第五章　臨港交通施設

（臨港交通施設）

第七五条　臨港交通施設の要求性能に関し省令第四十条の告示で定める事項は、次条から第八十条までに定めるとおりとする。

旧七四条…一部改正し繰下〔平成三〇年三月国土交通省告示四四八号〕

第七六条　臨港交通施設に共通する性能規定は、港湾における安全かつ円滑な交通を確保するため、交通の発生状況、計画上の交通量、当該施設の存する自然状況、他の交通施設との円滑な接続その他の交通施設の利用状況等に応じて、適切に配置され、かつ、所要の諸元を有することとする。

旧七五条…繰下〔平成三〇年三月国土交通省告示四四八号〕

（道路の性能規定）

第七七条　道路の性能規定は、次の各号に定めるものとする。

一　セミトレーラー連結車の通行が多い等の場合にあっては、セミトレーラー連結車を設計車両とすることができる。

二　舗装の構造が、セミトレーラー連結車、モビルクレーン等の特殊な車両の交通量等に応じて、適切に設定されていること。

三　車線等が、港湾において発生する交通を滞留させないよう、次の基準を満たすこと。

イ　当該道路の周辺の港湾の利用状況等を考慮した計画上の交通量並びに設計基準交通量（道路の時間当たり最大許容自動車交通量をいう。）に応じて、車線数が適切に設定されていること。

ロ　車線の幅員が、原則として、三・二五メートル又は三・五メートルであること。ただし、大型車の通行量が多い場合にあっては、三・五メートルを標準とし、地形等の影響によりやむ得ない場合においては、三メートルまで縮小することができる。

ハ　車両の安全かつ円滑な通行に支障のないよう、必要に応じて、車道の左端寄りに停車帯が設けられていること。

四　専ら歩行者及び自転車の用に供される道路にあっては、当該道路の周辺の港湾の施設の利用状況等に応じて、適切な構造を有すること。

五　背高コンテナを積載したセミトレーラー連結車、モビルクレーン等の特殊な車両の通行が想定される場合にあっては、当該車両の安全な通行が確保できるよう、建築限界が適切に設定されていること。

六　耐震強化施設等に接続する道路にあっては、レベル二地震動の作用後に当該施設に求められる機能が確保できるよう、適切に配置されていること。

七　道路の構造、場所及び設備に関し前号までに定めのない事項については、港湾で発生する交通の特性に応じ、道路構造令（昭和四十五年政令第三百二十号）の規定に準じていること。

旧七六条…繰下〔平成三〇年三月国土交通省告示四四八号〕

（水底トンネルの性能規定）

第七八条　水底トンネルの性能規定は、次の各号に定めるものとする。

一　船舶の投錨及び走錨、波浪及び水の流れによる洗掘等に対して、部材の健全性及び構造の安定性を確保できるよう、適切な材料によって所要の厚さで被覆されていること。

二　安全かつ円滑に利用できるよう、所要の管理設備を有すること。

三　主たる作用がレベル二地震動及び火災による火熱である偶発状態に対して、作用による損傷の程度が限界値以下であること。

2　前項に規定するもののほか、沈埋トンネルの性能規定にあっては、次の各号に定めるものとする。

一　主たる作用が自重である永続状態に対して、基礎地盤の支持力不足による破壊の生じる危険性が限界値以下であること。

二　主たる作用が土圧である永続状態に対して、部材の健全性を損なう危険性が限界値以下であること。

三　主たる作用が水圧である変動状態に対して、沈埋函、換気所及び立坑の浮き上がりの生じる危険性が限界値以下であること。

四　主たる作用がレベル一地震動である変動状態に対して、部材の健全性及び沈埋函、換気所、立坑、継手部等の安定性を損なう危険性が限界値以下であること。

旧七七条…繰下〔平成三〇年三月国土交通省告示四四八号〕

（駐車場の性能規定）

第七九条　第七十七条第一号及び第五号の規定は、駐車場の性能規定について準用する。

2　前項に規定するもののほか、駐車場の性能規定は、当該施設及びその周辺の利用状況等に応じて、駐車場の規模、配置等が適切に設定されていることとする。

一項…一部改正・旧七八条…繰下〔平成三〇年三月国土交通省告示四四八号〕

（橋梁の性能規定）

第八〇条　橋梁の性能規定は、次の各号に定めるものとする。

一　技術基準対象施設等の上部空間を横断する場合にあっては、それぞれの施設の安全かつ円滑な利用に支障を及ぼさないよう、橋脚、橋げた等が設置されていること。

二　船舶の衝突による橋脚及び橋げたの損傷を防止するよう、必要に応じて、防衛設備が設置されていること。

三　主たる作用が船舶の衝突である偶発状態に対して、作用による損傷の程度が限界値以下であること。

旧七九条…繰下〔平成三〇年三月国土交通省告示四四八号〕、本条…一部改正〔令和二年六月国土交通省告示六三二号〕

第六章　荷さばき施設

（荷さばき施設）

第八一条　荷さばき施設の要求性能に関し省令第四十四条の告示で定める事項は、次条から第八十四条までに定めるとおりとする。

旧八〇条…一部改正し繰下〔平成三〇年三月国土交通省告示四四八号〕

（荷役機械の性能規定）

第八二条　荷役機械の性能規定は、荷役機械の形式に応じて、次の各号に定めるものとする。

一　対象船舶、貨物の種類及び量、係留施設の構造及び荷役の状況に応じて、適切に配置され、かつ、所要の諸元を有すること。

二　当該施設周辺の環境保全のために、必要に応じて、粉じん、騒音等の防止ができるよう適切な機能を有すること。

2　前項に規定するもののほか、船舶との荷役の用に供する軌道走行式荷役機械の性能規定にあっては、風による逸走を防止するための適切な機能を有すること。

3　第一項に規定するもののほか、石油荷役機械、液化石油ガス荷役機械及び液化天然ガス荷役機械の性能規定にあっては、次の各号に定めるものとする。

一　主たる作用が自重である永続状態に対して、部材の健全性を損なう危険性が限界値以下であること。

二　主たる作用がレベル一地震動、風並びに石油、液化石油ガス及び液化天然ガスの重量及び圧力である変動状態に対して、部材の健全性及び構造の安定性を損なう危険性が限界値以下であること。

三　緊急時における船舶の係留施設からの移動に支障とならないための適切な措置が講じられていること。

4　第一項に規定するもののほか、耐震強化施設に設置される荷役機械の性能規定にあっては、主たる作用がレベル二地震動である偶発状態に対して、作用による損傷の程度が限界値以下であることとする。

二項…追加・旧二項…一部改正し三項に繰下・旧三項…四項に繰下〔平成二二年九月国土交通省告示一〇一五号〕、三項…一部改正〔平成二九年一二月国土交通省告示一一九五号〕、旧八一条…繰下〔平成三〇年三月国土交通省告示四四八号〕

（荷さばき地の性能規定）

第八三条　荷さばき地の性能規定は、次の各号に定めるものとする。

一　貨物の種類及び量並びに取扱いの状況に応じて、適切な形状及び広さを有していること。

二　荷さばき地の通路が、荷役機械、車両等が安全かつ円滑に走行できるよう、適切な幅員及び線形を有していること。

三　安全かつ円滑な利用が可能となるよう、当該施設の利用状況等に応じて、適切な照明設備が設置されていること。

四　人の立入りが危険な荷さばき地にあっては、立入りを禁止するための適切な措置が講じられていること。

五　荷さばき地内に水を滞留させないための適切な排水設備を有していること。

六　移動式荷役機械を利用する荷さばき地にあっては、貨物の安全かつ円滑な荷さばきが行えるよう、必要に応じて、衝突防止のための適切な措置が講じられていること。

七　荷さばき地の舗装にあっては、主たる作用が載荷重である変動状態に対して、舗装において荷役に支障を与える程度の損傷の生じる危険性が限界値以下であること。

八　風によって飛散する貨物を取扱う荷さばき地にあっては、飛散防止のための適切な措置が講じられていること。

九　木材の整理のための荷さばき地にあっては、次の基準を満たすこと。

イ　必要に応じて、木皮等を処分するための適切な設備を有していること。

ロ　水域である場合にあっては、木材の流出を防止するための適切な措置が講じられていること。

2　前項に規定するもののほか、災害時に耐震強化施設と一体となって機能を発揮する荷さばき地の性能規定にあっては、主たる作用がレベル二地震動である偶発状態に対して、要求性能に応じて、作用による損傷の程度が限界値以下であることとする。

一項…一部改正〔平成二九年一二月国土交通省告示一一九五号〕、旧八二条…繰下〔平成三〇年三月国土交通省告示四四八号〕

（上屋の性能規定）

第八四条　前条第一項（第一号から第四号までに限る。）の規定は、上屋の性能規定について準用する。

2　前項に規定するもののほか、上屋の性能規定は、次の各号に定めるものとする。

一　荷役により粉じん等が発生する上屋にあっては、適切な換気設備を有していること。

二　高潮の影響等により浸水のおそれのある上屋にあっては、必要に応じて、水の侵入を防止するための適切な設備を有していること。

旧八三条…繰下〔平成三〇年三月国土交通省告示四四八号〕

第七章　保管施設

（保管施設）

第八五条　保管施設の要求性能に関し省令第四十六条の告示で定める事項は、次条から第八十八条までに定めるとおりとする。

旧八四条…一部改正し繰下〔平成三〇年三月国土交通省告示四四八号〕

第八六条　第八十三条第一項の規定は、野積場、貯木場及び貯炭場の性能規定について準用する。

旧八五条…一部改正し繰下〔平成三〇年三月国土交通省告示四四八号〕

第八七条　第八十四条の規定は、倉庫の性能規定について準用する。

旧八六条…一部改正し繰下〔平成三〇年三月国土交通省告示四四八号〕

第八八条　第八十三条第一項又は第八十四条の規定は、危険物置場及び貯油施設の性能規定について準用する。

2　前項に規定するもののほか、危険物置場及び貯油施設の性能規定は、次の各号に定めるものとする。

一　集約して設置されていること。ただし、地形の状況等によりやむを得ない場合にあっては、この限りでない。

二　危険物置場の周囲には、危険物の種類、施設の構造等に応じて、適切な幅の空地が確保されていること。

一項…一部改正・旧八七条…繰下〔平成三〇年三月国土交通省告示四四八号〕

第八章　船舶役務用施設

（船舶役務用施設）

第八九条　船舶役務用施設の要求性能に関し省令第四十八条の告示で定める事項は、次条に定めるとおりとする。

旧八八条…繰下〔平成三〇年三月国土交通省告示四四八号〕

（船舶のための給水施設の性能規定）

第九〇条　船舶のための給水施設の性能規定は、次の各号に定めるものとする。

一　船舶の利用状況に応じて、適切に配置されていること。

二　対象船舶の諸元に応じて、適切な給水能力を有していること。

三　水の汚染を防止できる構造を有し、給水栓が衛生的に維持されていること。

旧八九条…繰下〔平成三〇年三月国土交通省告示四四八号〕

第九章　移動式施設

本章…追加〔平成二九年一二月国土交通省告示一一九五号〕

（移動式施設）

第九一条　移動式施設の要求性能に関し省令第五十二条の告示で定める事項は、次条及び第九十三条に定めるとおりとする。

本条…追加〔平成二九年一二月国土交通省告示一一九五号〕、旧九〇条…一部改正し繰下〔平成三〇年三月国土交通省告示四四八号〕

（移動式荷役機械の性能規定）

第九二条　移動式荷役機械の性能規定は、荷役機械の形式に応じて、次の各号に定めるものとする。

一　対象船舶、貨物の種類及び量、係留施設の構造及び荷役の状況に応じて、適切に配置され、かつ、所要の諸元を有すること。

二　当該施設周辺の環境保全のために、必要に応じて、粉じん、騒音等の防止ができるよう適切な機能を有すること。

三　貨物の安全かつ円滑な荷役が行えるよう、必要に応じて、衝突防止のための適切な措置が講じられていること。

本条…追加〔平成二九年一二月国土交通省告示一一九五号〕、旧九一条…繰下〔平成三〇年三月国土交通省告示四四八号〕

（移動式旅客乗降用施設の性能規定）

第九三条　移動式旅客乗降用施設の性能規定は、次の各号に定めるものとする。

一　通路が、旅客の安全かつ円滑な乗降が行えるよう、次の基準を満たすこと。

イ　適切な幅員及び勾配であること。

ロ　滑り止めの措置が講じられ、又は滑りにくい材料が用いられていること。

ハ　両側に側壁、手すり等が設置されていること。

二　階段が設けられていないこと。ただし、やむを得ず設ける場合にあっては、階段の蹴上げ高が利用者の安全に配慮し設定され、必要に応じて踊り場が設けられていること。

三　旅客乗降用施設と車両乗降用施設を兼用するものでないこと。ただし、旅客と車両の通行を分離できる場合にあっては、この限りでない。

四　旅客乗降用施設の可動橋の先端部の鉛直方向の移動可能

量が、潮位、船舶の喫水の変化及び船舶の動揺に応じて、適切に設定されていること。
五　主たる作用が自重である永続状態に対して、部材の健全性を損なう危険性が限界値以下であること。
六　主たる作用がレベル一地震動、載荷重及び風である変動状態に対して、当該施設脚部の浮き上がりにより安定性を損なう危険性が限界値以下であること。
本条…追加〔平成二九年一二月国土交通省告示一一九五号〕、旧九二条…繰下〔平成三〇年三月国土交通省告示四四八号〕

第十章　その他の港湾の施設

旧九章…繰下〔平成二九年一二月国土交通省告示一一九五号〕

（その他の港湾の施設）

第九四条　旅客乗降用固定施設、廃棄物埋立護岸、海浜並びに緑地及び広場の要求性能に関し省令第五十七条の告示で定める事項は、次条から第九十八条までに定めるとおりとする。

旧九〇条…一部改正し繰下〔平成二九年一二月国土交通省告示一一九五号〕、旧九三条…一部改正し繰下〔平成三〇年三月国土交通省告示四四八号〕

第一節　旅客乗降用固定施設

節名…改正〔平成二九年一二月国土交通省告示一一九五号〕

（旅客乗降用固定施設の性能規定）
第九五条　第九十三条（第六号を除く。）の規定は、施設の種類に応じて、旅客乗降用固定施設の性能規定について準用する。
2　前項に規定するもののほか、旅客乗降用固定施設の性能規定は、主たる作用がレベル一地震動、載荷重及び風である変動状態に対して、部材の健全性及び基礎部の安定性を損なう危険性が限界値以下であることとする。
旧九一条…全部改正し繰下〔平成二九年一二月国土交通省告示一一九五号〕、一項…一部改正・旧九四条…繰下〔平成三〇年三月国土交通省告示四四八号〕

第二節　廃棄物埋立護岸

（廃棄物埋立護岸の性能規定）
第九六条　第三十九条の規定は、廃棄物埋立護岸の性能規定について準用する。
2　前項に規定するもののほか、廃棄物埋立護岸の性能規定は、当該施設が置かれる自然状況等に応じて、波浪、高潮、設計津波等により埋立地内の廃棄物等が場外に流出しないよう、適切に配置され、かつ、所要の諸元を有することとする。
二項…一部改正〔平成二五年九月国土交通省告示八六一号〕、旧九三条…繰下〔平成二九年一二月国土交通省告示一一九五号〕、旧九五条…繰下〔平成三〇年三月国土交通省告示四四八号〕

第三節　海浜

（海浜の性能規定）
第九七条　海浜の性能規定は、次の各号に定めるものとする。
一　人が安全かつ快適に利用でき、港湾の良好な環境の整備に資するよう、適切に配置され、かつ、所要の諸元を有していること。
二　主たる作用が変動波浪及び水の流れである変動状態に対して、海浜形状の安定性を損なう危険性が限界値以下であること。
2　前項に規定するもののほか、不特定かつ多数の者の利用に供する海浜の性能規定にあっては、当該施設が置かれる自然状況及び利用状況に応じて、利用者の安全を確保できるよう、所要の諸元を有することとする。
旧九四条…繰下〔平成二九年一二月国土交通省告示一一九五号〕、旧九六条…繰下〔平成三〇年三月国土交通省告示四四八号〕

第四節　緑地及び広場

（緑地及び広場の性能規定）
第九八条　緑地及び広場の性能規定は、次の各号に定めるものとする。
一　人が安全かつ快適に利用でき、港湾の良好な環境の整備に資するよう、適切に配置され、かつ、所要の諸元を有すること。
二　レベル二地震動の作用後に港湾及びその周辺地域の復旧及び復興に資する拠点として利用するものとし、円滑な物資輸送及び避難地が確保できるよう、所要の諸元を有すること。
三　主たる作用がレベル二地震動である偶発状態に対して、作用による損傷の程度が限界値以下であること。
旧九五条…繰下〔平成二九年一二月国土交通省告示一一九五号〕、旧九七条…繰下〔平成三〇年三月国土交通省告示四四八号〕

附　則

（施行期日）
1　この告示は、平成十九年四月一日から施行する。
（経過措置）
2　この告示の施行の際現に設置されている技術基準対象施設（建設中のものを含む。）がこの告示の規定に適合しない場合においては、この告示の施行後当該施設の改良の工事に着手する場合を除き、当該施設については、当該規定は、適用しない。この場合において、当該規定に相当する改正前の規定があるときは、なお従前の例による。

附　則〔平成二二年九月六日国土交通省告示第一〇一五号〕
〔沿革〕平成三〇年三月一六日国土交通省告示第四四八号改正

（施行期日）
1　この告示は、平成二十二年九月六日から施行する。
（経過措置）
2　この告示の施行の際現に設置されている船舶との荷役の用に供する軌道走行式荷役機械（建設中のものを含む。）が改正後の港湾の施設の技術上の基準の細目を定める告示第八十二条第二項の規定に適合しない場合においては、この告示の施行後当該施設の改良の工事に着手する場合を除き、当該施設については、当該規定は適用しない。

附　則〔平成二五年九月一八日国土交通省告示第八六一号〕

（施行期日）

1　この告示は、公布の日から施行する。

2　この告示の施行の際現に設置されている技術基準対象施設（建設中のものを含む。）がこの告示による改正後の港湾の施設の技術上の基準の細目を定める告示の規定に適合しない場合においては、この告示の施行後当該施設の改良の工事に着手する場合を除き、当該施設については、当該規定は、適用しない。

附　則〔平成二九年一二月二六日国土交通省告示第一一九五号〕

（施行期日）

1　この告示は、平成三十年四月一日から施行する。

（経過措置）

2　この告示の施行の際現に設置されている技術基準対象施設（建設中のものを含む。）が第一条の規定による改正後の港湾の施設の技術上の基準の細目を定める告示の規定に適合しない場合においては、この告示の施行後当該施設の改良の工事に着手する場合を除き、当該施設については、当該規定は、適用しない。

附　則〔平成三〇年三月一六日国土交通省告示第四四八号抄〕

（施行期日）

1　この告示は、平成三十年四月一日から施行する。

（経過措置）

2　この告示の施行の際現に設置されている技術基準対象施設（建設中のものを含む。）がこの告示による改正後の港湾の施設の技術上の基準の細目を定める告示の規定に適合しない場合においては、この告示の施行後当該施設の改良の工事に着手する場合を除き、当該施設については、当該規定は、適用しない。

附　則〔令和二年六月一日国土交通省告示第六三二号〕

（施行期日）

1　この告示は、令和二年六月十五日から施行する。

（経過措置）

2　この告示の施行の際現に設置されている技術基準対象施設（建設中のものを含む。）がこの告示による改正後の港湾の施設の技術上の基準の細目を定める告示の規定に適合しない場合においては、この告示の施行後当該施設の改良の工事に着手する場合を除き、当該施設については、当該規定は、適用しない。

附　則〔令和六年四月一日国土交通省告示第三四四号〕

（施行期日）

第一条　この告示は、公布の日から施行する。

（経過措置）

第二条　この告示の施行の際現に設置されている技術基準対象施設については、この告示による改正後の港湾の施設の技術上の基準の細目を定める告示第六条第一号、第七条及び第八条第一号の規定にかかわらず、なお従前の例によることができる。

○技術基準対象施設の施工に関する基準を定める告示

（平成十九年三月二十六日国土交通省告示第三百六十三号）

（用語の定義）

第一条　この告示において使用する用語は、港湾の施設の技術上の基準を定める省令（平成十九年国土交通省令第十五号。以下「省令」という。）において使用する用語の例による。

（施工の計画）

第二条　技術基準対象施設を建設し、又は改良する者（当該施設の工事の請負人を含む。以下同じ。）は、当該施設を正確、円滑かつ安全に施工するために、あらかじめ施工の計画を定めることを標準とする。

2　施工の計画は、次の各号に掲げる事項について定めることを標準とする。

一　当該施設の施工方法

二　当該施設の施工管理方法

三　当該施設の安全管理方法

四　前三号に掲げるもののほか、当該施設を正確、円滑かつ安全に施工するために必要な事項

3　技術基準対象施設を建設し、又は改良する者は、工事の進行又は現場の状況の変化により必要が生じた時は、施工の計画を変更することを標準とする。

（施工方法）

第三条　技術基準対象施設を建設し、又は改良する者は、省令第六条に基づき設定される当該施設が置かれる諸条件を考慮して、施工方法を定めるものとする。

2　施工方法は、次の各号に掲げる事項について定めることを

標準とする。

一　当該施設の完成までに必要な工事の手順及び各段階の工事内容

二　当該施設の施工に当たって使用する主要な作業用船舶並びに機械の種類及び規格

三　前二号に掲げるもののほか、当該施設の施工に当たって講ずる措置の内容及び時期

（施工管理）

第四条　技術基準対象施設を建設し、又は改良する者は、次の各号に掲げる基準に従って、適切に施工管理を行うものとする。

一　当該施設に使用する材料及び当該施設を構成する部材の管理項目、管理内容、管理方法、品質規格、測定頻度及び測定した結果の整理方法が定められ、かつ、当該材料及び部材の所要の品質規格が確保されること。

二　当該施設の出来形の管理項目、測定方法、測定密度、測定単位、測定した結果の整理方法及び許容範囲が定められ、かつ、当該施設の所要の出来形が確保されること。

2　技術基準対象施設を建設し、又は改良する者は、前項各号に掲げる事項のほか、円滑に施工するために、作業用船舶による海上作業を勘案した実施状況管理、工程管理等を行うことを標準とする。

3　技術基準対象施設を建設し、又は改良する者は、当該施設の適切な維持管理に資するよう、施工管理により取得した測定結果等の記録を維持管理計画等に反映すること標準とする。

（安全管理）

第五条　技術基準対象施設を建設し、又は改良する者は、当該施設の施工に当たっては、港湾工事の安全に関する関係法令等に基づき次の各号に掲げる事項について検討し、適切に安全管理を行い、事故及び災害の防止に努めるものとする。

一　当該施設の施工条件及び施工方法の下で、安全確保上必要となる措置

二　異常現象等に対して安全確保上必要となる措置

三　前二号に掲げるもののほか、事故又は災害の防止上必要となる措置

（施工管理及び安全管理の実施）

第六条　技術基準対象施設を建設し、又は改良する者は、第四条に基づく施工管理及び前条に基づく安全管理を施工に関する専門的知識及び技術又は技能を有する者の下で行うことを標準とする。

（施工時の安定）

第七条　技術基準対象施設を建設し、又は改良する者は、施工時に当該施設の構造の安定が損なわれないような措置として、必要に応じて仮設工事を行うものとする。

附　則

この告示は、平成十九年四月一日から施行する。

○技術基準対象施設の維持に関し必要な事項を定める告示

（平成十九年三月二十六日国土交通省告示第三百六十四号）

〔沿革〕　平成二二年九月六日国土交通省告示第一〇一五号、二六年三月二八日第三九四号、二九年一二月二六日第一一九五号、三〇年三月三一日第五五七号改正

（用語の定義）

第一条　この告示において使用する用語は、港湾の施設の技術上の基準を定める省令（平成十九年国土交通省令第十五号。以下「省令」という。）において使用する用語の例による。

（維持管理計画等）

第二条　技術基準対象施設の維持管理計画等は、当該施設の設置者が定めることを標準とする。

2　維持管理計画等は、当該施設の損傷、劣化その他の変状についての計画的かつ適切な点検診断の時期、対象とする部位及び方法等について定めるものとする。

3　維持管理計画等は、前項に規定するもののほか、次の各号に掲げる事項について定めることを標準とする。

一　当該施設の供用期間並びに当該施設全体及び当該施設を構成する部材の維持管理についての基本的な考え方

二　当該施設の損傷、劣化その他の変状についての計画的かつ適切な維持工事等

三　前二号に掲げるもののほか、当該施設を良好な状態に維持するために必要な維持管理

4　維持管理計画等を定めるに当たっては、省令第六条に基づき設定される当該施設が置かれる諸条件、設計供用期間、構造特性、材料特性、点検診断及び維持工事等の難易度並びに

当該施設の重要度等について、勘案するものとする。

5　維持管理計画等を定めるに当たっては、当該施設の損傷、劣化その他の変状についての点検診断、当該施設全体の維持に係る総合的な評価、維持工事等その他維持管理に関する専門的知識及び技術又は技能を有する者の意見を聴くことを標準とする。ただし、当該維持管理計画等を定める者が当該専門的知識及び技術又は技能を有する場合は、この限りでない。

6　当該施設の用途の変更、維持管理に係る技術革新等の情勢の変化により必要が生じたときは、維持管理計画等を変更することを標準とする。

7　第四項及び第五項の規定は、維持管理計画等の変更について準用する。

二項…追加・旧二・三項…一部改正し三・四項に繰下・旧四－六項…五－七項に繰下〔平成二六年三月国土交通省告示三九四号〕、三・七項…一部改正〔平成二九年一二月国土交通省告示一一九五号〕

（維持管理計画等に定める事項の実施）

第三条　維持管理計画等に定める事項を実施するに当たっては、当該施設の損傷、劣化その他の変状についての点検診断、当該施設全体の維持に係る総合的な評価及び維持工事その他の維持管理に関する専門的知識及び技術又は技能を有する者の下で行うことを標準とする。

（技術基準対象施設の点検診断）

第四条　技術基準対象施設の点検診断は、省令第六条に基づき設定される当該施設が置かれる諸条件、設計供用期間、構造特性、材料特性、点検診断及び維持工事等の難易度並びに当該施設の重要度等を勘案して、適切な時期に、適切な方法により行うものとする。

2　技術基準対象施設の定期的な点検診断は、五年（当該施設の損壊に伴い、人命、財産又は社会経済活動に重大な影響を及ぼすおそれのあるものにあっては、三年）以内ごとに行うものとする。

3　港湾法（昭和二十五年法律第二百十八号）第五十六条の二の二十一第一項に規定する特定技術基準対象施設であって、非常災害により損壊した場合において、同法第五十五条の三の五第一項に規定する緊急確保航路に隣接する港湾区域内の水域施設（岸壁又は桟橋（いずれも当該港湾の同法第三条の三第一項に規定する港湾計画において、大規模地震対策施設（港湾計画の基本的な事項に関する基準を定める省令（昭和四十九年運輸省令第三十五号）第十六条の大規模地震対策施設をいう。）として定められているものに限る。）の機能を確保するための航路及び泊地に限る。）における船舶の交通に著しい支障を及ぼすおそれのある護岸、岸壁及び桟橋のうち、港湾管理者以外の者（国及び地方公共団体を除く。）が管理するものの定期的な点検診断は、前項の規定にかかわらず、二年以内ごとに行うものとする。

4　前二項に規定する定期的な点検診断のうち、詳細な点検診断については、当該施設の重要度等を勘案して、適切な時期に行うものとする。

5　技術基準対象施設の点検診断は、第二項及び第三項に規定するもののほか、日常の点検を行うとともに、必要に応じて、臨時の点検診断を行うものとする。

本条…追加〔平成二六年三月国土交通省告示三九四号〕、三項…追加・旧三・四項…一部改正し四・五項に繰下〔平成三〇年三月国土交通省告示五五七号〕

（危険防止に関する対策）

第五条　技術基準対象施設の設置者は、省令第四条第五項に規定する運用方法の明確化その他の危険防止に関する対策として、自然状況、利用状況その他の当該施設が置かれる諸条件を勘案して、次の各号に掲げる対策を行うことを標準とする。

一　当該施設の運用前及び運用後における点検又は検査並びに当該措置の実施について責任を有する者の明確化

二　荒天時において当該施設を安全な状態に維持するために必要な措置及び当該措置の実施について責任を有する者の明確化

三　運用時において、当該施設の移動を伴うものについては、当該施設の風による逸走防止に必要な措置及び当該措置の実施について責任を有する者の明確化

四　運用時において、移動式荷役機械を使用する施設については、当該施設における衝突防止に必要な措置及び当該措置の実施について責任を有する者の明確化

五　前各号に掲げるもののほか、当該施設を安全な状態に維持するために必要な運用規程の整備又は当該施設の管理者等により整備された運用規程の確認

2　前項各号に掲げる対策は、相互に関連性をもって一体的に運用される技術基準対象施設及び当該施設周辺の施設の安全確保に関する専門的知識及び技術又は技能を有する者の下で行うことを標準とする。

一項…一部改正〔平成二二年九月国土交通省告示一〇一五号〕、一項…一部改正・旧四条…繰下〔平成二六年三月国土交通省告示三九四号〕、一項…一部改正〔平成二九年一二月国土交通省告示一一九五号〕

（管理委託に係る技術基準対象施設の維持管理）

第六条　国土交通大臣が港湾法その他の法律により港湾管理者に管理を委託する技術基準対象施設の維持管理については、港湾管理者は、当該施設について国土交通大臣が定めた維持管理計画に基づき、当該施設の適切な維持管理を行うことを標準とする。

2　国土交通大臣より技術基準対象施設の管理の委託を受けようとする港湾管理者は、適切な維持管理を行うために必要と認めるときは、国土交通大臣に対して当該維持管理計画の変更を求めることができるものとする。

3　国土交通大臣は、管理を委託している技術基準対象施設の用途の変更、維持管理に係る技術革新等の情勢の変化により必要が生じたときは、港湾管理者と協議の上、維持管理計画を変更できるものとする。

4　第二項の規定は、国土交通大臣より技術基準対象施設の管

理の委託を受けている港湾管理者について準用する。

5　国土交通大臣は、技術基準対象施設の管理の委託に係る契約書（港湾法施行令（昭和二十六年政令第四号）第十七条の二に規定する契約書をいう。）に、第一項に規定する内容を定めることを標準とする。

旧五条…繰下〔平成二六年三月国土交通省告示三九四号〕、一項…一部改正〔平成三〇年三月国土交通省告示五五七号〕

（供用を停止した技術基準対象施設）

第七条　供用を停止した技術基準対象施設は、港湾の開発、利用又は保全に支障を与えないよう、必要に応じて、当該施設の撤去又は適切な維持、当該施設周辺の安全確保その他の適切な措置が講じられるものとする。

旧六条…繰下〔平成二六年三月国土交通省告示三九四号〕

附　則

（施行期日）

1　この告示は、平成十九年四月一日から施行する。

（経過措置）

2　この告示の施行の際現に国土交通大臣が港湾管理者に管理を委託している技術基準対象施設については、国土交通大臣が維持管理計画を定めるまでの間は、第五条の規定は適用しない。

附　則〔平成二九年一二月二六日国土交通省告示第一一九五号抄〕

（施行期日）

1　この告示は、平成三十年四月一日から施行する。

附　則〔平成三〇年三月三一日国土交通省告示第五五七号〕

この告示は、平成三十年四月一日から施行する。

○港湾法第五十六条の二の二第三項ただし書の設計方法

（平成十九年三月二十八日国土交通省告示第三百九十六号）

〔沿革〕平成二九年一二月二六日国土交通省告示第一一九五号、令和元年六月二八日第二四二号改正

（用語の定義）

第一条　この告示において使用する用語は、港湾の施設の技術上の基準を定める省令（平成十九年国土交通省令第十五号）及び港湾の施設の技術上の基準の細目を定める告示（平成十九年国土交通省告示第三百九十五号。以下「基準告示」という。）において使用する用語の例によるほか、次の各号に掲げる用語の定義は、それぞれ当該各号に定めるところによる。

一　設計因子の特性値　施設の設計において定量的に考慮される作用又は材料の特性を示す値をいう。

二　部分係数　施設の目標とする安定性を確保するために、設計因子の特性値に乗ずる係数として統計的解析又は信頼性の高い手法により算出された値をいう。

三　設計用値　設計因子の特性値に部分係数を乗じた値をいう。

四　部分係数法　施設の耐力の設計用値が作用により生じる設計用値を上回ることを確認することによって、施設の性能を照査する方法をいう。

（設計方法）

第二条　港湾法（昭和二十五年法律第二百十八号）第五十六条の二の二第三項ただし書の設計方法は、基準告示で定める性能規定のうち永続状態、変動状態及び偶発状態に関する事項を性能照査するものであって、次の各号に掲げる施設ごとに、それぞれ当該各号に定める設計方法とする。

一　港湾法施行規則（昭和二十六年運輸省令第九十八号。以下「規則」という。）第二十八条の二第一号の外郭施設（水門又は閘門を除く。）（設置水深が十メートル未満の施設に限る。）　部分係数法

二　規則第二十八条の二第二号イ及びロの係留施設（同号ハに該当する施設を除く。）（設置水深が十メートル未満の施設に限る。）　部分係数法

三　規則第二十八条の二第三号の道路及び橋梁　道路構造令（昭和四十五年政令第三百二十号）及び関連規定に準じた方法

四　規則第二十八条の二第五号の廃棄物埋立護岸（設置水深が十メートル未満の施設に限る。）　部分係数法

2　前項（第三号を除く。）の設計方法は、次条から第二十一条までに定めるところにより設定された自然条件等の諸条件を用いたものとする。

一項…一部改正〔平成二九年一二月国土交通省告示一一九五号〕

（波力）

第三条　波力は、基準告示第八条の規定に従って設定した波浪に基づいて、適切な水理模型実験又は標準式によって算定するものとする。ただし、施設の形状及び構造の特性に応じて波高増大又は衝撃砕波等による波力の増大がある場合にあっては、その影響を適切に勘案するものとする。

（水の流れによる力）

第四条　水の流れによって水中又は水面付近の部材及び構造物に作用する抗力及び揚力は、標準式によって算定するものとする。

（地盤の強度等）

第五条　地盤の強度等は、地盤調査及び土質試験を行って適切な値を設定するものとする。

2　土の分類は、粗粒土については粒度によって、細粒土につ

いてはコンシステンシーによって行うものとする。

3　土の圧縮特性の係数、圧密等による地盤の沈下を予測するための体積圧縮係数等は、日本産業規格による方法に基づいて得られた値によって算定するものとする。

4　土のせん断強さは、砂質土と粘性土に分けて算定するものとする。この場合において、砂質土のせん断強さは、排水条件において算定し、粘性土のせん断強さは、非排水条件において算定するものとする。

5　土の標準貫入試験値は、日本産業規格による方法に基づいて設定するものとする。

6　砂質土の内部摩擦角は、前項に規定する標準貫入試験値を用いて、標準式によって算定するものとする。

7　標準貫入試験以外のサウンディングを行う場合にあっては、地盤の特性、必要とする地盤定数の種類及び精度に応じて適切にその方法を選定するものとする。

8　地震応答解析においては、土の動的変形特性を適切に設定するものとする。

三・五項…一部改正〔平成二九年一二月国土交通省告示一一九五号・令和元年六月二四二号〕

（常時の土圧）

第六条　施設の壁面に作用する土圧及び崩壊面が水平面と成す角度は、標準式により算定するものとする。

（残留水圧）

第七条　施設の背面の水位と施設の前面の水位の間に水位差が生じる場合の残留水圧は、標準式によって算定するものとする。

（レベル一地震動による作用）

第八条　固有振動周期が比較的短く、かつ、減衰性の大きい施設に作用するレベル一地震動による作用は、震度法によって算定するものとする。この場合において、レベル一地震動による作用は、次条に規定する震度を用いて、次の各号に掲げるところにより算定したレベル一地震動による作用のうち、施設に対して不利となる作用をその施設の重心に作用させるものとする。

一　レベル一地震動による作用＝自重×震度

二　レベル一地震動による作用＝（自重＋載荷重）×震度

（震度）

第九条　震度法に用いる震度は、基準告示第十六条の規定に従って設定した確率論的時刻歴波形に基づいて、レベル一地震動の周波数特性を考慮した適切な方法により得られる水平震度とし、小数点以下三けた目を四捨五入し、小数点以下二けたの値で表すものとする。

2　鉛直震度による検討が必要な場合にあっては、震度法に用いる鉛直震度は、施設の特性、地盤の特性等に応じた適切な値とするものとする。

（地盤の液状化）

第一〇条　地盤が液状化するか否かの予測及び判定は、地盤の地震応答解析並びに粒度及び標準貫入試験値又は繰返し三軸試験を用いる適切な方法によって行うものとする。

（地震時の土圧）

第一一条　施設の壁面に作用する地震時の土圧及び崩壊面が水平面と成す角度は、標準式によって算定するものとする。

2　水面下の土の地震時の土圧は、標準式によって得られる見掛けの震度を用いて前項の規定に従って算定するものとする。

（地震時の動水圧）

第一二条　水中にある施設及び施設の内部の空間の一部又は全体を水が占める場合にあっては、地震時の動水圧並びにその合力及び作用点の位置は、標準式によって算定するものとする。

（船舶の接岸によって生じる作用）

第一三条　船舶の接岸によって生じる作用は、標準式によって算定するものとする。

（摩擦係数）

第一四条　施設の滑動に対する摩擦抵抗力の算定に用いる材料の摩擦係数は、静止摩擦係数とするものとする。この場合において、材料の摩擦係数は、対象となる施設の特性、材料の特性等を勘案して適切に算定するものとする。

（浮体への作用）

第一五条　施設が浮体構造の場合にあっては、浮体に作用する力及び浮体の動揺に起因する力は、風抗力、流れ抗力、波浪強制力、波浪漂流力、造波抵抗力、復原力及び係留力とするものとする。この場合において、これらの力は、浮体の係留方法及び規模等に応じて適切な解析法又は水理模型実験によって算定するものとする。

2　浮体の動揺及び係留力は、浮体の形状、作用及び係留方法の特性に応じて、適切な解析法又は水理模型実験によって算定するものとする。

（基礎の支持力に対する安定）

第一六条　基礎の支持力に対する施設の構造の安定の検討は、施設の構造、地盤の特性等に応じて次条から第二十条までに定める方法によって行うものとする。

（浅い基礎の支持力）

第一七条　浅い基礎の支持力の検討は、次項から第五項までに定める方法によって行うものとする。

2　砂質土地盤における基礎の支持力の算定は、標準式によるものとする。

3　非排水せん断強さが深度とともに直線的に増加する場合の粘性土地盤における基礎の支持力の算定は、標準式によるものとする。

4　基礎地盤が多層構造の場合の支持力に対する安定の検討は、標準的な解析法によって行うものとする。

5　重力式構造物の基礎地盤に作用する偏心傾斜荷重に対する支持力の検討は、標準的な解析法によって行うものとする。

（深い基礎の支持力）

第一八条　深い基礎の底面の支持力は、地盤の特性、施設の特性等に応じた適切な方法によって算定するものとする。

（杭基礎の支持力）

第一九条　杭の軸方向押込み抵抗力は、最大軸方向押込み抵抗力に安全度の余裕を考慮した適切な方法に基づいて設定した値とするものとする。

２　杭の引抜き抵抗力は、静的最大引抜き抵抗力に安全度の余裕を考慮した適切な方法に基づいて設定した値とするものとする。

３　杭の軸直角方向支持力は、載荷試験若しくは解析的方法又はこれらの組合せによる適切な方法に基づいて設定した値とするものとする。

（斜面の安定）

第二〇条　斜面の安定の検討は、地盤の特性に応じて、標準的な解析法又は第十七条第五項の規定に準じた適切な方法によって行うものとする。

（被覆する捨石等の質量）

第二一条　波力を受ける傾斜構造物の表法面を被覆する捨石及びコンクリートブロックの所要質量並びに混成堤マウンドの被覆石及びブロックの所要質量は、標準式又は適切な水理模型実験によって算定するものとする。

２　水の流れに対するマウンドの捨石等の被覆材の所要質量は、標準式又は適切な水理模型実験によって算定するものとする。

附　則

この告示は、平成十九年四月一日から施行する。

附　則〔令和元年六月二八日国土交通省告示第二四二号〕

この告示は、令和元年七月一日から施行する。

○公募対象施設等又はその維持管理の方法の基準に関し必要な事項を定める告示

（平成二十八年六月三十日国土交通省告示第八百五十八号）

〔沿革〕平成三〇年三月二日国土交通省告示第二九〇号、三一年三月二六日第四一九号、令和二年一二月二二日第一五四八号改正

（趣旨）

第一条　港湾法施行規則（昭和二十六年運輸省令第九十八号。以下「規則」という。）第三条の九第三項に規定する公募対象施設等又はその維持管理の方法の基準に関し必要な事項については、規則に定められるもののほか、この告示の定めるところによる。

（用語の定義）

第二条　この告示において使用する用語は、規則において使用する用語の例による。

（公募対象施設等の設計）

第三条　公募対象施設等は、自然状況、利用状況その他の当該公募対象施設等が置かれる諸条件を勘案して、当該公募対象施設等の要求性能（公募対象施設等に必要とされる性能をいう。以下同じ。）を満足し、かつ、施工時に当該公募対象施設等の構造の安定が損なわれないよう、適切に設計されるものとする。

２　公募対象施設等の設計に当たっては、当該公募対象施設等の設計供用期間（公募対象施設等の設計に当たって、当該公募対象施設等の要求性能を満足し続けるものとして設定される期間をいう。以下同じ。）を適切に定めるものとする。

３　公募対象施設等の設計に当たっては、施工及び維持を適切に行えるよう、必要な措置を講ずるものとする。

本条…追加〔平成三〇年三月国土交通省告示二九〇号〕、一・二項…一部改正〔平成三一年三月国土交通省告示四一九号〕

（公募対象施設等の要求性能）

第四条　公募対象施設等の要求性能は、次の各号に定めるものとする。

一　施工時及び供用時に当該公募対象施設等が置かれる諸条件に照らし、風圧、自重、土圧、水圧、変動波浪（公募対象施設等を設置する地点において発生するものと想定される波浪のうち、当該公募対象施設等の設計供用期間中に発生する可能性の高いものをいう。）、水の流れ、当該公募対象施設等の設計供用期間中に発生する可能性の高い地震動、漂流物の衝突等の作用による損傷等が、当該公募対象施設等の機能を損なわず継続して使用することに影響を及ぼさないこと。

二　設計津波（公募対象施設等を設置する地点において発生するものと想定される津波のうち、当該公募対象施設等の設計供用期間中に発生する可能性が低く、かつ、当該公募対象施設等に大きな影響を及ぼすものをいう。）、当該公募対象施設等を設置する地点において発生するものと想定される最大規模の強さを有する地震動等の作用による損傷等が、当該公募対象施設等の機能が損なわれた場合であっても、当該公募対象施設等の構造の安定に重大な影響を及ぼさないこと。

三　海水、風雨等による腐食を防止する措置が講じられていること。

四　洗掘及び吸出しによる当該公募対象施設等を構成する部材の健全性への影響が当該公募対象施設等の安定性を損なうおそれがある場合にあっては、適切な措置が講じられていること。

五　当該公募対象施設等が倒壊した場合であっても、次のイ

からニまでに掲げる区域に影響を及ぼさない規模であること。

イ　開発保全航路の区域

ロ　緊急確保航路の区域

ハ　規則第三条の六第一号、第二号及び第四号から第六号までに定める区域

ニ　耐震強化施設（港湾の施設の技術上の基準を定める省令（平成十九年国土交通省令第十五号）第一条第七号に規定する耐震強化施設をいう。以下この条において同じ。）の区域及び当該耐震強化施設と一体となって機能を発揮する必要がある港湾施設の区域

2　前項に規定するもののほか、当該公募対象施設等の被災に伴い、耐震強化施設の機能を確保するための航路及び泊地における船舶の交通に著しい支障を及ぼすおそれのある当該公募対象施設等の要求性能にあっては、レベル二地震動（港湾の施設の技術上の基準を定める省令第一条第六号に規定するレベル二地震動をいう。）等の作用による損傷等が、当該公募対象施設等の機能が損なわれた場合であっても、当該公募対象施設等の構造の安定に重大な影響を及ぼさないこととする。

本条…追加〔平成三〇年三月国土交通省告示二九〇号〕、一・二項…一部改正〔平成三一年三月国土交通省告示四一九号〕

（公募対象施設等の性能照査の基本）

第五条　公募対象施設等の性能照査は、作用、供用に必要な要件及び当該公募対象施設等の保有する性能の不確定性を考慮できる方法又はその他の方法であって信頼性の高い方法によって行われなければならない。

2　公募対象施設等の性能照査に当たっては、設計供用期間中に当該公募対象施設等が置かれる状況を考慮して、次の事項を行うことを基本とするものとする。

一　当該公募対象施設等が置かれる自然状況等を考慮して、作用を適切に設定すること。

二　二以上の作用が同時に生じる可能性を考慮して、作用の組合せを適切に設定すること。

三　材料の特性、環境作用の影響等を考慮して、材料を選定するとともに、その物性値を適切に設定すること。

本条…追加〔平成三〇年三月国土交通省告示二九〇号〕、一・二項…一部改正〔平成三一年三月国土交通省告示四一九号〕

（自然状況等の設定）

第六条　規則第三条の九第一項第一号の自然状況その他の条件は、次の各号に定める方法により定めるものとする。

一　波浪及び高潮の推算に用いる洋上における風については、気象の長期間の実測値又は推算値をもとに、風速、風向等を適切に設定するものとする。

二　風圧力の算定に用いる風については、風の長期間の実測値又は推算値をもとに、統計的解析等により再現期間に対応した風速及び風向を適切に設定するものとする。

三　潮位については、実測値又は推算値をもとに、天文潮及び気象潮、波浪による水位上昇並びに津波等による異常潮位を考慮して、統計的解析等により港湾の施設の技術上の基準の細目を定める告示（平成十九年国土交通省告示第三百九十五号）第一条第十三号に定める港湾管理用基準面からの水位を適切に設定するものとする。

四　公募対象施設等の安定性、構造部材の断面の破壊（疲労によるものを除く。）等の照査に用いる波浪については、長期間の実測値又は推算値をもとに、統計的解析等により再現期間に対応した波浪の波高、周期及び波向を適切に設定するものとする。

五　構造部材に関する疲労による断面の破壊の照査に用いる風及び波浪については、長期間の実測値又は推算値をもとに、統計的解析により設計供用期間中に発生する風速、風向、波浪の波高、周期及び波向の相関頻度分布を適切に設定するものとする。

六　津波については、津波の記録又は数値解析をもとに、津波の高さ等を適切に設定するものとする。

七　海水等の流動については、実測値又は推算値をもとに、流速及び流向を適切に設定するものとする。

八　河口水理の影響については、実測値又は推算値をもとに、河川流を考慮して、適切な手法により評価するものとする。

九　漂砂の影響については、実測値又は推算値をもとに、適切な手法により評価するものとする。

十　地盤条件については、地盤調査及び土質試験の結果をもとに、土の物理的性質、力学的特性を適切に設定するものとする。

十一　地盤の沈下の影響については、地盤条件をもとに、公募対象施設等の構造、載荷重及び当該公募対象施設等の周辺の状況を考慮して、適切な手法により評価するものとする。

十二　地震動については、地震動の実測値又は推算値をもとに、時刻歴波形を適切に設定するものとする。

十三　地盤の液状化については、地盤条件をもとに、地震動による作用を考慮して、適切な手法により評価するものとする。

十四　船舶の接岸による作用については、対象船舶（公募対象施設等の性能照査において、条件として用いる船舶をいう。）の諸元、公募対象施設等の構造、接岸方法、接岸速度等を考慮して、適切な手法により設定するものとする。

十五　環境作用の影響については、公募対象施設等の設計供用期間、材料特性、自然状況、維持管理の方法その他の当該公募対象施設等が置かれる諸条件を考慮して、適切な手法により評価するものとする。

十六　自重については、材料の単位体積重量をもとに、適切に設定するものとする。

十七　載荷重については、想定される公募対象施設等の利用状況等を考慮して、適切に設定するものとする。

本条…追加〔平成三〇年三月国土交通省告示二九〇号〕、一部改正〔平成三一年三月国土交通省告示四一九号〕

（公募対象施設等の維持管理）

第七条　公募対象施設等は、設計供用期間にわたって要求性能を満足するよう、港湾法（昭和二十五年法律第二百十八号。以下この条及び第九条第一項本文において「法」という。）第三十七条の八第一項に規定する認定公募占用計画に従って、適切に維持管理されるものとする。

2　公募対象施設等の維持管理に当たっては、自然状況、利用状況その他の当該公募対象施設等が置かれる諸条件、構造特性、材料特性等を勘案するものとする。

3　公募対象施設等の維持管理に当たっては、当該公募対象施設等の損傷、劣化その他の変状についての定期及び臨時の点検及び診断を適切に行った上で、必要な維持工事等を適切に行うものとする。

4　公募対象施設等の維持管理に当たっては、当該公募対象施設等の構造又は設備に関する専門的知識及び技術又は技能を有する者の下で行うものとする。

5　公募対象施設等の維持管理に当たっては、第三項の点検及び診断の結果その他の当該公募対象施設等の適切な維持管理に必要な事項の記録及び保存を適切に行うものとする。

6　公募対象施設等の維持管理に当たっては、当該公募対象施設等を安全に利用できるよう、運用方法の明確化その他の危険防止に関する対策を適切に行うものとする。

本条…追加〔平成三一年三月国土交通省告示四一九号〕

（公募対象施設等の点検診断）

第八条　公募対象施設等の点検診断は、自然状況、利用状況その他の当該公募対象施設等が置かれる諸条件、設計供用期間、構造特性、材料特性、点検診断及び維持工事等の難易度を勘案して、適切な時期に、適切な方法により行うものとする。

2　公募対象施設等の定期的な点検診断は、適切な時期に行うものとする。

3　前項に規定する定期的な点検診断のうち、詳細な点検診断については、適切な時期に行うものとする。

4　公募対象施設等の点検診断は、第二項に規定するもののほか、日常の点検を行うとともに、必要に応じて、臨時の点検診断を行うものとする。

本条…追加〔平成三一年三月国土交通省告示四一九号〕

（危険防止に関する対策）

第九条　法第三十七条の七第一項に規定する認定計画提出者（法第三十七条の九の規定によりその地位を承継した者を含む。以下第十条において同じ。）は、第七条第六項に規定する運用方法の明確化その他の危険防止に関する対策として、自然状況、利用状況その他の公募対象施設等が置かれる諸条件を勘案して、第一号及び第二号に掲げる対策を行うことを標準とする。

一　緊急時において当該公募対象施設等を安全な状態に維持するために必要な措置及び当該措置の実施について責任を有する者の明確化

二　前号に掲げるもののほか、当該公募対象施設等を安全な状態に維持管理するために必要な運用規程の整備

2　前二号に掲げる対策は、相互に関連性をもって一体的に運用される公募対象施設等の安全確保に関する専門的知識及び技術又は技能を有する者の下で行うことを標準とする。

本条…追加〔平成三一年三月国土交通省告示四一九号〕

（供用を停止した公募対象施設等）

第一〇条　認定計画提出者は、公募対象施設等の供用を停止したときは、港湾の開発、利用又は保全に支障を与えないよう、当該公募対象施設等を撤去するものとする。ただし、海洋汚染等及び海上災害の防止に関する法律（昭和四十五年法律第百三十六号）第三条第十号に規定する海洋施設を同法第四十三条の二第一項の許可を受けて捨てる場合は、この限りでない。

本条…追加〔平成三一年三月国土交通省告示四一九号〕、一部改正〔令和二年一二月国土交通省告示一五四八号〕

（洋上風力発電設備等の要求性能）

第一一条　洋上風力発電設備及びその附属設備（以下この条において「洋上風力発電設備等」という。）の要求性能は、次の各号に定めるものとする。

一　電気設備に関する技術基準を定める省令（平成九年通商産業省令第五十二号）及び発電用風力設備に関する技術基準を定める省令（平成九年通商産業省令第五十三号）で定める基準に適合すること。

二　洋上風力発電設備等の周辺の水域を航行する船舶から視認できるよう、洋上風力発電設備等の一部を着色したものであること。

三　回転翼は洋上風力発電設備等の周辺の水域を航行する船舶に接触しないように施設すること。

四　洋上風力発電設備等の風下で発生する乱流が水域施設における船舶の航行に支障を及ぼすものでないこと。

本条…追加〔平成三〇年三月国土交通省告示二九〇号〕、一部改正〔平成三一年三月国土交通省告示四一九号〕

附　則

この告示は、港湾法の一部を改正する法律の施行の日（平成二十八年七月一日）から施行する。

附　則〔令和二年一二月二一日国土交通省告示第一五四八号〕

この告示は、公布の日から施行する。

○港湾の開発、利用及び保全並びに開発保全航路の開発に関する基本方針

（令和6年4月1日国土交通省告示第337号）

基本的な考え方

世界経済の拡大・多極化により貿易構造等が急激な勢いで変化し、将来の見通しが立ちづらい状況の中、我が国の産業は激しい競争にさらされている。また、本格的な少子高齢化、人口減少、とりわけ生産年齢人口の減少という社会問題に突入した我が国においては、あらゆる面での生産性向上が不可欠である。更に、近年、頻発化・激甚化する自然災害や世界的規模の感染症の流行は、産業の国際競争力にも影響し、また、人口減少等の社会問題に対応するための生産性向上等の取組を一層困難にするばかりでなく、LCC（Low Cost Carrier：低コスト航空会社）の就航や、クルーズ船の寄港増加等を契機に観光立国として新たな歩みを始めた我が国の将来に不確定な要素を与えている。

我が国の経済・国民生活を支えてきた港湾においては、直面する個別の課題の解決に注力する従来の考え方から脱却し、こうした新たな状況認識の下に、その先の中長期的な発展や変化を見据えるとともに、世界的な空間スケールの視点に立った対応をする必要がある。

国際物流を取り巻く情勢として、世界の経済発展が、東アジアから東南アジア、南アジアや中東、中南米等の地域へと拡大する中、我が国の産業もグローバルな展開を進めている。特に近年は、「グローバルバリューチェーン」とも呼ばれる、部品から最終製品までの生産・輸送・流通過程において付加価値を生み出すことを目指した高度な分業体制を構築し、国際競争力の強化に取り組んでいる。そのため、我が国の港湾は、情報通信技術や自動化技術等の活用により革新的な物流サービスを提供し、我が国の産業を支える国際インフラとして機能することが必要である。

更に、コンテナ船の大型化の進展や世界的な資源獲得競争の激化、パナマ・スエズ両運河の拡張、世界的規模の感染症の流行による国際海上コンテナ物流の混乱、北極海航路の活用等により、地球規模での海上輸送網の再編も進んでいる。我が国の港湾はこうした変化に柔軟に対応し、我が国と欧州や北米等を結ぶ長距離航路の充実等をはじめとする効率的かつ安定的な海上輸送網を構築することが求められている。

一方、国内物流を取り巻く情勢として、生産年齢人口の減少等を受け、鉄道・海運のより一層の活用及び自動運転の導入促進を図るとともに、災害時・緊急時においても物流が途切れることのないよう、物流インフラの機能の確保及び代替輸送手段の確保が求められている。

物流に加えて人流の観点からも、我が国の港湾は大きな構造変化に直面している。アジア地域の経済発展に伴う観光需要の爆発的な増加を受け、クルーズ船や大型のプレジャーボートの受入の促進を図り、観光立国の実現に寄与することが重要である。特に、世界的な新型コロナウイルス感染症拡大の影響を大きく受けたクルーズ船については、2023年3月より、国際クルーズの本格的な再開がされており、国内外のクルーズ需要を取り込み、我が国の地域経済の活性化に寄与することが重要である。

更に、クルーズ旅客等の来訪増加を契機とした国内外の人々の港湾を訪れる機会の増加に伴い、訪日外国人旅行客に加え、日本人観光客及び地域住民にとっても美しく快適な港湾空間を創造することも求められている。その際、人々のライフスタイル・消費行動の多様化、文化・歴史に対する国民の関心の高まりを踏まえた港湾空間の利活用を推進することにより、安全で暮らしやすい国土の形成、恵み豊かな自然環境の享受と将来世代への継承、地域の特徴を活かした自律的で持続的な社会の創生にも貢献していくことが不可欠である。

これらの多様な要請に我が国の港湾は的確かつ柔軟に対応する必要があることから、物流・人流については、我が国産業の国際競争力の強化と国民生活の質の向上を支える、効率的で安全性・信頼性が高く環境負荷の少ない輸送体系を構築するとともに、近年著しく発展しているデジタル技術を港湾で活用するための基盤として、港湾を取り巻く様々な情報をデータ連携により一体的に取り扱うデータプラットフォームである「サイバーポート」により電子化を推進し、データの利活用を標準とする事業環境を形成する。更に、場所に縛られないデジタル技術の特性を最大限に発揮し、港湾以外の主体や情報とも連携することで、港湾空間全体の利便性・安全性・生産性を最大限高めつつ、港湾を取り巻く様々な社会課題解決にも貢献する。

また、臨海部への国内外からの産業立地やクルーズ旅客をはじめとする観光客の来訪が地域の雇用及び所得を創出する等、港湾は、地域の活力を支え、個性ある地域づくりに資する限られた貴重な空間である。こうした認識の下、海に開かれ市街地に近接しているみなとの特性を活かして、物流・人流、産業活動・国民生活等を支える機能が調和して全体として高度な機能を発揮し、美しく、快適で、安全な港湾空間を形成する。あわせて、人々に精神的な安らぎや物質的な恵みをもたらす、豊かな自然を有する沿岸域の環境の保全を進め、港湾の環境を美しく健全な状態で将来世代に継承するように努めていく。

加えて、地球温暖化対策は経済成長の制約ではなく、積極的に地球温暖化対策を行うことで、産業構造や経済社会の変革をもたらし大きな成長につなげるという考えの下、港湾において、地球温暖化がもたらす気候変動への緩和策に取り組む。具体的には、脱炭素経営に取り組む荷主等のニーズへ対応するため、サプライチェーンの海陸の結節点となる港湾において脱炭素化に取り組むことで、港湾の競争力を強化していく。更に、ブルーインフラ（藻場・干潟等及び生物共生型港湾構造物）等

の保全・再生・創出を通じたブルーカーボン（海洋生態系によって吸収・固定される二酸化炭素由来の炭素）の活用を推進する。

また、港湾及び臨海部に集積する温室効果ガスの排出量が多い産業等が脱炭素化に向けて水素・アンモニア等のエネルギーに転換していくために、水素・アンモニア等の大規模かつ強靱なサプライチェーンを形成し、港湾及び臨海部の産業の構造転換及び競争力強化に貢献していく。

更に、大規模災害時に、港湾が被災地の復旧・復興、我が国の経済の維持に果たしてきた重要な役割を踏まえ、災害から国民の生命・財産を守り、社会経済活動を維持するとともに、観光客が安心して我が国を訪れることができるよう、経験したことがない災害に対しても柔軟に対応できる災害に強い港湾を実現し、我が国全体の防災力の強化に貢献する。また、気候変動への緩和策を着実に推進し、気温上昇を一定程度に抑えられたとしても、影響は避けられないことから、適応策を適切に実施し、将来にわたって港湾に求められる役割を果たすことにより、我が国の成長・強靱化に貢献していく。

加えて、感染症の感染拡大、サイバー攻撃等の新たなリスクが発生した場合においても港湾機能の確実な維持や円滑な利用環境の確保を図る。

こうした、災害への対応や防災力の強化、港湾機能の確実な維持、円滑な利用環境の確保に当たっては、個々の港湾の状況を勘案し、民生利用を主としつつ、災害派遣や平素の訓練を含め、自衛隊・海上保安庁のニーズにも留意する。

これらの取組を進めるに当たっては、国土、地域、環境等に関する諸計画との整合を図るとともに、交通体系上の位置付け、周辺港湾の機能、地域の特色、港湾利用者や地域の要請、漁業との調整状況等を十分勘案し、各港湾の特色と機能を踏まえて、総合的に施策の有効性等を判断する。また、我が国の財政が一段と厳しくなり、かつ、将来的に社会インフラの老朽化に伴う更新需要が増加することが確実視される中で、港湾間の連携や、既存ストックの有効活用、機能の集約化・複合化等による港湾空間の再編により、港湾の生産性向上に積極的に取り組む港湾への投資の重点化を図っていく。

港湾は、多様な産業活動・国民生活を支える重要な物流・産業基盤であると同時に、人々が集う交流拠点でもあることから、本基本方針に基づく港湾政策の推進に当たっては、港湾管理者間の連携に加えて、周辺住民等との連携及び協働をより一層進める。また、多くの関係機関、港湾を利用する様々な民間企業、港湾政策は、持続可能な開発目標（ＳＤＧｓ）の実現にも資するものであり、目標の達成状況の定期的な確認等によるフォローアップ体制の確立及びその結果の政策・施策への反映に努める。更に、教育等を通じた港湾及び港湾政策に対する理解の増進に努める。

なお、本基本方針は、我が国を取り巻く今後の経済・社会情勢の推移等を勘案しつつ、必要に応じて見直しを行う。

Ⅰ　港湾の開発、利用及び保全の方向に関する事項

1　特に戦略的に取り組む事項

(1)　我が国の産業と国民生活を支える海上輸送網の構築と物流空間の形成

①　グローバルバリューチェーンを支える国際海上輸送網の構築と物流機能の強化

島国であり、かつ、資源の乏しい我が国が、貿易により経済成長を続けるためには、ＣＰＴＰＰ（Comprehensive and Progressive Agreement for Trans-Pacific Partnership：環太平洋パートナーシップに関する包括的及び先進的な協定）といったＥＰＡ（Economic Partnership Agreement：経済連携協定）の発効等による貿易構造の変化、アジア近隣諸国の海洋戦略・物流戦略等を踏まえ、国際海上輸送網を強化することが重要である。世界的に急激な勢いでコンテナ船の大型化が進み、輸送の効率化が追求される一方、世界の主要港では寄港地として選ばれ続けるようハード・ソフトともに積極的な施策を展開している。このような状況の中、我が国の港湾も、世界の新興国の発展及びそれに伴う我が国の産業・物流構造の変化に対応して、常に進化することが必要である。その際、ＡＩ（Artificial Intelligence：人工知能）やIoT（Internet of Things：モノのインターネット）等の情報通信技術及び自動化技術の発達並びに社会実装の進展を踏まえ、これらの革新的な技術を活用して、良好な労働環境の確保に配慮しつつ、国際物流システム全体の生産性向上を目指すことが不可欠である。

一方で、海外との競争だけにとらわれるのではなく、世界の港湾との連携を強化していくことも重要である。グローバルに展開する民間企業は、「グローバルバリューチェーン」とも呼ばれる高度で複雑な国際分業体制を構築していることから、我が国の質の高い港湾インフラシステムの海外展開等も進め、東南アジア諸国等との互恵関係の下で、国際基幹航路（我が国と欧州や北米等を結ぶ長距離航路。以下同じ。）や近距離シャトル航路等の多様な速度帯による重層的な航路網を構築することが必要である。更に、ターミナルの背後では、高度な流通加工機能等により製品に新たな価値を付与することができるロジスティクスセンターを備えることが求められる。

このため、以下の施策に戦略的に取り組む。

<国際基幹航路等の戦略的強化>

- ●国際基幹航路に就航する船舶の大型化・積替円滑化等に対応した大水深・大規模コンテナターミナルの形成
- ●国際基幹航路で輸送されるコンテナ貨物の国内及び東南アジア等広域からの集約
- ●コンテナ貨物の創出の実効性を高めるためのロジスティクス機能の強化と産業立地の促進

●国際海上コンテナ物流のＤＸ（Digital Transformation：デジタルトランスフォーメーション）・ＧＸ（Green Transformation：グリーントランスフォーメーション）の推進

<アジア地域との近距離シャトル航路等の戦略的強化>

●国内主要港においてアジア地域との貨物輸送需要を踏まえたコンテナシャトル航路や国際フェリー・ＲＯＲＯ航路等に対応した港湾機能の強化

●東南アジア諸国等の港湾への我が国の経験、技術、ノウハウを活かした質の高い港湾インフラシステムの海外展開とこれらの港湾との国際海上輸送網の戦略的強化

② 資源・エネルギー・食糧の安定確保を支える国際海上輸送網の構築

世界的な人口増加及び新興国の発展による資源・エネルギー・食糧の需要の増大に伴い、我が国の海外調達コスト・リスクが増大するおそれがある。更に、我が国の近隣諸国では、スケールメリットの追求の観点から、それらを輸送するバルク船の大型化と大規模な受入拠点の整備を進め、輸入の競争力を高めている。また、アメリカのシェールガス革命、パナマ運河の拡張、北極海航路の利用拡大等を受け、輸入先・輸送ルートも多様化してきている。我が国においても、こうした国際情勢に対応し、資源・エネルギー・食糧を安定的かつ低廉に輸入するための受入拠点を戦略的に配置・整備していくことが必要である。

また、我が国のエネルギー事情や地球環境の保全意識の高まり等を背景に、港湾及び臨海部に立地する発電所や産業において、水素・アンモニア、バイオマス等のエネルギーの導入が進むことが想定されることから、こうしたエネルギーに対応するため、既存ストックを有効活用しながら土地利用の転換を図ることや、受入拠点の戦略的な配置・整備が求められている。

このため、以下の施策に戦略的に取り組む。

●資源・エネルギー・食糧の安定的かつ効率的な海上輸送網を形成するための官民連携・企業間連携による大型バルク船の受入環境の整備及び企業間の共同輸送等の促進

●水素・アンモニア等の受入環境の整備

③ 将来にわたり国内物流を安定的に支える国内複合一貫輸送網の構築

本格的な少子高齢化時代に突入し、また、トラックドライバーに対する時間外労働の上限規制が適用されること等により、物流産業における労働力不足の問題が顕在化する中、大量輸送が可能で環境への負荷が少なく、長距離ドライバーの休息時間も確保できる内航フェリー・ＲＯＲＯ船等を活用した国内複合一貫輸送（フェリー、コンテナ船、ＲＯＲＯ船、貨物自動車、鉄道等複数の輸送手段が一体となって、ドア・ツー・ドアの一貫輸送サービスにより貨物を輸送する方式。以下同じ。）の重要性・有効性が強く認識される一方、季節変動性、片荷輸送、貨物の小口化等の課題を克服することが求められている。

特に、災害時においては、緊急物資輸送等に当たって、機動性が高い内航フェリー・ＲＯＲＯ船が活用されてきており、災害時支援でのより一層の活用や各地の内航フェリー・ＲＯＲＯ船が着岸する埠頭の規格統一等による機動力の向上も求められている。

このため、以下の施策に戦略的に取り組む。

●国内複合一貫輸送網の機能強化

●災害時等における緊急物資輸送等に内航フェリー・ＲＯＲＯ船を機動的に活用するための取組強化

④ 我が国及び地域の基幹産業・地場産業を支える物流機能の強化と港湾空間の形成

港湾は、強い国際競争力を有する基礎素材産業や自動車・産業機械等の加工組立型産業をはじめとする我が国及び地域の基幹産業・地場産業を支える重要な拠点となっており、地域と協働し、地域に合った競争力ある物流機能の強化と港湾空間の形成が求められている。

また、地域の自律的・持続的な発展を支えるために、海外での評価の高い我が国の農林水産物・食品の輸出を支え、農林水産業の輸出力強化に貢献していくことも重要である。

このため、以下の施策に戦略的に取り組む。

●我が国及び地域の基幹産業・地場産業を維持し、民間投資及び雇用を誘発するための港湾機能の強化並びに内陸部との連携強化

●物流機能・産業空間の新たなニーズに柔軟に対応する港湾空間の利用再編・再開発の推進

●農林水産物・食品の輸出促進に対応した物流基盤の強化

(2) 観光立国と社会の持続的発展を支える港湾機能の強化と港湾空間の利活用

① 観光を我が国の経済成長・地域活性化につなげるクルーズの再興

クルーズの再興へ向け、「持続可能な観光」、「消費額拡大」、「地方誘客促進」をキーワードにクルーズの本格回復を図り、我が国の経済成長・地域活性化につなげていく。新型コロナウイルス感染症の感染拡大で大きく影響を受けたクルーズの再興を我が国の経済成長・地域活性化の切り札とするためには、クルーズ船の我が国への寄港による交流人口の拡大とそれによる経済効果を全国に波及させることが重要である。また、クルーズの本格回復に取り組むに当たり、我が国

におけるクルーズ運航再開に際して得られた知見・経験を今後に活かすとともに、オーバーツーリズムの未然防止・抑制に取り組むことが必要である。

このため、以下の施策に戦略的に取り組む。

●多様なクルーズ船を円滑かつ安全に受け入れるための受入環境の整備

●クルーズ船の長期的かつ安定的な寄港を実現するための官民連携によるクルーズ拠点の形成

●適時適切な感染症の感染防止対策の実施や、オーバーツーリズムの未然防止・抑制に向けた取組の促進をはじめとした日本全体で安心してクルーズを楽しめる環境の整備

② 観光振興及び賑わい創出に資する港湾空間の利活用

クルーズ船等により我が国を訪れた外国人旅行客の満足度を上げ、再来訪を促進するとともに、クルーズ旅客の増加を契機として、交流人口の拡大等による外部からの需要を呼び込むことができ、日本人観光客や地域住民も楽しむことができる魅力的な空間を創出するため、みなとが持つ文化・歴史、静穏な水域、自然や多彩な景観等、様々な観光資源を発掘し磨き上げ、地中海やカリブ海等の世界のクルーズ拠点に引けを取らない、地域のブランド価値を向上させるような美しく快適で安全な港湾空間を形成することが重要である。

また、観光立国を実現するためには観光需要の多様化への対応が重要であり、陸上交通では得られない体験を楽しむことができる水上交通の活性化及び地域への経済波及効果が大きい大型のプレジャーボートの受入も求められる。

このため、以下の施策に戦略的に取り組む。

●みなととその周辺における散策・飲食・ショッピング等の機能の確保及び地域住民との交流・賑わいの創出等、快適で利便性の高い交流空間の形成

●地域の文化・歴史等の特色を活かした美しく魅力的なみなとまちづくり

●クルーズ船、大型のプレジャーボートやその他の水上交通等の多様な船舶の回遊・寄港要請への対応

③ 海洋再生可能エネルギーの利用及び脱炭素化に資する港湾空間の利活用の推進

地球温暖化防止のための国際的な枠組であるパリ協定の採択・発効を受け、世界的に脱炭素化の動きが加速する中、我が国においても持続可能な社会の実現に向けて、温室効果ガス削減等の取組をより一層強化する必要がある。

特に、東日本大震災以降、欧州で急速に導入が進む洋上風力発電を我が国にも導入する動きが加速化してきているため、港湾の海域の有効活用と、洋上風力発電設備の設置及び維持管理のための基地機能の確保が求められている。

また、脱炭素化を企業経営に取り組む動きが世界的に進展しており、サプライチェーン全体の脱炭素化に取り組む荷主等のニーズに対応するため、港湾における諸活動から発生する温室効果ガスの排出の削減と、陸域・海域における生態系等を活用した温室効果ガスの吸収の増加の両面からの対策が重要である。

このため、以下の施策に戦略的に取り組む。

●洋上風力発電等の海洋再生可能エネルギーの導入促進

●荷役機械等の低・脱炭素化、船舶への低・脱炭素燃料の供給等をはじめとする「排出源対策」の促進

●多様な主体の参画等による藻場・干潟等のブルーカーボン生態系の保全・再生・創出や緑地の活用等による「吸収源対策」の促進

(3) 国民の安全・安心を支える港湾機能・海上輸送機能の確保

① 災害等から国民の生命・財産を守り、社会経済活動を維持する港湾・輸送体系の構築

東日本大震災では、地震・津波により、港湾を含む広い範囲に甚大な被害が発生しており、今後も南海トラフ地震、首都直下地震、日本海溝・千島海溝周辺海溝型地震等の大規模・広域的な地震及び津波の発生が懸念されている。また、近年、台風に伴う高潮等により、港湾において大規模な浸水被害やコンテナの倒壊等が発生しており、今後も、気候変動による海面上昇及び高潮・高波リスクの増大が懸念されている。更に、港湾には、電力供給インフラや燃料供給インフラ、基礎素材の供給拠点等が立地し、コンビナートを形成する等、事故や災害が発生すると、その影響は我が国全体に及ぶ可能性があり、復旧にも長期間を要することが懸念される。また、港湾で利用される情報システムは港湾において重要な基盤の一つとなっていることから、情報システムに障害が発生した場合には、港湾の機能不全を引き起こす可能性があり、その影響が長期間に及ぶことも考えられる。

人口・資産・産業が集中している港湾及び港湾背後地を災害等から守り、電力供給インフラ・燃料供給インフラ等の強靱化にも対応して社会経済活動を維持するとともに、外国人旅行客が安心して我が国を訪れることができるよう、経験したことがない災害や感染症の感染拡大に対しても柔軟に対応できる、災害等に強い港湾を実現することが必要である。また、地域全体の早期の復旧・復興を支援するため、災害廃棄物の受入及び漂流物の処理について、あらかじめ検討しておくことが必要である。更に、水際線に存在するという港湾の特性上、気候変動に対して将来にわたり適応する必要があり、その際、ハード対策は一朝一夕に完成

するものではなく、ソフト面で取り得る対策も考慮した、計画的な対応を講じる必要がある。

このため、以下の施策に戦略的に取り組む。

●災害時における緊急物資や、国際海上コンテナをはじめとする幹線貨物の一連の輸送ルートの構築及び航路等の啓開体制の強化

●災害時等における緊急物資輸送、市民の生活支援、避難誘導、水際対策等に迅速に対応するため、平常時から必要な情報を共有・利活用できる体制、災害等発生後に被災状況、インフラの利用可否等の情報等を遅滞なく提供できる体制等の構築

●気候変動に伴う台風災害等の頻発化に備えるための、暴風・高潮等予測情報の関係者間における共有をはじめとする事前防災行動の促進

●港湾及び港湾背後地での社会経済活動の安全性・継続性の確保のための地震・津波・高潮・暴風等に対する防災・減災対策

●気候変動に起因する外力強大化への対応

●港湾を活用した災害廃棄物の広域輸送及び処分への対応

●漂流物の迅速な処理をはじめ、被災後の港湾機能の早期回復のために、必要な作業船等の機材や体制の確保

●事故及び災害による被害を最小限にとどめ、社会経済活動を維持するための関係機関や民間企業等と連携したコンビナート等の防災・減災対策

●港湾管理者からの要請に基づく国による港湾施設の管理や水際・防災対策連絡会議の活用による関係者間の連絡体制の構築等、非常災害時や世界的規模の感染症の流行時における港湾機能の維持の確保

●大規模災害発生後においても機動的かつ効果的に緊急物資輸送等を行うための、周辺港湾や全国的視点も含め、国と港湾管理者が連携して行う広域的・一元的な利用調整

●「特定利用港湾」に係る「運用・整備方針」を踏まえ、民生利用を主としつつ、自衛隊・海上保安庁のニーズも考慮した、平素からの円滑な利用に関する枠組みの構築

●港湾で利用される情報システムにおけるサイバーセキュリティ対策

② 船舶航行及び港湾活動の安全性の確保

コンテナ船、バルク船等の大型化が急速に進展するとともに、貨物船とは異なる航行特性及び運航形態を有するクルーズ船の寄港の増加が見込まれる。また、地球温暖化等の影響による暴風、高潮等の気象災害や大規模津波災害の発生も懸念されている。更に、大規模な気象災害や津波災害により船舶、コンテナ等が漂流した場合には、港湾の利用が困難となるのみならず、港湾施設のほか橋梁等の交通インフラ・生活インフラにも甚大な被害を及ぼすおそれがある。港湾及び航行経路においては、従来の防波堤の整備や避難港の確保等に加え、経験したことがない災害が起こり得ることも念頭に置いた上で、技術開発の動向も踏まえつつ、これまで以上に船舶航行及び港湾活動の安全性を確保していくことが必要である。

このため、以下の施策に戦略的に取り組む。

●港湾及び航行経路における船舶航行及び港湾活動の安全性を確保するため、必要な施設整備や情報提供等のハード・ソフト施策の推進

2 引き続き重点的に取り組む事項

① 地域の暮らし・安心を支える港湾機能の確保

地方の過疎化や活力の低下等が懸念される中、離島及び遠隔地での生活水準を守り向上させていく観点から、当該地域における日常生活や産業を支える海上輸送網が重要であり、更に、離島航路の運航率向上も求められている。また、災害時には海上輸送が重要な役割を果たすことから、災害に強い港湾の実現が求められている。

したがって、離島及び地方における港湾において、生活維持や産業振興、災害時対応等、港湾の役割に応じた輸送機能の確保を進めるとともに、特に、離島航路の発着地において、運航率を向上させる。

② あらゆる人に優しく安全で快適な港湾の実現

「高齢者、障害者等の移動等の円滑化の促進に関する法律（平成18年法律第91号）」に基づき、港湾に限らず様々な公共施設においてバリアフリー化が進んできている。また、訪日外国人旅行客や高齢者等のレジャーへの需要増加、少子高齢化等を背景とした働き方改革への要請等を踏まえ、旅客や就労者を含め、あらゆる人に優しく安全で快適な港湾となるよう留意する。

③ 良好な港湾環境の保全・再生・創出

地球環境に対する国民意識の高まりを受けて、恵み豊かな自然環境の享受と将来世代への継承が求められている。

したがって、良好な港湾環境を保全・再生・創出し、生物多様性の保全等、環境との共生を実現し、港湾及び港湾に隣接する地域・海域において、良好な環境を形成する。

④ 循環型社会のより一層の進展とグローバル化に対応した静脈物流網の強化

環境への負荷が少ない経済の発展を図り、社会の持続的発展を実現するため、天然資源の消費を抑制した循環型社会の形成の推進がより一層求められている。また、我が国の近隣諸国の経済成長を背景に循環資源の輸出先や求められる品質が大きく変化しており、長距離大量輸送が必要なものや、高度なリサイクル技術を必要とするものも存在する。

したがって、地域内で循環可能な資源はなるべく地域内で循環させる一方、地域内で循環が困難なものについては広域的に対応することとし、資源の特性と地域の状況を勘案し、港湾を核とした広域的な静脈物流網を構築する。

⑤　国土の保全への配慮

海岸における土砂の供給と流出の不均衡、台風、冬季風浪をはじめとする災害等により、海岸侵食が進行している地域があることから、港湾の開発、利用及び保全に当たっては、国土保全上の見地から、海岸保全施設の配置と整合した港湾施設の適正な配置に配慮する。

⑥　国際海上輸送の信頼性と安全性を確保する港湾保安対策等の推進

2001年の米国同時多発テロ事件の発生を契機に海上人命安全条約（ＳＯＬＡＳ条約）が改正され、港湾においては国際的な保安の確保が不可欠となっている。従来から就航している国際フェリーに加え、近年の世界的なクルーズ需要の増大により、我が国に寄港する外航クルーズ船の増加が見込まれることから、国際海上輸送の信頼性と安全性を向上させるとともに効率性を向上させることも求められている。

したがって、ＳＯＬＡＳ条約に対応した港湾保安対策を推進し、関係機関と連携しつつ、セキュリティ水準の高い効率的な国際物流・旅客輸送の実現を図る。

また、ヒアリ等の特定外来生物による生態系、人の生命・身体等への被害を防止するためには、水際で十分な防除対策を講じる必要があることから、関係機関と連携して、特定外来生物の侵入防止対策を着実に実施する。

⑦　港湾空間に求められる多様な要請への対応と港湾空間の適正管理

港湾施設の多目的利用等、港湾空間への多様なニーズに対応することが求められる一方、港湾は水際線を有する限られた空間であるという認識の下、港湾空間を適正に管理することも求められる。

したがって、港湾本来の機能を確保しつつ、調和のとれた空間の形成と適正な管理を行う。更に、内陸部での立地が困難な機能については、その機能の一部を港湾で受け入れることにより健全な都市活動にも貢献する。

⑧　新たな海洋立国の実現に向けた海洋政策の推進

「海洋基本法（平成19年法律第33号）」に基づき策定された海洋基本計画の目標の実現に向けて、「排他的経済水域及び大陸棚の保全及び利用の促進のための低潮線の保全及び拠点施設の整備等に関する法律（平成22年法律第41号）」に基づく港湾内に指定された低潮線保全区域における低潮線の保全及び本土から遠く離れた海域における海洋資源の開発・利用等のための活動拠点の形成、海上輸送の確保、海洋の安全の確保、海洋環境の保全、離島の保全等総合的な施策を積極的に推進する。

３　時代の変化に対応するとともに生産性の高い港湾マネジメントの推進に向けて取り組む事項

①　サイバーポートによる港湾の電子化

デジタル技術の発展に伴い、大量のデータを分析・活用したより迅速かつ高度な物流サービスの提供が急速に進んでいる。

港湾分野においても、港湾に関するあらゆる情報の電子化を推進し、その利活用を標準とする事業環境を形成することで、港湾全体の利便性・安全性・生産性を最大限高めるため、次世代シングルウィンドウサービスを充実させるとともに、港湾に関する行政機関及び民間事業者間の手続や港湾施設の状況等あらゆる情報を電子的に接続し、必要なセキュリティ及び情報の秘匿性を確保の上、一体的に取り扱うデータプラットフォームである「サイバーポート」の構築・利活用を推進する。

更に、港湾の管理・利用の効率化及び安全性の確保、災害時の非常事態への対応力の強化等を図るため、「サイバーポート」により得られたビッグデータを活用することによる港湾行政のＢＰＲ（Business Process Reengineering：既存の業務プロセスを詳細に分析して課題を把握し、ゼロベースで全体的な解決策を導き出すことにより、事業者及び行政の双方の負担を軽減するとともに、業務処理の迅速化・正確性の向上を通じた利便性の向上を図る取組）に取り組む。また、サイバーポートと海外の港湾及び農業等の港湾以外の分野の情報基盤との接続等の取組を進める。これにより、物流、商取引、交通サービス、観光をはじめとする様々な観点で港湾を活用した高度な情報サービスを創出し、これら分野の社会課題の解決に貢献する。

このため、以下の施策に戦略的に取り組む。

●港湾手続、貨物情報、船舶動静、施設稼働状況等の港湾に関する様々な情報を電子的に接続し、秘匿性及び安全性を確保しつつ連携させる「サイバーポート」の構築

●ＡＩターミナル等と接続し、ビッグデータを活用したコンテナターミナルの渋滞緩和、搬出入及び荷役作業の迅速化・効率化等、港湾物流の高度化の推進

●サイバーポートの港湾物流分野・港湾管理分野・港湾インフラ分野の3分野一体で、必要なセキュリティ、情報の秘匿性及び持続性を確保した運用体制を確立し、ＮＡＣＣＳ（Nippon Automated Cargo and Port Consolidated System：輸出入・港湾関連情報処理システム）及び各港湾の情報システムとの連携によるシングルウィンドウサービスの利用促進等による全国の港湾の利便性の向上

●港湾の管理、利用に関する行政手続の電子化において、ＧＩＳ（Geographic Information System：地理情報システム）、ＩｏＴ等を導入することにより港湾空

間に関する情報や、設計・施工管理に関する情報及び災害時の被災情報を迅速かつ効率的に把握し、これらの情報を利活用できる体制の構築

●民間の港湾情報サービス並びに海外港湾及び港湾以外の分野の情報サービスとのデータ連携の拡大による港湾を核とした物流サービスの高度化・拡大

●「デジタル社会形成基本法（令和３年法律第35号）」に基づく政府全体の施策及び情報通信技術の進化と連携・連動した港湾の電子化の促進・進化

② コンテナターミナルにおける生産性向上や労働環境改善のためのＡＩターミナルの実現及び技術開発の推進

近年、大型コンテナ船の寄港が増加しており、コンテナ船の荷役時間の長期化及びコンテナターミナル周辺での渋滞が深刻化している。また、少子高齢化により、我が国の熟練技能者の高度な荷役ノウハウの喪失が懸念されている。一方、ＡＩ、ＩｏＴ等の情報通信技術及び自働化技術等は目覚ましい発展を遂げており、海外主要港湾においてはコンテナターミナルの自動化を進めている。我が国港湾においても、国際競争力の維持・強化に向けて、コンテナターミナルの生産性を飛躍的に向上させるとともに、港湾に関わる様々な労働者の良好な労働環境を確保していく必要がある。

このため、以下の施策に戦略的に取り組む。

●ＡＩ、ＩｏＴ、自働化技術の組み合わせによる世界最高水準の生産性及び良好な労働環境を有するＡＩターミナルの実現

●コンテナターミナル全体のオペレーションの改善や、荷役機械の高度化、港湾労働者の安全性の向上等を目的とした、現場ニーズを踏まえた効果の高い技術開発の推進

③ 持続可能な港湾開発等のための港湾関連技術の生産性向上及び働き方改革の推進

港湾の整備や維持管理等を担う国・港湾管理者・民間企業における技術者・技能者が減少していく中、様々な輸送ニーズに対応する港湾施設の効率的な整備及び適切な維持管理・更新を行う必要がある。

その際、持続可能な港湾開発等を可能とする「現場力」を維持するため、担い手の確保・育成に努めるとともに、港湾開発等の生産性向上及び働き方改革を推進することが不可欠である。更に、海外の港湾関係者との継続的な関係構築を進めるとともに、国際交流の経験や国際的な感覚を有する人材を育成することも重要である。

あわせて、船舶の自動航行及び遠隔操船の技術開発が進んでいることから、世界的な動きも十分に考慮しつつ、港湾における船舶航行の安全性の確保と効率性の向上が両立するよう支援する取組も必要である。

このため、以下の施策に戦略的に取り組む。

●若手技術者の登用促進等の担い手の確保・育成の推進、休日確保等による働き方改革の推進

●国や港湾管理者等の様々な主体による、港湾の整備、管理、振興等の様々な分野での国際交流の推進

●国と港湾管理者の連携による適切な人材育成及び人材配置の推進

●ＩＣＴ浚渫工、ＣＩＭ（Construction Information Modeling/Management）等の活用によるi-Constructionの推進

●国・地方公共団体・民間企業が港湾施設の維持管理情報を共有できるシステムの充実

●官民連携による、モニタリング等の点検業務へのＩｏＴ・ロボットの活用の促進

●国内外の船舶の自動航行等の技術開発の動向を踏まえ、必要となる港湾施設の改良及びその基準の検討、関係機関と連携した入出港ルールの検討

●技術開発の水準及び時期に係る目標を定めた効率的な港湾関連の技術開発等の推進とその成果の積極的活用

④ 柔軟性を持ったストックマネジメントと港湾間の連携の推進

我が国の財政が一段と厳しくなる中、将来的な社会インフラの老朽化に伴う更新需要の増加が確実視される。一方、産業・貿易構造や荷役形態等の変化に伴い、港湾に求められる機能は常に変化していくことから、港湾の開発等に際しては、経済・社会情勢の変化等を踏まえて臨機応変に対応できる柔軟性を持たせるとともに、既存ストックの有効活用、スクラップアンドビルド等により港湾全体の生産性を向上させることが必要である。

その際、幹線道路網の整備等とも相まって港湾の背後圏が広域化していることから、港湾間の機能分担を踏まえた連携を十分に考慮する必要がある。

このため、以下の施策に戦略的に取り組む。

●国・港湾管理者・民間企業が適切に連携し、港湾間の機能分担を踏まえた連携を図った上で、既存施設や用地等の効率的・弾力的な利用、機能の集約化・複合化等による港湾空間の再編の促進

●将来の経済・社会情勢の変化に柔軟に対応できるよう、港湾機能上必要な用地の計画的な確保と機能配置

Ⅱ 港湾の配置、機能及び能力に関する基本的な事項

港湾の配置、機能及び能力に関する基本的な事項は、「Ｉ 港湾の開発、利用及び保全の方向に関する事項」を踏まえ、以下のとおりとする。なお、国際海上貨物輸送の拠点である国際戦略港湾及び国際拠点港湾、海上輸送網の拠点である重要港湾並びに地方港湾の機能分担等を適切に考慮するものとする。

1 特に戦略的に取り組む事項に係る基本的な事項

(1) 我が国の産業と国民生活を支える海上輸送網の構築と物流空間の形成

① グローバルバリューチェーンを支える国際海上輸送網の構築と物流機能の強化

＜国際基幹航路等の戦略的強化＞

国際基幹航路等による多方面・多頻度の直航コンテナ物流サービスの提供による我が国産業の国際競争力を強化するため、国際戦略港湾である京浜港（東京港、横浜港及び川崎港)、阪神港（大阪港及び神戸港）において、国際基幹航路の寄港の維持・拡大に最優先で対応する。

具体的には、以下の施策に取り組む。

・連続直線バース、必要な水深、十分な広さの荷さばき地及び高能率の荷役機械を備えた、外内貿コンテナを一体的に取り扱える大規模コンテナターミナルの形成
・国内外とのフィーダー航路網の充実や円滑な積替機能の確保による集貨に向けた、コンテナターミナルの一体利用の推進
・埠頭間や幹線道路網とコンテナターミナルの円滑な接続を含むアクセス性の確保
・内航フェリー・ＲＯＲＯ航路や鉄道等の多様な輸送モードを活用した集貨の促進
・ＡＩ、ＩｏＴ、自働化技術の組み合わせによるコンテナターミナルの生産性向上
・新たな貨物需要の創出や多様な物流ニーズへの対応のため、流通加工・再混載等の複合機能を備えた物流施設の立地促進
・グリーン電力の確保や水素等を原動力とする荷役機械の導入などのコンテナターミナルの脱炭素化に関する取組の推進、低・脱炭素燃料バンカリングへの対応

なお、伊勢湾における国際拠点港湾においては、国際基幹航路の将来性等を考慮した上で、背後圏の需要に的確に対応する。

＜アジア地域との近距離シャトル航路等の戦略的強化＞

多様な速度帯による重層的な航路サービスの提供に向け、近距離の多頻度・高速の航路網の戦略的強化を図るため、アジア向けのコンテナ貨物等を扱う国内主要港において、貨物輸送需要を踏まえつつ、コンテナシャトル航路や国際フェリー・ＲＯＲＯ航路等に対応した港湾機能を強化する。

具体的には、以下の施策に取り組む。

・連続直線バースによるコンテナ船及び国際フェリー・ＲＯＲＯ船の機動的運用
・ＡＩ、ＩｏＴ、自働化技術の組み合わせによるコンテナターミナルの生産性向上
・新たな貨物需要を創出するための流通加工・組立加工機能等を備えた物流施設の整備と背後の幹線道路網との円滑な接続
・農水産品等を輸送する冷蔵・冷凍コンテナ等の取扱いに必要な物流施設及び電源の確保等、シャトル航路の特性を活かす施設の機能強化
・近隣諸国との輸送円滑化のためのダブルナンバープレートへの対応

② 資源・エネルギー・食糧の安定確保を支える国際海上輸送網の構築

＜資源・エネルギー・食糧の受入拠点となる港湾の機能強化＞

資源・エネルギー・食糧の安定確保を支えるため、資源の産出地・消費地の分布状況、産業・エネルギー拠点の立地状況等に対応し、品目ごとの海上輸送や陸上輸送の状況等を踏まえ、資源・エネルギー・食糧の受入拠点となる港湾において、輸送の生産性向上を図る。あわせて、世界的な脱炭素化の潮流を踏まえ、環境への負荷が少ないエネルギーの受入拠点の配置・整備も検討する。

具体的には、以下の施策に取り組む。

・船舶の大型化に対応した岸壁及び十分な広さの荷さばき地の整備
・老朽化・陳腐化した生産設備や貯蔵設備の更新等に合わせた輸送インフラの更新・改良
・ＬＮＧ、バイオマス燃料、水素・アンモニア等の受入環境の整備

＜国際バルク戦略港湾の機能強化＞

世界的な需要が増加し、かつ、船舶の大型化が進展している貨物について、安定的かつ効率的な海上輸送網を形成するため、「国際バルク戦略港湾」（穀物：釧路港、鹿島港、名古屋港、水島港、志布志港。鉄鉱石：木更津港、水島港・福山港。石炭（一般炭）：小名浜港、徳山下松港・宇部港）において、官民連携・企業間連携による大型バルク船の受入環境の整備と企業間の共同輸送等を促進し、また輸入先・輸送ルートの多様化を推進する。このうち、特にバルク貨物の輸入拠点としての機能を高めるべき港湾を特定貨物輸入拠点港湾として指定し、官民が連携した取組を進める。

具体的には以下の施策に取り組む。

・穀物用はパナマックス級以上、鉄鉱石用はＶＬＯＣ級、石炭（一般炭）用はケープサイズ級の船舶の受入環境の整備
・民間企業による埠頭群の一体的・効率的な運営の促進
・企業間連携、ＩＣＴ活用による大型船での複数港寄り及び小型船での二次輸送の促進
・特定貨物輸入拠点港湾における、特定利用推進計画の推進及び特定貨物輸入拠点港湾利用推進協議会等を活用した進捗状況の確認

③ 将来にわたり国内物流を安定的に支える国内複合一

貫輸送網の構築

将来においても安定的に国内物流を支えるため、航路網の状況、海上輸送需要、幹線道路網及び鉄道輸送網との円滑な接続、トラックドライバーの労働環境の改善等を考慮し、国内複合一貫輸送網の拠点となる港湾において、内航フェリー・RORO船の利用環境を向上させるとともに、災害時等の緊急物資輸送等に内航フェリー・RORO船を活用するための取組を強化する。

具体的には、以下の施策に取り組む。

・船舶の大型化に対応した岸壁及び十分な広さの荷さばき地の整備
・埠頭再編による国際コンテナターミナルと内航フェリー・RORO船ターミナルの近接化
・背後の幹線道路網及び鉄道輸送網との円滑な接続
・陸上輸送で多く活用されている中型・小型トラック等で輸送される小口貨物を積み替えるために必要な施設の整備
・農水産品等を輸送する冷蔵・冷凍コンテナ等の取扱いに必要な物流施設及び電源の確保
・IoT等を活用した、荷役機械・乗降施設の高度化、自動離着岸施設の設置、乗船手続の自動化等の内航フェリー・RORO船ターミナルの高度化・効率化の検討
・内航フェリー・RORO船ターミナルにおけるシャーシの位置管理等システムの導入や、背後地のトラックドライバーの休憩等のための施設確保に向けた環境整備の推進
・災害時等における緊急物資輸送等に内航フェリー・RORO船を機動的に活用するための、国及び港湾管理者による埠頭の利用調整並びに埠頭の規格統一化の検討

④　我が国及び地域の基幹産業・地場産業を支える物流機能の強化と港湾空間の形成

我が国及び地域の基幹産業・地場産業を支え、民間投資及び雇用を誘発するため、産業の特性に応じて、物流機能の強化及び利便性の高い産業空間への再編を柔軟に行う。

具体的には、以下の施策に取り組む。

・産業動向、船舶の大型化等の輸送形態の変化、荷役に係るニーズ等への対応
・老朽化・陳腐化した物流施設の高度化並びに農水産品等を輸送する冷蔵・冷凍コンテナ等の取扱いに必要な物流施設及び電源の確保
・港湾の特性を活かした大型特殊貨物の円滑な輸送の確保
・災害時のリダンダンシー確保にも資する、物流全体の効率化及び交通混雑の緩和のためのインランドポートの整備・利用促進
・背後の幹線道路網との円滑な接続等による、内陸部に立地する産業及び物流施設の輸送環境の向上
・産業空間の再配置及び利便性向上のための臨海部用地の政策的な誘導・供給

(2)　観光立国と社会の持続的発展を支える港湾機能の強化と港湾空間の利活用

①　観光を我が国の経済成長・地域活性化につなげるクルーズの再興

クルーズを我が国の経済成長・地域活性化につなげるため、ハード・ソフト両面からのクルーズ船受入環境を整備する。

具体的には以下の施策に取り組む。

・ファーストポートにおける、下船から寄港地観光への円滑な接続を可能とするための旅客動線やCIQ等のオペレーション及び拡張可能性に配慮した旅客施設の整備
・日本発着港における、国際空港との連携を含めた空港・駅等からの円滑なアクセス、旅客用駐車場、チェックイン・手荷物預入れ等の必要な設備の確保及びLNGバンカリングや陸上電力供給施設等の船舶へのサービス機能の強化
・クルーズ旅客の快適性確保のための、旅客施設等における無料無線LAN、多言語案内、洋式トイレ等の確保
・災害時等におけるクルーズ旅客の安全性の確保
・クルーズ旅客の視点を考慮した美しい景観を有する受入環境の形成
・寄港地を探すクルーズ船社とクルーズ船の寄港を期待する港湾管理者のマッチングによる「お断りゼロ」の実現
・国際旅客船拠点形成港湾における、国際旅客船拠点形成計画の推進及び国際旅客船受入促進協定に基づくクルーズ船社の岸壁の優先的利用の適切な実施
・旅客ターミナル等での寄港地観光の消費喚起スキーム構築
・地域経済効果の最大化及び訪日クルーズ旅客の分散化のための寄港地観光ツアーの上質化・多様化
・瀬戸内海・南西諸島等の新たなクルーズ周遊ルート開拓
・多様化する訪日クルーズニーズに対応したプロモーション等の実施
・クルーズの安全・安心の確保に向けた、適時適切な感染防止対策の実施
・クルーズ旅客の二次交通需要に対応するための交通手段の確保や小型船の利用促進及びツアーバス・シャトルバスに対応した十分な規模の駐車場の確保

②　観光振興及び賑わい創出に資する港湾空間の利活用

観光振興及び賑わい創出が求められる港湾において、以下の施策に取り組む。

・地域の特性に配慮した旅客施設及び交流施設の整備並びに港湾情報提供施設の活用
・観光客等の満足度向上・消費拡大のための地域観光資源の充実
・港湾の近接地域及び内陸部、島々等の観光資源との連携の強化
・港湾協力団体等との協働による各地域の文化・歴史及び地域の観光資源を活かしたみなとまちづくり並びに住民参加による地域振興の取り組みが継続的に行われるみなとオアシスの活性化の推進
・民間資金も活用した、官民連携による地域の特色や水際線を活かしたみなとまちづくりの推進
・民間事業者による賑わい創出に資する公共還元型の港湾緑地等の施設整備
・海水浴、ビーチスポーツ等の多様な活動による海浜・臨海部の積極的活用
・都市の再生にも資する、周辺の土地利用との調和及び市街地との機能面での連携
・地震、津波、高潮等の災害からの防護及び景観等の良好な港湾環境の形成への配慮
・運河や地域の観光資源等を活用した水上交通ネットワークの活性化
・プレジャーボート等の小型船舶の係留・保管施設の整備
・既存の港湾施設の活用、関係機関と連携した入港手続の柔軟な対応等による大型のプレジャーボートの受入環境の整備

③ 海洋再生可能エネルギーの利用及び脱炭素化に資する港湾空間の利活用の推進

海洋再生可能エネルギーの利用及び脱炭素化に資する港湾空間の利活用を推進するため、以下の施策に取り組む。

・港湾本来の機能と調和が図られた、港湾区域における洋上風力発電等の導入促進
・「海洋再生可能エネルギー発電設備の整備に係る海域の利用の促進に関する法律（平成30年法律第89号）」に基づく一般海域における海洋再生可能エネルギー発電設備整備促進区域の指定
・海洋再生可能エネルギー発電設備整備促進区域における将来的な洋上風力発電事業を見据えた洋上風力発電設備の設置及び維持管理の拠点となる港湾の指定及び機能の強化
・ＬＮＧ燃料船への燃料供給の用に供する船舶等の整備によるＬＮＧバンカリング拠点の形成
・技術開発中のゼロエミッション船へのバンカリング機能の検討
・岸壁に停泊中の船舶からの排出ガス（CO_2、SO_x、NO_x等）を削減するため、船舶の規模に応じた動力源（水素燃料、アンモニア燃料、合成燃料、バッテリーの活用等）の脱炭素化の動向等を踏まえた陸上電力供給設備の導入等に向けた取組の推進
・荷役機械等の低・脱炭素化の推進
・サプライチェーン全体の脱炭素化に取り組む荷主等のニーズに対応するため、港湾のターミナルにおける脱炭素化の取組状況を客観的に評価する認証制度（ＣＮＰ（Carbon Neutral Port：カーボンニュートラルポート）認証）の創設及び国際的な認知度の向上
・海外の港湾関係者、船社等と連携した国際海上輸送網の脱炭素化「グリーン海運回廊」の実現
・多様な主体の参画を促す仕組みの導入等ブルーインフラの拡大に向けた環境整備
・浚渫土砂等の建設副産物や鉄鋼スラグ等の産業副産物を有効活用したブルーカーボンの活用推進及び緑地の活用

(3) 国民の安全・安心を支える港湾機能・海上輸送機能の確保

① 災害等から国民の生命・財産を守り、社会経済活動を維持する港湾・輸送体系の構築

人口・資産・産業が集中している港湾及び港湾背後地を災害等から守り、社会経済活動を維持できるよう、緊急物資及び幹線貨物の輸送機能等の確保並びに支援活動の拠点にもなる港湾機能の強化を進める。その際、大規模地震災害の切迫性、気候変動に起因する将来の災害リスクの増大、地理的条件、港湾の利用状況、緊急輸送道路網等の背後地へのアクセスの状況等を考慮するとともに、それぞれの港湾において求められる機能に応じて、関係機関、民間企業、港湾広域防災協議会等とも適切に連携を図る。また、コンビナート等が立地する港湾において、事故や災害による影響を最小限とするよう関係機関等と連携した取組や、外国人旅行客が安心して我が国を訪れることができるよう、経験したことがない災害や感染症の感染拡大に対しても柔軟に対応できる、災害等に強い港湾の実現に向けた取組を進める。更に、港湾で利用される情報システムに対するサイバーセキュリティ対策を着実に実施する。

具体的には、以下の施策に取り組む。

<国民の生命・財産を守るための、緊急物資、幹線貨物等の輸送ルートの構築及び航路等の啓開体制等の強化及び連携体制の確保>

・フェリー・ＲＯＲＯ船等による迅速な緊急物資等の輸送に資する既存岸壁の耐震機能の確保や、幹線貨物輸送の拠点となる耐震強化岸壁とそれに付随する

荷役機械、道路の整備等、地域防災計画等を踏まえた港湾関連施設の防災機能の向上
・災害時の供給確保のための、燃料等の取扱係留施設の大規模地震対策施設としての位置付け
・首都圏及び近畿圏の基幹的広域防災拠点における関係機関と連携した訓練等の実施による運用体制の強化
・港湾関係機関との定期的な訓練や港湾の事業継続計画（以下「港湾ＢＣＰ」という。）（Business Continuity Plan：事業継続計画）の深化を通じた、緊急物資輸送・給水・入浴・洗濯等も考慮した支援船舶の柔軟な活用の円滑化や、航路啓開・被災施設の復旧等に係る連携体制の強化
・緊急物資輸送船舶等の安全な航行を確保するための、清掃兼油回収船をはじめとする作業船等の漂流物、埋塞物等の除去性能等の確保
・支援船舶の係留場所や岸壁背後地の利用調整等の機能を確保するための、非常災害時等における、港湾管理者の要請に応じた国による港湾管理業務の実施
・災害時等における緊急物資輸送等に内航フェリー・ＲＯＲＯ船を機動的に活用するための国及び港湾管理者による埠頭の利用調整及び埠頭の規格統一化の検討
・「特定利用港湾」に係る「運用・整備方針」を踏まえ、民生利用を主としつつ、自衛隊・海上保安庁のニーズも考慮した、必要な整備又は既存事業の促進

＜災害時における緊急物資輸送等に対応するための情報共有・提供体制等の構築＞

・民間企業等との協働による港湾ＢＣＰの策定及び訓練等の定期的な実施による継続的な改善
・港湾広域防災協議会の設置等による、広域的な港湾ＢＣＰの策定と継続的な改善
・「サイバーポート」等を活用した港湾施設の被災状況・利用可否状況等の情報の共有・利活用体制の構築
・リモートセンシング技術等を活用した情報の収集・把握・分析と、それらに基づく航路啓開や被災施設の復旧等に係る即応体制の強化
・ＩｏＴ等を活用した早期の被災状況把握及びインフラ利用可否、代替ルート情報等を提供するシステムの構築

＜津波・高潮等に対する防災対策の推進＞

・埠頭用地等の高さの確保、蔵置貨物の流出・倒壊防止対策、荷役機械等の電源の耐水対策及び停電対策の実施
・防波堤の適切な配置及び「粘り強い構造」化
・海岸保全施設整備や津波・高潮浸水想定等を踏まえた防災対策の推進

＜気候変動に起因する外力強大化への対応＞

・浸水リスクや施設損壊リスクを総合的に評価する「脆弱性評価」の実施・共有
・官民の多様な主体が集積する港湾の物流・産業機能を継続するため、脆弱性評価に基づく防護水準や気候変動適応時期に係る共通認識下で、官民関係者が護岸の嵩上げ等を行う「協働防護」の考え方を前提とした、将来にわたる港湾機能の維持に必要な港湾計画等の策定・変更
・将来の外力強大化を考慮した施設設計
・気候変動の不確実性に対処するための維持管理の実施
・外力強大化に対応する技術開発

＜災害廃棄物及び漂流物への対応＞

・災害廃棄物を搬出・搬入する岸壁及び仮置きする荷さばき地の確保
・多様な関係者の連携による災害廃棄物の搬出港・受入港の広域的なネットワークの構築
・流木等の漂流物の迅速な処理をはじめ、被災後の港湾の機能の早期回復のために必要な作業船等の機材や体制の確保

＜コンビナート等の防災・減災対策＞

・危険物取扱施設の所有企業や関係機関と連携した、港湾ＢＣＰの策定、大規模なコンビナート等における航路沿いの護岸等の耐震強化及び適切な維持管理の推進
・事故及び災害時に影響が及ぶ範囲を考慮した危険物取扱施設の配置
・老朽化・陳腐化した危険物取扱施設の更新時期や港湾再開発に合わせた計画的移転
・危険物積載船の航行時における関係機関と連携した防災・減災上の配慮

＜サイバーセキュリティ対策＞

・港湾で利用される情報システムに必要な情報セキュリティ対策の着実な実施
・情報システムの使用者による情報セキュリティ体制の構築

② 船舶航行及び港湾活動の安全性の確保

港湾及び航行経路における船舶航行及び港湾活動の安全性を確保するため、以下の施策に取り組む。

・船舶の大型化及び高速化、荷役形態等を勘案した、防波堤、航路及び泊地の整備並びに係留方法の改善
・土砂の流入抑制等による航路及び泊地の埋没対策の実施
・船舶航行の輻輳している海域における、関係機関と連携した、航行安全に資する情報の提供等の実施
・急激な気象変化により海難事故の発生が懸念される港湾における、関係機関が協働した、船舶の安全か

つ適切な避難対策等の実施

・小型船舶等が航行中に異常気象を察知した場合に安全に避難するための、重要港湾、地方港湾及び空白地域を補完する避難港における、避難のために必要な静穏度と面積を有する水域の確保

2　引き続き重点的に取り組む事項に係る基本的な事項

①　地域の暮らし・安心を支える港湾機能の確保

地域の暮らし・安心を支えるため、離島及び地方における港湾において、生活維持、産業振興、災害時対応等、港湾の役割に応じた輸送機能を確保するとともに、離島航路の発着地について、運航率の向上等のための輸送機能を確保する。

具体的には、以下の施策に取り組む。

・離島及び地方の港湾の特性等を踏まえた、効率的な荷役及び安全な乗降ができる施設の確保並びに運航率向上のための静穏度の確保

・離島等における、大規模災害時に様々な支援船舶等による利用も可能となる岸壁等の確保及び燃料等の取扱機能の確保

②　あらゆる人に優しく安全で快適な港湾の実現

あらゆる人に優しく安全で快適な港湾となるよう、以下の施策に取り組む。

・フェリー、クルーズ、離島航路等の旅客施設及び交流・賑わい拠点並びにこれらにつながる移動ルート上の施設における、関係者と連携したバリアフリー化・ユニバーサルデザインの導入及び多言語による情報提供の推進

・港湾で働く人々、旅客、地域住民等に配慮した緑地、広場、休憩所等の適切な確保

③　良好な港湾環境の保全・再生・創出

生物多様性の保全にも配慮しつつ、良好な環境を形成するため、以下の施策に取り組む。

・港湾整備で発生する浚渫土砂等を有効活用した干潟等の造成、深掘跡の埋め戻し等、失われた良好な海域環境の再生

・生態系に配慮した藻場・干潟等の造成、覆砂の実施、生物共生型港湾構造物、緑地の整備等による良好な環境の創出

・海浜の再生、護岸の親水化等による、みなとへのパブリックアクセスの向上

・地域と連携し、自然と触れ合いつつ、文化・歴史を踏まえた環境と共生する豊かな港湾環境の次世代への継承

④　循環型社会のより一層の進展とグローバル化に対応した静脈物流網の強化

地域内での資源循環及び港湾を核とした広域的な静脈物流網の構築・強化を推進するため、静脈物流の拠点となるリサイクルポートをはじめ循環資源を取り扱う港湾において、以下の施策に取り組む。

・浚渫土砂や産業副産物等の利用促進

・循環資源の輸送・保管及びリサイクル施設との連携に適し、製品等の取扱いや人流との分離に配慮した施設配置

・循環資源を取り扱う岸壁及び荷さばき施設、防塵柵、緩衝緑地、積替保管施設等の整備

・広域輸送網の構築のため民間企業や地方公共団体等との連携強化

・鉄スクラップ等の国際的な広域輸送にも対応した機能の確保

⑤　国土の保全への配慮

海岸における土砂の供給と流出の不均衡及び台風、冬季風浪等による海岸侵食に対する国土の保全に十分に配慮する観点から、以下の施策に取り組む。

・海岸保全施設の位置及び整備予定箇所、低潮線保全区域等を考慮した港湾施設の配置等の検討

⑥　国際海上輸送の信頼性と安全性を確保する港湾保安対策等の推進

セキュリティ水準の高い効率的な国際物流・旅客輸送を実現するため、国際航海に従事する船舶が係留する港湾において、ＳＯＬＡＳ条約に対応した港湾保安対策を推進する。また、ヒアリ等の特定外来生物の侵入防止対策を実施する。

具体的には、以下の施策に取り組む。

・フェンス及び監視カメラの設置等のハード面の対策の実施

・国際海上コンテナターミナル及びクルーズ埠頭における、効率的な運用に配慮した保安対策の実施

・重要国際埠頭施設への出入管理情報システムの導入

・関係機関及び民間企業と連携した警備強化による水際対策の徹底

・ヒアリ等の特定外来生物の確認調査及び防除の実施

⑦　港湾空間に求められる多様な要請への対応と港湾空間の適正管理

港湾空間に求められる多様な要請への対応及び港湾空間の適正な管理を推進するため、以下の施策に取り組む。

・防波堤の釣り利用や港湾空間の研究開発の場としての利用等の多様なニーズを踏まえ、港湾施設の有効利用と安全確保を両立する適正な管理方策の実施

・船舶の航行及び停泊、海洋性レクリエーション活動や漁業活動等、多様な活動が滞りなく安全に行われるための港湾区域の適正な管理

・小型船舶の適切な収容に必要な施設の確保及び放置規制

・作業船の安定的な係留に必要な場所の確保

・港湾の開発・利用上支障となっている沈廃船の処理及

び放置座礁船等の撤去

・他の機能と調和しつつ、港湾の機能が全うできるような臨港地区の適切な設定及び運用

・港湾活動及び周辺の土地利用との整合を図った上で、内陸部での立地が困難な機能の港湾空間における受入

III　開発保全航路の配置その他開発に関する基本的な事項

開発保全航路は、船舶の輻輳する湾口部や海峡部等の海上交通の要衝・隘路における個別の港湾区域に属さない航路であり、港湾内の航路と連携して、国際海上輸送及び国内海上輸送を担う船舶等の航行の安全性、安定性及び効率性を支える重要な役割を果たしている。我が国産業の国際競争力の強化及び国民生活の質の向上に資するためには、その機能を十分に発揮するとともに、今後の船舶の大型化や自動運航等の技術開発に的確に対応することが求められる。

また、災害時には、緊急確保航路及び接続する港湾区域内の航路と連携した海上輸送機能の確保が求められる。

このため、以下の方針の下、開発保全航路等の開発、保全及び管理を行う。

1　海上交通の安全性、安定性及び効率性を支える開発保全航路等の開発、保全及び管理の方向

船舶の安全かつ円滑な航行を確保するため、自然環境の保全、周辺の水域利用及び漁業との調整、船舶の輻輳、航行規制の状況、航路が閉塞した際の産業活動・国民生活への影響、観光による地域の振興等に配慮しつつ、必要に応じて、開発保全航路の区域を見直し、新規航路の開削、船舶の待避のために必要な施設の整備、航路標識の設置、既存航路の拡幅及び増深並びに航路法線の改良を行う。

また、航路の安全性を確保するため、必要な水深等の維持、沈船や浮遊物の除去を行うとともに、航路管理体制を確保する等、適正に航路を保全する。更に、災害時の海上輸送機能の確保のため、平常時から開発保全航路及び緊急確保航路において、船舶や土石の放置を禁止する等、適正な管理を行う。

災害発生時には、一連の船舶航行経路を確保し、緊急物資輸送等を円滑に進めるとともに幹線貨物輸送機能を維持するため、港湾管理者、関係団体等と連携して、開発保全航路及び緊急確保航路を啓開する等、適正な管理を行う。また、港湾管理者の要請に応じて、大規模地震対策施設等の港湾施設の利用調整及び復旧作業、当該施設に至る港湾区域内の航路の啓開等を国が実施する。

特に、大型船や危険物積載船が航行する航路及び航行隻数の多い航路においては、船舶の大型化・高速化を勘案しつつ往復航路の分離等を進めるとともに、AI等を活用した船舶の自動運航・航行支援技術の研究開発の進展を踏まえ、求められる開発保全航路の開発、保全及び管理のあり方を検討する。

2　開発保全航路の配置

海上交通の安全性、安定性及び効率性を向上させるため、東京湾、伊勢湾、瀬戸内海、関門海峡等の船舶航行量が多く船舶交通の要衝である海域等において、船舶の大型化や高速化、自動運航・航行支援技術等の新たな技術の導入等も踏まえて、開発保全航路を配置する。

IV　港湾の開発、利用及び保全並びに開発保全航路の開発に際し配慮すべき環境の保全に関する基本的な事項

港湾の開発、利用及び保全並びに開発保全航路の開発に際し配慮すべき環境の保全に関する基本的な事項は、以下のとおりとする。

1　自然環境の積極的な保全・再生・創出

①　良好な自然環境の保全

海浜、藻場・干潟等は、水質浄化や生物多様性の確保等、様々な環境機能を有する場である。このため、港湾の開発、利用及び保全並びに開発保全航路の開発に当たっては、これらの重要性を十分考慮するとともに、開発及び利用により影響が及ぶことが懸念される範囲にある環境の保全上重要な藻場・干潟等については、開発及び利用並びに背後地域の防災との調和を考慮しつつ、自然環境への影響の回避及び低減を図る等、適切な保全に努める。

②　失われた自然環境の再生と新たな環境の創出

高度成長期以降、東京湾、伊勢湾、大阪湾を含めた瀬戸内海等において、産業活動・国民生活等の土地利用需要に対応するため、海浜、藻場・干潟等が大きく失われてきた。また、過去の海底土砂の採取により、大規模な深掘跡が海底に点在しており、青潮の原因となる貧酸素水塊の発生場所の一つとなっている。このため、現在の環境をできる限り保全することに止まらず、環境影響等を十分検討した上で港湾及び開発保全航路の開発に伴い発生する浚渫土砂を有効活用して干潟等を造成する等、失われた良好な環境の再生に努める。

また、港湾の開発等に際しては、生態系にも配慮して藻場・干潟等の造成、覆砂の実施、生物共生型港湾構造物、緑地の整備等を行うことにより、良好な環境の創出を進める。特に、防波堤、護岸等の港湾施設の整備に当たっては、自然環境に与える影響を極力回避・低減するとともに、環境の創出に資するように、生物による栄養塩類の回収等海水浄化能力の向上及び港内の水質の悪化を防止するための海水交換並びに生態系にも配慮した構造形式の採用に努める。

③　沿岸域の連続性を考慮した対応

港湾の水域は、流入河川や海域とつながる水の連続的な流れの中で捉えるべきものであることから、背後地域の経済活動及び市民生活を源として流入する汚濁負荷、沿岸漂砂、河川からの土砂供給等、港湾を越えた総合的な沿岸域全体の環境管理が重要である。このため、関係者と連携しつつ、広域的かつ総合的な沿岸域の自然環境の保全を進める。

④　底質浄化等による海域環境の改善

港湾の水域には、背後地域の経済活動や市民生活を源として流入する汚濁負荷が集中し、汚泥が蓄積しやすい。また、長年にわたって海底に堆積した汚泥から、栄養塩類等が溶出することによって、港湾の水域における環境悪化を招いている場合がある。このため、海底に堆積する汚泥を浚渫して除去すること等により、海洋汚染の防止及び水質環境の改善に取り組む。また、ダイオキシン類等の有害化学物質に対しても、必要に応じて適切に対応する。

また、港湾及びその周辺海域におけるゴミ及び油の回収等により、海域環境の改善及び海洋汚染の拡散防止に貢献する。

⑤　人と自然との触れ合いの拡大

港湾においては、人が海の豊かな自然と身近に触れ合え手軽に憩いや癒しを感じることができる空間の確保が求められている。このため、港湾の開発等に際しては、海浜の再生、護岸の親水化等により、人が直接自然に親しんだり、海及びみなとを展望したりできるように、みなとへのパブリックアクセスを向上させる。

2　多様化する環境問題への対応

再生可能エネルギーの利用及び脱炭素化に資する港湾空間の利活用の推進、循環型社会のより一層の進展並びにグローバル化に対応した静脈物流網の強化を進め、港湾においても多様化する地球環境問題への対応に貢献する。

また、港湾の施策の推進にあわせ、港湾を核としたＩｏＴ等を活用した効率的な物流体系の構築並びに官民連携による港湾活動及び臨海部における産業活動の脱炭素化を促進し、地球温暖化対策を進める。

更に、都市活動に伴い発生する廃棄物の処理に関しては、限られた海面処分場を有効活用するため、発生の抑制、減量化、減容化、再利用等の努力を前提としつつ、適切に対応する。また、大都市圏において、廃棄物を長期的かつ安定的に処理していくため、港湾管理者、周辺の地方公共団体、関係機関及び民間企業が連携し、広域的な観点から対応する。

3　環境の保全の効果的かつ着実な推進

①　環境情報の充実と共有化

東京湾、伊勢湾、大阪湾を含めた瀬戸内海等の閉鎖性海域において、計画的かつ効率的に自然環境の保全を進めるため、関係機関と連携して環境の経年的情報の把握に努めるとともに、これまで個別に把握され、管理されてきた環境に関する情報を広域的かつ総合的に体系化し、電子化すること等により、広く情報を共有・発信できるような取組を進める。

②　環境への影響の評価と対応

港湾の開発等に当たっては、生物多様性及び人が豊かな自然と触れ合う場の確保を考慮し、港湾及びその周辺の大気環境や水環境等に与える影響を、計画の策定に際して評価するとともに、関係機関と必要な調整を行い、その実施に当たっても広域的かつ長期的な観点に立って、これらの環境への影響の回避・低減に努める。また、必要に応じて、代償を含めて適切に環境の保全のための措置を講ずるとともに、環境モニタリングの実施に努める。

③　先導的な環境保全技術の開発

環境をより効果的かつ着実に保全するため、特に生態系の再生等に係る評価、生物を利用した栄養塩類の回収、浚渫土砂や産業副産物等の利用促進、ブルーカーボンを活用したCO_2吸収源対策等に関する評価手法等の先導的な技術開発を進める。また、港湾におけるCO_2排出量を削減するため、関係機関と連携して、荷役機械等の更なる低・脱炭素化及び再生可能エネルギー等の活用のための技術開発を進める。

④　地域と連携した環境保全への取組

環境を幅広く保全するためには、市民が港湾・海洋における環境保全の大切さを理解し、良好な環境づくりに自ら積極的に取り組むことが望まれる。このため、自然と触れ合いつつ文化・歴史を踏まえた港湾・海洋の役割を伝える教育を地域と連携して進めるとともに、港湾の緑地、海浜、藻場・干潟等については、計画段階から維持管理に至るまで、市民、ＮＰＯ等が主体的に参画できる体制づくりを進める。

Ⅴ　港湾の開発、利用及び保全に際し特に考慮する基本的な事項

1　経済的、自然的又は社会的な観点からみて密接な関係を有する港湾相互間の連携の確保に関する基本的な事項

一つの経済圏及び生活圏を構成し、あるいは一つの海域を構成している地域において複数の港湾が存在し、相互に経済的、自然的又は社会的な観点からみて密接な関係を有する場合は、港湾相互間の連携の確保が重要である。とりわけ、規模の効果を活かした国際水準の利用者サービスを提供することが求められている三大湾の港湾については密接な連携が不可欠であることを踏まえ、経済的、自然的又は社会的な観点からみて密接な関係を有する港湾相互間の連携の確保に関する基本的な事項は、以下のとおりとする。

なお、港湾相互間の連携に当たっては、港湾計画の作成、港湾の利用、港湾の環境の保全等に関して、国及び関係する港湾管理者等が相互に連絡調整する体制を構築するものとする。

(1)　港湾相互間の連携に関する観点

①　経済的な観点からの連携

国際海上コンテナ輸送や複合一貫輸送においては、船舶の大型化に伴って一船当たりの取扱量が増大する傾向にあり、幹線道路網等の整備等とも相まって、港

湾の背後圏が広域化している。特に、大都市圏等においては複数の港湾が近接して立地しているため、背後圏にある一つの地域が複数の港湾に同時に依存する場合が多い。また、国際海上コンテナについては、アジア諸国の港湾での取扱いが急増する中で、我が国港湾の相対的地位が低下し、我が国港湾への基幹航路の寄港便数も減少している。更に、日本発着の国際海上コンテナ貨物のうち海外港湾で積み替えられて輸送されるトランシップ貨物のシェアが増加している。

このため、近接した港湾が総体として、海上輸送網の拠点を形成するように関係者間で連携するとともに、それぞれの港湾において、その特性を踏まえた機能分担に応じて、計画的に施設を配置する。

また、輸送の効率性を高めるとともに、海上輸送網の充実を図るため、国際海上コンテナ輸送において国際フィーダー航路による輸送の強化により、国際戦略港湾との連携を強化する等、複数の港湾が連携を進める。

バルク貨物の輸送においては、広域的かつ効率的な海上輸送網の形成を通じた海上輸送コストの低減を図るため、企業間連携による大型船を活用したバルク貨物の共同輸送の促進等を図る。その際、大型船の複数港寄りに対応する港湾においては、港湾管理者間及び企業間で連携し、必要となる港湾機能の確保に取り組むとともに、小型船による積み替え輸送に対応する港湾においては、既存ストックを活用する等、効率的な海上輸送網の構築を図る。

更に、複合一貫輸送においては、円滑な利用ができるよう、一つの航路を形成する各港湾間で整合のとれた港湾施設を提供する。

なお、大規模災害の発生時においても、幹線貨物の輸送機能が確保されるように、関係者間の連携に取り組む。

また、観光による広域的な地域の振興を促進し、国内外のクルーズ船等の就航を促進するため、様々な魅力を持った背後地域を有する港湾間における連携を強化する。この際、港湾の近接地域及び内陸部、島々等の観光資源としての魅力が高い地域との連携を進める。

② 自然的な観点からの連携

閉鎖性の強い内湾のように、外海との海水交換が良好でなく、狭い海域内の生態系が均衡を保つことにより成り立っている海域では、近接して立地する複数の港湾とその周辺海域の自然環境を一体的に捉えて、環境の保全に取り組む必要がある。このため、港湾の開発等による環境への影響について、広域的な評価やモニタリングの実施に努める。

特に、背後地域から流入する汚濁負荷が多い東京湾、伊勢湾、大阪湾を含めた瀬戸内海等では、赤潮や青潮が発生する等、生物の生息環境が良好でなく、人と自然との触れ合いの場も十分でない。このため、自然環境の有限性を認識し、多様な主体が連携して、良好な自然環境をできる限り保全・再生・創出するとともに、陸域から流入する汚濁負荷の維持に努めつつ、湾全体の環境を勘案した環境の再生及び創出のための措置を官民連携により計画的に進める。

更に、豊かな自然が残されている地域においては、地域とも連携しつつ、その保全と活用に努める。

③ 社会的な観点からの連携

船舶航行量が多い海域に複数の港湾が近接し、航行水域が狭隘な場合には、船舶航行の安全性、安定性及び効率性の向上のため、開発保全航路の開発、保全及び管理を行うとともに、情報を共有化する等、関係機関と連携して総合的な航行安全対策を進める。

三大湾地域をはじめとする人口及び資産が集積する地域等において複数の港湾が近接して立地している場合には、大規模地震等の災害時に避難者及び緊急物資の輸送機能を確保するため、耐震強化岸壁等の適正な配置及び基幹的広域防災拠点との連携により港湾間の相互補完を進める。また、これらの施設が連携して、災害時に所期の機能を発揮できるように、港湾広域防災協議会を組織すること等により、関係者が協働して広域的な港湾ＢＣＰを策定し、連携体制を構築する。

内陸部で廃棄物処分のための空間確保が困難なため、その処分を海面に依存せざるを得ない地域において、複数の港湾が近接して立地している場合には、廃棄物処分の要請や用地需要等を勘案しつつ、船舶の安全な航行及び停泊との調整を行い、関係機関と連携して広域的な観点から適切に対応する。

(2) 広域的な港湾相互間の連携

① 地域ブロックごと及び全国規模での港湾相互間の連携

北海道、東北、関東、北陸、中部、近畿、中国、四国、九州及び沖縄の10の地域ブロックごとに、他地域及び近隣諸国との地理的関係、物流・産業動向、幹線道路網等の整備の進展、沿岸域の環境、観光資源の分布、広域的な港湾ＢＣＰ等を踏まえ、物流、人流、災害時対応等の機能に関して、各港湾が地域ブロック内及び他地域の港湾との連携を図る。

具体的には、港湾管理者をはじめ関係機関が協働し、関係する民間企業等の参画も得ながら、地域ブロックごとに、中長期的に求められる港湾の物流・人流機能、空間の利活用方策等について検討を行い、その内容を共有することにより、港湾ごとの適切な機能分担及びそれを踏まえた港湾相互間の連携を図る。

特に、大規模広域災害発生後におけるコンテナ物流についての広域的な代替港湾利用を含めた全体効率化の観点から、事前対策を含め地域ブロックにかかわらず全国規模での港湾の連携を図る。

② 日本海沿岸における環日本海交流と地域振興への取組

日本海沿岸地域においては、対岸諸国の経済・社会等の状況変化、三大都市圏等との陸上アクセスの向上等により、今後、日本海側の港湾を経由した環日本海交流が益々進展することが見込まれる。このため、海陸の交通が結節し、交流の拠点となっている各港湾が、それぞれの地理的特性やその他の優位性を活かしつつ、全体として相互に連携して、ネットワークを形成し、環日本海交流の一層の促進や、日本海側地域の経済発展に貢献し、また災害に強い物流体系の構築に寄与する。

また、このような環日本海交流の動きとあわせて、地域の交流の歴史及び文化を活かした地域振興への取組を、関係者と連携して進める。

なお、古くからの物資の輸送を西廻り航路等の海運が支えてきた日本海沿岸地域では、歴史的資産等を活用して、環日本海のみなとまちをクルーズ船で結ぶことにより、観光による地域の振興を促進する。

③ 瀬戸内海における地域振興と環境の保全・再生・創出への取組

瀬戸内海地域においては、多くの島々が点在する美しい景観や静穏な海域、歴史的資産等の観光資源を活用して、各港湾がそれぞれの個性を発揮しつつ全体として魅力ある国内外のクルーズ船等のネットワークを形成する等、各港湾が連携して地域振興への取組を進める。

また、瀬戸内海は、海峡部で区切られた複数の湾・灘が連続した閉鎖性の海域群であることから、海域の環境が相互に影響し合うことに配慮しつつ、各港湾が連携して環境の保全に取り組む。特に、閉鎖性が強く背後から流入する汚濁負荷も多い水域においては、海水浄化機能等の向上を図るため、多様な主体と協働し、陸域から流入する汚濁負荷の低減を進めるとともに、干潟、藻場等の保全・再生・創出に努める。更に、豊かな自然が残されている地域においては、多様な主体と連携して、その保全と活用に努める。

2 官民の連携による港湾の効果的な利用に関する基本的な事項

港湾においては、船社、物流事業者、製造事業者、荷主、観光関係の事業者、ＮＰＯ等の多様な関係者が活動しており、港湾の利用に際してこれらの関係者との連携は不可欠である。特に、公共と民間が役割分担しつつ連携することにより、長期的かつ安定的に港湾の効果的な利用が期待されることを踏まえ、官民の連携による港湾の効果的な利用に関する基本的な事項は、以下のとおりとする。

(1) バルク貨物等の輸送網の拠点となる港湾

バルク貨物等の輸送網の拠点を形成するため、国・港湾管理者・民間企業等の連携による港湾の効果的な利用を推進する。

特に、世界的に需要が増加し、かつ、輸送船舶の大型化が進展している貨物について、バルク貨物の輸入拠点が背後産業の立地と密接に結びついていることや拠点の絞り込みによる物流効率化の効果を発揮するために産業立地の再配置や企業間連携の強化等が必要になることに鑑み、民の視点を取り込んだ効率的な運営体制の確立、船舶の運航効率改善のための制限の緩和並びに港湾間及び企業間の連携の促進に取り組む。

このようなバルク貨物の輸入拠点としての機能を高めるべき港湾を特定貨物輸入拠点港湾として指定する。バルク貨物の海上輸送の共同化の促進に資する当該港湾の効果的な利用の推進を図るため、関係者が連携して、特定貨物輸入拠点港湾利用推進協議会等を活用しつつ、特定利用推進計画を作成し、当該計画に定めた取組を促進するとともに、継続して当該計画の進捗状況の確認を行う。

なお、特定利用推進計画の作成に当たっては、当該港湾の港湾計画等との整合を図るとともに、当該港湾を拠点とする大型船の複数港寄りや小型船による積替輸送といった企業間の連携による大型船の活用の取組の促進、安定的な投資環境の構築に資する共同化促進施設協定の活用による荷さばき施設等の共同化の促進並びに複数の港湾にまたがる企業間及び港湾管理者間の連携等の促進に配慮する必要がある。

(2) クルーズ船の受入拠点となる港湾

クルーズ船の受入拠点を形成するため、港湾管理者及びクルーズ船社等の連携による港湾の効果的な利用を推進する。

特に、港湾管理者が、当該港湾への寄港を希望し、自ら寄港地の利便性を高めるために旅客施設等を整備する意向をもつクルーズ船社と連携する場合、その意向及びニーズを取り込むとともに、その活力を活用しながら、長期的かつ安定的な寄港を確保する国際クルーズ船の受入拠点の形成に取り組む。

このような取組を行う港湾を国際旅客船拠点形成港湾として指定する。当該港湾の港湾管理者は、関係者と調整し、国際旅客船拠点形成計画を作成する。更に、当該港湾管理者は、旅客施設等を整備するクルーズ船社等と、係留施設の優先的な利用や当該旅客施設等の一般公衆への供用等に関する官民連携国際旅客船受入促進協定を締結することにより、当該計画に定めた取組を推進する。

なお、国際旅客船拠点形成計画の作成に当たっては、当該港湾の港湾計画等との整合を図るとともに、官民連携の推進、公共的な施設利用の確保を可能とする管理・運営、魅力ある寄港地観光の造成、地場産業の活用等による地域振興への貢献及び観光等の地域の関係者の連携による推進体制の構築に配慮する必要がある。

(3) 海洋再生可能エネルギー発電設備等の設置及び維持管理の拠点となる港湾

海洋再生可能エネルギー発電設備等の設置及び維持管理の拠点を形成するため、国・港湾管理者・民間企業の連携による港湾の効果的な利用を推進する。

特に、洋上風力発電は、地球温暖化対策に有効であり、大規模な開発により経済性の確保が可能で、関連産業の育成や波及効果も期待される。洋上風力発電の導入促進のためには、事業の予見可能性を高める必要があることに鑑み、国及び港湾管理者は、重厚長大な資機材を扱うことが可能な耐荷重・広さを備えた埠頭において、発電事業者による発電設備の設置から撤去に至るまでの長期的かつ安定的な利用の確保に取り組む。

このような取組を行う港湾を海洋再生可能エネルギー発電設備等拠点港湾(以下「基地港湾」という。)として指定する。基地港湾において、国及び当該港湾の港湾管理者は、埠頭の長期貸付けを行う。貸付けにあたり、国は、当該埠頭の貸付けを受ける2以上の発電事業者間の適切な利用調整を行う。当該埠頭については、国、港湾管理者及び発電事業者が連携して、災害時等における公共的な利用を確保する体制を構築する。

なお、このような基地港湾の埠頭については、最大30年間にわたり発電事業者に貸し付けることができることから、当該港湾の港湾計画等との整合を図るとともに、当該港湾の開発、利用及び保全に係る長期的な展望との調和を図る必要がある。

また、国、港湾管理者及び発電事業者は地域との共生や地域経済への波及の観点に配慮する必要がある。

(4) 脱炭素化の促進に資する港湾の効果的な利用の推進

我が国の港湾や産業の競争力強化と脱炭素社会の実現に貢献するため、港湾管理者、港湾及び臨海部に立地する民間企業並びに、関係自治体等の連携等による港湾の効果的な利用を推進する。

港湾において、サプライチェーン全体の脱炭素化に取り組む荷主等のニーズへ対応し、港湾の競争力を強化していく。また、港湾及び臨海部には、温室効果ガスの排出量が多い産業等の多くが集積しており、これら産業等のエネルギー転換を促し、産業の構造転換及び競争力強化に貢献していく。このため、脱炭素化に配慮した港湾機能の高度化や、水素・アンモニア等の受入環境の整備等を図るCNPの形成を推進する。

このような取組を多岐にわたる官民の関係者が一体となって進めるため、港湾管理者は、港湾脱炭素化推進協議会を活用しつつ、港湾脱炭素化推進計画を作成する。当該計画により、既存ストックを有効活用しながら効率的・効果的に埠頭再編等を図り、港湾及び臨海部における脱炭素化の取組を促進する。また、港湾管理者は、必要に応じ、当該計画の目標を達成するため、脱炭素化推進地区を定め、構築物の用途規制の柔軟化を図るものとする。

なお、港湾脱炭素化推進計画は、短、中、長期と段階的に取り組む計画とし、当該港湾の港湾計画等との整合を図るとともに、当該港湾におけるエネルギーの調達及び利用に係る公共の役割、官民連携及び企業間連携の推進、既存施設の利用転換、地域の脱炭素化への貢献、脱炭素関連産業の立地等による地域振興への貢献並びに複数の港湾にまたがる企業間及び港湾管理者間の連携等の促進に配慮する必要がある。

(5) 民間事業者による賑わい創出に資する公共還元型の港湾緑地等の施設整備

地域の交流拠点としての役割を担う港湾の緑地等の老朽化や魅力の低下等に対応するため、民間の活力を最大限活かして、緑地等の再整備と魅力向上とを効果的に推進する。

特に、港湾の緑地等は、港湾の自然環境の保全、港湾の良好な環境の形成、港湾労働者の労働環境及び周辺住民の生活環境の向上等の場となるとともに、災害等における復旧・復興活動の拠点や避難場所など、様々な機能を果たしており、我が国の財政が一段と厳しくなる中においてもこれらの機能の確保・高度化を図りつつ、水際線を活かした質の高い賑わい空間を創出する必要がある。これにあたり、民間活力を最大限活かしていくためには、緑地等における安定的な投資環境の構築が必要であることに鑑み、国及び港湾管理者は、民間事業者による公共還元型の緑地等の整備のための長期的かつ安定的な利用の確保に取り組む。

このような取組を行う港湾の緑地等において、カフェやレストラン等の収益施設を整備し、当該施設から得られる収益を還元して当該緑地等の再整備を行う民間事業者に対して、港湾管理者が緑地等の貸付けを行う。貸付けにあたり、国は、全国における官民連携の成功事例の収集・共有に務めるとともに、災害時等における公共的な利用を確保する体制を構築する。

また、国、港湾管理者は、市民・NPO・民間事業者等の多様な主体と連携・協働することにより、地域の文化・歴史等の特色を活かした賑わい創出に取り組むとともに、施設の老朽化による異常や損傷の早期発見、適切な維持管理を図ることで、安全で魅力的な港湾空間を形成する。

3 <u>民間の能力を活用した港湾の運営その他の港湾の効率的な運営に関する基本的な事項</u>

港湾は取り扱う貨物を通じ、産業活動・国民生活と密接に関わっている。産業の国際競争力の強化、国民生活の質の向上等を図る上で、低廉で質の高い港湾サービスの提供が極めて重要であり、港湾の効率的な運営を推進する必要があることを踏まえ、民間の能力を活用した港湾の運営その他の港湾の効率的な運営に関する基本的な事項は、以下のとおりとする。

(1) 民間能力の活用による港湾運営の効率化

我が国港湾においては、埠頭運営をはじめとする多様な経済活動が官民により様々な形で実施されており、その運営の効率化に民の視点を取り込んだ制度として、港湾運営会社制度をはじめ、PFIに係る制度、特定埠頭に係る制度、指定港湾管理者制度等が整備されている。地域における産業及び、経済の実情等の港湾を取り巻く状況を勘案しながら、これらの制度を活用し、我が国においても民間の能力を活用した港湾運営の効率化を進める。

港湾運営会社制度により港湾運営の効率化を図るため、港湾計画の作成や臨港地区内の構築物規制等の港湾管理を担う港湾管理者及び港湾運営に係る業務を一元的に担う港湾運営会社との連携を確保するとともに、貨物取扱量、施設の利用状況等の運営に係るデータ及び財務に関する情報等の適宜・適切な開示、港湾運営について民間のガバナンスが十分に発揮されるための民間資本の参加、組織・経営体制の整備等を進める。

特に、国際戦略港湾においては、複数の港湾管理者にまたがる港湾を一体的かつ効率的に運営していくため、国が港湾運営会社に出資することにより、国・港湾管理者・民間企業それぞれの強みを活かした協働体制を構築し、広域からの貨物集約や新たな貨物需要の創出、海外船社への航路誘致活動等、全国的・国際的視点で取り組むべき課題に対応する。加えて、物流・脱炭素化等の新規事業分野への展開や、他の国内港湾との更なる連携及び海外港湾への運営参画・業務提携等を推進し、集貨に資する国内外とのネットワークを構築するとともに経営基盤を強化する。

なお、我が国にとって港湾は、物流を通じて我が国の社会経済を支えるとともに、災害時においては緊急物資輸送等を通じて国民の生命と生活を守る重要な社会基盤であることから、港湾運営会社の公共性の確保及び港湾の秩序の確立に取り組む。

(2) 港湾の効率的な運営を支える協働体制の構築

輸送の効率性及び利便性の向上等、港湾における物流サービスの水準を向上させるため、港湾利用及びサービス向上についての協議会等の設置及び活用を通じて、港湾利用者のニーズを十分把握するとともに、関係者と連携して、港湾における良好な労働環境の確保に配慮しつつ、目標の設定・その達成状況の公開等を通じたPDCA(Plan:計画、Do:実施、Check:評価、Action:改善)プロセスの構築、荷役の効率化、荷主等のニーズへの対応力の強化、これらに対応するための人材の確保等に努める。

特に、国際戦略港湾においては、埠頭群の指定が2以上の港湾管理者の港湾区域にわたってなされることを踏まえ、港湾法に基づく国際戦略港湾運営効率化協議会を活用し、関係者間での緊密な連携により、港湾全体での一体的かつ効率的な運営の実現を図る。これにより、関係手続の迅速化、広域からの貨物集約、国際基幹航路の寄港の維持・拡大等を進める。

附　則

(施行期日)

1 この告示は、公布の日から施行する。

(経過措置)

2 この告示の規定は、この告示の施行の日以後に定め、又は変更される港湾計画について適用し、同日前に定め、又は変更された港湾計画については、なお従前の例による。

○陸域を定める告示

（令和五年十一月二日国土交通省告示第千八十一号）

港湾法施行令（昭和二十六年政令第四号）別表第二第七号、第八号、第九号、第十一号及び第十三号の規定に基づき、陸域を定める告示（昭和四十九年運輸省告示第二百七十九号）の全部を次のように改正し、令和五年十一月二日から適用する。

一　港湾法施行令（昭和二十六年政令第四号。以下「令」という。）別表第二第七号の国土交通大臣が定める陸域は、次の図に示すとおりとする。

（「次の図」は省略し、その図面を関係地方整備局のウェブサイトに掲載するものとする。）

二　令別表第二第八号の国土交通大臣が定める陸域は、次の図に示すとおりとする。

（「次の図」は省略し、その図面を関係地方整備局のウェブサイトに掲載するものとする。）

三　令別表第二第九号の国土交通大臣が定める陸域は、次の図に示すとおりとする。

（「次の図」は省略し、その図面を関係地方整備局のウェブサイトに掲載するものとする。）

四　令別表第二第十一号の国土交通大臣が定める陸域は、次の図に示すとおりとする。

（「次の図」は省略し、その図面を関係地方整備局のウェブサイトに掲載するものとする。）

五　令別表第二第十三号の国土交通大臣が定める陸域は、次の図に示すとおりとする。

（「次の図」は省略し、その図面を関係地方整備局のウェブサイトに掲載するものとする。）

○港湾整備促進法

（昭和二十八年八月五日法律第百七十号）

〔沿革〕　昭和三〇年七月一九日法律第七一号、三八年六月一二日第一〇三号、五八年一二月二日第七八号、平成二年六月二七日第五〇号、一一年一二月二二日第一六〇号、一二年五月三一日第九八号、第九九号、一四年七月三一日第九八号、一七年一〇月二一日第一〇二号、二三年三月三一日第九号改正

（目的）

第一条　この法律は、特定港湾施設整備事業に要する費用に充てるための資金調達を円滑にすることにより、港湾の整備を促進することを目的とする。

（特定港湾施設整備事業）

第二条　この法律において「特定港湾施設整備事業」とは、港湾法（昭和二十五年法律第二百十八号）第二条第二項に規定する国際戦略港湾、国際拠点港湾若しくは重要港湾又はその整備を促進することが著しく国民経済の発展若しくは国土の開発に寄与すると認められる同項に規定する地方港湾であつて政令で定めるものにおいて港湾管理者が行う次に掲げる工事をいう。

一　港湾法第二条第五項第六号に掲げる荷さばき施設の建設、改良又は復旧

二　港湾法第二条第三項の港湾区域内又は同条第四項の臨港地区内において行う水面の埋立て、盛土、整地等による土地の造成又は整備

三　貯木場の建設、改良又は復旧

四　船舶の離着岸を補助するために使用する船舶の建造

本条…一部改正〔昭和三八年六月法律一〇三号・平成二三年三月九号〕

（整備計画）

第三条　国土交通大臣は、特定港湾施設整備事業について、会計年度ごとに、交通政策審議会の議を経て、その基本計画（以下「整備計画」という。）を定め、内閣の承認を求めなければならない。

参照　〔政令〕令

2　前項の整備計画は、当該特定港湾施設整備事業の実施により、当該港湾の利用者の利便が増進するようなものでなければならない。

3　国土交通大臣は、第一項の規定により整備計画を定めようとするときは、あらかじめ、関係港湾管理者に対し、当該港湾の特定港湾施設整備事業に関する資料の提出を求めなければならない。

一項…一部改正〔昭和三〇年七月法律七一号・五八年一二月七八号〕、一・三項…一部改正〔平成一一年一二月法律一六〇号〕

（整備計画の通知）

第四条　国土交通大臣は、前条第一項の規定による内閣の承認があつたときは、遅滞なく、関係港湾管理者に対し、当該港湾に係る整備計画を通知しなければならない。

本条…一部改正〔平成一一年一二月法律一六〇号〕

（資金の融通）

第五条　政府は、港湾管理者が第三条第一項の規定による内閣の承認があつた整備計画に基づいて特定港湾施設整備事業を行う場合には、港湾管理者に対し、当該事業に要する費用の全部又は一部に充てるため、財政融資資金（財政融資資金法（昭和二十六年法律第百号）第二条の財政融資資金をいう。）を、その資金の運用の可能な範囲内において、融通するように努めなければならない。

本条…一部改正〔平成二年六月法律五〇号・一二年五月九八号・九九号・一四年七月九八号・一七年一〇月一〇二号〕

（資金の融通のあつ旋）

第六条　国土交通大臣は、港湾管理者が第三条第一項の規定による内閣の承認があつた整備計画に基いて特定港湾施設整備

事業を行う場合には、当該事業に要する費用に充てるための資金の融通のあっ旋をするものとする。

本条…一部改正〔平成一一年一二月法律一六〇号〕

（勧告等）

第七条 国土交通大臣は、港湾管理者が第三条第一項の規定による内閣の承認があつた整備計画に基いて特定港湾施設整備事業を行う場合には、当該事業の施行又は当該事業に係る施設若しくは土地の利用若しくは処分に関して、必要な勧告、助言又は援助をすることができる。

本条…一部改正〔平成一一年一二月法律一六〇号〕

附　則

1 この法律は、公布の日から施行する。

2 〔他の法令改正に付き略〕

附　則〔平成二三年三月三一日法律第九号抄〕

（施行期日）

第一条 この法律は、平成二十三年四月一日から施行する。

〔以下略〕

○港湾整備促進法施行令

（昭和二十八年九月十五日政令第二百八十号）

〔沿革〕 昭和三〇年七月一九日政令第一二九号、三二年八月二〇日第二六八号、三四年六月一一日第二一四号、三五年六月九日第一五四号、三九年三月二六日第三五号、八月一〇日第二六九号、四〇年三月三〇日第六七号、四一年四月一八日第一二六号、四二年五月三〇日第九二号、四三年四月一七日第八六号、四四年三月三一日第四六号、六月一七日第一六六号、四五年五月一日第一一六号、四六年四月一日第一一四号、七月一日第二三七号、四八年四月一六日第八四号、四九年四月二三日第一三六号、五〇年四月二二日第一三二号、五二年五月二七日第一六八号、五三年四月一二日第一二八号、五四年五月一五日第一四二号、五七年七月二七日第二〇六号、五八年一〇月四日第二一一号、五九年六月六日第一七六号、六一年六月一七日第二一九号、六二年七月二一日第二六三号、平成四年七月一七日第二五三号、一二年三月三一日第一九三号、六月七日第三一二号改正

港湾整備促進法第二条に規定する地方港湾は、別表のとおりとする。

本条…全部改正〔昭和三〇年七月政令一二九号〕、見出し…追加・本則…一条に改正〔昭和五九年六月政令一七六号〕、見出し…削除・旧一条を一部改正し本則に改正〔平成一二年六月政令三一二号〕

附　則

この政令は、公布の日から施行する。

附　則〔平成一二年六月七日政令第三一二号抄〕

（施行期日）

1 この政令は、内閣法の一部を改正する法律（平成十一年法律第八十八号）の施行の日（平成十三年一月六日）から施行する。〔以下略〕

別表（第一条関係）

都道府県名	港湾名
北海道	枝幸　白老　瀬棚　岩内　増毛　羽幌　船泊　香深　鴛泊　鬼脇　沓形
青森	大湊
新潟	柏崎　姫川　赤泊　羽茂
福井	福井　内浦
静岡	宇久須
愛知	東幡豆
三重	鳥羽　的矢　吉津
大阪	深日　泉佐野
兵庫	明石　相生　津名　由良　福良　家島
和歌山	新宮
島根	松江　別府
岡山	東備　笠岡
広島	大竹　蒲刈　小用（江田島町）　三高
山口	平生
徳島	粟津　富岡
香川	三本松
愛媛	八幡浜
福岡	宇島
長崎	調川　川棚　彼杵　瀬戸　神ノ浦　口ノ津　島原　仁位　佐須奈　竹敷　勝本　印通寺　有川　青方　相の浦
熊本	佐敷　水俣　鬼池　本渡
大分	守江　臼杵
宮崎	福島

鹿児島	米之津　串木野　指宿　喜入　垂水　片側 里　長浜　島間　宮之浦（上屋久町） 亀徳　和泊　与論

本表…一部改正〔昭和三二年八月政令二六八号・三四年六月二一四号・三五年六月一五四号・三九年三月三五号〕、全部改正〔昭和三九年八月政令二六九号〕、一部改正〔昭和四〇年三月政令六七号・四一年四月一二六号・四二年五月九二号・四三年四月八六号・四四年三月四六号〕、全部改正〔昭和四四年七月政令一六六号〕、一部改正〔昭和四五年五月政令一一六号・四六年四月一一四号・七月二三七号・四八年四月八四号・四九年四月一三六号・五〇年四月一三二号〕、全部改正〔昭和五二年五月政令一六八号〕、一部改正〔昭和五三年三月政令一二八号・五四年五月一四二号〕、全部改正〔昭和五七年七月政令二〇六号〕、一部改正〔昭和五八年一〇月政令二二一号・五九年六月一七六号・六一年六月二一九号〕、全部改正〔昭和六二年七月政令二六三号・平成四年七月二五三号〕、一部改正〔平成一二年三月政令一九三号〕

○国が施行する内国貿易設備に関する港湾工事に因り生ずる土地又は工作物の譲与又は貸付及び使用料の徴収に関する法律

（昭和二十二年十二月二十三日法律第二百三十一号）

〔沿革〕　平成一一年一二月二二日法律第一六〇号改正

第一条　国が施行する内国貿易設備に関する港湾工事により生ずる土地又は工作物は、公用又は公共の用に供するため国有として存置する必要のあるものを除くほか、国土交通大臣において、その工事の費用の一部を負担した公共団体にこれを譲与することができる。

②　前項の規定により譲与する土地又は工作物は、同項の公共団体の負担した工事の費用の額に相当する価額の範囲内のものでなければならない。

一項…一部改正〔平成一一年一二月法律一六〇号〕

第二条　前条第一項の土地又は工作物で公共の用に供するため国有として存置するものは、国土交通大臣において、同項の公共団体に無償でこれを貸付し、当該土地又は工作物の維持補修に当たらしめるとともに、使用料を徴収せしめその収入に帰せしめることができる。

本条…一部改正〔平成一一年一二月法律一六〇号〕

附　則

この法律は、昭和二十三年一月一日から、これを施行する。

附　則　〔平成一一年一二月二二日法律第一六〇号抄〕

（施行期日）

第一条　この法律〔中略〕は、平成十三年一月六日から施行する。〔以下略〕

○港湾運送事業法

（昭和二十六年五月二十九日法律第百六十一号）

〔沿革〕　昭和二八年八月二八日法律第二五五号、三〇年七月二五日第一九〇号、三四年三月三〇日第六九号、三七年五月一〇日第一二一号、一六日第一四〇号、九月一五日第一六一号、三九年七月二日第一四〇号、四〇年五月二二日第八〇号、六月三日第一二〇号、四一年六月一五日第八四号、一二月二六日第一五〇号、五三年四月二四日第二七号、五五年一一月一九日第八五号、五六年五月一九日第四五号、五九年五月一日第二三号、八日第二五号、七月二〇日第五九号、六一年一二月四日第九三号、六三年五月一七日第四〇号、平成元年一二月一九日第八二号、五年一一月一二日第八九号、六年一一月一一日第九七号、九年六月二〇日第九六号、一一年一二月八日第一五一号、二二日第一六〇号、一二年五月一七日第六七号、三一日第九一号、一四年五月三一日第五四号、六月一九日第七七号、一六年六月九日第八四号、一八日第一二四号、一二月一日第一四七号、一七年五月二〇日第四五号、二〇年五月二日第二八号、二三年六月三日第六一号、二四年八月一日第五三号、令和元年六月一四日第三七号、五年六月一六日第六三号改正

注　令和四年六月一七日法律第六八号の改正は、令和七年六月一日から施行のため、現行の条文の次に改正後の条文を掲載いたしました。

第一章　総則

（目的）

第一条　この法律は、港湾運送に関する秩序を確立し、港湾運送事業の健全な発達を図り、もつて公共の福祉を増進することを目的とする。

本条…全部改正〔昭和三四年三月法律六九号〕

（定義）

第二条　この法律で「港湾運送」とは、他人の需要に応じて行

う行為であつて次に掲げるものをいう。

一　荷主又は船舶運航事業者の委託を受け、船舶により運送された貨物の港湾における船舶からの受取若しくは荷主への引渡又は船舶により運送されるべき貨物の港湾における船舶への引渡若しくは荷主からの受取にあわせてこれらの行為に先行し又は後続する次号から第五号までに掲げる行為を一貫して行う行為

二　港湾においてする船舶への貨物の積込又は船舶からの貨物の取卸（第四号に掲げる行為を除く。）

三　港湾における貨物の船舶又ははしけによる運送（一定の航路に旅客船（十三人以上の旅客定員を有する船舶をいう。）を就航させて人の運送をする事業を営む者が当該航路に就航する当該旅客船により行う貨物の運送その他国土交通省令で定めるものを除く。）、国土交通省令で定める港湾と港湾又は場所との間（以下単に「指定区間」という。）における貨物のはしけによる運送又は港湾若しくは指定区間における引船によるはしけ若しくはいかだのえい航

四　港湾においてする、船舶若しくははしけにより運送された貨物の上屋その他の荷さばき場（水面貯木場を除く。以下単に「荷さばき場」という。）への搬入、船舶若しくははしけにより運送されるべき貨物の荷さばき場からの搬出、これらの貨物の荷さばき場における荷さばき若しくは保管又は貨物の船舶（国土交通省令で定める総トン数未満のものに限る。以下この号において同じ。）若しくははしけからの取卸し若しくは船舶若しくははしけへの積込み（貨物の船舶からの取卸し又は船舶への積込みにあつては、当該船舶が岸壁、さん橋又は物揚場に係留され、かつ、当該船舶の揚貨装置を使用しないで行なう場合に限る。）

五　港湾若しくは指定区間におけるいかだに組んでする木材の運送又は港湾においてする、いかだに組んで運送された木材若しくは船舶若しくははしけにより運送された木材の水面貯木場への搬入、いかだに組んで運送されるべき木材若しくは船舶若しくははしけにより運送されるべき木材の水面貯木場からの搬出若しくはこれらの木材の水面貯木場における荷さばき若しくは保管

六　船積貨物の積込又は陸揚を行うに際してするその貨物の箇数の計算又は受渡の証明（以下「検数」という。）

七　船積貨物の積付に関する証明、調査及び鑑定（以下「鑑定」という。）

八　船積貨物の積込又は陸揚を行うに際してするその貨物の容積又は重量の計算又は証明（以下「検量」という。）

2　この法律で「港湾運送事業」とは、営利を目的とするとしないとを問わず港湾運送を行う事業をいう。

3　この法律で「港湾運送関連事業」とは、営利を目的とするとしないとを問わず、他人の需要に応じて次に掲げる行為を行なう事業をいう。

一　港湾においてする、船舶に積み込まれた貨物の位置の固定若しくは積載場所の区画、船積貨物の荷造り若しくは荷直し又は船舶への貨物の積込み若しくは船舶からの貨物の取卸しに先行し若しくは後続する船倉の清掃

二　港湾においてする船積貨物の警備

4　この法律で「港湾」とは、政令で指定する港湾（その水域は、政令で定めるものを除くほか、港則法（昭和二十三年法律第百七十四号）に基づく港の区域をいう。）をいう。

一項…全部改正・三項…一部改正〔昭和二八年八月法律二五五号〕、一項…一部改正〔昭和三〇年七月法律九〇号〕、一項…一部改正・四項…追加〔昭和三四年三月法律六九号〕、三項…一部改正〔昭和四〇年五月法律八〇号〕、一項…一部改正・旧四項…五項に繰下・旧三項…一部改正し四項に繰下・三項…追加〔昭和四一年六月法律八四号〕、一項…一部改正〔昭和六一年一二月法律九三号・平成一一年一二月一六〇号〕、五項…追加・旧五項…六項に繰下〔平成一二年五月法律六七号〕、五・六項…削除〔平成一七年五月法律四五号〕

（事業の種類）

第三条　港湾運送事業の種類は、次に掲げるものとする。

一　一般港湾運送事業（前条第一項第一号に掲げる行為を行う事業）

二　港湾荷役事業（前条第一項第二号及び第四号に掲げる行為を行う事業）

三　はしけ運送事業（前条第一項第三号に掲げる行為を行う事業）

四　いかだ運送事業（前条第一項第五号に掲げる行為を行う事業）

五　検数事業（前条第一項第六号に掲げる行為を行う事業）

六　鑑定事業（前条第一項第七号に掲げる行為を行う事業）

七　検量事業（前条第一項第八号に掲げる行為を行う事業）

本条…一部改正〔昭和二八年八月法律二五五号・三四年三月六九号・五九年七月五九号〕

第二章　港湾運送事業等

章名…改正〔昭和四一年六月法律八四号〕

（許可）

第四条　前条第一号から第四号までに掲げる港湾運送事業（以下「一般港湾運送事業等」という。）を営もうとする者は、港湾運送事業の種類及び港湾ごとに、同条第五号から第七号までに掲げる港湾運送事業（以下「検数事業等」という。）を営もうとする者は、港湾運送事業の種類ごとに国土交通大臣の許可を受けなければならない。この場合において、一般港湾運送事業、はしけ運送事業又はいかだ運送事業の許可を受けた者は、当該許可に係る港湾を起点又は終点とする指定区間においても、当該許可に係る一般港湾運送事業等を営むことができる。

本条…全部改正〔昭和三四年三月法律六九号〕、一・二項…一部改正〔昭和五九年七月法律五九号〕、一項…一部改正〔平成一一年一二月法律一六〇号〕、一・二項…一部改正〔平成一二年五月法律六七号〕、見出し…改正・一項…一部改正・二項…削除〔平成一七年五月法律四五号〕

（許可の申請）

第五条　港湾運送事業の許可を受けようとする者は、次に掲げる事項を記載した申請書を国土交通大臣に提出しなければならない。

一　氏名又は名称及び住所並びに法人にあつては、その代表者の氏名

二　港湾運送事業の種類

三　港湾（検数事業等に係る場合を除く。）

四　国土交通省令で定める事業計画

2　前項の申請書には、資金計画その他国土交通省令で定める事項を記載した書類を添付しなければならない。

3　国土交通大臣は、申請者に対し、前二項に規定するもののほか、当該申請者の登記事項証明書その他必要な書類の提出を求めることができる。

本条…全部改正〔昭和三四年三月法律六九号〕、一―三項…一部改正〔平成一一年一二月法律一六〇号〕、三項…一部改正〔平成一六年六月法律一二四号〕、見出し…改正・一・二項…一部改正〔平成一七年五月法律四五号〕

（許可基準）

第六条　国土交通大臣は、港湾運送事業の許可をしようとするときは、次の基準に適合するかどうかを審査して、これをしなければならない。

一　一般港湾運送事業等にあつては、少なくとも、港湾運送事業の種類及び港湾ごとに国土交通省令で定める施設及び労働者を有するものであること。

二　検数事業等にあつては、検数事業等の公正かつ適正な実施を確保するため必要な体制が整備されていること。

三　当該事業の遂行上適切な計画を有するものであること。

四　当該事業を営む者の責任の範囲が明確であるような経営形態であること。

五　当該事業の経理的基礎が確実性を有すること。

2　国土交通大臣は、前項の規定により審査した結果、その申請が同項の基準に適合していると認めたときは、申請者が次の各号のいずれかに該当する場合を除いて、港湾運送事業の許可をしなければならない。

一　禁錮以上の刑に処せられ、その執行を終わり、又は執行を受けることがなくなつた日から五年を経過しない者

本条二項一号は、令和四法六八により改正され、令和七年六月一日から施行

一　拘禁刑以上の刑に処せられ、その執行を終わり、又は執行を受けることがなくなつた日から五年を経過しない者

二　この法律、港湾運送事業に従事する労働者の使用に関する法令の規定で政令で定めるもの又は暴力団員による不当な行為の防止等に関する法律（平成三年法律第七十七号。第三十二条の三第七項及び第三十二条の十一第一項を除く。）の規定に違反して、罰金の刑に処せられ、その執行を終わり、又は執行を受けることがなくなつた日から五年を経過しない者

三　港湾運送事業の許可を取り消され、その取消しの日から五年を経過しない者（当該許可を取り消された者が法人である場合においては、当該取消しを受けた法人のその処分を受ける原因となつた事項が発生した当時現にその法人の業務を執行する役員（いかなる名称によるかを問わず、これと同等以上の職権又は支配力を有する者を含む。以下同じ。）として在任した者で当該取消しの日から五年を経過しないものを含む。）

四　営業に関し成年者と同一の行為能力を有しない未成年者であつて、その法定代理人が前三号又は次号のいずれかに該当する者であるもの

五　法人であつて、その役員のうちに前各号のいずれかに該当する者があるもの

本条…全部改正〔昭和三四年三月法律六九号〕、二項…一部改正〔昭和四〇年六月法律一二〇号〕、一項…一部改正〔昭和四一年六月法律八四号・五九年七月五九号〕、二項…一部改正〔昭和六三年五月法律四〇号・平成一一年一二月一五一号〕、一・二項…一部改正〔平成一一年一二月法律一六〇号・一二年五月六七号〕、二項…一部改正〔平成一六年一二月法律一四七号〕、見出し…改正・一・二項…一部改正〔平成一七年五月法律四五号〕、二項…一部改正〔平成二〇年五月法律二八号・二三年六月六一号・二四年八月五三号・令和元年六月三七号〕

第七条及び第八条　削除〔平成一七年五月法律四五号〕

（運賃及び料金）

第九条　港湾運送事業の許可を受けた者（以下「港湾運送事業者」という。）は、国土交通省令で定めるところにより、運賃及び料金を定め、あらかじめ、国土交通大臣に届け出なければならない。これを変更しようとするときも、同様とする。

2　国土交通大臣は、前項の運賃又は料金が次の各号のいずれかに該当すると認めるときは、当該港湾運送事業者に対し、期限を定めてその運賃又は料金を変更すべきことを命ずることができる。

一　特定の利用者に対し不当な差別的取扱いをするものであるとき。

二　他の港湾運送事業者との間に不当な競争を引き起こすこととなるおそれがあるものであるとき。

本条…一部改正〔昭和二八年八月法律二五五号〕、本条…全部改正〔昭和三四年三月法律六九号〕、一・二項…一部改正〔平成一一年一二月法律一六〇号〕、一項…一部改正・二項…全部改正〔平成一七年五月法律四五号〕

（運賃及び料金の割戻の禁止）

第一〇条　港湾運送事業者は、利用者に対し、収受した運賃及び料金の割戻をしてはならない。

本条…一部改正〔昭和二八年八月法律二五五号〕、全部改正〔昭和三四年三月法律六九号〕

（港湾運送約款）

第一一条　一般港湾運送事業の許可を受けた者（以下「一般港湾運送事業者」という。）は、国土交通省令で定めるところにより、港湾運送約款を定め、国土交通大臣の認可を受けなければならない。これを変更しようとするときも、同様とする。

2　国土交通大臣は、前項の認可をしようとするときは、次に掲げる基準によつてこれをしなければならない。

一　利用者の正当な利益を害するおそれがないものであること。

二　少なくとも貨物の受取及び引渡し並びに一般港湾運送事業者の責任に関する事項が明確に定められているものであること。

四・五項…一部改正〔昭和二八年八月法律二五五号〕、本条…全部改正〔昭和三四年三月法律六九号〕、一・二項…一部改正〔平成一一年一二月法律一六〇号・一七年五月四五号〕

（運賃及び料金並びに港湾運送約款の掲示等）

第一二条　港湾運送事業者は、第九条第一項の規定により届け出た運賃及び料金（特定の荷主又は船舶運航事業者に限つて定められたものを除く。）並びに前条第一項の規定により認可を受けた港湾運送約款について、営業所において利用者の見やすいように掲示するとともに、その事業の規模が著しく小さい場合その他の国土交通省令で定める場合を除き、国土交通省令で定めるところにより、電気通信回線に接続して行う自動公衆送信（公衆によつて直接受信されることを目的として公衆からの求めに応じ自動的に送信を行うことをいい、放送又は有線放送に該当するものを除く。）により公衆の閲覧に供しなければならない。

本条…一部改正〔昭和三四年三月法律六九号・平成一二年五月六七号・一七年五月四五号〕、見出し…改正・本条…一部改正〔令和五年六月法律六三号〕

（引渡不能貨物の寄託）

第一三条　一般港湾運送事業者は、その責に帰すべからざる事由により貨物の引渡をすることができないときは、荷受人の費用をもつてこれを倉庫営業者に寄託することができる。

2　一般港湾運送事業者は、前項の規定により貨物を寄託したときは、遅滞なく、その旨を荷受人に通知しなければならない。

（名義利用の禁止）

第一四条　港湾運送事業者は、その名義を他人に港湾運送事業のため利用させてはならない。

（差別取扱等の禁止）

第一五条　港湾運送事業者は、特定の利用者に対し貨物の多寡その他の理由により不当な差別的取扱をしてはならない。

（下請の制限）

第一六条　一般港湾運送事業者は、各月中に引き受けた港湾運送については、第二条第一項第二号から第五号までに掲げる行為の種別ごとに、少なくとも、当該月中に引き受けた港湾運送のうち当該種別のものに係る貨物量に国土交通省令で定める率を乗じて得た貨物量の貨物に係る当該種別の行為を自ら行なわなければならない。

2　前項の規定の適用については、一般港湾運送事業者がその引き受けた港湾運送を他の港湾運送事業者（当該一般港湾運送事業者が発行済株式の総数の二分の一を超える株式を保有することによりその事業活動を支配するものその他当該一般港湾運送事業者とこれに準ずる国土交通省令で定める密接な関係を有するものに限る。）に下請をさせる場合における当該下請に係る行為は、自ら行つた行為とみなす。ただし、次のいずれかに該当する場合に限る。

一　当該一般港湾運送事業者が当該月中に引き受けた港湾運送に係る第二条第一項第二号から第五号までに掲げる行為のうちいずれかの種別の行為を前項の規定に従つて自ら行つたとき。

二　当該一般港湾運送事業者が当該月中に引き受けた港湾運送に係る貨物量に国土交通省令で定める率を乗じて得た貨物量以上の量の貨物について、コンテナ埠頭その他の国土交通省令で定める施設において第二条第一項第二号又は第四号に掲げる行為を国土交通省令で定めるところにより自らの統括管理の下において行つたとき。

3　第三条第二号から第四号までに掲げる港湾運送事業（以下「港湾荷役事業等」という。）の許可を受けた者は、各月中に引き受けた港湾運送（他の港湾運送事業者から引き受けたものを除く。）については、少なくとも、当該月中に引き受けた港湾運送に係る貨物量に第一項の国土交通省令で定める率を乗じて得た貨物量の貨物に係る港湾運送を自ら行わなければならない。

4　港湾荷役事業等の許可を受けた者は、他の港湾運送事業者から引き受けた港湾運送については、その全部を自ら行わなければならない。

5　第一項から第三項までに規定する貨物量の算出の方法は、国土交通省令で定める。

6　国土交通大臣は、港湾運送事業者が第一項、第三項又は第四項の規定に違反していると認めるときは、当該港湾運送事業者に対し、その是正のために必要な事業施設の改善その他の措置をとるべきことを命ずることができる。

本条…一部改正〔昭和二八年八月法律二五五号・三四年三月六九号〕、全部改正〔昭和四一年六月法律八四号〕、二―五項…一部改正〔昭和五九年七月法律五九号〕、一―三・五・六項…一部改正〔平成一一年一二月法律一六〇号〕、三・四項…一部改正〔平成一七年五月法律四五号〕

（公正な検数事業等の確保）

第一六条の二　検数事業等の許可を受けた者は、公正に検数、鑑定又は検量を行わなければならない。

本条…追加〔昭和三四年三月法律六九号〕、全部改正〔平成一七年五月法律四五号〕

（事業計画の変更）

第一七条　港湾運送事業者は、事業計画を変更しようとするときは、国土交通大臣の認可を受けなければならない。但し、国土交通省令で定める軽微な事項に係る変更については、この限りでない。

2　第六条の規定は、前項の認可について準用する。

3　港湾運送事業者は、第一項但書の事項について事業計画を変更したときは、遅滞なく、その旨を国土交通大臣に届け出なければならない。

一・三項…一部改正〔昭和二八年八月法律二五五号〕、本条…全部改正〔昭和三四年三月法律六九号〕、一・三項…一部改正〔平成一一年一二月法律一六〇号〕

（事業計画に定める業務の確保）

第一七条の二　港湾運送事業者は、天災その他やむを得ない事由がある場合の外、事業計画に定めるところに従い、その業務を行わなければならない。

2　国土交通大臣は、港湾運送事業者が前項の規定に違反していると認めるときは、当該港湾運送事業者に対し、事業計画に従い業務を行うべきことを命ずることができる。

本条…追加〔昭和三四年三月法律六九号〕、二項…一部改正〔平成一一年一二月法律一六〇号〕

（事業の譲渡及び譲受の認可等）

第一八条　港湾運送事業の譲渡及び譲受は、国土交通大臣の認可を受けなければ、その効力を生じない。

2　港湾運送事業を経営する法人の合併及び分割は、国土交通大臣の認可を受けなければ、その効力を生じない。ただし、港湾運送事業を経営する法人が港湾運送事業を行わない法人を合併する場合又は分割により港湾運送事業を承継させない場合は、この限りでない。

3　第一項の規定により認可を受けて港湾運送事業を譲り受けた者又は前項の規定により認可を受けて合併若しくは分割をした場合における合併後存続する法人若しくは合併により設立された法人若しくは分割により港湾運送事業を承継した法人は、許可に基づく権利義務を承継する。

4　港湾運送事業者が死亡した場合において、相続人が被相続人の行つていた港湾運送事業を引き続き営もうとするときは、国土交通大臣の認可を受けなければならない。

5　相続人は、前項の規定により被相続人の死亡後六十日以内に認可の申請をした場合においては、その認可をした旨又はその認可をしない旨の通知を受ける日までは、第四条の規定にかかわらず、当該事業を営むことができる。

6　第六条の規定は、第一項、第二項又は第四項の認可について準用する。

本条…全部改正〔昭和二八年八月法律二五五号・三四年三月六九号〕、二項…一部改正・六項…追加〔昭和四一年六月法律八四号〕、一・二・四項…一部改正〔平成一一年一二月法律一六〇号〕、二・三項…一部改正〔平成一二年五月法律九一号〕、三・五項…一部改正〔平成一七年五月法律四五号〕

（公益命令）

第一八条の二　国土交通大臣は、災害の救助その他公共の安全の維持のため必要な港湾運送であり、且つ、自発的に当該業務を行う者がない場合又は著しく不足する場合に限り、第十五条の規定にかかわらず、港湾運送事業者を指定して、左の各号に掲げる事項を命ずることができる。

一　国土交通大臣の指定した貨物の取扱又は運送をすること。

二　貨物の取扱又は運送の方法又は順位を変更すること。

2　前項の規定による命令で次条の規定による損失の補償を伴うものは、これによつて必要となる補償金の総額が、国会の議決を経た予算の金額をこえない範囲内で、これをしなければならない。

本条…追加〔昭和二八年八月法律二五五号〕、一項…一部改正〔平成一一年一二月法律一六〇号〕

（損失の補償）

第一八条の三　前条第一項の規定による命令を受けた者に対しては、その命令を受けたことによつて通常生ずべき損失（その命令を受けなかつたならば通常得らるべき利益が得られなかつたことによる損失を含む。）を補償する。

2　前項の補償の額は、国土交通大臣がこれを決定する。

3　前項の決定に不服がある者は、その決定を知つた日から六箇月以内に、訴えをもつて補償の額の増額を請求することができる。

4　前項の訴えにおいては、国を被告とする。

5　前四項に定めるものの外、損失の補償に関し必要な事項は、国土交通省令で定める。

本条…追加〔昭和二八年八月法律二五五号〕、旧三項…一部改正し五項に繰下・三・四項…追加〔昭和三七年五月法律一四〇号〕、二・五項…一部改正〔平成一一年一二月法律一六〇号〕、三項…一部改正〔平成一六年六月法律八四号〕

第一九条　削除〔平成九年六月法律九六号〕

（事業の休廃止の届出）

第二〇条　港湾運送事業者は、その事業を休止し、又は廃止しようとするときは、国土交通省令で定める手続により、休止又は廃止の日の三十日前までに、国土交通大臣にその旨を届け出なければならない。

本条…全部改正〔昭和三四年三月法律六九号〕、見出し…改正・旧三項…一部改正し五項に繰下・旧二項…一部改正し四項に繰下・二・三項…追加〔昭和四一年法律八四号〕、一－三項…一部改正〔平成一一年一二月法律一六〇号〕、見出し…改正・一項…一部改正・二－五項…削除〔平成一七年五月法律四五号〕

（事業改善命令）

第二一条　国土交通大臣は、港湾運送事業者の事業について利用者の利便その他公共の利益を阻害している事実があると認めるときは、当該港湾運送事業者に対し、事業計画の変更その他の事業の運営を改善するために必要な措置をとるべきことを命ずることができる。

本条…一部改正〔昭和二八年八月法律二五五号〕、全部改正〔昭和三四年三月法律六九号〕、一部改正〔平成一一年一二月法律一六〇号・一七年五月四五号〕

（事業の停止及び許可の取消し）

第二二条　国土交通大臣は、港湾運送事業者が次の各号のいずれかに該当するときは、三月以内において期間を定めて当該事業の停止を命じ、又は当該港湾運送事業の許可を取り消すことができる。

一　この法律又はこれに基づく処分に違反したとき。

二　正当な理由がないのに認可を受けた事項を実施しないとき。

三　第六条第二項第一号、第二号、第四号又は第五号の規定に該当するに至つたとき。

一項…一部改正〔昭和二八年八月法律二五五号〕、見出し…改正・一項…一部改正・二項…削除〔昭和三四年三月法律六九号〕、本条…一部改正〔平成一一年一二月法律一六〇号〕、見出し…改正・本条…一部改正〔平成一七年五月法律四五号〕

（港湾運送関連事業の届出）

第二二条の二　港湾運送関連事業を営もうとする者は、あらかじめ、港湾ごとに、国土交通省令で定める事項を国土交通大臣に届け出なければならない。当該届出をした者（以下「港湾運送関連事業者」という。）が当該届出をした事項を変更しようとするときも、同様とする。

2　港湾運送関連事業者は、その事業を休止し、又は廃止したときは、その日から三十日以内に、その旨を国土交通大臣に届け出なければならない。

本条…追加〔昭和四一年六月法律八四号〕、一・二項…一部改正〔平成一一年一二月法律一六〇号〕、旧二二条の二…繰下〔平成一二年五月法律六七号〕、旧二二条の三…繰上〔平成一七年五月法律四五号〕

（料金）

第二二条の三　港湾運送関連事業者は、国土交通省令で定めるところにより、港湾ごとに、料金を定め、その実施前に、国土交通大臣に届け出なければならない。これを変更しようとするときも、同様とする。

2　第九条第二項の規定は、港湾運送関連事業者が前項の規定により届け出た料金について準用する。

本条…追加〔昭和四一年六月法律八四号〕、一部改正〔平成一一年一二月法律一六〇号〕、旧二二条の三…繰下〔平成一二年五月法律六七号〕、二項…追加・旧二二条の四…繰上〔平成一七年五月法律四五号〕

（料金の割戻しの禁止及び料金の掲示等）

第二二条の四　第十条の規定は港湾運送関連事業者が収受した料金について、第十二条の規定は港湾運送関連事業者が前条第一項の規定により届け出た料金について準用する。

本条…追加〔昭和四一年六月法律八四号〕、見出し…改正・本条…一部改正・旧二二条の五…繰下〔平成一二年五月法律六七号〕、本条…一部改正・旧二二条の六…繰上〔平成一七年五月法律四五号〕、見出し…改正〔令和五年六月法律六三号〕

第三章　港湾運送事業抵当

（港湾運送事業財団の設定）

第二三条　一般港湾運送事業等の許可を受けた者（以下この章において「一般港湾運送事業者等」という。）は、抵当権の目的とするため、港湾運送事業財団を設けることができる。

本条…一部改正〔昭和三四年三月法律六九号・平成一二年五月六七号・一七年五月四五号〕

（財団の組成）

第二四条　港湾運送事業財団は、次に掲げるものであつて、同一の一般港湾運送事業者等に属し、かつ、一般港湾運送事業等に関するものの全部又は一部をもつて組成することができる。

一　上屋、荷役機械その他の荷さばき施設及びその敷地
二　はしけ及び引船その他の船舶
三　事務所その他一般港湾運送事業等のため必要な建物及びその敷地
四　第一号又は前号に掲げる工作物を所有し、又は使用するため他人の不動産の上に存する地上権、登記した賃借権及び第一号又は前号に掲げる土地のために存する地役権
五　一般港湾運送事業等の経営のため必要な器具及び機械

本条…一部改正〔昭和二八年八月法律二五五号・平成一二年五月六七号〕

（財団設定の制限）

第二五条　前条第一号又は第三号に掲げる不動産のいずれもが存しないときは、一般港湾運送事業者等は、港湾運送事業財団を設けることができない。

本条…一部改正〔平成一二年五月法律六七号〕

（工場抵当法の準用）

第二六条　港湾運送事業財団については、この法律に規定するものの外、工場抵当法（明治三十八年法律第五十四号）中工場財団に関する規定を準用する。この場合において、同法第十七条及び同法第四十五条中「工場所在地」とあるのは、「港湾運送事業法第二十四条第一号又ハ第三号ニ掲クル不動産ノ所在地」と読みかえるものとする。

第二七条　削除〔平成六年一一月法律九七号〕

（財団の存続）

第二八条　港湾運送事業財団は、その所有者が一般港湾運送事業者等でない者になつたことにより消滅することがない。

本条…一部改正〔平成一二年五月法律六七号〕

第四章　雑則

（許可等の条件又は期限）

第二九条　許可又は認可には、条件又は期限を付し、及びこれを変更することができる。

2　前項の条件又は期限は、公共の利益を増進し、又は許可若しくは認可に係る事項の確実な実施を図るため必要な最小限度のものに限り、かつ、当該港湾運送事業者に不当な義務を課することとならないものでなければならない。

本条…全部改正〔昭和四一年六月法律八四号〕、二項…一部改正〔平成一二年五月法律六七号〕、見出し…改正・一・二項…一部改正〔平成一七年五月法律四五号〕

（職権の委任）

第三〇条　この法律に規定する国土交通大臣の職権の一部であつて政令で定めるものは、地方運輸局長（運輸監理部長を含む。次項において同じ。）が行う。

2　次条の規定は、地方運輸局長が前項の規定により委任された国土交通大臣の職権を行う場合には、適用しない。

一項…一部改正・二項…追加〔昭和三四年三月法律六九号〕、一・二項…一部改正〔昭和五九年五月法律二五号・平成一一年一二月一六〇号〕、一項…一部改正〔平成一七年五月法律四五号〕

（運輸審議会への諮問）

第三一条　国土交通大臣は、港湾運送事業の許可の取消し若しくは事業の停止又は港湾運送事業における運賃及び料金に関する変更命令に関しては、運輸審議会に諮らなければならない。

本条…全部改正〔昭和二八年八月法律二五五号・三四年三月六九号・平成一一年一二月一六〇号・一二年五月六七号・一七年五月四五号〕

（港湾管理者に対する通知等）

第三二条　国土交通大臣は、第九条第二項又は第二十一条の規定により運賃及び料金又は港湾運送約款に関する変更命令（検数事業等に係るものを除く。）をしようとするときは、当該港湾管理者の意見を聴かなければならない。

2　国土交通大臣は、一般港湾運送事業等に関し、許可をし、事業の廃止の届出の受理をし、又は許可の取消しをした場合においては、その旨を当該港湾管理者に通知しなければならない。

一項…一部改正〔昭和二八年八月法律二五五号〕、本条…全部改正〔昭和三四年三月法律六九号〕、一・二項…一部改正〔平成一一年一二月法律一六〇号・一二年五月六七号・一七年五月四五号〕

（はしけ等に関する表示）

第三二条の二　港湾運送事業者は、港湾運送又は第三十三条の二第一項の運送に使用するはしけ又は船舶に、その氏名、名称その他国土交通省令で定める事項を見やすいように表示しなければならない。

本条…追加〔昭和二八年八月法律二五五号〕、一部改正〔昭和三四年三月法律六九号・平成一一年一二月一六〇号〕

（報告徴収等）

第三三条　国土交通大臣は、この法律の施行を確保するため必要があると認めるときは、港湾運送事業者又は港湾運送関連事業者に、はしけの使用その他事業に関し報告をさせることができる。

2　国土交通大臣は、この法律の施行を確保するため必要があると認めるときは、その職員に、港湾運送事業者又は港湾運送関連事業者の事務所若しくは事業場又ははしけ若しくは引船その他の船舶に立ち入り、帳簿書類その他の物件を検査させることができる。

3　当該職員は、前項の規定により検査をするときは、その身分を示す証票を携帯し、関係人に呈示しなければならない。

4　第二項の検査の権限は、犯罪捜査のために認められたものと解釈してはならない。

二項…一部改正〔昭和二八年八月法律二五五号〕、一・二項…一部改正〔昭和四一年六月法律八四号・平成一一年一二月一六〇号〕

（指定区間においてする内航運送の特例）

第三三条の二　内航海運業法（昭和二十七年法律第百五十一号）及び貨物利用運送事業法（平成元年法律第八十二号）の規定は、一般港湾運送事業者又ははしけ運送事業の許可を受けた者（以下「はしけ運送事業者」という。）が当該事業の許可を受けた港湾を起点又は終点とする指定区間においてするはしけ以外の木製船舶による物品の運送（自己の引き受けた運送を他の者に下請をさせる場合を含み、一般港湾運送事業者については一般港湾運送事業に相当する事業の一部として行う場合に限る。）については、これを適用しない。一般港湾運送事業者又ははしけ運送事業者が死亡した場合において、第十八条第五項の規定により引き続き事業を営む者についても、同様とする。

2　第九条から第十二条まで、第十四条、第十五条、第十八条の二及び第十八条の三の規定は、前項の運送について準用する。この場合において、第十四条中「港湾運送事業」とあるのは、「第三十三条の二第一項の運送」と読み替えるものとする。

本条…追加〔昭和二八年八月法律二五五号〕、一・二項…一部改正〔昭和三四年三月法律六九号〕、見出し…改正・一項…一部改正〔昭和三七年五月法律一二一号・三九年七月法律一四〇号〕、一項…一部改正〔平成元年一二月法律八二号〕、二項…一部改正〔平成九年六月法律九六号〕、一・二項…一部改正〔平成一二年五月法律六七号〕、一項…一部改正〔平成一四年六月法律七七号〕、一・二項…一部改正〔平成一七年五月法律四五号〕

（政令への委任）

第三三条の三　この法律の規定に基づき政令を制定し、又は改廃する場合においては、政令で、その制定又は改廃に伴い合理的に必要と判断される範囲内において、所要の経過措置（罰則に関する経過措置を含む。）を定めることができる。

本条…追加〔昭和四一年六月法律八四号〕、旧三三条の四…繰上〔平成六年一一月法律九七号〕、本条…一部改正〔平成一二年五月法律六七号〕

第五章　罰則

本章…全部改正〔平成一二年五月法律六七号〕

第三四条　次の各号のいずれかに該当する者は、三年以下の懲役若しくは三百万円以下の罰金に処し、又はこれを併科する。

一　第四条の規定による許可を受けないで港湾運送事業を営んだ者

二　第十四条（第三十三条の二第二項において準用する場合を含む。）の規定に違反した者

本条は、令和四法六八により改正され、令和七年六月一日から施行

> **第三四条**　次の各号のいずれかに該当する者は、三年以下の拘禁刑若しくは三百万円以下の罰金に処し、又はこれを併科する。
>
> 一・二〔略〕

本条…一部改正〔昭和二八年八月法律二五五号〕、全部改正〔昭和三四年三月法律六九号〕、一部改正〔昭和五九年七月法律五九号〕、全部改正〔平成一二年五月法律六七号〕、一部改正〔平成一七年五月法律四五号〕

第三五条　第二十二条の規定による事業の停止の命令に違反した者は、一年以下の懲役若しくは百五十万円以下の罰金に処し、又はこれを併科する。

本条は、令和四法六八により改正され、令和七年六月一日から施行

> **第三五条**　第二十二条の規定による事業の停止の命令に違反した者は、一年以下の拘禁刑若しくは百五十万円以下の罰金に処し、又はこれを併科する。

本条…一部改正〔昭和二八年八月法律二五五号〕、全部改正〔昭和三四年三月法律六九号〕、一部改正〔昭和四一年六月法律八四号・五九年七月五九号・平成六年一一月九七号〕、全部改正〔平成一二年五月法律六七号〕、一部改正〔平成一七年五月法律四五号〕

第三六条　削除〔平成一七年五月法律四五号〕

第三七条　第十八条の二第一項（第三十三条の二第二項において準用する場合を含む。）の規定による命令に違反した者は、六月以下の懲役若しくは百万円以下の罰金に処し、又はこれを併科する。

本条は、令和四法六八により改正され、令和七年六月一日から施行

第三七条　第十八条の二第一項（第三十三条の二第二項において準用する場合を含む。）の規定による命令に違反した者は、六月以下の拘禁刑若しくは百万円以下の罰金に処し、又はこれを併科する。

本条…一部改正〔昭和二八年八月法律二五五号・三四年三月六九号・四一年六月法律八四号・五九年七月五九号・平成六年一一月九七号〕、全部改正〔平成一二年五月法律六七号〕、一部改正〔平成一七年五月法律四五号〕

第三八条　次の各号のいずれかに該当する者は、百万円以下の罰金に処する。

一　第九条第一項（第三十三条の二第二項において準用する場合を含む。）又は第二十二条の三第一項の規定による届出をしないで、又は届出をした運賃若しくは料金によらないで、運賃又は料金を収受した者

二　第九条第二項（第二十二条の三第二項及び第三十三条の二第二項において準用する場合を含む。）の規定による命令に違反して運賃又は料金を収受した者

三　第十条（第二十二条の四及び第三十三条の二第二項において準用する場合を含む。）の規定に違反して運賃又は料金の割戻しをした者

四　第十一条第一項（第三十三条の二第二項において準用する場合を含む。）の規定による認可を受けないで、又は認可を受けた港湾運送約款によらないで、運送契約を締結した者

五　第十五条（第三十三条の二第二項において準用する場合を含む。）の規定に違反した者

六　第十六条第六項、第十七条の二第二項又は第二十一条の規定による命令に違反した者

七　第十七条第一項の規定による認可を受けないで事業計画を変更した者

八　第三十三条第一項の規定による報告をせず、又は虚偽の報告をした者

九　第三十三条第二項の規定による検査を拒み、妨げ、又は忌避した者

本条…追加〔平成一二年五月法律六七号〕、一部改正〔平成一七年五月法律四五号〕

第三九条　法人の代表者又は法人若しくは人の代理人、使用人その他の従業者が法人又は人の業務に関して第三十四条、第三十五条又は前二条の違反行為をしたときは、行為者を罰するほか、その法人又は人に対して各本条の罰金刑を科する。

本条…追加〔平成一二年五月法律六七号〕、一部改正〔平成一七年五月法律四五号〕

第四〇条　次の各号のいずれかに該当する者は、五十万円以下の過料に処する。

一　第十二条（第二十二条の四及び第三十三条の二第二項において準用する場合を含む。以下この号において同じ。）の規定による掲示をせず、若しくは虚偽の掲示をし、又は第十二条の規定に違反して公衆の閲覧に供せず、若しくは虚偽の事項を公衆の閲覧に供した者

二　第三十二条の二の規定による表示をせず、又は虚偽の表示をした者

三　第十七条第三項又は第二十二条の二第二項の規定による届出をせず、又は虚偽の届出をした者

四　第二十条の規定による届出をしないで、又は虚偽の届出をして、事業を休止し、又は廃止した者

五　第二十二条の二第一項の規定による届出をしないで、又は虚偽の届出をして、港湾運送関連事業を営んだ者

本条…追加〔平成一二年五月法律六七号〕、一部改正〔平成一七年五月法律四五号・令和五年六月六三号〕

附　則

（施行期日）

1　この法律施行の期日は、公布の日から九十日をこえない期間内において、政令で定める。

〔昭和二六年六月政令二一五号により、昭和二六・六・二〇から施行〕

2～5　〔他の法令改正に付き略〕

（経過規定）

6　この法律施行の際現に港湾運送事業を営んでいる者は、この法律施行の日から六十日以内は、第四条の規定にかかわらず、当該事業を引き続き営むことができる。その期間内に第五条の規定により登録を申請した場合において、その申請について登録をした旨又は登録を拒否する旨の通知を受ける日までも同様とする。

7　港湾運送事業者又は前項の規定により港湾運送事業を営む者は、第九条及び第十条の規定にかかわらず、この法律施行の日から五箇月間は、第九条の手続を経て定めた運賃及び料金によらないで運賃若しくは料金を収受し、又は収受した運賃若しくは料金の割戻をしてもよい。

8　一般港湾運送事業者又は附則第六項の規定により一般港湾運送事業を営む者は、第十一条の規定にかかわらず、この法律施行の日から五箇月間は、第十一条の規定による手続を経て定めた港湾運送約款によらないで港湾運送の引受をしてもよい。

附　則〔平成一七年五月二〇日法律第四五号抄〕

（施行期日）

第一条　この法律は、平成十七年十一月一日から施行する。ただし、次の各号に掲げる規定は、当該各号に定める日から施行する。

一　〔略〕

二　第二条並びに次条から附則第四条まで〔中略〕の規定　公布の日から起算して一年を超えない範囲内において政令

で定める日

〔平成一八年四月政令一七二号により、平成一八・五・一五から施行〕

（港湾運送事業法の一部改正に伴う経過措置）

第二条　前条第二号に掲げる規定の施行の際現に第二条の規定による改正前の港湾運送事業法（以下「旧港湾運送事業法」という。）第四条第一項の免許又は旧港湾運送事業法第二十二条の二第一項の許可を受けている者は、第二条の規定による改正後の港湾運送事業法（以下「新港湾運送事業法」という。）第四条の許可を受けたものとみなす。この場合において、旧港湾運送事業法の規定による免許又は許可に業務の範囲の限定又は条件若しくは期限が付されているときは、当該業務の範囲の限定又は条件若しくは期限は、新港湾運送事業法の規定による許可に付されたものとみなす。

第三条　附則第一条第二号に掲げる規定の施行の際現に旧港湾運送事業法第九条第一項の認可を受けている運賃及び料金又は旧港湾運送事業法第二十二条の二第三項の規定により届け出た運賃及び料金は、新港湾運送事業法第九条第一項の規定により届け出た運賃及び料金とみなす。

第四条　前二条に定めるもののほか、旧港湾運送事業法又は旧港湾運送事業法に基づく命令によりした処分、手続その他の行為で、新港湾運送事業法中相当する規定があるものは、国土交通省令で定めるところにより、新港湾運送事業法によりしたものとみなす。

（罰則に関する経過措置）

第五条　この法律（附則第一条第二号に掲げる規定については、当該規定）の施行前にした行為に対する罰則の適用については、なお従前の例による。

（政令への委任）

第六条　附則第二条から前条までに定めるもののほか、この法律の施行に関し必要となる経過措置（罰則に関する経過措置を含む。）は、政令で定める。

附　則〔平成二四年八月一日法律第五三号抄〕

（施行期日）

第一条　この法律は、公布の日から起算して三月を超えない範囲内において政令で定める日から施行する。ただし、次の各号に掲げる規定は、当該各号に定める日から施行する。

〔平成二四年一〇月政令二五七号により、平成二四・一〇・三〇から施行〕

一　〔前略〕附則〔中略〕第七条〔中略〕の規定　公布の日から起算して六月を超えない範囲内において政令で定める日

〔平成二四年一〇月政令二六〇号により、平成二五・一・三〇から施行〕

二　〔略〕

附　則〔令和元年六月一四日法律第三七号抄〕

（施行期日）

第一条　この法律〔中略〕は、当該各号に定める日から施行する。

一　〔前略〕第百四十九条〔中略〕次条並びに附則第三条〔中略〕の規定　公布の日

二～四　〔略〕

（行政庁の行為等に関する経過措置）

第二条　この法律（前条各号に掲げる規定にあっては、当該規定。以下この条及び次条において同じ。）の施行の日前に、この法律による改正前の法律又はこれに基づく命令の規定（欠格条項その他の権利の制限に係る措置を定めるものに限る。）に基づき行われた行政庁の処分その他の行為及び当該規定により生じた失職の効力については、なお従前の例による。

（罰則に関する経過措置）

第三条　この法律の施行前にした行為に対する罰則の適用については、なお従前の例による。

附　則〔令和四年六月一七日法律第六八号抄〕

（施行期日）

1　この法律は、刑法等一部改正法〔令和四年法律第六十七号〕施行日〔令和七年六月一日〕から施行する。ただし、次の各号に掲げる規定は、当該各号に定める日から施行する。

一　第五百九条の規定　公布の日

二　〔略〕

○刑法等の一部を改正する法律の施行に伴う関係法律の整理等に関する法律（抄）〔令和四年六月一七日法律第六八号〕

（罰則の適用等に関する経過措置）

第四四一条　刑法等の一部を改正する法律（令和四年法律第六十七号。以下「刑法等一部改正法」という。）及びこの法律（以下「刑法等一部改正法等」という。）の施行前にした行為の処罰については、次章に別段の定めがあるもののほか、なお従前の例による。

2　刑法等一部改正法等の施行後にした行為に対して、他の法律の規定によりなお従前の例によることとされ、なお効力を有することとされ又は改正前若しくは廃止前の法律の規定の例によることとされる罰則を適用する場合において、当該罰則に定める刑（刑法施行法第十九条第一項の規定又は第八十二条の規定による改正後の沖縄の復帰に伴う特別措置に関する法律第二十五条第四項の規定の適用後のものを含む。）に刑法等一部改正法第二条の規定による改正前の刑法（明治四十年法律第四十五号。以下この項において「旧刑法」という。）第十二条に規定する懲役（以下「懲役」という。）、旧刑法第十三条に規定する禁錮（以下「禁錮」という。）又は旧刑法第十六条に規定する拘留（以下「旧拘留」という。）が含まれるときは、当該刑のうち無期の懲役又は禁錮はそれぞれ無期拘禁刑と、有期の懲役又は禁錮はそれぞれその刑と長期及び短期（刑法施行法第二十条の規定の適用後のものを含む。）を同じくする有期拘禁刑と、旧拘留は長期及び短期（刑法施行法第二十条の規定の適用後のものを含む。）を同じくする拘留とする。

（裁判の効力とその執行に関する経過措置）

第四四二条　懲役、禁錮及び旧拘留の確定裁判の効力並びにその執行については、次章に別段の定めがあるもののほか、なお従前の例による。

（人の資格に関する経過措置）

第四四三条　懲役、禁錮又は旧拘留に処せられた者に係る人の資格に関する法令の規定の適用については、無期の懲役又は禁錮に処せられた者はそれぞれ無期拘禁刑に処せられた者と、有期の懲役又は禁錮に処せられた者はそれぞれ刑期を同じくする有期拘禁刑に処せられた者と、旧拘留に処せられた者は拘留に処せられた者とみなす。

2　拘禁刑又は拘留に処せられた者に係る他の法律の規定によりなお従前の例によることとされ、なお効力を有することとされ又は改正前若しくは廃止前の法律の規定の例によることとされる人の資格に関する法令の規定の適用については、無期拘禁刑に処せられた者は無期禁錮に処せられた者と、有期拘禁刑に処せられた者は刑期を同じくする有期禁錮に処せられた者と、拘留に処せられた者は刑期を同じくする旧拘留に処せられた者とみなす。

（経過措置の政令への委任）

第五〇九条　この編に定めるもののほか、刑法等一部改正法等の施行に伴い必要な経過措置は、政令で定める。

附　則〔令和五年六月一六日法律第六三号抄〕

（施行期日）

第一条　この法律は、公布の日から起算して一年を超えない範囲内において政令で定める日から施行する。ただし、次の各号に掲げる規定は、当該各号に定める日から施行する。

〔令和五年九月政令二八四号により、令和六・四・一から施行〕

一　〔前略〕附則第七条〔中略〕の規定　公布の日

二　〔略〕

（罰則に関する経過措置）

第六条　この法律の施行前にした行為に対する罰則の適用については、なお従前の例による。

（政令への委任）

第七条　この附則に定めるもののほか、この法律の施行に関し必要な経過措置（罰則に関する経過措置を含む。）は、政令で定める。

○港湾運送事業法施行令

（昭和二十六年六月十四日政令第二百十五号）

〔沿革〕　昭和二七年六月二七日政令第二一四号、二八年九月一七日第二九〇号、三〇年一二月一日第三一八号、三四年四月二七日第一五三号、九月二六日第三一一号、三七年六月二〇日第二五六号、三八年六月二七日第二二四号、四〇年六月二二日第二一九号、四一年九月二〇日第三一七号、一二月二二日第三七七号、四三年一二月一七日第三三六号、四六年六月一日第一七一号、四七年四月二八日第一一三号、五〇年七月二日第二〇五号、二五日第二二九号、五六年三月二七日第四二号、五八年八月三〇日第一九四号、五九年五月一五日第一四六号、六月六日第一七六号、一一月九日第三二二号、六〇年七月九日第二二〇号、六二年三月二〇日第五四号、二五日第六五号、六三年七月一二日第二二七号、平成三年三月一九日第四三号、六年三月二四日第七八号、一一月一一日第三五四号、七年一二月二二日第四二七号、八年一〇月九日第三〇二号、九年三月一二日第二九号、七月九日第二四三号、一〇月一七日第三一七号、一二年三月一七日第七九号、六月七日第三一二号、三〇日第三七二号、一二月二七日第五五四号、一三年八月一〇日第二六九号、一二月二八日第四三四号、一四年六月七日第二〇〇号、一六年三月二四日第五四号、一八年四月一四日第一七三号、一九年一一月二日第三二七号、二四年八月一〇日第二一一号、二六年七月一一日第二五四号改正

（法の施行期日）

第一条　港湾運送事業法（以下「法」という。）は、昭和二十六年六月二十日から施行する。

（港湾の指定）

第二条　法第二条第四項の港湾は、別表第一のとおりとする。

本条…一部改正〔昭和二八年九月政令二九〇号・四一年九月三一七号・平成一二年六月三七二号〕

（港湾の水域）

第三条　法第二条第四項の政令で定める港湾の水域は、別表第二のとおりとする。

本条…追加〔昭和二八年九月政令二九〇号〕、旧二条の二…繰下〔昭和三四年九月政令三一一号〕、見出し…改正・本条…一部改正〔昭和四一年九月政令三一七号〕、本条…一部改正〔平成一二年六月政令三七二号〕

（法第六条第二項第二号の法令の規定で政令で定めるもの）

第四条　法第六条第二項第二号の政令で定める港湾運送事業に従事する労働者の使用に関する法令の規定は、次に掲げるものとする。

一　港湾労働法（昭和六十三年法律第四十号）第十条第一項の規定

二　労働基準法（昭和二十二年法律第四十九号）第五条（労働者派遣事業の適正な運営の確保及び派遣労働者の保護等に関する法律（昭和六十年法律第八十八号。第四号において「労働者派遣法」という。）第四十四条第一項の規定により適用する場合を含む。）又は第六条の規定

三　職業安定法（昭和二十二年法律第百四十一号）第四十四条の規定

四　労働者派遣法第四条第一項の規定

本条…追加〔平成一二年六月政令三七二号〕、旧五条…一部改正し繰上〔平成一八年四月政令一七三号〕、本条…一部改正〔平成二四年八月政令二二一号〕

（職権の委任）

第五条　法第三十条第一項の政令で定める国土交通大臣の職権は、次のとおりとする。

一　一般港湾運送事業、港湾荷役事業、はしけ運送事業及びいかだ運送事業に関する法第二章（第十八条の二第一項並びに第十八条の三第一項及び第二項を除く。）に規定する職権

二　検数事業、鑑定事業及び検量事業に関する法第十七条第一項及び第三項、第十七条の二第二項並びに第二十一条（事業計画の変更に係る部分に限る。）に規定する職権

三　法第二十二条の二及び第二十二条の三に規定する職権

四　法第三十三条の二第二項において準用する法第九条及び第十一条第一項に規定する職権

2　法第三十三条第一項及び第二項に規定する国土交通大臣の職権は、地方運輸局長（運輸監理部長を含む。）も行うことができる。

本条…全部改正〔昭和三四年九月政令三一一号〕、一項…一部改正〔昭和四一年九月政令三一七号・四三年一二月三三六号〕、二項…一部改正〔昭和五六年三月政令四二号〕、旧四条…繰下〔昭和五九年五月政令一四六号〕、二項…一部改正〔昭和五九年六月政令一七六号〕、一項…一部改正〔昭和五九年一一月政令三二二号〕、一・二項…一部改正〔平成六年一一月政令三五四号〕、一項…一部改正〔平成九年七月政令二四三号〕、一・二項…一部改正〔平成一二年六月政令三一二号〕、一項…一部改正・旧五条…繰下〔平成一二年六月政令三七二号〕、一項…一部改正〔平成一二年一二月政令五五四号〕、二項…一部改正〔平成一四年六月政令二〇〇号〕、一項…一部改正・旧七条…繰上〔平成一八年四月政令一七三号〕

附　則

この政令は、昭和二十六年六月二十日から施行する。

附　則〔平成一八年四月一四日政令第一七三号抄〕

（施行期日）

1　この政令は、港湾の活性化のための港湾法等の一部を改正する法律附則第一条第二号に掲げる規定の施行の日（平成十八年五月十五日）から施行する。

（罰則に関する経過措置）

2　この政令の施行前にした行為に対する罰則の適用については、なお従前の例による。

附　則〔平成二四年八月一〇日政令第二二一号抄〕

（施行期日）

1　この政令は、労働者派遣事業の適正な運営の確保及び派遣労働者の就業条件の整備等に関する法律等の一部を改正する法律の施行の日（平成二十四年十月一日）から施行する。

附　則〔平成二六年七月一一日政令第二五四号抄〕

（施行期日）

1　この政令〔中略〕は、平成二十七年二月一日から施行する。

別表第一（第二条関係）

都道府県	港湾	都道府県	港湾
北海道	稚内	愛知	三河
北海道	留萌	愛知	衣浦
北海道	小樽	愛知	名古屋
北海道	函館	三重	四日市
北海道	室蘭	富山	伏木富山
北海道	苫小牧	石川	七尾
北海道	釧路	石川	金沢
青森	青森	福井	敦賀
青森	八戸	京都	舞鶴
岩手	久慈	京都	宮津
岩手	宮古	和歌山	和歌山下津
岩手	釜石	大阪	阪南
岩手	大船渡	大阪	大阪
宮城	石巻	兵庫	尼崎西宮芦屋
宮城	仙台塩釜	兵庫	神戸
福島	小名浜	兵庫	東播磨
秋田	秋田船川	兵庫	姫路
山形	酒田	徳島	徳島小松島
新潟	新潟	香川	高松
新潟	両津	香川	坂出
新潟	直江津	愛媛	新居浜
茨城	日立	愛媛	今治
茨城	鹿島	愛媛	松山
千葉	木更津	愛媛	郡中
千葉	千葉	高知	高知
東京	京浜	岡山	岡山
神奈川		岡山	宇野
神奈川	横須賀	岡山	水島
静岡	田子の浦	岡山	笠岡
静岡	清水	広島	福山

広島	尾道糸崎	長崎	臼浦
広島	呉	長崎	相浦
広島	広島	長崎	佐世保
鳥取	境	長崎	長崎
島根		熊本	三角
山口	岩国	熊本	八代
山口	徳山下松	熊本	水俣
山口	三田尻中関	大分	大分
山口	宇部	大分	津久見
山口	小野田	大分	佐伯
山口	関門	宮崎	細島
福岡		宮崎	油津
福岡	苅田	鹿児島	鹿児島
福岡	博多	鹿児島	名瀬
福岡	大牟田	沖縄	運天
福岡	三池	沖縄	那覇
佐賀	唐津	沖縄	平良
佐賀	伊万里	沖縄	石垣
長崎			

本表…全部改正〔昭和二八年九月政令二九〇号〕、一部改正〔昭和三〇年一二月政令三一八号・三四年四月一五三号・三七年六月二五六号・三八年六月二二四号・四〇年六月二一九号・四一年九月三一七号・四六年六月一七一号・四七年四月一一三号・五〇年七月二〇五号・二二九号・五八年八月一九四号・六〇年七月二二〇号・六三年七月二二七号・平成八年一〇月三〇二号・九年一〇月三一七号・一三年八月二六九号・一八年四月一七三号〕

別表第二（第三条関係）

港湾	港湾の水域
京浜	港則法施行令（昭和四十年政令第二百十九号）に規定する京浜港の水域のほか、江戸川口右岸突端から総武本線江戸川橋りように至る同川右岸の線、同橋りようから総武本線、東北本線、東海道本線及び根岸線に沿つて根岸線中村川橋りように至る線、同橋りようから堀川口左岸突端に至る中村川及び堀川左岸の線並びに陸岸により囲まれた区域内にある河川及び運河の水面並びに総武本線江戸川橋りよう下流の東京都の区域内の江戸川、潮止橋下流の中川及び新中川、手代橋下流の綾瀬川、笹目橋下流の荒川及び旧中川、芝宮橋下流の新河岸川及び隅田川、多摩川大橋下流の多摩川、平沼橋下流の帷子川、花園橋下流の新大岡川並びに亀の橋下流の中村川及び堀川の水面
伏木富山	港則法施行令に規定する伏木富山港の水域のほか、富岩運河の水面
大阪	大阪北港北灯台（北緯三四度四〇分二四秒東経一三五度二四分九秒）から一〇度二、七六〇メートルの地点から二一四度七、〇〇〇メートルの地点まで引いた線、同地点から二一八度三〇分四、七五〇メートルの地点まで引いた線、同地点から一五一度三〇分四二〇メートルの地点まで引いた線、同地点から二一四度五、九九〇メートルの地点まで引いた線、同地点から一三〇度に引いた線及び陸岸により囲まれた海面、神崎川口右岸突端から一般国道二号の神崎大橋に至る同川右岸の線、同橋から一般国道二号及び一般国道二十六号に沿つて一般国道二十六号の新大和橋に至る線、同橋から大和川口右岸突端に至る同川右岸の線並びに陸岸により囲まれた区域内にある河川及び運河の水面、左門殿川辰巳橋及び中島川中島出来島橋各下流の大阪市の区域内の河川水面、東経一三五度二七分三八秒の線から下流の大和川水面並びに内川放水路古川橋及び内川堅川橋各下流の河川水面
尼崎西宮芦屋	神戸第七防波堤東灯台（北緯三四度四〇分三四秒東経一三五度一七分四五秒）から一〇度四、八〇〇メートルの地点から一七五度七、一六〇メートルの地点まで引いた線、同地点から七三度三〇分七、二二〇メートルの地点まで引いた線、同地点から三四度三、三〇〇メートルの地点まで引いた線及び陸岸により囲まれた海面、中島川及び左門殿川左門殿橋下流の尼崎市の区域内の河川水面、旧左門殿川五合橋、蓬川蓬川橋、武庫川南武橋及び宮川汐凪橋各下流の河川水面並びに辰巳橋西端と南武橋東端とを結んだ線以南の各運河水面
神戸	神戸第七防波堤東灯台から一〇度四、八〇〇メートルの地点から一七五度九、八七〇メートルの地点まで引いた線、同地点から二五九度一一、九四〇メートルの地点まで引いた線、同地点から三〇一度五、四三〇メートルの地点まで引いた線、同地点から二七〇度に引いた線及び陸岸により囲まれた海面、高橋川高橋川橋、新湊川駒栄橋及び妙法寺川古川橋各下流の河川水面並びに新川運河及び兵庫運河の各運河水面
高松	長崎鼻、帆槌鼻及び本津川口右岸の埋立地北西端（北緯三四度二一分二六秒東経一三四度三四秒）を順次に結ぶ線並びに陸岸により囲まれた海面並びに最下流橋下流の詰田川の水面
坂出	沙弥島北端（北緯三四度二一分一二秒東経一三三度四九分九秒）から小瀬居島南端（北緯三四度二二分一五秒東経一三三度五一分一七秒）まで引いた線、同地点から九八度に引いた線及び陸岸により囲まれた海面
松山	弁天山三角点（一二九・四メートル）（北緯三三度五〇分三九秒東経一三二度四二分五五

	秒）から二〇九度一〇分四、七八〇メートルの地点から二七〇度八〇〇メートルの地点まで引いた線、同地点から興居島黒埼まで引いた線、同島神埼から白石ノ鼻まで引いた線及び陸岸により囲まれた海面
高知	港則法施行令に規定する高知港の水域のほか、稲生橋下流の下田川、土讃本線国分川橋りよう下流の国分川、山田橋下流の江ノ口川及び堀川の水面
徳山下松	赤崎三角点（七一メートル）（北緯三四度二分四二秒東経一三一度四〇分三〇秒）から郷屋三角点（一四二メートル）（北緯三四度一分五秒東経一三一度四二分二九秒）まで引いた線、馬島金埼から笠戸島三角点（二五六メートル）（北緯三三度五六分一四秒東経一三一度四九分三五秒）まで引いた線、笠戸島鎌石岬から茶臼山頂まで引いた線及び陸岸により囲まれた海面

本表…全部改正〔昭和二八年九月政令二九〇号〕、一部改正〔昭和三四年四月政令一五三号〕、全部改正〔昭和四一年九月政令三一七号〕、一部改正〔昭和四一年一二月政令三七七号・四六年六月一七一号・五〇年七月二〇五号・二二九号・六〇年七月二二〇号・六二年三月五四号・平成七年一二月四二七号・八年一〇月三〇二号・一三年一二月四三四号・一九年一一月三二七号・二六年七月二五四号〕

○港湾運送事業法施行規則

（昭和三十四年十月一日運輸省令第四十六号）

〔沿革〕　昭和三七年六月二六日運輸省令第三四号、八月八日第四二号、三九年八月五日第五五号、四〇年七月一日第四九号、四一年九月三〇日第五二号、四二年九月二五日第六九号、一一月九日第八一号、四三年一二月一七日第六二号、四六年六月一日第二九号、二四日第三九号、四七年五月一三日第三二号、五〇年七月二日第二四号、二五日第二九号、五三年六月二三日第三二号、五六年三月三〇日第一二号、五九年五月一五日第一二号、六月二二日第一八号、一一月一二日第三五号、六〇年四月二五日第一八号、六月一五日第二二号、七月九日第二六号、一二月二四日第四〇号、六三年七月一二日第二三号、平成二年一一月二九日第三一号、三年一〇月二二日第三四号、六年三月三〇日第一四号、九月三〇日第四六号、一一月一一日第五一号、七年六月二三日第三六号、第三七号、七月一〇日第四一号、八年一〇月九日第五四号、九年七月九日第四七号、一〇月一七日第七〇号、一〇年三月一三日第八号、一二年三月二日第八号、九月二九日第三四号、一一月二九日第三九号、一三年三月一五日国土交通省令第三七号、八月二一日第一一九号、一四年六月二八日第七九号、一五年五月一三日第六五号、一六年三月三一日第三四号、一八年四月二一日第五七号、二八日第五八号、二九年六月一五日第三七号、三一年四月二六日第三六号、令和二年一二月二三日第九八号、五年四月二一日第四一号、六年一月一九日第二号、二月一六日第一〇号、三月二九日第二六号改正

第一章　通則

（通則）

第一条　港湾運送事業法施行令（昭和二十六年政令第二百十五号。以下「令」という。）第五条第一項各号に掲げる職権を行う地方運輸局長（運輸監理部長を含む。以下同じ。）は、次のとおりとする。

一　令第五条第一項第一号に掲げる職権（港湾運送事業法（昭和二十六年法律第百六十一号。以下「法」という。）第十八条第二項に規定する職権に限る。）にあつては、合併又は分割により港湾運送事業を承継する法人が新たに経営することとなる港湾運送事業に係る港湾の所在地を管轄する地方運輸局長

二　令第五条第一項第二号に掲げる職権にあつては、事業計画の変更、事業計画に従い業務を行うべきことの命令又は事業改善命令に係る事業所の所在地を管轄する地方運輸局長

三　前二号に掲げる職権以外のものにあつては、港湾運送事業、港湾運送関連事業又は法第三十三条の二第一項の運送に係る港湾の所在地を管轄する地方運輸局長

2　国土交通大臣にする申請等（申請、届出又は報告をいう。以下同じ。）は、この省令に別段の定めのあるものを除き、一般港湾運送事業、港湾荷役事業、はしけ運送事業又はいかだ運送事業（以下「一般港湾運送事業等」という。）にあつては当該港湾運送事業に係る港湾の所在地を管轄する地方運輸局長を、検数事業、鑑定事業又は検量事業（以下「検数事業等」という。）にあつては当該港湾運送事業の許可の申請者又は当該港湾運送事業を営む者の主たる事務所の所在地を管轄する地方運輸局長を、法第三十三条の二第一項の運送にあつては当該運送に係る港湾の所在地を管轄する地方運輸局長を経由してしなければならない。ただし、これらの港湾又は主たる事務所の所在地を管轄する運輸支局長又は海事事務所長を経由してすることができる。

3　地方運輸局長にする申請等は、この省令に別段の定めのあるものを除き、一般港湾運送事業等、港湾運送関連事業又は法第三十三条の二第一項の運送にあつては当該事業又は運送に係る港湾の所在地、検数事業等にあつては当該申請等に係る事業所の所在地を管轄する運輸支局長又は海事事務所長を経由してすることができる。

4　申請等に関する書類のうち、地方運輸局長を経由して国土交通大臣に提出するもの及び運輸支局長又は海事事務所長を経由して地方運輸局長に提出するものには副本一通を、運輸

支局長又は海事事務所長を経由して国土交通大臣に提出するものには副本二通を添えなければならない。ただし、第三十条第一項に規定する港湾運送事業者の氏名若しくは名称、住所又は役員若しくは社員に変更があつた場合に係る報告については、この限りでない。

5　国土交通大臣にする検数事業等に係る申請等をしようとする場合は、当該申請等に係る事業所の所在地を管轄する地方運輸局長に当該申請等に係る書類の副本一通を提出しなければならない。この場合において、当該事業所の所在地を管轄する運輸支局長又は海事事務所長を経由する場合には、当該運輸支局長又は海事事務所長にも当該申請等に係る書類の副本一通を提出しなければならない。

一・三項…一部改正〔昭和四一年九月運輸省令五二号〕、一項…一部改正〔昭和四三年一二月運輸省令六二号・五六年三月一二号・五九年五月一二号〕、一―五項…一部改正〔昭和五九年六月運輸省令一八号〕、二項…一部改正〔昭和五九年一一月運輸省令三五号〕、五項…一部改正〔昭和六〇年六月運輸省令二二号〕、一―三項…一部改正〔平成六年一一月運輸省令五一号〕、四項…一部改正〔平成七年六月運輸省令三六号〕、一・四項…一部改正〔平成一一年九月運輸省令三四号〕、二・四・五項…一部改正〔平成一二年一一月運輸省令三九号〕、一項…一部改正〔平成一三年三月国土交通省令三七号〕、一―五項…一部改正〔平成一四年六月国土交通省令七九号〕、一―四項…一部改正〔平成一八年四月国土交通省令五七号〕

（港湾運送から除く貨物の運送）

第二条　法第二条第一項第三号の国土交通省令で定める運送は、次のとおりとする。

一　船用品（燃料炭を除く。）の当該船用品を使用する船舶への運送又はその船舶からの運送

二　屎尿、塵芥、厨芥、荷粉又は泥土の運送

三　タンク船又は運搬漁船（もつぱら漁場から漁獲物又はその製品を運搬する船舶をいう。）による運送

本条…一部改正〔平成一二年一一月運輸省令三九号〕

（指定区間）

第三条　法第二条第一項第三号の指定区間は、別表第一のとおりとする。

本条…一部改正〔昭和四一年九月運輸省令五二号〕

（法第二条第一項第四号の総トン数）

第三条の二　法第二条第一項第四号の国土交通省令で定める総トン数は、五百トン（内航海運業法施行規則（昭和二十七年運輸省令第四十二号）第九号様式備考1括弧書の船舶にあつては五百十トン）とする。

本条…追加〔昭和四一年九月運輸省令五二号〕、一部改正〔平成一二年一一月運輸省令三九号・三一年四月国土交通省令三六号〕

第二章　港湾運送事業等

章名…改正〔昭和四一年九月運輸省令五二号〕

（事業の許可の申請）

第四条　一般港湾運送事業の事業計画には、次に掲げる事項を記載しなければならない。

一　事業所の数並びに名称及び位置

二　事業に使用される労働者（日々雇い入れられる者、二月以内の期間を定めて使用される者及び試みに使用される者を除く。第七項を除き、以下同じ。）及び事業の用に供する施設（船舶及びはしけ以外の施設にあつては、一年未満の期間を定めて借り受けるものを除く。以下この号において同じ。）に関し次に掲げる事項

イ　現場職員（作業全般の企画に関する事務及び貨物の受取り又は引渡しに関する事務に従事する労働者をいう。）の数

ロ　法第二条第一項第二号に掲げる行為に関し次に掲げる事項

(イ)　労働者（通船の乗組員を除く。以下この号において同じ。）の数

(ロ)　荷役機械の種類ごとの台数及び一台ごとの能力

(ハ)　(イ)及び(ロ)に掲げる労働者及び施設により処理し得る貨物の年間の取扱数量

ハ　法第二条第一項第三号に掲げる行為に関し次に掲げる事項

(イ)　労働者の数

(ロ)　船舶（引船及び通船を除く。以下第二十九条第二項を除き同じ。）又ははしけの一隻ごとの船名及び積トン数

(ハ)　引船一隻ごとの船名及び馬力数

(ニ)　(イ)から(ハ)までに掲げる労働者及び施設により処理し得る貨物の年間の取扱数量

ニ　法第二条第一項第四号に掲げる行為に関し次に掲げる事項

(イ)　労働者の数

(ロ)　荷役機械の種類ごとの台数及び一台ごとの能力

(ハ)　上屋の棟数並びに棟ごとの位置及び面積

(ニ)　上屋以外の荷さばき場の個所数並びに個所ごとの位置及び面積

(ホ)　(イ)から(ニ)までに掲げる労働者及び施設により処理し得る貨物の年間の取扱数量

ホ　法第二条第一項第五号に掲げる行為に関し次に掲げる事項

(イ)　労働者の数

(ロ)　引船一隻ごとの船名、馬力数及び所有又は借受けの別

(ハ)　水面貯木場の個所数並びに個所ごとの位置及び面積

(ニ)　(イ)から(ハ)までに掲げる労働者及び施設により処理し得る貨物の年間の取扱数量

ヘ　コンテナ埠頭において次に掲げる機能の全てを有する情報処理システム（情報処理の促進に関する法律（昭和四十五年法律第九十号）第二条第三項に規定する情報処理システムをいう。）を使用する場合は、その概要及び管理体制その他サイバーセキュリティ（サイバーセキュリティ基本法（平成二十六年法律第百四号）第二条に規定するサイバーセキュリティをいう。）の確保に関する

事項

(イ) 船舶へのコンテナ貨物の積込に関する計画を作成する機能

(ロ) コンテナ貨物の配置に関する計画を作成する機能

(ハ) コンテナ貨物の配置の状況の管理を行うための機能

三 申請者が引き受けた港湾運送の下請をさせることとなる港湾運送事業者であつて、その者の当該下請に係る行為が法第十六条第二項の規定により当該申請者の行つたものとみなされることとなるもの（以下「関連下請事業者」という。）がある場合は、当該関連下請事業者に関し次に掲げる事項

イ 氏名又は名称及び住所並びに法人にあつては、その代表者の氏名

ロ 下請をさせることとなる法第二条第一項第二号から第五号までに掲げる行為の種別ごとの貨物の年間（当該関連下請事業者が法第四条の許可（法第二十九条第一項の規定により業務の範囲を限定する条件及び一年を超えない範囲内の期限を付されたものに限る。以下「特定限定許可」という。）を受けた者である場合にあつては、その事業の実施期間）の取扱数量

ハ 申請者と関連下請事業者との間の下請に関する関係

四 前号の場合において、申請者が引き受けた港湾運送を法第十六条第二項第二号の規定により行うときは、当該行為に関し次に掲げる事項

イ 施設の種類及び概要

ロ 統括管理職員（イに掲げる施設において統括管理行為を行う労働者をいう。）の数

ハ 推定による年間の貨物の取扱数量及びそのうち統括管理の下に処理することとなる貨物の取扱数量

2 港湾荷役事業の事業計画には、前項第一号及び第二号（ロ及びニに限る。）に掲げる事項（次の表の上欄各号のいずれにも該当する者にあつては、同表の下欄に掲げる事項）を記載しなければならない。

上欄	下欄
一 特定限定許可を受けて港湾荷役事業を営もうとする者 二 次のいずれかに該当する者 イ 許可申請港（別表第二の備考第一号ロに規定する二種港（ロにおいて「二種港」という。）又は同表の備考第一号ハに規定する三種港（ロにおいて「三種港」という。）であつて、受けようとする特定限定許可に係る港湾をいう。以下同じ。）において一般港湾運送事業を営んでいる者 ロ 近隣港（許可申請港以外の二種港又は三種港であつて、許可申請港の所在地の属する都道府県又は当該都道府県に隣接する都道府県の区域内に存する港湾をいう。）において一般港湾運送事業又は港湾荷役事業を営んでいる者	一 事業所の数並びに名称及び位置 二 業務の範囲 三 事業の実施期間 四 事業に使用される労働者及び事業の用に供する施設に関し次に掲げる事項 イ 法第二条第一項第二号に掲げる行為に関し次に掲げる事項 (イ) 労働者（通船の乗組員を除く。以下この項において同じ。）の数 (ロ) 荷役機械の種類ごとの台数及び一台ごとの能力 (ハ) (イ)及び(ロ)に掲げる労働者及び施設により処理し得る貨物の取扱数量 ロ 法第二条第一項第四号に掲げる行為に関し次に掲げる事項 (イ) 労働者の数 (ロ) 荷役機械の種類ごとの台数及び一台ごとの能力 (ハ) 上屋の棟数並びに棟ごとの位置及び面積 (ニ) 上屋以外の荷さばき場の個所数並びに個所ごとの位置及び面積 (ホ) (イ)から(ニ)までに掲げる労働者及び施設
	により処理し得る貨物の取扱数量 五 その他国土交通大臣が必要と認める事項

3 はしけ運送事業の事業計画には、第一項第一号及び第二号（ハに限る。）に掲げる事項（次の表の上欄各号のいずれにも該当する者にあつては、同表の下欄に掲げる事項）を記載しなければならない。

上欄	下欄
一 特定限定許可を受けてはしけ運送事業を営もうとする者 二 許可申請港において一般港湾運送事業を営んでいる者	一 事業所の数並びに名称及び位置 二 業務の範囲 三 事業の実施期間 四 事業に使用される労働者及び事業の用に供する施設に関し次に掲げる事項 イ 労働者（通船の乗組員を除く。）の数 ロ 船舶又ははしけの一隻ごとの船名及び積トン数 ハ 引船一隻ごとの船名及び馬力数 ニ イからハまでに掲げる労働者及び施設により処理し得る貨物の取扱数量 五 その他国土交通大臣が必要と認める事項

4 いかだ運送事業の事業計画には、第一項第一号及び第二号（ホに限る。）に掲げる事項（次の表の上欄各号のいずれにも該当する者にあつては、同表の下欄に掲げる事項）を記載しなければならない。

上欄	下欄
一 特定限定許可を受けていかだ運送事業を営もう	一 事業所の数並びに名称及び位置

とする者	二　業務の範囲 三　事業の実施期間 四　事業に使用される労働者及び事業の用に供する施設に関し次に掲げる事項 イ　労働者（通船の乗組員を除く。）の数 ロ　引船一隻ごとの船名、馬力数及び所有又は借受けの別 ハ　水面貯木場の個所数並びに個所ごとの位置及び面積 ニ　イからハまでに掲げる労働者及び施設により処理し得る貨物の取扱数量 五　その他国土交通大臣が必要と認める事項
二　許可申請港において一般港湾運送事業を営んでいる者	

5　港湾荷役事業、はしけ運送事業又はいかだ運送事業の事業計画には、申請者が引き受けた港湾運送の下請をさせることとなる港湾運送事業者（特定限定許可を受けた者に限る。）がある場合は、前三項に定めるもののほか、申請者と当該港湾運送事業者との間の港湾運送に係る下請契約の内容に関する事項を記載しなければならない。

6　検数事業等の事業計画には、次に掲げる事項を記載しなければならない。

一　事業所の数並びに名称及び位置

二　事業に使用される労働者である検数人等（検数人（職業として検数に従事する者をいう。）、鑑定人（職業として鑑定に従事する者をいう。）及び検量人（職業として検量に従事する者をいう。）をいう。以下同じ。）の事業所ごとの数

三　教育訓練の実施体制、業務管理体制その他の検数事業等の公正かつ適正な実施を確保するために必要な体制に関する事項

7　法第五条第一項の申請書には、次に掲げる書類を添付しなければならない。ただし、第十号及び第十二号に掲げる書類については、既に国土交通大臣に提出されている当該書類の内容に変更がないときは、申請書にその旨を記載して当該書類の添付を省略することができる。

一　事業開始の予定期日を記載した書類

二　事業の開始に要する資金の総額及びその調達方法を記載した書類

三　申請者（申請者が法人である場合は、その役員）が法第六条第二項第一号から第四号までのいずれにも該当しない者である旨の宣誓書

四　事業に使用される労働者（事業計画に記載するものを除く。）の数及び事業の用に供する施設（事業計画に記載するものを除く。）の概要を記載した書類

五　港湾運送の需要に関し、次に掲げる事項を記載した書類

イ　一般港湾運送事業等に関するものにあつては、推定による貨物の年間（特定限定許可を受けようとする場合にあつては、事業の実施期間）の取扱数量

ロ　検数事業に関するものにあつては、推定による貨物の年間の取扱数量

ハ　鑑定事業に関するものにあつては、推定による年間の取扱件数

ニ　検量事業に関するものにあつては、推定による年間の取扱数量

六　引き受けた港湾運送の一部を専ら下請させることとなる港湾運送事業者（関連下請事業者を除く。）がある場合は、下請させることとなる港湾運送事業者の氏名又は名称及び住所並びに法人にあつては、その代表者の氏名並びに前号の数量又は件数のうち下請させることとなる数量又は件数を記載した書類

七　固定式又は軌道走行式の荷役機械、荷さばき場、水面貯木場及び労働者詰所の位置を示す図面

八　第一項第二号ヘに規定する情報処理システムを使用する申請者と当該情報処理システムの所有者が異なる場合にあつては、当該申請者と当該所有者との間で締結された一般港湾運送事業の適正かつ確実な実施の確保に必要な措置を講ずるための当該情報処理システムの運用及び管理に関する契約書の写し

九　検数事業等にあつては、事業に使用される労働者である検数人等に関する次に掲げる事項を記載した事業所ごとの名簿

イ　氏名

ロ　生年月日

ハ　検数事業等に関し必要な実務経験を有すること、知識及び能力に関する研修を修了していることその他の当該検数人等が公正かつ適正に業務を実施することができるとする理由

十　既存の法人にあつては、次に掲げる書類

イ　定款又は寄附行為及び登記事項証明書

ロ　役員又は社員の名簿

ハ　最近の事業年度の貸借対照表及び損益計算書

十一　法人を設立しようとする者にあつては、次に掲げる書類

イ　定款（会社法（平成十七年法律第八十六号）第三十条第一項又はその準用規定により認証を必要とする場合は、認証のある定款）又は寄附行為の謄本

ロ　発起人、設立者又は社員の名簿

ハ　設立しようとする法人が株式会社であるときは、株式の引受けの状況及び見込みを記載した書類

十二　個人にあつては、次に掲げる書類

イ　資産調書

ロ　戸籍抄本又は本籍の記載のある住民票の写し

一―五・七項…一部改正〔昭和四一年九月運輸省令五二号〕、一・六項…一部改正〔昭和四二年九月運輸省令六九号〕、七項…一部改正〔昭和四二年一一月運輸省令八一号〕、一・二・四・六項…一部改正〔昭和四六年六月運輸省令三九号〕、七項…一部改正〔昭和五三年六月運輸省令三二号〕、一―三項…一部改正・四項…削除・旧五・七項…一部改正し四・六項に繰上・旧六項…五項に繰上〔昭和五九年一一月運輸省令三五号〕、六項…一部改正〔昭和六〇年六月運輸省令二二号〕、一・六項…一部改正〔平成七年七月運輸省令四一号〕、一―四項…一部改正〔平成一二年九月運輸省令三四号〕、見出し…改正・一―六項…一部改正〔平成一八年四月国土交通省令五七号〕、六項…一部改正〔平成一八年四月国土交通省令五八号・一九年六月三七号〕、一項…一部改正・二―四項…全部改正・五項…追加・旧五項…六項に繰下・旧六項…一部改正し七項に繰下〔令和五年四月国土交通省令四一号〕、一・七項…一部改正〔令和六年二月国土交通省令一〇号〕

（施設及び労働者に関する許可基準）

第五条　法第六条第一項第一号の国土交通省令で定める施設及び労働者は、別表第二のとおりとする。

本条…追加〔昭和四一年九月運輸省令五二号〕、一部改正〔平成一二年一一月運輸省令三九号〕、見出し…改正・本条…一部改正・旧四条の二…繰下〔平成一八年四月国土交通省令五七号〕

第六条　削除〔平成六年三月運輸省令一四号〕

（運賃及び料金）

第七条　法第九条第一項の運賃及び料金に定める事項は、次のとおりとする。

一　運賃及び料金の額

二　運賃及び料金の適用方

第八条　法第九条第一項の規定により運賃及び料金の設定又は変更の届出をしようとする者は、当該運賃及び料金の予定実施期日の三十日前までに、次に掲げる事項を記載した届出書を提出しなければならない。

一　氏名又は名称及び住所並びに法人にあつては、その代表者の氏名

二　事業の種類

三　港湾の名称（検数事業等に係る場合を除く。）

四　設定し、又は変更しようとする運賃及び料金の額並びにその適用方（変更の届出の場合は、新旧の運賃及び料金の額並びにその適用方（変更に係る部分に限る。）を明示すること。）

五　設定し、又は変更しようとする運賃及び料金の額並びにその適用方の予定実施期日

2　次に掲げる場合には、前項中「当該運賃及び料金の予定実施期日の三十日前までに」とあるのは、「あらかじめ」と読み替えるものとする。

一　当該港湾において他の港湾運送事業者が現に適用している運賃及び料金と同一の運賃及び料金の設定又は変更の届出をする場合

二　前号に掲げる場合のほか、法第九条第二項に該当しないものとして国土交通大臣（運賃及び料金の設定又は変更の届出の受理の権限が地方運輸局長に委任されている場合にあつては、地方運輸局長）が必要がないと認めた場合

一・二項…一部改正〔昭和六〇年六月運輸省令二二号〕、一項…一部改正〔平成一二年九月運輸省令三四号〕、一項…一部改正・二項…全部改正〔平成一八年四月国土交通省令五七号〕

（港湾運送約款）

第九条　法第十一条第一項の港湾運送約款に定める事項は、次のとおりとする。

一　運賃及び料金の収受又は払戻に関する事項

二　港湾運送の引受に関する事項

三　貨物の積込及び取卸に関する事項

四　受取、引渡及び保管に関する事項

五　港湾運送責任の始期及び終期

六　免責に関する事項

七　損害賠償に関する事項

八　その他港湾運送約款の内容として必要な事項

第一〇条　法第十一条第一項の規定により港湾運送約款の設定又は変更の認可を申請しようとする者は、次に掲げる事項を記載した申請書を提出しなければならない。

一　氏名又は名称及び住所並びに法人にあつては、その代表者の氏名

二　港湾の名称

三　設定し、又は変更しようとする港湾運送約款（変更の認可の申請の場合は、新旧の港湾運送約款（変更に係る部分に限る。）を明示すること。）

四　変更の認可の申請の場合は、変更を必要とする理由及び変更した港湾運送約款の予定実施期日

一項…一部改正・二項…削除〔昭和六〇年六月運輸省令二二号〕、本条…一部改正〔平成一二年九月運輸省令三四号・一八年四月国土交通省令五七号〕

（公衆の閲覧の方法）

第一〇条の二　法第十二条（法第二十二条の四において準用する場合を含む。次条において同じ。）の規定による公衆の閲覧は、港湾運送事業者のウェブサイトへの掲載により行うものとする。

本条…追加〔令和六年一月国土交通省令二号〕

（公衆の閲覧に供することを要しない場合）

第一〇条の三　法第十二条に規定する国土交通省令で定める場合は、次の各号のいずれかに該当する場合とする。

一　港湾運送事業に常時使用する従業員の数が二十人以下である場合

二　港湾運送事業者が自ら管理するウェブサイトを有していない場合

本条…追加〔令和六年一月国土交通省令二号〕

（直営率）

第一一条　法第十六条第一項の国土交通省令で定める率は、七十パーセントとする。

本条…全部改正〔昭和四一年九月運輸省令五二号〕、一部改正〔平成一二年一一月運輸省令三九号〕

（密接な関係）

第一一条の二　法第十六条第二項の国土交通省令で定める密接な関係は、次の各号のいずれかに該当する関係とする。

一　当該一般港湾運送事業者がその引き受けた港湾運送の下

請をさせる他の港湾運送事業者（以下「下請事業者」という。）の発行済株式の総数の四分の一をこえる株式を保有し、かつ、その役員又は職員を当該下請事業者の常勤の取締役又は執行役として派遣していること。

二　下請事業者が当該一般港湾運送事業者の発行済株式の総数の二分の一をこえる株式を保有していること。

三　下請事業者が当該一般港湾運送事業者の発行済株式の総数の四分の一をこえる株式を保有し、かつ、その役員又は職員を当該一般港湾運送事業者の常勤の取締役又は執行役として派遣していること。

四　下請事業者が次に掲げる要件の全て（当該下請事業者が特定限定許可を受けた者である場合にあつては、ロに掲げる要件）に該当する者であること。

イ　当該一般港湾運送事業者と港湾運送に係る長期の専属の下請契約又はこれに類する契約を締結していること。

ロ　当該一般港湾運送事業者から相当の事業の用に供する施設、資金その他の経済上の利益の提供を受けていること。

本条…追加〔昭和四一年九月運輸省令五二号〕、一部改正〔平成一二年一一月運輸省令三九号・一五年五月国土交通省令六五号・令和五年四月四一号〕

（統括管理の率）

第一一条の三　法第十六条第二項第二号の国土交通省令で定める率は、五十パーセントとする。

本条…追加〔昭和五九年一一月運輸省令三五号〕、一部改正〔平成一二年一一月運輸省令三九号〕

（統括管理の施設）

第一一条の四　法第十六条第二項第二号の国土交通省令で定める施設は、次のとおりとする。

一　コンテナ埠頭

二　外航貨物定期船に係る荷役の用に供する埠頭であつて一般公衆の利用に供するもの以外のもの（前号に掲げるものを除く。）

三　自動車専用埠頭

四　大型荷役機械（固定式又は軌道走行式の荷役機械で毎時百トン以上の貨物を処理し得る能力を有するものをいう。）を備えた埠頭であつて一般公衆の利用に供するもの以外のもの（第一号及び第二号に掲げるものを除く。）

五　船積貨物に係る情報の処理及び管理のための電子計算機を備えた上屋であつて一般公衆の利用に供するもの以外のもの（前各号に掲げる埠頭内にあるものを除く。）

本条…追加〔昭和五九年一一月運輸省令三五号〕、一部改正〔平成一二年一一月運輸省令三九号〕

（統括管理行為）

第一一条の五　法第十六条第二項第二号の規定による統括管理は、一般港湾運送事業者が次に掲げる行為を行うことにより、下請事業者の行う作業を一貫して管理することをいう。

一　電子計算機を使用して行う船積貨物の荷役の計画の作成その他の船積貨物に係る情報の処理及び管理

二　下請事業者に対する作業の指示及び監督

本条…追加〔昭和五九年一一月運輸省令三五号〕

（貨物量の算出方法）

第一一条の六　法第十六条第五項の国土交通省令で定める貨物量の算出の方法は、当該貨物が一・一三三立方メートルにつき一トンを超えない場合は一・一三三立方メートルを一トンとして計算し、その他の場合はその重量により計算するものとする。

本条…追加〔昭和四一年九月運輸省令五二号〕、一部改正〔昭和四三年一二月運輸省令六二号〕、旧一一条の三…一部改正し繰下〔昭和五九年一一月運輸省令三五号〕、本条…一部改正〔平成一二年一一月運輸省令三九号〕

（事業計画の変更の認可の申請）

第一二条　法第十七条第一項の規定により事業計画の変更の認可を申請しようとする者は、次に掲げる事項を記載した申請書を提出しなければならない。

一　氏名又は名称及び住所並びに法人にあつては、その代表者の氏名

二　事業の種類

三　港湾の名称（検数事業等に係る場合を除く。）

四　変更の内容（新旧の事業計画（変更に係る部分に限る。）を明示すること。）及び予定変更期日

五　変更を必要とする理由

一項…一部改正・二項…削除〔昭和六〇年六月運輸省令二二号〕、本条…一部改正〔平成一二年九月運輸省令三四号・一八年四月国土交通省令五七号〕

（事業計画の変更の届出）

第一三条　法第十七条第一項ただし書の軽微な事項に係る変更は、次のとおりとする。

一　事業所の数の変更並びに名称及び位置の変更

二　労働者の数の変更（一般港湾運送事業等に係る場合に限り、その変更後の数が、許可を受けた際の事業計画に記載された数（当該数について変更の認可を受けた場合にあつては、認可を受けて変更された数のうち最近のもの）よりも二十パーセント以上増加し、又は減少することとなる場合の変更を除く。）

三　事業に使用される労働者である検数人等の事業所ごとの数の変更

四　荷役機械の種類ごとの台数の変更（その変更後の台数が、許可を受けた際の事業計画に記載された台数（当該台数について変更の認可を受けた場合にあつては、認可を受けて変更された台数のうち最近のもの）よりも二十パーセント以上増加し、又は減少することとなる場合の変更を除く。）及び一台ごとの能力の変更

五　船舶又ははしけの船名及び積トン数の変更

六　引船の船名及び馬力数の変更

七　上屋、上屋以外の荷さばき場又は水面貯木場に関する事項の変更

八　第四条第一項第二号へに掲げる事項のうち、同号へに規

定する情報処理システムの管理を担当する者の変更その他の一般港湾運送事業の実施に実質的な影響を及ぼさないと国土交通大臣が認める事項の変更

2　前条の規定は、法第十七条第三項の規定による事業計画の変更の届出について準用する。

一項…一部改正〔昭和四二年九月運輸省令六九号・四六年六月三九号・五三年六月三二号・六〇年一二月四〇号・平成六年三月一二号・一八年四月国土交通省令五七号・令和六年二月一〇号〕

（事業の譲渡譲受の認可の申請）

第一四条　法第十八条第一項の規定により港湾運送事業の譲渡及び譲受の認可を申請しようとする者は、次に掲げる事項を記載した申請書を提出しなければならない。

一　譲渡人及び譲受人の氏名又は名称及び住所並びに法人にあつては、その代表者の氏名

二　譲渡譲受をしようとする港湾運送事業の種類

三　譲渡譲受をしようとする港湾運送事業に係る港湾の名称（検数事業等に係る場合を除く。）

四　譲渡譲受価格

五　譲渡譲受の予定期日

六　譲渡譲受を必要とする理由

2　前項の申請書には、次に掲げる書類を添付しなければならない。

一　譲渡譲受契約書の写し

二　譲渡譲受価格の明細書

三　譲受人が現に港湾運送事業を経営する者でないときは、第四条第七項第十号から第十二号までに掲げる書類及び譲受人（譲受人が法人である場合は、その役員）が法第六条第二項第一号から第四号までのいずれにも該当しない者である旨の宣誓書

四　法人にあつては、譲渡又は譲受に関する意思の決定を証する書類

二項…一部改正〔昭和五九年一一月運輸省令三五号・六〇年四月一八号・平成七年七月四一号〕、一項…一部改正〔平成一二年九月運輸省令三四号〕、一・二項…一部改正〔平成一八年四月国土交通省令五七号〕、一項…一部改正〔令和二年一二月国土交通省令九八号〕、二項…一部改正〔令和五年四月国土交通省令四一号・六年二月一〇号〕

（法人の合併又は分割の認可の申請）

第一五条　法第十八条第二項の規定により合併又は分割の認可を申請しようとする法人は、次に掲げる事項を記載した申請書を提出しなければならない。

一　当事者の名称、住所及び代表者の氏名

二　当事者が経営している港湾運送事業の種類

三　当事者が経営している港湾運送事業に係る港湾の名称（検数事業等に係る場合を除く。）

四　合併後存続する法人若しくは合併により設立する法人又は分割により港湾運送事業を承継する法人の名称、住所及び代表者の氏名

五　合併又は分割の方法及び条件

六　合併又は分割の予定期日

七　合併又は分割を必要とする理由

2　前項の申請書には、次に掲げる書類を添付しなければならない。

一　合併契約書又は分割契約書（新設分割の場合にあつては、分割計画書）の写し

二　合併比率説明書又は分割比率説明書

三　合併後存続する法人若しくは合併により設立する法人又は分割により港湾運送事業を承継する法人が現に港湾運送事業を経営していないときは、第四条第七項第十号又は第十一号に掲げる書類

四　合併後存続する法人若しくは合併により設立する法人又は分割により港湾運送事業を承継する法人の役員が法第六条第二項第一号から第四号までのいずれにも該当しない者である旨の宣誓書

五　合併又は分割に関する意思の決定を証する書類

3　第一項の申請書のうち国土交通大臣に提出するものは、地方運輸局長、運輸支局長及び海事事務所長を経由しないで提出しなければならない。

三項…一部改正〔昭和五九年六月運輸省令一八号〕、二項…一部改正〔昭和五九年一一月運輸省令三五号・平成七年七月四一号〕、一項…一部改正〔平成一二年九月運輸省令三四号〕、三項…一部改正〔平成一二年一一月運輸省令三九号〕、見出し…改正・一―三項…一部改正〔平成一三年三月国土交通省令三七号〕、三項…一部改正〔平成一四年六月国土交通省令七九号〕、一・二項…一部改正〔平成一八年四月国土交通省令五七号〕、一項…一部改正〔令和二年一二月国土交通省令九八号〕、二項…一部改正〔令和五年四月国土交通省令四一号・六年二月一〇号〕

第一六条　削除〔昭和四一年九月運輸省令五二号〕

（相続人による事業継続の認可の申請）

第一七条　法第十八条第四条の規定により被相続人の行つていた港湾運送事業を引き続き経営しようとする相続人は、次に掲げる事項を記載した申請書を提出しなければならない。

一　氏名、住所及び被相続人との続柄

二　被相続人の氏名及び住所

三　引き続き経営しようとする被相続人の事業の種類

四　引き続き経営しようとする被相続人の事業に係る港湾の名称（検数事業等に係る場合を除く。）

五　相続開始の期日

六　申請者が港湾運送事業を引き続き経営しようとする理由

2　前項の申請書には、次に掲げる書類を添付しなければならない。

一　被相続人との続柄を証する書類

二　申請者が現に港湾運送事業を経営する者でないときは、第四条第七項第三号及び第十二号イに掲げる書類

三　当該事業を申請者が引き続き経営することに対する申請者以外の相続人の同意書

二項…一部改正〔昭和五九年一一月運輸省令三五号・六〇年六月二二号・平成七年七月四一号〕、一項…一部改正〔平成一二年九月運輸省令三四号〕、一・二項…一部改正〔平成一八年四月国土交通省令五七号〕、二項…一部改正〔令和五年四月国土交通省令四一号・六年二月一〇号〕

（損失の補償の請求）

第一八条　法第十八条の三第一項の規定により損失の補償を請求しようとする者は、次に掲げる事項を記載した請求書を当該命令による貨物の取扱又は運送を完了した後三月以内に提出しなければならない。

一　氏名又は名称及び住所並びに法人にあつては、その代表者の氏名
二　事業の種類
三　港湾の名称（検数事業等に係る場合を除く。）
四　当該命令の内容
五　請求しようとする金額及びその算出の基礎
六　当該命令による取扱又は運送をした貨物の種類及び数量

本条…一部改正〔平成一二年九月運輸省令三四号・一八年四月国土交通省令五七号〕

第一九条及び第二〇条　削除〔平成九年七月運輸省令四七号〕

（事業の休廃止の届出）

第二一条　法第二十条の規定により港湾運送事業の休止又は廃止の届出をしようとする者は、次に掲げる事項を記載した届出書を提出しなければならない。

一　氏名又は名称及び住所並びに法人にあつては、その代表者の氏名
二　休止し、又は廃止しようとする事業の種類
三　休止し、又は廃止しようとする港湾運送事業に係る港湾の名称（検数事業等に係る場合を除く。）
四　休止又は廃止の期日
五　休止の届出の場合は、休止の期間

一項…一部改正〔平成一二年九月運輸省令三四号〕、見出し…改正・一項…一部改正・二項…削除〔平成一八年四月国土交通省令五七号〕

（意見の聴取）

第二二条　地方運輸局長は、国土交通大臣の権限に属する港湾運送事業の停止の命令若しくは許可の取消し又は運賃及び料金に関する変更命令について国土交通大臣の指示があつたときは、利害関係人又は参考人の出頭を求めて意見を聴取しなければならない。

2　前項の意見の聴取に際しては、利害関係人は、証拠を提出することができる。

3　地方運輸局長は、第一項の規定により意見の聴取をしようとするときは、あらかじめ、その旨を地方運輸局（運輸監理部を含む。次条第二項において同じ。）の掲示板に掲示する等適当な方法で公示しなければならない。

4　第一項の意見の聴取は、地方運輸局長又はその指名する職員がこれを主宰する。

5　第一項の意見の聴取は、非公開とする。ただし、地方運輸局長が必要があると認める場合は、この限りでない。

五項…一部改正〔昭和五六年三月運輸省令一二号〕、一・二・四―七項…一部改正〔昭和五九年六月運輸省令一八号〕、五項…一部改正〔平成六年三月運輸省令一四号〕、見出し…改正・一―三・五―七項…一部改正〔平成六年九月運輸省令四六号〕、一・二・五項…一部改正〔平成一二年九月運輸省令三四号〕、二項…一部改正〔平成一二年一一月運輸省令三九号〕、五項…一部改正〔平成一四年六月国土交通省令七九号〕、一・四項…削除・旧二・三項…一部改正し一・二項に繰上・旧五―七項…一部改正し三―五項に繰上・旧二三条…繰上〔平成一八年四月国土交通省令五七号〕

（港湾運送事業に関する聴聞の特例）

第二三条　地方運輸局長は、その権限に属する港湾運送事業の停止の命令をしようとするときは、聴聞を行わなければならない。

2　地方運輸局長は、その権限に属する港湾運送事業の停止の命令又は許可の取消しに係る聴聞を行うに当たつては、あらかじめ、その旨を地方運輸局の掲示板に掲示する等適当な方法で公示しなければならない。

3　前項の聴聞の主宰者は、行政手続法（平成五年法律第八十八号）第十七条第一項の規定により当該処分に係る利害関係人が当該聴聞に関する手続に参加することを求めたときは、これを許可しなければならない。

本条…追加〔平成六年九月運輸省令四六号〕、一・二項…一部改正〔平成一二年九月運輸省令三四号〕、一・二項…一部改正・旧二三条の二…繰上〔平成一八年四月国土交通省令五七号〕

（港湾運送関連事業に関する届出）

第二四条　法第二十二条の二第一項の規定により事業を営むことの届出をしようとする者は、次に掲げる事項を記載した届出書を提出しなければならない。

一　氏名又は名称及び住所並びに法人にあつては、その代表者の氏名
二　事業の内容
三　港湾の名称
四　事業に使用される労働者の数
五　事業開始の予定期日

2　前項の届出書には、作業組織、作業方法その他作業の具体的内容を記載した書類を添付しなければならない。

本条…追加〔昭和四一年九月運輸省令五二号〕、旧二三条の二…繰下〔平成六年九月運輸省令四六号〕、一項…一部改正〔平成一二年九月運輸省令三四号〕、一項…一部改正・二項…全部改正・旧二三条の三…繰下〔平成一八年四月国土交通省令五七号〕

第二五条　法第二十二条の二第一項の規定により届出事項の変更の届出をしようとする者は、次に掲げる事項を記載した届出書を提出しなければならない。

一　氏名又は名称及び住所並びに法人にあつては、その代表者の氏名
二　事業の内容
三　港湾の名称
四　変更の内容（新旧の届出事項（変更に係る部分に限る。）を明示すること。）及び予定変更期日

本条…追加〔昭和四一年九月運輸省令五二号〕、一項…一部改正・二項…削除〔昭和六〇年六月運輸省令二二号〕、旧二三条の三…繰下〔平成六年九月運輸省令四六号〕、本条…一部改正〔平成一二年九月運輸省令三四号〕、本条…一部改正・旧二三条の四…繰下〔平成一八年四月国土交通省令五七号〕

第二六条　法第二十二条の二第二項の規定により港湾運送関連事業の休止又は廃止の届出をしようとする者は、次に掲げる事項を記載した届出書を提出しなければならない。

一　氏名又は名称及び住所並びに法人にあつては、その代表者の氏名

二　休止し、又は廃止した事業の内容

三　休止し、又は廃止した港湾運送関連事業に係る港湾の名称

四　休止又は廃止の期日

五　休止の届出の場合は、休止の期間

本条…追加〔昭和四一年九月運輸省令五二号〕、旧二三条の四…繰下〔平成六年九月運輸省令四六号〕、本条…一部改正〔平成一二年九月運輸省令三四号〕、本条…一部改正・旧二三条の五…繰下〔平成一八年四月国土交通省令五七号〕

（料金）

第二七条　法第二十二条の三第一項の料金に定める事項は、次のとおりとする。

一　料金の額

二　料金の適用方

本条…追加〔昭和四一年九月運輸省令五二号〕、旧二三条の五…繰下〔平成六年九月運輸省令四六号〕、本条…一部改正〔平成一二年九月運輸省令三四号〕、本条…一部改正・旧二三条の六…繰下〔平成一八年四月国土交通省令五七号〕

第二八条　法第二十二条の三第一項の規定により料金の設定又は変更の届出をしようとする者は、次に掲げる事項を記載した届出書を提出しなければならない。

一　氏名又は名称及び住所並びに法人にあつては、その代表者の氏名

二　事業の内容

三　港湾の名称

四　設定し、又は変更しようとする料金の額及びその適用方（変更の届出の場合は、新旧の料金の額及びその適用方（変更に係る部分に限る。）を明示すること。）

五　変更の届出の場合は、変更した料金の額及びその適用方の予定実施期日

本条…追加〔昭和四一年九月運輸省令五二号〕、一・二項…一部改正〔昭和六〇年六月運輸省令二二号〕、旧二三条の六…繰下〔平成六年九月運輸省令四六号〕、一項…一部改正・二項…削除・旧二三条の七…繰下〔平成一八年四月国土交通省令五七号〕

第三章　雑則

旧四章…繰上〔平成一八年四月国土交通省令五七号〕

（はしけ等に関する表示）

第二九条　法第三十二条の二の規定による表示は、船名及び港湾運送事業者の氏名又は名称を船首両げんの外側に、番号を船尾の外側に、高さ及び幅が十センチメートル以上の字を用い、彫刻その他耐久的な方法でしなければならない。

2　前項の規定にかかわらず、はしけ又は船舶の構造上又は設備上同項の規定によりがたい場合は、当該港湾運送事業者の申請により当該港湾運送事業に係る港湾の所在地を管轄する地方運輸局長の指示するところによることができる。

3　第一項の番号は、当該港湾運送事業に係る港湾の所在地を管轄する地方運輸局長が定め、当該港湾運送事業者に通知するものとする。

二・三項…一部改正〔昭和五九年六月運輸省令一八号〕、一項…一部改正〔平成一二年九月運輸省令三四号〕、一項…一部改正・旧三三条…繰上〔平成一八年四月国土交通省令五七号〕

（報告）

第三〇条　港湾運送事業者は、氏名若しくは名称、住所又は役員若しくは社員に変更があつた場合は、当該変更の日から三十日以内（代表権を有しない役員又は社員に変更があつた場合は、前年七月一日から六月三十日までの期間に係る変更について毎年七月三十一日まで）に、当該変更があつた旨を記載した報告書を港湾運送事業の許可を受けた地方運輸局長又は国土交通大臣に提出しなければならない。この場合において、当該変更が役員又は社員の変更であるときは、新たに役員又は社員になつた者が法第六条第二項第一号から第四号までのいずれにも該当しない者である旨の宣誓書を添付しなければならない。

2　前項の報告書の提出については、第一条第二項及び第三項並びに前項の規定にかかわらず、貨物流通事業者の氏名の変更の届出等の一本化した提出の手続を定める省令（平成七年運輸省令第三十七号）の定めるところによることができる。

3　前二項に定めるもののほか、法第三十三条第一項の規定により国土交通大臣が報告を求めたときに提出する報告書の様式その他報告に関し必要な事項は、国土交通大臣が定める。

本条…追加〔昭和四一年九月運輸省令五二号〕、見出し…改正・一項…追加・旧一項…一部改正し二項に繰下〔平成六年三月運輸省令一四号〕、一項…一部改正〔平成七年六月運輸省令三六号〕、二項…追加・旧二項…一部改正し三項に繰下〔平成七年六月運輸省令三七号〕、一項…一部改正〔平成九年七月運輸省令四七号・一〇年三月八号・一二年三月八号〕、一項…一部改正〔平成一二年九月運輸省令三四号〕、一・三項…一部改正〔平成一二年一一月運輸省令三九号〕、一項…一部改正〔平成一四年六月国土交通省令七九号〕、見出し…改正・一項…全部改正・二項…一部改正・旧三三条の二…繰上〔平成一八年四月国土交通省令五七号〕

（準用規定）

第三一条　第七条から第十条まで及び第十八条の規定は、法第三十三条の二第一項の運送について準用する。

本条…一部改正〔昭和四一年九月運輸省令五二号〕、旧三八条…一部改正し繰上〔平成六年一一月運輸省令五一号〕、本条…一部改正〔平成九年七月運輸省令四七号・一二年九月三四号〕、旧三五条…一部改正し繰上〔平成一八年四月国土交通省令五七号〕、旧三二条…繰上〔令和六年三月国土交通省令二六号〕

附　則

（施行期日）

1　この省令は、公布の日から施行する。

（港湾運送事業法施行規則の廃止）

2　港湾運送事業法施行規則（昭和二十六年運輸省令第四十七号）は、廃止する。

3～5　〔他の法令改正に付き略〕

附　則〔昭和五九年一一月一二日運輸省令第三五号抄〕

〔沿革〕　平成一二年九月二九日運輸省令第三四号、一一月二九日第三九号、一三年八月二一日国土交通省令第一一九号、一八年四月二一日第五七号改正

（施行期日）

1　この省令は、港湾運送事業法の一部を改正する法律（以下「改正法」という。）の施行の日（昭和六十年一月十九日）から施行する。ただし、第一条中港湾運送事業法施行規則別表第一の改正規定は、公布の日から施行する。

（経過措置）

2　改正法附則第三項の規定により従前の事業の範囲内で引き続き事業を営む旨の届出をしようとする者は、次に掲げる事項を記載した届出書を当該事業に係る港湾の所在地を管轄する地方運輸局長（海運監理部長を含む。以下同じ。）に提出しなければならない。ただし、当該港湾の所在地を管轄する地方運輸局又は海運監理部の海運支局がある場合は、当該海運支局長を経由してしなければならない。

一　氏名又は名称及び住所

二　従前の事業の種類及び業務の範囲を限定された事業にあつてはその業務の範囲

三　港湾

3　前項の届出書のうち海運支局長を経由して地方運輸局長に提出するものには、副本一通を添えなければならない。

4　第二項の規定による届出をして従前の事業の範囲に限定された港湾荷役事業の免許を受けたものとみなされる者については、港湾運送事業法（以下「法」という。）第十七条第二項において準用する法第六条第一項第一号の国土交通省令で定める施設及び労働者は、港湾運送事業法施行規則第五条の規定にかかわらず、次のとおりとする。

事業の態様		港湾		施設及び労働者
法第二条第一項第二号に掲げる行為を行う港湾荷役事業	法第二条第一項第二号に掲げる行為に限る旨の条件のみが付されている港湾荷役事業	一種港	京浜	四十五万トンの貨物を年間に処理し得る施設及び労働者
			名古屋	三十五万トンの貨物を年間に処理し得る施設及び労働者
			大阪	三十万トンの貨物を年間に処理し得る施設及び労働者
			神戸	四十万トンの貨物を年間に処理し得る施設及び労働者
			関門	三十万トンの貨物を年間に処理し得る施設及び労働者
		二種港及び三種港		当該港湾における推定による、貨物（港湾運送のうち法第二条第一項第二号に掲げるものに係るものに限る。）の年間の取扱数量及び港湾荷役事業の許可を受けている者の数を考慮して当該港湾の所在地を管轄する地方運輸局長が定める取扱数量の貨物を年間に処理し得る施設及び労働者
	その他の条件が付されている港湾荷役事業	一種港		二十五万トンの貨物を年間に処理し得る施設及び労働者
		二種港及び三種港		当該港湾における推定による、貨物（港湾運送のうち法第二条第一項第二号に掲げるものに係るものに限る。）の年間の取扱数量及び港湾荷役事業の許可を受けている者の数を考慮して当該港湾の所在地を管轄する地方運輸局長が定める取扱数量の貨物を年間に処理し得る施設及び労働者
法第二条第一項第四号に掲げる行為を行う港湾荷役事業	法第二条第一項第四号に掲げる行為に限る旨の条件のみが付されている港湾荷役事業	一種港		二十万トンの貨物を年間に処理し得る施設及び労働者
		二種港及び三種港		当該港湾における推定による、貨物（港湾運送のうち法第二条第一項第四号に掲げるものに係るものに限る。）の年間の取扱数量及び港湾荷役事業の許可を受けている者の数を考慮して当該港湾の所在地を管轄する地方運輸局長が定める取扱数量の貨物を年間に処理し得る施設及び労働者
	その他の条件が付されている港湾荷役事業	一種港		十万トンの貨物を年間に処理し得る施設及び労働者
		二種港及び三種港		当該港湾における推定による、貨物（港湾運送のうち法第二条第一項第四号に掲げるものに係るものに限る。）の年間の取扱数量及び港湾荷役事業の許可を受けている者の数を考慮して当該港湾の所在地を管轄する地方運輸局長が定める取扱数量の貨物を年間に処理し得る施設及び労働者

備考　この表において一種港、二種港及び三種港とは、それぞれ次の港湾をいう。

一　一種港

京浜、名古屋、大阪、神戸及び関門

二　二種港

小樽、室蘭、苫小牧、釧路、青森、八戸、宮古、釜石、仙台塩釜、小名浜、秋田船川、酒田、新潟、鹿島、木更津、千葉、横須賀、清水、三河、衣浦、四日市、伏木富山、金沢、敦賀、舞鶴、尼崎西宮芦屋、姫路、高松、坂出、新居浜、高知、尾道糸崎、広島、徳山下松、博多、三池、水俣、鹿児島及び那覇

三　三種港

稚内、留萌、函館、久慈、大船渡、石巻、両津、直江津、日立、田子の浦、七尾、宮津、和歌山下津、阪南、東播磨、徳島小松島、今治、松山、郡中、岡山、宇野、水島、笠岡、福山、呉、境、岩国、三田尻中関、宇部、小野田、苅田、大牟田、唐津、伊万里、臼浦、相浦、佐世保、長崎、三角、八代、大分、津久見、佐伯、細島、油津、名瀬、運天、平良及び石垣

附　則〔平成一八年四月二一日国土交通省令第五七号〕

（施行期日）

1　この省令は、港湾の活性化のための港湾法等の一部を改正する法律（以下「改正法」という。）附則第一条第二号に掲げる規定の施行の日（平成十八年五月十五日）から施行する。

（港湾運送事業会計規則の廃止）

2　港湾運送事業会計規則（昭和五十三年運輸省令第九号）は、廃止する。

（経過措置）

3　改正法による改正前の港湾運送事業法又はこの省令による改正前の港湾運送事業法施行規則によりした処分、手続その他の行為で、改正法による改正後の港湾運送事業法（以下「新法」という。）又はこの省令による改正後の港湾運送事業法施行規則（以下「新規則」という。）中相当する規定があるものは、新法又は新規則によりしたものとみなす。

附　則〔令和五年四月二一日国土交通省令第四一号〕

この省令は、公布の日から施行する。

附　則〔令和六年一月一九日国土交通省令第二号抄〕

（施行期日）

1　この省令は、デジタル社会の形成を図るための規制改革を推進するためのデジタル社会形成基本法等の一部を改正する法律の施行の日（令和六年四月一日）から施行する。

附　則〔令和六年二月一六日国土交通省令第一〇号〕

（施行期日）

第一条　この省令は、令和六年三月三十一日から施行する。

（経過措置）

第二条　この省令の施行の際現に港湾運送事業法（次項において「法」という。）第四条の許可を受けている一般港湾運送事業者の事業計画の記載事項については、次項の規定による事業計画の変更の認可の申請に係る処分が行われるまでの間は、なお従前の例による。

2　前項に規定する一般港湾運送事業者は、この省令の施行の日から一年以内に、この省令による改正後の港湾運送事業法施行規則第四条第一項第二号への規定により新たに事業計画に記載すべき事項について、法第十七条第一項の規定による事業計画の変更の認可を申請しなければならない。

附　則〔令和六年三月二九日国土交通省令第二六号抄〕

（施行期日）

第一条　この省令は、令和六年四月一日から施行する。〔以下略〕

別表第一（第三条関係）

函館港と北斗市との間
新潟港と新潟市（内野上新町以東に限り、新潟港の水域の沿岸及び阿賀野川の沿岸を除く。）との間
千葉港と京浜港、横須賀港及び横浜市（京浜港及び横須賀港の水域の沿岸を除く。）との間
京浜港と横須賀港及び横浜市（京浜港及び横須賀港の水域の沿岸を除く。）との間
横須賀港と横浜市（京浜港及び横須賀港の水域の沿岸を除く。）との間
和歌山下津港と大阪港、尼崎西宮芦屋港及び神戸港との間
大阪港と尼崎西宮芦屋港、神戸港、東播磨港及び姫路港との間
尼崎西宮芦屋港と神戸港、東播磨港及び姫路港との間
神戸港と東播磨港及び姫路港との間
東播磨港と姫路港との間
宇野港と玉野市（宇野港の水域の沿岸を除く。）との間
尾道糸崎港と尾道市（尾道糸崎港の水域の沿岸、向島町、因島地区及び瀬戸田町を除く。）との間
広島港と呉港、大竹港、廿日市市（宮島口から大野字鳴川までに限る。）及び岩国港との間
境港と中海及び宍道湖の沿岸との間
坂出港と丸亀港との間
今治港の港区のうち第一区及び第二区と第三区との間
新居浜港と西条港及び四坂島との間
宇部港と小野田港、関門港（長府区及び響新港区港区を除

く。）、北九州市門司区大字恒見及び苅田港との間
小野田港と関門港（長府区及び響新港区港区を除く。）及び苅田港との間
関門港（長府区及び響新港区港区を除く。）と北九州市門司区大字恒見、苅田港及び宇島港との間
関門港の港区のうち門司区、下関区、長府区、田野浦区、小倉区、西山区及び若松区と新門司区との間
伊万里港と長崎県福島、飛島及び今福港との間
臼浦港と江迎港、鹿町町、相浦港及び佐世保港との間
相浦港と江迎港、鹿町町、佐世保港、西海市大島及び崎戸港との間
佐世保港と江迎港、西海市大島及び崎戸湾との間
長崎港と長崎市（戸石町から千々町まで、大籠町から三重田町まで、伊王島及び高島に限り、長崎港の水域の沿岸を除く。）との間
三池港と大牟田港及び三角港との間
三角港と八代港及び八代市（氷川と大鞘川との間に限る。）との間
大分港と別府港との間
津久見港と別府港及び佐伯港との間
鹿児島港と始良町、霧島市（福山町に限る。）、垂水市（牛根境、二川及び牛根麓に限る。）、桜島及び大根占港との間
那覇港と真玉橋下流の国場川水面（明治橋下流の水面を除く。）との間

本表…一部改正〔昭和三七年六月運輸省令三四号・四〇年七月四九号〕、旧別表…繰上〔昭和四一年九月運輸省令五二号〕、本表…一部改正〔昭和四二年九月運輸省令六九号・四六年六月二九号・四七年五月三二号・五〇年七月二四号・二九号・五九年一一月三五号・六〇年七月二六号・六三年七月二三号・平成三年一〇月三四号・一三年八月国土交通省令一一九号・一八年四月五七号〕

別表第二（第五条関係）

事業の種類	事業の態様	港湾		施設及び労働者
一 一般港湾運送事業	イ 業務の範囲に条件が付されていない一般港湾運送事業	(イ) 一種港	京浜	四十五万トンの貨物を年間に処理し得る施設及び労働者
			名古屋	三十五万トンの貨物を年間に処理し得る施設及び労働者
			大阪	三十万トンの貨物を年間に処理し得る施設及び労働者
			神戸	四十万トンの貨物を年間に処理し得る施設及び労働者
			関門	三十万トンの貨物を年間に処理し得る施設及び労働者
		(ロ) 二種港		十五万トンの貨物を年間に処理し得る施設及び労働者
		(ハ) 三種港		当該港湾における推定による貨物（港湾運送のうち法第二条第一項第一号に掲げるものに係るものに限る。）の年間の取扱数量の二分の一以上の貨物を年間に処理し得る施設及び労働者
	ロ 木材の船舶からの受取り若しくは荷主への引渡し又は木材の船舶への引渡し若しくは荷主からの受取りにあわせてこれらの行為に先行し又は後続する法第二条第一項第二号及び第五号に掲げる行為を一貫して行う一般港湾運送事業	(イ) 一種港	京浜	五十万トンの木材を年間に処理し得る施設及び労働者
			名古屋	五十万トンの木材を年間に処理し得る施設及び労働者
			大阪	二十五万トンの木材を年間に処理し得る施設及び労働者
			神戸	二十五万トンの木材を年間に処理し得る施設及び労働者
			関門	二十五万トンの木材を年間に処理し得る施設及び労働者
		(ロ) 二種港		十万トンの木材を年間に処理し得る施設及び労働者
		(ハ) 三種港		当該港湾における推定による木材（港湾運送のうち法第二条第一項第一号に掲げるものに係るものに限る。）の年間の取扱数量の二分の一以上の木材を年間に処理し得る施設及び労働者
	ハ 個品運送貨物の船舶への引渡し又は個品運送貨物の船舶からの受取りにあわせてこれらの行	一種港、二種港及び三種港		六万トンの貨物を年間に処理し得る施設及び労働者

	為に先行し又は後続する法第二条第一項第三号及び第四号に掲げる行為を一貫して行う一般港湾運送事業			
	ニ　その他の一般港湾運送事業	(イ)　一種港	京浜	十五万トンの貨物を年間に処理し得る施設及び労働者
			名古屋	二十万トンの貨物を年間に処理し得る施設及び労働者
			大阪	十五万トンの貨物を年間に処理し得る施設及び労働者
			神戸	十五万トンの貨物を年間に処理し得る施設及び労働者
			関門	十万トンの貨物を年間に処理し得る施設及び労働者
		(ロ)　二種港		十万トンの貨物を年間に処理し得る施設及び労働者
		(ハ)　三種港		当該港湾における推定による貨物（港湾運送のうち法第二条第一項第一号に掲げるものに係るものに限る。）の年間の取扱数量の二分の一以上の貨物を年間に処理し得る施設及び労働者
二　港湾荷役事業	イ　業務の範囲に条件が付されていない港湾荷役事業	(イ)　一種港	京浜	三十万トンの貨物を年間に処理し得る施設及び労働者
			名古屋	二十万トンの貨物を年間に処理し得る施設及び労働者
			大阪	二十五万トンの貨物を年間に処理し得る施設及び労働者
			神戸	三十万トンの貨物を年間に処理し得る施設及び労働者
			関門	二十五万トンの貨物を年間に処理し得る施設及び労働者
		(ロ)　二種港及び三種港		当該港湾における推定による、貨物（港湾運送のうち法第二条第一項第二号及び第四号に掲げるものに係るものに限る。）の年間の取扱数量及び港湾荷役事業の許可を受けている者の数を考慮して当該港湾の所在地を管轄する地方運輸局長が定める取扱数量の貨物を年間に処理し得る施設及び労働者
	ロ　その他の港湾荷役事業	(イ)　一種港		二十万トンの貨物を年間に処理し得る施設及び労働者
		(ロ)　二種港及び三種港		(1)　次に掲げる場合以外の場合　当該港湾における推定による、貨物（港湾運送のうち法第二条第一項第二号及び第四号に掲げるものに係るものに限る。）の年間の取扱数量及び港湾荷役事業の許可を受けている者の数を考慮して当該港湾の所在地を管轄する地方運輸局長が定める取扱数量の貨物を年間に処理し得る施設及び労働者 (2)　特定限定許可を受けようとする場合　事業計画に記載された取扱数量の貨物を当該事業計画に記載された事業の実施期間に処理し得る施設及び労働者
三　はしけ運送事業	イ　業務の範囲に条件が付されていないはしけ運送事業	(イ)　一種港		十万トンの貨物を年間に処理し得る施設及び労働者
		(ロ)　二種港及び三種港		当該港湾における推定による、貨物（港湾運送のうち法第二条第一項第三号に掲げるものに係るものに限る。）の年間の取扱数量及びはしけ運送事業の許可を受けている者の数を考慮して当該港湾の所在地を管轄する地方運輸局長が定める取扱数量の貨物を年間に処理し得る施設及び労働者
	ロ　その他のは	(イ)　一種港		五万トンの貨物を年間に処理し得る施設

			及び労働者
しけ運送事業	(ロ) 二種港及び三種港		(1) 次に掲げる場合以外の場合　当該港湾における推定による、貨物（港湾運送のうち法第二条第一項第三号に掲げるものに係るものに限る。）の年間の取扱数量及びはしけ運送事業の許可を受けている者の数を考慮して当該港湾の所在地を管轄する地方運輸局長が定める取扱数量の貨物を年間に処理し得る施設及び労働者 (2) 特定限定許可を受けようとする場合　事業計画に記載された取扱数量の貨物を当該事業計画に記載された事業の実施期間に処理し得る施設及び労働者
四 いかだ運送事業	(イ) 一種港	京浜	三十五万トンの木材を年間に処理し得る施設及び労働者
		名古屋	三十五万トンの木材を年間に処理し得る施設及び労働者
		大阪	八万トンの木材を年間に処理し得る施設及び労働者
		神戸	八万トンの木材を年間に処理し得る施設及び労働者
		関門	八万トンの木材を年間に処理し得る施設及び労働者
	(ロ) 二種港及び三種港		(1) 次に掲げる場合以外の場合　当該港湾における推定による、木材（港湾運送のうち法第二条第一項第五号に掲げるものに係るものに限る。）の年間の取扱数量及びいかだ運送事業の許可を受けている者の数を考慮して当該港湾の所在地を管轄する地方運輸局長が定める取扱数量の木材を年間に処理し得る施設及び労働者 (2) 特定限定許可を受けようとする場合　事業計画に記載された取扱数量の木材を当該事業計画に記載された事業の実施期間に処理し得る施設及び労働者

備考

一　この表において一種港、二種港及び三種港とは、それぞれ次の港湾をいう。

イ　一種港

京浜、名古屋、大阪、神戸及び関門

ロ　二種港

小樽、室蘭、苫小牧、釧路、青森、八戸、宮古、釜石、仙台塩釜、小名浜、秋田船川、酒田、新潟、鹿島、木更津、千葉、横須賀、清水、三河、衣浦、四日市、伏木富山、金沢、敦賀、舞鶴、尼崎西宮芦屋、姫路、高松、坂出、新居浜、高知、尾道糸崎、広島、徳山下松、博多、三池、水俣、鹿児島及び那覇

ハ　三種港

稚内、留萌、函館、久慈、大船渡、石巻、両津、直江津、日立、田子の浦、七尾、宮津、和歌山下津、阪南、東播磨、徳島小松島、今治、松山、郡中、岡山、宇野、水島、笠岡、福山、呉、境、岩国、三田尻中関、宇部、小野田、苅田、大牟田、唐津、伊万里、臼浦、相浦、佐世保、長崎、三角、八代、大分、津久見、佐伯、細島、油津、名瀬、運天、平良及び石垣

二　この表（第二号ロ(ロ)の項(2)、第三号ロ(ロ)の項(2)及び第四号(ロ)の項(2)を除く。）において施設とは、船舶及びはしけ以外の施設にあつては、一年未満の期間を定めて借り受けるものを除いたものをいう。

本表…追加〔昭和四一年九月運輸省令五二号〕、一部改正〔昭和四六年六月運輸省令二九号・四七年五月三三号・五〇年七月二四号・五九年六月一八号・一一月三五号・六〇年七月二六号・六三年七月二三号・平成八年一〇月五四号・九年一〇月七〇号〕、全部改正〔平成一二年九月運輸省令三四号〕、一部改正〔平成一三年八月国土交通省令一一九号〕、全部改正〔平成一八年四月国土交通省令五七号・令和五年四月四一号〕

○港湾運送事業報告規則

（昭和五十三年三月十八日運輸省令第十号）

〔沿革〕　昭和五六年三月三〇日運輸省令第一二号、五九年六月二二日第一八号、一一月一二日第三五号、六〇年四月二五日第一八号、平成元年五月三一日第一七号、六年三月三〇日第一二号、三月三〇日第一四号、七年七月一〇日第四二号、九年一二月一五日第八二号、一二年九月二九日第三四号、一一月二九日第三九号、一三年八月二一日国土交通省令第一一九号、一四年三月二七日第二七号、六月二八日第七九号、一五年五月一三日第六五号、一八年四月二一日第五七号、四月二八日第五八号、七月一四日第七七号、二七年四月二八日第三八号、三一年四月二六日第三六号、令和元年六月二八日第二〇号、三年三月三一日第一四号改正

（趣旨）

第一条　港湾運送事業者及び港湾運送関連事業者が行う当該事業に関する報告については、別に定めるものを除き、この省令の定めるところによる。

本条…一部改正〔平成一二年九月運輸省令三四号・一八年四月国土交通省令五七号〕

（報告書の提出）

第二条　港湾運送事業者は、次の表の第一欄に掲げる報告書のうちその営む港湾運送事業に係るものを、それぞれ同表の第二欄に掲げる事項について作成し、同表の第三欄に掲げる期日までに、事業概況報告書、財務諸表、検数・検量取扱い実績報告書及び鑑定取扱い実績報告書にあつては国土交通大臣に、その他の報告書にあつてはその営む港湾運送事業に係る港湾の所在地を管轄する地方運輸局長（運輸監理部長を含む。以下同じ。）（以下「所轄地方運輸局長」という。）に、一通提出しなければならない。

第一欄	第二欄	第三欄
事業概況報告書（第一号様式）	当該事業年度に係る実績	毎事業年度の経過後百日以内
財務諸表（貸借対照表、損益計算書、株主資本等変動計算書又は社員資本等変動計算書、個別注記表、営業収益明細表（第二号様式）、営業費明細表（第三号様式）及び港湾運送事業人件費明細表（第四号様式））	当該事業年度に係る実績	毎事業年度の経過後百日以内
港湾運送事業実績報告書（第五号様式）	三月三十一日を末日とする一年間の実績	四月三十日まで
港湾運送引受け実績報告書（第六号様式）	三月三十一日を末日とする一年間の実績	四月三十日まで
船舶積卸し実績報告書（第七号様式）	月末で終わる一月間の実績	翌月の末日まで
沿岸荷役実績報告書（第八号様式）	三月三十一日を末日とする一年間の実績	四月三十日まで
はしけ稼働実績報告書（第九号様式）	三月三十一日を末日とする一年間の実績	四月三十日まで
いかだ運送実績報告書（第十号様式）	三月三十一日を末日とする一年間の実績	四月三十日まで
労働者数及び稼働実績報告書（第十一号様式）	三月三十一日を末日とする一年間の実績	四月三十日まで
検数・検量取扱い実績報告書（第十二号様式）	三月三十一日を末日とする一年間の実績	四月三十日まで
鑑定取扱い実績報告書（第十三号様式）	三月三十一日を末日とする一年間の実績	四月三十日まで

一項…一部改正〔昭和五六年三月運輸省令一二号・五九年六月一八号〕、二項…一部改正〔昭和六〇年四月運輸省令一八号〕、本条…全部改正〔平成六年三月運輸省令一四号〕、一部改正〔平成七年運輸省令四二号・一二年九月三四号・一一月三九号・一四年六月国土交通省令七九号・一八年四月五七号・七月七七号・令和三年三月一四号〕

（報告書の経由等）

第三条　前条の規定により国土交通大臣に報告書を提出する場合は、一般港湾運送事業等を営む者については、所轄地方運輸局長（二以上の港湾において当該事業を営む者については、当該二以上の港湾のうち一の所在地を管轄する地方運輸局長）を、検数事業等を営む者については、その主たる事務所の所在地を管轄する地方運輸局長を経由しなければならない。ただし、一般港湾運送事業等を営む者については、その営む港湾運送事業に係る港湾の所在地を管轄する運輸支局又は海事事務所（以下「所轄運輸支局」という。）の長を、検数事業等を営む者については、その主たる事務所の所在地を管轄する運輸支局又は海事事務所の長を経由することができる。

2　前条の規定により所轄地方運輸局長に報告書を提出する場合においては、所轄運輸支局の長を経由することができる。

3　前項の規定により所轄運輸支局の長を経由して報告書を提出するときは、副本一通を添えなければならない。

一－三項…一部改正〔昭和五九年六月運輸省令一八号〕、一・二項…一部改正・旧四条…繰上〔平成六年三月運輸省令一四号〕、一項…一部改正〔平成一二年一一月運輸省令三九号〕、一－三項…一部改正〔平成一四年六月国土交通省令七九号〕、一項…全部改正〔令和三年三月国土交通省令一四号〕

（臨時の報告）

第四条　港湾運送事業者又は港湾運送関連事業者は、第二条に定める場合を除くほか、国土交通大臣又は地方運輸局長から

その事業に関し報告を求められたときは、報告書を提出しなければならない。

2 国土交通大臣又は地方運輸局長は、前項の報告を求めるときは、報告書の様式、報告書の提出期限その他必要な事項を明示するものとする。

一・二項…一部改正〔昭和五九年六月運輸省令一八号〕、一項…一部改正・旧五条…繰上〔平成六年三月運輸省令一四号〕、一・二項…一部改正〔平成一二年一一月運輸省令三九号〕

附 則

1 この省令は、昭和五十三年四月一日から施行する。

2 第二条の規定は、昭和五十三年四月一日以降に開始する事業年度に係る営業報告書について適用する。

附 則〔昭和五九年六月二二日運輸省令第一八号抄〕

（施行期日）

第一条 この省令は、昭和五十九年七月一日から施行する。

（経過措置）

第二条 この省令の施行前に次の表の上欄に掲げる行政庁が法律若しくはこれに基づく命令の規定によりした許可、認可その他の処分又は契約その他の行為（以下「処分等」という。）は、同表の下欄に掲げるそれぞれの行政庁がした処分等とみなし、この省令の施行前に同表の上欄に掲げる行政庁に対してした申請、届出その他の行為（以下「申請等」という。）は、同表の下欄に掲げるそれぞれの行政庁に対してした申請等とみなす。

北海海運局長	北海道運輸局長
東北海運局長（山形県又は秋田県の区域に係る処分等又は申請等に係る場合を除く。）	東北運輸局長
東北海運局長（山形県又は秋田県の区域に係る処分等又は申請等に係る場合に限る。）及び新潟海運監理部長	新潟運輸局長
関東海運局長	関東運輸局長
東海海運局長	中部運輸局長
近畿海運局長	近畿運輸局長
中国海運局長	中国運輸局長
四国海運局長	四国運輸局長
九州海運局長	九州運輸局長
神戸海運局長	神戸海運監理部長
札幌陸運局長	北海道運輸局長
仙台陸運局長	東北運輸局長
新潟陸運局長	新潟運輸局長
東京陸運局長	関東運輸局長
名古屋陸運局長	中部運輸局長
大阪陸運局長	近畿運輸局長
広島陸運局長	中国運輸局長
高松陸運局長	四国運輸局長
福岡陸運局長	九州運輸局長

第三条 この省令の施行前に海運局支局長が法律又はこれに基づく命令の規定によりした処分等は、相当の地方運輸局又は海運監理部の海運支局長がした処分等とみなし、この省令の施行前に海運局支局長に対してした申請等は、相当の地方運輸局又は海運監理部の海運支局長に対してした申請等とみなす。

附 則〔昭和五九年一一月一二日運輸省令第三五号〕

〔沿革〕平成一二年九月二九日運輸省令第三四号、一一月二九日第三九号、一三年八月二一日国土交通省令第一一九号、一八年四月二一日第五七号改正

（施行期日）

1 この省令は、港湾運送事業法の一部を改正する法律（昭和五九年七月法律第五九号）（以下「改正法」という。）の施行の日（昭和六十年一月十九日）から施行する。ただし、第一条中港湾運送事業法施行規則別表第一の改正規定は、公布の日から施行する。

（経過措置）

2 改正法附則第三項の規定により従前の事業の範囲内で引き続き事業を営む旨の届出をしようとする者は、次に掲げる事項を記載した届出書を当該事業に係る港湾の所在地を管轄する地方運輸局長（海運監理部長を含む。以下同じ。）に提出しなければならない。ただし、当該港湾の所在地を管轄する地方運輸局又は海運監理部の海運支局がある場合は、当該海運支局長を経由してしなければならない。

一 氏名又は名称及び住所

二 従前の事業の種類及び業務の範囲を限定された事業にあつてはその業務の範囲

三 港湾

3 前項の届出書のうち海運支局長を経由して地方運輸局長に提出するものには、副本一通を添えなければならない。

4 第二項の規定による届出をして従前の事業の範囲に限定された港湾荷役事業の免許を受けたものとみなされる者については、港湾運送事業法（以下「法」という。）第十七条第二項において準用する法第六条第一項第一号の国土交通省令で定める施設及び労働者は、港湾運送事業法施行規則第五条の規定にかかわらず、次のとおりとする。

事業の態様		港湾		施設及び労働者
法第二条第一項第二号に掲げる行為を行う港湾荷役事業	法第二条第一項第二号に掲げる行為に限る旨の条件が付されている港湾荷役	一種港	京浜	四十五万トンの貨物を年間に処理し得る施設及び労働者
			名古屋	三十五万トンの貨物を年間に処理し得る施設及び労働者

事業		大阪	三十万トンの貨物を年間に処理し得る施設及び労働者
		神戸	四十万トンの貨物を年間に処理し得る施設及び労働者
		関門	三十万トンの貨物を年間に処理し得る施設及び労働者
	二種港及び三種港		当該港湾における推定による、貨物（港湾運送のうち法第二条第一項第二号に掲げるものに係るものに限る。）の年間の取扱数量及び港湾荷役事業の許可を受けている者の数を考慮して当該港湾の所在地を管轄する地方運輸局長が定める取扱数量の貨物を年間に処理し得る施設及び労働者
その他の条件が付されている港湾荷役事業	一種港		二十五万トンの貨物を年間に処理し得る施設及び労働者
	二種港及び三種港		当該港湾における推定による、貨物（港湾運送のうち法第二条第一項第二号に掲げるものに係るものに限る。）の年間の取扱数量及び港湾荷役事業の許可を受けている者の数を考慮して当該港湾の所在地を管轄する地方運輸局長が定める取扱数量の貨物を年間に処理し得る施設及び労働者
法第二条第一項第四号に掲げる行為を行う港湾荷役事業	法第二条第一項第四号に掲げる行為に限る旨の条件の付されている港湾荷役事業	一種港	二十万トンの貨物を年間に処理し得る施設及び労働者
		二種港及び三種港	当該港湾における推定による、貨物（港湾運送のうち法第二条第一項第四号に掲げるものに係るものに限る。）の年間の取扱数量及び港湾荷役事業の許可を受けている者の数を考慮して当該港湾の所在地を管轄する地方運輸局長が定める取扱数量の貨物を年間に処理し得る施設及び労働者
	その他の条件が付されている港湾荷役事業	一種港	十万トンの貨物を年間に処理し得る施設及び労働者
		二種港及び三種港	当該港湾における推定による、貨物（港湾運送のうち法第二条第一項第四号に掲げるものに係るものに限る。）の年間の取扱数量及び港湾荷役事業の許可を受けている者の数を考慮して当該港湾の所在地を管轄する地方運輸局長が定める取扱数量の貨物を年間に処理し得る施設及び労働者

備考　この表において一種港、二種港及び三種港とは、それぞれ次の港湾をいう。

一　一種港

京浜、名古屋、大阪、神戸及び関門

二　二種港

小樽、室蘭、苫小牧、釧路、青森、八戸、宮古、釜石、仙台塩釜、小名浜、秋田船川、酒田、新潟、鹿島、木更津、千葉、横須賀、清水、三河、衣浦、四日市、伏木富山、金沢、敦賀、舞鶴、尼崎西宮芦屋、姫路、高松、坂出、新居浜、高知、尾道糸崎、広島、徳山下松、博多、三池、水俣、鹿児島及び那覇

三　三種港

稚内、留萌、函館、久慈、大船渡、石巻、両津、直江津、日立、田子の浦、七尾、宮津、和歌山下津、阪南、東播磨、徳島小松島、今治、松山、郡中、岡山、宇野、水島、笠岡、福山、呉、境、岩国、三田尻中関、宇部、小野田、苅田、大牟田、唐津、伊万里、臼浦、相浦、佐世保、長崎、三角、八代、大分、津久見、佐伯、細島、油津、名瀬、運天、平良及び石垣

5　第二条及び第三条の規定は、改正法の施行の日以降に開始

する事業年度に係る会計の整理及び財務諸表の作成並びに営業報告書の提出について適用する。ただし、改正法附則第三項の規定により届出を行つた者にあつては、届出を行つた日以降に開始する事業年度に係る会計の整理及び財務諸表の作成並びに営業報告書の提出について適用する。

四項…一部改正〔平成一二年九月運輸省令三四号・一一月三九号・一八年四月国土交通省令五七号〕

附　則〔昭和六〇年四月二五日運輸省令第一八号抄〕

（施行期日）

1　この省令は、公布の日から施行する。〔以下略〕

（適用）

2　〔前略〕第十四条の規定による改正後の港湾運送事業報告規則第二条第二項の規定は、昭和六十年四月一日以後に開始する事業年度に係る財務諸表について適用する。

附　則〔平成六年三月三〇日運輸省令第一二号抄〕

1　この省令は、公布の日から施行する。〔以下略〕

2　第二十五条の規定は、提出すべき期限が平成六年五月一日以降である港湾運送事業報告規則第二号様式、第三号様式及び第五号様式から第七号様式までの様式による報告書並びに提出すべき期限が平成七年四月一日以降である港湾運送事業報告規則第四号様式及び第九号様式から第十五号様式までの様式による報告書について適用する。

附　則〔平成一二年九月二九日運輸省令第三四号抄〕

（施行期日）

1　この省令は、港湾運送事業法の一部を改正する法律（平成十二年法律第六十七号。以下「改正法」という。）附則第一条の政令で定める日（平成十二年十一月一日）から施行する。

〔経過措置〕

3　平成十二年四月一日から平成十三年三月三十一日までの一年間に係る港湾運送事業報告規則第二条に規定する労働者数及び稼働実績報告書による平成十二年四月一日から同年九月三十日までの期間に係るセンター派遣労働者稼働延人員及びセンター派遣労働者稼働延時間の報告については、第二条による改正後の第九号様式にかかわらず、なお従前の例による。

附　則〔平成一八年四月二八日国土交通省令第五八号〕

（施行期日）

第一条　この省令は、会社法（平成一七年七月法律第八六号）の施行の日（平成十八年五月一日）から施行する。

（経過措置）

第二条　この省令の施行の際現にあるこの省令による改正前の様式又は書式による申請書その他の文書は、この省令による改正後のそれぞれの様式又は書式にかかわらず、当分の間、なおこれを使用することができる。

第三条　この省令の施行前にしたこの省令による改正前の省令の規定による処分、手続、その他の行為は、この省令による改正後の省令（以下「新令」という。）の規定の適用については、新令の相当規定によってしたものとみなす。

附　則〔令和元年六月二八日国土交通省令第二〇号〕

この省令は、不正競争防止法等の一部を改正する法律の施行の日（令和元年七月一日）から施行する。

附　則〔令和三年三月三一日国土交通省令第一四号〕

（施行期日）

1　この省令は、令和三年四月一日から施行する。

（経過措置）

2　この省令による改正後の第一号様式から第四号様式までは、令和三年四月一日以後に開始する事業年度に係る書類について適用し、同日前に開始した事業年度に係る書類については、なお従前の例による。

3　この省令による改正後の第七号様式による報告書については、令和四年三月三十一日までの間、改正前の第五号様式による報告書を取り繕い使用することができる。

第１号様式（第２条関係）（日本産業規格A列４番）

事業概況報告書

（　年　月　日から　年　月　日まで）

事業者名

資本金

資本金の額	千円

大株主（自己株式を除き、所有株式数の多い順に10名を記載すること。）

株主名	所有株式数（株）	発行済株式総数に対する割合（％）	株主名	所有株式数（株）	発行済株式総数に対する割合（％）

役員

	役職名	氏名	常勤非常勤の別	所有株式数（株）又は出資額（円）	発行済株式総数又は出資総額に対する割合（％）
取締役、理事その他業務を執行する役員					
監査役、監事その他取締役等の職務の執行を監査する役員					

経営している事業

事業の名称	従業員数（人）	売上高（営業収益）構成比率（％）	事業の名称	従業員数（人）	売上高（営業収益）構成比率（％）
			計		100%

当事業年度の収益が、前事業年度の収益に比して増加し又は減少した場合におけるその主たる理由

当事業年度の費用が、前事業年度の費用に比して増加し又は減少した場合におけるその主たる理由

備考

従業員数は、給与支払の対象となつた月払支給人員（日雇労働者（日日雇い入れられる者、２月以内の期間を定めて使用される者及び試みに使用される者をいう。）にあつては、22人日を１人として換算）の当該事業年度における合計人員を当該事業年度の月数で除した人数とすること。

本様式…一部改正〔昭和59年11月運輸省令35号〕、全部改正〔平成７年７月運輸省令42号〕、一部改正〔平成９年12月運輸省令82号・12年９月34号・14年３月国土交通省令27号・15年５月65号・18年４月58号・57号・27年４月38号・令和元年６月20号〕、全部改正〔令和３年３月国土交通省令14号〕

第２号様式（第２条関係）（日本産業規格Ａ列４番）

営　業　収　益　明　細　表

（　　年　　月　　日から　　年　　月　　日まで）

事業者名

区		分	金　　額
一般港湾運送事業収入	港湾運送収入	港湾荷役料金収入	千円
		船内荷役料金収入	
		沿岸荷役料金収入	
		はしけ運送料金収入	
		いかだ運送料金収入	
		計	
	港湾運送雑収		
	合計		
港湾荷役事業収入	港湾運送収入	直請収入	
		下請収入	
		計	
	港湾運送雑収		
	合計		
はしけ運送事業収入	港湾運送収入	直請収入	
		下請収入	
		計	
	港湾運送雑収		
	合計		
いかだ運送事業収入	港湾運送収入	直請収入	
		下請収入	
		計	
	港湾運送雑収		
	合計		
検数事業収入	港湾運送収入		
	港湾運送雑収		
	合計		
鑑定事業収入	港湾運送収入		
	港湾運送雑収		
	合計		
検量事業収入	港湾運送収入		
	港湾運送雑収		
	合計		
港湾運送事業営業収益合計			
その他事業収入	事業		
	事業		
	事業		
その他事業営業収益合計			

備考

営んでいない港湾運送事業に係る収入の欄は省略することができる。

本様式…追加〔平成18年４月国土交通省令57号〕、一部改正・旧５号様式…繰上〔平成18年７月国土交通省令77号〕、一部改正〔令和元年６月国土交通省令20号・３年３月14号〕

第３号様式（第２条関係）（日本産業規格Ａ列４番）

営　業　費　明　細　表

（　　年　　月　　日から　　年　　月　　日まで）

事業者名

区分			事業	事業	事業		計
港湾運送費	人件費		千円	千円	千円	千円	千円
	電力燃料費等	電力費					
		燃料費					
		油脂費					
		計					
	修繕費	建物					
		構築物					
		船舶					
		車両					
		機械装置					
		工具器具備品					
		その他					
		計					
	減価償却費	建物					
		構築物					
		船舶					
		車両					
		機械装置					
		工具器具備品					
		その他					
		計					
	保険料	建物					
		構築物					
		船舶					
		車両					
		機械装置					
		その他					
		計					
	施設使用料	借地借家料					
		上屋使用料					
		野積場使用料					
		水面貯木場使用料					
		傭船料					
		荷役機械使用料					
		その他					
		計					
	租税公課	固定資産税					
		自動車税					
		その他					
		計					
	備消品費						
	下払費						
	その他経費	旅費					
		被服費					
		水道光熱費					
		通信運搬費					
		会議費					
		交際費					
		その他					
		計					
	港湾運送費合計						
港湾運送事業一般管理費	人件費						
	修繕費						
	減価償却費						
	保険料						
	施設使用料						
	租税公課						
	その他経費						
	一般管理費合計						
港湾運送事業営業費合計							

区分	事業	事業	事業		計
その他事業費	千円	千円	千円	千円	千円
その他事業一般管理費					
その他事業営業費合計					

本様式…追加〔平成18年４月国土交通省令57号〕、一部改正・旧６号様式…繰上〔平成18年７月国土交通省令77号〕、一部改正〔令和元年６月国土交通省令20号・３年３月14号〕

第４号様式（第２条関係）（日本産業規格Ａ列４番）

港湾運送事業人件費明細表

（　　年　　月　　日から　　年　　月　　日まで）

事業者名

区分		事業	事業	事業		計
港湾運送費	給料	千円	千円	千円		千円
	手当					
	賞与					
	退職金					
	法定福利費					
	厚生福利費					
	日雇労務費					
	その他人件費					
	計					
港湾運送事業一般管理費	役員報酬					
	給料					
	手当					
	賞与					
	退職金					
	法定福利費					
	厚生福利費					
	その他人件費					
	計					
合計						

本様式…追加〔平成18年４月国土交通省令57号〕、旧７号様式…繰上〔平成18年７月国土交通省令77号〕、一部改正〔令和元年６月国土交通省令20号〕、全部改正〔令和３年３月国土交通省令14号〕

第５号様式（第２条関係）（日本産業規格Ａ列３番）

港湾運送事業実績報告書（　　年度）

港　　　　　　　　　　事業者名

区分					4月	5月	6月	7月	8月	9月	10月	11月	12月	1月	2月	3月	合計
一般港湾運送事業	船内荷役	自営した量		(トン)													
		下請させた量	関連下請	(トン)													
			その他	(トン)													
		合計	引き受けた量	(トン)													
			自営した割合	(%)													
	沿岸荷役	自営した量		(トン)													
		下請させた量	関連下請	(トン)													
			その他	(トン)													
		合計	引き受けた量	(トン)													
			自営した割合	(%)													
	はしけ運送	自営した量		(トン)													
		下請させた量	関連下請	(トン)													
			その他	(トン)													
		合計	引き受けた量	(トン)													
			自営した割合	(%)													
	いかだ運送	自営した量		(トン)													
		下請させた量	関連下請	(トン)													
			その他	(トン)													
		合計	引き受けた量	(トン)													
			自営した割合	(%)													
	統括管理	引き受けた量		(トン)													
		統括管理の下において行つた港湾運送に係る量	貨物量	(トン)													
			割合	(%)													
港湾荷役事業	船内荷役	直請した量	貨物量	(トン)													
			自営した割合	(%)													
		下請した量	関連下請の関係にある一般港湾運送事業者から引き受けた量	(トン)													
			その他の一般港湾運送事業者から引き受けた量	(トン)													
			港湾荷役事業者から引き受けた量	(トン)													
		総計		(トン)													
	沿岸荷役	直請した量	貨物量	(トン)													
			自営した割合	(%)													
		下請した量	関連下請の関係にある一般港湾運送事業者から引き受けた量	(トン)													
			その他の一般港湾運送事業者から引き受けた量	(トン)													
			港湾荷役事業者から引き受けた量	(トン)													
		総計		(トン)													
はしけ運送事業	直請した量		貨物量	(トン)													
			自営した割合	(%)													
	下請した量		関連下請の関係にある一般港湾運送事業者から引き受けた量	(トン)													
			その他の一般港湾運送事業者から引き受けた量	(トン)													
			はしけ運送事業者から引き受けた量	(トン)													
	総計			(トン)													
いかだ運送事業	直請した量		貨物量	(トン)													
			自営した割合	(%)													
	下請した量		関連下請の関係にある一般港湾運送事業者から引き受けた量	(トン)													
			その他の一般港湾運送事業者から引き受けた量	(トン)													
			いかだ運送事業者から引き受けた量	(トン)													
	総計			(トン)													

備考
1　この報告書は、一般港湾運送事業者、港湾荷役事業者（港湾荷役事業の許可を受けた者をいう。）、はしけ運送事業者及びいかだ運送事業者（いかだ運送の許可を受けた者をいう。）が、港湾ごとに作成すること。
2　取扱貨物量は、港湾運送事業法施行規則（昭和34年運輸省令第46号）第11条の６に規定する算出方法により算出し、小数点未満の端数がある場合は、四捨五入すること。
3　関連下請の欄及び関連下請の関係にある一般港湾運送事業者から引き受けた量の欄には、港湾運送事業法（昭和26年法律第161号）第16条第２項の規定により一般港湾運送事業者が自ら行つたものとみなされる行為に係る取扱貨物量を記入すること。
4　一般港湾運送事業の船内荷役、沿岸荷役、はしけ運送及びいかだ運送の欄のうち百分率（%）の欄には、船内荷役、沿岸荷役、はしけ運送及びいかだ運送のそれぞれについて、引き受けた貨物量のうち自営した貨物量の占める割合を記入すること。
5　一般港湾運送事業の統括管理の欄のうち百分率（%）の欄には、引き受けた貨物量のうち統括管理の下において行つた港湾運送に係る貨物量の占める割合を記入すること。
6　港湾荷役事業、はしけ運送事業及びいかだ運送事業の直請した量の欄のうち百分率（%）の欄には、直請した貨物量のうち自営した貨物量の占める割合を記入すること。

本様式…全部改正〔昭和59年11月運輸省令35号〕、一部改正〔平成６年３月運輸省令12号・14号・９年12月82号・12年９月34号〕、一部改正・旧２号様式…繰下〔平成18年４月国土交通省令57号〕、旧８号様式…繰上〔平成18年７月国土交通省令77号〕、一部改正〔平成31年４月国土交通省令36号・令和元年６月20号〕、全部改正〔令和３年３月国土交通省令14号〕

第６号様式（第２条関係）（日本産業規格Ａ列４番）

港湾運送引受け実績報告書（　　年度）

港　　事業者名

<table>
<tr><td rowspan="2"></td><td rowspan="2">委託者</td><td colspan="4">取扱貨物量（トン）</td></tr>
<tr><td>船内荷役</td><td>沿岸荷役</td><td>はしけ運送</td><td>いかだ運送</td></tr>
<tr><td rowspan="3">一般港湾運送事業</td><td>荷主</td><td></td><td></td><td></td><td></td></tr>
<tr><td>船舶運航事業者</td><td></td><td></td><td></td><td></td></tr>
<tr><td>合計</td><td></td><td></td><td></td><td></td></tr>
<tr><td rowspan="4">港湾荷役事業、はしけ運送事業又はいかだ運送事業</td><td>荷主</td><td></td><td></td><td></td><td></td></tr>
<tr><td>船舶運航事業者</td><td></td><td></td><td></td><td></td></tr>
<tr><td>港湾運送事業者</td><td></td><td></td><td></td><td></td></tr>
<tr><td>合計</td><td></td><td></td><td></td><td></td></tr>
</table>

一般港湾運送の引受けの態様	取扱貨物量（トン）
船内荷役－沿岸荷役	
船内荷役－はしけ運送－沿岸荷役	
船内荷役－はしけ運送	
船内荷役－いかだ運送	
はしけ運送－沿岸荷役	
その他	
合計	

備考

１　この報告書は、一般港湾運送事業者、港湾荷役事業者（港湾荷役事業の許可を受けた者をいう。）、はしけ運送事業者及びいかだ運送事業者（いかだ運送事業の許可を受けた者をいう。）が、港湾ごとに作成すること。

２　取扱貨物量は、港湾運送事業法施行規則（昭和34年運輸省令第46号）第11条の６に規定する算出方法により算出し、小数点未満の端数がある場合は、四捨五入すること。

本様式…追加〔令和３年３月国土交通省令14号〕

第７号様式（第２条関係）（日本産業規格Ａ列３番）

船舶積卸し実績報告書（　　年　　月）

港　　　　事業者名

（単位　トン）

品目 ＼ 輸・移入、輸・移出の別			輸・移入			輸・移出			合計
			輸入	移入	計	輸出	移出	計	
農水産品	穀物	ばら							
		包装							
	綿花								
	その他農水産品	ばら							
		包装・有姿							
林産品	原木								
	その他林産品								
鉱産品	石炭								
	金属鉱								
	砂利・砂・石材								
	原塩								
	その他鉱産品								
金属・機械工業品	鉄鋼								
	非鉄金属								
	自動車	トン							
		台							
	その他金属・機械工業品								
化学工業品	セメント	ばら							
		包装							
	その他窯業品								
	石炭製品								
	化学肥料								
	その他化学工業品								
軽工業品	紙・パルプ								
	繊維工業品								
	砂糖								
	その他軽工業品								
雑工業品									
特殊品	金属くず								
	動植物性飼・肥料								
	実入コンテナ	トン							
		20フィート型(個)							
		40フィート型(個)							
		その他の型(個)							
	空コンテナ	トン							
		20フィート型(個)							
		40フィート型(個)							
		その他の型(個)							
	その他特殊品								
分類不能のもの									
計									

（単位　トン）

形態 ＼ 輸・移入、輸・移出の別			輸・移入			輸・移出			合計
			輸入	移入	計	輸出	移出	計	
接岸	経岸	公共埠頭							
		専用埠頭							
	はしけ取り								
	水面落とし								
沖取	はしけ取り								
	水面落とし								
計									

備考

1　この報告書は、一般港湾運送事業者及び港湾荷役事業者（港湾荷役事業の許可を受けた者をいう。）が、自ら行つた船舶への貨物の積込み若しくは船舶からの貨物の取卸しについて港湾ごとに作成すること。

2　取扱貨物量は、港湾運送事業法施行規則（昭和34年運輸省令第46号）第11条の６に規定する算出方法により算出し、小数点未満の端数がある場合は、四捨五入すること。

3　内航船による沖取がある場合には、はしけ取りの欄に記入すること。

本様式…追加〔令和３年３月国土交通省令14号〕

第８号様式（第２条関係）（日本産業規格Ａ列４番）

沿岸荷役実績報告書（　　　年度）

港　　　事業者名

区　　分	取扱貨物量（トン）
総トン数500トン（内航海運業法施行規則（昭和27年運輸省令第42号）第９号様式備考１括弧書の船舶にあつては510トン）未満の接岸船舶に係る積卸しのうち当該船舶の揚貨装置を使用しないで行つたもの	
接岸船舶に係る積卸し（上記の積卸しを除く。）に直接に接続して行つた沿岸荷役	
はしけ積卸し	
荷さばき場から荷さばき場への横持ち	
コンテナ詰出し	

備考

1　この報告書は、一般港湾運送事業者及び港湾荷役事業者（港湾荷役事業の許可を受けた者をいう。）が、自ら行つた沿岸荷役について港湾ごとに作成すること。

2　取扱貨物量は、港湾運送事業法施行規則（昭和34年運輸省令第46号）第11条の６に規定する算出方法により算出し、小数点未満の端数がある場合は、四捨五入すること。

本様式…追加〔令和３年３月国土交通省令14号〕

第９号様式（第２条関係）（日本産業規格Ａ列４番）

はしけ稼働実績報告書（　　　年度）

港　　　　　事業者名

年度末における稼働可能はしけ	隻　　数（隻）	
	総積トン数（トン）	
稼働延積トン数（トン）		
輸送貨物量（トン）	船→陸	
	陸→船	
	船→船	
	陸→陸	
	計	

備考

1　この報告書は、一般港湾運送事業者及びはしけ運送事業者が、自ら行つたはしけ運送について港湾ごとに作成すること。

2　輸送貨物量は、港湾運送事業法施行規則（昭和34年運輸省令第46号）第11条の６に規定する算出方法により算出し、小数点未満の端数がある場合は、四捨五入すること。

本様式…一部改正〔昭和59年11月運輸省令35号・平成６年３月12号・14号・９年12月82号・12年９月34号〕、一部改正・旧３号様式…繰下〔平成18年４月国土交通省令57号〕、旧９号様式…繰上〔平成18年７月国土交通省令77号〕、一部改正〔令和元年６月国土交通省令20号〕、一部改正・旧６号様式…繰下〔令和３年３月国土交通省令14号〕

第10号様式（第２条関係）（日本産業規格Ａ列４番）

いかだ運送実績報告書（　　　年度）

港　　　　　事業者名

区分		取扱貨物量（トン）
船舶↔水面貯木場	原木	
	その他	
	計	
水面貯木場↔水面貯木場	原木	
	その他	
	計	
水面貯木場↔水面貯木場以外（船舶を除く。）	原木	
	その他	
	計	
その他	原木	
	その他	
	計	
合計	原木	
	その他	
	計	

備考

1　この報告書は、一般港湾運送事業者及びいかだ運送事業者（いかだ運送事業の許可を受けた者をいう。）が、自ら行つたいかだ運送について港湾ごとに作成すること。

2　取扱貨物量は、港湾運送事業法施行規則（昭和34年運輸省令第46号）第11条の６に規定する算出方法により算出し、小数点未満の端数がある場合は、四捨五入すること。

本様式…一部改正・旧５号様式…繰上〔昭和59年11月運輸省令35号〕、一部改正〔平成６年３月運輸省令12号・14号〕、全部改正〔平成７年７月運輸省令42号〕、一部改正〔平成９年12月運輸省令82号・12年９月34号〕、一部改正・旧４号様式…繰下〔平成18年４月国土交通省令57号〕、旧10号様式…繰上〔平成18年７月国土交通省令77号〕、一部改正〔令和元年６月国土交通省令20号〕、一部改正・旧７号様式…繰下〔令和３年３月国土交通省令14号〕

第11号様式（第2条関係）（日本産業規格A列3番）

労働者数及び稼働実績報告書（　　年度）

港　　　　　　　　　　　　　　　　事業者名

区分＼月別		4月	5月	6月	7月	8月	9月	10月	11月	12月	1月	2月	3月	合計
現場職員（人）														
船内荷役	常用労働者（人）													
	常用労働者稼働延人員（人日）													
	常用労働者稼働延時間（時間）													
	日雇労働者雇用延人員（人日）													
	日雇労働者稼働延時間（時間）													
	派遣労働者稼働延人員（人日）													
	派遣労働者稼働延時間（時間）													
沿岸荷役	常用労働者（人）													
	常用労働者稼働延人員（人日）													
	常用労働者稼働延時間（時間）													
	日雇労働者雇用延人員（人日）													
	日雇労働者稼働延時間（時間）													
	派遣労働者稼働延人員（人日）													
	派遣労働者稼働延時間（時間）													
はしけ運送	常用労働者（人）													
	常用労働者稼働延人員（人日）													
	常用労働者稼働延時間（時間）													
	日雇労働者雇用延人員（人日）													
	日雇労働者稼働延時間（時間）													
	派遣労働者稼働延人員（人日）													
	派遣労働者稼働延時間（時間）													
いかだ運送	常用労働者（人）													
	常用労働者稼働延人員（人日）													
	常用労働者稼働延時間（時間）													
	日雇労働者雇用延人員（人日）													
	日雇労働者稼働延時間（時間）													
	派遣労働者稼働延人員（人日）													
	派遣労働者稼働延時間（時間）													
合計	常用労働者（人）													
	常用労働者稼働延人員（人日）													
	常用労働者稼働延時間（時間）													
	日雇労働者雇用延人員（人日）													
	日雇労働者稼働延時間（時間）													
	派遣労働者稼働延人員（人日）													
	派遣労働者稼働延時間（時間）													

備考

1　この報告書は、一般港湾運送事業者、港湾荷役事業者（港湾荷役事業の許可を受けた者をいう。）、はしけ運送事業者及びいかだ運送事業者（いかだ運送事業の許可を受けた者をいう。）が港湾ごとに作成すること。

2　日雇労働者とは、日々雇い入れられる者、2月以内の期間を定めて使用される者（派遣労働者を除く。）及び試みに使用される者をいう。

3　派遣労働者とは、港湾労働法（昭和63年法律第40号）第18条第1項にいう港湾派遣元事業主との労働者派遣契約に基づき、同事業主から派遣される者（2月以内の期間を定めて使用される者に限る。）をいう。

本様式…一部改正〔昭和59年11月運輸省令35号・平成元年5月17号・6年3月12号・14号・9年12月82号・12年9月34号〕、一部改正・旧9号様式…繰下〔平成18年4月国土交通省令57号〕、旧14号様式…繰上〔平成18年7月国土交通省令77号〕、一部改正〔令和元年6月国土交通省令20号・3年3月14号〕

第12号様式（第２条関係）（日本産業規格Ａ列４番）

検数・検量取扱い実績報告書（　　年度）

事業者名

港湾名	揚積の別	輸・移入、輸・移出の別	取扱貨物量（トン）	
			検数	検量
港	陸揚げ	輸入		
		移入		
		計		
	船積み	輸出		
		移出		
		計		
	合計			
総計	陸揚げ	輸入		
		移入		
		計		
	船積み	輸出		
		移出		
		計		
	合計			

備考

1　この報告書は、検数事業者及び検量事業者が作成すること。

2　取扱貨物量は、港湾運送事業法施行規則（昭和34年運輸省令第46号）第11条の６に規定する算出方法により算出し、小数点未満の端数がある場合は、四捨五入すること。

本様式…一部改正〔昭和59年11月運輸省令35号・平成６年３月12号・14号〕、全部改正〔平成７年７月運輸省令42号〕、一部改正〔平成９年12月運輸省令82号〕、旧13号様式…繰下〔平成18年４月国土交通省令57号〕、旧15号様式…繰上〔平成18年７月国土交通省令77号〕、一部改正〔令和元年６月国土交通省令20号〕、全部改正〔令和３年３月国土交通省令14号〕

第13号様式（第２条関係）（日本産業規格Ａ列４番）

鑑定取扱い実績報告書（　　年度）

事業者名

区分	取扱件数
倉口検査	
積付検査	
喫水検査	
積荷重量検定	
船舶・油槽はしけの検査・液量検定	
貨物の損害及びその原因鑑定	
合計	

備考

1　この報告書は、鑑定事業者が作成すること。

2　積荷重量検定の欄には、デッドウエイトスケールを有しないはしけ等に係る検定の件数を記入すること。

本様式…一部改正〔平成６年３月運輸省令12号・14号〕、全部改正〔平成７年７月運輸省令42号〕、一部改正〔平成９年12月運輸省令82号〕、旧14号様式…繰下〔平成18年４月国土交通省令57号〕、旧16号様式…繰上〔平成18年７月国土交通省令77号〕、一部改正〔令和元年６月国土交通省令20号・３年３月14号〕

○流通業務の総合化及び効率化の促進に関する法律

（平成十七年七月二十二日法律第八十五号）

〔沿革〕平成一七年七月二六日法律第八七号、一八年六月二日第五〇号、一九年六月一日第七〇号、二三年三月三一日第九号、二七年五月二七日第二九号、二八年五月一三日第三六号、三〇年六月二二日第六二号、令和二年六月三日第三六号、五年五月一二日第二四号、六年五月一五日第二三号改正

注 令和五年五月一二日法律第二四号及び令和六年五月一五日法律第二三号第一条の改正の一部は、施行までに期間があるため、件名の末尾に改正後の条文を掲載いたしました。また、令和六年五月一五日法律第二三号第二条の改正は、加えてありません。

第一章　総則

（目的）

第一条　この法律は、最近における物資の流通をめぐる経済的社会的事情の変化に伴い、我が国産業の国際競争力の強化、消費者の需要の高度化及び多様化への対応並びに物資の流通に伴う環境への負荷の低減を図ることの重要性が増大するとともに、流通業務に必要な労働力の確保に支障が生じつつあることに鑑み、流通業務総合効率化事業について、その計画の認定、その実施に必要な関係法律の規定による許可等の特例、中小企業者が行う場合における資金の調達の円滑化に関する措置等について定めることにより、流通業務の総合化及び効率化の促進を図り、もって国民経済の健全な発展に寄与することを目的とする。

〔本条改正・平二八法三六〕

（定義）

第二条　この法律において次の各号に掲げる用語の意義は、それぞれ当該各号に定めるところによる。

一　流通業務　輸送、保管、荷さばき、流通加工（物資の流通の過程における簡易な加工をいう。以下同じ。）その他の物資の流通に係る業務をいう。

二　流通業務総合効率化事業　二以上の者が連携して、輸送、保管、荷さばき及び流通加工を一体的に行うことによる流通業務の総合化を図るとともに、輸送網の集約、効率性の高い輸送手段の選択、配送の共同化その他の輸送の合理化を行うことによる流通業務の効率化を図る事業（当該事業の用に供する特定流通業務施設の整備を行う事業を含む。）であって、物資の流通に伴う環境への負荷の低減に資するとともに、流通業務の省力化を伴うものをいう。

三　特定流通業務施設　流通業務施設（トラックターミナル、卸売市場、倉庫又は上屋をいう。）であって、高速自動車国道、鉄道の貨物駅、港湾、漁港、空港その他の物資の流通を結節する機能を有する社会資本等の近傍に立地し、物資の搬入及び搬出の円滑化を図るための情報処理システムその他の輸送の合理化を図るための設備並びに流通加工の用に供する設備を有するものをいう。

四　貨客運送効率化事業　地域公共交通の活性化及び再生に関する法律（平成十九年法律第五十九号）第二条第十二号に規定する貨客運送効率化事業をいう。

五　港湾流通拠点地区　第六条第一項の規定により指定された地区をいう。

六　港湾管理者　港湾法（昭和二十五年法律第二百十八号）第二条第一項の港湾管理者をいう。

七　第一種貨物利用運送事業　貨物利用運送事業法（平成元年法律第八十二号）第二条第七項の第一種貨物利用運送事業をいう。

八　第二種貨物利用運送事業　貨物利用運送事業法第二条第八項の第二種貨物利用運送事業をいう。

九　外国人国際第二種貨物利用運送事業　貨物利用運送事業法第四十五条第一項の許可を受けて行う事業をいう。

十　一般貨物自動車運送事業　貨物自動車運送事業法（平成元年法律第八十三号）第二条第二項の一般貨物自動車運送事業をいう。

十一　貨物軽自動車運送事業　貨物自動車運送事業法第二条第四項の貨物軽自動車運送事業をいう。

十二　貨物運送一般旅客定期航路事業　海上運送法（昭和二十四年法律第百八十七号）第二条第五項の一般旅客定期航路事業（本邦の港と本邦以外の地域の港との間又は本邦以外の地域の各港間に航路を定めて行うものを除く。）のうち貨物の運送を行うものをいう。

十三　貨物鉄道事業　鉄道事業法（昭和六十一年法律第九十二号）第二条第一項の鉄道事業のうち貨物の運送を行うもの及び貨物の運送を行う同法第七条第一項に規定する鉄道事業者に鉄道施設を譲渡し、又は使用させるものをいう。

十四　貨物軌道事業　軌道法（大正十年法律第七十六号）による軌道事業のうち貨物の運送を行うものをいう。

十五　トラックターミナル事業　自動車ターミナル法（昭和三十四年法律第百三十六号）によるトラックターミナル事業をいう。

十六　倉庫業　倉庫業法（昭和三十一年法律第百二十一号）第二条第二項の倉庫業をいう。

十七　中小企業者　次のいずれかに該当する者をいう。

イ　資本金の額又は出資の総額が三億円以下の会社並びに常時使用する従業員の数が三百人以下の会社及び個人であって、製造業、建設業、運輸業その他の業種（ロからニまでに掲げる業種及びホの政令で定める業種を除く。）に属する事業を主たる事業として営むもの

ロ　資本金の額又は出資の総額が一億円以下の会社並びに常時使用する従業員の数が百人以下の会社及び個人であって、卸売業（ホの政令で定める業種を除く。）に属する事業を主たる事業として営むもの

ハ　資本金の額又は出資の総額が五千万円以下の会社並びに常時使用する従業員の数が百人以下の会社及び個人であって、サービス業（ホの政令で定める業種を除く。）に属する事業を主たる事業として営むもの
ニ　資本金の額又は出資の総額が五千万円以下の会社並びに常時使用する従業員の数が五十人以下の会社及び個人であって、小売業（ホの政令で定める業種を除く。）に属する事業を主たる事業として営むもの
ホ　資本金の額又は出資の総額がその業種ごとに政令で定める金額以下の会社並びに常時使用する従業員の数がその業種ごとに政令で定める数以下の会社及び個人であって、その政令で定める業種に属する事業を主たる事業として営むもの
ヘ　企業組合
ト　協業組合
チ　事業協同組合、協同組合連合会その他の特別の法律により設立された組合及びその連合会であって、政令で定めるもの
十八　食品等生産業者等　次のいずれかに該当する者をいう。
イ　食品等（食品等の流通の合理化及び取引の適正化に関する法律（平成三年法律第五十九号）第二条第一項の食品等をいう。）の生産又は販売の事業を行う者
ロ　農業協同組合その他の農林水産省令で定める法人でイに掲げる者を直接又は間接の構成員とするもの
ハ　卸売市場を開設する者

〔本条改正・平一七法八七・平二八法三六・平三〇法六二・令二法三六〕

第二章　基本方針

第三条　主務大臣は、流通業務総合効率化事業の実施に関し、基本的な方針（以下「基本方針」という。）を定めるものとする。

2　基本方針に定める事項は、次のとおりとする。
一　流通業務の総合化及び効率化の意義及び目標に関する事項
二　流通業務総合効率化事業の内容に関する事項
三　流通業務総合効率化事業の実施方法に関する事項
四　港湾流通拠点地区に関する事項
五　中小企業者が実施する流通業務総合効率化事業に関する事項
六　その他流通業務総合効率化事業の実施に当たって配慮すべき重要事項

3　主務大臣は、基本方針を定め、又はこれを変更しようとするときは、環境大臣に協議するとともに、前項第五号に係る部分については中小企業政策審議会の意見を聴くものとする。

4　主務大臣は、基本方針を定め、又はこれを変更したときは、遅滞なく、これを公表するものとする。

〔二項改正・平二八法三六〕

第三章　総合効率化計画の認定等

（総合効率化計画の認定）

第四条　流通業務総合効率化事業を実施しようとする者（当該流通業務総合効率化事業を実施する法人を設立しようとする者を含む。以下「総合効率化事業者」という。）は、共同して、その実施しようとする流通業務総合効率化事業についての計画（以下「総合効率化計画」という。）を作成し、これを主務大臣に提出して、その総合効率化計画が適当である旨の認定を受けることができる。

2　総合効率化計画には、次に掲げる事項を記載しなければならない。
一　流通業務総合効率化事業の目標
二　流通業務総合効率化事業の内容
三　流通業務総合効率化事業の実施時期
四　流通業務総合効率化事業の実施に必要な資金の額及びその調達方法
五　流通業務総合効率化事業に係る貨物利用運送事業法第十一条（同法第三十四条第一項において準用する場合を含む。）又は鉄道事業法第十八条に規定する運輸に関する協定を締結するときは、その内容
六　流通業務総合効率化事業のうち貨客運送効率化事業に該当するものを実施するときは、その関係地方公共団体

3　総合効率化計画には、前項各号に掲げる事項のほか、流通業務総合効率化事業の用に供する特定流通業務施設の整備に関する次に掲げる事項を記載することができる。
一　当該特定流通業務施設の政令で定める区分の別並びに規模、構造及び設備その他の当該特定流通業務施設の整備の内容
二　当該特定流通業務施設の用に供する土地の所在及び面積
三　その他主務省令で定める事項

4　主務大臣は、第一項の認定の申請があった場合において、その総合効率化計画が次の各号のいずれにも適合するものであると認めるときは、その認定をするものとする。
一　総合効率化計画に記載された事項が基本方針に照らして適切なものであること。
二　総合効率化計画に記載された事項が流通業務総合効率化事業を確実に遂行するため適切なものであること。
三　総合効率化計画に記載された事業のうち、第一種貨物利用運送事業に該当するものについては、当該事業を実施する者が貨物利用運送事業法第六条第一項各号（第五号を除く。）のいずれにも該当しないこと。
四　総合効率化計画に記載された事業のうち、第二種貨物利用運送事業（外国人国際第二種貨物利用運送事業を除く。以下この号において同じ。）に該当するものについては、当該事業を実施する者が貨物利用運送事業法第二十二条各号のいずれにも該当せず、かつ、その総合効率化計画に記載された第二種貨物利用運送事業の内容が同法第二十三条

各号に掲げる基準に適合すること。

五　総合効率化計画に記載された事業のうち、一般貨物自動車運送事業に該当するものについては、当該事業を実施する者が貨物自動車運送事業法第五条各号のいずれにも該当せず、かつ、その総合効率化計画に記載された一般貨物自動車運送事業の内容が同法第六条各号に掲げる基準に適合すること。

六　総合効率化計画に記載された事業のうち、貨物運送一般旅客定期航路事業に該当するものについては、その総合効率化計画に記載された貨物運送一般旅客定期航路事業の内容が海上運送法第四条各号に掲げる基準に適合し、かつ、当該事業を実施する者が同法第五条各号のいずれにも該当しないこと。

七　総合効率化計画に記載された事業のうち、貨物鉄道事業に該当するものについては、その総合効率化計画に記載された貨物鉄道事業の内容が鉄道事業法第五条第一項各号に掲げる基準に適合し、かつ、当該事業を実施する者が同法第六条各号のいずれにも該当しないこと。

八　総合効率化計画に記載された事業のうち、貨物軌道事業に該当するものについては、その総合効率化計画に記載された貨物軌道事業の内容が軌道法第三条の特許の基準に適合すること。

九　総合効率化計画に記載された事業のうち、トラックターミナル事業に該当するものについては、当該事業を実施する者が自動車ターミナル法第五条各号のいずれにも該当せず、かつ、その総合効率化計画に記載されたトラックターミナル事業の内容が同法第六条各号に掲げる基準に適合すること。

十　総合効率化計画に記載された事業のうち、倉庫業に該当するものについては、当該事業を実施する者が倉庫業法第六条第一項各号のいずれにも該当しないこと。

十一　総合効率化計画に記載された事業のうち、貨客運送効率化事業に該当するものについては、その総合効率化計画に記載された貨客運送効率化事業の内容が、関係地方公共団体が実施する地域公共交通（地域公共交通の活性化及び再生に関する法律第二条第一号に規定する地域公共交通をいう。）に関する施策と調和したものであること。

十二　総合効率化計画に前項各号に掲げる事項が記載されている場合には、同項の特定流通業務施設の立地、規模、構造及び設備が同項第一号の区分に従い主務省令で定める基準に適合すること。

5　流通業務総合効率化事業のうち貨客運送効率化事業（地域公共交通計画（地域公共交通の活性化及び再生に関する法律第五条第一項に規定する地域公共交通計画をいう。以下同じ。）に定められたものに限る。）に該当するものが記載された総合効率化計画に対する前項の規定の適用については、同項中「次の各号」とあるのは、「次の各号（第十一号を除く。）」とする。

6　国土交通大臣は、第一項の認定の申請があった場合において、総合効率化計画に記載された事業のうち外国人国際第二種貨物利用運送事業に該当するものについては、その総合効率化計画の認定において、国際約束を誠実に履行するとともに、国際貨物運送に係る第二種貨物利用運送事業の分野において公正な事業活動が行われ、その健全な発達が確保されるよう配慮するものとする。

7　国土交通大臣は、軌道法第三条の特許を要する事業が記載された総合効率化計画について第一項の認定をしようとするときは、あらかじめ、運輸審議会に諮るものとする。

8　国土交通大臣は、総合効率化計画について第一項の認定をしようとするときは、あらかじめ、国土交通省令で定めるところにより関係する道路管理者（道路法（昭和二十七年法律第百八十号）第十八条第一項に規定する道路管理者をいう。以下この項において同じ。）に、国土交通省令・内閣府令で定めるところにより関係する都道府県公安委員会に、それぞれ意見を聴くものとする。ただし、道路管理者の意見を聴く必要がないものとして国土交通省令で定める場合、又は都道府県公安委員会の意見を聴く必要がないものとして国土交通省令・内閣府令で定める場合は、この限りでない。

9　国土交通大臣は、流通業務総合効率化事業のうち貨客運送効率化事業（地域公共交通計画に定められたものを除く。）に該当するものが記載された総合効率化計画について第一項の認定をしようとするときは、あらかじめ、関係地方公共団体に意見を聴くものとする。

10　主務大臣は、第三項各号に掲げる事項が記載された総合効率化計画について第一項の認定をしようとするときは、あらかじめ、都道府県知事の意見を聴くものとする。

11　国土交通大臣は、第三項各号に掲げる事項（港湾流通拠点地区において同項の特定流通業務施設の整備を行うものに係るものに限る。第十三項において同じ。）が記載された総合効率化計画について第一項の認定をしようとするときは、あらかじめ、当該港湾流通拠点地区を指定した港湾管理者に協議し、その同意を得るものとする。

12　国土交通大臣は、流通業務総合効率化事業のうち貨客運送効率化事業に該当するものが記載された総合効率化計画について第一項の認定をしたときは、遅滞なく、その旨及び当該総合効率化計画に記載された事項を当該関係地方公共団体に通知するものとする。

13　国土交通大臣は、第三項各号に掲げる事項が記載された総合効率化計画について第一項の認定をしたときは、遅滞なく、その旨を当該港湾流通拠点地区を指定した港湾管理者に通知するものとする。

14　第一項の認定に関し必要な事項は、主務省令で定める。

〔一・二項改正・三・六・七項追加・旧三・五―七項を改正し四・八―一〇項に繰下・旧四・八項を五・一一項に繰下・平二八法三六、二・四項改正・五・九・一二項追加・旧五―七・八・一〇・一一項を六―八・一〇・一三・一四項に繰下・旧九項を改正し一一項に繰下・令二法三六、三項改正・令六法二三〕

（総合効率化計画の変更等）

第五条　前条第一項の規定による総合効率化計画の認定を受けた総合効率化事業者（以下「認定総合効率化事業者」という。）は、当該認定に係る総合効率化計画を変更しようとするときは、主務大臣の認定を受けなければならない。

2　主務大臣は、前条第一項の認定に係る総合効率化計画（前項の規定による変更の認定があったときは、その変更後のもの。以下「認定総合効率化計画」という。）が同条第四項各号のいずれかに適合しなくなったと認めるとき、又は認定総合効率化事業者が認定総合効率化計画に従って事業を実施していないと認めるときは、その認定を取り消すことができる。

3　国土交通大臣は、流通業務総合効率化事業のうち貨客運送効率化事業（地域公共交通計画に定められたものに限る。）に該当するものが記載された認定総合効率化計画の認定を前項の規定により取り消したときは、遅滞なく、その旨を当該関係地方公共団体に通知するものとする。

4　前条第四項から第十四項までの規定は、第一項の認定について準用する。この場合において、同条第七項中「軌道法第三条の特許」とあるのは、「軌道法第十六条第一項（軌道の譲渡に係る部分に限る。）若しくは第二十二条ノ二の許可又は同法第二十二条の認可」と読み替えるものとする。

〔一・三項改正・平二八法三六、三項追加・旧三項を改正し四項に繰下・令二法三六〕

（港湾流通拠点地区）

第六条　港湾法第二条第二項に規定する国際戦略港湾、国際拠点港湾又は重要港湾の港湾管理者は、基本方針に基づき、臨港地区（同条第四項の臨港地区をいう。）及び港湾区域（同条第三項の港湾区域をいう。）内の公有水面の埋立てに係る埋立地（公有水面埋立法（大正十年法律第五十七号）第二十二条第二項の竣功認可の告示があった日から一定期間を経過したものその他の国土交通省令で定めるものを除く。）のうち、貨物取扱量、港湾施設（港湾法第二条第五項の港湾施設をいう。）の整備の状況、土地利用の動向等を勘案し、特定流通業務施設の立地を促進するために適当と認められる地区を港湾流通拠点地区として指定することができる。

2　港湾管理者は、港湾流通拠点地区を指定したときは、遅滞なく、当該港湾流通拠点地区の区域を公示するとともに、当該区域を国土交通大臣に通知するものとする。当該区域を変更したときも、同様とする。

（特定流通業務施設の確認）

第七条　総合効率化事業者が実施する流通業務総合効率化事業の用に供するため特定流通業務施設を整備しようとする者は、当該整備しようとする特定流通業務施設の計画が第四条第四項第十二号の主務省令で定める基準に適合するものであることについて、主務省令で定めるところにより主務大臣の確認を申請することができる。

2　主務大臣は、前項の申請があった場合において、当該申請に係る計画が第四条第四項第十二号の基準に適合すると認めるときは、確認をするものとする。

3　前項の確認に係る特定流通業務施設（同項の確認を受けてから主務省令で定める期間を経過していないものに限る。）を利用して実施する総合効率化計画に対する第四条（第五条第四項において準用する場合を含む。）の規定の適用については、第四条第四項中「次の各号」とあるのは、「次の各号（第十二号を除く。）」とする。

〔一－三項改正・平二八法三六・令二法三六〕

第四章　流通業務総合効率化事業の促進

（貨物利用運送事業法の特例）

第八条　総合効率化事業者がその総合効率化計画について第四条第一項の認定を受けたときは、当該総合効率化計画に記載された事業のうち、第一種貨物利用運送事業についての貨物利用運送事業法第三条第一項の登録若しくは同法第七条第一項の変更登録を受け、又は同条第三項の規定による届出をしなければならないものについては、これらの規定により登録若しくは変更登録を受け、又は届出をしたものとみなす。

2　第一種貨物利用運送事業を営む認定総合効率化事業者がその認定総合効率化計画の変更について第五条第一項の認定を受けたときは、当該認定総合効率化計画に記載された事業のうち、第一種貨物利用運送事業についての貨物利用運送事業法第七条第一項の変更登録を受け、又は同条第三項若しくは同法第十四条第二項若しくは第十五条の規定による届出をしなければならないものについては、これらの規定により変更登録を受け、又は届出をしたものとみなす。

3　認定総合効率化事業者が事業協同組合、協同組合連合会その他の特別の法律により設立された組合若しくはその連合会であって政令で定めるもの又は一般社団法人（以下「組合等」という。）である場合にあっては、当該認定総合効率化計画に従って行う第一種貨物利用運送事業であって荷主を認定総合効率化事業者たる組合等の構成員に限定して行うものについては、貨物利用運送事業法第八条第一項及び第九条（同法第十八条第三項において準用する場合を含む。）の規定は、適用しない。

4　認定総合効率化事業者たる第一種貨物利用運送事業者（貨物利用運送事業法第三条第一項の登録を受けた者をいう。）が認定総合効率化事業者たる他の運送事業者と認定総合効率化計画に従って同法第十一条に規定する運輸に関する協定を締結したときは、当該協定につき、あらかじめ、同条の規定による届出をしたものとみなす。認定総合効率化計画に従ってこれを変更したときも、同様とする。

〔三項改正・平一八法五〇、見出し削除・追加・二項改正・旧九条を繰上・平二八法三六〕

第九条　総合効率化事業者がその総合効率化計画について第四条第一項の認定を受けたときは、当該総合効率化計画に記載された事業のうち、第二種貨物利用運送事業についての貨物利用運送事業法第二十条若しくは第四十五条第一項の許可若しくは同法第二十五条第一項若しくは第四十六条第二項の認可を受け、又は同法第二十五条第三項若しくは第四十六条第四項の規定による届出をしなければならないものについては、これらの規定により許可若しくは認可を受け、又は届出をしたものとみなす。

2　第二種貨物利用運送事業を営む認定総合効率化事業者がその認定総合効率化計画の変更について第五条第一項の認定を受けたときは、当該認定総合効率化計画に記載された事業のうち、第二種貨物利用運送事業についての貨物利用運送事業法第二十五条第一項、第二十九条第一項若しくは第二項、第三十条第一項若しくは第四十六条第二項の認可を受け、又は同法第二十五条第三項、第三十一条、第四十六条第四項若しくは第四十八条の規定による届出をしなければならないものについては、これらの規定により認可を受け、又は届出をしたものとみなす。

3　認定総合効率化事業者が組合等である場合にあっては、当該認定総合効率化事業者が認定総合効率化計画に従って行う第二種貨物利用運送事業であって荷主を認定総合効率化事業者たる組合等の構成員に限定して行うものについては、貨物利用運送事業法第二十六条第一項及び第二十七条（同法第三十四条第二項において準用する場合を含む。）の規定は、適用しない。

4　認定総合効率化事業者たる第二種貨物利用運送事業者（貨物利用運送事業法第二十条の許可を受けた者をいう。）が認定総合効率化事業者たる他の運送事業者と認定総合効率化計画に従って同法第三十四条第一項において準用する同法第十一条に規定する運輸に関する協定を締結したときは、当該協定につき、あらかじめ、同項において準用する同条の規定による届出をしたものとみなす。認定総合効率化計画に従ってこれを変更したときも、同様とする。

〔旧一〇条を繰上・平二八法三六〕

（貨物自動車運送事業法の特例）

第一〇条　総合効率化事業者がその総合効率化計画について第四条第一項の認定を受けたときは、当該総合効率化計画に記載された事業のうち、一般貨物自動車運送事業についての貨物自動車運送事業法第三条の許可若しくは同法第九条第一項の認可を受け、又は同条第三項の規定による届出をしなければならないものについては、これらの規定により許可若しくは認可を受け、又は届出をしたものとみなす。

2　一般貨物自動車運送事業を営む認定総合効率化事業者がその認定総合効率化計画の変更について第五条第一項の認定を受けたときは、当該認定総合効率化計画に記載された事業のうち、一般貨物自動車運送事業についての貨物自動車運送事業法第九条第一項、第三十条第一項若しくは第二項若しくは第三十一条第一項の認可を受け、又は同法第九条第三項若しくは第三十二条の規定による届出をしなければならないものについては、これらの規定により認可を受け、又は届出をしたものとみなす。

3　認定総合効率化事業者が組合等である場合にあっては、当該認定総合効率化事業者が認定総合効率化計画に従って行う一般貨物自動車運送事業であって荷主を認定総合効率化事業者たる組合等の構成員に限定して行うものについては、貨物自動車運送事業法第十条第一項及び第十一条の規定は、適用しない。

〔見出し削除・追加・旧一一条を繰上・平二八法三六〕

第一一条　総合効率化事業者がその総合効率化計画について第四条第一項の認定を受けたときは、当該総合効率化計画に記載された事業のうち、貨物軽自動車運送事業についての貨物自動車運送事業法第三十六条第一項の規定による届出をしなければならないものについては、同項の規定により届出をしたものとみなす。

2　貨物軽自動車運送事業を営む認定総合効率化事業者がその認定総合効率化計画の変更について第五条第一項の認定を受けたときは、当該認定総合効率化計画に記載された事業のうち、貨物軽自動車運送事業についての貨物自動車運送事業法第三十六条第一項後段、第三項又は第四項の規定による届出をしなければならないものについては、これらの規定により届出をしたものとみなす。

〔本条追加・平二八法三六〕

（海上運送法の特例）

第一二条　総合効率化事業者がその総合効率化計画について第四条第一項の認定を受けたときは、当該総合効率化計画に記載された事業のうち、貨物運送一般旅客定期航路事業についての海上運送法第三条第一項の許可若しくは同法第十一条第一項の認可を受け、又は同条第三項の規定による届出をしなければならないものについては、これらの規定により許可若しくは認可を受け、又は届出をしたものとみなす。

2　貨物運送一般旅客定期航路事業を営む認定総合効率化事業者がその認定総合効率化計画の変更について第五条第一項の認定を受けたときは、当該認定総合効率化計画に記載された事業のうち、貨物運送一般旅客定期航路事業についての海上運送法第十一条第一項、第十八条第一項、第二項若しくは第四項の認可を受け、又は同法第十一条第三項若しくは第十六条第一項若しくは第二項の規定による届出をしなければならないものについては、これらの規定により認可を受け、又は届出をしたものとみなす。

〔本条追加・平二八法三六、二項改正・令五法二四〕

（鉄道事業法の特例）

第一三条　総合効率化事業者がその総合効率化計画について第四条第一項の認定を受けたときは、当該総合効率化計画に記載された事業のうち、貨物鉄道事業についての鉄道事業法第三条第一項の許可若しくは同法第七条第一項の認可を受け、又は同条第三項の規定による届出をしなければならないものについては、これらの規定により許可若しくは認可を受け、又は届出をしたものとみなす。

2　貨物鉄道事業を営む認定総合効率化事業者がその認定総合

効率化計画の変更について第五条第一項の認定を受けたときは、当該認定総合効率化計画に記載された事業のうち、貨物鉄道事業についての鉄道事業法第七条第一項、第二十六条第一項若しくは第二項若しくは第二十七条第一項の認可を受け、又は同法第七条第三項、第二十八条第一項若しくは第二十八条の二第六項の規定による届出をしなければならないものについては、これらの規定により認可を受け、又は届出をしたものとみなす。

3　認定総合効率化事業者たる貨物鉄道事業者（貨物鉄道事業について鉄道事業法第三条第一項の許可を受けた者をいう。）が認定総合効率化事業者たる他の運送事業者と認定総合効率化計画に従って同法第十八条に規定する運輸に関する協定を締結したときは、当該協定につき、あらかじめ、同条の規定による届出をしたものとみなす。認定総合効率化計画に従ってこれを変更したときも、同様とする。

〔本条追加・平二八法三六〕

（軌道法の特例）

第一四条　総合効率化事業者がその総合効率化計画について第四条第一項の認定を受けたときは、当該総合効率化計画に記載された事業のうち、貨物軌道事業についての軌道法第三条の特許を受けなければならないものについては、同条の規定により特許を受けたものとみなす。

2　貨物軌道事業を営む認定総合効率化事業者がその認定総合効率化計画の変更について第五条第一項の認定を受けたときは、当該認定総合効率化計画に記載された事業のうち、貨物軌道事業についての軌道法第十五条、第十六条第一項（軌道の譲渡に係る部分に限る。）若しくは第二十二条ノ二の許可又は同法第二十二条若しくは同法第二十六条において準用する鉄道事業法第二十七条第一項の認可を受けなければならないものについては、これらの規定により許可又は認可を受けたものとみなす。

〔本条追加・平二八法三六〕

（自動車ターミナル法の特例）

第一五条　総合効率化事業者がその総合効率化計画について第四条第一項の認定を受けたときは、当該総合効率化計画に記載された事業のうち、トラックターミナル事業についての自動車ターミナル法第三条若しくは第十一条第一項の許可を受け、又は同法第十条若しくは第十一条第三項の規定による届出をしなければならないものについては、これらの規定により許可を受け、又は届出をしたものとみなす。

2　トラックターミナル事業を営む認定総合効率化事業者がその認定総合効率化計画の変更について第五条第一項の認定を受けたときは、当該認定総合効率化計画に記載された事業のうち、トラックターミナル事業についての自動車ターミナル法第十一条第一項の許可若しくは同法第十二条第一項若しくは第二項の認可を受け、又は同法第十条、第十一条第三項、第十二条第五項若しくは第十三条の規定による届出をしなければならないものについては、これらの規定により許可若しくは認可を受け、又は届出をしたものとみなす。

〔本条追加・平二八法三六〕

（倉庫業法の特例）

第一六条　総合効率化事業者がその総合効率化計画について第四条第一項の認定を受けたときは、当該総合効率化計画に記載された事業のうち、倉庫業についての倉庫業法第三条の登録若しくは同法第七条第一項の変更登録を受け、又は同条第三項の規定による届出をしなければならないものについては、これらの規定により登録若しくは変更登録を受け、又は届出をしたものとみなす。

2　倉庫業を営む認定総合効率化事業者がその認定総合効率化計画の変更について第五条第一項の認定を受けたときは、当該認定総合効率化計画に記載された事業のうち、倉庫業についての倉庫業法第七条第一項の変更登録若しくは同法第十八条第一項の認可を受け、又は同法第七条第三項、第十七条第三項、第十九条第一項若しくは第二十条第一項の規定による届出をしなければならないものについては、これらの規定により変更登録若しくは認可を受け、又は届出をしたものとみなす。

3　認定総合効率化事業者が組合等である場合にあっては、当該認定総合効率化事業者が認定総合効率化計画に従って行う倉庫業であって利用者を認定総合効率化事業者たる組合等の構成員に限定して行うものについては、倉庫業法第八条第一項及び第九条の規定は、適用しない。

〔本条追加・平二八法三六〕

（港湾法の特例）

第一七条　総合効率化事業者がその総合効率化計画（第四条第三項各号に掲げる事項が記載されたものに限る。）について同条第一項の認定を受けたときは、当該総合効率化計画に記載された事業のうち、港湾流通拠点地区において特定流通業務施設の整備を行うに当たり港湾法第三十八条の二第一項の規定による届出をしなければならないものについては、同項の規定により届出をしたものとみなす。

2　前項の規定は、認定総合効率化事業者がその認定総合効率化計画（第四条第三項各号に掲げる事項が記載されたものに限る。第二十一条において「特定認定総合効率化計画」という。）について第五条第一項の認定を受けた場合について準用する。

〔一・二項改正・旧一二条を繰下・平二八法三六、二項改正・平三〇法六二〕

（中小企業信用保険法の特例）

第一八条　中小企業信用保険法（昭和二十五年法律第二百六十四号）第三条第一項に規定する普通保険（以下「普通保険」という。）、同法第三条の二第一項に規定する無担保保険（以下「無担保保険」という。）又は同法第三条の三第一項に規定する特別小口保険（以下「特別小口保険」という。）の保険関係であって、流通業務総合効率化関連保証（同法第三条第一項、第三条の二第一項又は第三条の三第一項に規定する債務の保証であって、認定総合効率化計画に記載された事業（以下「認定総合効率化事業」という。）に必要な資金に係るものをいう。以下同じ。）を受けた中小企業者に係るものについての次の表の上欄に掲げる同法の規定の適用については、これらの規定中同表の中欄に掲げる字句は、同表の下欄に掲げる字句とする。

第三条第一項	保険価額の合計額が	流通業務の総合化及び効率化の促進に関する法律（平成十七年法律第八十五号）第十八条第一項に規定する流通業務総合効率化関連保証（以下「流通業務総合効率化関連保証」という。）に係る保険関係の保険価額の合計額とその他の保険関係の保険価額の合計額とがそれぞれ
第三条の二第一項及び第三条の三第一項	保険価額の合計額が	流通業務総合効率化関連保証に係る保険関係の保険価額の合計額とその他の保険関係の保険価額の合計額とがそれぞれ
第三条の二第三項及び第三条の三第二項	当該借入金の額のうち	流通業務総合効率化関連保証及びその他の保証ごとに、それぞれ当該借入金の額のうち
	当該債務者	流通業務総合効率化関連保証及びその他の保証ごとに、当該債務者

2　普通保険の保険関係であって、流通業務総合効率化関連保証に係るものについての中小企業信用保険法第三条第二項及び第五条の規定の適用については、同法第三条第二項中「百分の七十」とあり、及び同法第五条中「百分の七十（無担保保険、特別小口保険、流動資産担保保険、公害防止保険、エネルギー対策保険、海外投資関係保険、新事業開拓保険、事業再生保険及び特定社債保険にあっては、百分の八十）」とあるのは、「百分の八十」とする。

3　普通保険、無担保保険又は特別小口保険の保険関係であって、流通業務総合効率化関連保証に係るものについての保険料の額は、中小企業信用保険法第四条の規定にかかわらず、保険金額に年百分の二以内において政令で定める率を乗じて得た額とする。

〔二項改正・平一九法七〇、一項改正・平二七法二九、一項改正・旧一三条を繰下・平二八法三六〕

（中小企業投資育成株式会社法の特例）

第一九条　中小企業投資育成株式会社は、中小企業投資育成株式会社法（昭和三十八年法律第百一号）第五条第一項各号に掲げる事業のほか、次に掲げる事業を行うことができる。

一　中小企業者が認定総合効率化事業を実施するために資本金の額が三億円を超える株式会社を設立する際に発行する株式の引受け及び当該引受けに係る株式の保有

二　中小企業者のうち資本金の額が三億円を超える株式会社が認定総合効率化事業を実施するために必要とする資金の調達を図るために発行する株式、新株予約権（新株予約権付社債に付されたものを除く。）又は新株予約権付社債等（中小企業投資育成株式会社法第五条第一項第二号に規定する新株予約権付社債等をいう。以下この条において同じ。）の引受け及び当該引受けに係る株式、新株予約権（その行使により発行され、又は移転された株式を含む。）又は新株予約権付社債等（新株予約権付社債等に付された新株予約権の行使により発行され、又は移転された株式を含む。）の保有

2　前項第一号の規定による株式の引受け及び当該引受けに係る株式の保有並びに同項第二号の規定による株式、新株予約権（新株予約権付社債に付されたものを除く。）又は新株予約権付社債等の引受け及び当該引受けに係る株式、新株予約権（その行使により発行され、又は移転された株式を含む。）又は新株予約権付社債等（新株予約権付社債等に付された新株予約権の行使により発行され、又は移転された株式を含む。）の保有は、中小企業投資育成株式会社法の適用については、それぞれ同法第五条第一項第一号及び第二号の事業とみなす。

〔一・二項改正・平一七法八七、旧一四条を繰下・平二八法三六〕

（食品等の流通の合理化及び取引の適正化に関する法律の特例）

第二〇条　食品等の流通の合理化及び取引の適正化に関する法律第十六条第一項の規定により指定された食品等流通合理化促進機構は、同法第十七条各号に掲げる業務のほか、次に掲げる業務を行うことができる。

一　食品生産業者等が実施する認定総合効率化事業に必要な資金の借入れに係る債務の保証

二　食品等生産業者等が実施する認定総合効率化事業に必要な資金のあっせん

三　前二号に掲げる業務に附帯する業務

2　前項の規定により食品等流通合理化促進機構の業務が行われる場合には、次の表の上欄に掲げる食品等の流通の合理化及び取引の適正化に関する法律の規定の適用については、これらの規定中同表の中欄に掲げる字句は、同表の下欄に掲げる字句とする。

第十八条第一項	前条第一号に掲げる業務	前条第一号に掲げる業務及び流通業務の総合化及び効率化の促進に関する法律（平成十七年法律第八十五号。以下「流通業務総合効率化促進法」という。）第二十条第一項第一号に掲げる業務
第十九条第一項	第十七条第一号に掲げる業務	第十七条第一号に掲げる業務及び流通業務総合効率化促進法第二十条第一項第一号に掲げる業務

第二十三条第一項、第二十四条及び第二十五条第一項第一号	第十七条各号に掲げる業務	第十七条各号に掲げる業務又は流通業務総合効率化促進法第二十条第一項各号に掲げる業務
第二十五条第一項第三号	この節	この節若しくは流通業務総合効率化促進法
第三十二条第二号	第二十三条第一項	流通業務総合効率化促進法第二十条第二項の規定により読み替えて適用する第二十三条第一項
第三十二条第三号	第二十四条	流通業務総合効率化促進法第二十条第二項の規定により読み替えて適用する第二十四条

〔一・二項改正・旧一五条を繰下・平二八法三六、見出し・一・二項改正・平三〇法六二〕

（独立行政法人鉄道建設・運輸施設整備支援機構による流通業務総合効率化事業の推進）

第二〇条の二　独立行政法人鉄道建設・運輸施設整備支援機構（以下「機構」という。）は、流通業務総合効率化事業を推進するため、次の業務を行う。

一　認定総合効率化事業の実施に必要な資金の出資及び貸付けを行うこと。

二　前号に掲げる業務に関連して必要な調査を行うこと。

2　機構は、前項第一号に掲げる業務を行う場合には、国土交通大臣の認可を受けて定める基準に従わなければならない。

3　国土交通大臣は、前項の規定による認可をしようとするときは、財務大臣、農林水産大臣及び経済産業大臣に協議しなければならない。

〔本条追加・令二法三六、一項改正・令六法二三〕

（都市計画法等による処分についての配慮）

第二一条　国の行政機関の長又は都道府県知事は、特定認定総合効率化計画に記載された事業（以下「特定認定総合効率化事業」という。）の実施のため都市計画法（昭和四十三年法律第百号）その他の法律の規定による許可その他の処分を求められたときは、当該特定認定総合効率化事業の用に供する特定流通業務施設の整備が円滑に行われるよう適切な配慮をするものとする。

〔旧一六条を改正し繰下・平二八法三六、本条改正・平三〇法六二〕

（工場立地法による事務の実施についての配慮）

第二二条　国の行政機関の長又は都道府県知事は、特定認定総合効率化事業についての工場立地法（昭和三十四年法律第二十四号）に規定する事務の実施に当たっては、当該特定認定総合効率化事業の実施が環境への負荷の低減に資することに鑑み、当該特定認定総合効率化事業の用に供する特定流通業務施設の整備が円滑に行われるよう適切な配慮をするものとする。

〔旧一七条を改正し繰下・平二八法三六〕

（資金の確保）

第二三条　国及び都道府県は、認定総合効率化事業に必要な資金の確保又はその融通のあっせんに努めるものとする。

2　前項の措置を講ずるに当たっては、中小企業者に対する特別の配慮をするものとする。

〔旧一八条を改正し繰下・平二八法三六〕

（関係者の協力）

第二四条　認定総合効率化事業者の取引の相手方その他の関係者は、当該認定総合効率化事業の円滑な実施に協力するよう努めなければならない。

〔旧一九条を繰下・平二八法三六〕

（国及び地方公共団体の措置）

第二五条　国及び地方公共団体は、流通業務の総合化及び効率化を促進するため、情報の提供、人材の養成その他必要な措置を講ずるよう努めるものとする。

2　国及び都道府県は、認定総合効率化事業者に対し、認定総合効率化事業の適確な実施に必要な助言及び協力を行うものとする。

〔旧二〇条を繰下・平二八法三六〕

第五章　雑則

（報告の徴収）

第二六条　主務大臣は、認定総合効率化事業者に対し、認定総合効率化事業の実施状況について報告を求めることができる。

〔旧二一条を繰下・平二八法三六〕

（主務大臣等）

第二七条　この法律における主務大臣は、政令で定めるところにより、国土交通大臣、経済産業大臣又は農林水産大臣とする。

2　この法律における主務省令は、主務大臣の発する命令とする。

〔旧二二条を繰下・平二八法三六〕

（都道府県が処理する事務）

第二八条　この法律に規定する主務大臣の権限に属する事務の一部は、政令で定めるところにより、都道府県知事が行うこととすることができる。

〔旧二三条を繰下・平二八法三六〕

（権限の委任）

第二九条　この法律による主務大臣の権限は、政令で定めるところにより、地方支分部局の長に委任することができる。

〔旧二四条を繰下・平二八法三六〕

第六章　罰則

第三〇条　第二十六条の規定による報告をせず、又は虚偽の報告をした者は、三十万円以下の罰金に処する。

2　法人の代表者又は法人若しくは人の代理人、使用人その他の従業者が、その法人又は人の業務に関し、前項の違反行為をしたときは、行為者を罰するほか、その法人又は人に対して同項の刑を科する。

〔一項改正・旧二五条を繰下・平二八法三六〕

第三一条 第二十条の二第二項の規定により国土交通大臣の認可を受けなければならない場合において、その認可を受けなかったときは、その違反行為をした機構の役員は、二十万円以下の過料に処する。

〔本条追加・令二法三六〕

附 則

（施行期日）

第一条 この法律は、公布の日から起算して六月を超えない範囲内において政令で定める日から施行する。

〔平一七政二九七により、平一七・一〇・一から施行〕

第二条・第三条 〔他の法令改正に付き略〕

（罰則に関する経過措置）

第四条 この法律の施行前にした附則第二条の規定による廃止前の中小企業流通業務効率化促進法第十八条に該当する違反行為及び前条の規定によりなお従前の例によることとされる場合におけるこの法律の施行後にした同法第十八条に該当する違反行為に対する罰則の適用については、なお従前の例による。

（検討）

第五条 政府は、この法律の施行後適当な時期において、この法律の施行の状況を勘案し、必要があると認めるときは、この法律の規定について検討を加え、その結果に基づいて必要な措置を講ずるものとする。

第六条～第九条 〔他の法令改正に付き略〕

附 則 〔平二八・五・一三法三六抄〕

（施行期日）

第一条 この法律は、公布の日から起算して六月を超えない範囲内において政令で定める日から施行する。

〔平二八政二九五により、平二八・一〇・一から施行〕

（経過措置）

第二条 この法律の施行前にこの法律による改正前の流通業務の総合化及び効率化の促進に関する法律（以下「旧法」という。）第四条第一項の認定（旧法第五条第一項の変更の認定を含む。）を受けた旧法第四条第一項に規定する総合効率化計画については、なお従前の例による。

（罰則に関する経過措置）

第三条 前条の規定によりなお従前の例によることとされる場合におけるこの法律の施行後にした行為に対する罰則の適用については、なお従前の例による。

（政令への委任）

第七条 この附則に規定するもののほか、この法律の施行に関し必要な経過措置は、政令で定める。

附 則 〔平三〇・六・一三法六二抄〕

（施行期日）

第一条 この法律は、公布の日から起算して六月を超えない範囲内において政令で定める日から施行する。ただし、次の各号に掲げる規定は、当該各号に定める日から施行する。

〔平三〇政二九二により、平三〇・一〇・二一から施行〕

一 次条並びに附則〔中略〕第三十二条の規定 公布の日

二・三 〔略〕

（罰則に関する経過措置）

第三十一条 この法律の施行前にした行為及びこの附則の規定によりなお従前の例によることとされる場合におけるこの法律の施行後にした行為に対する罰則の適用については、なお従前の例による。

（政令への委任）

第三十二条 この附則に定めるもののほか、この法律の施行に関し必要な経過措置（罰則に関する経過措置を含む。）は、政令で定める。

附 則 〔令二・六・三法三六抄〕

（施行期日）

第一条 この法律は、公布の日から起算して六月を超えない範囲内において政令で定める日から施行する。ただし、附則第五条の規定〔中略〕は、公布の日から施行する。

〔令二政三三〇により、令二・一一・二七から施行〕

（流通業務の総合化及び効率化の促進に関する法律の一部改正に伴う経過措置）

第三条 施行日前にされた流通業務の総合化及び効率化の促進に関する法律第四条第一項の認定の申請（第三条の規定による改正後の同法第二条第四号に規定する貨客運送効率化事業に相当する事業が記載された同項に規定する総合効率化計画に係るものに限る。）であって、この法律の施行の際、認定をするかどうかの処分がされていないものについての認定の処分については、なお従前の例による。

2 施行日前に流通業務の総合化及び効率化の促進に関する法律第四条第一項の認定（同法第五条第一項の変更の認定を含む。）を受けた同法第四条第一項に規定する総合効率化計画（前項に規定する事業が記載されたものに限る。）の変更の認定及び認定の取消し並びに当該総合効率化計画に関する報告の徴収については、なお従前の例による。

（罰則に関する経過措置）

第四条 施行日前にした行為及び前条第二項の規定によりなお従前の例によることとされる場合における施行日以後にした行為に対する罰則の適用については、なお従前の例による。

（政令への委任）

第五条 前三条に定めるもののほか、この法律の施行に関して必要な経過措置（罰則に関する経過措置を含む。）は、政令で定める。

（検討）

第六条 政府は、この法律の施行後五年を経過した場合において、この法律による改正後のそれぞれの法律の施行の状況について検討を加え、その結果に基づいて必要な措置を講ずるものとする。

2 政府は、情報通信技術その他の先端的な技術の活用が地域における旅客の運送に関するサービスの向上に重要な役割を果たすことに鑑み、この法律の施行後適当な時期において、当該サービスの利用者の利便の増進に資する多様な情報の共有を図るための基盤の整備、情報通信技術を活用した運賃及び料金の支払の円滑化の促進その他の当該サービスの提供に係る先端的な技術の活用に関する施策について検討を加え、その結果に基づいて必要な措置を講ずるものとする。

附 則〔令五・五・一二法二四抄〕

（施行期日）

第一条 この法律は、公布の日から起算して一年を超えない範囲内において政令で定める日から施行する。ただし、次の各号に掲げる規定は、当該各号に定める日から施行する。

〔令五政三三三により、令六・四・一から施行〕

一～三 〔略〕

四 〔前略〕附則第二十二条の規定（流通業務の総合化及び効率化の促進に関する法律（平成十七年法律第八十五号）第十二条第二項の改正規定を除く。）〔中略〕 公布の日から起算して二年を超えない範囲内において政令で定める日

五 〔略〕

附 則〔令六・五・一五法二三抄〕

（施行期日）

第一条 この法律は、公布の日から起算して一年を超えない範囲内において政令で定める日から施行する。ただし、次の各号に掲げる規定は、当該各号に定める日から施行する。

一 第一条中流通業務の総合化及び効率化の促進に関する法律第四条第三項第一号の改正規定及び附則第七条の規定 公布の日

二 第一条中流通業務の総合化及び効率化の促進に関する法律第二十条の二第一項第一号の改正規定並びに附則第六条の規定〔中略〕 公布の日から起算して一月を超えない範囲内において政令で定める日

〔令六政一九三により、令六・六・一から施行〕

三・四 〔略〕

五 第二条〔中略〕規定 公布の日から起算して二年を超えない範囲内において政令で定める日

（罰則に関する経過措置）

第六条 この法律（附則第一条第二号に掲げる規定については、当該規定）の施行前にした行為及び附則第三条の規定によりなお従前の例によることとされる場合におけるこの法律の施行後にした行為に対する罰則の適用については、なお従前の例による。

（政令への委任）

第七条 この附則に定めるもののほか、この法律の施行に関し必要な経過措置（罰則に関する経過措置を含む。）は、政令で定める。

（検討）

第八条 政府は、この法律の施行後五年を経過した場合において、この法律による改正後のそれぞれの法律の規定について、その施行の状況等を勘案しつつ検討を加え、必要があると認めるときは、その結果に基づいて必要な措置を講ずるものとする。

（海上運送法等の一部を改正する法律の一部改正に伴う調整規定）

第一五条 前条の規定は、海上運送法等の一部を改正する法律附則第一条第四号に掲げる規定の施行の日が施行日前である場合には、適用しない。

令和七年五月一四日までに施行

○物資の流通の効率化に関する法律

第一章 総則

（目的）

第一条 この法律は、最近における物資の流通をめぐる経済的社会的事情の変化に伴い、我が国産業の国際競争力の強化、消費者の需要の高度化及び多様化への対応並びに物資の流通に伴う環境への負荷の低減を図ることの重要性が増大するとともに、流通業務に必要な労働力、とりわけ必要な員数の運転者の確保に支障が生じつつあることに鑑み、流通業務総合効率化事業について、その計画の認定、その実施に必要な関係法律の規定による許可等の特例、中小企業者が行う場合における資金の調達の円滑化に関する措置等を定めるとともに、貨物自動車を用いた貨物の運送の役務の持続可能な提供の確保に資する運転者の運送及び荷役等の効率化に関し貨物自動車運送事業者等、荷主及び貨物自動車関連事業者が講ずべき措置等を定めることにより、物資の流通の効率化を図り、もって国民経済の健全な発展に寄与することを目的とする。

（基本理念）

第二条 物資の流通の効率化のための取組は、次に掲げる事項を基本理念として行われなければならない。

一 物資の流通は我が国における国民生活及び経済活動の基盤であることに鑑み、その担い手の確保に支障が生ずる状況にあっても、将来にわたって必要な物資が必要なときに確実に運送されることを旨とすること。

二 物資の流通は物資の生産及び製造の過程と密接に関連し、かつ、多様な主体により担われていることに鑑み、物資の生産又は製造を行う者、物資の流通の担い手その他の関係者が相互に連携を図ることにより、その取組の効果を一層高めることを旨とすること。

三 物資の流通の過程において二酸化炭素の排出等による環境への負荷が生じていることに鑑み、当

該負荷の低減を図ることにより、地球温暖化対策の推進に関する法律（平成十年法律第百十七号）第二条の二に規定する脱炭素社会の実現に寄与することを旨とすること。

（国の責務）

第三条　国は、前条の基本理念にのっとり、物資の流通の効率化に関する総合的な施策を策定し、及びこれを実施する責務を有する。

第二章　流通業務の総合化及び効率化

第一節　総則

（定義）

第四条　この章において次の各号に掲げる用語の意義は、当該各号に定めるところによる。

一　流通業務　輸送、荷役、保管、荷さばき、流通加工（物資の流通の過程における簡易な加工をいう。以下同じ。）その他の物資の流通に関する行為であって、業として行われるものをいう。

二　流通業務総合効率化事業　二以上の者が連携して、輸送、荷役、保管、荷さばき及び流通加工を一体的に行うことによる流通業務の総合化を図るとともに、輸送網の集約、効率性の高い輸送手段の選択、配送の共同化その他の輸送の合理化を行うことによる流通業務の効率化を図る事業（当該事業の用に供する特定流通業務施設の整備を行う事業を含む。）であって、物資の流通に伴う環境への負荷の低減に資するとともに、流通業務の省力化を伴うものをいう。

三　特定流通業務施設　流通業務施設（トラックターミナル、卸売市場、倉庫又は上屋をいう。）であって、高速自動車国道、鉄道の貨物駅、港湾、漁港、空港その他の物資の流通を結節する機能を有する社会資本等の近傍に立地し、物資の搬入及び搬出の円滑化を図るための情報処理システムその他の輸送の合理化を図るための設備並びに流通加工の用に供する設備を有するものをいう。

四　貨客運送効率化事業　地域公共交通の活性化及び再生に関する法律（平成十九年法律第五十九号）第二条第十二号に規定する貨客運送効率化事業をいう。

五　港湾流通拠点地区　第八条第一項の規定により指定された地区をいう。

六　港湾管理者　港湾法（昭和二十五年法律第二百十八号）第二条第一項の港湾管理者をいう。

七　第一種貨物利用運送事業　貨物利用運送事業法（平成元年法律第八十二号）第二条第七項の第一種貨物利用運送事業をいう。

八　第二種貨物利用運送事業　貨物利用運送事業法第二条第八項の第二種貨物利用運送事業をいう。

九　外国人国際第二種貨物利用運送事業　貨物利用運送事業法第四十五条第一項の許可を受けて行う事業をいう。

十　一般貨物自動車運送事業　貨物自動車運送事業法（平成元年法律第八十三号）第二条第二項の一般貨物自動車運送事業をいう。

十一　貨物軽自動車運送事業　貨物自動車運送事業法第二条第四項の貨物軽自動車運送事業をいう。

十二　貨物運送一般旅客定期航路事業　海上運送法（昭和二十四年法律第百八十七号）第二条第五項の一般旅客定期航路事業のうち貨物の運送を行うものをいう。

十三　貨物鉄道事業　鉄道事業法（昭和六十一年法律第九十二号）第二条第一項の鉄道事業のうち貨物の運送を行うもの及び貨物の運送を行う同法第七条第一項に規定する鉄道事業者に鉄道施設を譲渡し、又は使用させるものをいう。

十四　貨物軌道事業　軌道法（大正十年法律第七十六号）による軌道事業のうち貨物の運送を行うものをいう。

十五　トラックターミナル事業　自動車ターミナル法（昭和三十四年法律第百三十六号）によるトラックターミナル事業をいう。

十六　倉庫業　倉庫業法（昭和三十一年法律第百二十一号）第二条第二項の倉庫業をいう。

十七　中小企業者　次のいずれかに該当する者をいう。

イ　資本金の額又は出資の総額が三億円以下の会社並びに常時使用する従業員の数が三百人以下の会社及び個人であって、製造業、建設業、運輸業その他の業種（ロからニまでに掲げる業種及びホの政令で定める業種を除く。）に属する事業を主たる事業として営むもの

ロ　資本金の額又は出資の総額が一億円以下の会社並びに常時使用する従業員の数が百人以下の会社及び個人であって、卸売業（ホの政令で定める業種を除く。）に属する事業を主たる事業として営むもの

ハ　資本金の額又は出資の総額が五千万円以下の会社並びに常時使用する従業員の数が百人以下の会社及び個人であって、サービス業（ホの政令で定める業種を除く。）に属する事業を主たる事業として営むもの

ニ　資本金の額又は出資の総額が五千万円以下の会社並びに常時使用する従業員の数が五十人以下の会社及び個人であって、小売業（ホの政令で定める業種を除く。）に属する事業を主たる事業として営むもの

ホ　資本金の額又は出資の総額がその業種ごとに政令で定める金額以下の会社並びに常時使用する従業員の数がその業種ごとに政令で定める数以下の会社及び個人であって、その政令で定める業種に属する事業を主たる事業として営むもの

ヘ　企業組合

ト　協業組合

チ　事業協同組合、協同組合連合会その他の特別の法律により設立された組合及びその連合会であって、政令で定めるもの

十八　食品等生産業者等　次のいずれかに該当する者をいう。

イ　食品等（食品等の流通の合理化及び取引の適正化に関する法律（平成三年法律第五十九号）第二条第一項の食品等をいう。）の生産又は販売の事業を行う者

ロ　農業協同組合その他の農林水産省令で定める法人でイに掲げる者を直接又は間接の構成員とするもの

ハ　卸売市場を開設する者

（基本方針）

第五条　主務大臣は、流通業務総合効率化事業の実施に関し、基本的な方針（以下この章において「基本方針」という。）を定めるものとする。

2　基本方針に定める事項は、次のとおりとする。

一　流通業務の総合化及び効率化の意義及び目標に関する事項

二　流通業務総合効率化事業の内容に関する事項

三　流通業務総合効率化事業の実施方法に関する事項

四　港湾流通拠点地区に関する事項

五　中小企業者が実施する流通業務総合効率化事業に関する事項

六　その他流通業務総合効率化事業の実施に当たって配慮すべき重要事項

3　主務大臣は、基本方針を定め、又はこれを変更しようとするときは、環境大臣に協議するとともに、前項第五号に係る部分については中小企業政策審議会の意見を聴くものとする。

4　主務大臣は、基本方針を定め、又はこれを変更したときは、遅滞なく、これを公表するものとする。

第二節　総合効率化計画の認定等

（総合効率化計画の認定）

第六条　流通業務総合効率化事業を実施しようとする者（当該流通業務総合効率化事業を実施する法人を設立しようとする者を含む。以下「総合効率化事業者」という。）は、共同して、その実施しようとする流通業務総合効率化事業についての計画（以下「総合効率化計画」という。）を作成し、これを主務大臣に提出して、その総合効率化計画が適当である旨の認定を受けることができる。

2　総合効率化計画には、次に掲げる事項を記載しなければならない。

一　流通業務総合効率化事業の目標

二　流通業務総合効率化事業の内容

三　流通業務総合効率化事業の実施時期

四　流通業務総合効率化事業の実施に必要な資金の額及びその調達方法

五　流通業務総合効率化事業に係る貨物利用運送事業法第十一条（同法第三十四条第一項において準用する場合を含む。）又は鉄道事業法第十八条に規定する運輸に関する協定を締結するときは、その内容

六　流通業務総合効率化事業のうち貨客運送効率化事業に該当するものを実施するときは、その関係地方公共団体

3　総合効率化計画には、前項各号に掲げる事項のほか、流通業務総合効率化事業の用に供する特定流通業務施設の整備に関する次に掲げる事項を記載することができる。

一　当該特定流通業務施設の政令で定める区分の別並びに規模、構造及び設備その他の当該特定流通業務施設の整備の内容

二　当該特定流通業務施設の用に供する土地の所在及び面積

三　その他主務省令で定める事項

4　主務大臣は、第一項の認定の申請があった場合において、その総合効率化計画が次の各号のいずれにも適合するものであると認めるときは、その認定をするものとする。

一　総合効率化計画に記載された事項が基本方針に照らして適切なものであること。

二　総合効率化計画に記載された事項が流通業務総合効率化事業を確実に遂行するため適切なものであること。

三　総合効率化計画に記載された事業のうち、第一種貨物利用運送事業に該当するものについては、当該事業を実施する者が貨物利用運送事業法第六条第一項各号（第五号を除く。）のいずれにも該当しないこと。

四　総合効率化計画に記載された事業のうち、第二種貨物利用運送事業（外国人国際第二種貨物利用運送事業を除く。以下この号において同じ。）に該当するものについては、当該事業を実施する者が貨物利用運送事業法第二十二条各号のいずれに

も該当せず、かつ、その総合効率化計画に記載された第二種貨物利用運送事業の内容が同法第二十三条各号に掲げる基準に適合すること。

五　総合効率化計画に記載された事業のうち、一般貨物自動車運送事業に該当するものについては、当該事業を実施する者が貨物自動車運送事業法第五条各号のいずれにも該当せず、かつ、その総合効率化計画に記載された一般貨物自動車運送事業の内容が同法第六条各号に掲げる基準に適合すること。

六　総合効率化計画に記載された事業のうち、貨物運送一般旅客定期航路事業に該当するものについては、その総合効率化計画に記載された貨物運送一般旅客定期航路事業の内容が海上運送法第四条各号に掲げる基準に適合し、かつ、当該事業を実施する者が同法第五条各号のいずれにも該当しないこと。

七　総合効率化計画に記載された事業のうち、貨物鉄道事業に該当するものについては、その総合効率化計画に記載された貨物鉄道事業の内容が鉄道事業法第五条第一項各号に掲げる基準に適合し、かつ、当該事業を実施する者が同法第六条各号のいずれにも該当しないこと。

八　総合効率化計画に記載された事業のうち、貨物軌道事業に該当するものについては、その総合効率化計画に記載された貨物軌道事業の内容が軌道法第三条の特許の基準に適合すること。

九　総合効率化計画に記載された事業のうち、トラックターミナル事業に該当するものについては、当該事業を実施する者が自動車ターミナル法第五条各号のいずれにも該当せず、かつ、その総合効率化計画に記載されたトラックターミナル事業の内容が同法第六条各号に掲げる基準に適合すること。

十　総合効率化計画に記載された事業のうち、倉庫業に該当するものについては、当該事業を実施する者が倉庫業法第六条第一項各号のいずれにも該当しないこと。

十一　総合効率化計画に記載された事業のうち、貨客運送効率化事業に該当するものについては、その総合効率化計画に記載された貨客運送効率化事業の内容が、関係地方公共団体が実施する地域公共交通（地域公共交通の活性化及び再生に関する法律第二条第一号に規定する地域公共交通をいう。）に関する施策と調和したものであること。

十二　総合効率化計画に前項各号に掲げる事項が記載されている場合には、同項の特定流通業務施設の立地、規模、構造及び設備が同項第一号の区分に従い主務省令で定める基準に適合すること。

5　流通業務総合効率化事業のうち貨客運送効率化事業（地域公共交通計画（地域公共交通の活性化及び再生に関する法律第五条第一項に規定する地域公共交通計画をいう。以下同じ。）に定められたものに限る。）に該当するものが記載された総合効率化計画に対する前項の規定の適用については、同項中「次の各号」とあるのは、「次の各号（第十一号を除く。）」とする。

6　国土交通大臣は、第一項の認定の申請があった場合において、総合効率化計画に記載された事業のうち外国人国際第二種貨物利用運送事業に該当するものについては、その総合効率化計画の認定において、国際約束を誠実に履行するとともに、国際貨物運送に係る第二種貨物利用運送事業の分野において公正な事業活動が行われ、その健全な発達が確保されるよう配慮するものとする。

7　国土交通大臣は、軌道法第三条の特許を要する事業が記載された総合効率化計画について第一項の認定をしようとするときは、運輸審議会に諮るものとする。

8　国土交通大臣は、総合効率化計画について第一項の認定をしようとするときは、国土交通省令で定めるところにより関係する道路管理者（道路法（昭和二十七年法律第百八十号）第十八条第一項に規定する道路管理者をいう。以下この項において同じ。）に、国土交通省令・内閣府令で定めるところにより関係する都道府県公安委員会に、それぞれ意見を聴くものとする。ただし、道路管理者の意見を聴く必要がないものとして国土交通省令で定める場合、又は都道府県公安委員会の意見を聴く必要がないものとして国土交通省令・内閣府令で定める場合は、この限りでない。

9　国土交通大臣は、流通業務総合効率化事業のうち貨客運送効率化事業（地域公共交通計画に定められたものを除く。）に該当するものが記載された総合効率化計画について第一項の認定をしようとするときは、関係地方公共団体に意見を聴くものとする。

10　主務大臣は、第三項各号に掲げる事項が記載された総合効率化計画について第一項の認定をしようとするときは、都道府県知事の意見を聴くものとする。

11　国土交通大臣は、第三項各号に掲げる事項（港湾流通拠点地区において同項の特定流通業務施設の整備を行うものに係るものに限る。第十三項において同じ。）が記載された総合効率化計画について第一項の認定をしようとするときは、当該港湾流通拠点地区を指定した港湾管理者に協議し、その同意を得るものとする。

12　国土交通大臣は、流通業務総合効率化事業のうち貨客運送効率化事業に該当するものが記載された総合効率化計画について第一項の認定をしたときは、遅滞なく、その旨及び当該総合効率化計画に記載された事項を当該関係地方公共団体に通知するものとする。

13　国土交通大臣は、第三項各号に掲げる事項が記載された総合効率化計画について第一項の認定をしたときは、遅滞なく、その旨を当該港湾流通拠点地区を指定した港湾管理者に通知するものとする。

14　第一項の認定に関し必要な事項は、主務省令で定める。

（総合効率化計画の変更等）

第七条　前条第一項の規定による総合効率化計画の認定を受けた総合効率化事業者（以下「認定総合効率化事業者」という。）は、当該認定に係る総合効率化計画を変更しようとするときは、主務大臣の認定を受けなければならない。

2　主務大臣は、前条第一項の認定に係る総合効率化計画（前項の規定による変更の認定があったときは、その変更後のもの。以下「認定総合効率化計画」という。）が同条第四項各号のいずれかに適合しなくなったと認めるとき、又は認定総合効率化事業者が認定総合効率化計画に従って事業を実施していないと認めるときは、その認定を取り消すことができる。

3　国土交通大臣は、流通業務総合効率化事業のうち貨客運送効率化事業（地域公共交通計画に定められたものに限る。）に該当するものが記載された認定総合効率化計画の認定を前項の規定により取り消したときは、遅滞なく、その旨を当該関係地方公共団体に通知するものとする。

4　前条第四項から第十四項までの規定は、第一項の認定について準用する。この場合において、同条第七項中「軌道法第三条の特許」とあるのは、「軌道法第十六条第一項（軌道の譲渡に係る部分に限る。）若しくは第二十二条ノ二の許可又は同法第二十二条の認可」と読み替えるものとする。

（港湾流通拠点地区）

第八条　港湾法第二条第二項に規定する国際戦略港湾、国際拠点港湾又は重要港湾の港湾管理者は、基本方針に基づき、臨港地区（同条第四項の臨港地区をいう。）及び港湾区域（同条第三項の港湾区域をいう。）内の公有水面の埋立てに係る埋立地（公有水面埋立法（大正十年法律第五十七号）第二十二条第二項の竣功認可の告示があった日から一定期間を経過したものその他の国土交通省令で定めるものを除く。）のうち、貨物取扱量、港湾施設（港湾法第二条第五項の港湾施設をいう。）の整備の状況、土地利用の動向等を勘案し、特定流通業務施設の立地を促進するために適当と認められる地区を港湾流通拠点地区として指定することができる。

2　港湾管理者は、港湾流通拠点地区を指定したときは、遅滞なく、当該港湾流通拠点地区の区域を公示するとともに、当該区域を国土交通大臣に通知するものとする。当該区域を変更したときも、同様とする。

（特定流通業務施設の確認）

第九条　総合効率化事業者が実施する流通業務総合効率化事業の用に供するため特定流通業務施設を整備しようとする者は、当該整備しようとする特定流通業務施設の計画が第六条第四項第十二号の主務省令で定める基準に適合するものであることについて、主務省令で定めるところにより主務大臣の確認を申請することができる。

2　主務大臣は、前項の申請があった場合において、当該申請に係る計画が第六条第四項第十二号の基準に適合すると認めるときは、確認をするものとする。

3　前項の確認に係る特定流通業務施設（同項の確認を受けてから主務省令で定める期間を経過していないものに限る。）を利用して実施する総合効率化計画に対する第六条（第七条第四項において準用する場合を含む。）の規定の適用については、第六条第四項中「次の各号」とあるのは、「次の各号（第十二号を除く。）」とする。

第三節　流通業務総合効率化事業の促進

（貨物利用運送事業法の特例）

第一〇条　総合効率化事業者がその総合効率化計画について第六条第一項の認定を受けたときは、当該総合効率化計画に記載された事業のうち、第一種貨物利用運送事業についての貨物利用運送事業法第三条第一項の登録若しくは同法第七条第一項の変更登録を受け、又は同条第三項の規定による届出をしなければならないものについては、これらの規定により登録若しくは変更登録を受け、又は届出をしたものとみなす。

2　第一種貨物利用運送事業を営む認定総合効率化事業者がその認定総合効率化計画の変更について第七条第一項の認定を受けたときは、当該認定総合効率化計画に記載された事業のうち、第一種貨物利用運送事業についての貨物利用運送事業法第七条第一項の変更登録を受け、又は同条第三項若しくは同法第十四条第二項若しくは第十五条の規定による届出をしなければならないものについては、これらの規定により変更登録を受け、又は届出をしたものとみなす。

3　認定総合効率化事業者が事業協同組合、協同組合連合会その他の特別の法律により設立された組合若しくはその連合会であって政令で定めるもの又は一般社団法人（以下「組合等」という。）である場合にあっては、当該認定総合効率化事業者が認定総合効率化計画に従って行う第一種貨物利用運送事業であって荷主を認定総合効率化事業者たる組合等の構成員に限定して行うものについては、貨物利用運送事業法第八条第一項及び第九条（同法第十八条第三項において準用する場合を含む。）の規定は、適用しない。

4　認定総合効率化事業者たる第一種貨物利用運送事業者（貨物利用運送事業法第三条第一項の登録を受けた者をいう。第三十条第八号において同じ。）が認定総合効率化事業者たる他の運送事業者と認定総合効率化計画に従って同法第十一条に規定する運輸に関する協定を締結したときは、当該協定につき、あらかじめ、同条の規定による届出をしたものとみなす。認定総合効率化計画に従ってこれを変更したときも、同様とする。

第一一条　総合効率化事業者がその総合効率化計画について第六条第一項の認定を受けたときは、当該総合効率化計画に記載された事業のうち、第二種貨物利用運送事業についての貨物利用運送事業法第二十条若しくは第四十五条第一項の許可若しくは同法第二十五条第一項若しくは第四十六条第二項の認可を受け、又は同法第二十五条第三項若しくは第四十六条第四項の規定による届出をしなければならないものについては、これらの規定により許可若しくは認可を受け、又は届出をしたものとみなす。

2　第二種貨物利用運送事業を営む認定総合効率化事業者がその認定総合効率化計画の変更について第七条第一項の認定を受けたときは、当該認定総合効率化計画に記載された事業のうち、第二種貨物利用運送事業についての貨物利用運送事業法第二十五条第一項、第二十九条第一項若しくは第二項、第三十条第一項若しくは第四十六条第二項の認可を受け、又は同法第二十五条第三項、第三十一条、第四十六条第四項若しくは第四十八条の規定による届出をしなければならないものについては、これらの規定により認可を受け、又は届出をしたものとみなす。

3　認定総合効率化事業者が組合等である場合にあっては、当該認定総合効率化事業者が認定総合効率化計画に従って行う第二種貨物利用運送事業であって荷主を認定総合効率化事業者たる組合等の構成員に限定して行うものについては、貨物利用運送事業法第二十六条第一項及び第二十七条（同法第三十四条第二項において準用する場合を含む。）の規定は、適用しない。

4　認定総合効率化事業者たる第二種貨物利用運送事業者（貨物利用運送事業法第二十条の許可を受けた者をいう。第三十条第八号において同じ。）が認定総合効率化事業者たる他の運送事業者と認定総合効率化計画に従って同法第三十四条第一項において準用する同法第十一条に規定する運輸に関する協定を締結したときは、当該協定につき、あらかじめ、同項において準用する同条の規定による届出をしたものとみなす。認定総合効率化計画に従ってこれを変更したときも、同様とする。

（貨物自動車運送事業法の特例）

第一二条　総合効率化事業者がその総合効率化計画について第六条第一項の認定を受けたときは、当該総合効率化計画に記載された事業のうち、一般貨物自動車運送事業についての貨物自動車運送事業法第三条の許可若しくは同法第九条第一項の認可を受け、又は同条第三項の規定による届出をしなければならないものについては、これらの規定により許可若しくは認可を受け、又は届出をしたものとみなす。

2　一般貨物自動車運送事業を営む認定総合効率化事業者がその認定総合効率化計画の変更について第七条第一項の認定を受けたときは、当該認定総合効率化計画に記載された事業のうち、一般貨物自動車運送事業についての貨物自動車運送事業法第九条第一項、第三十条第一項若しくは第二項若しくは第三十一条第一項の認可を受け、又は同法第九条第三項若しくは第三十二条の規定による届出をしなければならないものについては、これらの規定により認可を受け、又は届出をしたものとみなす。

3　認定総合効率化事業者が組合等である場合にあっては、当該認定総合効率化事業者が認定総合効率化計画に従って行う一般貨物自動車運送事業であって荷主を認定総合効率化事業者たる組合等の構成員に限定して行うものについては、貨物自動車運送事業法第十条第一項及び第十一条の規定は、適用しない。

第一三条　総合効率化事業者がその総合効率化計画について第六条第一項の認定を受けたときは、当該総合効率化計画に記載された事業のうち、貨物軽自動車運送事業についての貨物自動車運送事業法第三十六条第一項の規定による届出をしなければならないものについては、同項の規定により届出をしたものとみなす。

2　貨物軽自動車運送事業を営む認定総合効率化事業

者がその認定総合効率化計画の変更について第七条第一項の認定を受けたときは、当該認定総合効率化計画に記載された事業のうち、貨物軽自動車運送事業についての貨物自動車運送事業法第三十六条第一項後段、第三項又は第四項の規定による届出をしなければならないものについては、これらの規定により届出をしたものとみなす。

（海上運送法の特例）

第一四条　総合効率化事業者がその総合効率化計画について第六条第一項の認定を受けたときは、当該総合効率化計画に記載された事業のうち、貨物運送一般旅客定期航路事業についての海上運送法第三条第一項の許可若しくは同法第十一条第一項の認可を受け、又は同条第三項の規定による届出をしなければならないものについては、これらの規定により許可若しくは認可を受け、又は届出をしたものとみなす。

2　貨物運送一般旅客定期航路事業を営む認定総合効率化事業者がその認定総合効率化計画の変更について第七条第一項の認定を受けたときは、当該認定総合効率化計画に記載された事業のうち、貨物運送一般旅客定期航路事業についての海上運送法第十一条第一項若しくは第十八条第一項、第二項若しくは第四項の認可を受け、又は同法第十一条第三項若しくは第十六条第一項若しくは第二項の規定による届出をしなければならないものについては、これらの規定により認可を受け、又は届出をしたものとみなす。

（鉄道事業法の特例）

第一五条　総合効率化事業者がその総合効率化計画について第六条第一項の認定を受けたときは、当該総合効率化計画に記載された事業のうち、貨物鉄道事業についての鉄道事業法第三条第一項の許可若しくは同法第七条第一項の認可を受け、又は同条第三項の規定による届出をしなければならないものについては、これらの規定により許可若しくは認可を受け、又は届出をしたものとみなす。

2　貨物鉄道事業を営む認定総合効率化事業者がその認定総合効率化計画の変更について第七条第一項の認定を受けたときは、当該認定総合効率化計画に記載された事業のうち、貨物鉄道事業についての鉄道事業法第七条第一項、第二十六条第一項若しくは第二項若しくは第二十七条第一項の認可を受け、又は同法第七条第三項、第二十八条第一項若しくは第二十八条の二第六項の規定による届出をしなければならないものについては、これらの規定により認可を受け、又は届出をしたものとみなす。

3　認定総合効率化事業者たる貨物鉄道事業者（貨物鉄道事業について鉄道事業法第三条第一項の許可を受けた者をいう。）が認定総合効率化事業者たる他の運送事業者と認定総合効率化計画に従って同法第十八条に規定する運輸に関する協定を締結したときは、当該協定につき、あらかじめ、同条の規定による届出をしたものとみなす。認定総合効率化計画に従ってこれを変更したときも、同様とする。

（軌道法の特例）

第一六条　総合効率化事業者がその総合効率化計画について第六条第一項の認定を受けたときは、当該総合効率化計画に記載された事業のうち、貨物軌道事業についての軌道法第三条の特許を受けなければならないものについては、同条の規定により特許を受けたものとみなす。

2　貨物軌道事業を営む認定総合効率化事業者がその認定総合効率化計画の変更について第七条第一項の認定を受けたときは、当該認定総合効率化計画に記載された事業のうち、貨物軌道事業についての軌道法第十五条、第十六条第一項（軌道の譲渡に係る部分に限る。）若しくは第二十二条ノ二の許可又は同法第二十二条若しくは同法第二十六条において準用する鉄道事業法第二十七条第一項の認可を受けなければならないものについては、これらの規定により許可又は認可を受けたものとみなす。

（自動車ターミナル法の特例）

第一七条　総合効率化事業者がその総合効率化計画について第六条第一項の認定を受けたときは、当該総合効率化計画に記載された事業のうち、トラックターミナル事業についての自動車ターミナル法第三条若しくは第十一条第一項の許可を受け、又は同法第十条若しくは第十一条第三項の規定による届出をしなければならないものについては、これらの規定により許可を受け、又は届出をしたものとみなす。

2　トラックターミナル事業を営む認定総合効率化事業者がその認定総合効率化計画の変更について第七条第一項の認定を受けたときは、当該認定総合効率化計画に記載された事業のうち、トラックターミナル事業についての自動車ターミナル法第十一条第一項の許可若しくは同法第十二条第一項若しくは第二項の認可を受け、又は同法第十条、第十一条第三項、第十二条第五項若しくは第十三条の規定による届出をしなければならないものについては、これらの規定により許可若しくは認可を受け、又は届出をしたものとみなす。

（倉庫業法の特例）

第一八条　総合効率化事業者がその総合効率化計画について第六条第一項の認定を受けたときは、当該総合効率化計画に記載された事業のうち、倉庫業についての倉庫業法第三条の登録若しくは同法第七条第一項の変更登録を受け、又は同条第三項の規定による届出をしなければならないものについては、これらの規定により登録若しくは変更登録を受け、又は届出をしたものとみなす。

2　倉庫業を営む認定総合効率化事業者がその認定総合効率化計画の変更について第七条第一項の認定を受けたときは、当該認定総合効率化計画に記載された事業のうち、倉庫業についての倉庫業法第七条第一項の変更登録若しくは同法第十八条第一項の認可を受け、又は同法第七条第三項、第十七条第三項、第十九条第一項若しくは第二十条第一項の規定による届出をしなければならないものについては、これらの規定により変更登録若しくは認可を受け、又は届出をしたものとみなす。

3　認定総合効率化事業者が組合等である場合にあっては、当該認定総合効率化事業者が認定総合効率化計画に従って行う倉庫業であって利用者を認定総合効率化事業者たる組合等の構成員に限定して行うものについては、倉庫業法第八条第一項及び第九条の規定は、適用しない。

（**港湾法の特例**）

第一九条　港湾法第三十八条の二第一項の規定は、認定総合効率化事業者が認定総合効率化計画（第六条第三項各号に掲げる事項が記載されたものに限る。第二十四条において「特定認定総合効率化計画」という。）に従って同法第三十八条の二第一項の規定による届出を要する行為をする場合については、適用しない。

（**中小企業信用保険法の特例**）

第二〇条　中小企業信用保険法（昭和二十五年法律第二百六十四号）第三条第一項に規定する普通保険（以下「普通保険」という。）、同法第三条の二第一項に規定する無担保保険（以下「無担保保険」という。）又は同法第三条の三第一項に規定する特別小口保険（以下「特別小口保険」という。）の保険関係であって、流通業務総合効率化関連保証（同法第三条第一項、第三条の二第一項又は第三条の三第一項に規定する債務の保証であって、認定総合効率化計画に記載された事業（以下「認定総合効率化事業」という。）に必要な資金に係るものをいう。以下同じ。）を受けた中小企業者に係るものについての次の表の上欄に掲げる同法の規定の適用については、これらの規定中同表の中欄に掲げる字句は、同表の下欄に掲げる字句とする。

第三条第一項	保険価額の合計額が	物資の流通の効率化に関する法律（平成十七年法律第八十五号）第二十条第一項に規定する流通業務総合効率化関連保証（以下「流通業務総合効率化関連保証」という。）に係る保険関係の保険価額の合計額とその他の保険関係の保険価額の合計額とがそれぞれ
第三条の二第一項及び第三条の三第一項	保険価額の合計額が	流通業務総合効率化関連保証に係る保険関係の保険価額の合計額とその他の保険関係の保険価額の合計額とがそれぞれ
第三条の二第三項及び第三条の三第二項	当該借入金の額のうち	流通業務総合効率化関連保証及びその他の保証ごとに、それぞれ当該借入金の額のうち
	当該債務者	流通業務総合効率化関連保証及びその他の保証ごとに、当該債務者

2　普通保険の保険関係であって、流通業務総合効率化関連保証に係るものについての中小企業信用保険法第三条第二項及び第五条の規定の適用については、同法第三条第二項中「百分の七十」とあり、及び同法第五条中「百分の七十（無担保保険、特別小口保険、流動資産担保保険、公害防止保険、エネルギー対策保険、海外投資関係保険、新事業開拓保険、事業再生保険及び特定社債保険にあっては、百分の八十）」とあるのは、「百分の八十」とする。

3　普通保険、無担保保険又は特別小口保険の保険関係であって、流通業務総合効率化関連保証に係るものについての保険料の額は、中小企業信用保険法第四条の規定にかかわらず、保険金額に年百分の二以内において政令で定める率を乗じて得た額とする。

（**中小企業投資育成株式会社法の特例**）

第二一条　中小企業投資育成株式会社は、中小企業投資育成株式会社法（昭和三十八年法律第百一号）第五条第一項各号に掲げる事業のほか、次に掲げる事業を行うことができる。

一　中小企業者が認定総合効率化事業を実施するために資本金の額が三億円を超える株式会社を設立する際に発行する株式の引受け及び当該引受けに係る株式の保有

二　中小企業者のうち資本金の額が三億円を超える株式会社が認定総合効率化事業を実施するために必要とする資金の調達を図るために発行する株式、新株予約権（新株予約権付社債等に付されたものを除く。）又は新株予約権付社債等（中小企業投資育成株式会社法第五条第一項第二号に規定するる新株予約権付社債等をいう。以下この条において同じ。）の引受け及び当該引受けに係る株式、新株予約権（その行使により発行され、又は移転された株式を含む。）又は新株予約権付社債等（新株予約権付社債等に付された新株予約権の行使により発行され、又は移転された株式を含む。）の保有

2　前項第一号の規定による株式の引受け及び当該引受けに係る株式の保有並びに同項第二号の規定による株式、新株予約権（新株予約権付社債に付されたものを除く。）又は新株予約権付社債等の引受け及び当該引受けに係る株式、新株予約権（その行使により発行され、又は移転された株式を含む。）又は新株予約権付社債等（新株予約権付社債等に付された新株予約権の行使により発行され、又は移転された株式を含む。）の保有は、中小企業投資育成株式会社法の適用については、それぞれ同法第五条第一項第一号及び第二号の事業とみなす。

（食品等の流通の合理化及び取引の適正化に関する法律の特例）

第二二条　食品等の流通の合理化及び取引の適正化に関する法律第十六条第一項の規定により指定された食品等流通合理化促進機構は、同法第十七条各号に掲げる業務のほか、次に掲げる業務を行うことができる。

一　食品等生産業者等が実施する認定総合効率化事業に必要な資金の借入れに係る債務の保証

二　食品等生産業者等が実施する認定総合効率化事業に必要な資金のあっせん

三　前二号に掲げる業務に附帯する業務

2　前項の規定により食品等流通合理化促進機構の業務が行われる場合には、次の表の上欄に掲げる食品等の流通の合理化及び取引の適正化に関する法律の規定の適用については、これらの規定中同表の中欄に掲げる字句は、同表の下欄に掲げる字句とする。

第十八条第一項	前条第一号に掲げる業務	前条第一号に掲げる業務及び物資の流通の効率化に関する法律（平成十七年法律第八十五号。以下「物資流通効率化法」という。）第二十二条第一項第一号に掲げる業務
第十九条第一項	第十七条第一号に掲げる業務	第十七条第一号に掲げる業務及び物資流通効率化法第二十二条第一項第一号に掲げる業務
第二十三条第一項、第二十四条及び第二十五条第一項第一号	第十七条各号に掲げる業務	第十七条各号に掲げる業務又は物資流通効率化法第二十二条第一項各号に掲げる業務
第二十五条第一項第三号	この節	この節若しくは物資流通効率化法
第三十二条第二号	第二十三条第一項	物資流通効率化法第二十二条第二項の規定により読み替えて適用する第二十三条第一項
第三十二条第三号	第二十四条	物資流通効率化法第二十二条第二項の規定により読み替えて適用する第

（独立行政法人鉄道建設・運輸施設整備支援機構による流通業務総合効率化事業の推進）

第二三条　独立行政法人鉄道建設・運輸施設整備支援機構（以下「機構」という。）は、流通業務総合効率化事業を推進するため、次の業務を行う。

一　認定総合効率化事業の実施に必要な資金の出資及び貸付けを行うこと。

二　前号に掲げる業務に関連して必要な調査を行うこと。

2　機構は、前項第一号に掲げる業務を行う場合には、国土交通大臣の認可を受けて定める基準に従わなければならない。

3　国土交通大臣は、前項の規定による認可をしようとするときは、財務大臣、農林水産大臣及び経済産業大臣に協議しなければならない。

（都市計画法等による処分についての配慮）

第二四条　国の行政機関の長又は都道府県知事は、特定認定総合効率化計画に記載された事業（以下「特定認定総合効率化事業」という。）の実施のため都市計画法（昭和四十三年法律第百号）その他の法律の規定による許可その他の処分を求められたときは、当該特定認定総合効率化事業の用に供する特定流通業務施設の整備が円滑に行われるよう適切な配慮をするものとする。

（工場立地法による事務の実施についての配慮）

第二五条　国の行政機関の長又は都道府県知事は、特定認定総合効率化事業についての工場立地法（昭和三十四年法律第二十四号）に規定する事務の実施に当たっては、当該特定認定総合効率化事業の実施が環境への負荷の低減に資することに鑑み、当該特定認定総合効率化事業の用に供する特定流通業務施設

の整備が円滑に行われるよう適切な配慮をするものとする。

(資金の確保)

第二六条　国及び都道府県は、認定総合効率化事業に必要な資金の確保又はその融通のあっせんに努めるものとする。

2　前項の措置を講ずるに当たっては、中小企業者に対する特別の配慮をするものとする。

(関係者の協力)

第二七条　認定総合効率化事業者の取引の相手方その他の関係者は、当該認定総合効率化事業の円滑な実施に協力するよう努めなければならない。

(国及び地方公共団体の措置)

第二八条　国及び地方公共団体は、流通業務の総合化及び効率化を促進するため、情報の提供、人材の養成その他必要な措置を講ずるよう努めるものとする。

2　国及び都道府県は、認定総合効率化事業者に対し、認定総合効率化事業の適確な実施に必要な助言及び協力を行うものとする。

第四節　雑則

第二九条　主務大臣は、認定総合効率化事業者に対し、認定総合効率化事業の実施状況について報告を求めることができる。

第三章　運転者の運送及び荷役等の効率化

第一節　総則

(定義)

第三〇条　この章において次の各号に掲げる用語の意義は、当該各号に定めるところによる。

一　貨物自動車　道路運送車両法（昭和二十六年法律第百八十五号）第二条第二項の自動車であって、貨物の運送の用に供するものをいう。

二　運転者　貨物自動車の運転者をいう。

三　荷待ち時間等　荷待ち時間及び荷役等時間をいう。

四　荷待ち時間　運転者が貨物自動車の運転の業務に従事した時間のうち、集貨若しくは配達を行うべき場所又はその周辺の場所において、荷主、当該場所の管理者その他国土交通省令で定める者の都合により貨物の受渡しのために待機した時間であって、国土交通省令で定めるところにより算定されるものをいう。

五　荷役等時間　運転者が荷役その他貨物自動車の運転以外の業務として国土交通省令で定める業務（以下「荷役等」という。）に従事した時間であって、国土交通省令で定めるところにより算定されるものをいう。

六　貨物自動車運送事業者等　貨物自動車運送事業法第三十九条第一号に規定する貨物自動車運送事業者（以下「貨物自動車運送事業者」という。）及び同法第三十七条の二第三項に規定する特定第二種貨物利用運送事業者をいう。

七　荷主　第一種荷主及び第二種荷主をいう。

八　第一種荷主　自らの事業（貨物の運送の事業を除く。）に関して継続して貨物自動車運送事業者又は貨物利用運送事業者（第一種貨物利用運送事業者、第二種貨物利用運送事業者及び貨物利用運送事業法第四十六条第一項に規定する外国人国際第二種貨物利用運送事業者をいう。以下同じ。）に貨物の運送を行わせることを内容とする契約（貨物自動車を使用しないで貨物の運送を行わせることを内容とする契約を除く。）を締結する者をいう。

九　第二種荷主　次に掲げる者をいう。

イ　自らの事業（貨物の運送及び保管の事業を除く。ロにおいて同じ。）に関して継続して貨物（自らが貨物自動車運送事業者又は貨物利用運送事業者に運送を委託する貨物を除く。ロ及び第三十七条第四項において同じ。）を運転者（他の者に雇用されている運転者に限る。以下この号において同じ。）から受け取る者又は他の者をして運転者から受け取らせる者

ロ　自らの事業に関して継続して貨物を運転者に引き渡す者又は他の者をして運転者に引き渡させる者

十　貨物自動車関連事業者　次に掲げる者をいう。

イ　倉庫業法第七条第一項に規定する倉庫業者（以下「倉庫業者」という。）

ロ　港湾運送事業法（昭和二十六年法律第百六十一号）第三条第一号に掲げる事業を経営する者であって、当該事業について運転者との間で貨物の受渡しを行うもの

ハ　航空法（昭和二十七年法律第二百三十一号）第二条第十八項の航空運送事業を経営する者のうち貨物の運送を行うものであって、当該航空運送事業について運転者との間で貨物の受渡しを行う者

ニ　鉄道事業法第二条第二項の第一種鉄道事業又は同条第三項の第二種鉄道事業を経営する者のうち貨物の運送を行うものであって、当該第一種鉄道事業又は当該第二種鉄道事業について運転者との間で貨物の受渡しを行う者

(国の責務)

第三一条　国は、貨物自動車運送役務（貨物自動車を用いた貨物の運送の役務をいう。以下同じ。）の持

続可能な提供の確保に資する運転者の運送及び荷役等の効率化並びに輸送される物資の貨物自動車への過度の集中の是正に関する情報の収集、整理、分析及び提供、助言その他の援助並びに研究開発の推進に努めなければならない。

２　国は、広報活動その他の活動を通じて、集貨又は配達に係る運転者への負荷の低減に資する施策に関して国民の理解を深めるとともに、その施策の実施に関する国民の協力を求めるよう努めなければならない。

（事業者等の責務）

第三二条　物資の流通に関する事業を行う者、その事業を利用する事業者及び物資の流通に関する施設を管理する者は、その事業の実施又はその施設の管理に関し、これらに伴う運転者への負荷の低減その他の貨物自動車運送役務の持続可能な提供の確保に資する措置を講ずるよう努めなければならない。

（基本方針）

第三三条　主務大臣は、貨物自動車運送役務の持続可能な提供の確保に資する運転者の運送及び荷役等の効率化の推進に関する基本的な方針（以下この章において「基本方針」という。）を定めるものとする。

２　基本方針に定める事項は、次のとおりとする。

一　貨物自動車運送役務の持続可能な提供の確保に資する運転者の運送及び荷役等の効率化の推進の意義及び目標に関する事項

二　貨物自動車運送役務の持続可能な提供の確保に資する運転者の運送及び荷役等の効率化の推進に関する施策に関する基本的な事項

三　貨物自動車運送役務の持続可能な提供の確保に資する運転者の運送及び荷役等の効率化に関し、貨物自動車運送事業者等、荷主及び貨物自動車関連事業者が講ずべき措置に関する基本的な事項

四　集貨又は配達に係る運転者への負荷の低減に資する事業者の活動に関する国民の理解の増進に関する基本的な事項

五　その他貨物自動車運送役務の持続可能な提供の確保に資する運転者の運送及び荷役等の効率化の推進に関し必要な事項

３　主務大臣は、基本方針を定め、又はこれを変更しようとするときは、関係行政機関の長（当該行政機関が合議制である場合にあっては、当該行政機関）に協議するものとする。

４　主務大臣は、基本方針を定め、又はこれを変更したときは、遅滞なく、これを公表するものとする。

第二節　貨物自動車運送事業者等に係る措置

（貨物自動車運送事業者等の努力義務）

第三四条　貨物自動車運送事業者等は、自らの事業に伴うその雇用する運転者への負荷の低減に資するよう当該運転者一人当たりの一回の運送ごとの貨物の重量の増加を図るため、輸送網の集約、配送の共同化その他の措置を講ずるよう努めなければならない。

（貨物自動車運送事業者等の判断の基準となるべき事項）

第三五条　国土交通大臣は、基本方針に基づき、国土交通省令で、前条に規定する措置に関し、貨物自動車運送事業者等の判断の基準となるべき事項を定めるものとする。

２　前項に規定する判断の基準となるべき事項は、運転者一人当たりの一回の運送ごとの貨物の重量の状況その他の事情を勘案して定めるものとし、これらの事情の変動に応じて必要な改定をするものとする。

（指導及び助言）

第三六条　国土交通大臣は、貨物自動車運送事業者等の第三十四条に規定する措置の適確な実施を確保するため必要があると認めるときは、当該貨物自動車運送事業者等に対し、前条第一項に規定する判断の基準となるべき事項を勘案して、当該措置の実施について必要な指導及び助言をすることができる。

第三節　荷主に係る措置

（荷主の努力義務）

第三七条　第一種荷主は、貨物自動車運送事業者又は貨物利用運送事業者に貨物の運送を委託する場合（貨物自動車を使用しないで貨物の運送を行うことを委託する場合を除く。）には、当該貨物を運送する運転者の荷待ち時間等の短縮及び運転者一人当たりの一回の運送ごとの貨物の重量の増加を図るため、次に掲げる措置を講ずるよう努めなければならない。

一　貨物の運送の委託の時から貨物を引き渡し、又は受け取るべき時までの間に、貨物自動車運送事業者等が他の貨物との積合せその他の措置により、その雇用する運転者一人当たりの一回の運送ごとの貨物の重量を増加させることができるよう、貨物の受渡しを行う日及び時刻又は時間帯を決定すること。

二　貨物の受渡しを行う日及び時刻又は時間帯を決定するに当たっては、停留場所の数その他の条件により定まる荷役をすることができる車両台数を上回り一時に多数の貨物自動車が集貨又は配達を行うべき場所に到着しないようにすること。

三　運転者に荷役等を行わせる場合にあっては、パ

レットその他の荷役の効率化に資する輸送用器具（貨物自動車に積み込むものに限る。第三項において同じ。）を運転者が利用できるようにする措置その他の運転者の荷役等を省力化する措置

2　前項の規定により第一種荷主が短縮すべき荷待ち時間等は、荷待ち時間にあっては次に掲げる施設又はその周辺の場所におけるものに、荷役等時間にあっては次に掲げる施設におけるものに限られるものとする。

一　当該第一種荷主が管理する施設

二　当該第一種荷主との間で当該貨物に係る寄託契約を締結した者が管理する施設

3　第一項に規定する運転者一人当たりの一回の運送ごとの貨物の重量の増加には、同項第三号に規定するパレットその他の荷役の効率化に資する輸送用器具を使用しないことにより増加した貨物の重量は含まれないものとする。

4　第二種荷主は、貨物を運転者から受け取り、若しくは他の者をして運転者から受け取らせ、又は運転者に引き渡し、若しくは他の者をして運転者に引き渡させる場合には、当該貨物を運送する運転者の荷待ち時間等の短縮及び運転者一人当たりの一回の運送ごとの貨物の重量の増加を図るため、次に掲げる措置（当該貨物の受渡しを行う日又は時刻及び時間帯を運転者に指示することができない場合にあっては、第三号に掲げる措置に限る。）を講ずるよう努めなければならない。

一　貨物の受渡しを行う日及び時刻又は時間帯を運転者に指示するに当たっては、停留場所の数その他の条件により定まる荷役をすることができる車両台数を上回り一時に多数の貨物自動車が集貨又は配達を行うべき場所に到着しないようにすること。

二　第一種荷主が第一項第一号に掲げる措置を円滑に実施するため貨物の受渡しを行う日及び時刻又は時間帯について協議したい旨を申し出た場合にあっては、これに応じて、必要な協力を行うこと。

三　運転者に荷役等を行わせる場合であり、かつ、運転者に荷役等の方法を指示することができる場合にあっては、貨物の品質又は数量がこれらについて定める契約の内容に適合するかどうかの検査の効率的な実施その他の運転者の荷役等を省力化する措置

5　前項の規定により第二種荷主が短縮すべき荷待ち時間等は、荷待ち時間にあっては次に掲げる施設又はその周辺の場所におけるものに、荷役等時間にあっては次に掲げる施設におけるものに限られるものとする。

一　当該第二種荷主が管理する施設

二　当該第二種荷主との間で当該貨物に係る寄託契約を締結した者が管理する施設

（荷主の判断の基準となるべき事項）

第三八条　荷主の行う事業を所管する大臣（以下「荷主事業所管大臣」という。）は、基本方針に基づき、主務省令で、前条第一項及び第四項に規定する措置に関し、荷主の判断の基準となるべき事項を定めるものとする。

2　前項に規定する判断の基準となるべき事項は、運転者の荷待ち時間等及び運転者一人当たりの一回の運送ごとの貨物の重量の状況その他の事情を勘案して定めるものとし、これらの事情の変動に応じて必要な改定をするものとする。

（指導及び助言）

第三九条　荷主事業所管大臣は、荷主の第三十七条第一項又は第四項に規定する措置の適確な実施を確保するため必要があると認めるときは、当該荷主に対し、前条第一項に規定する判断の基準となるべき事項を勘案して、当該措置の実施について必要な指導及び助言をすることができる。

（国土交通大臣の意見）

第四〇条　国土交通大臣は、貨物自動車運送役務の持続可能な提供の確保に資する運転者の運送及び荷役等の効率化を図るため特に必要があると認めるときは、前条の規定の運用に関し、荷主事業所管大臣に意見を述べることができる。

第四節　貨物自動車関連事業者に係る措置

（貨物自動車関連事業者の努力義務）

第四一条　倉庫業者は、自ら管理する施設又はその周辺における運転者の荷待ち時間及び当該施設における運転者の荷役等時間の短縮を図るため、次に掲げる措置を講ずるよう努めなければならない。

一　第一種荷主から寄託を受けた貨物の受渡しを行う日及び時刻を運転者に伝達するに当たっては、当該第一種荷主が決定した貨物の受渡しを行うべき時間帯における当該施設の状況を考慮して、停留場所の数その他の条件により定まる荷役をすることができる車両台数を上回り一時に多数の貨物自動車が集貨又は配達を行うべき場所に到着しないようにすること。

二　第二種荷主から寄託を受けた貨物の受渡しを行う日及び時刻を運転者に伝達するに当たっては、当該第二種荷主が指示した貨物の受渡しを行うべき時間帯における当該施設の状況を考慮して、停留場所の数その他の条件により定まる荷役をする

ことができる車両台数を上回り一時に多数の貨物自動車が集貨又は配達を行うべき場所に到着しないようにすること。

三　運転者に荷役等を行わせる場合にあっては、荷役等に係る停留場所の拡張、荷役等に先行する貨物の搬出又は荷役等に後続する貨物の搬入の迅速な実施その他の運転者が行う荷役等の円滑な実施を図るための措置

2　倉庫業者以外の貨物自動車関連事業者（第四十三条第二項において「貨物自動車関連輸送事業者」という。）は、自ら管理する施設における運転者の荷役等時間の短縮を図るため、前項第三号に掲げる措置を講ずるよう努めなければならない。

（貨物自動車関連事業者の判断の基準となるべき事項）

第四十二条　国土交通大臣は、基本方針に基づき、国土交通省令で、前条に規定する措置に関し、貨物自動車関連事業者の判断の基準となるべき事項を定めるものとする。

2　前項に規定する判断の基準となるべき事項は、運転者の荷待ち時間等の状況その他の事情を勘案して定めるものとし、これらの事情の変動に応じて必要な改定をするものとする。

（指導及び助言）

第四十三条　国土交通大臣は、倉庫業者の第四十一条第一項に規定する措置の適確な実施を確保するため必要があると認めるときは、当該倉庫業者に対し、前条第一項に規定する判断の基準となるべき事項を勘案して、当該措置の実施について必要な指導及び助言をすることができる。

2　国土交通大臣は、貨物自動車関連輸送事業者の第四十一条第二項に規定する措置の適確な実施を確保するため必要があると認めるときは、当該貨物自動車関連輸送事業者に対し、前条第一項に規定する判断の基準となるべき事項を勘案して、当該措置の実施について必要な指導及び助言をすることができる。

第五節　貨物自動車運送事業者に係る特別の措置等

第一款　第一種荷主との間で運送契約を締結する場合における貨物自動車運送事業者及び貨物利用運送事業者に係る特別の措置

第四十四条　第一種荷主との間で運送契約を締結する貨物自動車運送事業者は、当該第一種荷主から引き受けた貨物の運送について他の貨物自動車運送事業者の行う運送（貨物自動車を使用しないで貨物の運送を行わせることを内容とする契約によるものを除く。）を利用する場合は、その利用する運送に係る貨物について当該第一種荷主からその実施する第三十七条第一項に規定する措置に関し協力を求められたときは、その求めに応ずるよう努めなければならない。

2　第一種荷主との間で運送契約を締結する貨物利用運送事業者は、当該第一種荷主から引き受けた貨物の運送について貨物自動車運送事業者又は他の貨物利用運送事業者の行う運送（貨物自動車を使用しないで貨物の運送を行わせることを内容とする契約によるものを除く。）を利用する場合は、その利用する運送に係る貨物について当該第一種荷主からその実施する第三十七条第一項に規定する措置に関し協力を求められたときは、その求めに応ずるよう努めなければならない。

第二款　連鎖化事業者に係る措置

（連鎖化事業者の努力義務）

第四十五条　定型的な約款による契約に基づき、特定の商標、商号その他の表示を使用させ、商品の販売又は役務の提供に関する方法を指定し、かつ、継続的に経営に関する指導を行う事業を行う者であって、当該契約に基づき、当該契約の相手方（以下この条において「連鎖対象者」という。）と運転者との間の貨物の受渡しの日及び時刻又は時間帯を運転者に指示することができるもの（以下「連鎖化事業者」という。）は、当該連鎖対象者が取り扱う貨物（当該連鎖対象者が貨物自動車運送事業者又は貨物利用運送事業者に運送を委託するもの並びに当該連鎖化事業者が当該契約に基づき受渡しの日又は時刻及び時間帯を運転者に指示することができないものを除く。以下この款において同じ。）について、当該連鎖対象者が運転者から受け取り、又は他の者をして運転者から受け取らせる場合には、当該貨物を運送する運転者の荷待ち時間の短縮及び運転者一人当たりの一回の運送ごとの貨物の重量の増加を図るため、次に掲げる措置を講ずるよう努めなければならない。

一　貨物の受渡しを行う日及び時刻又は時間帯を運転者に指示するに当たっては、停留場所の数その他の条件により定まる荷役をすることができる車両台数を上回り一時に多数の貨物自動車が集貨又は配達を行うべき場所に到着しないようにすること。

二　第一種荷主が第三十七条第一項第一号に掲げる措置を円滑に実施するため貨物の受渡しを行う日及び時刻又は時間帯について協議したい旨を申し出た場合にあっては、これに応じて、必要な協力

を行うこと。

2　前項の規定により連鎖化事業者が短縮すべき荷待ち時間は、次に掲げる施設又はその周辺の場所におけるものに限られるものとする。

一　当該連鎖対象者が管理する施設

二　当該連鎖対象者との間で当該貨物に係る寄託契約を締結した者が管理する施設

（連鎖化事業者の判断の基準となるべき事項）

第四六条　連鎖化事業者の行う事業を所管する大臣（以下「連鎖化事業所管大臣」という。）は、基本方針に基づき、主務省令で、前条第一項に規定する措置に関し、連鎖化事業者の判断の基準となるべき事項を定めるものとする。

2　前項に規定する判断の基準となるべき事項は、運転者の荷待ち時間及び運転者一人当たりの一回の運送ごとの貨物の重量の状況その他の事情を勘案して定めるものとし、これらの事情の変動に応じて必要な改定をするものとする。

（指導及び助言）

第四七条　連鎖化事業所管大臣は、連鎖化事業者の第四十五条第一項に規定する措置の適確な実施を確保するため必要があると認めるときは、当該連鎖化事業者に対し、前条第一項に規定する判断の基準となるべき事項を勘案して、当該措置の実施について必要な指導及び助言をすることができる。

（国土交通大臣の意見）

第四八条　国土交通大臣は、貨物自動車運送役務の持続可能な提供の確保に資する運転者の運送の効率化を図るため特に必要があると認めるときは、前条の規定の運用に関し、連鎖化事業所管大臣に意見を述べることができる。

第六節　雑則

第四九条　国は、貨物自動車運送役務の持続可能な提供の確保に資する運転者の運送及び荷役等の効率化のために必要があると認めるときは、第三十五条第一項、第三十八条第一項、第四十二条第一項及び第四十六条第一項に規定する判断の基準となるべき事項について調査を行い、その結果を公表するものとする。

第四章　雑則

（主務大臣等）

第五〇条　第二章における主務大臣は、政令で定めるところにより、国土交通大臣、経済産業大臣又は農林水産大臣とする。

2　第三十三条第一項、第三項及び第四項における主務大臣は、国土交通大臣、経済産業大臣及び農林水産大臣とする。

3　第二章における主務省令は、第一項に定める主務大臣の発する命令とする。

4　前章第三節における主務省令は、荷主事業所管大臣の発する命令とする。

5　前章第五節第二款における主務省令は、連鎖化事業所管大臣の発する命令とする。

（都道府県が処理する事務）

第五一条　第二章に規定する主務大臣の権限に属する事務の一部は、政令で定めるところにより、都道府県知事が行うこととすることができる。

（権限の委任）

第五二条　第二章に規定する主務大臣の権限並びに前章第三節に規定する荷主事業所管大臣及び同章第五節第二款に規定する連鎖化事業所管大臣の権限は、政令で定めるところにより、地方支分部局の長に委任することができる。

第五章　罰則

第五三条　第二十九条の規定による報告をせず、又は虚偽の報告をしたときは、その違反行為をした者は、三十万円以下の罰金に処する。

2　法人の代表者又は法人若しくは人の代理人、使用人その他の従業者が、その法人又は人の業務に関し、前項の違反行為をしたときは、行為者を罰するほか、その法人又は人に対して同項の刑を科する。

第五四条　第二十三条第二項の規定により国土交通大臣の認可を受けなければならない場合において、その認可を受けなかったときは、その違反行為をした機構の役員は、二十万円以下の過料に処する。

○流通業務の総合化及び効率化の促進に関する法律施行令

（平成十七年九月九日政令第二百九十八号）

〔沿革〕平成一八年四月二六日政令第一八〇号、二三年三月三〇日第四九号、二五年九月一九日第二七六号、二八年九月七日第二九六号、三〇年一〇月一七日第二九三号、令和二年一一月一一日第三二一号、六年二月一六日第三三号改正

（中小企業者の範囲）

第一条　流通業務の総合化及び効率化の促進に関する法律（以下「法」という。）第二条第十七号ホに規定する政令で定める業種並びにその業種ごとの資本金の額又は出資の総額及び常時使用する従業員の数は、次の表のとおりとする。

	業種	資本金の額又は出資の総額	常時使用する従業員の数
一	ゴム製品製造業（自動車又は航空機用タイヤ及びチューブ製造業並びに工業用ベルト製造業を除く。）	三億円	九百人
二	ソフトウェア業又は情報処理サービス業	三億円	三百人
三	旅館業	五千万円	二百人

2　法第二条第十七号チの政令で定める組合及びその連合会は、次のとおりとする。

一　事業協同組合及び事業協同小組合並びに協同組合連合会

二　水産加工業協同組合及び水産加工業協同組合連合会

三　商工組合及び商工組合連合会

〔一項改正・平一八政一八〇、一・二項改正・平二八政二九六・令二政三二一〕

（特定流通業務施設の区分）

第二条　法第四条第三項第一号の政令で定める区分は、次のとおりとする。

一　卸売市場

二　倉庫（倉庫業の用に供するものに限る。）

三　前二号に掲げるもの以外の流通業務施設であって、中小企業者が実施する流通業務総合効率化事業（以下「中小企業流通業務総合効率化事業」という。）の用に供するもの

四　前三号に掲げるもの以外の流通業務施設

〔本条改正・平二八政二九六〕

（貨物利用運送事業法の特例に係る組合又はその連合会）

第三条　法第八条第三項の政令で定める組合又はその連合会は、次のとおりとする。

一　事業協同組合若しくは事業協同小組合又は協同組合連合会

二　農業協同組合又は農業協同組合連合会

三　漁業協同組合又は漁業協同組合連合会

四　水産加工業協同組合又は水産加工業協同組合連合会

五　商工組合又は商工組合連合会

六　森林組合又は森林組合連合会

〔本条改正・平二八政二九六〕

（保険料率）

第四条　法第十八条第三項の政令で定める率（次項において「保険料率」という。）は、保証をした借入れの期間（中小企業信用保険法施行令（昭和二十五年政令第三百五十号）第二条第一項に規定する借入れの期間をいう。）一年につき、中小企業信用保険法（昭和二十五年法律第二百六十四号）第三条第一項に規定する普通保険及び同法第三条の二第一項に規定する無担保保険（次項において「無担保保険」という。）にあっては〇・四一パーセント（手形割引等特殊保証（同令第二条第一項に規定する手形割引等特殊保証をいう。以下この項において同じ。）及び当座貸越し特殊保証（同令第二条第一項に規定する当座貸越し特殊保証をいう。以下この項において同じ。）の場合は、〇・三五パーセント）、同法第三条の三第一項に規定する特別小口保険にあっては〇・一九パーセント（手形割引等特殊保証及び当座貸越し特殊保証の場合は、〇・一五パーセント）とする。

2　前項の規定にかかわらず、債務の保証を受けた中小企業者が中小企業信用保険法第三条の二第一項の経済産業省令で定める要件を備えている法人である場合における無担保保険の保険関係についての保険料率は、前項に定める率にそれぞれ〇・〇六二五パーセントを加えた率とする。

〔本条改正・平二三政四九・平二五政二七六・平二八政二九六、一項改正・二項追加・令六政三三〕

（主務大臣）

第五条　法第三条第一項、第三項及び第四項における主務大臣は、基本方針のうち、同条第二項第四号に掲げる事項に係る部分については国土交通大臣、同項第五号に掲げる事項に係る部分については経済産業大臣とし、その他の部分については国土交通大臣、経済産業大臣及び農林水産大臣とする。

2　法第四条第一項並びに第四項及び第十項（これらの規定を法第五条第四項において準用する場合を含む。第七条において同じ。）、第五条第一項及び第二項並びに第二十六条における主務大臣は、次の各号に掲げる流通業務総合効率化事業の区分に応じ、当該各号に定める大臣とする。ただし、貨客運送効率化事業又は港湾流通拠点地区において特定流通業務施設の整備を行う事業を含む流通業務総合効率化事業については、当該各号に定める大臣及び国土交通大臣とする。

一　中小企業流通業務総合効率化事業　イからハまでの区分に応じ、それぞれイからハまでに定める大臣

イ　貨物流通事業者（貨物の輸送、保管その他の流通のうち国土交通省の所掌に係るものの事業を行う者をいう。以下この項において同じ。）が実施するもの　国土交通大臣及び経済産業大臣

ロ　食品等生産業者等が実施するもの　経済産業大臣及び農林水産大臣

ハ　貨物流通事業者及び食品等生産業者等以外の者が実施するもの　経済産業大臣

二　前号に掲げるもの以外の流通業務総合効率化事業　イからニまでの区分に応じ、それぞれイからニまでに定める大臣

イ　貨物流通事業者が実施するもの　国土交通大臣

ロ　食品等生産業者等が実施するもの（ハに掲げるものを除く。）　農林水産大臣

ハ　食品等生産業者等が実施するもののうち、物資の流通の効率化を図るための情報処理システム、設備又は一連の措置（物資の種類を問わず利用し、又は実施し得るものに限る。）を導入するもの　経済産業大臣及び農林水産大臣

ニ　貨物流通事業者及び食品等生産業者等以外の者が実施するもの　経済産業大臣

3　法第七条第一項及び第二項における主務大臣は、次の各号に掲げる特定流通業務施設の区分に応じ、当該各号に定める大臣とする。

一　卸売市場　農林水産大臣

二　倉庫（倉庫業の用に供するものに限る。）　国土交通大臣

三　前二号に掲げるもの以外の流通業務施設であって、中小企業流通業務総合効率化事業の用に供するもの　経済産業大臣

四　前三号に掲げるもの以外の流通業務施設　国土交通大臣、経済産業大臣及び農林水産大臣

〔二・三項改正・平二八政二九六、二項改正・平三〇政一九三・令二政三二一〕

（都道府県が処理する事務）

第六条　法第四条第一項及び第四項（法第五条第四項において準用する場合を含む。）、第五条第一項及び第二項、第七条第一項及び第二項並びに第二十六条の規定による主務大臣の権限に属する事務のうち経済産業大臣の権限（一の都道府県の区域内のみにおいて実施される中小企業流通業務総合効率化事業に係るものに限る。）に属する事務は、当該区域を管轄する都道府県知事が行うこととする。この場合においては、当該事務に係る主務大臣に関するこれらの規定は、都道府県知事に関する規定として都道府県知事に適用があるものとする。

〔本条改正・平二八政二九六・令二政三二一〕

（権限の委任）

第七条　法第四条第一項、第四項及び第十項、第五条第一項及び第二項並びに第二十六条の規定による主務大臣の権限のうち国土交通大臣に属する権限並びに法第四条第八項、第九項及び第十二項（これらの規定を法第五条第四項において準用する場合を含む。）並びに第五条第三項の規定による国土交通大臣の権限（いずれも一の地方運輸局の管轄区域内のみにおいて実施される流通業務総合効率化事業に係るものに限り、貨物軌道事業に係るもの及び港湾流通拠点地区において特定流通業務施設の整備を行う事業に係るものを除く。）並びに法第七条第一項及び第二項の規定による主務大臣の権限のうち国土交通大臣に属する権限（当該区域内のみにおいて実施される流通業務総合効率化事業に係るものに限る。）は、当該区域を管轄する地方運輸局長（運輸監理部長を含む。）に委任する。

2　法第四条第一項、第四項及び第十項、第五条第一項及び第二項並びに第二十六条の規定による主務大臣の権限のうち国土交通大臣に属する権限並びに法第四条第八項（法第五条第四項において準用する場合を含む。）の規定による国土交通大臣の権限（いずれも一の地方整備局又は北海道開発局の管轄区域内のみにおいて実施される流通業務総合効率化事業に係るもののうち港湾流通拠点地区において特定流通業務施設の整備を行う事業に係るものに限る。）並びに法第四条第十一項及び第十三項（これらの規定を法第五条第四項において準用する場合を含む。）の規定による国土交通大臣の権限（当該区域内のみにおいて実施される流通業務総合効率化事業に係るものに限る。）は、当該区域を管轄する地方整備局長又は北海道開発局長に委任する。

3　法第四条第一項、第四項及び第十項、第五条第一項及び第二項、第七条第一項及び第二項並びに第二十六条の規定による主務大臣の権限のうち経済産業大臣に属する権限（一の経済産業局の管轄区域内のみにおいて実施される流通業務総合効率化事業に係るものに限り、中小企業流通業務総合効率化事業に係るものを除く。）は、当該区域を管轄する経済産業局長に委任する。

4　法第四条第一項、第四項及び第十項、第五条第一項及び第二項、第七条第一項及び第二項並びに第二十六条の規定による主務大臣の権限のうち農林水産大臣に属する権限（一の地方農政局の管轄区域内のみにおいて実施される流通業務総合効率化事業に係るものに限る。）は、当該区域を管轄する地方農政局長に委任する。

〔一―四項改正・平二八政二九六・令二政三二一〕

附　則

（施行期日）

第一条　この政令は、法の施行の日（平成十七年十月一日）から施行する。

第二条～第八条　〔他の法令改正に付き略〕

附　則　〔平二三・三・三〇政四九〕

（施行期日）

第一条　この政令は、平成二十三年四月一日から施行する。

（経過措置）

第二条　この政令の施行前に成立している保険関係については、なお従前の例による。

附　則　〔令六・二・一六政三二〕

この政令は、中小企業信用保険法及び株式会社商工組合中央金庫法の一部を改正する法律（令和五年法律第六十一号）の施行の日（令和六年三月十五日）から施行する。

○流通業務の総合化及び効率化の促進に関する法律施行規則

（平成十七年九月三十日農林水産・経済産業・国土交通省令第一号）

〔沿革〕平成二一年八月一四日農林水産・経済産業・国土交通省令第一号、二五年四月一日第一号、二七年四月一日第一号、二八年九月三〇日第一号、三〇年一〇月一七日第一号、令和二年一一月二七日第一号、四年三月三一日第一号、六年一月一九日第一号改正

（流通業務総合効率化事業の用に供する特定流通業務施設の整備に関して総合効率化計画に記載すべき事項）

第一条 流通業務の総合化及び効率化の促進に関する法律（以下「法」という。）第四条第三項第三号の主務省令で定める事項は、次に掲げる事項とする。

一 特定流通業務施設の整備を行う者の氏名又は名称及び住所並びに法人にあっては、その代表者の氏名

二 特定流通業務施設の整備の実施時期

三 特定流通業務施設が貨物自動車運送事業法（平成元年法律第八十三号）第二条第一項に規定する貨物自動車運送事業の用に供する営業所及び自動車車庫（以下「営業所等」という。）を有する場合にあっては、次に掲げる事項

イ 営業所等を設置する者の氏名又は名称及び住所並びに法人にあっては、その代表者の氏名

ロ 営業所の名称及び位置

ハ 営業所に配置する事業用自動車の数

ニ 自動車車庫の位置及び収容能力

ホ 営業所等において行う業務の内容

〔本条追加・平二八農・経産・国交令一〕

（特定流通業務施設の基準）

第二条 法第四条第四項第十二号の主務省令で定める基準は、流通業務の総合化及び効率化の促進に関する法律施行令（平成十七年政令第二百九十八号。以下「令」という。）第二条第一号に掲げる区分に該当する特定流通業務施設については、次のとおりとする。

一 次に掲げる社会資本等の周辺五キロメートルの区域内に立地するものであること。

イ 高速自動車国道のインターチェンジ等（高速自動車国道法（昭和三十二年法律第七十九号）第四条第一項に規定する高速自動車国道（まだ供用の開始がないものを除く。以下「高速自動車国道」という。）又は道路法（昭和二十七年法律第百八十号）第四十八条の四に規定する自動車専用道路（高速自動車国道に接続しているものに限り、まだ供用の開始がないものを除く。）と同法第三条第二号に規定する一般国道、同条第三号に規定する都道府県道又は同条第四号に規定する市町村道（いずれも同法第四十八条の四に規定する自動車専用道路を除く。）を連結させるための施設をいう。）

ロ 鉄道の貨物駅

ハ 港湾

ニ 漁港

ホ 空港

ヘ 流通業務団地

ト 工業団地

二 その取扱品目がイからニまでに掲げる品目のいずれかに該当する場合にあっては、それぞれイからニまでに掲げる面積以上の卸売場を有するものであること。

イ 青果物（野菜及び果実をいう。） 九百九十平方メートル

ロ 水産物 六百平方メートル（主として漁業者又は水産業協同組合から出荷される水産物の卸売のためその水産

物の陸揚地において開設される卸売市場で、その水産物を主として他の卸売市場に出荷する者、水産加工業を営む者に卸売する者又は水産加工業を営む者に対し卸売するためのものにあっては、九百九十平方メートル）

ハ　肉類　三百平方メートル

ニ　花き　六百平方メートル

三　温度を調節する機能を備えた卸売場又は保管所のいずれかを有するものであること。

四　次のいずれかを有するものであること。

イ　営業所等

ロ　到着時刻表示装置（特定流通業務施設における貨物の搬入及び搬出の状況に係る情報並びに当該情報を利用して貨物自動車運送事業法第三十九条第一号に規定する貨物自動車運送事業者から提供された当該特定流通業務施設に到着する予定時刻に係る情報を管理するシステムを使用して当該予定時刻に係る情報を表示する装置であって、主務大臣の定める基準に適合するものをいう。以下同じ。）

ハ　ターレット式構内運搬自動車（電気又はガスを動力源とするものに限る。）及び動力の供給装置

ニ　大型車対応荷さばき・転回場（特定流通業務施設に設けられた貨物の搬出入場所であって、その前面に奥行き十五メートル以上の空地を有するものをいう。以下同じ。）

五　データ交換システム（取引の相手方その他の関係者との間で商取引に関するデータを電子的に交換するシステムに限る。）を有するものであること。

六　流通加工の用に供する設備を有するものであること。

2　法第四条第四項第十二号の主務省令で定める基準は、令第二条第二号に掲げる区分に該当する特定流通業務施設については、次のとおりとする。

一　前項第一号イからトまでに掲げる社会資本等又は卸売市場の周辺五キロメートルの区域内に立地するものであること。

二　特定流通業務施設の主要構造部（建築基準法（昭和二十五年法律第二百一号）第二条第五号に規定する主要構造部をいう。）である柱及びはりが鉄骨造、鉄筋コンクリート造又は鉄骨鉄筋コンクリート造であること。

三　非常用データ保存システム（特定流通業務施設内において取り扱う貨物に関するデータを当該特定流通業務施設外の適当な場所において保存するシステムであって、非常時において当該場所において保存された当該データを活用するために必要となる通信の機能及び電源を備えるものに限る。）を有するものであること。

四　貨物保管場所管理システム（電子情報処理組織に基づき倉庫内における貨物の保管場所を特定するシステムをいう。以下同じ。）を有するものであること。

五　大型車対応荷さばき・転回場を有するものであること。

六　貯蔵槽倉庫（倉庫業法施行規則（昭和三十一年運輸省令第五十九号）第三条の九第一項に規定する貯蔵槽倉庫をいう。以下同じ。）にあっては、次のいずれにも該当するものであること。ただし、ヘ(3)に規定する特定搬出用自動運搬装置を有する場合にあっては、ハに該当することを要しない。

イ　その容積が六千立方メートル以上のものであること。

ロ　搬入用自動運搬装置（貨物の搬入口から貯蔵槽内に貨物の搬入を連続して自動的に行う装置のうち自動検量装置並びに貯蔵槽ごとに搬入する貨物の種類及び重量を自動的に指定する機能を有するものであって、主務大臣の定める基準に適合するものをいう。以下同じ。）を有するものであること。

ハ　搬出用自動運搬装置（貯蔵槽から貨物の搬出口に貨物の搬出を連続して自動的に行う装置であって、自動検量装置並びに貯蔵槽ごとに搬出する貨物の種類及び重量を自動的に指定する機能を有するものをいう。以下同じ。）を有するものであること。

ニ　くん蒸ガス循環装置（貯蔵槽倉庫内の臭化メチルを循環させ、その濃度を均一化するための装置であって、主務大臣の定める基準に適合するものをいう。）を有するものであること。

ホ　くん蒸ガス保有力（貯蔵槽倉庫の容積一立方メートルにつき臭化メチルを十グラム使用した場合の四十八時間後における当該臭化メチルの残存率をいう。）が主務大臣の定める基準以上であること。

ヘ　次のいずれかを有するものであること。

(1)　営業所等

(2)　到着時刻表示装置

(3)　特定搬出用自動運搬装置（貯蔵槽から加工施設に貨物の搬出を連続して自動的に行う装置のうち自動検量装置並びに貯蔵槽ごとに搬出する貨物の種類及び重量を自動的に指定する機能を有するものであって、主務大臣の定める基準に適合するものをいう。）

七　冷蔵倉庫（倉庫業法施行規則第三条の十一第一項に規定する冷蔵倉庫をいう。以下同じ。）にあっては、次のいずれにも該当するものであること。

イ　その容積が六千立方メートル以上のものであること。

ロ　高規格バース（特定流通業務施設の一の階のいずれかの外壁面に技術的に可能な範囲で設けられている貨物の搬出入場所（当該貨物の搬出入場所から奥行き五メートル以上の荷さばきの用に供する空間が設けられているものに限る。）をいう。以下同じ。）を有するものであること。

ハ　強制送風式冷蔵装置（冷却された空気を供給することで氷点下の室温を保持する冷却能力を有する装置のうち室温の調整を自動で行うものであって、主務大臣の定める基準に適合するものをいう。）を有するものであるこ

と。

ニ　次のいずれかを有するものであること。

(1)　営業所等

(2)　到着時刻表示装置

ホ　倉庫内における作業の効率化を図るために、次のいずれかを有するものであること。

(1)　無人搬送車（自動的に走行し、貨物を搬送する機能を有する車両であって、主務大臣の定めるものをいう。）

(2)　自動化保管装置（貨物保管場所管理システムと連動して貨物の出し入れを自動的に行う装置であって、地震の影響を軽減する機能を有するものをいう。）

(3)　高度荷さばき装置（労働安全衛生規則（昭和四十七年労働省令第三十二号）第三十六条第三十一号に規定する産業用ロボットであって貨物の荷さばきを行うもの、又は作業員が行う荷さばきを補助する装置であって貨物の保管場所及び品名、数量等の情報を表示し、若しくは音声により通知するものをいう。）

(4)　自動検品システム（スキャナ（これに準ずる画像読取装置を含む。）又は無線設備により読み取った貨物の品名、数量等の情報と当該貨物の入出庫に係る荷主からの指図の内容又は帳簿上の在庫の情報とを照合するシステムをいう。）

ヘ　地震による貨物の荷崩れのおそれがあると認められるものにあっては、これを相当程度防止するために、次のいずれかを有するものであること。

(1)　保管場所免震装置（貨物又は保管棚と床との間に設置するものであって、地震による貨物又は保管棚の振動を軽減するものに限る。）

(2)　保管棚制震装置（保管棚と床、壁、支柱等を連結するものであって、地震による保管棚の振動を軽減するものに限る。）

(3)　保管棚固定装置（保管棚を床、壁、支柱等に固定するものに限る。）

(4)　貨物落下防止装置（保管棚からの貨物の落下を防止するものに限る。）

(5)　パレット連結装置（貨物を積み付けた複数のパレットを相互に連結するものに限る。）

(6)　貨物・パレット一体包装装置（貨物及び当該貨物を積み付けたパレットを一体的に包装するものに限る。）

八　貯蔵槽倉庫又は冷蔵倉庫以外の令第二条第二号に掲げる区分に該当する特定流通業務施設にあっては、次のいずれにも該当するものであること。ただし、ランプウェイ構造を有する場合にあっては、ロに該当することを要しない。

イ　その床面積が三千平方メートル（当該特定流通業務施設の階数が二以上のものにあっては、六千平方メートル）以上のものであること。

ロ　当該特定流通業務施設の階数が二以上のものにあっては、最大積載荷重が二トン以上のエレベーターを有するものであること。

ハ　前号ロ及びニからヘまでに該当するものであること。

九　前項第五号及び第六号に該当するものであること。

3　法第四条第四項第十二号の主務省令で定める基準は、令第二条第三号に掲げる区分に該当する特定流通業務施設については、次のとおりとする。

一　第一項第一号イからトまでに掲げる社会資本等又は卸売市場の周辺五キロメートルの区域内、地場産業が集積している地域の周辺の区域内、商店街の区域内その他これらに準ずる区域内で物資の輸送の合理化に資すると認められる地点に立地するものであること。

二　次のいずれかを有するものであること。

イ　営業所等

ロ　到着時刻表示装置

ハ　大型車対応荷さばき・転回場

ニ　搬入用自動運搬装置及び搬出用自動運搬装置

ホ　高規格バース

三　第一項第五号及び第六号に該当するものであること。

4　法第四条第四項第十二号の主務省令で定める基準は、令第二条第四号に掲げる区分に該当する特定流通業務施設については、次のとおりとする。

一　次号に規定する上屋以外の特定流通業務施設にあっては、第一項第五号及び第六号、第二項第一号及び第八号イ並びに前項第二号に該当するものであること。

二　貨物流通事業者が実施する流通業務総合効率化事業の用に供する上屋にあっては、第一項第五号及び第六号、第二項第八号イ並びに前項第一号及び第二号に該当するものであること。ただし、商店街の区域内その他これに準ずる区域内で物資の輸送の合理化に資すると認められる地点に立地する上屋にあっては、第二項第八号イに該当することを要しない。

〔三・四項改正・平二一農・経産・国交令一、二・四項改正・平二七農・経産・国交令一、一―四項改正・旧一条を繰下・平二八農・経産・国交令一、一―四項改正・令二農・経産・国交令一、二項改正・令四農・経産・国交令一〕

（総合効率化計画の認定の申請）

第三条　法第四条第一項の規定により総合効率化計画の認定を受けようとする総合効率化事業者は、次に掲げる事項を記載した申請書を提出しなければならない。

一　氏名又は名称及び住所並びに法人にあっては、その代表者の氏名

二　流通業務総合効率化事業の実施区域

三　中小企業流通業務総合効率化事業又はそれ以外の流通業務総合効率化事業の別

四　法第四条第二項各号に掲げる事項

五　法第四条第三項各号に掲げる事項（流通業務総合効率化事業の用に供する特定流通業務施設を整備する場合に限

る。）

2　前項の申請書には、次に掲げる書類を添付しなければならない。

一　既存の法人にあっては、次に掲げる書類

イ　定款又は寄附行為及び登記事項証明書

ロ　最近の事業年度における財産目録、貸借対照表及び損益計算書

二　法人を設立しようとする者にあっては、次に掲げる書類

イ　定款又は寄附行為の謄本

ロ　株式の引受け、出資又は財産の寄附の状況又は見込みを記載した書類

三　個人にあっては、次に掲げる書類

イ　戸籍抄本

ロ　資産調書

四　特定流通業務施設の平面図、立面図及び断面図、社会資本等との位置関係を明らかにする図面並びに特定流通業務施設が有する設備の能力を説明する書類（流通業務総合効率化事業の用に供する特定流通業務施設を整備する場合に限る。）

3　第一項の場合において、別表第一の上欄に掲げる規定の適用を受けようとするときは、同項各号に掲げる事項のほか、同表の中欄に掲げる事項（同項各号に掲げる事項を除く。）を記載し、かつ、前項各号に掲げる書類のほか、同表の下欄に掲げる書類（同項各号に掲げる書類を除く。）を添付しなければならない。

4　第一項の場合において、法第七条第三項の規定の適用を受けようとするときは、前二項の規定にかかわらず、第五条第二項各号に掲げる書類の添付を省略することができる。

5　第一項の申請書は、次の各号に掲げる流通業務総合効率化事業（令第六条の規定により都道府県知事が行うこととされる事務に係るもの又は当該事業に係る主務大臣の権限が令第七条の規定により地方支分部局の長に委任されているものを除く。）の区分に応じ、当該各号に掲げる当該事業の主たる実施区域を管轄する地方支分部局の長又は都道府県知事（次条第五項において「所管地方支分部局長等」という。）を経由して主務大臣に提出しなければならない。

一　港湾流通拠点地区において特定流通業務施設の整備を行う事業を含む流通業務総合効率化事業　地方整備局長又は北海道開発局長

二　貨物流通事業者が実施する流通業務総合効率化事業（前号に掲げるものを除く。）　地方運輸局長

三　食品等生産業者等が実施する流通業務総合効率化事業（前二号に掲げるものを除く。）　地方農政局長

四　中小企業流通業務総合効率化事業（前三号に掲げるものを除く。）　都道府県知事

五　前各号に掲げるもの以外の流通業務総合効率化事業　経済産業局長

〔一・二・四項改正・五項追加・旧二条を繰下・平二八農・経産・国交令一、五項改正・平三〇農・経産・国交令一〕

（総合効率化計画の変更の認定の申請）

第四条　法第五条第一項の規定により総合効率化計画の変更の認定を受けようとする認定総合効率化事業者は、次に掲げる事項を記載した申請書を提出しなければならない。

一　氏名又は名称及び住所並びに法人にあっては、その代表者の氏名

二　変更しようとする事項

三　変更の理由

2　前項の申請書には、次に掲げる書類を添付しなければならない。

一　当該総合効率化計画に係る流通業務総合効率化事業の実施状況を記載した書類

二　当該総合効率化計画の変更が前条第二項各号に掲げる書類の変更を伴う場合にあっては、当該変更後の書類

3　第一項の場合において、別表第二の上欄に掲げる規定の適用を受けようとするときは、同項各号に掲げる事項のほか、同表の中欄に掲げる事項（同項各号に掲げる事項を除く。）を記載し、かつ、前項各号に掲げる書類のほか、同表の下欄に掲げる書類（同項各号に掲げる書類を除く。）を添付しなければならない。

4　第一項の場合において、法第七条第三項の規定の適用を受けようとするときは、前二項の規定にかかわらず、次条第二項各号に掲げる書類の添付を省略することができる。

5　第一項の申請書は、前条第五項各号に掲げる流通業務総合効率化事業（令第六条の規定により都道府県知事が行うこととされる事務に係るもの又は当該事業に係る主務大臣の権限が令第七条の規定により地方支分部局の長に委任されているものを除く。）の区分に応じ、当該各号に掲げる所管地方支分部局長等を経由して主務大臣に提出しなければならない。

〔五項追加・旧三条を繰下・平二八農・経産・国交令一〕

（特定流通業務施設の確認の申請）

第五条　法第七条第一項の規定により特定流通業務施設の計画の確認を受けようとする者は、次に掲げる事項を記載した申請書を提出しなければならない。

一　氏名又は名称及び住所並びに法人にあっては、その代表者の氏名

二　流通業務総合効率化事業の実施区域

三　法第四条第三項各号に掲げる事項

2　前項の申請書には、次に掲げる書類を添付しなければならない。

一　当該特定流通業務施設の平面図、立面図及び断面図並びに社会資本等との位置関係を明らかにする図面

二　当該特定流通業務施設が令第二条第二号に掲げる区分に該当する場合にあっては、倉庫業法施行規則第二条第二項第一号イからハまで及びホに掲げる書類

3　第一項の申請書は、次の各号に掲げる特定流通業務施設（令第六条の規定により都道府県知事が行うこととされる事

務に係るもの又は当該施設に係る主務大臣の権限が令第七条の規定により地方支分部局の長に委任されているものを除く。）の区分に応じ、当該各号に掲げる特定流通業務施設の所在地を管轄する地方支分部局の長又は都道府県知事を経由して主務大臣に提出しなければならない。

一　卸売市場　地方農政局長

二　倉庫（倉庫業の用に供するものに限る。）　地方運輸局長

三　前二号に掲げるもの以外の流通業務施設であって、中小企業流通業務総合効率化事業の用に供するもの　都道府県知事

四　前三号に掲げるもの以外の流通業務施設　地方運輸局長

〔二項改正・三項追加・旧四条を繰下・平二八農・経産・国交令二〕

（特定流通業務施設の確認の有効期間）

第六条　法第七条第三項の主務省令で定める期間は、五年とする。

〔旧五条を繰下・平二八農・経産・国交令二〕

附　則

この省令は、法の施行の日（平成十七年十月一日）から施行する。

附　則〔平二五・四・一農・経産・国交令一〕

（施行期日）

1　この省令は、平成二十五年四月一日から施行する。

（経過措置）

2　この省令の施行の日前に行われた流通業務の総合化及び効率化の促進に関する法律第四条第一項、第五条第一項又は第七条第一項の規定による認定又は確認の申請であって、この省令の施行の際、認定又は確認がなされていないものについてのこれらの処分については、なお従前の例による。

附　則〔平二七・四・一農・経産・国交令二〕

（施行期日）

1　この省令は、平成二十七年四月一日から施行する。

（経過措置）

2　この省令の施行の日前に行われた流通業務の総合化及び効率化の促進に関する法律第四条第一項、第五条第一項又は第七条第一項の規定による認定又は確認の申請であって、この省令の施行の際、認定又は確認がなされていないものについてのこれらの処分については、なお従前の例による。

附　則〔令四・三・三一農・経産・国交令一〕

（施行期日）

1　この省令は、令和四年四月一日から施行する。

（経過措置）

2　この省令の施行の日前に行われた流通業務の総合化及び効率化の促進に関する法律第四条第一項、第五条第一項又は第七条第一項の規定による認定又は確認の申請であって、この省令の施行の際、認定又は確認がなされていないものについてのこれらの処分については、なお従前の例による。

附　則〔令六・一・一九農・経産・国交令一〕

この省令は、海上運送法等の一部を改正する法律の施行の日（令和六年四月一日）から施行する。

別表第一（第三条関係）

規定		事項	書類
法第八条第一項	貨物利用運送事業法（平成元年法律第八十二号）第三条第一項の登録に係る部分	貨物利用運送事業法第四条第一項各号に掲げる事項	貨物利用運送事業法施行規則（平成二年運輸省令第二十号）第四条第二項各号に掲げる書類
	貨物利用運送事業法第七条第一項の変更登録に係る部分	貨物利用運送事業法施行規則第九条第一項各号に掲げる事項	貨物利用運送事業法施行規則第九条第二項に規定する書類
	貨物利用運送事業法第七条第三項の規定による届出に係る部分	貨物利用運送事業法施行規則第十条第一項各号に掲げる事項	貨物利用運送事業法施行規則第十条第二項に規定する書類
法第八条第四項前段	貨物利用運送事業法第十一条の規定による届出に係る部分	貨物利用運送事業法施行規則第十四条第二項各号に掲げる事項	貨物利用運送事業法施行規則第十四条第三項に規定する書類
法第九条第一項	貨物利用運送事業法第二十条の許可に係る部分	貨物利用運送事業法施行規則第二十一条第一項各号に掲げる事項	貨物利用運送事業法施行規則第十九条第一項各号に掲げる書類
	貨物利用運送事業法第二十五条第一項の認可に係る部分	貨物利用運送事業法施行規則第二十条第一項各号に掲げる事項	貨物利用運送事業法施行規則第二十条第二項に規定する書類
	貨物利用運送事業法第二十五条第三項の規定による届出に係る部分	貨物利用運送事業法施行規則第二十一条第二項各号又は第二十二条第二項各号に掲げる事項	貨物利用運送事業法施行規則第二十一条第三項又は第二十二条第三項に規定する書類
	貨物利用運送事業法第四十五条第一項の許可に係る部分	貨物利用運送事業法施行規則第三十九条第一項各号に掲げる事項	貨物利用運送事業法施行規則第三十九条第二項各号に掲げる書類
	貨物利用運送事業法第四十六条第二項の認可に係る部分	貨物利用運送事業法施行規則第四十条第一項各号に掲げる事項	貨物利用運送事業法施行規則第四十条第二項に規定する書類
	貨物利用運送事業法第四十六条第四項の規定による届出に係る部分	貨物利用運送事業法施行規則第四十一条第二項各号又は第四十二条第二項各号に掲げる事項	貨物利用運送事業法施行規則第四十一条第三項又は第四十二条第三項に規定する書類
法第九条第四項前段	貨物利用運送事業法第三十四条第一項において準用する同法第十一条の規定による届出に係る部分	貨物利用運送事業法施行規則第十四条第二項各号に掲げる事項	貨物利用運送事業法施行規則第十四条第三項に規定する書類
法第十条第一項	貨物自動車運送事業法（平成元年法律第八十三号）第三条の許可に係る部分	貨物自動車運送事業法第四条第一項各号及び第二項各号に掲げる事項	貨物自動車運送事業法施行規則（平成二年運輸省令第二十一号）第三条各号に掲げる書類
	貨物自動車運送事業法第九条第一項の認可に係る部分	貨物自動車運送事業法施行規則第五条第一項各号に掲げる事項	貨物自動車運送事業法施行規則第五条第二項に規定する書類
	貨物自動車運送事業法第九条第三項の規定による届出に係る部分	貨物自動車運送事業法施行規則第六条第二項各号又は第七条第二項各号に掲げる事項	貨物自動車運送事業法施行規則第六条第三項又は第七条第三項に規定する書類
法第十一条第一項	貨物自動車運送事業法第三十六条第一項前段の規定による届出に係る部分	貨物自動車運送事業法施行規則第三十三条第一項各号に掲げる事項	貨物自動車運送事業法施行規則第三十三条第二項に規定する書類
	貨物自動車運送事業法第三十六条第一項後段の規定による届出に係る部分	貨物自動車運送事業法施行規則第三十三条第三項各号に掲げる事項	貨物自動車運送事業法施行規則第三十三条第四項に規定する書類
法第十二条第一項	海上運送法（昭和二十四年法律第百八十七号）第三条第一項の許可に係る部分	海上運送法施行規則（昭和二十四年運輸省令第四十九号）第二条第一項各号に掲げる事項	海上運送法施行規則第二条第二項各号に掲げる書類
	海上運送法第十一条第一項の認可に係る部分	海上運送法施行規則第八条各号に掲げる事項	
	海上運送法第十一条第三項の規定による届出に係る部分	海上運送法施行規則第八条の二第二項各号に掲げる事項	
法第十三条第一項	鉄道事業法（昭和六十一年法律第九十二号）第三	鉄道事業法第四条第一項各号に掲げる事項	鉄道事業法施行規則（昭和六十二年運輸省令第六

	条第一項の許可に係る部分		号）第二条第二項各号に掲げる書類及び図面
	鉄道事業法第七条第一項の認可に係る部分	鉄道事業法施行規則第七条第一項各号に掲げる事項	鉄道事業法施行規則第七条第二項に規定する書類及び図面
	鉄道事業法第七条第三項の規定による届出に係る部分	鉄道事業法施行規則第八条第二項各号に掲げる事項	
法第十三条第三項前段	鉄道事業法第十八条の規定による届出に係る部分	鉄道事業法施行規則第三十六条第一項各号に掲げる事項	鉄道事業法施行規則第三十六条第二項各号に掲げる書類
法第十四条第一項	軌道法（大正十年法律第七十六号）第三条の特許に係る部分		軌道法施行規則（大正十二年内務省・鉄道省令）第一条第一項各号に掲げる書類及び図面並びに同条第二項に規定する事由書
法第十五条第一項	自動車ターミナル法（昭和三十四年法律第百三十六号）第三条の許可に係る部分	自動車ターミナル法第四条第一項各号に掲げる事項	自動車ターミナル法施行規則（昭和三十四年運輸省令第四十七号）第一条第一項各号に掲げる書類
	自動車ターミナル法第十条の規定による届出に係る部分	自動車ターミナル法施行規則第三条各号に掲げる事項	
	自動車ターミナル法第十一条第一項の許可に係る部分	自動車ターミナル法施行規則第四条第一項各号に掲げる事項	自動車ターミナル法施行規則第四条第二項各号に掲げる書類
	自動車ターミナル法第十一条第三項の規定による届出に係る部分	自動車ターミナル法施行規則第五条第二項各号に掲げる事項	
法第十六条第一項	倉庫業法（昭和三十一年法律第百二十一号）第三条の登録に係る部分	倉庫業法施行規則第二条第一項各号に掲げる事項	倉庫業法施行規則第二条第二項各号に掲げる書類
	倉庫業法第七条第一項の変更登録に係る部分	倉庫業法施行規則第四条第一項各号に掲げる事項	倉庫業法施行規則第四条第二項各号に掲げる書類
	倉庫業法第七条第三項の規定による届出に係る部分	倉庫業法施行規則第四条の二第二項各号に掲げる事項	倉庫業法施行規則第四条の二第三項各号に掲げる書類
法第十七条第一項	港湾法（昭和二十五年法律第二百十八号）第三十八条の二第一項の規定による届出に係る部分	港湾法施行規則（昭和二十六年運輸省令第九十八号）第五条第一項に規定する臨港地区内行為届出書に記載すべき事項	港湾法施行規則第五条第二項各号に掲げる書類

〔本表改正・平二八農・経産・国交令一〕

別表第二（第四条関係）

規定		事項	書類
法第八条第二項	貨物利用運送事業法第七条第一項の変更登録に係る部分	貨物利用運送事業法施行規則第九条第一項各号に掲げる事項	貨物利用運送事業法施行規則第九条第二項に規定する書類
	貨物利用運送事業法第七条第三項の規定による届出に係る部分	貨物利用運送事業法施行規則第十条第一項各号に掲げる事項	貨物利用運送事業法施行規則第十条第二項に規定する書類
	貨物利用運送事業法第十四条第二項の規定による届出に係る部分	貨物利用運送事業法施行規則第十五条第一項各号に掲げる事項	貨物利用運送事業法施行規則第十五条第二項各号に掲げる書類
	貨物利用運送事業法第十五条の規定による届出に係る部分	貨物利用運送事業法施行規則第十六条各号に掲げる事項	
法第八条第四項後段	貨物利用運送事業法第十一条の規定による届出に係る部分	貨物利用運送事業法施行規則第十四条第二項各号に掲げる事項	貨物利用運送事業法施行規則第十四条第三項に規定する書類
法第九条第二項	貨物利用運送事業法第二十五条第一項の認可に係る部分	貨物利用運送事業法施行規則第二十条第一項各号に掲げる事項	貨物利用運送事業法施行規則第二十条第二項に規定する書類
	貨物利用運送事業法第二十五条第三項の規定による届出に係る部分	貨物利用運送事業法施行規則第二十一条第二項各号又は第二十二条第二項各号に掲げる事項	貨物利用運送事業法施行規則第二十一条第三項又は第二十二条第三項に規定する書類
	貨物利用運送事業法第二十九条第一項の認可に係る部分	貨物利用運送事業法施行規則第二十六条第一項各号に掲げる事項	貨物利用運送事業法施行規則第二十六条第二項各号に掲げる書類
	貨物利用運送事業法第二十九条第二項の認可に係る部分	貨物利用運送事業法施行規則第二十七条第一項各号に掲げる事項	貨物利用運送事業法施行規則第二十七条第二項各号に掲げる書類
	貨物利用運送事業法第三十条第一項の認可に係る部分	貨物利用運送事業法施行規則第二十八条第一項各号に掲げる事項	貨物利用運送事業法施行規則第二十八条第二項各号に掲げる書類
	貨物利用運送事業法第三十一条の規定による届出に係る部分	貨物利用運送事業法施行規則第二十九条各号に掲げる事項	
	貨物利用運送事業法第四十六条第二項の認可に係る部分	貨物利用運送事業法施行規則第四十条第一項各号に掲げる事項	貨物利用運送事業法施行規則第四十条第二項に規定する書類
	貨物利用運送事業法第四十六条第四項の規定による届出に係る部分	貨物利用運送事業法施行規則第四十一条第二項各号又は第四十二条第二項各号に掲げる事項	貨物利用運送事業法施行規則第四十一条第三項又は第四十二条第三項に規定する書類
	貨物利用運送事業法第四十八条の規定による届出に係る部分	貨物利用運送事業法施行規則第四十三条において準用する同令第三十六条各号に掲げる事項	
法第九条第四項後段	貨物利用運送事業法第三十四条第一項において準用する同法第十一条の規定による届出に係る部分	貨物利用運送事業法施行規則第十四条第二項各号に掲げる事項	貨物利用運送事業法施行規則第十四条第三項に規定する書類
法第十条第二項	貨物自動車運送事業法第九条第一項の認可に係る部分	貨物自動車運送事業法施行規則第五条第一項各号に掲げる事項	貨物自動車運送事業法施行規則第五条第二項に規定する書類
	貨物自動車運送事業法第九条第三項の規定による届出に係る部分	貨物自動車運送事業法施行規則第六条第二項各号又は第七条第二項各号に掲げる事項	貨物自動車運送事業法施行規則第六条第三項又は第七条第三項に規定する書類
	貨物自動車運送事業法第三十条第一項の認可に係る部分	貨物自動車運送事業法施行規則第十七条第一項各号に掲げる事項	貨物自動車運送事業法施行規則第十七条第二項各号に掲げる書類
	貨物自動車運送事業法第三十条第二項の認可に係る部分	貨物自動車運送事業法施行規則第十八条第一項各号に掲げる事項	貨物自動車運送事業法施行規則第十八条第二項各号に掲げる書類
	貨物自動車運送事業法第三十一条第一項の認可に係る部分	貨物自動車運送事業法施行規則第十九条第一項各号に掲げる事項	貨物自動車運送事業法施行規則第十九条第二項各号に掲げる書類

	貨物自動車運送事業法第三十二条の規定による届出に係る部分	貨物自動車運送事業法施行規則第二十条各号に掲げる事項	
法第十一条第二項	貨物自動車運送事業法第三十六条第一項後段の規定による届出に係る部分	貨物自動車運送事業法施行規則第三十三条第三項各号に掲げる事項	貨物自動車運送事業法施行規則第三十三条第四項に規定する書類
	貨物自動車運送事業法第三十六条第三項の規定による届出に係る部分	貨物自動車運送事業法施行規則第三十四条第一項各号に掲げる事項	
	貨物自動車運送事業法第三十六条第四項の規定による届出に係る部分	貨物自動車運送事業法施行規則第三十四条第二項各号に掲げる事項	
法第十二条第二項	海上運送法第十一条第一項の認可に係る部分	海上運送法施行規則第八条各号に掲げる事項	
	海上運送法第十一条第三項の規定による届出に係る部分	海上運送法施行規則第八条の二第二項各号に掲げる事項	
	海上運送法第十六条第一項又は第二項の規定による届出に係る部分	海上運送法施行規則第十五条各号に掲げる事項	
	海上運送法第十八条第一項の認可に係る部分	海上運送法施行規則第十六条第一項各号に掲げる事項	海上運送法施行規則第十六条第二項各号に掲げる書類
	海上運送法第十八条第二項の認可に係る部分	海上運送法施行規則第十七条第一項各号に掲げる事項	海上運送法施行規則第十七条第二項各号に掲げる書類
	海上運送法第十八条第四項の認可に係る部分	海上運送法施行規則第十九条第一項各号に掲げる事項	海上運送法施行規則第十九条第二項各号に掲げる書類
法第十三条第二項	鉄道事業法第七条第一項の認可に係る部分	鉄道事業法施行規則第七条第一項各号に掲げる事項	鉄道事業法施行規則第七条第二項に規定する書類及び図面
	鉄道事業法第七条第三項の規定による届出に係る部分	鉄道事業法施行規則第八条第二項各号に掲げる事項	
	鉄道事業法第二十六条第一項の認可に係る部分	鉄道事業法施行規則第三十九条第一項各号に掲げる事項	鉄道事業法施行規則第三十九条第二項各号に掲げる書類
	鉄道事業法第二十六条第二項の認可に係る部分	鉄道事業法施行規則第四十条第一項各号に掲げる事項	鉄道事業法施行規則第四十条第二項各号に掲げる書類
	鉄道事業法第二十七条第一項の認可に係る部分	鉄道事業法施行規則第四十一条第一項各号に掲げる事項	鉄道事業法施行規則第四十一条第二項各号に掲げる書類
	鉄道事業法第二十八条第一項又は第二十八条の二第六項の規定による届出に係る部分	鉄道事業法施行規則第四十二条第一項各号に掲げる事項	鉄道事業法施行規則第四十二条第二項各号に掲げる書類
法第十三条第三項後段	鉄道事業法第十八条の規定による届出に係る部分	鉄道事業法施行規則第三十六条第一項各号に掲げる事項	鉄道事業法施行規則第三十六条第二項各号に掲げる書類
法第十四条第二項	軌道法第十六条第一項の許可（軌道の譲渡に係る部分に限る。）に係る部分		軌道法施行規則第二十五条第一項各号に掲げる書類
	軌道法第二十二条の認可に係る部分	軌道法施行規則第二十六条に規定する事項	軌道法施行規則第二十六条各号に掲げる書類
	軌道法第二十二条ノ二の許可に係る部分	軌道法施行規則第二十八条第一項及び第二項に規定する事項	軌道法施行規則第二十八条第二項に規定する書類
	軌道法第二十六条において準用する鉄道事業法第二十七条第一項の認可に係る部分	軌道法施行規則第二十七条第一項各号に掲げる事項	軌道法施行規則第二十七条第二項に規定する書類
法第十五条第二項	自動車ターミナル法第十条の規定による届出に係る部分	自動車ターミナル法施行規則第三条各号に掲げる事項	

	自動車ターミナル法第十一条第一項の許可に係る部分	自動車ターミナル法施行規則第四条第一項各号に掲げる事項	自動車ターミナル法施行規則第四条第二項各号に掲げる書類
	自動車ターミナル法第十一条第三項の規定による届出に係る部分	自動車ターミナル法施行規則第五条第二項各号に掲げる事項	
	自動車ターミナル法第十二条第一項の認可に係る部分	自動車ターミナル法施行規則第六条第一項各号に掲げる事項	自動車ターミナル法施行規則第六条第二項各号に掲げる書類
	自動車ターミナル法第十二条第二項の認可に係る部分	自動車ターミナル法施行規則第七条第一項各号に掲げる事項	自動車ターミナル法施行規則第七条第二項各号に掲げる書類
	自動車ターミナル法第十二条第五項の規定による届出に係る部分	自動車ターミナル法施行規則第八条各号に掲げる事項	
	自動車ターミナル法第十三条の規定による届出に係る部分	自動車ターミナル法施行規則第九条各号に掲げる事項	
法第十六条第二項	倉庫業法第七条第一項の変更登録に係る部分	倉庫業法施行規則第四条第一項各号に掲げる事項	倉庫業法施行規則第四条第二項各号に掲げる書類
	倉庫業法第七条第三項の規定による届出に係る部分	倉庫業法施行規則第四条の二第二項各号に掲げる事項	倉庫業法施行規則第四条の二第三項各号に掲げる書類
	倉庫業法第十七条第三項の規定による届出に係る部分	倉庫業法施行規則第十三条第一項各号又は第十四条第一項各号に掲げる事項	倉庫業法施行規則第十三条第二項各号又は第十四条第二項各号に掲げる書類
	倉庫業法第十八条第一項の認可に係る部分	倉庫業法施行規則第十五条第一項各号に掲げる事項	倉庫業法施行規則第十五条第二項各号に掲げる書類
	倉庫業法第十九条第一項の規定による届出に係る部分	倉庫業法施行規則第十七条第一項各号に掲げる事項	倉庫業法施行規則第十七条第二項に規定する書類
	倉庫業法第二十条第一項の規定による届出に係る部分	倉庫業法施行規則第十九条第一項各号に掲げる事項	
法第十七条第二項において準用する同条第一項	港湾法第三十八条の二第一項の規定による届出に係る部分	港湾法施行規則第五条第一項に規定する臨港地区内行為届出書に記載すべき事項	港湾法施行規則第五条第二項各号に掲げる書類

〔本表改正・平二八農・経産・国交令一・令六農・経産・国交令一〕

○流通業務総合効率化事業の実施に関する基本的な方針

（平成二十八年九月十六日農林水産・経済産業・国土交通省告示第二号）

〔沿革〕平成三〇年一〇月一七日農林水産・経済産業・国土交通省告示第二号、令和二年一一月二七日第一号、四年三月三一日第一号改正

第一　流通業務の総合化及び効率化の意義及び目標に関する事項

1　流通業務の総合化及び効率化の意義

(1)　流通業務に必要な労働力の不足

近年、経済のグローバル化が進み、企業の調達・生産・販売活動が国境を越えて広く展開されている。例えば、我が国の企業が主要部品をアジア地域に輸出し、これと現地で調達した部品とを組み合わせて最終商品化し、これを輸入して販売するというように、調達、製造、販売の面で国際・国内の区別なく我が国を含めた海外市場を一体的にとらえ、最適地での生産や販売を目指している。また、高齢化や人口減少の進行により、国内の市場の縮小が見込まれる一方で、海外において市場が拡大すると見込まれる中、我が国の農林水産物・食品の輸出促進や、小売業等の海外展開の重要性も高まっている。物流はこうした企業活動を下支えし、我が国経済の国際競争力の強化のための重要な役割を担っている。

また、電子商取引市場の拡大等により、消費者の需要の高度化及び多様化が進んでおり、宅配便の取扱件数が増加するなど多頻度小口輸送の傾向が強まっている。消費者の需要の高度化及び多様化に対応したきめ細かく質の高い物資の流通を実現するのも物流の重要な役割である。

一方、物流分野における労働力不足が顕在化しつつあり、少子高齢化に伴う労働力人口の減少によって、中長期的には、人材の確保がより困難になっていく可能性がある。特に、中高年層への依存が強い貨物自動車運送事業や内航海運業については、これら中高年層の退職に伴い、今後、深刻な人手不足に陥るおそれもある。そのような事態に至った場合は、物流が停滞し、我が国の産業活動のみならず、国民生活全般に支障が生じかねない。

こうした背景を踏まえれば、我が国の物流機能の維持に当たっては、限られた労働力の下で流通業務を行うことを可能とし、物流事業の生産性を向上させることが不可欠である。その際、個々の物流事業者の取組のみでは限界があることから、物流事業者同士が連携することはもとより、荷主や地方公共団体等の多様な関係者と連携し、適切な役割分担の下で、流通業務の省力化の取組を促進していく必要がある。

流通業務総合効率化事業は、二以上の者が連携して、輸送、保管、荷さばき及び流通加工を一体的に行うことによる流通業務の総合化を図るとともに、輸送の合理化による流通業務の効率化を図ることで、流通業務の省力化を行う事業であり、同事業を促進し、我が国の物流機能を維持することは、経済、産業の発展、豊かな国民生活の実現に貢献する意義がある。

(2)　物資の流通に伴う環境負荷の低減

新たな二〇三〇年度温室効果ガス削減目標の裏付けとなる対策・施策を記載して新目標実現への道筋を描く「地球温暖化対策計画」が令和三年十月に閣議決定された。本計画においては、二酸化炭素排出量が減少傾向にある運輸部門において、その傾向を一層着実なものとするため、物流の効率化を含めた総合的な対策を推進することが掲げられ、流通業務の総合化及び効率化の促進に関する法律（平成十七年法律第八十五号。以下「法」という。）に基づく取組を促進すること等により低炭素物流を推進することが盛り込まれている。

流通業務総合効率化事業は、特定流通業務施設における待機時間のないトラック輸送を行うことやモーダルシフト、輸配送の共同化などの取組をはじめとした輸送の合理化による流通業務の効率化を行うことで、物資の流通に伴う環境への負荷の低減に資する事業であり、同事業を促進することは、我が国の物流分野における二酸化炭素排出量の削減に寄与し、「日本のＮＤＣ（国が決定する貢献）」に基づく目標の達成にも資する意義がある。

2　流通業務の総合化及び効率化の目標

物流分野の労働力不足へ対応するためには、少ない人員でも必要な業務を行うことを可能とするという観点からの取組と、人材を確保するという観点からの取組が必要である。物流分野においては、深刻な人手不足に陥るおそれがあることを踏まえれば、両者の観点の取組を車の両輪として進めることが重要であるが、流通業務の総合化及び効率化は前者の観点に主眼を置いた取組である。少ない人員でも必要な業務を行うことを可能にする、すなわち省力化を行うためには、少ないトラック走行量・台数で必要な貨物輸送を実現することや、輸送過程における手待ち時間を削減すること、特定流通業務施設内の作業時間を削減することなどが必要である。これらは、流通業務の総合化及び効率化のもう一つの意義である環境負荷の低減にも資するものであり、様々な取組で実現することが考えられるが、典型的に想定される取組である輸送網の集約、モーダルシフト、輸配送の共同化について目標を定めることとする。

輸送網の集約は、輻輳しているトラック輸送網を再編し

て合理化する取組であり、その目標はトラックの走行量を削減することとする。輸送網の集約の取組の中でも、特定流通業務施設の整備を伴う取組については、特定流通業務施設におけるトラックの手待ち時間及び作業時間を削減することも併せて目標とする。

モーダルシフトは、トラックで輸送していた貨物及び新たに輸送を開始する貨物について、鉄道や船舶を活用して輸送する取組であり、その目標は、トラックの走行量を削減するとともに、鉄道や船舶による貨物輸送量を増加させることとする。モーダルシフトの推進による鉄道や船舶の貨物輸送量の増加は、交通政策基本計画（令和二年五月二十八日閣議決定）や地球温暖化対策計画にも盛り込まれており、これらの計画に定められた目標の達成にも貢献する。

輸配送の共同化は、貨物の混載等により、トラックの積載効率を向上させる取組であり、その目標は、トラックの走行量・台数を削減することとする。

なお、国は、必要に応じ、これらの取組の進捗状況を定期的に確認するものとする。

第二　流通業務総合効率化事業の内容に関する事項

１　基本的な考え方

流通業務総合効率化事業は、二以上の者が連携して、流通業務の総合化及び効率化を図る事業であって、物資の流通に伴う環境への負荷の低減に資するとともに、流通業務の省力化を伴うものである。

(1)　流通業務総合効率化事業の実施主体

流通業務総合効率化事業を実施しようとする者は、その業種業態の如何を問わず流通業務に関係する者であれば対象となり、生産者や製造業者、小売店に納品する卸売業者、親事業者に納品する下請事業者、荷主から貨物の輸送、保管等を依頼される物流事業者をはじめ、様々な事業者が対象となり得る。また、必ずしも民間事業者である必要はなく、公的セクターも対象となり、例えば、物流ネットワークの維持が困難となるおそれが高い地域において、地域内配送共同化の取組を行う場合に、地域物流の維持、確保に向けて、市町村をはじめとする地方公共団体が参加することなどが考えられる。

流通業務総合効率化事業は、流通業務に携わる多様な関係者が連携することで、物資の流通に伴う環境負荷の低減及び流通業務の省力化を、効果的に進める事業であることから、二以上の者が連携することを求めている。このため、二以上の者の連携については、法人格が別の者が連携することが必要である。ただし、組合は複数者が参画して共同の事業を行う主体であり、組合が行う事業は二以上の者が連携した事業とみなせることから、組合は単体であっても、流通業務総合効率化事業の実施主体となり得る。

連携する者の組合せは様々なものが考えられるが、流通業務を実施する者が含まれることが必要であることはもちろんのこと、総合効率化計画に記載した流通業務総合効率化事業の目標及び内容を実現可能とする者が含まれることが必要である。例えば、特定流通業務施設において、トラック予約受付システムを導入し、トラックの手待ち時間の削減を図ることを内容とする場合においては、手待ち時間の着実な削減のためには、トラック予約受付システムを運用する者とそれを活用する者が連携することが必須となることから、特定流通業務施設を運営する者と日常的に当該特定流通業務施設に物資の搬出入を行う主要な貨物自動車運送事業者が連携することが必要である。

(2)　流通業務の総合化

流通業務総合効率化事業における流通業務の総合化とは、流通業務のうち、少なくとも輸送、保管、荷さばき及び流通加工を一体的に行うことである。したがって、まずこれらの業務のいずれかを含まない事業は流通業務総合効率化事業にはなり得ない。

ただし、流通業務総合効率化事業は二以上の者が連携した事業であり、必ずしも一者で輸送、保管、荷さばき及び流通加工の全てを行う必要はなく、流通業務総合効率化事業に参加する者の中で役割を分担すればよい。

また、流通業務総合効率化事業の内容として、輸送、保管、荷さばき及び流通加工の一体性が確保されていれば、必ずしもこれら全ての流通業務が一箇所で行われる必要はない。ただし、輸送網を集約する取組のうち、特定流通業務施設の整備を伴うものについては、保管、荷さばき及び流通加工といった流通業務を特定流通業務施設において一体的に行うことにより、効果的に輸送網の集約を行う取組であることから、特定流通業務施設において保管、荷さばき及び流通加工が行われることが必要である。

(3)　流通業務の効率化

流通業務総合効率化事業における流通業務の効率化とは、輸送の合理化を行うことによって達成されるものであり、販売促進業務、マーケティング活動といった商取引に係る業務の効率化を本来の目的とする事業は流通業務総合効率化事業にはなり得ない。輸送の合理化の内容としては、典型的には次の①から⑦までに掲げるものが考えられる。ただし、これらはあくまでも例示であり、事業者の創意工夫により他にも多様な取組が想定されるものであることから、総合効率化計画の認定対象はここで掲げる内容に限定されるものではない。

①　輸送網の集約

輸送網の集約は、輻輳するトラック輸送網を合理化する取組である。輸送網の集約の中でも、点在する流通業務施設の機能を特定流通業務施設に集約化することで、トラック輸送網を合理化するものについては、これに併せて特定流通業務施設におけるトラックの手待ち時間及び作業時間等も削減することとしていることから、物資の流通に伴う環境負荷の低減及び流通業務の省力化の効果が高い取組である。

なお、輸送網の集約に併せて、車両の大型化・トレーラー化、環境対応車両の導入を行うことも効果的である。

② モーダルシフト

モーダルシフトは、トラックで輸送していた貨物及び新たに輸送を開始する貨物について、鉄道や船舶を活用して輸送する取組である。特に、比較的長距離の輸送が多いと考えられる農水産品等の輸送についても、鉄道・海上輸送において鮮度を保持できる技術の開発に伴い、モーダルシフトは効果的な物流効率化の取組の一つと考えられる。

幹線輸送について大量輸送機関である貨物鉄道や内航海運を活用する取組については、物流事業者間の連携のみならず、物流事業者と荷主との連携や荷主間の連携により、複数荷主の混載、帰り荷の確保を行うことが望ましい。

都市鉄道や地方鉄道といった旅客鉄道について、回送便や混雑していない時間帯の空きスペース等を物資の輸送に活用する取組もモーダルシフトの一類型として考えられるが、そのような取組を実施する際は、輸送の安全性を適切に確保した上で、旅客輸送の支障とならないようにすることが必要である。

③ 輸配送の共同化

輸配送の共同化は、貨物の混載等により、トラックの積載効率を向上させる取組である。

幹線輸送の共同化については、その実施に当たり車両の大型化を行うことも効果的である。

地域内配送の共同化は、市街地においては生活環境、交通安全、そして地球環境の観点から、自治体、商工会等の関係者とも連携して継続的に集約拠点を利用していくことが望ましい。また、輸送需要が多い都市部のみならず特に物流ネットワークの維持が困難となるおそれが高い過疎地等の地域においても積極的に推進する必要がある。これらの地域で地域内配送共同化を行うに当たっては、共同化の核となる小さな拠点を設定することも効果的である。

さらには、館内配送の共同化も、館内配送に時間を要する大規模施設や比較的小規模であっても館内の物流動線が未整備の施設において、荷さばき用駐車マスの効率的な活用や、周辺道路での荷さばき及び路上駐車の防止につながる有効な取組である。

④ 着荷主も含めた連携による効率化

発荷主だけではなく着荷主も含めて連携することにより、例えば、次のような取組など、積載効率の向上や手待ち時間の削減につながる有効な取組が可能となる。

ア 物量の平準化

荷主や物流事業者等が連携し、納品時間や曜日、出荷量（発注量）等を調整し、時間や曜日による物量のばらつきを抑え、平準化することは、積載効率の向上やピーク時のトラック走行量の削減につながる有効な取組と考えられる。

イ 納品までのリードタイムの延長

発荷主又は物流事業者が着荷主と連携し、例えば、発注があった翌日とされている納品日を翌々日とするなど、納品までのリードタイムを延長することで、事前に配車計画を組む時間的余裕ができ、積載効率の向上等の輸送の合理化につながる有効な取組と考えられる。

ウ 納品時の作業の合理化

発荷主又は物流事業者が着荷主と連携し、あらかじめ事前出荷情報を着荷主側に送信しておくことにより、納品時の検品を廃止・簡素化するなど、納品時に行う作業の合理化を図ることは、手待ち時間の削減につながる有効な取組と考えられる。

エ パレット等の活用による荷役効率化

積載貨物を特別な荷役機器等を使わずに積み降ろしを行う手積み・手降ろしは作業者への負担が大きく、積み降ろし時間や手待ち時間も長くなりがちであるため、農水産品など従来手積み・手降ろしが中心であった貨物について、パレットやロールボックスパレットを活用することは、積み降ろし時間や手待ち時間の削減につながる有効な取組と考えられる。ただし、パレットやロールボックスパレットを使用する際は、機材そのものの重量や容積を考慮する必要があるため、積載効率の著しい低下を招かないよう、最適な手段を選択することが重要である。

⑤ 輸送リソースの共同利用

複数の荷主が連携し、例えば、次のような取組などにより同一の輸送リソースを共同利用することで、空車回送の削減といった輸送の合理化が図られることとなる。

ア 幹線輸送の帰り荷の確保

幹線輸送において、片荷となっている場合に、複数の荷主や物流事業者が連携して帰り荷を確保することは、空車回送の削減につながる有効な取組である。

イ 中継輸送

複数のドライバーが輸送行程を分担する中継輸送は、中継輸送を行う二事業者について、それぞれ定量的な貨物がある事業者同士がペアリングされることで、帰り荷についても安定的に確保され、結果、空車回送の削減につながる有効な取組であると考えられる。

⑥　庫内作業の効率化

荷主との情報連携や作業工程の見直し等による庫内作業の効率化については、物流施設周辺におけるトラックの手待ち時間及び物流施設内の作業時間の削減等につながれば、輸送の合理化に有効な取組と考えられる。

⑦　バス等による貨客混載

貨客混載については、モーダルシフトの一類型と考えられる旅客鉄道による物資の輸送のほか、バスや過疎地域におけるタクシー等による物資の輸送等も、トラック走行量の削減につながれば、輸送の合理化に有効な取組と考えられる。

(4)　環境への負荷の低減及び省力化の評価

流通業務総合効率化事業は、物資の流通に伴う環境への負荷の低減に資するとともに、流通業務の省力化を伴うものである。したがって、総合効率化計画においては、従前又は総合効率化計画を実施しなかった場合との比較によりどの程度の二酸化炭素排出量削減が見込まれるかといった環境負荷の低減に係る効果について、定量的に算出するとともに、従前若しくは総合効率化計画を実施しなかった場合との比較によりどの程度トラック走行量を削減するか、又は、トラックの手待ち時間及び特定流通業務施設内の作業時間を削減するかといった省力化に係る効果も定量的に算出することにより評価されるものである。手待ち時間の削減に関する評価に当たっては、流通業務総合効率化事業を実施した結果として、天候不順等計画的な流通業務の実施を阻害する要因が発生した場合を除き、概ね無駄な待機がない状態となることが見込まれるかを評価することが重要である。また、作業時間の削減に関する評価に当たっては、物流分野における労働の実態や各事業者における労働時間に係る労使関係を踏まえながら、流通業務総合効率化事業における特定流通業務施設と同様の事業規模である既存施設を比較して、特定流通業務施設内の作業時間について、オペレーションの改善による削減の実現が見込まれるかを評価することが重要である。

なお、流通業務の省力化は、労働力不足を背景として限られた労働力の下でも流通業務を行うことを可能とすることを目的として、潜在的な輸送力の有効活用や物資の流通に伴う労働投入量の削減を図るものであり、人員削減を図ることを目的とするものではないことに十分留意することが重要である。

(5)　流通業務総合効率化事業の実施期間

流通業務総合効率化事業の実施期間は、概ね三年とする。ただし、新規の施設整備又は設備投資を行う場合は、概ね五年とする。実施期間中に内容を変更する場合は、総合効率化計画の変更に係る認定を受けることが必要である。

2　特定流通業務施設

(1)　基本的な考え方

特定流通業務施設は、流通業務施設であって、高速自動車国道のインターチェンジ等、鉄道の貨物駅、港湾、漁港、空港その他の物資の流通を結節する機能を有する社会資本等の近傍に立地し、物資の搬入及び搬出の円滑化を図るための情報処理システム等の輸送の合理化を図るための設備並びに流通加工の用に供する設備を有するものであって、保管、荷さばき及び流通加工といった流通業務を一体的に行うものである（特定流通業務施設の基準の詳細は、法第四条第四項第十一号の主務省令で定められる。）。特定流通業務施設は、流通業務総合効率化事業の実施に当たり必須となるものではないが、特定流通業務施設の整備を伴う流通業務総合効率化事業を実施する場合は、総合効率化計画に特定流通業務施設の整備に関する事項を記載することができる。

(2)　特定流通業務施設の整備を伴う流通業務総合効率化事業

特定流通業務施設の整備を伴う流通業務総合効率化事業は、特定流通業務施設を整備し、当該特定流通業務施設にトラック輸送網を集約すること等でトラック走行量の削減を図る取組である。また、特定流通業務施設にトラック輸送を円滑化させるための措置（貨物自動車運送事業の営業所を有すること、又は、トラック予約受付システムを導入すること（特定流通業務施設が貯蔵槽倉庫である場合は、保管している物資を加工するための施設が併設されていることを含む。）。）を行うことにより、トラックの空車回送又は手待ち時間を削減するとともに、特定流通業務施設内の省力化を図る措置（物流業務の自動化・機械化関連機器を導入すること。）を行うことにより、施設内作業員の作業時間を削減する取組である。なお、トラック輸送を円滑化させるための措置は、貨物自動車運送事業の生産性の向上を図るのみならず、特定流通業務施設内の作業の効率化や適切な人員配置につなげることで、特定流通業務施設を運営する者の生産性の向上を図るものでもある。

特定流通業務施設は、高速自動車国道のインターチェンジ等、鉄道の貨物駅、港湾、漁港、空港その他の物資の流通を結節する機能を有する社会資本等の近傍に立地し、保管、荷さばき及び流通加工を一体的に行う施設であることから、その整備を伴う流通業務総合効率化事業は、物流コストの削減やリードタイムの短縮効果も期待される。

なお、特定流通業務施設を整備する者は、流通業務総合効率化事業の実施主体となり得るが自らが建築主となる者が対象であり、単に建築工事を請け負う者はこれに当たらない。また、不動産事業者が特定流通業務施設を整備する場合は、整備後に流通業務の総合化及び効率化の取組を実施する物流事業者等と連携することが必要である。

(3) 特定流通業務施設の整備に当たっての留意点

特定流通業務施設の整備に当たっては、可能な限り既成市街地の外周の地域で交通条件及び地理的条件がともに良好であり、かつ、土地利用上適正な位置に立地することその他流通業務施設の整備に関する基本指針（平成五年経済企画庁・農林水産省・通商産業省・運輸省・建設省告示第一号）及び都道府県知事が定める流通業務施設の整備に関する基本方針に照らして適切なものであることが必要である。

卸売市場を特定流通業務施設として整備する流通業務総合効率化事業を実施する場合には、卸売市場法（昭和四十六年法律第三十五号）第四条第一項の卸売市場整備基本方針、同法第五条第一項の中央卸売市場整備計画及び同法第六条第一項の都道府県卸売市場整備計画との整合性に配慮するものとする。

また、特定流通業務施設を農地あるいは国有林野である土地に整備する場合には、用地の確保が確実であることと及びその土地の利用に当たって必要な許認可等を取得していること又は取得の見込みがあることが必要である。

第三　流通業務総合効率化事業の実施方法に関する事項

1　流通業務総合効率化事業に参加する者の意思統一等

流通業務総合効率化事業は、二以上の者が連携して取り組む事業であるが、その一貫性、一体性を確保するため、事業に参加する者が緊密に意思統一を図ることが必要である。特に、輸送、保管、荷さばき及び流通加工といった流通業務を分担して実施する場合、これら流通業務の一体性を確保できるよう十分配慮するものとする。

また、流通業務総合効率化事業の実施に当たっては、適切な実施計画の下、流通業務総合効率化事業の進め方に関し、事業に参加する者の認識を一致させることが必要である。

なお、地域内配送共同化など、地方公共団体も含めて地域全体で取り組むことが望ましい取組については、地域の関係者が集まる協議会の開催等を通じて合意形成を行うことが望ましい。

2　流通業務総合効率化事業の実施に必要な物流事業に関する許可等

流通業務総合効率化事業の実施に当たっては、貨物利用運送事業法（平成元年法律第八十二号）、貨物自動車運送事業法（平成元年法律第八十三号）、海上運送法（昭和二十四年法律第百八十七号）、鉄道事業法（昭和六十一年法律第九十二号）、軌道法（大正十年法律第七十六号）、自動車ターミナル法（昭和三十四年法律第百三十六号）又は倉庫業法（昭和三十一年法律第百二十一号）の許可等が必要となる場合がある。このため、このような許可等が必要な流通業務を、当該許可等を有しない者が行うことを内容とする総合効率化計画は適切なものとは認められない。なお、これらの許可等については、総合効率化計画の認定申請の際に所要の関係書類を併せて提出し、必要な審査を実施することにより、総合効率化計画の認定を受けたことをもって許可等を受けたものとみなすこととしているが、貨物利用運送事業法等の各事業法に基づいて別途許可等を受けた後に総合効率化計画の認定を申請することも可能である。

3　流通業務総合効率化事業の実施に必要な資金の確保

流通業務総合効率化事業を確実に遂行するため、事業の実施に必要となる資金の額及び調達方法を明らかとすることが必要である。流通業務総合効率化事業を円滑に実施するためには、国等の支援施策を活用することも効果的である。具体的には、国や地方公共団体からの補助金及び税制優遇措置、独立行政法人中小企業基盤整備機構、独立行政法人鉄道建設・運輸施設整備支援機構、日本政策金融公庫、中小企業投資育成株式会社等からの融資、株式の引受け等並びに食品流通構造改善促進法（平成三年法律第五十九号）第十一条第一項の規定により指定された食品流通構造改善促進機構による債務保証等の支援施策の活用が考えられる。

4　情報処理システム及び先進的技術の活用の推奨

流通業務総合効率化事業の実施に当たっては、情報通信技術（ＩＣＴ）を活用することが効果的である。特に、標準化された情報処理システムが普及することは、特定の流通業務総合効率化事業における効果のみならず、社会全体の流通業務の効率化につながることから、大いに推奨されるべきことである。このような情報処理システムの導入の具体例としては商品マスターデータの共有、物流ＥＤＩ標準や流通ＢＭＳ（流通ビジネスメッセージ標準）等の標準化されたＥＤＩ（電子データ交換）の導入、電子タグの導入等が考えられる。その際、我が国産業の国際競争力の強化、消費者の需要の高度化及び多様化への対応という観点からは、可能な限り国際標準が使用されるべきである。

情報通信技術は近年急速な進化を遂げており、人工知能によるビッグデータの解析や、無人搬送車、ピッキングロボット等の自動化機器、物流情報や商取引情報等を処理するデジタルプラットフォームの活用など、先進的技術を活用することも有用である。

5　物流機器等の統一の推奨

パレット、コンテナ等の物流機器を標準化し、ユニットロード化を推進することは、川上から川下までシームレスで効率的な輸配送を実現することができると同時に、荷役に係る作業の省力化にも資することから、流通業務総合効率化事業の実施に当たって推奨される。

また、食品を中心として利用されている物流クレート（通い箱）は、資源の有効利用を行う環境に優しい容器として、環境負荷を低減させるものであり、その利用の促進が推奨されるべきものであるが、製品サイズの違いから多種多様なものがあり、これを標準化することにより物流の効率化を図ることが望ましい。

こうした取組は、シームレスな物流のみならず、積載効率の向上にも相当程度効果があると考えられる。

6　ＫＰＩ導入の推奨

流通業務総合効率化事業において、二以上の者が連携していく上では、物流事業者におけるＫＰＩ（重要業績評価指標）の導入により、物流事業者の収益状況、コスト状況、生産性、最適性等を定量的に明らかとすることも推奨される。これにより例えば荷主と物流事業者が一体となった健全な流通業務の総合化及び効率化を図ることができる。

7　ノウハウの提供を受けること及び人材育成の推奨

流通業務総合効率化事業においては、物流機器や物流情報システムに関する専門的知見、ノウハウ等が求められる場合も多いため、これらの知見、ノウハウを有する専門家等による支援を事業計画段階から受けることが推奨される。また、物流に係る専門的な知識を習得した人材を育成するため、各種研修等も積極的に活用することが有用である。

第四　港湾流通拠点地区に関する事項

1　基本的な考え方

港湾は、物流のグローバル化に対応するための重要な交通結節点であると同時に、人口・産業集積地の近傍に埋立造成により形成されていることにより、消費地や生産拠点に近接し、大規模な物流施設に要する土地の確保が容易であり、物流に資する公共施設が充実しており、かつ輸送・保管・荷さばきを営む事業者が歴史的に集中しているなど、ハード・ソフト両面において、流通加工、在庫管理、クロスドックなどの高度なニーズに対応したサービスの提供が可能である。

港湾管理者は、このような流通業務に対する港湾の特性を踏まえた上で、港湾において特定流通業務施設の立地を促進するため、法第六条第一項に規定する港湾流通拠点地区を適切に指定するとともに、当該地区においては、公共施設の着実な整備などを通じて港湾流通業務を支援するよう努めることが望まれる。このことは、輸送コストの削減やリードタイムの短縮等をもたらし、物流の効率化、ひいては我が国産業の国際競争力の強化に資するものである。

2　港湾流通拠点地区の指定の要件

港湾流通拠点地区は、重要港湾における貨物取扱量、港湾施設（港湾法（昭和二十五年法律第二百十八号）第二条第五項の港湾施設をいう。）の整備の状況、土地利用の動向等を勘案し、特定流通業務施設の立地を促進するために適当と認められるものとして指定されることに鑑み、次に掲げる条件が満たされるものとする。

(1)　当該重要港湾における年間のコンテナ貨物取扱量及びコンテナ貨物の取扱いによる地域経済の発展に対する寄与の程度が、国民経済上重要であること。

(2)　増大する港湾発着コンテナ貨物の取扱いが可能であるよう、当該地区に近接してコンテナを取り扱う係留施設が整備されていること、又は、整備される見込みであること。

(3)　特定流通業務施設の用に供する土地の確保が容易であること。

(4)　道路法（昭和二十七年法律第百八十号）第三条に規定する高速自動車国道若しくは一般国道又は貨物鉄道との連絡が確保されること。

(5)　当該重要港湾における港湾計画（港湾法第三条の三第一項の港湾計画をいう。）との整合が図られること。

第五　中小企業者が実施する流通業務総合効率化事業に関する事項

1　基本的な考え方

中小企業者の物流は、元来梱包、仕分けその他の作業に関し人手に頼る面が多く、大企業に比べて省力化投資に立ち後れているため、効率化の格差が生じやすい。また、物流のサービス内容が高度化する中で、これに対応しきれない中小企業者も見受けられる。我が国の物流事業者の大半を占める中小企業者には効果的な物流効率化投資が求められるが、中小企業者は一般に経営基盤が脆弱であり十分な資金調達力等を有さない場合が多く、また、その取り扱う物流量が大企業に比べて少なく、設備投資を行って効率性を上げるだけの事業規模が不足しているため、物流効率化投資が進まない場合もある。そのため、中小企業者が、二以上の者の連携事業である流通業務総合効率化事業を行うことは有意義である。

中小企業者が実施する流通業務総合効率化事業（以下「中小企業流通業務総合効率化事業」という。）については、事業に参加する各中小企業者に流通業務の総合化及び効率化の効果が及ぶようにすることが必要である。また、流通業務を行うための施設及び設備のうち中小企業流通業務総合効率化事業に参加する複数の者が共同して利用するために設置されるものについては、これらの施設及び設備を公平かつ有効に利用できるように配慮するものとする。

2　事業実施の計画性

中小企業流通業務総合効率化事業の実施に当たっては、一般に中小企業者は経営基盤が脆弱であることを踏まえ、中小企業者の経営実態、環境条件の変化等を十分に把握し、長期的な視野に立って今後のあり方を展望した上で、適切な運営方針及び運営計画を作成するよう努めるものとする。

中小企業者同士の連携による中小企業流通業務総合効率

化事業であっても、他の流通業務総合効率化事業と同じく、少なくとも流通業務のうち輸送、保管、荷さばき及び流通加工を一体的に行うことは必要であるが、各中小企業者の物流をめぐる状況、取引実態、費用負担能力等を勘案した上で、全体としての効率性に配慮しながら、重点的に取り組む流通業務に段階を設けることも重要である。

第六　その他流通業務総合効率化事業の実施に当たって配慮すべき重要事項

1　取引の相手方の理解と協力

流通業務総合効率化事業の実施に当たっては、荷主事業者と物流事業者との物資の輸送に係る取引など様々な取引が関係するが、取引関係にある双方が共同で総合効率化計画を策定することが望ましい。

取引関係にある双方が共同で総合効率化計画を策定することが困難な場合であっても、流通業務総合効率化事業を実施する者は、取引の相手方の理解と協力を得るよう努めることが重要である。例えば、流通業務総合効率化事業への荷主事業者の参加が得られない場合においても、荷主事業者に対して、計画的発注や配送頻度、ロットの調整をはじめ流通業務総合効率化事業の円滑な実施のために必要な協力を得ることなどが挙げられる。

2　物流に係るコスト及び取引条件の明確化等の商慣行の改善

物流に係るコスト及び取引条件の不明確性が流通業務をめぐる公正な取引を阻害し、流通業務の非効率化の一因となっている。また、二以上の者が連携した事業である流通業務総合効率化事業を実施するに当たっては、コスト及び取引条件を明確化し、信頼関係を築くことも重要である。よって、流通業務総合効率化事業の実施に当たっては、物流に係るコスト及び取引契約の書面化等の取引条件の明確化の徹底に努めるものとする。

こうした物流に係るコスト及び取引条件の不明確性以外にも、近年の消費者ニーズの高度化への対応を背景とした多頻度少量輸送といった商慣行があるところ、これらは歴史的に形成された合理的な側面がある一方で、流通業務に係る労力や二酸化炭素排出量の増大、交通渋滞の悪化及び流通業務の非効率化を招き得るものでもある。したがって、こうした商慣行の合理性と影響を踏まえて、流通業務総合効率化事業を行うことが望ましい。

3　就業環境の整備等

物流分野における労働力不足に対応するためには、省力化の取組を促進するのみならず、人材の確保を図ることも必要である。流通業務総合効率化事業の主眼は省力化を進めることにあるが、省力化を進めることにより、労働時間が短縮されるなど労働環境が改善され、人材の確保にも資するという効果も期待できるものである。よって、流通業務総合効率化事業の実施に当たっては、労働者の待遇改善や、性別・年齢に関わりなく誰もが働きやすい環境整備の観点も考慮の上、取り組むことが望ましい。

4　関連事業との連携

限られた労働力の下で流通業務を行うことを可能とし、物流事業の生産性を向上させるためには、従来、物流との関わりが希薄であった他の関連事業との連携も進めることも効果的である。例えば、地域内の物流の維持に当たっては、物流事業者間の連携による共同配送のみならず、地域公共交通と連携した貨客混載や、地方公共団体、商工団体、NPO法人などによる生活支援サービスとの複合化等が考えられる。

なお、地域公共交通と連携した貨客混載の実施に当たっては、同一の車両や自動車等の輸送リソースを利用して貨物と旅客の輸送を行うことになるため、当該貨客混載が実施される地方公共団体の地域公共交通に関する施策と調和したものであることが必要である。

5　国及び地方公共団体の役割

(1)　国の役割

国は、流通業務の総合化及び効率化の取組を全国的に普及させるため、流通業務総合効率化事業のモデル事例の収集及び周知を行うものとする。地方支分部局においては、管轄する地域ブロックの実情に応じた総合効率化計画が、できる限り多く策定されるよう流通業務総合効率化事業に取り組む意欲のある者等に対する助言、情報の提供その他必要な支援を行うものとする。

また、国は、法第二十条の二第一項第一号に規定する貸付けを活用して、事業者が、流通業務の総合化及び効率化のための取組を行う際には、当該取組が適切に進められるよう、独立行政法人鉄道建設・運輸施設整備支援機構及び事業者の連携の強化に努めることとする。

その際、独立行政法人鉄道建設・運輸施設整備支援機構は、国及び事業者と連携しつつ、民業補完性や償還確実性の確保等が図られるよう、十分な体制を構築して貸付けを実施することとする。

(2)　地方公共団体の役割

地域における物流の維持に貢献する流通業務総合効率化事業の実施に当たっては、地域の物流サービスのあり方について地域の関係者の意思統一を図った上で実施することが重要であり、その際、地方公共団体は、流通業務総合効率化事業に積極的に参加又は関与することが望ましい。

また、地域公共交通等、従来、物流に関わりが希薄であった他の関連事業との連携が行われる際、地方公共団体は、当該関連事業に係る施策の実施に当たり、流通業務総合効率化事業の円滑な実施に積極的に協力することが望ましい。その際、地域公共交通と連携した貨客混載が行われる場合には、地域公共交通に関する施策との調和を十分考慮することが望ましい。

6　災害対応力の強化

我が国は災害リスクが常に高い状況にあり、流通業務総合効率化事業の実施に当たっては、災害発生時においても、流通業務が継続できるよう、災害への備えを十分に行うよう努めるものとする。その際、BCP（事業継続計画）を定めておくことも有効であり、とりわけ、荷主事業者と物流事業者の連携によるBCP策定に当たっては、平成二十七年に策定された「荷主と物流事業者が連携したBCP策定のためのガイドライン」が参考になる。

特定流通業務施設については、災害の発生によりその機能が低下することが、地域の経済に重大な影響を与える可能性があることから、非常用電源を導入するなど災害に対する備えを講じておくことが必要である。

また、幹線輸送のモーダルシフトを実施するに当たっては、災害等に起因する輸送波動に対応できる体制を構築しておくことが望ましい。

7 食の安全と消費者の信頼の確保

食品流通においては、食の安全や消費者の食に対する信頼の確保に資するよう、品質管理の徹底のためのコールドチェーンシステム等の整備を進めるとともに、食品の生産や流通に関する情報が追跡・遡及できる仕組み（トレーサビリティシステム）の導入に配慮することが望ましい。

8 交通量の集中等による影響への配慮

流通業務総合効率化事業は、事業実施によって交通量の過度の集中等を招き、著しい渋滞等を引き起こし、ひいては二酸化炭素排出量の増大を招くこととなるようなものであってはならない。

また、流通業務総合効率化事業は、交通量の集中等に伴う渋滞、大気汚染、騒音、振動等の周辺環境への影響にも十分配慮されたものでなければならない。例えば、大気環境基準が達成されていない大気測定局周辺などの大気環境の改善が必要な地域に新たに流通業務施設等を立地する場合には事前に環境への影響を予測し、必要に応じて、立地の見直しを含めて対策を講ずることが必要である。

9 私的独占の禁止及び公正取引の確保に関する法律の遵守

流通業務総合効率化事業は、公正かつ自由な取引環境を損なうようなものであってはならず、流通業務総合効率化事業を実施する事業者は私的独占の禁止及び公正取引の確保に関する法律（昭和二十二年法律第五十四号）を遵守しなければならない。

例えば、競争関係にある物流事業者が、共同して荷主に提示する運賃の決定、維持又は引上げを行うこと、共同して契約する荷主の割当てを行うこと等により、一定の取引分野における競争を実質的に制限する場合は、不当な取引制限として私的独占の禁止及び公正取引の確保に関する法律に違反することになる。

10 その他関係法令の遵守

流通業務総合効率化事業の実施に当たっては、トラックの過積載や過労運転等輸送の安全が損なわれたり、物流事業者の事業の正常な運営が阻害されたりすることのないよう、関係法令を遵守することが必要である。

また、流通業務施設の立地やトラックの駐車場所の確保等に関し、関係行政機関とも連携の上道路交通法規を遵守し、安全かつ円滑な道路交通の確保に配慮するものとする。

附　則（平三〇・一〇・一七農・経産・国交告二）

この告示は、卸売市場法及び食品流通構造改善促進法の一部を改正する法律の施行の日（平成三十年十月二十二日）から施行する。

○排他的経済水域及び大陸棚の保全及び利用の促進のための低潮線の保全及び拠点施設の整備等に関する法律

（平成二十二年六月二日法律第四十一号）

〔沿革〕令和五年五月二六日法律第三四号改正

注 令和四年六月一七日法律第六八号の改正は、令和七年六月一日から施行のため、現行の条文の次に改正後の条文を掲載いたしました。

第一章　総則

（目的）

第一条 この法律は、我が国の排他的経済水域及び大陸棚が天然資源の探査及び開発、海洋環境の保全その他の活動の場として重要であることにかんがみ、排他的経済水域等の保持を図るために必要な低潮線の保全並びに排他的経済水域等の保全及び利用に関する活動の拠点として重要な離島における拠点施設の整備等に関し、基本計画の策定、低潮線保全区域における海底の掘削等の行為の規制、特定離島港湾施設の建設その他の措置を講ずることにより、排他的経済水域等の保全及び利用の促進を図り、もって我が国の経済社会の健全な発展及び国民生活の安定向上に寄与することを目的とする。

（定義等）

第二条 この法律において「排他的経済水域等」とは、排他的経済水域及び大陸棚に関する法律（平成八年法律第七十四号）第一条第一項の排他的経済水域及び同法第二条の大陸棚をいう。

2 この法律において「低潮線の保全」とは、排他的経済水域及び大陸棚に関する法律第一条第二項の海域若しくは同法第二条第一号の海域の限界を画する基礎となる低潮線又はこれらの海域の限界を画する基礎となる直線基線及び湾口若しくは湾内若しくは河口に引かれる直線を定めるために必要となる低潮線を保全することをいう。

3　この法律において「特定離島」とは、本土から遠隔の地にある離島であって、天然資源の存在状況その他当該離島の周辺の排他的経済水域等の状況に照らして、排他的経済水域等の保全及び利用に関する活動の拠点として重要であり、かつ、当該離島及びその周辺に港湾法（昭和二十五年法律第二百十八号）第二条第三項に規定する港湾区域、同法第五十六条第一項の規定により都道府県知事が公告した水域及び漁港及び漁場の整備等に関する法律（昭和二十五年法律第百三十七号）第六条第一項から第四項までの規定により市町村長、都道府県知事又は農林水産大臣が指定した漁港の区域が存在しないことその他公共施設の整備の状況に照らして当該活動の拠点となる施設の整備を図ることが特に必要なものとして政令で定めるものをいう。

4　この法律において「拠点施設」とは、特定離島において排他的経済水域等の保全及び利用に関する活動の拠点として整備される施設をいう。

5　この法律において「低潮線保全区域」とは、低潮線の保全が必要な海域（海底及びその下を含む。）として政令で定めるものをいう。

6　内閣総理大臣は、第三項の政令の制定又は改廃の立案をしようとするときは、あらかじめ、関係都道府県知事の意見を聴かなければならない。

7　低潮線保全区域は、低潮線の保全を通じて排他的経済水域等の保持を図るために必要な最小限度の区域に限って定めるものとし、やむを得ない事情により、海底の地形、地質その他の低潮線及びその周辺の自然的条件について、調査によってその確認を行うことができない海域については定めないものとする。

〔三項改正・令五法三四〕

第二章　基本計画

（基本計画）

第三条　政府は、排他的経済水域等の保全及び利用の促進のため、低潮線の保全並びに拠点施設の整備、利用及び保全（次項において「拠点施設の整備等」という。）に関する施策の総合的かつ計画的な推進を図るための基本計画（以下「基本計画」という。）を定めなければならない。

2　基本計画には、次に掲げる事項について定めるものとする。

一　低潮線の保全及び拠点施設の整備等に関する基本的な方針

二　低潮線の保全に関し関係行政機関が行う低潮線及びその周辺の状況の調査、低潮線保全区域における海底の掘削等の行為の規制その他の措置に関する事項

三　特定離島を拠点とする排他的経済水域等の保全及び利用に関する活動の目標に関する事項

四　拠点施設の整備等の内容に関する事項

五　その他低潮線の保全及び拠点施設の整備等に関する事項

3　内閣総理大臣は、基本計画の案を作成し、閣議の決定を求めなければならない。

4　内閣総理大臣は、前項の規定による閣議の決定があったときは、遅滞なく、基本計画を公表しなければならない。

5　前二項の規定は、基本計画の変更について準用する。

（基本計画の推進）

第四条　国は、次章及び第四章並びに他の法律で定めるもののほか、基本計画に基づき、排他的経済水域等の保全及び利用の促進のため、低潮線及びその周辺の状況の調査、拠点施設の整備その他必要な措置を講ずるものとする。

第三章　低潮線保全区域

（低潮線保全区域内の海底の掘削等の許可）

第五条　低潮線保全区域内において、次に掲げる行為をしようとする者は、国土交通省令で定めるところにより、国土交通大臣の許可を受けなければならない。ただし、低潮線の保全に支障を及ぼすおそれがないものとして政令で定める行為については、この限りでない。

一　海底の掘削又は切土

二　土砂の採取

三　施設又は工作物の新設又は改築

四　前三号に掲げるもののほか、低潮線保全区域における海底の形質に影響を及ぼすおそれがある政令で定める行為

2　国土交通大臣は、前項の許可の申請があった場合において、その申請に係る事項が低潮線保全区域における低潮線の保全に支障を及ぼすおそれがないと認める場合でなければ、これを許可してはならない。

（許可の特例）

第六条　第九条第一項、海岸法（昭和三十一年法律第百一号）第八条第一項若しくは第三十七条の五、港湾法第三十七条第一項若しくは第五十六条第一項又は漁港及び漁場の整備等に関する法律第三十九条第一項の規定による許可を受けた者は、当該許可に係る事項については、前条第一項の規定による許可を受けることを要しない。

2　国又は地方公共団体が前条第一項の行為をしようとする場合には、同項中「国土交通大臣の許可を受けなければ」とあるのは「国土交通大臣と協議しなければ」と、同条第二項中「許可の申請」とあるのは「協議」と、「その申請」とあるのは「その協議」と、「これを許可しては」とあるのは「その協議に応じては」とする。

〔二項改正・令五法三四〕

（監督処分）

第七条　国土交通大臣は、次に掲げる者に対し、その行為の中止、施設若しくは工作物の改築、移転若しくは撤去、施設若しくは工作物により生ずべき低潮線の保全上の障害を予防す

るため必要な施設の設置その他の措置をとること又は原状の回復を命ずることができる。

一　第五条第一項の規定に違反して、同項各号に掲げる行為をした者

二　第五条第一項の規定による許可に付した条件に違反した者

三　偽りその他不正な手段により第五条第一項の規定による許可を受けた者

2　国土交通大臣は、前項第二号又は第三号に該当する者に対し、第五条第一項の規定による許可を取り消し、その効力を停止し、その条件を変更し、又は新たな条件を付することができる。

第四章　特定離島港湾施設

（特定離島港湾施設の建設等）

第八条　国の事務又は事業の用に供する泊地、岸壁その他の港湾の施設であって、基本計画において拠点施設としてその整備、利用及び保全の内容に関する事項が定められたもの（次条において「特定離島港湾施設」という。）の建設、改良及び管理は、国土交通大臣が行う。

（特定離島港湾施設の存する港湾における水域の占用の許可等）

第九条　特定離島港湾施設の存する港湾において、当該港湾の利用又は保全上特に必要があると認めて国土交通大臣が水域（政令で定めるその上空及び水底の区域を含む。）を定めて公告した場合において、その水域において、次に掲げる行為をしようとする者は、国土交通省令で定めるところにより、国土交通大臣の許可を受けなければならない。

一　水域の占用（公有水面の埋立てによる場合を除く。）

二　土砂の採取

三　前二号に掲げるもののほか、港湾の利用又は保全に支障を与えるおそれのある政令で定める行為

2　国土交通大臣は、河川法（昭和三十九年法律第百六十七号）第三条第一項に規定する河川に係る同法第六条第一項に規定する河川区域又は海岸法第三条第一項の規定により指定される海岸保全区域について、前項の水域を定めようとするときは、当該河川を管理する河川法第七条に規定する河川管理者又は当該海岸保全区域を管理する海岸法第二条第三項に規定する海岸管理者に協議しなければならない。

3　国土交通大臣は、第一項の行為が、港湾の利用又は保全に著しく支障を与えるものであるときは、同項の許可をしてはならない。

4　国土交通大臣は、特定離島港湾施設の建設又は改良の工事のために必要な場合その他の港湾の機能の維持若しくは増進又は公益上の観点から特に必要なものとして政令で定める場合を除き、特定離島港湾施設である泊地その他の国土交通省令で定める水域施設について第一項第一号又は第三号の行為に係る同項の許可をしてはならない。

5　国又は地方公共団体が第一項の行為をしようとする場合には、同項中「国土交通大臣の許可を受けなければ」とあるのは「国土交通大臣と協議しなければ」と、前二項中「許可をしては」とあるのは「協議に応じては」とする。

6　国土交通大臣は、国土交通省令で定めるところにより、第一項第一号又は第二号の行為に係る同項の許可を受けた者から占用料又は土砂採取料を徴収することができる。

7　国土交通大臣は、国土交通省令で定めるところにより、偽りその他不正の行為により前項の占用料又は土砂採取料の徴収を免れた者から、その徴収を免れた金額の五倍に相当する金額以下の過怠金を徴収することができる。

第一〇条　何人も、前条第一項の規定により公告されている水域内において、みだりに、船舶その他の物件で国土交通大臣が指定したものを捨て、又は放置してはならない。

2　国土交通大臣は、前項の規定による物件の指定をするときは、国土交通省令で定めるところにより、その旨を公示しなければならない。これを廃止するときも、同様とする。

3　前項の指定又はその廃止は、同項の公示によってその効力を生ずる。

（監督処分）

第一一条　国土交通大臣は、次に掲げる者に対し、工事その他の行為の中止又は工作物若しくは船舶その他の物件（以下この条において「工作物等」という。）の撤去、移転若しくは改築、工事その他の行為若しくは工作物等により生じた若しくは生ずべき障害を除去し、若しくは予防するため必要な施設の設置その他の措置をとること若しくは原状の回復（第三項及び第九項において「工作物等の撤去等」という。）を命ずることができる。

一　第九条第一項の規定に違反して、同項各号に掲げる行為をした者

二　第九条第一項の規定による許可に付した条件に違反した者

三　偽りその他不正な手段により第九条第一項の規定による許可を受けた者

四　前条第一項の規定に違反した者

2　国土交通大臣は、前項第二号又は第三号に該当する者に対し、第九条第一項の規定による許可を取り消し、その効力を停止し、その条件を変更し、又は新たな条件を付することができる。

3　第一項の規定により工作物等の撤去等を命じようとする場合において、過失がなくて当該工作物等の撤去等を命ずべき者を確知することができないときは、国土交通大臣は、当該工作物等の撤去等を自ら行い、又はその命じた者若しくは委任した者にこれを行わせることができる。この場合においては、相当の期限を定めて、当該工作物等の撤去等を行うべき旨及びその期限までに当該工作物等の撤去等を行わないときは、国土交通大臣又はその命じた者若しくは委任した者が当該工作物等の撤去等を行う旨を、あらかじめ、公告しなければならない。

4 国土交通大臣は、前項の規定により工作物等を撤去し、又は撤去させたときは、当該工作物等を保管しなければならない。

5 国土交通大臣は、前項の規定により工作物等を保管したときは、当該工作物等の所有者、占有者その他当該工作物等について権原を有する者（第九項において「所有者等」という。）に対し当該工作物等を返還するため、国土交通省令で定めるところにより、国土交通省令で定める事項を公示しなければならない。

6 国土交通大臣は、第四項の規定により保管した工作物等が滅失し、若しくは破損するおそれがあるとき、又は前項の規定による公示の日から起算して三月を経過してもなお当該工作物等を返還することができない場合において、国土交通省令で定めるところにより評価した当該工作物等の価額に比し、その保管に不相当な費用又は手数を要するときは、国土交通省令で定めるところにより、当該工作物等を売却し、その売却した代金を保管することができる。

7 国土交通大臣は、前項の規定による工作物等の売却につき買受人がない場合において、同項に規定する価額が著しく低いときは、当該工作物等を廃棄することができる。

8 第六項の規定により売却した代金は、売却に要した費用に充てることができる。

9 第三項から第六項までに規定する撤去、保管、売却、公示その他の措置に要した費用は、当該工作物等の返還を受けるべき所有者等その他当該工作物等の撤去等を命ずべき者の負担とする。

10 第五項の規定による公示の日から起算して六月を経過してもなお第四項の規定により保管した工作物等（第六項の規定により売却した代金を含む。以下この項において同じ。）を返還することができないときは、当該工作物等の所有権は、国に帰属する。

（報告の徴収等）

第一二条 国土交通大臣は、この法律の施行に必要な限度において、国土交通省令で定めるところにより、第九条第一項の規定による許可を受けた者に対し必要な報告を求め、又はその職員に当該許可に係る行為に係る場所若しくは当該許可を受けた者の事務所若しくは事業所に立ち入り、当該許可に係る行為の状況若しくは工作物、帳簿、書類その他必要な物件を検査させることができる。

2 前項の規定により立入検査をする職員は、その身分を示す証明書を携帯し、関係人にこれを提示しなければならない。

3 第一項の規定による立入検査の権限は、犯罪捜査のために認められたものと解してはならない。

（強制徴収）

第一三条 第九条第六項の規定に基づく占用料若しくは土砂採取料、同条第七項の規定に基づく過怠金又は第十一条第九項の規定に基づく負担金（以下この条において「負担金等」と総称する。）をその納期限までに納付しない者がある場合においては、国土交通大臣は、督促状によって納付すべき期限を指定して督促しなければならない。この場合において、督促状により指定すべき期限は、督促状を発する日から起算して二十日以上経過した日でなければならない。

2 国土交通大臣は、前項の規定による督促をした場合においては、国土交通省令で定めるところにより、延滞金を徴収することができる。この場合において、延滞金は、年十四・五パーセントの割合で計算した額を超えない範囲内で定めなければならない。

3 第一項の規定による督促を受けた者がその指定の期限までにその納付すべき金額を納付しないときは、国土交通大臣は、国税滞納処分の例により負担金等及び前項の延滞金を徴収することができる。この場合における負担金等及び延滞金の先取特権は、国税及び地方税に次ぐものとする。

4 延滞金は、負担金等に先立つものとする。

第五章 雑則

（許可の条件）

第一四条 国土交通大臣は、この法律の規定に基づく許可には、この法律の施行のために必要な限度において、条件を付することができる。

2 前項の条件は、許可を受けた者に対し、不当な義務を課することとなるものであってはならない。

（経過措置）

第一五条 この法律の規定に基づき政令又は国土交通省令を制定し、又は改廃する場合においては、それぞれ、政令又は国土交通省令で、その制定又は改廃に伴い合理的に必要と判断される範囲内において、所要の経過措置（罰則に関する経過措置を含む。）を定めることができる。

（権限の委任）

第一六条 この法律に規定する国土交通大臣の権限は、国土交通省令で定めるところにより、地方整備局長又は北海道開発局長に委任することができる。

第六章 罰則

第一七条 次の各号のいずれかに該当する者は、一年以下の懲役又は五十万円以下の罰金に処する。

一 第五条第一項の規定に違反して、同項各号に掲げる行為をした者

二 第九条第一項の規定に違反して、同項各号に掲げる行為をした者

三 第十条第一項の規定に違反した者

本条は、令和四法六八により改正され、令和七年六月一日から施行

第一七条 次の各号のいずれかに該当する者は、一年以下の拘禁刑又は五十万円以下の罰金に処する。

一～三 〔略〕

第一八条 次の各号のいずれかに該当する者は、五十万円以下の罰金に処する。

一 第七条第一項の規定による国土交通大臣の命令に違反し

た者

二　第十一条第一項の規定による国土交通大臣の命令に違反した者

第一九条　第十二条第一項の規定による報告をせず、若しくは虚偽の報告をし、又は同項の規定による検査を拒み、妨げ、若しくは忌避した者は、三十万円以下の罰金に処する。

第二〇条　法人の代表者又は法人若しくは人の代理人、使用人その他の従業者が、その法人又は人の業務に関し、前三条の違反行為をしたときは、行為者を罰するほか、その法人又は人に対して各本条の罰金刑を科する。

附　則

（施行期日）

第一条　この法律は、公布の日から起算して三月を超えない範囲内において政令で定める日から施行する。ただし、第二条第五項及び第七項、第三章、第十七条（第一号に係る部分に限る。）並びに第十八条（第一号に係る部分に限る。）並びに附則第五条の規定は、公布の日から起算して一年を超えない範囲内において政令で定める日から施行する。

〔平二二政一五六により、平二二・六・二四から施行。ただし書の規定は、平二三政一五七により、平二三・六・一から施行〕

第二条～第七条　〔他の法令改正に付き略〕

附　則　〔令和四年六月一七日法律第六八号抄〕

（施行期日）

1　この法律は、刑法等一部改正法〔令和四年法律第六十七号〕施行日〔令七・六・一〕から施行する。ただし、次の各号に掲げる規定は、当該各号に定める日から施行する。

一　第五百九条の規定　公布の日

二　〔略〕

○刑法等の一部を改正する法律の施行に伴う関係法律の整理等に関する法律（抄）

〔令和四年六月一七日　法律第六八号〕

（罰則の適用等に関する経過措置）

第四四一条　刑法等の一部を改正する法律（令和四年法律第六十七号。以下「刑法等一部改正法」という。）及びこの法律（以下「刑法等一部改正法等」という。）の施行前にした行為の処罰については、次章に別段の定めがあるもののほか、なお従前の例による。

2　刑法等一部改正法等の施行後にした行為に対して、他の法律の規定によりなお従前の例によることとされ、なお効力を有することとされ又は改正前若しくは廃止前の法律の規定の例によることとされる罰則を適用する場合において、当該罰則に定める刑（刑法施行法第十九条第一項の規定又は第八十二条の規定による改正後の沖縄の復帰に伴う特別措置に関する法律第二十五条第四項の規定の適用後のものを含む。）に刑法等一部改正法第二条の規定による改正前の刑法（明治四十年法律第四十五号。以下この項において「旧刑法」という。）第十二条に規定する懲役（以下「懲役」という。）、旧刑法第十三条に規定する禁錮（以下「禁錮」という。）又は旧刑法第十六条に規定する拘留（以下「旧拘留」という。）が含まれるときは、当該刑のうち無期の懲役又は禁錮はそれぞれ無期拘禁刑と、有期の懲役又は禁錮はそれぞれその刑と長期及び短期（刑法施行法第二十条の規定の適用後のものを含む。）を同じくする有期拘禁刑と、旧拘留は長期及び短期（刑法施行法第二十条の規定の適用後のものを含む。）を同じくする拘留とする。

（裁判の効力とその執行に関する経過措置）

第四四二条　懲役、禁錮及び旧拘留の確定裁判の効力並びにその執行については、次章に別段の定めがあるもののほか、なお従前の例による。

（人の資格に関する経過措置）

第四四三条　懲役、禁錮又は旧拘留に処せられた者に係る人の資格に関する法令の規定の適用については、無期の懲役又は禁錮に処せられた者はそれぞれ無期拘禁刑に処せられた者と、有期の懲役又は禁錮に処せられた者はそれぞれ刑期を同じくする有期拘禁刑に処せられた者と、旧拘留に処せられた者は拘留に処せられた者とみなす。

2　拘禁刑又は拘留に処せられた者に係る他の法律の規定によりなお従前の例によることとされ、なお効力を有することとされ又は改正前若しくは廃止前の法律の規定の例によることとされる人の資格に関する法令の規定の適用については、無期拘禁刑に処せられた者は無期禁錮に処せられた者と、有期拘禁刑に処せられた者は刑期を同じくする有期禁錮に処せられた者と、拘留に処せられた者は刑期を同じくする旧拘留に処せられた者とみなす。

（経過措置の政令への委任）

第五〇九条　この編に定めるもののほか、刑法等一部改正法等の施行に伴い必要な経過措置は、政令で定める。

附　則　〔令和五年五月二六日法律第三四号抄〕

（施行期日）

第一条　この法律は、公布の日から起算して一年を超えない範囲内において政令で定める日から施行する。〔以下略〕

〔令五政三〇三により、令六・四・一から施行〕

○排他的経済水域及び大陸棚の保全及び利用の促進のための低潮線の保全及び拠点施設の整備等に関する法律施行令

（平成二十二年六月二十三日政令第百五十七号）

〔沿革〕 平成二二年七月二日政令第一六七号、二三年五月三〇日第一五八号、令和五年一〇月一八日第三〇四号改正

（特定離島）

第一条 排他的経済水域及び大陸棚の保全及び利用の促進のための低潮線の保全及び拠点施設の整備等に関する法律（以下「法」という。）第二条第三項の政令で定める離島は、沖ノ鳥島及び南鳥島とする。

〔本条追加・平二二政一六七〕

（低潮線保全区域）

第二条 法第二条第五項の政令で定めるものは、別表に掲げる海域並びにその海底及びその下とする。

〔本条追加・平二三政一五八〕

（低潮線保全区域内における制限行為で許可を要しない行為）

第三条 法第五条第一項ただし書の政令で定める行為は、次に掲げるものとする。

一 海岸法（昭和三十一年法律第百一号）の規定による同法第二条第三項に規定する海岸保全区域等の管理に係る行為

二 港湾法（昭和二十五年法律第二百十八号）第二条第一項に規定する港湾管理者が行う同条第七項に規定する港湾工事

三 漁港及び漁場の整備等に関する法律（昭和二十五年法律第百三十七号）第十七条第一項、第十八条第一項及び第十九条第一項の規定による特定漁港漁場整備事業計画並びに同法第二十六条の規定による漁港管理規程に基づいて行う行為並びに同法第四十四条第一項に規定する認定計画（同法第四十二条第二項第二号及び第三号に掲げる事項（水面の占用に係るものに限る。）、同条第四項第二号に掲げる事項又は同法第五十条第一項各号に掲げる事項が定められたものに限る。）に従ってする行為（同法第六条第一項から第四項までの規定により市町村長、都道府県知事又は農林水産大臣が指定した漁港の区域内において行うものに限る。）

〔本条追加・平二三政一五八、改正・令五政三〇四〕

（特定離島港湾施設の存する港湾において占用の許可等を要する水域の上空及び水底の区域）

第四条 法第九条第一項の政令で定める区域は、水域の上空百メートルまでの区域及び水底下六十メートルまでの区域とする。

〔旧一条を改正し繰下・平二二政一六七、旧二条を繰下・平二三政一五八〕

（特定離島港湾施設の存する港湾の利用又は保全に支障を与えるおそれのある行為）

第五条 法第九条第一項第三号の政令で定める行為は、特定離島港湾施設の存する港湾ごとに国土交通大臣が指定する廃物の投棄とする。

〔旧二条を繰下・平二二政一六七、旧三条を繰下・平二三政一五八〕

（水域施設について水域の占用の許可等を行うことができる場合）

第六条 法第九条第四項の政令で定める場合は、次に掲げる場合とする。

一 特定離島港湾施設の建設、改良、維持又は復旧の工事のため水域の占用が必要となる場合

二 前号に掲げるもののほか、拠点施設に電気を供給するための電線路その他の特定離島における排他的経済水域及び大陸棚の保全及び利用に関する活動に必要な工作物の設置又は管理のため水域の占用が必要となる場合

三 沈没船その他の物件の引揚げのため水域の占用が必要となる場合

〔旧三条を繰下・平二二政一六七、旧四条を繰下・平二三政一五八〕

附 則

（施行期日）

1 この政令は、法の施行の日（平成二十二年六月二十四日）から施行する。

2・3 〔他の法令改正に付き略〕

附 則 〔令五・一〇・一八政三〇四〕

この政令は、漁港漁場整備法及び水産業協同組合法の一部を改正する法律の施行の日（令和六年四月一日）から施行する。

別表（第二条関係）

一	次に掲げる点を順次に結んだ線及びイに掲げる点とニに掲げる点とを結んだ線により囲まれた区域のうち陸域以外の区域 イ　北緯四三度九分四二秒東経一四五度三〇分三九秒の点 ロ　北緯四三度九分三八秒東経一四五度三〇分三九秒の点 ハ　北緯四三度九分三八秒東経一四五度三〇分三五秒の点 ニ　北緯四三度九分四二秒東経一四五度三〇分三五秒の点
二	次に掲げる点を順次に結んだ線及びイに掲げる点とニに掲げる点とを結んだ線により囲まれた区域 イ　北緯四三度八分一〇秒東経一四五度二七分一二秒の点 ロ　北緯四三度八分六秒東経一四五度二七分一二秒の点 ハ　北緯四三度八分六秒東経一四五度二七分八秒の点 ニ　北緯四三度八分一〇秒東経一四五度二七分八秒の点
三	次に掲げる点を順次に結んだ線及びイに掲げる点とニに掲げる点とを結んだ線により囲まれた区域のうち陸域以外の区域 イ　北緯四二度五九分五〇秒東経一四五度一分一八秒の点 ロ　北緯四二度五九分四六秒東経一四五度一分一八秒の点 ハ　北緯四二度五九分四六秒東経一四五度一分一四秒の点 ニ　北緯四二度五九分五〇秒東経一四五度一分一四秒の点
四	次に掲げる点を順次に結んだ線及びイに掲げる点とニに掲げる点とを結んだ線により囲まれた区域のうち陸域以外の区域 イ　北緯四二度五九分二七秒東経一四五度一三秒の点 ロ　北緯四二度五九分二三秒東経一四五度一三秒の点 ハ　北緯四二度五九分二三秒東経一四五度九秒の点 ニ　北緯四二度五九分二七秒東経一四五度九秒の点
五	次に掲げる点を順次に結んだ線及びイに掲げる点とニに掲げる点とを結んだ線により囲まれた区域 イ　北緯四一度五五分三秒東経一四三度一五分三九秒の点 ロ　北緯四一度五四分五九秒東経一四三度一五分三九秒の点 ハ　北緯四一度五四分五九秒東経一四三度一五分三五秒の点 ニ　北緯四一度五五分三秒東経一四三度一五分三五秒の点
六	次に掲げる点を順次に結んだ線及びイに掲げる点とニに掲げる点とを結んだ線により囲まれた区域 イ　北緯三九度三三分二一秒東経一四二度四分二五秒の点 ロ　北緯三九度三三分一七秒東経一四二度四分二五秒の点 ハ　北緯三九度三三分一七秒東経一四二度四分二一秒の点 ニ　北緯三九度三三分二一秒東経一四二度四分二一秒の点
七	次に掲げる点を順次に結んだ線及びイに掲げる点とニに掲げる点とを結んだ線により囲まれた区域のうち陸域以外の区域 イ　北緯三九度三二分四九秒東経一四二度四分二三秒の点 ロ　北緯三九度三二分四五秒東経一四二度四分二三秒の点 ハ　北緯三九度三二分四五秒東経一四二度四分一九秒の点 ニ　北緯三九度三二分四九秒東経一四二度四分一九秒の点
八	次に掲げる点を順次に結んだ線及びイに掲げる点とニに掲げる点とを結んだ線により囲まれた区域のうち陸域以外の区域 イ　北緯三九度二七分五五秒東経一四二度三分四一秒の点 ロ　北緯三九度二七分五一秒東経一四二度三分四一秒の点 ハ　北緯三九度二七分五一秒東経一四二度三分三七秒の点 ニ　北緯三九度二七分五五秒東経一四二度三分三七秒の点
九	次に掲げる点を順次に結んだ線及びイに掲げる点とニに掲げる点とを結んだ線により囲まれた区域のうち陸域以外の区域 イ　北緯三九度六分一七秒東経一四一度五五分二四秒の点 ロ　北緯三九度六分一三秒東経一四一度五五分二四秒の点 ハ　北緯三九度六分一三秒東経一四一度五五分二〇秒の点 ニ　北緯三九度六分一七秒東経一四一度五五分二〇秒の点
十	次に掲げる点を順次に結んだ線及びイに掲げる点とニに掲げる点とを結んだ線により囲まれた区域のうち陸域以外の区域 イ　北緯三八度一六分四一秒東経一四一度三五分一四秒の点 ロ　北緯三八度一六分三七秒東経一四一度三五分一四秒の点 ハ　北緯三八度一六分三七秒東経一四一度三五分一〇秒の点 ニ　北緯三八度一六分四一秒東経一四一度三五分一〇秒の点
十一	次に掲げる点を順次に結んだ線及びイに掲げる点とニに掲げる点とを結んだ線により囲まれた区域 イ　北緯三八度一六分三四秒東経一四一度三五分一〇秒の点 ロ　北緯三八度一六分三〇秒東経一四一度三五分一〇秒の点 ハ　北緯三八度一六分三〇秒東経一四一度三五分六秒の点 ニ　北緯三八度一六分三四秒東経一四一度三五分六秒の点
十二	次に掲げる点を順次に結んだ線及びイに掲げる点とニに掲げる点とを結んだ線により囲まれた区域のうち陸域以外の区域 イ　北緯三八度一六分一八秒東経一四一度三四分五九秒の点 ロ　北緯三八度一六分一四秒東経一四一度三四分五九秒の点 ハ　北緯三八度一六分一四秒東経一四一度三四分五五秒の点

	ニ　北緯三八度一六分一八秒東経一四一度三四分五五秒の点
十三	次に掲げる点を順次に結んだ線及びイに掲げる点とヘに掲げる点とを結んだ線により囲まれた区域 イ　北緯三六度五九分五〇秒東経一四〇度五九分一八秒の点 ロ　北緯三六度五九分四六秒東経一四〇度五九分一八秒の点 ハ　北緯三六度五九分四五秒東経一四〇度五九分一七秒の点 ニ　北緯三六度五九分四五秒東経一四〇度五九分一三秒の点 ホ　北緯三六度五九分四九秒東経一四〇度五九分一三秒の点 ヘ　北緯三六度五九分五〇秒東経一四〇度五九分一四秒の点
十四	次に掲げる点を順次に結んだ線及びイに掲げる点とニに掲げる点とを結んだ線により囲まれた区域のうち陸域以外の区域 イ　北緯三五度四三分五二秒東経一四〇度五二分五六秒の点 ロ　北緯三五度四三分五〇秒東経一四〇度五二分五六秒の点 ハ　北緯三五度四三分五〇秒東経一四〇度五二分五四秒の点 ニ　北緯三五度四三分五二秒東経一四〇度五二分五四秒の点
十五	次に掲げる点を順次に結んだ線及びイに掲げる点とニに掲げる点とを結んだ線により囲まれた区域 イ　北緯三五度四三分七秒東経一四〇度五二分四七秒の点 ロ　北緯三五度四三分三秒東経一四〇度五二分四七秒の点 ハ　北緯三五度四三分三秒東経一四〇度五二分四三秒の点 ニ　北緯三五度四三分七秒東経一四〇度五二分四三秒の点
十六	次に掲げる点を順次に結んだ線及びイに掲げる点とニに掲げる点とを結んだ線により囲まれた区域 イ　北緯三五度四一分四一秒東経一四〇度五二分二四秒の点 ロ　北緯三五度四一分三六秒東経一四〇度五二分二四秒の点 ハ　北緯三五度四一分三六秒東経一四〇度五二分二〇秒の点 ニ　北緯三五度四一分四一秒東経一四〇度五二分二〇秒の点
十七	次に掲げる点を順次に結んだ線及びイに掲げる点とニに掲げる点とを結んだ線により囲まれた区域のうち陸域以外の区域 イ　北緯三五度四一分二四秒東経一四〇度五二分一一秒の点 ロ　北緯三五度四一分二〇秒東経一四〇度五二分一一秒の点 ハ　北緯三五度四一分二〇秒東経一四〇度五二分七秒の点 ニ　北緯三五度四一分二四秒東経一四〇度五二分七秒の点
十八	次に掲げる点を順次に結んだ線及びイに掲げる点とニに掲げる点とを結んだ線により囲まれた区域 イ　北緯三三度五分六秒東経一三九度五一分四〇秒の点 ロ　北緯三三度五分二秒東経一三九度五一分四〇秒の点 ハ　北緯三三度五分二秒東経一三九度五一分三六秒の点 ニ　北緯三三度五分六秒東経一三九度五一分三六秒の点
十九	次に掲げる点を順次に結んだ線及びイに掲げる点とニに掲げる点とを結んだ線により囲まれた区域のうち陸域以外の区域 イ　北緯三一度五三分一九秒東経一三九度五五分一一秒の点 ロ　北緯三一度五三分一五秒東経一三九度五五分一一秒の点 ハ　北緯三一度五三分一五秒東経一三九度五五分七秒の点 ニ　北緯三一度五三分一九秒東経一三九度五五分七秒の点
二十	次に掲げる点を順次に結んだ線及びイに掲げる点とニに掲げる点とを結んだ線により囲まれた区域のうち陸域以外の区域 イ　北緯三一度二六分一八秒東経一四〇度三分一六秒の点 ロ　北緯三一度二六分一四秒東経一四〇度三分一六秒の点 ハ　北緯三一度二六分一四秒東経一四〇度三分一二秒の点 ニ　北緯三一度二六分一八秒東経一四〇度三分一二秒の点
二十一	次に掲げる点を順次に結んだ線及びイに掲げる点とニに掲げる点とを結んだ線により囲まれた区域のうち陸域以外の区域 イ　北緯三〇度二九分一三秒東経一四〇度一九分の点 ロ　北緯三〇度二九分九秒東経一四〇度一九分の点 ハ　北緯三〇度二九分九秒東経一四〇度一八分五六秒の点 ニ　北緯三〇度二九分一三秒東経一四〇度一八分五六秒の点
二十二	次に掲げる点を順次に結んだ線及びイに掲げる点とニに掲げる点とを結んだ線により囲まれた区域のうち陸域以外の区域 イ　北緯三〇度二八分五九秒東経一四〇度一七分一一秒の点 ロ　北緯三〇度二八分五五秒東経一四〇度一七分一一秒の点 ハ　北緯三〇度二八分五五秒東経一四〇度一七分七秒の点 ニ　北緯三〇度二八分五九秒東経一四〇度一七分七秒の点
二十三	次に掲げる点を順次に結んだ線及びイに掲げる点とニに掲げる点とを結んだ線により囲まれた区域のうち陸域以外の区域 イ　北緯二七度四四分四四秒東経一四二度六分四六秒の点 ロ　北緯二七度四四分四〇秒東経一四二度六分四六秒の点 ハ　北緯二七度四四分四〇秒東経一四二度六分四二秒の点 ニ　北緯二七度四四分四四秒東経一四二度六分四二秒の点
二十四	次に掲げる点を順次に結んだ線及びイに掲げる点とニに掲げる点とを結んだ線により囲まれた区域のうち陸域以外の区域 イ　北緯二七度四四分三三秒東経一四二度六分五八秒の点

	ロ　北緯二七度四四分二九秒東経一四二度六分五八秒の点 ハ　北緯二七度四四分二九秒東経一四二度六分五四秒の点 ニ　北緯二七度四四分三三秒東経一四二度六分五四秒の点
二十五	次に掲げる点を順次に結んだ線及びイに掲げる点とヘに掲げる点とを結んだ線により囲まれた区域のうち陸域以外の区域 イ　北緯二七度四一分三五秒東経一四二度九分三一秒の点 ロ　北緯二七度四一分三三秒東経一四二度九分三二秒の点 ハ　北緯二七度四一分二九秒東経一四二度九分三二秒の点 ニ　北緯二七度四一分二九秒東経一四二度九分二八秒の点 ホ　北緯二七度四一分三一秒東経一四二度九分二七秒の点 ヘ　北緯二七度四一分三五秒東経一四二度九分二七秒の点
二十六	次に掲げる点を順次に結んだ線及びイに掲げる点とニに掲げる点とを結んだ線により囲まれた区域のうち陸域以外の区域 イ　北緯二七度三七分二二秒東経一四二度一一分一九秒の点 ロ　北緯二七度三七分一八秒東経一四二度一一分一九秒の点 ハ　北緯二七度三七分一八秒東経一四二度一一分一五秒の点 ニ　北緯二七度三七分二二秒東経一四二度一一分一五秒の点
二十七	次に掲げる点を順次に結んだ線及びイに掲げる点とニに掲げる点とを結んだ線により囲まれた区域のうち陸域以外の区域 イ　北緯二七度二九分四六秒東経一四二度一三分一三秒の点 ロ　北緯二七度二九分四二秒東経一四二度一三分一三秒の点 ハ　北緯二七度二九分四二秒東経一四二度一三分九秒の点 ニ　北緯二七度二九分四六秒東経一四二度一三分九秒の点
二十八	次に掲げる点を順次に結んだ線及びイに掲げる点とニに掲げる点とを結んだ線により囲まれた区域のうち陸域以外の区域 イ　北緯二七度二九分三七秒東経一四二度一三分一四秒の点 ロ　北緯二七度二九分三三秒東経一四二度一三分一四秒の点 ハ　北緯二七度二九分三三秒東経一四二度一三分一〇秒の点 ニ　北緯二七度二九分三七秒東経一四二度一三分一〇秒の点
二十九	次に掲げる点を順次に結んだ線及びイに掲げる点とニに掲げる点とを結んだ線により囲まれた区域のうち陸域以外の区域 イ　北緯二七度五分二五秒東経一四二度一五分一二秒の点 ロ　北緯二七度五分二〇秒東経一四二度一五分一二秒の点 ハ　北緯二七度五分二〇秒東経一四二度一五分八秒の点 ニ　北緯二七度五分二五秒東経一四二度一五分八秒の点
三十	次に掲げる点を順次に結んだ線及びイに掲げる点とニに掲げる点とを結んだ線により囲まれた区域のうち陸域以外の区域 イ　北緯二六度三四分五秒東経一四二度一四分三四秒の点 ロ　北緯二六度三四分東経一四二度一四分三四秒の点 ハ　北緯二六度三四分東経一四二度一四分三〇秒の点 ニ　北緯二六度三四分五秒東経一四二度一四分三〇秒の点
三十一	次に掲げる点を順次に結んだ線及びイに掲げる点とニに掲げる点とを結んだ線により囲まれた区域のうち陸域以外の区域 イ　北緯二六度三三分五八秒東経一四二度一四分三〇秒の点 ロ　北緯二六度三三分五四秒東経一四二度一四分三〇秒の点 ハ　北緯二六度三三分五四秒東経一四二度一四分二六秒の点 ニ　北緯二六度三三分五八秒東経一四二度一四分二六秒の点
三十二	次に掲げる点を順次に結んだ線及びイに掲げる点とニに掲げる点とを結んだ線により囲まれた区域のうち陸域以外の区域 イ　北緯二四度一四分三一秒東経一四一度二八分二六秒の点 ロ　北緯二四度一四分二七秒東経一四一度二八分二六秒の点 ハ　北緯二四度一四分二七秒東経一四一度二八分二二秒の点 ニ　北緯二四度一四分三一秒東経一四一度二八分二二秒の点
三十三	次に掲げる点を順次に結んだ線及びイに掲げる点とニに掲げる点とを結んだ線により囲まれた区域のうち陸域以外の区域 イ　北緯二四度一四分二三秒東経一四一度二八分二六秒の点 ロ　北緯二四度一四分一九秒東経一四一度二八分二六秒の点 ハ　北緯二四度一四分一九秒東経一四一度二八分二二秒の点 ニ　北緯二四度一四分二三秒東経一四一度二八分二二秒の点
三十四	次に掲げる点を順次に結んだ線及びイに掲げる点とニに掲げる点とを結んだ線により囲まれた区域のうち陸域以外の区域 イ　北緯二四度一三分五八秒東経一四一度二八分二三秒の点 ロ　北緯二四度一三分五二秒東経一四一度二八分二三秒の点 ハ　北緯二四度一三分五二秒東経一四一度二八分一九秒の点 ニ　北緯二四度一三分五八秒東経一四一度二八分一九秒の点
三十五	次に掲げる点を順次に結んだ線及びイに掲げる点とニに掲げる点とを結んだ線により囲まれた区域のうち陸域以外の区域 イ　北緯二四度一三分四〇秒東経一四一度二八分一二秒の点 ロ　北緯二四度一三分三六秒東経一四一度二八分一二秒の点 ハ　北緯二四度一三分三六秒東経一四一度二八分七秒の点 ニ　北緯二四度一三分四〇秒東経一四一度二八分七秒の点
三十六	次に掲げる点を順次に結んだ線及びイに掲げる点とニに掲げる点とを結んだ線

	により囲まれた区域のうち陸域以外の区域 イ　北緯二四度一三分三八秒東経一四一度二八分六秒の点 ロ　北緯二四度一三分三四秒東経一四一度二八分六秒の点 ハ　北緯二四度一三分三四秒東経一四一度二八分二秒の点 ニ　北緯二四度一三分三八秒東経一四一度二八分二秒の点
三十七	次に掲げる点を順次に結んだ線及びイに掲げる点とニに掲げる点とを結んだ線により囲まれた区域のうち陸域以外の区域 イ　北緯二四度一三分三〇秒東経一四一度二七分三六秒の点 ロ　北緯二四度一三分二六秒東経一四一度二七分三六秒の点 ハ　北緯二四度一三分二六秒東経一四一度二七分二九秒の点 ニ　北緯二四度一三分三〇秒東経一四一度二七分二九秒の点
三十八	次に掲げる点を順次に結んだ線及びイに掲げる点とトに掲げる点とを結んだ線により囲まれた区域のうち陸域以外の区域 イ　北緯二四度一三分三四秒東経一四一度二七分一九秒の点 ロ　北緯二四度一三分三三秒東経一四一度二七分二一秒の点 ハ　北緯二四度一三分三二秒東経一四一度二七分二五秒の点 ニ　北緯二四度一三分二八秒東経一四一度二七分二五秒の点 ホ　北緯二四度一三分二八秒東経一四一度二七分一九秒の点 ヘ　北緯二四度一三分三〇秒東経一四一度二七分一五秒の点 ト　北緯二四度一三分三四秒東経一四一度二七分一五秒の点
三十九	次に掲げる点を順次に結んだ線及びイに掲げる点とニに掲げる点とを結んだ線により囲まれた区域のうち陸域以外の区域 イ　北緯二四度一三分四七秒東経一四一度二七分一一秒の点 ロ　北緯二四度一三分四三秒東経一四一度二七分一一秒の点 ハ　北緯二四度一三分四三秒東経一四一度二七分七秒の点 ニ　北緯二四度一三分四七秒東経一四一度二七分七秒の点
四十	次に掲げる点を順次に結んだ線及びイに掲げる点とニに掲げる点とを結んだ線により囲まれた区域のうち陸域以外の区域 イ　北緯二九度四七分四二秒東経一四〇度二〇分三一秒の点 ロ　北緯二九度四七分三八秒東経一四〇度二〇分三一秒の点 ハ　北緯二九度四七分三八秒東経一四〇度二〇分二七秒の点 ニ　北緯二九度四七分四二秒東経一四〇度二〇分二七秒の点
四十一	次に掲げる点を順次に結んだ線及びイに掲げる点とヘに掲げる点とを結んだ線により囲まれた区域のうち陸域以外の区域 イ　北緯二七度一四分五二秒東経一四〇度五二分二四秒の点 ロ　北緯二七度一四分四二秒東経一四〇度五二分二六秒の点 ハ　北緯二七度一四分三八秒東経一四〇度五二分二六秒の点 ニ　北緯二七度一四分三八秒東経一四〇度五二分二二秒の点 ホ　北緯二七度一四分四二秒東経一四〇度五二分二〇秒の点 ヘ　北緯二七度一四分五二秒東経一四〇度五二分二〇秒の点
四十二	次に掲げる点を順次に結んだ線及びイに掲げる点とニに掲げる点とを結んだ線により囲まれた区域のうち陸域以外の区域 イ　北緯二五度二五分五七秒東経一四一度一六分二〇秒の点 ロ　北緯二五度二五分四九秒東経一四一度一六分二〇秒の点 ハ　北緯二五度二五分四九秒東経一四一度一六分一六秒の点 ニ　北緯二五度二五分五七秒東経一四一度一六分一六秒の点
四十三	次に掲げる点を順次に結んだ線及びイに掲げる点とニに掲げる点とを結んだ線により囲まれた区域 イ　北緯二四度四八分九秒東経一四一度一六分四六秒の点 ロ　北緯二四度四八分四秒東経一四一度一六分四六秒の点 ハ　北緯二四度四八分四秒東経一四一度一六分四二秒の点 ニ　北緯二四度四八分九秒東経一四一度一六分四二秒の点
四十四	次に掲げる点を順次に結んだ線及びイに掲げる点とニに掲げる点とを結んだ線により囲まれた区域 イ　北緯二四度四四分四五秒東経一四一度一七分四秒の点 ロ　北緯二四度四四分四一秒東経一四一度一七分四秒の点 ハ　北緯二四度四四分四一秒東経一四一度一七分の点 ニ　北緯二四度四四分四五秒東経一四一度一七分の点
四十五	次に掲げる点を順次に結んだ線及びイに掲げる点とヲに掲げる点とを結んだ線により囲まれた区域 イ　北緯二四度一八分八秒東経一五三度五九分一一秒の点 ロ　北緯二四度一八分七秒東経一五三度五九分一三秒の点 ハ　北緯二四度一八分五秒東経一五三度五九分一四秒の点 ニ　北緯二四度一八分二秒東経一五三度五九分一五秒の点 ホ　北緯二四度一八分一秒東経一五三度五九分一六秒の点 ヘ　北緯二四度一七分五七秒東経一五三度五九分一六秒の点 ト　北緯二四度一七分五七秒東経一五三度五九分一二秒の点 チ　北緯二四度一七分五八秒東経一五三度五九分一一秒の点 リ　北緯二四度一八分一秒東経一五三度五九分一〇秒の点 ヌ　北緯二四度一八分三秒東経一五三度五九分四秒の点 ル　北緯二四度一八分七秒東経一五三度五九分四秒の点 ヲ　北緯二四度一八分八秒東経一五三度五九分六秒の点
四十六	次に掲げる点を順次に結んだ線及びイに掲げる点とワに掲げる点とを結んだ線により囲まれた区域

<table>
<tr><td></td><td>イ　北緯二四度一六分五六秒東経一五三度五九分二一秒の点
ロ　北緯二四度一六分四九秒東経一五三度五九分二一秒の点
ハ　北緯二四度一六分四八秒東経一五三度五九分二〇秒の点
ニ　北緯二四度一六分四六秒東経一五三度五九分一九秒の点
ホ　北緯二四度一六分四四秒東経一五三度五九分一七秒の点
ヘ　北緯二四度一六分四三秒東経一五三度五九分一五秒の点
ト　北緯二四度一六分四三秒東経一五三度五九分四秒の点
チ　北緯二四度一六分四七秒東経一五三度五九分四秒の点
リ　北緯二四度一六分四八秒東経一五三度五九分一二秒の点
ヌ　北緯二四度一六分四九秒東経一五三度五九分一三秒の点
ル　北緯二四度一六分五〇秒東経一五三度五九分一五秒の点
ヲ　北緯二四度一六分五二秒東経一五三度五九分一六秒の点
ワ　北緯二四度一六分五六秒東経一五三度五九分一七秒の点</td></tr>
<tr><td>四十七</td><td>次に掲げる点を順次に結んだ線及びイに掲げる点とヌに掲げる点とを結んだ線により囲まれた区域
イ　北緯二四度一七分一一秒東経一五三度五八分一〇秒の点
ロ　北緯二四度一七分五秒東経一五三度五八分一〇秒の点
ハ　北緯二四度一七分四秒東経一五三度五八分一一秒の点
ニ　北緯二四度一七分東経一五三度五八分一一秒の点
ホ　北緯二四度一七分東経一五三度五八分七秒の点
ヘ　北緯二四度一七分一秒東経一五三度五八分五秒の点
ト　北緯二四度一七分三秒東経一五三度五八分四秒の点
チ　北緯二四度一七分七秒東経一五三度五八分四秒の点
リ　北緯二四度一七分一〇秒東経一五三度五八分五秒の点
ヌ　北緯二四度一七分一一秒東経一五三度五八分六秒の点</td></tr>
<tr><td>四十八</td><td>次に掲げる点を順次に結んだ線及びイに掲げる点とニに掲げる点とを結んだ線により囲まれた区域
イ　北緯二四度一七分一九秒東経一五三度五八分一七秒の点
ロ　北緯二四度一七分一五秒東経一五三度五八分一七秒の点
ハ　北緯二四度一七分一五秒東経一五三度五八分一三秒の点
ニ　北緯二四度一七分一九秒東経一五三度五八分一三秒の点</td></tr>
<tr><td>四十九</td><td>次に掲げる点を順次に結んだ線及びイに掲げる点とニに掲げる点とを結んだ線により囲まれた区域
イ　北緯二四度一七分五八秒東経一五三度五八分五六秒の点
ロ　北緯二四度一七分五四秒東経一五三度五八分五六秒の点
ハ　北緯二四度一七分五四秒東経一五三度五八分五二秒の点
ニ　北緯二四度一七分五八秒東経一五三度五八分五二秒の点</td></tr>
</table>

<table>
<tr><td>五十</td><td>次に掲げる点を順次に結んだ線及びイに掲げる点とヘに掲げる点とを結んだ線により囲まれた区域
イ　北緯二〇度二五分四八秒東経一三六度六分八秒の点
ロ　北緯二〇度二五分四七秒東経一三六度六分一二秒の点
ハ　北緯二〇度二五分四二秒東経一三六度六分一二秒の点
ニ　北緯二〇度二五分四二秒東経一三六度六分八秒の点
ホ　北緯二〇度二五分四四秒東経一三六度五分五三秒の点
ヘ　北緯二〇度二五分四八秒東経一三六度五分五三秒の点</td></tr>
<tr><td>五十一</td><td>次に掲げる点を順次に結んだ線及びイに掲げる点とトに掲げる点とを結んだ線により囲まれた区域
イ　北緯二〇度二五分四四秒東経一三六度六分二二秒の点
ロ　北緯二〇度二五分四二秒東経一三六度六分二六秒の点
ハ　北緯二〇度二五分三八秒東経一三六度六分二六秒の点
ニ　北緯二〇度二五分三八秒東経一三六度六分二一秒の点
ホ　北緯二〇度二五分三九秒東経一三六度六分一九秒の点
ヘ　北緯二〇度二五分四〇秒東経一三六度六分一八秒の点
ト　北緯二〇度二五分四四秒東経一三六度六分一八秒の点</td></tr>
<tr><td>五十二</td><td>次に掲げる点を順次に結んだ線及びイに掲げる点とニに掲げる点とを結んだ線により囲まれた区域
イ　北緯二〇度二五分三三秒東経一三六度六分三四秒の点
ロ　北緯二〇度二五分二二秒東経一三六度六分三四秒の点
ハ　北緯二〇度二五分二二秒東経一三六度六分三〇秒の点
ニ　北緯二〇度二五分三三秒東経一三六度六分三〇秒の点</td></tr>
<tr><td>五十三</td><td>次に掲げる点を順次に結んだ線及びイに掲げる点とチに掲げる点とを結んだ線により囲まれた区域
イ　北緯二〇度二五分二一秒東経一三六度六分三四秒の点
ロ　北緯二〇度二五分一二秒東経一三六度六分三四秒の点
ハ　北緯二〇度二五分九秒東経一三六度六分三三秒の点
ニ　北緯二〇度二五分五秒東経一三六度六分三一秒の点
ホ　北緯二〇度二五分五秒東経一三六度六分二六秒の点
ヘ　北緯二〇度二五分九秒東経一三六度六分二六秒の点
ト　北緯二〇度二五分一五秒東経一三六度六分二九秒の点
チ　北緯二〇度二五分二一秒東経一三六度六分三〇秒の点</td></tr>
<tr><td>五十四</td><td>次に掲げる点を順次に結んだ線及びイに掲げる点とヘに掲げる点とを結んだ線により囲まれた区域
イ　北緯二〇度二五分二秒東経一三六度六分二四秒の点
ロ　北緯二〇度二四分五八秒東経一三六度六分二四秒の点</td></tr>
</table>

	ハ　北緯二〇度二四分五七秒東経一三六度六分二二秒の点 ニ　北緯二〇度二四分五七秒東経一三六度六分一八秒の点 ホ　北緯二〇度二五分一秒東経一三六度六分一八秒の点 ヘ　北緯二〇度二五分二秒東経一三六度六分二〇秒の点
五十五	次に掲げる点を順次に結んだ線及びイに掲げる点とヘに掲げる点とを結んだ線により囲まれた区域 イ　北緯二〇度二四分五五秒東経一三六度六分一三秒の点 ロ　北緯二〇度二四分五一秒東経一三六度六分一三秒の点 ハ　北緯二〇度二四分五〇秒東経一三六度六分一二秒の点 ニ　北緯二〇度二四分五〇秒東経一三六度六分四秒の点 ホ　北緯二〇度二四分五四秒東経一三六度六分四秒の点 ヘ　北緯二〇度二四分五五秒東経一三六度六分九秒の点
五十六	次に掲げる点を順次に結んだ線及びイに掲げる点とニに掲げる点とを結んだ線により囲まれた区域 イ　北緯二〇度二四分五五秒東経一三六度六分一秒の点 ロ　北緯二〇度二四分五一秒東経一三六度六分一秒の点 ハ　北緯二〇度二四分五一秒東経一三六度五分五七秒の点 ニ　北緯二〇度二四分五五秒東経一三六度五分五七秒の点
五十七	次に掲げる点を順次に結んだ線及びイに掲げる点とニに掲げる点とを結んだ線により囲まれた区域 イ　北緯二〇度二五分九秒東経一三六度四分五〇秒の点 ロ　北緯二〇度二五分五秒東経一三六度四分五〇秒の点 ハ　北緯二〇度二五分五秒東経一三六度四分四六秒の点 ニ　北緯二〇度二五分九秒東経一三六度四分四六秒の点
五十八	次に掲げる点を順次に結んだ線及びイに掲げる点とニに掲げる点とを結んだ線により囲まれた区域 イ　北緯二〇度二五分一三秒東経一三六度四分三五秒の点 ロ　北緯二〇度二五分九秒東経一三六度四分三五秒の点 ハ　北緯二〇度二五分九秒東経一三六度四分二九秒の点 ニ　北緯二〇度二五分一三秒東経一三六度四分二九秒の点
五十九	次に掲げる点を順次に結んだ線及びイに掲げる点とニに掲げる点とを結んだ線により囲まれた区域 イ　北緯二〇度二五分一八秒東経一三六度四分一九秒の点 ロ　北緯二〇度二五分一四秒東経一三六度四分一九秒の点 ハ　北緯二〇度二五分一四秒東経一三六度四分一五秒の点 ニ　北緯二〇度二五分一八秒東経一三六度四分一五秒の点
六十	次に掲げる点を順次に結んだ線及びイに掲げる点とヘに掲げる点とを結んだ線により囲まれた区域 イ　北緯二〇度二五分二〇秒東経一三六度四分一三秒の点 ロ　北緯二〇度二五分一九秒東経一三六度四分一四秒の点 ハ　北緯二〇度二五分一五秒東経一三六度四分一四秒の点 ニ　北緯二〇度二五分一五秒東経一三六度四分一〇秒の点 ホ　北緯二〇度二五分一六秒東経一三六度四分九秒の点 ヘ　北緯二〇度二五分二〇秒東経一三六度四分九秒の点
六十一	次に掲げる点を順次に結んだ線及びイに掲げる点とヌに掲げる点とを結んだ線により囲まれた区域 イ　北緯二〇度二五分二九秒東経一三六度四分二秒の点 ロ　北緯二〇度二五分二六秒東経一三六度四分三秒の点 ハ　北緯二〇度二五分二四秒東経一三六度四分四秒の点 ニ　北緯二〇度二五分二三秒東経一三六度四分五秒の点 ホ　北緯二〇度二五分二二秒東経一三六度四分七秒の点 ヘ　北緯二〇度二五分一八秒東経一三六度四分七秒の点 ト　北緯二〇度二五分一八秒東経一三六度四分二秒の点 チ　北緯二〇度二五分一九秒東経一三六度四分の点 リ　北緯二〇度二五分二二秒東経一三六度三分五八秒の点 ヌ　北緯二〇度二五分二九秒東経一三六度三分五八秒の点
六十二	次に掲げる点を順次に結んだ線及びイに掲げる点とチに掲げる点とを結んだ線により囲まれた区域 イ　北緯二〇度二五分三八秒東経一三六度四分一七秒の点 ロ　北緯二〇度二五分三四秒東経一三六度四分一七秒の点 ハ　北緯二〇度二五分三三秒東経一三六度四分一三秒の点 ニ　北緯二〇度二五分三二秒東経一三六度四分一〇秒の点 ホ　北緯二〇度二五分三二秒東経一三六度四分六秒の点 ヘ　北緯二〇度二五分三六秒東経一三六度四分六秒の点 ト　北緯二〇度二五分三七秒東経一三六度四分九秒の点 チ　北緯二〇度二五分三八秒東経一三六度四分一三秒の点
六十三	次に掲げる点を順次に結んだ線及びイに掲げる点とヘに掲げる点とを結んだ線により囲まれた区域 イ　北緯二〇度二五分四〇秒東経一三六度四分三〇秒の点 ロ　北緯二〇度二五分三六秒東経一三六度四分三〇秒の点 ハ　北緯二〇度二五分三五秒東経一三六度四分二三秒の点 ニ　北緯二〇度二五分三五秒東経一三六度四分一九秒の点 ホ　北緯二〇度二五分三九秒東経一三六度四分一九秒の点 ヘ　北緯二〇度二五分四〇秒東経一三六度四分二一秒の点

六十四	次に掲げる点を順次に結んだ線及びイに掲げる点とニに掲げる点とを結んだ線により囲まれた区域のうち陸域以外の区域 イ　北緯三三度二六分東経一三五度四五分四七秒の点 ロ　北緯三三度二五分五六秒東経一三五度四五分四七秒の点 ハ　北緯三三度二五分五六秒東経一三五度四五分四三秒の点 ニ　北緯三三度二六分東経一三五度四五分四三秒の点
六十五	次に掲げる点を順次に結んだ線及びイに掲げる点とニに掲げる点とを結んだ線により囲まれた区域のうち陸域以外の区域 イ　北緯三三度二六分東経一三五度四五分一三秒の点 ロ　北緯三三度二五分五六秒東経一三五度四五分一三秒の点 ハ　北緯三三度二五分五六秒東経一三五度四五分九秒の点 ニ　北緯三三度二六分東経一三五度四五分九秒の点
六十六	次に掲げる点を順次に結んだ線及びイに掲げる点とニに掲げる点とを結んだ線により囲まれた区域 イ　北緯三三度一四分三一秒東経一三四度一〇分四七秒の点 ロ　北緯三三度一四分二七秒東経一三四度一〇分四七秒の点 ハ　北緯三三度一四分二七秒東経一三四度一〇分四三秒の点 ニ　北緯三三度一四分三一秒東経一三四度一〇分四三秒の点
六十七	次に掲げる点を順次に結んだ線及びイに掲げる点とニに掲げる点とを結んだ線により囲まれた区域のうち陸域以外の区域 イ　北緯三三度一四分二八秒東経一三四度一〇分三九秒の点 ロ　北緯三三度一四分二四秒東経一三四度一〇分三九秒の点 ハ　北緯三三度一四分二四秒東経一三四度一〇分三五秒の点 ニ　北緯三三度一四分二八秒東経一三四度一〇分三五秒の点
六十八	次に掲げる点を順次に結んだ線及びイに掲げる点とニに掲げる点とを結んだ線により囲まれた区域のうち陸域以外の区域 イ　北緯三二度四三分二二秒東経一三三度一分一七秒の点 ロ　北緯三二度四三分一八秒東経一三三度一分一七秒の点 ハ　北緯三二度四三分一八秒東経一三三度一分一三秒の点 ニ　北緯三二度四三分二二秒東経一三三度一分一三秒の点
六十九	次に掲げる点を順次に結んだ線及びイに掲げる点とニに掲げる点とを結んだ線により囲まれた区域 イ　北緯三〇度三六分五六秒東経一三一度三分三七秒の点 ロ　北緯三〇度三六分五二秒東経一三一度三分三七秒の点 ハ　北緯三〇度三六分五二秒東経一三一度三分三三秒の点 ニ　北緯三〇度三六分五六秒東経一三一度三分三三秒の点
七十	次に掲げる点を順次に結んだ線及びイに掲げる点とニに掲げる点とを結んだ線により囲まれた区域 イ　北緯三〇度三六分一〇秒東経一三一度三分二二秒の点 ロ　北緯三〇度三六分六秒東経一三一度三分二二秒の点 ハ　北緯三〇度三六分六秒東経一三一度三分一八秒の点 ニ　北緯三〇度三六分一〇秒東経一三一度三分一八秒の点
七十一	次に掲げる点を順次に結んだ線及びイに掲げる点とへに掲げる点とを結んだ線により囲まれた区域のうち陸域以外の区域 イ　北緯三〇度二一分四三秒東経一三〇度五八分五七秒の点 ロ　北緯三〇度二一分三九秒東経一三〇度五八分五七秒の点 ハ　北緯三〇度二一分三八秒東経一三〇度五八分五六秒の点 ニ　北緯三〇度二一分三八秒東経一三〇度五八分五二秒の点 ホ　北緯三〇度二一分四二秒東経一三〇度五八分五二秒の点 ヘ　北緯三〇度二一分四三秒東経一三〇度五八分五三秒の点
七十二	次に掲げる点を順次に結んだ線及びイに掲げる点とチに掲げる点とを結んだ線により囲まれた区域のうち陸域以外の区域 イ　北緯二五度五七分一三秒東経一三一度一九分五五秒の点 ロ　北緯二五度五七分一一秒東経一三一度一九分五七秒の点 ハ　北緯二五度五七分二秒東経一三一度一九分五七秒の点 ニ　北緯二五度五七分一秒東経一三一度一九分五六秒の点 ホ　北緯二五度五七分一秒東経一三一度一九分五二秒の点 ヘ　北緯二五度五七分八秒東経一三一度一九分五二秒の点 ト　北緯二五度五七分九秒東経一三一度一九分五一秒の点 チ　北緯二五度五七分一三秒東経一三一度一九分五一秒の点
七十三	次に掲げる点を順次に結んだ線及びイに掲げる点とニに掲げる点とを結んだ線により囲まれた区域のうち陸域以外の区域 イ　北緯二四度二八分一〇秒東経一三一度一一分四八秒の点 ロ　北緯二四度二八分三秒東経一三一度一一分四八秒の点 ハ　北緯二四度二八分三秒東経一三一度一一分四四秒の点 ニ　北緯二四度二八分一〇秒東経一三一度一一分四四秒の点
七十四	次に掲げる点を順次に結んだ線及びイに掲げる点とリに掲げる点とを結んだ線により囲まれた区域のうち陸域以外の区域 イ　北緯二四度二七分四三秒東経一三一度一一分一六秒の点 ロ　北緯二四度二七分四二秒東経一三一度一一分二一秒の点 ハ　北緯二四度二七分四二秒東経一三一度一一分二九秒の点 ニ　北緯二四度二七分三八秒東経一三一度一一分二九秒の点 ホ　北緯二四度二七分三七秒東経一三一度一一分二六秒の点

	ヘ　北緯二四度二七分三七秒東経一三一度一一分一八秒の点 ト　北緯二四度二七分三八秒東経一三一度一一分一三秒の点 チ　北緯二四度二七分三九秒東経一三一度一一分一二秒の点 リ　北緯二四度二七分四三秒東経一三一度一一分一二秒の点
七十五	次に掲げる点を順次に結んだ線及びイに掲げる点とチに掲げる点とを結んだ線により囲まれた区域のうち陸域以外の区域 イ　北緯二四度二七分四六秒東経一三一度一一分七秒の点 ロ　北緯二四度二七分四五秒東経一三一度一一分一〇秒の点 ハ　北緯二四度二七分四四秒東経一三一度一一分一一秒の点 ニ　北緯二四度二七分四〇秒東経一三一度一一分一一秒の点 ホ　北緯二四度二七分四〇秒東経一三一度一一分七秒の点 ヘ　北緯二四度二七分四一秒東経一三一度一一分六秒の点 ト　北緯二四度二七分四二秒東経一三一度一一分三秒の点 チ　北緯二四度二七分四六秒東経一三一度一一分三秒の点
七十六	次に掲げる点を順次に結んだ線及びイに掲げる点とヘに掲げる点とを結んだ線により囲まれた区域 イ　北緯二四度四三分三〇秒東経一二五度二九分一八秒の点 ロ　北緯二四度四三分二六秒東経一二五度二九分一八秒の点 ハ　北緯二四度四三分二四秒東経一二五度二九分一五秒の点 ニ　北緯二四度四三分二四秒東経一二五度二九分一一秒の点 ホ　北緯二四度四三分二八秒東経一二五度二九分一一秒の点 ヘ　北緯二四度四三分三〇秒東経一二五度二九分一四秒の点
七十七	次に掲げる点を順次に結んだ線及びイに掲げる点とチに掲げる点とを結んだ線により囲まれた区域のうち陸域以外の区域 イ　北緯二四度四三分二五秒東経一二五度二九分八秒の点 ロ　北緯二四度四三分二一秒東経一二五度二九分八秒の点 ハ　北緯二四度四三分一九秒東経一二五度二九分五秒の点 ニ　北緯二四度四三分一八秒東経一二五度二九分二秒の点 ホ　北緯二四度四三分一八秒東経一二五度二八分五八秒の点 ヘ　北緯二四度四三分二二秒東経一二五度二八分五八秒の点 ト　北緯二四度四三分二三秒東経一二五度二九分一秒の点 チ　北緯二四度四三分二五秒東経一二五度二九分四秒の点
七十八	次に掲げる点を順次に結んだ線及びイに掲げる点とヘに掲げる点とを結んだ線により囲まれた区域のうち陸域以外の区域 イ　北緯二四度四三分七秒東経一二五度二八分一二秒の点 ロ　北緯二四度四三分三秒東経一二五度二八分一二秒の点 ハ　北緯二四度四三分二秒東経一二五度二八分八秒の点 ニ　北緯二四度四三分二秒東経一二五度二八分四秒の点 ホ　北緯二四度四三分六秒東経一二五度二八分四秒の点 ヘ　北緯二四度四三分七秒東経一二五度二八分八秒の点
七十九	次に掲げる点を順次に結んだ線及びイに掲げる点とニに掲げる点とを結んだ線により囲まれた区域 イ　北緯二四度一五分四一秒東経一二四度八分四五秒の点 ロ　北緯二四度一五分三七秒東経一二四度八分四五秒の点 ハ　北緯二四度一五分三七秒東経一二四度八分四一秒の点 ニ　北緯二四度一五分四一秒東経一二四度八分四一秒の点
八十	次に掲げる点を順次に結んだ線及びイに掲げる点とニに掲げる点とを結んだ線により囲まれた区域のうち陸域以外の区域 イ　北緯二四度二分五九秒東経一二三度四八分一九秒の点 ロ　北緯二四度二分五五秒東経一二三度四八分一九秒の点 ハ　北緯二四度二分五五秒東経一二三度四八分一五秒の点 ニ　北緯二四度二分五九秒東経一二三度四八分一五秒の点
八十一	次に掲げる点を順次に結んだ線及びイに掲げる点とヘに掲げる点とを結んだ線により囲まれた区域のうち陸域以外の区域 イ　北緯二四度二分四七秒東経一二三度四七分四六秒の点 ロ　北緯二四度二分四三秒東経一二三度四七分四六秒の点 ハ　北緯二四度二分四二秒東経一二三度四七分四四秒の点 ニ　北緯二四度二分四二秒東経一二三度四七分四〇秒の点 ホ　北緯二四度二分四六秒東経一二三度四七分四〇秒の点 ヘ　北緯二四度二分四七秒東経一二三度四七分四二秒の点
八十二	次に掲げる点を順次に結んだ線及びイに掲げる点とニに掲げる点とを結んだ線により囲まれた区域のうち陸域以外の区域 イ　北緯二四度二分四五秒東経一二三度四七分三九秒の点 ロ　北緯二四度二分四一秒東経一二三度四七分三九秒の点 ハ　北緯二四度二分四一秒東経一二三度四七分三二秒の点 ニ　北緯二四度二分四五秒東経一二三度四七分三二秒の点
八十三	次に掲げる点を順次に結んだ線及びイに掲げる点とニに掲げる点とを結んだ線により囲まれた区域 イ　北緯二四度二分四四秒東経一二三度四七分二七秒の点 ロ　北緯二四度二分四〇秒東経一二三度四七分二七秒の点 ハ　北緯二四度二分四〇秒東経一二三度四七分二三秒の点 ニ　北緯二四度二分四四秒東経一二三度四七分二三秒の点
八十四	次に掲げる点を順次に結んだ線及びイに掲げる点とニに掲げる点とを結んだ線

	により囲まれた区域 イ　北緯二四度二分四四秒東経一二三度四七分の点 ロ　北緯二四度二分四〇秒東経一二三度四七分の点 ハ　北緯二四度二分四〇秒東経一二三度四六分五六秒の点 ニ　北緯二四度二分四四秒東経一二三度四六分五六秒の点
八十五	次に掲げる点を順次に結んだ線及びイに掲げる点とニに掲げる点とを結んだ線により囲まれた区域 イ　北緯二四度二分四五秒東経一二三度四六分三九秒の点 ロ　北緯二四度二分四一秒東経一二三度四六分三九秒の点 ハ　北緯二四度二分四一秒東経一二三度四六分三五秒の点 ニ　北緯二四度二分四五秒東経一二三度四六分三五秒の点
八十六	次に掲げる点を順次に結んだ線及びイに掲げる点とニに掲げる点とを結んだ線により囲まれた区域 イ　北緯二四度二分五三秒東経一二三度四五分三八秒の点 ロ　北緯二四度二分四九秒東経一二三度四五分三八秒の点 ハ　北緯二四度二分四九秒東経一二三度四五分三四秒の点 ニ　北緯二四度二分五三秒東経一二三度四五分三四秒の点
八十七	次に掲げる点を順次に結んだ線及びイに掲げる点とニに掲げる点とを結んだ線により囲まれた区域 イ　北緯二四度二分五五秒東経一二三度四五分二五秒の点 ロ　北緯二四度二分五一秒東経一二三度四五分二五秒の点 ハ　北緯二四度二分五一秒東経一二三度四五分二一秒の点 ニ　北緯二四度二分五五秒東経一二三度四五分二一秒の点
八十八	次に掲げる点を順次に結んだ線及びイに掲げる点とニに掲げる点とを結んだ線により囲まれた区域 イ　北緯二四度二分五七秒東経一二三度四五分一七秒の点 ロ　北緯二四度二分五三秒東経一二三度四五分一七秒の点 ハ　北緯二四度二分五三秒東経一二三度四五分一三秒の点 ニ　北緯二四度二分五七秒東経一二三度四五分一三秒の点
八十九	次に掲げる点を順次に結んだ線及びイに掲げる点とヘに掲げる点とを結んだ線により囲まれた区域 イ　北緯二四度三分三秒東経一二三度四五分八秒の点 ロ　北緯二四度三分東経一二三度四五分一二秒の点 ハ　北緯二四度二分五六秒東経一二三度四五分一二秒の点 ニ　北緯二四度二分五六秒東経一二三度四五分八秒の点 ホ　北緯二四度二分五九秒東経一二三度四五分四秒の点 ヘ　北緯二四度三分三秒東経一二三度四五分四秒の点

九十	次に掲げる点を順次に結んだ線及びイに掲げる点とニに掲げる点とを結んだ線により囲まれた区域 イ　北緯二四度一一分三三秒東経一二三度三三分一二秒の点 ロ　北緯二四度一一分二九秒東経一二三度三三分一二秒の点 ハ　北緯二四度一一分二九秒東経一二三度三三分八秒の点 ニ　北緯二四度一一分三三秒東経一二三度三三分八秒の点
九十一	次に掲げる点を順次に結んだ線及びイに掲げる点とニに掲げる点とを結んだ線により囲まれた区域 イ　北緯二四度二六分一三秒東経一二二度五八分二七秒の点 ロ　北緯二四度二六分九秒東経一二二度五八分二七秒の点 ハ　北緯二四度二六分九秒東経一二二度五八分二〇秒の点 ニ　北緯二四度二六分一三秒東経一二二度五八分二〇秒の点
九十二	次に掲げる点を順次に結んだ線及びイに掲げる点とニに掲げる点とを結んだ線により囲まれた区域のうち陸域以外の区域 イ　北緯二四度二六分一七秒東経一二二度五八分四秒の点 ロ　北緯二四度二六分一三秒東経一二二度五八分四秒の点 ハ　北緯二四度二六分一三秒東経一二二度五八分の点 ニ　北緯二四度二六分一七秒東経一二二度五八分の点
九十三	次に掲げる点を順次に結んだ線及びイに掲げる点とニに掲げる点とを結んだ線により囲まれた区域のうち陸域以外の区域 イ　北緯二四度二六分一九秒東経一二二度五七分五五秒の点 ロ　北緯二四度二六分一五秒東経一二二度五七分五五秒の点 ハ　北緯二四度二六分一五秒東経一二二度五七分五一秒の点 ニ　北緯二四度二六分一九秒東経一二二度五七分五一秒の点
九十四	次に掲げる点を順次に結んだ線及びイに掲げる点とニに掲げる点とを結んだ線により囲まれた区域のうち陸域以外の区域 イ　北緯二四度二六分二九秒東経一二二度五七分一一秒の点 ロ　北緯二四度二六分二五秒東経一二二度五七分一一秒の点 ハ　北緯二四度二六分二五秒東経一二二度五七分七秒の点 ニ　北緯二四度二六分二九秒東経一二二度五七分七秒の点
九十五	次に掲げる点を順次に結んだ線及びイに掲げる点とニに掲げる点とを結んだ線により囲まれた区域のうち陸域以外の区域 イ　北緯二四度二六分三九秒東経一二二度五六分二九秒の点 ロ　北緯二四度二六分三五秒東経一二二度五六分二九秒の点 ハ　北緯二四度二六分三五秒東経一二二度五六分二五秒の点 ニ　北緯二四度二六分三九秒東経一二二度五六分二五秒の点

九十六	次に掲げる点を順次に結んだ線及びイに掲げる点とヌに掲げる点とを結んだ線により囲まれた区域のうち陸域以外の区域 イ　北緯二四度二六分五八秒東経一二二度五六分一秒の点 ロ　北緯二四度二六分五六秒東経一二二度五六分二秒の点 ハ　北緯二四度二六分五二秒東経一二二度五六分五秒の点 ニ　北緯二四度二六分四九秒東経一二二度五六分九秒の点 ホ　北緯二四度二六分四五秒東経一二二度五六分九秒の点 ヘ　北緯二四度二六分四五秒東経一二二度五六分五秒の点 ト　北緯二四度二六分四八秒東経一二二度五六分一秒の点 チ　北緯二四度二六分五二秒東経一二二度五五分五八秒の点 リ　北緯二四度二六分五三秒東経一二二度五五分五七秒の点 ヌ　北緯二四度二六分五八秒東経一二二度五五分五七秒の点
九十七	次に掲げる点を順次に結んだ線及びイに掲げる点とヘに掲げる点とを結んだ線により囲まれた区域のうち陸域以外の区域 イ　北緯二四度二七分九秒東経一二二度五六分の点 ロ　北緯二四度二七分四秒東経一二二度五六分の点 ハ　北緯二四度二七分二秒東経一二二度五五分五九秒の点 ニ　北緯二四度二七分二秒東経一二二度五五分五五秒の点 ホ　北緯二四度二七分六秒東経一二二度五五分五五秒の点 ヘ　北緯二四度二七分九秒東経一二二度五五分五六秒の点
九十八	次に掲げる点を順次に結んだ線及びイに掲げる点とヘに掲げる点とを結んだ線により囲まれた区域のうち陸域以外の区域 イ　北緯二四度二八分二三秒東経一二二度五七分四七秒の点 ロ　北緯二四度二八分一九秒東経一二二度五七分四七秒の点 ハ　北緯二四度二八分一五秒東経一二二度五七分三九秒の点 ニ　北緯二四度二八分一五秒東経一二二度五七分三五秒の点 ホ　北緯二四度二八分一九秒東経一二二度五七分三五秒の点 ヘ　北緯二四度二八分二三秒東経一二二度五七分四三秒の点
九十九	次に掲げる点を順次に結んだ線及びイに掲げる点とニに掲げる点とを結んだ線により囲まれた区域のうち陸域以外の区域 イ　北緯二五度四四分一一秒東経一二三度二七分三五秒の点 ロ　北緯二五度四四分六秒東経一二三度二七分三五秒の点 ハ　北緯二五度四四分六秒東経一二三度二七分三一秒の点 ニ　北緯二五度四四分一一秒東経一二三度二七分三一秒の点
百	次に掲げる点を順次に結んだ線及びイに掲げる点とヘに掲げる点とを結んだ線により囲まれた区域のうち陸域以外の区域 イ　北緯二五度四四分三一秒東経一二三度二七分三一秒の点 ロ　北緯二五度四四分一三秒東経一二三度二七分三一秒の点 ハ　北緯二五度四四分一三秒東経一二三度二七分二七秒の点 ニ　北緯二五度四四分一八秒東経一二三度二七分二六秒の点 ホ　北緯二五度四四分二八秒東経一二三度二七分二六秒の点 ヘ　北緯二五度四四分三一秒東経一二三度二七分二七秒の点
百一	次に掲げる点を順次に結んだ線及びイに掲げる点とトに掲げる点とを結んだ線により囲まれた区域のうち陸域以外の区域 イ　北緯二五度四四分四四秒東経一二三度二七分四〇秒の点 ロ　北緯二五度四四分四〇秒東経一二三度二七分四〇秒の点 ハ　北緯二五度四四分三七秒東経一二三度二七分三七秒の点 ニ　北緯二五度四四分三四秒東経一二三度二七分三五秒の点 ホ　北緯二五度四四分三四秒東経一二三度二七分三一秒の点 ヘ　北緯二五度四四分三九秒東経一二三度二七分三一秒の点 ト　北緯二五度四四分四四秒東経一二三度二七分三六秒の点
百二	次に掲げる点を順次に結んだ線及びイに掲げる点とニに掲げる点とを結んだ線により囲まれた区域のうち陸域以外の区域 イ　北緯二五度四四分五九秒東経一二三度二八分の点 ロ　北緯二五度四四分五五秒東経一二三度二八分の点 ハ　北緯二五度四四分五五秒東経一二三度二七分五六秒の点 ニ　北緯二五度四四分五九秒東経一二三度二七分五六秒の点
百三	次に掲げる点を順次に結んだ線及びイに掲げる点とヘに掲げる点とを結んだ線により囲まれた区域のうち陸域以外の区域 イ　北緯二五度五五分四六秒東経一二三度四〇分五〇秒の点 ロ　北緯二五度五五分四二秒東経一二三度四〇分五〇秒の点 ハ　北緯二五度五五分三九秒東経一二三度四〇分四六秒の点 ニ　北緯二五度五五分三九秒東経一二三度四〇分四二秒の点 ホ　北緯二五度五五分四三秒東経一二三度四〇分四二秒の点 ヘ　北緯二五度五五分四六秒東経一二三度四〇分四六秒の点
百四	次に掲げる点を順次に結んだ線及びイに掲げる点とヘに掲げる点とを結んだ線により囲まれた区域のうち陸域以外の区域 イ　北緯二五度五五分四七秒東経一二三度四〇分五九秒の点 ロ　北緯二五度五五分四三秒東経一二三度四〇分五九秒の点 ハ　北緯二五度五五分四二秒東経一二三度四〇分五六秒の点 ニ　北緯二五度五五分四二秒東経一二三度四〇分五二秒の点 ホ　北緯二五度五五分四六秒東経一二三度四〇分五二秒の点 ヘ　北緯二五度五五分四七秒東経一二三度四〇分五五秒の点
百五	次に掲げる点を順次に結んだ線及びイに掲げる点とニに掲げる点とを結んだ線

	により囲まれた区域のうち陸域以外の区域 イ　北緯二五度五五分四六秒東経一二三度四一分五秒の点 ロ　北緯二五度五五分四二秒東経一二三度四一分五秒の点 ハ　北緯二五度五五分四二秒東経一二三度四一分一秒の点 ニ　北緯二五度五五分四六秒東経一二三度四一分一秒の点
百六	次に掲げる点を順次に結んだ線及びイに掲げる点とニに掲げる点とを結んだ線により囲まれた区域のうち陸域以外の区域 イ　北緯二五度五五分三一秒東経一二四度三三分三八秒の点 ロ　北緯二五度五五分二七秒東経一二四度三三分三八秒の点 ハ　北緯二五度五五分二七秒東経一二四度三三分三二秒の点 ニ　北緯二五度五五分三一秒東経一二四度三三分三二秒の点
百七	次に掲げる点を順次に結んだ線及びイに掲げる点とトに掲げる点とを結んだ線により囲まれた区域のうち陸域以外の区域 イ　北緯二六度三五分五一秒東経一二六度五〇分六秒の点 ロ　北緯二六度三五分四九秒東経一二六度五〇分一〇秒の点 ハ　北緯二六度三五分二一秒東経一二六度四九分一四秒の点 ニ　北緯二六度三五分二五秒東経一二六度四九分四秒の点 ホ　北緯二六度三五分二八秒東経一二六度四九分四秒の点 ヘ　北緯二六度三五分四一秒東経一二六度四九分二一秒の点 ト　北緯二六度三五分五一秒東経一二六度四九分五七秒の点
百八	次に掲げる点を順次に結んだ線及びイに掲げる点とニに掲げる点とを結んだ線により囲まれた区域のうち陸域以外の区域 イ　北緯二七度五三分二秒東経一二八度一三分一二秒の点 ロ　北緯二七度五二分五八秒東経一二八度一三分一二秒の点 ハ　北緯二七度五二分五八秒東経一二八度一三分八秒の点 ニ　北緯二七度五三分二秒東経一二八度一三分八秒の点
百九	次に掲げる点を順次に結んだ線及びイに掲げる点とニに掲げる点とを結んだ線により囲まれた区域のうち陸域以外の区域 イ　北緯二七度五三分一一秒東経一二八度一三分一七秒の点 ロ　北緯二七度五三分七秒東経一二八度一三分一七秒の点 ハ　北緯二七度五三分七秒東経一二八度一三分一三秒の点 ニ　北緯二七度五三分一一秒東経一二八度一三分一三秒の点
百十	次に掲げる点を順次に結んだ線及びイに掲げる点とニに掲げる点とを結んだ線により囲まれた区域のうち陸域以外の区域 イ　北緯二八度四八分一〇秒東経一二八度五八分二二秒の点 ロ　北緯二八度四八分六秒東経一二八度五八分二二秒の点 ハ　北緯二八度四八分六秒東経一二八度五八分一八秒の点 ニ　北緯二八度四八分一〇秒東経一二八度五八分一八秒の点
百十一	次に掲げる点を順次に結んだ線及びイに掲げる点とニに掲げる点とを結んだ線により囲まれた区域のうち陸域以外の区域 イ　北緯三一度五八分四秒東経一二八度二一分五秒の点 ロ　北緯三一度五八分東経一二八度二一分五秒の点 ハ　北緯三一度五八分東経一二八度二一分一秒の点 ニ　北緯三一度五八分四秒東経一二八度二一分一秒の点
百十二	次に掲げる点を順次に結んだ線及びヘに掲げる点とイに掲げる点とを結んだ線により囲まれた区域のうち陸域以外の区域 イ　北緯三二度一四分四三秒東経一二八度六分一九秒の点 ロ　北緯三二度一四分三四秒東経一二八度六分一九秒の点 ハ　北緯三二度一四分三四秒東経一二八度六分一五秒の点 ニ　北緯三二度一四分三五秒東経一二八度六分一四秒の点 ホ　北緯三二度一四分三九秒東経一二八度六分一四秒の点 ヘ　北緯三二度一四分四三秒東経一二八度六分一五秒の点
百十三	次に掲げる点を順次に結んだ線及びイに掲げる点とニに掲げる点とを結んだ線により囲まれた区域のうち陸域以外の区域 イ　北緯三二度一四分五七秒東経一二八度六分三〇秒の点 ロ　北緯三二度一四分五三秒東経一二八度六分三〇秒の点 ハ　北緯三二度一四分五三秒東経一二八度六分二六秒の点 ニ　北緯三二度一四分五七秒東経一二八度六分二六秒の点
百十四	次に掲げる点を順次に結んだ線及びイに掲げる点とニに掲げる点とを結んだ線により囲まれた区域のうち陸域以外の区域 イ　北緯三二度四三分四一秒東経一二八度三五分二七秒の点 ロ　北緯三二度四三分三七秒東経一二八度三五分二七秒の点 ハ　北緯三二度四三分三七秒東経一二八度三五分二三秒の点 ニ　北緯三二度四三分四一秒東経一二八度三五分二三秒の点
百十五	次に掲げる点を順次に結んだ線及びイに掲げる点とニに掲げる点とを結んだ線により囲まれた区域のうち陸域以外の区域 イ　北緯三二度四三分四九秒東経一二八度三五分三二秒の点 ロ　北緯三二度四三分四五秒東経一二八度三五分三二秒の点 ハ　北緯三二度四三分四五秒東経一二八度三五分二八秒の点 ニ　北緯三二度四三分四九秒東経一二八度三五分二八秒の点
百十六	次に掲げる点を順次に結んだ線及びイに掲げる点とニに掲げる点とを結んだ線により囲まれた区域のうち陸域以外の区域 イ　北緯三三度一一分七秒東経一二八度四八分一一秒の点

	ロ　北緯三三度一一分三秒東経一二八度四八分一一秒の点 ハ　北緯三三度一一分三秒東経一二八度四八分六秒の点 ニ　北緯三三度一一分七秒東経一二八度四八分六秒の点
百十七	次に掲げる点を順次に結んだ線及びイに掲げる点とヘに掲げる点とを結んだ線により囲まれた区域のうち陸域以外の区域 イ　北緯三四度五分四二秒東経一二九度九分四九秒の点 ロ　北緯三四度五分三八秒東経一二九度九分五〇秒の点 ハ　北緯三四度五分三二秒東経一二九度九分五〇秒の点 ニ　北緯三四度五分三二秒東経一二九度九分四六秒の点 ホ　北緯三四度五分三八秒東経一二九度九分四五秒の点 ヘ　北緯三四度五分四二秒東経一二九度九分四五秒の点
百十八	次に掲げる点を順次に結んだ線及びイに掲げる点とニに掲げる点とを結んだ線により囲まれた区域 イ　北緯三四度八分二七秒東経一二九度一〇分一秒の点 ロ　北緯三四度八分二三秒東経一二九度一〇分一秒の点 ハ　北緯三四度八分二三秒東経一二九度九分五七秒の点 ニ　北緯三四度八分二七秒東経一二九度九分五七秒の点
百十九	次に掲げる点を順次に結んだ線及びイに掲げる点とニに掲げる点とを結んだ線により囲まれた区域のうち陸域以外の区域 イ　北緯三四度八分三三秒東経一二九度一〇分三秒の点 ロ　北緯三四度八分二九秒東経一二九度一〇分三秒の点 ハ　北緯三四度八分二九秒東経一二九度九分五九秒の点 ニ　北緯三四度八分三三秒東経一二九度九分五九秒の点
百二十	次に掲げる点を順次に結んだ線及びイに掲げる点とニに掲げる点とを結んだ線により囲まれた区域 イ　北緯三四度一三分一二秒東経一二九度一〇分四三秒の点 ロ　北緯三四度一三分八秒東経一二九度一〇分四三秒の点 ハ　北緯三四度一三分八秒東経一二九度一〇分三九秒の点 ニ　北緯三四度一三分一二秒東経一二九度一〇分三九秒の点
百二十一	次に掲げる点を順次に結んだ線及びイに掲げる点とニに掲げる点とを結んだ線により囲まれた区域 イ　北緯三四度一三分四〇秒東経一二九度一〇分五一秒の点 ロ　北緯三四度一三分三六秒東経一二九度一〇分五一秒の点 ハ　北緯三四度一三分三六秒東経一二九度一〇分四七秒の点 ニ　北緯三四度一三分四〇秒東経一二九度一〇分四七秒の点
百二十二	次に掲げる点を順次に結んだ線及びイに掲げる点とトに掲げる点とを結んだ線により囲まれた区域のうち陸域以外の区域 イ　北緯三四度一八分五〇秒東経一二九度一一分四六秒の点 ロ　北緯三四度一八分四八秒東経一二九度一一分四七秒の点 ハ　北緯三四度一八分四四秒東経一二九度一一分四七秒の点 ニ　北緯三四度一八分四二秒東経一二九度一一分四五秒の点 ホ　北緯三四度一八分四二秒東経一二九度一一分四一秒の点 ヘ　北緯三四度一八分四六秒東経一二九度一一分四一秒の点 ト　北緯三四度一八分五〇秒東経一二九度一一分四二秒の点
百二十三	次に掲げる点を順次に結んだ線及びイに掲げる点とニに掲げる点とを結んだ線により囲まれた区域 イ　北緯三四度一九分三秒東経一二九度一一分四九秒の点 ロ　北緯三四度一八分五九秒東経一二九度一一分四九秒の点 ハ　北緯三四度一八分五九秒東経一二九度一一分四五秒の点 ニ　北緯三四度一九分三秒東経一二九度一一分四五秒の点
百二十四	次に掲げる点を順次に結んだ線及びイに掲げる点とヘに掲げる点とを結んだ線により囲まれた区域のうち陸域以外の区域 イ　北緯三四度一九分一一秒東経一二九度一一分五四秒の点 ロ　北緯三四度一九分七秒東経一二九度一一分五四秒の点 ハ　北緯三四度一九分五秒東経一二九度一一分五二秒の点 ニ　北緯三四度一九分五秒東経一二九度一一分四八秒の点 ホ　北緯三四度一九分九秒東経一二九度一一分四八秒の点 ヘ　北緯三四度一九分一一秒東経一二九度一一分五〇秒の点
百二十五	次に掲げる点を順次に結んだ線及びイに掲げる点とニに掲げる点とを結んだ線により囲まれた区域 イ　北緯三四度三三分四九秒東経一二九度一七分七秒の点 ロ　北緯三四度三三分四五秒東経一二九度一七分七秒の点 ハ　北緯三四度三三分四五秒東経一二九度一七分三秒の点 ニ　北緯三四度三三分四九秒東経一二九度一七分三秒の点
百二十六	次に掲げる点を順次に結んだ線及びイに掲げる点とニに掲げる点とを結んだ線により囲まれた区域 イ　北緯三四度三三分五八秒東経一二九度一七分一〇秒の点 ロ　北緯三四度三三分五四秒東経一二九度一七分一〇秒の点 ハ　北緯三四度三三分五四秒東経一二九度一七分六秒の点 ニ　北緯三四度三三分五八秒東経一二九度一七分六秒の点
百二十七	次に掲げる点を順次に結んだ線及びイに掲げる点とニに掲げる点とを結んだ線により囲まれた区域のうち陸域以外の区域 イ　北緯三四度三四分一五秒東経一二九度一七分一五秒の点

	ロ　北緯三四度三四分一〇秒東経一二九度一七分一五秒の点 ハ　北緯三四度三四分一〇秒東経一二九度一七分一一秒の点 ニ　北緯三四度三四分一五秒東経一二九度一七分一一秒の点
百二十八	次に掲げる点を順次に結んだ線及びイに掲げる点とニに掲げる点とを結んだ線により囲まれた区域のうち陸域以外の区域 イ　北緯三四度三八分五三秒東経一二九度一九分一三秒の点 ロ　北緯三四度三八分四九秒東経一二九度一九分一三秒の点 ハ　北緯三四度三八分四九秒東経一二九度一九分八秒の点 ニ　北緯三四度三八分五三秒東経一二九度一九分八秒の点
百二十九	次に掲げる点を順次に結んだ線及びイに掲げる点とニに掲げる点とを結んだ線により囲まれた区域のうち陸域以外の区域 イ　北緯三四度三八分五九秒東経一二九度一九分一七秒の点 ロ　北緯三四度三八分五五秒東経一二九度一九分一七秒の点 ハ　北緯三四度三八分五五秒東経一二九度一九分一三秒の点 ニ　北緯三四度三八分五九秒東経一二九度一九分一三秒の点
百三十	次に掲げる点を順次に結んだ線及びイに掲げる点とニに掲げる点とを結んだ線により囲まれた区域 イ　北緯三四度三九分三秒東経一二九度一九分二一秒の点 ロ　北緯三四度三八分五九秒東経一二九度一九分二一秒の点 ハ　北緯三四度三八分五九秒東経一二九度一九分一七秒の点 ニ　北緯三四度三九分三秒東経一二九度一九分一七秒の点
百三十一	次に掲げる点を順次に結んだ線及びイに掲げる点とニに掲げる点とを結んだ線により囲まれた区域 イ　北緯三四度四三分一〇秒東経一二九度二五分四二秒の点 ロ　北緯三四度四三分六秒東経一二九度二五分四二秒の点 ハ　北緯三四度四三分六秒東経一二九度二五分三八秒の点 ニ　北緯三四度四三分一〇秒東経一二九度二五分三八秒の点
百三十二	次に掲げる点を順次に結んだ線及びイに掲げる点とニに掲げる点とを結んだ線により囲まれた区域のうち陸域以外の区域 イ　北緯三四度四三分一八秒東経一二九度二五分五六秒の点 ロ　北緯三四度四三分一四秒東経一二九度二五分五六秒の点 ハ　北緯三四度四三分一四秒東経一二九度二五分五二秒の点 ニ　北緯三四度四三分一八秒東経一二九度二五分五二秒の点
百三十三	次に掲げる点を順次に結んだ線及びイに掲げる点とニに掲げる点とを結んだ線により囲まれた区域のうち陸域以外の区域 イ　北緯三四度四三分二二秒東経一二九度二六分四秒の点 ロ　北緯三四度四三分一八秒東経一二九度二六分四秒の点 ハ　北緯三四度四三分一八秒東経一二九度二六分の点 ニ　北緯三四度四三分二二秒東経一二九度二六分の点
百三十四	次に掲げる点を順次に結んだ線及びイに掲げる点とニに掲げる点とを結んだ線により囲まれた区域のうち陸域以外の区域 イ　北緯三四度四三分五一秒東経一二九度二六分五六秒の点 ロ　北緯三四度四三分四七秒東経一二九度二六分五六秒の点 ハ　北緯三四度四三分四七秒東経一二九度二六分四九秒の点 ニ　北緯三四度四三分五一秒東経一二九度二六分四九秒の点
百三十五	次に掲げる点を順次に結んだ線及びイに掲げる点とニに掲げる点とを結んだ線により囲まれた区域のうち陸域以外の区域 イ　北緯三四度四三分四六秒東経一二九度二七分三五秒の点 ロ　北緯三四度四三分四二秒東経一二九度二七分三五秒の点 ハ　北緯三四度四三分四二秒東経一二九度二七分三〇秒の点 ニ　北緯三四度四三分四六秒東経一二九度二七分三〇秒の点
百三十六	次に掲げる点を順次に結んだ線及びイに掲げる点とニに掲げる点とを結んだ線により囲まれた区域のうち陸域以外の区域 イ　北緯三三度五二分一七秒東経一二九度四〇分三四秒の点 ロ　北緯三三度五二分一三秒東経一二九度四〇分三四秒の点 ハ　北緯三三度五二分一三秒東経一二九度四〇分三〇秒の点 ニ　北緯三三度五二分一七秒東経一二九度四〇分三〇秒の点
百三十七	次に掲げる点を順次に結んだ線及びイに掲げる点とニに掲げる点とを結んだ線により囲まれた区域のうち陸域以外の区域 イ　北緯三四度一五分二秒東経一三〇度六分一四秒の点 ロ　北緯三四度一四分五八秒東経一三〇度六分一四秒の点 ハ　北緯三四度一四分五八秒東経一三〇度六分一〇秒の点 ニ　北緯三四度一五分二秒東経一三〇度六分一〇秒の点
百三十八	次に掲げる点を順次に結んだ線及びイに掲げる点とヘに掲げる点とを結んだ線により囲まれた区域のうち陸域以外の区域 イ　北緯三四度四七分五九秒東経一三一度七分五二秒の点 ロ　北緯三四度四七分五五秒東経一三一度七分五二秒の点 ハ　北緯三四度四七分五四秒東経一三一度七分四八秒の点 ニ　北緯三四度四七分五四秒東経一三一度七分四四秒の点 ホ　北緯三四度四七分五八秒東経一三一度七分四四秒の点 ヘ　北緯三四度四七分五九秒東経一三一度七分四八秒の点
百三十九	次に掲げる点を順次に結んだ線及びイに掲げる点とニに掲げる点とを結んだ線

	により囲まれた区域のうち陸域以外の区域 イ　北緯三五度二分三〇秒東経一三二度一五分一七秒の点 ロ　北緯三五度二分二六秒東経一三二度一五分一七秒の点 ハ　北緯三五度二分二六秒東経一三二度一五分一三秒の点 ニ　北緯三五度二分三〇秒東経一三二度一五分一三秒の点
百四十	次に掲げる点を順次に結んだ線及びイに掲げる点とニに掲げる点とを結んだ線により囲まれた区域のうち陸域以外の区域 イ　北緯三七度五一分一〇秒東経一三六度五四分四九秒の点 ロ　北緯三七度五一分六秒東経一三六度五四分四九秒の点 ハ　北緯三七度五一分六秒東経一三六度五四分四四秒の点 ニ　北緯三七度五一分一〇秒東経一三六度五四分四四秒の点
百四十一	次に掲げる点を順次に結んだ線及びイに掲げる点とニに掲げる点とを結んだ線により囲まれた区域のうち陸域以外の区域 イ　北緯三七度五一分三〇秒東経一三六度五五分二二秒の点 ロ　北緯三七度五一分二六秒東経一三六度五五分二二秒の点 ハ　北緯三七度五一分二六秒東経一三六度五五分一八秒の点 ニ　北緯三七度五一分三〇秒東経一三六度五五分一八秒の点
百四十二	次に掲げる点を順次に結んだ線及びイに掲げる点とニに掲げる点とを結んだ線により囲まれた区域のうち陸域以外の区域 イ　北緯四〇度三三分五秒東経一三九度二九分五三秒の点 ロ　北緯四〇度三三分一秒東経一三九度二九分五三秒の点 ハ　北緯四〇度三三分一秒東経一三九度二九分四九秒の点 ニ　北緯四〇度三三分五秒東経一三九度二九分四九秒の点
百四十三	次に掲げる点を順次に結んだ線及びイに掲げる点とニに掲げる点とを結んだ線により囲まれた区域のうち陸域以外の区域 イ　北緯四一度二九分五一秒東経一三九度二〇分一九秒の点 ロ　北緯四一度二九分四七秒東経一三九度二〇分一九秒の点 ハ　北緯四一度二九分四七秒東経一三九度二〇分一五秒の点 ニ　北緯四一度二九分五一秒東経一三九度二〇分一五秒の点
百四十四	次に掲げる点を順次に結んだ線及びイに掲げる点とニに掲げる点とを結んだ線により囲まれた区域のうち陸域以外の区域 イ　北緯四一度三〇分五六秒東経一三九度二〇分四秒の点 ロ　北緯四一度三〇分五二秒東経一三九度二〇分四秒の点 ハ　北緯四一度三〇分五二秒東経一三九度二〇分の点 ニ　北緯四一度三〇分五六秒東経一三九度二〇分の点
百四十五	次に掲げる点を順次に結んだ線及びイに掲げる点とニに掲げる点とを結んだ線

	により囲まれた区域のうち陸域以外の区域 イ　北緯四一度三一分八秒東経一三九度二〇分七秒の点 ロ　北緯四一度三一分四秒東経一三九度二〇分七秒の点 ハ　北緯四一度三一分四秒東経一三九度二〇分一秒の点 ニ　北緯四一度三一分八秒東経一三九度二〇分一秒の点
百四十六	次に掲げる点を順次に結んだ線及びイに掲げる点とニに掲げる点とを結んだ線により囲まれた区域のうち陸域以外の区域 イ　北緯四二度一〇分四四秒東経一三九度二四分八秒の点 ロ　北緯四二度一〇分四〇秒東経一三九度二四分八秒の点 ハ　北緯四二度一〇分四〇秒東経一三九度二四分四秒の点 ニ　北緯四二度一〇分四四秒東経一三九度二四分四秒の点
百四十七	次に掲げる点を順次に結んだ線及びイに掲げる点とニに掲げる点とを結んだ線により囲まれた区域のうち陸域以外の区域 イ　北緯四二度一三分一九秒東経一三九度二五分五四秒の点 ロ　北緯四二度一三分一五秒東経一三九度二五分五四秒の点 ハ　北緯四二度一三分一五秒東経一三九度二五分四九秒の点 ニ　北緯四二度一三分一九秒東経一三九度二五分四九秒の点
百四十八	次に掲げる点を順次に結んだ線及びイに掲げる点とニに掲げる点とを結んだ線により囲まれた区域のうち陸域以外の区域 イ　北緯四二度三七分九秒東経一三九度四九分三七秒の点 ロ　北緯四二度三七分五秒東経一三九度四九分三七秒の点 ハ　北緯四二度三七分五秒東経一三九度四九分三三秒の点 ニ　北緯四二度三七分九秒東経一三九度四九分三三秒の点
百四十九	次に掲げる点を順次に結んだ線及びイに掲げる点とニに掲げる点とを結んだ線により囲まれた区域のうち陸域以外の区域 イ　北緯四三度二〇分一九秒東経一四〇度二〇分二七秒の点 ロ　北緯四三度二〇分一五秒東経一四〇度二〇分二七秒の点 ハ　北緯四三度二〇分一五秒東経一四〇度二〇分二三秒の点 ニ　北緯四三度二〇分一九秒東経一四〇度二〇分二三秒の点
百五十	次に掲げる点を順次に結んだ線及びイに掲げる点とニに掲げる点とを結んだ線により囲まれた区域のうち陸域以外の区域 イ　北緯四四度二四分五五秒東経一四一度一七分二八秒の点 ロ　北緯四四度二四分五一秒東経一四一度一七分二八秒の点 ハ　北緯四四度二四分五一秒東経一四一度一七分二四秒の点 ニ　北緯四四度二四分五五秒東経一四一度一七分二四秒の点
百五十一	次に掲げる点を順次に結んだ線及びイに掲げる点とニに掲げる点とを結んだ線

	により囲まれた区域のうち陸域以外の区域 イ　北緯四五度一六分五一秒東経一四一度五六秒の点 ロ　北緯四五度一六分四七秒東経一四一度五六秒の点 ハ　北緯四五度一六分四七秒東経一四一度五二秒の点 ニ　北緯四五度一六分五一秒東経一四一度五二秒の点
百五十二	次に掲げる点を順次に結んだ線及びイに掲げる点とニに掲げる点とを結んだ線により囲まれた区域のうち陸域以外の区域 イ　北緯四五度二二分五一秒東経一四〇度五八分五六秒の点 ロ　北緯四五度二二分四七秒東経一四〇度五八分五六秒の点 ハ　北緯四五度二二分四七秒東経一四〇度五八分五二秒の点 ニ　北緯四五度二二分五一秒東経一四〇度五八分五二秒の点
百五十三	次に掲げる点を順次に結んだ線及びイに掲げる点とニに掲げる点とを結んだ線により囲まれた区域のうち陸域以外の区域 イ　北緯四五度二六分二三秒東経一四〇度五七分四八秒の点 ロ　北緯四五度二六分一八秒東経一四〇度五七分四八秒の点 ハ　北緯四五度二六分一八秒東経一四〇度五七分四四秒の点 ニ　北緯四五度二六分二三秒東経一四〇度五七分四四秒の点
百五十四	次に掲げる点を順次に結んだ線及びイに掲げる点とヘに掲げる点とを結んだ線により囲まれた区域のうち陸域以外の区域 イ　北緯四五度二八分三四秒東経一四〇度五七分四〇秒の点 ロ　北緯四五度二八分三〇秒東経一四〇度五七分四〇秒の点 ハ　北緯四五度二八分二九秒東経一四〇度五七分三九秒の点 ニ　北緯四五度二八分一九秒東経一四〇度五七分三五秒の点 ホ　北緯四五度二八分三三秒東経一四〇度五七分三五秒の点 ヘ　北緯四五度二八分三四秒東経一四〇度五七分三六秒の点
百五十五	次に掲げる点を順次に結んだ線及びイに掲げる点とニに掲げる点とを結んだ線により囲まれた区域 イ　北緯四五度二八分四七秒東経一四〇度五七分三九秒の点 ロ　北緯四五度二八分四三秒東経一四〇度五七分三九秒の点 ハ　北緯四五度二八分四三秒東経一四〇度五七分三五秒の点 ニ　北緯四五度二八分四七秒東経一四〇度五七分三五秒の点
百五十六	次に掲げる点を順次に結んだ線及びイに掲げる点とニに掲げる点とを結んだ線により囲まれた区域のうち陸域以外の区域 イ　北緯四五度三〇分一八秒東経一四〇度五七分四一秒の点 ロ　北緯四五度三〇分一二秒東経一四〇度五七分四一秒の点 ハ　北緯四五度三〇分一二秒東経一四〇度五七分三七秒の点 ニ　北緯四五度三〇分一八秒東経一四〇度五七分三七秒の点

百五十七	次に掲げる点を順次に結んだ線及びイに掲げる点とヘに掲げる点とを結んだ線により囲まれた区域のうち陸域以外の区域 イ　北緯四五度三〇分二三秒東経一四〇度五七分四七秒の点 ロ　北緯四五度三〇分一九秒東経一四〇度五七分四七秒の点 ハ　北緯四五度三〇分一八秒東経一四〇度五七分四六秒の点 ニ　北緯四五度三〇分一八秒東経一四〇度五七分四一秒の点 ホ　北緯四五度三〇分二二秒東経一四〇度五七分四一秒の点 ヘ　北緯四五度三〇分二三秒東経一四〇度五七分四三秒の点
百五十八	次に掲げる点を順次に結んだ線及びイに掲げる点とニに掲げる点とを結んだ線により囲まれた区域のうち陸域以外の区域 イ　北緯四五度三一分三八秒東経一四一度五五分一〇秒の点 ロ　北緯四五度三一分三四秒東経一四一度五五分一〇秒の点 ハ　北緯四五度三一分三四秒東経一四一度五五分六秒の点 ニ　北緯四五度三一分三八秒東経一四一度五五分六秒の点
百五十九	次に掲げる点を順次に結んだ線及びイに掲げる点とニに掲げる点とを結んだ線により囲まれた区域 イ　北緯四五度三一分三二秒東経一四一度五六分五秒の点 ロ　北緯四五度三一分二八秒東経一四一度五六分五秒の点 ハ　北緯四五度三一分二八秒東経一四一度五六分一秒の点 ニ　北緯四五度三一分三二秒東経一四一度五六分一秒の点
百六十	次に掲げる点を順次に結んだ線及びイに掲げる点とニに掲げる点とを結んだ線により囲まれた区域のうち陸域以外の区域 イ　北緯四五度三一分二六秒東経一四一度五七分一一秒の点 ロ　北緯四五度三一分二四秒東経一四一度五七分一一秒の点 ハ　北緯四五度三一分二四秒東経一四一度五七分九秒の点 ニ　北緯四五度三一分二六秒東経一四一度五七分九秒の点
百六十一	次に掲げる点を順次に結んだ線及びイに掲げる点とニに掲げる点とを結んだ線により囲まれた区域のうち陸域以外の区域 イ　北緯四五度三一分二一秒東経一四一度五七分一七秒の点 ロ　北緯四五度三一分一九秒東経一四一度五七分一七秒の点 ハ　北緯四五度三一分一九秒東経一四一度五七分一五秒の点 ニ　北緯四五度三一分二一秒東経一四一度五七分一五秒の点
百六十二	次に掲げる点を順次に結んだ線及びイに掲げる点とニに掲げる点とを結んだ線により囲まれた区域 イ　北緯四五度三〇分五二秒東経一四一度五七分四二秒の点 ロ　北緯四五度三〇分四八秒東経一四一度五七分四二秒の点

	ハ　北緯四五度三〇分四八秒東経一四一度五七分三八秒の点 ニ　北緯四五度三〇分五二秒東経一四一度五七分三八秒の点
百六十三	次に掲げる点を順次に結んだ線及びイに掲げる点とニに掲げる点とを結んだ線により囲まれた区域のうち陸域以外の区域 イ　北緯四五度二七分二〇秒東経一四二度一分一四秒の点 ロ　北緯四五度二七分一六秒東経一四二度一分一四秒の点 ハ　北緯四五度二七分一六秒東経一四二度一分一〇秒の点 ニ　北緯四五度二七分二〇秒東経一四二度一分一〇秒の点
百六十四	次に掲げる点を順次に結んだ線及びイに掲げる点とヘに掲げる点とを結んだ線により囲まれた区域のうち陸域以外の区域 イ　北緯四五度二一分四〇秒東経一四二度九分五七秒の点 ロ　北緯四五度二一分三九秒東経一四二度九分五九秒の点 ハ　北緯四五度二一分三五秒東経一四二度九分五九秒の点 ニ　北緯四五度二一分三五秒東経一四二度九分五五秒の点 ホ　北緯四五度二一分三六秒東経一四二度九分五三秒の点 ヘ　北緯四五度二一分四〇秒東経一四二度九分五三秒の点
百六十五	次に掲げる点を順次に結んだ線及びイに掲げる点とニに掲げる点とを結んだ線により囲まれた区域のうち陸域以外の区域 イ　北緯四五度一六分二四秒東経一四二度一四分三六秒の点 ロ　北緯四五度一六分二二秒東経一四二度一四分三六秒の点 ハ　北緯四五度一六分二二秒東経一四二度一四分三四秒の点 ニ　北緯四五度一六分二四秒東経一四二度一四分三四秒の点
百六十六	次に掲げる点を順次に結んだ線及びイに掲げる点とニに掲げる点とを結んだ線により囲まれた区域のうち陸域以外の区域 イ　北緯四五度一二分二九秒東経一四二度一九分一二秒の点 ロ　北緯四五度一一分二九秒東経一四二度二〇分一九秒の点 ハ　北緯四五度一一分一一秒東経一四二度一九分四七秒の点 ニ　北緯四五度一二分一一秒東経一四二度一八分三九秒の点
百六十七	次に掲げる点を順次に結んだ線及びイに掲げる点とニに掲げる点とを結んだ線により囲まれた区域のうち陸域以外の区域 イ　北緯四五度八分一一秒東経一四二度二三分五六秒の点 ロ　北緯四五度八分九秒東経一四二度二三分五六秒の点 ハ　北緯四五度八分九秒東経一四二度二三分五四秒の点 ニ　北緯四五度八分一一秒東経一四二度二三分五四秒の点
百六十八	次に掲げる点を順次に結んだ線及びイに掲げる点とニに掲げる点とを結んだ線により囲まれた区域

	イ　北緯四五度三分四〇秒東経一四二度三〇分二一秒の点 ロ　北緯四五度三分三六秒東経一四二度三〇分二一秒の点 ハ　北緯四五度三分三六秒東経一四二度三〇分一七秒の点 ニ　北緯四五度三分四〇秒東経一四二度三〇分一七秒の点
百六十九	次に掲げる点を順次に結んだ線及びイに掲げる点とニに掲げる点とを結んだ線により囲まれた区域のうち陸域以外の区域 イ　北緯四五度一分四六秒東経一四二度三二分八秒の点 ロ　北緯四五度一分四二秒東経一四二度三二分八秒の点 ハ　北緯四五度一分四二秒東経一四二度三二分四秒の点 ニ　北緯四五度一分四六秒東経一四二度三二分四秒の点
百七十	次に掲げる点を順次に結んだ線及びイに掲げる点とニに掲げる点とを結んだ線により囲まれた区域のうち陸域以外の区域 イ　北緯四四度五七分四三秒東経一四二度三五分九秒の点 ロ　北緯四四度五七分三九秒東経一四二度三五分九秒の点 ハ　北緯四四度五七分三九秒東経一四二度三五分五秒の点 ニ　北緯四四度五七分四三秒東経一四二度三五分五秒の点
百七十一	次に掲げる点を順次に結んだ線及びイに掲げる点とニに掲げる点とを結んだ線により囲まれた区域 イ　北緯四四度五〇分二四秒東経一四二度四〇分四九秒の点 ロ　北緯四四度五〇分二〇秒東経一四二度四〇分四九秒の点 ハ　北緯四四度五〇分二〇秒東経一四二度四〇分四五秒の点 ニ　北緯四四度五〇分二四秒東経一四二度四〇分四五秒の点
百七十二	次に掲げる点を順次に結んだ線及びイに掲げる点とニに掲げる点とを結んだ線により囲まれた区域 イ　北緯四四度四六分四七秒東経一四二度四四分二三秒の点 ロ　北緯四四度四六分四三秒東経一四二度四四分二三秒の点 ハ　北緯四四度四六分四三秒東経一四二度四四分一九秒の点 ニ　北緯四四度四六分四七秒東経一四二度四四分一九秒の点
百七十三	次に掲げる点を順次に結んだ線及びイに掲げる点とニに掲げる点とを結んだ線により囲まれた区域のうち陸域以外の区域 イ　北緯四四度四二分八秒東経一四二度四九分五九秒の点 ロ　北緯四四度四二分四秒東経一四二度四九分五九秒の点 ハ　北緯四四度四二分四秒東経一四二度四九分五五秒の点 ニ　北緯四四度四二分八秒東経一四二度四九分五五秒の点
百七十四	次に掲げる点を順次に結んだ線及びイに掲げる点とニに掲げる点とを結んだ線により囲まれた区域

	イ　北緯四四度三九分五六秒東経一四二度五二分五〇秒の点 ロ　北緯四四度三九分五二秒東経一四二度五二分五〇秒の点 ハ　北緯四四度三九分五二秒東経一四二度五二分四六秒の点 ニ　北緯四四度三九分五六秒東経一四二度五二分四六秒の点
百七十五	次に掲げる点を順次に結んだ線及びイに掲げる点とニに掲げる点とを結んだ線により囲まれた区域 イ　北緯四四度三七分五〇秒東経一四二度五五分四七秒の点 ロ　北緯四四度三七分四六秒東経一四二度五五分四七秒の点 ハ　北緯四四度三七分四六秒東経一四二度五五分四三秒の点 ニ　北緯四四度三七分五〇秒東経一四二度五五分四三秒の点
百七十六	次に掲げる点を順次に結んだ線及びイに掲げる点とニに掲げる点とを結んだ線により囲まれた区域 イ　北緯四四度三一分五八秒東経一四三度三分四八秒の点 ロ　北緯四四度三一分五四秒東経一四三度三分四八秒の点 ハ　北緯四四度三一分五四秒東経一四三度三分四四秒の点 ニ　北緯四四度三一分五八秒東経一四三度三分四四秒の点
百七十七	次に掲げる点を順次に結んだ線及びイに掲げる点とニに掲げる点とを結んだ線により囲まれた区域 イ　北緯四四度二六分三二秒東経一四三度一三分二六秒の点 ロ　北緯四四度二六分二八秒東経一四三度一三分二六秒の点 ハ　北緯四四度二六分二八秒東経一四三度一三分二二秒の点 ニ　北緯四四度二六分三二秒東経一四三度一三分二二秒の点
百七十八	次に掲げる点を順次に結んだ線及びイに掲げる点とニに掲げる点とを結んだ線により囲まれた区域 イ　北緯四四度二六分二一秒東経一四三度一三分四八秒の点 ロ　北緯四四度二六分一七秒東経一四三度一三分四八秒の点 ハ　北緯四四度二六分一七秒東経一四三度一三分四四秒の点 ニ　北緯四四度二六分二一秒東経一四三度一三分四四秒の点
百七十九	次に掲げる点を順次に結んだ線及びイに掲げる点とニに掲げる点とを結んだ線により囲まれた区域 イ　北緯四四度二二分二九秒東経一四三度二〇分三八秒の点 ロ　北緯四四度二二分二五秒東経一四三度二〇分三八秒の点 ハ　北緯四四度二二分二五秒東経一四三度二〇分三四秒の点 ニ　北緯四四度二二分二九秒東経一四三度二〇分三四秒の点
百八十	次に掲げる点を順次に結んだ線及びイに掲げる点とニに掲げる点とを結んだ線により囲まれた区域のうち陸域以外の区域 イ　北緯四四度七分四七秒東経一四四度六分三秒の点 ロ　北緯四四度七分四五秒東経一四四度六分三秒の点 ハ　北緯四四度七分四五秒東経一四四度六分一秒の点 ニ　北緯四四度七分四七秒東経一四四度六分一秒の点
百八十一	次に掲げる点を順次に結んだ線及びイに掲げる点とニに掲げる点とを結んだ線により囲まれた区域 イ　北緯四四度六分五九秒東経一四四度一四分五〇秒の点 ロ　北緯四四度六分五五秒東経一四四度一四分五〇秒の点 ハ　北緯四四度六分五五秒東経一四四度一四分四六秒の点 ニ　北緯四四度六分五九秒東経一四四度一四分四六秒の点
百八十二	次に掲げる点を順次に結んだ線及びイに掲げる点とニに掲げる点とを結んだ線により囲まれた区域 イ　北緯四四度二〇分四〇秒東経一四五度一九分二五秒の点 ロ　北緯四四度二〇分三六秒東経一四五度一九分二五秒の点 ハ　北緯四四度二〇分三六秒東経一四五度一九分二一秒の点 ニ　北緯四四度二〇分四〇秒東経一四五度一九分二一秒の点
百八十三	次に掲げる点を順次に結んだ線及びイに掲げる点とニに掲げる点とを結んだ線により囲まれた区域のうち陸域以外の区域 イ　北緯四四度二〇分四六秒東経一四五度一九分三九秒の点 ロ　北緯四四度二〇分四二秒東経一四五度一九分三九秒の点 ハ　北緯四四度二〇分四二秒東経一四五度一九分三五秒の点 ニ　北緯四四度二〇分四六秒東経一四五度一九分三五秒の点
百八十四	次に掲げる点を順次に結んだ線及びイに掲げる点とニに掲げる点とを結んだ線により囲まれた区域のうち陸域以外の区域 イ　北緯四四度二〇分五一秒東経一四五度一九分五二秒の点 ロ　北緯四四度二〇分四七秒東経一四五度一九分五二秒の点 ハ　北緯四四度二〇分四七秒東経一四五度一九分四八秒の点 ニ　北緯四四度二〇分五一秒東経一四五度一九分四八秒の点
百八十五	次に掲げる点を順次に結んだ線及びイに掲げる点とニに掲げる点とを結んだ線により囲まれた区域 イ　北緯四四度二〇分五四秒東経一四五度二〇分一一秒の点 ロ　北緯四四度二〇分五〇秒東経一四五度二〇分一一秒の点 ハ　北緯四四度二〇分五〇秒東経一四五度二〇分七秒の点 ニ　北緯四四度二〇分五四秒東経一四五度二〇分七秒の点

〔本表追加・平二三政一五八〕

○排他的経済水域及び大陸棚の保全及び利用の促進のための低潮線の保全及び拠点施設の整備等に関する法律施行規則

（平成二十二年六月二十三日国土交通省令第三十五号）

〔沿革〕　平成二三年五月三〇日国土交通省令第四三号、令和元年六月二八日第二〇号、二年一二月二三日第九八号、六年三月二九日第二六号改正

（低潮線保全区域内の海底の掘削等の許可）

第一条　排他的経済水域及び大陸棚の保全及び利用の促進のための低潮線の保全及び拠点施設の整備等に関する法律（以下「法」という。）第五条第一項第一号に掲げる行為に係る同項の許可を受けようとする者は、次に掲げる事項を記載した申請書を国土交通大臣に提出しなければならない。

一　海底の掘削又は切土の目的
二　海底の掘削又は切土の内容
三　海底の掘削又は切土の期間
四　海底の掘削又は切土の場所
五　海底の掘削又は切土の方法

2　法第五条第一項第二号に掲げる行為に係る同項の許可を受けようとする者は、次に掲げる事項を記載した申請書を国土交通大臣に提出しなければならない。

一　土砂の採取の目的
二　土砂の採取の期間
三　土砂の採取の場所
四　土砂の採取の方法
五　土砂の採取量

3　法第五条第一項第三号に掲げる行為に係る同項の許可を受けようとする者は、次に掲げる事項を記載した申請書を国土交通大臣に提出しなければならない。

一　施設又は工作物の新設又は改築の目的
二　施設又は工作物の新設又は改築の場所
三　新設又は改築する施設又は工作物の構造
四　工事実施の方法
五　工事実施の期間

〔本条追加・平二三国交令四三〕

（特定離島港湾施設の存する港湾における水域の占用の許可等）

第二条　法第九条第一項第一号に掲げる行為に係る同項の許可を受けようとする者は、次に掲げる事項を記載した申請書を国土交通大臣に提出しなければならない。

一　水域の占用の目的
二　水域の占用の期間
三　水域の占用の場所
四　水域の占用の方法

2　法第九条第一項第二号に掲げる行為に係る同項の許可を受けようとする者は、次に掲げる事項を記載した申請書を国土交通大臣に提出しなければならない。

一　土砂の採取の目的
二　土砂の採取の期間
三　土砂の採取の場所
四　土砂の採取の方法
五　土砂の採取量

3　法第九条第一項第三号に掲げる行為に係る同項の許可を受けようとする者は、次に掲げる事項を記載した申請書を国土交通大臣に提出しなければならない。

一　行為の目的
二　行為の内容
三　行為の期間
四　行為の場所
五　行為の方法

〔一項改正・旧一条を繰下・平二三国交令四三〕

（水域の占用等の許可をしてはならない水域施設）

第三条　法第九条第四項の国土交通省令で定める水域施設は、航路、泊地及び船だまりとする。

〔旧二条を繰下・平二三国交令四三〕

（占用料及び土砂採取料の基準）

第四条　法第九条第六項の占用料又は土砂採取料は、近傍類地の地代又は近傍類地における土砂採取料等を考慮して国土交通大臣が定めるものとする。

2　国土交通大臣は、公益上特に必要があると認めるときは、前項の規定にかかわらず、占用料及び土砂採取料を減額し、又は免除することができる。

〔旧三条を繰下・平二三国交令四三〕

（過怠金）

第五条　国土交通大臣は、偽りその他不正の行為により法第九条第六項の占用料又は土砂採取料の徴収を免れた者から、その徴収を免れた金額の五倍に相当する金額の過怠金を徴収するものとする。

〔旧四条を繰下・平二三国交令四三〕

（放置等を禁止する物件の指定又はその廃止の公示）

第六条　法第十条第二項の規定による物件の指定又はその廃止の公示は、官報又は新聞紙に掲載するほか、法第九条第一項の規定により公告されている水域又はその周辺の見やすい場所に掲示して行うものとする。

2　前項の指定の公示は、当該公示に係る指定の適用の日の十日前までに行わなければならない。ただし、緊急に物件の指定の適用を行わなければ特定離島港湾施設（法第八条に規定する特定離島港湾施設をいう。）の存する港湾の利用又は保全に重大な支障を及ぼすおそれがあると認められるときは、この限りでない。

〔旧五条を繰下・平二三国交令四三〕

（工作物等を保管した場合の公示事項）

第七条　法第十一条第五項の国土交通省令で定める事項は、次に掲げるものとする。

一　工作物等（法第十一条第一項に規定する工作物等をいう。以下同じ。）の名称又は種類、形状及び数量

二　工作物等の放置されていた場所及び当該工作物等を撤去した日時

三　工作物等の保管を始めた日時及び保管の場所

四　前三号に掲げるもののほか、工作物等を返還するため必要と認められる事項

〔旧六条を繰下・平二三国交令四三〕

（工作物等を保管した場合の公示の方法）

第八条　法第十一条第五項の規定による公示は、次に掲げる方法により行わなければならない。

一　前条各号に掲げる事項を、保管を始めた日から起算して十四日間、当該工作物等の放置されていた場所を管轄する地方整備局の事務所に掲示すること。

二　前号の公示の期間が満了しても、なお当該工作物等の所有者、占有者その他当該工作物等について権原を有する者（第十二条において「所有者等」という。）の氏名及び住所を知ることができないときは、前条各号に掲げる事項の要旨を官報又は新聞紙に掲載すること。

2　国土交通大臣は、前項に規定する方法による公示を行うとともに、第一号様式による保管した工作物等一覧簿を当該工作物等の放置されていた場所を管轄する地方整備局の事務所に備え付け、かつ、これをいつでも関係者に自由に閲覧させなければならない。

〔一項改正・旧七条を繰下・平二三国交令四三〕

（工作物等の価額の評価の方法）

第九条　法第十一条第六項の規定による工作物等の価額の評価は、当該工作物等の購入又は製作に要する費用、使用年数、損耗の程度その他当該工作物等の価額の評価に関する事項を勘案してするものとする。この場合において、国土交通大臣は、必要があると認めるときは、工作物等の価額の評価に関し専門的知識を有する者の意見を聴くことができる。

〔旧八条を繰下・平二三国交令四三〕

（保管した工作物等を売却する場合の手続）

第一〇条　法第十一条第六項の規定による保管した工作物等の売却は、競争入札に付して行わなければならない。ただし、競争入札に付しても入札者がない工作物等その他競争入札に付することが適当ではないと認められる工作物等については、随意契約により売却することができる。

〔旧九条を繰下・平二三国交令四三〕

第一一条　国土交通大臣は、当該工作物等を前条本文の競争入札のうち一般競争入札に付そうとするときは、その入札期日の前日から起算して少なくとも五日前までに、次に掲げる事項を当該工作物等の放置されていた場所を管轄する地方整備局の事務所に掲示し、又は官報若しくは新聞紙に掲載する等当該掲示に準ずる適当な方法で公示しなければならない。

一　当該工作物等の名称又は種類、形状及び数量

二　当該競争入札の執行を担当する職員の職及び氏名

三　当該競争入札の執行の日時及び場所

四　契約条項の概要

五　その他国土交通大臣が必要と認める事項

2　国土交通大臣は、当該工作物等を前条本文の競争入札のうち指名競争入札に付そうとするときは、なるべく三人以上の入札者を指定し、かつ、それらの者に前項各号に掲げる事項をあらかじめ通知しなければならない。

3　国土交通大臣は、前条ただし書の随意契約によろうとするときは、なるべく二人以上の者から見積書を徴さなければならない。

〔旧一〇条を繰下・平二三国交令四三〕

（工作物等を返還する場合の手続）

第一二条　国土交通大臣は、保管した工作物等（法第十一条第六項の規定により売却した代金を含む。）を所有者等に返還するときは、返還を受ける者にその所有権等を証するに足りる書類を提出させる等の方法によってその者が当該工作物等の返還を受けるべき所有者等であることを証明させ、かつ、第二号様式による受領書と引換えに返還するものとする。

〔旧一一条を繰下・平二三国交令四三〕

（報告の徴収等）

第一三条　法第九条第一項の規定による許可を受けた者は、当該許可に係る事項に関し必要な報告を求められたときは、直ちに、これに関する報告をしなければならない。

〔旧一二条を繰下・平二三国交令四三、二項削除・令六国交令二六〕

（延滞金）

第一四条　法第十三条第二項の規定により国土交通大臣が徴収する延滞金の額は、負担金等（法第十三条第一項に規定する「負担金等」をいう。以下この条において同じ。）を納付すべき期限の翌日からその納付の日までの日数に応じ負担金等の額に年十・七五パーセントの割合を乗じて計算した額とする。この場合において、負担金等の額の一部につき納付があったときは、その納付の日以後の期間に係る延滞金の計算の基礎となる負担金等の額は、その納付のあった負担金等の額を控除した額による。

〔旧一三条を繰下・平二三国交令四三〕

（権限の委任）

第一五条　法第五条第一項（法第六条第二項において読み替えて適用する場合を含む。）、第九条第一項（同条第五項において読み替えて適用する場合を含む。）、第二項、第六項及び第七項、第十条第二項、第十三条第一項から第三項まで並びに第十四条第一項の規定による国土交通大臣の権限（法第九条第一項に掲げる権限にあっては、同項各号に掲げる行為に係る同項の許可に係るものに限る。）は、地方整備局長及び北

海道開発局長が行うものとする。

2　法第七条、第十一条第一項から第七項まで及び第十二条第一項の規定による国土交通大臣の権限は、地方整備局長及び北海道開発局長も行うことができる。

〔一・二項改正・旧一四条を繰下・平二三国交令四三〕

附　則

（施行期日）

1　この省令は、法の施行の日（平成二十二年六月二十四日）から施行する。

2　〔他の法令改正に付き略〕

附　則〔令二・一二・二三国交令九八〕

（施行期日）

1　この省令は、令和三年一月一日から施行する。

（経過措置）

2　この省令の施行の際現にあるこの省令による改正前の様式による用紙は、当分の間、これを取り繕って使用することができる。

附　則〔令六・三・二九国交令二六抄〕

（施行期日）

第一条　この省令は、令和六年四月一日から施行する。〔以下略〕

第一号様式（第八条関係）

保管した工作物等一覧簿								
整理番号	保管した工作物等			放置されていた場所	撤去した日時	保管を始めた日時	保管の場所	備考
	名称又は種類	形状	数量					

〔本様式改正・令元国交令20〕

第二号様式（第十二条関係）

受　領　書		
年　月　日 殿 返還を受けた者 住所 氏名（ふりがな） 下記のとおり工作物等（現金）の返還を受けました。		
返還を受けた日時		
返還を受けた場所		
返還を受けた工作物等	整理番号	
	名称又は種類	
	形状	
	数量	
（返還を受けた金額）		

備考

用紙は、日本産業規格Ａ４の寸法のものとすること。

〔本様式改正・令元国交令20・令２国交令98〕

○海洋再生可能エネルギー発電設備の整備に係る海域の利用の促進に関する法律

（平成三十年十二月七日法律第八十九号）

〔沿革〕令和二年六月一二日法律第四九号、五年五月二六日第三四号改正

注　令和四年六月一七日法律第六八号の改正は、令和七年六月一日から施行のため、現行の条文の次に改正後の条文を掲載いたしました。

第一章　総則

（目的）

第一条　この法律は、海洋再生可能エネルギー発電事業の長期的、安定的かつ効率的な実施の重要性に鑑み、海洋基本法（平成十九年法律第三十三号）に規定する海洋に関する施策との調和を図りつつ、海洋再生可能エネルギー発電設備の整備に係る海域の利用を促進するため、基本方針の策定、海洋再生可能エネルギー発電設備整備促進区域の指定、海洋再生可能エネルギー発電設備整備促進区域内の海域の占用等に係る計画の認定制度の創設等の措置を講ずることにより、我が国の経済社会の健全な発展及び国民生活の安定向上に寄与することを目的とする。

（定義）

第二条　この法律において「海洋再生可能エネルギー電気」とは、海洋再生可能エネルギー発電設備を用いて海洋再生可能エネルギー源を変換して得られる電気をいう。

2　この法律において「海洋再生可能エネルギー発電設備」とは、海域において海洋再生可能エネルギー源を電気に変換する設備及びその附属設備であって、船舶を係留するための係留施設を備えるものをいう。

3　この法律において「海洋再生可能エネルギー源」とは、再生可能エネルギー電気の利用の促進に関する特別措置法（平成二十三年法律第百八号。以下「再生可能エネルギー電気特別措置法」という。）第二条第三項に規定する再生可能エネルギー源のうち、海域における風力その他の海域において電気のエネルギー源として利用することができるものとして政令で定めるものをいう。

4　この法律において「海洋再生可能エネルギー発電事業」とは、自らが維持し、及び運用する海洋再生可能エネルギー発電設備を用いて発電した海洋再生可能エネルギー電気を再生可能エネルギー電気特別措置法第二条の二第一項に規定する市場取引等により供給し、又は再生可能エネルギー電気特別措置法第二条第五項に規定する特定契約により電気事業者（電気事業法（昭和三十九年法律第百七十号）第二条第一項第九号に規定する一般送配電事業者、同項第十一号の三に規定する配電事業者及び同項第十三号に規定する特定送配電事業者をいう。第八条第一項第四号において同じ。）に対し供給する事業をいう。

5　この法律において「海洋再生可能エネルギー発電設備整備促進区域」とは、我が国の領海及び内水の海域のうち第八条第一項の規定により指定された区域をいう。

〔三・四項改正・令二法四九〕

（基本理念）

第三条　海洋再生可能エネルギー発電設備の整備に係る海域の利用は、海洋環境の保全、海洋の安全の確保その他の海洋に関する施策との調和を図りつつ、海洋の持続可能な開発及び利用を実現することを旨として、国、関係地方公共団体、海洋再生可能エネルギー発電事業を行う者その他の関係する者の密接な連携の下に行われなければならない。

（国の責務）

第四条　国は、前条に定める基本理念（以下「基本理念」という。）にのっとり、海洋再生可能エネルギー発電設備の整備に係る海域の利用の促進に関する施策を総合的に策定し、及び実施する責務を有する。

2　国は、海洋再生可能エネルギー発電事業を行う者に対し、海洋再生可能エネルギー発電設備の整備に係る海域の利用に関し必要となる情報の収集及び提供その他の支援を行うよう努めなければならない。

3　国は、教育活動、広報活動その他の活動を通じて、海洋再生可能エネルギー発電設備の整備に係る海域の利用の促進に関し、国民の理解を深めるよう努めなければならない。

（関係地方公共団体の責務）

第五条　関係地方公共団体は、基本理念にのっとり、前条に規定する国の施策に協力して、海洋再生可能エネルギー発電設備の整備に係る海域の利用の促進に関する施策を推進するよう努めなければならない。

（海洋再生可能エネルギー発電事業を行う者の責務）

第六条　海洋再生可能エネルギー発電事業を行う者は、基本理念にのっとり、その事業活動を行うに当たり、漁業その他の海洋の多様な開発及び利用、海洋環境の保全並びに海洋の安全の確保との調和に配慮するとともに、国及び関係地方公共団体が実施する海洋再生可能エネルギー発電設備の整備に係る海域の利用の促進に関する施策に協力するよう努めなければならない。

第二章　基本方針

第七条　政府は、基本理念にのっとり、海洋再生可能エネルギー発電設備の整備に係る海域の利用の促進に関する施策の総合的かつ計画的な推進を図るための基本的な方針（以下「基本方針」という。）を定めなければならない。

2　基本方針には、次に掲げる事項を定めるものとする。

一　海洋再生可能エネルギー発電設備の整備に係る海域の利用の促進の意義及び目標に関する事項

二　海洋再生可能エネルギー発電設備の整備に係る海域の利用の促進に関する施策に関する基本的な事項
三　海洋再生可能エネルギー発電設備整備促進区域の指定に関する基本的な事項
四　海洋再生可能エネルギー発電設備整備促進区域における海洋再生可能エネルギー発電事業と漁業その他の海洋の多様な開発及び利用、海洋環境の保全並びに海洋の安全の確保との調和に関する基本的な事項
五　海洋再生可能エネルギー発電設備の設置及び維持管理に必要な人員及び物資の輸送に利用される港湾に関する基本的な事項
六　前各号に掲げるもののほか、海洋再生可能エネルギー発電設備の整備に係る海域の利用の促進を図るために必要な事項

3　基本方針は、海洋基本法第十六条第一項に規定する海洋基本計画との調和が保たれたものでなければならない。

4　内閣総理大臣は、基本方針の案を作成し、閣議の決定を求めなければならない。

5　内閣総理大臣は、前項の規定による閣議の決定があったときは、遅滞なく、これを公表しなければならない。

6　前二項の規定は、基本方針の変更について準用する。

第三章　海洋再生可能エネルギー発電設備整備促進区域

第一節　海洋再生可能エネルギー発電設備整備促進区域の指定等

（海洋再生可能エネルギー発電設備整備促進区域の指定）

第八条　経済産業大臣及び国土交通大臣は、基本方針に基づき、我が国の領海及び内水の海域のうち一定の区域であって次に掲げる基準に適合するものを、海洋再生可能エネルギー発電設備整備促進区域として指定することができる。
一　海洋再生可能エネルギー発電事業の実施について気象、海象その他の自然的条件が適当であり、海洋再生可能エネルギー発電設備を設置すればその出力の量が相当程度に達すると見込まれること。
二　当該区域の規模及び状況からみて、当該区域及びその周辺における航路及び港湾の利用、保全及び管理に支障を及ぼすことなく、海洋再生可能エネルギー発電設備を適切に配置することが可能であると認められること。
三　海洋再生可能エネルギー発電設備の設置及び維持管理に必要な人員及び物資の輸送に関し当該区域と当該区域外の港湾とを一体的に利用することが可能であると認められること。
四　海洋再生可能エネルギー発電設備と電気事業者が維持し、及び運用する電線路との電気的な接続が適切に確保されることが見込まれること。
五　海洋再生可能エネルギー発電事業の実施により、漁業に支障を及ぼさないことが見込まれること。
六　漁港及び漁場の整備等に関する法律（昭和二十五年法律第百三十七号）第六条第一項から第四項までの規定により市町村長、都道府県知事若しくは農林水産大臣が指定した漁港の区域、港湾法（昭和二十五年法律第二百十八号）第二条第三項に規定する港湾区域、同法第五十六条第一項の規定により都道府県知事が公告した水域、海岸法（昭和三十一年法律第百一号）第三条の規定により指定された海岸保全区域、排他的経済水域及び大陸棚の保全及び利用の促進のための低潮線の保全及び拠点施設の整備等に関する法律（平成二十二年法律第四十一号）第二条第五項に規定する低潮線保全区域又は同法第九条第一項の規定により国土交通大臣が公告した水域と重複しないこと。

2　経済産業大臣及び国土交通大臣は、前項の規定による指定をしようとするときは、あらかじめ、当該区域の状況を調査するものとする。

3　経済産業大臣及び国土交通大臣は、第一項の規定による指定をしようとするときは、あらかじめ、経済産業省令・国土交通省令で定めるところにより、その旨を公告し、当該指定の案を、当該指定をしようとする理由を記載した書面を添えて、当該公告から二週間公衆の縦覧に供しなければならない。

4　前項の規定による公告があったときは、利害関係者は、同項の縦覧期間満了の日までに、縦覧に供された指定の案について、経済産業大臣及び国土交通大臣に意見書を提出することができる。

5　経済産業大臣及び国土交通大臣は、第一項の規定による指定をしようとするときは、あらかじめ、前項の規定により提出された意見書の写しを添えて、農林水産大臣、環境大臣その他の関係行政機関の長に協議し、かつ、関係都道府県知事の意見を聴くとともに、当該指定をしようとする区域について次条第一項に規定する協議会が組織されているときは、当該協議会の意見を聴かなければならない。

6　経済産業大臣及び国土交通大臣は、第一項の規定による指定をしたときは、遅滞なく、経済産業省令・国土交通省令で定めるところにより、その旨及び当該指定をした海洋再生可能エネルギー発電設備整備促進区域を公告しなければならない。

7　経済産業大臣及び国土交通大臣は、海洋再生可能エネルギー発電設備整備促進区域の指定を受けた区域の全部又は一部が第一項の規定による指定の必要がなくなったと認めるとき又は同項各号のいずれかに適合しなくなったと認めるときは、当該海洋再生可能エネルギー発電設備整備促進区域の指定を解除し、又はその区域を変更することができる。この場合においては、第二項から前項までの規定を準用する。

〔二項改正・令五法三四〕

（協議会）

第九条　経済産業大臣、国土交通大臣及び関係都道府県知事は、海洋再生可能エネルギー発電設備整備促進区域の指定及び海洋再生可能エネルギー発電設備整備促進区域における海

洋再生可能エネルギー発電事業の実施に関し必要な協議を行うための協議会（以下この条において「協議会」という。）を組織することができる。

2　協議会は、次に掲げる者をもって構成する。

一　経済産業大臣、国土交通大臣及び関係都道府県知事

二　農林水産大臣及び関係市町村長

三　関係漁業者の組織する団体その他の利害関係者、学識経験者その他の経済産業大臣、国土交通大臣及び関係都道府県知事が必要と認める者

3　関係都道府県知事は、協議会が組織されていないときは、経済産業大臣及び国土交通大臣に対して、協議会を組織するよう要請することができる。

4　前項の規定による要請を受けた経済産業大臣及び国土交通大臣は、正当な理由がある場合を除き、当該要請に応じなければならない。

5　関係行政機関の長は、海洋再生可能エネルギー発電設備整備促進区域の指定及び海洋再生可能エネルギー発電設備整備促進区域における海洋再生可能エネルギー発電事業の実施に関し、協議会の構成員の求めに応じて、協議会に対し、必要な助言、資料の提供その他の協力を行うことができる。

6　協議会において協議が調った事項については、協議会の構成員は、その協議の結果を尊重しなければならない。

7　前各項に定めるもののほか、協議会の運営に関し必要な事項は、協議会が定める。

（促進区域内海域の占用等に係る許可）

第一〇条　海洋再生可能エネルギー発電設備整備促進区域内の海域（政令で定めるその上空及び海底の区域を含む。以下「促進区域内海域」という。）において、次の各号のいずれかに該当する行為をしようとする者は、国土交通省令で定めるところにより、国土交通大臣の許可を受けなければならない。ただし、促進区域内海域の利用又は保全に支障を及ぼすおそれがないものとして政令で定める行為については、この限りでない。

一　促進区域内海域の占用

二　土砂の採取

三　施設又は工作物の新設又は改築（第一号の占用を伴うものを除く。）

四　前三号に掲げるもののほか、促進区域内海域の利用又は保全に支障を与えるおそれのある政令で定める行為

2　国土交通大臣は、前項の行為が促進区域内海域の利用若しくは保全又は周辺港湾の機能の維持に著しく支障を与えるものであるときは、許可をしてはならない。

3　国又は地方公共団体が第一項の行為をしようとする場合には、同項中「国土交通大臣の許可を受けなければ」とあるのは「国土交通大臣と協議しなければ」と、前項中「許可をしては」とあるのは「協議に応じては」とする。

4　第一項の許可に係る同項第一号の促進区域内海域の占用の期間は、三十年を超えない範囲内において政令で定める期間を超えることができない。これを更新するときの期間についても、同様とする。

5　国土交通大臣は、第一項の許可には、促進区域内海域の利用若しくは保全又は周辺港湾の機能の維持に必要な限度において、条件を付することができる。この場合において、その条件は、許可を受けた者に対し、不当な義務を課することとなるものであってはならない。

6　国土交通大臣は、国土交通省令で定めるところにより、第一項第一号又は第二号の行為に係る同項の許可を受けた者から占用料又は土砂採取料を徴収することができる。

7　国土交通大臣は、国土交通省令で定めるところにより、偽りその他不正の行為により前項の占用料又は土砂採取料の徴収を免れた者から、その徴収を免れた金額の五倍に相当する金額以下の過怠金を徴収することができる。

（経過措置）

第一一条　海洋再生可能エネルギー発電設備整備促進区域の指定の際現に権原に基づき、前条第一項の許可を要する行為を行っている者又は同項の規定によりその設置について許可を要する施設若しくは工作物を設置している者は、従前と同様の条件により、当該行為又は施設若しくは工作物の設置について同項の許可を受けたものとみなす。同項ただし書若しくは第四号の政令又はこれを改廃する政令の施行の際現に権原に基づき、当該政令の施行に伴い新たに許可を要することとなる行為を行い、又は施設若しくは工作物を設置している者についても、同様とする。

（促進区域内海域における禁止行為）

第一二条　何人も、促進区域内海域において、みだりに、船舶、土石その他の物件で国土交通省令で定めるものを捨て、又は放置してはならない。

第二節　公募占用計画の認定等

（海洋再生可能エネルギー発電設備の公募占用指針等）

第一三条　経済産業大臣及び国土交通大臣は、海洋再生可能エネルギー発電設備整備促進区域を指定したときは、促進区域内海域において海洋再生可能エネルギー発電設備の整備を行うことにより海洋再生可能エネルギー発電事業を行うべき者を公募により選定するために、基本方針に即して、公募の実施及び海洋再生可能エネルギー発電設備の整備のための促進区域内海域の占用に関する指針（以下「公募占用指針」という。）を定めなければならない。

2　公募占用指針には、次に掲げる事項を定めなければならない。

一　公募の対象とする海洋再生可能エネルギー発電設備に係る再生可能エネルギー電気特別措置法第二条の二第一項に規定する交付対象区分等（第九号において単に「交付対象区分等」という。）又は再生可能エネルギー電気特別措置法第三条第一項に規定する特定調達対象区分等（同号において単に「特定調達対象区分等」という。）

二　当該海洋再生可能エネルギー発電設備のための促進区域

内海域の占用の区域
三　当該海洋再生可能エネルギー発電設備のための促進区域内海域の占用の開始の時期
四　当該海洋再生可能エネルギー発電設備の出力の量の基準
五　公募の参加者の資格に関する基準
六　公募の参加者が提供すべき保証金の額並びにその提供の方法及び期限その他保証金に関する事項
七　供給価格（当該海洋再生可能エネルギー発電設備を用いて供給することができる海洋再生可能エネルギー電気の一キロワット時当たりの価格をいう。次条第二項第九号及び第十五条第一項第一号において同じ。）の額の上限額（第六項及び同号において「供給価格上限額」という。）
八　公募に基づく再生可能エネルギー電気特別措置法第二条の三第一項に規定する基準価格（第十六条において単に「基準価格」という。）又は再生可能エネルギー電気特別措置法第三条第二項に規定する調達価格（第十六条において単に「調達価格」という。）の額の決定の方法
九　公募の対象とする交付対象区分等又は特定調達対象区分等に係る再生可能エネルギー電気特別措置法第二条の三第一項に規定する交付期間（第十六条において単に「交付期間」という。）又は再生可能エネルギー電気特別措置法第三条第二項に規定する調達期間（第十六条において単に「調達期間」という。）
十　選定事業者（促進区域内海域において海洋再生可能エネルギー発電設備の整備を行うことにより海洋再生可能エネルギー発電事業を行うべき者として公募により選定された者をいう。以下同じ。）における再生可能エネルギー電気特別措置法第九条第一項の規定による認定の申請の期限
十一　当該海洋再生可能エネルギー発電設備の設置及び維持管理に必要な人員及び物資の輸送に関し第二号に掲げる区域と一体的に利用される港湾に関する事項
十二　促進区域内海域の占用の期間が満了した場合その他の事由により促進区域内海域の占用をしないこととなった場合における当該海洋再生可能エネルギー発電設備の撤去に関する事項
十三　第十七条第一項の認定の有効期間
十四　海洋再生可能エネルギー発電事業を行う者と関係行政機関の長、関係都道府県知事及び関係市町村長との調整に関する事項
十五　選定事業者を選定するための評価の基準
十六　前各号に掲げるもののほか、公募の実施に関する事項その他必要な事項

3　前項第十三号の有効期間は、三十年を超えないものとする。

4　経済産業大臣は、第二項第一号又は第四号から第十号までに掲げる事項を定めようとするときは、あらかじめ、調達価格等算定委員会の意見を聴かなければならない。この場合において、経済産業大臣は、調達価格等算定委員会の意見を尊重するものとする。

5　経済産業大臣及び国土交通大臣は、第二項第十五号の評価の基準を定めようとするときは、経済産業省令・国土交通省令で定めるところにより、あらかじめ、関係都道府県知事及び学識経験者の意見を聴かなければならない。

6　経済産業大臣及び国土交通大臣は、公募占用指針を定めたときは、遅滞なく、これを公示しなければならない。ただし、公募占用指針のうち供給価格上限額については、公募の効果的な実施のため必要があると認めるときは、公示しないことができる。

7　前三項の規定は、公募占用指針の変更について準用する。

8　第一項の場合における再生可能エネルギー電気特別措置法の規定の適用については、再生可能エネルギー電気特別措置法第二条の三第一項中「したもの」とあるのは「したもの及び海洋再生可能エネルギー発電設備の整備に係る海域の利用の促進に関する法律（平成三十年法律第八十九号。以下「促進法」という。）第十三条第一項に規定する公募占用指針において定められたもの」と、再生可能エネルギー電気特別措置法第三条第二項中「したもの」とあるのは「したもの及び促進法第十三条第一項に規定する公募占用指針において定められたもの」と、再生可能エネルギー電気特別措置法第九条第四項第五号中「又は特定調達対象区分等」とあるのは「若しくは特定調達対象区分等又は促進法第十三条第一項に規定する公募占用指針において定められた交付対象区分等若しくは特定調達対象区分等」と、同号イ中「又は同条第四項第八号」とあるのは「若しくは同条第四項第八号又は促進法第十三条第二項第十号」と、同号ロ中「こと」とあるのは「こと又は申請に係る再生可能エネルギー発電事業計画が促進法第十四条第一項に規定する公募占用計画と整合的であること」と、同号ハ中「第七条第七項」とあるのは「第七条第七項又は促進法第十五条第六項」と、再生可能エネルギー電気特別措置法第四十三条第二項中「この法律」とあるのは「この法律又は促進法」とするほか、必要な技術的読替えは、政令で定める。

〔二・四・八項改正・令二法四九〕

（公募占用計画の提出）

第一四条　公募に応じて選定事業者となろうとする者は、経済産業省令・国土交通省令で定めるところにより、その設置しようとする海洋再生可能エネルギー発電設備のための促進区域内海域の占用に関する計画（以下「公募占用計画」という。）を作成し、経済産業大臣及び国土交通大臣に提出しなければならない。

2　公募占用計画には、次に掲げる事項を記載しなければならない。
一　促進区域内海域の占用の区域
二　促進区域内海域の占用の期間
三　海洋再生可能エネルギー発電事業の内容及び実施時期
四　設置しようとする海洋再生可能エネルギー発電設備に係

る再生可能エネルギー電気特別措置法第二条の二第一項に規定する再生可能エネルギー発電設備の区分等

五　当該海洋再生可能エネルギー発電設備の構造

六　工事実施の方法

七　工事の時期

八　当該海洋再生可能エネルギー発電設備の出力

九　供給価格

十　当該海洋再生可能エネルギー発電設備の維持管理の方法

十一　当該海洋再生可能エネルギー発電設備の設置及び維持管理に必要な人員及び物資の輸送に関し第一号に掲げる区域と一体的に利用する港湾に関する事項

十二　促進区域内海域の占用の期間が満了した場合その他の事由により促進区域内海域の占用をしないこととなった場合における当該海洋再生可能エネルギー発電設備の撤去の方法

十三　前条第二項第十四号に規定する調整を行うための体制及び能力に関する事項

十四　資金計画及び収支計画

十五　その他経済産業省令・国土交通省令で定める事項

3　公募占用計画には、前項各号に掲げる事項のほか、海洋再生可能エネルギー発電事業の実施に係る次に掲げる事項を記載することができる。

一　港湾法第三十七条第一項の許可を要する行為に関する事項

二　港湾法第三十八条の二第一項又は第四項の規定による届出を要する行為に関する事項

4　公募占用計画の提出は、経済産業大臣及び国土交通大臣が公示する一月を下らない期間内に行わなければならない。

〔二項改正・令二法四九〕

（選定事業者の選定）

第一五条　経済産業大臣及び国土交通大臣は、前条第一項の規定により公募に応じて選定事業者となろうとする者から公募占用計画が提出されたときは、当該公募占用計画が次に掲げる基準に適合しているかどうかを審査しなければならない。

一　供給価格が供給価格上限額以下であることその他当該公募占用計画が公募占用指針に照らし適切なものであること。

二　当該公募占用計画に係る促進区域内海域の占用が第十条第二項の許可をしてはならない場合に該当しないものであること。

三　当該公募占用計画に係る海洋再生可能エネルギー発電設備及びその維持管理の方法が経済産業省令・国土交通省令で定める基準に適合すること。

四　当該公募占用計画を提出した者が不正又は不誠実な行為をするおそれが明らかな者でないこと。

2　経済産業大臣及び国土交通大臣は、前項の規定により審査した結果、公募占用計画が同項各号に掲げる基準に適合していると認められるときは、第十三条第二項第十五号の評価の基準に従って、その適合していると認められた全ての公募占用計画について評価を行うものとする。

3　経済産業大臣及び国土交通大臣は、前項の評価に従い、海洋再生可能エネルギー発電事業の長期的、安定的かつ効率的な実施を可能とするために最も適切であると認められる公募占用計画を提出した者を選定事業者として選定するものとする。

4　経済産業大臣及び国土交通大臣は、前項の規定により選定事業者を選定しようとするときは、経済産業省令・国土交通省令で定めるところにより、あらかじめ、学識経験者の意見を聴かなければならない。

5　国土交通大臣は、第三項の規定により選定事業者を選定しようとする場合において、選定しようとする者から提出された公募占用計画に前条第三項各号に掲げる事項が記載されているときは、あらかじめ、当該事項について港湾管理者（港湾法第二条第一項に規定する港湾管理者をいう。）に協議し、前条第三項第一号に掲げる事項については、その同意を得なければならない。

6　経済産業大臣及び国土交通大臣は、第三項の規定により選定事業者を選定したときは、その者にその旨を通知しなければならない。

（選定事業者における基準価格及び交付期間又は調達価格及び調達期間）

第一六条　経済産業大臣は、公募占用指針に従い、公募の結果を踏まえ、選定事業者における海洋再生可能エネルギー発電設備に係る基準価格及び交付期間又は調達価格及び調達期間を定め、これを告示しなければならない。この場合においては、再生可能エネルギー電気特別措置法第八条第二項及び第三項の規定を準用する。

〔見出し・本条改正・令二法四九〕

（公募占用計画の認定）

第一七条　経済産業大臣及び国土交通大臣は、選定事業者が提出した公募占用計画について、促進区域内海域の占用の区域及び占用の期間を指定して、当該公募占用計画が適当である旨の認定をするものとする。

2　経済産業大臣及び国土交通大臣は、前項の認定をしたときは、経済産業省令・国土交通省令で定めるところにより、当該認定を受けた公募占用計画の概要、当該認定をした日及び当該認定の有効期間並びに同項の規定により指定した促進区域内海域の占用の区域及び占用の期間を公示しなければならない。

（公募占用計画の変更等）

第一八条　前条第一項の認定を受けた選定事業者は、当該認定を受けた公募占用計画を変更しようとする場合においては、経済産業大臣及び国土交通大臣の認定を受けなければならない。ただし、経済産業省令・国土交通省令で定める軽微な変更については、この限りでない。

2　経済産業大臣及び国土交通大臣は、前項の規定による変更の認定の申請があったときは、次に掲げる基準に適合すると認める場合に限り、その認定をするものとする。

一　変更後の公募占用計画が第十五条第一項第一号から第三号までに掲げる基準を満たしていること。

二　当該公募占用計画の変更をすることについて、公共の利益の一層の増進に寄与するものであると見込まれること又はやむを得ない事情があること。

3　第十五条第五項及び前条第二項の規定は、第一項の規定による変更の認定について準用する。

4　前条第一項の認定を受けた選定事業者は、第一項ただし書の経済産業省令・国土交通省令で定める軽微な変更をしたときは、遅滞なく、その旨を経済産業大臣及び国土交通大臣に届け出なければならない。

（促進区域内海域における海洋再生可能エネルギー発電設備に係る占用の許可等）

第一九条　選定事業者は、第十七条第一項の認定（前条第一項の規定による変更の認定を含む。以下「公募占用計画の認定」という。）を受けたときは、公募占用計画の認定を受けた公募占用計画（変更があったときは、その変更後のもの。以下「認定公募占用計画」という。）に従って海洋再生可能エネルギー発電設備の設置及び維持管理をしなければならない。

2　国土交通大臣は、選定事業者から認定公募占用計画に基づき第十条第一項の許可（同項第一号に係るものに限る。次項及び第二十一条第三項において同じ。）の申請があった場合においては、当該許可を与えなければならない。

3　公募占用計画の認定がされた場合においては、選定事業者以外の者は、第十七条第二項（前条第三項において準用する場合を含む。以下この項において同じ。）の占用の期間内は、第十七条第二項の促進区域内海域の占用の区域については、第十条第一項の許可の申請をすることができない。

（地位の承継）

第二〇条　次に掲げる者は、経済産業大臣及び国土交通大臣の承認を受けて、選定事業者が有していた公募占用計画の認定に基づく地位を承継することができる。

一　選定事業者の一般承継人

二　選定事業者から、認定公募占用計画に基づき設置及び維持管理が行われ、又は行われた海洋再生可能エネルギー発電設備の所有権その他当該海洋再生可能エネルギー発電設備の設置及び維持管理に必要な権原を取得した者

（公募占用計画の認定の取消し）

第二一条　経済産業大臣及び国土交通大臣は、次に掲げる場合には、公募占用計画の認定を取り消すことができる。

一　選定事業者が第十九条第一項の規定に違反したとき。

二　選定事業者が偽りその他不正な手段により公募占用計画の認定を受けたことが判明したとき。

2　経済産業大臣及び国土交通大臣は、前項の規定により公募占用計画の認定を取り消したときは、その旨を公示しなければならない。

3　第一項の規定により公募占用計画の認定が取り消されたときは、当該公募占用計画の認定に係る認定公募占用計画に基づき与えられた第十条第一項の許可は、その効力を失う。

（港湾法の特例）

第二二条　第十四条第三項第一号に掲げる事項が定められた公募占用計画が第十七条第一項又は第十八条第一項の規定により認定されたときは、当該認定の日に当該事項に係る選定事業者に対する港湾法第三十七条第一項の許可があったものとみなす。

2　第十四条第三項第二号に掲げる事項が定められた公募占用計画が第十七条第一項又は第十八条第一項の規定により認定されたときは、港湾法第三十八条の二第一項又は第四項の規定による届出があったものとみなす。

第三節　監督等

（非常災害時における緊急措置等）

第二三条　国土交通大臣は、非常災害が発生し、船舶の交通に支障が生じている場合において、緊急輸送の用に供する船舶の交通を確保するためやむを得ない必要があるときは、促進区域内海域において、海洋再生可能エネルギー発電設備又は船舶、船舶用品その他の物件を使用し、収用し、又は処分することができる。

2　国土交通大臣は、前項の規定による行為により損失を受けた者に対し、その損失を補償しなければならない。

3　第一項の規定による行為によって生じた損失に対しては、国土交通大臣は、当該海洋再生可能エネルギー発電設備又は船舶、船舶用品その他の物件の所有者又は占有者に対し、その行為がなかったならば通常生じなかった損失及び通常得られる利益が得られなかったことによる損失を補償しなければならない。

4　前項の規定により補償を受けることのできる者が金額の決定について不服があるときは、その金額の決定の通知を受けた日から六月以内に、国土交通大臣を被告として、訴えをもって金額の増加を請求することができる。

（監督処分）

第二四条　国土交通大臣は、次に掲げる者に対し、工事その他の行為の中止、工作物若しくは船舶その他の物件（以下この条において「工作物等」という。）の撤去、移転若しくは改築、工事その他の行為若しくは工作物等により生じた若しくは生ずべき障害を除去し、若しくは予防するため必要な施設の設置その他の措置をとること又は原状の回復（第三項及び第九項において「工作物等の撤去等」という。）を命ずることができる。

一　第十条第一項の規定に違反して、同項各号に掲げる行為をした者

二　第十条第一項の許可に付した条件に違反した者

三　偽りその他不正な手段により第十条第一項の許可を受けた者

四　第十二条の規定に違反した者

2　国土交通大臣は、前項第二号又は第三号に該当する者に対し、第十条第一項の許可を取り消し、その効力を停止し、その条件を変更し、又は新たな条件を付することができる。

3　第一項の規定により工作物等の撤去等を命じようとする場合において、過失がなくて当該工作物等の撤去等を命ずべき者を確知することができないときは、国土交通大臣は、当該工作物等の撤去等を自ら行い、又はその命じた者若しくは委任した者にこれを行わせることができる。この場合においては、相当の期限を定めて、当該工作物等の撤去等を行うべき旨及びその期限までに当該工作物等の撤去等を行わないときは、国土交通大臣又はその命じた者若しくは委任した者が当該工作物等の撤去等を行う旨を、あらかじめ、公告しなければならない。

4　国土交通大臣は、前項の規定により工作物等を撤去し、又は撤去させたときは、当該工作物等を保管しなければならない。

5　国土交通大臣は、前項の規定により工作物等を保管したときは、当該工作物等の所有者、占有者その他当該工作物等について権原を有する者（第九項において「所有者等」という。）に対し当該工作物等を返還するため、国土交通省令で定めるところにより、国土交通省令で定める事項を公示しなければならない。

6　国土交通大臣は、第四項の規定により保管した工作物等が滅失し、若しくは破損するおそれがあるとき、又は前項の規定による公示の日から起算して三月を経過してもなお当該工作物等を返還することができない場合において、国土交通省令で定めるところにより評価した当該工作物等の価額に比し、その保管に不相当な費用又は手数を要するときは、国土交通省令で定めるところにより、当該工作物等を売却し、その売却した代金を保管することができる。

7　国土交通大臣は、前項の規定による工作物等の売却につき買受人がない場合において、同項の価額が著しく低いときは、当該工作物等を廃棄することができる。

8　第六項の規定により売却した代金は、売却に要した費用に充てることができる。

9　第三項から第六項までに規定する撤去、保管、売却、公示その他の措置に要した費用は、当該工作物等の返還を受けるべき所有者等その他当該工作物等の撤去等を命ずべき者の負担とする。

10　第五項の規定による公示の日から起算して六月を経過してもなお第四項の規定により保管した工作物等（第六項の規定により売却した代金を含む。以下この項において同じ。）を返還することができないときは、当該工作物等の所有権は、国に帰属する。

（報告の徴収等）

第二五条　国土交通大臣は、この法律の施行に必要な限度において、国土交通省令で定めるところにより、第十条第一項の許可を受けた者（選定事業者を除く。）に対し必要な報告を求め、又はその職員に、当該許可に係る行為に係る場所若しくは当該許可を受けた者の事務所若しくは事業所に立ち入り、当該許可に係る行為の状況若しくは工作物、帳簿、書類その他必要な物件を検査させることができる。

2　経済産業大臣及び国土交通大臣は、この法律の施行に必要な限度において、経済産業省令・国土交通省令で定めるところにより、選定事業者に対し必要な報告を求め、又はその職員に、海洋再生可能エネルギー発電設備を整備する場所若しくは当該選定事業者の事務所若しくは事業所に立ち入り、海洋再生可能エネルギー発電設備、帳簿、書類その他必要な物件を検査させることができる。

3　前二項の規定による立入検査をする職員は、その身分を示す証明書を携帯し、関係人にこれを提示しなければならない。

4　第一項及び第二項の規定による立入検査の権限は、犯罪捜査のために認められたものと解してはならない。

（強制徴収）

第二六条　第十条第六項の規定に基づく占用料若しくは土砂採取料又は第二十四条第九項の規定に基づく負担金（第三項及び第四項において「負担金等」と総称する。）をその納期限までに納付しない者がある場合においては、国土交通大臣は、督促状によって納付すべき期限を指定して督促しなければならない。この場合において、督促状により指定すべき期限は、督促状を発する日から起算して二十日以上経過した日でなければならない。

2　国土交通大臣は、前項の規定による督促をした場合においては、国土交通省令で定めるところにより、延滞金を徴収することができる。この場合において、延滞金は、年十四・五パーセントの割合で計算した額を超えない範囲内で定めなければならない。

3　第一項の規定による督促を受けた者がその指定の期限までにその納付すべき金額を納付しないときは、国土交通大臣は、国税滞納処分の例により負担金等及び前項の延滞金を徴収することができる。この場合における負担金等及び延滞金の先取特権は、国税及び地方税に次ぐものとする。

4　延滞金は、負担金等に先立つものとする。

第四章　雑則

（情報の提供）

第二七条　国土交通大臣は、海洋再生可能エネルギー発電設備の整備に係る海域の利用を促進するため、海洋再生可能エネルギー発電事業を行う者に対し、海洋再生可能エネルギー発電設備の設置及び維持管理に必要な人員及び物資の輸送に利用することができる港湾に関する情報を提供するものとする。

（命令への委任）

第二八条　この法律に定めるもののほか、この法律の実施に関し必要な事項は、命令で定める。

（経過措置）

第二九条　この法律の規定に基づき命令を制定し、又は改廃する場合においては、その命令で、その制定又は改廃に伴い合理的に必要と判断される範囲内において、所要の経過措置（罰則に関する経過措置を含む。）を定めることができる。

（権限の委任）

第三〇条　この法律に規定する経済産業大臣又は国土交通大臣の権限は、政令で定めるところにより、その一部を地方支分部局の長に委任することができる。

第五章　罰則

第三一条　国の職員が、第十七条第一項の認定に関し、その職務に反し、当該認定を受けようとする者に談合を唆すこと、当該認定を受けようとする者に当該認定に係る公募（以下「占用公募」という。）に関する秘密を教示すること又はその他の方法により、当該占用公募の公正を害すべき行為を行ったときは、五年以下の懲役又は二百五十万円以下の罰金に処する。

本条は、令和四法六八により改正され、令和七年六月一日から施行

第三一条　国の職員が、第十七条第一項の認定に関し、その職務に反し、当該認定を受けようとする者に談合を唆すこと、当該認定を受けようとする者に当該認定に係る公募（以下「占用公募」という。）に関する秘密を教示すること又はその他の方法により、当該占用公募の公正を害すべき行為を行ったときは、五年以下の拘禁刑又は二百五十万円以下の罰金に処する。

第三二条　偽計又は威力を用いて、占用公募の公正を害すべき行為をした者は、三年以下の懲役若しくは二百五十万円以下の罰金に処し、又はこれを併科する。

本条一項は、令和四法六八により改正され、令和七年六月一日から施行

第三二条　偽計又は威力を用いて、占用公募の公正を害すべき行為をした者は、三年以下の拘禁刑若しくは二百五十万円以下の罰金に処し、又はこれを併科する。

2　占用公募につき、公正な価額を害し又は不正な利益を得る目的で、談合した者も、前項と同様とする。

第三三条　次の各号のいずれかに該当する者は、一年以下の懲役又は五十万円以下の罰金に処する。

一　第十条第一項の規定に違反して、同項各号に掲げる行為をした者

二　第十二条の規定に違反した者

本条は、令和四法六八により改正され、令和七年六月一日から施行

第三三条　次の各号のいずれかに該当する者は、一年以下の拘禁刑又は五十万円以下の罰金に処する。

一・二〔略〕

第三四条　第二十四条第一項の規定による国土交通大臣の命令に違反した者は、五十万円以下の罰金に処する。

第三五条　第二十五条第一項又は第二項の規定による報告をせず、若しくは虚偽の報告をし、又はこれらの規定による検査を拒み、妨げ、若しくは忌避した者は、三十万円以下の罰金に処する。

第三六条　法人の代表者又は法人若しくは人の代理人、使用人その他の従業者が、その法人又は人の業務に関し、第三十二条から前条までの違反行為をしたときは、行為者を罰するほか、その法人又は人に対しても、各本条の罰金刑を科する。

附　則

（施行期日）

第一条　この法律は、公布の日から起算して四月を超えない範囲内において政令で定める日から施行する。

〔平三一政四五により、平三一・四・一から施行〕

（公募占用指針の公示に関する経過措置）

第二条　第十三条第六項ただし書（同条第七項において準用する場合を含む。）の規定は、公布の日から起算して二年を超えない範囲内において政令で定める日までの間は、適用しない。

（検討）

第三条　政府は、この法律の施行後五年を経過した場合において、この法律の施行の状況について検討を加え、必要があると認めるときは、その結果に基づいて所要の措置を講ずるものとする。

第四条・第五条　〔他の法令改正に付き略〕

（罰則に関する経過措置）

第六条　この法律の施行前にした附則第四条の規定による改正前の港湾法の規定に違反する行為及びこの法律の施行前にした前条の規定による改正前の水産資源保護法の規定に違反する行為に対する罰則の適用については、なお従前の例による。

第七条・第八条　〔他の法令改正に付き略〕

附　則〔令二・六・一二法四九抄〕

（施行期日）

第一条　この法律は、令和四年四月一日から施行する。〔以下略〕

附　則〔令四・六・一七法六八抄〕

（施行期日）

1　この法律は、刑法等一部改正法〔令和四年法律第六十七号〕施行日〔令七・六・一〕から施行する。ただし、次の各号に掲げる規定は、当該各号に定める日から施行する。

一　第五百九条の規定　公布の日

二　〔略〕

○刑法等の一部を改正する法律の施行に伴う関係法律の整理等に関する法律（抄）

〔令四・六・一七 法六八〕

（罰則の適用等に関する経過措置）

第四四一条　刑法等の一部を改正する法律（令和四年法律第六十七号。以下「刑法等一部改正法」という。）及びこの法律（以下「刑法等一部改正法等」という。）の施行前にした行為の処罰については、次章に別段の定めがあるもののほか、なお従前の例による。

２　刑法等一部改正法等の施行後にした行為に対して、他の法律の規定によりなお従前の例によることとされ、なお効力を有することとされ又は改正前若しくは廃止前の法律の規定の例によることとされる罰則を適用する場合において、当該罰則に定める刑（刑法施行法第十九条第一項の規定又は第八十二条の規定による改正後の沖縄の復帰に伴う特別措置に関する法律第二十五条第四項の規定の適用後のものを含む。）に刑法等一部改正法第二条の規定による改正前の刑法（明治四十年法律第四十五号。以下この項において「旧刑法」という。）第十二条に規定する懲役（以下「懲役」という。）、旧刑法第十三条に規定する禁錮（以下「禁錮」という。）又は旧刑法第十六条に規定する拘留（以下「旧拘留」という。）が含まれるときは、当該刑のうち無期の懲役又は禁錮はそれぞれ無期拘禁刑と、有期の懲役又は禁錮はそれぞれその刑と長期及び短期（刑法施行法第二十条の規定の適用後のものを含む。）を同じくする有期拘禁刑と、旧拘留は長期及び短期（刑法施行法第二十条の規定の適用後のものを含む。）を同じくする拘留とする。

（裁判の効力とその執行に関する経過措置）

第四四二条　懲役、禁錮及び旧拘留の確定裁判の効力並びにその執行については、次章に別段の定めがあるもののほか、なお従前の例による。

（人の資格に関する経過措置）

第四四三条　懲役、禁錮又は旧拘留に処せられた者に係る人の資格に関する法令の規定の適用については、無期の懲役又は禁錮に処せられた者はそれぞれ無期拘禁刑に処せられた者と、有期の懲役又は禁錮に処せられた者はそれぞれ刑期を同じくする有期拘禁刑に処せられた者と、旧拘留に処せられた者は拘留に処せられた者とみなす。

２　拘禁刑又は拘留に処せられた者に係る他の法律の規定によりなお従前の例によることとされ、なお効力を有することとされ又は改正前若しくは廃止前の法律の規定の例によることとされる人の資格に関する法令の規定の適用については、無期拘禁刑に処せられた者は無期禁錮に処せられた者と、有期拘禁刑に処せられた者は刑期を同じくする有期禁錮に処せられた者と、拘留に処せられた者は刑期を同じくする旧拘留に処せられた者とみなす。

（経過措置の政令への委任）

第五〇九条　この編に定めるもののほか、刑法等一部改正法等の施行に伴い必要な経過措置は、政令で定める。

附　則〔令五・五・二六法三四抄〕

（施行期日）

第一条　この法律は、公布の日から起算して一年を超えない範囲内において政令で定める日から施行する。〔以下略〕

〔令五政三〇三により、令六・四・一から施行〕

○海洋再生可能エネルギー発電設備の整備に係る海域の利用の促進に関する法律施行令

（平成三十一年三月二十日政令第四十六号）

（海洋再生可能エネルギー源）

第一条　海洋再生可能エネルギー発電設備の整備に係る海域の利用の促進に関する法律（以下「法」という。）第二条第三項の政令で定めるものは、海域における風力とする。

（促進区域内海域の占用等に係る許可を要する海域の上空及び海底の区域）

第二条　法第十条第一項の政令で定める区域は、海域の上空三百十五メートルまでの区域及び海底下百メートルまでの区域とする。

（促進区域内海域における制限行為で許可を要しない行為）

第三条　法第十条第一項ただし書の政令で定める行為は、海洋再生可能エネルギー発電設備の維持管理のために行う行為とする。

（促進区域内海域の利用又は保全に支障を与えるおそれのある行為）

第四条　法第十条第一項第四号の政令で定める行為は、次に掲げるものとする。

一　海底の掘削又は切土その他海底の形状を変更する行為

二　海洋再生可能エネルギー発電設備整備促進区域ごとに国土交通大臣が指定する廃物の投棄

（占用の期間）

第五条　法第十条第四項の政令で定める期間は、次の各号に掲げる占用の区分に応じ、当該各号に定める期間とする。

一　容易に移転し、又は撤去することができる構造の施設又は工作物による占用　五年
二　法第十九条第一項に規定する認定公募占用計画に係る海洋再生可能エネルギー発電設備による占用　三十年
三　前二号に掲げるもの以外の占用　十年

（権限の委任）

第六条　法第十条第一項（同条第三項の規定により読み替えて適用する場合を含む。）及び第五項から第七項まで、第二十三条第一項、第二十四条第一項から第七項まで、第二十五条第一項及び第二項並びに第二十六条第一項から第三項までの規定による国土交通大臣の権限は、地方整備局長又は北海道開発局長に委任する。ただし、法第二十四条第一項から第七項まで並びに第二十五条第一項及び第二項の規定による権限にあっては、国土交通大臣が自らその権限を行うことを妨げない。

附　則

（施行期日）

1　この政令は、法の施行の日（平成三十一年四月一日）から施行する。

（法附則第二条の政令で定める日）

2　法附則第二条の政令で定める日は、法の施行後最初に法第十六条の規定により経済産業大臣が選定事業者における海洋再生可能エネルギー発電設備に係る調達価格及び調達期間を告示した日又は平成三十二年〔令和二年〕十二月六日のいずれか早い日とする。

3　〔他の法令改正に付き略〕

○海洋再生可能エネルギー発電設備の整備に係る海域の利用の促進に関する法律施行規則

（平成三十一年三月二十九日経済産業・国土交通省令第一号）

〔沿革〕　令和元年六月二八日経済産業・国土交通省令第一号改正

（海洋再生可能エネルギー発電設備整備促進区域の指定をしようとする旨の公告）

第一条　海洋再生可能エネルギー発電設備の整備に係る海域の利用の促進に関する法律（以下「法」という。）第八条第三項（同条第七項において準用する場合を含む。）の規定による海洋再生可能エネルギー発電設備整備促進区域の指定（同条第七項において準用する場合にあっては、指定の解除又はその区域の変更。以下この項及び次条第一項において同じ。）をしようとする旨の公告は、次に掲げる事項について、官報への掲載、インターネットの利用その他の適切な方法により行うものとする。

一　海洋再生可能エネルギー発電設備整備促進区域の指定をしようとする旨
二　海洋再生可能エネルギー発電設備整備促進区域の指定をしようとする区域

2　前項第二号の区域は、次に掲げるところにより明示するものとする。

一　一定の地物、施設、工作物若しくはこれらからの距離及び方向又は緯度及び経度
二　平面図

（海洋再生可能エネルギー発電設備整備促進区域の指定の公告）

第二条　法第八条第六項（同条第七項において準用する場合を含む。）の規定による海洋再生可能エネルギー発電設備整備促進区域の指定の公告は、次に掲げる事項について、官報への掲載、インターネットの利用その他の適切な方法により行うものとする。

一　海洋再生可能エネルギー発電設備整備促進区域の指定をした旨
二　海洋再生可能エネルギー発電設備整備促進区域

2　前項第二号の区域は、次に掲げるところにより明示するものとする。

一　一定の地物、施設、工作物若しくはこれらからの距離及び方向又は緯度及び経度
二　平面図

（学識経験者からの意見聴取）

第三条　経済産業大臣及び国土交通大臣は、法第十三条第五項（同条第七項において準用する場合を含む。）及び第十五条第四項の規定により学識経験者の意見を聴くときは、二人以上の学識経験者の意見を聴かなければならない。

（公募占用計画の作成）

第四条　法第十四条第一項に規定する公募占用計画は、経済産業大臣及び国土交通大臣の定める様式により作成するものとする。

2　法第十四条第二項第十五号の経済産業省令・国土交通省令で定める事項は、次に掲げるものとする。

一　法第十四条第一項の規定により公募に応じて選定事業者となろうとする者が法人又は団体である場合においては、その役員の氏名、生年月日その他必要な事項
二　法第十四条第一項の規定により公募に応じて選定事業者となろうとする者が個人である場合においては、その者の氏名、生年月日その他必要な事項
三　漁業その他の海洋の多様な開発及び利用との調和に関す

る事項
四　その他経済産業大臣及び国土交通大臣が必要と認める事項

（海洋再生可能エネルギー発電設備及びその維持管理の方法の基準）

第五条　法第十五条第一項第三号の経済産業省令・国土交通省令で定める海洋再生可能エネルギー発電設備の基準は、次に掲げるものとする。
一　自然状況その他の条件を勘案して、自重、水圧、波力、土圧及び風圧並びに地震、漂流物等による振動及び衝撃に対して安全な構造であること。
二　船舶からの視認性を向上させるための措置その他の船舶の航行に支障を及ぼさないための措置を講じたものであること。
2　法第十五条第一項第三号の経済産業省令・国土交通省令で定める海洋再生可能エネルギー発電設備の維持管理の方法の基準は、次に掲げるものとする。
一　自然状況その他の条件を勘案して、定期及び臨時に当該海洋再生可能エネルギー発電設備を点検し、その損傷、劣化その他の変状についての診断を行い、その結果に応じて必要な措置を講じること。
二　前号の結果その他の当該海洋再生可能エネルギー発電設備の維持管理に必要な事項の記録及び保存を行うこと。
3　前二項に規定するもののほか、海洋再生可能エネルギー発電設備又はその維持管理の方法の基準に関し必要な事項は、国土交通大臣が告示で定める。

（公募占用計画の認定の公示）

第六条　法第十七条第二項（法第十八条第三項において準用する場合を含む。）の規定による公示は、官報への掲載、インターネットの利用その他の適切な方法により行うものとする。

（公募占用計画の軽微な変更）

第七条　法第十八条第一項ただし書の経済産業省令・国土交通省令で定める軽微な変更は、次に掲げるものとする。
一　法第十七条第一項の認定を受けた公募占用計画に係る工事の時期の変更のうち、工事の着手又は完了の予定年月日の三月以内の変更
二　前号に掲げるもののほか、法第十七条第一項の認定を受けた公募占用計画の実施に支障がないと経済産業大臣及び国土交通大臣が認める変更

（報告の徴収等）

第八条　法第二十五条第二項の規定により、選定事業者に対し必要な報告を求める場合には、報告すべき事項、報告の期限その他必要な事項を明示し、これを行うものとする。
2　法第二十五条第二項の規定による立入検査に係る同条第三項の証明書は、別記様式によるものとする。

附　則

この省令は、法の施行の日（平成三十一年四月一日）から施行する。

附　則〔令元・六・二八経産・国交令二〕

この省令は、不正競争防止法等の一部を改正する法律の施行の日（令和元年七月一日）から施行する。

別記様式（第八条関係）

（用紙の寸法は、日本産業規格B8とする。）

（表）

第　　号

身分証明書

写真

住所

氏名

職名

生年月日

右は、海洋再生可能エネルギー発電設備の整備に係る海域の利用の促進に関する法律第二十五条第二項の規定により、海洋再生可能エネルギー発電設備を整備する場所又は選定事業者の事務所若しくは事業所に立ち入ることができる者であることを証する。

交付年月日

有効期間

発行機関名

発行機関印

（裏）

海洋再生可能エネルギー発電設備の整備に係る海域の利用の促進に関する法律抜粋

（報告の徴収等）

第二十五条　（略）

2　経済産業大臣及び国土交通大臣は、この法律の施行に必要な限度において、経済産業省令・国土交通省令で定めるところにより、選定事業者に対し必要な報告を求め、又はその職員に、海洋再生可能エネルギー発電設備を整備する場所若しくは当該選定事業者の事務所若しくは事業所に立ち入り、海洋再生可能エネルギー発電設備、帳簿、書類その他必要な物件を検査させることができる。

3　前二項の規定による立入検査をする職員は、その身分を示す証明書を携帯し、関係人にこれを提示しなければならない。

4　第一項及び第二項の規定による立入検査の権限は、犯罪捜査のために認められたものと解してはならない。

〔本様式改正・令元経産・国交令一〕

○国土交通省関係海洋再生可能エネルギー発電設備の整備に係る海域の利用の促進に関する法律施行規則

（平成三十一年三月二十九日国土交通省令第十七号）

〔沿革〕令和元年六月二八日国土交通省令第二〇号、二年一二月二三日第九八号、六年三月二九日第二六号改正

（促進区域内海域の占用等に係る許可）

第一条　海洋再生可能エネルギー発電設備の整備に係る海域の利用の促進に関する法律（以下「法」という。）第十条第一項第一号に掲げる行為に係る同項の許可を受けようとする者は、次に掲げる事項を記載した申請書を国土交通大臣に提出しなければならない。

一　促進区域内海域の占用の目的
二　促進区域内海域の占用の期間
三　促進区域内海域の占用の場所
四　促進区域内海域の占用の方法

2　法第十条第一項第二号に掲げる行為に係る同項の許可を受けようとする者は、次に掲げる事項を記載した申請書を国土交通大臣に提出しなければならない。

一　土砂の採取の目的
二　土砂の採取の期間
三　土砂の採取の場所
四　土砂の採取の方法
五　土砂の採取量

3　法第十条第一項第三号に掲げる行為に係る同項の許可を受けようとする者は、次に掲げる事項を記載した申請書を国土交通大臣に提出しなければならない。

一　施設又は工作物の新設又は改築の目的
二　施設又は工作物の新設又は改築の場所
三　新設又は改築する施設又は工作物の構造
四　工事実施の方法
五　工事実施の期間

4　法第十条第一項第四号に掲げる行為に係る同項の許可を受けようとする者は、次に掲げる事項を記載した申請書を国土交通大臣に提出しなければならない。

一　行為の目的
二　行為の内容
三　行為の期間
四　行為の場所
五　行為の方法

（占用料及び土砂採取料の基準）

第二条　法第十条第六項の占用料又は土砂採取料は、近傍類地の地代又は近傍類地における土砂採取料等を考慮して国土交通大臣が定めるものとする。

2　国土交通大臣は、公益上特に必要があると認めるときは、前項の規定にかかわらず、占用料及び土砂採取料を減額し、又は免除することができる。

（過怠金）

第三条　国土交通大臣は、偽りその他不正の行為により法第十条第六項の占用料又は土砂採取料の徴収を免れた者から、その徴収を免れた金額の五倍に相当する金額の過怠金を徴収するものとする。

（促進区域内海域における放置等禁止物件）

第四条　法第十二条の国土交通省令で定める物件は次に掲げるものとする。

一　船舶
二　土石
三　いかだ
四　竹木
五　車両
六　前各号に掲げるもののほか、促進区域内海域の利用若しくは保全又は周辺港湾の機能の維持に支障を与える程度においてこれらの物件に類するもの

（工作物等を保管した場合の公示事項）

第五条　法第二十四条第五項の国土交通省令で定める事項は、次に掲げるものとする。

一　工作物等の名称又は種類、形状及び数量
二　工作物等の放置されていた場所及び当該工作物等を撤去した日時
三　工作物等の保管を始めた日時及び保管の場所
四　前三号に掲げるもののほか、工作物等を返還するため必要と認められる事項

（工作物等を保管した場合の公示の方法）

第六条　法第二十四条第五項の規定による公示は、次に掲げる方法により行わなければならない。

一　前条各号に掲げる事項を、保管を始めた日から起算して十四日間、当該工作物等の放置されていた場所を管轄する地方整備局の事務所に掲示すること。
二　前号の公示の期間が満了しても、なお当該工作物等の所有者、占有者その他当該工作物等について権原を有する者（第十条において「所有者等」という。）の氏名及び住所を知ることができないときは、前条各号に掲げる事項の要旨を官報又は新聞紙に掲載すること。

2　国土交通大臣は、前項に規定する方法による公示を行うとともに、第一号様式による保管した工作物等一覧簿を当該工作物等の放置されていた場所を管轄する地方整備局の事務所に備え付け、かつ、これをいつでも関係者に自由に閲覧させなければならない。

（工作物等の価額の評価の方法）

第七条　法第二十四条第六項の規定による工作物等の価額の評価は、当該工作物等の購入又は製作に要する費用、使用年

数、損耗の程度その他当該工作物等の価額の評価に関する事情を勘案してするものとする。この場合において、国土交通大臣は、必要があると認めるときは、工作物等の価額の評価に関し専門的知識を有する者の意見を聴くことができる。

（保管した工作物等を売却する場合の手続）

第八条　法第二十四条第六項の規定による保管した工作物等の売却は、競争入札に付して行わなければならない。ただし、競争入札に付しても入札者がない工作物等その他競争入札に付することが適当ではないと認められる工作物等については、随意契約により売却することができる。

第九条　国土交通大臣は、当該工作物等を前条本文の競争入札のうち一般競争入札に付そうとするときは、その入札期日の前日から起算して少なくとも五日前までに、次に掲げる事項を当該工作物等の放置されていた場所を管轄する地方整備局の事務所に掲示し、又は官報若しくは新聞紙に掲載する等当該掲示に準ずる適当な方法で公示しなければならない。

一　当該工作物等の名称又は種類、形状及び数量
二　当該競争入札の執行を担当する職員の職及び氏名
三　当該競争入札の執行の日時及び場所
四　契約条項の概要
五　その他国土交通大臣が必要と認める事項

2　国土交通大臣は、当該工作物等を前条本文の競争入札のうち指名競争入札に付そうとするときは、なるべく三人以上の入札者を指定し、かつ、それらの者に前項各号に掲げる事項をあらかじめ通知しなければならない。

3　国土交通大臣は、前条ただし書の随意契約によろうとするときは、なるべく二人以上の者から見積書を徴さなければならない。

（工作物等を返還する場合の手続）

第一〇条　国土交通大臣は、保管した工作物等（法第二十四条第六項の規定により売却した代金を含む。）を所有者等に返還するときは、返還を受ける者にその所有権等を証するに足りる書類を提出させる等の方法によってその者が当該工作物等の返還を受けるべき所有者等であることを証明させ、かつ、第二号様式による受領書と引換えに返還するものとする。

（報告の徴収等）

第一一条　法第二十五条第一項の規定により、法第十条第一項の規定による許可を受けた者（選定事業者を除く。）に対し当該許可に係る事項に関し必要な報告を求める場合には、報告すべき事項、報告の期限その他必要な事項を明示し、これを行うものとする。

〔二項削除・令六国交令二六〕

（延滞金）

第一二条　法第二十六条第二項の規定により国土交通大臣が徴収する延滞金の額は、負担金等を納付すべき期限の翌日からその納付の日までの日数に応じ負担金等の額に年十・七五パーセントの割合を乗じて計算した額とする。この場合において、負担金等の額の一部につき納付があったときは、その納付の日以後の期間に係る延滞金の計算の基礎となる負担金等の額は、その納付のあった負担金等の額を控除した額による。

附　則

この省令は、法の施行の日（平成三十一年四月一日）から施行する。

附　則〔令二・一二・二三国交令九八〕

（施行期日）

1　この省令は、令和三年一月一日から施行する。

（経過措置）

2　この省令の施行の際現にあるこの省令による改正前の様式による用紙は、当分の間、これを取り繕って使用することができる。

附　則〔令六・三・二九国交令二六抄〕

（施行期日）

第一条　この省令は、令和六年四月一日から施行する。〔以下略〕

第一号様式（第六条関係）

保管した工作物等一覧簿								
整理番号	保管した工作物等			放置されていた場所	撤去した日時	保管を始めた日時	保管の場所	備考
	名称又は種類	形状	数量					

第二号様式（第十条関係）

受　　領　　書

年　　月　　日

殿

返還を受けた者

住　所

氏　名（ふりがな）

下記のとおり工作物等（現金）の返還を受けました。

返還を受けた日時		
返還を受けた場所		
返還を受けた工作物等	整理番号	
	名称又は種類	
	形状	
	数量	
（返還を受けた金額）		

備考

用紙は、日本産業規格Ａ４の寸法のものとすること。

〔本様式改正・令元国交令20・令２国交令98〕

○海洋再生可能エネルギー発電設備又はその維持管理の方法の基準に関し必要な事項を定める告示

（令和二年三月十九日国土交通省告示第三百八十八号）

〔沿革〕令和二年一二月二一日国土交通省告示第一五四八号改正

（海洋再生可能エネルギー発電設備の設計）

第一条 海洋再生可能エネルギー発電設備（海洋再生可能エネルギー発電設備の整備に係る海域の利用の促進に関する法律（平成三十年法律第八十九号。以下「法」という。）第二条第二項に規定する海洋再生可能エネルギー発電設備をいう。以下同じ。）は、自然状況、利用状況その他の当該海洋再生可能エネルギー発電設備が置かれる諸条件を勘案して、当該海洋再生可能エネルギー発電設備の要求性能（海洋再生可能エネルギー発電設備に必要とされる性能をいう。以下同じ。）を満足し、かつ、施工時に当該海洋再生可能エネルギー発電設備の構造の安定が損なわれないよう、適切に設計されるものとする。

2　海洋再生可能エネルギー発電設備の設計に当たっては、当該海洋再生可能エネルギー発電設備の設計供用期間（海洋再生可能エネルギー発電設備の設計に当たって、当該海洋再生可能エネルギー発電設備の要求性能を満足し続けるものとして設定される期間をいう。以下同じ。）を適切に定めるものとする。

3　海洋再生可能エネルギー発電設備の設計に当たっては、施工及び維持管理を適切に行えるよう、必要な措置を講ずるものとする。

（要求性能）

第二条 要求性能は、次の各号に定めるものとする。

一　施工時及び供用時に海洋再生可能エネルギー発電設備が置かれる諸条件に照らし、風圧、自重、土圧、水圧、変動波浪（海洋再生可能エネルギー発電設備を設置する地点において発生するものと想定される波浪のうち、当該海洋再生可能エネルギー発電設備の設計供用期間中に発生する可能性の高いものをいう。）、水の流れ、当該海洋再生可能エネルギー発電設備の設計供用期間中に発生する可能性の高い地震動、漂流物の衝突等の作用による損傷等が、当該海洋再生可能エネルギー発電設備の機能を損なわず継続して使用することに影響を及ぼさないこと。

二　設計津波（海洋再生可能エネルギー発電設備を設置する地点において発生するものと想定される津波のうち、当該海洋再生可能エネルギー発電設備の設計供用期間中に発生する可能性が低く、かつ、当該海洋再生可能エネルギー発電設備に大きな影響を及ぼすものをいう。）、海洋再生可能エネルギー発電設備を設置する地点において発生するものと想定される最大規模の強さを有する地震動等の作用による損傷等が、当該海洋再生可能エネルギー発電設備の機能が損なわれた場合であっても、当該海洋再生可能エネルギー発電設備の構造の安定に重大な影響を及ぼさないこと。

三　海水、風雨等による腐食を防止する措置が講じられていること。

四　洗掘及び吸出しによる海洋再生可能エネルギー発電設備を構成する部材の健全性への影響が、当該海洋再生可能エネルギー発電設備の安定性を損なうおそれがある場合にあっては、適切な措置が講じられていること。

五　海洋再生可能エネルギー発電設備の周辺の海域を航行する船舶から視認できるよう、当該海洋再生可能エネルギー発電設備の一部を着色したものであること。

六　回転翼は海洋再生可能エネルギー発電設備の周辺の海域を航行する船舶に接触しないように施設すること。

七　海洋再生可能エネルギー発電設備の風下で発生する乱流が大型船舶が頻繁に通航する水域における船舶の航行に支障を及ぼすものでないこと。

八　海洋再生可能エネルギー発電設備が倒壊した場合であっても、次のイからハまでに掲げる区域及び海域に影響を及ぼさない規模であること。

イ　開発保全航路（港湾法（昭和二十五年法律第二百十八号）第二条第八項に規定する開発保全航路をいう。）の区域

ロ　緊急確保航路（港湾法第五十五条の三の五第一項に規定する緊急確保航路をいう。）の区域

ハ　大型船舶が頻繁に通航する海域

（性能照査の基本）

第三条 性能照査（海洋再生可能エネルギー発電設備が性能規定（性能照査を行えるよう、要求性能を具体的に記述した規定をいう。）を満足していることを確認する行為をいう。次項及び次条第十四号において同じ。）は、作用、供用に必要な要件及び海洋再生可能エネルギー発電設備の保有する性能の不確定性を考慮できる方法又はその他の方法であって信頼性の高い方法によって行われなければならない。

2　性能照査に当たっては、設計供用期間中に海洋再生可能エネルギー発電設備が置かれる状況を考慮して、次の事項を行うことを基本とするものとする。

一　当該海洋再生可能エネルギー発電設備が置かれる自然状況等を考慮して、作用を適切に設定すること。

二　二以上の作用が同時に生じる可能性を考慮して、作用の組合せを適切に設定すること。

三　材料の特性、環境作用（腐食現象等の海洋再生可能エネルギー発電設備を構成する材料の劣化を引き起こし、当該海洋再生可能エネルギー発電設備の性能を損なうおそれの

ある力学的、物理的、化学的又は生物学的な作用をいう。次条第十五号において同じ。）の影響等を考慮して、材料を選定するとともに、その物性値を適切に設定すること。

（自然状況等の設定）

第四条　海洋再生可能エネルギー発電設備の整備に係る海域の利用の促進に関する法律施行規則（平成三十一年経済産業省　国土交通省令第一号）第五条第一項第一号の自然状況その他の条件は、次の各号に定める方法により定めるものとする。

一　波浪及び高潮の推算に用いる洋上における風については、気象の長期間の実測値又は推算値をもとに、風速、風向等を適切に設定するものとする。

二　風圧力の算定に用いる風については、風の長期間の実測値又は推算値をもとに、統計的解析等により再現期間に対応した風速及び風向を適切に設定するものとする。

三　潮位については、実測値又は推算値をもとに、天文潮及び気象潮、波浪による水位上昇並びに津波等による異常潮位を考慮して、統計的解析等により港湾管理用基準面（港湾の施設の技術上の基準の細目を定める告示（平成十九年国土交通省告示第三百九十五号）第一条第十三号に定める港湾管理用基準面をいう。）からの水位を適切に設定するものとする。

四　海洋再生可能エネルギー発電設備の安定性、構造部材の断面の破壊（疲労によるものを除く。）等の照査に用いる波浪については、長期間の実測値又は推算値をもとに、統計的解析等により再現期間に対応した波浪の波高、周期及び波向を適切に設定するものとする。

五　構造部材に関する疲労による断面の破壊の照査に用いる風及び波浪については、長期間の実測値又は推算値をもとに、統計的解析により設計供用期間中に発生する風速、風向、波浪の波高、周期及び波向の相関頻度分布を適切に設定するものとする。

六　津波については、津波の記録又は数値解析をもとに、津波の高さ等を適切に設定するものとする。

七　海水等の流動については、実測値又は推算値をもとに、流速及び流向を適切に設定するものとする。

八　河口水理の影響については、実測値又は推算値をもとに、河川流を考慮して、適切な手法により評価するものとする。

九　漂砂の影響については、実測値又は推算値をもとに、適切な手法により評価するものとする。

十　地盤条件については、地盤調査及び土質試験の結果をもとに、土の物理的性質、力学的特性を適切に設定するものとする。

十一　地盤の沈下の影響については、地盤条件をもとに、海洋再生可能エネルギー発電設備の構造、載荷重及び当該海洋再生可能エネルギー発電設備の周辺の状況を考慮して、適切な手法により評価するものとする。

十二　地震動については、地震動の実測値又は推算値をもとに、時刻歴波形を適切に設定するものとする。

十三　地盤の液状化については、地盤条件をもとに、地震動による作用を考慮して、適切な手法により評価するものとする。

十四　船舶の接岸による作用については、対象船舶（性能照査において、条件として用いる船舶をいう。）の諸元、海洋再生可能エネルギー発電設備の構造、接岸方法、接岸速度等を考慮して、適切な手法により設定するものとする。

十五　環境作用の影響については、海洋再生可能エネルギー発電設備の設計供用期間、材料特性、自然状況、維持管理の方法その他の当該海洋再生可能エネルギー発電設備が置かれる諸条件を考慮して、適切な手法により評価するものとする。

十六　自重については、材料の単位体積重量をもとに、適切に設定するものとする。

十七　載荷重については、想定される海洋再生可能エネルギー発電設備の利用状況等を考慮して、適切に設定するものとする。

（海洋再生可能エネルギー発電設備の維持管理）

第五条　海洋再生可能エネルギー発電設備は、設計供用期間にわたって要求性能を満足するよう、認定公募占用計画（法第十九条第一項に規定する認定公募占用計画をいう。）に従って、適切に維持管理されるものとする。

2　海洋再生可能エネルギー発電設備の維持管理に当たっては、自然状況、利用状況その他の当該海洋再生可能エネルギー発電設備が置かれる諸条件、構造特性、材料特性等を勘案するものとする。

3　海洋再生可能エネルギー発電設備の維持管理に当たっては、当該海洋再生可能エネルギー発電設備の損傷、劣化その他の変状についての定期及び臨時の点検及び診断を適切に行った上で、必要な維持工事等を適切に行うものとする。

4　海洋再生可能エネルギー発電設備の維持管理に当たっては、当該海洋再生可能エネルギー発電設備の構造又は設備に関する専門的知識及び技術又は技能を有する者の下で行うものとする。

5　海洋再生可能エネルギー発電設備の維持管理に当たっては、第三項の点検及び診断の結果その他の当該海洋再生可能エネルギー発電設備の適切な維持管理に必要な事項の記録及び保存を適切に行うものとする。

6　海洋再生可能エネルギー発電設備の維持管理に当たっては、当該海洋再生可能エネルギー発電設備を安全に利用できるよう、運用方法の明確化その他の危険防止に関する対策を適切に行うものとする。

（海洋再生可能エネルギー発電設備の点検診断）

第六条　海洋再生可能エネルギー発電設備の点検診断は、自然状況、利用状況その他の当該海洋再生可能エネルギー発電設備が置かれる諸条件、設計供用期間、構造特性、材料特性、点検診断及び維持工事等の難易度を勘案して、適切な時期に、適切な方法により行うものとする。

2　海洋再生可能エネルギー発電設備の定期的な点検診断は、適切な時期に行うものとする。

3　前項に規定する定期的な点検診断のうち、詳細な点検診断については、適切な時期に行うものとする。

4　海洋再生可能エネルギー発電設備の点検診断は、第二項に規定するもののほか、日常の点検を行うとともに、必要に応じて、臨時の点検診断を行うものとする。

（危険防止に関する対策）

第七条　選定事業者（法第十三条第二項第十号に規定する選定事業者をいい、法第二十条の規定によりその地位を承継した者を含む。次条において同じ。）は、第五条第六項に規定する運用方法の明確化その他の危険防止に関する対策として、自然状況、利用状況その他の海洋再生可能エネルギー発電設備が置かれる諸条件を勘案して、次に掲げる対策を行うことを標準とする。

一　緊急時において当該海洋再生可能エネルギー発電設備を安全な状態に維持するために必要な措置及び当該措置の実施について責任を有する者の明確化

二　前号に掲げるもののほか、当該海洋再生可能エネルギー発電設備を安全な状態に維持管理するために必要な運用規程の整備

2　前項各号に掲げる対策は、相互に関連性をもって一体的に運用される海洋再生可能エネルギー発電設備の安全確保に関する専門的知識及び技術又は技能を有する者の下で行うことを標準とする。

（供用を停止した海洋再生可能エネルギー発電設備）

第八条　選定事業者は、海洋再生可能エネルギー発電設備の供用を停止したときは、促進区域内海域（法第十条第一項に規定する促進区域内海域をいう。）の利用又は保全に支障を与えないよう、当該海洋再生可能エネルギー発電設備を撤去するものとする。ただし、海洋汚染等及び海上災害の防止に関する法律（昭和四十五年法律第百三十六号）第三条第十号に規定する海洋施設を同法第四十三条の二第一項の許可を受けて捨てる場合は、この限りでない。

附　則

この告示は、令和二年三月二十七日から施行する。

附　則〔令和二年一二月二二日国土交通省告示第一五四八号〕

この告示は、公布の日から施行する。

○海洋再生可能エネルギー発電設備等拠点港湾を指定した件

（令和六年四月二十六日国土交通省告示第三百八十一号）

港湾法（昭和二十五年法律第二百十八号）第二条の四第二項の規定に基づき、海洋再生可能エネルギー発電設備等拠点港湾を次のように告示する。

港湾法第二条の四第一項の規定による海洋再生可能エネルギー発電設備等拠点港湾は、次の表のとおりとする。

都道府県	海洋再生可能エネルギー発電設備等拠点港	指定をした日
青森県	青森港	令和六年四月二十六日
秋田県	秋田港	令和二年九月二日
	能代港	令和二年九月二日
山形県	酒田港	令和六年四月二十六日
茨城県	鹿島港	令和二年九月二日
新潟県	新潟港	令和五年四月二十八日
福岡県	北九州港	令和二年九月二日

附　則

（施行期日）

1　この告示は、公布の日から施行する。

（廃止）

2　次に掲げる告示は、廃止する。

一　令和二年国土交通省告示第八百三十一号

二　令和五年国土交通省告示第四百十三号

○北海道開発のためにする港湾工事に関する法律

（昭和二十六年三月三十一日法律第七十三号）

〔沿革〕 昭和二六年六月四日法律第一九六号、二九年五月一八日第一一四号、四七年五月一三日第三二号、四八年七月一七日第五四号、六〇年五月一八日第三七号、六一年五月八日第四六号、六二年三月三一日第二一号、九月四日第八七号、平成元年四月一〇日第二二号、三年三月三〇日第一五号、五年三月三一日第八号、六年六月二九日第四九号、一一年一二月二二日第一六〇号、一二年三月三一日第三三号、一四年二月八日第一号、一五年五月一六日第四一号、一九年六月一日第七一号改正

（この法律の目的）

第一条 この法律は、北海道開発のため北海道においてする港湾工事に関して、港湾法（昭和二十五年法律第二百十八号）の特例を定めることを目的とする。

（港湾管理者のする港湾工事に関する費用の負担）

第二条 港湾管理者のする港湾工事であつて、北海道開発のため必要であると認められるものの費用は、水域施設又は外郭施設の建設又は改良に係るものについては、国がその十分の七・五を、港湾管理者がその十分の二・五をそれぞれ負担し、係留施設、臨港交通施設又は公共の用に供する港湾施設用地の建設又は改良に係るものについては、国がその十分の六を、港湾管理者がその十分の四をそれぞれ負担し、港湾公害防止施設又は港湾環境整備施設の建設又は改良に係るものについては、国と港湾管理者とがその十分の五をそれぞれ負担し、廃棄物埋立護岸又は海洋性廃棄物処理施設の建設又は改良に係るものについては、国がその三分の一を、港湾管理者がその三分の二をそれぞれ負担する。

2 港湾法第四十二条第三項及び第四項（費用の負担）の規定は、前項の場合に準用する。

二項…一部改正〔昭和二六年六月法律一九六号〕、一項…一部改正〔昭和二九年五月法律一一四号・四七年五月三二号・平成五年三月八号〕、二項…一部改正〔平成一二年三月法律三三号〕、一項…一部改正〔平成一九年六月法律七一号〕

（直轄工事）

第三条 北海道開発のため必要がある場合において、国と港湾管理者の協議が調つたときは、国土交通大臣は、予算の範囲内で港湾工事を自らすることができる。

2 前条の規定は、前項の規定により国土交通大臣がする港湾工事の費用について準用する。この場合において、同条第一項中「国がその十分の七・五」とあるのは「国がその十分の八・五」と、「港湾管理者がその十分の二・五」とあるのは「港湾管理者がその十分の一・五」と、「十分の六」とあるのは「三分の二」と、「十分の四」とあるのは「三分の一」と、同条第二項において準用する港湾法第四十二条第四項中「第十七条及び第十九条第一項」とあるのは「第十七条の二第一項及び第十九条第二項」と読み替えるものとする。

二項…一部改正〔昭和二六年六月法律一九六号〕、二項…一部改正・三項…削除〔昭和二九年五月法律一一四号〕、二項…一部改正〔平成五年三月八号、一・二項…一部改正〔平成一一年一二月法律一六〇号〕、二項…一部改正〔平成一二年三月法律三三号〕

（土地又は工作物の譲渡等）

第四条 前条第一項に規定する港湾工事によつて生じた土地又は工作物は、公用のため国において必要なものを除き、国土交通大臣において、港湾管理者に譲渡することができる。この場合の譲渡は、港湾管理者が負担した費用の額に相当する価格の範囲内で無償とする。

2 前条第一項に規定する港湾工事によつて生じた土地又は工作物（前項の規定により譲渡するものを除く。）のうち、公用のため国において必要なものを除き、港湾施設となるべきもの及び港湾の管理運営に必要なものは、これを港湾管理者に管理を委託しなければならない。

3 港湾法第五十四条第二項及び第三項（港湾施設の貸付け等）の規定は、前項の規定により管理を委託する場合に準用する。

本条…全部改正〔昭和二九年五月法律一一四号〕、一項…一部改正〔平成一一年一二月法律一六〇号〕、三項…一部改正〔平成一五年五月法律四一号〕

（港湾施設の譲渡等）

第五条 港湾管理者が設立された時において国の所有又は管理に属する港湾施設（航行補助施設を除く。）は、公用のため国において必要なものを除き、これを港湾管理者に譲渡し、又は管理を委託しなければならない。

2 前条第一項並びに港湾法第五十四条第二項及び第三項の規定は、前項の規定により譲渡し、又は管理を委託する場合に準用する。この場合において、前条第一項後段中「港湾管理者」とあるのは「港湾管理者としての地方公共団体（当該地方公共団体が地方自治法（昭和二十二年法律第六十七号）第二百八十四条第二項又は第三項の地方公共団体である場合には当該地方公共団体を組織する地方公共団体）又は港務局を組織する地方公共団体」と読み替えるものとする。

本条…追加〔昭和二九年五月法律一一四号〕、二項…一部改正〔平成六年六月法律四九号・一五年五月四一号〕

附　則

1 この法律は、公布の日から施行する。

2 第二条第一項（第三条第二項において準用する場合を含む。）の規定の昭和六十年度における適用については、第二条第一項中「十分の九・五」とあるのは「十分の八・五」と、「十分の〇・五」とあるのは「十分の一・五」と、「国がその十分の七・五」とあるのは「国がその三分の二」と、「港湾管理者がその十分の二・五」とあるのは「港湾管理者がその三分の一」とする。

3 第二条第一項の規定の昭和六十一年度、平成三年度及び平成四年度における適用については、同項中「十分の九・五」とあるのは「十分の八」と、「十分の〇・五」とあるのは「十分の二」と、「国がその十分の七・五」とあるのは「国

がその十分の六」と、「港湾管理者がその十分の二・五」とあるのは「港湾管理者がその十分の四」とする。

4　第三条第二項において準用する第二条第一項の規定の昭和六十一年度、平成三年度及び平成四年度における適用については、同項中「十分の九・五」とあるのは「十分の八・五」と、「十分の〇・五」とあるのは「十分の一・五」と、「国がその十分の七・五」とあるのは「国がその三分の二」と、「港湾管理者がその十分の二・五」とあるのは「港湾管理者がその三分の一」とする。

5　第二条第一項の規定の昭和六十二年度から平成二年度までの各年度における適用については、同項中「十分の九・五」とあるのは「十分の七・七五」と、「十分の〇・五」とあるのは「十分の二・二五」と、「国がその十分の七・五」とあるのは「国がその十分の五・七五」と、「港湾管理者がその十分の二・五」とあるのは「港湾管理者がその十分の四・二五」とする。

6　第三条第二項において準用する第二条第一項の規定の昭和六十二年度から平成二年度までの各年度における適用については、同項中「十分の九・五」とあるのは「十分の八」と、「十分の〇・五」とあるのは「十分の二」と、「国がその十分の七・五」とあるのは「国がその十分の六」と、「港湾管理者がその十分の二・五」とあるのは「港湾管理者がその十分の四」とする。

7　国は、当分の間、港湾管理者に対し、第二条第一項の規定により国がその費用について負担する港湾施設の建設又は改良の工事で日本電信電話株式会社の株式の売払収入の活用による社会資本の整備の促進に関する特別措置法（昭和六十二年法律第八十六号）第二条第一項第二号に該当するものに要する費用に充てる資金について、予算の範囲内において、第二条第一項の規定（この規定による国の負担の割合について、この規定と異なる定めをした法令の規定がある場合には、当該異なる定めをした法令の規定を含む。以下同じ。）により国が負担する金額に相当する金額を無利子で貸し付けることができる。

8　前項の国の貸付金の償還期間は、五年（二年以内の据置期間を含む。）以内で政令で定める期間とする。

9　前項に定めるもののほか、附則第七項の規定による貸付金の償還方法、償還期限の繰上げその他償還に関し必要な事項は、政令で定める。

10　附則第七項の規定により国が港湾管理者に対し貸付けを行う場合における第二条第二項において準用する港湾法第四十二条第三項の規定の適用については、同項中「これによつて国が負担することとなる金額」とあるのは、「北海道開発のためにする港湾工事に関する法律附則第七項の規定により国が貸し付けることとなる金額」とする。

11　国は、附則第七項の規定により、港湾管理者に対し貸付けを行つた場合には、当該貸付けの対象である工事に係る第二条第一項の規定による国の負担については、当該貸付金の償還時において、当該貸付金の償還金に相当する金額を交付することにより行うものとする。

12　港湾管理者が、附則第七項の規定による貸付けを受けた無利子貸付金について、附則第八項及び第九項の規定に基づき定められる償還期限を繰り上げて償還を行つた場合（政令で定める場合を除く。）における前項の規定の適用については、当該償還は、当該償還期限の到来時に行われたものとみなす。

一項…一部改正・二項…追加〔昭和六〇年五月法律三七号〕、三・四項…追加〔昭和六一年五月法律四六号〕、三・四項…一部改正・五・六項…追加〔昭和六二年三月法律二一号〕、七―一二項…追加〔昭和六二年九月法律八七号〕、五・六項…一部改正〔平成元年四月法律二二号〕、三・四項…一部改正〔平成三年三月法律一五号・五年三月八号〕、一〇項…一部改正〔平成一二年三月法律三三号〕、八項…一部改正〔平成一四年二月法律一号〕

附　則〔平成一九年六月一日法律第七一号〕

（施行期日）

1　この法律は、平成十九年四月一日又はこの法律の公布の日のいずれか遅い日から施行する。

（経過措置）

2　〔前略〕第二条の規定による改正後の北海道開発のためにする港湾工事に関する法律第二条第一項（同法第三条第二項において準用する場合を含む。）の規定は、平成十九年度以降の年度の予算に係る国の補助又は負担（当該国の負担に係る港湾管理者の負担を含む。以下同じ。）（平成十八年度以前の年度の国庫債務負担行為に基づき平成十九年度以降の年度に支出すべきものとされた国の補助又は負担を除く。）について適用し、平成十八年度以前の年度の国庫債務負担行為に基づき平成十九年度以降の年度に支出すべきものとされた国の補助又は負担及び平成十八年度以前の年度の歳出予算に係る国の補助又は負担で平成十九年度以降の年度に繰り越されたものについては、なお従前の例による。

○北海道開発のためにする港湾工事に関する法律附則第七項の規定による国の貸付金の償還期間等を定める政令

（昭和六十二年九月四日政令第二百九十八号）

〔沿革〕　平成一四年二月八日政令第二七号改正

（償還期間）

第一条　北海道開発のためにする港湾工事に関する法律（以下「法」という。）附則第八項の政令で定める期間は、五年（二年の据置期間を含む。）とする。

本条…一部改正〔平成一四年二月政令二七号〕

第二条　前条の期間は、日本電信電話株式会社の株式の売払収入の活用による社会資本の整備の促進に関する特別措置法（昭和六十二年法律第八十六号）第五条第一項の規定により読み替えて準用される補助金等に係る予算の執行の適正化に関する法律（昭和三十年法律第百七十九号）第六条第一項の規定による貸付けの決定（以下「貸付決定」という。）ごとに、当該貸付決定に係る法附則第七項の規定による国の貸付金（以下「国の貸付金」という。）の交付を完了した日（その日が当該貸付決定があつた日の属する年度の末日の前日以後の日である場合には、当該年度の末日の前々日）の翌日から起算する。

（償還方法）

第三条　国の貸付金の償還は、均等年賦償還の方法によるものとする。

（償還期限の繰上げ）

第四条　国は、国の財政状況を勘案し、相当と認めるときは、国の貸付金の全部又は一部について、前三条の規定により定められた償還期限を繰り上げて償還させることができる。

（法附則第十二項の政令で定める場合）

第五条　法附則第十二項の政令で定める場合は、前条の規定により償還期限を繰り上げて償還を行つた場合とする。

附　則

この政令は、公布の日から施行する。

附　則〔平成一四年二月八日政令第二七号抄〕

（施行期日）

第一条　この政令は、公布の日から施行する。

○特定外貿埠頭の管理運営に関する法律

（昭和五十六年四月二十五日法律第二十八号）

〔沿革〕 平成五年六月一四日法律第六三号、一一年一二月八日第一五一号、二二日第一六〇号、一二年五月一七日第六七号、一七年五月二〇日第四五号、七月二六日第八七号、一八年五月一七日第三八号、二三年三月三一日第九号、二六年六月二七日第九一号、令和元年六月一四日第三七号改正

注 令和四年六月一七日法律第六八号の改正は、令和七年六月一日から施行のため、現行の条文の次に改正後の条文を掲載いたしました。

（目的）

第一条 この法律は、特定外貿埠頭の管理運営を効率的に行うための措置を定めることにより、国際海上輸送の円滑化を図り、もつて我が国産業の国際競争力の強化及び国民生活の安定と向上に寄与することを目的とする。

本条…全部改正〔平成一八年五月法律三八号〕

（定義）

第二条 この法律において「外貿埠頭」とは、次に掲げる施設及びその附属施設の総体をいう。

一 外貿貨物定期船（本邦の港と本邦以外の地域の港との間に航路を定めて一定の日程表に従つて船舶を就航させ、主として貨物の運送を行う事業の用に供される船舶をいう。次号において同じ。）を係留するための岸壁及びその前面の泊地

二 前号の岸壁に係留される外航貨物定期船に係る貨物の荷さばきを行うための固定的な施設

三 前二号の施設の機能を確保するために必要な護岸及び臨港交通施設（港湾法（昭和二十五年法律第二百十八号）第二条第五項第四号に掲げる臨港交通施設をいう。）

四 前三号の施設の敷地

2 この法律において「特定外貿埠頭」とは、旧京浜外貿埠頭公団及び旧阪神外貿埠頭公団が建設した外貿埠頭をいう。

九項…一部改正〔平成五年六月法律六三号・一七年七月八七号〕、本条…全部改正〔平成一八年五月法律三八号〕

（特定外貿埠頭の管理運営を行う者の指定）

第三条 国土交通大臣は、次の要件を備える法人の申請があつた場合において、東京港、横浜港、大阪港又は神戸港ごとに、その特定外貿埠頭の管理運営を行う者として指定することができる。

一 申請者が港湾法第二条第一項に規定する港湾管理者（以下「港湾管理者」という。）がその発行済株式の総数の二分の一以上に当たる株式を保有している株式会社であつて、外貿埠頭の建設並びに貸付け及び改良、維持、災害復旧その他の管理を行うことを目的とするものであること。

二 申請者が次の業務を実施することについて適正かつ確実な計画を有すると認められる者であること。

イ 外貿埠頭の施設のうち、前条第一項第一号に規定する岸壁及び同項第二号に規定する施設（以下「岸壁等」という。）を有償で貸し付けること。

ロ 外貿埠頭の建設を行うこと。

ハ イに掲げるもののほか、外貿埠頭の改良、維持、災害復旧その他の管理を行うこと。

三 申請者が前号イからハまでに掲げる業務（以下「外貿埠頭業務」という。）を実施することについて十分な経理的基礎を有すると認められる者であること。

四 申請者の取締役及び監査役（監査等委員会設置会社にあつては取締役、指名委員会等設置会社にあつては取締役及び執行役。以下「役員」という。）のうちに、破産手続開始の決定を受けて復権を得ない者がないこと。

五 申請者の役員のうちに、禁錮以上の刑に処せられ、その執行を終わり、又はその執行を受けることがなくなつた日から五年を経過していない者がないこと。

> 本条一項五号は、令和四法六八により改正され、令和七年六月一日から施行
>
> 五 申請者の役員のうちに、拘禁刑以上の刑に処せられ、その執行を終わり、又はその執行を受けることがなくなつた日から五年を経過していない者がないこと。

六 申請者の役員のうちに、心身の故障により外貿埠頭業務を適正に実施することができない者として国土交通省令で定めるものがないこと。

2 国土交通大臣は、前項の指定をしようとするときは、あらかじめ、当該指定に係る港湾の港湾管理者（以下「関係港湾管理者」という。）の意見を聴かなければならない。

3 国土交通大臣は、第一項の指定をしたときは、当該指定を受けた者（以下「指定会社」という。）の商号及び本店の所在地を官報で公示しなければならない。

4 指定会社は、その商号又は本店の所在地を変更しようとするときは、あらかじめ、その旨を国土交通大臣に届け出なければならない。

5 国土交通大臣は、前項の規定による届出があつたときは、その旨を官報で公示しなければならない。

四・五項…一部改正〔平成一一年一二月法律一六〇号〕、見出し…改正・一－四項…一部改正〔平成一八年五月法律三八号〕、一項…一部改正〔平成二六年六月法律九一号、令和元年六月三七号〕

参照 一項〔指定の申請〕規則一、一項六号〔国土交通省令〕規則一の二、四項〔商号等の変更の届出〕規則二

（議決権の保有制限）

第四条 何人も、指定会社の総株主の議決権（株主総会において決議をすることができる事項の全部につき議決権を行使することができない株式についての議決権を除き、会社法（平成十七年法律第八十六号）第八百七十九条第三項の規定により議決権を有するものとみなされる株式についての議決権を含む。以下同じ。）の百分の二十（その者が指定会社の財務

及び営業の方針の決定に対して重要な影響を与えることが推測される事実として国土交通省令で定める事実がある場合には、百分の十五。以下この条において「保有基準割合」という。）以上の数の議決権（社債、株式等の振替に関する法律（平成十三年法律第七十五号）第百四十七条第一項又は第百四十八条第一項の規定により発行者に対抗することができない株式に係る議決権を含み、取得又は保有の態様その他の事情を勘案して国土交通省令で定めるものを除く。以下「対象議決権」という。）を取得し、又は保有してはならない。ただし、地方公共団体若しくは港務局（港湾法第四条第一項の規定による港務局をいう。次条第一項において同じ。）又はその総株主の議決権の三分の二以上の数の議決権を地方公共団体が保有している株式会社が取得し、又は保有する場合は、この限りでない。

2　前項本文の規定は、保有する対象議決権の数に増加がない場合その他の国土交通省令で定める場合において、指定会社の総株主の議決権の保有基準割合以上の数の対象議決権を取得し、又は保有することとなるときには、適用しない。

3　前項の場合において、指定会社の総株主の議決権の保有基準割合以上の数の対象議決権を取得し、又は保有することとなつた者（以下この条において「特定保有者」という。）は、国土交通省令で定めるところにより、特定保有者になつた旨その他国土交通省令で定める事項を国土交通大臣に届け出なければならない。

4　第二項の場合において、特定保有者は、特定保有者となつた日から三月以内に、指定会社の保有基準割合未満の数の対象議決権の保有者となるために必要な措置をとらなければならない。

5　次の各号に掲げる場合における前各項の規定の適用については、当該各号に定める対象議決権は、これを取得し、又は保有するものとみなす。

一　金銭の信託契約その他の契約又は法律の規定に基づき、指定会社の対象議決権を行使することができる権限又は当該対象議決権の行使について指図を行うことができる権限を有し、又は有することとなる場合　当該対象議決権

二　株式の所有関係、親族関係その他の国土交通省令で定める特別の関係にある者が指定会社の対象議決権を取得し、又は保有する場合　当該特別の関係にある者が取得し、又は保有する対象議決権

6　前各項の規定の適用に関し必要な事項は、国土交通省令で定める。

二・三項…一部改正〔平成一一年一二月法律一六〇号〕、一項…一部改正〔平成一二年五月法律六七号・一七年五月四五号〕、本条…全部改正〔平成一八年五月法律三八号・二三年三月九号〕

参照　一項－三項・五項二号・六項〔国土交通省令〕規則二の一－二の六

（対象議決権保有届出書の提出）

第四条の二　指定会社の総株主の議決権の百分の五を超える対象議決権の保有者（地方公共団体及び港務局以外の者に限る。以下この項において「対象議決権保有者」という。）となつた者は、国土交通省令で定めるところにより、対象議決権保有割合（対象議決権保有者の保有する当該対象議決権の数を当該指定会社の総株主の議決権の数で除して得た割合をいう。）、保有の目的その他国土交通省令で定める事項を記載した対象議決権保有届出書を国土交通大臣に提出しなければならない。

2　前条第五項の規定は、前項の規定を適用する場合について準用する。

本条…追加〔平成二三年三月法律九号〕

参照　一項〔国土交通省令〕規則二の七

（対象議決権保有届出書の提出者に対する報告の徴収及び検査）

第四条の三　国土交通大臣は、前条第一項の対象議決権保有届出書のうちに虚偽の記載があり、又は記載すべき事項の記載が欠けている疑いがあると認めるときは、当該対象議決権保有届出書の提出者に対し参考となるべき報告若しくは資料の提出を命じ、又はその職員に当該提出者の書類その他の物件の検査（当該対象議決権保有届出書の記載に関し必要な検査に限る。）をさせることができる。

2　前項の規定により検査をする職員は、その身分を示す証明書を携帯し、関係人にこれを提示しなければならない。

3　第一項の規定による検査の権限は、犯罪捜査のために認められたものと解してはならない。

本条…追加〔平成二三年三月法律九号〕

（発行済株式の総数等の公表）

第四条の四　指定会社は、国土交通省令で定めるところにより、その発行済株式の総数、総株主の議決権の数その他の国土交通省令で定める事項を公表しなければならない。

本条…追加〔平成二三年三月法律九号〕

参照　〔国土交通省令〕規則二の八

（一般担保）

第五条　指定会社の社債権者は、指定会社の財産について他の債権者に先立つて自己の債権の弁済を受ける権利を有する。

2　前項の先取特権の順位は、民法（明治二十九年法律第八十九号）の規定による一般の先取特権に次ぐものとする。

一・二項…一部改正〔平成一一年一二月法律一六〇号〕、本条…全部改正〔平成一八年五月法律三八号〕

（外貿埠頭の建設等に係る資金の貸付け）

第六条　政府は、港湾管理者が指定会社に対し港湾法第三条の三第九項の規定により公示された港湾計画においてその建設又は改良に関する計画が定められた外貿埠頭の建設又は改良に要する費用に充てる資金を無利子で貸し付ける場合において、その貸付けの条件が次項の政令で定める基準に適合しているときは、その貸付金に充てるため、その貸付金額の範囲内で政令で定める金額を無利子で当該港湾管理者に貸し付けることができる。

2　前項の政府の貸付金及び政府の貸付けに係る港湾管理者の

貸付金に関する償還方法その他必要な貸付けの条件の基準については、政令で定める。

本条…全部改正〔平成一八年五月法律三八号〕

参照 一項〔政令〕令一－三〔貸付申請の手続〕規則三－七

（事業計画等）

第七条 指定会社は、毎事業年度開始前に（第三条第一項の指定を受けた日の属する事業年度にあつては、その指定を受けた後速やかに）、事業計画及び収支予算を作成し、国土交通大臣に提出しなければならない。これを変更しようとするときも、同様とする。

2 国土交通大臣は、前項の規定による事業計画及び収支予算の提出があつたときは、遅滞なく、これらの写しを関係港湾管理者に送付するものとする。

3 指定会社は、毎事業年度経過後三月以内に、貸借対照表、損益計算書及び事業報告書を作成し、国土交通大臣に提出しなければならない。

一・三項…一部改正〔平成一一年一二月法律一六〇号〕、一・三項…一部改正・二項…全部改正〔平成一八年五月法律三八号〕

（区分経理）

第八条 指定会社は、国土交通省令で定めるところにより、外貿埠頭業務及びこれに附帯する業務に関する経理とその他の業務に関する経理とを区分して整理しなければならない。

本条…一部改正〔平成一一年一二月法律一六〇号・一八年五月三八号〕

参照 〔国土交通省令〕規則八

（財産の処分の制限等）

第九条 指定会社は、国土交通省令で定める重要な財産を譲渡し、交換し、又は担保に供しようとするときは、国土交通大臣の認可を受けなければならない。

2 指定会社は、岸壁等の貸付けに係る業務の全部又は一部を休止し、又は廃止しようとするときは、国土交通大臣の許可を受けなければならない。

一・二項…一部改正〔平成一一年一二月法律一六〇号・一八年五月三八号〕

参照 一項〔国土交通省令〕規則九、二項〔業務の休廃止の許可〕規則一〇

（定款の変更等）

第一〇条 指定会社の定款の変更、剰余金の配当その他の剰余金の処分、合併、分割及び解散の決議は、国土交通大臣の認可を受けなければ、その効力を生じない。

本条…追加〔平成一八年五月法律三八号〕

参照 〔認可の申請〕規則一一－一三

（役員の選任及び解任）

第一一条 指定会社は、役員を選任し、又は解任したときは、その旨を国土交通大臣に届け出なければならない。

本条…一部改正〔平成一一年一二月法律一六〇号〕、旧一〇条…一部改正し繰下〔平成一八年五月法律三八号〕

参照 〔届出〕規則一四

（監督命令）

第一二条 国土交通大臣は、指定会社の行う外貿埠頭業務の運営に関し必要があると認めるときは、その必要の限度において、指定会社に対し、その業務の適正な運営を確保するため必要な措置をとるべきことを命ずることができる。

本条…一部改正〔平成一一年一二月法律一六〇号〕、旧一一条…一部改正し繰下〔平成一八年五月法律三八号〕

（報告及び検査）

第一三条 国土交通大臣は、指定会社の行う外貿埠頭業務の運営に関し必要があると認めるときは、指定会社に対してその業務及び財産の状況に関し報告させ、又はその職員に、指定会社の事務所その他の事業所に立ち入り、業務若しくは財産の状況若しくは帳簿、書類その他の必要な物件を検査させることができる。

2 第四条の三第二項及び第三項の規定は、前項の規定による立入検査について準用する。

一項…一部改正〔平成一一年一二月法律一六〇号〕、一項…一部改正・旧一二条…繰下〔平成一八年五月法律三八号〕、二項…全部改正・三項…削除〔平成二三年三月法律九号〕

（指定の取消し）

第一四条 国土交通大臣は、指定会社が、次の各号のいずれかに該当するときは、第三条第一項の指定を取り消すことができる。

一 外貿埠頭業務を適正に実施することができないと認められるとき。

二 この法律又はこの法律に基づく命令に違反したとき。

三 第十二条の規定による命令に違反したとき。

2 第三条第二項の規定は、前項の規定により同条第一項の指定を取り消そうとする場合について準用する。

3 国土交通大臣は、指定会社が第九条第二項の規定による岸壁等の貸付けに係る業務の全部の廃止の許可を受けたときは、第三条第一項の指定を取り消すものとする。

4 国土交通大臣は、第一項又は前項の規定により第三条第一項の指定を取り消したときは、その旨を官報で公示しなければならない。

一・三・四項…一部改正〔平成一一年一二月法律一六〇号〕、一－四項…一部改正・旧一三条…繰下〔平成一八年五月法律三八号〕

（指定を取り消した場合における措置）

第一五条 前条第一項又は第三項の規定により第三条第一項の指定を取り消した場合における当該取消しに係る指定会社の権利及び義務の取扱いその他必要な措置については、別に法律で定める。

2 前条第一項又は第三項の規定により第三条第一項の指定を取り消した場合において、前項の法律に基づく必要な措置がとられるまでの間は、国土交通大臣が指定する者が、政令で定めるところにより、外貿埠頭業務に係る財産の管理その他の業務を行うものとする。

二項…一部改正〔平成一一年一二月法律一六〇号〕、一・二項…一部改正・旧一四条…繰下〔平成一八年五月法律三八号〕

（国土交通省令への委任）

第一六条 この法律に定めるもののほか、この法律の実施のた

め必要な事項は、国土交通省令で定める。

見出し…改正・本条…一部改正〔平成一一年一二月法律一六〇号〕、旧一五条…繰下〔平成一八年五月法律三八号〕

参照 〔国土交通省令〕規則

（罰則）

第一七条 第四条の三第一項の規定による報告若しくは資料の提出をせず、若しくは虚偽の報告若しくは資料の提出をし、又は同項の規定による検査を拒み、妨げ、若しくは忌避した者は、一年以下の懲役若しくは三百万円以下の罰金に処し、又はこれを併科する。

本条は、令和四法六八により改正され、令和七年六月一日から施行

（罰則）

第一七条 第四条の三第一項の規定による報告若しくは資料の提出をせず、若しくは虚偽の報告若しくは資料の提出をし、又は同項の規定による検査を拒み、妨げ、若しくは忌避した者は、一年以下の拘禁刑若しくは三百万円以下の罰金に処し、又はこれを併科する。

本条…追加〔平成二三年三月法律九号〕

第一八条 第四条第一項又は第四項の規定に違反した者は、一年以下の懲役若しくは百万円以下の罰金に処し、又はこれを併科する。

本条は、令和四法六八により改正され、令和七年六月一日から施行

第一八条 第四条第一項又は第四項の規定に違反した者は、一年以下の拘禁刑若しくは百万円以下の罰金に処し、又はこれを併科する。

本条…追加〔平成二三年三月法律九号〕

第一九条 次の各号のいずれかに該当する者は、六月以下の懲役若しくは五十万円以下の罰金に処し、又はこれを併科する。

一 第四条第三項の規定による届出をせず、又は虚偽の届出をした者

二 第四条の二第一項の規定による対象議決権保有届出書を提出せず、又は虚偽の記載をした対象議決権保有届出書を提出した者

本条は、令和四法六八により改正され、令和七年六月一日から施行

第一九条 次の各号のいずれかに該当する者は、六月以下の拘禁刑若しくは五十万円以下の罰金に処し、又はこれを併科する。

一・二 〔略〕

本条…追加〔平成二三年三月法律九号〕

第二〇条 第十二条の規定による命令に違反した場合には、その違反行為をした指定会社の取締役、執行役、会計参与（会計参与が法人であるときは、その職務を行うべき社員）、監査役又は職員は、百万円以下の罰金に処する。

本条…追加〔平成二三年三月法律九号〕

第二一条 第十三条第一項の規定による報告をせず、若しくは虚偽の報告をし、又は検査を拒み、妨げ、若しくは忌避した場合には、その違反行為をした指定会社の取締役、執行役、会計参与（会計参与が法人であるときは、その職務を行うべき社員）、監査役又は職員は、三十万円以下の罰金に処する。

見出し…追加・本条…一部改正〔平成一八年五月法律三八号〕、見出し…削除・旧一七条…繰下〔平成二三年三月法律九号〕

第二二条 法人（法人でない団体で代表者又は管理人の定めのあるものを含む。以下この項において同じ。）の代表者又は法人若しくは人の代理人、使用人その他の従業者が、その法人又は人の業務又は財産に関し、次の各号に掲げる規定の違反行為をしたときは、その行為者を罰するほか、その法人に対して当該各号に定める罰金刑を、その人に対して各本条の罰金刑を科する。

一 第十七条 二億円以下の罰金刑

二 第十八条 一億円以下の罰金刑

三 第十九条 同条の罰金刑

2 前項の規定により法人でない団体を処罰する場合には、その代表者又は管理人がその訴訟行為につきその団体を代表するほか、法人を被告人又は被疑者とする場合の刑事訴訟に関する法律の規定を準用する。

本条…追加〔平成二三年三月法律九号〕

第二三条 次の各号のいずれかに該当する場合には、その違反行為をした指定会社の取締役、執行役、会計参与若しくはその職務を行うべき社員又は監査役は、百万円以下の過料に処する。

一 この法律の規定により国土交通大臣の認可を受けなければならない場合において、その認可を受けなかつたとき。

二 第七条第一項の規定に違反して、事業計画又は収支予算を提出しなかつたとき。

三 第七条第三項の規定に違反して、貸借対照表、損益計算書若しくは事業報告書を提出せず、又は不実の記載若しくは記録をしたこれらのものを提出したとき。

四 第九条第二項の規定に違反して、業務の全部又は一部を休止し、又は廃止したとき。

本条…全部改正〔平成一八年五月法律三八号〕、旧一八条…一部改正し繰下〔平成二三年三月法律九号〕

附 則

（施行期日）

第一条 この法律は、公布の日から起算して一年を超えない範囲内において政令で定める日から施行する。ただし、第二条第一項及び第二項、第三条、第七条、第十条並びに第十五条の規定は、公布の日から施行する。

〔昭和五六年一一月政令三二九号により、昭和五七・三・三一から施行〕

（権利の承継に伴う経過措置）

第二条 第二条第一項の規定により指定法人が権利を承継する

場合における当該承継に係る不動産の所有権の保存又は移転の登記であつて公団が解散した日から一年以内に受けるものについては、政令で定めるところにより、登録免許税を課さない。

2 第二条第一項の規定により指定法人が権利を承継する場合における当該承継に係る不動産の取得に対しては、不動産取得税を課することができない。

参照 一項〔政令〕令附則②

（京浜債券及び阪神債券に関する経過措置）

第三条 京浜債券及び阪神債券は、第二条第一項の規定により指定法人が当該債券に係る債務を承継した後においても、社債等登録法（昭和十七年法律第十一号）の適用については同法第十四条の債券とし、証券取引法（昭和二十三年法律第二十五号）の適用については同法第二条第一項第三号の債券とし、資金運用部資金法（昭和二十六年法律第百号）の適用については当該債券が承継時において資金運用部資金による引受けに係るものである場合は同法第七条第一項第七号の債券とする。

（外貿埠頭公団法の廃止）

第四条 外貿埠頭公団法は、廃止する。

第五条～第一六条 〔他の法令改正に付き略〕

（罰則に関する経過措置）

第一七条 この法律の施行前にした行為に対する罰則の適用については、なお従前の例による。

附　則〔平成五年六月一四日法律第六三号〕

この法律は、商法等の一部を改正する法律の施行の日〔平成五年一〇月一日〕から施行する。

○商法等の一部を改正する法律の施行に伴う関係法律の整備等に関する法律（抄）〔平成五年六月一四日法律第六三号〕

（商法の一部改正に伴う住宅金融公庫法等に係る経過措置）

第二〇条 商法等の一部を改正する法律附則第五条の規定は、この法律の施行前に前条各号に掲げる法律に基づき債券が発行された場合におけるその募集の委託を受けた会社の権限及び義務並びに債券に係る債権者の償還額の支払の請求について準用する。

附　則〔平成一一年一二月八日法律第一五一号抄〕

（施行期日）

第一条 この法律は、平成十二年四月一日から施行する。〔以下略〕

第四条 この法律の施行前にした行為に対する罰則の適用については、なお従前の例による。

附　則〔平成一七年七月二六日法律第八七号〕

この法律は、会社法の施行の日〔平成一八年五月一日〕から施行する。〔以下略〕

○会社法の施行に伴う関係法律の整備等に関する法律（抄）〔平成一七年七月二六日法律第八七号〕

第十二章 罰則に関する経過措置及び政令への委任

（罰則に関する経過措置）

第五二七条 施行日前にした行為及びこの法律の規定によりなお従前の例によることとされる場合における施行日以後にした行為に対する罰則の適用については、なお従前の例による。

（政令への委任）

第五二八条 この法律に定めるもののほか、この法律の規定による法律の廃止又は改正に伴い必要な経過措置は、政令で定める。

附　則〔平成一八年五月一七日法律第三八号抄〕

〔沿革〕平成一九年三月三一日法律第二三号、二四年三月三一日第一五号、二五年一一月二二日第七六号改正

（施行期日）

第一条 この法律は、平成十八年十月一日から施行する。ただし、次の各号に掲げる規定は、当該各号に定める日から施行する。

一 〔前略〕附則〔中略〕第十四条第一項、第十五条〔中略〕の規定 平成十八年四月一日又はこの法律の公布の日のいずれか遅い日

二 〔略〕

（外貿埠頭公団の解散及び業務の承継に関する法律の一部改正に伴う経過措置）

第三条 この法律の施行の際現に存する第二条の規定による改正前の外貿埠頭公団の解散及び業務の承継に関する法律（以下「旧外貿法」という。）第二条第一項の規定により指定された法人（以下「指定法人」という。）については、第一条の規定による改正前の港湾法第五十五条第五項及び第六項並びに旧外貿法第二条第四項、第三条第四項及び第五項並びに第四条から第十八条までの規定は、次条第四項の規定により指定法人が解散するまでの間は、なおその効力を有する。

第四条 指定法人は、第二条の規定による改正後の特定外貿埠頭の管理運営に関する法律（以下「新外貿法」という。）第三条第一項の規定による指定に際し、当該指定に係る指定会社に対し、その財産の全部を出資するものとする。この場合においては、前条第一項の規定によりなおその効力を有するものとされる旧外貿法第九条第一項の規定は、適用しない。

2 前項の規定により指定法人が行う出資に係る給付は、新外貿法第三条第一項の規定による指定の時に行われるものとする。

3 指定法人が出資によって取得する指定会社の株式は、新外貿法第三条第一項の規定による指定の時に、当該指定に係る港湾の港湾管理者に無償譲渡されるものとする。

4 指定法人は、新外貿法第三条第一項の規定による指定の時において解散するものとし、その一切の権利及び義務は、そ

の時において当該指定に係る指定会社が承継する。この場合においては、他の法令中法人の解散及び清算に関する規定は、適用しない。

5　指定法人の解散の日の前日を含む事業年度は、その日に終わるものとする。

6　指定法人の解散の日の前日を含む事業年度に係る事業報告書、貸借対照表、収支決算書及び財産目録については、なお従前の例による。

7　第四項の規定により指定法人が解散した場合における解散の登記については、政令で定める。

第五条　前条第四項の規定により指定会社が承継した旧外貿法第二条第三項及び第六条（附則第三条の規定によりなおその効力を有するものとされる場合を含む。）の規定による貸付金の償還に関し必要な事項は、政令で定める。

（罰則に関する経過措置）

第一四条　この法律（附則第一条各号に掲げる規定については、当該規定）の施行前にした行為及び附則第三条の規定によりなおその効力を有することとされる場合における附則第四条第四項の規定により指定法人が解散するまでの間にした行為に対する罰則の適用については、なお従前の例による。

2　新港湾法第五十八条第三項の規定により港湾管理者が告示した埋立地の区域に係る当該告示前にした公有水面埋立法（大正十年法律第五十七号）の規定に違反する行為に対する罰則の適用については、なお従前の例による。

（政令への委任）

第一五条　附則第二条から前条までに定めるもののほか、この法律の施行に関し必要となる経過措置（罰則に関する経過措置を含む。）は、政令で定める。

（検討）

第一六条　政府は、この法律の施行後七年以内に、この法律の施行の状況について検討を加え、必要があると認めるときは、その結果に基づいて所要の措置を講ずるものとする。

附　則〔平成一九年三月三一日法律第二三号抄〕

〔沿革〕　平成**一九**年七月六日法律第一〇九号改正

（施行期日）

第一条　この法律は、平成十九年四月一日から施行し、平成十九年度の予算から適用する。ただし、次の各号に掲げる規定は、当該各号に定める日から施行〔中略〕する。

一　附則〔中略〕第三百八十条〔中略〕の規定　平成二十年四月一日

一の二～三　〔略〕

（罰則に関する経過措置）

第三九一条　この法律の施行前にした行為及びこの附則の規定によりなお従前の例によることとされる場合におけるこの法律の施行後にした行為に対する罰則の適用については、なお従前の例による。

（その他の経過措置の政令への委任）

第三九二条　附則第二条から第六十五条まで、第六十七条から第二百五十九条まで及び第三百八十二条から前条までに定めるもののほか、この法律の施行に関し必要となる経過措置は、政令で定める。

附　則〔平成二三年三月三一日法律第九号抄〕

（施行期日）

第一条　この法律は、平成二十三年四月一日から施行する。ただし、次の各号に掲げる規定は、当該各号に定める日から施行する。

一　〔略〕

二　〔前略〕第三条〔中略〕の規定　公布の日から起算して一年を超えない範囲内において政令で定める日

〔平成二三年一一月政令三四二号により、平成二三・一二・一五から施行〕

三　〔略〕

（処分、手続等の効力に関する経過措置）

第四条　前二条に定めるもののほか、この法律の各改正規定の施行前にこの法律による改正前のそれぞれの法律（これに基づく命令を含む。）の規定によってした処分、手続その他の行為であって、この法律による改正後のそれぞれの法律（これに基づく命令を含む。）に相当する規定があるものは、これらの規定によってした処分、手続その他の行為とみなす。

（罰則の適用に関する経過措置）

第五条　附則第一条第二号に掲げる規定の施行前にした行為に対する罰則の適用については、なお従前の例による。

（政令への委任）

第六条　附則第二条から前条までに定めるもののほか、この法律の施行に関し必要となる経過措置（罰則に関する経過措置を含む。）は、政令で定める。

（検討）

第七条　政府は、この法律の施行後十年を経過した場合において、第一条及び第二条の規定による改正後の港湾法並びに第三条の規定による改正後の特定外貿埠頭の管理運営に関する法律の施行の状況を勘案し、必要があると認めるときは、これらの法律の規定について検討を加え、その結果に基づいて必要な措置を講ずるものとする。

附　則〔平成二六年六月二七日法律第九一号〕

この法律は、会社法の一部を改正する法律の施行の日〔平成二七・五・一〕から施行する。〔以下略〕

○会社法の一部を改正する法律の施行に伴う関係法律の整備等に関する法律（抄）〔平成二六年六月二七日法律第九一号〕

第十二章　罰則に関する経過措置及び政令への委任

（罰則に関する経過措置）

第一一七条　施行日前にした行為及びこの法律の規定によりなお従前の例によることとされる場合における施行日以後にした行為に対する罰則の適用については、なお従前の例による。

（政令への委任）

第一一八条　この法律に定めるもののほか、この法律の施行に関し必要な経過措置は、政令で定める。

附　則〔令和元年六月一四日法律第三七号抄〕

（施行期日）

第一条　この法律は、公布の日から起算して三月を経過した日から施行する。ただし、次の各号に掲げる規定は、当該各号に定める日から施行する。

一　〔前略〕次条並びに附則第三条〔中略〕の規定　公布の日

二～四　〔略〕

（行政庁の行為等に関する経過措置）

第二条　この法律（前条各号に掲げる規定にあっては、当該規定。以下この条及び次条において同じ。）の施行の日前に、この法律による改正前の法律又はこれに基づく命令の規定（欠格条項その他の権利の制限に係る措置を定めるものに限る。）に基づき行われた行政庁の処分その他の行為及び当該規定により生じた失職の効力については、なお従前の例による。

（罰則に関する経過措置）

第三条　この法律の施行前にした行為に対する罰則の適用については、なお従前の例による。

附　則〔令和四年六月一七日法律第六八号抄〕

（施行期日）

1　この法律は、刑法等一部改正法〔令和四年法律第六十七号〕施行日〔令和七・六・一〕から施行する。ただし、次の各号に掲げる規定は、当該各号に定める日から施行する。

一　第五百九条の規定　公布の日

二　〔略〕

○刑法等の一部を改正する法律の施行に伴う関係法律の整理等に関する法律（抄）

〔令和四年六月一七日法律第六八号〕

（罰則の適用等に関する経過措置）

第四四一条　刑法等の一部を改正する法律（令和四年法律第六十七号。以下「刑法等一部改正法」という。）及びこの法律（以下「刑法等一部改正法等」という。）の施行前にした行為の処罰については、次章に別段の定めがあるもののほか、なお従前の例による。

2　刑法等一部改正法等の施行後にした行為に対して、他の法律の規定によりなお従前の例によることとされ、なお効力を有することとされ又は改正前若しくは廃止前の法律の規定の例によることとされる罰則を適用する場合において、当該罰則に定める刑（刑法施行法第十九条第一項の規定又は第八十二条の規定による改正後の沖縄の復帰に伴う特別措置に関する法律第二十五条第四項の規定の適用後のものを含む。）に刑法等一部改正法第二条の規定による改正前の刑法（明治四十年法律第四十五号。以下この項において「旧刑法」という。）第十二条に規定する懲役（以下「懲役」という。）、旧刑法第十三条に規定する禁錮（以下「禁錮」という。）又は旧刑法第十六条に規定する拘留（以下「旧拘留」という。）が含まれるときは、当該刑のうち無期の懲役又は禁錮はそれぞれ無期拘禁刑と、有期の懲役又は禁錮はそれぞれその刑と長期及び短期（刑法施行法第二十条の規定の適用後のものを含む。）を同じくする有期拘禁刑と、旧拘留は長期及び短期（刑法施行法第二十条の規定の適用後のものを含む。）を同じくする拘留とする。

（裁判の効力とその執行に関する経過措置）

第四四二条　懲役、禁錮及び旧拘留の確定裁判の効力並びにその執行については、次章に別段の定めがあるもののほか、なお従前の例による。

（人の資格に関する経過措置）

第四四三条　懲役、禁錮又は旧拘留に処せられた者に係る人の資格に関する法令の規定の適用については、無期の懲役又は禁錮に処せられた者はそれぞれ無期拘禁刑に処せられた者と、有期の懲役又は禁錮に処せられた者はそれぞれ刑期を同じくする有期拘禁刑に処せられた者と、旧拘留に処せられた者は拘留に処せられた者とみなす。

2　拘禁刑又は拘留に処せられた者に係る他の法律の規定によりなお従前の例によることとされ、なお効力を有することとされ又は改正前若しくは廃止前の法律の規定の例によることとされる人の資格に関する法令の規定の適用については、無期拘禁刑に処せられた者は無期禁錮に処せられた者と、有期拘禁刑に処せられた者は刑期を同じくする有期禁錮に処せられた者と、拘留に処せられた者は刑期を同じくする旧拘留に処せられた者とみなす。

（経過措置の政令への委任）

第五〇九条　この編に定めるもののほか、刑法等一部改正法等の施行に伴い必要な経過措置は、政令で定める。

○特定外貿埠頭の管理運営に関する法律施行令

（平成十八年八月十八日政令第二百七十八号）

〔沿革〕　平成二五年一二月六日政令第三三四号改正

（港湾管理者に対する貸付金の金額）

第一条　特定外貿埠頭の管理運営に関する法律（以下「法」という。）第六条第一項の政令で定める金額は、当該外貿埠頭の建設又は改良に要する費用に充てる資金として港湾管理者がする同項の貸付けの金額の二分の一以内の金額とする。

（政府の貸付けの条件の基準）

第二条　法第六条第一項の政府の貸付金に関する貸付けの条件の基準は、次のとおりとする。

一　貸付金の償還は、均等半年賦償還とすること。

二　政府は、貸付金に係る港湾管理者の貸付金に関し、次条第二号及び第五号の基準により港湾管理者が償還期限を繰り上げることができる場合並びに当該貸付けを受ける指定会社が繰上償還をした場合には、貸付金の全部又は一部について償還期限を繰り上げることができるものとすること。

三　港湾管理者は、次条第三号の基準により加算金を徴収したときは、その徴収した加算金の金額に、同号の指定した貸付金の貸付けをした日の属する会計年度における、当該貸付けを受ける指定会社に係る法第六条第一項の政府の貸付金の金額の同項の当該港湾管理者の貸付金の金額に対する割合を乗じて得た金額をその徴収した日の属する月の翌月の末日までに政府に納付するものとすること。

四　港湾管理者は、貸付金に係る港湾管理者の貸付金に関する経理を明確に整理しなければならないものとすること。

五　港湾管理者は、次条第八号の承認をしようとする場合にはあらかじめ国土交通大臣の承認を受けなければならないものとすること。

2　港湾管理者が法第六条第一項の政府の貸付けに係る港湾管理者の貸付けを受ける指定会社に対しその貸付金の全部又は一部の償還期限を延長する場合において、国土交通大臣がその延長について災害その他特別の事情により償還が著しく困難であるためやむを得ないものと認めるときは、政府及び港湾管理者は、当該貸付金に係る政府の貸付金の全部又は一部について、担保の提供をせず、かつ、利息を付さないで、償還期限を延長するよう貸付けの条件を変更することができるものとする。

（港湾管理者の貸付けの条件の基準）

第三条　法第六条第一項の政府の貸付けに係る港湾管理者の貸付金に関する貸付けの条件の基準は、次のとおりとする。

一　貸付金の償還は、均等半年賦償還とすること。

二　港湾管理者は、貸付けを受ける指定会社が貸付金を貸付けの目的以外の目的に使用した場合その他貸付けの条件に違反した場合には、当該貸付けを受ける指定会社から加算金を徴収すること及び貸付金（償還期限が到来していないものに限る。）の全部又は一部について償還期限を繰り上げることができるものとすること。

三　港湾管理者は、前号の加算金を徴収する場合においては、加算金を課すべき貸付金の範囲を指定し、当該指定した貸付金を貸し付けた日の翌日からその償還の日までの日数に応じ、当該指定した貸付金の金額に年十・七五パーセントの割合で計算した金額の加算金を徴収するものとすること。

四　前号の指定した貸付金（償還期限が到来していないものに限る。）については、港湾管理者は、その償還期限を繰り上げるものとすること。

五　港湾管理者は、貸付けに係る外貿埠頭の運営に係る損益の計算において利益が生じた場合にその額が国土交通省令で定めるところにより算定した当該外貿埠頭を構成する施設の価額に国土交通省令で定める割合を乗じて得た金額を超えるときは、その超える額の二分の一の範囲内の金額について償還期限を繰り上げることができるものとすること。

六　港湾管理者は、貸付けを受ける指定会社が貸付金の償還を怠ったときは、償還期限の翌日から償還の日までの日数に応じ、当該償還すべき金額につき年十・七五パーセントの割合により計算した金額の延滞金を徴収することができるものとすること。

七　貸付けを受ける指定会社は、港湾管理者の指示により、貸付金についての強制執行の受諾の記載のある公正証書を作成するために必要な手続をとらなければならないものとすること。

八　貸付けを受ける指定会社は、貸付けに係る外貿埠頭を譲渡し、交換し、又は担保に供しようとするときは、あらかじめ、港湾管理者の承認を受けなければならないものとすること。

九　貸付けを受ける指定会社は、国土交通省令で定めるところにより、その経営する事業の会計を処理するとともに、貸付けに係る外貿埠頭の運営に係る損益の計算をしなければならないものとすること。

十　貸付けを受ける指定会社は、政府又は港湾管理者が、貸付けに係る債権の保全その他貸付けの条件の適正な実施を図るため必要があると認めて、貸付けを受ける指定会社の業務及び財産の状況に関し報告を求め、又はその職員に、貸付けを受ける指定会社の事務所その他の事業所に立ち入り、帳簿、書類その他の必要な物件を調査させ、若しくは関係者に質問させる場合において、報告をし、立入調査を受忍し、又は質問に応じなければならないものとすること。

本条…一部改正〔平成二五年一二月政令三三四号〕

参照 五号〔国土交通省令〕規則四－六

附　則

（施行期日）

1　この政令は、平成十八年十月一日から施行する。

（経過措置）

2　この政令の施行の際現に存する海上物流の基盤強化のための港湾法等の一部を改正する法律（平成十八年法律第三十八号。以下「改正法」という。）第二条の規定による改正前の外貿埠頭公団の解散及び業務の承継に関する法律第二条第一項の規定により指定された法人（以下「指定法人」という。）については、改正前の外貿埠頭公団の解散及び業務の承継に関する法律施行令第二条第二項及び第四項から第六項まで並びに第六条の規定は、改正法附則第四条第四項の規定により指定法人が解散するまでの間は、なおその効力を有する。

附　則〔平成二五年一二月六日政令第三三四号抄〕

（施行期日）

第一条　この政令は、公布の日から施行する。

（特定外貿埠頭の管理運営に関する法律施行令の一部改正に伴う経過措置）

第三条　この政令の施行前に貸し付けられた特定外貿埠頭の管理運営に関する法律第六条第一項の政府の貸付けに係る港湾管理者の貸付金に関する貸付けの条件の基準については、なお従前の例による。

○特定外貿埠頭の管理運営に関する法律施行規則

（平成十八年九月二十日国土交通省令第八十八号）

〔沿革〕平成二三年一二月一三日国土交通省令第九四号、二七年四月二八日第三八号、令和元年五月七日第一号、六月二八日第二〇号、九月一三日第三四号、二年一二月二三日第九八号、六年三月二九日第二六号改正

（指定の申請）

第一条　特定外貿埠頭の管理運営に関する法律（以下「法」という。）第三条第一項の指定を受けようとする者は、次に掲げる事項を記載した申請書を国土交通大臣に提出しなければならない。

一　商号及び本店の所在地並びに代表取締役又は代表執行役の氏名

二　支店の所在地

2　前項の申請書には、次に掲げる書類を添付しなければならない。

一　定款及び登記事項証明書

二　指定の申請に関する意思の決定を証する書類

三　外貿埠頭業務（法第三条第一項第三号の外貿埠頭業務をいう。以下同じ。）の実施に関する基本的な計画

四　発行済株式の総数の五パーセント以上の株式を所有する株主の名簿

五　最近の事業年度における財産目録、貸借対照表及び損益計算書その他の法第三条第一項第三号に掲げる要件を備えていることを証する書類

六　役員（取締役及び監査役（監査等委員会設置会社にあっては取締役、指名委員会等設置会社にあっては取締役及び執行役）をいう。第十四条において同じ。）の名簿及び履歴書

七　法第三条第一項第四号から第六号までに掲げる要件を備えていることを証する書類

二項…一部改正〔平成二七年四月国土交通省令三八号・令和元年九月三四号〕

（心身の故障により外貿埠頭業務を適正に実施することができない者）

第一条の二　法第三条第一項第六号の国土交通省令で定める者は、精神の機能の障害により外貿埠頭業務を適正に実施するに当たって必要な認知、判断及び意思疎通を適切に行うことができない者とする。

本条…追加〔令和元年九月国土交通省令三四号〕

（商号等の変更の届出）

第二条　指定会社は、法第三条第四項の規定による変更の届出をしようとするときは、当該変更の内容を記載した書類を国土交通大臣に提出しなければならない。

（財務及び営業の方針の決定に対して重要な影響を与えることが推測される事実）

第二条の二　法第四条第一項に規定する国土交通省令で定める事実は、次に掲げる事実とする。

一　役員若しくは使用人である者又はこれらであった者であって指定会社の財務及び営業又は事業の方針の決定に関して影響を与えることができるものが、当該指定会社の取締役若しくは執行役又はこれらに準ずる役職に就任していること。

二　指定会社に対して重要な融資を行っていること。

三　指定会社に対して重要な技術を提供していること。

四　指定会社との間に重要な営業上又は事業上の取引があること。

五　その他指定会社の財務及び営業又は事業の方針の決定に

対して重要な影響を与えることができることが推測される事実が存在すること。

本条…追加〔平成二三年一二月国土交通省令九四号〕

（取得又は保有の態様その他の事情を勘案して取得又は保有する議決権から除く議決権）

第二条の三　法第四条第一項に規定する国土交通省令で定めるものは、次に掲げるものとする。

一　信託業（信託業法（平成十六年法律第百五十四号）第二条第一項に規定する信託業をいう。）を営む者が信託財産として取得し、又は所有する指定会社の株式に係る議決権（法第四条第五項第一号の規定により当該信託業を営む者が自ら取得し、又は保有する議決権とみなされるものを除く。）

二　法人の代表権を有する者又は法人の代理権を有する支配人が当該代表権又は代理権に基づき、議決権を行使することができる権限又は議決権の行使について指図を行うことができる権限を有し、又は有することとなる場合における当該法人が取得し、又は所有する指定会社の株式に係る議決権

三　指定会社の役員又は従業員が当該指定会社の他の役員又は従業員と共同して当該指定会社の株式の取得（一定の計画に従い、個別の投資判断に基づかず、継続的に行われ、各役員又は従業員の一回当たりの拠出金額が百万円に満たないものに限る。）をした場合（当該指定会社が会社法（平成十七年法律第八十六号）第百五十六条第一項（同法第百六十五条第三項の規定により読み替えて適用する場合を含む。）の規定に基づき取得した株式以外の株式を取得したときは、金融商品取引法（昭和二十三年法律第二十五号）第二条第九項に規定する金融商品取引業者に委託して行った場合に限る。）において当該取得をした指定会社の株式を信託された者が取得し、又は所有する当該指定会社の株式に係る議決権（法第四条第五項第一号の規定により当該信託された者が自ら取得し、又は保有する議決権とみなされるものを除く。）

四　相続人が相続財産として取得し、又は所有する指定会社の株式（当該相続人（共同相続の場合を除く。）が単純承認（単純承認をしたものとみなされる場合を含む。）若しくは限定承認をした日までのもの又は当該相続財産の共同相続人が遺産分割を了していないものに限る。）に係る議決権

五　指定会社が自己の株式の消却を行うために取得し、又は所有する当該指定会社の株式に係る議決権

本条…追加〔平成二三年一二月国土交通省令九四号〕

（取得等の制限の適用除外）

第二条の四　法第四条第二項に規定する国土交通省令で定める場合は、次に掲げる場合とする。

一　保有する対象議決権の数に増加がない場合

二　担保権の行使又は代物弁済の受領により対象議決権を取得し、又は保有する場合

三　金融商品取引業者（金融商品取引法第二十八条第一項に規定する第一種金融商品取引業を行う者に限る。）が業務として対象議決権を取得し、又は保有する場合（同法第二条第八項第一号に掲げる行為により取得し、又は保有する場合を除く。）

四　金融商品取引法第二条第三十項に規定する証券金融会社が同法第百五十六条の二十四第一項に規定する業務として対象議決権を取得し、又は保有する場合

本条…追加〔平成二三年一二月国土交通省令九四号〕

（特定保有者の届出）

第二条の五　法第四条第三項の届出は、特定保有者となった日から二週間以内に行わなければならない。

2　法第四条第三項に規定する国土交通省令で定める事項は、次に掲げる事項とする。

一　特定保有者になった日

二　特定保有者に該当することとなった原因

三　その保有する対象議決権の数

四　指定会社の保有基準割合未満の数の対象議決権の保有者となるために必要な措置として予定している措置

本条…追加〔平成二三年一二月国土交通省令九四号〕

（特別の関係にある者）

第二条の六　法第四条第五項第二号（法第四条の二第二項において準用する場合を含む。）に規定する国土交通省令で定める特別の関係にある者は、次に掲げる関係にある者（地方公共団体若しくは港務局又はその総株主の議決権の三分の二以上の数の議決権を地方公共団体が保有している株式会社を除く。）とする。

一　共同で指定会社の対象議決権を取得し、若しくは保有し、又は当該指定会社の対象議決権を行使することを合意している者（以下この条において「共同保有者」という。）の関係

二　会社の総株主等の議決権（総株主又は総出資者の議決権をいい、株式会社にあっては、株主総会において決議をすることができる事項の全部につき議決権を行使することができない株式についての議決権を除き、会社法第八百七十九条第三項の規定により議決権を有するものとみなされる株式についての議決権を含む。以下この条において同じ。）の百分の五十を超える議決権を保有している者（以下この条において「支配株主等」という。）と当該会社（以下この条において「被支配会社」という。）との関係

三　被支配会社とその支配株主等の他の被支配会社との関係

四　夫婦の関係

2　共同保有者が合わせて会社の総株主等の議決権の百分の五十を超える議決権を保有している場合には、当該共同保有者は、それぞれ当該会社の支配株主等とみなして前項の規定を適用する。

3　支配株主等とその被支配会社が合わせて他の会社の総株主

等の議決権の百分の五十を超える議決権を保有している場合には、当該他の会社も、当該支配株主等の被支配会社とみなして第一項の規定を適用する。

4　夫婦が合わせて会社の総株主等の議決権の百分の五十を超える議決権を保有している場合には、当該夫婦は、それぞれ当該会社の支配株主等とみなして第一項の規定を適用する。

5　第一項第二号及び第二項から前項までの場合において、これらの規定に規定する者が保有する議決権には、社債、株式等の振替に関する法律（平成十三年法律第七十五号）第百四十七条第一項又は第百四十八条第一項の規定により発行者に対抗することができない株式に係る議決権を含むものとする。

本条…追加〔平成二三年一二月国土交通省令九四号〕

（対象議決権保有届出書の提出等）

第二条の七　法第四条の二第一項の規定により対象議決権保有届出書を提出する者は、対象議決権保有者となった日から二週間以内に、別記様式により作成した対象議決権保有届出書を、国土交通大臣に提出するものとする。

2　法第四条の二第一項に規定する対象議決権保有割合、保有の目的その他国土交通省令で定める事項は、別記様式に定める事項とする。

本条…追加〔平成二三年一二月国土交通省令九四号〕、一・二項…一部改正〔令和六年三月国土交通省令二六号〕

（発行済株式総数の公表等）

第二条の八　法第四条の四の規定による公表は、指定会社のウェブサイトへの掲載その他の適切な方法により行うものとする。

2　法第四条の四に規定する国土交通省令で定める事項は、当該指定会社の発行済株式の総数及び総株主の議決権の数とする。

3　法第四条の四の規定により公表する場合において、株式の転換（当該株式がその発行会社に取得され、引換えに他の種類の株式が交付されることをいう。）又は新株予約権の行使によって発行済株式の総数又は総株主の議決権の数に変更があった場合における発行済株式の総数又は総株主の議決権の数は、前月末日現在のものによることができる。

4　法第四条の四の規定により公表する場合において、指定会社の発行済株式の総数に変更があったときは、その登記が行われるまでの間は、登記されている発行済株式の総数をもって、第二項の発行済株式の総数とみなすことができる。

本条…追加〔平成二三年一二月国土交通省令九四号〕、旧二条の九…繰上〔令和六年三月国土交通省令二六号〕

（貸付申請の手続）

第三条　港湾管理者は、法第六条第一項の規定に基づき政府の貸付けを受けようとするときは、次に掲げる事項を記載した申請書を国土交通大臣に提出しなければならない。

一　港湾管理者の当該年度における当該外貿埠頭に係る貸付けの金額及びその時期

二　港湾管理者の貸付けを受ける指定会社の当該年度における当該外貿埠頭に関する工事実施計画

三　港湾管理者の貸付けを受ける指定会社の当該年度における当該外貿埠頭に係る資金の調達方法及び使途を記載した資金計画

四　港湾管理者の貸付金に関する貸付けの条件

2　前項の申請書には、次に掲げる当該外貿埠頭に関する書類を添付するものとする。

一　平面図、縦断面図、標準横断面図、深浅図その他の必要な図面

二　法第二条第一項第一号の岸壁及び同項第三号の施設の安定計算の概要

（令第三条第五号の外貿埠頭を構成する施設の価額）

第四条　特定外貿埠頭の管理運営に関する法律施行令（以下「令」という。）第三条第五号の外貿埠頭を構成する施設の価額は、当該施設の取得価額又は製作価額とする。

（令第三条第五号の国土交通省令で定める割合）

第五条　令第三条第五号の国土交通省令で定める割合は、年三パーセントとする。

（令第三条第五号の利益の額）

第六条　令第三条第五号の利益の額は、貸付けに係る外貿埠頭の運営に係る毎事業年度における収益から費用を控除した額とする。

2　前項の収益は、岸壁等（法第三条第一項第二号イに規定する岸壁等をいう。以下同じ。）の貸付料その他の事業収益及び受取利子その他の事業外収益（積立金取崩額以外の特別利益を含む。次条第一号において同じ。）の合計額とする。

3　第一項の費用は、事業費用（法人税、道府県民税及び市町村民税を含む。次条第二号において同じ。）及び支払利子その他の事業外費用（特別損失を含む。次条第三号において同じ。）の合計額とする。

第七条　前条の規定により収益及び費用を計算する場合において、貸付けに係る外貿埠頭の運営と外貿埠頭の運営以外の事業との双方に関連する収益及び費用は、次に掲げる割合によりそれぞれの事業に配賦するものとする。

一　受取利子その他の事業外収益にあっては、それぞれの事業に専属する事業収益による割合

二　事業費用にあっては、次に掲げる割合

イ　法人税、道府県民税、事業税及び市町村民税にあっては、それぞれの事業に専属する利益による割合

ロ　その他のものにあっては、それぞれの事業に専属する事業費用（諸税及び減価償却費を除く。次号ロにおいて同じ。）による割合

三　支払利子その他の事業外費用にあっては、次に掲げる割合

イ　支払利子にあっては、それぞれの事業に専属する事業用固定資産の価額による割合（当該固定資産につき前事業年度末における貸借対照表に付せられた価額から当該

固定資産につき当該貸借対照表に計上された減価償却引当金の額を控除した価額による割合をいう。）
ロ　その他のものにあっては、それぞれの事業に専属する事業費用による割合

（区分経理の方法）

第八条　指定会社は、外貿埠頭業務及びこれに附帯する業務（以下この条において「外貿埠頭業務等」という。）以外の業務を行う場合においては、外貿埠頭業務等に関する経理について特別の勘定を設け、外貿埠頭業務等以外の業務に関する経理と区分して整理しなければならない。この場合において、外貿埠頭業務等とその他の業務との双方に関連する収益及び費用は、前条の規定に従い、それぞれの事業に配賦して経理するものとする。

（重要な財産の処分の制限）

第九条　法第九条第一項の国土交通省令で定める重要な財産は、港湾施設（港湾法（昭和二十五年法律第二百十八号）第二条第五項の港湾施設をいう。）であって、その帳簿価額が一億円以上のもの（外貿埠頭の建設に伴い譲渡し、又は交換するものを除く。）とする。

2　指定会社は、法第九条第一項の規定による認可を受けようとするときは、次に掲げる事項を記載した申請書を国土交通大臣に提出しなければならない。
一　譲渡し、交換し、又は担保に供しようとする財産の内容及び価額
二　譲渡し、交換し、又は担保に供しようとする理由
三　相手方の氏名又は名称及び住所
四　譲渡し、交換し、又は担保に供しようとする場合の条件

（業務の休廃止の許可）

第一〇条　指定会社は、法第九条第二項の規定による許可を受けようとするときは、次に掲げる事項を記載した申請書を国土交通大臣に提出しなければならない。
一　休止し、又は廃止しようとする岸壁等の名称、位置、係留能力及び貨物取扱能力
二　休止又は廃止の期日
三　休止の許可の申請の場合にあっては、休止の期間
四　休止又は廃止を必要とする理由

2　前項の申請書には、岸壁等の貸付けに係る業務の休止又は廃止に関する意思の決定を証する書類を添付しなければならない。

（定款の変更の決議の認可の申請）

第一一条　指定会社は、法第十条の規定により定款の変更の決議の認可を受けようとするときは、変更しようとする事項及び変更の理由を記載した申請書に定款の変更に関する株主総会の議事録の写しを添えて、国土交通大臣に提出しなければならない。

（剰余金の配当その他の剰余金の処分の決議の認可の申請）

第一二条　指定会社は、法第十条の規定により剰余金の配当その他の剰余金の処分の決議の認可を受けようとするときは、剰余金の総額及び剰余金の配当その他の剰余金の処分の内訳を記載した申請書に剰余金の配当その他の剰余金の処分に関する株主総会又は取締役会の議事録の写しを添えて、国土交通大臣に提出しなければならない。

（合併、分割又は解散の決議の認可の申請）

第一三条　指定会社は、法第十条の規定により合併、分割又は解散の決議の認可を受けようとするときは、次に掲げる事項（解散の決議の認可を受けようとする場合にあっては、第一号、第四号及び第五号に掲げる事項に限る。）を記載した申請書を国土交通大臣に提出しなければならない。
一　合併の場合にあっては合併後存続する法人又は合併により設立する法人の名称及び住所、分割の場合にあっては事業を承継する法人又は分割により設立する法人の名称及び住所、解散の場合にあっては清算人の氏名及び住所
二　合併又は分割の方法及び条件
三　合併又は分割に反対した株主があるときは、その者の氏名又は名称及び住所並びにその者の所有する株式の種類及び数
四　合併、分割又は解散の時期
五　合併、分割又は解散の理由

2　前項の申請書には、次に掲げる書類（解散の決議の認可を受けようとする場合にあっては、第一号に掲げる書類に限る。）を添えなければならない。
一　合併、分割又は解散に関する株主総会の議事録の写し
二　合併契約又は吸収分割契約（新設分割の場合にあっては、新設分割計画）において定めた事項を記載した書類
三　合併又は分割の主要な条件の決定に関する説明書
四　合併契約又は吸収分割契約の締結（新設分割の場合にあっては、新設分割計画の作成）の時における指定会社の資産、負債その他の財産の状況の説明書
五　合併後存続する法人若しくは合併により設立する法人又は分割により事業を承継する法人若しくは分割により設立する法人の定款

（役員の選任及び解任の届出）

第一四条　指定会社は、法第十一条の規定による届出をしようとするときは、遅滞なく、次に掲げる書類を国土交通大臣に提出しなければならない。
一　選任又は解任された役員の氏名及び住所を記載した書類
二　選任又は解任に関する株主総会又は取締役会の議事録の写し
三　選任の届出の場合にあっては、選任された役員の履歴書

附　則

（施行期日）

第一条　この省令は、平成十八年十月一日から施行する。

（経過措置）

第二条　この省令の施行の際現に存する海上物流の基盤強化のための港湾法等の一部を改正する法律（以下「改正法」という。）第二条の規定による改正前の外貿埠頭公団の解散及び

業務の承継に関する法律第二条第一項の規定により指定された法人（以下「指定法人」という。）については、改正前の外貿埠頭公団の解散及び業務の承継に関する法律施行規則第三条から第十三条まで及び別記様式の規定は、改正法附則第四条第四項の規定により指定法人が解散するまでの間は、なおその効力を有する。

第三条・第四条　〔他の法令改正に付き略〕

附　則〔平成二三年一二月一三日国土交通省令第九四号抄〕

（施行期日）

第一条　この省令は、港湾法及び特定外貿埠頭の管理運営に関する法律の一部を改正する法律（以下「改正法」という。）附則第一条第二号に掲げる規定の施行の日（平成二十三年十二月十五日）から施行する。

（経過措置）

第六条　この省令の施行前に交付した第二条の規定による改正前の特定外貿埠頭の管理運営に関する法律施行規則別記様式による証明書は、第二条の規定による改正後の特定外貿埠頭の管理運営に関する法律施行規則第三号様式による証明書とみなす。

附　則〔令和元年九月一三日国土交通省令第三四号抄〕

（施行期日）

第一条　この省令は、成年被後見人等の権利の制限に係る措置の適正化等を図るための関係法律の整備に関する法律（以下「整備法」という。）の施行の日（令和元年九月十四日）から施行する。〔以下略〕

附　則〔令和二年一二月二三日国土交通省令第九八号〕

（施行期日）

1　この省令は、令和三年一月一日から施行する。

（経過措置）

2　この省令の施行の際現にあるこの省令による改正前の様式による用紙は、当分の間、これを取り繕って使用することができる。

附　則〔令和六年三月二九日国土交通省令第二六号抄〕

（施行期日）

第一条　この省令は、令和六年四月一日から施行する。〔以下略〕

別記様式（第二条の七関係）

年　　月　　日

国土交通大臣　　　　　　　　　殿

氏名又は名称及び住所並びに法人
にあっては、その代表者の氏名　　　　　　　　(イ)
届出義務発生日　　　　　　　　年　　月　　日(ロ)

対象議決権保有届出書

特定外貿埠頭の管理運営に関する法律第４条の２第１項の規定により、下記のとおり届け出ます。

記

1　提出者が対象議決権を保有する指定会社に関する事項

指定会社の商号	
本店の所在地	

2　提出者に関する事項

2－1　提出者（対象議決権保有者）(ハ)

※　１　個　人　　２　法　人				
（ふりがな）				
氏名又は名称				
（ふりがな）				
住　　所	〒			
個人	生年月日　　年　　月　　日 ※　１明治　３昭和　５令和 ２大正　４平成	（ふりがな）		
		勤務先名称		
	職　業	勤務先住所		
法人	設立年月日　　年　　月　　日 ※　１明治　３昭和　５令和 ２大正　４平成	（ふりがな）		代表者役職
		代表者名		
	事業内容			
事務上の連絡先及び担当者名				
		電話番号		

2－2　保有目的(ニ)

2－3　対象議決権保有割合

対象議決権保有者になった日	年　　月　　日
保有議決権数	個（総株主の議決権に対する割合　　　％）

2－4　対象議決権を有する株券等に関する担保契約等重要な契約(ホ)

<table><tr><td> </td></tr></table>

3　共同保有者に関する事項

3－1　共同保有者(ヘ)

<table>
<tr><td colspan="6">※　1 個 人　2 法 人</td></tr>
<tr><td colspan="2" rowspan="2">(ふりがな)
氏名又は名称</td><td colspan="4"></td></tr>
<tr><td colspan="4"></td></tr>
<tr><td colspan="2" rowspan="2">(ふりがな)
住　　所</td><td colspan="4"></td></tr>
<tr><td colspan="4">〒</td></tr>
<tr><td rowspan="3">個
人</td><td rowspan="2">生年月日　年　月　日
※　1明治　3昭和　5令和
2大正　4平成</td><td>(ふりがな)</td><td colspan="3"></td></tr>
<tr><td>勤務先名称</td><td colspan="3"></td></tr>
<tr><td>職 業</td><td>勤務先住所</td><td colspan="3"></td></tr>
<tr><td rowspan="3">法
人</td><td rowspan="2">設立年月日　年　月　日
※　1明治　3昭和　5令和
2大正　4平成</td><td>(ふりがな)</td><td></td><td rowspan="2">代表者役職</td></tr>
<tr><td>代表者名</td><td></td></tr>
<tr><td>事 業 内 容</td><td colspan="3"></td></tr>
<tr><td colspan="2">事務上の連絡先
及び担当者名</td><td colspan="4"></td></tr>
<tr><td colspan="3"></td><td>電 話 番 号</td><td colspan="2"></td></tr>
</table>

3－2　対象議決権保有割合

保有議決権数	個（総株主の議決権に対する割合　　%）

4　提出者及び共同保有者に関する総括表

4－1　提出者及び共同保有者(ト)

1		21		41	
2		22		42	
3		23		43	
4		24		44	
5		25		45	
6		26		46	
7		27		47	
8		28		48	

9		29		49	
10		30		50	
11		31		51	
12		32		52	
13		33		53	
14		34		54	
15		35		55	
16		36		56	
17		37		57	
18		38		58	
19		39		59	
20		40		60	

4－2　上記提出者及び共同保有者の対象議決権保有割合(チ)

保有議決権数	個（総株主の議決権に対する割合　　　%）

〔備考〕

1　用紙の大きさは、日本産業規格Ａ列４番とすること。

2　記載事項のうち「２　提出者に関する事項」には、提出者の議決権の保有状況について記載し、「３　共同保有者に関する事項」には、共同保有者がいる場合のみ、共同保有者１人につき１枚ずつ、各共同保有者の議決権の保有状況について記載し、「４　提出者及び共同保有者に関する総括表」には、共同保有者がいる場合にのみ、提出者及び共同保有者の議決権の保有状況を一括して記載すること。共同保有者がいない場合には、この様式のうち「３　共同保有者に関する事項」及び「４　提出者及び共同保有者に関する総括表」に係る部分は提出することを要しない。

3　対象議決権保有届出書（以下この様式において「届出書」という。）の提出者が、共同保有者全員の委任を受けて当該提出者及び当該共同保有者全員の届出書を一つにまとめて提出する場合には、当該提出者及び当該共同保有者のそれぞれの議決権の保有状況について、別々に「２　提出者に関する事項」に記載するとともに、これらの議決権の保有状況を一括して「４　提出者及び共同保有者に関する総括表」に記載すること。この場合には、この様式のうち「３　共同保有者に関する事項」に係る部分は提出することを要しない。

4　※の付されている欄は、該当する番号を○で囲むこと。

5　記号の付されている項目の記載は、次によること。

(イ)　氏名又は名称及び住所並びに法人にあっては、その代表者の氏名

(1)　届出書の提出者本人（代理人が提出する場合には当該代理人）の氏名又は名称及び住所並びに法人にあっては、その代表者の氏名を記載すること。

なお、代理人が提出する場合には、届出書の提出を委任した者が、当該代理人に、届出書の提出に関する一切の行為につき、当該委任した者を代理する権限を付与したことを証する書面を届出書に添付すること。

(2) 届出書の提出者が、共同保有者全員の委任を受けて当該提出者及び当該共同保有者全員の報告書を一つにまとめて提出する場合には、委任を受けた者の氏名又は名称及び住所並びに法人にあっては、その代表者の氏名を記載すること。なお、当該共同保有者が、当該提出者に届出書の提出に関する一切の行為につき、当該共同保有者を代理する権限を付与したことを証する書面を届出書に添付すること。

(ロ) 届出義務発生日

対象議決権保有者となった日を記載すること。

(ハ) 提出者（対象議決権保有者）

(1) 民法上の組合その他の法人格を有さない組合又は社団等の場合には、当該組合又は社団等を保有者として提出せず、議決権を所有し、又は金融商品取引法第27条の23第３項各号に掲げる者に該当する業務執行組合員等を保有者として提出すること。また、この場合、その旨を届出書の「２－４　対象議決権を有する株券等に関する担保契約等重要な契約」欄に記載すること。

(2) 提出者が個人の場合は「個人」欄に、法人の場合は「法人」欄に必要事項をそれぞれ記載すること。

(3) 「設立年月日」欄には、法人設立の登記年月日を記載すること。

(4) 「事業内容」欄には、届出書の提出義務が生じた日現在の当該法人の定款等に記載された主要な目的を記載すること。

(ニ) 保有目的

「純投資」、「政策投資」、「経営参加」、「支配権の取得」等の目的及びその内容について、できる限り具体的に記載すること。

(ホ) 対象議決権を有する株券等に関する担保契約等重要な契約

保有株券等に関する担保契約、売戻し契約、売り予約、その他の重要な契約又は取決めがある場合には、その契約の種類、契約の相手方、契約の対象となっている議決権の数量等、当該契約又は取決めの内容を記載すること。株券等を法人格のない組合、社団等の業務執行組合員等として保有している場合、共有している場合等には、その旨記載すること。

(ヘ) 共同保有者

共同保有者がいる場合に、提出者が了知している範囲で、(ハ)に準じて記載すること。

(ト) 提出者及び共同保有者

共同保有者がいる場合に、提出者及び共同保有者の氏名又は名称のみを記載すること。

(チ) 上記提出者及び共同保有者の対象議決権保有割合

共同保有者がいる場合に、提出者及び共同保有者の保有議決権数を合計して記載すること。

本様式…追加〔平成23年12月国土交通省令94号〕、一部改正〔令和元年５月国土交通省令１号・６月20号・２年12月98号・６年３月26号〕

（参考）

○外貿埠頭公団の解散及び業務の承継に関する法律

（昭和五十六年四月二十五日法律第二十八号）

（平成一八年法律三八号による改正前のもの）

〔沿革〕 平成五年六月一四日法律第六三号、一一年一二月八日第一五一号、二二日第一六〇号、一二年五月一七日第六七号、一七年五月二〇日第四五号、七月二六日第八七号改正

（外貿埠頭公団の解散）

第一条 京浜外貿埠頭公団及び阪神外貿埠頭公団（以下「公団」という。）は、この法律の施行の時において解散する。

（公団の権利及び義務の承継等）

第二条 京浜外貿埠頭公団（以下「京浜公団」という。）及び阪神外貿埠頭公団（以下「阪神公団」という。）の一切の権利及び義務（京浜公団に対する政府並びに東京都及び横浜市の出資金並びに阪神公団に対する政府並びに大阪市及び神戸市の出資金に係るものを除く。）は、公団の解散の時において、京浜公団に係るものにあつては東京港及び横浜港、阪神公団に係るものにあつては大阪港及び神戸港のそれぞれにつき運輸大臣が指定する法人（以下「指定法人」という。）が、権利及び義務の承継に関し必要な事項を定めた承継計画書に定めるところに従い承継する。

2 前項の承継計画書は、京浜公団又は阪神公団が、東京湾及び横浜港又は大阪港及び神戸港に係る指定法人の意見を聴き、政令で定める基準に従つて作成して運輸大臣の認可を受けたものでなければならない。

3 公団の解散の時における政府の公団に対する出資金は、公団の解散の時において、政令で定めるところにより、政府の指定法人に対する無利子貸付金となつたものとする。

4 前項の貸付金の償還に関し必要な事項は、政令で定める。

5 公団の解散の時における東京都、横浜市、大阪市及び神戸市の公団に対する出資金は、公団の解散の時において、それぞれその管理する港湾に係る指定法人に対する出えん金となつたものとする。

6 第一項の規定により指定法人が承継した旧外貿埠頭公団法（昭和四十二年法律第百二十五号。以下「旧公団法」という。）第四十一条第一項に規定する京浜外貿埠頭債券（以下「京浜債券」という。）又は阪神外貿埠頭債券（以下「阪神債券」という。）に係る債務は、京浜公団又は阪神公団の権利及び義務を承継した指定法人がそれぞれ連帯して弁済の責めに任ずる。

7 京浜債券又は阪神債券の債権者は、京浜公団又は阪神公団の権利及び義務を承継した指定法人の財産についてそれぞれ他の債権者に先立つて自己の債権の弁済を受ける権利を有する。

8 前項の先取特権の順位は、民法（明治二十九年法律第八十九号）の規定による一般の先取特権に次ぐものとする。

9 会社法（平成十七年法律第八十六号）第七百五条第一項及び第二項並びに第七百九条の規定は、旧公団法第四十一条第四項の規定により公団が運輸大臣の認可を受けて京浜債券又は阪神債券の発行に関する事務を委託した銀行又は信託会社について準用する。

10 第一項、第二項及び第六項から前項までに定めるもののほか、京浜債券及び阪神債券に関し必要な事項は、政令で定める。

11 公団の解散の日の前日を含む事業年度は、その日に終わるものとする。

12 公団の解散の日の前日を含む事業年度に係る決算並びに財産目録、貸借対照表及び損益計算書については、なお従前の例による。ただし、旧公団法第十条の規定は、適用しない。

13 前条の規定により公団が解散した場合における解散の登記については、政令で定める。

参照 九項…一部改正〔平成五年六月法律六三号・一七年七月八七号〕
一項〔国土交通大臣の指定〕外貿埠頭公団の解散及び業務の承継に関する法律の規定に基づく法人を指定、二項・三項・四項・一〇項・一三項〔政令〕令一－五

（指定法人）

第三条 前条第一項の指定は、次の要件を備える法人の申請があつた場合において、東京港、横浜港、大阪港又は神戸港ごとに一を限り、行うものとする。

一 申請者が民法第三十四条の規定により港湾管理者（港湾法（昭和二十五年法律第二百十八号）第二条第一項に規定する港湾管理者をいう。以下同じ。）が設立した財団法人であつて、旧公団法第二条に規定する外貿埠頭（以下「外貿埠頭」という。）の建設並びに貸付け及び改良、維持、災害復旧その他の管理を行うことを目的とするものであること。

二 申請者が次の業務を実施することについて適正かつ確実な計画を有すると認められる者であること。

イ 公団が建設し、又は自ら建設した外貿埠頭の施設のうち、旧公団法第二条第一号に規定する岸壁及び同条第二号に規定する施設（以下「岸壁等」という。）を有償で貸し付けること。

ロ 外貿埠頭の建設を行うこと。

ハ イに掲げるもののほか、公団が建設し、又は自ら建設した外貿埠頭の改良、維持、災害復旧その他の管理を行うこと。

三 申請者が前号イからハまでに掲げる業務（以下「外貿埠頭業務」という。）を実施することについて十分な経理的基礎を有すると認められる者であること。

四 申請者の役員のうちに、港湾の建設及び管理に関する事業並びに外航海運及び港湾運送に関する事業について知識

及び経験を有する者が含まれるように寄附行為において定められていること。

五　申請者の役員のうちに、成年被後見人若しくは被保佐人又は破産者で復権を得ないものがないこと。

六　申請者の役員のうちに、禁錮の刑以上の刑に処せられ、その執行を終わり、又はその執行を受けることがなくなつた日から五年を経過していない者がないこと。

2　運輸大臣は、前条第一項の指定をしようとするときは、あらかじめ、当該指定に係る港湾の港湾管理者（以下「関係港湾管理者」という。）の意見を聴かなければならない。

3　運輸大臣は、前条第一項の指定をしたときは、指定法人の名称、住所及び事務所の所在地を官報で公示しなければならない。

4　指定法人は、その名称、住所及び事務所の所在地を変更しようとするときは、あらかじめ、その旨を国土交通大臣に届け出なければならない。

5　国土交通大臣は、前項の規定による届出があつたときは、その旨を官報で公示しなければならない。

四・五項…一部改正〔平成一一年一二月法律一六〇号〕

（岸壁等の貸付け）

第四条　指定法人は、岸壁等を貸し付ける場合においては、次に掲げる者に対し、旧公団法第二条第一号に規定する外航貨物定期船（以下「外航貨物定期船」という。）の使用の一単位ごとに岸壁等を一体として貸し付けるものとする。

一　当該岸壁等に係る港湾を航路の起点、寄港地又は終点とする旧公団法第二条第一号に規定する外航貨物定期航路事業（以下「外航貨物定期航路事業」という。）を営む者

二　当該岸壁等に係る港湾について港湾運送事業法（昭和二十六年法律第百六十一号）第三条第一号の一般港湾運送事業の許可を受けた者

2　指定法人は、岸壁等を貸し付けようとするときは、外航貨物定期船の使用の一単位ごとに当該岸壁等の貸付料の額を定め、その実施前に（第二条第一項の規定により承継した貸付契約に基づいて貸し付ける場合にあつては、当該貸付契約の承継後速やかに）国土交通大臣に届け出なければならない。これを変更しようとするときも、同様とする。

3　前項の貸付料の額は、国土交通省令で定める基準に従つて算出されたものでなければならない。

二・三項…一部改正〔平成一一年一二月法律一六〇号〕、一項…一部改正〔平成一二年五月法律六七号・一七年五月四五号〕

参照　三項〔国土交通省令〕規則五

（整備計画）

第五条　指定法人は、外貿埠頭の建設又は改良の工事を行おうとするとき（旧公団法第三十二条第一項の規定により公団が認可を受けた工事実施計画に従つて行う場合を除く。）は、国土交通省令で定めるところにより、当該外貿埠頭の整備計画を定め、国土交通大臣の認可を受けなければならない。これを変更しようとするときも、同様とする。

2　国土交通大臣は、前項の認可をしようとするときは、あらかじめ、関係港湾管理者に協議しなければならない。

3　第一項の整備計画は、次の要件に適合するものでなければならない。

一　港湾法第三条の三第九項の規定により公示された港湾計画において定められた外貿埠頭の建設又は改良の計画に適合すること。

二　当該外貿埠頭を構成するそれぞれの施設の位置、規模及び構造が当該施設の用途に対し適切であること。

三　当該外貿埠頭の供用を開始する時期が当該港湾における外航貨物定期航路事業に係る貨物の需要に対し適切であること。

一・二項…一部改正〔平成一一年一二月法律一六〇号〕

参照　一項〔国土交通省令〕規則六

（外貿埠頭の建設等に係る資金の貸付け）

第六条　政府は、指定法人に対し、政令で定めるところにより、前条第一項の認可を受けた整備計画に基づき、又は旧公団法第三十二条第一項の規定により公団が認可を受けた工事実施計画に従つて行う外貿埠頭の建設又は改良に要する費用に充てる資金の一部を無利子で貸し付けることができる。

参照　〔政令〕令六

（事業計画等）

第七条　指定法人は、毎事業年度開始前に（第二条第一項の指定を受けた日の属する事業年度にあつては、その指定を受けた後速やかに）、事業計画及び収支予算を作成し、国土交通大臣の認可を受けなければならない。これを変更しようとするときも、同様とする。

2　第五条第二項の規定は、前項の認可をしようとする場合について準用する。

3　指定法人は、毎事業年度経過後三月以内に、事業報告書、貸借対照表、収支決算書及び財産目録を作成し、国土交通大臣に提出しなければならない。

一・二項…一部改正〔平成一一年一二月法律一六〇号〕

（区分経理）

第八条　指定法人は、国土交通省令で定めるところにより、外貿埠頭業務及びこれに附帯する業務に関する経理とその他の業務に関する経理とを区分して整理しなければならない。

本条…一部改正〔平成一一年一二月法律一六〇号〕

参照　〔国土交通省令〕規則九

（財産の処分の制限等）

第九条　指定法人は、国土交通省令で定める重要な財産を譲渡し、交換し、又は担保に供しようとするときは、国土交通大臣の認可を受けなければならない。

2　指定法人は、岸壁等の貸付けに係る業務の全部又は一部を休止し、又は廃止しようとするときは、国土交通大臣の許可を受けなければならない。

一・二項…一部改正〔平成一一年一二月法律一六〇号〕

参照　一項〔国土交通省令〕規則一〇

（役員の選任及び解任）

第一〇条　指定法人は、役員を選任し、又は解任したときは、その旨を国土交通大臣に届け出なければならない。

本条…一部改正〔平成一一年一二月法律一六〇号〕

（監督命令）

第一一条　国土交通大臣は、指定法人の行う外貿埠頭業務の運営に関し必要があると認めるときは、その必要の限度において、指定法人に対し、その業務の適正な運営を確保するため必要な措置をとるべきことを命ずることができる。

本条…一部改正〔平成一一年一二月法律一六〇号〕

（報告及び検査）

第一二条　国土交通大臣は、指定法人の行う外貿埠頭業務の運営に関し必要があると認めるときは、指定法人に対してその業務及び財産の状況に関し報告させ、又はその職員に、指定法人の事務所その他の事業所に立ち入り、業務若しくは財産の状況若しくは帳簿、書類その他の必要な物件を検査させることができる。

2　前項の規定により立入検査をする職員は、その身分を示す証明書を携帯し、関係人にこれを提示しなければならない。

3　第一項の規定による立入検査の権限は、犯罪捜査のために認められたものと解してはならない。

一項…一部改正〔平成一一年一二月法律一六〇号〕

（指定の取消し）

第一三条　国土交通大臣は、指定法人が、次の各号の一に該当するときは、第二条第一項の指定を取り消すことができる。

一　外貿埠頭業務を適正に実施することができないと認められるとき。

二　この法律、この法律に基づく命令又は第五条第一項若しくは第七条第一項の規定により認可を受けた事項に違反したとき。

三　第十一条の規定による命令に違反したとき。

2　第三条第二項の規定は、前項の規定により第二条第一項の指定を取り消そうとする場合について準用する。

3　国土交通大臣は、指定法人が第九条第二項の規定による岸壁等の貸付けに係る業務の全部の廃止の許可を受けたときは、第二条第一項の指定を取り消すものとする。

4　国土交通大臣は、第一項又は前項の規定により第二条第一項の指定を取り消したときは、その旨を官報で公示しなければならない。

一・三・四項…一部改正〔平成一一年一二月法律一六〇号〕

（指定を取り消した場合における措置）

第一四条　前条第一項又は第三項の規定により第二条第一項の指定を取り消した場合における当該取消しに係る指定法人の権利及び義務の取扱いその他必要な措置については、別に法律で定める。

2　前条第一項又は第三項の規定により第二条第一項の指定を取り消した場合において、前項の法律に基づく必要な措置がとられるまでの間は、国土交通大臣が指定する者が、政令で定めるところにより、外貿埠頭業務に係る財産の管理その他の業務を行うものとする。

二項…一部改正〔平成一一年一二月法律一六〇号〕

（国土交通省令への委任）

第一五条　この法律に定めるもののほか、この法律の実施のため必要な事項は、国土交通省令で定める。

見出し…改正・本条…一部改正〔平成一一年一二月法律一六〇号〕

参照　〔国土交通省令〕規則

（罰則）

第一六条　第十一条の規定による命令に違反した者は、二十万円以下の罰金に処する。

第一七条　第十二条第一項の規定による報告をせず、若しくは虚偽の報告をし、又は検査を拒み、妨げ、若しくは忌避した者は、十万円以下の罰金に処する。

第一八条　指定法人の代表者又は代理人、使用人その他の従業者が指定法人の業務に関し前二条の違反行為をしたときは、行為者を罰するほか、指定法人に対しても、各本条の刑を科する。

附　則

（施行期日）

第一条　この法律は、公布の日から起算して一年を超えない範囲内において政令で定める日から施行する。ただし、第二条第一項及び第二項、第三条、第七条、第十条並びに第十五条の規定は、公布の日から施行する。

〔昭和五六年一一月政令三一九号により、昭和五七・三・三一から施行〕

（権利の承継に伴う経過措置）

第二条　第二条第一項の規定により指定法人が権利を承継する場合における当該承継に係る不動産の所有権の保存又は移転の登記であつて公団が解散した日から一年以内に受けるものについては、政令で定めるところにより、登録免許税を課さない。

2　第二条第一項の規定により指定法人が権利を承継する場合における当該承継に係る不動産の取得に対しては、不動産取得税を課することができない。

参照　一項〔政令〕令附則二

（京浜債券及び阪神債券に関する経過措置）

第三条　京浜債券及び阪神債券は、第二条第一項の規定により指定法人が当該債券に係る債務を承継した後においても、社債等登録法（昭和十七年法律第十一号）の適用については同法第十四条の債券とし、証券取引法（昭和二十三年法律第二十五号）の適用については同法第二条第一項第三号の債券とし、資金運用部資金法（昭和二十六年法律第百号）の適用については当該債券が承継時において資金運用部資金による引受けに係るものである場合は同法第七条第一項第七号の債券とする。

（外貿埠頭公団法の廃止）

第四条　外貿埠頭公団法は、廃止する。

第五条～第一六条　〔他の法令改正に付き略〕

（罰則に関する経過措置）

第一七条　この法律の施行前にした行為に対する罰則の適用については、なお従前の例による。

附　則〔平成五年六月一四日法律第六三号〕

この法律は、商法等の一部を改正する法律の施行の日〔平成五年一〇月一日〕から施行する。

○商法等の一部を改正する法律の施行に伴う関係法律の整備等に関する法律（抄）〔平成五年六月十四日 法律第六十三号〕

（商法の一部改正に伴う住宅金融公庫法等に係る経過措置）

第二〇条　商法等の一部を改正する法律附則第五条の規定は、この法律の施行前に前条各号に掲げる法律に基づき債券が発行された場合におけるその募集の委託を受けた会社の権限及び義務並びに債券に係る債権者の償還額の支払の請求について準用する。

附　則〔平成一一年一二月八日法律第一五一号抄〕

（施行期日）

第一条　この法律は、平成十二年四月一日から施行する。〔以下略〕

第四条　この法律の施行前にした行為に対する罰則の適用については、なお従前の例による。

附　則〔平成一七年七月二六日法律第八七号〕

この法律は、会社法の施行の日〔平成一八年五月一日〕から施行する。〔以下略〕

○会社法の施行に伴う関係法律の整備等に関する法律（抄）〔平成十七年七月二十六日 法律第八十七号〕

第十二章　罰則に関する経過措置及び政令への委任

（罰則に関する経過措置）

第五二七条　施行日前にした行為及びこの法律の規定によりなお従前の例によることとされる場合における施行日以後にした行為に対する罰則の適用については、なお従前の例による。

（政令への委任）

第五二八条　この法律に定めるもののほか、この法律の規定による法律の廃止又は改正に伴い必要な経過措置は、政令で定める。

（参考）

○外貿埠頭公団の解散及び業務の承継に関する法律施行令

（昭和五十六年十一月十七日政令第三百二十号）

（平成一八年政令二七八号による改正前のもの）

〔沿革〕　平成三年六月四日政令第一九九号、七年九月一日第三二一号、一二年六月七日第三一二号改正

（承継計画書の作成基準）

第一条　外貿埠頭公団の解散及び業務の承継に関する法律（以下「法」という。）第二条第一項の承継計画書は、その解散の時において存する京浜外貿埠頭公団及び阪神外貿埠頭公団（以下「公団」という。）の一切の権利及び義務について、次に掲げる事項を基準として定めるものとする。

一　外貿埠頭（法第三条第一項第一号に規定する外貿埠頭をいう。以下同じ。）を構成する施設（公団の解散の時において現に建設中のものを含む。）に係る権利及び義務については、当該施設の所在する港湾に係る指定法人（法第二条第一項に規定する指定法人をいう。以下同じ。）が承継するものとすること。

二　京浜外貿埠頭債券（以下「京浜債券」という。）及び阪神外貿埠頭債券（以下「阪神債券」という。）並びに長期借入金に係る権利及び義務については、次に掲げるところにより、東京港若しくは横浜港又は大阪港若しくは神戸港（以下「関係港湾」という。）に係る指定法人が承継するものとすること。

イ　京浜債券又は阪神債券のうち、政府が資金運用部資金により引き受けたもの（ロに定めるものを除くものとし、以下「政府引受債」という。）に係る債務にあつて

は、京浜債券又は阪神債券のそれぞれにつき、発行した事業年度ごとの政府引受債に係る公団の解散の時に現に存する債務の額を、当該事業年度におけるそれぞれの公団についての政府引受債充当額（政府及び東京都若しくは横浜市又は大阪市若しくは神戸市が出資の対象とした外貿埠頭の建設又は改良に要した費用のうち政府引受債により調達した資金を充当したものとして運輸省令で定めるところにより算定した額をいう。以下同じ。）に対する当該事業年度における関係港湾ごとの政府引受債充当額の比率（以下「政府引受債充当比率」という。）により配分すること。

ロ　京浜債券及び阪神債券のうち、政府引受債を償還するために発行したもの（以下「借換え政府引受債」という。）に係る債務にあつては、京浜債券又は阪神債券のそれぞれにつき、発行した事業年度ごとの借換え政府引受債に係る公団の解散の時に現に存する債務の額を、当該借換え政府引受債により調達した資金をもつて償還した政府引受債を発行した事業年度に係る政府引受債充当比率により配分すること。

ハ　長期借入金に係る債務にあつては、京浜外貿埠頭公団（以下「京浜公団」という。）又は阪神外貿埠頭公団（以下「阪神公団」という。）に係る長期借入金のそれぞれにつき、当該長期借入金に係る公団の解散の時に現に存する債務の額を、当該長期借入金（借換えをした長期借入金にあつては、その最初に借り入れられた長期借入金）をもつて償還した政府引受債を発行した事業年度に係る政府引受債充当比率により配分すること。

ニ　京浜債券及び阪神債券のうち、政府が資金運用部資金により引き受けたもの以外のもの（ホに定めるものを除くものとし、以下「民間引受債」という。）に係る債務にあつては、京浜債券又は阪神債券のそれぞれにつき、発行した各回の民間引受債に係る公団の解散の時に現に存する債務の額を、当該各回におけるそれぞれの公団についての民間引受債充当額（当該民間引受債の発行の時において、当該民間引受債により調達した資金を充当すべきこととされていた外貿埠頭の建設又は改良に要する費用の額をいう。以下同じ。）に対する当該各回における関係港湾ごとの民間引受債充当額の比率（以下「民間引受債充当比率」という。）により配分すること。

ホ　京浜債券及び阪神債券のうち、民間引受債を償還するために発行したもの（以下「借換え民間引受債」という。）に係る債務にあつては、京浜債券又は阪神債券のそれぞれにつき、発行した各回の借換え民間引受債に係る公団の解散の時に現に存する債務の額を、当該借換え民間引受債により調達した資金をもつて償還した民間引受債を発行した回に係る民間引受債充当比率により配分すること。

三　職員の雇用契約に係る権利及び義務については、京浜公団又は阪神公団のそれぞれにつき、公団の解散の時に現に在籍する職員の総数を、外貿埠頭を構成する施設（公団の解散の時に現に岸壁等（法第三条第一項第二号イに規定する岸壁等をいう。）の貸付けが行われ、又は貸付けを受ける者が確定しているものに限る。）の管理に要する職員数に対する関係港湾ごとの当該管理に要する職員数の比率により配分することを基本として関係港湾に係る指定法人が承継するものとすること。この場合においては、承継後における指定法人の外貿埠頭業務の円滑な遂行に支障を生じさせないよう配慮しなければならない。

四　前三号に掲げる権利及び義務以外の権利及び義務については、京浜公団又は阪神公団のそれぞれにつき、当該権利及び義務に係る公団の解散の時に現に存する資産又は債務の額を、東京都及び横浜市又は大阪市及び神戸市の京浜公団又は阪神公団に対する出資金の額の合計額に対する東京都若しくは横浜市又は大阪市若しくは神戸市のそれぞれの出資金の額の比率により配分することを基本として関係港湾に係る指定法人が承継するものとすること。この場合においては、承継後における指定法人の外貿埠頭業務の実施に関する計画、資金の調達及び支出に関する計画等について配慮しなければならない。

参照　二号イ〔運輸省令〕規則一の二

（法第二条第三項の無利子貸付金）

第二条　法第二条第三項の規定により政府の指定法人に対する無利子貸付金となつたものとされる当該無利子貸付金については、政府の京浜公団又は阪神公団に対する事業年度ごとの出資金の額を、東京都若しくは横浜市又は大阪市若しくは神戸市の京浜公団又は阪神公団に対する当該事業年度の出資金の額を基準として運輸省令で定めるところにより配分した額が、当該出資の行われた事業年度に関係港湾に係る指定法人に対して貸し付けられたものとする。

2　前項の無利子貸付金は、貸し付けられたものとされた事業年度の属する国の会計年度（以下「会計年度」という。）の翌会計年度から三年間据置き十七年間半年賦均等償還の方法により、毎会計年度、九月三十日又は三月三十一日までに償還するものとする。

3　前項の規定を適用した場合において昭和五十七年三月三十一日までに償還期限が到来することとなる無利子貸付金については、同項の規定にかかわらず、昭和五十六年度に一括して償還するものとする。

4　災害その他特別の事情により第一項の無利子貸付金の償還が著しく困難であるため、国土交通大臣がやむを得ないものと認めるときは、政府は、当該無利子貸付金の全部又は一部について、担保の提供をさせず、かつ、利息を付さないで償還期限を延長することができる。

5　政府は、指定法人が第一項の無利子貸付金の償還を怠つたときは、償還期限の翌日から償還の日までの日数に応じ、当該償還すべき金額につき年十・七五パーセントの割合を乗じて計算した延滞金を徴収することができる。

6　政府は、指定法人が第一項の無利子貸付金の償還を怠ったときは、同項の無利子貸付金の全部又は一部について償還期限を繰り上げることができる。

参照　四項…一部改正〔平成一二年六月政令三一二号〕
一項〔運輸省令〕規則一の三

（京浜外貿埠頭債券原簿及び阪神外貿埠頭債券原簿）

第三条　東京港又は神戸港に係る指定法人は、それぞれ主たる事務所に、旧京浜外貿埠頭債券及び阪神外貿埠頭債券令（昭和四十二年政令第三百五十六号）第八条第一項の京浜外貿埠頭債券原簿又は阪神外貿埠頭債券原簿を備え置き、必要な事項を記載しなければならない。

（利札が欠けている場合）

第四条　京浜債券又は阪神債券を償還する場合において、欠けている利札があるときは、これに相当する金額を償還額から控除する。ただし、既に支払期が到来した利札については、この限りでない。

2　前項の利札の所持人が、これと引換えに控除金額の支払を請求したときは、指定法人は、これに応じなければならない。

（公団の解散の登記の嘱託等）

第五条　法第一条の規定により公団が解散したときは、運輸大臣は、遅滞なく、その解散の登記を登記所に嘱託しなければならない。

2　登記官は、前項の規定による嘱託に係る解散の登記をしたときは、その登記用紙を閉鎖しなければならない。

（法第六条の無利子貸付金）

第六条　法第六条の規定により政府が指定法人に対し無利子で貸し付ける場合における貸付金の金額は、外貿埠頭の建設又は改良に要する費用の額の十分の一に相当する金額とする。ただし、外貿コンテナ埠頭（外貿埠頭の施設のうち専らコンテナ貨物の運送に係る法第四条第一項に規定する外航貨物定期船を係留するための岸壁及びその前面の泊地並びにこれらと一体としてコンテナ貨物の積込み及び取卸し、荷さばき等の用に供される施設をいう。以下同じ。）であつてその規模が国土交通省令で定める基準に適合するもの（以下「大規模埠頭」という。）の建設又は改良（大規模埠頭とするために行う外貿コンテナ埠頭の改良を含む。）に要する費用に充てる資金について貸し付ける場合には、当該費用の額の十分の一以上十分の二以下（大規模埠頭で岸壁の前面の泊地が国土交通省令で定める水深のものにあつては、十分の一以上十分の三以下）において国土交通大臣が財務大臣と協議して定める基準に従つて算定した割合に相当する金額とする。

2　前項の貸付金の償還条件は、貸し付けた日から三年間据置き十七年間半年賦均等償還とする。

参照　一項…一部改正〔平成三年六月政令一九九号・七年九月三二一号・一二年六月三一二号〕
一項〔国土交通省令〕規則六の二

附　則

（施行期日）

第一条　この政令は、法の施行の日（昭和五十七年三月三十一日）から施行する。ただし、第一条の規定は、公布の日から施行する。

（権利の承継に係る登記の手続）

第二条　法附則第二条第一項の規定の適用を受けようとする者は、その登記の申請書に、その者が法第二条第一項に規定する指定法人であること及び当該登記に係る不動産の所有権が同項の規定により公団から承継するものであることを運輸大臣が証する書類で公団が解散した日の記載があるものを添付して、登記の申請をしなければならない。

附　則〔平成七年九月一日政令第三二一号抄〕

（施行期日）

第一条　この政令は、公布の日から施行する。

（経過措置）

第二条　この政令の施行前に外貿埠頭公団の解散及び業務の承継に関する法律第五条第一項の認可を受けた整備計画に基づき行う外貿埠頭の建設又は改良に要する費用に充てる資金の貸付けについては、なお従前の例による。

附　則〔平成一二年六月七日政令第三一二号抄〕

（施行期日）

1　この政令は、内閣法の一部を改正する法律（平成十一年法律第八十八号）の施行の日（平成十三年一月六日）から施行する。〔以下略〕

（参考）

○外貿埠頭公団の解散及び業務の承継に関する法律施行規則

（昭和五十六年十二月十五日運輸省令第五十一号）

（平成一八年国土交通省令八八号による改正前のもの）

〔沿革〕昭和五七年二月二五日運輸省令第二号、平成元年七月二〇日第二四号、三年六月四日第一六号、七年九月一日第五〇号、一二年一一月二九日第三九号、一七年三月七日国土交通省令第一二号改正

（承継計画書）

第一条　外貿埠頭公団の解散及び業務の承継に関する法律（以下「法」という。）第二条第一項に規定する承継計画書には、京浜外貿埠頭公団及び阪神外貿埠頭公団（以下「公団」という。）の解散の時において存する京浜外貿埠頭公団（以下「京浜公団」という。）又は阪神外貿埠頭公団（以下「阪神公団」という。）の権利及び義務に関して、その承継先及び承継方法を資産、債務等ごとに明らかにして記載しなければならない。

2　前項の承継計画書には、次に掲げる書類を添付しなければならない。

一　公団の解散の日の前日を含む事業年度の京浜公団又は阪神公団の予定貸借対照表

二　前号の予定貸借対照表を承継先の指定法人（法第二条第一項に規定する指定法人をいう。以下同じ。）ごとに区分して経理したもの

三　その他当該承継計画書の認可のための審査に当たつて必要と認められる書類

（政府引受債充当額）

第一条の二　外貿埠頭公団の解散及び業務の承継に関する法律施行令（以下「令」という。）第一条第二号イの国土交通省令で定めるところにより算定した額は、政府及び東京都若しくは横浜市又は大阪市若しくは神戸市が出資の対象とした外貿埠頭（法第三条第一項第一号に規定する外貿埠頭をいう。以下同じ。）の建設又は改良に要した費用（以下この条において「政府等出資対象事業費」という。）の額から次の各号に掲げる額の合計額を差し引いた額（以下この条において「残余額」という。）とする。ただし、残余額が生じない場合その他これにより難い場合にあつては、これに準じて算定した額とする。

一　政府の京浜公団に対する東京港若しくは横浜港に係る出資金の額（東京都又は横浜市の京浜公団に対する出資金の額（昭和五十四年度の横浜市の出資金の額にあつては、当該出資金の額から三千八百万円を控除した額）に相当する額とする。）又は阪神公団に対する大阪港若しくは神戸港に係る出資金の額（大阪市又は神戸市の阪神公団に対する出資金の額（昭和五十三年度から昭和五十五年度までの各事業年度の大阪市の出資金の額にあつては、当該出資金の額からそれぞれ三百八十万円、一億五千万円及び六千万円を控除した額）に相当する額とする。）

二　東京都若しくは横浜市の京浜公団に対する出資金の額（昭和五十四年度の横浜市の出資金の額にあつては、当該出資金の額から三千八百万円を控除した額）又は大阪市若しくは神戸市の阪神公団に対する出資金の額（昭和五十三年度から昭和五十五年度までの各事業年度の大阪市の出資金の額にあつては、当該出資金の額からそれぞれ三百八十万円、一億五千万円及び六千万円を控除した額）

三　東京港若しくは横浜港又は大阪港若しくは神戸港に係る令第一条第二号ニに規定する民間引受債充当額（昭和四十二年度にあつては、長期借入金の額）のうち政府等出資対象事業費に係る額

本条…追加〔昭和五七年二月運輸省令二号〕、一部改正〔平成一二年一一月運輸省令三九号〕

（法第二条第三項の無利子貸付金）

第一条の三　令第二条第一項の国土交通省令で定めるところにより配分した額は、別表のとおりとする。

本条…追加〔昭和五七年二月運輸省令二号〕、一部改正〔平成一二年一一月運輸省令三九号〕

（指定の申請）

第二条　法第二条第一項の指定を受けようとする者は、次に掲げる事項を記載した申請書を国土交通大臣に提出しなければならない。

一　名称及び住所並びに代表者の氏名

二　事務所の所在地

2　前項の申請書には、次に掲げる書類を添付しなければならない。

一　寄附行為及び登記事項証明書

二　港湾管理者が設立した財団法人であることを証する書類

三　指定の申請に関する意思の決定を証する書類

四　外貿埠頭業務（法第三条第一項第三号の外貿埠頭業務をいう。以下同じ。）の実施に関する基本的な計画

五　最近の事業年度における事業報告書、収支決算書及び財産目録その他の法第三条第一項第三号に掲げる要件を備えていることを証する書類

六　役員の名簿及び履歴書

七　法第三条第一項第五号及び第六号に掲げる要件を備えていることを証する書類

一項…一部改正〔平成一二年一一月運輸省令三九号〕、二項…一部改正〔平成一七年三月国土交通省令一二号〕

（名称等の変更の届出）

第三条　指定法人は、法第三条第四項の規定による変更の届出をしようとするときは、変更しようとする日の二週間前までに、当該変更の内容を記載した書類を国土交通大臣に提出しなければならない。

本条…一部改正〔平成一二年一一月運輸省令三九号〕

（貸付料の届出）

第四条　指定法人は、法第四条第二項の規定による届出（法第二条第一項の規定により承継した貸付契約に基づいて貸し付ける場合に係るものを除く。）をしようとするときは、当該貸付料を実施しようとする日の三十日前までに（法の施行の日以後三十日以内に実施しようとする場合にあつては、法の施行の日以後速やかに）、次の各号に掲げる事項を記載した書類を国土交通大臣に提出しなければならない。

一　貸付料を設定し、又は変更しようとする岸壁等（法第三条第一項第二号イに規定する岸壁等をいう。以下同じ。）の名称及び位置

二　設定し、又は変更しようとする貸付料の額及び適用方法（変更の場合にあつては、新旧の対照を明示すること。）

三　実施しようとする日

四　変更の場合にあつては、変更を必要とする理由

2　前項の書類には、貸付料の額の算出の基礎を明らかにした書類及び当該貸付料が実施された場合における当該貸付料に係る収支見積書を添付しなければならない。

3　指定法人は、法第二条第一項の規定により承継した貸付契約に基づいて岸壁等を貸し付ける場合に係る法第四条第二項の届出をしようとするときは、当該岸壁等の名称、位置並びに貸付料の額及び適用方法を記載した書類を国土交通大臣に提出しなければならない。

一・三項…一部改正〔平成一二年一一月運輸省令三九号〕

（貸付料の額の基準）

第五条　法第四条第一項の規定により外航貨物定期船の使用の一単位ごとに岸壁等を一体として貸し付ける場合における当該一単位の岸壁等の貸付料の額は、減価償却費、修繕費、管理費、災害復旧引当金繰入額、支払利息その他指定法人の損益計算に計上すべき費用の額を各単位の岸壁等に係るものとして配賦した場合における当該一単位の岸壁等に係る費用として配賦された額の合計額を基準とし、かつ、当該一単位の岸壁等に係る外貿埠頭の建設に要した資金の償還を考慮して、指定法人が定めるものとする。

2　前項の費用の額の算出及び配賦の方法は、国土交通大臣が指定法人に対して示すところによるものとする。この場合において、二以上の同項の貸付料の額相互の間において著しい不均衡が生ずることとなるときは、これを是正するよう配賦の方法について配慮することができるものとする。

一項…一部改正〔昭和五七年二月運輸省令二号〕、二項…一部改正〔平成一二年一一月運輸省令三九号〕

（整備計画の認可）

第六条　指定法人は、法第五条第一項前段の規定による認可を受けようとするときは、建設又は改良を行おうとする外貿埠頭に関し、次に掲げる事項を記載した整備計画を国土交通大臣に提出しなければならない。

一　名称及び位置（縮尺五万分の一以上の平面図をもつて表示すること。）

二　敷地の面積

三　岸壁の長さ、係留能力及び構造

四　泊地の水深及び面積

五　荷さばき施設の種類、数、規模及び構造

六　護岸の長さ及び構造

七　臨港交通施設の種類及び規模

八　第三号から前号までに掲げる施設の配置（縮尺一万分の一以上の平面図をもつて表示すること。）

九　第三号、第六号及び第七号に掲げる施設の安定計算の概要

十　工事に要する費用の概算額

十一　当該外貿埠頭に係る資金の調達方法及び使途を記載した資金計画

十二　工事の着手及び完成の予定期日並びに供用開始の予定期日

2　前項第三号から第五号まで及び第十号に掲げる事項は、岸壁等に係留される外航貨物定期船の種別ごとに明らかにするものとする。

3　第一項の整備計画には、当該外貿埠頭に関する平面図、縦断面図、標準横断面図、深浅図その他の必要な図書を添付しなければならない。

4　指定法人は、法第五条第一項後段の規定による整備計画の変更の認可を受けようとするときは、当該変更の理由及び内容を記載した申請書に、当該変更に係る前項の図書を添えて、国土交通大臣に提出しなければならない。

一・四項…一部改正〔平成一二年一一月運輸省令三九号〕

（令第六条第一項ただし書で定める基準）

第六条の二　令第六条第一項ただし書の国土交通省令で定める基準は、外航貨物定期船の使用の一単位に係る外貿コンテナ埠頭の施設が次に掲げる要件に適合するものであることとする。

一　岸壁の長さが三百三十メートル以上であること。

二　岸壁の前面の泊地の水深が十四メートル以上であること。

三　岸壁及び貨物の荷さばきを行うための固定的な施設（これらの附属施設を含む。）の敷地の面積の合計が十一万五千五百平方メートル以上であること。

2　令第六条第一項ただし書の国土交通省令で定める水深は、十五メートル以上とする。

本条…追加〔平成三年六月運輸省令一六号〕、二項…追加〔平成七年九月運輸省令五〇号〕、一・二項…一部改正〔平成一二年一一月運輸省令三九号〕

（貸付申請の手続）

第七条　指定法人は、法第六条の規定に基づき政府の貸付けを受けようとするときは、次に掲げる事項を記載した申請書を国土交通大臣に提出しなければならない。

一　当該年度における当該外貿埠頭の建設又は改良に要する費用の額及び当該貸付金の額並びにその時期

二　当該年度における当該外貿埠頭に係る整備計画又は工事実施計画（法第六条の工事実施計画をいう。次号において同じ。）の明細

三　工事実施計画に従つて行う外貿埠頭の建設又は改良に係る貸付けにあつては、当該年度における当該外貿埠頭に係る資金計画の明細

2　第六条第三項の規定は、前項の場合において準用する。

二項…一部改正〔平成七年九月運輸省令五〇号〕、一項…一部改正〔平成一二年一一月運輸省令三九号〕

（事業計画等の認可）

第八条　指定法人は、法第七条第一項前段の規定による事業計画及び収支予算の認可を受けようとするときは、毎事業年度開始の日の三十日前までに（法第二条第一項の指定を受けた日の属する事業年度にあつては、その指定を受けた後速やかに）、当該事業計画及び収支予算を記載した申請書を国土交通大臣に提出しなければならない。

2　指定法人は、法第七条第一項後段の規定による事業計画及び収支予算の変更の認可を受けようとするときは、当該変更の理由及び内容を記載した申請書を国土交通大臣に提出しなければならない。

一・二項…一部改正〔平成一二年一一月運輸省令三九号〕

（区分経理の方法）

第九条　指定法人は、外貿埠頭業務及びこれに附帯する業務（以下この条において「外貿埠頭業務等」という。）以外の業務を行う場合においては、外貿埠頭業務等に関する経理について特別の勘定を設け、外貿埠頭業務等以外の業務に関する経理と区分して整理しなければならない。

2　港湾法施行規則（昭和二十六年運輸省令第九十八号）第二十七条後段の規定は、前項の場合において準用する。この場合において、「特定用途港湾施設の運営と特定用途港湾施設の運営以外の事業」とあるのは「外貿埠頭業務等とその他の業務」と読み替えるものとする。

（重要な財産の処分の制限）

第一〇条　法第九条第一項の国土交通省令で定める重要な財産は、外貿埠頭の建設に伴い譲渡し、又は交換する不動産以外の財産であつて、その価額が一千万円以上のものとする。

2　指定法人は、法第九条第一項の規定による認可を受けようとするときは、次に掲げる事項を記載した申請書を国土交通大臣に提出しなければならない。

一　譲渡し、交換し、又は担保に供しようとする財産の内容及び価額

二　譲渡し、交換し、又は担保に供しようとする理由

三　相手方の氏名又は名称及び住所

四　譲渡し、交換し、又は担保に供しようとする場合の条件

一・二項…一部改正〔平成一二年一一月運輸省令三九号〕

（業務の休廃止の許可）

第一一条　指定法人は、法第九条第二項の規定による許可を受けようとするときは、次に掲げる事項を記載した申請書を国土交通大臣に提出しなければならない。

一　休止し、又は廃止しようとする岸壁等の名称、位置、係留能力及び貨物取扱能力

二　休止又は廃止の期日

三　休止の許可の申請の場合にあつては、休止の期間

四　休止又は廃止を必要とする理由

2　前項の申請書には、岸壁等の貸付けに係る業務の休止又は廃止に関する意思の決定を証する書類を添付しなければならない。

一項…一部改正〔平成一二年一一月運輸省令三九号〕

（役員の選任及び解任の届出）

第一二条　指定法人は、法第十条の規定による届出をしようとするときは、遅滞なく、次に掲げる書類を国土交通大臣に提出しなければならない。

一　選任又は解任された役員の氏名及び住所を記載した書類

二　選任又は解任に関する意思の決定を証する書類

三　選任の届出の場合にあつては、選任された役員の履歴書

本条…一部改正〔平成一二年一一月運輸省令三九号〕

（職員証）

第一三条　法第十二条第二項の職員の身分を示す証明書の様式は、別記様式のとおりとする。

附　則

1　この省令は、法の施行の日（昭和五十七年三月三十一日）から施行する。ただし、第一条から第三条まで、第八条及び第十二条の規定は、公布の日から施行する。

2　外貿埠頭公団法施行規則（昭和四十二年運輸省令第八十八号）は、廃止する。

附　則〔平成一七年三月七日国土交通省令第一二号抄〕

（施行期日）

第一条　この省令は、公布の日から施行する。

別表（第一条の三関係）

出資の行われた事業年度	東京港に係る指定法人	横浜港に係る指定法人	大阪港に係る指定法人	神戸港に係る指定法人
昭和四十二年度	一億二千万円	九千万円	九千万円	二億円
昭和四十三年度	二億六千三百万円	二億三千七百万円	一億九千五百万円	三億五百万円
昭和四十四年度	三億円	三億五千万円	二億四千七百八十万円	四億五千二百二十万円
昭和四十五年度	七億五千万円	一億五千万円	二億五千五百万円	六億七千万円
昭和四十六年度	十一億九千六百万円	一億七千九百万円	二億五千万円	十億七千五百万円
昭和四十七年度	十三億六千九百万円	四億三千百万円	四億七千万円	十一億八千万円
昭和四十八年度	八億四千二百万円	七億五千八百万円	五億円	十億円
昭和四十九年度	四億二千八百万円	五億二千二百万円	四億二千五百万円	五億二千五百万円
昭和五十年度	三億六百万円	五億九千四百万円	四億二千五百万円	五億七千五百万円
昭和五十一年度	三億九百万円	三億四千百万円	二億千万円	三億九千万円
昭和五十二年度	一億五千八百万円	三億四千二百万円	二億三千二百万円	三億千八百万円
昭和五十三年度	一億四千八百万円	二億四百万円	一億三千百二十万円	三億六千八百八十万円
昭和五十四年度	一億千百万円	一億千六百万円	―	六億円
昭和五十五年度	五千五百万円	一億六千二百万円	―	五億五千万円
昭和五十六年度	三千百万円	―	―	四億七千七百万円

本表…追加〔昭和五七年二月運輸省令二号〕

（表）

番　　号

官　職
氏　名

外貿埠頭公団の解散及び業務の承継に関する法律第12条第２項の規定による検査員の証

年　　月　　日　発　行
年　　月　　日限り有効

国土交通大臣　㊞

9センチメートル　6.5センチメートル

（裏）

外貿埠頭公団の解散及び業務の承継に関する法律抜すい

（報告及び検査）

第12条　国土交通大臣は、指定法人の行う外貿埠頭業務の運営に関し必要があると認めるときは、指定法人に対してその業務及び財産の状況に関し報告させ、又はその職員に、指定法人の事務所その他の事業所に立ち入り、業務若しくは財産の状況若しくは帳簿、書類その他の必要な物件を検査させることができる。

2　前項の規定により立入検査をする職員は、その身分を示す証明書を携帯し、関係人にこれを提示しなければならない。

3　第１項の規定による立入検査の権限は、犯罪捜査のために認められたものと解してはならない。

（罰則）

第17条　第12条第１項の規定による報告をせず、若しくは虚偽の報告をし、又は検査を拒み、妨げ、若しくは忌避した者は、10万円以下の罰金に処する。

本様式…一部改正〔平成元年７月運輸省令24号・12年11月39号〕

公有水面埋立・運河

○公有水面埋立法

（大正十年四月九日法律第五十七号）

〔沿革〕 昭和**二四**年六月六日法律第一九六号、**二九**年五月二〇日第一二〇号、**三四**年四月二〇日第一四八号、**三五**年三月三一日第一四号、**三七**年五月一六日第一四〇号、**三八**年七月一一日第一三四号、**三九**年七月三日第一四五号、**四〇**年六月二九日第一三八号、**四一**年七月一日第一一〇号、**四四**年六月三日第三八号、**四八**年九月二〇日第八四号、**五〇**年七月一六日第六七号、**五四**年三月三〇日第五号、平成**二**年六月二九日第六二号、**一一**年七月一六日第八七号、一二月二二日第一六〇号、**一二**年五月三一日第九一号、**一五**年六月二〇日第一〇一号、**一六**年六月九日第八四号、**二六**年六月四日第五一号改正

注1 令和四年六月一七日法律第六八号の改正は、令和七年六月一日から施行のため、現行の条文の次に改正後の条文を掲載いたしました。

注2 令和六年六月一四日法律第五二号の改正は、公布の日から起算して二年六月を超えない範囲内において政令で定める日から施行のため、改正を加えてありません。

〔適用範囲〕

第一条 本法ニ於テ公有水面ト称スルハ河、海、湖、沼其ノ他ノ公共ノ用ニ供スル水流又ハ水面ニシテ国ノ所有ニ属スルモノヲ謂ヒ埋立ト称スルハ公有水面ノ埋立ヲ謂フ

② 公有水面ノ干拓ハ本法ノ適用ニ付テハ之ヲ埋立ト看做ス

③ 本法ハ土地改良法、土地区画整理法、首都圏の近郊整備地帯及び都市開発区域の整備に関する法律、新住宅市街地開発法、近畿圏の近郊整備区域及び都市開発区域の整備及び開発に関する法律、流通業務市街地の整備に関する法律、都市再開発法、新都市基盤整備法、大都市地域における住宅及び住宅地の供給の促進に関する特別措置法又ハ密集市街地における防災街区の整備の促進に関する法律ニ依ル溝渠又ハ溜池ノ変更ノ為必要ナル埋立其ノ他政令ヲ以テ指定スル埋立ニ付之ヲ適用セス

三項…一部改正〔昭和二四年六月法律一九六号・二九年五月一二〇号・三八年七月一三四号・三九年七月一四五号・四〇年六月一三八号・四一年七月一一〇号・四四年六月三八号・四八年九月八四号・五〇年七月六七号・平成二年六月六二号・一五年六月一〇一号〕

〔免許〕

第二条 埋立ヲ為サムトスル者ハ都道府県知事（地方自治法（昭和二十二年法律第六十七号）第二百五十二条の十九第一項ノ指定都市ノ区域内ニ於テハ当該指定都市ノ長以下同ジ）ノ免許ヲ受クヘシ

② 前項ノ免許ヲ受ケムトスル者ハ国土交通省令ノ定ムル所ニ依リ左ノ事項ヲ記載シタル願書ヲ都道府県知事ニ提出スベシ

一 氏名又ハ名称及住所並法人ニ在リテハ其ノ代表者ノ氏名及住所

二 埋立区域及埋立ニ関スル工事ノ施行区域

三 埋立地ノ用途

四 設計ノ概要

五 埋立ニ関スル工事ノ施行ニ要スル期間

③ 前項ノ願書ニハ国土交通省令ノ定ムル所ニ依リ左ノ図書ヲ添附スベシ

一 埋立区域及埋立ニ関スル工事ノ施行区域ヲ表示シタル図面

二 設計ノ概要ヲ表示シタル図書

三 資金計画書

四 埋立地（公用又ハ公共ノ用ニ供スル土地ヲ除ク）ヲ他人ニ譲渡シ又ハ他人ヲシテ使用セシムルコトヲ主タル目的トスル埋立ニ在リテハ其ノ処分方法及予定対価ノ額ヲ記載シタル書面

五 其ノ他国土交通省令ヲ以テ定ムル図書

一項…一部改正・二・三項…追加〔昭和四八年九月法律八四号〕、二・三項…一部改正〔平成一一年一二月法律一六〇号〕、一項…一部改正〔平成二六年六月法律五一号〕

参照 二項・三項〔国土交通省令〕規則一－三

〔出願事項の縦覧等〕

第三条 都道府県知事ハ埋立ノ免許ノ出願アリタルトキハ遅滞ナク其ノ事件ノ要領ヲ告示スルトトモニ前条第二項各号ニ掲グル事項ヲ記載シタル書面及関係図書ヲ其ノ告示ノ日ヨリ起算シ三週間公衆ノ縦覧ニ供シ且期限ヲ定メテ地元市町村長ノ意見ヲ徴スベシ但シ其ノ出願ガ却下セラルベキモノナルトキハ此ノ限ニ在ラズ

② 都道府県知事前項ノ告示ヲ為シタルトキハ遅滞ナク其ノ旨ヲ関係都道府県知事ニ通知スベシ

③ 第一項ノ告示アリタルトキハ其ノ埋立ニ関シ利害関係ヲ有スル者ハ同項ノ縦覧期間満了ノ日迄都道府県知事ニ意見書ヲ提出スルコトヲ得

④ 市町村長第一項ノ規定ニ依リ意見ヲ述ベムトスルトキハ議会ノ議決ヲ経ルコトヲ要ス

本条…全部改正〔昭和四八年九月法律八四号〕

〔免許の基準〕

第四条 都道府県知事ハ埋立ノ免許ノ出願左ノ各号ニ適合ストト認ムル場合ヲ除クノ外埋立ノ免許ヲ為スコトヲ得ズ

一 国土利用上適正且合理的ナルコト

二 其ノ埋立ガ環境保全及災害防止ニ付十分配慮セラレタルモノナルコト

三 埋立地ノ用途ガ土地利用又ハ環境保全ニ関スル国又ハ地方公共団体（港務局ヲ含ム）ノ法律ニ基ク計画ニ違背セザルコト

四 埋立地ノ用途ニ照シ公共施設ノ配置及規模ガ適正ナルコト

五 第二条第三項第四号ノ埋立ニ在リテハ出願人ガ公共団体其ノ他政令ヲ以テ定ムル者ナルコト並埋立地ノ処分方法及予定対価ノ額ガ適正ナルコト

六 出願人ガ其ノ埋立ヲ遂行スルニ足ル資力及信用ヲ有スル

コト

② 前項第四号及第五号ニ掲グル事項ニ付必要ナル技術的細目ハ国土交通省令ヲ以テ之ヲ定ム

③ 都道府県知事ハ埋立ニ関スル工事ノ施行区域内ニ於ケル公有水面ニ関シ権利ヲ有スル者アルトキハ第一項ノ規定ニ依ルノ外左ノ各号ノ一ニ該当スル場合ニ非ザレバ埋立ノ免許ヲ為スコトヲ得ス

一 其ノ公有水面ニ関シ権利ヲ有スル者埋立ニ同意シタルトキ

二 其ノ埋立ニ因リテ生スル利益ノ程度カ損害ノ程度ヲ著シク超過スルトキ

三 其ノ埋立カ法令ニ依リ土地ヲ収用又ハ使用スルコトヲ得ル事業ノ為必要ナルトキ

一・二項…追加・旧一項…一部改正し三項に繰下〔昭和四八年九月法律八四号〕、二項…一部改正〔平成一一年一二月法律一六〇号〕

参照 一項五号〔政令〕令七、二項〔国土交通省令〕規則五・六

〔水面に関する権利者〕

第五条 前条第三項ニ於テ公有水面ニ関シ権利ヲ有スル者ト称スルハ左ノ各号ノ一ニ該当スル者ヲ謂フ

一 法令ニ依リ公有水面占用ノ許可ヲ受ケタル者

二 漁業権者又ハ入漁権者

三 法令ニ依リ公有水面ヨリ引水ヲ為シ又ハ公有水面ニ排水ヲ為ス許可ヲ受ケタル者

四 慣習ニ依リ公有水面ヨリ引水ヲ為シ又ハ公有水面ニ排水ヲ為ス者

本条…一部改正〔昭和四八年九月法律八四号〕

〔水面の権利者に対する補償等〕

第六条 埋立ノ免許ヲ受ケタル者ハ政令ノ定ムル所ニ依リ第四条第三項ノ権利ヲ有スル者ニ対シ其ノ損害ノ補償ヲ為シ又ハ其ノ損害ノ防止ノ施設ヲ為スヘシ

② 漁業権者及入漁権者ノ前項ノ規定ニ依ル補償ヲ受クル権利ハ共同シテ之ヲ有スルモノトス

③ 第一項ノ補償又ハ施設ニ関シ協議調ハサルトキ又ハ協議ヲ為スコト能ハサルトキハ都道府県知事ノ裁定ヲ求ムヘシ

一・三項…一部改正〔昭和四八年九月法律八四号〕

参照 一項〔政令〕令九－一五

〔補償金額の供託〕

第七条 前条ノ規定ニ依リ漁業権者ニ対シ損害ノ補償ヲ為スヘキ場合ニ於テ其ノ漁業権カ登録シタル先取特権又ハ抵当権ノ目的タルトキハ埋立ノ免許ヲ受ケタル者ハ其ノ補償ノ金額ヲ供託スヘシ但シ先取特権者又ハ抵当権者ノ同意ヲ得タルトキハ此ノ限ニ在ラス

② 前項ノ規定ハ埋立ニ関スル工事ノ施行区域内ニ於ケル公有水面ニ付存スル漁業権又ハ入漁権カ訴訟ノ目的タル為訴訟当事者ヨリ請求アリタル場合ニ之ヲ準用ス

③ 登録シタル先取特権若ハ抵当権ヲ有スル者又ハ訴訟当事者ハ前二項ノ規定ニ依ル供託金ニ対シテモ其ノ権利ヲ行フコトヲ得

〔補償等を為す前の工事着手の禁止〕

第八条 埋立ノ免許ヲ受ケタル者ハ第六条ノ規定ニ依リ損害ノ補償ヲ為スヘキ場合ニ於テハ其ノ補償ヲ為シ又ハ前条ノ規定ニ依ル供託ヲ為シタル後ニ非サレハ第四条第三項ノ権利ヲ有スル者ニ損害ヲ生スヘキ工事ニ着手スルコトヲ得ス但シ其ノ権利ヲ有スル者ノ同意ヲ得タルトキ又ハ都道府県知事ノ裁定シタル補償ノ金額ヲ供託シタルトキハ此ノ限ニ在ラス

② 埋立ノ免許ヲ受ケタル者ハ第六条ノ規定ニ依リ損害防止ノ施設ヲ為スヘキ場合ニ於テハ其ノ施設ヲ為シタル後ニ非サレハ第四条第三項ノ権利ヲ有スル者ニ損害ヲ生スヘキ工事ニ着手スルコトヲ得ス但シ其ノ権利ヲ有スル者ノ同意ヲ得タルトキハ此ノ限ニ在ラス

一・二項…一部改正〔昭和四八年九月法律八四号〕

〔損害の補償をなすべき漁業権を目的とする先取特権又は抵当権の物上代位性〕

第九条 第六条ノ規定ニ依リ損害ノ補償ヲ為スヘキ漁業権ヲ目的トスル先取特権又ハ抵当権ヲ有スル者ハ前条第一項但書ノ規定ニ依ル供託金ニ対シテモ其ノ権利ヲ行フコトヲ得

〔水面の利用施設に対する補償又は代替施設〕

第一〇条 公有水面ノ利用ニ関シテ為シタル施設カ埋立ノ為其ノ効用ヲ妨ケラルルトキハ都道府県知事ハ政令ノ定ムル所ニ依リ埋立ノ免許ヲ受ケタル者ヲシテ其ノ施設ヲ為シタル者ニ対シ之ニ代ルヘキ施設若ハ其ノ効用ヲ保全スル為必要ナル施設ヲ為サシメ又ハ損害ノ全部若ハ一部ヲ補償セシムルコトヲ得

本条…一部改正〔昭和四八年九月法律八四号〕

参照 〔政令〕令一四・一五

〔免許の告示〕

第一一条 都道府県知事埋立ヲ免許シタルトキハ其ノ免許ノ日及第二条第二項第一号乃至第三号ニ掲グル事項ヲ告示スヘシ

本条…一部改正〔昭和四八年九月法律八四号〕

〔免許料〕

第一二条 都道府県知事ハ埋立ニ付免許料ヲ徴収スルコトヲ得

② 前項ノ免許料ノ徴収及帰属ニ関シ必要ナル事項ハ政令ヲ以テ之ヲ定ム

一・二項…一部改正〔昭和四八年九月法律八四号〕

参照 二項〔政令〕令一六－一九

〔工事の着手及び竣功の時期の指定〕

第一三条 埋立ノ免許ヲ受ケタル者ハ埋立ニ関スル工事ノ著手及工事ノ竣功ヲ都道府県知事ノ指定スル期間内ニ為スヘシ

一項…一部改正・二項…削除〔昭和四八年九月法律八四号〕

〔出願事項の変更〕

第一三条ノ二 都道府県知事正当ノ事由アリト認ムルトキハ免許ヲ為シタル埋立ニ関シ埋立区域ノ縮少、埋立地ノ用途若ハ設計ノ概要ノ変更又ハ前条ノ期間ノ伸長ヲ許可スルコトヲ得

② 第三条、第四条第一項及第二項並第十一条ノ規定ハ前項ノ規定ニ依ル埋立地ノ用途ノ変更ノ許可ニ関シ第四条第一項及

第二項ノ規定ハ前項ノ規定ニ依ル埋立区域ノ縮少又ハ設計ノ概要ノ変更ノ許可ニ関シ之ヲ準用ス

本条…追加〔昭和四八年九月法律八四号〕

〔他人の土地に対する立入又は一時使用〕

第一四条　埋立ノ免許ヲ受ケタル者埋立ニ関スル測量又ハ工事ノ為必要アルトキハ都道府県知事ノ許可ヲ受ケ他人ノ土地ニ立入リ又ハ其ノ土地ヲ一時材料置場トシテ使用スルコトヲ得

② 前項ノ規定ニ依ル立入又ハ使用ヲ為サムトスル者ハ其ノ日時及場所ヲ少クトモ五日前ニ其ノ土地ノ市町村長ニ通知スヘシ

③ 市町村長前項ノ規定ニ依ル通知ヲ受ケタルトキハ其ノ旨土地ノ占用者ニ通知スヘシ通知スルコト能ハサルトキハ告示スヘシ

④ 前三項ノ規定ハ埋立ノ免許ヲ受ケムトスル者ニ関シ之ヲ準用ス

一項…一部改正〔昭和四八年九月法律八四号〕

〔立入・一時使用の損害の補償〕

第一五条　前条ノ規定ニ依ル立入又ハ使用ニ因リテ生シタル損害ハ其ノ立入又ハ使用ヲ為シタル者之ヲ補償スヘシ

〔埋立権の譲渡〕

第一六条　埋立ノ免許ヲ受ケタル者ハ都道府県知事ノ許可ヲ受クルニ非サレハ埋立ヲ為ス権利ヲ他人ニ譲渡スルコトヲ得ス

② 前項ノ規定ニ依リ埋立ヲ為ス権利ヲ譲受ケタル者ハ埋立ニ関スル法令又ハ之ニ基キテ為ス処分若ハ其ノ条件ニ依リ譲渡人ニ生シタル権利義務ヲ承継ス但シ第六条第一項、第十条又ハ前条ノ規定ニ依ル義務ハ譲渡人及譲受人連帯シテ之ヲ負フ

一項…一部改正〔昭和四八年九月法律八四号〕

〔埋立権の相続〕

第一七条　埋立ノ免許ヲ受ケタル者ノ相続人ハ其ノ被相続人ノ有シタル埋立ヲ為ス権利ヲ承継ス

② 前条第二項ノ規定ハ前項ノ場合ニ之ヲ準用ス

〔発起人の権利の会社への承継〕

第一八条　埋立ヲ為ス会社ノ発起人カ会社成立ノ後ニ於テ会社ノ為ス埋立ニ付免許ヲ受ケタル場合ニ於テ会社成立シタルトキハ埋立ヲ為ス権利其ノ他ノ埋立ニ関スル法令又ハ之ニ基キテ為ス処分若ハ其ノ条件ニ依リ生シタル権利義務ハ会社之ヲ承継ス

〔合併に因り消滅した会社の権利の合併後の会社への承継〕

第一九条　埋立ノ免許ヲ受ケタル会社合併ニ因リテ消滅シタルトキハ埋立ヲ為ス権利其ノ他ノ埋立ニ関スル法令又ハ之ニ基キテ為ス処分若ハ其ノ条件ニ依リ生シタル権利義務ハ合併後存続スル会社又ハ合併ニ因リテ成立シタル会社之ヲ承継ス

〔分割後の権利の承継〕

第一九条ノ二　埋立ノ免許ヲ受ケタル会社ニ付分割（当該免許ニ係ル事業ヲ承継セシムルモノニ限ル）アリタルトキハ埋立ヲ為ス権利其ノ他ノ埋立ニ関スル法令又ハ之ニ基キテ為ス処分若ハ其ノ条件ニ依リ生ジタル権利義務ハ分割ニ因リテ当該事業ヲ承継シタル会社之ヲ承継ス但シ第六条第一項、第十条又ハ第十五条ノ規定ニ依ル義務ハ分割ヲ為シタル会社及分割ニ因リテ埋立ヲ為ス権利ヲ承継シタル会社連帯シテ之ヲ負フ

本条…追加〔平成一二年五月法律九一号〕

〔権利承継の届出〕

第二〇条　第十七条乃至前条ノ規定ニ依リ権利義務ヲ承継シタル者ハ其ノ承継ノ日ヨリ起算シ十四日内ニ都道府県知事ニ届出ツヘシ

本条…一部改正〔昭和四八年九月法律八四号・平成一二年五月九一号〕

〔権利承継者に対する本法の適用〕

第二一条　第十六条乃至第十九条ノ二ノ規定ニ依ル権利義務ノ承継アリタル場合ニ於テハ本法ノ適用ニ付テハ其ノ権利義務ヲ承継シタル者ヲ以テ埋立ノ免許ヲ受ケタル者トス

本条…一部改正〔平成一二年五月法律九一号〕

〔竣功認可〕

第二二条　埋立ノ免許ヲ受ケタル者ハ埋立ニ関スル工事竣功シタルトキハ遅滞ナク都道府県知事ニ竣功認可ヲ申請スヘシ

② 都道府県知事前項ノ竣功認可ヲ為シタルトキハ遅滞ナク其ノ旨ヲ告示シ且地元市町村長ニ第十一条又ハ第十三条ノ二第二項ノ規定ニ依リ告示シタル事項及免許条件ヲ記載シタル書面並関係図書ノ写ヲ送付スヘシ

③ 市町村長ハ前項ノ告示ノ日ヨリ起算シ十年ヲ経過スル日迄同項ノ図書ヲ其ノ市町村ノ事務所ニ備置キ関係人ノ請求アリタルトキハ之ヲ閲覧セシムベシ

一項…一部改正・二・三項…追加〔昭和四八年九月法律八四号〕

〔竣功認可前の埋立地使用〕

第二三条　埋立ノ免許ヲ受ケタル者ハ前条第二項ノ告示ノ日前ニ於テ埋立地ヲ使用スルコトヲ得但シ埋立地ニ埋立ニ関スル工事用ニ非サル工作物ヲ設置セムトスルトキハ政令ヲ以テ指定スル場合ヲ除クノ外都道府県知事ノ許可ヲ受クヘシ

② 都道府県知事ハ第四十七条第一項ノ国土交通大臣ノ認可ヲ受ケタル埋立ニ関シ前項ノ許可ヲ為サムトスルトキハ予メ国土交通大臣ニ報告スベシ

本条…一部改正〔昭和四八年九月法律第八四号〕、二項…追加〔平成一一年七月法律八七号〕、一・二項…一部改正〔平成一一年一二月法律一六〇号〕

参照　一項〔政令〕令二六

〔竣功認可の効果〕

第二四条　第二十二条第二項ノ告示アリタルトキハ埋立ノ免許ヲ受ケタル者ハ其ノ告示ノ日ニ於テ埋立地ノ所有権ヲ取得ス但シ公用又ハ公共ノ用ニ供スル為必要ナル埋立地ニシテ埋立ノ免許条件ヲ以テ特別ノ定ヲ為シタルモノハ此ノ限ニ在ラス

② 前項但書ノ埋立地ノ帰属ニ付テハ政令ヲ以テ之ヲ定ム

一・二項…一部改正〔昭和四八年九月法律八四号〕

参照　二項〔政令〕令二七・二八

〔公共用国有地の下付〕

第二五条　公共ノ用ニ供スル国有地ニシテ埋立ニ関スル工事ノ施行ニ因リ不用ニ帰シタルモノハ政令ノ定ムル所ニ依リ有償又ハ無償ニテ埋立ノ免許ヲ受ケタル者ニ之ヲ下付スルコトヲ

得

本条…一部改正〔昭和四八年九月法律八四号〕

参照 〔政令〕令二九

〔土地改良法等の適用〕

第二六条 前二条ノ規定ハ土地改良法第五十条、土地区画整理法第百五条（新都市基盤整備法第四十一条及大都市地域における住宅及び住宅地の供給の促進に関する特別措置法第八十三条ニ於テ準用スル場合ヲ含ム）、首都圏の近郊整備地帯及び都市開発区域の整備に関する法律第二十条の三、新住宅市街地開発法第二十九条、近畿圏の近郊整備区域及び都市開発区域の整備及び開発に関する法律第二十九条、流通業務市街地の整備に関する法律第三十二条、都市再開発法第八十七条第一項、新都市基盤整備法第四十条又ハ密集市街地における防災街区の整備の促進に関する法律第二百二十一条第一項ノ規定ノ適用ヲ妨ケス

本条…一部改正〔昭和二四年六月法律一九六号・二九年五月一二〇号・三八年七月一三四号・三九年七月一四五号・四〇年六月一三八号・四一年七月一一〇号・四四年六月三八号・四八年九月八四号・五〇年七月六七号・平成二年六月六二号・一五年六月一〇一号〕

〔埋立地に関する処分の制限〕

第二七条 第二十二条第二項ノ告示ノ日ヨリ起算シ十年間ハ第二十四条第一項ノ規定ニ依リ埋立地ノ所有権ヲ取得シタル者又ハ其ノ一般承継人当該埋立地ニ付所有権ヲ移転シ又ハ地上権、質権、使用貸借ニ依ル権利若ハ賃貸借其ノ他ノ使用及収益ヲ目的トスル権利ヲ設定セムトスルトキハ当該移転又ハ設定ノ当事者ハ国土交通省令ノ定ムル所ニ依リ都道府県知事ノ許可ヲ受クベシ但シ左ノ各号ノ一ニ該当スルトキハ此ノ限ニ在ラズ

一 権利ヲ取得スル者ガ国又ハ公共団体ナルトキ

二 滞納処分、強制執行、担保権ノ実行トシテノ競売（其ノ例ニ依ル競売ヲ含ム）又ハ企業担保権ノ実行ニ因リ権利ガ移転スルトキ

三 法令ニ依リ収用又ハ使用セラルルトキ

② 都道府県知事ハ前項ノ許可ノ申請左ノ各号ニ適合スト認ムルトキハ之ヲ許可スベシ

一 申請手続ガ前項ノ国土交通省令ニ違反セザルコト

二 第二条第三項第四号ノ埋立以外ノ埋立ヲ為シタル者又ハ其ノ一般承継人ニ在リテハ権利ノ移転又ハ設定ニ付已ムコトヲ得ザル事由アルコト

三 権利ヲ移転シ又ハ設定セムトスル者ガ其ノ移転又ハ設定ニ因リ不当ニ受益セザルコト

四 権利ノ移転又ハ設定ノ相手方ノ選考方法ガ適正ナルコト

五 権利ノ移転又ハ設定ノ相手方ガ埋立地ヲ第十一条又ハ第十三条ノ二第二項ノ規定ニ依リ告示シタル用途ニ従ヒ自ラ利用スト認メラルルコト

③ 都道府県知事ハ第四十七条第一項ノ国土交通大臣ノ認可ヲ受ケタル埋立ニ関シ第一項ノ許可ヲ為サムトスルトキハ予メ国土交通大臣ニ協議スベシ

三項…一部改正〔昭和三五年三月法律一四号〕、本条…全部改正〔昭和四八年九月法律八四号〕、一項…一部改正〔昭和五四年三月法律五号〕、三項…追加〔平成一一年七月法律八七号〕、一－三項…一部改正〔平成一一年一二月法律一六〇号〕

参照 一項〔国土交通省令〕規則一三

〔許可を受けない権利の設定又は譲渡〕

第二八条 埋立地ニ関スル権利ノ移転又ハ設定ニシテ前条第一項ノ許可ヲ受クヘキモノハ其ノ許可ヲ受クルニ非サレハ効力ヲ生セス

本条…一部改正〔昭和四八年九月法律八四号〕

〔埋立地の用途と異なる利用の制限〕

第二九条 第二十四条第一項ノ規定ニ依リ埋立地ノ所有権ヲ取得シタル者又ハ其ノ一般承継人ハ第二十二条第二項ノ告示ノ日ヨリ起算シ十年内ニ埋立地ヲ第十一条又ハ第十三条ノ二第二項ノ規定ニ依リ告示シタル用途ト異ル用途ニ供セムトスルトキハ国土交通省令ノ定ムル所ニ依リ都道府県知事ノ許可ヲ受クベシ但シ公用又ハ公共ノ用ニ供セムトスルトキハ此ノ限ニ在ラズ

② 都道府県知事ハ前項ノ許可ノ申請左ノ各号ニ適合スト認ムルトキハ之ヲ許可スベシ

一 申請手続ガ前項ノ国土交通省令ニ違反セザルコト

二 埋立地ヲ第十一条又ハ第十三条ノ二第二項ノ規定ニ依リ告示シタル用途ニ供セザルコトニ付已ムコトヲ得ザル事由アルコト

三 埋立地ノ利用上適正且合理的ナルコト

四 供セムトスル用途ガ土地利用又ハ環境保全ニ関スル国又ハ地方公共団体（港務局ヲ含ム）ノ法律ニ基ク計画ニ違背セザルコト

③ 都道府県知事ハ第四十七条第一項ノ国土交通大臣ノ認可ヲ受ケタル埋立ニ関シ第一項ノ許可ヲ為サムトスルトキハ予メ国土交通大臣ニ協議スベシ

本条…全部改正〔昭和四八年九月法律八四号〕、三項…追加〔平成一一年七月法律八七号〕、一－三項…一部改正〔平成一一年一二月法律一六〇号〕

参照 一項〔国土交通省令〕規則一四

〔権利取得者の義務〕

第三〇条 都道府県知事ハ埋立地ニ関スル権利ヲ取得シタル者ニ対シ災害防止ニ関シ埋立ノ免許条件ノ範囲内ニ於テ義務ヲ命スルコトヲ得

本条…一部改正〔昭和四八年九月法律八四号〕

〔工事施行区域内にある物件の除却〕

第三一条 第八条第一項ノ規定ニ依リ埋立ニ関スル工事ニ著手スルコトヲ得ル場合ニ於テハ都道府県知事ハ其ノ工事ノ施行区域内ニ於ケル公有水面ニ存スル工作物其ノ他ノ物件ノ除却ヲ其ノ所有者ニ命スルコトヲ得

本条…一部改正〔昭和四八年九月法律八四号〕

〔竣功認可前の違法行為等に対する匡正〕

第三二条 左ニ掲クル場合ニ於テハ第二十二条第二項ノ告示ノ日前ニ限リ都道府県知事ハ埋立ノ免許ヲ受ケタル者ニ対シ本法若ハ本法ニ基キテ発スル命令ニ依リテ其ノ為シタル免許其

ノ他ノ処分ヲ取消シ其ノ効力ヲ制限シ若ハ其ノ条件ヲ変更シ、埋立ニ関スル工事ノ施行区域内ニ於ケル公有水面ニ存スル工作物其ノ他ノ物件ヲ改築若ハ除却セシメ、損害ヲ防止スル為必要ナル施設ヲ為サシメ又ハ原状回復ヲ為サシムルコトヲ得

一　埋立ニ関スル法令ノ規定又ハ之ニ基キテ為ス処分ニ違反シタルトキ
二　埋立ニ関スル法令ニ依ル免許其ノ他ノ処分ノ条件ニ違反シタルトキ
三　詐欺ノ手段ヲ以テ埋立ニ関スル法令ニ依ル免許其ノ他ノ処分ヲ受ケタルトキ
四　埋立ニ関スル工事施行ノ方法公害ヲ生スルノ虞アルトキ
五　公有水面ノ状況ノ変更ニ因リ必要ヲ生シタルトキ
六　公害ヲ除却シ又ハ軽減スル為必要ナルトキ
七　前号ノ場合ヲ除クノ外法令ニ依リ土地ヲ収用又ハ使用スルコトヲ得ル事業ノ為必要ナルトキ

②　前項第七号ノ場合ニ於テ損害ヲ受ケタル者アルトキハ都道府県知事ハ同号ノ事業ヲ為ス者ヲシテ損害ノ全部又ハ一部ヲ補償セシムルコトヲ得

一・二項…一部改正〔昭和四八年九月法律八四号〕

〔竣功認可後の違法行為に対する匡正〕

第三三条　第二十二条第二項ノ告示アリタル後第二十九条第一項ノ規定、埋立ニ関スル法令ニ依ル免許其ノ他ノ処分ノ条件又ハ第三十条ノ規定ニ依リ命スル義務ニ違反スル者アルトキハ都道府県知事ハ其ノ違反ニ因リテ生シタル事実ヲ更正セシメ又ハ其ノ違反ニ因リテ生スル損害ヲ防止スル為必要ナル施設ヲ為サシムルコトヲ得

②　都道府県知事ハ第四十七条第一項ノ国土交通大臣ノ認可ヲ受ケタル埋立ニ関シ前項ノ規定ニ依ル命令ヲ為サムトスルトキハ予メ国土交通大臣ニ報告スベシ

本条…一部改正〔昭和四八年九月法律八四号〕、二項…追加〔平成一一年七月法律八七号〕、二項…一部改正〔平成一一年一二月法律一六〇号〕

〔免許の失効〕

第三四条　左ニ掲クル場合ニ於テハ埋立ノ免許ハ其ノ効力ヲ失フ但シ都道府県知事ハ宥恕スヘキ事由アリト認ムルトキハ効力ヲ失ヒタル日ヨリ起算シ三月内ニ限リ其ノ効力ヲ復活セシムルコトヲ得此ノ場合ニ於テハ埋立ノ免許ハ始ヨリ其ノ効力ヲ失ハサリシモノト看做ス

一　免許条件ニ依リ埋立ニ関スル工事ノ実施設計認可ノ申請ヲ要スル場合ニ於テ申請ニ対シ不認可ノ処分アリタルトキ又ハ免許条件ニ於テ指定スル期間内ニ申請ヲ為ササルトキ
二　第十三条ノ期間内ニ埋立ニ関スル工事ノ著手又ハ工事ノ竣功ヲ為ササルトキ

②　前項但書ノ規定ニ依リ免許ノ効力ヲ復活セシメタル場合ニ於テハ都道府県知事ハ免許条件ヲ変更スルコトヲ得

一・二項…一部改正〔昭和四八年九月法律八四号〕

〔免許失効の場合の原状回復義務〕

第三五条　埋立ノ免許ノ効力消滅シタル場合ニ於テハ免許ヲ受ケタル者ハ埋立ニ関スル工事ノ施行区域内ニ於ケル公有水面ヲ原状ニ回復スヘシ但シ都道府県知事ハ原状回復ノ必要ナシト認ムルモノ又ハ原状回復ヲ為スコト能ハスト認ムルモノニ付埋立ノ免許ヲ受ケタル者ノ申請アルトキ又ハ催告ヲ為スニ拘ラス其ノ申請ナキトキハ原状回復ノ義務ヲ免除スルコトヲ得

②　前項但書ノ義務ヲ免除シタル場合ニ於テハ都道府県知事ハ埋立ニ関スル工事ノ施行区域内ニ於ケル公有水面ニ存スル土砂其ノ他ノ物件ヲ無償ニテ国ノ所有ニ属セシムルコトヲ得

一・二項…一部改正〔昭和四八年九月法律八四号〕

〔無免許の工事に対する匡正及びその原状回復〕

第三六条　第三十二条第一項及前条ノ規定ハ埋立ノ免許ヲ受ケスシテ埋立工事ヲ為シタル者ニ関シ之ヲ準用ス

二・三項…削除〔昭和四八年九月法律八四号〕

〔鑑定費用の負担〕

第三七条　都道府県知事第六条第三項ノ裁定ヲ為シ又ハ第十条若ハ第三十二条第二項ノ規定ニ依ル補償ヲ為サシムル場合ニ於テ鑑定人ノ意見ヲ聞キタルトキハ其ノ鑑定ニ要スル費用ハ第三十二条第二項ノ場合ニ於テハ同項ノ事業ヲ為ス者、其ノ他ノ場合ニ於テハ埋立ノ免許ヲ受ケタル者ノ負担トス

本条…一部改正〔昭和四八年九月法律八四号〕

〔免許料・鑑定費用の強制徴収〕

第三八条　第十二条ノ免許料ニシテ国ニ帰属スルモノ及前条ノ鑑定ニ要スル費用ハ都道府県知事国税滞納処分ノ例ニ依リ之ヲ徴収スルコトヲ得但シ先取特権ノ順位ハ国税及地方税ニ次クモノトス

本条…一部改正〔昭和三四年四月法律一四八号・四八年九月八四号〕

〔罰則〕

第三九条　左ノ各号ノ一ニ該当スル者ハ二年以下ノ懲役又ハ五十万円以下ノ罰金ニ処ス

一　埋立ノ免許ヲ受ケスシテ埋立工事ヲ為シタル者
二　詐欺ノ手段ヲ以テ埋立ニ関スル法令ニ依ル免許其ノ他ノ処分ヲ受ケタル者
三　埋立ニ関スル法令ニ依ル免許其ノ他ノ処分ノ条件ニ違反シ公有水面ノ公共ノ利用ヲ妨害シタル者

本条は、令和四法六八により改正され、令和七年六月一日から施行

第三九条　左ノ各号ノ一ニ該当スル者ハ二年以下ノ拘禁刑又ハ五十万円以下ノ罰金ニ処ス

一～三　〔略〕

本条…一部改正〔昭和四八年九月法律八四号〕

第三九条ノ二　左ノ各号ノ一ニ該当スル者ハ一年以下ノ懲役又ハ三十万円以下ノ罰金ニ処ス

一　第二十七条第一項ノ規定ニ違反シタル者
二　第二十九条第一項ノ規定ニ違反シタル者ニ対スル第三十三条第一項ノ規定ニ依ル都道府県知事ノ命令ニ違反シタル者

本条は、令和四法六八により改正され、令和七年六月一日から施行

第三九条ノ二　左ノ各号ノ一ニ該当スル者ハ一年以下ノ拘禁刑又ハ三十万円以下ノ罰金ニ処ス

一・二〔略〕

本条…追加〔昭和四八年九月法律八四号〕、一部改正〔平成一一年七月法律八七号〕

第四〇条　左ノ各号ノ一ニ該当スル者ハ二十万円以下ノ罰金ニ処ス

一　埋立地ニ於テ埋立ニ関スル法令ニ依ル免許其ノ他ノ処分ノ条件ニ違反シ工事ヲ為シタル者

二　第二条第一項ノ免許ノ願書又ハ第二十七条第一項若ハ第二十九条第一項ノ許可ノ申請書ニ虚偽ノ記載ヲ為シテ提出シタル者

三　第二十三条第一項但書ノ規定ニ違反シ工作物ヲ設置シタル者

四　第三十条ノ規定ニ依リ命スル義務ニ違反シ埋立地ニ於テ工事ヲ為シタル者

本条…一部改正〔昭和四八年九月法律八四号・平成一一年七月八七号〕

第四一条　第二十条ノ規定ニ依ル届出ヲ怠リタル者ハ三万円以下ノ罰金又ハ科料ニ処ス

本条…一部改正〔昭和四八年九月法律八四号〕

〔両罰規定〕

第四一条ノ二　法人ノ代表者又ハ法人若ハ人ノ代理人、使用人其ノ他ノ従業者ガ其ノ法人又ハ人ノ業務ニ関シ第三十九条乃至前条ニ規定スル違反行為ヲ為シタルトキハ行為者ヲ罰スルノ外其ノ法人又ハ人ニ対シ各本条ノ罰金刑ヲ科ス

本条…追加〔昭和四八年九月法律八四号〕

〔国が埋立を施行する場合〕

第四二条　国ニ於テ埋立ヲ為サムトスルトキハ当該官庁都道府県知事ノ承認ヲ受クヘシ

②　埋立ニ関スル工事竣功シタルトキハ当該官庁直ニ都道府県知事ニ之ヲ通知スヘシ

③　第二条第二項及第三項、第三条乃至第十一条、第十三条ノ二（埋立地ノ用途又ハ設計ノ概要ノ変更ニ係ル部分ニ限ル）乃至第十五条、第三十一条、第三十七条並第四十四条ノ規定ハ第一項ノ埋立ニ関シ之ヲ準用ス但シ第十三条ノ二ノ規定ノ準用ニ依リ都道府県知事ノ許可ヲ受クベキ場合ニ於テハ之ニ代ヘ都道府県知事ノ承認ヲ受ケ第十四条ノ規定ノ準用ニ依リ都道府県知事ノ許可ヲ受クヘキ場合ニ於テハ之ニ代ヘ都道府県知事ニ通知スヘシ

一－三項…一部改正〔昭和四八年九月法律八四号〕

〔国が埋立てた土地を公共団体に帰属させる場合〕

第四三条　都道府県知事ハ公共ノ用ニ供スル為必要アルトキハ政令ノ定ムル所ニ依リ国ニ於テ埋立ヲ為シタル埋立地ノ一部ヲ公共団体ニ帰属セシムルコトヲ得

本条…一部改正〔昭和四八年九月法律八四号〕

参照　〔政令〕令三二

〔訴訟〕

第四四条　第六条第三項ノ規定ニ依ル補償ノ裁定又ハ第十条若ハ第三十二条第二項ノ規定ニ依ル補償ニ関スル処分ニ不服アル者ハ其ノ裁定書ノ送付ヲ受ケタル日又ハ補償ニ関スル処分ヲ知リタル日ヨリ六箇月以内ニ訴ヲ以テ其ノ額ノ増減ヲ請求スルコトヲ得

②　前項ノ訴ニ於テハ補償ノ当事者ノ一方ヲ以テ被告トス

本条…全部改正〔昭和三七年五月法律一四〇号〕、一項…一部改正〔平成一六年六月法律八四号〕

第四五条及第四六条　削除〔昭和三七年五月法律一四〇号〕

〔国土交通大臣の認可及び環境大臣の意見徴収〕

第四七条　本法ニ依リ都道府県知事ノ職権ニ属スル事項ハ政令ノ定ムル所ニ依リ国土交通大臣ノ認可ヲ受ケシムルコトヲ得

②　国土交通大臣ハ政令ヲ以テ定ムル埋立ニ関シ前項ノ認可ヲ為サムトスルトキハ環境保全上ノ観点ヨリスル環境大臣ノ意見ヲ求ムベシ

一項…一部改正・二項…追加〔昭和四八年九月法律八四号〕、一・二項…一部改正〔平成一一年一二月法律一六〇号〕

参照　一項・二項〔政令〕令三二・三二の二

〔職権に属する事項の委任〕

第四八条　本法ニ依リ国土交通大臣ノ職権ニ属スル事項ハ国土交通省令ノ定ムル所ニ依リ其ノ一部ヲ地方整備局長又ハ北海道開発局長ニ委任スルコトヲ得

本条…追加〔平成一一年一二月法律一六〇号〕

参照　〔国土交通省令〕規則一七

第四九条　削除〔平成一一年一二月法律一六〇号〕

〔埋立でなくて本法を準用する工事〕

第五〇条　本法ハ政令ノ定ムル所ニ依リ公有水面ノ一部ヲ区劃シ永久的設備ヲ築造スル場合ニ之ヲ準用ス

本条…一部改正〔昭和四八年九月法律八四号〕

参照　〔政令〕令三三

〔事務の区分〕

第五一条　本法ノ規定ニ依リ地方公共団体ガ処理スルコトトサレタル事務ノ内左ニ掲グルモノハ地方自治法第二条第九項第一号ニ規定スル第一号法定受託事務トス

一　第二条第一項及第二項（第四十二条第三項ニ於テ準用スル場合ヲ含ム）、第三条第一項乃至第三項（第十三条ノ二第二項及第四十二条第三項ニ於テ準用スル場合ヲ含ム）、第十三条、第十三条ノ二第一項（第四十二条第三項ニ於テ準用スル場合ヲ含ム）、第十四条第一項（第四十二条第三項ニ於テ準用スル場合ヲ含ム）、第十六条第一項、第二十条、第二十二条第一項、同条第二項（竣功認可ノ告示ニ係ル部分ニ限ル）、第二十五条、第三十二条第一項（第三十六条ニ於テ準用スル場合ヲ含ム）、第三十二条第二項、第三十四条、第三十五条（第三十六条ニ於テ準用スル場合ヲ含ム）、第四十二条第一項並第四十三条ノ規定ニ依リ都道府県又ハ地方自治法第二百五十二条の十九第一項ノ指定都市ガ処理スルコトトサレタル事務

二　第十四条第三項（第四十二条第三項ニ於テ準用スル場合ヲ含ム）ノ規定ニ依リ市町村ガ処理スルコトトサレタル事務

本条…追加〔平成一一年七月法律八七号〕、一部改正〔平成二六年六月法律五一号〕

〔政令への委任〕

第五二条　本法ニ定ムルモノノ外本法ノ施行ニ関シ必要ナル事項ハ政令ヲ以テ之ヲ定ム

本条…追加〔平成一一年七月法律八七号〕

附　則

①　本法施行ノ期日ハ勅令ヲ以テ之ヲ定ム

〔大正一一年四月勅令一九三号により、大正一一・四・一〇から施行〕

②　本法施行前為シタル処分及之ニ附シタル条件ハ本法又ハ本法ニ基キテ発スル命令ニ牴触セサル限リ本法ニ依リ為シタル処分及之ニ附シタル条件ト看做ス但シ地方長官ハ公益上必要アリト認ムルトキハ本法施行ノ日ヨリ起算シ三月内ニ限リ第三十二条ノ規定ニ拘ラス処分ニ附シタル条件ヲ変更シ又ハ処分ニ条件ヲ附スルコトヲ得

③　地方長官ニ附スル申請其ノ他ノ埋立ニ関スル手続ニシテ本法施行前為シタルモノハ本法ニ依リ之ヲ為シタルモノト看做ス

附　則〔昭和四八年九月二〇日法律第八四号抄〕

（施行期日）

1　この法律は、公布の日から起算して六月をこえない範囲内において政令で定める日から施行する。

〔昭和四九年三月政令五五号により、昭和四九・三・一九から施行〕

（経過措置）

2　この法律による改正前の公有水面埋立法（以下「旧法」という。）第二条の免許に係る埋立て、当該埋立てに係る埋立地に関する処分の制限及びこれに関する登記並びに当該埋立てに係る埋立地に関する権利を取得した者の義務については、なお従前の例による。

3　旧法第二条の免許の出願をした者（同条の免許に関する部分を受けた者を除く。以下「旧法による出願人」という。）が提出した当該出願に係る図書は、この法律による改正後の公有水面埋立法（以下「新法」という。）第二条第二項又は第三項に規定する図書とみなす。

4　都道府県知事は、新法の適用上必要と認められる範囲内において、旧法による出願人に対し、図書の補完を命ずることができる。

5　旧法による出願人の出願に係る埋立てについては、新法第三条第一項中「遅滞ナク」とあるのは「公有水面埋立法の一部を改正する法律（昭和四十八年法律第八十四号）ノ施行後遅滞ナク」と、「前条第二項各号ニ掲グル事項」とあるのは「前条第二項各号ニ掲グル事項ニ相当スル事項」とし、新法第十一条中「第二条第二項第一号乃至第三号ニ掲グル事項」とあるのは「第二条第二項第一号乃至第三号ニ掲グル事項ニ相当スル事項」とする。

6　都道府県知事が旧法第三条の規定により意見を徴した旧法による出願人の出願に係る埋立てについては、新法第三条第一項の規定により地元市町村長の意見を徴することを要しない。

7　附則第二項の規定は旧法第四十二条第一項の承認に係る埋立てについて、附則第三項及び第四項の規定は旧法第四十二条第一項の承認の申請に係る図書について、前二項の規定は旧法第四十二条第一項の承認の申請をした者の行なう埋立てについて準用する。この場合において、附則第四項中「命ずる」とあるのは、「求める」と読み替えるものとする。

8　この法律の施行前にした行為に対する罰則の適用については、なお従前の例による。

附　則〔昭和五四年三月三〇日法律第五号抄〕

（施行期日）

1　この法律は、民事執行法（昭和五十四年法律第四号）の施行の日（昭和五十五年十月一日）から施行する。

（経過措置）

2　この法律の施行前に申し立てられた民事執行、企業担保権の実行及び破産の事件については、なお従前の例による。

3　前項の事件に関し執行官が受ける手数料及び支払又は償還を受ける費用の額については、同項の規定にかかわらず、最高裁判所規則の定めるところによる。

附　則〔平成一一年七月一六日法律第八七号抄〕

（施行期日）

第一条　この法律は、平成十二年四月一日から施行する。ただし、次の各号に掲げる規定は、当該各号に定める日から施行する。

一　〔前略〕附則〔中略〕第百六十条、第百六十三条、第百六十四条並びに第二百二条の規定　公布の日

二～六　〔略〕

（国等の事務）

第一五九条　この法律による改正前のそれぞれの法律に規定するもののほか、この法律の施行前において、地方公共団体の機関が法律又はこれに基づく政令により管理し又は執行する国、他の地方公共団体その他公共団体の事務（附則第百六十一条において「国等の事務」という。）は、この法律の施行後は、地方公共団体が法律又はこれに基づく政令により当該地方公共団体の事務として処理するものとする。

（処分、申請等に関する経過措置）

第一六〇条　この法律（附則第一条各号に掲げる規定については、当該各規定。以下この条及び附則第百六十三条において同じ。）の施行前に改正前のそれぞれの法律の規定によりされた許可等の処分その他の行為（以下この条において「処分等の行為」という。）又はこの法律の施行の際現に改正前のそれぞれの法律の規定によりされている許可等の申請その他の行為（以下この条において「申請等の行為」という。）で、この法律の施行の日においてこれらの行為に係る行政事

務を行うべき者が異なることとなるものは、附則第二条から前条までの規定又は改正後のそれぞれの法律（これに基づく命令を含む。）の経過措置に関する規定に定めるものを除き、この法律の施行の日以後における改正後のそれぞれの法律の適用については、改正後のそれぞれの法律の相当規定によりされた処分等の行為又は申請等の行為とみなす。

２　この法律の施行前に改正前のそれぞれの法律の規定により国又は地方公共団体の機関に対し報告、届出、提出その他の手続をしなければならない事項で、この法律の施行の日前にその手続がされていないものについては、この法律及びこれに基づく命令に別段の定めがあるもののほか、これを、改正後のそれぞれの法律の相当規定により国又は地方公共団体の相当の機関に対して報告、届出、提出その他の手続をしなければならない事項についてその手続がされていないものとみなして、この法律による改正後のそれぞれの法律の規定を適用する。

（不服申立てに関する経過措置）

第一六一条　施行日前にされた国等の事務に係る処分であって、当該処分をした行政庁（以下この条において「処分庁」という。）に施行日前に行政不服審査法に規定する上級行政庁（以下この条において「上級行政庁」という。）があったものについての同法による不服申立てについては、施行日以後においても、当該処分庁に引き続き上級行政庁があるものとみなして、行政不服審査法の規定を適用する。この場合において、当該処分庁の上級行政庁とみなされる行政庁は、施行日前に当該処分庁の上級行政庁であった行政庁とする。

２　前項の場合において、上級行政庁とみなされる行政庁が地方公共団体の機関であるときは、当該機関が行政不服審査法の規定により処理することとされる事務は、新地方自治法第二条第九項第一号に規定する第一号法定受託事務とする。

（手数料に関する経過措置）

第一六二条　施行日前においてこの法律による改正前のそれぞれの法律（これに基づく命令を含む。）の規定により納付すべきであった手数料については、この法律及びこれに基づく政令に別段の定めがあるもののほか、なお従前の例による。

（罰則に関する経過措置）

第一六三条　この法律の施行前にした行為に対する罰則の適用については、なお従前の例による。

（その他の経過措置の政令への委任）

第一六四条　この附則に規定するもののほか、この法律の施行に伴い必要な経過措置（罰則に関する経過措置を含む。）は、政令で定める。

２　〔略〕

附　則〔平成二六年六月四日法律第五一号抄〕

（施行期日）

第一条　この法律は、平成二十七年四月一日から施行する。〔以下略〕

（罰則に関する経過措置）

第八条　この法律の施行前にした行為に対する罰則の適用については、なお従前の例による。

（政令への委任）

第九条　附則第二条から前条までに規定するもののほか、この法律の施行に関し必要な経過措置（罰則に関する経過措置を含む。）は、政令で定める。

附　則〔令和四年六月一七日法律第六八号抄〕

（施行期日）

１　この法律は、刑法等一部改正法〔令和四年法律第六十七号〕施行日〔令七・六・一〕から施行する。ただし、次の各号に掲げる規定は、当該各号に定める日から施行する。

一　第五百九条の規定　公布の日

二　〔略〕

○刑法等の一部を改正する法律の施行に伴う関係法律の整理等に関する法律（抄）〔令和四年六月一七日法律第六八号〕

（罰則の適用等に関する経過措置）

第四四一条　刑法等の一部を改正する法律（令和四年法律第六十七号。以下「刑法等一部改正法」という。）及びこの法律（以下「刑法等一部改正法等」という。）の施行前にした行為の処罰については、次章に別段の定めがあるもののほか、なお従前の例による。

２　刑法等一部改正法等の施行後にした行為に対して、他の法律の規定によりなお従前の例によることとされ、なお効力を有することとされ又は改正前若しくは廃止前の法律の規定の例によることとされる罰則を適用する場合において、当該罰則に定める刑（刑法施行法第十九条第一項の規定又は第八十二条の規定による改正後の沖縄の復帰に伴う特別措置に関する法律第二十五条第四項の規定の適用後のものを含む。）に刑法等一部改正法第二条の規定による改正前の刑法（明治四十年法律第四十五号。以下この項において「旧刑法」という。）第十二条に規定する懲役（以下「懲役」という。）、旧刑法第十三条に規定する禁錮（以下「禁錮」という。）又は旧刑法第十六条に規定する拘留（以下「旧拘留」という。）が含まれるときは、当該刑のうち無期の懲役又は禁錮はそれぞれ無期拘禁刑と、有期の懲役又は禁錮はそれぞれその刑と長期及び短期（刑法施行法第二十条の規定の適用後のものを含む。）を同じくする有期拘禁刑と、旧拘留は長期及び短期（刑法施行法第二十条の規定の適用後のものを含む。）を同じくする拘留とする。

（裁判の効力とその執行に関する経過措置）

第四四二条　懲役、禁錮及び旧拘留の確定裁判の効力並びにその執行については、次章に別段の定めがあるもののほか、なお従前の例による。

（人の資格に関する経過措置）

第四四三条　懲役、禁錮又は旧拘留に処せられた者に係る人の資格に関する法令の規定の適用については、無期の懲役又は禁錮に処せられた者はそれぞれ無期拘禁刑に処せられた者と、有期の懲役又は禁錮に処せられた者はそれぞれ刑期を同じくする有期拘禁刑に処せられた者と、旧拘留に処せられた者は拘留に処せられた者とみなす。

2　拘禁刑又は拘留に処せられた者に係る他の法律の規定によりなお従前の例によることとされ、なお効力を有することとされ又は改正前若しくは廃止前の法律の規定の例によることとされる人の資格に関する法令の規定の適用については、無期拘禁刑に処せられた者は無期禁錮に処せられた者と、有期拘禁刑に処せられた者は刑期を同じくする有期禁錮に処せられた者と、拘留に処せられた者は刑期を同じくする旧拘留に処せられた者とみなす。

（経過措置の政令への委任）

第五〇九条　この編に定めるもののほか、刑法等一部改正法等の施行に伴い必要な経過措置は、政令で定める。

○公有水面埋立法施行令

（大正十一年四月八日勅令第百九十四号）

〔沿革〕　大正一五年九月一六日勅令第三〇八号、昭和一六年九月一五日第八五五号、二二年一二月三一日政令第三三四号、二三年七月一六日第一六六号、二八年七月二八日第一二六号、三〇年三月三一日第四七号、四一年三月三一日第九〇号、四七年一二月一八日第四三一号、四九年三月一八日第五六号、六一年七月一一日第二五七号、平成一一年一一月一〇日第三五二号、一二年六月七日第三一二号、一三年三月三〇日第九九号、一八年四月二六日第一八一号、二六年九月三日第二九一号改正

第一条　埋立出願人ハ出願名義ノ変更ヲ為スコトヲ得其ノ変更ハ届書ニ新出願人ノ氏名又ハ名称其ノ他国土交通省令ヲ以テ定ムル新出願人ニ関スル事項ヲ記載シ新旧出願人ヨリ連名ニテ都道府県知事（地方自治法（昭和二十二年法律第六十七号）第二百五十二条の十九第一項ノ指定都市（以下「指定都市」ト謂フ）ノ区域内ニ於テハ当該指定都市ノ長以下第十八条及第三十五条ヲ除キ同ジ）ニ之ヲ届出ツルニ非サレハ其ノ効力ヲ生セス

② 出願人死亡シタルトキハ其ノ相続人ハ被相続人ノ出願ヲ承継スルコトヲ得其ノ承継ハ相続人ヨリ届書ニ其ノ氏名其ノ他国土交通省令ヲ以テ定ムル相続人ニ関スル事項ヲ記載シ相続開始ノ日ヨリ起算シ三月以内ニ都道府県知事ニ之ヲ届出ツルニ非サレハ其ノ効力ヲ生セス

③ 数人ノ相続人前項ニ規定スル承継ノ届出ヲ為シタルトキハ之ヲ共同出願人トス

④ 第二項ノ規定ハ埋立ヲ為ス会社カ其ノ発起人ノ為シタル出願ヲ承継スル場合又ハ会社ノ合併ノ場合ニ於テ合併後存続スル会社若ハ合併ニ因リテ成立シタル会社カ合併ニ因リテ消滅シタル会社ノ出願ヲ承継スル場合ニ之ヲ準用ス但シ相続開始ノ日トアルハ設立又ハ合併ノ登記ノ日トス

⑤ 第二項及第三項ノ規定ハ会社分割ノ場合ニ於テ出願ニ係ル事業ヲ承継シタル会社ガ会社分割前ノ会社ノ出願ヲ承継スル場合ニ之ヲ準用ス但シ第二項中相続開始ノ日トアルハ会社分割ノ登記ノ日トス

一・二項…一部改正〔昭和二八年七月政令一二六号〕、一・二項…一部改正・旧三条…繰上〔昭和四九年三月政令五六号〕、一・二項…一部改正〔平成一二年六月政令三一二号〕、五項…追加〔平成一三年三月政令九九号〕、一部改正〔平成一八年四月政令一八一号〕、一項…一部改正〔平成二六年九月政令二九一号〕

第二条　都道府県知事ハ埋立区域ヲ制限シテ其ノ出願ヲ免許スルコトヲ得

参照　一項・二項〔国土交通省令〕規則四

② 第三条ノ場合ニ於テ埋立区域ヲ制限シ二以上ノ埋立ヲ併立セシメ得ルトキ亦前項ニ同シ

一項…一部改正〔昭和二八年七月政令一二六号〕、二項…一部改正・旧四条…繰上〔昭和四九年三月政令五六号〕

第三条　同一区域ニ亙ル埋立ノ出願ニシテ免許シ得ヘキモノ数件アルトキハ公益上及経済上ノ価値最モ大ナルモノヲ免許スヘシ

② 前項ノ事情ニ優劣ナキトキハ先ツ沿岸土地所有者ノ出願ニ係ル埋立ニシテ其ノ土地ノ利用ニ著シキ関係アルモノ、次ニ出願受理ノ日先ナルモノヲ免許スヘシ

③ 前二項ノ規定ハ先願ヲ受理シタル日ヨリ起算シ六月ヲ経過シ又ハ地元市町村長ニ諮問ヲ発シタル後ニ受理シタル出願ニ付テハ之ヲ適用セス

三項…一部改正・旧五条…繰上〔昭和四九年三月政令五六号〕

第四条　都道府県知事ハ公有水面埋立法第三条第二項ノ規定又ハ同項ノ規定ノ準用ニ依ル通知ヲ受ケタルトキハ遅滞ナク其ノ旨ヲ関係住民ニ周知セシムルコトニ努ムベシ

本条…追加〔昭和四九年三月政令五六号〕

第五条　削除〔昭和四九年三月政令五六号〕

第六条　都道府県知事ハ埋立ニ関スル法令ニ規定スルモノノ外

埋立ノ免許ニ公益上又ハ利害関係人ノ保護ニ関シ必要ト認ムル条件ヲ附スルコトヲ得

本条…一部改正〔昭和二八年七月政令一二六号〕、旧七条…繰上〔昭和四九年三月政令五六号〕

第七条 公有水面埋立法第四条第一項第五号ノ政令ヲ以テ定ムル者ハ左ノ条件ヲ具備スル法人トス

一 土地ノ造成及処分ノ業務ガ主タル目的ノ一タルコト

二 国又ハ公共団体ノ出資ガ資本金、基本金其ノ他之ニ準ズルモノノ二分ノ一ヲ超ユルコト但シ産業ノ振興、生活環境ノ向上又ハ流通機能ノ増進ヲ図ルコトヲ目的トシ且埋立地又ハ之ヲ含ム地域ノ総合的発展ニ著シク寄与スベキ埋立ニシテ其ノ埋立ニ関スル工事ノ竣功後三年内ニ埋立地ノ処分ヲ完了スル見込確実ナルモノヲ為サムトスル場合ニ於テハ三分ノ一ヲ超ユルヲ以テ足ル

本条…追加〔昭和四九年三月政令五六号〕、一部改正〔昭和六一年七月政令二五七号〕

第八条 公有水面埋立法第四条第三項ノ権利ヲ有スル者ハ同法第十一条ノ規定ニ依ル告示アリタル後為シタル公有水面ノ利用ニ関スル施設ニ付テハ埋立ニ因リテ生スル損害ノ防止ノ施設又ハ其ノ損害ノ補償ヲ請求スルコトヲ得ス但シ特別ノ事由アル場合ニ於テ都道府県知事ノ許可ヲ受ケテ為シタル施設ニ付テハ此ノ限ニ在ラス

本条…一部改正〔昭和二八年七月政令一二六号・四九年三月五六号〕

第九条 埋立ノ免許ヲ受ケタル者ハ公有水面埋立法第四条第三項ノ権利ヲ有スル者ノ受クヘキ損害ニシテ防止スルコトヲ得ルモノニ付テハ其ノ損害ノ防止ノ施設ヲ為スヘシ但シ当事者間ニ於テ協議調ヒタルトキ又ハ其ノ施設ノ費用カ損害ノ程度ヲ著シク超過スルモノナルトキハ損害ノ補償ヲ以テ之ニ代フルコトヲ得

② 埋立ノ免許ヲ受ケタル者ハ公有水面埋立法第四条第三項ノ権利ヲ有スル者ノ受クヘキ損害ニシテ前項ノ施設ニ依リ防止スルコト能ハサルモノニ付テハ其ノ損害ノ補償ヲ為スヘシ前項ノ施設ヲ為スモ尚損害アル場合ニ於テ其ノ損害ニ付亦同シ

③ 前二項ノ施設又ハ補償ハ埋立ニ因リ通常生スヘキ損害ニ付テノミ之ヲ為スヘシ

一・二項…一部改正〔昭和四九年三月政令五六号〕

第一〇条 埋立ノ免許ヲ受ケタル者ハ前条ノ施設又ハ補償ニ関シ公有水面埋立法第四条第三項ノ権利ヲ有スル者ト協議ヲ為スヘシ

② 前項ノ協議調ヒタルトキハ当事者ハ連名ニテ協議調ヒタル日ヨリ起算シ十四日以内ニ其ノ顛末ヲ都道府県知事ニ届出ツヘシ

二項…一部改正〔昭和二八年七月政令一二六号〕、一項…一部改正〔昭和四九年三月政令五六号〕

第一一条 前条ノ協議調ハサルトキ又ハ協議ヲ為スコト能ハサルトキハ埋立ノ免許ヲ受ケタル者ハ都道府県知事ニ対シ裁定ノ申請ヲ為スヘシ

② 裁定ノ申請書ニハ申請ノ目的及事由ヲ記載シ協議調ハサルトキハ其ノ顛末書、協議ヲ為スコト能ハサルトキハ其ノ事由書ヲ添附スヘシ

一項…一部改正〔昭和二八年七月政令一二六号〕

第一二条 都道府県知事ハ前条ノ申請ヲ受理シタルトキハ公有水面埋立法第四条第三項ノ権利ヲ有スル者ニ対シ申請ノ要領及指定スル期間内ニ意見書ヲ差出スヘキ旨ヲ告知スヘシ但シ告知スルコト能ハサル場合ニ於テハ告示ヲ以テ之ニ代フルコトヲ得

② 前項ノ期間内ニ意見書ヲ差出ササルトキハ都道府県知事ハ之ヲ俟タスシテ裁定ヲ為スコトヲ得

一・二項…一部改正〔昭和二八年七月政令一二六号〕、一項…一部改正〔昭和四九年三月政令五六号〕

第一三条 都道府県知事ハ裁定ヲ為シタルトキハ埋立ノ免許ヲ受ケタル者及公有水面埋立法第四条第三項ノ権利ヲ有スル者ニ裁定書ノ謄本ヲ交付スヘシ但シ裁定書ノ謄本ヲ交付スルコト能ハサルトキハ其ノ要領ノ告示ヲ以テ之ニ代フルコトヲ得

本条…一部改正〔昭和二八年七月政令一二六号・四九年三月五六号〕

第一四条 第八条及第九条第一項第二項ノ規定ハ埋立ノ免許ヲ受ケタル者ヲシテ公有水面埋立法第十条ノ規定ニ依ル施設又ハ補償ヲ為サシムル場合ニ之ヲ準用ス

第一五条 公有水面埋立法第十条ノ規定ニ依ル施設又ハ補償ヲ求メムトスル者ハ其ノ目的及事由ヲ具シ都道府県知事ニ同条ノ規定ニ依ル処分ノ申請ヲ為スヘシ

② 都道府県知事ハ前項ノ申請ヲ受理シタルトキハ埋立ノ免許ヲ受ケタル者ニ対シ申請ノ要領及指定スル期間内ニ意見書ヲ差出スヘキ旨ヲ告知スヘシ

③ 前項ノ期間内ニ意見書ヲ差出ササルトキハ都道府県知事ハ之ヲ俟タスシテ処分ヲ為スコトヲ得

④ 都道府県知事ハ申請ヲ理由アリト認メタルトキハ埋立ノ免許ヲ受ケタル者ニ対シ相当ノ期間ヲ指定シテ施設又ハ補償ヲ命シ且申請者ニ其ノ旨ヲ通知スヘシ

⑤ 都道府県知事ハ第一項ノ申請ナキ場合ト雖必要アリト認ムルトキハ前三項ノ規定ニ準シ施設又ハ補償ヲ命スルコトヲ得

一－五項…一部改正〔昭和二八年七月政令一二六号〕

第一六条 都道府県知事ハ埋立ノ免許ヲ受ケタル者ニ帰属スヘキ埋立地ノ価額ノ百分ノ三ヲ埋立ノ免許料トシテ徴収スヘシ

② 埋立地ノ価額ハ埋立ノ免許ノ日ヲ標準トシ比隣ノ土地ノ価格ヲ参酌シテ都道府県知事之ヲ認定ス

一・二項…一部改正〔昭和二八年七月政令一二六号〕

第一七条 公共団体ノ為ス埋立、祭祀宗教慈善学術技芸其ノ他ノ公益事業ニシテ営利ヲ目的トセサルモノノ用ニ供スル目的ヲ以テ為ス埋立又ハ土地ノ農業上ノ利用ヲ増進スル目的ヲ以テ為ス埋立ニ付テハ免許料ヲ徴収スルコトヲ得ス

② 公共団体ノ為ス埋立ヲ除クノ外公有水面埋立法第二十二条第二項ノ告示ノ日ヨリ起算シ十年以内ニ其ノ埋立地ノ利用方法ヲ変更シタルトキハ前条ノ例ニ依リ免許料ヲ徴収ス但シ埋立地ノ価額ニ付テハ其ノ利用方法変更ノ日ヲ標準トス

③ 前項ニ規定スル埋立地利用方法ノ変更ヲ為シタル者ハ遅滞ナク都道府県知事ニ之ヲ届出ツヘシ

三項…一部改正〔昭和二八年七月政令一二六号〕、二項…一部改正〔昭和四九年三月政令五六号〕

第一八条 免許料ハ其ノ免許ヲ為シタル都道府県知事又ハ指定都市ノ長ノ統括スル都道府県又ハ指定都市ノ収入トス但シ港湾法（昭和二十五年法律第二百十八号）第五十八条第二項ノ規定ニ依リ港湾管理者カ公有水面埋立法ニ基ク都道府県知事又ハ指定都市ノ長ノ職権ヲ行フ場合ニ於テハ当該港湾管理者ノ収入トシ都道府県知事又ハ指定都市ノ長及港湾管理者カ公有水面埋立法ニ基ク都道府県知事又ハ指定都市ノ長ノ職権ヲ行フ場合ニ於テハ当該都道府県又ハ指定都市及港湾管理者ノ収入トス

本条…全部改正〔昭和二八年七月政令一二六号〕、一部改正〔平成一一年一一月政令三五二号・二六年九月二九一号〕

第一九条 免許料ハ埋立ノ免許ノ日ヨリ起算シ一月以内ニ之ヲ納付スヘシ但シ其ノ半額ニ付テハ都道府県知事ハ竣功期間内ニ於テ其ノ定ムル期限迄ニ之ヲ納付セシムルコトヲ得

② 免許料ノ額及前項但書ノ規定ニ依ル納付期限ハ免許条件ヲ以テ之ヲ定ムヘシ

③ 第十七条第二項ノ規定ニ依リ免許料ヲ徴収スル場合ニ於テハ都道府県知事ハ免許料ノ額及納付期限ヲ定メ之ヲ告知スヘシ

一・三項…一部改正〔昭和二八年七月政令一二六号〕

第二〇条 削除〔昭和四九年三月政令五六号〕

第二一条 公有水面埋立法第十四条ノ規定ニ依ル立入ハ邸内ニ付テハ日出前日没後ハ占有者ノ意ニ反シテ之ヲ為スコトヲ得ス

第二二条 削除〔昭和四九年三月政令五六号〕

第二三条 公有水面埋立法第十四条第三項ノ規定又ハ同項ノ規定ノ準用ニ依ル通知又ハ告示ハ少クトモ三日前ニ之ヲ為スヘシ

第二四条 都道府県知事ハ公有水面埋立法第十六条ノ許可ヲ為シ又ハ同法第二十条ノ規定ニ依ル届出ヲ受理シタルトキハ国土交通省令ヲ以テ定ムル事項ヲ告示スヘシ

二項…一部改正〔昭和二八年七月政令一二六号〕、一項…削除・旧二項…一部改正し一項に繰上〔昭和四九年三月政令五六号〕、本条…一部改正〔平成一二年六月政令三一二号〕

参照 〔国土交通省令〕規則一〇

第二五条 削除〔昭和四九年三月政令五六号〕

第二六条 公有水面埋立法第二十三条第一項ノ規定ニ依リ簡易ナル一時的工作物ノ設置ヲ指定ス

本条…一部改正〔昭和一六年九月勅令八五五号・四九年三月政令六五号・平成一一年一一月三五二号〕

第二七条 公有水面埋立法第二十四条第一項但書ノ埋立地ハ国ニ於テ必要ナルモノヲ除クノ外公共団体ニ帰属ス

② 前項ノ規定ニ依ル帰属ハ都道府県知事埋立ノ免許条件ヲ以テ之ヲ指定スヘシ

二項…一部改正〔昭和二八年七月政令一二六号〕

第二八条 公共団体ハ公有水面埋立法第二十二条第二項ノ告示ノ日ニ於テ前条ノ規定ニ依リ之ニ指定セラレタル埋立地ノ所有権ヲ取得ス

本条…一部改正〔昭和四九年三月政令五六号〕

第二九条 公共ノ用ニ供スル国有地ニシテ埋立ノ免許ヲ受ケタル者カ埋立ニ関スル工事トシテ其ノ国有地ト同一又ハ同種ノ用途ニ供スル工作物ヲ施設シタルニ因リ不用ニ帰シタルモノハ其ノ工作物ヲ構成スル土地及物件ヲ無償ニテ国ニ帰属セシムル場合ニ限リ無償ニテ埋立ノ免許ヲ受ケタル者ニ之ヲ下附ス

② 前項ノ場合ヲ除クノ外公共ノ用ニ供スル国有地ニシテ埋立ニ関スル工事ノ施行ニ因リ不用ニ帰シタルモノハ有償ニテ埋立ノ免許ヲ受ケタル者ニ之ヲ下附スルコトヲ得

③ 前二項ノ国有地ハ国ノ所有ニ属スル水流又ハ水面ヲ包含ス

第三〇条 本令ハ国ニ於テ埋立ヲ為ス場合ニ公有水面埋立法第四十二条第三項ノ規定ニ依ル準用ノ範囲内ニ於テ之ヲ準用ス

第三一条 第二十七条第二項及第二十八条ノ規定ハ国ニ於テ埋立ヲ為シタル埋立地ノ一部ヲ公共ノ用ニ供スル為必要アルトキ公共団体ニ帰属セシムル場合ニ之ヲ準用ス

第三二条 左ニ掲グル埋立ノ免許ニ付テハ都道府県知事ハ国土交通大臣ノ認可ヲ受クヘシ

一 国土交通大臣ガ甲号港湾トシテ指定スル港湾ノ埋立ノ免許及乙号港湾トシテ指定スル港湾ノ埋立ニシテ其ノ港湾ノ利用ニ著シク影響ヲ及ボスノ虞アルモノノ免許但シ港湾施設（港湾法第二条第五項第二号、第三号、第四号（道路及橋りように限ル）及第六号ニ掲グルモノニ限ル）ノ建設又ハ改良ヲ目的トスル埋立ニシテ当該港湾施設ニ係ル国ノ補助金又ハ負担金ノ交付ノ決定其ノ他国土交通省令ヲ以テ定ムル国ノ支援ガナサレタルモノニ付テハ此ノ限ニ在ラズ

二 海峡、堀割其ノ他ノ狭水道ニ於ケル埋立ニシテ航路、潮流、水流若ハ水深又ハ艦船ノ航行碇泊ニ影響ヲ及ホスノ虞アルモノノ免許

三 埋立区域ノ面積五十ヘクタールヲ超ユル埋立ノ免許

本条…一部改正〔大正一五年九月勅令三〇八号・昭和二二年一二月政令三三四号・二三年七月一六六号・二八年七月一二六号・四一年三月九〇号・四九年三月五六号・平成一一年一一月三五二号・一二年六月三一二号〕

参照 一号〔国土交通省令〕規則一五の二〔指定〕公有水面埋立法施行令第三十二条第一号の甲号港湾及び乙号港湾を指定する告示

第三二条ノ二 公有水面埋立法第四十七条第二項ノ政令ヲ以テ定ムル埋立ハ埋立区域ノ面積五十ヘクタールヲ超ユル埋立及環境保全上特別ノ配慮ヲ要スル埋立トス

本条…追加〔昭和四九年三月政令五六号〕

第三三条 公有水面埋立法第五十条ノ規定ニ依リ同法ヲ準用スヘキ場合左ノ如シ

一 水産物養殖場ノ築造

二 乾船渠ノ築造

② 本令ハ前項ノ場合ニ之ヲ準用ス

三項…削除〔大正一五年九月勅令三〇八号〕

第三四条 埋立ノ免許ヲ受ケタル者数人ナルトキハ本令ノ定ムル所ニ依リ埋立ノ免許ヲ受ケタル者ノ負担スル義務ハ連帯シテ之ヲ負フモノトス

第三五条 埋立ニ関スル工事ノ施行区域カ一都道府県ノ区域又ハ一指定都市ノ区域ヲ超ユル場合ニ於テハ埋立ニ関スル法令中都道府県知事又ハ指定都市ノ長ノ職権ニ属スル事項ハ関係スル都道府県知事又ハ指定都市ノ長共同シテ之ヲ行フ但シ利害ノ関係スル所一都道府県ノ区域（当該区域内ニ指定都市ノ区域アルトキハ当該指定都市ノ区域以外ノ区域ニ限ル）又ハ一指定都市ノ区域ニ止ルトキハ此ノ限ニ在ラス

本条…一部改正〔昭和二八年七月政令一二六号・四九年三月五六号・二六年九月二九一号〕

第三六条 第一条第一項（第三十条ニ於テ準用スル場合ヲ含ム）及第二項（第一条第四項ニ於テ準用スル場合ヲ含ム）、第二条（第三十条ニ於テ準用スル場合ヲ含ム）、第六条（第三十条ニ於テ準用スル場合ヲ含ム）並第二十七条第二項（第三十一条ニ於テ準用スル場合ヲ含ム）ノ規定ニ依リ都道府県又ハ指定都市ガ処理スルコトトサレタル事務ハ地方自治法第二条第九項第一号ニ規定スル第一号法定受託事務トス

本条…追加〔平成一一年一二月政令三五二号〕、一部改正〔平成二六年九月政令二九一号〕

附 則

本令ハ公有水面埋立法施行ノ日〔大正一一年四月一〇日〕ヨリ之ヲ施行ス

附 則〔昭和二八年七月二八日政令第一二六号〕

1 この政令は、昭和二十八年八月一日から施行する。

2 この政令の施行前にした公有水面埋立法の規定に基く埋立の免許に係る免許料の帰属については、なお従前の例による。

附 則〔平成一八年四月二六日政令第一八一号抄〕

（施行期日）

第一条 この政令は、会社法の施行の日（平成十八年五月一日）から施行する。

（公有水面埋立法施行令の一部改正に伴う経過措置）

第二条 会社法の施行に伴う関係法律の整備等に関する法律第三十六条の規定によりなお従前の例によることとされる吸収分割又は同法第百五条の規定によりなお従前の例によることとされる吸収分割若しくは新設分割によって、公有水面埋立法（大正十年法律第五十七号）第二条第一項の免許の出願がされている事業を承継した株式会社の当該免許の出願の承継については、なお従前の例による。

附 則〔平成二六年九月三日政令第二九一号抄〕

（施行期日）

第一条 この政令は、平成二十七年四月一日から施行する。

（罰則に関する経過措置）

第三条 この政令の施行前にした行為に対する罰則の適用については、なお従前の例による。

○公有水面埋立法施行規則

（昭和四十九年三月十八日運輸・建設省令第一号）

〔沿革〕 平成七年六月一日運輸・建設省令第四号、一一年三月九日第三号、一二年二月二九日第四号、一二月四日第一三号、一三年三月一五日国土交通省令第三七号、一四年六月二〇日第六九号、一七年三月七日第一二号、二三年一二月一三日第九四号、二六年三月三一日第四二号、二七年一月三〇日第六号、七月一五日第五三号、二九年六月一五日第三七号、令和二年一二月二三日第九八号、令和四年三月三一日第三九号改正

（埋立免許の出願）

第一条 公有水面埋立法（以下「法」という。）第二条第二項の願書の提出は、別記様式第一によるものとする。

（願書の添付図書）

第二条 法第二条第三項第一号から第四号までの図書は、次に掲げるところにより作成しなければならない。

一 法第二条第三項第一号の図面

イ 一般平面図 縮尺二万五千分の一以上の地形図（縮尺二万五千分の一以上の地形図がない場合にあつては、縮尺五万分の一以上の地形図とする。）に埋立区域及び埋立てに関する工事の施行区域（以下「埋立区域等」という。）を表示すること。

ロ 実測平面図 縮尺は、二千五百分の一以上とし、埋立区域等、埋立区域等にある工作物の位置並びに埋立区域等の周辺の地形及び工作物の位置を表示すること。

ハ 求積平面図 埋立区域等の面積を算出した方法を表示すること。

ニ 海図 埋立区域等が海面である場合において、埋立区域等を表示すること。

ホ 区域分割実測平面図（埋立てに関する工事の施行区域を二以上の区域に分割する場合に限る。） 実測平面図にそれぞれの分割された区域を表示すること。

ヘ 区域分割求積平面図（埋立てに関する工事の施行区域を二以上の区域に分割する場合に限る。） それぞれの分割された区域の面積を算出した方法を表示すること。

二 法第二条第三項第二号の図書

イ 埋立地横断面図 縮尺は、横二千五百分の一以上、縦百分の一以上とすること。

ロ 埋立地縦断面図 縮尺は、横二千五百分の一以上、縦百分の一以上とすること。

ハ 工作物構造図 縮尺は、百分の一以上とし、護岸、堤防、岸壁その他これらに類する工作物の構造を表示すること。

ニ 設計概要説明書 設計の概要についての説明を記載すること。

三 法第二条第三項第三号の資金計画書 埋立てに関する工事に要する費用の額及びその明細並びに当該費用に充てる資金の調達方法を記載すること。

四 法第二条第三項第四号の書面 別記様式第二により作成すること。

第三条 法第二条第三項第五号の国土交通省令で定める図書は、次に掲げるものとする。

一 個人にあつては、戸籍抄本又は本籍の記載のある住民票の写し

二 法人（公共団体を除く。次号において同じ。）を設立しようとするものにあつては、次に掲げる書類

イ 定款又は寄附行為の謄本

ロ 発起人、社員又は設立者（以下「発起人等」という。）の名簿

ハ 株式の引受け、出資又は財産の寄附の状況又は見込みを記載した書類

三 既存の法人にあつては、次に掲げる書類

イ 定款又は寄附行為の謄本及び登記事項証明書

ロ 最近の事業年度における財産目録、貸借対照表及び損益計算書

四 直前三月以内に撮影した埋立区域等の写真

五 埋立てに用いる土砂等の採取場所及び採取量を記載した図書

六 埋立てに関する工事に要する費用に充てる資金の調達方法を証する書類

七 埋立地の用途及び利用計画の概要を表示した図面

八 環境保全に関し講じる措置を記載した図書

九 公共施設の配置及び規模について説明した図書

十 公有水面埋立法施行令（以下「令」という。）第七条に規定する法人にあつては、同条第二号に適合することを証する書類

十一 法第四条第三項の権利を有する者がある場合にあつては、その者の同意を得たことを証する書類又は同意が得られない旨及びその事由を記載した書類

十二 公有水面の利用に関して設置した施設で埋立てのためにその効用が妨げられるものがある場合にあつては、当該施設の種類及び設置者を記載した書類

本条…一部改正〔平成一二年一二月運輸・建設省令一三号、一七年三月国土交通省令一二号、二九年六月三七号〕

（出願名義の変更等の届出）

第四条 令第一条第一項の規定による国土交通省令で定める新出願人に関する事項は、氏名又は名称、職業及び住所並びに法人を設立しようとする発起人等にあつてはその旨並びに法人にあつてはその代表者の氏名及び住所とする。

2 令第一条第一項の規定による届出をしようとする者は、届出書に次に掲げる書類を添付しなければならない。

一 新出願人に関する前条第一号、第二号又は第三号の書類

二 出願の年月日及び埋立区域等を記載した書類

三 出願名義の変更の理由を記載した書類

四 新出願人に関する埋立てに関する工事に要する費用に充

てる資金の調達方法を記載した書類及びこれを証する書類

3　令第一条第二項の規定による国土交通省令で定める相続人に関する事項は、氏名、職業及び住所とする。

4　令第一条第四項において準用する同条第二項の規定による国土交通省令で定める事項は、名称及び住所並びにその代表者の氏名及び住所とする。

5　第二項の規定は、令第一条第二項（同条第四項において準用する場合を含む。）の規定による出願の承継の届出について準用する。この場合において、第二項中「新出願人」とあるのは「承継人」と、「出願名義の変更」とあるのは「出願の承継」と読み替えるものとする。

一・三・四項…一部改正〔平成一二年一二月運輸・建設省令一三号〕

（公共施設の配置及び規模に関する技術的細目）

第五条　法第四条第一項第四号の公共施設のうち、道路、公園、緑地及び広場並びに排水施設の配置及び規模に関する同条第二項（法第十三条ノ二第二項において準用する場合を含む。）の技術的細目は、次に掲げるものとする。

一　道路は、埋立地の規模、用途、区画割及び周辺の状況を勘案して、通行の安全上、環境の保全上、災害の防止上又は事業活動の効率上適切な配置及び規模で設計されていること。

二　公園、緑地及び広場は、埋立地の規模、用途、区画割及び周辺の状況を勘案して、環境の保全上又は災害の防止上適切な配置及び規模で設計されていること。

三　排水路、終末処理施設その他の排水施設は、埋立地の規模、用途、区画割、周辺の状況及び降水量を勘案して、汚水及び雨水を有効に排出できるような配置及び規模で設計されていること。

（埋立地の処分方法等に関する技術的細目）

第六条　法第四条第一項第五号の埋立地の処分方法及び予定対価の額に関する同条第二項（法第十三条ノ二第二項において準用する場合を含む。）の技術的細目は、次に掲げるものとする。

一　埋立地の処分の相手方（国及び公共団体を除く。次号において同じ。）の選考方法が適正であること。

二　埋立地の処分の相手方が埋立地の用途に従い自ら利用すると認められる者であること。

三　埋立地の予定対価の額は、埋立地の処分により出願人が不当に受益しないものであること。

（出願事項の変更等の許可の申請）

第七条　法第十三条ノ二第一項の規定による許可の申請は、別記様式第三の申請書を提出して行うものとする。

2　前項の申請書には、次に掲げる図書を添付しなければならない。

一　埋立区域の縮少にあつては、第二条及び第三条第四号から第九号までの図書

二　埋立地の用途の変更にあつては、第二条第四号並びに第三条第七号から第九号までの図書

三　設計の概要の変更にあつては、第二条第二号から第四号まで及び第三条第五号から第九号までの図書

四　埋立てに関する工事の着手及び竣(しゅん)功の期間の伸長にあつては、第二条第一号ロ、第三号及び第四号並びに第三条第四号及び第六号の図書

（埋立権の譲渡の許可の申請）

第八条　法第十六条第一項の規定による許可の申請は、別記様式第四の申請書を提出して行うものとする。

2　前項の申請書には、次に掲げる書類を添付しなければならない。

一　譲受人に関する第三条第一号、第二号又は第三号の書類

二　譲渡契約書の写し

三　譲渡価額の算定の基礎を記載した書類

四　譲渡の時までの埋立てに関する工事に要した費用の額及び譲渡後の埋立てに関する工事に要する費用の額の明細書

五　譲渡後の埋立てに関する工事に要する費用に充てる資金の調達方法を証する書類

（埋立権の承継の届出）

第九条　法第二十条の規定による届出は、別記様式第五の届出書を提出して行うものとする。

2　前項の届出書には、次に掲げる書類を添付しなければならない。

一　法第十七条第一項の場合にあつては、相続同意証明書又は相続証明書及び戸籍謄本

二　法第十八条、第十九条又は第十九条の二の場合にあつては、法人の登記事項証明書

二項…一部改正〔平成一三年三月国土交通省令三七号、一七年三月一二号〕

（埋立権の譲渡の許可又は承継の届出の告示）

第一〇条　令第二十四条の規定による国土交通省令で定める事項は、次に掲げるものとする。

一　譲渡の許可又は承継の年月日

二　埋立権の譲渡人及び譲受人又は埋立権の承継人及び被承継人の氏名又は名称及び住所並びに法人にあつてはその代表者の氏名及び住所

三　法第十一条の埋立ての免許の告示の年月日及び番号

本条…一部改正〔平成一二年一二月運輸・建設省令一三号〕

（竣(しゅん)功認可の申請）

第一一条　法第二十二条第一項の規定による竣(しゅん)功認可の申請は、別記様式第六の申請書を提出して行うものとする。

2　前項の申請書には、次に掲げる図面を添付しなければならない。

一　実測平面図　縮尺は、二千五百分の一以上とし、申請時における埋立区域等を表示すること。

二　求積平面図　申請時における埋立区域等の面積を算出した方法を表示すること。

（竣功認可の告示の日前の埋立地の工作物設置の許可の申請）

第一二条 法第二十三条第一項ただし書の規定による許可の申請は、別記様式第七の申請書を提出して行うものとする。

2 前項の申請書には、次に掲げる図面を添付しなければならない。

一 工作物の設置に係る埋立地の区域を表示した図面

二 工作物の設計図

三 埋立区域の埋立ての現況を表示した図面

一項…一部改正〔平成一二年二月運輸・建設省令四号〕

（埋立地に関する権利の移転又は設定の許可の申請）

第一三条 法第二十七条第一項の規定による許可の申請は、別記様式第八の申請書を提出して行うものとする。

2 前項の申請書には、次に掲げる図書を添付しなければならない。

一 権利の移転又は設定に係る埋立地の区域を表示した図面

二 権利の移転又は設定の契約書の写し

三 権利の移転又は設定に係る埋立地の用途及び利用計画の概要を表示した図面

（埋立地の用途変更の許可の申請）

第一四条 法第二十九条第一項の規定による許可の申請は、別記様式第九の申請書を提出して行うものとする。

2 前項の申請書には、用途変更に係る埋立地の用途及び利用計画の概要を表示した図面を添付しなければならない。

（工事施行区域が一の都道府県の区域又は一の指定都市の区域を超える場合の願書等の提出）

第一五条 埋立てに関する工事の施行区域が一の都道府県の区域又は一の地方自治法（昭和二十二年法律第六十七号）第二百五十二条の十九第一項の指定都市（以下「指定都市」という。）の区域を超える場合における法及び令の規定による出願、申請又は届出は、当該施行区域に係る同一の願書、申請書又は届出書を関係都道府県知事又は関係指定都市の長にそれぞれ提出してしなければならない。

見出し…改正・本条…一部改正〔平成二七年一月国土交通省令六号〕

（国の支援）

第一五条の二 令第三十二条第一号ただし書の規定による国土交通省令で定める国の支援がなされたものは、次に掲げるものとする。

一 港湾法（昭和二十五年法律第二百十八号）附則第三項及び第四項、北海道開発のためにする港湾工事に関する法律（昭和二十六年法律第七十三号）附則第七項、奄美群島振興開発特別措置法（昭和二十九年法律第百八十九号）附則第六項、失効前の沖縄振興開発特別措置法（昭和四十六年法律第百三十一号）附則第九条第一項又は沖縄振興特別措置法（平成十四年法律第十四号）附則第四条第一項の規定による無利子の貸付金の貸付けが決定されたもの

二 港湾整備促進法（昭和二十八年法律第百七十号）第六条の規定による国土交通大臣の資金の融通のあつ旋がなされたもの

本条…追加〔平成一二年二月運輸・建設省令四号〕、一部改正〔平成一二年一二月運輸・建設省令一三号・一四年六月国土交通省令六九号・二三年一二月九四号・二六年三月四二号・二七年七月五三号・令和四年三月三九号〕

（準用規定）

第一六条 第一条から第七条まで（第三条第二号及び第三号を除く。）及び第十五条の規定は、国において行う埋立てについて準用する。この場合において、第七条及び別記様式第三中「許可」とあり、別記様式第一及び別記様式第三中「免許」とあるのは、「承認」と読み替えるものとする。

2 この省令の規定は、法第五十条の永久的設備の築造について準用する。

一項…一部改正〔平成二七年一月国土交通省令六号〕

（権限の委任）

第一七条 法に規定する国土交通大臣の権限のうち、次に掲げる埋立てに係るもの以外のものは、地方整備局長及び北海道開発局長に委任する。

一 令第三十二条第一号に規定する埋立てのうち、同号に規定する甲号港湾に係るもの

二 令第三十二条第一号に規定する埋立てのうち、同号に規定する乙号港湾に係るものであつて、埋立区域の面積が四十ヘクタール以上のもの

三 埋立区域の面積が五十ヘクタールを超える埋立て

四 二以上の地方整備局の管轄区域にわたる埋立て

本条…追加〔平成一二年一二月運輸・建設省令一三号〕

附 則

この省令は、公有水面埋立法の一部を改正する法律（昭和四十八年法律第八十四号）の施行の日（昭和四十九年三月十九日）から施行する。

附 則〔令和二年一二月二三日国土交通省令第九八号〕

（施行期日）

1 この省令は、令和三年一月一日から施行する。

（経過措置）

2 この省令の施行の際現にあるこの省令による改正前の様式による用紙は、当分の間、これを取り繕って使用することができる。

附 則〔令和四年三月三一日国土交通省令第三九号〕

この省令は、沖縄振興特別措置法等の一部を改正する法律の施行の日（令和四年四月一日）から施行する。

別記様式第一

（A 4）

公 有 水 面 埋 立 免 許 願 書

年　　月　　日

殿

出願人　住所

職業

氏名

公有水面埋立法第２条第１項の公有水面埋立ての免許を受けたいので、下記により、出願します。

記

1　埋　立　区　域

⑴　位　　　置

⑵　区　　　域

⑶　面　　　積

2　埋立てに関する工事の施行区域

⑴　位　　　置

⑵　区　　　域

⑶　面　　　積

3　埋立地の用途

4　設 計 の 概 要

⑴　埋立地の地盤の高さ

⑵　護岸、堤防、岸壁その他これらに類する工作物の種類及び構造

⑶　埋立てに関する工事の施行方法

⑷　公共施設の配置及び規模の概要

5　埋立てに関する工事の施行に要する期間

6　添付図書の目録

備考

1　「住所 職業 氏名」は、出願人が法人である場合にあつては、主たる事務所の所在地、名称並びに代表者の住所及び氏名を記載し、法人を設立しようとする発起人等にあつては、その旨を付記すること。

2　「埋立てに関する工事の施行区域」を４により、２以上の区域に分割する場合にあつては、それぞれの区域の面積を記載すること。

3　「埋立地の用途」については、用途が２以上である場合にあつては、それぞれの用途に係る埋立地の配置及び規模の概要を記載すること。

4　「埋立てに関する工事の施行に要する期間」については、埋立てに関する工事の着手及び竣(しゅん)功に関し法第13条の指定を受けようとする場合にあつては、その期間及び事由を記載すること。この場合において、埋立てに関する工事の施行区域を２以上の区域に分割し、それぞれの区域について異なる法第13条の竣(しゅん)功期間の指定を受けようとするときは、その旨及び事由を記載すること。

本様式…一部改正〔平成７年６月運輸・建設省令４号・11年３月３号・令和２年12月国土交通省令98号〕

別記様式第二

処　分　計　画　書

（A 4）

区画番号	面　積	譲渡、賃貸等の別	処分の相手方の選定の方法又は処分の相手方	処分の予定時期	予定対価の額	備　考

備考

1　この書面には、区画割図を添付し、「区画番号」欄は、これと照合できるように記載すること。

2　「処分の相手方の選定の方法又は処分の相手方」欄は、処分の相手方が特定していない場合にあつては、資格要件、公募方法（公募以外の方法によるときは、その理由及び方法）及び選定方法を、処分の相手方が特定している場合にあつては、その氏名又は名称及び住所並びに法人にあつてはその代表者の氏名並びに処分の相手方を特定した理由を記載すること。

3　「予定対価の額」欄は、1平方メートル当たりについて記載し、その算定の基礎を示す資料を添付すること。

4　区画番号、面積及び予定対価の額以外の事項が同一であり、かつ、面積及び予定対価の額がほぼ同一である場合にあつては、一括して記載してよい。この場合において、「面積」欄には、平均面積、最大面積及び最小面積を、「予定対価の額」欄には、平均価額、最高価額及び最低価額を記載すること。

本様式…一部改正〔平成7年6月運輸・建設省令4号〕

別記様式第三

（A 4）

{ 埋立区域縮少
埋立地用途変更
設計概要変更
工事着手・竣(しゆん)功期間伸長 } 許可申請書

年　　月　　日

殿

申請者　住所

氏名

公有水面埋立法第13条ノ２第１項の許可を受けたいので、下記により、申請します。

記

1 { 埋立区域縮少
埋立地用途変更
設計概要変更
工事着手・竣(しゆん)功期間伸長 } の内容

2 { 埋立区域縮少
埋立地用途変更
設計概要変更
工事着手・竣(しゆん)功期間伸長 } の理由

3　埋立ての免許の年月日及び番号

4　添付図書の目録

備考

1　「住所
氏名」は、申請者が法人である場合にあつては、主たる事務所の所在地、名称及び代表者の氏名を記載すること。

2　「{ 埋立区域縮少
埋立地用途変更
設計概要変更
工事着手・竣(しゆん)功期間伸長 }」の内容は、埋立区域縮少許可申請書にあつては縮少前及び縮少後の埋立区域の位置、区域及び面積を、埋立地用途変更許可申請書にあつては用途の変更に係る埋立地の区域及び面積並びに当該変更の内容（用途が２以上である場合にあつては、変更前及び変更後のそれぞれの用途に係る埋立地の配置及び規模の概要）を、設計概要変更許可申請書にあつては当該変更の内容を、工事着手・竣(しゆん)功期間伸長許可申請書にあつては当該伸長の内容を記載すること。

本様式…一部改正〔平成７年６月運輸・建設省令４号・11年３月３号・令和２年12月国土交通省令98号〕

別記様式第四

（A 4）

埋 立 権 譲 渡 許 可 申 請 書

年　　月　　日

殿

申請者　譲渡人

住所

職業

氏名

譲受人

住所

職業

氏名

公有水面埋立法第16条第１項の許可を受けたいので、下記により、申請します。

記

1　譲渡価額

2　譲渡の予定期日

3　譲渡の理由

4　譲渡の時までの埋立てに関する工事に要した費用の額

5　譲渡後の埋立てに関する工事に要する費用の額及びそれに充てる資金の調達方法

6　埋立ての免許の年月日及び番号

7　添付書類の目録

備考

「住所
職業
氏名」は、申請者が法人である場合にあつては、主たる事務所の所在地、名称並びに代表者の住所及び氏名を記載し、法人を設立しようとする発起人等にあつては、その旨を付記すること。

本様式…一部改正〔平成７年６月運輸・建設省令４号・11年３月３号・令和２年12月国土交通省令98号〕

別記様式第五

（Ａ４）

埋 立 権 承 継 届 出 書

年　　月　　日

殿

届出者　住所

職業

氏名

公有水面埋立法第20条の規定により、下記のとおり届け出ます。

記

1　被承継人　住所

職業

氏名

2　承継の年月日

3　承継に関する事実

4　埋立ての免許の年月日及び番号

5　添付書類の目録

備考

「住所
職業
氏名」は、届出者又は被承継人が法人である場合にあつては、主たる事務所の所在地、名称並びに代表者の住所及び氏名を記載し、法人を設立しようとする発起人等にあつては、その旨を付記すること。

本様式…一部改正〔平成７年６月運輸・建設省令４号・11年３月３号・令和２年12月国土交通省令98号〕

別記様式第六

（A 4）

竣（しゆん）功認可申請書

年　月　日

殿

申請者　住所

氏名

公有水面埋立法第22条第１項の竣（しゆん）功認可を受けたいので、下記により、申請します。

記

1　埋立区域の面積
2　埋立ての免許の年月日及び番号
3　添付図面の目録

備考

1　「住所 氏名」は、申請者が法人である場合にあつては、主たる事務所の所在地、名称及び代表者の氏名を記載すること。

2　「埋立区域の面積」は、埋立てに関する工事の施行区域を２以上の区域に分割した場合にあつては、当該区域及びその面積を記載すること。

本様式…一部改正〔平成７年６月運輸・建設省令４号・11年３月３号・令和２年12月国土交通省令98号〕

別記様式第七

（A 4）

工作物設置許可申請書

年　月　日

殿

申請者　住所

氏名

公有水面埋立法第23条第１項ただし書の許可を受けたいので、下記により、申請します。

記

1　工作物の名称又は種類
2　工作物の規模、数量及び用途
3　工作物の設置に係る工事の実施方法
4　工作物の設置に係る工事の期間
5　工作物の設置に係る埋立地の区域及び面積
6　工作物の設置期間
7　工作物を設置しようとする理由
8　埋立ての免許の年月日及び番号
9　添付図面の目録

備考

「住所 氏名」は、申請者が法人である場合にあつては、主たる事務所の所在地、名称及び代表者の氏名を記載すること。

本様式…一部改正〔平成７年６月運輸・建設省令４号・11年３月３号・12年２月４号・令和２年12月国土交通省令98号〕

別記様式第八

（A 4）

埋立地に関する権利 {移転
設定} 許可申請書

年　　月　　日

殿

申請者　権利を {移転
設定} しようとする者

住所

氏名

権利の {移転
設定} の相手方

住所

氏名

公有水面埋立法第27条第１項の許可を受けたいので、下記により、申請します。

記

1　権利の {移転
設定} に係る埋立地の区域及び面積

2　{移転
設定} しようとする権利の種別

3　権利の {移転の予定期日
設定の予定期間}

4　権利の {移転
設定} の理由

5　権利の {移転
設定} の対価の額及びその算出の基礎

6　権利の {移転
設定} の相手方の選考方法

7　権利の {移転
設定} 後の埋立地の利用方法

8　埋立ての免許の年月日及び番号

9　添付図書の目録

備考

「住所
氏名」は、申請者が法人である場合にあつては、主たる事務所の所在地、名称及び代表者の氏名を記載すること。

本様式…一部改正〔平成７年６月運輸・建設省令４号・11年３月３号・令和２年12月国土交通省令98号〕

別記様式第九

（A４）

用途変更許可申請書

年　月　日

殿

申請者　住所

氏名

公有水面埋立法第29条第１項の許可を受けたいので、下記により、申請します。

記

1　用途変更に係る埋立地の区域及び面積

2　用途変更の内容

3　用途変更の理由

4　埋立ての免許の年月日及び番号

5　添付図面の目録

備考

1　「住所
氏名」は、申請者が法人である場合にあつては、主たる事務所の所在地、名称及び代表者の氏名を記載すること。

2　「用途変更の内容」については、用途が２以上である場合にあつては、変更前及び変更後のそれぞれの用途に係る埋立地の配置及び規模の概要を記載すること。

本様式…一部改正〔平成７年６月運輸・建設省令４号・11年３月３号・令和２年12月国土交通省令98号〕

◯公有水面埋立法施行令第三十二条第一号の甲号港湾及び乙号港湾を指定する告示

（平成二年四月二日運輸省告示第百六十四号）

〔沿革〕平成二年七月二〇日運輸省告示第三七一号、四年五月二六日第三〇七号、六月三日第三二七号、五年四月二〇日第二六四号、七年六月一四日第三七四号、一〇年四月二八日第一七六号、一二年三月三一日第一七一号、一三年三月三〇日国土交通省告示第三八五号、一五年三月二六日第二六九号、一九年四月一九日第四八六号、二〇年四月七日第四四三号、二一年五月一日第四九八号、二二年七月二八日第七八四号、二三年六月一日第五七二号、二四年六月一日第六五五号、二五年八月一日第七六一号、令和元年八月一四日第三五八号、二年六月二四日第六九八号改正

公有水面埋立法施行令（大正十一年勅令第百九十四号）第三十二条第一号の規定に基づき、公有水面埋立法施行令第三十二条第一号の甲号港湾及び乙号港湾を指定する告示を次のように定め、昭和三十一年運輸省告示第三百二十六号（甲号港湾及び乙号港湾を指定する告示）は平成二年三月三十一日限り廃止する。

公有水面埋立法施行令第三十二条第一号の規定に基づき、甲号港湾及び乙号港湾を別表第一のように定める。これらの港湾の区域は、別表第二に定めるものを除くほか、港湾法（昭和二十五年法律第二百十八号）第二条第三項に規定する港湾区域又は同法第五十六条第一項の規定により都道府県知事が公告した水域とする。

附　則〔令和元年八月一四日国土交通省告示第三五八号〕

この告示は、公布の日から施行する。

附　則〔令和二年六月二四日国土交通省告示第六九八号〕

この告示は、公布の日から施行する。

別表第一

都道府県	甲号港湾	乙号港湾
北海道	苫小牧　室蘭	宗谷　浜猿払　枝幸　紋別　網走　崎無異　忠類　根室　霧多布　釧路　昆布刈石　十勝　えりも　浦河　白老　森　椴法華　西恵山　函館　松前　江差　瀬棚　岩内　堀株　余市　小樽　石狩湾新　石狩　増毛　留萌　羽幌　天塩　稚内　香深　鴛泊　沓形　焼尻　天売　奥尻
青森県		深浦　津軽　青森　小湊　野辺地　大湊　川内　仏ケ浦　大間　関　根浜　尻屋岬　むつ小川原　八戸　子ノ口　休屋
岩手県		八木　久慈　小本　宮古　釜石　大船渡
宮城県	仙台塩釜	御崎　気仙沼　雄勝　女川　表浜　荻浜　金華山
秋田県		本荘　秋田　船川　戸賀　能代
山形県		鼠ケ関　加茂　酒田
福島県		相馬　久之浜　江名　中之作　小名浜　翁島　湖南
茨城県		川尻　河原子　茨城　鹿島　軽野　潮来　土浦
千葉県	千葉	名洗　興津　館山　浜金谷　上総湊　木更津
東京都	東京　南鳥島　沖ノ鳥島	岡田　波浮　元町　利島　新島　式根島　神津島　大久保　三池　御蔵島　神湊　洞輪沢　八重根　大千代　青ケ島　二見沖
神奈川県	川崎　横浜	横須賀　葉山　湘南　大磯　真鶴
新潟県	新潟	姫川　直江津　柏崎　寺泊　岩船　両津　赤泊　小木　二見
富山県	伏木富山	魚津
石川県		塩屋　金沢　滝　福浦　輪島　飯田　小木　宇出津　穴水　和倉　七尾　半ノ浦
福井県		内浦　和田　敦賀　鷹巣　福井
静岡県	清水	熱海　伊東　下田　手石　松崎　宇久須　土肥　沼津　田子の浦　大井川　榛原　相良　御前崎　浜名
愛知県	名古屋	伊良湖　福江　泉　馬草　三河　倉舞　東幡豆　吉田　衣浦　河和　師崎　内海　冨具崎　常滑
三重県	四日市	桑名　千代崎　白子　津松阪　宇治山田　鳥羽　的矢　賢島　浜島　五ケ所　吉津　長島　引本　尾鷲　三木里　賀田　二木島　木本　鵜殿
滋賀県		長浜　彦根　大津　竹生島
京都府		久美浜　宮津　舞鶴　伏見
大阪府	堺泉北	深日　淡輪　尾崎　泉佐野　二色　阪南　泉州

	大阪	
兵庫県	神戸 姫路	尼崎西宮芦屋 明石 江井ケ島 東播磨 相生 坂越 赤穂 古池 柴山 竹野 津居山 家島 岩屋 淡路交流の翼 浦 津名 洲 本 古茂江 由良 阿万 福良 津井 湊 都志 山田 江井 郡 家 室津
和歌山県	和歌山下 津	新宮 宇久井 勝浦 浦神 古座 袋 日置 文里 日高 由良 湯浅広 加太 大川 大島
鳥取県		米子 中浜 豊成 逢坂 赤碕 石脇 小浜 鳥取 田後
鳥取県 島根県		境
島根県		喜阿弥 持石 益田 遠田 三隅 吉浦（三隅） 浜田 生湯 江 津 吉浦（温泉津） 温泉津 舟津 網屋 宅野 魚津 久手 灘 山 山谷 島津屋 田儀 小田東 二俣 中山 黒田 河下 秋鹿 北 佐波 笠浦 千酌 菅浦 笹子 惣津 七類 法田 諸喰 軽 尾 才 海崎 手角 松江 寺津（松江） 長江 秋鹿 岡本 伊 野 灘 湯町 揖屋 意東 論田 安来 二子 寺津（八束） 江島 遅江 波入 入江 西村 飯美 卯敷 釜 汐浜 西郷 小津久 大津久 長尾田 重栖 代 伊後 宇賀 倉の谷 物井 別府 波止 美田 国賀 保々見 知々井 御波 堤 須賀 日之津 海 士 諏訪 古海 来居 竹名 木佐根 姫の浦 高島
岡山県	水島	寒河 東備 久々井 布浜 間口 知尾 玉津 師楽 牛窓 岡山 米倉 松尾 江の浜 山田 後閑 大藪 野々浜 宇野 渋川 児島 大浜 下津井 笠岡 鴻島 網代 黄島 犬島 石島 松島 北木島 丸岩 豊浦 小飛島 大浦 大飛島 前浦
広島県	広島	福山 阿伏兎 千年 尾道糸崎 須波 忠海 竹原 安芸津 小用 （川尻） 川尻 吉悪 呉 大竹 横田 福田 中浜 椋浦 土生 重井 佐木 瀬戸田 生口 鮴崎 木江 大西 御手洗 蒲刈 波多見 奥の内 袋の内 大迫 釣士田 小用（江田島） 大柿 鹿川 鹿田 三高 中田 内海 鷲部 矢ノ浦 津久茂 大須 厳島
山口県	徳山下松 下関	岩国 由宇 大畠 柳井 室津 平生 三田尻中関 青江 秋穂 山口東 山口 丸尾 宇部 小野田 厚狭 埴生 小串 特牛 油 谷 深川 仙崎 飯井 萩 田部 須佐 柱島 久賀 日良居 油 良 白木 伊保田 安下庄 沖浦 沖浦西 小松 笠佐 角島 相 島 尾島 羽島 肥島 櫃島
徳島県		折野 亀浦 撫養 粟津 今切 徳島小松島 中島 富岡 橘 日 和佐 浅川 那佐
香川県		豊浜 観音寺 室本 仁尾 箱浦 船越 詫間 見立 多度津 丸 亀 宇多津 坂出 木沢 高松 長崎鼻 石場 立石 久通 庵治 葛原 牟礼 志度 猪塚 津田 三本松 白鳥 安戸 引田 坂 手 内海 三都 吉野崎 室生北 池田 土庄東 小瀬 土庄 江 島 馬越 北浦 大部 小豊島 家浦 大島 男木 女木 屏風 風戸 直島 宮浦 与島 新在家 本島 生ノ浜 尻浜 大浦 里 浦 小浦 江の浦 青木 手島 佐柳 高見 志々島 船隠 粟島 粟島西
愛媛県		御荘 岩松 宇和島 吉田 玉津 三瓶 八幡浜 川之石 伊方 三崎 三机 長浜 伊予 松前 松山 堀江 北条 菊間 森上 波方 波止浜 今治 桜井 河口 東予 新居浜 寒川 三島川之江 立石 生名 弓削 小漕 長江 西部 上浦 宮浦 大見 古江 伯方 有津 枝越 熊口 前浜 北浦 早川 吉海 田ノ浦 四 坂 大下 岡村 中島 西中
高知県		甲浦 佐喜浜 室津 奈半利 手結 高知 須崎 久礼 上ノ加江 佐賀 上川口 下田 下ノ加江 以布利 清水 あしずり 三崎 下川口 宿毛湾
福岡県	博多 北九州	三池 大牟田 若津 芦屋 苅田 宇島 大島
佐賀県		諸富 住ノ江 鹿島 大浦 伊万里 星賀 仮屋 呼子 唐津
長崎県		小長井 城ノ下 西郷 神代 多比良 島原 堂崎 石田 須川 口ノ津 小浜 田結 東望 太田尾 茂木 脇岬 古里 長崎 神 ノ浦 瀬戸 大瀬戸 柳 七ツ釜 太田和 面高 瀬川 小迎 宮浦 小口 時津 長与 久山 三浦 船津 大村 彼杵 川棚 早岐 佐世保 佐々 臼ノ浦 江迎 大塔 田平 鯨ケ浦 久吹 下田 岳崎 松浦 調川 比田勝 峰 曽ノ浦 仁位 鹿見 仁田 佐須 奈 竹敷 厳原 小茂田 勝本 印通寺 郷ノ浦 森ノ浜 大島 獅子吼 神崎 原 床浪 三里 三代 福島 中の浦 平戸 川内 紐差 大川原 古江 肥前大島 阿房下 崎戸 松島 池島 伊 王島 高島 小瀬良 榎津 有川 郷ノ首 青方 曽根 若松 相 の浦 浜脇 折紙 芦ノ浦 毛吹 椛島 福江 カヅメ 富江 玉 ノ浦 浜窄 淵ノ元 大川 岐宿
熊本県		水俣 佐敷 田浦 日奈久 八代 鏡 三角 熊本 百貫 河内 呑崎 長洲 荒尾 姫戸 上天草 大門 天草 大浦 合津 鬼池 本渡 牛深 高浜 都呂々 富岡 上津深江

大分県		中津　高田　真玉　臼野　堅来　羽根　小高島　国東　守江　日出　別府　大分　佐賀関　下ノ江　臼杵　津久見　佐伯　浦代　丸市尾　姫島
宮崎県		古江　熊野江　延岡　延岡新　細島　平岩　美々津　高鍋　宮崎　内海　油津　外浦　大納　黒井　福島　大島
鹿児島県		志布志　波見　岸良　内之浦辺塚　大浦　浜尻　大泊　根占　大根占　高須　鹿屋　垂水　桜島（市）　桜島（県）　二川　浮津　福山　隼人　加治木　鹿児島　喜入　瀬崎　宮ケ浜　魚見　指宿　聖ケ浦　松ケ浦　東塩屋　西塩屋　平崎　小浦　新川　串木野新　川内　西方　高之口　黒之浜　大瀧　小瀧　八郷　米之津　片側　獅子島　宮之浦（東）　瀬戸　指江　長島　里　江石　桑之浦　長浜　大里　片泊　竹島　硫黄島　伊関　田之脇　浅川　立山　大塩屋　増田　広田　門倉　田尻　島間　屋久津　浜津脇　牧川　西之表　大崎　上ノ古田　大久保　馬毛島岬　椎ノ木　玉籠　上屋久元浦　宮之浦（上屋久）　楠川　椨川　安房　鯛ノ川　尾之間　小島　湯泊　中間　栗生　上屋久永田　岩屋泊　湯向　七ツ山　中之島　宝島　東之浜　南之浜　前之浜　切石　元浦　やすら浜　小宝島　宝島　大笠利　和野　戸口　山間　古仁屋　篠川　管鈍　名柄　湯湾　大和　知名瀬、名瀬　円　竜郷　芦徳　赤木名　屋仁　喜界島　湾　加計呂麻　請島　与路　母間　亀徳　面縄　鹿浦　平土野　和泊　住吉　伊延　百合ケ浜　与論
沖縄県		奥　金武湾　中城湾　那覇　宜野湾　本部　運天　塩屋　前泊　野甫　内花　仲田　古宇利　伊江　水納（本部）　粟国　兼城　徳仁　渡嘉敷　安護の浦　座間味　慶留間　北大東　南大東　来間前浜　平良　長山　水納（多良間）　多良間　石垣　鳩間　船浦　仲間　船浮　白浜　祖納（竹富）　竹富東　小浜　黒島　上地　祖納（与那国）

別表第二

港　湾	港　湾　の　区　域
南鳥島	次に掲げる地点を順次結んだ線及び(1)に掲げる地点と(6)に掲げる地点とを結んだ線により囲まれた区域のうち陸域以外の区域 (1)　北緯二十四度十八分二十秒、東経百五十三度五十九分三十五秒の地点 (2)　北緯二十四度十六分四十二秒、東経百五十三度五十九分三十五秒の地点 (3)　北緯二十四度十六分二十六秒、東経百五十三度五十九分十八秒の地点 (4)　北緯二十四度十六分五十四秒、東経百五十三度五十七分五十一秒の地点 (5)　北緯二十四度十七分十三秒、東経百五十三度五十七分五十一秒の地点 (6)　北緯二十四度十八分二十秒、東経百五十三度五十九分二秒の地点
沖ノ鳥島	次に掲げる地点を順次結んだ線及び(1)に掲げる地点と(4)に掲げる地点とを結んだ線により囲まれた区域 (1)　北緯二十度二十五分四十五秒、東経百三十六度三分五十八秒の地点 (2)　北緯二十度二十五分七秒、東経百三十六度三分五十八秒の地点 (3)　北緯二十度二十五分七秒、東経百三十六度三分四十三秒の地点 (4)　北緯二十度二十五分四十五秒、東経百三十六度三分四十三秒の地点
洞輪沢	神子崎（通称イルカ根）からウロウ根に引いた線とウロウ根より大田ケ沢（旧村界）に引いた線及び陸岸に囲まれた海面。ただし、漁港法により指定された洞輪沢漁港の区域を除く。

○運河法

（大正二年四月九日法律第十六号）

〔沿革〕大正四年一月二一日法律第三号、昭和二二年一二月二六日第二三九号、二六年六月八日第二一一号、二八年八月一五日第二一三号、三七年五月一六日第一四〇号、九月一五日第一六一号、平成三年五月二一日第七九号、一一年七月一六日第八七号、一二月二二日第一六〇号、一六年六月九日第八四号改正

第一条　一般運送ノ用ニ供スル目的ヲ以テ運河ヲ開設セムトスル者ハ国土交通大臣ノ免許ヲ受クヘシ

本条…一部改正〔昭和二二年一二月法律二三九号・平成一一年一二月一六〇号〕

第二条　免許ヲ受ケタル者ハ国土交通大臣ノ指定シタル期限内ニ工事設計ノ認可ヲ都道府県知事ニ申請スヘシ

② 免許ヲ受ケタル者ハ前項ノ認可ヲ得タル日ヨリ六箇月内ニ工事ニ着手シ指定ノ期限内ニ之ヲ竣功スベシ但シ正当ノ事由ニ因リ期限内ニ着手又ハ竣功スルコト能ハザルトキハ都道府県知事ハ期限ノ伸長ヲ許可スルコトヲ得

③ 免許ヲ受ケタル者工事ニ着手シ又ハ竣功シタルトキハ遅滞ナク都道府県知事ニ届出ヅベシ

④ 免許ヲ受ケタル者ハ工事竣功届出後一箇月内ニ開設費精算書ヲ都道府県知事ニ提出スベシ

本条…一部改正〔昭和二二年一二月法律二三九号〕、一項…一部改正・二―四項…追加〔平成一一年七月法律八七号〕、一項…一部改正〔平成一一年一二月法律一六〇号〕

第三条　国、公共団体又ハ行政庁ノ許可ヲ受ケタル者ニ於テ運河ニ接続若ハ接近シ又ハ之ヲ横断シテ河川、溝渠、道路、橋梁、鉄道、軌道其ノ他公共ノ用ニ供スルモノヲ造設スルモ免許ヲ受ケタル者ハ運河ノ効用ニ妨ナキ限リ之ヲ拒ムコトヲ得ス

② 前項ノ場合ニ於テ国土交通大臣又ハ都道府県知事ハ公益上必要ト認ムルトキハ免許ヲ受ケタル者ニ命シ接続、横断ノ場所ニ於ケル設備ヲ共用ニ供セシメ又ハ之ヲ変更セシムルコトヲ得

二項…一部改正〔昭和二二年一二月法律二三九号・平成一一年七月八七号・一二月一六〇号〕

第四条　前条第一項ノ場合ニ於テ運河ノ効用ニ妨アリヤ否ニ付争アルトキ又ハ同条第二項ノ場合ニ於テ設備ノ共用若ハ変更ニ要スル費用ノ負担ニ付協議調ハサルトキハ都道府県知事之ヲ決定ス

② 前項ノ規定ニ依ル決定ノ申請書ヲ受理シタル都道府県知事ハ其ノ副本ヲ相手方ニ送付シ一定ノ期限内ニ答弁書ヲ提出セシムベシ

③ 指定ノ期限内ニ答弁書ヲ提出セザルトキハ都道府県知事ハ申請書ノミニ依リテ決定ヲ為スコトヲ得副本ノ交付ヲ為スコト能ハザルトキ亦同ジ

④ 第一項ノ規定ニ依ル決定ハ理由ヲ付シタル文書ヲ以テ之ヲ為シ当事者双方ニ送付スベシ

⑤ 第一項ノ規定ニ依ル決定ニ不服アル者ハ其ノ決定ヲ知リタル日ヨリ六箇月以内ニ訴ヲ以テ費用ノ負担額ノ増減ヲ請求スルコトヲ得

⑥ 前項ノ訴ニ於テハ国、公共団体若ハ行政庁ノ許可ヲ受ケタル者又ハ免許ヲ受ケタル者ヲ以テ被告トス

本条…一部改正〔昭和二二年一二月法律二三九号・三七年九月一六一号〕、二・三項…追加〔昭和三七年五月法律一四〇号〕、一項…一部改正・二―四項…追加・旧二項…一部改正し五項に繰下・旧三項…六項に繰下〔平成一一年七月法律八七号〕、五項…一部改正〔平成一六年六月法律八四号〕

第五条　工事カ其ノ設計又ハ免許、許可若ハ認可ノ条件ニ違反スルトキハ都道府県知事ハ其ノ改築、除却又ハ停止ヲ命スルコトヲ得

本条…一部改正〔平成一一年七月法律八七号〕

第六条　工事ノ全部又ハ一部竣功シ運送ヲ開始セムトスルトキハ都道府県知事ノ許可ヲ受クヘシ

本条…一部改正〔平成一一年七月法律八七号〕

第七条　免許ヲ受ケタル者ハ通航料其ノ他運河使用ニ関スル規程ヲ定メ都道府県知事ノ認可ヲ受クヘシ

② 都道府県知事ニ於テ公益上必要ト認ムルトキハ前項ノ規程ノ変更ヲ命スルコトヲ得

③ 免許ヲ受ケタル者ハ都道府県知事ノ許可ヲ受クルニ非ザレバ全部又ハ一部ノ通航ヲ停止スルコトヲ得ズ

三項…追加〔昭和二八年八月法律二一三号〕、一・二項…一部改正〔平成一一年七月法律八七号〕

第八条　国土交通大臣又ハ都道府県知事ハ免許ヲ受ケタル者ヨリ事業ノ報告ヲ徴シ又ハ其ノ状況ヲ検査スルコトヲ得

② 免許ヲ受ケタル者ハ毎事業年度後一箇月内ニ事業報告書ヲ都道府県知事ニ提出スベシ

本条…一部改正〔昭和二二年一二月法律二三九号〕、一項…一部改正・二項…追加〔平成一一年七月法律八七号〕、一項…一部改正〔平成一一年一二月法律一六〇号〕

第九条　国土交通大臣又ハ都道府県知事ハ免許ヲ受ケタル者ニ対シ運河及附属物件ノ維持修繕ヲ命シ其ノ他公益上必要ナル処分ヲ為スコトヲ得

本条…一部改正〔昭和二二年一二月法律二三九号・平成一一年七月八七号・一二月一六〇号〕

第一〇条　運河及附属物件ハ免許ノ効力存続スル間及其ノ効力消滅後一年間ハ都道府県知事ノ許可ヲ受クルニ非サレハ之ヲ譲渡シ又ハ担保ニ供スルコトヲ得ス

本条…一部改正〔昭和二二年一二月法律二三九号・平成三年五月七九号〕

第一一条　削除〔昭和二六年六月法律二一一号〕

第一二条　左ニ掲クルモノヲ以テ運河用地トス

一　水路用地及運河ニ属スル道路、橋梁、堤防、護岸、物揚場、繋船場ノ築設ニ要スル土地

二　運河用通信、信号ニ要スル土地

三　上屋、倉庫等ノ建設ニ要スル土地

四　運河ニ要スル船舶、器具、機械ヲ修理製作スル工場ノ建設ニ要スル土地

五　職務上常住ヲ要スル運河従業員ノ舎宅及従業員ノ駐在所等ノ建設ニ要スル土地

② 前項第三号乃至第五号ニ掲クル土地ハ運河ニ沿ヒタルモノニ限ル

第一三条　明治四十二年法律第二十八号ハ運河ノ抵当ニ之ヲ準用ス

第一四条　運河財団ハ左ニ掲クルモノニシテ運河財団ノ所有者ニ属スルモノヲ以テ之ヲ組成ス

一　水路其ノ他ノ運河用地及其ノ上ニ存スル工作物並之ニ属スル器具、機械

二　工場、上屋、倉庫、事務所、舎宅及其ノ敷地並之ニ属スル器具、機械

三　運河用通信、信号ニ要スル工作物及其ノ敷地並之ニ属スル器具、機械

四　前三号ニ掲クル工作物ヲ所有シ又ハ使用スル為他人ノ不動産ノ上ニ存スル地上権、登記シタル賃借権及前三号ニ掲クル土地ノ為ニ存スル地役権

五　運河ニ要スル船舶並之ニ属スル器具、機械

六　運河ノ維持修繕ニ要スル材料及器具、機械

第一五条　国又ハ公共団体ハ免許ノ効力消滅シタル後運河開設ニ要シタル費用ヲ支払ヒ其ノ運河及附属物件ヲ買収スルコトヲ得但シ運河及附属物件ニシテ開設当時ニ比シ価格ヲ減損シタルモノアルトキハ開設ニ要シタル費用ヨリ之ヲ控除ス

② 前項費用ノ範囲及金額ニ付協議調ハサルトキハ都道府県知事之ヲ決定ス

③ 前項ノ規定ニ依ル決定ニ不服アル者ハ其ノ決定ヲ知リタル日ヨリ六箇月以内ニ訴ヲ以テ第一項ノ費用ノ増額ヲ請求スルコトヲ得

④ 前項ノ訴ニ於テハ国又ハ公共団体ヲ以テ被告トス

二項…一部改正〔昭和二三年一二月法律二三九号・三七年九月一六一号〕、三・四項…追加〔昭和三七年五月法律一四〇号〕、二項…一部改正〔平成一一年七月法律八七号〕、三項…一部改正〔平成一六年六月法律八四号〕

第一六条　国又ハ公共団体ニ於テ必要ト認ムルトキハ免許年限ノ満了前ト雖運河及附属物件ヲ買収スルコトヲ得

② 前項ノ買収価格ニ付協議調ハサルトキハ鑑定人ノ意見ヲ徴シ都道府県知事之ヲ決定ス

③ 前条第三項及第四項ノ規定ハ前項ノ規定ニ依ル決定ニ之ヲ準用ス

二項…一部改正〔昭和二三年一二月法律二三九号・三七年九月一六一号〕、三項…追加〔昭和三七年五月法律一四〇号〕、二項…一部改正〔平成一一年七月法律八七号〕

第一七条　左ニ掲クル場合ニ於テハ免許ヲ取消スコトヲ得

一　法令又ハ法令ニ基キテ為ス処分ニ違反シタルトキ

二　免許、許可若ハ認可ノ条件ニ違反シタルトキ

第一八条　工事竣功前免許ノ効力消滅シタル場合ニ於テハ都道府県知事ハ免許ヲ受ケタル者ニ対シ原状ノ回復其ノ他必要ナル措置ヲ命スルコトヲ得

本条…一部改正〔平成一一年七月法律八七号〕

第一九条　前二条ノ場合ニ於テ同一路線ニ当リ運河ノ開設ヲ免許セラレタル者ハ運河及附属物件ヲ買収スルコトヲ得

② 前項ノ買収価格ニ付協議調ハサルトキハ第十六条第二項ノ規定ニ依ル

③ 本条ノ規定ハ運河財団ニ属スルモノニハ之ヲ適用セス

第一九条ノ二　本法ニ規定シタル国土交通大臣ノ権限ハ国土交通省令ノ定ムル所ニ依リ其ノ一部ヲ地方整備局長又ハ北海道開発局長ニ委任スルコトヲ得

本条…追加〔平成一一年一二月法律一六〇号〕

参照〔国土交通省令〕規則二二

第一九条ノ三　本法又ハ本法ニ基ク国土交通省令ノ規定ニ依リ国土交通大臣ニ提出スベキ申請書其ノ他ノ書類ハ都道府県知事ヲ経由スベシ

本条…追加〔平成一一年七月法律八七号〕、旧一九条の三…一部改正し繰下〔平成一一年一二月法律一六〇号〕

第一九条ノ四　第二条、第三条第二項、第四条第一項乃至第四項（運河ノ効用ニ妨アリヤ否ニ付争アル場合ニ於ケル決定ニ係ル部分ニ限ル）、第五条乃至第十条、第十八条及前条ノ規定ニ依リ都道府県ガ処理スルコトトサレテイル事務ハ地方自治法（昭和二十二年法律第六十七号）第二条第九項第一号ニ規定スル第一号法定受託事務トス

本条…追加〔平成一一年七月法律八七号〕、旧一九条の四…繰下〔平成一一年一二月法律一六〇号〕

附　則

第二〇条　本法施行ノ期日ハ勅令ヲ以テ之ヲ定ム

〔大正二年一一月勅令三〇五号により、大正二・一二・一から施行〕

第二一条　本法施行前免許ヲ受ケタル運河ニ関シ本法ヲ適用スヘキ範囲ハ国土交通省令ヲ以テ之ヲ定ム

本条…一部改正〔昭和二三年一二月法律二三九号・平成一一年一二月一六〇号〕

参照〔国土交通省令〕規則二四

第二二条　本法ノ適用ヲ受クル運河ノ用地ニシテ免許条件ニ依リ官有ニ帰属シタルモノハ之ヲ運河経営者ニ下付スルコトヲ得

本条…追加〔大正四年一月法律三号〕

附　則〔平成一六年六月九日法律第八四号抄〕

（施行期日）

第一条　この法律は、公布の日から起算して一年を超えない範囲内において政令で定める日から施行する。〔以下略〕

〔平成一六年一〇月政令三一一号により、平成一七・四・一から施行〕

○運河法施行規則

（大正二年十一月二十八日内務省令第十七号）

〔沿革〕 大正七年四月一八日内務省令第七号、昭和二三年七月一〇日商工・運輸・建設省令第一号、三三年一二月二七日運輸・建設省令第二号、三五年七月一日第一号、平成一二年二月二九日第四号、一二月四日第一三号、一七年三月七日国土交通省令第一二号改正

第一条 運河開設免許ノ申請書ニハ左ノ書類及図面ヲ添付スヘシ

一 起業目論見書
二 運河予測図
三 開設費概算書
四 事業上ノ収支概算書
五 組合事業ニ在リテハ其ノ組合契約書ノ謄本
六 会社発起人ニ在リテハ定款ノ謄本
七 会社ニ在リテハ其ノ会社ノ登記事項証明書及定款ノ謄本並運河事業経営ニ関スル株主総会ノ決議録若ハ総社員ノ同意書ノ謄本
八 公共団体ニ在リテハ其ノ団体ノ運河事業経営ニ関スル決議書ノ謄本

本条…一部改正〔平成一七年三月国土交通省令一二号〕

第二条 起業目論見書ニハ左ノ事項ヲ記載スヘシ

一 起業ノ目的及理由
二 運河ノ名称及主タル事務所設置地
三 事業資金ノ総額及財源
四 運河ノ起点、終点及経過地名
五 運河ノ延長、底幅及水深（メートルヲ以テ示スヘシ）
六 運河ヲ通航スヘキ最大舟筏ノ長、幅及吃水並航行ノ方法
七 工事施行期間
八 事業経営期間

本条…一部改正〔昭和三三年一二月運輸・建設省令二号〕

第三条 運河予測図ハ左ノ三種トス

一 平面図
縮尺ハ二万分一以上トシ運河ノ中心線、閘門、水門、隧道、物揚場、乗降場、繋船場、船溜、待避場等ノ位置並附近ノ鉄道、軌道、重要ナル道路、水流、水面等ノ位置及名称ヲ記載シ運河中心線ノ距離ハ一キロメートル毎ニ記入スヘシ

二 縦断面図
縮尺ハ距離ヲ二万分一以上、高ヲ二百分一以上トシ地盤及運河底敷ノ高位、諸水位（成ルヘク国土地理院水準基線ニ拠ルヘシ）並平面図ニ示シタル各種工作物ノ位置ヲ記載シ距離ハ一キロメートル毎ニ記入スヘシ

三 横断定規図
縮尺二百分一以上トシ縦横ノ各寸法ヲ記入スヘシ

② 運河予測図ニハ運河経過地ノ地勢、水路選定ノ理由並運河ト附近ノ鉄道、軌道、重要ナル道路、水流、水面、社寺、公園、名勝、旧蹟等トノ関係ヲ説明シタル書類ヲ添付スヘシ

一項…一部改正〔昭和二三年七月商工・運輸・建設省令一号・三三年一二月運輸・建設省令二号・三五年七月一号〕

第四条 開設費概算書ニハ其ノ総額ヲ測量費、監督費、用地費、土工費、閘門費、水門費、隧道費、橋梁費、通信信号設備費、建物費、船舶費、器具機械費、総係費等ノ各項ニ分チ数量及金額ヲ記載スヘシ

第五条 事業上ノ収支概算書ニハ収入及支出ノ総額、内訳並其ノ計算ノ基ク所ヲ示シ且事業資金ニ対スル純益ノ割合ヲ記載スヘシ

第六条 工事設計認可ノ申請書ニハ左ノ書類及図面ヲ添付スヘシ

一 運河実測図
二 構造図
三 工事説明書
四 土坪計算書
五 開設費予算書

第七条 運河実測図ハ左ノ三種トス

一 平面図
縮尺ハ三千分一以上トシ運河ノ中心線、曲線ノ半径及交角、運河用地ノ境界、水路、閘門、水門、隧道、道路、曳船道、堤防、物揚場、繋船場、船溜、待避場、上屋、倉庫、工場、舍宅、駐在所、通信所、信号所等及之ニ要スル土地ノ区劃、用地以外左右各二百メートル以内ノ地勢、附近ノ市街、村落、鉄道、軌道、道路、水流、水面、社寺、公園、名勝、旧蹟等及其ノ名称、運河開設ニ伴ヒ鉄道、軌道、道路、水流、水面等ヲ変換スル為施設スヘキ工作物、府、県、郡、市、区、町、村ノ境界及方位ヲ記載シ運河中心線ノ距離ハ百メートル毎ニ記入スヘシ

二 縦断面図
縮尺ハ距離ヲ平面図ト同一ニシ高ヲ二百分一以上トシ地盤、運河底敷及両岸堤防ノ高位、諸水位（成ルヘク国土地理院水準基線ニ拠ルヘシ）並平面図ニ示シタル各種工作物ノ位置ヲ記載シ距離ハ百メートル毎ニ記入スヘシ

三 横断面図
縮尺ハ二百分一以上トシ百メートル毎ニ調製スヘシ但シ水路幅員ノ異ナル箇所ニ付テハ其ノ断面ヲ示スヘシ

本条…一部改正〔昭和三三年一二月運輸・建設省令二号・三五年七月一号〕

第八条 構造図ハ左ノ二種トス

一 護岸、閘門、水門、隧道、曳船道、堤防、物揚場、乗降場、繋船場、船溜、待避場、通信所、信号所等ノ構造図

二　運河開設ニ伴ヒ鉄道、軌道、道路、水流、水面等ヲ変換スル為施設スヘキ橋梁、伏越其ノ他ノ工作物ノ構造図

② 前項第二号ノ構造図ニハ運河ト新旧工作物トノ関係ヲ明ニシタル平面図及断面図ヲ添付スヘシ

第九条　工事説明書ニハ水路測定ノ理由、運河実測図及構造図ニ示シタル各工事設計ノ要領、工事施行ノ順序、作業方法、掘鑿及浚渫土砂処分方法等ヲ記載スヘシ

第一〇条　土坪計算書ニハ百メートル毎（地盤ノ起伏甚シキカ又ハ幅員ニ広狭アルトキハ仍其ノ箇所毎）ニ横断面ヲ取リ其ノ番号、距離、平積、立積ヲ記載シ土質ヲ区別シテ切取、盛土ノ数量ヲ示スヘシ

本条…一部改正〔昭和三三年一二月運輸・建設省令二号〕

第一一条　開設費予算書ニハ第四条記載ノ各項ヲ目ニ分チ各其ノ数量、金額及内訳ヲ示スヘシ

② 閘門、水門、隧道等構造ノ複雑ナル工作物ニ付テハ設計書ヲ添付スヘシ

第一二条　免許ヲ受ケタル者会社発起人ナルトキハ会社成立ノ後ニ非サレハ工事設計ノ認可ヲ申請スルコトヲ得ス

第一三条　指定ノ期限内ニ工事設計ノ認可ヲ申請スルコト能ハサルトキハ正当ノ事由アル場合ニ限リ期限ノ伸長ヲ許可スルコトアルヘシ

第一四条乃至第一七条　削除〔平成一二年二月運輸・建設省令四号〕

第一八条　運河法第四条、第十五条第二項、第十六条第二項又ハ第十九条第二項ニ依ル決定ノ申請書ハ正副二通ヲ作成シ左ノ事項ヲ記載スヘシ

一　当事者ノ表示

二　申請ノ目的及理由

三　協議ノ顛末

第一九条及第二〇条　削除〔平成一二年二月運輸・建設省令四号〕

第二一条　左ノ場合ニ於テハ遅滞ナク国土交通大臣ニ届出ツヘシ

一　免許申請者又ハ免許ヲ受ケタル者其ノ氏名若ハ住所ヲ変更シ又ハ死亡シタルトキ

二　会社成立シ又ハ解散シタルトキ

三　定款又ハ組合契約ヲ変更シタルトキ

四　本則第二条第二号及第三号ニ記載シタル事項ヲ変更シタルトキ

五　事業ヲ廃止シタルトキ

本条…一部改正〔昭和二三年七月商工・運輸・建設省令一号・三五年七月運輸・建設省令一号・平成一二年一二月一三号〕

第二二条　運河法及本則ニ規定スル国土交通大臣ノ権限ノ内二以上ノ地方整備局ノ管轄区域ニ跨ル運河ニ関スル左ニ掲グルモノ以外ノモノハ地方整備局長及北海道開発局長ニ委任ス

一　運河法第一条ノ規定ニ依リ免許スルコト

二　運河法第二条ノ規定ニ依リ指定スルコト

三　運河法第十七条ノ規定ニ依リ免許ヲ取消スコト

四　本則第十三条ノ規定ニ依リ許可スルコト

五　本則第二十一条ノ規定ニ依ル届出ヲ受理スルコト

本条…追加〔平成一二年一二月運輸・建設省令一三号〕

附　則

第二三条　本則ハ運河法施行ノ日〔大正二年一二月一日〕ヨリ之ヲ施行ス

第二四条　運河法施行前免許ヲ受ケタル運河ニシテ免許ノ条件ニ因リ免許年限満了後官有ニ帰スヘキモノニ付テハ運河法中第十五条以外ノ規定ヲ、其ノ他ノモノニ付テハ運河法ノ規定全部ヲ適用ス

第二五条　運河法ニ依リ許可若ハ認可ヲ受クヘキ事項ニシテ其ノ施行ノ際既ニ許可若ハ認可ヲ受ケタルモノハ運河法ニ依ル許可若ハ認可ヲ受ケタルモノト看做ス

第二六条　運河法第二十二条ニ依リ運河用地ノ下付ヲ受ケムトスル者ハ主務大臣ニ申請スヘシ

本条…追加〔大正七年四月内務省令七号〕、一部改正〔昭和二三年七月商工・運輸・建設省令一号・三五年七月運輸・建設省令一号〕

五六四（～五七〇）

附　則〔平成一七年三月七日国土交通省令第一二号抄〕

（施行期日）

第一条　この省令は、公布の日から施行する。

海岸

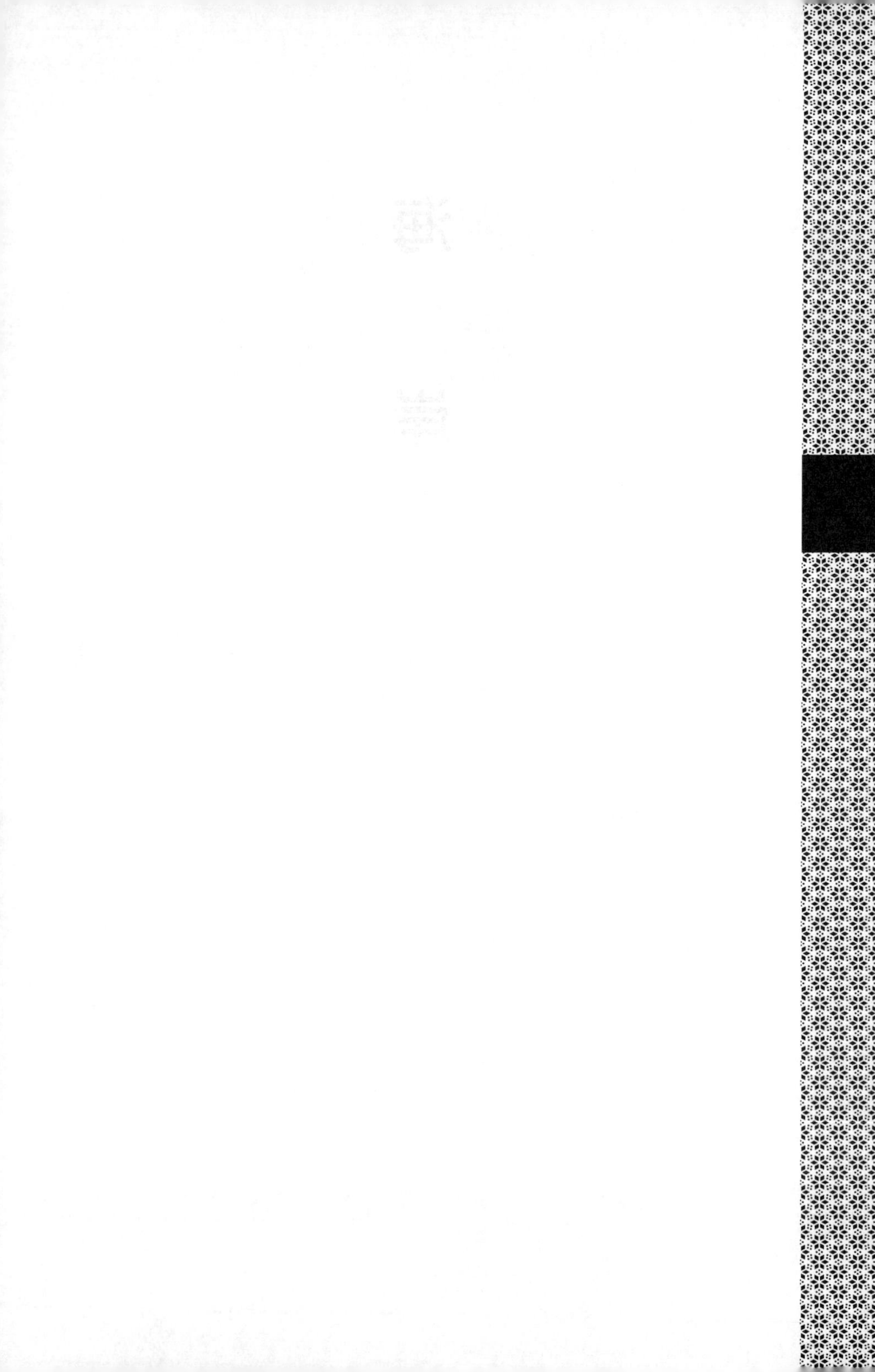

○海岸法

（昭和三十一年五月十二日法律第百一号）

〔沿革〕　昭和三三年三月三一日法律第三〇号、三四年四月二〇日第一四八号、三五年三月三〇日第一三号、三一日第四〇号、三七年九月一五日第一六一号、三八年六月八日第九九号、三九年七月一〇日第一六八号、四一年三月二八日第一〇号、四二年七月二〇日第七三号、四四年七月一日第五七号、四五年四月一日第一三号、六月一日第一一一号、四七年六月三日第五二号、五三年七月五日第八七号、五九年八月一〇日第七一号、六〇年五月一八日第三七号、七月一二日第九〇号、一二月二五日第八七号、六一年五月八日第四六号、一二月四日第九三号、六二年九月四日第八七号、平成元年四月一〇日第二二号、三年三月三〇日第一五号、五年三月三一日第八号、一一年五月二八日第五四号、七月一六日第八七号、一二月二二日第一六〇号、一二年五月一九日第七八号、一三年六月二九日第九二号、一四年二月八日第一号、一九年三月三一日第二三号、二二年六月二日第四一号、二三年三月三一日第九号、五月二日第三七号、二五年一一月二二日第七六号、二六年六月一一日第六一号、一三日第六九号、二九年六月二日第四五号、三〇年一二月一四日第九五号、令和五年五月二六日第三四号改正

注　令和四年六月一七日法律第六八号の改正は、令和七年六月一日から施行のため、現行の条文の次に改正後の条文を掲載いたしました。

第一章　総則

（目的）

第一条　この法律は、津波、高潮、波浪その他海水又は地盤の変動による被害から海岸を防護するとともに、海岸環境の整備と保全及び公衆の海岸の適正な利用を図り、もつて国土の保全に資することを目的とする。

本条…一部改正〔平成一一年五月法律五四号〕

（定義）

第二条　この法律において「海岸保全施設」とは、第三条の規定により指定される海岸保全区域内にある堤防、突堤、護岸、胸壁、離岸堤、砂浜（海岸管理者が、消波等の海岸を防護する機能を維持するために設けたもので、主務省令で定めるところにより指定したものに限る。）その他海水の侵入又は海水による侵食を防止するための施設（堤防又は胸壁にあつては、津波、高潮等により海水が当該施設を越えて侵入した場合にこれによる被害を軽減するため、当該施設と一体的に設置された根固工又は樹林（樹林にあつては、海岸管理者が設けたもので、主務省令で定めるところにより指定したものに限る。）を含む。）をいう。

2　この法律において、「公共海岸」とは、国又は地方公共団体が所有する公共の用に供されている海岸の土地（他の法令の規定により施設の管理を行う者がその権原に基づき管理する土地として主務省令で定めるものを除き、地方公共団体が所有する公共の用に供されている海岸の土地にあつては、都道府県知事が主務省令で定めるところにより指定し、公示した土地に限る。）及びこれと一体として管理を行う必要があるものとして都道府県知事が指定し、公示した低潮線までの水面をいい、「一般公共海岸区域」とは、公共海岸の区域のうち第三条の規定により指定される海岸保全区域以外の区域をいう。

3　この法律において「海岸管理者」とは、第三条の規定により指定される海岸保全区域及び一般公共海岸区域（以下「海岸保全区域等」という。）について第五条第一項から第四項まで及び第三十七条の二第一項並びに第三十七条の三第一項から第三項までの規定によりその管理を行うべき者をいう。

一項…一部改正・二項…追加・旧二項…一部改正し三項に繰下〔平成一一年五月法律五四号〕、二項…一部改正〔平成一一年七月法律八七号〕、一項…一部改正〔平成二六年六月法律六一号〕

参照　一項〔主務省令〕規則一・一の二、二項〔主務省令〕規則一の三・一の四

（海岸保全基本方針）

第二条の二　主務大臣は、政令で定めるところにより、海岸保全区域等に係る海岸の保全に関する基本的な方針（以下「海岸保全基本方針」という。）を定めなければならない。

2　主務大臣は、海岸保全基本方針を定めようとするときは、あらかじめ関係行政機関の長に協議しなければならない。

3　主務大臣は、海岸保全基本方針を定めたときは、遅滞なく、これを公表しなければならない。

4　前二項の規定は、海岸保全基本方針の変更について準用する。

本条…追加〔平成一一年五月法律五四号〕

参照　一項〔政令〕令一

（海岸保全基本計画）

第二条の三　都道府県知事は、海岸保全基本方針に基づき、政令で定めるところにより、海岸保全区域等に係る海岸の保全に関する基本計画（以下「海岸保全基本計画」という。）を定めなければならない。

2　都道府県知事は、海岸保全基本計画を定めようとする場合において必要があると認めるときは、あらかじめ海岸に関し学識経験を有する者の意見を聴かなければならない。

3　都道府県知事は、海岸保全基本計画を定めようとするときは、あらかじめ関係市町村長及び関係海岸管理者の意見を聴かなければならない。

4　都道府県知事は、海岸保全基本計画のうち、海岸保全施設の整備に関する事項で政令で定めるものについては、関係海岸管理者が作成する案に基づいて定めるものとする。

5　関係海岸管理者は、前項の案を作成しようとする場合において必要があると認めるときは、あらかじめ公聴会の開催等関係住民の意見を反映させるために必要な措置を講じなければならない。

6　都道府県知事は、海岸保全基本計画を定めたときは、遅滞なく、これを公表するとともに、主務大臣に提出しなければ

ならない。

7　第二項から前項までの規定は、海岸保全基本計画の変更について準用する。

本条…追加〔平成一一年五月法律五四号〕

参照　一項・四項〔政令〕令一の二・一の三

（海岸保全区域の指定）

第三条　都道府県知事は、海水又は地盤の変動による被害から海岸を防護するため海岸保全施設の設置その他第二章に規定する管理を行う必要があると認めるときは、防護すべき海岸に係る一定の区域を海岸保全区域として指定することができる。ただし、河川法（昭和三十九年法律第百六十七号）第三条第一項に規定する河川の河川区域、砂防法（明治三十年法律第二十九号）第二条の規定により指定された土地又は森林法（昭和二十六年法律第二百四十九号）第二十五条第一項若しくは第二十五条の二第一項若しくは第二項の規定による保安林（同法第二十五条の二第一項後段又は第二項後段において準用する同法第二十五条第二項の規定による保安林を除く。以下次項において「保安林」という。）若しくは同法第四十一条の規定による保安施設地区（以下次項において「保安施設地区」という。）については、指定することができない。

2　都道府県知事は、前項ただし書の規定にかかわらず、海岸の防護上特別の必要があると認めるときは、保安林又は保安施設地区の全部又は一部を、農林水産大臣（森林法第二十五条の二の規定により都道府県知事が指定した保安林については、当該保安林を指定した都道府県知事）に協議して、海岸保全区域として指定することができる。

3　前二項の規定による指定は、この法律の目的を達成するため必要な最小限度の区域に限つてするものとし、陸地においては満潮時（指定の日の属する年の春分の日における満潮時をいう。）の水際線から、水面においては干潮時（指定の日の属する年の春分の日における干潮時をいう。）の水際線からそれぞれ五十メートルをこえてしてはならない。ただし、地形、地質、潮位、潮流等の状況により必要やむを得ないと認められるときは、それぞれ五十メートルをこえて指定することができる。

4　都道府県知事は、第一項又は第二項の規定により海岸保全区域を指定するときは、主務省令で定めるところにより、当該海岸保全区域を公示するとともに、その旨を主務大臣に報告しなければならない。これを廃止するときも、同様とする。

5　海岸保全区域の指定又は廃止は、前項の公示によつてその効力を生ずる。

一項…一部改正〔昭和三九年七月法律一六八号〕、二項…一部改正〔昭和五三年七月法律八七号・六〇年七月九〇号〕、一・二項…一部改正〔平成一一年五月法律五四号・七月八七号〕

参照　四項〔主務省令〕規則一の四③

（指定についての協議）

第四条　都道府県知事は、港湾法（昭和二十五年法律第二百十八号）第二条第三項に規定する港湾区域（以下「港湾区域」という。）、同法第三十七条第一項に規定する港湾隣接地域（以下「港湾隣接地域」という。）若しくは同法第五十六条第一項の規定により都道府県知事が公告した水域（以下この条及び第四十条において「公告水域」という。）、排他的経済水域及び大陸棚の保全及び利用の促進のための低潮線の保全及び拠点施設の整備等に関する法律（平成二十二年法律第四十一号）第九条第一項の規定により国土交通大臣が公告した水域（以下この条及び第四十条において「特定離島港湾区域」という。）又は漁港及び漁場の整備等に関する法律（昭和二十五年法律第百三十七号）第六条第一項から第四項までの規定により市町村長、都道府県知事若しくは農林水産大臣が指定した漁港の区域（以下「漁港区域」という。）の全部又は一部を海岸保全区域として指定しようとするときは、港湾区域又は港湾隣接地域については港湾管理者に、公告水域については公告水域を管理する都道府県知事に、特定離島港湾区域については国土交通大臣に、漁港区域については漁港管理者に協議しなければならない。

2　港湾管理者が港湾区域について前項の規定による協議に応じようとする場合において、当該港湾が港湾法第二条第二項に規定する国際戦略港湾、国際拠点港湾又は重要港湾であるときは、港湾管理者は、あらかじめ国土交通大臣に協議しなければならない。

一項…一部改正〔昭和五三年七月法律八七号〕、二項…一部改正〔昭和六〇年七月法律九〇号〕、一・二項…一部改正〔平成一一年七月法律八七号〕、二項…一部改正〔平成一一年一二月法律一六〇号〕、一項…一部改正〔平成一二年五月法律七八号・一三年六月九二号・二二年六月四一号〕、二項…一部改正〔平成二三年三月法律九号〕、一項…一部改正〔令和五年五月法律三四号〕

第二章　海岸保全区域に関する管理

（管理）

第五条　海岸保全区域の管理は、当該海岸保全区域の存する地域を統括する都道府県知事が行うものとする。

2　前項の規定にかかわらず、市町村長が管理することが適当であると認められる海岸保全区域で都道府県知事が指定したものについては、当該海岸保全区域の存する市町村の長がその管理を行うものとする。

3　前二項の規定にかかわらず、海岸保全区域と港湾区域若しくは港湾隣接地域又は漁港区域とが重複して存するときは、その重複する部分については、当該港湾区域若しくは港湾隣接地域の港湾管理者の長又は当該漁港の漁港管理者である地方公共団体の長がその管理を行うものとする。

4　第一項及び第二項の規定にかかわらず、港湾区域若しくは港湾隣接地域又は漁港区域に接する海岸保全区域のうち、港湾管理者の長又は漁港管理者である地方公共団体の長が管理することが適当であると認められ、かつ、都道府県知事と当該港湾管理者の長又は漁港管理者である地方公共団体の長が協議して定める区域については、当該港湾管理者の長又は漁港管理者である地方公共団体の長がその管理を行うものとする。

5　前四項の規定にかかわらず、海岸管理者を異にする海岸保全区域相互にわたる海岸保全施設で一連の施設として一の海岸管理者が管理することが適当であると認められるものがある場合において、第四十条第二項の規定による関係主務大臣の協議が成立したときは、当該協議に基きその管理を所掌する主務大臣の監督を受ける海岸管理者がその管理を行うものとする。

6　市町村の長は、海岸管理者との協議に基づき、政令で定めるところにより、当該市町村の区域に存する海岸保全区域の管理の一部を行うことができる。

7　都道府県知事は、第二項の規定による指定をしようとするときは、あらかじめ当該市町村長の意見をきかなければならない。

8　都道府県知事は、第二項の規定により指定をするとき、又は第四項の規定により協議して区域を定めるときは、主務省令で定めるところにより、これを公示するとともに、その旨を主務大臣に報告しなければならない。これを変更するときも、同様とする。

9　市町村長は、第六項の規定により協議して海岸保全区域の管理を行うときは、主務省令で定めるところにより、これを公示しなければならない。これを変更するときも、同様とする。

10　第二項に規定する指定並びに第四項及び第六項に規定する協議は、前二項の公示によつてその効力を生ずる。

二項…一部改正〔昭和六〇年七月法律九〇号〕、見出し…改正・六・九項…追加・旧六・七項…七・八項に繰下・旧八項…一部改正し一〇項に繰下〔平成一一年五月法律五四号〕

参照　六項〔政令〕令一の四、八項・九項〔主務省令〕規則一の四③

（主務大臣の直轄工事）

第六条　主務大臣は、次の各号の一に該当する場合において、当該海岸保全施設が国土の保全上特に重要なものであると認められるときは、海岸管理者に代つて自ら当該海岸保全施設の新設、改良又は災害復旧に関する工事を施行することができる。この場合においては、主務大臣は、あらかじめ当該海岸管理者の意見をきかなければならない。

一　海岸保全施設の新設、改良又は災害復旧に関する工事の規模が著しく大であるとき。

二　海岸保全施設の新設、改良又は災害復旧に関する工事が高度の技術を必要とするとき。

三　海岸保全施設の新設、改良又は災害復旧に関する工事が高度の機械力を使用して実施する必要があるとき。

四　海岸保全施設の新設、改良又は災害復旧に関する工事が都道府県の区域の境界に係るとき。

2　主務大臣は、前項の規定により海岸保全施設の新設、改良又は災害復旧に関する工事を施行する場合においては、政令で定めるところにより、海岸管理者に代つてその権限を行うものとする。

3　主務大臣は、第一項の規定により海岸保全施設の新設、改良又は災害復旧に関する工事を施行する場合においては、主務省令で定めるところにより、その旨を公示しなければならない。

一－三項…一部改正〔昭和三五年三月法律一三号〕

参照　二項〔政令〕令一の五、三項〔主務省令〕規則二

（海岸保全区域の占用）

第七条　海岸管理者以外の者が海岸保全区域（公共海岸の土地に限る。）内において、海岸保全施設以外の施設又は工作物（以下次条、第九条及び第十二条において「他の施設等」という。）を設けて当該海岸保全区域を占用しようとするときは、主務省令で定めるところにより、海岸管理者の許可を受けなければならない。

2　海岸管理者は、前項の規定による許可の申請があつた場合において、その申請に係る事項が海岸の防護に著しい支障を及ぼすおそれがあると認めるときは、これを許可してはならない。

一・二項…一部改正・三項…削除〔平成一一年五月法律五四号〕

参照　一項〔主務省令〕規則三

（海岸保全区域における行為の制限）

第八条　海岸保全区域内において、次に掲げる行為をしようとする者は、主務省令で定めるところにより、海岸管理者の許可を受けなければならない。ただし、政令で定める行為については、この限りでない。

一　土石（砂を含む。以下同じ。）を採取すること。

二　水面又は公共海岸の土地以外の土地において、他の施設等を新設し、又は改築すること。

三　土地の掘削、盛土、切土その他政令で定める行為をすること。

2　前条第二項の規定は、前項の許可について準用する。

一・二項…一部改正〔平成一一年五月法律五四号〕、一項…一部改正〔平成一一年一二月法律一六〇号〕

参照　一項ただし書・三号〔政令〕令二・三、一項本文〔主務省令〕規則四

第八条の二　何人も、海岸保全区域（第二号から第四号までにあつては、公共海岸に該当し、かつ、海岸の利用、地形その他の状況により、海岸の保全上特に必要があると認めて海岸管理者が指定した区域に限る。）内において、みだりに次に掲げる行為をしてはならない。

一　海岸管理者が管理する海岸保全施設その他の施設又は工作物（以下「海岸保全施設等」という。）を損傷し、又は汚損すること。

二　油その他の通常の管理行為による処理が困難なものとして主務省令で定めるものにより海岸を汚損すること。

三　自動車、船舶その他の物件で海岸管理者が指定したものを入れ、又は放置すること。

四　その他海岸の保全に著しい支障を及ぼすおそれのある行

為で政令で定めるものを行うこと。

2　海岸管理者は、前項各号列記以外の部分の規定又は同項第三号の規定による指定をするときは、主務省令で定めるところにより、その旨を公示しなければならない。これを廃止するときも、同様とする。

3　前項の指定又はその廃止は、同項の公示によつてその効力を生ずる。

本条…追加〔平成一一年五月法律五四号〕、一項…一部改正〔平成二六年六月法律六一号〕

参照　一項四号〔政令〕令三の二、一項二号・二項〔主務省令〕規則四の三・四の五

（経過措置）

第九条　第三条の規定による海岸保全区域の指定の際現に当該海岸保全区域内において権原に基づき他の施設等を設置（工事中の場合を含む。）している者は、従前と同様の条件により、当該他の施設等の設置について第七条第一項又は第八条第一項の規定による許可を受けたものとみなす。当該指定の際現に当該指定に係る海岸保全区域内において権原に基づき第八条第一項第一号及び第三号に掲げる行為を行つている者についても、同様とする。

本条…一部改正〔平成一一年五月法律五四号〕

（許可の特例）

第一〇条　港湾法第三十七条第一項若しくは第五十六条第一項又は排他的経済水域及び大陸棚の保全及び利用の促進のための低潮線の保全及び拠点施設の整備等に関する法律第九条第一項の規定による許可を受けた者は、当該許可に係る事項については、第七条第一項又は第八条第一項の規定による許可を受けることを要しない。

2　国又は地方公共団体（港湾法に規定する港務局を含む。以下同じ。）が第七条第一項の規定による占用又は第八条第一項の規定による行為をしようとするときは、あらかじめ海岸管理者に協議することをもつて足りる。

二項…一部改正〔昭和四二年七月法律七三号・五九年八月七一号・一二月八七号・六一年一二月九三号〕、一項…一部改正〔平成二二年六月法律四一号〕

（占用料及び土石採取料）

第一一条　海岸管理者は、主務省令で定める基準に従い、第七条第一項又は第八条第一項第一号の規定による許可を受けた者から占用料又は土石採取料を徴収することができる。ただし、公共海岸の土地以外の土地における土石の採取については、土石採取料を徴収することができない。

本条…一部改正〔平成一一年五月法律五四号〕

参照　〔主務省令〕規則五

（監督処分）

第一二条　海岸管理者は、次の各号の一に該当する者に対して、その許可を取り消し、若しくはその条件を変更し、又はその行為の中止、他の施設等の改築、移転若しくは除却（第八条の二第一項第三号に規定する放置された物件の除却を含む。）、他の施設等により生ずべき海岸の保全上の障害を予防するために必要な施設をすること若しくは原状回復を命ずることができる。

一　第七条第一項、第八条第一項又は第八条の二第一項の規定に違反した者

二　第七条第一項又は第八条第一項の規定による許可に付した条件に違反した者

三　偽りその他不正な手段により第七条第一項又は第八条第一項の規定による許可を受けた者

2　海岸管理者は、次の各号の一に該当する場合においては、第七条第一項又は第八条第一項の規定による許可を受けた者に対し、前項に規定する処分をし、又は同項に規定する必要な措置を命ずることができる。

一　海岸保全施設に関する工事のためやむを得ない必要が生じたとき。

二　海岸の保全上著しい支障が生じたとき。

三　海岸の保全上の理由以外の理由に基く公益上やむを得ない必要が生じたとき。

3　海岸管理者は、海岸保全区域内において発生した船舶の沈没又は乗揚げに起因して当該海岸管理者が管理する海岸保全施設等が損傷され、若しくは汚損され、又は損傷され、若しくは汚損されるおそれがあり、当該損傷又は汚損が海岸の保全に支障を及ぼし、又は及ぼすおそれがあると認める場合（当該船舶が第八条の二第一項第三号に規定する放置された物件に該当する場合を除く。）においては、当該沈没し、又は乗り揚げた船舶の船舶所有者に対し、当該船舶の除却その他当該損傷又は汚損の防止のため必要な措置を命ずることができる。

4　前三項の規定により必要な措置をとることを命じようとする場合において、過失がなくて当該措置を命ずべき者を確知することができないときは、海岸管理者は、当該措置を自ら行い、又はその命じた者若しくは委任した者にこれを行わせることができる。この場合においては、相当の期限を定めて、当該措置を行うべき旨及びその期限までに当該措置を行わないときは、海岸管理者又はその命じた者若しくは委任した者が当該措置を行う旨を、あらかじめ公告しなければならない。

5　海岸管理者は、前項の規定により他の施設等（除却を命じた第一項及び第三項の物件を含む。以下この条において同じ。）を除却し、又は除却させたときは、当該他の施設等を保管しなければならない。

6　海岸管理者は、前項の規定により他の施設等を保管したときは、当該他の施設等の所有者、占有者その他当該他の施設等について権原を有する者（以下この条において「所有者等」という。）に対し当該他の施設等を返還するため、政令で定めるところにより、政令で定める事項を公示しなければならない。

7　海岸管理者は、第五項の規定により保管した他の施設等が

滅失し、若しくは破損するおそれがあるとき、又は前項の規定による公示の日から起算して三月を経過してもなお当該他の施設等を返還することができない場合において、政令で定めるところにより評価した当該他の施設等の価額に比し、その保管に不相当な費用若しくは手数を要するときは、政令で定めるところにより、当該他の施設等を売却し、その売却した代金を保管することができる。

8　海岸管理者は、前項の規定による他の施設等の売却につき買受人がない場合において、同項に規定する価額が著しく低いときは、当該他の施設等を廃棄することができる。

9　第七項の規定により売却した代金は、売却に要した費用に充てることができる。

10　第四項から第七項までに規定する他の施設等の除却、保管、売却、公示その他の措置に要した費用は、当該他の施設等の返還を受けるべき所有者等その他第四項に規定する当該措置を命ずべき者の負担とする。

11　第六項の規定による公示の日から起算して六月を経過してもなお第五項の規定により保管した他の施設等（第七項の規定により売却した代金を含む。以下この項において同じ。）を返還することができないときは、当該他の施設等の所有権は、主務大臣が保管する他の施設等にあつては国、都道府県知事が保管する他の施設等にあつては当該都道府県知事が統括する都道府県、市町村長が保管する他の施設等にあつては当該市町村長が統括する市町村に帰属する。

見出し…改正・一項…一部改正・三―六項…全部改正・七―一〇項…追加〔平成一一年五月法律五四号〕、三項…追加・旧三・四・六・八―一〇項…一部改正し四・五・七・九―一一項に繰下・旧五・七項…六・八項に繰下〔平成二六年六月法律六一号〕

参照　六項・七項〔政令〕令三の三―三の七

（損失補償）

第一二条の二　海岸管理者は、前条第二項の規定による処分又は命令により損失を受けた者に対し通常生ずべき損失を補償しなければならない。

2　前項の規定による損失の補償については、海岸管理者と損失を受けた者とが協議しなければならない。

3　前項の規定による協議が成立しない場合においては、海岸管理者は、自己の見積つた金額を損失を受けた者に支払わなければならない。この場合において、当該金額について不服がある者は、政令で定めるところにより、補償金の支払を受けた日から三十日以内に収用委員会に土地収用法（昭和二十六年法律第二百十九号）第九十四条の規定による裁決を申請することができる。

4　海岸管理者は、第一項の規定による補償の原因となつた損失が前条第二項第三号の規定による処分又は命令によるものであるときは、当該補償金額を当該理由を生じさせた者に負担させることができる。

本条…追加〔平成一一年五月法律五四号〕

参照　三項〔政令〕令四

（緊急時における主務大臣の指示）

第一二条の三　主務大臣は、津波、高潮等の発生のおそれがあり、海岸の防護のため緊急の措置をとる必要があると認めるときは、海岸管理者に対し、第十二条第一項又は第二項の規定による処分又は命令を行うことを指示することができる。

本条…追加〔平成一一年七月法律八七号〕

（海岸管理者以外の者の施行する工事）

第一三条　海岸管理者以外の者が海岸保全施設に関する工事を施行しようとするときは、あらかじめ当該海岸保全施設に関する工事の設計及び実施計画について海岸管理者の承認を受けなければならない。ただし、第六条第一項の規定による場合は、この限りでない。

2　第十条第二項に規定する者は、前項本文の規定にかかわらず、海岸保全施設に関する工事の設計及び実施計画について海岸管理者に協議することをもつて足りる。

三項…削除〔平成一一年五月法律五四号〕

（技術上の基準）

第一四条　海岸保全施設は、地形、地質、地盤の変動、侵食の状態その他海岸の状況を考慮し、自重、水圧、波力、土圧及び風圧並びに地震、漂流物等による振動及び衝撃に対して安全な構造のものでなければならない。

2　海岸保全施設の形状、構造及び位置は、海岸環境の保全、海岸及びその近傍の土地の利用状況並びに船舶の運航及び船舶による衝撃を考慮して定めなければならない。

3　前二項に定めるもののほか、主要な海岸保全施設の形状、構造及び位置について、海岸の保全上必要とされる技術上の基準は、主務省令で定める。

見出し…改正・二・三項…全部改正・四項…削除〔平成一一年五月法律五四号〕

参照　三項〔主務省令〕海岸保全施設の技術上の基準を定める省令

（操作規則）

第一四条の二　海岸管理者は、その管理する海岸保全施設のうち、操作施設（水門、陸閘（こう）その他の操作を伴う施設で主務省令で定めるものをいう。以下同じ。）については、主務省令で定めるところにより、操作規則を定めなければならない。

2　前項の操作規則は、津波、高潮等の発生時における操作施設の操作に従事する者の安全の確保が図られるように配慮されたものでなければならない。

3　海岸管理者は、第一項の操作規則を定めようとするときは、あらかじめ関係市町村長の意見を聴かなければならない。

4　前二項の規定は、第一項の操作規則の変更について準用する。

本条…追加〔平成二六年六月法律六一号〕

参照　一項〔主務省令〕規則五の五・五の六

（操作規程）

第一四条の三　海岸管理者以外の海岸保全施設の管理者（以下「他の管理者」という。）は、その管理する海岸保全施設のうち、操作施設については、主務省令で定めるところにより、当該操作施設の操作の方法、訓練その他の措置に関する事項について操作規程を定め、海岸管理者の承認を受けなければならない。

2　前項の操作規程は、津波、高潮等の発生時における操作施設の操作に従事する者の安全の確保が図られるように配慮されたものでなければならない。

3　海岸管理者は、第一項の操作規程を承認しようとするときは、あらかじめ関係市町村長の意見を聴かなければならない。

4　第十条第二項に規定する者は、第一項の規定にかかわらず、その管理する操作施設について同項の操作規程を定め、海岸管理者に協議することをもつて足りる。

5　前各項の規定は、第一項の操作規程の変更について準用する。

本条…追加〔平成二六年六月法律六一号〕

参照　一項〔主務省令〕規則五の七

第一四条の四　前条第一項の規定による承認を受けた他の管理者は、その管理する操作施設の操作については、当該承認を受けた操作規程に従つて行わなければならない。

本条…追加〔平成二六年六月法律六一号〕

（維持又は修繕）

第一四条の五　海岸管理者は、その管理する海岸保全施設を良好な状態に保つように維持し、修繕し、もつて海岸の防護に支障を及ぼさないように努めなければならない。

2　海岸管理者が管理する海岸保全施設の維持又は修繕に関する技術的基準その他必要な事項は、主務省令で定める。

3　前項の技術的基準は、海岸保全施設の修繕を効率的に行うための点検に関する基準を含むものでなければならない。

参照　二項〔主務省令〕規則五の八

本条…追加〔平成二六年六月法律六一号〕

（兼用工作物の工事の施行）

第一五条　海岸管理者は、その管理する海岸保全施設が道路、水門、物揚場その他の施設又は工作物（以下これらを「他の工作物」と総称する。）の効用を兼ねるときは、当該他の工作物の管理者との協議によりその者に当該海岸保全施設に関する工事を施行させ、又は当該海岸保全施設を維持させることができる。

（工事原因者の工事の施行等）

第一六条　海岸管理者は、その管理する海岸保全施設等に関する工事以外の工事（以下「他の工事」という。）又は海岸保全施設等に関する工事若しくは海岸保全施設等の維持（海岸保全区域内の公共海岸の維持を含む。以下同じ。）の必要を生じさせた行為（以下「他の行為」という。）により必要を生じたその管理する海岸保全施設等に関する工事又は海岸保全施設等の維持を当該他の工事の施行者又は他の行為の行為者に施行させることができる。

2　前項の場合において、他の工事が河川工事（河川法第三条第一項に規定する河川の河川工事をいう。以下同じ。）、道路（道路法（昭和二十七年法律第百八十号）による道路をいう。以下同じ。）に関する工事、地すべり防止工事（地すべり等防止法（昭和三十三年法律第三十号）による地すべり防止工事をいう。以下同じ。）又は急傾斜地崩壊防止工事（急傾斜地の崩壊による災害の防止に関する法律（昭和四十四年法律第五十七号）による急傾斜地崩壊防止工事をいう。以下同じ。）であるときは、当該海岸保全施設等に関する工事については、河川法第十九条、道路法第二十三条第一項、地すべり等防止法第十五条第一項又は急傾斜地の崩壊による災害の防止に関する法律第十六条第一項の規定を適用する。

二項…全部改正〔昭和三三年三月法律三〇号〕、一部改正〔昭和三九年七月法律一六八号・四四年七月五七号〕、見出し…改正・一・二項…一部改正〔平成一一年五月法律五四号〕、一項…一部改正〔平成二六年六月法律六一号〕

（附帯工事の施行）

第一七条　海岸管理者は、その管理する海岸保全施設に関する工事により必要を生じた他の工事又はその管理する海岸保全施設に関する工事を施行するため必要を生じた他の工事をその海岸保全施設に関する工事とあわせて施行することができる。

2　前項の場合において、他の工事が河川工事、道路に関する工事、砂防工事（砂防法による砂防工事をいう。以下同じ。）又は地すべり防止工事であるときは、当該他の工事の施行については、河川法第十八条、道路法第二十二条第一項、砂防法第八条又は地すべり等防止法第十四条第一項の規定を適用する。

二項…全部改正〔昭和三三年三月法律三〇号〕、一部改正〔昭和三九年七月法律一六八号〕

（土地等の立入及び一時使用並びに損失補償）

第一八条　海岸管理者又はその命じた者若しくはその委任を受けた者は、海岸保全区域に関する調査若しくは測量又は海岸保全施設に関する工事のためやむを得ない必要があるときは、あらかじめその占有者に通知して、他人の占有する土地若しくは水面に立ち入り、又は特別の用途のない他人の土地を材料置場若しくは作業場として一時使用することができる。ただし、あらかじめ通知することが困難であるときは、通知することを要しない。

2　前項の規定により宅地又はかき、さく等で囲まれた土地若しくは水面に立ち入ろうとするときは、立入の際あらかじめその旨を当該土地又は水面の占有者に告げなければならない。

3　日出前及び日没後においては、占有者の承認があつた場合を除き、前項に規定する土地又は水面に立ち入つてはならない。

4　第一項の規定により土地又は水面に立ち入ろうとする者は、その身分を示す証明書を携帯し、関係人の請求があつたときは、これを提示しなければならない。

5　第一項の規定により特別の用途のない他人の土地を材料置

場又は作業場として一時使用しようとするときは、あらかじめ当該土地の占有者及び所有者に通知して、その者の意見をきかなければならない。

6　土地又は水面の占有者又は所有者は、正当な理由がない限り、第一項の規定による立入又は一時使用を拒み、又は妨げてはならない。

7　海岸管理者は、第一項の規定による立入又は一時使用により損失を受けた者に対し通常生ずべき損失を補償しなければならない。

8　第十二条の二第二項及び第三項の規定は、前項の場合について準用する。

9　第四項の規定による証明書の様式その他証明書に関し必要な事項は、主務省令で定める。

八項…一部改正〔平成一一年五月法律五四号〕

参照　九項〔主務省令〕規則六①

（海岸保全施設の新設又は改良に伴う損失補償）

第一九条　土地収用法第九十三条第一項の規定による場合を除き、海岸管理者が海岸保全施設を新設し、又は改良したことにより、当該海岸保全施設に面する土地又は水面について、通路、みぞ、かき、さくその他の施設若しくは工作物を新築し、増築し、修繕し、若しくは移転し、又は盛土若しくは切土をするやむを得ない必要があると認められる場合においては、海岸管理者は、これらの工事をすることを必要とする者（以下この条において「損失を受けた者」という。）の請求により、これに要する費用の全部又は一部を補償しなければならない。この場合において、海岸管理者又は損失を受けた者は、補償金の全部又は一部に代えて、海岸管理者が当該工事を施行することを要求することができる。

2　前項の規定による損失の補償は、海岸保全施設に関する工事の完了の日から一年を経過した後においては、請求することができない。

3　第一項の規定による損失の補償については、海岸管理者と損失を受けた者とが協議しなければならない。

4　前項の規定による協議が成立しない場合においては、海岸管理者又は損失を受けた者は、政令で定めるところにより、収用委員会に土地収用法第九十四条の規定による裁決を申請することができる。

参照　四項〔政令〕令四

（他の管理者の管理する海岸保全施設に関する監督）

第二〇条　海岸管理者は、その職務の執行に関し必要があると認めるときは、他の管理者に対し報告若しくは資料の提出を求め、又はその命じた者に当該他の管理者の管理する海岸保全施設に立ち入り、これを検査させることができる。

2　前項の規定により立入検査をする者は、その身分を示す証明書を携帯し、関係人の請求があつたときは、これを提示しなければならない。

3　第一項の規定による立入検査の権限は、犯罪捜査のために認められたものと解してはならない。

4　第二項の規定による証明書の様式その他証明書に関し必要な事項は、主務省令で定める。

見出し…改正・一項…一部改正〔平成二六年六月法律六一号〕

参照　四項〔主務省令〕規則六②

第二一条　海岸管理者は、他の管理者の管理する海岸保全施設が次の各号のいずれかに該当する場合において、当該海岸保全施設が第十四条の規定に適合しないときは、当該他の管理者に対し改良、補修その他当該海岸保全施設の管理につき必要な措置を命ずることができる。

一　第十三条第一項本文の規定に違反して工事が施行されたとき。

二　第十三条第一項本文の規定による承認に付した条件に違反して工事が施行されたとき。

三　偽りその他不正な手段により第十三条第一項本文の承認を受けて工事が施行されたとき。

2　海岸管理者は、海岸保全施設が前項各号のいずれにも該当しない場合において、当該海岸保全施設が第十四条の規定に適合しなくなり、かつ、海岸の保全上著しい支障があると認められるときは、その管理者に対し前項に規定する措置を命ずることができる。

3　海岸管理者は、前項の規定による命令により損失を受けた者に対し通常生ずべき損失を補償しなければならない。

4　第十二条の二第二項及び第三項の規定は、前項の場合について準用する。

5　前三項の規定は、第十条第二項に規定する者の管理する海岸保全施設については、適用しない。

四項…一部改正〔平成一一年五月法律五四号〕、一項…一部改正〔平成二六年六月法律六一号〕

（他の管理者の管理する操作施設に関する監督）

第二一条の二　海岸管理者は、他の管理者が次の各号のいずれかに該当する場合においては、当該他の管理者に対し、その管理する操作施設の操作規程を定め、又は変更することを勧告することができる。

一　第十四条の三第一項の規定に違反したとき。

二　第十四条の三第一項の規定による承認に付した条件に違反したとき。

三　偽りその他不正な手段により第十四条の三第一項の規定による承認を受けたとき。

2　海岸管理者は、他の管理者が管理する操作施設について、その操作が第十四条の四の規定に違反して行われている場合においては、当該他の管理者に対し、当該操作規程の遵守のため必要な措置をとることを勧告することができる。

3　海岸管理者は、前二項の規定によるほか、海岸の状況の変化その他当該海岸に関する特別の事情により、第十四条の三第一項の規定による承認を受けた操作規程によつては津波、高潮等による被害を防止することが困難であると認められるときは、当該承認を受けた他の管理者に対し、当該操作規程を変更することを勧告することができる。

4　海岸管理者は、前三項の規定による勧告をした場合において、当該勧告を受けた他の管理者が、正当な理由がなく、その勧告に従わなかつたときは、その旨を公表することができる。

本条…追加〔平成二六年六月法律六一号〕

第二一条の三　海岸管理者は、他の管理者が、その管理する操作施設について、前条第一項又は第二項の規定による勧告に従わない場合において、これを放置すれば津波、高潮等による著しい被害が生ずるおそれがあると認められるときは、その被害の防止のため必要であり、かつ、当該操作施設の管理の状況その他の状況からみて相当であると認められる限度において、当該他の管理者に対し、相当の猶予期限を付けて、当該操作施設の開口部の閉塞その他当該操作施設を含む海岸保全施設の管理につき必要な措置を命ずることができる。

2　海岸管理者は、他の管理者が、その管理する操作施設について、前条第三項の規定による勧告に従わない場合において、これを放置すれば津波、高潮等による著しい被害が生ずるおそれがあると認められるときは、その被害の防止のため必要であり、かつ、当該操作施設の管理の状況その他の状況からみて相当であると認められる限度において、当該他の管理者に対し前項に規定する措置を命ずることができる。

3　海岸管理者は、前項の規定による命令により損失を受けた者に対し通常生ずべき損失を補償しなければならない。

4　第十二条の二第二項及び第三項の規定は、前項の場合について準用する。

本条…追加〔平成二六年六月法律六一号〕

（漁業権の取消等及び損失補償）

第二二条　都道府県知事は、海岸管理者の申請があつた場合において、海岸保全施設に関する工事を行うため特に必要があるときは、海岸保全区域内の水面に設定されている漁業権を取り消し、変更し、又はその行使の停止を命じなければならない。

2　海岸管理者は、前項の規定による漁業権の取消、変更又はその行使の停止によつて生じた損失を当該漁業権者に対し補償しなければならない。

3　漁業法（昭和二十四年法律第二百六十七号）第百七十七条第二項、第三項前段、第四項から第八項まで、第十一項及び第十二項の規定は、前項の規定による損失の補償について準用する。この場合において、同条第三項前段中「農林水産大臣が」とあるのは「都道府県知事が海区漁業調整委員会の意見を聴いて」と、同条第五項、第六項及び第十一項中「国」とあるのは「海岸管理者」と、同条第七項中「第五項」とあるのは「第五項並びに第八十九条第三項から第七項まで」と、同条第八項中「国税滞納処分」とあるのは「地方税の滞納処分」と、同条第十一項中「第一項第二号又は第三号の土地」とあるのは「海岸法（昭和三十一年法律第百一号）第二十二条第一項の規定により取り消された漁業権」と、同項及び同条第十二項中「有する者」とあるのは「有する者（登録先取特権者等に限る。）」と読み替えるものとする。

三項…一部改正〔平成一一年七月法律八七号・三〇年一二月九五号〕

（災害時における緊急措置）

第二三条　津波、高潮等の発生のおそれがあり、これによる被害を防止する措置をとるため緊急の必要があるときは、海岸管理者は、その現場において、必要な土地を使用し、土石、竹木その他の資材を使用し、若しくは収用し、車両その他の運搬具若しくは器具を使用し、又は工作物その他の障害物を処分することができる。

2　海岸管理者は、前項に規定する措置をとるため緊急の必要があるときは、その付近に居住する者又はその現場にある者を当該業務に従事させることができる。

3　海岸管理者は、第一項の規定による収用、使用又は処分により損失を受けた者に対し通常生ずべき損失を補償しなければならない。

4　第十二条の二第二項及び第三項の規定は、前項の場合について準用する。

5　第二項の規定により業務に従事した者が当該業務に従事したことにより死亡し、負傷し、若しくは病気にかかり、又は当該業務に従事したことによる負傷若しくは病気により死亡し、若しくは障害の状態となつたときは、海岸管理者は、政令で定めるところにより、その者又はその者の遺族若しくは被扶養者がこれらの原因によつて受ける損害を補償しなければならない。

本条…全部改正〔平成二六年六月法律六一号〕

参照　五項〔政令〕令五

（協議会）

第二三条の二　海岸管理者（第六条第一項の規定により海岸保全施設の新設、改良又は災害復旧に関する工事を施行する主務大臣を含む。）、国の関係行政機関の長及び関係地方公共団体の長は、海岸保全施設とその近接地に存する海水の侵入による被害を軽減する効用を有する施設の一体的な整備その他海岸の保全に関し必要な措置について協議を行うための協議会（以下この条において「協議会」という。）を組織することができる。

2　協議会は、必要があると認めるときは、学識経験を有する者その他の協議会が必要と認める者をその構成員として加えることができる。

3　協議会において協議が調つた事項については、協議会の構成員は、その協議の結果を尊重しなければならない。

4　前三項に定めるもののほか、協議会の運営に関し必要な事項は、協議会が定める。

本条…追加〔平成二六年六月法律六一号〕

（海岸協力団体の指定）

第二三条の三　海岸管理者は、次条に規定する業務を適正かつ確実に行うことができると認められる法人その他これに準ずるものとして主務省令で定める団体を、その申請により、海岸協力団体として指定することができる。

2　海岸管理者は、前項の規定による指定をしたときは、当該海岸協力団体の名称、住所及び事務所の所在地を公示しなければならない。

3　海岸協力団体は、その名称、住所又は事務所の所在地を変更しようとするときは、あらかじめ、その旨を海岸管理者に届け出なければならない。

4　海岸管理者は、前項の規定による届出があつたときは、当該届出に係る事項を公示しなければならない。

本条…追加〔平成二六年六月法律六一号〕

参照　一項〔主務省令〕規則七の三・七の四

（海岸協力団体の業務）

第二三条の四　海岸協力団体は、当該海岸協力団体を指定した海岸管理者が管理する海岸保全区域について、次に掲げる業務を行うものとする。

一　海岸管理者に協力して、海岸保全施設等に関する工事又は海岸保全施設等の維持を行うこと。

二　海岸保全区域の管理に関する情報又は資料を収集し、及び提供すること。

三　海岸保全区域の管理に関する調査研究を行うこと。

四　海岸保全区域の管理に関する知識の普及及び啓発を行うこと。

五　前各号に掲げる業務に附帯する業務を行うこと。

本条…追加〔平成二六年六月法律六一号〕

（監督等）

第二三条の五　海岸管理者は、前条各号に掲げる業務の適正かつ確実な実施を確保するため必要があると認めるときは、海岸協力団体に対し、その業務に関し報告をさせることができる。

2　海岸管理者は、海岸協力団体が前条各号に掲げる業務を適正かつ確実に実施していないと認めるときは、海岸協力団体に対し、その業務の運営の改善に関し必要な措置を講ずべきことを命ずることができる。

3　海岸管理者は、海岸協力団体が前項の規定による命令に違反したときは、その指定を取り消すことができる。

4　海岸管理者は、前項の規定により指定を取り消したときは、その旨を公示しなければならない。

本条…追加〔平成二六年六月法律六一号〕

（情報の提供等）

第二三条の六　主務大臣又は海岸管理者は、海岸協力団体に対し、その業務の実施に関し必要な情報の提供又は指導若しくは助言をするものとする。

本条…追加〔平成二六年六月法律六一号〕

（海岸協力団体に対する許可の特例）

第二三条の七　海岸協力団体が第二十三条の四各号に掲げる業務として行う主務省令で定める行為についての第七条第一項及び第八条第一項の規定の適用については、海岸協力団体と海岸管理者との協議が成立することをもつて、これらの規定による許可があつたものとみなす。

本条…追加〔平成二六年六月法律六一号〕

参照　〔主務省令〕規則七の五

（海岸保全区域台帳）

第二四条　海岸管理者は、海岸保全区域台帳を調製し、これを保管しなければならない。

2　海岸管理者は、海岸保全区域台帳の閲覧を求められたときは、正当な理由がなければこれを拒むことができない。

3　海岸保全区域台帳の記載事項その他その調製及び保管に関し必要な事項は、主務省令で定める。

参照　三項〔主務省令〕規則八

第三章　海岸保全区域に関する費用

（海岸保全区域の管理に要する費用の負担原則）

第二五条　海岸管理者が海岸保全区域を管理するために要する費用は、この法律及び公共土木施設災害復旧事業費国庫負担法（昭和二十六年法律第九十七号）並びに他の法律に特別の規定がある場合を除き、当該海岸管理者の属する地方公共団体の負担とする。ただし、第五条第六項の規定により市町村長が行う海岸保全区域の管理に要する費用は、当該市町村長が統括する市町村の負担とする。

本条…一部改正〔平成一一年五月法律五四号〕

参照　〔他の法律〕〔旧〕臨時石炭鉱害復旧法

（主務大臣の直轄工事に要する費用）

第二六条　第六条第一項の規定により主務大臣が施行する海岸保全施設の新設、改良又は災害復旧に要する費用は、国がその三分の二を、当該海岸管理者の属する地方公共団体がその三分の一を負担するものとする。

2　前項の場合において、当該海岸保全施設の新設又は改良によつて他の都府県も著しく利益を受けるときは、主務大臣は、政令で定めるところにより、その利益を受ける限度において、当該海岸保全施設を管理する海岸管理者の属する地方公共団体の負担すべき負担金の一部を著しく利益を受ける他の都府県に分担させることができる。

3　前項の規定により主務大臣が著しく利益を受ける他の都府県に負担金の一部を分担させようとする場合においては、主務大臣は、あらかじめ当該都府県の意見をきかなければならない。

一項…一部改正〔昭和三五年三月法律一三号・四一年三月一〇号・平成五年三月八号〕

参照　二項〔政令〕令七

（海岸管理者が管理する海岸保全施設の新設又は改良に要する費用の一部負担）

第二七条　海岸管理者が管理する海岸保全施設の新設又は改良に関する工事で政令で定めるものに要する費用は、政令で定めるところにより国がその一部を負担するものとする。

2　海岸管理者は、前項の工事を施行しようとするときは、あらかじめ、主務大臣に協議し、その同意を得なければならない。

3　主務大臣は、前項の同意をする場合には、第一項の規定により国が負担することとなる金額が予算の金額を超えない範囲内でしなければならない。

二・三項…一部改正〔平成二三年五月法律三七号〕

参照　一項〔政令〕令八・九

（市町村の分担金）

第二八条　前三条の規定により海岸管理者の属する地方公共団体が負担する費用のうち、都道府県である地方公共団体が負担し、かつ、その工事又は維持が当該都道府県の区域内の市町村を利するものについては、当該工事又は維持による受益の限度において、当該市町村に対し、その工事又は維持に要する費用の一部を負担させることができる。

2　前項の費用について同項の規定により市町村が負担すべき金額は、当該市町村の意見をきいた上、当該都道府県の議会の議決を経て定めなければならない。

（負担金の納付）

第二九条　主務大臣が海岸保全施設の新設、改良又は災害復旧に関する工事を施行する場合においては、まず全額国費をもつてこれを施行した後、海岸管理者の属する地方公共団体又は負担金を分担すべき他の都府県は、政令で定めるところにより第二十六条第一項又は第二項の規定に基く負担金を国庫に納付しなければならない。

本条…一部改正〔昭和三五年三月法律一三号〕

参照〔政令〕令一〇

（兼用工作物の費用）

第三〇条　海岸管理者の管理する海岸保全施設が他の工作物の効用を兼ねるときは、当該海岸保全施設の管理に要する費用の負担については、海岸管理者と当該他の工作物の管理者とが協議して定めるものとする。

（原因者負担金）

第三一条　海岸管理者は、他の工事又は他の行為により必要を生じた当該海岸管理者の管理する海岸保全施設等に関する工事又は海岸保全施設等の維持の費用については、その必要を生じた限度において、他の工事又は他の行為につき費用を負担する者にその全部又は一部を負担させるものとする。

2　前項の場合において、他の工事が河川工事、道路に関する工事、地すべり防止工事又は急傾斜地崩壊防止工事であるときは、当該海岸保全施設等に関する工事の費用については、河川法第六十八条、道路法第五十九条第一項及び第三項、地すべり等防止法第三十五条第一項及び第三項又は急傾斜地の崩壊による災害の防止に関する法律第二十二条第一項の規定を適用する。

二項…全部改正〔昭和三三年三月法律三〇号〕、一部改正〔昭和三九年七月法律一六八号・四四年七月五七号〕、一・二項…一部改正〔平成一一年五月法律五四号〕

（附帯工事に要する費用）

第三二条　海岸管理者の管理する海岸保全施設に関する工事により必要を生じた他の工事又は当該海岸保全施設に関する工事を施行するため必要を生じた他の工事に要する費用は、第七条第一項及び第八条第一項の規定による許可に附した条件に特別の定がある場合並びに第十条第二項の規定による協議による場合を除き、その必要を生じた限度において、当該海岸管理者の属する地方公共団体がその全部又は一部を負担するものとする。

2　前項の場合において、他の工事が河川工事、道路に関する工事、砂防工事又は地すべり防止工事であるときは、他の工事に要する費用については、河川法第六十七条、道路法第五十八条第一項、砂防法第十六条又は地すべり等防止法第三十四条第一項の規定を適用する。

3　海岸管理者は、第一項の海岸保全施設に関する工事が他の工事又は他の行為のため必要となつたものである場合においては、同項の他の工事に要する費用の全部又は一部をその必要を生じた限度において、その原因となつた工事又は行為につき費用を負担する者に負担させることができる。

二項…全部改正〔昭和三三年三月法律三〇号〕、一部改正〔昭和三九年七月法律一六八号〕

（受益者負担金）

第三三条　海岸管理者は、その管理する海岸保全施設に関する工事によつて著しく利益を受ける者がある場合においては、その利益を受ける限度において、当該工事に要する費用の一部を負担させることができる。

2　前項の場合において、負担金の徴収を受ける者の範囲及びその徴収方法については、海岸管理者の属する地方公共団体の条例で定める。

三項…削除〔昭和三八年六月法律九九号〕

（負担金の通知及び納入手続等）

第三四条　第十二条及び前三条の規定による負担金の額の通知及び納入手続その他負担金に関し必要な事項は、政令で定める。

本条…一部改正〔平成一一年五月法律五四号〕

参照〔政令〕令一一

（強制徴収）

第三五条　第十一条の規定に基づく占用料及び土石採取料並びに第十二条第十項、第三十条、第三十一条第一項、第三十二条第三項及び第三十三条第一項の規定に基づく負担金（以下この条及び次条においてこれらを「負担金等」と総称する。）を納付しない者があるときは、海岸管理者は、督促状によつて納付すべき期限を指定して督促しなければならない。

2　前項の場合においては、海岸管理者は、主務省令で定めるところにより延滞金を徴収することができる。ただし、延滞金は、年十四・五パーセントの割合を乗じて計算した額をこえない範囲内で定めなければならない。

3　第一項の規定による督促を受けた者がその指定する期限までにその納付すべき金額を納付しないときは、海岸管理者は、国税滞納処分の例により、前二項に規定する負担金等及び延滞金を徴収することができる。この場合における負担金等及び延滞金の先取特権の順位は、国税及び地方税に次ぐものとする。

4　延滞金は、負担金等に先だつものとする。

5　負担金等及び延滞金を徴収する権利は、これらを行使することができる時から五年間行使しないときは、時効により消滅する。

三項…一部改正〔昭和三四年四月法律一四八号〕、二項…一部改正〔昭和四五年四月法律一三号〕、一項…一部改正〔平成一一年五月法律五四号・二六年六月六一号〕、五項…一部改正〔平成二九年六月法律四五号〕

参照　二項〔主務省令〕規則九

（収入の帰属）

第三六条　負担金等及び前条第二項の延滞金は、当該海岸管理者の属する地方公共団体に帰属する。ただし、第五条第六項の規定により市町村長が行う海岸保全区域の管理に係るものは当該市町村長が統括する市町村に、主務大臣が第六条第一項の規定に基づき工事を施行する場合における第十二条第十項の規定に基づく負担金で主務大臣が負担させるものは国に帰属する。

本条…一部改正〔平成一一年五月法律五四号・二六年六月六一号〕

（義務履行のために要する費用）

第三七条　この法律又はこの法律によつてする処分による義務を履行するために必要な費用は、この法律に特別の規定がある場合を除き、当該義務者が負担しなければならない。

第三章の二　海岸保全区域に関する管理等の特例

本章…追加〔平成一一年五月法律五四号〕

（主務大臣による管理）

第三七条の二　国土保全上極めて重要であり、かつ、地理的条件及び社会的状況により都道府県知事が管理することが著しく困難又は不適当な海岸で政令で指定したものに係る海岸保全区域の管理は、第五条第一項から第四項までの規定にかかわらず、主務大臣が行うものとする。

2　主務大臣は、前項の政令の制定又は改廃の立案をしようとするときは、あらかじめ関係都道府県知事の意見を聴かなければならない。

3　第一項の規定により指定された海岸に係る第三条の規定による海岸保全区域の指定又は廃止は、主務大臣が行うものとする。

4　第一項の海岸保全区域を管理するために要する費用は、第二十五条の規定にかかわらず、国が負担するものとする。

5　第一項の規定により主務大臣が海岸保全区域の管理を行う場合における第三条第四項、第三十二条第一項、第三十三条第二項及び第三十六条の規定の適用については、第三条第四項中「都道府県知事」とあるのは「主務大臣」と、第三十二条第一項及び第三十六条中「当該海岸管理者の属する地方公共団体」とあるのは「国」と、第三十三条第二項中「海岸管理者の属する地方公共団体の条例」とあるのは「政令」とする。

本条…追加〔平成一一年五月法律五四号〕

参照　一項〔政令〕海岸法第三十七条の二第一項の海岸を指定する政令

第三章の三　一般公共海岸区域に関する管理及び費用

本章…追加〔平成一一年五月法律五四号〕

（管理）

第三七条の三　一般公共海岸区域の管理は、当該一般公共海岸区域の存する地域を統括する都道府県知事が行うものとする。

2　前項の規定にかかわらず、海岸保全区域、港湾区域又は漁港区域（以下この条及び第四十条において「特定区域」という。）に接する一般公共海岸区域のうち、特定区域を管理する海岸管理者、港湾管理者の長又は漁港管理者である地方公共団体の長（以下この条及び第四十条において「特定区域の管理者」という。）が管理することが適当であると認められ、かつ、都道府県知事と当該特定区域の管理者とが協議して定める区域については、当該特定区域の管理者がその管理を行うものとする。

3　前二項の規定にかかわらず、市町村の長は、都道府県知事（前項の規定により特定区域の管理者が管理する一般公共海岸区域にあつては、都道府県知事及び当該特定区域の管理者）との協議に基づき、当該市町村の区域に存する一般公共海岸区域の管理を行うことができる。

4　都道府県知事又は市町村長は、第二項の規定により協議して区域を定めるとき、又は前項の規定により協議して一般公共海岸区域の管理を行うときは、主務省令で定めるところにより、これを公示しなければならない。これを変更するときも、同様とする。

5　第二項及び第三項に規定する協議は、前項の公示によつてその効力を生ずる。

本条…追加〔平成一一年五月法律五四号〕

参照　四項〔主務省令〕規則一の四③

（一般公共海岸区域の占用）

第三七条の四　海岸管理者以外の者が一般公共海岸区域（水面を除く。）内において、施設又は工作物を設けて当該一般公共海岸区域を占用しようとするときは、主務省令で定めるところにより、海岸管理者の許可を受けなければならない。

本条…追加〔平成一一年五月法律五四号〕

参照　〔主務省令〕規則一一

（一般公共海岸区域における行為の制限）

第三七条の五　一般公共海岸区域内において、次に掲げる行為をしようとする者は、主務省令で定めるところにより、海岸管理者の許可を受けなければならない。ただし、政令で定める行為については、この限りではない。

一　土石を採取すること。

二　水面において施設又は工作物を新設し、又は改築すること。

三　土地の掘削、盛土、切土その他海岸の保全に支障を及ぼすおそれのある行為で政令で定める行為をすること。

本条…追加〔平成一一年五月法律五四号〕

参照　ただし書・三号〔政令〕令一二の二・一二の三、本文〔主務省令〕規則一一

第三七条の六　何人も、一般公共海岸区域（第二号から第四号までにあつては、海岸の利用、地形その他の状況により、海岸の保全上特に必要があると認めて海岸管理者が指定した区域に限る。）内において、みだりに次に掲げる行為をしてはならない。

一　海岸管理者が管理する施設又は工作物を損傷し、又は汚損すること。

二　油その他の通常の管理行為による処理が困難なものとして主務省令で定めるものにより海岸を汚損すること。

三　自動車、船舶その他の物件で海岸管理者が指定したものを入れ、又は放置すること。

四　その他海岸の保全に著しい支障を及ぼすおそれのある行為で政令で定めるものを行うこと。

2　海岸管理者は、前項各号列記以外の部分の規定又は同項第三号の規定による指定をするときは、主務省令で定めるところにより、その旨を公示しなければならない。これを廃止するときも、同様とする。

3　前項の指定又はその廃止は、同項の公示によつてその効力を生ずる。

本条…追加〔平成一一年五月法律五四号〕

参照　一項四号〔政令〕令一二の四、一項二号・二項〔主務省令〕規則一一

（経過措置）

第三七条の七　一般公共海岸区域に新たに該当することとなつた際現に当該一般公共海岸区域内において権原に基づき施設又は工作物を設置（工事中の場合を含む。）している者は、従前と同様の条件により、当該施設又は工作物の設置について第三十七条の四又は第三十七条の五の規定による許可を受けたものとみなす。一般公共海岸区域に新たに該当することとなつた際現に当該一般公共海岸区域内において権原に基づき同条第一号及び第三号に掲げる行為を行つている者についても、同様とする。

本条…追加〔平成一一年五月法律五四号〕

（準用規定）

第三七条の八　第十条第二項、第十一条、第十二条（第三項を除く。）、第十二条の二、第十六条、第十八条、第二十三条、第二十三条の三から第二十三条の七まで、第二十四条、第二十五条、第二十八条、第三十一条及び第三十四条から第三十七条までの規定は、一般公共海岸区域について準用する。この場合において、第十条第二項、第十一条、第十二条第一項及び第二項並びに第二十三条の七中「第七条第一項」とあるのは「第三十七条の四」と、第十条第二項、第十二条第一項及び第二項並びに第二十三条の七中「第八条第一項」とあるのは「第三十七条の五」と、第十一条中「第八条第一項第一号」とあるのは「第三十七条の五第一号」と、第十二条第一項中「第八条の二第一項第三号」とあるのは「第三十七条の六第一項第三号」と、「第八条の二第一項」とあるのは「第三十七条の六第一項」と、第二十四条中「海岸保全区域台帳」とあるのは「一般公共海岸区域台帳」と読み替えるものとする。

本条…追加〔平成一一年五月法律五四号〕、一部改正〔平成二六年六月法律六一号〕

第四章　雑則

（報告の徴収）

第三八条　主務大臣は、この法律の施行に関し必要があると認めるときは、都道府県知事、市町村長及び海岸管理者に対し報告又は資料の提出を求めることができる。

本条…一部改正〔平成一一年五月法律五四号〕

（許可等の条件）

第三八条の二　海岸管理者は、この法律の規定による許可又は承認には、海岸の保全上必要な条件を付することができる。

2　前項の条件は、許可又は承認を受けた者に対し、不当な義務を課することとなるものであつてはならない。

本条…追加〔平成一一年五月法律五四号〕

（審査請求）

第三九条　海岸管理者がこの法律の規定によつてした処分（第四十条の四第一項各号に掲げる事務に係るものに限る。）について不服がある者は、主務大臣に対して審査請求をすることができる。

一項…一部改正〔昭和三三年三月法律三〇号〕、本条…全部改正〔昭和三七年九月法律一六一号〕、二項…一部改正〔昭和五三年七月法律八七号〕、一項…一部改正・二項…削除〔平成一一年七月法律八七号〕

（裁定の申請）

第三九条の二　次に掲げる処分に不服がある者は、その不服の理由が鉱業、採石業又は砂利採取業との調整に関するものであるときは、公害等調整委員会に対して裁定の申請をすることができる。この場合には、審査請求をすることができない。

一　第七条第一項、第八条第一項、第三十七条の四若しくは第三十七条の五の規定による許可又はこれらの規定による許可を与えないこと。

二　第十二条第一項若しくは第二項（第三十七条の八において準用する場合を含む。）の規定による処分又はこれらの規定による必要な措置の命令

2　行政不服審査法（平成二十六年法律第六十八号）第二十二条の規定は、前項各号の処分につき、処分をした行政庁が誤つて審査請求又は再調査の請求をすることができる旨を教示した場合に準用する。

本条…追加〔昭和三七年九月法律一六一号〕、一項…一部改正〔昭和四七年六月法律五二号・平成一一年五月五四号〕、一・二項…一部改正〔平成二六年六月法律六九号〕

（主務大臣等）

第四〇条　この法律における主務大臣は、次のとおりとする。

一　港湾区域、港湾隣接地域、公告水域及び特定離島港湾区域に係る海岸保全区域に関する事項については、国土交通大臣

二　漁港区域に係る海岸保全区域に関する事項については、農林水産大臣

三　第三条の規定による海岸保全区域の指定の際現に国、都道府県、土地改良区その他の者が土地改良法（昭和二十四年法律第百九十五号）第二条第二項の規定による土地改良事業として管理している施設で海岸保全施設に該当するものの存する地域に係る海岸保全区域及び同法の規定により決定されている土地改良事業計画に基づき海岸保全施設に該当するものを設置しようとする地域に係る海岸保全区域に関する事項については、農林水産大臣

四　第三条の規定による海岸保全区域の指定の際現に都道府県、市町村その他の者が農地の保全のため必要な事業として管理している施設で海岸保全施設に該当するものの存する地域（前号に規定する地域を除く。）に係る海岸保全区域に関する事項については、農林水産大臣及び国土交通大臣

五　一般公共海岸区域のうち、第三十七条の三第二項の規定により特定区域の管理者が管理するものに関する事項については、前各号の規定により特定区域に関する事項を所掌する大臣

六　前各号に掲げる海岸保全区域等以外の海岸保全区域等に関する事項については、国土交通大臣

2　前項の規定にかかわらず、主務大臣を異にする海岸保全区域相互にわたる海岸保全施設で一連の施設として一の主務大臣がその管理を所掌することが適当であると認められるものについては、関係主務大臣が協議して別にその管理の所掌の方法を定めることができる。

3　前項の協議が成立したときは、関係主務大臣は、政令で定めるところにより、成立した協議の内容を公示するとともに、関係都道府県知事及び関係海岸管理者に通知しなければならない。

4　この法律における主務省令は、主務大臣の発する命令とする。

一項…一部改正〔昭和五三年七月法律八七号・平成一一年五月五四号〕、一項…一部改正・四項…追加〔平成一一年一二月法律一六〇号〕、一項…一部改正〔平成二二年六月法律四一号〕

参照　三項〔政令〕令一三

（権限の委任）

第四〇条の二　この法律に規定する主務大臣の権限は、政令で定めるところにより、その一部を地方支分部局の長に委任することができる。

本条…追加〔昭和四五年六月法律一一一号〕

参照〔政令〕令一四

（国有財産の無償貸付け）

第四〇条の三　国の所有する公共海岸の土地は、国有財産法（昭和二十三年法律第七十三号）第十八条の規定にかかわらず、当該土地の存する海岸保全区域等を管理する海岸管理者の属する地方公共団体に無償で貸し付けられたものとみなす。

本条…追加〔平成一一年七月法律八七号〕

（事務の区分）

第四〇条の四　この法律の規定により地方公共団体が処理することとされている事務のうち次に掲げるものは、地方自治法（昭和二十二年法律第六十七号）第二条第九項第一号に規定する第一号法定受託事務（次項において単に「第一号法定受託事務」という。）とする。

一　第二条第一項及び第二項、第二条の三、第三条第一項、第二項及び第四項、第四条第一項、第五条第一項から第五項まで、第七項及び第八項、第十三条、第十四条の五第一項、第十五条、第十六条第一項、第十七条第一項、第十八条第一項、第二項、第四項、第五項及び第七項、同条第八項において準用する第十二条の二第二項及び第三項、第十九条第一項、第三項及び第四項、第二十条第一項及び第二項、第二十一条第一項から第三項まで、同条第四項において準用する第十二条の二第二項及び第三項、第二十一条の三第一項から第三項まで、同条第四項において準用する第十二条の二第二項及び第三項、第二十二条第二項、同条第三項において準用する漁業法第百七十七条第二項、第三項前段、第四項から第八項まで、第十一項及び第十二項、第二十三条の三第一項、第二項及び第四項、第二十三条の五、第二十三条の六、第二十四条第一項及び第二項、第三十条、第三十一条第一項、第三十二条第三項、第三十三条第一項、第三十五条第一項及び第三項並びに第三十八条の規定により都道府県が処理することとされている事務（第五条第一項から第五項まで、第十四条の五第一項、第十五条、第十六条第一項、第十八条第一項、第二項、第四項、第五項及び第七項、同条第八項において準用する第十二条の二第二項及び第三項、第二十条第一項及び第二項、第二十三条の五、第二十三条の六、第三十条、第三十一条第一項、第三十五条第一項及び第三項並びに第三十八条に規定する事務にあつては、海岸保全施設に関する工事に係るものに限る。）

二　第二条第一項、第二条の三第四項（同条第七項において準用する場合を含む。）、第五条第二項から第五項まで、第十三条、第十四条の五第一項、第十五条、第十六条第一項、第十七条第一項、第十八条第一項、第二項、第四項、第五項及び第七項、同条第八項において準用する第十二条の二第二項及び第三項、第十九条第一項、第三項及び第四

項、第二十条第一項及び第二項、第二十一条第一項から第三項まで、同条第四項において準用する第十二条の二第二項及び第三項、第二十一条の三第一項から第三項まで、同条第四項において準用する第十二条の二第二項及び第三項、第二十二条第二項、同条第三項において準用する漁業法第百七十七条第二項、第三項前段、第四項から第八項まで、第十一項及び第十二項、第二十三条の三第一項、第二項及び第四項、第二十三条の五、第二十三条の六、第二十四条第一項及び第二項、第三十条、第三十一条第一項、第三十二条第三項、第三十三条第一項、第三十五条第一項及び第三項並びに第三十八条の規定により市町村が処理することとされている事務（第五条第二項から第五項まで、第十四条の五第一項、第十五条、第十六条第一項、第十八条第一項、第二項、第四項、第五項及び第七項、同条第八項において準用する第十二条の二第二項及び第三項、第二十条第一項及び第二項、第二十三条の五、第二十三条の六、第三十条、第三十一条第一項、第三十五条第一項及び第三項並びに第三十八条に規定する事務にあつては、海岸保全施設に関する工事に係るものに限る。）

2　他の法律及びこれに基づく政令の規定により、前項に規定する事務に関して都道府県又は市町村が処理することとされている事務は、第一号法定受託事務とする。

本条…追加〔平成一一年七月法律八七号〕、一項…一部改正〔平成一六年六月法律六一号・三〇年一二月九五号〕

（経過措置）

第四〇条の五　この法律の規定に基づき政令又は主務省令を制定し、又は改廃する場合においては、それぞれ、政令又は主務省令で、その制定又は改廃に伴い合理的に必要と判断される範囲内において、所要の経過措置（罰則に関する経過措置を含む。）を定めることができる。

本条…追加〔平成一一年五月法律五四号〕、旧四〇条の三…繰下〔平成一一年七月法律八七号〕

第五章　罰則

（罰則）

第四一条　次の各号の一に該当する者は、一年以下の懲役又は五十万円以下の罰金に処する。

一　第七条第一項の規定に違反して海岸保全区域を占用した者

二　第八条第一項の規定に違反して同項各号の一に該当する行為をした者

三　第八条の二第一項の規定に違反して海岸管理者が管理する海岸保全施設を損傷し、又は汚損した者

本条は、令和四法六八により改正され、令和七年六月一日から施行

（罰則）

第四一条　次の各号のいずれかに該当する者は、一年以下の拘禁刑又は五十万円以下の罰金に処する。

一　〔略〕

二　第八条第一項の規定に違反して同項各号のいずれかに該当する行為をした者

三　〔略〕

本条…一部改正〔平成一一年五月法律五四号〕

第四二条　次の各号の一に該当する者は、六月以下の懲役又は三十万円以下の罰金に処する。

一　第八条の二第一項の規定に違反して同項各号の一に該当する行為をした者（前条第三号に掲げる者を除く。）

二　第十八条第六項（第三十七条の八において準用する場合を含む。）の規定に違反して土地若しくは水面の立入若しくは一時使用を拒み、又は妨げた者

三　第二十条第一項の規定による報告若しくは資料の提出をせず、又は虚偽の報告若しくは資料の提出をした者

四　第二十条第一項の規定による立入検査を拒み、妨げ、又は忌避した者

五　第三十七条の四の規定に違反して一般公共海岸区域を占用した者

六　第三十七条の五の規定に違反して同条各号の一に該当する行為をした者

七　第三十七条の六第一項の規定に違反して同項各号の一に該当する行為をした者

本条は、令和四法六八により改正され、令和七年六月一日から施行

第四二条　次の各号のいずれかに該当する者は、六月以下の拘禁刑又は三十万円以下の罰金に処する。

一　第八条の二第一項の規定に違反して同項各号のいずれかに該当する行為をした者（前条第三号に掲げる者を除く。）

二　第十八条第六項（第三十七条の八において準用する場合を含む。）の規定に違反して土地若しくは水面の立入り若しくは一時使用を拒み、又は妨げた者

三～五　〔略〕

六　第三十七条の五の規定に違反して同条各号のいずれかに該当する行為をした者

七　第三十七条の六第一項の規定に違反して同項各号のいずれかに該当する行為をした者

本条…一部改正〔平成一一年五月法律五四号〕

（両罰規定）

第四三条　法人の代表者又は法人若しくは人の代理人、使用人その他の従業者が、その法人又は人の業務に関し、前二条の違反行為をしたときは、行為者を罰するほか、その法人又は人に対して各本条の罰金刑を科する。

附　則

（施行期日）

1　この法律は、公布の日から起算して六月をこえない範囲内において政令で定める日から施行する。

〔昭和三一年一一月政令三三一号により、昭和三一・一一・一〇から施行〕

（経過規定）

2　この法律の施行の際現に工事施行中の海岸保全施設に相当する施設の存する地域につき第三条の規定による指定があつた場合において、当該海岸保全区域についての主務大臣たるべき者と現に当該施設の管理を所掌する主務大臣とが異なるときは、第四十条第一項の規定にかかわらず、当該工事の完了するまでの間に限り、現に当該施設の管理を所掌する主務大臣を当該施設についての主務大臣とする。

3　この法律の施行の際現に工事施行中の海岸保全施設に相当する施設の存する地域につき第三条の規定による指定があつた場合において、当該海岸保全区域についての海岸管理者たるべき者と現に当該施設について工事を施行している地方公共団体の長とが異なるときは、第五条第一項から第四項までの規定にかかわらず、当該工事の完了するまでの間に限り、現に当該施設について工事を施行している地方公共団体の長を当該施設についての海岸管理者とする。

（昭和六十年度から平成四年度までの特例）

4　第二十六条第一項の規定の昭和六十年度から平成四年度までの各年度における適用については、同項ただし書中「三分の二」とあるのは「十分の六」と、「三分の一」とあるのは「十分の四」とする。

（国の無利子貸付け等）

5　国は、当分の間、海岸管理者の属する地方公共団体に対し、第二十七条第一項の規定により国がその費用について負担する海岸保全施設の新設又は改良に関する工事で日本電信電話株式会社の株式の売払収入の活用による社会資本の整備の促進に関する特別措置法（昭和六十二年法律第八十六号。次項において「社会資本整備特別措置法」という。）第二条第一項第二号に該当するものに要する費用に充てる資金について、予算の範囲内において、第二十七条第一項の規定（この規定による国の負担の割合について、この規定と異なる定めをした法令の規定がある場合には、当該異なる定めをした法令の規定を含む。以下同じ。）により国が負担する金額に相当する金額を無利子で貸し付けることができる。

6　国は、当分の間、地方公共団体に対し、前項の規定による場合のほか、海岸保全施設に関する工事及びこれと併せて海岸保全区域内において施行する海岸の環境の整備に関する工事で社会資本整備特別措置法第二条第一項第二号に該当するものに要する費用に充てる資金の一部を、予算の範囲内において、無利子で貸し付けることができる。

7　前二項の国の貸付金の償還期間は、五年（二年以内の据置期間を含む。）以内で政令で定める期間とする。

8　前項に定めるもののほか、附則第五項及び第六項の規定による貸付金の償還方法、償還期限の繰上げその他償還に関し必要な事項は、政令で定める。

9　附則第五項の規定により国が地方公共団体に対し貸付けを行う場合における第二十七条第三項の規定の適用については、同項中「第一項の規定により国が負担することとなる金額」とあるのは、「附則第五項の規定により国が貸し付けることとなる金額」とする。

10　国は、附則第五項の規定により、地方公共団体に対し貸付けを行つた場合には、当該貸付けの対象である工事に係る第二十七条第一項の規定による国の負担については、当該貸付金の償還時において、当該貸付金の償還金に相当する金額を交付することにより行うものとする。

11　国は、附則第六項の規定により、地方公共団体に対し貸付けを行つた場合には、当該貸付けの対象である工事について、当該貸付金に相当する金額の補助を行うものとし、当該補助については、当該貸付金の償還時において、当該貸付金の償還金に相当する金額を交付することにより行うものとする。

12　地方公共団体が、附則第五項及び第六項の規定による貸付けを受けた無利子貸付金について、附則第七項及び第八項の規定に基づき定められる償還期限を繰り上げて償還を行つた場合（政令で定める場合を除く。）における前二項の規定の適用については、当該償還は、当該償還期限の到来時に行われたものとみなす。

四項…追加・旧四―一五項…五―一六項に繰下〔昭和三五年三月法律四〇号〕、五項…全部改正〔昭和六〇年五月法律四六号〕、六―一三項…全部改正〔昭和六一年五月法律八七号〕、五項…一部改正〔昭和六二年九月法律八七号〕、五項…一部改正〔平成元年四月法律二二号・三年三月一五号・五年三月八号〕、四・六・八項…一部改正〔平成一四年二月法律一号〕、四項…一部改正〔平成一九年三月法律二三号〕、四・一四―一六項…削除・旧五・七・八項…四・六・七項に繰上・旧六・九―一三項…一部改正し五・八―一二項に繰上〔平成二五年一一月法律七六号〕

参照　七項・八項・一二項〔政令〕令附則八項―一二項

附　則〔昭和四一年三月二八日法律第一〇号〕

1　この法律は、昭和四十一年四月一日から施行する。

2　昭和四十年度以前の年度の予算に係る負担金に係る経費の金額で昭和四十一年度以降に繰り越されたものに係る海岸保全施設の新設、改良又は災害復旧に要する費用についての国及び海岸管理者の属する地方公共団体の負担の割合については、改正後の海岸法第二十六条第一項ただし書の規定にかかわらず、なお従前の例による。

附　則〔昭和五九年八月一〇日法律第七一号抄〕

（施行期日）

第一条　この法律は、昭和六十年四月一日から施行する。〔以下略〕

（海岸法の一部改正に伴う経過措置）

第二十一条　この法律の施行前に第四十三条の規定による改正前の海岸法第十条第二項の規定により旧公社が海岸管理者にした協議に基づく占用又は行為は、第四十三条の規定による改正後の海岸法第七条第一項又は第八条第一項の規定により会社に対して海岸管理者がした許可に基づく占用又は行為とみなす。

（政令への委任）

第二七条　附則第二条から前条までに定めるもののほか、この法律の施行に関し必要な経過措置は、政令で定める。

附　則〔昭和五九年一二月二五日法律第八七号抄〕

（施行期日）

第一条　この法律は、昭和六十年四月一日から施行する。〔以下略〕

（海岸法の一部改正に伴う経過措置）

第一六条　この法律の施行前に第四十条の規定による改正前の海岸法第十条第二項の規定により旧公社が海岸管理者にした協議に基づく占用又は行為は、第四十条の規定による改正後の海岸法第七条第一項又は第八条第一項の規定により会社に対して海岸管理者がした許可に基づく占用又は行為とみなす。

附　則〔昭和六〇年五月一八日法律第三七号抄〕

（施行期日等）

1　この法律は、公布の日から施行する。

3　この法律による改正後の法律の昭和六十年度の特例に係る規定は、同年度の予算に係る国の負担又は補助（昭和五十九年度以前の年度における事務又は事業の実施により昭和六十年度に支出される国の負担又は補助及び昭和五十九年度以前の年度の国庫債務負担行為に基づき昭和六十年度に支出すべきものとされた国の負担又は補助を除く。）並びに同年度における事務又は事業の実施により昭和六十一年度以降の年度に支出される国の負担又は補助、昭和六十年度の国庫債務負担行為に基づき昭和六十一年度以降の年度に支出すべきものとされる国の負担又は補助及び昭和六十年度の歳出予算に係る国の負担又は補助で昭和六十一年度以降の年度に繰り越されるものについて適用し、昭和五十九年度以前の年度における事務又は事業の実施により昭和六十年度に支出される国の負担又は補助、昭和五十九年度以前の年度の国庫債務負担行為に基づき昭和六十年度に支出すべきものとされた国の負担又は補助及び昭和五十九年度以前の年度の歳出予算に係る国の負担又は補助で昭和六十年度に繰り越されたものについては、なお従前の例による。

附　則〔昭和六一年五月八日法律第四六号抄〕

1　この法律は、公布の日から施行する。

2　この法律〔中略〕による改正後の法律の昭和六十一年度から昭和六十三年度までの各年度の特例に係る規定並びに昭和六十一年度から昭和六十三年度までの各年度（昭和六十一年度及び昭和六十二年度の特例に係るものにあつては、昭和六十一年度及び昭和六十二年度。以下この項において同じ。）の予算に係る国の負担（当該国の負担に係る都道府県又は市町村の負担を含む。以下この項において同じ。）又は補助（昭和六十年度以前の年度における事務又は事業の実施により昭和六十一年度以降の年度に支出される国の負担又は補助及び昭和六十年度以前の年度の国庫債務負担行為に基づき昭和六十一年度以降の年度に支出すべきものとされた国の負担又は補助を除く。）並びに昭和六十一年度から昭和六十三年度までの各年度における事務又は事業の実施により昭和六十四年度（昭和六十一年度及び昭和六十二年度の特例に係るものにあつては、昭和六十三年度。以下この項において同じ。）以降の年度に支出される国の負担又は補助、昭和六十一年度から昭和六十三年度までの各年度の国庫債務負担行為に基づき昭和六十四年度以降の年度に支出すべきものとされる国の負担又は補助及び昭和六十一年度から昭和六十三年度までの各年度の歳出予算に係る国の負担又は補助で昭和六十四年度以降の年度に繰り越されるものについて適用し、昭和六十年度以前の年度における事務又は事業の実施により昭和六十一年度以降の年度に支出される国の負担又は補助、昭和六十年度以前の年度の国庫債務負担行為に基づき昭和六十一年度以降の年度に支出すべきものとされた国の負担又は補助及び昭和六十年度以前の年度の歳出予算に係る国の負担又は補助で昭和六十一年度以降の年度に繰り越されたものについては、なお従前の例による。

附　則〔昭和六一年一二月四日法律第九三号抄〕

（施行期日）

第一条　この法律は、昭和六十二年四月一日から施行する。〔以下略〕

（海岸法の一部改正に伴う経過措置）

第二九条　この法律の施行前に第百二十七条の規定による改正前の海岸法第十条第二項又は第十三条第二項の規定により日本国有鉄道が海岸管理者にした協議に基づく占用若しくは行為又は工事は、政令で定めるところにより、第百二十七条の規定による改正後の海岸法第七条第一項若しくは第八条第一項又は第十三条第一項の規定により承継法人及び清算事業団のうち政令で定める者に対して海岸管理者がした許可又は承認に基づく占用若しくは行為又は工事とみなす。

附　則〔平成元年四月一〇日法律第二二号抄〕

（施行期日等）

1　この法律は、公布の日から施行する。

2　この法律〔中略〕による改正後の法律の平成元年度及び平成二年度の特例に係る規定並びに平成元年度の特例に係る規定は、平成元年度及び平成二年度（平成元年度の特例に係るものにあっては、平成元年度。以下この項において同じ。）の予算に係る国の負担（当該国の負担に係る都道府県又は市町村の負担を含む。以下この項及び次項において同じ。）又は補助（昭和六十三年度以前の年度における事務又は事業の実施により平成元年度以降の年度に支出される国の負担及び昭和六十三年度以前の年度の国庫債務負担行為に基づき平成元年度以降の年度に支出すべきものとされた国の負担又は補助を除く。）並びに平成元年度及び平成二年度における事務又は事業の実施により平成三年度（平成元年度の特例に係るものにあっては、平成二年度。以下この項において同じ。）以降の年度に支出される国の負担、平成元年度及び平成二年度の国庫債務負担行為に基づき平成三年度以降の年度に支出すべきものとされる国の負担又は補助並びに平成元年度及び平成二年度の歳出予算に係る国の負担又は補助で平成三年度以降の年度に繰り越されるものについて適用し、昭和六十三年度以前の年度における事務又は事業の実施により平成元年度以降の年度に支出される国の負担、昭和六十三年度以前の年度の国庫債務負担行為に基づき平成元年度以降の年度に支出すべきものとされた国の負担又は補助及び昭和六十三年度以前の年度の歳出予算に係る国の負担又は補助で平成元年度以降の年度に繰り越されたものについては、なお従前の例による。

○国の補助金等の整理及び合理化並びに臨時特例等に関する法律（抄）

〔平成元年四月一〇日法律第二二号〕

（地方公共団体に対する財政金融上の措置）

第四八条　国は、この法律の規定（第十一条、第十二条、第十六条から第二十八条まで及び第三十四条の規定を除く。）による改正後の法律の規定により平成元年度及び平成二年度の予算に係る国の負担又は補助の割合の引下げ措置の対象となる地方公共団体に対し、その事務又は事業の執行及び財政運営に支障を生ずることのないよう財政金融上の措置を講ずるものとする。

附　則〔平成三年三月三〇日法律第一五号〕

〔沿革〕平成五年三月三一日法律第八号改正

1　この法律は、平成三年四月一日から施行する。

2　この法律［中略］による改正後の法律の平成三年度及び平成四年度の特例に係る規定並びに平成三年度の特例に係る規定は、平成三年度及び平成四年度（平成三年度の特例に係るものにあっては平成三年度とする。以下この項において同じ。）の予算に係る国の負担（当該国の負担に係る都道府県又は市町村の負担を含む。以下この項において同じ。）又は補助（平成二年度以前の年度における事務又は事業の実施により平成三年度以降の年度に支出される国の負担及び平成二年度以前の年度の国庫債務負担行為に基づき平成三年度以降の年度に支出すべきものとされた国の負担又は補助を除く。）並びに平成三年度及び平成四年度における事務又は事業の実施により平成五年度（平成三年度の特例に係るものにあっては平成四年度とする。以下この項において同じ。）以降の年度に支出される国の負担、平成三年度及び平成四年度の国庫債務負担行為に基づき平成五年度以降の年度に支出すべきものとされる国の負担又は補助並びに平成三年度及び平成四年度の歳出予算に係る国の負担又は補助で平成五年度以降の年度に繰り越されるものについて適用し、平成二年度以前の年度における事務又は事業の実施により平成三年度以降の年度に支出される国の負担、平成二年度以前の年度の国庫債務負担行為に基づき平成三年度以降の年度に支出すべきものとされた国の負担又は補助及び平成二年度以前の年度の歳出予算に係る国の負担又は補助で平成三年度以降の年度に繰り越されたものについては、なお従前の例による。

○国の補助金等の臨時特例等に関する法律（抄）

〔平成三年三月三〇日法律第一五号〕

〔沿革〕平成五年三月三一日法律第八号改正

第八章　地方公共団体に対する財政金融上の措置

（地方公共団体に対する財政金融上の措置）

第三四条　国は、この法律の規定による改正後の法律の規定により平成三年度及び平成四年度の予算に係る国の負担又は補助の割合の引下げ措置の対象となる地方公共団体に対し、その事務又は事業の執行及び財政運営に支障を生ずることのないよう財政金融上の措置を講ずるものとする。

附　則〔平成五年三月三一日法律第八号抄〕

（施行期日等）

1　この法律は、平成五年四月一日から施行する。

2　この法律［中略］による改正後の法律の規定は、平成五年度以降の年度の予算に係る国の負担（当該国の負担に係る都道府県又は市町村の負担を含む。以下この項において同じ。）又は補助（平成四年度以前の年度における事務又は事業の実施により平成五年度以降の年度に支出される国の負担及び平成四年度以前の年度の国庫債務負担行為に基づき平成五年度以降の年度に支出すべきものとされた国の負担又は補助を除く。）について適用し、平成四年度以前の年度における事務又は事業の実施により平成五年度以降の年度に支出される国の負担、平成四年度以前の年度の国庫債務負担行為に基づき平成五年度以降の年度に支出すべきものとされた国の負担又は補助及び平成四年度以前の年度の歳出予算に係る国の負担又は補助で平成五年度以降の年度に繰り越されたものについては、なお従前の例による。

附　則〔平成一一年五月二八日法律第五四号抄〕

（施行期日）

第一条　この法律は、公布の日から起算して一年を超えない範囲内において政令で定める日から施行する。ただし、第三十七条の二の規定は、公布の日から施行する。

〔平成一二年三月政令一一四号により、平成一二・四・一から施行〕

（海岸保全基本計画に関する経過措置）

第二条　この法律の施行の日以後この法律による改正後の海岸法（以下「新法」という。）第二条の三の規定に基づき当該海岸保全区域について海岸保全基本計画が定められるまでの間においては、この法律の施行の際現にこの法律による改正前の海岸法第二十三条の規定に基づき当該海岸保全区域について定められている海岸保全施設の整備に関する基本計画を、新法第二条の三の規定に基づき当該海岸保全区域について定められた海岸保全基本計画とみなす。

（一般公共海岸区域に関する経過措置）

第三条　この法律の施行の際現に一般公共海岸区域内において権原に基づき施設又は工作物を設置（工事中の場合を含む。）している者は、従前と同様の条件により、当該施設又は工作物の設置について第三十七条の四又は第三十七条の五の規定による許可を受けたものとみなす。この法律の施行の際現に一般公共海岸区域内において権原に基づき同条第一号及び第三号に掲げる行為を行っている者についても、同様とする。

附　則〔平成一一年七月一六日法律第八七号抄〕

（施行期日）

第一条　この法律は、平成十二年四月一日から施行する。ただし、次の各号に掲げる規定は、当該各号に定める日から施行する。

一　〔前略〕附則〔中略〕第百六十条、第百六十三条、第百六十四条並びに第二百二条の規定　公布の日

二～六　〔略〕

（海岸法の一部改正に伴う経過措置）

第一三二条　施行日前に第四百二十条の規定による改正前の海岸法（以下この条において「旧海岸法」という。）第四条第二項の規定による運輸大臣の同意を得た港湾管理者は、第四百二十条の規定による改正後の海岸法（以下この条において「新海岸法」という。）第四条第二項の規定による運輸大臣との協議を行ったものとみなす。

2　この法律の施行の際現に旧海岸法第四条第二項の規定によりされている同意の求めは、新海岸法第四条第二項の規定によりされた協議の申出とみなす。

3　施行日前に旧海岸法第二条第三項に規定する海岸管理者が旧海岸法の規定によってした処分（新海岸法第三十九条に規定する処分を除く。）及び都道府県知事が旧海岸法第二十二条第一項の規定によってした漁業権に関する処分についての審査請求については、なお従前の例による。

（国等の事務）

第一五九条　この法律による改正前のそれぞれの法律に規定するもののほか、この法律の施行前において、地方公共団体の機関が法律又はこれに基づく政令により管理し又は執行する国、他の地方公共団体その他公共団体の事務（附則第百六十一条において「国等の事務」という。）は、この法律の施行後は、地方公共団体が法律又はこれに基づく政令により当該地方公共団体の事務として処理するものとする。

（処分、申請等に関する経過措置）

第一六〇条　この法律（附則第一条各号に掲げる規定については、当該各規定。以下この条及び附則第百六十三条において同じ。）の施行前に改正前のそれぞれの法律の規定によりされた許可等の処分その他の行為（以下この条において「処分等の行為」という。）又はこの法律の施行の際現に改正前のそれぞれの法律の規定によりされている許可等の申請その他の行為（以下この条において「申請等の行為」という。）で、この法律の施行の日においてこれらの行為に係る行政事務を行うべき者が異なることとなるものは、附則第二条から前条までの規定又は改正後のそれぞれの法律（これに基づく命令を含む。）の経過措置に関する規定に定めるものを除き、この法律の施行の日以後における改正後のそれぞれの法律の適用については、改正後のそれぞれの法律の相当規定によりされた処分等の行為又は申請等の行為とみなす。

2　この法律の施行前に改正前のそれぞれの法律の規定により国又は地方公共団体の機関に対し報告、届出、提出その他の手続をしなければならない事項で、この法律の施行の日前にその手続がされていないものについては、この法律及びこれに基づく政令に別段の定めがあるもののほか、これを、改正後のそれぞれの法律の相当規定により国又は地方公共団体の相当の機関に対して報告、届出、提出その他の手続をしなければならない事項についてその手続がされていないものとみなして、この法律による改正後のそれぞれの法律の規定を適用する。

（不服申立てに関する経過措置）

第一六一条　施行日前にされた国等の事務に係る処分であって、当該処分をした行政庁（以下この条において「処分庁」という。）に施行日前に行政不服審査法に規定する上級行政庁（以下この条において「上級行政庁」という。）があったものについての同法による不服申立てについては、施行日以後においても、当該処分庁に引き続き上級行政庁があるものとみなして、行政不服審査法の規定を適用する。この場合において、当該処分庁の上級行政庁とみなされる行政庁は、施行日前に当該処分庁の上級行政庁であった行政庁とする。

2　前項の場合において、上級行政庁とみなされる行政庁が地方公共団体の機関であるときは、当該機関が行政不服審査法の規定により処理することとされる事務は、新地方自治法第二条第九項第一号に規定する第一号法定受託事務とする。

（手数料に関する経過措置）

第一六二条　施行日前においてこの法律による改正前のそれぞれの法律（これに基づく命令を含む。）の規定により納付すべきであった手数料については、この法律及びこれに基づく政令に別段の定めがあるもののほか、なお従前の例による。

（罰則に関する経過措置）

第一六三条　この法律の施行前にした行為に対する罰則の適用については、なお従前の例による。

（その他の経過措置の政令への委任）

第一六四条　この附則に規定するもののほか、この法律の施行に伴い必要な経過措置（罰則に関する経過措置を含む。）は、政令で定める。

2　〔略〕

附　則〔平成一二年五月一九日法律第七八号抄〕

（施行期日）

第一条　この法律は、平成十三年四月一日から施行する。〔以下略〕

（海岸法の一部改正に伴う経過措置）

第一三条　この法律の施行前に前条の規定による改正前の海岸法第四条第一項の規定による農林水産大臣との協議をした都道府県知事は、前条の規定による改正後の海岸法第四条第一項の規定による漁港管理者との協議をしたものとみなす。

附　則〔平成一九年三月三一日法律第二三号抄〕

〔沿革〕平成一九年七月六日法律第一〇九号改正

（施行期日）

第一条　この法律は、平成十九年四月一日から施行し、平成十九年度の予算から適用する。ただし、次の各号に掲げる規定は、当該各号に定める日から施行〔中略〕する。

一　附則〔中略〕第二百八十六条〔中略〕の規定　平成二十年四月一日

一の二～三　〔略〕

（罰則に関する経過措置）

第三九一条　この法律の施行前にした行為及びこの附則の規定によりなお従前の例によることとされる場合におけるこの法律の施行後にした行為に対する罰則の適用については、なお従前の例による。

（その他の経過措置の政令への委任）

第三九二条　附則第二条から第六十五条まで、第六十七条から第二百五十九条まで及び第三百八十二条から前条までに定めるもののほか、この法律の施行に関し必要となる経過措置は、政令で定める。

附　則〔平成二三年五月二日法律第三七号抄〕

（施行期日）

第一条　この法律は、公布の日から施行する。〔以下略〕

（海岸法の一部改正に伴う経過措置）

第一六条　この法律の施行の日前に第三十四条の規定による改正前の海岸法第二十七条第二項の規定によりされた承認又はこの法律の施行の際現に同項の規定によりされている承認の申請は、それぞれ第三十四条の規定による改正後の海岸法第二十七条第二項の規定によりされた同意又は協議の申出とみなす。

（罰則に関する経過措置）

第二三条　この法律（附則第一条各号に掲げる規定にあっては、当該規定）の施行前にした行為に対する罰則の適用については、なお従前の例による。

（政令への委任）

第二四条　附則第二条から前条まで及び附則第三十六条に規定するもののほか、この法律の施行に関し必要な経過措置は、政令で定める。

附　則〔平成二六年六月一一日法律第六一号抄〕

（施行期日）

第一条　この法律は、公布の日から起算して二月を超えない範囲内において政令で定める日から施行する。ただし、第十四条の次に四条を加える改正規定、第二十条（同条の前の見出しを含む。）及び第二十一条の改正規定、同条の次に二条を加える改正規定並びに第四十条の四の改正規定（同条第一項第一号中「第十三条」の下に「、第十四条の五第一項」を、「同条第四項において準用する第十二条の二第二項及び第三項」の下に「、第二十一条の三第一項から第三項まで、同条第四項において準用する第十二条の二第二項及び第三項」を、「（第五条第一項から第五項まで」の下に「、第十四条の五第一項」を加える部分及び同項第二号中「第十三条」の下に「、第十四条の五第一項」を、「同条第四項において準用する第十二条の二第二項及び第三項」の下に「、第二十一条の三第一項から第三項まで、同条第四項において準用する第十二条の二第二項及び第三項」を、「（第五条第二項から第五項まで」の下に「、第十四条の五第一項」を加える部分に限る。）並びに附則第四条（地方自治法（昭和二十二年法律第六十七号）別表第一海岸法（昭和三十一年法律第百一号）の項第一号イの改正規定中「第十三条」の下に「、第十四条の五第一項」を、「同条第四項において準用する第十二条の二第二項及び第三項」の下に「、第二十一条の三第一項から第三項まで、同条第四項において準用する第十二条の二第二項及び第三項」を、「（第五条第一項から第五項まで」の下に「、第十四条の五第一項」を加える部分及び同号ロの改正規定中「第十三条」の下に「、第十四条の五第一項」を、「同条第四項において準用する第十二条の二第二項及び第三項」の下に「、第二十一条の三第一項から第三項まで、同条第四項において準用する第十二条の二第二項及び第三項」を、「（第五条第二項から第五項まで」の下に「、第十四条の五第一項」を加える部分に限る。）の規定は、公布の日から起算して六月を超えない範囲内において政令で定める日から施行する。

〔平成二六年政令二七〇号により、平成二六・八・一〇から施行。ただし書の規定は、平成二六年政令三八二号により、平成二六・一二・一〇から施行〕

（政令への委任）

第二条　この法律の施行に関し必要な経過措置は、政令で定める。

（検討）

第三条　政府は、この法律の施行後五年を経過した場合において、この法律による改正後の海岸法の施行の状況について検討を加え、必要があると認めるときは、その結果に基づいて所要の措置を講ずるものとする。

附　則〔平成二六年六月一三日法律第六九号抄〕

（施行期日）

第一条　この法律は、行政不服審査法（平成二十六年法律第六十八号）の施行の日〔平成二八年四月一日〕から施行する。

（経過措置の原則）

第五条　行政庁の処分その他の行為又は不作為についての不服申立てであってこの法律の施行前にされた行政庁の処分その他の行為又はこの法律の施行前にされた申請に係る行政庁の不作為に係るものについては、この附則に特別の定めがある場合を除き、なお従前の例による。

（訴訟に関する経過措置）

第六条　この法律による改正前の法律の規定により不服申立てに対する行政庁の裁決、決定その他の行為を経た後でなければ訴えを提起できないこととされる事項であって、当該不服申立てを提起しないでこの法律の施行前にこれを提起すべき期間を経過したもの（当該不服申立てが他の不服申立てに対する行政庁の裁決、決定その他の行為を経た後でなければ提起できないとされる場合にあっては、当該他の不服申立てを提起しないでこの法律の施行前にこれを提起すべき期間を経過したものを含む。）の訴えの提起については、なお従前の例による。

2　この法律の規定による改正前の法律の規定（前条の規定によりなお従前の例によることとされる場合を含む。）により異議申立てが提起された処分その他の行為であって、この法律の規定による改正後の法律の規定により審査請求に対する裁決を経た後でなければ取消しの訴えを提起することができないこととされるものの取消しの訴えの提起については、なお従前の例による。

3　不服申立てに対する行政庁の裁決、決定その他の行為の取消しの訴えであって、この法律の施行前に提起されたものについては、なお従前の例による。

（罰則に関する経過措置）

第九条　この法律の施行前にした行為並びに附則第五条及び前二条の規定によりなお従前の例によることとされる場合におけるこの法律の施行後にした行為に対する罰則の適用については、なお従前の例による。

（その他の経過措置の政令への委任）

第一〇条　附則第五条から前条までに定めるもののほか、この法律の施行に関し必要な経過措置（罰則に関する経過措置を含む。）は、政令で定める。

附　則〔令和四年六月一七日法律第六八号抄〕

（施行期日）

1　この法律は、刑法等一部改正法〔令和四年法律第六十七号〕施行日〔令和七年六月一日〕から施行する。ただし、次の各号に掲げる規定は、当該各号に定める日から施行する。

一　第五百九条の規定　公布の日

二　〔略〕

○刑法等の一部を改正する法律の施行に伴う関係法律の整理等に関する法律（抄）〔令和四年六月一七日法律第六八号〕

（罰則の適用等に関する経過措置）

第四四一条　刑法等の一部を改正する法律（令和四年法律第六十七号。以下「刑法等一部改正法」という。）及びこの法律（以下「刑法等一部改正法等」という。）の施行前にした行為の処罰については、次章に別段の定めがあるもののほか、なお従前の例による。

2　刑法等一部改正法等の施行後にした行為に対して、他の法律の規定によりなお従前の例によることとされ、なお効力を有することとされ又は改正前若しくは廃止前の法律の規定の例によることとされる罰則を適用する場合において、当該罰則に定める刑（刑法施行法第十九条第一項の規定又は第八十二条の規定による改正後の沖縄の復帰に伴う特別措置に関する法律第二十五条第四項の規定の適用後のものを含む。）に刑法等一部改正法第二条の規定による改正前の刑法（明治四十年法律第四十五号。以下この項において「旧刑法」という。）第十二条に規定する懲役（以下「懲役」という。）、旧刑法第十三条に規定する禁錮（以下「禁錮」という。）又は旧刑法第十六条に規定する拘留（以下「旧拘留」という。）が含まれるときは、当該刑のうち無期の懲役又は禁錮はそれぞれ無期拘禁刑と、有期の懲役又は禁錮はそれぞれその刑と長期及び短期（刑法施行法第二十条の規定の適用後のものを含む。）を同じくする有期拘禁刑と、旧拘留は長期及び短期（刑法施行法第二十条の規定の適用後のものを含む。）を同じくする拘留とする。

（裁判の効力とその執行に関する経過措置）

第四四二条　懲役、禁錮及び旧拘留の確定裁判の効力並びにその執行については、次章に別段の定めがあるもののほか、なお従前の例による。

（人の資格に関する経過措置）

第四四三条　懲役、禁錮又は旧拘留に処せられた者に係る人の資格に関する法令の規定の適用については、無期の懲役又は禁錮に処せられた者はそれぞれ無期拘禁刑に処せられた者と、有期の懲役又は禁錮に処せられた者はそれぞれ刑期を同じくする有期拘禁刑に処せられた者と、旧拘留に処せられた者は拘留に処せられた者とみなす。

2　拘禁刑又は拘留に処せられた者に係る他の法律の規定によりなお従前の例によることとされ、なお効力を有することとされ又は改正前若しくは廃止前の法律の規定の例によることとされる人の資格に関する法令の規定の適用については、無期拘禁刑に処せられた者は無期禁錮に処せられた者と、有期拘禁刑に処せられた者は刑期を同じくする有期禁錮に処せられた者と、拘留に処せられた者は刑期を同じくする旧拘留に処せられた者とみなす。

（経過措置の政令への委任）

第五〇九条　この編に定めるもののほか、刑法等一部改正法等の施行に伴い必要な経過措置は、政令で定める。

附　則〔令和五年五月二六日法律第三四号抄〕

（施行期日）

第一条　この法律は、公布の日から起算して一年を超えない範囲内において政令で定める日から施行する。〔以下略〕

〔令和五年一〇月政令三〇三号により、令和六・四・一から施行〕

○海岸法施行令

（昭和三十一年十一月七日政令第三百三十二号）

〔沿革〕　昭和三三年一一月五日政令第三〇八号、三五年三月三〇日第五五号、三七年七月二日第二八一号、四一年三月三一日第六六号、四二年六月一日第一二三号、四三年四月一七日第八四号、四四年三月二〇日第三〇号、四五年四月一七日第七五号、六月一日第一六一号、四六年四月一日第一〇六号、四七年五月二九日第二〇五号、一二月八日第四一六号、四八年四月二〇日第九一号、四九年三月一八日第五六号、四月一八日第一三一号、五〇年四月八日第一一二号、五一年五月一八日第一一八号、五二年四月一八日第九三号、五三年四月五日第一一三号、七月五日第二八二号、五五年四月一一日第九三号、五七年三月三〇日第五八号、五八年三月三一日第四六号、四月五日第八三号、五九年一〇月一日第二九七号、六〇年三月五日第二四号、五月一八日第一三〇号、七月一二日第二二七号、六一年五月八日第一五四号、六二年三月三一日第九八号、九月四日第二九三号、六三年四月八日第一一九号、平成元年四月一〇日第一〇五号、二年六月八日第一四七号、三年三月三〇日第九八号、四年四月一〇日第一四〇号、五年三月三一日第九三号、第九四号、一一年六月二三日第一九五号、一一月一〇日第三五二号、一二年三月二九日第一二五号、六月七日第三一二号、九月一三日第四二八号、一四年二月八日第二七号、三月二五日第六〇号、一五年三月二六日第七二号、一六年一〇月二七日第三二八号、二三年一二月二六日第四一四号、二六年三月二八日第九二号、八月六日第二七一号、一二月三日第三八三号、令和二年七月八日第二一七号、五年一〇月一八日第三〇四号改正

（海岸保全基本方針に定める事項等）

第一条　海岸法（以下「法」という。）第二条の二第一項の海岸保全基本方針に定める事項は、次のとおりとする。

一　海岸の保全に関する基本的な指針

二　一の海岸保全基本計画を作成すべき海岸の区分

三　海岸保全基本計画の作成に関する基本的な事項

2　海岸保全基本方針は、津波、高潮等による災害の発生の防止、多様な自然環境の保全、人と自然との豊かな触れ合いの確保、海岸利用者の利便の確保等を総合的に考慮して定めるものとする。

3　海岸保全基本方針は、環境基本法（平成五年法律第九十一号）第十五条第一項に規定する環境基本計画と調和するものでなければならない。

本条…追加〔平成一二年三月政令一二五号〕

（海岸保全基本計画に定める事項）

第一条の二　法第二条の三第一項の海岸保全基本計画に定める事項は、次のとおりとする。

一　海岸の保全に関する次に掲げる事項

イ　海岸の現況及び保全の方向に関する事項

ロ　海岸の防護に関する事項

ハ　海岸環境の整備及び保全に関する事項

ニ　海岸における公衆の適正な利用に関する事項

二　海岸保全施設の整備に関する次に掲げる事項

イ　海岸保全施設の新設又は改良に関する次に掲げる事項

(1)　海岸保全施設を新設又は改良しようとする区域

(2)　海岸保全施設の種類、規模及び配置

(3)　海岸保全施設による受益の地域及びその状況

ロ　海岸保全施設の維持又は修繕に関する次に掲げる事項

(1)　海岸保全施設の存する区域

(2)　海岸保全施設の種類、規模及び配置

(3)　海岸保全施設の維持又は修繕の方法

本条…追加〔平成一二年三月政令一二五号〕、一部改正〔平成二六年一二月政令三八三号〕

（関係海岸管理者が案を作成すべき事項）

第一条の三　法第二条の三第四項の規定により関係海岸管理者が案を作成すべき海岸保全施設の整備に関する事項は、前条第二号に掲げる事項とする。

本条…追加〔平成一二年三月政令一二五号〕

（市町村の長が行うことができる管理）

第一条の四　法第五条第六項の規定により市町村の長が行うこ

とができる管理は、法第四十条の四第一項第一号に規定する事務以外のものとする。

2　法第五条第六項の規定により市町村の長が海岸保全区域の管理の一部を行う場合においては、法中海岸保全区域の管理に関する事務であつて法第四十条の四第一項第一号に規定する事務以外のものに係る海岸管理者に関する規定は、市町村の長に関する規定として市町村の長に適用があるものとする。

本条…追加〔平成一二年三月政令一二五号〕

（海岸管理者の権限の代行）

第一条の五　法第六条第二項の規定により主務大臣が海岸管理者に代わつて行う権限は、次の各号に掲げるものとする。

一　法第二条第一項の規定により砂浜又は樹林の指定をすること。

二　法第二条の三第四項（同条第七項において準用する場合を含む。）の規定により海岸保全施設の整備に関する案を作成し、及び同条第五項（同条第七項において準用する場合を含む。）の規定により必要な措置を講ずること。

三　法第七条第一項又は第八条第一項の規定による許可を与えること。

四　法第八条の二第一項各号列記以外の部分若しくは同項第三号又は第三条の二第一項第二号の規定により区域若しくは物件又は行為の指定をすること。

五　法第十条第二項の規定により同項に規定する者と協議すること。

六　法第十二条第一項又は第二項に規定する処分をし、又は措置を命ずること。ただし、同条第二項第三号に該当する場合においては、同項に規定する処分をし、又は措置を命ずることはできない。

七　法第十二条第三項の規定により必要な措置を命ずること。

八　法第十二条第四項の規定により必要な措置を自ら行い、又はその命じた者若しくは委任をした者にこれを行わせること。

九　法第十二条第五項の規定により除却に係る海岸保全施設以外の施設又は工作物（除却を命じた同条第一項及び第三項の物件を含む。次号及び第三条の三から第三条の八までにおいて「他の施設等」という。）を保管し、及び法第十二条第六項の規定により公示すること。

十　法第十二条第七項の規定により他の施設等を売却し、及びその代金を保管し、同条第八項の規定により他の施設等を廃棄し、又は同条第九項の規定により売却した代金を売却に要した費用に充てること。

十一　法第十二条の二第一項から第三項までの規定により損失の補償について損失を受けた者と協議し、及び損失を補償すること。

十二　法第十三条第一項本文の規定により海岸保全施設に関する工事を行うことを承認し、又は同条第二項の規定により法第十条第二項に規定する者と協議すること。

十三　法第十四条の二第一項の規定により操作規則を定め、及び同条第三項（同条第四項において準用する場合を含む。）の規定により関係市町村長の意見を聴くこと。

十四　法第十四条の三第一項（同条第五項において準用する場合を含む。）の規定により操作規程を承認し、及び同条第三項（同条第五項において準用する場合を含む。）の規定により関係市町村長の意見を聴き、又は同条第四項（同条第五項において準用する場合を含む。）の規定により法第十条第二項に規定する者と協議すること。

十五　法第十五条の規定により海岸保全施設に関する工事を施行させること。

十六　法第十六条第一項の規定により海岸管理者が管理する海岸保全施設その他の施設又は工作物（以下この号及び第三条において「海岸保全施設等」という。）に関する工事又は海岸保全施設等の維持（海岸保全区域内の公共海岸の維持を含む。）を施行させること。

十七　法第十七条第一項の規定により他の工事を施行すること。

十八　法第十八条第一項の規定により他人の占有する土地若しくは水面に立ち入り、若しくは特別の用途のない他人の土地を材料置場若しくは作業場として一時使用し、又はその命じた者若しくはその委任を受けた者にこれらの行為をさせること。

十九　法第十八条第七項並びに同条第八項において準用する法第十二条の二第二項及び第三項の規定により損失の補償について損失を受けた者と協議し、及び損失を補償すること。

二十　法第十九条の規定により、損失の補償について損失を受けた者と協議し、及び補償金を支払い、又は補償金に代えて工事を行うことを要求し、並びに協議が成立しない場合において収用委員会に裁決を申請すること。

二十一　法第二十条第一項の規定により報告若しくは資料の提出を求め、又はその命じた者に海岸保全施設に立ち入り、これを検査させること。

二十二　法第二十一条第一項又は第二項の規定により必要な措置を命ずること。

二十三　法第二十一条第三項並びに同条第四項において準用する法第十二条の二第二項及び第三項の規定により損失の補償について損失を受けた者と協議し、及び損失を補償すること。

二十四　法第二十一条の二の規定により勧告し、又は公表すること。

二十五　法第二十一条の三第一項又は第二項の規定により必要な措置を命ずること。

二十六　法第二十一条の三第三項並びに同条第四項において準用する法第十二条の二第二項及び第三項の規定により損失の補償について損失を受けた者と協議し、及び損失を補償すること。

二十七　法第二十二条第一項の規定により漁業権の取消し、変更又はその行使の停止を都道府県知事に求め、並びに同条第二項並びに同条第三項において準用する漁業法（昭和二十四年法律第二百六十七号）第百七十七条第二項、第三項前段、第四項から第八項まで、第十一項及び第十二項の規定により損失を補償すること。

二十八　法第二十三条第一項の規定により必要な土地を使用し、土石、竹木その他の資材を使用し、若しくは収用し、車両その他の運搬具若しくは器具を使用し、若しくは工作物その他の障害物を処分し、又は同条第二項の規定によりその付近に居住する者若しくはその現場にある者を業務に従事させること。

二十九　法第二十三条第三項並びに同条第四項において準用する法第十二条の二第二項及び第三項の規定により損失の補償について損失を受けた者と協議し、及び損失を補償すること。

三十　法第二十三条第五項の規定により損害を補償すること。

三十一　法第二十三条の三の規定により、海岸協力団体の指定をし、及び当該海岸協力団体の名称等を公示し、又は海岸協力団体による届出を受理し、及び当該届出に係る事項を公示すること。

三十二　法第二十三条の五の規定により、報告を求め、必要な措置を講ずべきことを命じ、又は海岸協力団体の指定を取り消し、及びその旨を公示すること。

三十三　法第二十三条の六の規定により情報の提供又は指導若しくは助言をすること。

三十四　法第二十三条の七の規定により海岸協力団体と協議すること。

三十五　法第三十条の規定により他の工作物の効用を兼ねる海岸保全施設の新設又は改良に関する工事に要する費用の負担について当該他の工作物の管理者と協議すること。

三十六　法第三十八条の二の規定により法の規定による許可又は承認に海岸の保全上必要な条件を付すること。

2　前項に規定する主務大臣の権限は、法第六条第三項の規定に基づき公示された工事の区域（前項第二十八号から第三十号までに掲げる権限にあつては、主務大臣が海岸管理者の意見を聴いて定め、主務省令で定めるところにより公示した区域を除く。）につき、同条第三項の規定に基づき公示された工事の開始の日から当該工事の完了又は廃止の日までに限り行うことができるものとする。ただし、前項第九号から第十一号まで、第十九号、第二十号、第二十三号、第二十六号、第二十七号（法第二十二条第二項並びに同条第三項において準用する漁業法第百七十七条第二項、第三項前段、第四項から第八項まで、第十一項及び第十二項の規定により損失を補償する部分に限る。）、第二十九号、第三十号及び第三十五号に掲げる権限は、当該工事の完了又は廃止の日の後においても行うことができる。

3　主務大臣は、第一項第一号、第三号から第八号まで、第十二号、第十四号から第十六号まで、第二十二号、第二十四号、第二十五号、第三十一号、第三十二号、第三十四号又は第三十五号に掲げる権限を行つた場合においては、遅滞なく、その旨を海岸管理者に通知しなければならない。

旧二条…繰上・一・二項…一部改正〔昭和六〇年七月政令二二七号〕、一項…一部改正〔平成一一年一二月政令三五二号〕、旧一条…繰下・一・三項…一部改正〔平成一二年三月政令一二五号〕、一—三項…一部改正〔平成二六年八月政令二七一号・一二月三八三号〕、一・二項…一部改正〔令和二年七月政令二一七号〕

参照　二項〔主務省令〕規則一の五

（海岸保全区域内における制限行為で許可を要しない行為）

第二条　法第八条第一項ただし書の政令で定める行為は、次の各号に掲げるものとする。

一　公有水面埋立法（大正十年法律第五十七号）の規定による埋立ての免許又は承認を受けた者が行う当該免許又は承認に係る行為

二　鉱業権者又は租鉱権者が行う行為で次に掲げるもの

イ　鉱山保安法（昭和二十四年法律第七十号）第十三条第一項の規定により届出をした施設の設置又は変更の工事

ロ　鉱山保安法第三十六条の規定による産業保安監督部長の命令又は同法第四十八条第一項の規定による鉱務監督官の命令の実施に係る行為

ハ　鉱業法（昭和二十五年法律第二百八十九号）第六十三条第一項の規定により届出をし、又は同条第二項（同法第八十七条において準用する場合を含む。）若しくは同法第六十三条の二第一項若しくは第二項の規定により認可を受けた施業案（同法第六十三条の三の規定により同法第六十三条の二第一項又は第二項の認可を受けたものとみなされた施業案を含む。）の実施に係る行為

三　土地改良法（昭和二十四年法律第百九十五号）の規定に基づき、同法の規定による土地改良事業の計画の実施に係る行為

四　漁港及び漁場の整備等に関する法律（昭和二十五年法律第百三十七号）第三十九条第一項本文の規定による許可を受けた者が行う当該許可に係る行為、同法第十七条第一項、第十八条第一項及び第十九条第一項の規定による特定漁港漁場整備事業計画並びに同法第二十六条の規定による漁港管理規程に基づいてする行為並びに同法第四十四条第一項に規定する認定計画（同法第四十二条第二項第二号及び第三号に掲げる事項（水面又は土地の占用に係るものに限る。）、同条第四項第二号に掲げる事項又は同法第五十条第一項各号に掲げる事項が定められたものに限る。）に従つてする行為（同法第六条第一項から第四項までの規定により市町村長、都道府県知事又は農林水産大臣が指定した漁港の区域（以下「漁港区域」という。）内において行うものに限る。）

五　港湾法（昭和二十五年法律第二百十八号）の規定に基づき、港湾管理者のする港湾工事

六　森林法（昭和二十六年法律第二百四十九号）第三十四条第二項（同法第四十四条において準用する場合を含む。）の規定による許可を受けた者が行う当該許可に係る行為

七　工業用水法（昭和三十一年法律第百四十六号）第三条第一項の規定による許可を受けた者が行う当該許可に係る井戸の新設又は改築

八　載荷重が一平方メートルにつき十トン（海岸保全施設の構造又は地形、地質その他の状況により海岸管理者が載荷重を指定した場合には、当該載荷重）以内の施設又は工作物の公共海岸の土地以外の土地における新設又は改築

九　漁業を営むための施設又は工作物の水面における新設又は改築

十　海岸管理者が海岸の保全に支障があると認めて指定する施設又は工作物以外のものの水面における新設又は改築

十一　地表から深さ一・五メートル（海岸保全施設の構造又は地形、地質その他の状況により海岸管理者が深さを指定した場合には、当該深さ）以内の土地の掘削又は切土（海岸保全施設から五メートル（海岸保全施設の構造又は地形、地質その他の状況により海岸管理者が距離を指定した場合には、当該距離）以内の地域及び水面における土地の掘削又は切土を除く。）

十二　載荷重が一平方メートルにつき十トン（海岸保全施設の構造又は地形、地質その他の状況により海岸管理者が載荷重を指定した場合には、当該載荷重）以内の盛土

本条…一部改正〔昭和三七年七月政令二八一号・四九年三月五六号・六〇年三月二四号〕、旧三条…繰上〔昭和六〇年七月政令二二七号〕、本条…一部改正〔平成一一年一一月政令三五二号・一二年三月一二五号・一四年三月六〇号・一六年一〇月三二八号・二三年一二月四一四号・令和五年一〇月三〇四号〕

（海岸保全区域における制限行為）

第三条　法第八条第一項第三号の政令で定める行為は、木材その他の物件を投棄し、又は係留する等の行為で海岸保全施設等を損壊するおそれがあると認めて海岸管理者が指定するものとする。

2　海岸管理者は、前項の規定による指定をするときは、主務省令で定めるところにより、その旨を公示しなければならない。これを変更し、又は廃止するときも、同様とする。

旧四条…繰上〔昭和六〇年七月政令二二七号〕、一項…一部改正・二項…追加〔平成一二年三月政令一二五号〕

参照　二項〔主務省令〕規則四の二

（海岸の保全に著しい支障を及ぼすおそれのある行為の禁止）

第三条の二　法第八条の二第一項第四号の政令で定める海岸の保全に著しい支障を及ぼすおそれのある行為は、次に掲げるものとする。

一　土石（砂を含む。）を捨てること。

二　土地の表層のはく離、たき火その他の行為であつて、動物若しくは動物の卵又は植物の生息地又は生育地の保護に支障を及ぼすおそれがあるため禁止する必要があると認めて海岸管理者が指定するものを行うこと。

2　前条第二項の規定は、前項第二号の規定による指定について準用する。

本条…追加〔平成一二年三月政令一二五号〕

参照　二項〔主務省令〕規則四の四

（他の施設等を保管した場合の公示事項）

第三条の三　法第十二条第六項の政令で定める事項は、次に掲げるものとする。

一　保管した他の施設等の名称又は種類、形状及び数量

二　保管した他の施設等の放置されていた場所及び当該他の施設等を除却した日時

三　当該他の施設等の保管を始めた日時及び保管の場所

四　前三号に掲げるもののほか、保管した他の施設等を返還するため必要と認められる事項

本条…追加〔平成一二年三月政令一二五号〕、一部改正〔平成二六年八月政令二七一号〕

（他の施設等を保管した場合の公示の方法）

第三条の四　法第十二条第六項の規定による公示は、次に掲げる方法により行わなければならない。

一　前条各号に掲げる事項を、保管を始めた日から起算して十四日間、当該海岸管理者の事務所に掲示すること。

二　前号の公示の期間が満了しても、なお当該他の施設等の所有者、占有者その他他の施設等について権原を有する者（第三条の八において「所有者等」という。）の氏名及び住所を知ることができないときは、前条各号に掲げる事項の要旨を公報又は新聞紙に掲載すること。

2　海岸管理者は、前項に規定する方法による公示を行うとともに、主務省令で定める様式による保管した他の施設等一覧簿を当該海岸管理者の事務所に備え付け、かつ、これをいつでも関係者に自由に閲覧させなければならない。

本条…追加〔平成一二年三月政令一二五号〕、一項…一部改正〔平成二六年八月政令二七一号〕

参照　二項〔主務省令〕規則五の二

（他の施設等の価額の評価の方法）

第三条の五　法第十二条第七項の規定による他の施設等の価額の評価は、当該他の施設等の購入又は製作に要する費用、使用年数、損耗の程度その他当該他の施設等の価額の評価に関する事情を勘案してするものとする。この場合において、海岸管理者は、必要があると認めるときは、他の施設等の価額の評価に関し専門的知識を有する者の意見を聴くことができる。

本条…追加〔平成一二年三月政令一二五号〕、一部改正〔平成二六年八月政令二七一号〕

（保管した他の施設等を売却する場合の手続等）

第三条の六　法第十二条第七項の規定による保管した他の施設等の売却は、競争入札に付して行わなければならない。ただし、競争入札に付しても入札者がない他の施設等その他競争

入札に付することが適当でないと認められる他の施設等については、随意契約により売却することができる。

本条…追加〔平成一二年三月政令一二五号〕、一部改正〔平成二六年八月政令二七一号〕

第三条の七　海岸管理者は、前条本文の規定による競争入札のうち一般競争入札に付そうとするときは、その入札期日の前日から起算して少なくとも五日前までに、当該他の施設等の名称又は種類、形状、数量その他主務省令で定める事項を当該海岸管理者の事務所に掲示し、又はこれに準ずる適当な方法で公示しなければならない。

2　海岸管理者は、前条本文の規定による競争入札のうち指名競争入札に付そうとするときは、なるべく三人以上の入札者を指定し、かつ、それらの者に当該他の施設等の名称又は種類、形状、数量その他主務省令で定める事項をあらかじめ通知しなければならない。

3　海岸管理者は、前条ただし書の規定による随意契約によろうとするときは、なるべく二人以上の者から見積書を徴さなければならない。

本条…追加〔平成一二年三月政令一二五号〕

参照　一項・二項〔主務省令〕規則五の三

（他の施設等を返還する場合の手続）

第三条の八　海岸管理者は、保管した他の施設等（法第十二条第七項の規定により売却した代金を含む。）を所有者等に返還するときは、返還を受ける者にその氏名及び住所を証するに足りる書類を提出させる等の方法によつてその者が当該他の施設等の返還を受けるべき所有者等であることを証明させ、かつ、主務省令で定める様式による受領書と引換えに返還するものとする。

本条…追加〔平成一二年三月政令一二五号〕、一部改正〔平成二六年八月政令二七一号〕

参照　〔主務省令〕規則五の四

（損失補償の裁決申請手続）

第四条　法第十二条の二第三項（法第十八条第八項、第二十一条第四項、第二十一条の三第四項及び第二十三条第四項において準用する場合を含む。）又は第十九条第四項の規定により、土地収用法（昭和二十六年法律第二百十九号）第九十四条の規定による裁決を申請しようとする者は、主務省令で定める様式に従い、次の各号に掲げる事項を記載した裁決申請書を収用委員会に提出しなければならない。

一　裁決申請者の氏名及び住所（法人にあつては、その名称、代表者の氏名及び住所）
二　相手方の氏名及び住所（法人にあつては、その名称、代表者の氏名及び住所）
三　損失の事実
四　損失の補償の見積及びその内容
五　協議の経過

旧五条…繰上〔昭和六〇年七月政令二二七号〕、本条…一部改正〔平成二六年八月政令二七一号・一二月三八三号〕

参照　〔主務省令〕規則七

（災害時における緊急措置に係る損害補償の額等）

第五条　法第二十三条第五項の規定による損害補償は、非常勤消防団員等に係る損害補償の基準を定める政令（昭和三十一年政令第三百三十五号）中水防法（昭和二十四年法律第百九十三号）第二十四条の規定により水防に従事した者に係る損害補償の基準を定める規定の例により行うものとし、この場合における手続その他必要な事項は、主務省令で定める。

本条…全部改正〔平成二六年八月政令二七一号〕

参照　〔主務省令〕規則七の二

第六条　削除〔平成二六年八月政令二七一号〕

（他の都府県が分担する負担金の額）

第七条　法第二十六条第二項の規定により他の都府県に分担させる負担金の額は、海岸保全施設の新設又は改良によつて当該他の都府県の受ける利益の程度並びに当該海岸保全施設の存する都府県及び当該他の都府県の受ける利益の割合を考慮して主務大臣が定めるものとする。

（国が費用を負担する工事の範囲及び国庫負担率）

第八条　法第二十七条第一項の規定により国が費用を負担する工事及び当該工事に要する費用に対する国の負担率は、次のとおりとする。

一　地盤の変動により必要を生じた海岸保全施設の新設又は改良に関する工事で海岸保全の機能を従前の状態までに復旧するもの　二分の一
二　海水による著しい侵食を防止するための海岸保全施設の新設又は改良に関する工事　二分の一
三　前二号に掲げるものを除き、海岸保全施設の新設又は改良に関する工事で公共土木施設災害復旧事業費国庫負担法（昭和二十六年法律第九十七号）第二条第二項に規定する災害復旧事業（同法第二条第三項において災害復旧事業とみなされるものを含む。）と合併して施行する必要があるもの　二分の一
四　前三号に掲げるものを除き、海岸保全施設の新設又は改良に関する工事で大規模なもののうち次号に掲げるもの以外のもの　二分の一
五　第一号から第三号までに掲げるものを除き、海岸保全施設の新設又は改良に関する工事で大規模なもののうち主として市街地を保護するためのもの　五分の二
六　前各号に掲げるものを除き、海岸保全施設の新設又は改良に関する工事で主務大臣が指定するもの　三分の一

2　前項第一号、第二号、第四号及び第五号に掲げる工事で主務大臣が指定するものに要する費用に対する国の負担率は、同項の規定にかかわらず、三分の二とする。

3　第一項第二号から第五号までに掲げる工事で北海道において施行されるものに要する費用に対する国の負担率は、同項の規定にかかわらず、二十分の十一とする。

4　第一項第二号から第四号まで及び第六号に掲げる工事で離島振興法（昭和二十八年法律第七十二号）第四条第一項の離

島振興計画に基づくもの（第二項又は前項に規定する工事を除く。）に要する費用に対する国の負担率は、第一項の規定にかかわらず、同項第二号から第四号までに掲げる工事にあつては二十分の十一、同項第六号に掲げる工事にあつては二分の一とする。

二項…追加・旧二項…一部改正し三項に繰下〔昭和四一年三月政令六六号〕、四項…追加〔昭和四七年一二月政令四一六号〕、一－四項…一部改正〔平成五年三月政令九三号〕、四項…一部改正〔平成一五年三月政令七二号〕

（国庫負担額）

第九条　国が法第二十七条第一項の規定により負担する金額は、海岸保全施設に関する工事に要する費用の額（法第三十一条から第三十三条までの規定による負担金（以下「収入金」という。）があるときは、当該費用の額から収入金を控除した額。以下「負担基本額」という。）に前条に規定する国の負担率をそれぞれ乗じて得た額とする。

本条…一部改正〔昭和三五年三月政令第五五号〕

（地方公共団体負担額）

第一〇条　地方公共団体が法第二十九条の規定により国庫に納付する負担金の額は、負担基本額に法第二十六条第一項に規定する地方公共団体の負担割合を乗じて得た額（収入金があるときは当該額に収入金を加算し、法第二十六条第二項の規定により分担を命ぜられた他の都府県があるときは当該額から当該分担額を控除した額。以下「地方公共団体負担額」という。）とする。

（負担基本額等の通知）

第一一条　主務大臣は、海岸保全施設に関する工事を施行する場合においては、負担基本額及び地方公共団体負担額を当該海岸保全施設を管理する海岸管理者の属する地方公共団体に対して（法第二十六条第二項の規定により他の都府県に分担を命じたときは、当該分担額並びに負担基本額及び地方公共団体負担額を関係地方公共団体に対して）通知しなければならない。負担基本額、地方公共団体負担額又は都府県分担額を変更したときも、同様とする。

本条…一部改正〔昭和三五年三月政令五五号〕

（負担金の徴収手続）

第一二条　法第三十四条に規定する負担金の徴収については、地方自治法施行令（昭和二十二年政令第十六号）第百五十四条に規定する手続の例による。

本条…一部改正〔平成一二年三月政令一二五号〕

（一般公共海岸区域内における制限行為で許可を要しない行為）

第一二条の二　第二条（第八号を除く。）の規定は、法第三十七条の五ただし書の政令で定める行為について準用する。この場合において、第二条第十一号中「海岸保全施設の構造又は地形、地質その他の状況により海岸管理者が深さを指定した場合には、当該深さ）以内の土地の掘削又は切土（海岸保全施設から五メートル（海岸保全施設の構造又は地形、地質その他の状況により海岸管理者が距離を指定した場合には、当該距離）以内の地域及び水面における土地の掘削又は切土を除く。）」とあるのは「地形、地質その他の状況により海岸管理者が深さを指定した場合には、当該深さ）以内の土地の掘削又は切土」と、同条第十二号中「海岸保全施設の構造又は地形」とあるのは「地形」と読み替えるものとする。

本条…追加〔平成一二年三月政令一二五号〕

（一般公共海岸区域における制限行為）

第一二条の三　法第三十七条の五第三号の政令で定める行為は、木材その他の物件を投棄し、又は係留する等の行為で海岸管理者が管理する施設又は工作物を損壊するおそれがあると認めて海岸管理者が指定するものとする。

2　第三条第二項の規定は、前項の規定による指定について準用する。

本条…追加〔平成一二年三月政令一二五号〕

（海岸の保全に著しい支障を及ぼすおそれのある行為の禁止）

第一二条の四　法第三十七条の六第一項第四号の政令で定める海岸の保全に著しい支障を及ぼすおそれのある行為は、次に掲げるものとする。

一　土石（砂を含む。）を捨てること。

二　土地の表層のはく離、たき火その他の行為であつて、動物若しくは動物の卵又は植物の生息地又は生育地の保護に支障を及ぼすおそれがあるため禁止する必要があると認めて海岸管理者が指定するものを行うこと。

2　第三条第二項の規定は、前項第二号の規定による指定について準用する。

本条…追加〔平成一二年三月政令一二五号〕

（この政令の規定の一般公共海岸区域への準用）

第一二条の五　第三条の三から第五条まで及び第十二条の規定は、一般公共海岸区域について準用する。

本条…追加〔平成一二年三月政令一二五号〕、一部改正〔平成二六年八月政令二七一号〕

（関係主務大臣の協議の内容の公示）

第一三条　法第四十条第三項の公示は、次に掲げる事項を官報に掲載して行うものとする。

一　海岸保全施設の位置及び種類

二　管理を所掌する主務大臣

三　管理を所掌する期間

四　所掌する管理の内容

（権限の委任）

第一四条　法に規定する主務大臣の権限（農林水産大臣の権限のうち漁港区域に係る海岸保全区域に関する事項に係るものを除く。）のうち、第一条の五に規定するもの、法第二十三条の二第一項に規定するもの及び法第二十七条第二項に規定するもの（主務省令で定める工事に係るものを除く。）は次の表の上欄に掲げる主務大臣の権限ごとに、同表の下欄に掲げる地方支分部局の長に委任する。これらの主務大臣の権限に係る法第三十八条に規定する権限についても、同様とする。

主務大臣の権限	地方支分部局の長
農林水産大臣の権限	地方農政局長及び北海道開発局長
国土交通大臣の権限	地方整備局長及び北海道開発局長

2　法第三十七条の二第一項の規定による主務大臣の権限のうち、国土交通大臣に属する権限は、地方整備局長及び北海道開発局長に委任する。

本条…追加〔昭和四五年六月政令一六一号〕、一部改正〔昭和五〇年四月政令一一二号・六〇年七月二二七号〕、二項…追加〔平成一一年六月政令一九五号〕、一項…一部改正〔平成一二年三月政令一二五号〕、一・二項…一部改正〔平成一二年六月政令三一二号〕、一項…一部改正〔平成一二年九月政令四二八号・一四年三月六〇号・二六年八月二七一号〕

参照　一項〔主務省令〕規則一二

附　則

（施行期日）

1　この政令は、法施行の日（昭和三十一年十一月十日）から施行する。

（国庫負担率の特例）

2　第八条第一項の規定にかかわらず、昭和三十四年三月三十一日までに施行される同項第二号から第四号までに掲げる工事に要する費用に対する国の負担率は五分の三、同項第五号に掲げる工事に要する費用に対する国の負担率は二分の一とする。昭和三十三年度分の予算に係る負担金の経費の金額で翌年度に繰り越したものについても、同様とする。

3　この政令施行の際現に施行されている第八条第一項各号に掲げる工事で当該工事に要する費用に対する昭和三十一年度分の予算に係る国の補助金の補助率が同項各号又は前項に規定する国の負担率と異なるものに要する費用に対する国の負担率は、当該工事が完了するまでの間においては、第八条第一項及び前項の規定にかかわらず、当該工事に要する費用に対する昭和三十一年度分の予算に係る国の補助金の補助率によるものとする。ただし、当該工事で昭和三十四年四月一日以降において引き続き施行されるものについては、昭和三十三年度分の予算に係る負担金の経費の金額で翌年度に繰り越したものを除き、昭和三十四年四月一日以降においては昭和三十年度分の予算に係る国の補助金の補助率によるものとする。

4　前項本文の規定の適用を受ける工事を施行する海岸管理者が昭和三十二年度以降において新たに施行する第八条第一項第三号から第六号までに掲げる工事で別に政令で定めるものに要する費用に対する国の負担率については、同項及び附則第二項の規定にかかわらず、当分の間、別に政令で定めるところによる。

5　第八条第一項第一号及び第二項から第四項までの規定の昭和六十年度における適用については、同号及び同条第二項中「三分の二」とあるのは「五分の三」と、同条第三項中「五分の三」とあるのは「二十分の十一」と、同条第四項中「五分の三」とあるのは「二十分の十一」と、「二分の一」とあるのは「二分の一（都道府県知事が行うものにあつては、三十六分の十七）」とする。

6　第八条第一項第一号及び第二項から第四項までの規定の昭和六十一年度、平成三年度及び平成四年度における適用については、同号及び同条第二項中「三分の二」とあり、並びに同条第三項及び第四項中「五分の三」とあるのは、「二十分の十一」とする。

7　第八条第一項第一号及び第二項から第四項までの規定の昭和六十二年度から平成二年度までの各年度における適用については、同号中「三分の二」とあるのは「四十分の二十一（北海道において施行されるもの及び離島振興法（昭和二十八年法律第七十二号）第四条第一項の離島振興計画に基づくものにあつては、二十分の十一）」と、同条第二項中「三分の二」とあるのは「四十分の二十一（離島振興法第四条第一項の離島振興計画に基づくもの（同号に掲げる工事を除く。）にあつては、二十分の十一）」と、同条第三項及び第四項中「五分の三」とあるのは「二十分の十一」とする。

（国の貸付金の償還期間等）

8　法附則第七項の政令で定める期間は、五年（二年の据置期間を含む。）とする。

9　前項の期間は、日本電信電話株式会社の株式の売払収入の活用による社会資本の整備の促進に関する特別措置法（昭和六十二年法律第八十六号）第五条第一項の規定により読み替えて準用される補助金等に係る予算の執行の適正化に関する法律（昭和三十年法律第百七十九号）第六条第一項の規定による貸付けの決定（以下「貸付決定」という。）ごとに、当該貸付決定に係る法附則第五項及び第六項の規定による国の貸付金（以下「国の貸付金」という。）の交付を完了した日（その日が当該貸付決定があつた日の属する年度の末日の前日以後の日である場合には、当該年度の末日の前々日）の翌日から起算する。

10　国の貸付金の償還は、均等年賦償還の方法によるものとする。

11　国は、国の財政状況を勘案し、相当と認めるときは、国の貸付金の全部又は一部について、前三項の規定により定められた償還期限を繰り上げて償還させることができる。

12　法附則第十二項の政令で定める場合は、前項の規定により償還期限を繰り上げて償還を行つた場合とする。

五－七項…全部改正〔昭和五七年三月政令五八号〕、七項…一部改正〔昭和五八年三月政令四六号〕、五項…全部改正・六－八項…削除〔昭和六〇年五月政令一三〇号〕、六項…追加〔昭和六一年五月政令一五四号〕、六項…一部改正・七項…追加〔昭和六二年三月政令九八号〕、八－一二項…追加〔昭和六二年九月政令二九三号〕、七項…一部改正〔平成元年四月政令一〇五号〕、六項…一部改正〔平成三年三月政令九八号・五年三月九三号〕、八項…一部改正〔平成一四年二月政令二七号〕、七項…一部改正〔平成一五年三月政令七二号〕、八・九・一二項…一部改正〔平成二六年三月政令九二号〕

附　則〔昭和四一年三月三一日政令第六六号〕

1 この政令は、昭和四十一年四月一日から施行する。

2 昭和四十年度以前の年度の予算に係る負担金に係る経費の金額で昭和四十一年度以降に繰り越されたものに係る海岸保全施設の新設又は改良に関する工事に要する費用についての国の負担率については、改正後の第八条第二項の規定にかかわらず、なお従前の例による。

附　則〔昭和四七年一二月八日政令第四一六号〕

1 この政令は、昭和四十八年四月一日から施行する。〔以下略〕

2 国が北海道における第三種漁港又は第四種漁港について施行する漁港修築事業で離島振興法第五条第一項の離島振興計画（以下「離島振興計画」という。）に基づくものに要する費用のうち、昭和四十七年度の予算に係るもの（昭和四十八年度以降に繰り越されたものを含む。）に係る漁港法第二十条第一項の規定による負担金については、なお従前の例による。

3 次の各号に掲げる国の補助金又は負担金で離島振興計画に係るもののうち、昭和四十七年度の予算に係るもの（昭和四十八年度以降に繰り越されたものを含む。）についての国の補助割合又は負担割合については、なお従前の例による。

一　漁港法第二十条第四項の規定による補助金

二　海岸法第二十七条第一項の規定による負担金

三　廃棄物の処理及び清掃に関する法律第二十二条の規定による補助金

附　則〔昭和四九年四月一八日政令第一三一号〕

1 この政令は、公布の日から施行する。

2 昭和四十八年度以前の年度の予算に係る海岸保全施設の新設又は改良に関する工事でその工事に係る負担金に係る経費の金額が昭和四十九年度以降に繰り越されたものに要する費用についての国の負担率については、改正後の別表第二の規定にかかわらず、なお従前の例による。

附　則〔昭和五〇年四月八日政令第一一二号〕

1 この政令は、公布の日から施行する。

2 昭和四十九年度以前の年度の予算に係る海岸保全施設の新設又は改良に関する工事でその工事に係る負担金に係る経費の金額が昭和五十年度以降に繰り越されたものに要する費用についての国の負担率については、改正後の別表第二の規定にかかわらず、なお従前の例による。

附　則〔昭和五三年四月五日政令第一一三号〕

1 この政令は、公布の日から施行する。

2 昭和五十二年度以前の年度の予算に係る海岸保全施設の新設又は改良に関する工事でその工事に係る負担金に係る経費の金額が昭和五十三年度以降に繰り越されたものに要する費用についての国の負担率については、改正後の別表第一の規定にかかわらず、なお従前の例による。

附　則〔昭和五七年三月三〇日政令第五八号〕

1 この政令は、昭和五十七年四月一日から施行する。

2 改正後の海岸法施行令附則第五項から第七項まで〔中略〕の規定は、昭和五十七年度から昭和五十九年度までの間（以下この項において「特例適用期間」という。）における各年度の予算に係る国の負担又は補助（昭和五十六年度以前の年度の国庫債務負担行為に基づき昭和五十七年度以降の年度に支出すべきものとされた国の負担又は補助を除く。）並びに特例適用期間における各年度の国庫債務負担行為に基づき昭和六十年度以降の年度に支出すべきものとされる国の負担又は補助及び昭和五十九年度以前の年度の歳出予算に係る国の負担又は補助で昭和六十年度以降の年度に繰り越されるものにより実施される管理について適用し、昭和五十六年度以前の年度の国庫債務負担行為に基づき昭和五十七年度以降の年度に支出すべきものとされた国の負担又は補助及び昭和五十六年度以前の年度の歳出予算に係る国の負担又は補助で昭和五十七年度以降の年度に繰り越されたものにより実施される管理については、なお従前の例による。

附　則〔昭和五八年三月三一日政令第四六号〕

1 この政令は、昭和五十八年四月一日から施行する。

2 改正後の附則第七項の規定は昭和五十八年度及び昭和五十九年度の予算に係る国の負担（昭和五十七年度以前の年度の国庫債務負担行為に基づき昭和五十八年度以降の年度に支出すべきものとされた国の負担を除く。）並びに昭和五十八年度及び昭和五十九年度の国庫債務負担行為に基づき昭和六十年度以降の年度に支出すべきものとされる国の負担並びに昭和五十八年度及び昭和五十九年度の歳出予算に係る国の負担で昭和六十年度以降の年度に繰り越されるものにより実施される工事について適用し、昭和五十七年度以前の年度の国庫債務負担行為に基づき昭和五十八年度以降の年度に支出すべきものとされた国の負担及び昭和五十七年度以前の年度の歳出予算に係る国の負担で昭和五十八年度以降の年度に繰り越されたものにより実施される工事については、なお従前の例による。

附　則〔昭和六〇年三月五日政令第二四号抄〕

（施行期日）

第一条　この政令は、昭和六十年四月一日から施行する。

（海岸法施行令の一部改正に伴う経過措置）

第一九条　旧塩専売法第六条の規定による許可を受けた者がこの政令の施行前に着手したたばこ事業法等の施行に伴う関係法律の整備等に関する法律（以下「整備法」という。）第一条の規定による廃止前の製塩施設法（昭和二十七年法律第二百二十八号）第二条第四項に規定する製塩施設の新設、改良又は災害復旧の実施に係る行為で海岸法（昭和三十一年法律第百一号）第三条第一項に規定する海岸保全区域内において行うものは、同法第八条第一項の許可を受けた行為とみなす。

附　則〔昭和六〇年五月一八日政令第一三〇号〕

1 この政令は、公布の日から施行する。

2 〔前略〕第五条の規定による改正後の海岸法施行令の昭和六十年度の特例に係る規定は、同年度の予算に係る国の負担又は補助（昭和五十九年度以前の年度の国庫債務負担行為に基づき昭和六十年度に支出すべきものとされた国の負担又は補助を除く。）、昭和六十年度の国庫債務負担行為に基づき昭和六十一年度以降の年度に支出すべきものとされる国の負担又は補助及び昭和六十年度の歳出予算に係る国の負担又は補助で昭和六十一年度以降の年度に繰り越されるものについて適用し、昭和五十九年度以前の年度の国庫債務負担行為に基づき昭和六十年度に支出すべきものとされた国の負担又は補助及び昭和五十九年度以前の年度の歳出予算に係る国の負担又は補助で昭和六十年度に繰り越されたものについては、なお従前の例による。

附　則〔昭和六一年五月八日政令第一五四号〕

（施行期日）

1 この政令は、公布の日から施行する。

（経過措置）

2 改正後の〔中略〕海岸法施行令〔中略〕の規定は、昭和六十一年度から昭和六十三年度までの各年度（昭和六十一年度及び昭和六十二年度の特例に係るものにあつては、昭和六十一年度及び昭和六十二年度。以下この項において同じ。）の予算に係る国の負担又は補助（昭和六十年度以前の年度の国庫債務負担行為に基づき昭和六十一年度以降の年度に支出すべきものとされた国の負担又は補助を除く。）並びに昭和六十一年度から昭和六十三年度までの各年度の国庫債務負担行為に基づき昭和六十四年度（昭和六十一年度及び昭和六十二年度の特例に係るものにあつては、昭和六十三年度。以下この項において同じ。）以降の年度に支出すべきものとされる国の負担又は補助及び昭和六十一年度から昭和六十三年度までの各年度の歳出予算に係る国の負担又は補助で昭和六十四年度以降の年度に繰り越されるものについて適用し、昭和六十年度以前の年度の国庫債務負担行為に基づき昭和六十一年度以降の年度に支出すべきものとされた国の負担又は補助及び昭和六十年度以前の年度の歳出予算に係る国の負担又は補助で昭和六十一年度以降の年度に繰り越されたものについては、なお従前の例による。

附　則〔昭和六二年三月三一日政令第九八号抄〕

（施行期日）

1 この政令は、昭和六十二年四月一日から施行する。

（経過措置）

2 改正後〔中略〕の規定は、昭和六十二年度及び昭和六十三年度（昭和六十二年度の特例に係るものにあつては、昭和六十二年度。以下この項において同じ。）の予算に係る国の負担又は補助（昭和六十一年度以前の年度の国庫債務負担行為に基づき昭和六十二年度以降の年度に支出すべきものとされた国の負担又は補助を除く。）、昭和六十二年度及び昭和六十三年度の国庫債務負担行為に基づき昭和六十四年度（昭和六十二年度の特例に係るものにあつては、昭和六十三年度。以下この項において同じ。）以降の年度に支出すべきものとされる国の負担又は補助並びに昭和六十二年度及び昭和六十三年度の歳出予算に係る国の負担又は補助で昭和六十四年度以降の年度に繰り越されるものについて適用し、昭和六十一年度以前の年度の国庫債務負担行為に基づき昭和六十二年度以降の年度に支出すべきものとされた国の負担又は補助及び昭和六十一年度以前の年度の歳出予算に係る国の負担又は補助で昭和六十二年度以降の年度に繰り越されたものについては、なお従前の例による。

附　則〔平成元年四月一〇日政令第一〇五号抄〕

1 この政令は、公布の日から施行する。

2 この政令〔中略〕による改正後の政令の規定は、平成元年度及び平成二年度（平成元年度の特例に係るものにあっては、平成元年度。以下この項において同じ。）の予算に係る国の負担（当該国の負担に係る都道府県の負担を含む。以下この項において同じ。）又は補助（昭和六十三年度以前の年度の国庫債務負担行為に基づき平成元年度以降の年度に支出すべきものとされた国の負担又は補助を除く。）、平成元年度及び平成二年度の国庫債務負担行為に基づき平成三年度（平成元年度の特例に係るものにあっては、平成二年度。以下この項において同じ。）以降の年度に支出すべきものとされる国の負担又は補助並びに平成元年度及び平成二年度の歳出予算に係る国の負担又は補助で平成三年度以降の年度に繰り越されるものについて適用し、昭和六十三年度以前の年度の国庫債務負担行為に基づき平成元年度以降の年度に支出すべきものとされた国の負担又は補助及び昭和六十三年度以前の年度の歳出予算に係る国の負担又は補助で平成元年度以降の年度に繰り越されたものについては、なお従前の例による。

附　則〔平成三年三月三〇日政令第九八号〕

（施行期日）

1 この政令は、平成三年四月一日から施行する。

（経過措置）

2 改正後〔中略〕の規定は、平成三年度から平成五年度までの各年度（平成三年度及び平成四年度の特例に係るものにあっては、平成三年度及び平成四年度。以下この項において同じ。）の予算に係る国の負担又は補助（平成二年度以前の年度の国庫債務負担行為に基づき平成三年度以降の年度に支出すべきものとされた国の負担又は補助を除く。）、平成三年度から平成五年度までの各年度の国庫債務負担行為に基づき平成六年度（平成三年度及び平成四年度の特例に係るものにあっては、平成五年度。以下この項において同じ。）以降の年度に支出すべきものとされる国の負担又は補助及び平成三年度から平成五年度までの各年度の歳出予算に係る国の負担又は補助で平成六年度以降の年度に繰り越されるものについて適用し、平成二年度以前の年度の国庫債務負担行為に基づき平成三年度以降の年度に支出すべきものとされた国の負担又は補助及び平成二年度以前の年度の歳出予算に係る国の負担又は補助で平成三年度以降の年度に繰り越されたものについては、なお従前の例による。

附　則〔平成五年三月三一日政令第九三号抄〕

1　この政令は、平成五年四月一日から施行する。

2　この政令〔中略〕による改正後の政令の規定は、平成五年度以降の年度の予算に係る国の負担（当該国の負担に係る都道府県又は市町村の負担を含む。以下この項において同じ。）又は補助（平成四年度以前の年度の国庫債務負担行為に基づき平成五年度以降の年度に支出すべきものとされた国の負担又は補助を除く。）について適用し、平成四年度以前の年度の国庫債務負担行為に基づき平成五年度以降の年度に支出すべきものとされた国の負担又は補助及び平成四年度以前の年度の歳出予算に係る国の負担又は補助で平成五年度以降の年度に繰り越されたものについては、なお従前の例による。

附　則〔平成一六年一〇月二七日政令第三二八号〕

（施行期日）

第一条　この政令は、平成十七年四月一日から施行する。

（経過措置）

第二条　この政令の施行前に改正前のそれぞれの政令の規定により経済産業局長がした許可、認可その他の処分（鉱山保安法及び経済産業省設置法の一部を改正する法律第二条の規定による改正前の経済産業省設置法（平成十一年法律第九十九号。以下「旧経済産業省設置法」という。）第十二条第二項に規定する経済産業省の所掌事務のうち旧経済産業省設置法第四条第一項第五十九号に掲げる事務に関するものに限る。以下「処分等」という。）は、それぞれの経済産業局長の管轄区域を管轄する産業保安監督部長がした処分等とみなし、この政令の施行前に改正前のそれぞれの政令の規定により経済産業局長に対してした申請、届出その他の行為（旧経済産業省設置法第十二条第二項に規定する経済産業省の所掌事務のうち旧経済産業省設置法第四条第一項第五十九号に掲げる事務に関するものに限る。以下「申請等」という。）は、それぞれの経済産業局長の管轄区域を管轄する産業保安監督部長に対してした申請等とみなす。

附　則〔令和二年七月八日政令第二一七号抄〕

（施行期日）

第一条　この政令は、改正法施行日（令和二年十二月一日）から施行する。〔以下略〕

（罰則に関する経過措置）

第五条　この政令の施行前にした行為及び附則第二条の規定によりなおその効力を有することとされる場合におけるこの政令の施行後にした行為に対する罰則の適用については、なお従前の例による。

附　則〔令和五年一〇月一八日政令第三〇四号〕

この政令は、漁港漁場整備法及び水産業協同組合法の一部を改正する法律の施行の日（令和六年四月一日）から施行する。

○海岸法施行規則

（昭和三十一年十一月十日農林・運輸・建設省令第一号）

〔沿革〕昭和三五年三月三〇日農林・運輸・建設省令第一号、四五年五月一日第一号、六〇年七月一二日農林水産・運輸・建設省令第一号、平成六年三月三〇日第一号、一一年三月九日第一号、一二年三月三一日第一号、一二月二八日第二号、一三年三月二一日農林水産・国土交通省令第一号、一四年三月二八日第二号、四月一日第三号、一六年一二月二日第二号、二〇年六月一八日第二号、二三年三月三一日国土交通省令第三三号、二六年八月六日農林水産・国土交通省令第二号、一二月一〇日第三号、令和元年六月二八日第二号、二年一二月二三日第二号、五年一二月二八日第六号改正

（砂浜の指定）

第一条　海岸法（昭和三十一年法律第百一号。以下「法」という。）第二条第一項の規定により海岸管理者が行う砂浜の指定は、砂浜の敷地である土地の区域を指定して行うものとする。

本条…追加〔平成二六年八月農林水産・国土交通省令二号〕

（樹林の指定）

第一条の二　法第二条第一項の規定により海岸管理者が行う樹林の指定は、当該海岸管理者が堤防又は胸壁（以下この条において「堤防等」という。）の損傷等を軽減するため植栽又は保育する樹林の敷地である土地（当該堤防等の敷地である土地又はこれに接する土地であつて当該堤防等の法尻からおおむね二十メートル以内のものに限る。）の区域を指定して行うものとする。

本条…追加〔平成二六年八月農林水産・国土交通省令二号〕

（公共海岸から除かれる土地）

第一条の三　法第二条第二項の他の法令の規定により施設の管理を行う者がその権原に基づき管理する土地は、次の各号に

掲げるものとする。

一　砂防法（明治三十年法律第二十九号）第二条の規定により指定された土地

二　軌道法（大正十年法律第七十六号）第三条に規定する運輸事業の用に供されている土地

三　土地改良法（昭和二十四年法律第百九十五号）第九十四条に規定する土地改良財産たる土地

四　漁港及び漁場の整備等に関する法律（昭和二十五年法律第百三十七号）第六条第一項から第四項までの規定により市町村長、都道府県知事又は農林水産大臣が指定した漁港の区域のうち海岸保全区域に指定されていない土地

五　港湾法（昭和二十五年法律第二百十八号）第二条第五項に規定する港湾施設（同条第六項の規定により港湾施設とみなされたものを含む。）の用に供されている土地及び同法第三十七条第一項に規定する港湾隣接地域のうち海岸保全区域に指定されていない土地

六　森林法（昭和二十六年法律第二百四十九号）第二十五条第一項に規定する保安林又は同法第四十一条に規定する保安施設地区

七　道路法（昭和二十七年法律第百八十号）第十八条第一項の規定により決定された道路の区域の土地

八　空港法（昭和三十一年法律第八十号）第四条第一項各号に掲げる空港及び同法第五条第一項に規定する地方管理空港の用に供されている土地

九　都市公園法（昭和三十一年法律第七十九号）第二条第一項に規定する都市公園の用に供されている土地

十　地すべり等防止法（昭和三十三年法律第三十号）第三条第一項に規定する地すべり防止区域の土地

十一　河川法（昭和三十九年法律第百六十七号）第六条第一項に規定する河川区域の土地

十二　急傾斜地の崩壊による災害の防止に関する法律（昭和四十四年法律第五十七号）第三条第一項に規定する急傾斜地崩壊危険区域の土地

十三　鉄道事業法（昭和六十一年法律第九十二号）第二条第一項に規定する鉄道事業の用に供されている土地

本条…追加〔平成一二年三月農林水産・運輸・建設省令一号〕、一部改正〔平成一三年三月農林水産・国土交通省令一号・一四年三月二号・二〇年六月二号〕、旧一条…一部改正し繰下〔平成二六年八月農林水産・国土交通省令二号〕、本条…一部改正〔令和五年一二月農林水産・国土交通省令六号〕

（地方公共団体が所有する海岸の土地に係る公共海岸の指定及び公示等）

第一条の四　法第二条第二項の規定により都道府県知事が行う地方公共団体が所有する公共の用に供されている海岸の土地に係る公共海岸の指定は、当該土地が当該都道府県が所有する土地以外の土地の場合にあつては、当該土地を所有する地方公共団体からの申出により行うものとする。

2　法第二条第二項の規定により指定された公共海岸の土地又は水面の公示は、次の各号の一以上により当該公共海岸の土地又は水面の区域を明示して、公報に掲載して行うものとする。

一　市町村、大字、字、小字及び地番

二　一定の地物、施設、工作物又はこれらからの距離及び方向

三　平面図

3　前項の規定は、法第三条第四項、第五条第八項及び第九項並びに第三十七条の三第四項の規定により行う公示について準用する。

見出し…改正・一項…追加・旧一項…一部改正し二項に繰下・旧二項…一部改正し三項に繰下・旧一条…繰下〔平成一二年三月農林水産・運輸・建設省令一号〕、旧一条の二…繰下〔平成二六年八月農林水産・国土交通省令二号〕

（主務大臣の行う直轄工事等の公示）

第一条の五　海岸法施行令（昭和三十一年政令第三百三十二号。以下「令」という。）第一条の五第二項の規定による主務大臣が海岸管理者の意見を聴いて定めた区域の公示は、官報に掲載して行うものとする。

2　主務大臣は、前項の区域の全部又は一部を変更し、又は廃止した場合においては、前項の規定に準じてその旨を公示するものとする。

本条…追加〔平成二六年八月農林水産・国土交通省令二号〕

（主務大臣の行う直轄工事の公示）

第二条　法第六条第三項の規定による海岸保全施設の新設、改良又は災害復旧に関する工事の施行の公示は、次の各号に掲げる事項を官報に掲載して行うものとする。

一　工事の区域

二　工事の種類

三　工事開始の日

2　主務大臣は、前項の工事の全部又は一部を完了し、又は廃止した場合においては、前項の規定に準じてその旨を公示するものとする。

一項…一部改正〔昭和三五年三月農林・運輸・建設省令一号〕

（海岸保全区域の占用の許可）

第三条　法第七条第一項の規定による許可を受けようとする者は、次の各号に掲げる事項を記載した申請書を海岸管理者に提出しなければならない。

一　海岸保全区域の占用の目的

二　海岸保全区域の占用の期間

三　海岸保全区域の占用の場所

四　施設又は工作物の構造

五　工事実施の方法

六　工事実施の期間

（海岸保全区域における制限行為の許可）

第四条　法第八条第一項第一号に該当する行為をしようとするため同条同項の許可を受けようとする者は、次の各号に掲げる事項を記載した申請書を海岸管理者に提出しなければならない。

一　土石（砂を含む。以下同じ。）の採取の目的

二　土石の採取の期間
三　土石の採取の場所
四　土石の採取の方法
五　土石の採取量

2　法第八条第一項第二号に該当する行為をしようとするため同条同項の許可を受けようとする者は、次の各号に掲げる事項を記載した申請書を海岸管理者に提出しなければならない。

一　施設又は工作物を新設又は改築する目的
二　施設又は工作物を新設又は改築する場所
三　新設又は改築する施設又は工作物の構造
四　工事実施の方法
五　工事実施の期間

3　法第八条第一項第三号に該当する行為をしようとするため同条同項の許可を受けようとする者は、次の各号に掲げる事項を記載した申請書を海岸管理者に提出しなければならない。

一　行為の目的
二　行為の内容
三　行為の期間
四　行為の場所
五　行為の方法

（海岸保全区域における制限行為の指定の公示）

第四条の二　令第三条第二項の規定による指定の公示は、官報、公報又は新聞紙に掲載して行うものとする。

本条…追加〔平成一二年三月農林水産・運輸・建設省令一号〕、一部改正〔平成二六年八月農林水産・国土交通省令二号〕

（通常の管理行為による処理が困難なもの）

第四条の三　法第八条の二第一項第二号に規定する通常の管理行為による処理が困難なものは、次に掲げるものとする。

一　油
二　海洋汚染等及び海上災害の防止に関する法律（昭和四十五年法律第百三十六号）第三条第三号の政令で定める海洋環境の保全の見地から有害である物質
三　粗大ごみ、建設廃材その他の廃物

本条…追加〔平成一二年三月農林水産・運輸・建設省令一号〕、一部改正〔平成一六年一二月農林水産・国土交通省令二号〕

（動物の生息地等の保護に支障を及ぼすおそれがある行為の指定の公示）

第四条の四　令第三条の二第二項の規定により準用される令第三条第二項の規定による指定の公示は、官報、公報又は新聞紙に掲載するほか、当該指定に係る区域又はその周辺の見やすい場所に掲示して行うものとする。この場合においては、漁業を営むために通常行われる行為については当該指定に係る行為に該当しない旨を併せて明示するものとする。

2　前項の公示は、当該公示に係る指定の適用の日の十日前までに行わなければならない。ただし、緊急に当該指定の適用を行わなければ海岸の管理に重大な支障を及ぼすおそれがあると認められるときは、この限りでない。

本条…追加〔平成一二年三月農林水産・運輸・建設省令一号〕

（海岸の保全上支障のある行為を禁止する区域の指定等の公示）

第四条の五　法第八条の二第二項の規定による区域の指定の公示は、当該区域の指定が同条第一項第二号から第四号までのいずれの規定に関するものであるかを明らかにし、第一条の四第二項各号の一以上により当該区域を明示して、官報、公報又は新聞紙に掲載するほか、当該指定に係る区域又はその周辺の見やすい場所に掲示して行うものとする。

2　法第八条の二第三項の規定による物件の指定の公示は、官報、公報又は新聞紙に掲載するほか、当該指定に係る区域又はその周辺の見やすい場所に掲示して行うものとする。

3　前条第二項の規定は、前二項の規定による公示について準用する。

本条…追加〔平成一二年三月農林水産・運輸・建設省令一号〕、一項…一部改正〔平成二六年八月農林水産・国土交通省令二号〕

（占用料及び土石採取料の基準）

第五条　法第十一条に規定する占用料又は土石採取料は、近傍類地の地代又は近傍類地における土石採取料等を考慮して定めるものとする。

（保管した他の施設等一覧簿の様式）

第五条の二　令第三条の四第二項の主務省令で定める様式は、別記様式第一とする。

本条…追加〔平成一二年三月農林水産・運輸・建設省令一号〕

（競争入札における掲示事項等）

第五条の三　令第三条の七第一項及び第二項の主務省令で定める事項は、次に掲げるものとする。

一　当該競争入札の執行を担当する職員の職及び氏名
二　当該競争入札の執行の日時及び場所
三　契約条項の概要
四　その他海岸管理者が必要と認める事項

本条…追加〔平成一二年三月農林水産・運輸・建設省令一号〕

（他の施設等の返還に係る受領書の様式）

第五条の四　令第三条の八の主務省令で定める様式は、別記様式第二とする。

本条…追加〔平成一二年三月農林水産・運輸・建設省令一号〕

（操作施設）

第五条の五　法第十四条の二第一項の主務省令で定める施設は、次に掲げるものとする。

一　水門
二　樋門
三　陸閘
四　閘門
五　前各号に掲げるもののほか、津波、高潮等による海水の侵入を防止するために操作を伴う施設

本条…追加〔平成二六年一二月農林水産・国土交通省令三号〕

（操作規則）

第五条の六　法第十四条の二第一項の操作規則には、次の各号

に掲げる事項を定めなければならない。
一　操作施設の操作の基準に関する事項
二　操作施設の操作の方法に関する事項
三　操作施設の操作の訓練に関する事項
四　操作施設の操作に従事する者の安全の確保に関する事項
五　操作施設及び操作施設を操作するため必要な機械、器具等の点検その他の維持に関する事項
六　操作施設の操作の際にとるべき措置に関する事項
七　その他操作施設の操作に関し必要な事項

本条…追加〔平成二六年一二月農林水産・国土交通省令三号〕

（操作規程）

第五条の七　前条の規定は、法第十四条の三第一項の操作規程について準用する。

本条…追加〔平成二六年一二月農林水産・国土交通省令三号〕

（維持又は修繕に関する技術的基準等）

第五条の八　法第十四条の五第二項の主務省令で定める海岸管理者が管理する海岸保全施設の維持又は修繕に関する技術的基準その他必要な事項は、次のとおりとする。
一　海岸保全施設の構造又は維持若しくは修繕の状況、海岸保全施設の周辺の状況、海岸保全施設の存する地域の気象の状況その他の状況（以下この条において「海岸保全施設の構造等」という。）を勘案して、海岸保全施設の維持及び修繕を計画的に実施すること。
二　海岸保全施設の構造等を勘案して、適切な時期に、海岸保全施設の巡視を行い、及び障害物の処分その他の海岸保全施設の機能を維持するために必要な措置を講ずること。
三　海岸保全施設の構造等を勘案して、海岸保全施設の定期及び臨時の点検を行うこと。
四　前号の点検その他の方法により海岸保全施設の損傷、腐食その他の劣化その他の変状があることを把握したときは、当該海岸保全施設の適切な維持又は修繕が図られるよう、必要な措置を講ずること。
五　海岸保全施設の点検又は修繕を行つたときは、当該点検又は修繕に関する記録の作成及び保存を適切に行うこと。

本条…追加〔平成二六年一二月農林水産・国土交通省令三号〕

（証明書の様式）

第六条　法第十八条第九項の規定による証明書の様式は、別記様式第三（法第六条第二項の規定により主務大臣が海岸管理者に代わつて法第十八条第一項の権限を行う場合にあつては、別記様式第四）とする。

2　法第二十条第四項の規定による証明書の様式は、別記様式第五（法第六条第二項の規定により主務大臣が海岸管理者に代わつて法第二十条第一項の権限を行う場合にあつては、別記様式第六）とする。

一・二項…一部改正〔平成一二年三月農林水産・運輸・建設省令一号〕

（損失の補償の裁決申請書の様式）

第七条　令第四条の規定による裁決申請書の様式は、別記様式第七とし、正本一部及び写し一部を提出するものとする。

本条…一部改正〔昭和六〇年七月農林水産・運輸・建設省令一号・平成一二年三月一号〕

（損害補償の手続等）

第七条の二　法第二十三条第五項の規定により損害の補償（現に受けている補償の額の変更を含む。）を受けようとする者（以下この条において「請求者」という。）は、別記様式第七の二による請求書を海岸管理者に提出しなければならない。

2　前項の請求書には、次の各号に掲げる損害補償の種類に応じ、それぞれ当該各号に掲げる図書その他参考となるべき事項を記載した図書を添付しなければならない。ただし、同一の事故又は疾病について同一の種類の損害補償を二回以上請求する場合においては、第二回以降の請求書には、第一号イ、第二号イ及びロ、第三号イ、第四号イ及びハ又は第五号イ及びロに掲げる書面（第二号イ、第三号イ、第四号イ及び第五号イに掲げる書面にあつては、第一号ロに掲げるものを除く。）は、既に海岸管理者に提出されている当該書面の内容に変更がないときは、添付することを要しない。
一　療養補償
イ　請求者の住民票の写し
ロ　請求額の内訳を記載した書面
ハ　療養の内容及び療養に要した費用を証するに足りる書面
二　休業補償
イ　前号イ及びロに掲げる書面
ロ　非常勤消防団員等に係る損害補償の基準を定める政令（昭和三十一年政令第三百三十五号。以下この条において「基準政令」という。）第二条第二項に規定する補償基礎額の算出基礎を記載した書面及び当該算出基礎を証するに足りる書面
ハ　療養のため勤務その他の業務に従事することができなかつた期間及び日数並びにその期間についての給与その他の業務上の収入を得ることができなかつたことを証するに足りる書面
三　傷病補償年金
イ　第一号イ及びロ並びに前号ロに掲げる書面
ロ　療養を開始した日及び障害の程度が基準政令第五条の二第一項第二号に規定する傷病等級に該当することを証するに足りる書面
四　障害補償
イ　第一号イ及びロ並びに第二号ロに掲げる書面
ロ　障害の程度が障害等級（基準政令第六条第二項に規定する障害等級をいう。ハにおいて同じ。）に該当することを証するに足りる書面
ハ　法第二十三条第二項の規定により業務に従事した者（以下この条において「従事者」という。）であつて、既に障害のある者が業務に従事したことによる負傷又は

疾病によつて、同一部位についての障害の程度を加重した場合には、当該加重前の障害の部位及び当該障害の程度が障害等級に該当することを証するに足りる書面

五　介護補償

イ　第一号イ及びロに掲げる書面

ロ　基準政令第六条の二第一項に規定する障害の程度により常時又は随時介護を要する状態にあることを証するに足りる書面

ハ　介護補償を受けようとする期間における介護を受けた日、当該介護を受けた場所及び当該介護の事実を証するに足りる書面

六　遺族補償

イ　第一号ロ及び第二号ロに掲げる書面

ロ　従事者の戸籍の謄本又は除かれた戸籍の謄本

ハ　従事者の死亡診断書、死体検案書その他の死亡の事実を証するに足りる書面

ニ　請求者の従事者との続柄及び当該請求者が遺族補償を受けるべき権利を有することを証するに足りる書面

ホ　請求者以外に遺族補償を受ける権利を有する者があるときは、その人数及びこれらの者が遺族補償を受ける権利を有することを証するに足りる書面

ヘ　遺族補償年金を請求する場合にあつては、基準政令第八条の二第一項に規定する遺族の人数及びこれらの者が当該遺族に該当することを証するに足りる書面

ト　遺族補償一時金を請求する場合にあつては、請求者が基準政令第九条の三第一項各号に掲げる者の区分に該当することを証するに足りる書面

七　葬祭補償

イ　第二号ロ並びに前号ロ及びハに掲げる書面

ロ　請求者が従事者について葬祭を行う者であることを証するに足りる書面

3　損害補償を受ける権利を有する者が死亡した場合において、その者が支給を受けるべき損害補償でその支給を受けなかつたものを請求するときは、第一項の請求書には、次に掲げる図書その他参考となるべき事項を記載した図書を添付しなければならない。

一　前項第一号ロに掲げる書面

二　損害補償を受ける権利を有する者の戸籍の謄本又は除かれた戸籍の謄本

三　損害補償を受ける権利を有する者の死亡診断書、死体検案書その他の死亡の事実を証するに足りる書面

四　請求者が当該損害補償を受けるべき権利を有することを証するに足りる書面

4　海岸管理者は、第一項の請求書を受理したときは、これを審査し、補償の可否並びに補償する場合における補償金の額及び支給の方法を決定し、これらを請求者に通知しなければならない。

5　損害補償を受けている者は、当該損害補償の支給を停止すべき事由が生じた場合は、当該事由を記載した書面及び当該事由が生じたことを証するに足りる書面を海岸管理者に提出しなければならない。

本条…追加〔平成二六年八月農林水産・国土交通省令二号〕

（海岸協力団体として指定することができる法人に準ずる団体）

第七条の三　法第二十三条の三第一項の主務省令で定める団体は、法人でない団体であつて、事務所の所在地、構成員の資格、代表者の選任方法、総会の運営、会計に関する事項その他当該団体の組織及び運営に関する事項を内容とする規約その他これに準ずるものを有しているものとする。

本条…追加〔平成二六年八月農林水産・国土交通省令二号〕

（海岸協力団体の指定）

第七条の四　法第二十三条の三第一項の規定による指定は、法第二十三条の四各号に掲げる業務を行う海岸の区域を明らかにしてするものとする。

本条…追加〔平成二六年八月農林水産・国土交通省令二号〕

（海岸協力団体に対する許可の特例の対象となる行為）

第七条の五　法第二十三条の七の主務省令で定める行為は、次の各号に掲げる許可の区分に応じ、当該各号に定める行為（当該海岸協力団体がその業務を行う海岸の区域において行うものに限る。）とする。

一　法第七条第一項の規定による許可　清掃その他の海岸保全施設等の維持又は海岸環境の整備と保全及び公衆の海岸の適正な利用に関する情報若しくは資料の収集及び提供、調査研究若しくは知識の普及及び啓発のために必要な同項に規定する他の施設等の設置による海岸保全区域の占用

二　法第八条第一項（第一号を除く。）の規定による許可　清掃その他の海岸保全施設等の維持又は海岸環境の整備と保全及び公衆の海岸の適正な利用に関する情報若しくは資料の収集及び提供、調査研究若しくは知識の普及及び啓発のために必要な水面若しくは公共海岸の土地以外の土地における法第七条第一項に規定する他の施設等の新設若しくは改築又は土地の掘削、盛土、切土その他令第三条第一項に定める行為

本条…追加〔平成二六年八月農林水産・国土交通省令二号〕

（海岸保全区域台帳）

第八条　海岸保全区域台帳は、帳簿及び図面をもつて組成するものとする。

2　帳簿及び図面は、一の海岸保全区域（当該海岸保全区域に海岸管理者を異にする区域がある場合及び主務大臣を異にする区域がある場合においてはそれぞれの区域）ごとに調製するものとする。

3　帳簿には、海岸保全区域につき、少なくとも次の各号に掲げる事項を記載するものとし、その様式は、別記様式第八とする。

一　海岸保全区域に指定された年月日

二　海岸保全区域

三　海岸線の延長並びに海岸保全区域の面積及び公共海岸の土地（法第二条第二項の規定により指定された地方公共団体が所有する土地を除く。）の面積

四　法第二条第二項の規定により指定された地方公共団体が所有する土地の区域及び面積並びに指定の年月日
五　法第二条第二項の規定により指定された水面の区域及び指定の年月日
六　法第五条第六項の規定により市町村の長が管理の一部を行う区域、当該市町村名及び管理開始の年月日
七　海岸保全区域の概況
八　海岸保全施設の管理者名（管理者と所有者が異なるときは管理者名及び所有者名）、位置、種類、構造及び数量

4　図面は、平面図、横断図及び水準面図とし、海岸保全区域につき次の各号により調製するものとする。
一　尺度は、メートルを単位とすること。
二　高さ及び潮位は、すべて東京湾中等潮位又は最低水面を基準とし、いずれを基準としたかを明示するとともに、水準基標又は恒久標識にあつては小数点以下三位まで、その他のものにあつては小数点以下二位まで示すこと。
三　平面図については、
イ　縮尺は、原則として二千分の一とすること。
ロ　陸地に係る部分については、原則として二メートルごとに等高線を、水面に係る部分については、原則として二メートルごとに等深線を記入すること。
ハ　公共海岸の土地（法第二条第二項の規定により指定された地方公共団体が所有する土地を除く。）は、黄色をもつて表示すること。
ニ　法第五条第六項の規定により市町村の長が管理の一部を行う区域は、斜線をもつて表示すること。
ホ　海岸保全施設の位置（砂浜又は樹林にあつては、その敷地である土地の区域）及び種類を記号又は色別をもつて表示すること。特に重要な海岸保全施設については、その構造図（各部分の寸法並びに東京湾中等潮位、最低水面、朔望平均満潮面、朔望平均干潮面及び既往最高潮位を記入すること。）を添附し、必要がある場合には縦断図をも添附すること。
ヘ　イからホまでのほか、少なくとも次の事項を記載すること。
(イ)　海岸保全区域の境界線
(ロ)　市町村名、大字名、字名及びその境界線
(ハ)　地形
(ニ)　水準基標又は恒久標識の位置及び高さ
(ホ)　法第七条第一項に規定する他の施設等のうち主要なもの
(ヘ)　法第二条第二項の規定により指定された地方公共団体が所有する土地及び水面の区域
(ト)　法第八条の二第一項各号列記以外の部分の規定により指定された同項第二号から第四号までの規定に係るそれぞれの区域
(チ)　法第三条第一項に規定する保安林及び保安施設地区並びに法第四条第一項に規定する港湾区域、港湾隣接地域、公告水域及び漁港区域
(リ)　方位
(ヌ)　縮尺
(ル)　調製年月日
四　横断図については、
イ　海岸保全施設、地形その他の状況に応じて調製すること。この場合において、横断測量線を朱色破線をもつて平面図に記入すること。
ロ　横縮尺は、原則として五百分の一とし、縦縮尺は、原則として百分の一とすること。
ハ　イ及びロのほか、少なくとも次の事項を記載すること。
(イ)　東京湾中等潮位又は最低水面
(ロ)　海岸保全区域の指定の日の属する年の春分の日における満潮位及び干潮位、朔望平均満潮面、朔望平均干潮面及び既往最高潮位並びに海岸保全施設の高さ
(ハ)　縮尺
(ニ)　調製年月日
五　水準面図については、
イ　様式は、別記様式第九とすること。
ロ　東京湾中等潮位、最低水面、海岸保全区域の指定の日の属する年の春分の日における満潮位及び干潮位、朔望平均満潮面、朔望平均干潮面及び既往最高潮位並びに調製年月日を記載すること。

5　帳簿及び図面の記載事項に変更があつたときは、海岸管理者は、すみやかにこれを訂正しなければならない。

三・四項…一部改正〔平成一二年三月農林水産・運輸・建設省令一号〕、四項…一部改正〔平成一四年四月農林水産・国土交通省令三号・二六年八月二号〕

（延滞金）

第九条　法第三十五条第二項に規定する延滞金は、同条第一項に規定する負担金等の額につき年十・七五パーセントの割合で、納期限の翌日からその負担金等の完納の日又は財産差押えの日の前日までの日数により計算した額とする。

（一般公共海岸区域台帳）

第一〇条　一般公共海岸区域台帳は、帳簿及び図面をもつて組成するものとする。

2　帳簿及び図面は、一の一般公共海岸区域（当該一般公共海岸区域に海岸管理者を異にする区域がある場合及び主務大臣を異にする区域がある場合においてはそれぞれの区域）ごとに調製するものとする。

3　帳簿には、一般公共海岸区域につき、少なくとも次の各号に掲げる事項を記載するものとし、その様式は、別記様式第十とする。
一　一般公共海岸区域
二　海岸線の延長及び一般公共海岸区域の土地（法第二条第二項の規定により指定された地方公共団体が所有する土地を除く。）の面積
三　法第二条第二項の規定により指定された地方公共団体が所有する土地の区域及び面積並びに指定の年月日
四　法第二条第二項の規定により指定された水面の区域及び指定の年月日

五　一般公共海岸区域の概況

4　図面は、平面図及び水準面図とし、一般公共海岸区域につき次の各号により調製するものとする。なお、平面図に代えて、航空写真等を用いることができる。

一　尺度は、メートルを単位とすること。

二　潮位は、すべて東京湾中等潮位又は最低水面を基準とし、いずれを基準としたかを明示するとともに、水準基標又は恒久標識にあつては小数点以下三位まで、その他のものにあつては小数点以下二位まで示すこと。

三　平面図については、

イ　縮尺は、原則として二千五百分の一とすること。

ロ　一般公共海岸区域の土地（法第二条第二項の規定により指定された地方公共団体が所有する土地を除く。）は、黄色をもつて表示すること。

ハ　イ及びロのほか、少なくとも次の事項を記載すること。

(イ)　一般公共海岸区域の境界線

(ロ)　市町村名、大字名、字名及びその境界線

(ハ)　水準基標又は恒久標識の位置及び高さ

(ニ)　法第三十七条の四に規定する施設又は工作物のうち主要なもの

(ホ)　法第二条第二項の規定により指定された地方公共団体が所有する土地

(ヘ)　法第三十七条の六第一項各号列記以外の部分の規定により指定された同項第二号から第四号までの規定に係るそれぞれの区域

(ト)　方位

(チ)　縮尺

(リ)　調製年月日

四　水準面図については、

イ　様式は、別記様式第十一とすること。

ロ　東京湾中等潮位、最低水面、朔望平均満潮面、朔望平均干潮面及び調製年月日を記載すること。

5　帳簿及び図面の記載事項の変更があつたときは、海岸管理者は、速やかにこれを訂正しなければならない。

本条…追加〔平成一二年三月農林水産・運輸・建設省令一号〕、四項…一部改正〔平成一四年四月農林水産・国土交通省令三号〕

（一般公共海岸区域への準用）

第一一条　第三条から第五条の四まで、第六条第一項、第七条から第七条の五まで及び第九条の規定は、一般公共海岸区域について準用する。この場合において、第三条及び第七条の五中「第七条第一項」とあるのは「第三十七条の四」と、第四条第一項中「第八条第一項第一号」とあるのは「第三十七条の五第一号」と、同条中「同条同項」とあるのは「同条」と、同条第二項中「第八条第一項第二号」とあるのは「第三十七条の五第二号」と、同条第三項中「第八条第一項第三号」とあるのは「第三十七条の五第三号」と、第四条の二中「第三条第二項」とあるのは「第十二条の三第二項」と、第四条の三中「第八条の二第一項第二号」とあるのは「第三十七条の六第一項第二号」と、第四条の四第一項中「第三条の二第二項」とあるのは「第十二条の四第二項」と、第四条の五第一項及び第二項中「第八条の二第二項」とあるのは「第三十七条の六第二項」と、第六条第一項中「別記様式第三」とあるのは「別記様式第十二」と、第七条の五第一号中「同項」とあるのは「同条」と、同条第二号中「第八条第一項」とあるのは「第三十七条の五」と読み替えるものとする。

本条…追加〔平成一二年三月農林水産・運輸・建設省令一号〕、一部改正〔平成二六年八月農林水産・国土交通省令二号〕

（令第十四条第一項の主務省令で定める工事）

第一二条　令第十四条第一項の主務省令で定める工事は、次に掲げるものとする。

一　法第五条第三項から第五項までの規定により港湾管理者の長が管理する海岸保全施設の新設又は改良に関する工事で港湾法第二条第二項に規定する国際戦略港湾、国際拠点港湾又は重要港湾に係るもの

二　令第八条第一項第三号に規定する工事

本条…追加〔平成一二年一二月農林水産・運輸・建設省令二号〕、一部改正〔平成二三年三月国土交通省令三三号〕

附　則

この省令は、法施行の日〔昭和三一年一一月一〇日〕から施行する。

附　則〔平成一六年一二月二日農林水産・国土交通省令第二号〕

（施行期日）

1　この省令は、海洋汚染及び海上災害の防止に関する法律等の一部を改正する法律（平成十六年法律第三十六号）の施行の日〔平成一七年五月一九日〕から施行する。

（罰則に関する経過措置）

2　この省令の施行前にした行為に対する罰則の適用については、なお従前の例による。

附　則〔平成二六年八月六日農林水産・国土交通省令第二号〕

（施行期日）

1　この省令は、海岸法の一部を改正する法律の施行の日（平成二十六年八月十日）から施行する。

（経過措置）

2　この省令の施行の際現に存する堤防、胸壁及び津波防波堤（以下「堤防等」という。）又は現に工事中の堤防等がこの省令の規定に適合しない場合については、当該堤防等については、当該規定は適用しない。

附　則〔令和二年一二月二三日農林水産・国土交通省令第二号〕

（施行期日）

1　この省令は、令和三年一月一日から施行する。

（経過措置）

2　この省令の施行の際現にあるこの省令による改正前の様式による用紙は、当分の間、これを取り繕って使用することができる。

附　則〔令和五年一二月二八日農林水産・国土交通省令第六号〕

この省令は、漁港漁場整備法及び水産業協同組合法の一部を改正する法律の施行日（令和六年四月一日）から施行する。

別　記

様式第一

保管した他の施設等一覧簿								
整理番号	保管した他の施設等			保管した他の施設等が放置されていた場所	除却した年月日時	保管を始めた年月日時	保管の場所	備考
	名称又は種類	形状又は特徴	数量					

本様式…追加〔平成12年３月農林水産・運輸・建設省令１号〕

様式第二

受　　　領　　　書

年　　月　　日

殿

返還を受けた者

住　所

氏　名（ふりがな）

下記のとおり他の施設等（現金）の返還を受けました。

返還を受けた日時		
返還を受けた場所		
返還を受けた他の施設等	整理番号	
	名称又は種類	
	形状又は特徴	
	数　　量	
（返還を受けた金額）		

備考

用紙は、日本産業規格Ａ４の寸法のものとすること。

本様式…追加〔平成12年３月農林水産・運輸・建設省令１号〕、一部改正〔令和元年６月農林水産・国土交通省令２号・２年12月２号〕

様式第三

（表）

第　　　号

身分証明書

住所
氏名
職名　　　　年令

右は、海岸法第十八条第一項の規定により海岸保全区域に関する調査等のため他人の土地及び水面に立ち入ることができる者であることを証する。

交付年月日
有効期間

海岸管理者　　　　印

（裏）

海岸法抜すい

第十八条　海岸管理者又はその命じた者若しくはその委任を受けた者は、海岸保全区域に関する調査若しくは測量又は海岸保全施設に関する工事のためやむを得ない必要があるときは、あらかじめその占有者に通知して、他人の占有する土地若しくは水面に立ち入り、又は特別の用途のない他人の土地を材料置場若しくは作業場として一時使用することができる。ただし、あらかじめ通知することが困難であるときは、通知することを要しない。

2　前項の規定により宅地又はかき、さく等で囲まれた土地若しくは水面に立ち入ろうとするときは、立入の際あらかじめその旨を当該土地又は水面の占有者に告げなければならない。

3　日出前及び日没後においては、占有者の承認があつた場合を除き、前項に規定する土地又は水面に立ち入つてはならない。

4　第一項の規定により土地又は水面に立ち入ろうとする者は、その身分を示す証明書を携帯し、関係人の請求があつたときは、これを提示しなければならない。

5　第一項の規定により特別の用途のない他人の土地を材料置場又は作業場として一時使用しようとするときは、あらかじめ当該土地の占有者及び所有者に通知してその者の意見をきかなければならない。

6　土地又は水面の占有者又は所有者は、正当な理由がない限り、第一項の規定による立入又は一時使用を拒み、又は妨げてはならない。

旧様式一…繰下〔平成一二年三月農林水産・運輸・建設省令一号〕

様式第四

（表）

第　　号

身分証明書

住所
氏名
職名
年令

右は、海岸法第十八条第一項の規定により海岸保全区域に関する調査等のため他人の土地及び水面に立ち入ることができる者であることを証する。

交付年月日
有効期間

主務大臣　印

（裏）

海岸法抜すい

第六条　主務大臣は、次の各号の一に該当する場合において、当該海岸保全施設が国土の保全上特に重要なものであると認められるときは、海岸管理者に代つて自ら当該海岸保全施設の新設、改良又は災害復旧に関する工事を施行することができる。この場合においては、主務大臣は、あらかじめ当該海岸管理者の意見をきかなければならない。

一　海岸保全施設の新設、改良又は災害復旧に関する工事の規模が著しく大であるとき。

二　海岸保全施設の新設、改良又は災害復旧に関する工事が高度の技術を必要とするとき。

三　海岸保全施設の新設、改良又は災害復旧に関する工事が高度の機械力を使用して実施する必要があるとき。

四　海岸保全施設の新設、改良又は災害復旧に関する工事が都府県の区域の境界に係るとき。

2　主務大臣は、前項の規定により海岸保全施設の新設、改良又は災害復旧に関する工事を施行する場合においては、政令で定めるところにより、海岸管理者に代つてその権限を行うものとする。

第十八条　海岸管理者又はその命じた者若しくはその委任を受けた者は、海岸保全区域に関する調査若しくは測量又は海岸保全施設に関する工事のためやむを得ない必要があるときは、あらかじめその占有者に通知して、他人の占有する土地若しくは水面に立ち入り、又は特別の用途のない他人の土地を材料置場若しくは作業場として一時使用することができる。ただし、あらかじめ通知することが困難であるときは、通知することを要しない。

2　前項の規定により宅地又はかき、さく等で囲まれた土地若しくは水面に立ち入ろうとするときは、立入の際あらかじめその旨を当該土地又は水面の占有者に告げなければならない。

3　日出前及び日没後においては、占有者の承認があつた場合を除き、前項に規定する土地又は水面に立ち入つてはならない。

4　第一項の規定により土地又は水面に立ち入ろうとする者は、その身分を示す証明書を携帯し、関係人の請求があつたときは、これを提示しなければならない。

5　第一項の規定により特別の用途のない他人の土地を材料置場又は作業場として一時使用しようとするときは、あらかじめ当該土地の占有者及び所有者に通知して、その者の意見をきかなければならない。

6　土地又は水面の占有者又は所有者は、正当な理由がない限り、第一項の規定による立入又は一時使用を拒み、又は妨げてはならない。

本様式…一部改正〔昭和三五年三月農林・運輸・建設省令一号〕、旧様式二…繰下〔平成一二年三月農林水産・運輸・建設省令一号〕

様式第五

(表)

第　　　　号

身分証明書

住所
氏名
職業　　　　　　年令

右は、海岸法第二十条第一項の規定により海岸保全施設の立入検査を命ぜられた者であることを証する。

交付年月日
有効期間

海岸管理者　　　　　　印

(裏)

海岸法抜すい

第二十条　海岸管理者は、その職務の執行に関し必要があると認めるときは、他の管理者に対し報告若しくは資料の提出を求め、又はその命じた者に当該他の管理者の管理する海岸保全施設に立ち入り、これを検査させることができる。

2　前項の規定により立入検査をする者は、その身分を示す証明書を携帯し、関係人の請求があつたときは、これを提示しなければならない。

3　第一項の規定による立入検査の権限は、犯罪捜査のために認められたものと解してはならない。

旧様式三…繰下〔平成一二年三月農林水産・運輸・建設省令一号〕、本様式…一部改正〔平成二六年一二月農林水産・国土交通省令三号〕

様式第六

（表）

第　　号

身分証明書

住所
氏名
職名　　　　年令

右は、海岸法第二十条第一項の規定により海岸保全施設の立入検査を命ぜられた者であることを証する。

交付年月日
有効期間

主務大臣　　　　印

（裏）

海岸法抜すい

第六条　主務大臣は、次の各号の一に該当する場合において、当該海岸保全施設が国土の保全上特に重要なものであると認められるときは、海岸管理者に代つて自ら当該海岸保全施設の新設、改良又は災害復旧に関する工事を施行することができる。この場合においては、主務大臣は、あらかじめ当該海岸管理者の意見をきかなければならない。

一　海岸保全施設の新設、改良又は災害復旧に関する工事の規模が著しく大であるとき。

二　海岸保全施設の新設、改良又は災害復旧に関する工事が高度の技術を必要とするとき。

三　海岸保全施設の新設、改良又は災害復旧に関する工事が高度の機械力を使用して実施する必要があるとき。

四　海岸保全施設の新設、改良又は災害復旧に関する工事が都府県の区域の境界に係るとき。

2　主務大臣は、前項の規定により海岸保全施設の新設、改良又は災害復旧に関する工事を施行する場合においては、政令で定めるところにより、海岸管理者に代つてその権限を行うものとする。

第二十条　海岸管理者は、その職務の執行に関し、必要があると認めるときは、他の管理者に対し報告若しくは資料の提出を求め、又はその命じた者に当該他の管理者の管理する海岸保全施設に立ち入り、これを検査させることができる。

2　前項の規定により立入検査をする者は、その身分を示す証明書を携帯し、関係人の請求があつたときは、これを提示しなければならない。

3　第一項の規定による立入検査の権限は、犯罪捜査のために認められたものと解してはならない。

本様式…一部改正〔昭和三五年三月農林・運輸・建設省令一号〕、旧様式四…繰下〔平成一二年三月農林水産・運輸・建設省令一号〕、本様式…一部改正〔平成二六年一二月農林水産・国土交通省令三号〕

様式第七

裁決申請書

裁決申請者 住所
氏名

相手方 住所
氏名

海岸法第十二条の二第一項（第十八条第七項、第十九条第一項、第二十一条第三項、第二十一条の三第三項、第二十三条第三項並びに第三十七条の八において準用する第十二条の二第一項、第十八条第七項及び第二十三条第三項）の規定による損失の補償について、同法第十二条の二第二項（第十八条第八項において準用する第十二条の二第二項、第十九条第三項並びに第二十一条第四項、第二十一条の三第四項、第二十三条第四項及び第三十七条の八において準用する第十二条の二第二項）の規定による協議が成立しないから、左記により裁決を申請します。

記

一 損失の事実

二 損失の補償の見積及びその内容

三 協議の経過

年 月 日

裁決申請者 住所
氏名

収用委員会御中

備考

一 裁決申請者又は相手方が法人である場合においては、氏名は、その法人の名称及び代表者の氏名を記載すること。

二 裁決申請者が二人以上の場合は、連名で申請することができること。

三 「損失の事実」については、発生の場所及び時期をあわせて記載すること。

四 「損失の補償の見積及びその内容」については、積算の基礎を明らかにするものとし、法第十九条第一項の規定によつて工事を行うことを要求する場合は、その費用の見積をあわせて記載すること。

五 「協議の経過」については、経過の説明のほかに協議が成立しない事情を明らかにすること。

旧様式五…一部改正し繰下〔平成一二年三月農林水産・運輸・建設省令一号〕、本様式…一部改正〔平成二六年八月農林水産・国土交通省令二号・一二月三号・令和二年一二月二号〕

様式第七の二（日本産業規格Ａ４）

損　害　補　償　請　求　書

<table>
<tr><td colspan="3" rowspan="3">殿
海岸法第二十三条第五項の規定に基づき、次のとおり損害補償を請求します。</td><td colspan="2">請求年月日</td><td colspan="2">年　月　日</td></tr>
<tr><td rowspan="2">請求者</td><td>住　所</td><td colspan="2"></td></tr>
<tr><td>氏（ふりがな）名</td><td colspan="2"></td></tr>
<tr><td rowspan="2">従事者</td><td>住　所</td><td></td><td>生年月日</td><td colspan="2">年　月　日
（　歳）</td><td>男・女</td></tr>
<tr><td>氏（ふりがな）名</td><td></td><td>職業</td><td colspan="3"></td></tr>
<tr><td rowspan="2">事故</td><td colspan="2">（事故発生の場所）</td><td colspan="4">（事故発生の日時）
年　月　日　午前/午後　時　分</td></tr>
<tr><td colspan="6">（事故又は疾病の発生の原因及びその状況）

（損害補償の制限に該当する事実）
□　あり（内容：　　　　　）　　□　なし</td></tr>
<tr><td rowspan="8">損害補償</td><td colspan="2">損害補償の請求額の合計</td><td colspan="4">円</td></tr>
<tr><td colspan="2">損害補償の種類</td><td colspan="4">請　求　額</td></tr>
<tr><td colspan="2"></td><td colspan="4">円</td></tr>
<tr><td colspan="2"></td><td colspan="4">円</td></tr>
<tr><td colspan="2"></td><td colspan="4">円</td></tr>
<tr><td colspan="2"></td><td colspan="4">円</td></tr>
<tr><td colspan="2"></td><td colspan="4">円</td></tr>
<tr><td colspan="2"></td><td colspan="4">円</td></tr>
</table>

<table>
<tr><td rowspan="7">補償基礎額等</td><td colspan="2">補償基礎額</td><td>円</td><td rowspan="7">扶養親族</td><td>氏　名</td><td>生年月日（年齢）</td><td>続柄</td></tr>
<tr><td rowspan="6">補償基礎額の内訳</td><td rowspan="2">基礎額</td><td rowspan="2">円</td><td></td><td>年　月　日（　歳）</td><td></td></tr>
<tr><td></td><td>年　月　日（　歳）</td><td></td></tr>
<tr><td rowspan="4">扶養加算額</td><td>円×　人＝　円</td><td></td><td>年　月　日（　歳）</td><td></td></tr>
<tr><td>円×　人＝　円</td><td></td><td>年　月　日（　歳）</td><td></td></tr>
<tr><td>円×　人＝　円</td><td></td><td>年　月　日（　歳）</td><td></td></tr>
<tr><td>円×　人＝　円</td><td></td><td>年　月　日（　歳）</td><td></td></tr>
</table>

備考
1　用紙は、日本産業規格Ａ４の寸法のものとすること。
2　該当する□にレ印を付け、「男・女」及び「午前/午後」については、該当するものを○で囲むこと。
3　従事者の住所及び職業は、当該従事者が死亡した場合は、死亡した当時の住所及び職業について記載すること。
4　損害補償の制限に該当する事実の欄は、従事者が、故意の犯罪行為若しくは重大な過失により、又は正当な理由がなくて療養に関する指示に従わないことにより、業務に係る負傷、疾病、障害若しくは死亡若しくはこれらの原因となつた事故を生じさせ、又は業務に係る負傷、疾病若しくは障害の程度を増進させ、若しくはその回復を妨げたと認めるに足りる事項について記載すること。
5　補償基礎額等及び扶養親族の欄は、療養補償又は介護補償に限つて請求をする場合は、記入することを要しない。

本様式…追加〔平成26年８月農林水産・国土交通省令２号〕、一部改正〔令和元年６月農林水産・国土交通省令２号・２年12月２号〕

様式第八（日本産業規格Ａ４）

第一表（表）

<u>○ ○ 海 岸 保 全 区 域 台 帳</u>

整理番号	

<table>
<tr><td>指定年月日及び番号</td><td colspan="4">年　月　日（　）</td><td colspan="2">海岸管理者名</td><td></td></tr>
<tr><td>海 岸 保 全 区 域</td><td colspan="7"></td></tr>
<tr><td>海岸線の延長</td><td>M</td><td>海岸保全区域の面積</td><td>M^2</td><td colspan="3">公共海岸の土地（地方公共団体が所有する土地を除く。）の面積</td><td>M^2</td></tr>
<tr><td>海岸保全区域の概況</td><td colspan="7"></td></tr>
<tr><td rowspan="3">気象及び海象の概況</td><td colspan="2">最大風速及び風向</td><td>M/sec</td><td rowspan="3" colspan="2">そ の 他</td><td rowspan="3" colspan="2"></td></tr>
<tr><td colspan="2">既往最大波高及び波向</td><td>M</td></tr>
<tr><td colspan="2">既 往 最 高 潮 位</td><td>M</td></tr>
<tr><td colspan="2">海岸保全施設のある区間の延長</td><td>M</td><td colspan="3">海岸保全施設のない区間の延長</td><td colspan="2">M</td></tr>
<tr><td>法第２条第２項の規定により指定された地方公共団体が所有する土地の区域及び面積（指定年月日）</td><td colspan="7"></td></tr>
<tr><td>法第２条第２項の規定により指定された水面の区域

（指定年月日）</td><td colspan="7"></td></tr>
<tr><td>法第５条第６項の規定により市町村長が管理の一部を行う区域　（市町村名）

（管理開始年月日）</td><td colspan="7"></td></tr>
</table>

（裏）

<table>
<tr><td></td><td>占用許可等の概要

規制区域等の概要</td></tr>
</table>

摘　要	その他特記すべき事項

第二表

海　岸　保　全　施　設　調　書

位置	種類	名称	管理者名	所有者名	構造	数量	竣功年月日（砂浜又は樹林については指定年月日）	摘　要

本様式…一部改正〔平成６年３月農林水産・運輸・建設省令１号〕・旧様式六…全部改正し繰下〔平成12年３月農林水産・運輸・建設省令１号〕、本様式…一部改正〔平成26年８月農林水産・国土交通省令２号・令和元年６月２号〕

様式第九

水　準　面　図

	調製年月日
既往最高潮位	
指定の日の属する年の春分の日における満潮位	
朔(さく)望平均満潮面	
東京湾中等潮位	
朔(さく)望平均干潮面	
指定の日の属する年の春分の日における干潮位	
最　低　水　面	

備考　東京湾中等潮位又は最低水面を基準とし、基準とした潮位を±０として記入すること。

旧様式七…繰下〔平成12年３月農林水産・運輸・建設省令１号〕、本様式…一部改正〔平成14年４月農林水産・国土交通省令３号〕

様式第十（日本産業規格Ａ４）

（表）

○○一般公共海岸区域台帳

整理番号	

海岸管理者名（市町村長が海岸管理者である場合には管理開始年月日）			
一般公共海岸区域			
海岸線の延長	Ｍ	一般公共海岸区域の土地（地方公共団体が所有する土地を除く。）の面積	M^2
一般公共海岸区域の概況			
法第２条第２項の規定により指定された地方公共団体が所有する土地の区域及び面積（指定年月日）			
法第２条第２項の規定により指定された水面の区域（指定年月日）			

（裏）

摘　　　　要	占用許可等の概要 規制区域等の概要 その他特記すべき事項

本様式…追加〔平成12年３月農林水産・運輸・建設省令１号〕、一部改正〔令和元年６月農林水産・国土交通省令２号〕

様式第十一

水　　準　　面　　図

調製年月日

朔(さく)望平均満潮面	
東京湾中等潮位	
朔(さく)望平均干潮面	
最　低　水　面	

備考　東京湾中等潮位又は最低水面を基準とし、基準とした潮位を±０として記入すること。

本様式…追加〔平成12年３月農林水産・運輸・建設省令１号〕、一部改正〔平成14年４月農林水産・国土交通省令３号〕

様式第十二

（表）

第　　号

身分証明書

住所
氏名
職名

年令

右は、海岸法第三十七条の八において準用する第十八条第一項の規定により一般公共海岸区域に関する調査等のため他人の土地及び水面に立ち入ることができる者であることを証する。

交付年月日
有効期間

海岸管理者　　印

（裏）

海岸法抜すい

第十八条　海岸管理者又はその命じた者若しくはその委任を受けた者は、海岸保全区域に関する調査若しくは測量又は海岸保全施設に関する工事のためやむを得ない必要があるときは、あらかじめその占有者に通知して、他人の占有する土地若しくは水面に立ち入り、又は特別の用途のない他人の土地を材料置場若しくは作業場として一時使用することができる。ただし、あらかじめ通知することが困難であるときは、通知することを要しない。

2　前項の規定により宅地又はかき、さく等で囲まれた土地若しくは水面に立ち入ろうとするときは、立入の際あらかじめその旨を当該土地又は水面の占有者に告げなければならない。

3　日出前及び日没後においては、占有者の承認があつた場合を除き、前項に規定する土地又は水面に立ち入つてはならない。

4　第一項の規定により土地又は水面に立ち入ろうとする者は、その身分を示す証明書を携帯し、関係人の請求があつたときは、これを提示しなければならない。

5　第一項の規定により特別の用途のない他人の土地を材料置場又は作業場として一時使用しようとするときは、あらかじめ当該土地の占有者及び所有者に通知して、その者の意見をきかなければならない。

6　土地又は水面の占有者又は所有者は、正当な理由がない限り、第一項の規定による立入又は一時使用を拒み、又は妨げてはならない。

第三十七条の八　第十条第二項、第十一条、第十二条（第三項を除く。）、第十二条の二、第十六条、第十八条、第二十三条、第二十三条の三から第二十三条の七まで、第二十四条、第二十五条、第二十八条、第三十一条及び第三十四条から第三十七条までの規定は、一般公共海岸区域について準用する。（以下略）

本様式…追加〔平成一二年三月農林水産・運輸・建設省令一号〕、一部改正〔平成二六年八月農林水産・国土交通省令二号〕

○海岸法第三十七条の二第一項の海岸を指定する政令

（平成十一年六月二十三日政令第百九十三号）

内閣は、海岸法（昭和三十一年法律第百一号）第三十七条の二第一項の規定に基づき、この政令を制定する。

海岸法第三十七条の二第一項の海岸は、東京都小笠原村沖ノ鳥島の海岸とする。

附　則

この政令は、公布の日から施行する。

○海岸保全施設の技術上の基準を定める省令

（平成十六年三月二十三日農林水産・国土交通省令第一号）

〔沿革〕平成二六年八月六日農林水産・国土交通省令第二号、一二月一〇日第三号、令和三年七月三〇日第二号改正

（この省令の趣旨）

第一条　この省令は、海岸保全施設のうち、堤防、突堤、護岸、胸壁、離岸堤、砂浜、消波堤及び津波防波堤について海岸の保全上必要とされる技術上の基準を定めるものとする。

（用語の定義）

第二条　この省令において、次の各号に掲げる用語の意義は、それぞれ当該各号に定めるところによる。

一　設計高潮位　次に掲げる潮位に気象の状況及び将来の見通しを勘案して必要と認められる値を加えたもののうちから、海岸保全施設の設計を行うため、当該海岸保全施設の背後地の状況等を考慮して、海岸管理者が定めるものをいう。

イ　既往最高潮位

ロ　朔望平均満潮位に既往の潮位偏差の最大値を加算し、当該満潮位の時に当該潮位偏差及び設計波が発生する可能性を考慮して、当該潮位偏差の最大値の範囲内において必要な補正を行った潮位

ハ　朔望平均満潮位に台風その他の異常な気象又はこれに伴う海象に関する記録に基づき推算した潮位偏差の最大値を加算し、当該満潮位の時に当該潮位偏差及び設計波が発生する可能性を考慮して、当該潮位偏差の最大値の範囲内において必要な補正を行った潮位

二　設計波　海岸保全施設の設計を行うため、長期間の観測記録に基づく最大の波浪又は台風その他の異常な気象若しくはこれに伴う海象に関する記録に照らして発生するものと予想される最大の波浪を考慮し、気象の状況及び将来の見通しを勘案して、海岸管理者が当該海岸保全施設に到達するおそれが多い波浪として定めるものをいう。

三　設計津波　海岸保全施設の設計を行うため、津波発生時の浸水に関する記録に基づく最大の津波又は地震その他の異常な地象若しくはこれに伴う海象に関する記録に照らして発生するものと予想される最大の津波を考慮し、当該海岸保全施設に到達するおそれが多い津波として、海岸管理者が定めるものをいう。

本条…一部改正〔令和三年七月農林水産・国土交通省令二号〕

（堤防及び護岸）

第三条　堤防及び護岸（以下「堤防等」という。）の型式、天端高（波返工がある場合においては、これを含む高さとする。以下この条において同じ。）、天端幅、法勾配及び法線は、当該堤防等の背後地の状況等を考慮して、設計高潮位の海水若しくは設計波又は設計津波の作用に対して、次の各号のいずれかに掲げる機能が確保されるよう定めるものとする。

一　高潮又は津波による海水の侵入を防止する機能

二　波浪による越波を減少させる機能

三　海水による侵食を防止する機能

2　堤防の型式、天端幅及び法勾配（根固工にあっては型式、幅及び厚さ、樹林にあっては樹種並びに盛土の幅及び厚さ）は、前項の規定によるほか、当該堤防の背後地の状況等を考慮して、設計高潮位を超える潮位の海水若しくは設計波を超える波浪又は設計津波を超える津波の作用に対して、当該堤防の損傷等を軽減する機能が確保されるよう定めるものとする。

3　堤防等は、設計高潮位以下の潮位の海水及び設計波並びに

設計津波の作用に対して安全な構造とするものとする。

4　堤防にあっては、前項の規定によるほか、当該堤防の背後地の状況等を考慮して、設計高潮位を超える潮位の海水及び設計波を超える波浪並びに設計津波を超える津波の作用に対して当該堤防の損傷等を軽減する構造とするものとする。

5　堤防等の天端高は、次の各号のいずれかに掲げる値に当該堤防等の背後地の状況等を考慮して必要と認められる値を加えた値以上とするものとする。

一　設計高潮位に設計波のうちあげ高を加えた値

二　設計高潮位の時の設計波により越波する海水の量を十分に減少させるために必要な値

三　設計津波の水位

6　堤防等には、当該堤防等の近傍の土地の利用状況により、樋門、樋管、陸閘その他排水又は通行のための施設を設けるものとする。

7　前項の施設のうち操作施設には、必要に応じ、管理橋その他の適当な管理施設を設けるものとする。

8　堤防等に操作施設を設ける場合において、当該操作施設の操作に従事する者の安全又は当該操作施設の利用者の利便を確保するため必要があるときは、自動的に、又は遠隔操作により当該操作施設の開閉を行うことができるものとするものとする。

二・四項…追加・旧一・三・四項…三・五・六項に繰下〔平成二六年八月農林水産・国土交通省令二号〕、六項…一部改正・七・八項…追加〔平成二六年一二月農林水産・国土交通省令三号〕

（突堤）

第四条　突堤の型式、天端高、天端幅、長さ及び方向並びに突堤相互の間隔は、漂砂の観測又は推算の結果に照らして当該突堤の近傍の海域において発生するものと予想される漂砂に対して、漂砂を制御することにより汀線を維持し、又は回復させる機能が確保されるよう定めるものとする。

2　突堤は、設計高潮位以下の潮位の海水及び設計波の作用に対して安全な構造とするものとする。

（胸壁）

第五条　胸壁の型式、天端高及び法線は、当該胸壁の背後地の状況等を考慮して、設計高潮位の海水若しくは設計波又は設計津波の作用に対して、次の各号のいずれかに掲げる機能が確保されるよう定めるものとする。

一　高潮又は津波による海水の侵入を防止する機能

二　波浪による越波を減少させる機能

2　胸壁の型式は、前項の規定によるほか、当該胸壁の背後地の状況等を考慮して、設計高潮位を超える潮位の海水若しくは設計波を超える波浪又は設計津波を超える津波の作用に対して、当該胸壁の損傷等を軽減する機能が確保されるよう定めるものとする。

3　第三条第三項から第八項までの規定は、胸壁について準用する。

二項…追加・旧二項…一部改正し三項に繰下〔平成二六年八月農林水産・国土交通省令二号〕、三項…一部改正〔平成二六年一二月農林水産・国土交通省令三号〕

（離岸堤）

第六条　離岸堤の型式、天端高、天端幅、長さ及び汀線からの距離並びに離岸堤相互の間隔は、設計高潮位の海水及び設計波の作用又は漂砂の観測若しくは推算の結果に照らして当該離岸堤の近傍の海域において発生するものと予想される漂砂に対して、次の各号のいずれかに掲げる機能が確保されるよう定めるものとする。

一　消波することにより越波を減少させる機能

二　漂砂を制御することにより汀線を維持し、又は回復させる機能

2　第四条第二項の規定は、離岸堤について準用する。

（砂浜）

第七条　砂浜の幅、高さ及び長さは、設計高潮位以下の潮位の海水及び設計波以下の波浪の作用に対して、次の各号のいずれかに掲げる機能が確保されるよう定めるものとする。

一　消波することにより越波を減少させる機能

二　堤防等の洗掘を防止する機能

2　砂浜は、前項に規定する作用に対して長期的に安定した状態を保つことができるものとする。

（消波堤）

第八条　消波堤の型式、天端高、天端幅及び法線は、設計高潮位の海水及び設計波の作用に対して、消波することにより汀線を維持する機能が確保されるよう定めるものとする。

2　第四条第二項の規定は、消波堤について準用する。

（津波防波堤）

第九条　津波防波堤の型式、天端高、天端幅、法線並びに開口部の水深及び幅は、設計津波の作用に対して、当該津波防波堤の内側において、津波による水位の上昇を抑制する機能が確保されるよう定めるものとする。

2　津波防波堤の型式及び天端幅は、前項の規定によるほか、当該津波防波堤の背後地の状況等を考慮して、設計津波を超える津波の作用に対して、当該津波防波堤の損傷等を軽減する機能が確保されるよう定めるものとする。

3　第三条第三項及び第四項の規定は、津波防波堤について準用する。

二項…追加・旧二項…一部改正し三項に繰下〔平成二六年八月農林水産・国土交通省令二号〕

附　則

（施行期日）

1　この省令は、平成十六年四月一日から施行する。

（経過措置）

2　この省令の施行の際現に存する海岸保全施設又は現に工事中の海岸保全施設がこの省令の規定に適合しない場合においては、当該海岸保全施設については、当該規定は、適用しない。

附　則〔平成二六年八月六日農林水産・国土交通省令第二号〕

（施行期日）

1　この省令は、海岸法の一部を改正する法律の施行の日（平

成二十六年八月十日）から施行する。

（経過措置）

2　この省令の施行の際現に存する堤防、胸壁及び津波防波堤（以下「堤防等」という。）又は現に工事中の堤防等がこの省令の規定に適合しない場合については、当該堤防等については、当該規定は適用しない。

附　則〔平成二六年一二月一〇日農林水産・国土交通省令第三号〕

（施行期日）

1　この省令は、海岸法の一部を改正する法律の一部の施行の日（平成二十六年十二月十日）から施行する。

（経過措置）

2　この省令の施行の際現に存する操作施設又は現に工事中の操作施設が第二条の規定による改正後の海岸保全施設の技術上の基準を定める省令第三条第七項及び第八項（これらの規定を同令第五条第三項において準用する場合を含む。）の規定に適合しない場合においては、当該操作施設については、当該規定は、適用しない。

附　則〔令和三年七月三〇日農林水産・国土交通省令第二号〕

（施行期日）

1　この省令は、公布の日から施行する。

（経過措置）

2　この省令の施行の際現に存する海岸保全施設又は現に工事中の海岸保全施設については、この省令による改正後の海岸保全施設の技術上の基準を定める省令第二条第一号及び第二号の規定にかかわらず、なお従前の例によることができる。

○海岸保全区域等に係る海岸の保全に関する基本的な方針

（令和二年十一月二十日農林水産・国土交通省告示第一号）

我が国は、四方を海に囲まれ、入り組んだ複雑な海岸線を有することから、海岸の延長は極めて長く約三万五千キロメートルに及ぶ。また、国土狭あいで平野部が限られている我が国では、海岸の背後に、人口、資産、社会資本等が集積している。

我が国の海岸は、地震や台風、冬期風浪等の厳しい自然条件にさらされており、津波、高潮、波浪等による災害や海岸侵食等に対して脆弱性を有している。このため、海岸の背後に集中している人命や財産を災害から守るとともに国土の保全を図るため海岸整備が進められてきた。また、海岸は、単なる陸域と海域との境界というだけでなく、それらが相接する特色ある空間であり、多様な生物が生息・生育する貴重な場であるとともに、美しい砂浜や荒々しい岩礁等の独特の自然景観を有し、我が国の文化・歴史・風土を形成してきた。しかし、沿岸部の開発等に伴い自然海岸が減少してきている。

一方、海岸は古くから漁業の場や港としての利用がなされるとともに、干拓による農地の開発等も多く行われ、生産や輸送のための空間としての役割を果たしてきた。さらに、近年では、レジャーやスポーツ、あるいは様々な動植物と触れ合う場としての役割も担ってきている。

このような中で、防災面では海岸保全施設の整備水準は未だ低く、津波、高潮、波浪等により依然として多くの被害が発生しており、東日本大震災においては、これまでの想定をはるかに超えた巨大な地震・津波により海岸保全施設及びその背後地に甚大な被害を受けた。また、海岸に供給される土砂の減少や海岸部での土砂収支の不均衡等の様々な要因により海岸侵食が進行してきている。さらに、気候変動の影響による平均海面水位の上昇は既に顕在化しつつあり、今後、さらなる平均海面水位の上昇や台風の強大化等による沿岸地域への影響が懸念されている。環境・利用面では海岸の汚損や海浜への車の乗入れ等無秩序な行為や適正でない行為等により、美しく、豊かな海岸環境が損なわれている。

価値観の多様化や少子・高齢化等が進む中においても、海岸は、大規模な津波、台風等による高潮等に備え、防災・減災対策により災害に対する安全性を確保し、良好な海岸環境の整備と保全が図られ、人々の多様な利用が適正に行われる空間となることが求められている。さらに、海岸保全施設については、急速な老朽化が見込まれており、適切な維持管理・更新を推進することが求められている。

本海岸保全基本方針は、このような認識の下、今後の海岸の望ましい姿の実現に向けた海岸の保全に関する基本的な事項を示すものである。

一　海岸の保全に関する基本的な指針

1　海岸の保全に関する基本理念

海岸は、国土狭あいな我が国にあって、その背後に多くの人口・資産が集中している空間であるとともに、海と陸が接し多様な生物が相互に関係しながら生息・生育している貴重な空間である。また、様々な利用の要請がある一方、人為的な諸活動によって影響を受けやすい空間である。さらに、このような特性を持つ海岸において、安全で活力ある地域社会を実現し、環境意識の高まりや心の豊かさへの要求にも対応する海岸づくりが求められている。

これらのことから、国民共有の財産として「美しく、安全で、いきいきした海岸」を次世代へ継承していくことを、今後の海岸の保全のための基本的な理念とする。

この理念の下、災害からの海岸の防護に加え、海岸環境の整備と保全及び公衆の海岸の適正な利用の確保を図り、これらが調和するよう、総合的に海岸の保全を推進するものとする。また、海岸は地域の個性や文化を育んできていること等から、地域の特性を生かした地域とともに歩む海岸づくりを目指すものとする。

2　海岸の保全に関する基本的な事項

海岸の保全に当たっては、地域の自然的・社会的条件及び海岸環境や海岸利用の状況並びに気候変動の影響による外力の長期変化等を調査、把握し、それらを十分勘案して、災害に対する適切な防護水準を確保するとともに、海岸環境の整備と保全及び海岸の適正な利用を図るため、施設の整備に加えソフト面の対策を講じ、これらを総合的に推進する。特に、防災上の機能と併せ、環境や利用という観点から良好な空間としての機能を有する砂浜についてその保全に努める。また、海岸保全施設の老朽化が急速に進む中、予防保全の考え方に基づき海岸保全施設の適切な維持管理・更新を図る。

海岸の保全は、国と地方が相互に協力して行うものとする。その際、海岸保全施設の新設又は改良等については、国が最終的な責務を負いつつ国又は地方公共団体が進めていくものとし、それ以外の日常的な海岸管理については、地方公共団体が主体的かつ適切に進めていくものとする。なお、国土保全上極めて重要な海岸で地理的条件等により地方公共団体で管理することが著しく困難又は不適当なものについては、国が直接適切に管理する。

(1)　海岸の防護に関する基本的な事項

我が国は、津波、高潮、波浪等による災害や海岸侵食等の脅威にさらされており、海岸はこれらの災害から背後の人命や財産を防護する役割を担っている。このため、各々の海岸において、気象、海象、地形等の自然条件及び過去の災害発生の状況を分析するとともに、気候変動の影響による外力の長期変化量を適切に推算し、背後地の人口・資産の集積状況や土地利用の状況等を勘案して、所要の安全を適切に確保する防護水準を定める。

津波からの防護を対象とする海岸にあっては、過去に発生した浸水の記録等に基づいて、数十年から百数十年に一度程度発生する比較的発生頻度の高い津波に対して防護することを目標とする。

高潮からの防護を対象とする海岸にあっては、過去の台風等により発生した高潮の記録に基づく既往の最高潮位又は記録や将来予測に基づき適切に推算した潮位に、記録や将来予測に基づき適切に推算した波浪の影響を加え、これらに対して防護することを目標とする。

潮位に比して背後地の地盤高が低いゼロメートル地帯等の地域や三大湾を始めとする背後に人口・資産が特に集積した地域にあっては、過去の津波、高潮等による災害や気候変動の影響による外力の長期変化を十分勘案し、必要に応じ、より高い安全を確保することを目標とする。

海岸保全施設の整備に当たっては、背後地の状況を考慮しつつ、津波、高潮等から海水の侵入又は海水による侵食を防止するとともに、海水が堤防等を越流した場合にも背後地の被害が軽減されるものとする。

津波、高潮対策については、施設の整備だけでなく、適切な避難のための迅速な情報伝達、地域と協力した防災体制の整備や避難地の確保、土地利用の調整、都市計画等のまちづくりと連携を行うなど、ハード面の対策とソフト面の対策を組み合わせた総合的な対策を行うよう努める。

水門・陸閘等については、現場操作員の安全を確保したうえで、閉鎖の確実性を向上させるため、操作規則等に基づく平常時の訓練等を実施し、効果的な管理運用体制の構築を図る。

侵食対策については、将来的な気候変動や人為的改変による影響等も考慮し、継続的なモニタリングにより流砂系全体や地先の砂浜の変動傾向を把握し、侵食メカニズムを設定し、将来変化の予測に基づき対策を実施する。さらに、その効果をモニタリングで確認し、次の対策を検討する「予測を重視した順応的砂浜管理」を行う。既に侵食が進行している海岸にあっては、現状の汀線を保全することを基本的な目標とし、必要な場合には、さらに汀線の回復を図ることを目標とする。加えて、沿岸漂砂の連続性を勘案し、侵食が進んでいる地域だけでなく、砂の移動する範囲全体において、土砂収支の状況を踏まえた広域的な視点に立った対応を適切に行う。また、領土・領海の保全の観点から重要な岬や離島における侵食対策を推進する。

(2)　海岸環境の整備及び保全に関する基本的な事項

海岸は、陸域と海域とが相接する空間であり、砂浜、岩礁、干潟等生物にとって多様な生息・生育環境を提供しており、そこには、特有の環境に依存した固有の生物も多く存在している。また、白砂青松等の名勝や自然公園等の優れた自然景観の一部を形成することもある。

これら海岸の環境容量は有限であることから、海岸環境に支障を及ぼす行為をできるだけ回避すべきであり、喪失した自然の復元や景観の保全も含め、自然と共生する海岸環境の保全と整備を図る。

特に、名勝や自然公園等の優れた景観、天然記念物等の学術上貴重な自然、生物の重要な生息・生育地等の優れた自然を有する海岸については、その保全に十分配慮する。また、海岸環境の適切な保全のため、必要に応じ車の乗入れ等の一定の行為を規制するとともに、油流出事故等突発的に生じる環境への影響等に適切に対応する。

海岸保全施設等の整備に当たっては、海岸環境の保全に十分配慮していくとともに、良好な海岸環境の創出を図るため、必要に応じ、砂浜、植栽等を整備する。また、親水護岸、遊歩道等人と海との触れ合いを確保するための施設も必要に応じ整備する。

さらに、海岸環境に関する情報の収集・整理と分析を行い、その結果の提供・公開を通じて関係者間の共有を進めることにより、保全すべき海岸環境について関係者が共通の認識を有するよう努める。

(3) 海岸における公衆の適正な利用に関する基本的な事項

海岸は、古来から地域社会において祭りや行事の場として利用されており、地域文化の形成や継承に重要な役割を果たしてきた。近年は、人々のニーズも社会のあらゆる分野で高度化、多様化しており、海岸も、海水浴等の利用に加え様々なレジャーやスポーツ、体験活動・学習活動の場及び健康増進のための海洋療法や憩いの場などとしての利用がなされてきている。

このため、海岸が有している様々な機能を十分生かし、公衆の適正な利用を確保していくため、海岸の利用の増進に資する施設の整備等を推進するとともに、景観や利便性を著しく損なう施設の汚損、放置船等に適切に対処する。

また、海辺に近づけない海岸等においては、必要に応じ、海との触れ合いの場を確保するため、自然環境の保全に留意しつつ、公衆による海辺へのアクセスの確保に努める。

レジャーやスポーツ等の海洋性レクリエーション等による海岸利用に当たり、自然環境を始め海岸環境へ悪影響を及ぼさないよう、マナーの向上に向けた利用者に対する啓発活動を推進する。

3 海岸保全施設の整備に関する基本的な事項

(1) 海岸保全施設の新設又は改良に関する基本的な事項

① 安全な海岸の整備

現在、防護が必要な海岸のうち、所要の機能を確保した海岸保全施設の整備は未だ十分でなく、高潮、波浪等による被害は依然として多い。また、大規模地震の発生に伴う津波による災害への懸念も大きい。さらに、今後は、気候変動の影響による平均海面水位の上昇などの外力の長期変化にも対応していく必要がある。

このため、今後とも防護の必要な海岸において施設の計画的な整備を進める。整備に当たっては、堤防や消波工に沖合施設や砂浜等も組み合わせることにより、防護のみならず環境や利用の面からも優れた面的防護方式による整備を推進する。また、背後地の状況等を考慮して、設計の対象を超える津波、高潮等の作用に対して施設の損傷等を軽減するため、粘り強い構造の堤防、胸壁及び津波防波堤の整備を推進する。その際、粘り強い構造の堤防等について、樹林と盛土が一体となって堤防の洗掘や被覆工の流出を抑制する「緑の防潮堤」など多様な構造を含めて検討する。水門・陸閘等については、統廃合又は常時閉鎖を進めるとともに、現場操作員の安全又は利用者の利便性を確保するため必要があるときは、自動化・遠隔操作化の取組を計画的に進める。津波、高潮等による甚大かつ広域的な被害を防ぐため、堤防、護岸、高潮・津波防波堤等の整備を進めるとともに、必要に応じ、それらの施設を複合的かつ効果的に組み合わせた対策を推進する。

侵食対策としては、施設の整備と併せ、広域的な漂砂の動きを考慮して、一連の海岸において堆積箇所から侵食箇所へ砂を補給する等構造物によらない対策も含めて土砂の適切な管理を推進する。

さらに、海岸保全施設の機能や背後地の重要度等を考慮して必要に応じて耐震性の強化を推進する。

② 自然豊かな海岸の整備

海岸の多様な生態系や美しい景観の保全を図るため、それぞれの海岸の有する自然特性に応じた海岸保全施設の整備を進める。

特に、砂浜は、防災上の機能に加え、白砂青松等の美しい海岸景観の構成要素となるとともに、人と海との触れ合いや海水の浄化の場としても重要な役割を果たしており、多様な生物の生息・生育の場ともなっている。このため、砂浜について、その保全と回復を主体とした整備をより一層推進する。

施設の整備に当たっては、優れた海岸景観が損なわれることのないよう、また、海岸を生息・生育や産卵の場とする生物が、その生息環境等を脅かされることのないよう、干潟や藻場を含む自然環境の保全に配慮する。離岸堤や潜堤、人工リーフ等は、多様な生物の生息・生育の場となり得ることから、自然環境に配慮した整備を進める。

③ 親しまれる海岸の整備

海岸保全施設の整備に当たっては、利用者の利便性や地域社会の生活環境の向上に寄与するため、これに配慮した施設の工夫に努める。

特に、堤防等によって、海辺へのアクセスが分断されることのないよう、必要に応じ階段の設置等施設の構造への配慮を行うとともに、さらに、階段護岸や緩傾斜堤防等の整備を推進する。その際、高齢者や障害者等が日常生活の中で海辺に近づき、身近に自然と触れ合えるようにするため、施設のバリアフリー化に努める。

また、海岸の生物の生息・生育や、人々の適正な利用の確保の観点から、既存の施設を環境や利用に配慮した施設に作り変えていくことにも十分配慮する。

(2) 既存の海岸保全施設の維持又は修繕に関する基本的な事項

海岸保全施設の老朽化が進行する中、費用の軽減や平準化を図りつつ、所要の機能を確保する必要がある。

このため、海岸保全施設の構造、修繕の状況、気象・海象の状況等を勘案して、適切な時期に巡視又は点検を実施し、長寿命化計画を作成するなど予防保全の考え方に基づいた計画的かつ効果的な維持又は修繕を推進する。また、海岸保全施設の新設又は改良に関する記録だけでなく、点検又は修繕に関する記録の作成及び保存を適切に行う。

4 海岸の保全に関するその他の重要事項

(1) 広域的・総合的な視点からの取組の推進

一体的に社会経済活動を展開する地域全体の安全の確保、快適性や利便性の向上に資するため、海岸背後地の人口、資産、社会資本等の集積状況や土地利用の状況、海岸の利用や環境、海上交通、漁業活動等を勘案し、関係する行政機関とより緊密な連携を図り、広域的・総合的な視点からの取組を推進する。

特に、気候変動の影響による平均海面水位の上昇については、長期的視点からこうした取組を進めるうえで目安となる平均海面水位を社会全体で共有するよう努める。

災害に対する安全の確保については、連たんする背後地を一体的に防護する必要がある。このため、海岸だけでなく沿岸部における関連する施設との防護水準の整合の確保等、関係機関との連携の下に、一体的・計画的な防災・減災対策を推進する。その際、必要に応じて協議会を設置し、防災・減災対策に係る事業間調整等について協議を行うものとする。

海岸侵食は、土砂の供給と流出のバランスが崩れることによって発生する。この問題に抜本的に対応していくため、海岸地形のモニタリングの充実や沿岸漂砂による長期的な地形変化に対する全国的な気候変動の影響予測を行いつつ、海岸部において、沿岸漂砂による土砂の収支が適切となるよう構造物の工夫等を含む取組を進めるとともに、海岸部への適切な土砂供給が図られるよう河川の上流から海岸部までの流砂系における総合的な土砂管理対策とも連携する等、多様な関係機関との連携の下に広域的・総合的な対策を推進する。

また、海岸は、海と陸が接する独特な空間であることから、様々な利用の可能性を秘めている。海岸の有する特性を更に広く適切に活用していくため、広域的な利用の観点も念頭に置きつつ、レジャーやスポーツの振興、自然体験・学習活動の推進、健康の増進及び自然との共生の促進等のため、海岸及びその周辺で行われる様々な施策との一層の連携を推進する。

さらに、近年、洪水や高潮等により広範囲に大規模な流木等が海岸に漂着し、海岸の保全に支障が生じていることから、こうした問題に対しても適切に対応する。

(2) 地域との連携の促進と海岸愛護の啓発

海岸の保全を適切かつ効果的に進めていくためには、地域の意向に十分配慮し、地域との連携を図っていくことが不可欠である。

災害に強い地域づくりを進めるため、海岸保全施設の整備と併せ、関係機関と連携して防災情報の提供や災害時の対応方法の周知に加え、気候変動による地域のリスクの将来変化等の情報提供等、地域住民の防災意識の向上及び防災知識の普及を図る。

海岸におけるゴミ対策や清掃等による海岸の美化、希少な動植物の保護については、地域住民やボランティア等の協力を得ながら進めるとともに、参加しやすい仕組みづくりに努める。また、無秩序な利用やゴミの投棄等により海岸環境の悪化が進まないよう、モラルの向上を図るための啓発活動の充実に努める。

適正な利用を促進していくためには、海岸は海への入口であり、時には人命を損なう危険な場所でもあるという認識に立ち、地域特性に応じた海岸利用のルールづくりを推進するとともに、安全で適正な利用に必要な情報を適宜提供していく。海岸の保全のために実施する行為の制限等については、利用者にわかりやすく表示するよう努める。

こうした地域住民との連携を緊密にしていくため、海岸愛護の思想の普及を図るとともに、環境教育の充実にも努め、地域における愛護活動が推進されるような人材を育成する。

海岸保全に資する清掃、植栽、希少な動植物の保護、防災・環境教育等の様々な活動を自発的に行い、海岸管理を適正かつ確実に行うことができると認められる法人・団体を海岸協力団体に指定することにより、地域との連携強化を図り、地域の実情に応じた海岸管理の充実を図る。

(3) 調査・研究の推進

質の高い安全な海岸の実現に向け、効率的な海岸管理を推進するため、海岸に関する基礎的な情報の収集・整理を行いつつ、それらの情報や気候変動の影響による将来予測に関する最新の知見を継続的に共有し、対策に最新の知見を見込むことができるような体制の構築、効果的な防災・減災対策に関する調査研究、広域的な海岸の侵食や影響予測に関する調査研究、適切な維持及び修繕に関する調査研究、生態系等の自然環境に配慮した整備に関する調査研究、新工法等新たな技術に関する研究開発等を推進していく。

また、民間を含めた幅広い分野と情報の共有を図りつつ、互いの技術の連携を推進するとともに、国際的な技術交流等を図り、広くそれらの成果の活用と普及に努める。

さらに、気候変動の影響による気象・海象の変化や長期的な平均海面水位の上昇は、海岸侵食の進行やゼロメートル地帯の増加、高潮や波浪による被害の激甚化等、海岸のみならず国土保全の観点から深刻な影響を生ずるおそれがあることから、潮位、波浪等についての継続的な監視やデータの蓄積によりその変動を適時適切に把握し、気候変動による影響の予測・評価を踏まえて、適応策の具体化を進める。

二　一の海岸保全基本計画を作成すべき海岸の区分

一の海岸保全基本計画を作成すべき一体の海岸の区分（沿岸）は、地形・海象面の類似性及び沿岸漂砂の連続性に着目して、できるだけ大括りにするとともに、都府県界も考慮して、別表のとおり定める。

三　海岸保全基本計画の作成に関する基本的な事項

都道府県においては、本海岸保全基本方針に基づき、地域の意見等を反映して二で定めた沿岸ごとに整合のとれた海岸保全基本計画を作成し、総合的な海岸の保全を実施するものとする。

また、沿岸が複数の都府県にわたる場合には、原則として関係都府県が共同して計画策定体制を整え、一の海岸保全基本計画を作成するものとする。

海岸保全基本計画において定めるべき基本的な事項と留意すべき重要事項は、次のとおりである。

1　定めるべき基本的な事項

(1)　海岸の保全に関する基本的な事項

海岸の保全を図っていくに当たっての基本的な事項として定めるものは、次の事項とする。

①　海岸の現況及び保全の方向に関する事項

自然的特性や社会的特性等を踏まえ、沿岸の長期的な在り方を定める。

②　海岸の防護に関する事項

防護すべき地域、防護水準等の海岸の防護の目標及びこれを達成するために実施しようとする施策の内容を定める。

③　海岸環境の整備及び保全に関する事項

海岸環境を整備し、及び保全するために実施しようとする施策の内容を定める。

④　海岸における公衆の適正な利用に関する事項

海岸における公衆の適正な利用を促進するために実施しようとする施策の内容を定める。

(2)　海岸保全施設の整備に関する基本的な事項

沿岸の各地域ごとの海岸において海岸保全施設を整備していくに当たっての基本的な事項として定めるものは次の事項とする。

①　海岸保全施設の新設又は改良に関する事項

イ　海岸保全施設を新設又は改良しようとする区域

一連の海岸保全施設を新設又は改良しようとする区域を定める。

ロ　海岸保全施設の種類、規模及び配置

イの区域ごとに海岸保全施設の種類、規模及び配置について定める。

ハ　海岸保全施設による受益の地域及びその状況

海岸保全施設の新設又は改良によって津波、高潮等による災害や海岸侵食から防護される地域及びその地域の土地利用の状況等を示す。

②　海岸保全施設の維持又は修繕に関する事項

イ　海岸保全施設の存する区域

維持又は修繕の対象となる海岸保全施設が存する区域を定める。

ロ　海岸保全施設の種類、規模及び配置

イの区域ごとに存する海岸保全施設の種類、規模及び配置について定める。

ハ　海岸保全施設の維持又は修繕の方法

ロの海岸保全施設の種類ごとに、海岸保全施設の維持又は修繕の方法について定める。

2　留意すべき重要事項

海岸保全基本計画を作成するに当たって留意すべき重要事項は次のとおりである。

(1)　関連計画との整合性の確保

国土の利用、開発及び保全に関する計画、環境保全に関する計画、国土強靱化に関する計画、地域計画等関連する計画との整合性を確保する。

(2)　関係行政機関との連携調整

海岸に関係する行政機関と十分な連携と緊密な調整を図る。特に、地域のリスクについて、気候変動の影響による将来変化も含め、まちづくり関係者等と共有したうえで、連携や調整を図る。

(3)　地域住民の参画と情報公開

計画の策定段階で必要に応じ開催される公聴会等だけでなく、計画が実効的かつ効率的に執行できるよう、実施段階においても適宜地域住民の参画を得る。また、計画の策定段階から、計画の実現によりもたらされる防護、環境及び利用に関する状況について必要に応じ示す等、事業の透明性の向上を図るため、海岸に関する情報を広く公開する。

(4)　計画の見直し

地域の状況変化や社会経済状況の変化、気候変動の影響に関する見込みの変化等に応じ、計画の基本的事項及び海岸保全施設の整備内容等を点検し、適宜見直しを行う。

別表

沿岸の名称及び区分

都道府県名	沿岸名	区域		摘要
		起点	終点	
北海道	北見	宗谷岬	知床岬	宗谷岬は宗谷港港湾区域の西端とする。
北海道	根室	知床岬	納沙布岬	
北海道	十勝釧路	納沙布岬	襟裳岬	
北海道	日高胆振	襟裳岬	地球岬	
北海道	渡島東	地球岬	恵山岬	
北海道	渡島南	恵山岬	白神岬	
北海道	後志檜山	白神岬	積丹岬	
北海道	石狩湾	積丹岬	雄冬岬	
北海道	天塩	雄冬岬	宗谷岬	宗谷岬は宗谷港港湾区域の西端とする。
青森	下北八戸	岩手県界	北海岬	
青森	陸奥湾	北海岬	根岸	根岸は平舘漁港区域の南端とする。
青森	津軽	根岸	秋田県界	根岸は平舘漁港区域の南端とする。
秋田	秋田	青森県界	山形県界	
山形	山形	秋田県界	新潟県界	
岩手	三陸北	青森県界	魹ヶ崎	
岩手 宮城	三陸南	魹ヶ崎	黒崎（牡鹿半島）	
宮城 福島	仙台湾	黒崎（牡鹿半島）	茶屋ヶ岬	
福島	福島	茶屋ヶ岬	茨城県界	
茨城	茨城	福島県界	千葉県界	
千葉	千葉東	茨城県界	洲崎	
千葉 東京 神奈川	東京湾	洲崎	剣崎	
東京	伊豆小笠原諸島	―	―	
神奈川	相模灘	剣崎	静岡県界	
新潟	新潟北	山形県界	鳥ヶ首岬	
新潟	佐渡	―	―	
新潟 富山	富山湾	鳥ヶ首岬	石川県界	
石川	能登半島	富山県界	高岩岬	
石川 福井	加越	高岩岬	越前岬	
静岡	伊豆半島	神奈川県界	大瀬崎	
静岡	駿河湾	大瀬崎	御前崎	
静岡 愛知	遠州灘	御前崎	伊良湖岬	
愛知 三重	三河湾・伊勢湾	伊良湖岬	神前岬	
三重 和歌山	熊野灘	神前岬	潮岬	
福井	若狭湾	越前岬	京都府界	
京都	丹後	福井県界	兵庫県界	
兵庫	但馬	京都府界	鳥取県界	
和歌山	紀州灘	潮岬	大阪府界	
兵庫 大阪	大阪湾	和歌山県界	明石市東境界	

兵庫	播磨	明石市東境界	岡山県界	
兵庫	淡路	―	―	
鳥取	鳥取	兵庫県界	島根県界	
島根	島根	鳥取県界	山口県界	
島根	隠岐	―	―	
山口	山口北	島根県界	下関市豊浦町南境界	
山口	山口南	下関市豊浦町南境界	広島県界	
広島	広島	山口県界	岡山県界	
岡山	岡山	広島県界	兵庫県界	
徳島 香川	讃岐阿波	三崎（三豊市）	孫崎（鳴門）	
徳島	紀伊水道西	孫崎（鳴門）	蒲生田岬	
徳島 高知	海部灘	蒲生田岬	室戸岬	
高知	土佐湾	室戸岬	足摺岬	
高知 愛媛	豊後水道東	足摺岬	佐田岬	
愛媛	伊予灘	佐田岬	錨掛ノ鼻	
愛媛 香川	燧灘	錨掛ノ鼻	三崎（三豊市）	
福岡	玄界灘	佐賀県界	北九州市西境界	
福岡 大分	豊前豊後	北九州市西境界	関崎	
大分	豊後水道西	関崎	宮崎県界	
宮崎	日向灘	大分県界	鹿児島県界	
鹿児島	大隅	宮崎県界	佐多岬	
鹿児島	鹿児島湾	佐多岬	長崎鼻（薩摩半島）	
鹿児島	薩摩	長崎鼻（薩摩半島）	大崎（長島）	黒瀬戸においては黒之瀬戸大橋を境界とする。
鹿児島	薩南諸島	―	―	硫黄鳥島を除く。
熊本 鹿児島	八代海	大崎（長島）	小松崎（天草下島）	本渡瀬戸においては瀬戸大橋を境界とする。天草松島地域においては天草2号橋から天草4号橋及び合津港港湾区域西端を境界とする。三角港付近は三角港港湾区域北端を境界とする。
熊本 佐賀 福岡 長崎	有明海	長崎鼻（天草下島）	瀬詰崎	本渡瀬戸においては瀬戸大橋を境界とする。天草松島地域においては天草2号橋から天草4号橋及び合津港港湾区域西端を境界とする。三角港付近は三角港港湾区域北端を境界とする。
熊本	天草西	小松崎（天草下島）	長崎鼻（天草下島）	
長崎	橘湾	瀬詰崎	野母崎	
長崎	西彼杵	野母崎	西海橋（西海市側）	
長崎	大村湾	西海橋（西海市側）	西海橋（佐世保市側）	
長崎 佐賀	松浦	西海橋（佐世保市側）	福岡県界	
長崎	五島・壱岐・対馬	―	―	
沖縄	琉球諸島	―	―	硫黄鳥島を含む。

災害対策等

○緊急輸送を確保するため必要な港湾施設の基準及び円滑な避難を確保するため必要な海岸保全施設の基準を定める件

（昭和五十五年七月十八日運輸省告示第三百四十六号）

地震防災対策強化地域における地震対策緊急整備事業に係る国の財政上の特別措置に関する法律（昭和五十五年法律第六十三号）第三条第一項及び大規模地震対策特別措置法施行令（昭和五十三年政令第三百八十五号）第二条第一号の規定に基づき、緊急輸送を確保するため必要な港湾施設の基準及び津波により生ずる被害の発生を防止し、又は軽減することにより円滑な避難を確保するため必要な海岸保全施設の基準を次のように定め、昭和五十四年運輸省告示第六百七十一号は廃止する。

一　港湾施設の基準

緊急輸送を確保するため必要なけい留施設及び臨港交通施設は、自然条件、港湾及びその周辺地域の経済的及び社会的条件、周辺の港湾の機能並びに港湾及びその周辺における交通の状況を考慮して緊急輸送の用に供することが適切な港湾における港湾施設であり、かつ、次の基準に適合すること。

(一)　けい留施設

イ　緊急輸送の用に供される船舶が利用できる十分な水深及び長さ（けい船浮標及びけい船くいにあつては、十分な水深）を有すること。

ロ　緊急輸送を確保するため十分な広さの敷地を有する荷さばき施設又は保管施設をその背後に有すること。

(二)　臨港交通施設

イ　道路、橋りよう及び運河にあつては、次のいずれかに該当すること。

(1)　前号の基準に適合するけい留施設と高速自動車国道、一般国道又は主要な都道府県道若しくは市町村道とを連絡するもの

(2)　前号の基準に適合するけい留施設と次に掲げる地点のうち都道府県知事が指定するもの（以下「指定拠点」という。）とを連絡するもの

(i)　救援物資等の備蓄地点又は集積地点

(ii)　避難地

(3)　指定拠点と高速自動車国道、一般国道又は主要な都道府県道若しくは市町村道とを連絡するもの

(4)　指定拠点を相互に連絡するもの

ロ　駐車場及びヘリポートにあつては、前号の基準に適合するけい留施設又はイの基準に適合する道路、橋りよう若しくは運河に隣接すること。

二　海岸保全施設の基準

大規模な地震により生ずる津波による海水の侵入を防止する機能を有すること。

環境

○港湾環境影響評価の項目並びに当該項目に係る調査、予測及び評価を合理的に行うための手法を選定するための指針、環境の保全のための措置に関する指針等を定める省令

（平成十年六月十二日運輸省令第三十九号）

〔沿革〕 平成一一年六月一一日運輸省令第三〇号、一八年三月三〇日国土交通省令第二〇号、二五年四月一日第二八号、二七年六月一日第四三号改正

（港湾環境影響評価の項目等の選定に関する指針）

第一条 環境影響評価法（以下「法」という。）第四十八条第二項において準用する法第十一条第四項の規定による港湾環境影響評価の項目並びに当該項目に係る調査、予測及び評価を合理的に行うための手法を選定するための指針については、次条から第十条までに定めるところによる。

本条…一部改正〔平成二五年四月国土交通省令二八号〕

（港湾計画に定められる事項の精度の考慮）

第二条 対象港湾計画について港湾環境影響評価その他の手続を行う港湾管理者（以下「特定港湾管理者」という。）は、対象港湾計画に定められる港湾開発等に係る港湾環境影響評価を行うに当たっては、港湾計画に定められる事項の精度を考慮し、これに応じた項目並びに調査、予測及び評価の手法を選定するものとする。

（港湾計画特性及び地域特性の把握）

第三条 特定港湾管理者は、対象港湾計画に定められる港湾開発等に係る港湾環境影響評価の項目並びに調査、予測及び評価の手法を選定するに当たっては、当該選定を行うに必要と認める範囲内で、当該選定に影響を及ぼす対象港湾計画に定められる港湾開発等の内容（以下「港湾計画特性」という。）並びに対象港湾計画に定められる港湾開発等が実施されるべき区域（以下「港湾計画開発等区域」という。）及びその周囲の自然的社会的状況（以下「地域特性」という。）に関し、次に掲げる情報を把握しなければならない。

一 港湾計画特性に関する情報

イ 主要な港湾施設の規模及び配置に関する事項の概要

ロ 埋立地の規模及び配置に関する事項の概要

ハ その他の対象港湾計画に定められる港湾開発等に関する事項

二 地域特性に関する情報

イ 自然的状況

(1) 気象、大気質、騒音、振動その他の大気に係る環境（次条第四項第一号イ及び別表第一において「大気環境」という。）の状況（環境基本法（平成五年法律第九十一号）第十六条第一項の規定により定められた環境上の条件についての基準（(2)及び別表第二において「環境基準」という。）の確保の状況を含む。）

(2) 海象、水質、水底の底質その他の水に係る環境（次条第四項第一号ロ及び別表第一において「水環境」という。）の状況（環境基準の確保の状況を含む。）

(3) 地形及び地質の状況

(4) 動植物の生息又は生育、植生及び生態系の状況

(5) 景観及び人と自然との触れ合いの活動の状況

(6) 一般環境中の放射性物質の状況

ロ 社会的状況

(1) 人口及び産業の状況

(2) 土地利用の状況

(3) 海域の利用の状況

(4) 交通の状況

(5) 学校、病院その他の環境の保全についての配慮が特に必要な施設の配置の状況及び住宅の配置の概況

(6) 下水道の整備の状況

(7) 環境の保全を目的として法令、条例又は法第五十三条の行政指導等（以下「法令等」という。）により指定された地域その他の対象及び当該対象に係る規制の内容その他の状況

(8) その他の事項

2 特定港湾管理者は、前項第二号に掲げる情報の把握に当たっては、次に掲げる事項に留意するものとする。

一 入手可能な最新の文献その他の資料により把握すること。この場合において、当該資料の出典を明らかにできるよう整理すること。

二 必要に応じ、専門家その他の港湾環境影響に関する知見を有する者（以下「専門家等」という。）又は関係する地方公共団体からその知見を聴取し、又は現地の状況を確認するよう努めること。

三 当該情報に係る過去の状況の推移及び将来の状況を把握すること。

二項…一部改正〔平成一八年三月国土交通省令二〇号〕、一項…一部改正〔平成二五年四月国土交通省令二八号・二七年六月四三号〕

（港湾環境影響評価の項目の選定）

第四条 特定港湾管理者は、対象港湾計画に定められる港湾開発等に係る港湾環境影響評価の項目を選定するに当たっては、別表第一に掲げる一般的な港湾計画に定められる港湾開発等の内容（同表備考第二号イからホまでに掲げる特性を有する港湾開発等の当該特性をいう。以下同じ。）によって行われる対象港湾計画に定められる港湾開発等に伴う港湾環境影響を及ぼすおそれがある要因（以下「影響要因」という。）について同表においてその影響を受けるおそれがあるとされる環境の構成要素（以下「環境要素」という。）に係る項目（以下「参考項目」という。）を勘案して選定しなければならない。ただし、次の各号のいずれかに該当すると認

められる場合は、この限りでない。

一　参考項目に関する港湾環境影響がないこと又は港湾環境影響の程度が極めて小さいことが明らかである場合

二　港湾計画開発等区域又はその周囲に、参考項目に関する港湾環境影響を受ける地域その他の対象が相当期間存在しないことが明らかである場合

2　特定港湾管理者は、前項本文の規定による選定に当たっては、一般的な港湾計画に定められる港湾開発等の内容と港湾計画特性との相違を把握するものとする。

3　特定港湾管理者は、第一項本文の規定による選定に当たっては、対象港湾計画に定められる港湾開発等に伴う影響要因が当該影響要因により影響を受けるおそれがある環境要素に及ぼす影響の重大性について客観的かつ科学的に検討しなければならない。この場合において、特定港湾管理者は、港湾計画特性に応じて、次に掲げる影響要因を、物質の排出、埋立地の存在、主要な港湾施設の設置その他の港湾環境影響の態様を踏まえて適切に区分し、当該区分された影響要因ごとに検討するものとする。

一　対象港湾計画に定められる港湾開発等に係る主要な港湾施設又は埋立地の存在及び当該主要な港湾施設又は埋立地において行われることが想定される事業活動その他の人の活動であって対象港湾計画の目的に含まれるもの（別表第一において「主要な港湾施設又は埋立地の存在及び供用」という。）

二　対象港湾計画に定められる港湾開発等に係る主要な港湾施設の撤去又は廃棄

4　前項の規定による検討は、次に掲げる環境要素を、法令等による規制又は目標の有無及び環境に及ぼすおそれがある影響の重大性を考慮して適切に区分し、当該区分された環境要素ごとに行うものとする。

一　環境の自然的構成要素の良好な状態の保持を旨として調査、予測及び評価されるべき環境要素（第四号及び第五号に掲げるものを除く。別表第一において同じ。）

イ　大気環境

(1)　大気質

(2)　騒音（周波数が二十ヘルツから百ヘルツまでの音によるものを含む。別表第一及び別表第二において同じ。）及び超低周波音（周波数が二十ヘルツ以下の音をいう。）

(3)　振動

(4)　悪臭

(5)　(1)から(4)までに掲げるもののほか、大気環境に係る環境要素

ロ　水環境

(1)　水質（地下水の水質を除く。別表第一において同じ。）

(2)　水底の底質

(3)　地下水の水質及び水位

(4)　(1)から(3)までに掲げるもののほか、水環境に係る環境要素

ハ　土壌に係る環境その他の環境（イ及びロに掲げるものを除く。別表第一において同じ。）

(1)　地形及び地質

(2)　地盤

(3)　土壌

(4)　その他の環境要素

二　生物の多様性の確保及び自然環境の体系的保全を旨として調査、予測及び評価されるべき環境要素（第四号及び第五号に掲げるものを除く。別表第一において同じ。）

イ　動物

ロ　植物

ハ　生態系

三　人と自然との豊かな触れ合いの確保を旨として調査、予測及び評価されるべき環境要素（次号及び第五号に掲げるものを除く。別表第一において同じ。）

イ　景観

ロ　人と自然との触れ合いの活動の場

四　環境への負荷の量の程度により予測及び評価されるべき環境要素（次号に掲げるものを除く。別表第一において同じ。）

イ　廃棄物等（廃棄物及び副産物をいう。次条第六号において同じ。）

ロ　温室効果ガス等（排出又は使用が地球環境の保全上の支障の原因となるおそれがある物をいう。次条第六号において同じ。）

五　一般環境中の放射性物質について調査、予測及び評価されるべき環境要素

イ　放射線の量

5　特定港湾管理者は、第一項本文の規定による選定に当たっては、前条の規定により把握した港湾計画特性及び地域特性に関する情報を踏まえ、必要に応じ専門家等の助言を受けて選定するものとする。

6　特定港湾管理者は、前項の規定により専門家等の助言を受けた場合には、当該助言の内容及び当該専門家等の専門分野を明らかにできるよう整理しなければならない。また、当該専門家等の所属機関の種別についても、明らかにするよう努めるものとする。

7　特定港湾管理者は、港湾環境影響評価の手法を選定し、又は港湾環境影響評価を行う過程において項目の選定に係る新たな事情が生じた場合にあっては、必要に応じ第一項本文の規定により選定した項目（以下「選定項目」という。）の見直しを行わなければならない。

8　特定港湾管理者は、第一項本文の規定による選定を行ったときは、選定の結果を一覧できるよう整理するとともに、選定項目として選定した理由を明らかにできるよう整理しなければならない。

一・七・八項…一部改正・二・六項…追加・旧二・三項…一部改正し三・四項に繰下・四・五項…削除・旧六項…一部改正し五項に繰上〔平成一八年三月国土交通省令二〇号〕、四・六項…一部改正〔平成二五年四月国土交通省令二八号〕、四項…一部改正〔平成二七年六月国土交通省令四三号〕

（調査、予測及び評価の手法）

第五条 対象港湾計画に定められる港湾開発等に係る港湾環境影響評価の調査、予測及び評価の手法は、特定港湾管理者が、次に掲げる事項を踏まえ、選定項目ごとに次条から第十条までに定めるところにより選定するものとする。

一 前条第四項第一号に掲げる環境要素に係る選定項目については、汚染物質の濃度その他の指標により測られる環境要素の汚染又は環境要素の状況の変化（当該環境要素に係る物質の量的な変化を含む。）の程度及び広がりに関し、これらが人の健康、生活環境又は自然環境に及ぼす港湾環境影響を把握できること。

二 前条第四項第二号イ及びロに掲げる環境要素に係る選定項目については、陸生及び水生の動植物に関し、生息種又は生育種及び植生の調査を通じて抽出される学術上又は希少性の観点から重要な種の分布状況、生息状況又は生育状況及び学術上又は希少性の観点から重要な群落の分布状況並びに動物の集団繁殖地その他の注目すべき生息地の分布状況について調査し、これらに対する港湾環境影響の程度を把握できること。

三 前条第四項第二号ハに掲げる環境要素に係る選定項目については、地域を特徴づける生態系に関し、前号の調査結果その他の調査結果により概括的に把握される生態系の特性に応じて、上位性（生態系の上位に位置する性質をいう。別表第二において同じ。）、典型性（地域の生態系の特徴を典型的に現す性質をいう。別表第二において同じ。）及び特殊性（特殊な環境であることを示す指標となる性質をいう。別表第二において同じ。）の視点から注目される動植物の種又は生物群集を複数抽出し、これらの生態、他の動植物との関係又は生息環境若しくは生育環境を調査し、これらに対する港湾環境影響その他の生態系への港湾環境影響の程度を適切に把握できること。

四 前条第四項第三号イに掲げる環境要素に係る選定項目については、景観に関し、眺望の状況及び景観資源の分布状況を調査し、これらに対する港湾環境影響の程度を把握できること。

五 前条第四項第三号ロに掲げる環境要素に係る選定項目については、人と自然との触れ合いの活動に関し、野外レクリエーションを通じた人と自然との触れ合いの活動及び日常的な人と自然との触れ合いの活動が一般的に行われる施設又は場及びその利用の状況を調査し、これらに対する港湾環境影響の程度を把握できること。

六 前条第四項第四号に掲げる環境要素に係る選定項目については、廃棄物等に関してはその発生量、最終処分量その他の環境への負荷の量の程度を、温室効果ガス等に関してはその発生量その他の環境への負荷の量の程度を把握できること。

七 前条第四項第五号に掲げる環境要素に係る選定項目については、放射線の量の変化を把握できること。

本条…一部改正〔平成一八年三月国土交通省令二〇号、二七年六月四三号〕

（参考手法）

第六条 特定港湾管理者は、対象港湾計画に定められる港湾開発等に係る港湾環境影響評価の調査及び予測の手法（参考項目に係るものに限る。）を選定するに当たっては、各参考項目ごとに別表第二に掲げる参考となる調査及び予測の手法（以下この条及び別表第二において「参考手法」という。）を勘案しつつ、最新の科学的知見を反映するよう努めるとともに、最適な手法を選定しなければならない。

2 特定港湾管理者は、前項の規定による選定に当たっては、一般的な港湾計画に定められる港湾開発等の内容と港湾計画特性との相違を把握するものとする。

3 特定港湾管理者は、次の各号のいずれかに該当すると認められる場合は、必要に応じ参考手法より簡略化された調査又は予測の手法を選定することができる。

一 当該参考項目に関する港湾環境影響の程度が小さいことが明らかであること。

二 港湾計画開発等区域又はその周囲に、当該参考項目に関する港湾環境影響を受ける地域その他の対象が相当期間存在しないことが想定されること。

三 類似の事例により当該参考項目に関する港湾環境影響の程度が明らかであること。

四 当該参考項目に係る予測及び評価において必要とされる情報が、参考手法より簡易な方法で収集できることが明らかであること。

4 特定港湾管理者は、次の各号のいずれかに該当すると認められる場合は、必要に応じ参考手法より詳細な調査又は予測の手法を選定するものとする。

一 港湾計画特性により、当該参考項目に関する港湾環境影響の程度が著しいものとなるおそれがあること。

二 港湾計画開発等区域又はその周囲に、次に掲げる地域その他の対象が存在し、かつ、港湾計画特性が次のイ、ロ又はハに規定する参考項目に関する環境要素に係る相当程度の港湾環境影響を及ぼすおそれがあるものであること。

イ 当該参考項目に関する環境要素に係る港湾環境影響を受けやすい地域その他の対象

ロ 当該参考項目に関する環境要素に係る環境の保全を目的として法令等により指定された地域その他の対象

ハ 当該参考項目に関する環境要素に係る環境が既に著しく悪化し、又は著しく悪化するおそれがある地域

見出し…改正・一項…一部改正・二項…追加・旧二・三項…一部改正し三・四項に繰下〔平成一八年三月国土交通省令二〇号〕、一項…一部改正〔平成二五年四月国土交通省令二八号〕

（調査の手法）

第七条　特定港湾管理者は、対象港湾計画に定められる港湾開発等に係る港湾環境影響評価の調査の手法を選定するに当たっては、前条に定めるところによるほか、次の各号に掲げる調査の手法に関する事項について、それぞれ当該各号に定めるものを、選定項目について適切に予測及び評価を行うために必要な範囲内で、当該選定項目の特性、港湾計画特性及び地域特性を勘案し、並びに地域特性が時間の経過に伴って変化するものであることを踏まえ、当該選定項目に係る予測及び評価において必要とされる水準が確保されるよう選定しなければならない。

一　調査すべき情報　選定項目に係る環境要素の状況に関する情報又は気象、海象その他の自然的状況若しくは人口、産業、土地利用、海域の利用その他の社会的状況に関する情報

二　調査の基本的な手法　国又は関係する地方公共団体が有する文献その他の資料の入手、専門家等からの科学的知見の聴取、現地調査その他の方法により調査すべき情報を収集し、その結果を整理し、及び解析する手法

三　調査の対象とする地域（以下「調査地域」という。）　対象港湾計画に定められる港湾開発等により選定項目に関する環境要素に係る港湾環境影響を受けるおそれがある地域又は土地の形状が変更される区域及びその周辺の区域その他の調査に適切な範囲であると認められる地域

四　調査に当たり一定の地点に関する情報を重点的に収集することとする場合における当該地点（別表第二において「調査地点」という。）　調査すべき情報の内容及び特に港湾環境影響を受けるおそれがある対象の状況を踏まえ、地域を代表する地点その他の調査に適切かつ効果的であると認められる地点

五　調査に係る期間、時期又は時間帯（別表第二において「調査期間等」という。）　調査すべき情報の内容を踏まえ、調査に適切かつ効果的であると認められる期間、時期又は時間帯

2　前項第二号に規定する調査の基本的な手法のうち、情報の収集、整理又は解析について法令等により定められた手法がある環境要素に係る選定項目に係るものについては、当該法令等により定められた手法を踏まえ、適切な調査の手法を選定するものとする。

3　第一項第五号に規定する調査に係る期間のうち、季節による変動を把握する必要がある調査の対象に係るものについては、これを適切に把握できるよう調査に係る期間を選定するものとし、年間を通じた調査に係るものについては、必要に応じ調査すべき情報に大きな変化がないことが想定される時期に調査を開始するように調査に係る期間を選定するものとする。

4　特定港湾管理者は、第一項の規定により調査の手法を選定するに当たっては、調査の実施に伴う環境への影響を回避し、又は低減するため、できる限り環境への影響が小さい手法を選定するよう留意しなければならない。

5　特定港湾管理者は、第一項の規定により調査の手法を選定するに当たっては、調査により得られる情報が記載されていた文献名、当該情報を得るために行われた調査の前提条件、調査地域の設定の根拠、調査の日時その他の当該情報の出自及びその妥当性を明らかにできるようにしなければならない。この場合において、希少な動植物の生息又は生育に関する情報については、必要に応じ、公開に当たって種及び場所を特定できないようにすることその他の希少な動植物の保護のために必要な配慮を行うものとする。

6　特定港湾管理者は、第一項の規定により調査の手法を選定するに当たっては、長期間の観測結果が存在しており、かつ、現地調査を行う場合にあっては、当該観測結果と現地調査により得られた結果とを比較できるようにしなければならない。

一・三項…一部改正〔平成一八年三月国土交通省令二〇号〕

（予測の手法）

第八条　特定港湾管理者は、対象港湾計画に定められる港湾開発等に係る港湾環境影響評価の予測の手法を選定するに当たっては、第六条に定めるところによるほか、次の各号に掲げる予測の手法に関する事項について、それぞれ当該各号に定めるものを、当該選定項目の特性、港湾計画特性及び地域特性を勘案し、当該選定項目に係る評価において必要とされる水準が確保されるよう選定しなければならない。

一　予測の基本的な手法　環境の状況の変化又は環境への負荷の量を、理論に基づく計算、模型による実験、事例の引用又は解析その他の手法により、定量的に把握する手法

二　予測の対象とする地域（第三項及び別表第二において「予測地域」という。）　調査地域のうちから適切に選定された地域

三　予測に当たり一定の地点に関する環境の状況の変化を重点的に把握することとする場合における当該地点（別表第二において「予測地点」という。）　選定項目の特性に応じて保全すべき対象の状況を踏まえ、地域を代表する地点、特に港湾環境影響を受けるおそれがある地点、保全すべき対象への港湾環境影響を的確に把握できる地点その他の予測に適切かつ効果的な地点

四　予測の対象とする時期又は時間帯（別表第二において「予測対象時期等」という。）　選定項目ごとの港湾環境影響を的確に把握できる時期又は時間帯

2　前項第一号に規定する予測の基本的な手法については、定量的な把握が困難な場合にあっては、定性的に把握する手法を選定するものとする。

3　特定港湾管理者は、第一項の規定により予測の手法を選定するに当たっては、予測の基本的な手法の特徴及びその適用範囲、予測地域の設定の根拠、予測の前提となる条件、予測で用いた原単位及び係数その他の予測に関する事項につい

て、選定項目の特性、港湾計画特性及び地域特性に照らし、それぞれその内容及び妥当性を予測の結果との関係と併せて明らかにできるようにしなければならない。

4　特定港湾管理者は、第一項の規定により予測の手法を選定するに当たっては、対象港湾計画に定められる港湾開発等以外の事業活動その他の地域の環境を変化させる要因によりもたらされる当該地域の将来の環境の状況（将来の環境の状況の推定が困難な場合及び現在の環境の状況を勘案することがより適切な場合にあっては、現在の環境の状況）を明らかにできるよう整理し、これを勘案して予測が行われるようにしなければならない。この場合において、将来の環境の状況は、関係する地方公共団体が有する情報を収集して推定するとともに、将来の環境の状況の推定に当たって、国又は関係する地方公共団体が実施する環境の保全に関する施策の効果を見込むときは、当該施策の内容を明らかにできるよう整理するものとする。

5　特定港湾管理者は、第一項の規定により予測の手法を選定するに当たっては、新規の手法を用いる場合その他の港湾環境影響の予測に関する知見が十分に蓄積されていない場合において、予測の不確実性の程度及び不確実性に係る港湾環境影響の程度を勘案して必要と認めるときは、当該不確実性の内容を明らかにできるようにしなければならない。この場合において、予測の不確実性の程度については、必要に応じ予測の前提条件を変化させて得られるそれぞれの予測の結果のばらつきの程度により把握するものとする。

三－五項…一部改正〔平成一八年三月国土交通省令二〇号〕

（評価の手法）

第九条　特定港湾管理者は、対象港湾計画に定められる港湾開発等に係る港湾環境影響評価の評価の手法を選定するに当たっては、次に掲げる事項に留意しなければならない。

一　調査及び予測の結果並びに第十二条第一項の規定による検討を行った場合においてはその結果を踏まえ、対象港湾計画に定められる港湾開発等により選定項目に係る環境要素に及ぶおそれがある影響が、特定港湾管理者により実行可能な範囲内でできる限り回避され、又は低減されており、必要に応じその他の方法により環境の保全についての配慮が適正になされているかどうかを評価する手法であること。

二　前号に掲げる手法は、評価の根拠及び評価に関する検討の経緯を明らかにできるようにするものであること。

三　国又は関係する地方公共団体が実施する環境の保全に関する施策によって、選定項目に係る環境要素に関して基準又は目標が示されている場合には、当該基準又は目標と調査及び予測の結果との間に整合が図られているかどうかを評価する手法であること。

四　前号に掲げる手法は、当該基準又は目標に照らすこととする考え方を明らかにできるようにするものであること。

五　特定港湾管理者以外の者が行う環境の保全のための措置の効果を見込む場合には、当該措置の内容を明らかにできるようにすること。

本条…一部改正〔平成一八年三月国土交通省令二〇号〕

（手法選定に当たっての留意事項）

第一〇条　特定港湾管理者は、対象港湾計画に定められる港湾開発等に係る港湾環境影響評価の調査、予測及び評価の手法（以下この条において「手法」という。）を選定するに当たっては、第三条の規定により把握した港湾計画特性及び地域特性に関する情報を踏まえ、必要に応じ専門家等の助言を受けて選定するものとする。

2　特定港湾管理者は、前項の規定により専門家等の助言を受けた場合には、当該助言の内容及び当該専門家等の専門分野を明らかにできるよう整理しなければならない。また、当該専門家等の所属機関の種別についても、明らかにするよう努めるものとする。

3　特定港湾管理者は、港湾環境影響評価を行う過程において手法の選定に係る新たな事情が生じたときは、必要に応じ手法の見直しを行わなければならない。

4　特定港湾管理者は、手法の選定を行ったときは、選定された手法及び選定の理由を明らかにできるよう整理しなければならない。

一項…一部改正・二項…追加・旧二・三項…三・四項に繰下〔平成一八年三月国土交通省令二〇号〕、二項…一部改正〔平成二五年四月国土交通省令二八号〕

（環境保全措置に関する指針）

第一一条　法第四十八条第二項において準用する法第十二条第二項に規定する環境の保全のための措置に関する指針については、次条から第十五条までに定めるところによる。

（環境保全措置の検討）

第一二条　特定港湾管理者は、港湾環境影響がないと判断される場合及び港湾環境影響の程度が極めて小さいと判断される場合以外の場合にあっては、特定港湾管理者により実行可能な範囲内で選定項目に係る港湾環境影響をできる限り回避し、又は低減すること、必要に応じ損なわれる環境の有する価値を代償すること及び当該港湾環境影響に係る環境要素に関して国又は関係する地方公共団体が実施する環境の保全に関する施策によって示されている基準又は目標の達成に努めることを目的として環境の保全のための措置（以下「環境保全措置」という。）を検討しなければならない。

2　特定港湾管理者は、前項の規定による検討に当たっては、港湾環境影響を回避し、又は低減させる措置を検討し、その結果を踏まえ、必要に応じ、損なわれる環境の有する価値を代償するための措置（以下「代償措置」という。）を検討しなければならない。

二項…一部改正〔平成一八年三月国土交通省令二〇号〕

（検討結果の検証）

第一三条　特定港湾管理者は、前条第一項の規定による検討を行ったときは、環境保全措置についての複数の案の比較検討、実行可能なより良い技術が取り入れられているかどうかの検討その他の適切な検討を通じて、特定港湾管理者により実行可能な範囲内で対象港湾計画に定められる港湾開発等に係る港湾環境影響ができる限り回避され、又は低減されているかどうかを検証しなければならない。

（検討結果の整理）

第一四条　特定港湾管理者は、第十二条第一項の規定による検討を行ったときは、次に掲げる事項を明らかにできるよう整理しなければならない。

一　環境保全措置の方法その他の環境保全措置の実施の内容

二　環境保全措置の効果及び当該環境保全措置を講じた後の環境の状況の変化並びに必要に応じ当該環境保全措置の効果の不確実性の程度

三　環境保全措置の実施に伴い生ずるおそれがある環境への影響

四　代償措置にあっては、港湾環境影響を回避し、又は低減させることが困難である理由

五　代償措置にあっては、損なわれる環境及び環境保全措置により創出される環境に関し、それぞれの位置並びに損なわれ又は創出される当該環境に係る環境要素の種類及び内容

六　代償措置にあっては、当該代償措置の効果の根拠及び実施が可能であると判断した根拠

2　特定港湾管理者は、第十二条第一項の規定による検討を段階的に行ったときは、それぞれの検討の段階における環境保全措置について、具体的な内容を明らかにできるよう整理しなければならない。

一項…一部改正・二項…追加〔平成一八年三月国土交通省令二〇号〕

（事後調査）

第一五条　特定港湾管理者は、次の各号のいずれかに該当すると認められる場合において、港湾環境影響の程度が著しいものとなるおそれがあるときは、対象港湾計画に定められる港湾開発等に係る港湾環境影響を的確に把握できる時期において環境の状況を把握するための調査（以下この条において「事後調査」という。）を行わなければならない。

一　予測の不確実性の程度が大きい選定項目について環境保全措置を講ずる場合

二　効果に係る知見が不十分な環境保全措置を講ずる場合

三　当該港湾計画の決定又は変更後において環境保全措置の内容をより詳細なものにする必要があると認められる場合

四　代償措置について、効果の不確実性の程度及び知見の充実の程度を勘案して事後調査が必要であると認められる場合

2　特定港湾管理者は、事後調査の項目及び手法の選定に当たっては、事後調査を行う項目の特性、港湾計画特性、地域特性、事後調査の実施に伴う環境への影響、関係する地方公共団体その他の主体との協力の方法、必要に応じて受ける専門家の助言等に留意し、次に掲げる事項をできる限り明らかにするよう努めなければならない。

一　事後調査を行うこととした理由

二　事後調査の項目及び手法

三　事後調査の結果により港湾環境影響の程度が著しいことが明らかとなった場合の対応の方針

四　事後調査の結果の公表の方法

五　前各号に掲げるもののほか、事後調査の実施に関し必要な事項

3　特定港湾管理者は、事後調査の終了並びに事後調査の結果を踏まえた環境保全措置の実施及び終了の判断に当たっては、必要に応じ専門家の助言を受けることその他の方法により客観的かつ科学的な検討を行うよう留意しなければならない。

一項…一部改正〔平成一八年三月国土交通省令二〇号〕、二項…一部改正・三項…追加〔平成二五年四月国土交通省令二八号〕

（準備書の作成）

第一六条　特定港湾管理者は、対象港湾計画に係る準備書に法第四十八条第二項において準用する法第十四条第一項第二号に規定する対象港湾計画の内容を記載するに当たっては、次に掲げる事項を記載しなければならない。

一　主要な港湾施設の規模及び配置に関する事項の概要

二　埋立地の規模及び配置に関する事項の概要

三　その他の対象港湾計画に定められる港湾開発等に関する事項（既に決定されている内容に係るものに限る。）であって、その変更により港湾環境影響が変化することとなるものの概要

2　特定港湾管理者は、対象港湾計画に係る準備書に法第四十八条第二項において準用する法第十四条第一項第三号に掲げる事項を記載するに当たっては、入手可能な最新の文献その他の資料により把握した結果（当該資料の出典を含む。）及び第三条第二項の規定による聴取又は確認により把握した結果を同条第一項第二号に掲げる事項の区分に応じて記載しなければならない。

3　特定港湾管理者は、対象港湾計画に係る準備書に第一項第一号及び第二号に掲げる事項並びに前項の規定により把握した結果を記載するに当たっては、その概要を適切な縮尺の平面図上に明らかにしなければならない。

4　特定港湾管理者は、対象港湾計画に係る準備書に法第四十八条第二項において準用する法第十四条第一項第五号に掲げる事項を記載するに当たっては、当該港湾環境影響評価の項目並びに調査、予測及び評価の手法を選定した理由を明らかにしなければならない。この場合において、当該港湾環境影響評価の項目並びに調査、予測及び評価の手法の選定に当たって、専門家等の助言を受けた場合には、当該助言の内容及び当該専門家等の専門分野を併せて明らかにしなければならない。

5　特定港湾管理者は、対象港湾計画に係る準備書に法第四十八条第二項において準用する法第十四条第一項第七号イに掲

げる事項を記載するに当たっては、第七条第五項並びに第八条第三項及び第五項において明らかにできるようにしなければならないとされた事項、第七条第六項において比較できるようにしなければならないとされた事項、第八条第四項において明らかにできるよう整理するものとされた事項並びに第九条第二号、第四号及び第五号において明らかにできるようにすることに留意しなければならないとされた事項の概要を併せて記載しなければならない。

6　特定港湾管理者は、対象港湾計画に係る準備書に法第四十八条第二項において準用する法第十四条第一項第七号ロに掲げる事項を記載するに当たっては、第十二条の規定による検討の状況、第十三条の規定による検証の結果及び第十四条において明らかにできるよう整理しなければならないとされた事項を記載しなければならない。

7　特定港湾管理者は、対象港湾計画に係る準備書に法第四十八条第二項において準用する法第十四条第一項第七号ハに掲げる事項を記載するに当たっては、第十五条第二項により明らかにされた事項を記載しなければならない。

8　特定港湾管理者は、対象港湾計画に係る準備書に法第四十八条第二項において準用する法第十四条第一項第七号ニに掲げる事項を記載するに当たっては、同号イからハまでに掲げる事項の概要を一覧できるようとりまとめて記載しなければならない。

本条…追加〔平成一一年六月運輸省令三〇号〕、四－六項…一部改正〔平成一八年三月国土交通省令二〇号〕

（港湾環境影響を受ける範囲であると認められる地域）

第一七条　対象港湾計画に係る法第四十八条第二項において準用する法第十五条に規定する港湾環境影響を受ける範囲であると認められる地域は、一以上の環境要素に係る港湾環境影響を受けるおそれがあると認められる地域とする。

本条…追加〔平成一一年六月運輸省令三〇号〕

（評価書の作成）

第一八条　第十六条の規定は、法第四十八条第二項において準用する法第二十一条第二項の規定により特定港湾管理者が対象港湾計画に係る評価書を作成する場合について準用する。

2　特定港湾管理者は、法第四十八条第二項において準用する法第二十一条第二項の規定により対象港湾計画に係る評価書を作成するに当たっては、対象港湾計画に係る準備書に記載した事項との相違を明らかにしなければならない。

本条…追加〔平成一一年六月運輸省令三〇号〕

附　則

この省令は、公布の日から施行する。

附　則〔平成一八年三月三〇日国土交通省令第二〇号抄〕

（施行期日）

第一条　この省令は、平成十八年九月三十日から施行する。ただし、附則〔中略〕第四条第二項〔中略〕の規定は、公布の日から施行する。

（対象港湾計画に関する経過措置）

第四条　特定港湾管理者（港湾環境影響評価の項目並びに当該項目に係る調査、予測及び評価を合理的に行うための手法を選定するための指針、環境の保全のための措置に関する指針等を定める省令第二条に規定する特定港湾管理者をいう。次項において同じ。）が施行日前に環境影響評価法第四十八条第二項において準用する同法第十六条の規定に基づく準備書の公告を行っている対象港湾計画（同法第四十八条第一項に規定する対象港湾計画をいう。）については、この省令による改正後の港湾環境影響評価の項目並びに当該項目に係る調査、予測及び評価を合理的に行うための手法を選定するための指針、環境の保全のための措置に関する指針等を定める省令（次項において「新港湾計画選定指針等省令」という。）第三条から第十八条第一項までの規定にかかわらず、なお従前の例による。

2　特定港湾管理者は、施行日前においても、新港湾計画選定指針等省令第三条から第十六条までの規定の例による準備書の作成等を行うことができる。この場合において、当該準備書の作成等は、新港湾計画選定指針等省令の相当する規定により施行日に行われたものとみなす。

附　則〔平成二五年四月一日国土交通省令第二八号〕

この省令は、平成二十五年四月一日から施行する。

附　則〔平成二七年六月一日国土交通省令第四三号〕

この省令は、放射性物質による環境の汚染の防止のための関係法律の整備に関する法律附則第一条第二号に掲げる規定の施行の日（平成二十七年六月一日）から施行する。

別表第一　参考項目（第四条関係）

<table>
<tr><th colspan="3" rowspan="2">環境要素の区分＼影響要因の区分</th><th colspan="6">主要な港湾施設又は埋立地の存在及び供用</th></tr>
<tr><th>主要な水域施設の存在</th><th>主要な外郭施設の存在</th><th>埋立地の存在</th><th>主要な水域施設又は係留施設の供用</th><th>主要な旅客施設、荷さばき施設又は保管施設の供用</th><th>主要な臨港交通施設の供用</th></tr>
<tr><td rowspan="5">環境の自然的構成要素の良好な状態の保持を旨として調査、予測及び評価されるべき環境要素</td><td rowspan="3">大気環境</td><td>大気質　窒素酸化物</td><td></td><td></td><td></td><td colspan="3">○</td></tr>
<tr><td>騒音　騒音</td><td></td><td></td><td></td><td></td><td></td><td>○</td></tr>
<tr><td>振動　振動</td><td></td><td></td><td></td><td></td><td></td><td>○</td></tr>
<tr><td>水環境</td><td>水質　水の汚れ</td><td colspan="3">○</td><td></td><td></td><td></td></tr>
<tr><td>土壌に係る環境その他の環境</td><td>地形及び地質　重要な地形及び地質</td><td colspan="3">○</td><td></td><td></td><td></td></tr>
<tr><td rowspan="3">生物の多様性の確保及び自然環境の体系的保全を旨として調査、予測及び評価されるべき環境要素</td><td>動物</td><td>重要な種及び注目すべき生息地</td><td colspan="3">○</td><td></td><td></td><td></td></tr>
<tr><td>植物</td><td>重要な種及び群落</td><td colspan="3">○</td><td></td><td></td><td></td></tr>
<tr><td>生態系</td><td>地域を特徴づける生態系</td><td colspan="3">○</td><td></td><td></td><td></td></tr>
<tr><td rowspan="2">人と自然との豊かな触れ合いの確保を旨として調査、予測及び評価されるべき環境要素</td><td>景観</td><td>主要な眺望点及び景観資源並びに主要な眺望景観</td><td></td><td colspan="2">○</td><td></td><td></td><td></td></tr>
<tr><td>人と自然との触れ合いの活動の場</td><td>主要な人と自然との触れ合いの活動の場</td><td colspan="3">○</td><td></td><td></td><td></td></tr>
</table>

備考

一　○印は、各欄に掲げる環境要素が、影響要因の区分の項に掲げる各要因により影響を受けるおそれがあるものであることを示す。

二　この表における「影響要因の区分」は、次に掲げる特性を有する港湾開発等の内容を踏まえて区分したものである。

イ　係留施設を設置すること。

ロ　必要に応じて、水域施設、外郭施設、旅客施設、荷さばき施設又は保管施設を設置すること。

ハ　必要に応じて、埋立てを行うこと。

ニ　供用開始後、船舶が当該港湾開発等の目的である水域施設又は係留施設を利用すること。

ホ　供用開始後、当該港湾開発等の目的である旅客施設、荷さばき施設、保管施設又は臨港交通施設がそれぞれの整備の目的に即して利用されること。

三　この表において「重要な地形及び地質」、「重要な種」及び「重要な種及び群落」とは、それぞれ学術上又は希少性の観点から重要なものをいう。

四　この表において「注目すべき生息地」とは、学術上若しくは希少性の観点から重要である生息地又は地域の象徴であることその他の理由により注目すべき生息地をいう。
五　この表において「主要な眺望点」とは、不特定かつ多数の者が利用している景観資源を眺望する場所をいう。
六　この表において「主要な眺望景観」とは、主要な眺望点から景観資源を眺望する場合の眺望される景観をいう。
七　この表において「主要な人と自然との触れ合いの活動の場」とは、不特定かつ多数の者が利用している人と自然との触れ合いの活動の場をいう。

本表…一部改正〔平成一八年三月国土交通省令二〇号〕

別表第二　参考手法（第六条関係）

参考項目		参考手法	
環境要素の区分	影響要因の区分	調査の手法	予測の手法
窒素酸化物	主要な水域施設又は係留施設の供用、主要な旅客施設、荷さばき施設又は保管施設の供用及び主要な臨港交通施設の供用	一　調査すべき情報 イ　二酸化窒素の濃度の状況 ロ　気象の状況 二　調査の基本的な手法 文献その他の資料及び現地調査による情報（次に掲げる情報については、それぞれ次に定める方法を用いられたものとする。）の収集（資料により十分に情報を収集できる場合にあっては、現地調査による情報の収集を除く。）並びに当該情報の整理及び解析 イ　二酸化窒素の濃度の状況 二酸化窒素に係る環境基準に規定する二酸化窒素の濃度の測定の方法 ロ　風の状況　気象業務法施行規則（昭和二十七年運輸省令第百一号）第一条の二の表第一号トに規定する風の観測の方法（気象庁が観測した場合に限る。）又は同規則第一条の三の表第六号イに規定する風向の観測の方法及び同号ロに規定する風速の観測の方法 三　調査地域 窒素酸化物の拡散の特性を踏まえて窒素酸化物に係る港湾環境影響を受けるおそれがあると認められる地域 四　調査地点 窒素酸化物の拡散の特性を踏まえて調査地域における窒素酸化物に係る港湾環境影響を予測し、及び評価するために必要な情報を適切かつ効果的に把握できる地点 五　調査期間等 窒素酸化物の拡散の特性を踏まえて調査地域における窒素酸化物に係る港湾環境影響を予測し、及び評価するために必要な情報を適切かつ効果的に把握できる期間及び時期	一　予測の基本的な手法 プルーム式及びパフ式による計算 二　予測地域 調査地域のうち、窒素酸化物の拡散の特性を踏まえて窒素酸化物に係る港湾環境影響を受けるおそれがあると認められる地域 三　予測地点 窒素酸化物の拡散の特性を踏まえて予測地域における窒素酸化物に係る港湾環境影響を的確に把握できる地点 四　予測対象時期等 窒素酸化物の拡散の特性を踏まえて窒素酸化物に係る港湾環境影響を的確に把握できる時期

騒音	主要な臨港交通施設の供用	一　調査すべき情報 イ　騒音の状況 ロ　対象港湾計画に定められる道路の沿道の状況 二　調査の基本的な手法 文献その他の資料及び現地調査による情報（騒音の状況については、騒音に係る環境基準に規定する騒音の測定の方法を用いられたものとする。）の収集（資料により十分に情報を収集できる場合にあっては、現地調査による情報の収集を除く。）並びに当該情報の整理及び解析 三　調査地域 音の伝搬の特性を踏まえて騒音に係る港湾環境影響を受けるおそれがあると認められる地域 四　調査地点 音の伝搬の特性を踏まえて調査地域における騒音に係る港湾環境影響を予測し、及び評価するために必要な情報を適切かつ効果的に把握できる地点 五　調査期間等 音の伝搬の特性を踏まえて調査地域における騒音に係る港湾環境影響を予測し、及び評価するために必要な情報を適切かつ効果的に把握できる期間、時期及び時間帯	一　予測の基本的な手法 音の伝搬理論に基づく予測式による計算 二　予測地域 調査地域のうち、音の伝搬の特性を踏まえて騒音に係る港湾環境影響を受けるおそれがあると認められる地域 三　予測地点 音の伝搬の特性を踏まえて予測地域における騒音に係る港湾環境影響を的確に把握できる地点 四　予測対象時期等 音の伝搬の特性を踏まえて騒音に係る港湾環境影響を的確に把握できる時期
振動	主要な臨港交通施設の供用	一　調査すべき情報 イ　振動の状況 ロ　地盤の状況 二　調査の基本的な手法 文献その他の資料及び現地調査による情報（振動の状況については、振動規制法施行規則（昭和五十一年総理府令第五十八号）別表第二備考4及び7に規定する振動の測定の方法を用いられたものとする。）の収集（資料により十分に情報を収集できる場合にあっては、現地調査による情報の収集を除く。）並びに当該情報の整理及び解析 三　調査地域 振動の伝搬の特性を踏まえて振動に係る港湾環境影響を受けるおそれがあると認められる地域 四　調査地点 振動の伝搬の特性を踏まえて調査地域における振動に係る港湾環境影響を予測し、及び評価するために必要な情報を適切かつ効果的に把握できる地点 五　調査期間等 振動の伝搬の特性を踏まえて調査地域における振動に係る港湾環境影響を予測し、及び評価するために必要な情報を適切かつ効果的に把握できる期間及び時期	一　予測の基本的な手法 振動レベルの八十パーセントレンジの上端値を予測するための式を用いた計算 二　予測地域 調査地域のうち、振動の伝搬の特性を踏まえて振動に係る港湾環境影響を受けるおそれがあると認められる地域 三　予測地点 振動の伝搬の特性を踏まえて予測地域における振動に係る港湾環境影響を的確に把握できる地点 四　予測対象時期等 振動の伝搬の特性を踏まえて振動に係る港湾環境影響を的確に把握できる時期
水の汚れ	主要な水域施設の存在、主要な外郭施設の存在及び埋立地の存在	一　調査すべき情報 イ　化学的酸素要求量の状況 ロ　流れの状況 二　調査の基本的な手法 文献その他の資料及び現地調査による情報（化学的酸素要求量の状況については、水質汚濁に係る環境基準に規定する化学的酸素要求量の測定の方法を用いられたものとする。）の収集（資料により十分に情報を収集できる場合にあっては、現地調査による情報の収集を除く。）並びに当該情報の整理及び解析	一　予測の基本的な手法 化学的酸素要求量の物質収支に関する計算又は事例の引用若しくは解析 二　予測地域 調査地域のうち、海域の特性及び水の汚れの変化の特性を踏まえて水の汚れに係る港湾環境影響を受けるおそれがあると認められる地域 三　予測地点 海域の特性及び水の汚れの変化の特性を踏まえて予測地域における水の汚れに係る港

	重要な地形及び地質
	主要な水域施設の存在、主要な外郭施設の存在及び埋立地の存在
三　調査地域 海域の特性及び水の汚れの変化の特性を踏まえて水の汚れに係る港湾環境影響を受けるおそれがあると認められる地域 四　調査地点 海域の特性及び水の汚れの変化の特性を踏まえて調査地域における水の汚れに係る港湾環境影響を予測し、及び評価するために必要な情報を適切かつ効果的に把握できる地点 五　調査期間等 海域の特性及び水の汚れの変化の特性を踏まえて調査地域における水の汚れに係る港湾環境影響を予測し、及び評価するために必要な情報を適切かつ効果的に把握できる期間及び時期	一　調査すべき情報 イ　地形及び地質の概況 ロ　重要な地形及び地質の分布、状態及び特性 二　調査の基本的な手法 文献その他の資料及び現地調査による情報の収集（資料により十分に情報を収集できる場合にあっては、現地調査による情報の収集を除く。）並びに当該情報の整理及び解析 三　調査地域 港湾計画開発等区域及びその周辺の区域 四　調査地点 地形及び地質の特性を踏まえて調査地域における重要な地形及び地質に係る港湾環境影響を予測し、及び評価するために必要な情報を適切かつ効果的に把
湾環境影響を的確に把握できる地点 四　予測対象時期等 海域の特性及び水の汚れの変化の特性を踏まえて水の汚れに係る港湾環境影響を的確に把握できる時期	一　予測の基本的な手法 重要な地形及び地質について、分布又は成立環境の改変の程度を踏まえた事例の引用又は解析 二　予測地域 調査地域のうち、地形及び地質の特性を踏まえて重要な地形及び地質に係る港湾環境影響を受けるおそれがあると認められる地域 三　予測対象時期等 地形及び地質の特性を踏まえて重要な地形及び地質に係る港湾環境影響を的確に把握できる時期

	重要な種及び注目すべき生息地
	主要な水域施設の存在、主要な外郭施設の存在及び埋立地の存在
握できる地点 五　調査期間等 地形及び地質の特性を踏まえて調査地域における重要な地形及び地質に係る港湾環境影響を予測し、及び評価するために必要な情報を適切かつ効果的に把握できる時期	一　調査すべき情報 イ　鳥類及び主な海生動物に係る動物相の状況 ロ　動物の重要な種の分布、生息の状況及び生息環境の状況 ハ　注目すべき生息地の分布並びに当該生息地が注目される理由である動物の種の生息の状況及び生息環境の状況 二　調査の基本的な手法 文献その他の資料及び現地調査による情報の収集（資料により十分に情報を収集できる場合にあっては、現地調査による情報の収集を除く。）並びに当該情報の整理及び解析 三　調査地域 港湾計画開発等区域及びその周辺の区域 四　調査地点 動物の生息の特性を踏まえて調査地域における重要な種及び注目すべき生息地に係る港湾環境影響を予測し、及び評価するために必要な情報を適切かつ効果的に把握できる地点又は経路 五　調査期間等 動物の生息の特性を踏まえて調査地域における重要な種及び注目すべき生息地に係る港湾環境影響を予測し、及び評価する
	一　予測の基本的な手法 動物の重要な種及び注目すべき生息地について、分布又は生息環境の改変の程度を踏まえた事例の引用又は解析 二　予測地域 調査地域のうち、動物の生息の特性を踏まえて重要な種及び注目すべき生息地に係る港湾環境影響を受けるおそれがあると認められる地域 三　予測対象時期等 動物の生息の特性を踏まえて重要な種及び注目すべき生息地に係る港湾環境影響を的確に把握できる時期

		ために必要な情報を適切かつ効果的に把握できる期間、時期及び時間帯	
重要な種及び群落	主要な水域施設の存在、主要な外郭施設の存在及び埋立地の存在	一　調査すべき情報 イ　海藻類その他主な植物に係る植物相及び植生の状況 ロ　植物の重要な種及び群落の分布、生育の状況及び生育環境の状況 二　調査の基本的な手法 文献その他の資料及び現地調査による情報の収集（資料により十分に情報を収集できる場合にあっては、現地調査による情報の収集を除く。）並びに当該情報の整理及び解析 三　調査地域 港湾計画開発等区域及びその周辺の区域 四　調査地点 植物の生育及び植生の特性を踏まえて調査地域における重要な種及び群落に係る港湾環境影響を予測し、及び評価するために必要な情報を適切かつ効果的に把握できる地点又は経路 五　調査期間等 植物の生育及び植生の特性を踏まえて調査地域における重要な種及び群落に係る港湾環境影響を予測し、及び評価するために必要な情報を適切かつ効果的に把握できる期間、時期及び時間帯	一　予測の基本的な手法 植物の重要な種及び群落について、分布又は生育環境の改変の程度を踏まえた事例の引用又は解析 二　予測地域 調査地域のうち、植物の生育及び植生の特性を踏まえて重要な種及び群落に係る港湾環境影響を受けるおそれがあると認められる地域 三　予測対象時期等 植物の生育及び植生の特性を踏まえて重要な種及び群落に係る港湾環境影響を的確に把握できる時期
地域を特徴づける生態系	主要な水域施設の存在、主要な外郭施設の存在及び埋立地の存在	一　調査すべき情報 イ　動植物その他の自然環境に係る概況 ロ　複数の注目種等の生態、他の動植物との関係又は生息環境若しくは生育環境の状況 二　調査の基本的な手法 文献その他の資料及び現地調査による情報の収集（資料により十分に情報を収集できる場合にあっては、現地調査による情報の収集を除く。）並びに当該情報の整理及び解析 三　調査地域 港湾計画開発等区域及びその周辺の区域 四　調査地点 動植物その他の自然環境の特性及び注目種等の特性を踏まえて調査地域における注目種等に係る港湾環境影響を予測し、及び評価するために必要な情報を適切かつ効果的に把握できる地点又は経路 五　調査期間等 動植物その他の自然環境の特性及び注目種等の特性を踏まえて調査地域における注目種等に係る港湾環境影響を予測し、及び評価するために必要な情報を適切かつ効果的に把握できる期間、時期及び時間帯	一　予測の基本的な手法 注目種等について、分布、生息環境又は生育環境の改変の程度を踏まえた事例の引用又は解析 二　予測地域 調査地域のうち、動植物その他の自然環境の特性及び注目種等の特性を踏まえて注目種等に係る港湾環境影響を受けるおそれがあると認められる地域 三　予測対象時期等 動植物その他の自然環境の特性及び注目種等の特性を踏まえて注目種等に係る港湾環境影響を的確に把握できる時期
主要な眺望点及び景観資源並びに主要な眺望景観	主要な外郭施設の存在及び埋立地の存在	一　調査すべき情報 イ　主要な眺望点の状況 ロ　景観資源の状況 ハ　主要な眺望景観の状況 二　調査の基本的な手法 文献その他の資料及び現地調査による情報の収集（資料により十分に情報を収集できる場合にあっては、現地調査による情報の収集を除く。）並びに当該情報の整理及び解析	一　予測の基本的な手法 主要な眺望点及び景観資源についての分布の改変の程度を踏まえた事例の引用又は解析並びに主要な眺望景観についての視覚的な表現方法 二　予測地域 調査地域のうち、景観の特性を踏まえて主要な眺望点及び景観資源並びに主要な眺望景観に係る港湾環境影響を受

三　調査地域
主要な眺望点の状況、景観資源の状況及び主要な眺望景観の状況を適切に把握できる地域
四　調査地点
景観の特性を踏まえて調査地域における主要な眺望点及び景観資源並びに主要な眺望景観に係る港湾環境影響を予測し、及び評価するために必要な情報を適切かつ効果的に把握できる地点
五　調査期間等
景観の特性を踏まえて調査地域における主要な眺望点及び景観資源並びに主要な眺望景観に係る港湾環境影響を予測し、及び評価するために必要な情報を適切かつ効果的に把握できる期間、時期及び時間帯

けるおそれがあると認められる地域
三　予測対象時期等
景観の特性を踏まえて主要な眺望点及び景観資源並びに主要な眺望景観に係る港湾環境影響を的確に把握できる時期

主要な人と自然との触れ合いの活動の場

主要な水域施設の存在、主要な外郭施設の存在及び埋立地の存在

一　調査すべき情報
イ　人と自然との触れ合いの活動の場の概況
ロ　主要な人と自然との触れ合いの活動の場の分布、利用の状況及び利用環境の状況
二　調査の基本的な手法
文献その他の資料及び現地調査による情報の収集（資料により十分に情報を収集できる場合にあっては、現地調査による情報の収集を除く。）並びに当該情報の整理及び解析
三　調査地域
港湾計画開発等区域及びその周辺の区域
四　調査地点
人と自然との触れ合いの活動の場の特性を踏まえて調査地域における主要な人と自然との触れ合いの活動の場に係る港湾環境影響を予測し、及び評価するために必要な情報を適切かつ効果的に把握できる地点
五　調査期間等
人と自然との触れ合いの活動の場の特性を踏まえて調査地域における主要な人と自然との触れ合いの活動の場に係る港湾環境影響を予測し、及び評価するために必要な情報を適切かつ効果的に把握できる期間、時期及び時間帯

一　予測の基本的な手法
主要な人と自然との触れ合いの活動の場について、分布又は利用環境の改変の程度を踏まえた事例の引用又は解析
二　予測地域
調査地域のうち、人と自然との触れ合いの活動の場の特性を踏まえて主要な人と自然との触れ合いの活動の場に係る港湾環境影響を受けるおそれがあると認められる地域
三　予測対象時期等
人と自然との触れ合いの活動の場の特性を踏まえて主要な人と自然との触れ合いの活動の場に係る港湾環境影響を的確に把握できる時期

備考
一　この表において「重要な地形及び地質」、「重要な種」及び「重要な種及び群落」とは、それぞれ学術上又は希少性の観点から重要なものをいう。
二　この表において「注目すべき生息地」とは、学術上若しくは希少性の観点から重要である生息地又は地域の象徴であることその他の理由により注目すべき生息地をいう。
三　この表において「注目種等」とは、地域を特徴づける生態系に関し、上位性、典型性及び特殊性の視点から注目される動植物の種又は生物群集をいう。
四　この表において「主要な眺望点」とは、不特定かつ多数の者が利用している景観資源を眺望する場所をいう。
五　この表において「主要な眺望景観」とは、主要な眺望点から景観資源を眺望する場合の眺望される景観をいう。
六　この表において「主要な人と自然との触れ合いの活動の場」とは、不特定かつ多数の者が利用している人と自然との触れ合いの活動の場をいう。

本表…一部改正〔平成一八年三月国土交通省令二〇号〕

○公有水面の埋立て又は干拓の事業に係る環境影響評価の項目並びに当該項目に係る調査、予測及び評価を合理的に行うための手法を選定するための指針、環境の保全のための措置に関する指針等を定める省令

（平成十年六月十二日農林水産・運輸・建設省令第一号）

〔沿革〕平成一一年六月一一日農林水産・運輸・建設省令第二号、一五年三月二八日農林水産・国土交通省令第一号、一六年一二月一五日第三号、一七年三月二九日第二号、一八年三月三〇日第一号、二二年四月一日第一号、二五年四月一日第一号、二七年五月二九日第二号、六月一日第三号、令和元年六月二八日第二号改正

（法第三条の二第一項の主務省令で定める事項）

第一条　環境影響評価法施行令（平成九年政令第三百四十六号。以下「令」という。）別表第一の七の項の第二欄に掲げる要件に該当する第一種事業（以下「第一種埋立て又は干拓事業」という。）に係る環境影響評価法（以下「法」という。）第三条の二第一項の主務省令で定める事項は、第一種埋立て又は干拓事業が実施されるべき区域の位置及び第一種埋立て又は干拓事業の規模（第一種埋立て又は干拓事業に係る埋立干拓区域の面積をいう。以下同じ。）とする。

本条…追加〔平成二五年四月農林水産・国土交通省令一号〕

（計画段階配慮事項に係る検討）

第二条　第一種埋立て又は干拓事業に係る法第三条の二第三項の規定による計画段階配慮事項の選定並びに当該計画段階配慮事項に係る調査、予測及び評価の手法に関する指針については、次条から第十条までに定めるところによる。

本条…追加〔平成二五年四月農林水産・国土交通省令一号〕

（位置等に関する複数案の設定）

第三条　第一種埋立て又は干拓事業を実施しようとする者は、第一種埋立て又は干拓事業に係る計画段階配慮事項についての検討に当たっては、第一種埋立て又は干拓事業が実施されるべき区域の位置又は第一種埋立て又は干拓事業の規模に関する複数の案（以下「位置等に関する複数案」という。）を適切に設定するものとし、当該複数の案を設定しない場合は、その理由を明らかにするものとする。

２　第一種埋立て又は干拓事業を実施しようとする者は、第一項の規定による位置等に関する複数案の設定に当たっては、第一種埋立て又は干拓事業に代わる事業の実施により適切な土地利用の確保が図られる場合その他第一種埋立て又は干拓事業を実施しないこととする案を含めた検討を行うことが合理的であると認められる場合には、当該案を含めるよう努めるものとする。

本条…追加〔平成二五年四月農林水産・国土交通省令一号〕

（計画段階配慮事項の検討に係る事業特性及び地域特性の把握）

第四条　第一種埋立て又は干拓事業を実施しようとする者は、第一種埋立て又は干拓事業に係る計画段階配慮事項についての検討に当たっては、当該検討を行うに必要と認める範囲内で、当該検討に影響を及ぼす第一種埋立て又は干拓事業の内容（以下この条から第十条までにおいて「事業特性」という。）並びに第一種埋立て又は干拓事業の実施が想定される区域（以下「第一種埋立て又は干拓事業実施想定区域」という。）及びその周囲の自然的社会的状況（以下この条から第十条までにおいて「地域特性」という。）に関し、次に掲げる情報を把握しなければならない。

一　事業特性に関する情報
　イ　第一種埋立て又は干拓事業の種類（第一種埋立て又は干拓事業に係る埋立ての事業又は干拓の事業の別をいう。第十三条第一項第二号において同じ。）
　ロ　第一種埋立て又は干拓事業実施想定区域の位置
　ハ　第一種埋立て又は干拓事業の規模
　ニ　その他の第一種埋立て又は干拓事業に関する事項
二　地域特性に関する情報
　イ　自然的状況
　　(1)　水象、水質、水底の底質その他の水に係る環境（以下「水環境」という。）の状況（環境基本法（平成五年法律第九十一号）第十六条第一項の規定により定められた環境上の条件についての基準（以下「環境基準」という。）の確保の状況を含む。第二十条第一項第二号イ(2)において同じ。）
　　(2)　土壌及び地盤の状況（環境基準の確保の状況を含む。第二十条第一項第二号イ(3)において同じ。）
　　(3)　地形及び地質の状況
　　(4)　動植物の生息又は生育、植生及び生態系の状況
　　(5)　景観及び人と自然との触れ合いの活動の状況
　ロ　社会的状況
　　(1)　人口及び産業の状況
　　(2)　土地利用の状況
　　(3)　河川、湖沼及び海域の利用並びに地下水の利用の状況
　　(4)　交通の状況
　　(5)　学校、病院その他の環境の保全についての配慮が特に必要な施設の配置の状況及び住宅の配置の概況
　　(6)　下水道の整備の状況
　　(7)　環境の保全を目的として法令、条例又は法第五十三条の行政指導等（以下「法令等」という。）により指定された地域その他の対象及び当該対象に係る規制の内容その他の状況
　　(8)　その他の事項

2　第一種埋立て又は干拓事業を実施しようとする者は、前項第二号に掲げる情報の把握に当たっては、次に掲げる事項に留意するものとする。

一　入手可能な最新の文献その他の資料により把握すること。この場合において、当該資料の出典を明らかにできるよう整理すること。

二　当該情報に係る過去の状況の推移及び将来の状況を把握すること。

本条…追加〔平成二五年四月農林水産・国土交通省令一号〕

（計画段階配慮事項の選定）

第五条　第一種埋立て又は干拓事業を実施しようとする者は、第一種埋立て又は干拓事業に係る計画段階配慮事項の選定に当たっては、第一種埋立て又は干拓事業に伴う環境影響を及ぼすおそれがある要因（以下「影響要因」という。）が当該影響要因により重大な影響を受けるおそれがある環境の構成要素（以下「環境要素」という。）に及ぼす影響の重大性について客観的かつ科学的に検討した上で選定しなければならない。

2　第一種埋立て又は干拓事業を実施しようとする者は、事業特性に応じて、第一種埋立て又は干拓事業に係る工事が完了した後の土地又は工作物の存在に関する影響要因を、土地の形状の変更、工作物の設置その他の環境影響の態様を踏まえて適切に区分し、当該区分された影響要因ごとに検討するものとする。

3　前項の規定による検討は、次に掲げる環境要素を、法令等による規制又は目標の有無及び環境に及ぼすおそれがある影響の重大性を考慮して適切に区分し、当該区分された環境要素ごとに行うものとする。

一　環境の自然的構成要素の良好な状態の保持を旨として調査、予測及び評価されるべき環境要素（第二十一条第四項第四号及び第五号に掲げるものを除く。以下同じ。）

イ　水環境

(1)　水質（地下水の水質を除く。第二十一条第四項第一号ロ(1)及び別表第一において同じ。）

(2)　水底の底質

(3)　地下水の水質及び水位

(4)　(1)から(3)までに掲げるもののほか、水環境に係る環境要素

ロ　土壌に係る環境その他の環境（イに掲げるものを除く。）

(1)　地形及び地質

(2)　地盤

(3)　土壌

(4)　その他の環境要素

二　生物の多様性の確保及び自然環境の体系的保全を旨として調査、予測及び評価されるべき環境要素（第二十一条第四項第四号及び第五号に掲げるものを除く。以下同じ。）

イ　動物

ロ　植物

ハ　生態系

三　人と自然との豊かな触れ合いの確保を旨として調査、予測及び評価されるべき環境要素（第二十一条第四項第四号及び第五号に掲げるものを除く。以下同じ。）

イ　景観

ロ　人と自然との触れ合いの活動の場

4　第一種埋立て又は干拓事業を実施しようとする者は、第一項の規定による選定に当たっては、前条の規定により把握した事業特性及び地域特性に関する情報を踏まえ、必要に応じ専門家その他の環境影響に関する知見を有する者（以下「専門家等」という。）の助言を受けて選定するものとする。

5　第一種埋立て又は干拓事業を実施しようとする者は、前項の規定により専門家等の助言を受けた場合には、当該助言の内容及び当該専門家等の専門分野を明らかにできるよう整理しなければならない。また、当該専門家等の所属機関の種別についても、明らかにするよう努めるものとする。

6　第一種埋立て又は干拓事業を実施しようとする者は、第一項の規定による選定を行ったときは、選定の結果を一覧できるよう整理するとともに、同項の規定により選定した事項（以下「選定事項」という。）について選定した理由を明らかにできるよう整理しなければならない。

本条…追加〔平成二五年四月農林水産・国土交通省令一号〕、三項…一部改正〔平成二七年六月農林水産・国土交通省令三号〕

（計画段階配慮事項の検討に係る調査、予測及び評価の手法）

第六条　第一種埋立て又は干拓事業に係る計画段階配慮事項の検討に係る調査、予測及び評価の手法は、第一種埋立て又は干拓事業を実施しようとする者が、次に掲げる事項を踏まえ、位置等に関する複数案及び選定事項ごとに、次条から第十条までに定めるところにより選定するものとする。

一　前条第三項第一号に掲げる環境要素に係る選定事項については、汚染物質の濃度その他の指標により測られる環境要素の汚染又は環境要素の状況の変化（当該環境要素に係る物質の量的な変化を含む。第二十二条第一項第一号において同じ。）の程度及び広がりに関し、これらが人の健康、生活環境又は自然環境に及ぼす環境影響を把握できること。

二　前条第三項第二号イ及びロに掲げる環境要素に係る選定事項については、陸生及び水生の動植物に関し、生息種又は生育種及び植生の調査を通じて抽出される学術上又は希少性の観点から重要な種の分布状況、生息状況又は生育状況及び学術上又は希少性の観点から重要な群落の分布状況並びに動物の集団繁殖地その他の注目すべき生息地の分布状況について調査し、これらに対する環境影響の程度を把握できること。

三　前条第三項第二号ハに掲げる環境要素に係る選定事項については、次に掲げるような、生態系の保全上重要であっ

て、まとまって存在する自然環境に対する影響の程度を把握できること。

イ　自然林、湿原、藻場、干潟、さんご群集及び自然海岸等であって人為的な改変をほとんど受けていないものその他改変により回復することが困難である脆弱な自然環境

ロ　里地及び里山（二次林、人工林、農地、ため池、草原等を含む。）並びに氾濫原に所在する湿地帯及び河畔林等の河岸に所在する自然環境であって、減少又は劣化しつつあるもの

ハ　水源涵養林、防風林、水質浄化機能を有する干潟及び土砂の崩壊を防止する機能を有する緑地等の地域において重要な機能を有する自然環境

ニ　都市において現に存する樹林地その他の緑地（斜面林、社寺林、屋敷林等を含む。）及び水辺地等であって地域を特徴付ける重要な自然環境

四　前条第三項第三号イに掲げる環境要素に係る選定事項については、景観に関し、眺望の状況及び景観資源の分布状況を調査し、これらに対する環境影響の程度を把握できること。

五　前条第三項第三号ロに掲げる環境要素に係る選定事項については、人と自然との触れ合いの活動に関し、野外レクリエーションを通じた人と自然との触れ合いの活動及び日常的な人と自然との触れ合いの活動が一般的に行われる施設又は場及びその利用の状況を調査し、これらに対する環境影響の程度を把握できること。

本条…追加〔平成二五年四月農林水産・国土交通省令一号〕

（計画段階配慮事項の検討に係る調査の手法）

第七条　第一種埋立て又は干拓事業を実施しようとする者は、第一種埋立て又は干拓事業に係る計画段階配慮事項の検討に係る調査の手法を選定するに当たっては、次の各号に掲げる調査の手法に関する事項について、それぞれ当該各号に定めるものを、選定事項について適切に予測及び評価を行うために必要な範囲内で、当該選定事項の特性、事業特性及び地域特性を勘案し、当該選定事項に係る予測及び評価において必要とされる水準が確保されるよう選定しなければならない。

一　調査すべき情報　選定事項に係る環境要素の状況に関する情報又は水象、土壌その他の自然的状況若しくは人口、産業、土地利用、水域利用その他の社会的状況に関する情報

二　調査の基本的な手法　国又は第一種埋立て又は干拓事業に係る環境影響を受ける範囲であると想定される地域を管轄する地方公共団体（以下この条から第十四条までにおいて「関係する地方公共団体」という。）が有する文献その他の資料を収集し、その結果を整理し、及び解析する手法。ただし、重大な環境影響を把握する上で必要と認められるときは、専門家等からの科学的知見を聴取し、なお必要な情報が得られないときは、現地調査及び踏査その他の方法により調査すべき情報を収集し、その結果を整理し、及び解析する手法

三　調査の対象とする地域　第一種埋立て又は干拓事業の実施により選定事項に関する環境要素に係る環境影響を受けるおそれがあると想定される地域又は土地の形状が変更されると想定される区域及びその周辺の区域その他の調査に適切な範囲であると認められる地域

2　前項第二号に規定する調査の基本的な手法のうち、情報の収集、整理又は解析について法令等により定められた手法がある環境要素に係る選定事項に係るものについては、当該法令等により定められた手法を踏まえ、適切な調査の手法を選定するものとする。

3　第一種埋立て又は干拓事業を実施しようとする者は、第一項の規定により現地調査及び踏査等を行う場合は、調査の実施に伴う環境への影響を回避し、又は低減するため、できる限り環境への影響が小さい手法を選定するよう留意しなければならない。

4　第一種埋立て又は干拓事業を実施しようとする者は、第一項の規定により調査の手法を選定するに当たっては、調査により得られる情報が記載されていた文献名その他の当該情報の出自等を明らかにできるようにしなければならない。この場合において、希少な動植物の生息又は生育に関する情報については、必要に応じ、公開に当たって種及び場所を特定できないようにすることその他の希少な動植物の保護のために必要な配慮を行うものとする。

本条…追加〔平成二五年四月農林水産・国土交通省令一号〕

（計画段階配慮事項の検討に係る予測の手法）

第八条　第一種埋立て又は干拓事業を実施しようとする者は、第一種埋立て又は干拓事業に係る計画段階配慮事項の検討に係る予測の手法を選定するに当たっては、次の各号に掲げる予測の手法に関する事項について、それぞれ当該各号に定めるものを、知見及び既存資料の充実の程度に応じ、当該選定事項の特性、事業特性及び地域特性を勘案し、当該選定事項に係る評価において必要とされる水準が確保されるよう、位置等に関する複数案及び選定事項ごとに選定しなければならない。

一　予測の基本的な手法　環境の状況の変化を、事例の引用又は解析その他の手法により、できる限り定量的に把握する手法

二　予測の対象とする地域（第三項において「予測地域」という。）　調査の対象とする地域のうちから適切に選定された地域

2　前項第一号に規定する予測の基本的な手法については、定量的な把握が困難な場合にあっては、定性的に把握する手法を選定するものとする。

3　第一種埋立て又は干拓事業を実施しようとする者は、第一項の規定により予測の手法を選定するに当たっては、予測の基本的な手法の特徴及びその適用範囲、予測地域の設定の根

拠、予測の前提となる条件その他の予測に関する事項について、選定事項の特性、事業特性及び地域特性に照らし、それぞれその内容及び妥当性を予測の結果との関係と併せて明らかにできるようにしなければならない。

4　第一種埋立て又は干拓事業を実施しようとする者は、第一項の規定により予測の手法を選定するに当たっては、第一種埋立て又は干拓事業において新規の手法を用いる場合その他の環境影響の予測に関する知見が十分に蓄積されていない場合において、予測の不確実性の程度及び不確実性に係る環境影響の程度を勘案して必要と認めるときは、当該不確実性の内容を明らかにできるようにしなければならない。

本条…追加〔平成二五年四月農林水産・国土交通省令一号〕

（計画段階配慮事項の検討に係る評価の手法）

第九条　第一種埋立て又は干拓事業を実施しようとする者は、第一種埋立て又は干拓事業に係る計画段階配慮事項の検討に係る評価の手法を選定するに当たっては、計画段階配慮事項の検討に係る調査及び予測の結果を踏まえるとともに、次に掲げる事項に留意しなければならない。

一　第三条第一項の規定により位置等に関する複数案が設定されている場合は、当該設定されている案ごとの選定事項について環境影響の程度を整理し、及び比較する手法であること。

二　位置等に関する複数案が設定されていない場合は、第一種埋立て又は干拓事業の実施により選定事項に係る環境要素に及ぶおそれがある影響が、第一種埋立て又は干拓事業を実施しようとする者により実行可能な範囲内でできる限り回避され、又は低減されているかどうかを評価する手法であること。

三　国又は関係する地方公共団体が実施する環境の保全に関する施策によって、選定事項に係る環境要素に関して基準又は目標が示されている場合には、当該基準又は目標に照らすこととする考え方を明らかにしつつ、当該基準又は目標と調査及び予測の結果との間に整合が図られているかどうかを評価する手法であること。

四　第一種埋立て又は干拓事業を実施しようとする者以外の者が行う環境の保全のための措置の効果を見込む場合には、当該措置の内容を明らかにできるようにすること。

本条…追加〔平成二五年四月農林水産・国土交通省令一号〕

（計画段階配慮事項の検討に係る手法選定に当たっての留意事項）

第一〇条　第一種埋立て又は干拓事業を実施しようとする者は、第一種埋立て又は干拓事業に係る計画段階配慮事項の検討に係る調査、予測及び評価の手法（以下この条において「手法」という。）を選定するに当たっては、第四条の規定により把握した事業特性及び地域特性に関する情報を踏まえ、必要に応じ専門家等の助言を受けて選定するものとする。

2　第一種埋立て又は干拓事業を実施しようとする者は、前項の規定により専門家等の助言を受けた場合には、当該助言の内容及び当該専門家等の専門分野を明らかにできるよう整理しなければならない。また、当該専門家等の所属機関の種別についても、明らかにするよう努めるものとする。

3　第一種埋立て又は干拓事業を実施しようとする者は、第一種埋立て又は干拓事業に係る計画段階配慮事項の検討に係る調査、予測及び評価の結果、位置等に関する複数案のそれぞれの案の間において選定事項に係る環境要素に及ぶおそれのある影響に著しい差異がない場合その他必要と認められる場合には、必要に応じ計画段階配慮事項及びその手法の選定を追加的に行うものとする。

4　第一種埋立て又は干拓事業を実施しようとする者は、手法の選定を行ったときは、選定された手法及び選定の理由を明らかにできるよう整理しなければならない。

本条…追加〔平成二五年四月農林水産・国土交通省令一号〕

（計画段階環境配慮書に係る意見の聴取に関する指針）

第一一条　第一種埋立て又は干拓事業に係る法第三条の七第二項の規定による計画段階配慮事項についての検討に当たって関係する行政機関及び一般の環境の保全の見地からの意見を求める場合の措置に関する指針については、次条から第十四条までに定めるところによる。

本条…追加〔平成二五年四月農林水産・国土交通省令一号〕

第一二条　第一種埋立て又は干拓事業を実施しようとする者は、第一種埋立て又は干拓事業に係る配慮書の案又は配慮書について、関係する地方公共団体の長及び一般の環境の保全の見地からの意見を求めるように努めることとし、当該意見を求めない場合は、その理由を明らかにしなければならない。

本条…追加〔平成二五年四月農林水産・国土交通省令一号〕

第一三条　第一種埋立て又は干拓事業を実施しようとする者は、配慮書の案又は配慮書について一般の意見を求めるときは、当該配慮書の案又は配慮書を作成した旨及び次に掲げる事項を公告し、適切な期間を定めて縦覧に供し、又はインターネットの利用その他の方法により公表するものとする。

一　第一種埋立て又は干拓事業を実施しようとする者の氏名及び住所（法人にあってはその名称、代表者の氏名及び主たる事務所の所在地）

二　第一種埋立て又は干拓事業の名称、種類及び規模

三　第一種埋立て又は干拓事業実施想定区域の位置

四　配慮書の案又は配慮書の縦覧及び公表の方法及び期間

五　配慮書の案又は配慮書について環境の保全の見地からの意見を書面により提出することができる旨

六　前号の意見書の提出期限及び提出先その他意見書の提出に必要な事項

2　前項の規定による公告は、次に掲げる方法のうち適切な方法により行うものとする。

一　官報への掲載

二　関係する地方公共団体の協力を得て行う当該地方公共団

体の公報又は広報紙への掲載

三　時事に関する事項を掲載する日刊新聞紙への掲載

3　第一項の規定により配慮書の案又は配慮書を縦覧に供する場所は、次に掲げる場所のうちから、できる限り縦覧する者の参集の便を考慮して定めるものとする。

一　第一種埋立て又は干拓事業を実施しようとする者の事務所

二　関係する地方公共団体の協力が得られた場合にあっては、当該地方公共団体の庁舎その他の当該地方公共団体の施設

三　前二号に掲げるもののほか、第一種埋立て又は干拓事業を実施しようとする者が利用できる適切な施設

4　第一項の規定による配慮書の案又は配慮書の公表は、次に掲げる方法のうち適切な方法により行うものとする。

一　第一種埋立て又は干拓事業を実施しようとする者のウェブサイトへの掲載

二　関係する地方公共団体の協力を得て行う当該地方公共団体のウェブサイトへの掲載

三　前二号に掲げるもののほか、適切な方法

5　配慮書の案又は配慮書について環境の保全の見地からの意見を有する者は、第一項の第一種埋立て又は干拓事業を実施しようとする者が定める期間内に、第一種埋立て又は干拓事業を実施しようとする者に対し、次に掲げる事項を記載した意見書の提出により、これを述べることができる。

一　意見書を提出しようとする者の属性その他の必要な事項

二　意見書の提出の対象である配慮書の案又は配慮書の名称

三　配慮書の案又は配慮書についての環境の保全の見地からの意見

本条…追加〔平成二五年四月農林水産・国土交通省令一号〕

第一四条　第一種埋立て又は干拓事業を実施しようとする者は、配慮書の案又は配慮書について関係する地方公共団体の長の意見を求めるときは、その旨を記載した書面に、当該配慮書の案又は配慮書を添えて、関係する地方公共団体の長に送付するものとする。

2　関係する地方公共団体の長は、前項の規定による書面の送付を受けたときは、第一種埋立て又は干拓事業を実施しようとする者が定める期間内に、第一種埋立て又は干拓事業を実施しようとする者に対し、配慮書の案又は配慮書について環境の保全の見地からの意見を書面の提出その他の方法により述べるものとする。

3　配慮書について前項の書面の提出があったときは、第一種埋立て又は干拓事業を実施しようとする者は、速やかに国土交通大臣に当該書面を送付するものとする。

本条…追加〔平成二五年四月農林水産・国土交通省令一号〕

（第二種事業の届出）

第一五条　令別表第一の七の項の第三欄に掲げる要件に該当する第二種事業（次条において「第二種埋立て又は干拓事業」という。）に係る法第四条第一項の規定による届出は、別記様式による届出書により行うものとする。

本条…追加〔平成一一年六月農林水産・運輸・建設省令二号〕、旧一条…一部改正し繰下〔平成二五年四月農林水産・国土交通省令一号〕

（第二種事業の判定の基準）

第一六条　第二種埋立て又は干拓事業に係る法第四条第三項（同条第四項及び法第二十九条第二項において準用する場合を含む。）の規定による判定については、当該第二種埋立て又は干拓事業が次に掲げる要件のいずれかに該当するときは、環境影響の程度が著しいものとなるおそれがあると認めるものとする。

一　環境に及ぼす影響が大きい技術、工法その他の事業の内容により、同種の一般的な事業と比べて環境影響の程度が著しいものとなるおそれが大きいこと。

二　地域の自然的社会的状況に関する入手可能な知見により、当該第二種埋立て又は干拓事業が実施されるべき区域又はその周囲に次に掲げる対象その他の一以上の環境要素に係る環境影響を受けやすいと認められる対象が存在し、又は存在することとなることが明らかであると判断され、かつ、当該第二種埋立て又は干拓事業の内容が当該対象の特性に応じて特に配慮すべき環境要素に係る相当程度の環境影響を及ぼすおそれがあること。

イ　閉鎖性の高い水域その他の汚染物質が滞留しやすい水域

ロ　学校、病院、住居が集合している地域、水道原水の取水地点その他の人の健康の保護又は生活環境の保全についての配慮が特に必要な施設又は地域

ハ　人為的な改変をほとんど受けていない自然環境、野生生物の重要な生息地若しくは生育地又は第六条第三号イからニまでに掲げる重要な環境要素が存在する地域

三　当該第二種埋立て又は干拓事業が実施されるべき区域又はその周囲に次に掲げる対象その他の一以上の環境要素に係る環境の保全を目的として法令等により指定された対象が存在し、かつ、当該第二種埋立て又は干拓事業の内容が当該環境要素に係る相当程度の環境影響を及ぼすおそれがあること。

イ　水質汚濁防止法（昭和四十五年法律第百三十八号）第四条の二第一項に規定する指定水域

ロ　湖沼水質保全特別措置法（昭和五十九年法律第六十一号）第三条第一項の規定により指定された指定湖沼

ハ　瀬戸内海環境保全特別措置法（昭和四十八年法律第百十号）第二条第一項に規定する瀬戸内海

ニ　自然公園法（昭和三十二年法律第百六十一号）第五条第一項の規定により指定された国立公園、同条第二項の規定により指定された国定公園又は同法第七十二条の規定により指定された都道府県立自然公園の区域

ホ　自然環境保全法（昭和四十七年法律第八十五号）第十四条第一項の規定により指定された原生自然環境保全地域、同法第二十二条第一項の規定により指定された自然

環境保全地域又は同法第四十五条第一項の規定により指定された都道府県自然環境保全地域

へ　世界の文化遺産及び自然遺産の保護に関する条約第十一条2の世界遺産一覧表に記載された自然遺産の区域

ト　首都圏近郊緑地保全法（昭和四十一年法律第百一号）第三条第一項の規定により指定された近郊緑地保全区域

チ　近畿圏の保全区域の整備に関する法律（昭和四十二年法律第百三号）第五条第一項の規定により指定された近郊緑地保全区域

リ　都市緑地法（昭和四十八年法律第七十二号）第五条の規定により指定された緑地保全地域又は同法第十二条第一項の規定により指定された特別緑地保全地区の区域

ヌ　絶滅のおそれのある野生動植物の種の保存に関する法律（平成四年法律第七十五号）第三十六条第一項の規定により指定された生息地等保護区の区域

ル　鳥獣の保護及び管理並びに狩猟の適正化に関する法律（平成十四年法律第八十八号）第二十八条第一項の規定により設定された鳥獣保護区の区域

ヲ　特に水鳥の生息地として国際的に重要な湿地に関する条約第二条1の規定により指定された湿地の区域

ワ　文化財保護法（昭和二十五年法律第二百十四号）第百九条第一項の規定により指定された名勝（庭園、公園、橋梁（りょう）及び築堤にあっては、周囲の自然的環境と一体をなしているものと判断されるものに限る。）又は天然記念物（動物又は植物の種を単位として指定されている場合における当該種及び標本を除く。）

カ　古都における歴史的風土の保存に関する特別措置法（昭和四十一年法律第一号）第四条第一項の規定により指定された歴史的風土保存区域

ヨ　都市計画法（昭和四十三年法律第百号）第八条第一項第七号の規定により指定された風致地区の区域

四　地域の自然的社会的状況に関する入手可能な知見により、当該第二種埋立て又は干拓事業が実施されるべき区域又はその周囲に次に掲げる地域が存在すると判断され、かつ、当該第二種埋立て又は干拓事業の内容が当該地域の特性に応じて特に配慮すべき環境要素に係る相当程度の環境影響を及ぼすおそれがあること。

イ　水質の汚濁（生物化学的酸素要求量、化学的酸素要求量、全窒素又は全燐（りん）に関するものに限る。）又は騒音に係る環境基準が確保されていない地域

ロ　騒音規制法（昭和四十三年法律第九十八号）第十七条第一項に規定する限度を超えている地域

ハ　振動規制法（昭和五十一年法律第六十四号）第十六条第一項に規定する限度を超えている地域

ニ　イからハまでに掲げるもののほか、一以上の環境要素に係る環境が既に著しく悪化し、又は著しく悪化するおそれがあると認められる地域

2　第二種埋立て又は干拓事業が前項各号のいずれの要件にも該当しない場合において、当該第二種埋立て又は干拓事業が他の密接に関連する同種の事業と一体的に行われ、かつ、次のいずれかに該当することとなるときは、前項の規定にかかわらず、当該第二種埋立て又は干拓事業は環境影響の程度が著しいものとなるおそれがあると認めるものとする。

一　当該第二種埋立て又は干拓事業の規模及び当該同種の事業の規模の合計が、令別表第一の七の項の第二欄に掲げる要件のうち事業の規模に係るものに該当することとなるとき。

二　当該第二種埋立て又は干拓事業及び当該同種の事業が総体として前項第二号から第四号までに掲げる要件のいずれかに該当することとなるとき。

一・二項…一部改正・旧一条…繰下〔平成一一年六月農林水産・運輸・建設省令二号〕、一項…一部改正〔平成一五年三月農林水産・国土交通省令一号・一六年一二月三号・一七年三月二号・二二年四月一号〕、一項…一部改正・旧一条の二…繰下〔平成二五年四月農林水産・国土交通省令一号〕、一項…一部改正〔平成二七年五月農林水産・国土交通省令二号〕

（方法書の作成）

第一七条　令別表第一の七の項の第二欄又は第三欄に掲げる要件に該当する対象事業（以下「対象埋立て又は干拓事業」という。）に係る事業者（以下単に「事業者」という。）は、対象埋立て又は干拓事業に係る方法書に法第五条第一項第二号に規定する対象事業の内容を記載するに当たっては、次に掲げる事項を記載しなければならない。

一　対象埋立て又は干拓事業の種類（対象埋立て又は干拓事業に係る埋立ての事業又は干拓の事業の別をいう。以下同じ。）

二　対象埋立て又は干拓事業が実施されるべき区域（以下「対象埋立て又は干拓事業実施区域」という。）及び対象埋立て又は干拓事業に係る埋立干拓区域の位置

三　対象埋立て又は干拓事業の規模（対象埋立て又は干拓事業に係る埋立干拓区域の面積をいう。以下同じ。）

四　前三号に掲げるもののほか、対象埋立て又は干拓事業の内容に関する事項（既に決定されている内容に係るものに限る。）であって、その変更により環境影響が変化することとなるもの

2　事業者は、対象埋立て又は干拓事業に係る方法書に法第五条第一項第三号に掲げる事項を記載するに当たっては、入手可能な最新の文献その他の資料により把握した結果（当該資料の出典を含む。）を第二十条第一項第二号に掲げる事項の区分に応じて記載しなければならない。

3　事業者は、対象埋立て又は干拓事業に係る方法書に第一項第二号に掲げる事項及び前項の規定により把握した結果を記載するに当たっては、その概要を適切な縮尺の平面図上に明らかにしなければならない。

4　事業者は、対象埋立て又は干拓事業に係る方法書に法第五条第一項第七号に掲げる事項を記載するに当たっては、当該環境影響評価の項目並びに調査、予測及び評価の手法を選定した理由を明らかにしなければならない。この場合におい

て、当該環境影響評価の項目並びに調査、予測及び評価の手法の選定に当たって、専門家等の助言を受けた場合には、当該助言の内容及び当該専門家等の専門分野を併せて明らかにしなければならない。また、当該専門家等の所属機関の種別についても、明らかにするよう努めるものとする。

5　事業者は、法第五条第二項の規定により二以上の対象事業について併せて方法書を作成した場合にあっては、対象埋立て又は干拓事業に係る方法書において、その旨を明らかにしなければならない。

一―三項…一部改正〔平成一一年六月農林水産・運輸・建設省令二号〕、四項…一部改正〔平成一八年三月農林水産・国土交通省令一号〕、一・二・四項…一部改正・旧二条…繰下〔平成二五年四月農林水産・国土交通省令一号〕

（環境影響を受ける範囲と認められる地域）

第一八条　対象埋立て又は干拓事業に係る法第六条第一項に規定する環境影響を受ける範囲であると認められる地域は、対象埋立て又は干拓事業実施区域及び既に入手している情報によって一以上の環境要素に係る環境影響を受けるおそれがあると認められる地域とする。

旧三条…繰下〔平成二五年四月農林水産・国土交通省令一号〕

（環境影響評価の項目等の選定に関する指針）

第一九条　対象埋立て又は干拓事業に係る法第十一条第四項の規定による環境影響評価の項目並びに当該項目に係る調査、予測及び評価を合理的に行うための手法を選定するための指針については、次条から第二十七条までに定めるところによる。

旧四条…一部改正し繰下〔平成二五年四月農林水産・国土交通省令一号〕

（環境影響評価項目等の選定に係る事業特性及び地域特性の把握）

第二〇条　事業者は、対象埋立て又は干拓事業に係る環境影響評価の項目並びに調査、予測及び評価の手法を選定するに当たっては、計画段階配慮事項の検討の経緯等について整理した上で、当該選定を行うに必要と認める範囲内で、当該選定に影響を及ぼす対象埋立て又は干拓事業の内容（以下この条、次条第二項及び第三項、同条第五項において読み替えて準用する第五条第四項、第二十三条、第二十四条、第二十五条第一項、同条第二項において読み替えて準用する第八条第三項、第二十七条並びに第三十二条において「事業特性」という。）並びに対象埋立て又は干拓事業実施区域及びその周囲の自然的社会的状況（以下この条、次条において読み替えて準用する第五条第四項、第二十四条、第二十五条第一項、同条第二項において読み替えて準用する第八条第三項、第二十七条並びに第三十二条において「地域特性」という。）に関し、次に掲げる情報を把握しなければならない。

一　事業特性に関する情報

イ　対象埋立て又は干拓事業の種類

ロ　対象埋立て又は干拓事業実施区域の位置

ハ　対象埋立て又は干拓事業の規模

ニ　対象埋立て又は干拓事業の工事計画の概要

ホ　その他の対象埋立て又は干拓事業に関する事項

二　地域特性に関する情報

イ　自然的状況

(1)　気象、大気質、騒音、振動その他の大気に係る環境（次条第四項第一号イ及び別表第一において「大気環境」という。）の状況（環境基準の確保の状況を含む。）

(2)　水環境の状況

(3)　土壌及び地盤の状況

(4)　地形及び地質の状況

(5)　動植物の生息又は生育、植生及び生態系の状況

(6)　景観及び人と自然との触れ合いの活動の状況

(7)　一般環境中の放射性物質の状況

ロ　社会的状況

(1)　人口及び産業の状況

(2)　土地利用の状況

(3)　河川、湖沼及び海域の利用並びに地下水の利用の状況

(4)　交通の状況

(5)　学校、病院その他の環境の保全についての配慮が特に必要な施設の配置の状況及び住宅の配置の概況

(6)　下水道の整備の状況

(7)　環境の保全を目的として法令等により指定された地域その他の対象及び当該対象に係る規制の内容その他の状況

(8)　その他の事項

2　事業者は、前項第一号に掲げる情報の把握に当たっては、当該対象埋立て又は干拓事業の内容の具体化の過程における環境の保全の配慮に係る検討の経緯及びその内容を把握するよう留意するものとする。

3　事業者は、第一項第二号に掲げる情報の把握に当たっては、次に掲げる事項に留意するものとする。

一　入手可能な最新の文献その他の資料により把握すること。この場合において、当該資料の出典を明らかにできるよう整理すること。

二　必要に応じ、対象埋立て又は干拓事業に係る環境影響を受ける範囲であると認められる地域を管轄する地方公共団体（以下「関係する地方公共団体」という。）又は専門家等からその知見を聴取し、又は現地の状況を確認するよう努めること。

三　当該情報に係る過去の状況の推移及び将来の状況を把握すること。

二項…追加・旧二項…一部改正し三項に繰下〔平成一八年三月農林水産・国土交通省令一号〕、見出し…改正・一・三項…一部改正・旧五条…繰下〔平成二五年四月農林水産・国土交通省令一号〕、一項…一部改正〔平成二七年六月農林水産・国土交通省令三号〕

（環境影響評価の項目の選定）

第二一条　事業者は、対象埋立て又は干拓事業に係る環境影響評価の項目を選定するに当たっては、別表第一に掲げる一般的な事業の内容（同表備考第二号イ及びロに掲げる特性を有する埋立て又は干拓事業の当該特性をいう。以下同じ。）によって行われる対象埋立て又は干拓事業に伴う影響要因について同表においてその影響を受けるおそれがあるとされる環境要素に係る項目（以下「参考項目」という。）を勘案して選定しなければならない。ただし、次の各号のいずれかに該当すると認められる場合は、この限りでない。

一　参考項目に関する環境影響がないこと又は環境影響の程度が極めて小さいことが明らかである場合

二　対象埋立て又は干拓事業実施区域又はその周囲に、参考項目に関する環境影響を受ける地域その他の対象が相当期間存在しないことが明らかである場合

2　事業者は、前項本文の規定による選定に当たっては、一般的な事業の内容と事業特性との相違を把握するものとする。

3　事業者は、第一項本文の規定による選定に当たっては、対象埋立て又は干拓事業に伴う影響要因が当該影響要因により影響を受けるおそれがある環境要素に及ぼす影響の重大性について客観的かつ科学的に検討しなければならない。この場合において、事業者は、事業特性に応じて、次に掲げる影響要因を、物質の排出、土地の形状の変更、工作物の設置その他の環境影響の態様を踏まえて適切に区分し、当該区分された影響要因ごとに検討するものとする。

一　対象埋立て又は干拓事業に係る工事の実施（対象埋立て又は干拓事業の一部として行う対象埋立て又は干拓事業実施区域にある工作物の撤去又は廃棄を含む。）

二　対象埋立て又は干拓事業に係る工事が完了した後の土地又は工作物の存在（別表第一において「土地又は工作物の存在」という。）

三　対象埋立て又は干拓事業の目的として設置される工作物の撤去又は廃棄が予定されている場合にあっては、当該撤去又は廃棄

4　前項の規定による検討は、次に掲げる環境要素を、法令等による規制又は目標の有無及び環境に及ぼすおそれがある影響の重大性を考慮して適切に区分し、当該区分された環境要素ごとに行うものとする。

一　環境の自然的構成要素の良好な状態の保持を旨として調査、予測及び評価されるべき環境要素

イ　大気環境

(1)　大気質

(2)　騒音（周波数が二十ヘルツから百ヘルツまでの音によるものを含む。以下同じ。）及び超低周波音（周波数が二十ヘルツ以下の音をいう。）

(3)　振動

(4)　悪臭

(5)　(1)から(4)までに掲げるもののほか、大気環境に係る環境要素

ロ　水環境

(1)　水質

(2)　水底の底質

(3)　地下水の水質及び水位

(4)　(1)から(3)までに掲げるもののほか、水環境に係る環境要素

ハ　土壌に係る環境その他の環境（イ及びロに掲げるものを除く。別表第一において同じ。）

(1)　地形及び地質

(2)　地盤

(3)　土壌

(4)　その他の環境要素

二　生物の多様性の確保及び自然環境の体系的保全を旨として調査、予測及び評価されるべき環境要素

イ　動物

ロ　植物

ハ　生態系

三　人と自然との豊かな触れ合いの確保を旨として調査、予測及び評価されるべき環境要素

イ　景観

ロ　人と自然との触れ合いの活動の場

四　環境への負荷の量の程度により予測及び評価されるべき環境要素（次号に掲げるものを除く。別表第一において同じ。）

イ　廃棄物等（廃棄物及び副産物をいう。次条第一項第六号及び別表第一において同じ。）

ロ　温室効果ガス等（排出又は使用が地球環境の保全上の支障の原因となるおそれがある物をいう。次条第一項第六号において同じ。）

五　一般環境中の放射性物質について調査、予測及び評価されるべき環境要素

イ　放射線の量

5　第五条第四項から第六項までの規定は、第一項本文の規定による選定について準用する。この場合において、同条第四項から第六項までの規定中「第一種埋立て又は干拓事業を実施しようとする者」とあるのは「事業者」と、同条第四項及び第六項中「第一項」とあるのは「第二十一条第一項本文」と、同条第四項中「前条」とあるのは「第二十条」と、同条第五項中「前項」とあるのは「第二十一条第五項において読み替えて準用する前項」と、同条第六項中「同項」とあるのは「同項本文」と、「事項（以下「選定事項」という。）について」とあるのは「項目（以下この条、次条、第二十四条第一項、同条第二項において読み替えて準用する第七条第二項、第二十五条第一項、同条第二項において読み替えて準用する第八条第三項、第二十六条、第二十九条及び第三十二条において「選定項目」という。）として」と読み替えるものとする。

6　事業者は、環境影響評価の手法を選定し、又は環境影響評価を行う過程において項目の選定に係る新たな事情が生じた場合にあっては、必要に応じ第一項本文の規定により選定項目の見直しを行わなければならない。

一・七・八項…一部改正・二・六項…追加・旧二・三項…一部改正し三・四項に繰下・四・五項…削除・旧六項…一部改正し五項に繰上〔平成一八年三月農林水産・国土交通省令一号〕、一・四項…一部改正・五項…全部改正・六・八項…削除・旧七項…一部改正し六項に繰上・旧六条…繰下〔平成二五年四月農林水産・国土交通省令一号〕、四項…一部改正〔平成二七年六月農林水産・国土交通省令三号〕

（環境影響評価の項目に係る調査、予測及び評価の手法）

第二二条　対象埋立て又は干拓事業に係る環境影響評価の調査、予測及び評価の手法は、事業者が、次に掲げる事項を踏まえ、選定項目ごとに次条から第二十七条までに定めるところにより選定するものとする。

一　前条第四項第一号に掲げる環境要素に係る選定項目については、汚染物質の濃度その他の指標により測られる環境要素の汚染又は環境要素の状況の変化の程度及び広がりに関し、これらが人の健康、生活環境又は自然環境に及ぼす環境影響を把握できること。

二　前条第四項第二号イ及びロに掲げる環境要素に係る選定項目については、陸生及び水生の動植物に関し、生息種又は生育種及び植生の調査を通じて抽出される学術上又は希少性の観点から重要な種の分布状況、生息状況又は生育状況及び学術上又は希少性の観点から重要な群落の分布状況並びに動物の集団繁殖地その他の注目すべき生息地の分布状況について調査し、これらに対する環境影響の程度を把握できること。

三　前条第四項第二号ハに掲げる環境要素に係る選定項目については、地域を特徴づける生態系に関し、前号の調査結果その他の調査結果により概括的に把握される生態系の特性に応じて、上位性（生態系の上位に位置する性質をいう。別表第二において同じ。）、典型性（地域の生態系の特徴を典型的に現す性質をいう。別表第二において同じ。）及び特殊性（特殊な環境であることを示す指標となる性質をいう。別表第二において同じ。）の視点から注目される動植物の種又は生物群集を複数抽出し、これらの生態、他の動植物との関係又は生息環境若しくは生育環境を調査し、これらに対する環境影響その他の生態系への環境影響の程度を適切に把握できること。

四　前条第四項第三号イに掲げる環境要素に係る選定項目については、景観に関し、眺望の状況及び景観資源の分布状況を調査し、これらに対する環境影響の程度を把握できること。

五　前条第四項第三号ロに掲げる環境要素に係る選定項目については、人と自然との触れ合いの活動に関し、野外レクリエーションを通じた人と自然との触れ合いの活動及び日常的な人と自然との触れ合いの活動が一般的に行われる施設又は場及びその利用の状況を調査し、これらに対する環境影響の程度を把握できること。

六　前条第四項第四号に掲げる環境要素に係る選定項目については、廃棄物等に関してはその発生量、最終処分量その他の環境への負荷の量の程度を、温室効果ガス等に関してはその発生量その他の環境への負荷の量の程度を把握できること。

七　前条第四項第五号に掲げる環境要素に係る選定項目については、放射線の量の変化を把握できること。

2　事業者は、前項の規定により調査、予測及び評価の手法を選定するに当たっては、計画段階配慮事項の検討において収集及び整理した情報並びにその結果を最大限に活用するものとする。

本条…一部改正〔平成一八年三月農林水産・国土交通省令一号〕、見出し…改正・一項…一部改正・二項…追加・旧七条…繰下〔平成二五年四月農林水産・国土交通省令一号〕、一項…一部改正〔平成二七年六月農林水産・国土交通省令三号〕

（参考手法）

第二三条　事業者は、対象埋立て又は干拓事業に係る環境影響評価の調査及び予測の手法（参考項目に係るものに限る。）を選定するに当たっては、各参考項目ごとに別表第二に掲げる参考となる調査及び予測の手法（以下この条及び別表第二において「参考手法」という。）を勘案しつつ、最新の科学的知見を反映するよう努めるとともに、最適な手法を選定しなければならない。

2　事業者は、前項の規定による選定に当たっては、一般的な事業の内容と事業特性との相違を把握するものとする。

3　事業者は、次の各号のいずれかに該当すると認められる場合は、必要に応じ参考手法より簡略化された調査又は予測の手法を選定することができる。

一　当該参考項目に関する環境影響の程度が小さいことが明らかであること。

二　対象埋立て又は干拓事業実施区域又はその周囲に、当該参考項目に関する環境影響を受ける地域その他の対象が相当期間存在しないことが想定されること。

三　類似の事例により当該参考項目に関する環境影響の程度が明らかであること。

四　当該参考項目に係る予測及び評価において必要とされる情報が、参考手法より簡易な方法で収集できることが明らかであること。

4　事業者は、次の各号のいずれかに該当すると認められる場合は、必要に応じ参考手法より詳細な調査又は予測の手法を選定するものとする。

一　事業特性により、当該参考項目に関する環境影響の程度が著しいものとなるおそれがあること。

二　対象埋立て又は干拓事業実施区域又はその周囲に、次に掲げる地域その他の対象が存在し、かつ、事業特性が次のイ、ロ又はハに規定する参考項目に関する環境要素に係る相当程度の環境影響を及ぼすおそれがあるものであること。

イ　当該参考項目に関する環境要素に係る環境影響を受けやすい地域その他の対象
ロ　当該参考項目に関する環境要素に係る環境の保全を目的として法令等により指定された地域その他の対象
ハ　当該参考項目に関する環境要素に係る環境が既に著しく悪化し、又は著しく悪化するおそれがある地域

見出し…改正・一項…一部改正・二項…追加・旧二・三項…一部改正し三・四項に繰下〔平成一八年三月農林水産・国土交通省令一号〕、一項…一部改正・旧八条…繰下〔平成二五年四月農林水産・国土交通省令一号〕

（環境影響評価の項目に係る調査の手法）

第二四条　事業者は、対象埋立て又は干拓事業に係る環境影響評価の調査の手法を選定するに当たっては、前条に定めるところによるほか、次の各号に掲げる調査の手法に関する事項について、それぞれ当該各号に定めるものを、選定項目について適切に予測及び評価を行うために必要な範囲内で、当該選定項目の特性、事業特性及び地域特性を勘案し、並びに地域特性が時間の経過に伴って変化するものであることを踏まえ、当該選定項目に係る予測及び評価において必要とされる水準が確保されるよう選定しなければならない。
一　調査すべき情報　選定項目に係る環境要素の状況に関する情報又は気象、水象その他の自然的状況若しくは人口、産業、土地利用、水域利用その他の社会的状況に関する情報
二　調査の基本的な手法　国又は関係する地方公共団体が有する文献その他の資料の入手、専門家等からの科学的知見の聴取、現地調査その他の方法により調査すべき情報を収集し、その結果を整理し、及び解析する手法
三　調査の対象とする地域（次項において読み替えて準用する第七条第四項、次条及び別表第二において「調査地域」という。）　対象埋立て又は干拓事業の実施により選定項目に関する環境要素に係る環境影響を受けるおそれがある地域又は土地の形状が変更される区域及びその周辺の区域その他の調査に適切な範囲であると認められる地域
四　調査に当たり一定の地点に関する情報を重点的に収集することとする場合における当該地点（別表第二において「調査地点」という。）　調査すべき情報の内容及び特に環境影響を受けるおそれがある対象の状況を踏まえ、地域を代表する地点その他の調査に適切かつ効果的であると認められる地点
五　調査に係る期間、時期又は時間帯（別表第二において「調査期間等」という。）　調査すべき情報の内容を踏まえ、調査に適切かつ効果的であると認められる期間、時期又は時間帯

2　第七条第二項から第四項までの規定は、前項の対象埋立て又は干拓事業に係る環境影響評価の調査の手法について準用する。この場合において、同条第二項中「前項第二号」とあるのは「第二十四条第一項第二号」と、「選定事項」とあるのは「選定項目」と、同条第三項及び第四項中「第一種埋立て又は干拓事業を実施しようとする者」とあるのは「事業者」と、「第一項」とあるのは「第二十四条第一項」と、同条第三項中「現地調査及び踏査等を行う場合」とあるのは「調査の手法を選定するに当たって」と、同条第四項中「文献名その他の当該情報の出自等」とあるのは「文献名、当該情報を得るために行われた調査の前提条件、調査地域の設定の根拠、調査の日時その他の当該情報の出自及びその妥当性」と読み替えるものとする。

3　第一項第五号に規定する調査に係る期間のうち、季節による変動を把握する必要がある調査の対象に係るものについては、これを適切に把握できるよう調査に係る期間を選定するものとし、年間を通じた調査に係るものについては、必要に応じ調査すべき情報に大きな変化がないことが想定される時期に調査を開始するように調査に係る期間を選定するものとする。

4　事業者は、第一項の規定により調査の手法を選定するに当たっては、長期間の観測結果が存在しており、かつ、現地調査を行う場合にあっては、当該観測結果と現地調査により得られた結果とを比較できるようにしなければならない。

一・三項…一部改正〔平成一八年三月農林水産・国土交通省令一号〕、見出し…改正・一項…一部改正・二項…全部改正・四・五項…削除・旧六項…四項に繰下・旧九条…繰下〔平成二五年四月農林水産・国土交通省令一号〕

（環境影響評価の項目に係る予測の手法）

第二五条　事業者は、対象埋立て又は干拓事業に係る環境影響評価の予測の手法を選定するに当たっては、第二十三条に定めるところによるほか、次の各号に掲げる予測の手法に関する事項について、それぞれ当該各号に定めるものを、当該選定項目の特性、事業特性及び地域特性を勘案し、当該選定項目に係る評価において必要とされる水準が確保されるよう選定しなければならない。
一　予測の基本的な手法　環境の状況の変化又は環境への負荷の量を、理論に基づく計算、模型による実験、事例の引用又は解析その他の手法により、定量的に把握する手法
二　予測の対象とする地域（次項において読み替えて準用する第八条第三項及び別表第二において「予測地域」という。）　調査地域のうちから適切に選定された地域
三　予測に当たり一定の地点に関する環境の状況の変化を重点的に把握することとする場合における当該地点（別表第二において「予測地点」という。）　選定項目の特性に応じて保全すべき対象の状況を踏まえ、地域を代表する地点、特に環境影響を受けるおそれがある地点、保全すべき対象への環境影響を的確に把握できる地点その他の予測に適切かつ効果的な地点
四　予測の対象とする時期、期間又は時間帯（別表第二において「予測対象時期等」という。）　工事の実施による環境影響が最大になる時期その他の予測に適切かつ効果的な時期、期間又は時間帯

2　第八条第二項から第四項までの規定は、前項の対象埋立て

又は干拓事業に係る環境影響評価の予測の手法について準用する。この場合において、同条第二項中「前項第一号」とあるのは「第二十五条第一項第一号」と、同条第三項及び第四項中「第一種埋立て又は干拓事業を実施しようとする者」とあるのは「事業者」と、「第一項」とあるのは「第二十五条第一項」と、同条第三項中「予測の前提となる条件その他の」とあるのは「予測の前提となる条件、予測で用いた原単位及び係数その他の」と、「選定事項」とあるのは「選定項目」と、同条第四項中「第一種埋立て又は干拓事業に」とあるのは「対象埋立て又は干拓事業に」と、「しなければならない」とあるのは「しなければならない。この場合において、予測の不確実性の程度については、必要に応じ予測の前提条件を変化させて得られるそれぞれの予測の結果のばらつきの程度により把握するものとする」と読み替えるものとする。

3　第一項第四号に規定する予測の対象とする時期については、予測の前提条件が予測の対象となる期間内で大きく変化する場合にあっては、必要に応じ同号に規定する時期での予測に加え中間的な時期での予測を行うものとする。

4　事業者は、第一項の規定により予測の手法を選定するに当たっては、対象埋立て又は干拓事業以外の事業活動その他の地域の環境を変化させる要因によりもたらされる当該地域の将来の環境の状況（将来の環境の状況の推定が困難な場合及び現在の環境の状況を勘案することがより適切な場合にあっては、現在の環境の状況）を明らかにできるよう整理し、これを勘案して予測が行われるようにしなければならない。この場合において、将来の環境の状況は、関係する地方公共団体が有する情報を収集して推定するとともに、将来の環境の状況の推定に当たって、国又は関係する地方公共団体が実施する環境の保全に関する施策の効果を見込むときは、当該施策の内容を明らかにできるよう整理するものとする。

四－六項…一部改正〔平成一八年三月農林水産・国土交通省令一号〕、見出し…改正・一項…一部改正・二項…全部改正・四・六項…削除・旧五項…四項に繰上・旧一〇条…繰下〔平成二五年四月農林水産・国土交通省令一号〕

（環境影響評価の項目に係る評価の手法）

第二六条　事業者は、対象埋立て又は干拓事業に係る環境影響評価の評価の手法を選定するに当たっては、次に掲げる事項に留意しなければならない。

一　調査及び予測の結果並びに第二十九条第一項の規定による検討を行った場合においてはその結果を踏まえ、対象埋立て又は干拓事業の実施により当該選定項目に係る環境要素に及ぶおそれがある影響が、事業者により実行可能な範囲内でできる限り回避され、又は低減されており、必要に応じその他の方法により環境の保全についての配慮が適正になされているかどうかを評価する手法であること。

二　前号に掲げる手法は、評価の根拠及び評価に関する検討の経緯を明らかにできるようにするものであること。

三　国又は関係する地方公共団体が実施する環境の保全に関する施策によって、選定項目に係る環境要素に関して基準又は目標が示されている場合には、当該基準又は目標と調査及び予測の結果との間に整合が図られているかどうかを評価すること。

四　前号に掲げる手法は、次に掲げるものであること。

イ　当該基準又は目標に照らすこととする考え方を明らかにできるようにするもの。

ロ　工事の実施に当たって長期間にわたり影響を受けるおそれのある環境要素であって、当該環境要素に係る環境基準が定められているものについては、当該環境基準と調査及び予測の結果との間に整合が図られているかどうかを検討するもの。

五　事業者以外の者が行う環境の保全のための措置の効果を見込む場合には、当該措置の内容を明らかにできるようにすること。

本条…一部改正〔平成一八年三月農林水産・国土交通省令一号〕、見出し…改正・旧一一条…一部改正し繰下〔平成二五年四月農林水産・国土交通省令一号〕

（環境影響評価の項目に係る手法選定に当たっての留意事項）

第二七条　事業者は、対象埋立て又は干拓事業に係る環境影響評価の調査、予測及び評価の手法（以下この条において「手法」という。）を選定するに当たっては、第二十条の規定により把握した事業特性及び地域特性に関する情報を踏まえ、必要に応じ専門家等の助言を受けて選定するものとする。

2　事業者は、前項の規定により専門家等の助言を受けた場合には、当該助言の内容及び当該専門家等の専門分野を明らかにできるよう整理しなければならない。また、当該専門家等の所属機関の種別についても、明らかにするよう努めるものとする。

3　事業者は、環境影響評価を行う過程において手法の選定に係る新たな事情が生じたときは、必要に応じ手法の見直しを行わなければならない。

4　事業者は、手法の選定を行ったときは、選定された手法及び選定の理由を明らかにできるよう整理しなければならない。

一項…一部改正・二項…追加・旧二・三項…三・四項に繰下〔平成一八年三月農林水産・国土交通省令一号〕、見出し…改正・一・二項…一部改正・旧一二条…繰下〔平成二五年四月農林水産・国土交通省令一号〕

（環境保全措置に関する指針）

第二八条　対象埋立て又は干拓事業に係る法第十二条第二項に規定する環境の保全のための措置に関する指針については、次条から第三十二条までに定めるところによる。

旧一三条…一部改正し繰下〔平成二五年四月農林水産・国土交通省令一号〕

（環境保全措置の検討）

第二九条　事業者は、環境影響がないと判断される場合及び環境影響の程度が極めて小さいと判断される場合以外の場合にあっては、事業者により実行可能な範囲内で選定項目に係る環境影響をできる限り回避し、又は低減すること、必要に応じ損なわれる環境の有する価値を代償すること及び当該環境影響に係る環境要素に関して国又は関係する地方公共団体が実施する環境の保全に関する施策によって示されている基準又は目標の達成に努めることを目的として環境の保全のための措置（以下「環境保全措置」という。）を検討しなければならない。

2　事業者は、前項の規定による検討に当たっては、環境影響を回避し、又は低減させる措置を検討し、その結果を踏まえ、必要に応じ、損なわれる環境の有する価値を代償するための措置（以下「代償措置」という。）を検討しなければならない。

二項…一部改正〔平成一八年三月農林水産・国土交通省令一号〕、旧一四条…繰下〔平成二五年四月農林水産・国土交通省令一号〕

（**検討結果の検証**）

第三〇条　事業者は、前条第一項の規定による検討を行ったときは、環境保全措置についての複数の案の比較検討、実行可能なより良い技術が取り入れられているかどうかの検討その他の適切な検討を通じて、事業者により実行可能な範囲内で対象埋立て又は干拓事業に係る環境影響ができる限り回避され、又は低減されているかどうかを検証しなければならない。

旧一五条…繰下〔平成二五年四月農林水産・国土交通省令一号〕

（**検討結果の整理**）

第三一条　事業者は、第二十九条第一項の規定による検討を行ったときは、次に掲げる事項を明らかにできるよう整理しなければならない。

一　環境保全措置の実施主体、方法その他の環境保全措置の実施の内容

二　環境保全措置の効果及び当該環境保全措置を講じた後の環境の状況の変化並びに必要に応じ当該環境保全措置の効果の不確実性の程度

三　環境保全措置の実施に伴い生ずるおそれがある環境への影響

四　代償措置にあっては、環境影響を回避し、又は低減させることが困難である理由

五　代償措置にあっては、損なわれる環境及び環境保全措置により創出される環境に関し、それぞれの位置並びに損なわれ又は創出される当該環境に係る環境要素の種類及び内容

六　代償措置にあっては、当該代償措置の効果の根拠及び実施が可能であると判断した根拠

2　事業者は、第二十九条第一項の規定による検討を段階的に行ったときは、それぞれの検討の段階における環境保全措置について、具体的な内容を明らかにできるよう整理しなければならない。

3　事業者は、位置等に関する複数案のそれぞれの案ごとの選定事項についての環境影響の比較を行ったときは、当該位置等に関する複数案から第一種埋立て又は干拓事業に係る位置等を決定する過程でどのように環境影響が回避され、又は低減されているかについての検討の内容を明らかにできるよう整理しなければならない。

一項…一部改正・二項追加〔平成一八年三月農林水産・国土交通省令一号〕、一・二項…一部改正・三項…追加・旧一六条…繰下〔平成二五年四月農林水産・国土交通省令一号〕

（**事後調査**）

第三二条　事業者は、次の各号のいずれかに該当すると認められる場合において、環境影響の程度が著しいものとなるおそれがあるときは、対象埋立て又は干拓事業に係る工事の実施中及び竣功後の環境の状況を把握するための調査（以下「事後調査」という。）を行わなければならない。

一　予測の不確実性の程度が大きい選定項目について環境保全措置を講ずる場合

二　効果に係る知見が不十分な環境保全措置を講ずる場合

三　工事の実施中及び竣功後において環境保全措置の内容をより詳細なものにする必要があると認められる場合

四　代償措置について、効果の不確実性の程度及び知見の充実の程度を勘案して事後調査が必要であると認められる場合

2　事業者は、事後調査の項目及び手法の選定に当たっては、次に掲げる事項に留意しなければならない。

一　事後調査の必要性、事業特性及び地域特性に応じ適切な項目を選定すること。

二　事後調査を行う項目の特性、事業特性及び地域特性に応じ適切な手法を選定するとともに、事後調査の結果と環境影響評価の結果との比較検討が可能となるようにすること。

三　事後調査の実施に伴う環境への影響を回避し、又は低減するため、できる限り環境への影響が小さい手法を選定すること。

四　必要に応じ専門家の助言を受けることその他の方法により客観的かつ科学的な根拠に基づき選定すること。

3　事業者は、事後調査の項目及び手法の選定に当たっては、次に掲げる事項をできる限り明らかにするよう努めなければならない。

一　事後調査を行うこととした理由

二　事後調査の項目及び手法

三　事後調査の結果により環境影響の程度が著しいことが明らかとなった場合の対応の方針

四　事後調査の結果の公表の方法

五　関係する地方公共団体その他の事業者以外の者（以下この号において「関係地方公共団体等」という。）が把握する環境の状況に関する情報を活用しようとする場合における当該関係地方公共団体等との協力又は当該関係地方公共

団体等への要請の方法及び内容

六　事業者以外の者が事後調査の実施主体となる場合にあっては、当該実施主体の氏名（法人にあっては、その名称）並びに当該実施主体との協力又は当該実施主体への要請の方法及び内容

七　前各号に掲げるもののほか、事後調査の実施に関し必要な事項

4　事業者は、事後調査の終了並びに事後調査の結果を踏まえた環境保全措置の実施及び終了の判断に当たっては、必要に応じ専門家の助言を受けることその他の方法により客観的かつ科学的な検討を行うよう留意しなければならない。

一項…一部改正〔平成一八年三月農林水産・国土交通省令一号〕、一・二項…一部改正・四項…追加・旧一七条…繰下〔平成二五年四月農林水産・国土交通省令一号〕

（準備書の作成）

第三三条　事業者は、法第十四条第一項の規定により対象埋立て又は干拓事業に係る準備書に法第五条第一項第二号に規定する対象事業の内容を記載するに当たっては、次に掲げる事項を記載しなければならない。

一　第十七条第一項第一号から第三号までに掲げる事項

二　対象埋立て又は干拓事業の工事計画の概要

三　前二号に掲げるもののほか、対象埋立て又は干拓事業の内容に関する事項（既に決定されている内容に係るものに限る。）であって、その変更により環境影響が変化することとなるもの

2　第十七条第二項から第五項までの規定は、法第十四条の規定により事業者が対象埋立て又は干拓事業に係る準備書を作成する場合について準用する。この場合において、第十七条第二項中「その他の資料」とあるのは「その他の資料及び第二十条第三項第二号の規定による聴取又は確認」と、同条第三項中「前項」とあるのは「第三十三条第二項において準用する前項」と、同条第四項中「第五条第一項第七号」とあるのは「第十四条第一項第五号」と、同条第五項中「第五条第二項」とあるのは「第十四条第二項において準用する法第五条第二項」と読み替えるものとする。

3　事業者は、対象埋立て又は干拓事業に係る準備書に法第十四条第一項第七号イに掲げる事項を記載するに当たっては、第二十四条第二項において読み替えて準用する第七条第四項並びに第二十五条第二項において読み替えて準用する第八条第三項及び第四項において明らかにできるようにしなければならないとされた事項、第二十四条第四項において比較できるようにしなければならないとされた事項、第二十五条第四項において明らかにできるよう整理するものとされた事項並びに第二十六条第二号、第四号イ及び第五号において明らかにできるようにすることに留意しなければならないとされた事項の概要を併せて記載しなければならない。

4　事業者は、対象埋立て又は干拓事業に係る準備書に法第十四条第一項第七号ロに掲げる事項を記載するに当たっては、第二十九条の規定による検討の状況、第三十条の規定による検証の結果及び第三十一条において明らかにできるよう整理しなければならないとされた事項を記載しなければならない。

5　事業者は、対象埋立て又は干拓事業に係る準備書に法第十四条第一項第七号ハに掲げる事項を記載するに当たっては、第三十二条第三項の規定により明らかにされた事項を記載しなければならない。

6　事業者は、対象埋立て又は干拓事業に係る準備書に法第十四条第一項第七号ニに掲げる事項を記載するに当たっては、同号イからハまでに掲げる事項の概要を一覧できるようとりまとめて記載しなければならない。

本条…追加〔平成一一年六月農林水産・運輸・建設省令二号〕、二－四項…一部改正〔平成一八年三月農林水産・国土交通省令一号〕、一－五項…一部改正・旧一八条…繰下〔平成二五年四月農林水産・国土交通省令一号〕

（評価書の作成）

第三四条　前条の規定は、法第二十一条第二項の規定により事業者が対象埋立て又は干拓事業に係る評価書を作成する場合について準用する。

2　事業者は、法第二十一条第二項の規定により対象埋立て又は干拓事業に係る評価書を作成するに当たっては、対象埋立て又は干拓事業に係る準備書に記載した事項との相違を明らかにしなければならない。

本条…追加〔平成一一年六月農林水産・運輸・建設省令二号〕、旧一九条…繰下〔平成二五年四月農林水産・国土交通省令一号〕

（評価書の補正）

第三五条　事業者は、法第二十五条第二項の規定により対象埋立て又は干拓事業に係る評価書の補正をするに当たっては、補正前の対象埋立て又は干拓事業に係る評価書に記載した事項との相違を明らかにしなければならない。

本条…追加〔平成一一年六月農林水産・運輸・建設省令二号〕、旧二〇条…繰下〔平成二五年四月農林水産・国土交通省令一号〕

（報告書作成に関する指針）

第三六条　対象埋立て又は干拓事業に係る法第三十八条の二第二項の規定による報告書の作成に関する指針については、次条及び第三十八条に定めるところによる。

本条…追加〔平成二五年四月農林水産・国土交通省令一号〕

（報告書の作成時期等）

第三七条　法第二十七条の公告を行った事業者は、対象埋立て又は干拓事業に係る工事が完了した後、報告書を作成しなければならない。その際、当該事業者は、当該工事の実施に当たって講じた環境保全措置の効果を確認した上で作成するよう努めるものとする。

2　法第二十七条の公告を行った事業者は、必要に応じて、対象埋立て又は干拓事業に係る工事の実施中又は竣功後において、環境保全措置の実施の内容等又は事後調査の結果等を公表するものとする。

本条…追加〔平成二五年四月農林水産・国土交通省令一号〕

（報告書の記載事項）

第三八条　法第二十七条の公告を行った事業者は、次に掲げる事項を報告書に記載しなければならない。

一　事業者の氏名及び住所（法人にあってはその名称、代表者の氏名及び主たる事務所の所在地）、対象埋立て又は干拓事業の名称、種類及び規模、対象埋立て又は干拓事業が実施された区域の位置その他の対象埋立て又は干拓事業に関する基礎的な情報

二　環境保全措置（第四号に掲げるものを除く。）の実施の内容、効果及びその不確実性の程度

三　事後調査の項目、手法及び結果

四　前号の措置により判明した環境の状況に応じて講ずる環境保全措置の実施の内容、効果及びその不確実性の程度

五　専門家の助言を受けた場合には、当該助言の内容及び当該専門家の専門分野並びに可能な場合には、当該専門家の所属機関の種別

六　報告書作成後に環境保全措置又は事後調査を行う場合には、その実施の内容等又はその結果等を公表する旨

2　法第二十七条の公告を行った事業者は、対象埋立て又は干拓事業を他の者に引き継いだ場合又は当該事業者と竣功後の管理者が異なる場合等において、当該者との協力又は当該者への要請等の方法及び内容を、報告書に記載しなければならない。

本条…追加〔平成二五年四月農林水産・国土交通省令一号〕

附　則

この省令は、公布の日から施行する。

附　則〔平成一八年三月三〇日農林水産・国土交通省令第一号〕

1　この省令は、平成十八年九月三十日から施行する。ただし、附則第四項の規定は、公布の日から施行する。

2　事業者がこの省令の施行の日（以下「施行日」という。）前に環境影響評価法第七条の規定に基づく方法書の公告を行っている対象埋立て又は干拓事業（公有水面の埋立て又は干拓の事業に係る環境影響評価の項目並びに当該項目に係る調査、予測及び評価を合理的に行うための手法を選定するための指針、環境の保全のための措置に関する指針等を定める省令第二条第一項に規定する対象埋立て又は干拓事業をいう。次項において同じ。）については、この省令による改正後の公有水面の埋立て又は干拓の事業に係る環境影響評価の項目並びに当該項目に係る調査、予測及び評価を合理的に行うための手法を選定するための指針、環境の保全のための措置に関する指針等を定める省令（以下「新令」という。）第二条の規定にかかわらず、なお従前の例による。

3　事業者が施行日前に環境影響評価法第十六条の規定に基づく準備書の公告を行っている対象埋立て又は干拓事業については、新令第二条から第十九条第一項までの規定にかかわらず、なお従前の例による。

4　事業者は、施行日前においても、新令第二条から第十八条までの規定の例による方法書の作成等を行うことができる。この場合において、当該方法書の作成等は、新令の相当する規定により施行日に行われたものとみなす。

附　則〔令和元年六月二八日農林水産・国土交通省令第二号〕

この省令は、不正競争防止法等の一部を改正する法律の施行の日（令和元年七月一日）から施行する。

別表第一　参考項目（第二十一条関係）

環境要素の区分			工事の実施：堤防及び護岸の工事	工事の実施：埋立の工事	土地又は工作物の存在：埋立地又は干拓地の存在
環境の自然的構成要素の良好な状態の保持を旨として調査、予測及び評価されるべき環境要素	大気環境	大気質：粉じん等	○		
		騒音：騒音	○		
		振動：振動	○		
	水環境	水質：水の汚れ			○
		水質：土砂による水の濁り	○		
	土壌に係る環境その他の環境	地形及び地質：重要な地形及び地質			○
生物の多様性の確保及び自然環境の体系的保全を旨として調査、予測及び評価されるべき環境要素	動物	重要な種及び注目すべき生息地	○		○
	植物	重要な種及び群落	○		○
	生態系	地域を特徴づける生態系	○		○
人と自然との豊かな触れ合いの確保を旨として調査、予測及び評価されるべき環境要素	景観	主要な眺望点及び景観資源並びに主要な眺望景観			○
	人と自然との触れ合いの活動の場	主要な人と自然との触れ合いの活動の場	○		○
環境への負荷の量の程度により予測及び評価されるべき環境要素	廃棄物等	建設工事に伴う副産物	○		
一般環境中の放射性物質について調査、予測及び評価されるべき環境要素	放射線の量	放射線の量	※○		

備考
一　○印は、各欄に掲げる環境要素が、影響要因の区分の項に掲げる各要因により影響を受けるおそれがあるものであることを示す。ただし、※が付されているものは、放射性物質が相当程度拡散・流出するおそれがある場合に適用する。
二　この表における「影響要因の区分」は、次に掲げる特性を有する埋立て又は干拓事業の内容を踏まえて区分したものである。
　イ　建設機械又は作業船を使用し、堤防及び護岸の築造を行うこと。
　ロ　道路を経由し、又は船舶を利用して資材等の搬出入を行い、及び当該搬入された資材等を使用して土地の造成を行うこと。
三　この表において「粉じん等」とは、粉じん、ばいじん及び自動車の運行又は建設機械の稼働に伴い発生する粒子状物質をいう。
四　この表において「重要な地形及び地質」、「重要な種」及び「重要な種及び群落」とは、それぞれ学術上又は希少性の観点から重要なものをいう。
五　この表において「注目すべき生息地」とは、学術上若しくは希少性の観点から重要である生息地又は地域の象徴であることその他の理由により注目すべき生息地をいう。
六　この表において「主要な眺望点」とは、不特定かつ多数の者が利用している景観資源を眺望する場所をいう。
七　この表において「主要な眺望景観」とは、主要な眺望点から景観資源を眺望する場合の眺望される景観をいう。
八　この表において「主要な人と自然との触れ合いの活動の場」とは、不特定かつ多数の者が利用している人と自然との触れ合いの活動の場をいう。
九　この表において「放射線の量」とは、空間線量率等によって把握されるものをいう。

本表…一部改正〔平成一八年三月農林水産・国土交通省令一号・二五年四月一号〕、全部改正〔平成二七年六月農林水産・国土交通省令三号〕

別表第二　参考手法（第二十三条関係）

参考項目		参考手法	
環境要素の区分	影響要因の区分	調査の手法	予測の手法
粉じん等	堤防及び護岸の工事並びに埋立ての工事	一　調査すべき情報 気象の状況 二　調査の基本的な手法 文献その他の資料及び現地調査による情報の収集並びに当該情報の整理及び解析 三　調査地域 粉じん等の拡散の特性を踏まえて粉じん等に係る環境影響を受けるおそれがあると認められる地域 四　調査地点 粉じん等の拡散の特性を踏まえて調査地域における粉じん等に係る環境影響を予測し、及び評価するために必要な情報を適切かつ効果的に把握できる地点 五　調査期間等 粉じん等の拡散の特性を踏まえて調査地域における粉じん等に係る環境影響を予測し、及び評価するために必要な情報を適切かつ効果的に把握できる期間、時期及び時間帯	一　予測の基本的な手法 事例の引用又は解析 二　予測地域 調査地域のうち、粉じん等の拡散の特性を踏まえて粉じん等に係る環境影響を受けるおそれがあると認められる地域 三　予測地点 粉じん等の拡散の特性を踏まえて予測地域における粉じん等に係る環境影響を的確に把握できる地点 四　予測対象時期等 工事による粉じん等に係る環境影響が最大となる時期
騒音	堤防及び護岸の工事並びに埋立ての工事	一　調査すべき情報 イ　騒音の状況 ロ　地表面の状況 ハ　工事用の資材及び機械の運搬に用いる車両の運行が予想される道路の沿道の状況 二　調査の基本的な手法 文献その他の資料及び現地調査による情報（工事用の資材及び機械の運搬に用いる車両の運行が予想される道路の沿道における騒音の状況については、騒音に係る環境基準に規定する騒音の測定の方法を用いられたものとする。）の収集並びに当該情報の整理及び解析 三　調査地域 音の伝搬の特性を踏まえて騒音に係る環境影響を受けるおそれがあると認められる地域 四　調査地点 音の伝搬の特性を踏まえて調査地域における騒音に係る環境影響を予測し、及び評価するために必要な情報を適切かつ効果的に把握できる地点 五　調査期間等 音の伝搬の特性を踏まえて調査地域における騒音に係る環境影響を予測し、及び評価するために必要な情報を適切かつ効果的に把握できる期間、時期及び時間帯	一　予測の基本的な手法 音の伝搬理論に基づく予測式による計算 二　予測地域 調査地域のうち、音の伝搬の特性を踏まえて騒音に係る環境影響を受けるおそれがあると認められる地域 三　予測地点 音の伝搬の特性を踏まえて予測地域における騒音に係る環境影響を的確に把握できる地点 四　予測対象時期等 工事による騒音に係る環境影響が最大となる時期
振動	堤防及び護岸の工事並びに埋立ての工事	一　調査すべき情報 イ　工事用の資材及び機械の運搬に用いる車両の運行が予想される道路の沿道における振動の状況 ロ　地盤の状況 二　調査の基本的な手法 文献その他の資料及び現地調査による情報（工事用の資材及び機械の運搬に用いる車両の運行が予想される道路の沿道における振動の状況については、振動規制法施行規則（昭和五十一年総理府令第五十八号）別表第二備考4及び7に規定する振動	一　予測の基本的な手法 イ　建設機械の稼働に係る振動については、事例の引用又は解析 ロ　工事用の資材及び機械の運搬に用いる車両の運行に係る振動については、振動レベルの八十パーセントレンジの上端値を予測するための式を用いた計算 二　予測地域 調査地域のうち、振動の伝搬の特性を踏まえて振動に係る環境影響を受けるおそれがあると認められる地域

		の測定の方法を用いられたものとする。）の収集並びに当該情報の整理及び解析 三　調査地域 振動の伝搬の特性を踏まえて振動に係る環境影響を受けるおそれがあると認められる地域 四　調査地点 振動の伝搬の特性を踏まえて調査地域における振動に係る環境影響を予測し、及び評価するために必要な情報を適切かつ効果的に把握できる地点 五　調査期間等 振動の伝搬の特性を踏まえて調査地域における振動に係る環境影響を予測し、及び評価するために必要な情報を適切かつ効果的に把握できる期間、時期及び時間帯	三　予測地点 振動の伝搬の特性を踏まえて予測地域における振動に係る環境影響を的確に把握できる地点 四　予測対象時期等 工事による振動に係る環境影響が最大となる時期
水の汚れ	埋立地又は干拓地の存在	一　調査すべき情報 イ　河川にあっては生物化学的酸素要求量の状況（その調査時における流量の状況を含む。）、海域又は湖沼にあっては化学的酸素要求量の状況 ロ　流れの状況 二　調査の基本的な手法 文献その他の資料及び現地調査による情報（生物化学的酸素要求量又は化学的酸素要求量の状況については、水質汚濁に係る環境基準に規定する生物化学的酸素要求量又は化学的酸素要求量の測定の方法を用いられたものとする。）の収集並びに当該情報の整理及び解析 三　調査地域 水域の特性及び水の汚れの変化の特性を踏まえて水の汚れに係る環境影響を受けるおそれがあると認められる地域 四　調査地点 水域の特性及び水の汚れの変化の特性を踏まえて調査地域における水の汚れに係る環境影響を予測し、及び評価するために必要な情報を適切かつ効果的に把握できる地点 五　調査期間等 水域の特性及び水の汚れの変化の特性を踏まえて調査地域における水の汚れに係る環境影響を予測し、及び評価するために必要な情報を適切かつ効果的に把握できる期間及び時期	一　予測の基本的な手法 生物化学的酸素要求量又は化学的酸素要求量の物質の収支に関する計算又は事例の引用若しくは解析 二　予測地域 調査地域のうち、水域の特性及び水の汚れの変化の特性を踏まえて水の汚れに係る環境影響を受けるおそれがあると認められる地域 三　予測地点 水域の特性及び水の汚れの変化の特性を踏まえて予測地域における水の汚れに係る環境影響を的確に把握できる地点 四　予測対象時期等 埋立てにあっては護岸の工事及び埋立ての工事、干拓にあっては干拓の工事が竣功した時期
土砂による水の濁り	堤防及び護岸の工事並びに埋立ての工事	一　調査すべき情報 イ　濁度又は浮遊物質量の状況（河川にあっては、その調査時における流量の状況を含む。） ロ　流れの状況 ハ　土質の状況 二　調査の基本的な手法 文献その他の資料及び現地調査による情報（浮遊物質量の状況については、水質汚濁に係る環境基準に規定する浮遊物質量の測定の方法を用いられたものとする。）の収集並びに当該情報の整理及び解析 三　調査地域 対象埋立て又は干拓事業実施区域及びその周辺の区域 四　調査地点 水域の特性及び土砂による水の濁りの変化の特性を踏まえて調査地域における土砂による水	一　予測の基本的な手法 浮遊物質の物質の収支に関する計算又は事例の引用若しくは解析 二　予測地域 調査地域のうち、水域の特性及び土砂による水の濁りの変化の特性を踏まえて土砂による水の濁りに係る環境影響を受けるおそれがあると認められる地域 三　予測地点 水域の特性及び土砂による水の濁りの変化の特性を踏まえて予測地域における土砂による水の濁りに係る環境影響を的確に把握できる地点 四　予測対象時期等 工事に伴う土砂による水の濁りに係る環境影響が最大となる時期

		の濁りに係る環境影響を予測し、及び評価するために必要な情報を適切かつ効果的に把握できる地点 五　調査期間等 水域の特性及び土砂による水の濁りの変化の特性を踏まえて調査地域における土砂による水の濁りに係る環境影響を予測し、及び評価するために必要な情報を適切かつ効果的に把握できる期間及び時期	
重要な地形及び地質	埋立地又は干拓地の存在	一　調査すべき情報 イ　地形及び地質の概況 ロ　重要な地形及び地質の分布、状態及び特性 二　調査の基本的な手法 文献その他の資料及び現地調査による情報の収集並びに当該情報の整理及び解析 三　調査地域 対象埋立て又は干拓事業実施区域及びその周辺の区域 四　調査地点 地形及び地質の特性を踏まえて調査地域における重要な地形及び地質に係る環境影響を予測し、及び評価するために必要な情報を適切かつ効果的に把握できる地点 五　調査期間等 地形及び地質の特性を踏まえて調査地域における重要な地形及び地質に係る環境影響を予測し、及び評価するために必要な情報を適切かつ効果的に把握できる時期	一　予測の基本的な手法 重要な地形及び地質について、分布又は成立環境の改変の程度を踏まえた事例の引用又は解析 二　予測地域 調査地域のうち、地形及び地質の特性を踏まえて重要な地形及び地質に係る環境影響を受けるおそれがあると認められる地域 三　予測対象時期等 地形及び地質の特性を踏まえて重要な地形及び地質に係る環境影響を的確に把握できる時期
重要な種及び注目すべき生息地	堤防及び護岸の工事並びに埋立ての工事 埋立地又は干拓地の存在	一　調査すべき情報 イ　鳥類その他主な陸生動物及び主な水生動物に係る動物相の状況 ロ　動物の重要な種の分布、生息の状況及び生息環境の状況 ハ　注目すべき生息地の分布並びに当該生息地が注目される理由である動物の種の生息の状況及び生息環境の状況 二　調査の基本的な手法 文献その他の資料及び現地調査による情報の収集並びに当該情報の整理及び解析 三　調査地域 対象埋立て又は干拓事業実施区域及びその周辺の区域 四　調査地点 動物の生息の特性を踏まえて調査地域における重要な種及び注目すべき生息地に係る環境影響を予測し、及び評価するために必要な情報を適切かつ効果的に把握できる地点又は経路 五　調査期間等 動物の生息の特性を踏まえて調査地域における重要な種及び注目すべき生息地に係る環境影響を予測し、及び評価するために必要な情報を適切かつ効果的に把握できる期間、時期及び時間帯	一　予測の基本的な手法 動物の重要な種及び注目すべき生息地について、分布又は生息環境の改変の程度を踏まえた事例の引用又は解析 二　予測地域 調査地域のうち、動物の生息の特性を踏まえて重要な種及び注目すべき生息地に係る環境影響を受けるおそれがあると認められる地域 三　予測対象時期等 動物の生息の特性を踏まえて重要な種及び注目すべき生息地に係る環境影響を的確に把握できる時期
重要な種及び群落	堤防及び護岸の工事並びに埋立ての工事 埋立地又は干拓地	一　調査すべき情報 イ　河川又は湖沼にあっては種子植物その他主な植物に係る植物相及び植生の状況、海域にあっては海藻類その他主な植物に係る植物相及び植生の状況 ロ　植物の重要な種及び群落の	一　予測の基本的な手法 植物の重要な種及び群落について、分布又は生育環境の改変の程度を踏まえた事例の引用又は解析 二　予測地域 調査地域のうち、植物の生育及び植生の特性を踏まえて

	の存在	分布、生育の状況及び生育環境の状況 二　調査の基本的な手法 文献その他の資料及び現地調査による情報の収集並びに当該情報の整理及び解析 三　調査地域 対象埋立て又は干拓事業実施区域及びその周辺の区域 四　調査地点 植物の生育及び植生の特性を踏まえて調査地域における重要な種及び群落に係る環境影響を予測し、及び評価するために必要な情報を適切かつ効果的に把握できる地点又は経路 五　調査期間等 植物の生育及び植生の特性を踏まえて調査地域における重要な種及び群落に係る環境影響を予測し、及び評価するために必要な情報を適切かつ効果的に把握できる期間、時期及び時間帯	重要な種及び群落に係る環境影響を受けるおそれがあると認められる地域 三　予測対象時期等 植物の生育及び植生の特性を踏まえて重要な種及び群落に係る環境影響を的確に把握できる時期
地域を特徴づける生態系	堤防及び護岸の工事並びに埋立ての工事	一　調査すべき情報 イ　動植物その他の自然環境に係る概況 ロ　複数の注目種等の生態、他の動植物との関係又は生息環境若しくは生育環境の状況 二　調査の基本的な手法 文献その他の資料及び現地調査による情報の収集並びに当該情報の整理及び解析 三　調査地域 対象埋立て又は干拓事業実施区域及びその周辺の区域 四　調査地点 動植物その他の自然環境の特性及び注目種等の特性を踏まえて調査地域における注目種等に係る環境影響を予測し、及び評価するために必要な情報を適切かつ効果的に把握できる地点又は経路 五　調査期間等 動植物その他の自然環境の特性及び注目種等の特性を踏まえて調査地域における注目種等に係る環境影響を予測し、及び評価するために必要な情報を適切かつ効果的に把握できる期間、時期及び時間帯	一　予測の基本的な手法 注目種等について、分布、生息環境又は生育環境の改変の程度を踏まえた事例の引用又は解析 二　予測地域 調査地域のうち、動植物その他の自然環境の特性及び注目種等の特性を踏まえて注目種等に係る環境影響を受けるおそれがあると認められる地域 三　予測対象時期等 動植物その他の自然環境の特性及び注目種等の特性を踏まえて注目種等に係る環境影響を的確に把握できる時期
	埋立地又は干拓地の存在	一　調査すべき情報 イ　動植物その他自然環境に係る概況 ロ　複数の注目種等の生態、他の動植物との関係又は生息環境若しくは生育環境の状況 二　調査の基本的な手法 文献その他の資料及び現地調査による情報の収集並びに当該情報の整理及び解析 三　調査地域 対象埋立て又は干拓事業実施区域及びその周辺の区域 四　調査地点 動植物その他の自然環境の特性及び注目種等の特性を踏まえて調査地域における注目種等に係る環境影響を予測し、及び評価するために必要な情報を適切かつ効果的に把握できる地点又は経路 五　調査期間等 動植物その他の自然環境の特性及び注目種等の特性を踏まえて調査地域における注目種等に係る環境影響を予測し、及び評	一　予測の基本的な手法 注目種等について、分布、生息環境又は生育環境の改変の程度（地形の変化に関する計算又は事例の引用若しくは解析により把握された地形の変化の程度を含む。）を踏まえた事例の引用又は解析 二　予測地域 調査地域のうち、動植物その他の自然環境の特性及び注目種等の特性を踏まえて注目種等に係る環境影響を受けるおそれがあると認められる地域 三　予測対象時期等 動植物その他の自然環境の特性及び注目種等の特性を踏まえて注目種等に係る環境影響を的確に把握できる時期

		価するために必要な情報を適切かつ効果的に把握できる期間、時期及び時間帯	
主要な眺望点及び景観資源並びに主要な眺望景観	埋立地又は干拓地の存在	一　調査すべき情報 イ　主要な眺望点の状況 ロ　景観資源の状況 ハ　主要な眺望景観の状況 二　調査の基本的な手法 文献その他の資料及び現地調査による情報の収集並びに当該情報の整理及び解析 三　調査地域 主要な眺望点の状況、景観資源の状況及び主要な眺望景観の状況を適切に把握できる地域 四　調査地点 景観の特性を踏まえて調査地域における主要な眺望点及び景観資源並びに主要な眺望景観に係る環境影響を予測し、及び評価するために必要な情報を適切かつ効果的に把握できる地点 五　調査期間等 景観の特性を踏まえて調査地域における主要な眺望点及び景観資源並びに主要な眺望景観に係る環境影響を予測し、及び評価するために必要な情報を適切かつ効果的に把握できる期間、時期及び時間帯	一　予測の基本的な手法 主要な眺望点及び景観資源についての分布の改変の程度を踏まえた事例の引用又は解析並びに主要な眺望景観についての完成予想図、フォトモンタージュ法その他の視覚的な表現方法 二　予測地域 調査地域のうち、景観の特性を踏まえて主要な眺望点及び景観資源並びに主要な眺望景観に係る環境影響を受けるおそれがあると認められる地域 三　予測対象時期等 景観の特性を踏まえて主要な眺望点及び景観資源並びに主要な眺望景観に係る環境影響を的確に把握できる時期
主要な人と自然との触れ合いの活動の場	堤防及び護岸の工事並びに埋立ての工事 埋立地又は干拓地の存在	一　調査すべき情報 イ　人と自然との触れ合いの活動の場の概況 ロ　主要な人と自然との触れ合いの活動の場の分布、利用の状況及び利用環境の状況 二　調査の基本的な手法 文献その他の資料及び現地調査による情報の収集並びに当該情報の整理及び解析 三　調査地域 対象埋立て又は干拓事業実施区域及びその周辺の区域 四　調査地点 人と自然との触れ合いの活動の場の特性を踏まえて調査地域における主要な人と自然との触れ合いの活動の場に係る環境影響を予測し、及び評価するために必要な情報を適切かつ効果的に把握できる地点 五　調査期間等 人と自然との触れ合いの活動の場の特性を踏まえて調査地域における主要な人と自然との触れ合いの活動の場に係る環境影響を予測し、及び評価するために必要な情報を適切かつ効果的に把握できる期間、時期及び時間帯	一　予測の基本的な手法 主要な人と自然との触れ合いの活動の場について、分布又は利用環境の改変の程度を踏まえた事例の引用又は解析 二　予測地域 調査地域のうち、人と自然との触れ合いの活動の場の特性を踏まえて主要な人と自然との触れ合いの活動の場に係る環境影響を受けるおそれがあると認められる地域 三　予測対象時期等 人と自然との触れ合いの活動の場の特性を踏まえて主要な人と自然との触れ合いの活動の場に係る環境影響を的確に把握できる時期
建設工事に伴う副産物	堤防及び護岸の工事		一　予測の基本的な手法 建設工事に伴う副産物の種類ごとの発生及び処分の状況の把握 二　予測地域 対象埋立て又は干拓事業実施区域 三　予測対象時期等 工事期間
放射線の量（粉じん等の発生に伴うもの）	堤防及び護岸の工事並びに埋立ての工事	一　調査すべき情報 イ　放射線の量の状況 ロ　気象の状況 二　調査の基本的な手法 文献その他の資料及び現地調査による情報の収集並びに当該情報の整理及び解析	一　予測の基本的な手法 事例の引用又は解析 二　予測地域 調査地域のうち、粉じん等の拡散の特性を踏まえて放射線に係る環境影響を受けるおそれがあると認められる地域

		三 調査地域 粉じん等の拡散の特性を踏まえて放射線に係る環境影響を受けるおそれがあると認められる地域 四 調査地点 粉じん等の拡散の特性を踏まえて調査地域における放射線に係る環境影響を予測し、及び評価するために必要な情報を適切かつ効果的に把握できる地点 五 調査期間等 粉じん等の拡散の特性を踏まえて調査地域における放射線に係る環境影響を予測し、及び評価するために必要な情報を適切かつ効果的に把握できる期間、時期及び時間帯	三 予測地点 粉じん等の拡散の特性を踏まえて予測地域における放射線に係る環境影響を的確に把握できる地点 四 予測対象時期等 工事による放射線に係る環境影響が最大となる時期
放射線の量（土砂による水の濁りの発生に伴うもの）	堤防及び護岸の工事並びに埋立ての工事	一 調査すべき情報 イ 放射線の量の状況 ロ 濁度又は浮遊物質量の状況（河川にあっては、その調査時における流量の状況を含む。） ハ 流れの状況 ニ 土質の状況 二 調査の基本的な手法 文献その他の資料及び現地調査による情報（浮遊物質量の状況については、水質汚濁に係る環境基準に規定する浮遊物質量の測定の方法を用いられたものとする。）の収集並びに当該情報の整理及び解析 三 調査地域 対象埋立て又は干拓事業実施区域及びその周辺の区域 四 調査地点 水域の特性及び土砂による水の濁りの変化の特性を踏まえて調査地域における放射線に係る環境影響を予測し、及び評価するために必要な情報を適切かつ効果的に把握できる地点 五 調査期間等 水域の特性及び土砂による水の濁りの変化の特性を踏まえて調査地域における放射線に係る環境影響を予測し、及び評価するために必要な情報を適切かつ効果的に把握できる期間及び時期	一 予測の基本的な手法 事例の引用又は解析 二 予測地域 調査地域のうち、水域の特性及び土砂による水の濁りの変化の特性を踏まえて放射線に係る環境影響を受けるおそれがあると認められる地域 三 予測地点 水域の特性及び土砂による水の濁りの変化の特性を踏まえて予測地域における放射線に係る環境影響を的確に把握できる地点 四 予測対象時期等 工事に伴う放射線に係る環境影響が最大となる時期
放射線の量（建設工事に伴う副産物に係るもの）	堤防及び護岸の工事		一 予測の基本的な手法 建設工事に伴う放射性物質を含む副産物の種類ごとの発生及び処分の状況の把握 二 予測地域 対象埋立て又は干拓事業実施区域 三 予測対象時期等 工事期間

備考

一 この表において「粉じん等」とは、粉じん、ばいじん及び自動車の運行又は建設機械の稼働に伴い発生する粒子状物質をいう。

二 この表において「重要な地形及び地質」、「重要な種」及び「重要な種及び群落」とは、それぞれ学術上又は希少性の観点から重要なものをいう。

三 この表において「注目すべき生息地」とは、学術上若しくは希少性の観点から重要である生息地又は地域の象徴であることその他の理由により注目すべき生息地をいう。

四 この表において「注目種等」とは、地域を特徴づける生態系に関し、上位性、典型性及び特殊性の視点から注目される動植物の種又は生物群集をいう。

五 この表において「主要な眺望点」とは、不特定かつ多数の者が利用している景観資源を眺望する場所をいう。

六 この表において「主要な眺望景観」とは、主要な眺望点から景観資源を眺望する場合の眺望される景観をいう。

七 この表において「主要な人と自然との触れ合いの活動の場」とは、不特定かつ多数の者が利用している人と自然との触れ合いの活動の場をいう。

八 この表において「放射線の量」とは、空間線量率等によって把握されるものをいう。

本表…一部改正〔平成一八年三月農林水産・国土交通省令一号・二五年四月一号・二七年六月三号〕

別記様式（第十五条関係）

第二種事業概要等届出書

年　　月　　日

殿

届出者　住　所
氏　名

埋立て又は干拓事業に係る第二種事業について、環境影響評価法第４条第１項の規定により次のとおり届け出ます。

第二種事業の名称	
第二種事業の目的	
第二種事業の種類	
第二種事業の規模	
第二種事業が実施されるべき区域	
第二種事業に係る技術、工法その他の事業の内容のうち同種の一般的な事業と比べて特に異なっていると認められる事項	

記載要領

1　第二種事業の種類の欄は、埋立ての事業又は干拓の事業の別を記載すること。

2　第二種事業の規模の欄は、埋立干拓区域の面積についてヘクタールを単位として記載すること。

3　第二種事業が実施されるべき区域の欄は、当該第二種事業が実施されるべき区域が含まれる都道府県及び市町村（特別区を含む。）の名称を記載するものとし、当該区域及び周囲の概況を明らかにした適切な縮尺の平面図を添付すること。

4　用紙の大きさは、日本産業規格Ａ４とすること。

本様式…追加〔平成11年６月農林水産・運輸・建設省令２号〕、一部改正〔平成25年４月農林水産・国土交通省令１号・令和元年６月２号〕

○海洋汚染等及び海上災害の防止に関する法律

（昭和四十五年十二月二十五日法律第百三十六号）

〔沿革〕 昭和四五年一二月二五日法律第一三七号、四八年七月一七日第五四号、九月二〇日第八四号、五〇年一二月二七日第九五号、五一年六月一日第四七号、一六日第六八号、五三年七月五日第八七号、五五年五月七日第四一号、一一月一九日第八五号、五八年五月二六日第五八号、五九年五月八日第二五号、六〇年一二月二四日第一〇二号、六一年五月二七日第六九号、六二年五月二九日第四〇号、平成三年一〇月五日第九五号、四年五月六日第三八号、五年一一月一二日第八九号、六年六月二九日第五三号、七年五月一二日第九〇号、八年六月一四日第七四号、第七九号、第八四号、九年五月二八日第六一号、六月一一日第七八号、一三日第八三号、一〇年五月二七日第六八号、一一年一二月二二日第一六〇号、第二二〇号、一二年五月一七日第六四号、三一日第九一号、一四年五月三一日第五四号、一二月一三日第一五二号、一八日第一八〇号、第一八五号、一五年六月一八日第九六号、七月一六日第一一九号、一六年四月二一日第三六号、第三七号、五月一九日第四八号、六月二三日第一三〇号、一七年七月二六日第八七号、一八年六月一四日第六八号、一二月一五日第一〇九号、一九年五月三〇日第六二号、二二年五月一九日第三三号、二八日第三七号、二四年九月一二日第八九号、二六年六月一三日第六九号、一八日第七三号、二九年五月三一日第四一号、六月二日第四五号、令和元年五月三一日第一六号、第一八号、三年五月二一日第四三号改正

注1 令和四年六月一七日法律第六八号の改正は、令和七年六月一日から施行のため、現行の条文の次に改正後の条文を掲載いたしました。

注2 令和六年五月二四日法律第三八号の改正は、公布の日から起算して二年を超えない範囲内において政令で定める日から施行のため、改正を加えてありません。

第一章 総則

（目的）

第一条 この法律は、船舶、海洋施設及び航空機から海洋に油、有害液体物質等及び廃棄物を排出すること、船舶から海洋に有害水バラストを排出すること、海底の下に油、有害液体物質等及び廃棄物を廃棄すること、船舶から大気中に排出ガスを放出すること並びに船舶及び海洋施設において油、有害液体物質等及び廃棄物を焼却することを規制し、廃油の適正な処理を確保するとともに、排出された油、有害液体物質等、廃棄物その他の物の防除並びに海上火災の発生及び拡大の防止並びに海上火災等に伴う船舶交通の危険の防止のための措置を講ずることにより、海洋汚染等及び海上災害を防止し、あわせて海洋汚染等及び海上災害の防止に関する国際約束の適確な実施を確保し、もつて海洋環境の保全等並びに人の生命及び身体並びに財産の保護に資することを目的とする。

〔本条改正・昭五一法四七・昭五五法四一・昭五八法五八・平七法九〇・平一六法三六・平一九法六二・平二六法七三〕

（海洋汚染等及び海上災害の防止）

第二条 何人も、船舶、海洋施設又は航空機からの油、有害液体物質等又は廃棄物の排出、船舶からの有害水バラストの排出、油、有害液体物質等又は廃棄物の海底下廃棄、船舶からの排出ガスの放出その他の行為により海洋汚染等をしないように努めなければならない。

2 船舶の船長又は船舶所有者、海洋施設等又は海洋危険物管理施設の管理者又は設置者その他の関係者は、油、有害液体物質等若しくは危険物の排出があつた場合又は海上火災が発生した場合において排出された油又は有害液体物質等の防除、消火、延焼の防止等の措置を講ずることができるように常時備えるとともに、これらの事態が発生した場合には、当該措置を適確に実施することにより、海洋の汚染及び海上災害の防止に努めなければならない。

〔見出し改正・二項追加・昭五一法四七、一・二項改正・昭五八法五八、二項全改・平七法九〇、見出し・一項改正・平一六法三六、一項改正・平一九法六二・平二六法七三〕

（定義）

第三条 この法律において、次の各号に掲げる用語の意義は、それぞれ当該各号に定めるところによる。

一 船舶 海域（港則法（昭和二十三年法律第百七十四号）に基づく港の区域を含む。以下同じ。）において航行の用に供する船舟類をいう。

二 油 原油、重油、潤滑油、軽油、灯油、揮発油その他の国土交通省令で定める油及びこれらの油を含む油性混合物（国土交通省令で定めるものを除く。以下単に「油性混合物」という。）をいう。

三 有害液体物質 油以外の液体物質（液化石油ガスその他の常温において液体でない物質であつて政令で定めるものを除く。次号において同じ。）のうち、海洋環境の保全の見地から有害である物質（その混合物を含む。）として政令で定める物質であつて、船舶によりばら積みの液体貨物として輸送されるもの及びこれを含む水バラスト、貨物艙（そう）の洗浄水その他船舶内において生じた不要な液体物質（海洋において投入処分をし、又は処分のため燃焼させる目的で船舶に積載される液体物質その他の環境省令で定める液体物質を除く。）並びに海洋施設その他の海洋に物が流出するおそれのある場所（陸地を含む。）にある施設（以下「海洋施設等」という。）において管理されるものをいう。

四 未査定液体物質 油及び有害液体物質以外の液体物質のうち、海洋環境の保全の見地から有害でない物質（その混合物を含む。）として政令で定める物質以外の物質であつて船舶によりばら積みの液体貨物として輸送されるもの及びこれを含む水バラスト、貨物艙の洗浄水その他船舶内において生じた不要な液体物質（海洋において投入処分をし、又は処分のため燃焼させる目的で船舶に積載される液体物質その他の環境省令で定める液体物質を除く。）をいう。

五 有害液体物質等 有害液体物質及び未査定液体物質をい

う。

六　廃棄物　人が不要とした物（油、有害液体物質等及び有害水バラストを除く。）をいう。

六の二　有害水バラスト　水中の生物を含む水バラストであつて、水域環境の保全の見地から有害となるおそれがあるものとして政令で定める要件に該当するものをいう。

六の三　オゾン層破壊物質　オゾン層を破壊する物質であつて政令で定めるものをいう。

六の四　排出ガス　船舶において発生する物質であつて窒素酸化物、硫黄酸化物、揮発性有機化合物質（油、有害液体物質等その他の貨物から揮発することにより発生する有機化合物質をいう。以下同じ。）その他の大気を汚染するものとして政令で定めるもの、二酸化炭素及びオゾン層破壊物質をいう。

七　排出　物を海洋に流し、又は落とすことをいう。

七の二　海底下廃棄　物を海底の下に廃棄すること（貯蔵することを含む。）をいう。

七の三　放出　物を海域の大気中に排出し、又は流出させることをいう。

八　焼却　海域において、物を処分するために燃焼させることをいう。

九　タンカー　その貨物艙の大部分がばら積みの液体貨物の輸送のための構造を有する船舶及びその貨物艙の一部分がばら積みの液体貨物の輸送のための構造を有する船舶であつて当該貨物艙の一部分の容量が国土交通省令で定める容量以上であるもの（これらの貨物艙が専らばら積みの油以外の貨物の輸送の用に供されるものを除く。）をいう。

十　海洋施設　海域に設けられる工作物（固定施設により当該工作物と陸地との間を人が往来できるもの及び専ら陸地から油、有害液体物質又は廃棄物の排出又は海底下廃棄をするため陸地に接続して設けられるものを除く。）で政令で定めるものをいう。

十一　航空機　航空法（昭和二十七年法律第二百三十一号）第二条第一項に規定する航空機をいう。

十二　ビルジ　船底にたまつた油性混合物をいう。

十三　廃油　船舶内において生じた不要な油をいう。

十四　廃油処理施設　廃油の処理（廃油が生じた船舶内でする処理を除く。以下同じ。）の用に供する設備（以下「廃油処理設備」という。）の総体をいう。

十五　廃油処理事業　一般の需要に応じ、廃油処理施設により廃油の処理をする事業をいう。

十五の二　海洋汚染等　海洋の汚染並びに船舶から放出される排出ガスによる大気の汚染、地球温暖化（地球温暖化対策の推進に関する法律（平成十年法律第百十七号）第二条第一項に規定する地球温暖化をいう。第十八号及び第五十一条の五において同じ。）及びオゾン層の破壊をいう。

十六　危険物　原油、液化石油ガスその他の政令で定める引火性の物質をいう。

十七　海上災害　油若しくは有害液体物質等の排出又は海上火災（海域における火災をいう。以下同じ。）により人の生命若しくは身体又は財産に生ずる被害をいう。

十八　海洋環境の保全等　海洋環境の保全並びに船舶から放出される排出ガスによる大気の汚染、地球温暖化及びオゾン層の破壊に係る環境の保全をいう。

〔本条改正・昭五一法四七・昭五五法四一・昭五八法五八・平一一法一六〇・平一六法三六・平一八法六八・平一九法六二・平二四法八九・平二六法七三〕

参照　二号・九号〔国土交通省令〕規則二ー三、三号・四号・六号の二・六号の三・六号の四・一〇号・一六号〔政令〕令一ー一の八、三号・四号〔環境省令〕有害液体物質等の範囲から除かれる液体物質を定める省令

第二章　船舶からの油の排出の規制

（船舶からの油の排出の禁止）

第四条　何人も、海域において、船舶から油を排出してはならない。ただし、次の各号の一に該当する油の排出については、この限りでない。

一　船舶の安全を確保し、又は人命を救助するための油の排出

二　船舶の損傷その他やむを得ない原因により油が排出された場合において引き続く油の排出を防止するための可能な一切の措置をとつたときの当該油の排出

2　前項本文の規定は、船舶からのビルジその他の油（タンカーの水バラスト、貨物艙の洗浄水及びビルジ（以下「水バラスト等」という。）であつて貨物油を含むものを除く。次条第一項において「ビルジ等」という。）の排出であつて、排出される油中の油分（排出される油に含まれる前条第二号の国土交通省令で定める油をいう。以下同じ。）の濃度、排出海域及び排出方法に関し政令で定める基準に適合するものについては、適用しない。

3　第一項本文の規定は、タンカーからの貨物油を含む水バラスト等の排出であつて、油分の総量、油分の瞬間排出率（ある時点におけるリットル毎時による油分の排出速度を当該時点におけるノットによる船舶の速力で除したものをいう。）、排出海域及び排出方法に関し政令で定める基準に適合するものについては、適用しない。

4　第一項本文の規定は、海洋の汚染の防止に関する試験、研究又は調査のためにする船舶からの油の排出であつて、国土交通省令で定めるところにより、あらかじめ海上保安庁長官の承認を受けてするものについては、適用しない。

5　前項の承認には、海洋の汚染の防止のために必要な限度において、条件を付し、及びこれを変更することができる。

〔二・三項改正・昭五五法四一、二項全改・改正・三ー五項全改・六項削除・昭五八法五八、二・四項改正・平一一法一六〇〕

参照　二項・三項〔政令〕令一の九・一の一〇、四項〔国土交通省令〕規則八の四

（油による海洋の汚染の防止のための設備等）

第五条　船舶所有者（当該船舶が共有されているときは船舶管理人、当該船舶が貸し渡されているときは船舶借入人。以下

同じ。）は、船舶（ビルジ等が生ずることのない船舶を除く。）に、ビルジ等排出防止設備（船舶内における油の船底への流入の防止又はビルジ等の船舶内に存する貯蔵若しくは処理のための設備をいう。第四項において同じ。）を設置しなければならない。

2　前項に定めるもののほか、タンカーには、水バラスト等排出防止設備（貨物油を含む水バラスト等の船舶内における貯蔵又は処理のための設備をいう。第四項において同じ。）を設置しなければならない。

3　前二項に定めるもののほか、国土交通省令で定めるタンカーには、分離バラストタンク（タンカーの貨物艙（ばら積みの液体貨物を輸送するためのものに限る。以下同じ。）及び燃料油タンクから完全に分離されているタンクであつて水バラストの積載のために常置されているものをいう。以下同じ。）又は貨物艙原油洗浄設備（原油により貨物艙を洗浄する設備をいう。次項において同じ。）を設置しなければならない。

4　前三項の規定によるビルジ等排出防止設備、水バラスト等排出防止設備、分離バラストタンク及び貨物艙原油洗浄設備の設置に関する技術上の基準は、国土交通省令で定める。

〔本条全改・昭五八法五八、三・四項改正・平一一法一六〇〕

参照　三項・四項〔国土交通省令〕海洋汚染等及び海上災害の防止に関する法律の規定に基づく船舶の設備等に関する技術上の基準等に関する省令四－一六

第五条の二　タンカーの貨物艙及び前条第三項の規定により設置する分離バラストタンクは、衝突、乗揚げその他の事由により船舶に損傷が発生した場合において大量の油が排出されることを防止するため、国土交通省令で定める技術上の基準に適合するように設置しなければならない。

〔本条追加・昭五八法五八、改正・平一一法一六〇〕

参照　〔国土交通省令〕海洋汚染等及び海上災害の防止に関する法律の規定に基づく船舶の設備等に関する技術上の基準等に関する省令一七－二〇

（油及び水バラストの積載の制限）

第五条の三　船舶の船首隔壁より前方にあるタンクには、油を積載してはならない。ただし、総トン数が国土交通省令で定める総トン数未満の船舶については、この限りでない。

2　第五条第三項の規定により分離バラストタンクを設置したタンカーの貨物艙又は総トン数が国土交通省令で定める総トン数以上の船舶の燃料油タンクには、水バラストを積載してはならない。ただし、悪天候下において船舶の安全を確保するためやむを得ない場合その他国土交通省令で定める場合は、この限りでない。

3　船舶から排出された油が水温その他の自然的条件により滞留することによる汚染を特に防止する必要があるものとして政令で定める海域においては、当該海域において滞留するおそれのあるものとして国土交通省令で定める性状又は種類の油をばら積みの貨物又は燃料油として積載した船舶を航行させてはならない。ただし、船舶の安全を確保し、又は人命を救助するために必要な場合は、この限りでない。

〔本条追加・昭五八法五八、一・二項改正・平一一法一六〇、三項追加・平二二法三三〕

参照　一項－三項〔国土交通省令〕規則八の九－八の一三、三項〔政令〕令一の二

（分離バラストの排出方法）

第五条の四　タンカーに設置された分離バラストタンクからの水バラストの排出は、国土交通省令で定める排出方法に従つて行わなければならない。

〔本条追加・昭五八法五八、改正・平一一法一六〇〕

参照　〔国土交通省令〕規則八の一四・本法施行規則の一部を改正する省令（昭和五八年八月運輸令三六号）附則四

（油濁防止管理者）

第六条　船舶所有者は、国土交通省令で定める船舶ごとに、当該船舶に乗り組む船舶職員のうちから、船長（船長以外の者が船長に代わつてその職務を行うべきときは、その者。以下同じ。）を補佐して船舶からの油の不適正な排出の防止に関する業務の管理（第八条の二第四項の船舶間貨物油積替作業管理者が行うものを除く。）を行わせるため、油濁防止管理者を選任しなければならない。

2　油濁防止管理者は、国土交通省令で定める油の取扱いに関する作業の経験その他の要件を備えた者でなければならない。

〔一・二項改正・平一一法一六〇、一項改正・平二二法三三〕

参照　一項・二項〔国土交通省令〕規則九・一〇

（油濁防止規程）

第七条　船舶所有者は、国土交通省令で定める船舶ごとに、国土交通省令で定めるところにより、油の不適正な排出の防止に関する業務の管理に関する事項及び油の取扱いに関する作業を行う者が遵守すべき事項その他油の不適正な排出の防止に関する事項（次条第一項及び第八条の二第一項に規定する事項を除く。）について、油濁防止規程を定め、これを当該船舶内に備え置き、又は掲示しておかなければならない。

2　油濁防止管理者（油濁防止管理者が選任されていない船舶にあつては、船長。以下同じ。）は、前項の油濁防止規程（以下「油濁防止規程」という。）に定められた事項を、当該船舶の乗組員及び乗組員以外の者で当該船舶に係る業務を行う者のうち油の取扱いに関する作業を行うものに周知させなければならない。

〔一項改正・二項追加・昭五八法五八、一・二項改正・平四法三八、一項改正・平一一法一六〇、二項改正・平一二法六四、一項改正・平二二法三三〕

参照　一項〔国土交通省令〕規則一一・一一の二

（油濁防止緊急措置手引書）

第七条の二　船舶所有者は、国土交通省令で定める船舶ごとに、当該船舶から油の不適正な排出があり、又は排出のおそれがある場合において当該船舶内にある者が直ちにとるべき措置に関する事項について、油濁防止緊急措置手引書を作成し、これを当該船舶内に備え置き、又は掲示しておかなければ

ばならない。

2　前項の規定による油濁防止緊急措置手引書の作成及び備置き又は掲示に関する技術上の基準は、国土交通省令で定める。

3　前条第二項の規定は、第一項の油濁防止緊急措置手引書（第九条の四第七項及び第十九条の三十六において「油濁防止緊急措置手引書」という。）について準用する。

〔本条追加・平四法三八、三項改正・平七法九〇、一・二項改正・平一一法一六〇、三項改正・平一二法六四・平一八法六八〕

参照　一項・二項〔国土交通省令〕海洋汚染等及び海上災害の防止に関する法律の規定に基づく船舶の設備等に関する技術上の基準等に関する省令三四・三五

（油記録簿）

第八条　船長（もつぱら他の船舶に引かれ、又は押されて航行する船舶（以下「引かれ船等」という。）にあつては、船舶所有者。次項及び第三項において同じ。）は、油記録簿を船舶内（引かれ船等にあつては、当該船舶を管理する船舶所有者の事務所。第三項において同じ。）に備え付けなければならない。ただし、タンカー以外の船舶でビルジが生ずることのないものについては、この限りでない。

2　油濁防止管理者は、当該船舶における油の排出その他の油の取扱いに関する作業で国土交通省令で定めるものが行われたときは、その都度、国土交通省令で定めるところにより、油記録簿への記載を行わなければならない。

3　船長は、油記録簿をその最後の記載をした日から三年間船舶内に保存しなければならない。

4　前三項に定めるもののほか、油記録簿の様式その他油記録簿に関し必要な事項は、国土交通省令で定める。

〔三項改正・昭五八法五八、二項改正・平四法三八、二・四項改正・平一一法一六〇〕

参照　二項・四項〔国土交通省令〕規則一一の三・排他的経済水域における海洋汚染等及び海上災害の防止に関する法律に基づく国土交通省令の適用関係の整理に関する省令二③・本法施行規則の一部を改正する省令（昭和五八年八月運輸省令三六号）附則五・六

（船舶間貨物油積替作業手引書等）

第八条の二　他のタンカーとの間におけるばら積みの貨物油の積替えを行う国土交通省令で定める総トン数以上のタンカー（国土交通省令で定める特別の用途のものを除く。）の船舶所有者は、当該積替え（以下「船舶間貨物油積替え」という。）に関する作業を行う者が、船舶間貨物油積替えに起因する油の排出を防止するために遵守すべき事項について、船舶間貨物油積替作業手引書を作成し、これを当該タンカー内に備え置き、又は掲示しておかなければならない。

2　前項の規定による船舶間貨物油積替作業手引書の作成及び備置き又は掲示に関する技術上の基準は、国土交通省令で定める。

3　船舶間貨物油積替えは、第一項の船舶間貨物油積替作業手引書（以下「船舶間貨物油積替作業手引書」という。）に従つて行わなければならない。

4　第一項の船舶所有者は、当該タンカーの乗組員のうちから、船長を補佐して船舶間貨物油積替えに関する業務の管理を行わせるため、船舶間貨物油積替作業管理者を選任しなければならない。

5　前項の船舶間貨物油積替作業管理者は、船舶間貨物油積替作業手引書に定められた事項を、当該タンカーの乗組員及び乗組員以外の者で当該タンカーに係る業務を行う者のうち船舶間貨物油積替えに関する作業を行うものに周知させなければならない。

6　第四項の船舶間貨物油積替作業管理者は、船舶間貨物油積替えが行われたときは、その都度、積み替えられた貨物油の種類及び量その他の国土交通省令で定める事項に関する記録を作成しなければならない。

7　第一項のタンカーの船長は、前項の記録をその作成の日から三年間当該タンカー内に保存しなければならない。

8　第一項及び第三項から前項までの規定は、次の各号のいずれかに該当する船舶間貨物油積替えについては、適用しない。

一　船舶の安全を確保し、又は人命を救助するための船舶間貨物油積替え

二　船舶の損傷その他やむを得ない原因により貨物油が排出された場合において引き続く貨物油の排出を防止するための船舶間貨物油積替え

〔本条追加・平二二法三三〕

参照　一項・六項〔国土交通省令〕規則一一の四－一一の六、二項〔国土交通省令〕海洋汚染等及び海上災害の防止に関する法律の規定に基づく船舶の設備等に関する技術上の基準等に関する省令三五

（船舶間貨物油積替えの通報等）

第八条の三　日本国の内水、領海又は排他的経済水域（以下「日本国領海等」という。）において船舶間貨物油積替えを行う前条第一項のタンカーの船長は、国土交通省令で定めるところにより、あらかじめ、当該タンカーの名称、当該船舶間貨物油積替えを行う時期及び海域並びに積み替える貨物油の種類及び量その他の国土交通省令で定める事項を海上保安庁長官に通報しなければならない。通報した事項の変更（国土交通省令で定める軽微な変更を除く。）をしようとするときも、同様とする。

2　前項の規定により船長がしなければならない通報は、当該タンカーの船舶所有者又は船長若しくは船舶所有者の代理人もすることができる。

3　海上保安庁長官は、第一項の規定により通報された事項、当該船舶間貨物油積替えを行おうとする海域における気象、海象及び船舶交通の状況その他の事情から合理的に判断して、当該タンカーからの船舶間貨物油積替えに起因する油の排出のおそれがあると認めるときは、当該タンカーの船長に対し、当該油の排出の防止のために必要な限度において、当該船舶間貨物油積替えを行う時期又は海域の変更その他の当該油の排出を防止するために必要な措置を講ずべきことを命ずることができる。

4　第一項及び前項の規定は、前条第八項各号のいずれかに該当する船舶間貨物油積替えについては、適用しない。

5　行政手続法（平成五年法律第八十八号）第三章の規定は、第三項の規定による命令については、適用しない。

〔本条追加・平二二法三三、一項改正・平二四法八九〕

参照　一項〔国土交通省令〕規則一一の七－一一

（適用除外）

第九条　第五条第一項、第五条の三第一項及び第二項並びに第六条から第八条までの規定は、タンカー以外の船舶で総トン数百トン未満のものについては、適用しない。

2　第五条第三項の規定及び第五条の二（分離バラストタンクに係る部分に限る。）の規定は、その貨物艙の一部分がばら積みの液体貨物の輸送のための構造を有する船舶であつて第三条第九号に規定するものについては、適用しない。

3　第六条及び第七条の規定は、日本船舶（船舶法（明治三十二年法律第四十六号）第一条に規定する日本船舶をいう。以下同じ。）以外の船舶（以下「外国船舶」という。）については、適用しない。

〔一・二項改正・昭五五法四一、一項改正・二項追加・改正・旧二項を改正し三項に繰下・昭五八法五八、一項改正・平二二法三三〕

第二章の二　船舶からの有害液体物質等の排出の規制等

〔本章追加・昭五八法五八〕

第一節　船舶からの有害液体物質等の排出の規制

〔本節追加・昭五八法五八〕

（船舶からの有害液体物質の排出の禁止）

第九条の二　何人も、海域において、船舶から有害液体物質を排出してはならない。ただし、次の各号のいずれかに該当する有害液体物質の排出については、この限りでない。

一　船舶の安全を確保し、又は人命を救助するための有害液体物質の排出

二　船舶の損傷その他やむを得ない原因により有害液体物質が排出された場合において引き続く有害液体物質の排出を防止するための可能な一切の措置をとつたときの当該有害液体物質の排出

2　前項本文の規定は、国土交通省令で定める有害液体物質の輸送の用に供されていた貨物艙（水バラストの排出のための設備を含む。）であつて国土交通省令で定める浄化方法により洗浄されたものの水バラストの排出については、適用しない。

3　第一項本文の規定は、船舶からの有害液体物質の排出（前項の規定による水バラストの排出を除く。）であつて、事前処理の方法、排出海域及び排出方法に関し政令で定める基準に適合するものについては、適用しない。

4　前項の規定により有害液体物質を排出する場合において、その有害液体物質がその排出につき海洋環境の保全の見地から特に注意を払う必要があるものとして政令で定める有害液体物質であるときは、当該有害液体物質を船舶から排出しようとする者は、その実施する事前処理が同項の政令で定める基準に適合するものであることについて、海上保安庁長官又は第九条の七の規定により海上保安庁長官の登録を受けた者（以下「登録確認機関」という。）（当該事前処理が千九百七十三年の船舶による汚染の防止のための国際条約に関する千九百七十八年の議定書（以下「第一議定書」という。）の締約国である外国（以下「第一議定書締約国」という。）において行われる場合にあつては、当該第一議定書締約国の政府が任命し、又は指定した者）の確認を受けなければならない。ただし、第一議定書締約国以外の外国で事前処理を行う場合は、この限りでない。

5　前項の規定による確認は、同項の規定による確認を受けようとする者の申請に基づいて行う。

6　前二項に定めるもののほか、確認の申請書の様式、確認済証の交付その他確認に関し必要な事項は、国土交通省令で定める。

〔本条追加・昭五八法五八、二・六項改正・平一一法一六〇、一・四項改正・平一五法九六、四項改正・平一六法三六〕

参照　二項・六項〔国土交通省令〕規則一二の二－一二の二の四、三項・四項〔政令〕令一の二・一の三

（有害液体物質による海洋の汚染の防止のための設備等）

第九条の三　船舶所有者は、有害液体物質を輸送する国土交通省令で定める船舶に、有害液体物質の船舶内における貯蔵又は処理のための設備その他の有害液体物質の排出による海洋の汚染を防止するための設備（次項において「有害液体物質排出防止設備」という。）を設置しなければならない。

2　前項の規定による有害液体物質排出防止設備の設置に関する技術上の基準は、国土交通省令で定める。

3　国土交通省令で定める有害液体物質を輸送する船舶の貨物艙は、衝突、乗揚げその他の事由により船舶の損傷その他の事故が発生した場合において大量の有害液体物質が排出されることを防止するため、国土交通省令で定める技術上の基準に適合するように設置しなければならない。

〔本条追加・昭五八法五八、一－三項改正・平一一法一六〇〕

参照　一項－三項〔国土交通省令〕海洋汚染等及び海上災害の防止に関する法律の規定に基づく船舶の設備等に関する技術上の基準等に関する省令二－三三

（有害液体汚染防止管理者等）

第九条の四　船舶所有者は、有害液体物質を輸送する国土交通省令で定める船舶ごとに、当該船舶に乗り組む船舶職員のうちから、船長を補佐して船舶からの有害液体物質の不適正な排出の防止に関する業務の管理を行わせるため、有害液体汚染防止管理者を選任しなければならない。

2　船舶所有者は、有害液体物質を輸送する国土交通省令で定める船舶ごとに、国土交通省令で定めるところにより、有害液体物質の不適正な排出の防止に関する業務の管理に関する事項及び有害液体物質の取扱いに関する作業を行う者が遵守すべき事項その他有害液体物質の不適正な排出の防止に関す

る事項（第六項に規定する事項を除く。）について、有害液体汚染防止規程を定め、これを当該船舶内に備え置き、又は掲示しておかなければならない。

3　船舶所有者は、第七条第一項の国土交通省令で定める船舶であり、かつ、前項の国土交通省令で定める船舶であるものについて、油濁防止規程及び同項の有害液体汚染防止規程の作成及び備置き又は掲示に代えて、国土交通省令で定めるところにより、同条第一項及び前項に規定する事項について、海洋汚染防止規程を定め、これを当該船舶内に備え置き、又は掲示しておくことができる。この場合における同条第二項の規定の適用については、同項中「前項の油濁防止規程（以下「油濁防止規程」という。）」とあるのは、「第九条の四第三項の海洋汚染防止規程（前項に規定する事項に係る部分に限る。）」とする。

4　第六条第二項及び第七条第二項の規定は、有害液体汚染防止管理者について準用する。この場合において、第七条第二項中「前項の油濁防止規程（以下「油濁防止規程」という。）」とあるのは、「第九条の四第二項の有害液体汚染防止規程（同条第三項の海洋汚染防止規程が定められた場合にあつては、海洋汚染防止規程（同条第二項に規定する事項に係る部分に限る。））」と読み替えるものとする。

5　前各項の規定は、外国船舶については、適用しない。

6　船舶所有者は、有害液体物質を輸送する国土交通省令で定める船舶ごとに、当該船舶から有害液体物質の不適正な排出があり、又は排出のおそれがある場合において当該船舶内にある者が直ちにとるべき措置に関する事項について、有害液体汚染防止緊急措置手引書を作成し、これを当該船舶内に備え置き、又は掲示しておかなければならない。

7　船舶所有者は、第七条の二第一項の国土交通省令で定める船舶であり、かつ、前項の国土交通省令で定める船舶であるものについて、油濁防止緊急措置手引書及び同項の有害液体汚染防止緊急措置手引書（以下この条及び第十九条の三十六において「有害液体汚染防止緊急措置手引書」という。）の作成及び備置き又は掲示に代えて、第七条の二第一項及び前項に規定する事項について、海洋汚染防止緊急措置手引書を作成し、これを当該船舶内に備え置き、又は掲示しておくことができる。この場合における同条第三項の規定の適用については、同項中「第一項の油濁防止緊急措置手引書（第九条の四第七項及び第十九条の三十六において「油濁防止緊急措置手引書」という。）」とあるのは、「第九条の四第七項の海洋汚染防止緊急措置手引書（第一項に規定する事項に係る部分に限る。）」とする。

8　有害液体汚染防止管理者（有害液体汚染防止管理者が選任されていない船舶にあつては、船長。以下同じ。）は、有害液体汚染防止緊急措置手引書（前項の海洋汚染防止緊急措置手引書（以下「海洋汚染防止緊急措置手引書」という。）が作成された場合にあつては、海洋汚染防止緊急措置手引書（第六項に規定する事項に係る部分に限る。））に定められた事項を、当該船舶の乗組員及び乗組員以外の者で当該船舶に係る業務を行う者のうち有害液体物質の取扱いに関する作業を行うものに周知させなければならない。

9　第七条の二第二項の規定は、有害液体汚染防止緊急措置手引書及び海洋汚染防止緊急措置手引書について準用する。

〔本条追加・昭五八法五八、一・二項改正・平一一法一六〇、二項改正・三・六―九項追加・旧三・四項を改正し四・五項に繰下・平一二法六四、七項改正・平一八法六八〕

参照　一項―三項〔国土交通省令〕規則一二の二の五・一二の二の二七―一二の二の二九、六項・九項〔国土交通省令〕海洋汚染等及び海上災害の防止に関する法律の規定に基づく船舶の設備等に関する技術上の基準等に関する省令三四・三五

（有害液体物質記録簿）

第九条の五　有害液体物質を輸送する船舶の船長（引かれ船等にあつては、船舶所有者。次項及び第三項において同じ。）は、有害液体物質記録簿を船舶内（引かれ船等にあつては、当該船舶を管理する船舶所有者の事務所。第三項において同じ。）に備え付けなければならない。

2　有害液体汚染防止管理者は、当該船舶における有害液体物質の排出その他有害液体物質の取扱いに関する作業で国土交通省令で定めるものが行われたときは、その都度、国土交通省令で定めるところにより、有害液体物質記録簿への記載を行わなければならない。

3　船長は、有害液体物質記録簿をその最後の記載をした日から三年間船舶内に保存しなければならない。

4　前三項に定めるもののほか、有害液体物質記録簿の様式その他有害液体物質記録簿に関し必要な事項は、国土交通省令で定める。

〔本条追加・昭五八法五八、二・四項改正・平一一法一六〇、二項改正・平一二法六四〕

参照　二項・四項〔国土交通省令〕規則一二の二の三〇

（未査定液体物質）

第九条の六　第九条の二第一項の規定は、未査定液体物質について準用する。

2　船舶により未査定液体物質を輸送しようとする者は、あらかじめ、国土交通省令で定めるところにより、その旨を国土交通大臣に届け出なければならない。

3　国土交通大臣は、前項の届出があつたときは、環境大臣にその旨を通知するものとし、環境大臣は、速やかに、当該届出に係る未査定液体物質が海洋環境の保全の見地から有害であるかどうかについて査定を行うものとする。

4　何人も、前項の規定による査定が行われた後でなければ、船舶により未査定液体物質を輸送してはならない。

5　未査定液体物質のうち、第一議定書締約国間において海洋環境の保全の見地から有害であると合意されて輸送される物質であつて、当該物質の輸送に関し政令で定める要件に該当するものについては、当該物質を有害液体物質とみなして、第九条の二から前条までの規定（これらの規定に係る罰則を含む。）を適用し、前各項の規定は適用しない。

6　未査定液体物質のうち、第一議定書締約国間において海洋

環境の保全の見地から有害でないと合意されて輸送される物質であつて、当該物質の輸送に関し政令で定める要件に該当するものについては、第一項から第四項までの規定は、適用しない。

〔本条追加・昭五八法五八、二・三項改正・平一一法一六〇、四項追加・平一八法六八、五・六項追加・平一九法六二〕

参照 二項〔国土交通省令〕規則一二の二の三一、五項・六項〔政令〕令一の一四－一の一六

第二節 登録確認機関

〔本節追加・昭五八法五八、節名改正・平一五法九六〕

（登録）

第九条の七 第九条の二第四項の規定による登録（以下この節において「登録」という。）は、同項に規定する確認の業務（以下「確認業務」という。）を行おうとする者の申請により行う。

2 海上保安庁長官は、前項の規定により登録を申請した者（以下この項において「登録申請者」という。）が次に掲げる要件のすべてに適合しているときは、その登録をしなければならない。この場合において、登録に関して必要な手続は、国土交通省令で定める。

一 船舶から有害液体物質を排出するための事前処理の方法が第九条の二第三項の政令で定める基準に適合するかどうかの判定（次号において「適合判定」という。）について、油分濃度計若しくは分光光度計を用いて、又はこれと同等以上の方法により、確認業務を行うものであること。

二 別表第一に掲げる条件のいずれかに適合する知識経験を有する者（第九条の十二において「確認員」という。）が適合判定を行うものであること。

三 登録申請者が、第九条の二第四項の規定により確認を受けなければならないこととされる船舶所有者（以下この号及び第九条の十四第二項において「有害液体物質排出船所有者」という。）に支配されているものとして次のいずれかに該当するものでないこと。

イ 登録申請者が株式会社である場合にあつては、有害液体物質排出船所有者がその親法人（会社法（平成十七年法律第八十六号）第八百七十九条第一項に規定する親法人をいう。）であること。

ロ 登録申請者の役員（持分会社（会社法第五百七十五条第一項に規定する持分会社をいう。）にあつては、業務を執行する社員）に占める有害液体物質排出船所有者の役員又は職員（過去二年間に当該有害液体物質排出船所有者の役員又は職員であつた者を含む。）の割合が二分の一を超えていること。

ハ 登録申請者（法人にあつては、その代表権を有する役員）が、有害液体物質排出船所有者の役員又は職員（過去二年間に当該有害液体物質排出船所有者の役員又は職員であつた者を含む。）であること。

3 次の各号のいずれかに該当する者は、登録を受けることができない。

一 この法律又はこの法律に基づく命令に違反し、罰金以上の刑に処せられ、その執行を終わり、又は執行を受けることがなくなつた日から二年を経過しない者

二 第九条の十九の規定により登録を取り消され、その取消しの日から起算して二年を経過しない者

三 法人であつて、その業務を行う役員のうちに前二号のいずれかに該当する者があるもの

4 登録は、登録確認機関登録簿に次に掲げる事項を記載してするものとする。

一 登録年月日及び登録番号

二 登録確認機関の氏名又は名称及び住所並びに法人にあつては、その代表者の氏名

三 登録確認機関が確認業務を行う事業場の所在地

四 前三号に掲げるもののほか、国土交通省令で定める事項

〔本条追加・昭五八法五八、見出し・一項改正・二・三項全改・四項追加・平一五法九六、二項改正・平一七法八七〕

参照 二項・四項四号〔国土交通省令〕規則一二の二の三二・一二の二の三三

（登録の更新）

第九条の八 登録は、五年以上十年以内において政令で定める期間ごとにその更新を受けなければ、その期間の経過によつて、その効力を失う。

2 前条の規定は、前項の登録の更新について準用する。

〔本条追加・平一五法九六〕

参照 一項〔政令〕令一の一七

（確認の義務）

第九条の九 登録確認機関は、確認業務を行うことを求められたときは、正当な理由がある場合を除き、遅滞なく、確認業務を行わなければならない。

2 登録確認機関は、公正に、かつ、第九条の七第二項第一号及び第二号に掲げる要件に適合する方法により確認業務を行わなければならない。

〔本条追加・平一五法九六〕

（登録事項の変更の届出）

第九条の一〇 登録確認機関は、第九条の七第四項第二号から第四号までに掲げる事項を変更しようとするときは、変更しようとする日の二週間前までに、海上保安庁長官に届け出なければならない。

〔本条追加・平一五法九六〕

（確認業務規程）

第九条の一一 登録確認機関は、確認業務の開始前に、確認業務の実施に関する規程（以下この節において「確認業務規程」という。）を定め、海上保安庁長官の認可を受けなければならない。これを変更しようとするときも、同様とする。

2 海上保安庁長官は、前項の認可をした確認業務規程が確認業務の適正かつ確実な実施上不適当となつたと認めるときは、その確認業務規程を変更すべきことを命ずることができる。

3　確認業務規程には、確認業務の実施方法、確認業務に関する料金その他の国土交通省令で定める事項を定めておかなければならない。

〔本条追加・昭五八法五八、三項改正・平一一法一六〇、一項改正・三項全改・旧九条の八を繰下・平一五法九六〕

参照　三項〔国土交通省令〕規則一二の二の三六

（確認員）

第九条の一二　登録確認機関は、確認員を選任したときは、その日から十五日以内に、海上保安庁長官にその旨を届け出なければならない。これを変更したときも、同様とする。

2　海上保安庁長官は、確認員が、この法律、この法律に基づく命令若しくは処分若しくは確認業務規程に違反する行為をしたとき、又は確認業務に関し著しく不適当な行為をしたときは、登録確認機関に対し、確認員の解任を命ずることができる。

3　前項の規定による命令により確認員の職を解任され、解任の日から起算して二年を経過しない者は、確認員となることができない。

〔本条追加・昭五八法五八、二項改正・平一一法一六〇、一・二項削除・旧三・四項を改正し一・二項に繰上・旧五項を三項に繰上・旧九条の九を繰下・平一五法九六〕

（役員及び職員の公務員たる性質）

第九条の一三　登録確認機関の役員及び職員で確認業務に従事するものは、刑法（明治四十年法律第四十五号）その他の罰則の適用については、法令により公務に従事する職員とみなす。

〔本条追加・昭五八法五八、旧九条の一〇を改正し繰下・平一五法九六〕

（財務諸表等の備付け及び閲覧等）

第九条の一四　登録確認機関は、毎事業年度経過後三月以内に、その事業年度の財産目録、貸借対照表及び損益計算書又は収支計算書並びに事業報告書（その作成に代えて電磁的記録（電子的方式、磁気的方式その他の人の知覚によつては認識することができない方式で作られる記録であつて、電子計算機による情報処理の用に供されるものをいう。以下この条において同じ。）の作成がされている場合における当該電磁的記録を含む。次項及び第六十条において「財務諸表等」という。）を作成し、海上保安庁長官に提出するとともに、五年間事務所に備えて置かなければならない。

2　有害液体物質排出船所有者その他の利害関係人は、登録確認機関の業務時間内は、いつでも、次に掲げる請求をすることができる。ただし、第二号又は第四号の請求をするには、登録確認機関の定めた費用を支払わなければならない。

一　財務諸表等が書面をもつて作成されているときは、当該書面の閲覧又は謄写の請求

二　前号の書面の謄本又は抄本の請求

三　財務諸表等が電磁的記録をもつて作成されているときは、当該電磁的記録に記録された事項を国土交通省令で定める方法により表示したものの閲覧又は謄写の請求

四　前号の電磁的記録に記録された事項を電磁的方法であつて国土交通省令で定めるものにより提供することの請求又は当該事項を記載した書面の交付の請求

〔本条追加・平一五法九六、一項改正・平一七法八七〕

参照　二項三号・四号〔国土交通省令〕規則一二の二の三八・一二の二の三九

（業務の休廃止）

第九条の一五　登録確認機関は、海上保安庁長官の許可を受けなければ、確認業務の全部又は一部を休止し、又は廃止してはならない。

〔本条追加・昭五八法五八、旧九条の一二を改正し繰下・平一五法九六〕

（適合命令）

第九条の一六　海上保安庁長官は、登録確認機関が第九条の七第二項各号のいずれかに適合しなくなつたと認めるときは、その登録確認機関に対し、これらの規定に適合するため必要な措置をとるべきことを命ずることができる。

〔本条追加・平一五法九六〕

（改善命令）

第九条の一七　海上保安庁長官は、登録確認機関が第九条の九の規定に違反していると認めるときは、その登録確認機関に対し、同条の規定による確認業務を行うべきこと又は確認業務の方法その他の業務の方法の改善に関し必要な措置をとるべきことを命ずることができる。

〔本条追加・平一五法九六〕

（報告及び検査）

第九条の一八　海上保安庁長官は、この法律の施行に必要な限度において、登録確認機関に対し、確認業務若しくは経理の状況に関し報告をさせ、又はその職員に、登録確認機関の事務所その他の事業場に立ち入り、確認業務の実施状況若しくは帳簿書類その他の物件を検査させることができる。

2　前項の規定により立入検査をする職員は、その身分を示す証明書を携帯し、関係人にこれを提示しなければならない。

3　第一項の規定による立入検査の権限は、犯罪捜査のために認められたものと解してはならない。

〔本条追加・昭五八法五八、一項改正・旧九条の一四を繰下・平一五法九六〕

（登録の取消し等）

第九条の一九　海上保安庁長官は、登録確認機関が次の各号のいずれかに該当するときは、その登録を取り消し、又は期間を定めて確認業務の全部若しくは一部の停止を命ずることができる。

一　第九条の七第三項第一号又は第三号に該当するに至つたとき。

二　第九条の十、第九条の十二第一項、第九条の十四第一項、第九条の十五又は次条の規定に違反したとき。

三　第九条の十一第一項の規定による認可を受けず、又は同項の規定による認可を受けた確認業務規程によらないで確

認業務を実施したとき。

四　第九条の十一第二項、第九条の十二第二項、第九条の十六又は第九条の十七の規定による命令に違反したとき。

五　正当な理由がないのに第九条の十四第二項各号の規定による請求を拒んだとき。

六　不正の手段により登録を受けたとき。

〔本条追加・昭五八法五八、見出し・本条改正・旧九条の一五を繰下・平一五法九六〕

（帳簿の記載）

第九条の二〇　登録確認機関は、国土交通省令で定めるところにより、帳簿を備え、確認業務に関し国土交通省令で定める事項を記載し、これを保存しなければならない。

〔本条追加・平一五法九六〕

参照　〔国土交通省令〕規則一二の二の四一

（公示）

第九条の二一　海上保安庁長官は、次の場合には、その旨を官報に公示しなければならない。

一　登録をしたとき。

二　第九条の十の規定による届出があつたとき。

三　第九条の十五の規定による許可をしたとき。

四　第九条の十九の規定により登録を取り消し、又は確認業務の停止を命じたとき。

〔本条追加・昭五八法五八、旧九条の一六を改正し繰下・平一五法九六〕

（審査請求）

第九条の二二　登録確認機関が行う確認業務に係る処分又はその不作為については、海上保安庁長官に対し審査請求をすることができる。この場合において、海上保安庁長官は、行政不服審査法（平成二十六年法律第六十八号）第二十五条第二項及び第三項、第四十六条第一項及び第二項、第四十七条並びに第四十九条第三項の規定の適用については、登録確認機関の上級行政庁とみなす。

〔本条追加・昭五八法五八、旧九条の一七を改正し繰下・平一五法九六、本条改正・平二六法六九〕

第三章　船舶からの廃棄物の排出の規制

（船舶からの廃棄物の排出の禁止）

第一〇条　何人も、海域において、船舶から廃棄物を排出してはならない。ただし、次の各号のいずれかに該当する廃棄物の排出については、この限りでない。

一　船舶の安全を確保し、又は人命を救助するための廃棄物の排出

二　船舶の損傷その他やむを得ない原因により廃棄物が排出された場合において引き続く廃棄物の排出を防止するための可能な一切の措置をとつたときの当該廃棄物の排出

2　前項本文の規定は、船舶からの次の各号のいずれかに該当する廃棄物の排出については、適用しない。

一　当該船舶内にある船員その他の者の日常生活に伴い生ずるふん尿若しくは汚水又はこれらに類する廃棄物（以下「ふん尿等」という。）の排出（総トン数又は搭載人員の規模が政令で定める総トン数又は搭載人員以上の船舶からの政令で定めるふん尿等の排出にあつては、排出海域及び排出方法に関し政令で定める基準に従つてする排出に限る。）

二　当該船舶内にある船員その他の者の日常生活に伴い生ずるごみ又はこれに類する廃棄物の排出（政令で定める廃棄物の排出に限る。）であつて、排出海域及び排出方法に関し政令で定める基準に従つてするもの

三　輸送活動、漁ろう活動その他の船舶の通常の活動に伴い生ずる廃棄物のうち政令で定めるものの排出であつて、排出海域及び排出方法に関し政令で定める基準に従つてするもの

四　公有水面埋立法（大正十年法律第五十七号）第二条第一項の免許若しくは同法第四十二条第一項の承認を受けて埋立てをする場所又は廃棄物の処理場所として設けられる場所に政令で定める排出方法に関する基準に従つてする排出

五　次に掲げる廃棄物の排出であつて、第十条の六第一項の許可を受けてするもの

イ　廃棄物の処理及び清掃に関する法律（昭和四十五年法律第百三十七号）第六条の二第二項若しくは第三項又は第十二条第一項若しくは第十二条の二第一項の政令において海洋を投入処分の場所とすることができるものと定めた廃棄物

ロ　水底土砂（海洋又は海洋に接続する公共用水域から除去された土砂（汚泥を含む。）をいう。）で政令で定める基準に適合するもの

六　緊急に処分する必要があると認めて環境大臣が指定する廃棄物の排出であつて、排出海域及び排出方法に関し環境大臣が定める基準に従つてするもの

七　千九百七十二年の廃棄物その他の物の投棄による海洋汚染の防止に関する条約の千九百九十六年の議定書の締約国たる外国（以下単に「締約国」という。）において積み込まれた廃棄物の当該締約国の法令に従つてする排出（政令で定める本邦の周辺の海域（以下「本邦周辺海域」という。）においてするものを除く。）

八　外国の内水又は領海における埋立てのための廃棄物の排出

3　環境大臣は、前項第六号の基準を定めたときは、遅滞なく、その旨を海上保安庁長官に通知するものとする。

〔二項改正・昭四五法一三七・昭四八法八四・昭五一法六八、一・二項改正・三－六項追加・昭五五法四一、二－四項改正・昭五八法五八、二項改正・平三法九五・平九法六一、六項改正・平一一法一六〇、一・二項改正・三項全改・四－六項削除・平一六法四八、二項改正・平一九法六二・平二四法八九〕

参照　二項一号－五号・七号〔政令〕令一－七

（ふん尿等による海洋の汚染の防止のための設備）

第一〇条の二　船舶所有者は、前条第二項第一号の政令で定める総トン数又は搭載人員以上の船舶（一国の港と他の国の港

との間の航海（以下「国際航海」という。）に従事させるものに限る。）に、ふん尿等排出防止設備（船舶内で生ずるふん尿等の船舶内における貯蔵又は処理のための設備をいう。以下同じ。）を設置しなければならない。

2　前項の規定によるふん尿等排出防止設備の設置に関する技術上の基準は、国土交通省令で定める。

〔本条追加・昭五八法五八〕

参照　二項〔国土交通省令〕海洋汚染等及び海上災害の防止に関する法律の規定に基づく船舶の設備等に関する技術上の基準等に関する省令三六―四〇

（船舶発生廃棄物汚染防止規程）

第一〇条の三　船舶所有者は、国土交通省令で定める船舶ごとに、国土交通省令で定めるところにより、船舶発生廃棄物（当該船舶内にある船員その他の者の日常生活に伴い生ずるごみ又はこれに類する廃棄物その他の政令で定める廃棄物をいう。以下同じ。）の取扱いに関する作業を行う者が遵守すべき事項その他船舶発生廃棄物の不適正な排出の防止に関する事項について、船舶発生廃棄物汚染防止規程を定め、これを当該船舶内に備え置き、又は掲示しておかなければならない。

2　船長は、前項の船舶発生廃棄物汚染防止規程に定められた事項を、当該船舶の乗組員及び乗組員以外の者で当該船舶に係る業務を行う者のうち船舶発生廃棄物の取扱いに関する作業を行うものに周知させなければならない。

〔本条追加・平九法七八、一項改正・平一一法一六〇、旧一〇条の二を繰下・昭五八法五八〕

参照　一項〔国土交通省令〕規則一二の三の三・一二の三の四〔政令〕令八

（船舶発生廃棄物記録簿）

第一〇条の四　国際航海に従事する船舶のうち国土交通省令で定めるものの船長は、船舶発生廃棄物記録簿を船舶内に備え付けなければならない。

2　前項に規定する船舶の船長は、当該船舶における船舶発生廃棄物の排出その他船舶発生廃棄物の取扱いに関する作業で国土交通省令で定めるものが行われたときは、その都度、国土交通省令で定めるところにより、船舶発生廃棄物記録簿への記載を行わなければならない。

3　船長は、船舶発生廃棄物記録簿をその最後の記載をした日から二年間船舶内に保存しなければならない。

4　前三項に定めるもののほか、船舶発生廃棄物記録簿の様式その他船舶発生廃棄物記録簿に関し必要な事項は、国土交通省令で定める。

〔本条追加・平九法七八、一・二・四項改正・平一一法一六〇、一項改正・旧一〇条の三を繰下・昭五八法五八〕

参照　一項〔国土交通省令〕規則一二の三の五、二項・四項〔国土交通省令〕規則一二の三の六・一二の二の四三

（船舶発生廃棄物の排出に関して遵守すべき事項等の掲示）

第一〇条の五　国土交通省令で定める船舶の船舶所有者は、国土交通省令で定めるところにより、当該船舶内にある船員その他の者が船舶発生廃棄物の排出に関して遵守すべき事項その他船舶発生廃棄物の不適正な排出の防止に関する事項を当該船舶内において当該船舶内にある船員その他の者に見やすいように掲示しなければならない。

〔本条追加・平九法七八、改正・平一一法一六〇、旧一〇条の四を繰下・昭五八法五八〕

参照　〔国土交通省令〕規則一二の三の七

（船舶からの廃棄物海洋投入処分の許可）

第一〇条の六　船舶から第十条第二項第五号イ又はロに掲げる廃棄物の海洋における投入処分（以下「海洋投入処分」という。）をしようとする者は、環境大臣の許可を受けなければならない。

2　前項の許可を受けようとする者は、環境省令で定めるところにより、次の事項を記載した申請書を環境大臣に提出しなければならない。

一　氏名又は名称及び住所並びに法人にあつてはその代表者の氏名及び住所

二　海洋投入処分をしようとする廃棄物の種類

三　当該廃棄物の海洋投入処分に関する実施計画

四　当該廃棄物の排出海域の汚染状況の監視に関する計画

3　前項の申請書には、環境省令で定めるところにより、当該廃棄物の海洋投入処分をすることが海洋環境に及ぼす影響についての調査の結果に基づく事前評価に関する事項を記載した書類その他環境省令で定める書類を添付しなければならない。

4　環境大臣は、第一項の許可の申請があつた場合には、遅滞なく、その概要を公告するとともに、第二項の申請書及び前項の書類をその公告の日から一月間公衆の縦覧に供しなければならない。

5　前項の公告があつたときは、第一項の許可の申請に係る廃棄物の排出に関し海洋環境の保全の見地からの意見を有する者は、前項の縦覧期間満了の日までに、環境大臣に意見書を提出することができる。

6　環境大臣は、第一項の許可をしたときは、環境省令で定めるところにより、許可証を交付しなければならない。

7　環境大臣は、第一項の許可をしたときは、遅滞なく、その旨を海上保安庁長官に通知するものとする。

〔本条追加・平一六法四八〕

参照　二項・三項・六項〔環境省令〕廃棄物海洋投入処分の許可等に関する省令一―三・五

（許可の欠格条項）

第一〇条の七　次の各号のいずれかに該当する者は、前条第一項の許可を受けることができない。

一　この法律の規定に違反して刑に処せられ、その執行を終わり、又は執行を受けることがなくなつた日から一年を経過しない者

二　第十条の十一の規定により前条第一項の許可を取り消され、その取消しの日から一年を経過しない者

三　法人で、その業務を行う役員のうち前二号のいずれかに

該当する者があるもの

〔本条追加・平一六法四八〕

（許可の基準等）

第一〇条の八　環境大臣は、第十条の六第一項の許可の申請が次の各号のいずれにも適合していると認めるときでなければ、同項の許可をしてはならない。

一　排出海域及び排出方法が、環境省令で定める基準に適合するものであり、かつ、当該排出海域の海洋環境の保全に著しい障害を及ぼすおそれがないものであること。

二　海洋投入処分以外に適切な処分の方法がないものであること。

2　環境大臣は、第十条の六第一項の許可をする場合において、その許可の有効期間を定めるものとする。

〔本条追加・平一六法四八〕

参照　一項一号〔環境省令〕廃棄物海洋投入処分の許可等に関する省令六

（排出海域の監視）

第一〇条の九　第十条の六第一項の許可を受けた者は、環境省令で定めるところにより、当該許可に係る同条第二項第四号の監視に関する計画（この計画について次条第一項の許可を受けたときは、変更後のもの）に従い、廃棄物の排出海域の汚染状況の監視をしなければならない。

2　第十条の六第一項の許可を受けた者は、環境省令で定めるところにより、前項の監視の結果を環境大臣に報告しなければならない。

〔本条追加・平一六法四八〕

参照　二項〔環境省令〕廃棄物海洋投入処分の許可等に関する省令七

（変更の許可等）

第一〇条の一〇　第十条の六第一項の許可を受けた者は、当該許可に係る同条第二項第二号から第四号までに掲げる事項の変更をしようとするときは、環境省令で定めるところにより、環境大臣の許可を受けなければならない。ただし、環境省令で定める軽微な変更については、この限りでない。

2　前項の許可を受けようとする者は、環境省令で定める事項を記載した申請書を環境大臣に提出しなければならない。

3　第十条の六第三項から第七項まで、第十条の七及び第十条の八の規定は、第一項の許可について準用する。

4　第十条の六第一項の許可を受けた者は、同条第二項第一号に掲げる事項に変更があつたとき、又は第一項ただし書の環境省令で定める軽微な変更をしたときは、遅滞なく、その旨を環境大臣に届け出なければならない。

〔本条追加・平一六法四八〕

参照　一項・四項〔環境省令〕廃棄物海洋投入処分の許可等に関する省令八－一〇

（許可の取消し）

第一〇条の一一　環境大臣は、次の各号のいずれかに該当するときは、第十条の六第一項の許可を取り消すことができる。

一　第十条の六第一項の許可に係る廃棄物の海洋投入処分が、当該許可に係る同条第二項第三号の実施計画（この計画について前条第一項の許可を受けたときは、変更後のもの）に適合していないと認めるとき。

二　第十条の六第一項の許可を受けた者が、この法律又はこの法律に基づく処分に違反したとき。

三　第十条の六第一項の許可を受けた者が、第十条の七第一号又は第三号に該当するに至つたとき。

四　第十条の六第一項の許可を受けた者が、偽りその他不正の行為により同項の許可又は前条第一項の許可を受けたとき。

〔本条追加・平一六法四八〕

（船舶からの廃棄物排出の確認）

第一〇条の一二　船舶から第十条第二項第五号イ若しくはロに掲げる廃棄物又は同項第六号に規定する廃棄物を排出しようとする者は、当該廃棄物の船舶への積込み前（当該廃棄物が当該船舶内において生じたものであるときは、その排出前）に、その排出に関する計画がそれぞれ第十条の六第一項の許可に係る同条第二項第三号の実施計画（この計画について第十条の十第一項の許可を受けたときは、変更後のもの。次項において同じ。）又は第十条第二項第六号の環境大臣が定める基準に適合するものであることについて、確認の申請書を提出して、海上保安庁長官の確認を受けなければならない。

2　海上保安庁長官は、前項の申請書を受理した場合において、その排出に関する計画がそれぞれ第十条の六第一項の許可に係る同条第二項第三号の実施計画又は第十条第二項第六号の環境大臣が定める基準に適合するものであることを確認したときは、申請者に排出確認済証を交付しなければならない。

3　排出確認済証の交付を受けた者は、当該廃棄物の排出に従事する船舶内に、排出確認済証を備え置かなければならない。

4　前三項に定めるもののほか、確認の申請書の様式、排出確認済証の様式その他確認に関し必要な事項は、国土交通省令で定める。

〔本条追加・平一六法四八〕

参照　四項〔国土交通省令〕規則一二の三の八－一二の三の一〇

（廃棄物排出船の登録）

第一一条　船舶所有者は、船舶を第十条第二項第四号又は第五号の規定によつてする廃棄物の排出に常用しようとするときは、当該船舶について海上保安庁長官の登録を受けなければならない。

〔本条改正・昭五五法四一・昭五八法五八・平九法七八・平一六法四八〕

第一二条　前条の登録を申請しようとする船舶所有者は、次の事項を記載した申請書を海上保安庁長官に提出しなければならない。

一　当該船舶所有者の氏名又は名称及び住所並びに法人にあ

つてはその代表者の氏名及び住所
二　当該船舶の船舶番号、船名、船質、総トン数及び航行区域
三　廃棄物の主な積込地
四　廃棄物の種類
五　当該船舶の廃棄物の積込み及び排出のための設備その他の国土交通省令で定める船舶の設備及び構造の概要
六　その他国土交通省令で定める事項

2　海上保安庁長官は、前項の申請書を受理したときは、当該船舶の設備及び構造が廃棄物の適正な排出を確保するための国土交通省令で定める技術上の基準に適合しないときを除き、登録をしなければならない。

〔二項削除・旧三項を改正し二項に繰上・昭五八法五八、一・二項改正・平一一法一六〇〕

参照　一項五号・六号・二項〔国土交通省令〕規則一二の三の二・一二の五

第一三条　海上保安庁長官は、第十一条の登録をしたときは、登録番号を指定して申請者に通知するとともに、登録済証を交付しなければならない。

2　登録を受けた船舶の船舶所有者は、当該船舶内に登録済証を備え置き、かつ、指定された登録番号を国土交通省令で定める方法により船体の外側に見やすいように表示しなければならない。

〔二項改正・平一一法一六〇〕

参照　二項〔国土交通省令〕規則一二の七

第一四条　第十一条の登録を受けた船舶について第十二条第一項各号に掲げる事項に変更があつたとき、又は第十一条の登録を受けた船舶を第十条第二項第四号又は第五号の規定によつてする廃棄物の排出に常用しなくなつたときは、当該船舶の船舶所有者は、遅滞なく、その旨を海上保安庁長官に届け出なければならない。

〔本条改正・昭五五法四一・昭五八法五八・平一一法一六〇〕

（登録の取消し）

第一五条　海上保安庁長官は、第十一条の登録を受けた船舶が第十二条第二項の国土交通省令で定める技術上の基準に適合しなくなつたと認めるときは、当該船舶の登録を取り消すことができる。

〔本条改正・昭五八法五八・平一一法一六〇〕

（廃棄物処理記録簿）

第一六条　第十一条の登録を受けた船舶の船長（引かれ船等にあつては、船舶所有者。次項及び第三項において同じ。）は、廃棄物処理記録簿を船舶内（引かれ船等にあつては、当該船舶を管理する船舶所有者の事務所。第三項において同じ。）に備え付けなければならない。

2　船長は、当該船舶における廃棄物の排出その他廃棄物の取扱いに関する作業で国土交通省令で定めるものが行なわれたときは、そのつど、国土交通省令で定めるところにより、廃棄物処理記録簿への記載を行なわなければならない。

3　船長は、廃棄物処理記録簿をその最後の記載をした日から二年間船舶内に保存しなければならない。

4　前三項に定めるもののほか、廃棄物処理記録簿の様式その他廃棄物処理記録簿に関し必要な事項は、国土交通省令で定める。

〔一・四項改正・平一一法一六〇〕

参照　二項・四項〔国土交通省令〕規則一二の一四

第三章の二　船舶からの有害水バラストの排出の規制等

〔章名追加・平二六法七三〕

第一節　船舶からの有害水バラストの排出の規制

〔節名追加・平二六法七三〕

（船舶からの有害水バラストの排出の禁止）

第一七条　何人も、海域において、船舶から有害水バラストを排出してはならない。ただし、次の各号のいずれかに該当する有害水バラストの排出については、この限りでない。

一　船舶の安全を確保し、又は人命を救助するための有害水バラストの排出
二　船舶の損傷その他やむを得ない原因により有害水バラストが排出された場合において引き続く有害水バラストの排出を防止するための可能な一切の措置をとつたときの当該有害水バラストの排出

2　前項本文の規定は、船舶からの次の各号のいずれかに該当する有害水バラストの排出については、適用しない。

一　日本国領海等又は公海のみを航行する船舶からの有害水バラストの排出
二　排出海域その他の事項が海洋環境の保全の見地から有害となるおそれがないものとして政令で定める基準に適合する有害水バラストの排出
三　二千四年の船舶のバラスト水及び沈殿物の規制及び管理のための国際条約（第十九条の五十二第二項において「船舶バラスト水規制管理条約」という。）の締約国である外国（以下「船舶バラスト水規制管理条約締約国」という。）のうちの一の国の内水、領海若しくは排他的経済水域又は公海のみを航行する船舶からの当該船舶バラスト水規制管理条約締約国の法令に従つてする有害水バラストの排出
四　二以上の船舶バラスト水規制管理条約締約国間において海洋環境の保全の見地から有害となるおそれがないものとして合意されて行われる当該船舶バラスト水規制管理条約締約国の内水、領海又は排他的経済水域における有害水バラストの排出であつて、当該排出に関し政令で定める要件に適合するもの
五　有害水バラストの排出による海洋の汚染の防止に関する試験、研究又は調査のためにする有害水バラストの排出であつて、国土交通省令で定めるところにより、あらかじめ国土交通大臣の承認を受けてするもの

3　前項第五号の承認には、有害水バラストの排出による海洋

の汚染の防止のために必要な限度において、条件を付し、及びこれを変更することができる。

〔本条全改・平二六法七三〕

参照　二項二号、四号、五号〔政令〕令九・九の二、規則一二の一四の七

（有害水バラスト処理設備）

第一七条の二　船舶所有者は、国土交通省令で定める船舶に、有害水バラストの船舶内における処理のための設備（以下「有害水バラスト処理設備」という。）を設置しなければならない。

2　前項の国土交通省令で定める船舶に設置される有害水バラスト処理設備は、第十七条の八第一項の有害水バラスト処理設備証明書の交付を受けたものでなければならない。ただし、次の各号のいずれかに該当する場合には、この限りでない。

一　国土交通省令で定めるところにより、当該有害水バラスト処理設備が前項の国土交通省令で定める船舶に設置される前に、当該有害水バラスト処理設備が国土交通省令で定める技術上の基準（第十七条の七において「有害水バラスト処理設備技術基準」という。）に適合するものであることについて、国土交通大臣の行う確認を受けた場合

二　前号に掲げる場合のほか、当該有害水バラスト処理設備が前項の国土交通省令で定める船舶に設置される前に第十七条の八第一項の有害水バラスト処理設備証明書の交付を受けることが困難な事由として国土交通省令で定めるものに該当する場合

3　船舶所有者は、前項第二号に掲げる場合において、第十七条の八第一項の有害水バラスト処理設備証明書の交付を受けることなく有害水バラスト処理設備を第一項の国土交通省令で定める船舶に設置したときは、当該船舶に設置された有害水バラスト処理設備について前項第一号の確認に相当する確認を受けなければならない。

4　国土交通大臣は、有害水バラスト処理設備のうち、薬剤使用その他環境省令で定める方法により有害水バラストの処理を行うものについて第二項第一号の確認（前項に規定する同号の確認に相当する確認を含む。）をしようとするときは、当該有害水バラスト処理設備が使用されることにより排出される物質が水域環境の保全の見地から有害であるかどうかについて、あらかじめ、環境大臣の意見を聴かなければならない。

5　第一項の規定による有害水バラスト処理設備の設置に関する技術上の基準は、国土交通省令で定める。

〔本条追加・平二六法七三〕

参照　一項〔国土交通省令〕規則一二の一四の一二、二項〔国土交通省令〕海洋汚染等及び海上災害の防止に関する法律の規定に基づく船舶の設備等の検査等に関する規則一の二－一の二の四、二項一号・五項〔国土交通省令〕海洋汚染等及び海上災害の防止に関する法律の規定に基づく船舶の設備等に関する技術上の基準等に関する省令四〇の二、四項〔環境省令〕海洋汚染等及び海上災害の防止に関する法律第十七条の二第四項等に規定する有害水バラストの処理方法を定める省令

（有害水バラスト汚染防止管理者等）

第一七条の三　船舶所有者は、国土交通省令で定める船舶ごとに、当該船舶に乗り組む船舶職員のうちから、船長を補佐して船舶からの有害水バラストの不適正な排出の防止に関する業務の管理を行わせるため、有害水バラスト汚染防止管理者を選任しなければならない。

2　船舶所有者は、前項の国土交通省令で定める船舶ごとに、国土交通省令で定めるところにより、有害水バラストの不適正な排出の防止に関する業務の管理に関する事項及び有害水バラストの取扱いに関する作業を行う者が遵守すべき事項その他有害水バラストの不適正な排出の防止に関する事項について、有害水バラスト汚染防止措置手引書を作成し、これを当該船舶内に備え置き、又は掲示しておかなければならない。

3　第六条第二項及び第七条第二項の規定は、有害水バラスト汚染防止管理者について準用する。この場合において、同項中「前項の油濁防止規程（以下「油濁防止規程」という。）」とあるのは、「第十七条の三第二項の有害水バラスト汚染防止措置手引書」と読み替えるものとする。

4　第七条の二第二項の規定は、第二項の有害水バラスト汚染防止措置手引書（以下「有害水バラスト汚染防止措置手引書」という。）について準用する。

〔本条追加・平二六法七三〕

参照　一項・二項〔国土交通省令〕規則一二の一四の一三・一二の一四の一四

（水バラスト記録簿）

第一七条の四　国土交通省令で定める船舶の船長（引かれ船等にあつては、船舶所有者。第三項において同じ。）は、水バラスト記録簿を船舶内に備え付けなければならない。ただし、引かれ船等にあつては、当該船舶を引き、又は押して航行する船舶（同項において「引き船等」という。）内に備え付けることができる。

2　有害水バラスト汚染防止管理者は、当該船舶における有害水バラストの排出その他水バラストの取扱いに関する作業で国土交通省令で定めるものが行われたときは、その都度、国土交通省令で定めるところにより、水バラスト記録簿への記載を行わなければならない。

3　船長は、水バラスト記録簿をその最後の記載をした日から二年間船舶内に保存しなければならない。ただし、引かれ船等にあつては、引き船等内に保存することができる。

4　船舶所有者は、前項の規定により保存された水バラスト記録簿について、同項の期間が経過した日から三年間当該船舶所有者の事務所に保存しなければならない。

5　前各項に定めるもののほか、水バラスト記録簿の様式その他水バラスト記録簿に関し必要な事項は、国土交通省令で定める。

〔本条追加・平二六法七三〕

参照 一項・二項〔国土交通省令〕規則一二の一四の一五・一二の一四の一六

（適用除外）

第一七条の五 前三条の規定は、日本国領海等又は公海のみを航行する船舶については、適用しない。

2 第十七条の二第二項から第四項まで及び第十七条の三第三項（第六条第二項の規定の準用に係る部分に限る。）の規定は、外国船舶については、適用しない。

〔本条追加・平二六法七三〕

（湖、沼又は河川に関する準用）

第一七条の六 第十七条の規定は湖、沼又は河川の区域（港則法に基づく港の区域を除く。以下「湖沼等」という。）において航行の用に供する船舶類から有害水バラストを湖沼等に流し、又は落とす場合について、第十七条の二から前条までの規定は湖沼等において航行の用に供する船舶類について準用する。この場合において、これらの規定に関し必要な技術的読替えは、政令で定める。

〔本条追加・平二六法七三〕

参照 〔政令〕令九の三―九の五

第二節 有害水バラスト処理設備の型式指定等

〔本節追加・平二六法七三〕

（有害水バラスト処理設備の型式指定）

第一七条の七 国土交通大臣は、有害水バラスト処理設備の製造を業とする者その他国土交通省令で定める者（以下「有害水バラスト処理設備製造者等」という。）の申請により、有害水バラスト処理設備をその型式について指定する。

2 前項の規定による指定は、申請に係る有害水バラスト処理設備が有害水バラスト処理設備技術基準に適合し、かつ、均一性を有するものであるかどうかを判定することによつて行う。

3 第十七条の二第四項の規定は、国土交通大臣が有害水バラスト処理設備のうち薬剤の使用その他環境省令で定める方法により有害水バラストの処理を行うものについて第一項の規定による指定をしようとする場合について準用する。

4 国土交通大臣は、第一項の規定によりその型式について指定を受けた有害水バラスト処理設備（以下「型式指定有害水バラスト処理設備」という。）が有害水バラスト処理設備技術基準に適合しなくなり、又は均一性を有するものでなくなつたときは、その指定を取り消すことができる。この場合において、国土交通大臣は、取消しの日までに製造された有害水バラスト処理設備について取消しの効力の及ぶ範囲を限定することができる。

〔本条追加・平二六法七三〕

参照 一項〔国土交通省令〕海洋汚染等及び海上災害の防止に関する法律の規定に基づく船舶の設備等の検査等に関する規則一の二の七

（有害水バラスト処理設備証明書）

第一七条の八 前条第一項の申請をした者は、その申請に係る型式指定有害水バラスト処理設備につき、国土交通省令で定めるところにより、有害水バラスト処理設備証明書を交付することができる。

2 何人も、前項に規定する場合を除くほか、有害水バラスト処理設備につき同項の有害水バラスト処理設備証明書又はこれと紛らわしい書面を交付してはならない。

〔本条追加・平二六法七三〕

参照 一項〔国土交通省令〕海洋汚染等及び海上災害の防止に関する法律の規定に基づく船舶の設備等の検査等に関する規則一の二の一六

（国土交通省令への委任）

第一七条の九 第十七条の七第一項の規定による指定の申請書の様式その他当該指定に関し必要な事項及び前条第一項の有害水バラスト処理設備証明書の様式その他当該有害水バラスト処理設備証明書に関し必要な事項は、国土交通省令で定める。

〔本条追加・平二六法七三〕

第四章 海洋施設及び航空機からの油、有害液体物質及び廃棄物の排出の規制

〔章名改正・昭五五法四一・平一八法六八〕

（海洋施設及び航空機からの油、有害液体物質及び廃棄物の排出の禁止）

第一八条 何人も、海域において、海洋施設又は航空機から油、有害液体物質又は廃棄物（以下この条及び第五十五条第一項第七号において「油等」という。）を排出してはならない。ただし、次の各号のいずれかに該当する油等の排出については、この限りでない。

一 海洋施設若しくは航空機の安全を確保し、又は人命を救助するための油等の排出

二 海洋施設又は航空機の損傷その他やむを得ない原因により油等が排出された場合において引き続く油等の排出を防止するための可能な一切の措置をとつたときの当該油等の排出

2 前項本文の規定は、海洋施設からの次の各号のいずれかに該当する油又は廃棄物の排出については、適用しない。

一 当該海洋施設内にある者の日常生活に伴い生ずるふん尿等の排出（政令で定める人数以上の人を収容することができる海洋施設からの第十条第二項第一号の政令で定めるふん尿等の排出にあつては、排出方法に関し政令で定める基準に従つてする排出に限る。）

二 当該海洋施設内にある者の日常生活に伴い生ずるごみ又はこれに類する廃棄物の排出（第十条第二項第二号の政令で定める廃棄物の排出に限る。）であつて、排出海域及び排出方法に関し政令で定める基準に従つてするもの

三 油の政令で定める排出方法に関する基準に従つてする排出

四 第十条第二項第五号イ又はロに掲げる廃棄物の次条第一項の許可を受けてする排出

3　第一項本文の規定は、航空機からの次の各号のいずれかに該当する油又は廃棄物の排出については、適用しない。

一　当該航空機内にある者の日常生活に伴い生ずる汚水その他海域において排出することがやむを得ない油又は廃棄物であつて政令で定めるものの排出

二　締約国において積み込まれた廃棄物の当該締約国の法令に従つてする排出（本邦周辺海域においてするものを除く。）

4　第四条第四項及び第五項の規定は、海洋の汚染の防止に関する試験、研究又は調査のためにする航空機からの油の排出について準用する。

〔見出し・一・二項改正・三項追加・昭五五法四一、二項改正・四項追加・昭五八法五八、一―三項改正・平一六法四八、見出し・一項改正・平一八法六八、一・二項改正・平二四法八九、一項改正・平二六法七三〕

参照　二項二号・三号・三項一号〔政令〕令九の六―一一

（海洋施設からの廃棄物海洋投入処分の許可等）

第一八条の二　海洋施設から第十条第二項第五号イ又はロに掲げる廃棄物の海洋投入処分をしようとする者は、環境大臣の許可を受けなければならない。

2　海洋施設から第十条第二項第五号イ又はロに掲げる廃棄物を排出しようとする者は、当該廃棄物の海洋施設への積込み前（当該廃棄物が当該海洋施設内において生じたものであるときは、その排出前）に、その排出に関する計画が前項の許可に係る次項において準用する第十条の六第二項第三号の実施計画（この計画について次項において準用する第十条の十第一項の許可を受けたときは、変更後のもの）に適合するものであることについて、確認の申請書を提出して、海上保安庁長官の確認を受けなければならない。

3　第十条の六第二項から第七項まで及び第十条の七から第十条の十一までの規定は第一項の許可について、第十条の十二第二項から第四項までの規定は前項の確認について準用する。この場合において、これらの規定に関し必要な技術的読替えは、政令で定める。

〔本条追加・平一六法四八〕

参照　三項〔政令〕令一一の二

（海洋施設の設置の届出）

第一八条の三　海洋施設を設置しようとする者は、国土交通省令で定めるところにより、次の事項を海上保安庁長官に届け出なければならない。

一　当該海洋施設を設置する者の氏名又は名称及び住所並びに法人にあつてはその代表者の氏名及び住所

二　当該海洋施設の位置及び概要

三　その他国土交通省令で定める事項

2　前項の規定による届出をした者は、その届出に係る事項について変更があつたときは、遅滞なく、国土交通省令で定めるところにより、海上保安庁長官に届け出なければならない。

〔旧一九条を繰上・昭五八法五八、一・二項改正・平一一法一六〇、旧一八条の二を繰下・平一六法四八〕

参照　一項・二項〔国土交通省令〕規則一二の一六の三・一二の一七

（海洋施設の油記録簿等）

第一八条の四　油又は有害液体物質の取扱いを行う国土交通省令で定める海洋施設の管理者は、油記録簿又は有害液体物質記録簿を海洋施設内に備え付けなければならない。ただし、当該海洋施設内に備え付けることが困難である場合においては、当該海洋施設の管理者の事務所に備え付けることができる。

2　前項に規定する海洋施設の管理者は、当該海洋施設における油又は有害液体物質の受入れその他油又は有害液体物質の取扱いに関する作業で国土交通省令で定めるものが行われたときは、その都度、国土交通省令で定めるところにより、油記録簿又は有害液体物質記録簿への記載を行わなければならない。

3　海洋施設の管理者は、油記録簿又は有害液体物質記録簿をその最後の記載をした日から三年間当該海洋施設の管理者の事務所に保存しなければならない。

4　前三項に定めるもののほか、油記録簿及び有害液体物質記録簿の様式その他油記録簿及び有害液体物質記録簿に関し必要な事項は、国土交通省令で定める。

〔本条追加・昭五八法五八、一・二・四項改正・平一一法一六〇、見出し・一―四項改正・平一八法六八、旧一九条を繰上・平一九法六二〕

参照　一項・二項・四項〔国土交通省令〕規則一二の一七の二

（海洋施設発生廃棄物汚染防止規程）

第一八条の五　国土交通省令で定める海洋施設の管理者は、国土交通省令で定めるところにより、海洋施設発生廃棄物（当該海洋施設内にある者の日常生活に伴い生ずるごみ又はこれに類する廃棄物その他の政令で定める廃棄物をいう。以下同じ。）の取扱いに関する作業を行う者が遵守すべき事項その他海洋施設発生廃棄物の不適正な排出の防止に関する事項について、海洋施設発生廃棄物汚染防止規程を定め、これを海洋施設内に備え置き、又は掲示しておかなければならない。ただし、当該海洋施設内に備え置き、又は掲示しておくことが困難である場合においては、当該海洋施設の管理者の事務所に備え置くことができる。

2　海洋施設の管理者は、前項の海洋施設発生廃棄物汚染防止規程に定められた事項を、当該海洋施設内にある者のうち海洋施設発生廃棄物の取扱いに関する作業を行うものに周知させなければならない。

〔本条追加・平九法七八、一項改正・平一一法一六〇、旧一九条の二を繰上・平一九法六二〕

参照　一項〔国土交通省令〕規則一二の一七の三・一二の一七の四〔政令〕令一一の三

（海洋施設発生廃棄物の排出に関して遵守すべき事項等の掲示）

第一八条の六　国土交通省令で定める海洋施設の管理者は、国土交通省令で定めるところにより、当該海洋施設内にある者が海洋施設発生廃棄物の排出に関して遵守すべき事項その他海洋施設発生廃棄物の不適正な排出の防止に関する事項を当該海洋施設内において当該海洋施設内にある者に見やすいように掲示しなければならない。

〔本条追加・平九法七八、改正・平一一法一六〇、旧一九条の二の二を繰上・平一九法六二〕

参照 〔国土交通省令〕規則一二の一七の五

第四章の二　油、有害液体物質等及び廃棄物の海底下廃棄の規制

〔本章追加・平一九法六二〕

（油、有害液体物質等及び廃棄物の海底下廃棄の禁止）

第一八条の七　何人も、油、有害液体物質等又は廃棄物（以下この条、第十九条の三十五の四及び第五十五条第一項第八号において「油等」という。）の海底下廃棄をしてはならない。ただし、次の各号のいずれかに該当する海底下廃棄については、この限りでない。

一　海底及びその下における鉱物資源の掘採に伴い発生する油等の海底下廃棄であつて、海底下廃棄をする海域及び海底下廃棄の方法に関し政令で定める基準に従つてするもの

二　二酸化炭素が大部分を占めるガスで政令で定める基準に適合するもの（以下「特定二酸化炭素ガス」という。）の海底下廃棄であつて、次条第一項の許可を受けてするもの

〔本条追加・平一九法六二、改正・平二四法八九・平二六法七三〕

参照　一号・二号〔政令〕令一一の四・一一の五

（特定二酸化炭素ガスの海底下廃棄の許可）

第一八条の八　特定二酸化炭素ガスの海底下廃棄をしようとする者は、環境大臣の許可を受けなければならない。

2　前項の許可を受けようとする者は、環境省令で定めるところにより、次の事項を記載した申請書を環境大臣に提出しなければならない。

一　氏名又は名称及び住所並びに法人にあつてはその代表者の氏名及び住所

二　特定二酸化炭素ガスの海底下廃棄に関する実施計画

三　特定二酸化炭素ガスに起因する汚染状況の監視（次条第三号及び第十八条の十において単に「汚染状況の監視」という。）に関する計画

四　その他環境省令で定める事項

〔本条追加・平一九法六二〕

参照　二項〔環境省令〕特定二酸化炭素ガスの海底下廃棄の許可等に関する省令一

（許可の基準）

第一八条の九　環境大臣は、前条第一項の許可の申請が次の各号のいずれにも適合していると認めるときでなければ、同項の許可をしてはならない。

一　海底下廃棄をする海域及び海底下廃棄の方法が、環境省令で定める基準に適合するものであり、かつ、当該海底下廃棄をする海域の海洋環境の保全に障害を及ぼすおそれがないものであること。

二　海底下廃棄以外に適切な処分の方法がないものであること。

三　申請者の能力が特定二酸化炭素ガスの海底下廃棄に関する実施計画及び汚染状況の監視に関する計画に従つて特定二酸化炭素ガスの海底下廃棄及び汚染状況の監視を的確に、かつ、継続して行うに足りるものとして環境省令で定める基準に適合するものであること。

〔本条追加・平一九法六二〕

参照　一号・三号〔環境省令〕特定二酸化炭素ガスの海底下廃棄の許可等に関する省令二・三

（改善命令等）

第一八条の一〇　環境大臣は、次の各号のいずれかに該当するときは、第十八条の八第一項の許可を受けた者（以下「許可廃棄者」という。）に対し、期限を定めて当該海底下廃棄若しくは当該汚染状況の監視につき必要な改善を命じ、又は期間を定めて当該海底下廃棄の全部若しくは一部の停止を命ずることができる。

一　第十八条の八第一項の許可に係る海底下廃棄が、当該許可に係る同条第二項第二号の実施計画（この計画について第十八条の十二において準用する第十条の十第一項の許可を受けたときは、変更後のもの）に適合していないと認めるとき。

二　第十八条の八第一項の許可に係る汚染状況の監視が、当該許可に係る同条第二項第三号の監視に関する計画（この計画について第十八条の十二において準用する第十条の十第一項の許可を受けたときは、変更後のもの）に適合していないと認めるとき。

三　許可廃棄者の能力が前条第三号に規定する環境省令で定める基準に適合していないと認めるとき。

〔本条追加・平一九法六二〕

（許可の取消し）

第一八条の一一　環境大臣は、許可廃棄者が次の各号のいずれかに該当するときは、第十八条の八第一項の許可を取り消すことができる。

一　この法律に違反したとき。

二　前条の規定による命令に違反したとき。

三　前号に掲げるもののほか、この法律に基づく処分に違反したとき。

四　次条において準用する第十条の七第一号又は第三号に該当するに至つたとき。

五　偽りその他不正の行為により第十八条の八第一項の許可又は次条において準用する第十条の十第一項の許可を受けたとき。

〔本条追加・平一九法六二〕

（準用）

第一八条の一二　第十条の六第三項から第七項まで、第十条の七、第十条の八第二項、第十条の九及び第十条の十の規定は、第十八条の八第一項の許可について準用する。この場合

において、第十条の六第三項中「前項」とあるのは「第十八条の八第二項」と、「当該廃棄物の海洋投入処分」とあるのは「特定二酸化炭素ガスの海底下廃棄」と、同条第四項中「第二項」とあるのは「第十八条の八第二項」と、同条第五項中「廃棄物の排出」とあるのは「特定二酸化炭素ガスの海底下廃棄」と、第十条の七第二号中「第十条の十一」とあるのは「第十八条の十一」と、第十条の九第一項中「同条第二項第四号」とあるのは「第十八条の八第二項第三号」と、「廃棄物の排出海域の」とあるのは「特定二酸化炭素ガスの海底下廃棄をする海域の特定二酸化炭素ガスに起因する」と、第十条の十第一項中「同条第二項第二号」とあるのは「第十八条の八第二項第二号」と、同条第三項中「及び第十条の八」とあるのは「、第十条の八第二項及び第十八条の九」と、同条第四項中「同条第二項第一号」とあるのは「第十八条の八第二項第一号」と読み替えるものとする。

〔本条追加・平一九法六二〕

（合併及び分割）

第一八条の一三　許可廃棄者である法人の合併の場合（許可廃棄者である法人と許可廃棄者でない法人が合併する場合において、許可廃棄者である法人が存続するときを除く。）又は分割の場合（当該許可に係る海底下廃棄の事業の全部を承継させる場合に限る。）において当該合併又は分割について環境大臣の承認を受けたときは、合併後存続する法人若しくは合併により設立された法人又は分割により当該事業の全部を承継した法人は、許可廃棄者の地位を承継する。

2　第十条の七及び第十八条の九（第三号に係る部分に限る。）の規定は、前項の承認について準用する。この場合において、第十条の七第二号中「第十条の十一」とあるのは「第十八条の十一」と、「前条第一項」とあるのは「第十八条の八第一項」と、第十八条の九第三号中「申請者」とあるのは「合併後存続する法人若しくは合併により設立される法人又は分割により当該許可に係る海底下廃棄の事業の全部を承継する法人」と読み替えるものとする。

〔本条追加・平一九法六二〕

（相続）

第一八条の一四　許可廃棄者が死亡した場合において、相続人（相続人が二人以上ある場合において、その全員の同意により当該許可に係る海底下廃棄の事業を承継すべき相続人を選定したときは、その者。以下同じ。）が当該許可に係る海底下廃棄の事業を引き続き行おうとするときは、その相続人は、被相続人の死亡後六十日以内に環境大臣に申請して、その承認を受けなければならない。

2　相続人が前項の承認の申請をした場合においては、被相続人の死亡の日からその承認を受ける日又は承認をしない旨の通知を受ける日までは、被相続人に対してした第十八条の八第一項の許可は、その相続人に対してしたものとみなす。

3　第十条の七（第三号に係る部分を除く。）及び第十八条の九（第三号に係る部分に限る。）の規定は、第一項の承認について準用する。この場合において、第十条の七第二号中「第十条の十一」とあるのは「第十八条の十一」と、「前条第一項」とあるのは「第十八条の八第一項」と読み替えるものとする。

4　第一項の承認を受けた相続人は、被相続人に係る許可廃棄者の地位を承継する。

〔本条追加・平一九法六二〕

（指定海域の指定等）

第一八条の一五　環境大臣は、特定二酸化炭素ガスの海底下廃棄がされた海域であつて、海底及びその下の掘削その他の海底及びその下の形質の変更が行われることにより当該特定二酸化炭素ガスに起因する海洋環境の保全上の障害が生ずるおそれがあるものとして政令で定めるものを指定海域として指定するものとする。

2　環境大臣は、前項の指定をするときは、環境省令で定めるところにより、その旨を公示しなければならない。

3　第一項の指定は、前項の公示によつてその効力を生ずる。

4　環境大臣は、海底の下にある特定二酸化炭素ガスの除去等により、指定海域の全部又は一部について第一項の指定の事由がなくなつたと認めるときは、当該指定海域の全部又は一部について同項の指定を解除するものとする。

5　第二項及び第三項の規定は、前項の解除について準用する。

〔本条追加・平一九法六二〕

参照　一項〔政令〕令一一の六、二項〔環境省令〕特定二酸化炭素ガスの海底下廃棄の許可等に関する省令一四

（指定海域台帳）

第一九条　環境大臣は、指定海域の台帳（以下この条において「指定海域台帳」という。）を調製し、これを保管しなければならない。

2　指定海域台帳の記載事項その他その調製及び保管に関し必要な事項は、環境省令で定める。

3　環境大臣は、指定海域台帳の閲覧を求められたときは、正当な理由がなければ、これを拒むことができない。

〔本条追加・平一九法六二〕

参照　二項〔環境省令〕特定二酸化炭素ガスの海底下廃棄の許可等に関する省令一五

（海底及びその下の形質の変更の届出及び計画変更命令）

第一九条の二　指定海域内において海底及びその下の形質の変更をしようとする者は、当該海底及びその下の形質の変更に着手する日の三十日前までに、環境省令で定めるところにより、当該海底及びその下の形質の変更の種類、場所、施行方法及び着手予定日その他環境省令で定める事項を環境大臣に届け出なければならない。ただし、次の各号のいずれかに該当する行為については、この限りでない。

一　第十八条の八第一項の許可に係る海底下廃棄に必要な行為

二　第十八条の十の規定による命令に基づく改善措置として行う行為

三　通常の管理行為、軽易な行為その他の行為であつて、環境省令で定めるもの

四　指定海域が指定された際既に着手していた行為

五　非常災害のために必要な応急措置として行う行為

2　指定海域が指定された際当該指定海域内において既に海底及びその下の形質の変更に着手している者は、その指定の日から起算して十四日以内に、環境省令で定めるところにより、環境大臣にその旨を届け出なければならない。

3　指定海域内において非常災害のために必要な応急措置として海底及びその下の形質の変更をした者は、当該海底及びその下の形質の変更をした日から起算して十四日以内に、環境省令で定めるところにより、環境大臣にその旨を届け出なければならない。

4　環境大臣は、第一項の届出があつた場合において、その届出に係る海底及びその下の形質の変更の施行方法が環境省令で定める基準に適合しないと認めるときは、その届出を受理した日から三十日以内に限り、その届出をした者に対し、その届出に係る海底及びその下の形質の変更の施行方法に関する計画の変更を命ずることができる。

〔本条追加・平一九法六二〕

参照　一項—四項〔環境省令〕特定二酸化炭素ガスの海底下廃棄の許可等に関する省令一六—二一

第四章の三　船舶からの排出ガスの放出の規制

〔本章追加・平一六法三六、旧四章の二を繰下・平一九法六二〕

（窒素酸化物の放出量に係る放出基準）

第一九条の三　船舶に設置される原動機（窒素酸化物の放出量を低減させるための装置が備え付けられている場合にあつては、当該装置を含む。以下同じ。）から発生する窒素酸化物の放出量に係る放出基準は、放出海域並びに原動機の種類、能力及び用途に応じて、政令で定める。

〔本条追加・平一六法三六、改正・平二二法三三〕

参照　〔政令〕令一一の七

（放出量確認）

第一九条の四　船舶に設置される原動機（次の各号のいずれかに該当するものを除く。）の製作を業とする者その他国土交通省令で定める者（以下「原動機製作者等」という。）は、当該原動機が船舶に設置される前に、当該原動機からの窒素酸化物の放出量が前条の放出基準に適合するものであることについて、国土交通大臣の行う確認を受けなければならない。ただし、当該原動機が船舶に設置される前に当該確認を受けることが困難な事由として国土交通省令で定めるものに該当する場合には、この限りでない。

一　その種類及び出力が、窒素酸化物の放出による大気の汚染の程度が小さいものとして国土交通省令で定める基準に該当する原動機

二　窒素酸化物の放出による大気の汚染の防止に関する試験、研究又は調査の用に供される原動機であつて、国土交通省令で定めるところにより、あらかじめ国土交通大臣の承認を受けたもの

三　前号に掲げるもののほか、国土交通省令で定める特別の用途に供される原動機

2　前項第二号の承認には、窒素酸化物の放出による大気の汚染の防止のために必要な限度において、条件を付し、及びこれを変更することができる。

3　前二項の規定は、次条の規定により原動機取扱手引書の承認を受けた後、その承認に係る原動機が船舶に設置される前に、当該原動機について窒素酸化物の放出量を増大させることとなる改造その他の国土交通省令で定める改造を行つた場合について準用する。

〔本条追加・平一六法三六、一項改正・二項追加・旧二項を改正し三項に繰下・平二二法三三〕

参照　一項・三項〔国土交通省令〕海洋汚染等及び海上災害の防止に関する法律の規定に基づく船舶の設備等の検査等に関する規則一の二の二〇—一の六

（原動機取扱手引書）

第一九条の五　前条第一項本文（同条第三項において準用する場合を含む。）の確認（以下「放出量確認」という。）を受けた原動機製作者等は、当該原動機の仕様及び性能、当該原動機の設置、運転、整備その他当該原動機の取扱いに当たり遵守すべき事項、当該原動機に係る窒素酸化物の放出状況の確認方法その他の国土交通省令で定める事項を記載した原動機取扱手引書を作成し、国土交通大臣の承認を受けなければならない。

〔本条追加・平一六法三六、改正・平二二法三三〕

参照　〔国土交通省令〕海洋汚染等及び海上災害の防止に関する法律の規定に基づく船舶の設備等に関する技術上の基準等に関する省令四二

（国際大気汚染防止原動機証書）

第一九条の六　国土交通大臣は、第十九条の四第一項本文（同条第三項において準用する場合を含む。）の規定により放出量確認をし、かつ、前条の規定により同条の原動機取扱手引書（以下「原動機取扱手引書」という。）を承認したときは、当該原動機製作者等に対し、国際大気汚染防止原動機証書を交付しなければならない。

〔本条追加・平一六法三六、改正・平二二法三三〕

（原動機の設置）

第一九条の七　船舶所有者は、船舶に原動機（第十九条の四第一項各号に掲げる原動機を除く。以下同じ。）を設置するときは、次項の規定による場合を除き、前条の国際大気汚染防止原動機証書（以下「国際大気汚染防止原動機証書」という。）の交付を受けた原動機を設置しなければならない。

2　船舶所有者は、第十九条の四第一項ただし書（同条第三項において準用する場合を含む。）に規定する場合において、国土交通大臣の行う放出量確認を受けることなく原動機を船舶に設置したときは、当該船舶に設置された原動機について国土交通大臣の行う放出量確認に相当する確認を受け、かつ、原動機取扱手引書について国土交通大臣の承認を受けなければならない。

3　前項の規定は、原動機を船舶に設置した後、当該原動機について窒素酸化物の放出量を増大させることとなる改造その他の国土交通省令で定める改造を行つた場合について準用する。

4　船舶に設置する原動機は、国土交通大臣の承認を受けた原動機取扱手引書（以下「承認原動機取扱手引書」という。）に従い、かつ、国土交通省令で定める技術上の基準に適合するように設置しなければならない。

〔本条追加・平一六法三六、一―四項改正・平二二法三三〕

参照　三項・四項〔国土交通省令〕海洋汚染等及び海上災害の防止に関する法律の規定に基づく船舶の設備等の検査等に関する規則一の七・海洋汚染等及び海上災害の防止に関する法律の規定に基づく船舶の設備等に関する技術上の基準等に関する省令四三

（国際大気汚染防止原動機証書等の備置き）

第一九条の八　船舶所有者は、船舶に原動機を設置したときは、当該船舶内に、国際大気汚染防止原動機証書（交付を受けている場合に限る。）及び承認原動機取扱手引書を備え置かなければならない。

〔本条追加・平一六法三六、改正・平二二法三三〕

（原動機の運転）

第一九条の九　船舶に設置された原動機は、承認原動機取扱手引書に従い、かつ、国土交通省令で定める技術上の基準に適合するように運転しなければならない。ただし、次の各号のいずれかに該当する場合には、この限りでない。

一　船舶の安全を確保し、又は人命を救助するために必要な場合

二　船舶の損傷その他やむを得ない原因により窒素酸化物が放出された場合において、引き続く窒素酸化物の放出を防止するための可能な一切の措置をとつたとき。

三　窒素酸化物の放出による大気の汚染の防止に関する試験、研究又は調査のため、国土交通省令で定めるところにより、あらかじめ国土交通大臣の承認を受けて運転する場合

2　前項第三号の承認には、窒素酸化物の放出による大気の汚染の防止のために必要な限度において、条件を付し、及びこれを変更することができる。

〔本条追加・平一六法三六、一項改正・二項追加・平二二法三三〕

参照　一項〔国土交通省令〕海洋汚染等及び海上災害の防止に関する法律の規定に基づく船舶の設備等に関する技術上の基準等に関する省令四三・海洋汚染等及び海上災害の防止に関する法律の規定に基づく船舶の設備等の検査等に関する規則一の七の二

（小型船舶検査機構の放出量確認等）

第一九条の一〇　国土交通大臣は、小型船舶検査機構（以下「機構」という。）に、総トン数が二十トン未満の船舶に設置される原動機に係る放出量確認（第十九条の七第二項（同条第三項において準用する場合を含む。）に規定する放出量確認に相当する確認を含む。第十九条の十五第一項及び第二項において同じ。）、原動機取扱手引書の承認及び国際大気汚染防止原動機証書の交付に関する事務（以下「小型船舶用原動機放出量確認等事務」という。）を行わせることができる。

2　国土交通大臣は、前項の規定により機構に小型船舶用原動機放出量確認等事務を行わせるときは、機構が小型船舶用原動機放出量確認等事務を開始する日及び小型船舶用原動機放出量確認等事務を行う事務所の所在地を官報で公示しなければならない。

3　国土交通大臣は、第一項の規定により機構に小型船舶用原動機放出量確認等事務を行わせるときは、自ら小型船舶用原動機放出量確認等事務を行わないものとする。

4　機構が小型船舶用原動機放出量確認等事務を行う場合における第十九条の四第一項（第二号を除く。）、第十九条の五、第十九条の六、第十九条の七第二項及び第四項、第十九条の十五第二項並びに第十九条の十七第二項の規定の適用については、これらの規定中「国土交通大臣」とあるのは、「小型船舶検査機構」とする。

〔本条追加・平一六法三六、一・四項改正・平二二法三三〕

（小型船舶用原動機放出量確認等事務規程）

第一九条の一一　機構は、小型船舶用原動機放出量確認等事務の開始前に、小型船舶用原動機放出量確認等事務に関する規程（以下「小型船舶用原動機放出量確認等事務規程」という。）を定め、国土交通大臣の認可を受けなければならない。これを変更しようとするときも、同様とする。

2　国土交通大臣は、前項の認可をした小型船舶用原動機放出量確認等事務規程が小型船舶用原動機放出量確認等事務の適正かつ確実な実施上不適当となつたと認めるときは、その小型船舶用原動機放出量確認等事務規程を変更すべきことを命ずることができる。

3　小型船舶用原動機放出量確認等事務規程で定めるべき事項は、国土交通省令で定める。

〔本条追加・平一六法三六〕

参照　三項〔国土交通省令〕小型船舶検査機構に関する省令二〇の三

（小型船舶用原動機放出量確認等業務員）

第一九条の一二　機構は、小型船舶用原動機放出量確認等事務を行う場合において、小型船舶用原動機からの窒素酸化物の放出量が第十九条の三の放出基準に適合するかどうかの判定に関する業務及び放出量確認を受けた原動機製作者等が作成した原動機取扱手引書の承認に関する業務については、小型船舶用原動機放出量確認等業務員に行わせなければならない。

2　小型船舶用原動機放出量確認等業務員は、放出量確認又はこれに準ずる業務に関する知識及び経験に関する国土交通省令で定める要件を備える者のうちから、選任しなければならない。

3　機構は、小型船舶用原動機放出量確認等業務員を選任したときは、その日から十五日以内に、国土交通大臣にその旨を

届け出なければならない。これを変更したときも、同様とする。

4　国土交通大臣は、小型船舶用原動機放出量確認等業務員が、この法律、この法律に基づく命令若しくは処分若しくは小型船舶用原動機放出量確認等事務規程に違反する行為をしたとき、又は小型船舶用原動機放出量確認等事務に関し著しく不適当な行為をしたときは、機構に対し、当該小型船舶用原動機放出量確認等業務員の解任を命ずることができる。

5　前項の規定による命令により小型船舶用原動機放出量確認等業務員の職を解任され、解任の日から二年を経過しない者は、小型船舶用原動機放出量確認等業務員となることができない。

〔本条追加・平一六法三六〕

参照　二項〔国土交通省令〕小型船舶検査機構に関する省令二〇の四

（小型船舶用原動機の放出量確認設備）

第一九条の一三　機構は、小型船舶用原動機放出量確認等事務を行う事務所ごとに、国土交通省令で定めるところにより、放出量確認設備を備え、かつ、これを維持しなければならない。

〔本条追加・平一六法三六〕

（国土交通大臣による小型船舶用原動機放出量確認等事務の実施等）

第一九条の一四　国土交通大臣は、第十九条の十第三項の規定にかかわらず、機構が天災その他の事由により小型船舶用原動機放出量確認等事務の全部又は一部を実施することが困難となつた場合において必要があると認めるときは、当該小型船舶用原動機放出量確認等事務の全部又は一部を自ら行うものとする。

2　国土交通大臣は、前項の規定により小型船舶用原動機放出量確認等事務の全部若しくは一部を自ら行うこととし、又は同項の規定により自ら行つている小型船舶用原動機放出量確認等事務を行わないこととするときは、あらかじめ、その旨を官報で公示しなければならない。

3　国土交通大臣が第一項の規定により小型船舶用原動機放出量確認等事務の全部又は一部を自ら行う場合における小型船舶用原動機放出量確認等事務の引継ぎその他の必要な事項については、国土交通省令で定める。

〔本条追加・平一六法三六〕

参照　三項〔国土交通省令〕海洋汚染等及び海上災害の防止に関する法律の規定に基づく船舶の設備等の検査等に関する規則一の一七―一の一九

（船級協会の放出量確認等）

第一九条の一五　国土交通大臣は、船級の登録に関する業務を行う者の申請により、その者を船舶に設置される原動機に係る放出量確認、原動機取扱手引書の承認及び国際大気汚染防止原動機証書の交付に関する事務を行う者として登録する。

2　前項の規定による登録を受けた者（次項において「船級協会」という。）が原動機からの窒素酸化物の放出量が第十九条の三の放出基準に適合するものであることについて確認をし、原動機取扱手引書の承認を行い、及び国際大気汚染防止原動機証書に相当する書面を交付したときは、当該原動機に係る確認、承認された原動機取扱手引書及び交付された書面は、それぞれ国土交通大臣が行つた放出量確認、承認をした原動機取扱手引書及び交付した国際大気汚染防止原動機証書とみなす。

3　船舶安全法（昭和八年法律第十一号）第三章第一節（第二十五条の四十六、第二十五条の四十九第一項、第三項及び第四項、第二十五条の五十二、第二十五条の五十四並びに第二十五条の五十七及び第二十五条の五十八第二項第二号（第二十五条の三十第四項の規定の準用に係る部分に限る。）並びに第二十五条の六十三から第二十五条の六十六までを除く。）の規定は、第一項の登録並びに前項の船級協会並びに確認、承認及び交付について準用する。この場合において、同法第二十五条の四十七第一項第一号中「別表第一」とあるのは「海洋汚染等及び海上災害の防止に関する法律別表第一の二」と、同条第二項第一号中「この法律又はこの法律に基づく命令」とあるのは「この法律若しくは海洋汚染等及び海上災害の防止に関する法律又はこれらの法律に基づく命令」と読み替えるものとする。

〔本条追加・平一六法三六、一項改正・平二一法三三〕

（外国船舶に設置される原動機に関する特例）

第一九条の一六　第十九条の三から前条まで（第十九条の七第四項及び第十九条の九を除く。）の規定は、外国船舶に設置される原動機については、適用しない。ただし、本邦の各港間又は港のみを航行する外国船舶に設置される原動機については、この限りでない。

2　外国船舶に設置される原動機（前項ただし書に規定するものを除く。）に係る第十九条の七第四項及び第十九条の九第一項の規定の適用については、第十九条の七第四項中「国土交通大臣の承認を受けた原動機取扱手引書（以下「承認原動機取扱手引書」という。）に従い、かつ、国土交通省令」とあり、及び第十九条の九第一項中「承認原動機取扱手引書に従い、かつ、国土交通省令」とあるのは、「国土交通省令」とする。

〔本条追加・平一六法三六、二項改正・平二一法三三〕

参照　二項〔国土交通省令〕海洋汚染等及び海上災害の防止に関する法律の規定に基づく船舶の設備等に関する技術上の基準等に関する省令四三

（第二議定書締約国の政府が発行する原動機条約証書等）

第一九条の一七　日本船舶に千九百七十三年の船舶による汚染の防止のための国際条約に関する千九百七十八年の議定書によって修正された同条約を改正する千九百九十七年の議定書（以下「第二議定書」という。）の締約国である外国（以下「第二議定書締約国」という。）において製造した原動機を設置しようとする者は、当該第二議定書締約国の政府から原動機取扱手引書に相当する図書の記載内容が第二議定書に照らし適正なものであることについての確認及び原動機条約証書（第二議定書締約国の政府が第二議定書に定める証書として交付する書面であつて、当該原動機が第二議定書に定める基準に適合していることを証するものをいう。以下同じ。）の交付を受けようとする場合には、日本の領事官を通じて申請しなければならない。

2 前項の規定により確認を受けた図書及び交付を受けた原動機条約証書は、それぞれ第十九条の五の規定により国土交通大臣が承認をした原動機取扱手引書及び第十九条の六の規定により国土交通大臣が交付した国際大気汚染防止原動機証書とみなす。

〔本条追加・平一六法三六、一項改正・平二二法二三〕

（第二議定書締約国の船舶に設置される原動機に対する証書の交付）

第一九条の一八 国土交通大臣は、第二議定書締約国の政府から当該第二議定書締約国の船舶（第十九条の十六第一項ただし書に規定する外国船舶を除く。）に設置される原動機であつて本邦内において製造されるものについて国際大気汚染防止原動機証書に相当する証書を交付することの要請があつた場合において、当該原動機について放出量確認に相当する確認をし、かつ、原動機取扱手引書の承認に相当する承認をしたときは、当該原動機を設置しようとする者に対し、国際大気汚染防止原動機証書に相当する証書を交付するものとする。

〔本条追加・平一六法三六〕

（国土交通省令への委任）

第一九条の一九 放出量確認（第十九条の七第二項（同条第三項において準用する場合を含む。）及び前条に規定する放出量確認に相当する確認を含む。以下この条において同じ。）及び原動機取扱手引書の承認の申請書の様式、放出量確認の実施方法その他放出量確認及び原動機取扱手引書の承認に関し必要な事項並びに国際大気汚染防止原動機証書の様式、国際大気汚染防止原動機証書の交付、再交付及び書換えその他国際大気汚染防止原動機証書に関し必要な事項は、国土交通省令で定める。

〔本条追加・平一六法三六〕

参照 〔国土交通省令〕海洋汚染等及び海上災害の防止に関する法律の規定に基づく船舶の設備等の検査等に関する規則

（審査請求）

第一九条の二〇 機構が行う小型船舶用原動機放出量確認等事務に係る処分又はその不作為については、国土交通大臣に対し審査請求をすることができる。この場合において、国土交通大臣は、行政不服審査法第二十五条第二項及び第三項、第四十六条第一項及び第二項、第四十七条並びに第四十九条第三項の規定の適用については、機構の上級行政庁とみなす。

〔本条追加・平一六法三六、改正・平二六法六九〕

（燃料油の使用等）

第一九条の二一 何人も、海域において、船舶に燃料油を使用するときは、政令で定める海域ごとに、硫黄分の濃度その他の品質が政令で定める基準に適合する燃料油（以下「基準適合燃料油」という。）を使用しなければならない。ただし、次の各号のいずれかに該当する場合には、この限りでない。

一 船舶の安全を確保し、又は人命を救助するために必要な場合

二 船舶の損傷その他やむを得ない原因により基準適合燃料油以外の燃料油を使用した場合において、引き続く当該燃料油の使用による硫黄酸化物の放出を防止するための可能な一切の措置をとつたとき。

2 前項本文の規定は、その品質が政令で定める基準に適合する燃料油を使用する場合において、国土交通省令で定める技術上の基準に適合する硫黄酸化物放出低減装置（船舶からの硫黄酸化物の放出量を低減させるための装置をいう。）を設置し、かつ、国土交通省令で定めるところにより使用するとき、その他国土交通省令で定める技術的措置が講じられているときは、適用しない。

3 第一項本文の規定は、基準適合燃料油の入手を予定していた場所において入手できなかつた場合にとるべき国土交通省令で定める措置を講じてもなお基準適合燃料油を入手できない場合における燃料油（国土交通省令で定める品質のものを除く。）の使用については、適用しない。

4 前項の規定により第一項本文の規定を適用しないこととされた燃料油の使用をしようとする船舶（外国船舶にあつては、当該燃料油を使用して本邦の港に入港をしようとし、又は本邦の沿岸の係留施設を利用しようとするものに限る。）の船長（引かれ船等にあつては、船舶所有者）は、国土交通省令で定めるところにより、その旨を国土交通大臣に通報しなければならない。

5 第一項本文の規定は、硫黄酸化物の放出による大気の汚染の防止に関する試験、研究又は調査のためにする船舶における燃料油の使用であつて、国土交通省令で定めるところにより、あらかじめ国土交通大臣の承認を受けてするものについては、適用しない。

6 前項の承認には、硫黄酸化物の放出による大気の汚染の防止のために必要な限度において、条件を付し、及びこれを変更することができる。

〔本条追加・平一六法三六、一項改正・三―六項追加・平二二法二三、二項改正・平二四法八九〕

参照 一項・二項〔政令〕令一一の一〇・一一の一一、二―五項〔国土交通省令〕海洋汚染等及び海上災害の防止に関する法律の規定に基づく船舶の設備等に関する技術上の基準等に関する省令四三の二、規則一二の一七の六の二―一二の一七の六の五

（燃料油変更作業手引書）

第一九条の二一の二 航行中に、進入しようとする海域に係る前条第一項又は第二項の政令で定める基準に適合させるため、その使用する燃料油の変更（国土交通省令で定める方法によるものに限る。）をする船舶の船舶所有者は、当該燃料油の変更に関する作業を行う者が遵守すべき事項その他の国土交通省令で定める事項を記載した燃料油変更作業手引書を

作成し、これを当該船舶内に備え置かなければならない。

〔本条追加・平二二法三三〕

参照 〔国土交通省令〕規則一二の一七の六の一〇・一二の一七の六の一一

（燃料油供給証明書等）

第一九条の二二 国土交通省令で定める船舶の船長（引かれ船等にあつては、船舶所有者）は、当該船舶に燃料油を搭載する場合においては、揮発油等の品質の確保等に関する法律（昭和五十一年法律第八十八号）第十七条の十一第二項の規定により交付された書面（外国において燃料油を搭載する場合にあつては、当該書面に相当するものとして国土交通省令で定める要件に適合する書面。以下「燃料油供給証明書」という。）及び提出された試料（外国において燃料油を搭載する場合にあつては、当該試料に相当するものとして国土交通省令で定める要件に適合する試料。以下同じ。）を、当該燃料油を搭載した日から国土交通省令で定める期間を経過するまでの間、当該船舶内に備え置かなければならない。

2 前項に定めるもののほか、燃料油供給証明書及び試料に関し必要な事項は、国土交通省令で定める。

〔本条追加・平一六法三六〕

参照 一項・二項〔国土交通省令〕規則一二の一七の七―一二の一七の一一

（揮発性物質放出規制港湾の指定）

第一九条の二三 国土交通大臣は、揮発性有機化合物質を放出する貨物の積込みの状況その他の事情から判断して揮発性有機化合物質の放出による大気の汚染を防止するための措置を講ずる必要があると認められる港湾について、これを揮発性物質放出規制港湾として指定することができる。

2 国土交通大臣は、前項の規定による指定をしようとするときは、あらかじめ、当該港湾の港湾管理者の意見を聴かなければならない。

3 環境大臣は、船舶からの揮発性有機化合物質の放出の抑制を図るため必要があると認めるときは、国土交通大臣に対し、港湾を特定して、第一項の指定を求めることができる。

4 国土交通大臣は、第一項の規定による指定をしたときは、国土交通省令で定めるところにより、揮発性物質放出規制港湾の名称及びその区域を公示しなければならない。

5 第二項及び第三項の規定は、外国の港湾を指定する場合には、適用しない。

6 前各項の規定は、第一項の規定による指定の変更又は廃止について準用する。

〔本条追加・平一六法三六、一項改正・平二四法八九〕

参照 四項〔国土交通省令〕規則一二の一七の一二

（揮発性物質放出防止設備等）

第一九条の二四 船舶所有者は、揮発性物質放出規制港湾において揮発性有機化合物質を放出する貨物の積込みが行われる場合には、当該船舶（その用途、総トン数、貨物の種類等の区分に応じ国土交通省令で定めるものに限る。以下「揮発性物質放出規制対象船舶」という。）に、揮発性有機化合物質の放出による大気の汚染を防止するための設備（以下「揮発性物質放出防止設備」という。）を設置しなければならない。

2 前項の規定による揮発性物質放出防止設備の設置に関する技術上の基準は、国土交通省令で定める。

3 揮発性物質放出規制港湾にある揮発性物質放出規制対象船舶において揮発性有機化合物質を放出する貨物の積込みを行う者は、国土交通省令で定めるところにより、揮発性物質放出防止設備を使用しなければならない。ただし、次の各号のいずれかに該当する場合には、この限りでない。

一 揮発性物質放出規制対象船舶の安全を確保し、又は人命を救助するために必要な場合

二 揮発性物質放出規制対象船舶の損傷その他やむを得ない原因により揮発性有機化合物質が放出された場合において、引き続く揮発性有機化合物質の放出を防止するための可能な一切の措置をとつたとき。

〔本条追加・平一六法三六〕

参照 一項・三項〔国土交通省令〕規則一二の一七の一三・一二の一七の一四、二項〔国土交通省令〕海洋汚染等及び海上災害の防止に関する法律の規定に基づく船舶の設備等に関する技術上の基準等に関する省令四四

（揮発性物質放出防止措置手引書）

第一九条の二四の二 原油の輸送の用に供するタンカー（以下「原油タンカー」という。）の船舶所有者は、貨物として積載している原油の取扱いに関する作業を行う者が、当該原油タンカーからの揮発性有機化合物質の放出を防止するために遵守すべき事項について、揮発性物質放出防止措置手引書を作成し、これを当該原油タンカー内に備え置き、又は掲示しておかなければならない。

2 前項の規定による揮発性物質放出防止措置手引書の作成及び備置き又は掲示に関する技術上の基準は、国土交通省令で定める。

3 原油タンカーの船長は、第一項の揮発性物質放出防止措置手引書（以下「揮発性物質放出防止措置手引書」という。）に定められた事項を、当該原油タンカーの乗組員及び乗組員以外の者で当該原油タンカーに係る業務を行う者のうち貨物として積載している原油の取扱いに関する作業を行うものに周知させなければならない。

〔本条追加・平二二法三三〕

参照 二項〔国土交通省令〕海洋汚染等及び海上災害の防止に関する法律の規定に基づく船舶の設備等に関する技術上の基準等に関する省令四六

（二酸化炭素放出抑制航行手引書）

第一九条の二五 日本国領海等のみを航行する船舶以外の船舶であつて、総トン数が国土交通省令で定める総トン数以上のもの（国土交通省令で定める特別の用途のものを除く。以下「二酸化炭素放出抑制対象船舶」という。）の船舶所有者は、当該二酸化炭素放出抑制対象船舶を初めて日本国領海等以外の海域において航行の用に供しようとするときは、二酸化炭素放出抑制航行手引書を作成し、国土交通大臣の承認を

受けなければならない。次条第一項の確認を受けなければならない二酸化炭素放出抑制対象船舶について二酸化炭素の放出量を増大させ、又は減少させるものとして国土交通省令で定める改造を行つたとき、及び二酸化炭素放出抑制対象船舶について第十九条の二十七第二項の規定により同条第一項の国際二酸化炭素放出抑制船舶証書がその効力を失つた後において初めて日本国領海等以外の海域において航行の用に供しようとするときも、同様とする。

2　前項の二酸化炭素放出抑制航行手引書（以下「二酸化炭素放出抑制航行手引書」という。）には、国土交通省令で定めるところにより、次に掲げる事項を記載しなければならない。

一　当該二酸化炭素放出抑制対象船舶の航行に係る二酸化炭素の放出を抑制するための措置に関する事項

二　次条第一項の確認を受けなければならない二酸化炭素放出抑制対象船舶にあつては、当該確認に係る同項に規定する二酸化炭素放出抑制指標

〔本条追加・平二四法八九〕

参照　一項〔国土交通省令〕海洋汚染等及び海上災害の防止に関する法律の規定に基づく船舶の設備等の検査等に関する規則一の二〇－一の二二、二項〔国土交通省令〕海洋汚染等及び海上災害の防止に関する法律の規定に基づく船舶の設備等に関する技術上の基準等に関する省令四七

（二酸化炭素放出抑制指標に係る確認）

第一九条の二六　二酸化炭素放出抑制対象船舶の船舶所有者は、前条第一項の承認を受けようとするときは、あらかじめ、当該二酸化炭素放出抑制対象船舶の二酸化炭素放出抑制指標（国土交通省令で定めるところにより二酸化炭素放出抑制対象船舶を航行させる場合における当該二酸化炭素放出抑制対象船舶からの二酸化炭素の放出量であつて、当該二酸化炭素放出抑制対象船舶についてその航行に係る二酸化炭素の放出を抑制するための措置を講ずるに当たつての指標となるものをいう。以下同じ。）が、次の各号のいずれにも適合することについて、国土交通大臣の確認を受けなければならない。

一　国土交通省令で定める技術上の基準により算定されていること。

二　船舶の用途及び載貨重量トン数（船舶のトン数の測度に関する法律（昭和五十五年法律第四十号。第五十一条の四において「トン数法」という。）第七条第一項の載貨重量トン数をいう。）その他の船舶の大きさに関する指標に応じて国土交通省令・環境省令で定める基準に適合するものであること。

2　前項の規定は、航海の態様が特殊なものとして国土交通省令で定める船舶及び構造が特殊なものとして国土交通省令で定める推進機関を備える船舶については、適用しない。

〔本条追加・平二四法八九〕

参照　一項〔国土交通省令〕海洋汚染等及び海上災害の防止に関する法律の規定に基づく船舶の設備等に関する技術上の基準等に関する省令四八・四九、二項〔国土交通省令〕海洋汚染等及び海上災害の防止に関する法律の規定に基づく船舶の設備等の検査等に関する規則一の二三、一項二号〔国土交通省令・環境省令〕二酸化炭素放出抑制対象船舶の二酸化炭素放出抑制指標に関する基準を定める省令二

（国際二酸化炭素放出抑制船舶証書）

第一九条の二七　国土交通大臣は、第十九条の二十五第一項の規定により二酸化炭素放出抑制航行手引書を承認したときは、当該二酸化炭素放出抑制対象船舶の船舶所有者に対し、国際二酸化炭素放出抑制船舶証書を交付しなければならない。

2　第十九条の三十第二項に規定する二酸化炭素放出抑制対象船舶がその船級の登録を抹消されたときは、前項の規定により当該二酸化炭素放出抑制対象船舶に交付された国際二酸化炭素放出抑制船舶証書は、その効力を失う。

3　国土交通大臣は、第一項の国際二酸化炭素放出抑制船舶証書（以下「国際二酸化炭素放出抑制船舶証書」という。）を交付する場合には、当該二酸化炭素放出抑制対象船舶の用途その他の事項に関し必要な条件を付し、これを当該国際二酸化炭素放出抑制船舶証書に記載することができる。

〔本条追加・平二四法八九〕

（二酸化炭素放出抑制対象船舶の航行）

第一九条の二八　二酸化炭素放出抑制対象船舶は、有効な国際二酸化炭素放出抑制船舶証書の交付を受けているものでなければ、日本国領海等以外の海域において航行の用に供してはならない。

2　二酸化炭素放出抑制対象船舶は、国際二酸化炭素放出抑制船舶証書に記載された条件に従わなければ、日本国領海等以外の海域において航行の用に供してはならない。

3　前二項の規定は、第十九条の三十六、第十九条の二十六第一項の確認、第十九条の三十八、第十九条の三十九若しくは第十九条の四十一第一項の検査（以下「法定検査」という。）又は船舶安全法第五条第一項の規定による検査のために試運転を行う場合については、適用しない。

〔本条追加・平二四法八九〕

（国際二酸化炭素放出抑制船舶証書等の備置き）

第一九条の二九　国際二酸化炭素放出抑制船舶証書の交付を受けた船舶所有者は、当該二酸化炭素放出抑制対象船舶内に、当該国際二酸化炭素放出抑制船舶証書及び第十九条の二十五第一項の承認を受けた二酸化炭素放出抑制航行手引書を備え置かなければならない。

〔本条追加・平二四法八九〕

（船級協会による二酸化炭素放出抑制航行手引書の承認等）

第一九条の三〇　国土交通大臣は、船級の登録に関する業務を行う者の申請により、その者を二酸化炭素放出抑制航行手引書の承認及び二酸化炭素放出抑制指標に係る確認を行う者として登録する。

2　前項の規定による登録を受けた者（次項及び第五十一条の三第一項第八号において「船級協会」という。）が二酸化炭素放出抑制航行手引書の承認及び二酸化炭素放出抑制指標に

係る確認を行い、かつ、船級の登録をした二酸化炭素放出抑制対象船舶は、当該船級を有する間は、国土交通大臣が当該二酸化炭素放出抑制航行手引書について第十九条の二十五第一項の承認をし、及び当該二酸化炭素放出抑制指標について第十九条の二十六第一項の確認を行つたものとみなす。

3　第十九条の十五第三項の規定は、第一項の登録並びに前項の船級協会並びに承認及び確認について準用する。この場合において、同条第三項中「別表第一の二」とあるのは、「別表第一の三」と読み替えるものとする。

〔本条追加・平二四法八九、二項改正・平二六法七三〕

（証書の返納命令等）

第一九条の三一　国土交通大臣は、当該二酸化炭素放出抑制対象船舶に備え置かれた二酸化炭素放出抑制航行手引書が第十九条の二十五第二項の規定に適合しなくなつたと認めるとき、又は当該二酸化炭素放出抑制対象船舶の二酸化炭素放出抑制指標が第十九条の二十六第一項各号のいずれかに適合しなくなつたと認めるときは、当該二酸化炭素放出抑制対象船舶の船舶所有者に対し、国際二酸化炭素放出抑制船舶証書の返納、当該二酸化炭素放出抑制航行手引書の変更その他の必要な措置をとるべきことを命ずることができる。

2　国土交通大臣は、前項の規定に基づく命令を発したにもかかわらず、当該二酸化炭素放出抑制対象船舶の船舶所有者がその命令に従わない場合において、その航行を継続することが海洋環境の保全等に障害を及ぼすおそれがあると認めるときは、当該二酸化炭素放出抑制対象船舶の船舶所有者又は船長に対し、当該二酸化炭素放出抑制対象船舶の航行の停止を命じ、又はその航行を差し止めることができる。

3　国土交通大臣があらかじめ指定する国土交通省の職員は、前項に規定する場合において、海洋環境の保全等を図るため緊急の必要があると認めるときは、同項に規定する国土交通大臣の権限を即時に行うことができる。

4　国土交通大臣は、第二項の規定による処分に係る二酸化炭素放出抑制対象船舶について、第一項に規定する事実がなくなつたと認めるときは、直ちに、その処分を取り消さなければならない。

〔本条追加・平二四法八九〕

（外国船舶に関する特例）

第一九条の三二　第十九条の二十五から前条までの規定は、外国船舶については、適用しない。ただし、本邦の各港間又は港のみを航行する外国船舶については、この限りでない。

〔本条追加・平二四法八九〕

（外国船舶の監督）

第一九条の三三　国土交通大臣は、本邦の港又は沿岸の係留施設にある外国船舶（前条ただし書に規定するものを除く。第十九条の五十一において「監督対象外国船舶」という。）のうち次の各号に掲げるものが当該各号に定める場合に該当するときは、当該船舶の船長に対し、二酸化炭素放出抑制航行手引書に相当する図書で第十九条の二十五第二項の規定に適合するものの備置き、二酸化炭素放出抑制指標に相当する指標の算定その他の必要な措置をとるべきことを命ずることができる。

一　二酸化炭素放出抑制対象船舶に相当するもの　二酸化炭素放出抑制航行手引書に相当する図書で第十九条の二十五第二項の規定に適合するものが備え置かれていないと認める場合

二　第十九条の二十六第一項の規定により二酸化炭素放出抑制指標に係る確認を受けなければならない船舶に相当するもの　二酸化炭素放出抑制指標に相当する指標が算定されていないと認める場合又は当該指標が同項各号のいずれかに適合していないと認める場合

2　第十九条の三十一第二項から第四項までの規定は、前項の場合について準用する。この場合において、同条第二項中「船舶所有者が」とあるのは「船長が」と、「船舶所有者又は船長」とあるのは「船長」と、同条第四項中「第一項」とあるのは「第十九条の三十三第一項」と読み替えるものとする。

〔本条追加・平二四法八九〕

（第二議定書締約国の政府が発行する国際二酸化炭素放出抑制船舶条約証書）

第一九条の三四　二酸化炭素放出抑制対象船舶である日本船舶の船舶所有者又は船長は、第二議定書締約国の政府から国際二酸化炭素放出抑制船舶条約証書（第二議定書締約国の政府が第二議定書に定める証書として交付する書面であつて、当該日本船舶の二酸化炭素放出抑制航行手引書及び二酸化炭素放出抑制指標が第二議定書に定める基準に適合していることを証するものをいう。次項において同じ。）の交付を受けようとする場合には、日本の領事官を通じて申請しなければならない。

2　前項の規定により交付を受けた国際二酸化炭素放出抑制船舶条約証書は、第十九条の二十七第一項の規定により国土交通大臣が交付した国際二酸化炭素放出抑制船舶証書とみなす。

〔本条追加・平二四法八九〕

（第二議定書締約国の船舶に対する証書の交付）

第一九条の三五　国土交通大臣は、第二議定書締約国の政府から当該第二議定書締約国の船舶（第十九条の三十二ただし書に規定する外国船舶を除く。）について国際二酸化炭素放出抑制船舶証書に相当する証書を交付することの要請があつた場合において、当該船舶について二酸化炭素放出抑制航行手引書の承認に相当する承認をしたときは、当該船舶の船舶所有者又は船長に対し、国際二酸化炭素放出抑制船舶証書に相当する証書を交付するものとする。

2　国土交通大臣は、第二議定書締約国の船舶のうち、第十九条の二十六第一項の規定により二酸化炭素放出抑制指標に係る確認を受けなければならない船舶に相当するものについて、前項の規定により二酸化炭素放出抑制航行手引書の承認に相当する承認をしようとするときは、あらかじめ、当該船舶に係る二酸化炭素放出抑制指標に係る確認に相当する確認をしなければならない。

〔本条追加・平二四法八九〕

（国土交通省令への委任）

第一九条の三五の二　二酸化炭素放出抑制航行手引書の承認及び二酸化炭素放出抑制指標に係る確認の申請書の様式、二酸化炭素放出抑制指標に係る確認の実施方法その他二酸化炭素放出抑制航行手引書の承認及び二酸化炭素放出抑制指標に係る確認に関し必要な事項並びに国際二酸化炭素放出抑制船舶証書の様式、国際二酸化炭素放出抑制船舶証書の交付、再交付及び書換えその他国際二酸化炭素放出抑制船舶証書に関し必要な事項は、国土交通省令で定める。

〔本条追加・平二四法八九〕

参照　〔国土交通省令〕海洋汚染等及び海上災害の防止に関する法律の規定に基づく船舶の設備等の検査等に関する規則一の二四―一の三三

（オゾン層破壊物質）

第一九条の三五の三　船舶所有者は、オゾン層破壊物質を含む材料を使用した船舶（国土交通省令で定める特別の用途のものを除く。）又はオゾン層破壊物質を含む設備（オゾン層破壊物質が放出されるおそれがないものとして国土交通省令で定めるものを除く。）を設置した船舶（国土交通省令で定める特別の用途のものを除く。）を航行の用に供してはならない。

〔本条追加・平一六法三六、改正・平二二法三三、旧一九条の二五を繰下・平二四法八九〕

参照　〔国土交通省令〕規則一二の一七の二

第四章の四　船舶及び海洋施設における油、有害液体物質等及び廃棄物の焼却の規制

〔本章追加・昭五五法四一、章名改正・昭五八法五八、旧四章の二を繰下・平一六法三六、旧四章の三を繰下・平一九法六二〕

第一九条の三五の四　何人も、船舶又は海洋施設において、油等の焼却をしてはならない。ただし、船舶若しくは海洋施設の安全を確保し、若しくは人命を救助するために油等の焼却をする場合又は船舶においてその焼却が海洋環境の保全等に著しい障害を及ぼすおそれがあるものとして政令で定める油等以外の油等であつて当該船舶において生ずる不要なもの（以下「船舶発生油等」という。）の焼却をする場合はこの限りでない。

2　船舶において、船舶発生油等の焼却をしようとする者は、政令で定めるところにより、国土交通省令で定める技術上の基準に適合する船舶発生油等焼却設備（船舶発生油等の焼却の用に供される設備をいう。以下同じ。）を用いてこれを行わなければならない。ただし、次に掲げる焼却については、この限りでない。

一　国土交通省令で定める船舶発生油等の焼却であつて、政令で定める焼却海域及び焼却方法に関する基準に従つて行うもの

二　海底及びその下における鉱物資源の掘採に従事している船舶において専ら当該活動に伴い発生する船舶発生油等の焼却

3　船舶所有者は、船舶に船舶発生油等焼却設備を設置したときは、当該船舶発生油等焼却設備の使用、整備その他当該船舶発生油等焼却設備の取扱いに当たり遵守すべき事項その他の国土交通省令で定める事項を記載した船舶発生油等焼却設備取扱手引書を作成し、これを船舶内に備え置かなければならない。

4　船長（引かれ船等にあつては、船舶所有者）は、当該船舶に設置された船舶発生油等焼却設備の取扱いに関する作業については、前項の船舶発生油等焼却設備取扱手引書に定められた事項を適確に実施することができる者に行わせなければならない。

5　第一項の規定は、船舶又は海洋施設における次の各号のいずれかに該当する油等の焼却については、適用しない。

一　当該海洋施設内にある者の日常生活に伴い生ずる不要な油等その他政令で定める当該海洋施設内において生ずる不要な油等の焼却

二　締約国において積み込まれた油等の当該締約国の法令に従つてする焼却（本邦周辺海域においてするものを除く。）

〔本条追加・昭五五法四一、見出し・一―三・五・七項改正・昭五八法五八、旧一九条の二を繰下・平九法七八、六項改正・平一一法一六〇、一項改正・二―四項追加・旧二・四・七項を改正し五・七・一〇項に繰下・旧三・五・六項を六・八・九項に繰下・旧一九条の二の三を繰下・平一六法三六、一・二項改正・五―九項削除・旧一〇項を改正し五項に繰上・平一六法四八、見出し・一・五項改正・平一九法六二、見出し削除・旧一九条の二六を繰下・平二四法八九〕

参照　一項・二項・五項一号〔政令〕令一二―一二の三・一五、二項一号・三項〔国土交通省令〕規則一二の一七の二・一二の一七の三、二項〔国土交通省令〕海洋汚染等及び海上災害の防止に関する法律の規定に基づく船舶の設備等に関する技術上の基準等に関する省令四五

第四章の五　船舶の海洋汚染防止設備等及び海洋汚染防止緊急措置手引書等並びに大気汚染防止検査対象設備及び揮発性物質放出防止措置手引書の検査等

〔本章追加・平一六法三六、旧四章の四を繰下・平一九法六二、章名改正・平二二法三三〕

（定期検査）

第一九条の三六　次の表の上欄に掲げる船舶（以下「検査対象船舶」という。）の船舶所有者は、当該検査対象船舶を初めて航行の用に供しようとするときは、それぞれ同表の下欄に掲げる設備等について、国土交通大臣の行う定期検査を受けなければならない。次条第一項の海洋汚染等防止証書の交付を受けた検査対象船舶をその有効期間満了後も航行の用に供しようとするときも、同様とする。

検査対象船舶	設備等
海洋汚染防止設備（第五条第一項から第三項まで、第九条の三第一項、第十条の二第一項又は第十七条の二第一項に規定する設備をいう。以下同じ。）を設置すべき船舶（湖沼等において航行の用に供する船舶類を含む。以下この項の上欄において同じ。）のうち、当該船舶からの油、有害液体物質、ふん尿等又は有害水バラストの排出（有害水バラストを湖沼等に流し、又は落とすことを含む。以下この項の上欄、第十九条の四十八第二項、第四十七条第一項及び第三項、第四十八条第四項、第四十九条の二、第五十一条、第五十五条第一項第六号並びに第五十六条第三号において同じ。）があつた場合における海洋の汚染（有害水バラストの排出による湖沼等の汚染を含む。）を最小限度にとどめるために国土交通大臣の検査を必要とするものとしてその用途、航行する海域、大きさ等の区分に応じ国土交通省令で定める船舶	当該検査対象船舶に設置された海洋汚染防止設備（タンカー又は第九条の三第三項に規定する船舶にあつては、その貨物艙を含む。以下「海洋汚染防止設備等」という。）
油濁防止緊急措置手引書、有害液体汚染防止緊急措置手引書若しくは有害水バラスト汚染防止措置手引書又は船舶間貨物油積替作業手引書を備え置き、又は掲示すべき船舶（湖沼等において航行の用に供する船舶類を含む。以下この項の上欄において同じ。）（当該船舶に備え置き、又は掲示された油濁防止緊急措置手引書、有害液体汚染防止緊急措置手引書、海洋汚染防止緊急措置手引書若しくは有害水バラスト汚染防止措置手引書又は船舶間貨物油積替作業手引書（以下「海洋汚染防止緊急措置手引書等」という。）がそれぞれ第七条の二第二項（第九条の四第九項及び第十七条の六において準用する場合を含む。）、第十七条の三第四項（第十七条の六において準用する場合を含む。次条において同じ。）又は第八条の二第二項に規定する技術上の基準に適合することについて、国土交通大臣の検査以外の方法により確実に確認することができると認められる船舶として国土交通省令で定めるものを除く。）	当該検査対象船舶に備え置き、又は掲示された海洋汚染防止緊急措置手引書等
船舶から排出ガスの放出があつた場合における大気の汚染を最小限度にとどめるために国土交通大臣の検査を必要とするものとしてその用途、航行する海域、大きさ等の区分に応じ国土交通省令で定める船舶	当該検査対象船舶に設置された大気汚染防止検査対象設備（第十九条の七第一項及び第二項に規定する原動機、第十九条の二十一第二項に規定する硫黄酸化物放出低減装置、第十九条の二十四第一項に規定する揮発性物質放出防止設備並びに前条第二項に規定する船舶発生油等焼却設備をいう。以下同じ。）
原油タンカー	当該検査対象船舶に備え置き、又は掲示された揮発性物質放出防止措置手引書

〔本条追加・平一六法三六、改正・平二二法三三・平二四法八九・平二六法七三〕

参照　〔国土交通省令〕海洋汚染等及び海上災害の防止に関する法律の規定に基づく船舶の設備等の検査等に関する規則二

（海洋汚染等防止証書）

第一九条の三七　国土交通大臣は、前条の検査の結果、当該海洋汚染防止設備等、当該海洋汚染防止緊急措置手引書等、当該大気汚染防止検査対象設備及び当該揮発性物質放出防止措置手引書がそれぞれ第五条第四項、第五条の二、第九条の三第二項若しくは第三項、第十条の二第二項若しくは第十七条の二第五項（第十七条の六において準用する場合を含む。）、第七条の二第二項若しくは第八条の二第二項、第十九条の七第四項、第十九条の二十一第二項、第十九条の二十四第二項若しくは第十九条の三十五の四第二項又は第十九条の二十四の二第二項に規定する技術上の基準（第十九条の七第一項及び第二項に規定する原動機にあつては、承認原動機取扱手引書の記載事項を含む。以下この章において「技術基準」という。）に適合すると認めるときは、船舶所有者に対し、海洋汚染防止設備等、海洋汚染防止緊急措置手引書等、大気汚染防止検査対象設備及び揮発性物質放出防止措置手引書に関し国土交通省令で定める区分に従い、海洋汚染等防止証書を交付しなければならない。

2　前項の海洋汚染等防止証書（以下「海洋汚染等防止証書」という。）の有効期間は、五年（平水区域を航行区域とする船舶であつて国土交通省令で定めるものについては、国土交通大臣が別に定める期間）とする。ただし、その有効期間が満了するまでの間において、国土交通省令で定める事由により前条後段の検査を受けることができなかつた検査対象船舶については、国土交通大臣は、当該事由に応じて三月を超えない範囲で国土交通省令で定める日までの間、その有効期間を延長することができる。

3　前項ただし書に規定する事務は、外国にあつては、日本の領事官が行う。

4　行政不服審査法に定めるもののほか、領事官の行う前項の事務に係る処分又はその不作為についての審査請求に関して必要な事項は、政令で定める。

5　前条後段の検査の結果第一項の規定による海洋汚染等防止証書の交付を受けることができる検査対象船舶であつて、国土交通省令で定める事由により従前の海洋汚染等防止証書の有効期間が満了するまでの間において当該検査に係る海洋汚染等防止証書の交付を受けることができなかつたものについては、従前の海洋汚染等防止証書の有効期間は、第二項の規定にかかわらず、当該検査に係る海洋汚染等防止証書が交付される日又は従前の海洋汚染等防止証書の有効期間が満了する日の翌日から起算して五月を経過する日のいずれか早い日までの期間とする。

6　次に掲げる場合における海洋汚染等防止証書の有効期間は、第二項本文の規定にかかわらず、従前の海洋汚染等防止証書の有効期間（第二号及び第三号に掲げる場合にあつては、当初の有効期間）が満了する日の翌日から起算して五年（平水区域を航行区域とする船舶であつて国土交通省令で定めるものについては、国土交通大臣が別に定める期間）を経過する日までの期間とする。

一　従前の海洋汚染等防止証書の有効期間が満了する日前三月以内に受けた前条後段の検査に係る海洋汚染等防止証書の交付を受けたとき。

二　第二項ただし書の規定により従前の海洋汚染等防止証書の有効期間が延長されたとき。

三　従前の海洋汚染等防止証書の有効期間について前項の規定の適用があつたとき。

7　第二項及び前二項の規定にかかわらず、第十九条の四十六第二項に規定する検査対象船舶がその船級の登録を抹消されたときは、当該検査対象船舶に交付された海洋汚染等防止証書の有効期間は、その抹消の日に満了したものとみなす。

8　国土交通大臣は、海洋汚染等防止証書を交付する場合には、当該検査対象船舶の用途、航行する海域その他の事項に関し必要な条件を付し、これを当該海洋汚染等防止証書に記載することができる。

〔本条追加・平一六法三六、一項改正・平二二法三三、一・二項改正・五・六項追加・旧五項を改正し七項に繰下・旧六項を八項に繰下・平二四法八九、一・六項改正・平二六法七三〕

参照　一項・二項・五－六項〔国土交通省令〕海洋汚染等及び海上災害の防止に関する法律の規定に基づく船舶の設備等の検査等に関する規則一八・二〇－二一の二、四項〔政令〕領事官の行う船舶法等の事務に係る処分又はその不作為についての審査請求に関する政令

（中間検査）

第一九条の三八　海洋汚染等防止証書の交付を受けた検査対象船舶の船舶所有者は、当該海洋汚染等防止証書の有効期間中において国土交通省令で定める時期に、当該検査対象船舶に設置された海洋汚染防止設備等（ふん尿等排出防止設備を除く。）及び大気汚染防止検査対象設備並びに当該検査対象船舶に備え置き、又は掲示された海洋汚染防止緊急措置手引書等及び揮発性物質放出防止措置手引書について国土交通大臣の行う中間検査を受けなければならない。

〔本条追加・平一六法三六、改正・平二二法三三〕

参照　〔国土交通省令〕海洋汚染等及び海上災害の防止に関する法律の規定に基づく船舶の設備等の検査等に関する規則一四

（臨時検査）

第一九条の三九　海洋汚染等防止証書の交付を受けた検査対象船舶の船舶所有者は、当該検査対象船舶に設置された海洋汚染防止設備等又は大気汚染防止検査対象設備について国土交通省令で定める改造又は修理を行うとき、当該検査対象船舶に備え置き、又は掲示された海洋汚染防止緊急措置手引書等又は揮発性物質放出防止措置手引書について国土交通省令で定める変更を行うとき、その他国土交通省令で定めるときは、当該海洋汚染防止設備等若しくは大気汚染防止検査対象設備又は当該海洋汚染防止緊急措置手引書等若しくは揮発性物質放出防止措置手引書について国土交通大臣の行う臨時検査を受けなければならない。

〔本条追加・平一六法三六、改正・平二二法三三〕

参照　〔国土交通省令〕海洋汚染等及び海上災害の防止に関する法律の規定に基づく船舶の設備等の検査等に関する規則一五

（証書の効力の停止）

第一九条の四〇　国土交通大臣は、前二条の検査の結果、当該検査対象船舶に設置された海洋汚染防止設備等若しくは大気汚染防止検査対象設備又は当該検査対象船舶に備え置き、若しくは掲示された海洋汚染防止緊急措置手引書等若しくは揮発性物質放出防止措置手引書が技術基準に適合していないと認めるときは、技術基準に適合することとなつたと認めるまでの間、当該海洋汚染防止設備等若しくは大気汚染防止検査対象設備又は当該海洋汚染防止緊急措置手引書等若しくは揮発性物質放出防止措置手引書に係る海洋汚染等防止証書の効力を停止するものとする。

〔本条追加・平一六法三六、改正・平二二法三三〕

（臨時海洋汚染等防止証書）

第一九条の四一　有効な海洋汚染等防止証書の交付を受けていない検査対象船舶の船舶所有者は、当該検査対象船舶を臨時に航行の用に供しようとするときは、当該検査対象船舶に設置された海洋汚染防止設備等及び大気汚染防止検査対象設備並びに当該検査対象船舶に備え置き、又は掲示された海洋汚染防止緊急措置手引書等及び揮発性物質放出防止措置手引書について国土交通大臣の行う検査を受けなければならない。

2　国土交通大臣は、前項の検査の結果、当該海洋汚染防止設備等及び大気汚染防止検査対象設備並びに当該海洋汚染防止緊急措置手引書等及び揮発性物質放出防止措置手引書が技術基準に適合すると認めるときは、当該船舶所有者に対し、第十九条の三十七第一項の国土交通省令で定める区分に従い、六月以内の有効期間を定めて臨時海洋汚染等防止証書を交付しなければならない。

3　国土交通大臣は、前項の臨時海洋汚染等防止証書（以下「臨時海洋汚染等防止証書」という。）を交付する場合には、当該検査対象船舶の航行する海域その他の事項に関し必

要な条件を付し、これを当該臨時海洋汚染等防止証書に記載することができる。

〔本条追加・平一六法三六、一・二項改正・平二二法三三〕

（海洋汚染等防止検査手帳）

第一九条の四二　国土交通大臣は、法定検査に関する事項を記録するため、最初の定期検査に合格した検査対象船舶の船舶所有者に対し、海洋汚染等防止検査手帳を交付しなければならない。

〔本条追加・平一六法三六、改正・平二四法八九〕

（国際海洋汚染等防止証書）

第一九条の四三　国土交通大臣は、国際航海に従事する検査対象船舶（有害水バラスト処理設備を設置し、又は有害水バラスト汚染防止措置手引書を備え置き、若しくは掲示すべき検査対象船舶にあつては、国際航海に従事しないものを含む。）の船舶所有者の申請により、第十九条の三十七第一項の国土交通省令で定める区分に従い、国際海洋汚染等防止証書を交付するものとする。

2　国土交通大臣は、前項の国際海洋汚染等防止証書（以下「国際海洋汚染等防止証書」という。）の交付に当たつては、当該検査対象船舶に係る海洋汚染等防止証書若しくは臨時海洋汚染等防止証書又は船舶検査証書（船舶安全法第九条第一項の船舶検査証書をいう。）若しくは臨時航行許可証（同条第二項の臨時航行許可証をいう。）の記載その他の事項を審査して、行うものとする。

3　国際海洋汚染等防止証書の有効期間は、海洋汚染等防止証書の有効期間の満了する日（臨時海洋汚染等防止証書の交付を受けた船舶（有害水バラスト処理設備を設置し、又は有害水バラスト汚染防止措置手引書を備え置き、若しくは掲示すべき湖沼等において航行の用に供する船舶類を含む。第十九条の四十八第一項、第二項及び第四項、第十九条の五十二第二項、第十九条の五十三第二項、第四十八条第四項及び第九項、第四十九条、第五十条、第五十一条、第五十五条の二第四号及び第五号、第五十八条第十号並びに第六十五条第一項から第三項までにおいて同じ。）にあつては、当該臨時海洋汚染等防止証書の有効期間の満了する日）までとする。

4　第十九条の三十七第二項ただし書及び第五項から第八項まで並びに第十九条の四十の規定は、国際海洋汚染等防止証書について準用する。

〔本条追加・平一六法三六、四項改正・平二四法八九、一・三項改正・平二六法七三〕

（検査対象船舶の航行）

第一九条の四四　検査対象船舶は、有効な海洋汚染等防止証書又は臨時海洋汚染等防止証書の交付を受けているものでなければ、航行の用に供してはならない。

2　検査対象船舶（次項に規定するものを除く。）は、有効な国際海洋汚染等防止証書の交付を受けているものでなければ、国際航海に従事させてはならない。

3　検査対象船舶（有害水バラスト処理設備を設置し、又は有害水バラスト汚染防止措置手引書を備え置き、若しくは掲示すべきものに限る。）は、有効な国際海洋汚染等防止証書の交付を受けているものでなければ、一の国の内水、領海若しくは排他的経済水域又は公海における航海以外の航海に従事させてはならない。

4　検査対象船舶は、海洋汚染等防止証書、臨時海洋汚染等防止証書又は国際海洋汚染等防止証書に記載された条件に従わなければ、航行の用に供してはならない。

5　第一項及び前項の規定は、第十九条の二十六第一項の確認、法定検査又は船舶安全法第五条第一項の規定による検査のために試運転を行う場合については、適用しない。

〔本条追加・平一六法三六、四項改正・平二四法八九、二項改正・三項追加・旧三・四項を四・五項に繰下・平二六法七三〕

（海洋汚染等防止証書等の備置き）

第一九条の四五　海洋汚染等防止証書、臨時海洋汚染等防止証書若しくは国際海洋汚染等防止証書又は海洋汚染等防止検査手帳の交付を受けた船舶所有者は、当該検査対象船舶内に、これらの証書又は手帳を備え置かなければならない。

〔本条追加・平一六法三六〕

（船級協会の検査）

第一九条の四六　国土交通大臣は、船級の登録に関する業務を行う者の申請により、その者を海洋汚染防止設備等、海洋汚染防止緊急措置手引書等、大気汚染防止検査対象設備及び揮発性物質放出防止措置手引書についての検査を行う者として登録する。

2　前項の規定による登録を受けた者（次項及び第五十一条の三第一項第十号において「船級協会」という。）が海洋汚染防止設備等、海洋汚染防止緊急措置手引書等、大気汚染防止検査対象設備及び揮発性物質放出防止措置手引書についての検査を行い、かつ、船級の登録をした検査対象船舶は、当該船級を有する間は、国土交通大臣が当該海洋汚染防止設備等、当該海洋汚染防止緊急措置手引書等、当該大気汚染防止検査対象設備及び当該揮発性物質放出防止措置手引書について法定検査を行い、技術基準に適合すると認めたものとみなす。

3　第十九条の十五第三項の規定は、第一項の登録並びに前項の船級協会及び検査について準用する。この場合において、同条第三項中「別表第一の二」とあるのは、「別表第二」と読み替えるものとする。

〔本条追加・平一六法三六、二項改正・平一八法六八、一・二項改正・平二二法三三、二項改正・平二四法八九・平二六法七三〕

（再検査）

第一九条の四七　法定検査の結果に不服がある者は、当該検査の結果に関する通知を受けた日の翌日から起算して三十日以内に、その理由を記載した文書を添えて国土交通大臣に再検査を申請することができる。

2　法定検査又は前項の再検査の結果に不服がある者は、その取消しの訴えを提起することができる。

3　再検査を申請した者は、国土交通大臣の許可を受けた後でなければ関係部分の現状を変更してはならない。

4　法定検査の結果に不服がある者は、第一項及び第二項の規定によることによつてのみこれを争うことができる。

〔本条追加・平一六法三六、二項改正・平二六法六九〕

（技術基準適合命令等）

第一九条の四八　国土交通大臣は、当該船舶に設置された海洋汚染防止設備等若しくは大気汚染防止検査対象設備又は当該船舶に備え置き、若しくは掲示された海洋汚染防止緊急措置手引書等若しくは揮発性物質放出防止措置手引書が技術基準に適合しなくなつたと認めるときは、当該船舶の船舶所有者に対し、海洋汚染等防止証書又は臨時海洋汚染等防止証書の返納、当該海洋汚染防止設備等又は大気汚染防止検査対象設備の改造又は修理、当該海洋汚染防止緊急措置手引書等又は揮発性物質放出防止措置手引書の変更その他の必要な措置をとるべきことを命ずることができる。

2　国土交通大臣は、前項の規定に基づく命令を発したにもかかわらず、当該船舶の船舶所有者がその命令に従わない場合において、その航行を継続することが海洋環境の保全等（有害水バラストの排出に係る湖沼等の環境の保全を含む。次項、第四十七条第一項及び第二項並びに第六十五条第三項において同じ。）に障害を及ぼすおそれがあると認めるときは、当該船舶の船舶所有者又は船長に対し、当該船舶の航行の停止を命じ、又はその航行を差し止めることができる。

3　国土交通大臣があらかじめ指定する国土交通省の職員は、前項に規定する場合において、海洋環境の保全等を図るため緊急の必要があると認めるときは、同項に規定する国土交通大臣の権限を即時に行うことができる。

4　国土交通大臣は、第二項の規定による処分に係る船舶について、第一項に規定する事実がなくなつたと認めるときは、直ちに、その処分を取り消さなければならない。

〔本条追加・平一六法三六、一項改正・平二一法三三、二項改正・平二六法七三〕

（船舶安全法の準用）

第一九条の四九　船舶安全法第六条第三項及び第四項、第六条ノ二、第六条ノ三、第六条ノ五、第九条第三項から第五項まで、第十一条、第二十九条ノ三第一項並びに第二十九条ノ四第一項の規定は、海洋汚染防止設備（有害水バラスト処理設備を除く。次項において同じ。）又は大気汚染防止検査対象設備（第十九条の七第一項及び第二項に規定する原動機を除く。次項において同じ。）の検査又は検定について準用する。この場合において、同法第六条第三項中「第二条第一項各号ニ掲グル事項ニ係ル」とあり、並びに同法第六条ノ二、第六条ノ三及び第六条ノ五第一項中「船舶又ハ第二条第一項各号ニ掲グル事項ニ係ル」とあるのは「海洋汚染等及び海上災害の防止に関する法律第五条第一項乃至第三項、第九条の三第一項、第十条の二第一項、第十九条の二十一第二項、第十九条の二十四第一項又ハ第十九条の三十五の四第二項ニ規定スル」と、同法第六条第四項中「前三項」とあるのは「前項」と、「前条ノ検査（特別検査ヲ除ク）及第一項ノ製造検査（前項ノ規定ニ依ル検査ニ合格シタル事項ニ限ル）」とあるのは「海洋汚染等及び海上災害の防止に関する法律第十九条の二十八第三項ニ規定スル法定検査」と、同法第六条ノ二及び第六条ノ三中「第五条第一項第三号」とあるのは「同法第十九条の三十九」と、同法第六条ノ二中「第二条第一項ニ規定スル」とあるのは「同法第五条第四項、第九条の三第二項、第十条の二第二項、第十九条の二十一第二項、第十九条の二十四第二項又ハ第十九条の三十五の四第二項ニ規定スル」と、同条中「第五条ノ検査（特別検査ヲ除ク）及前条ノ検査」とあり、及び同法第六条ノ五第一項中「第五条ノ検査（特別検査ヲ除ク）及第六条ノ検査」とあるのは「同法第十九条の二十八第三項ニ規定スル法定検査及同法第十九条の四十九第一項ニ於テ準用スル第六条第三項ノ検査」と、同法第六条ノ三中「定期検査又ハ中間検査」とあるのは「同法第十九条の三十六又ハ第十九条の三十八ノ検査」と、「臨時検査」とあるのは「同法第十九条の三十九ノ検査」と読み替えるものとする。

2　船舶安全法第十二条第一項及び第二項の規定は、前項において準用する同法第六条ノ二又は第六条ノ三の規定による認定を受けた者について準用する。この場合において、同法第十二条第二項中「船舶ノ堪航性及人命ノ安全ニ関シ」とあるのは、「船舶ノ海洋汚染防止設備又ハ大気汚染防止検査対象設備ノ製造、改造若シクハ修理又ハ整備ニ関シ」と読み替えるものとする。

3　船舶安全法第三章第一節（第二十五条の六十三から第二十五条の六十六までを除く。）及び第二十九条ノ五第一項の規定は、第一項において準用する同法第六条ノ五第一項の登録、登録検定機関及び登録検定機関が行う検定について準用する。この場合において、同法第二十五条の四十七第一項第一号中「別表第一」とあるのは「海洋汚染等及び海上災害の防止に関する法律別表第二」と、同条第二項第一号中「この法律若しくはこの法律に基づく命令」とあるのは「この法律若しくは海洋汚染等及び海上災害の防止に関する法律又はこれらの法律に基づく命令」と、同法第二十五条の五十四中「第二十五条の二十六」とあるのは「海洋汚染等及び海上災害の防止に関する法律第十九条の四十九第三項において準用する船舶安全法第二十五条の二十六」と読み替えるものとする。

〔本条追加・平一六法三六、一項改正・平二四法八九・平二六法七三、一・三項改正・令三法四三〕

（外国船舶に関する特例）

第一九条の五〇　第十九条の三十六から第十九条の四十八までの規定は、外国船舶（湖沼等において航行の用に供する日本船舶以外の船舟類を含む。以下この条及び第六十五条第一項第一号において同じ。）については、適用しない。ただし、本邦の各港間又は港のみを航行する外国船舶については、この限りでない。

〔本条追加・平一六法三六、改正・平二六法七三〕

（外国船舶の監督）

第一九条の五一　国土交通大臣は、監督対象外国船舶に設置された海洋汚染防止設備等若しくは大気汚染防止検査対象設備又は当該船舶に備え置き、若しくは掲示された海洋汚染防止緊急措置手引書等若しくは揮発性物質放出防止措置手引書が技術基準に適合していないと認めるときは、当該船舶の船長に対し、当該海洋汚染防止設備等又は大気汚染防止検査対象設備の改造又は修理、当該海洋汚染防止緊急措置手引書等又は揮発性物質放出防止措置手引書の変更その他の必要な措置をとるべきことを命ずることができる。

2　国土交通大臣は、監督対象外国船舶の乗組員のうち油、有害液体物質、有害水バラスト、排出ガス又は船舶発生油等焼却設備の取扱いに関する作業を行うものが、当該取扱いに関し遵守すべき事項のうち国土交通省令で定めるもの（以下この項において「特定遵守事項」という。）に関する必要な知識を有しないと認めるとき、その他特定遵守事項に従つて作業を行うことができないと認めるときは、当該船舶の船長に対し、当該乗組員に特定遵守事項に関する必要な知識を習得させることその他特定遵守事項に従つて作業を行わせるため必要な措置をとるべきことを命ずることができる。

3　国土交通大臣は、監督対象外国船舶に使用される燃料油が第十九条の二十一第一項本文の政令で定める基準に適合していないと認めるときは、当該船舶の船長に対し、同項本文の政令で定める基準に適合させるため必要な措置をとるべきことを命ずることができる。

4　第十九条の四十八第二項から第四項までの規定は、前三項の場合について準用する。この場合において、同条第二項中「船舶所有者が」とあるのは「船長が」と、「船舶所有者又は船長」とあるのは「船長」と、同条第四項中「第一項」とあるのは「第十九条の五十一第一項から第三項まで」と読み替えるものとする。

〔本条追加・平一六法三六、一項改正・平二二法三三・平二四法八九、二項改正・平二六法七三〕

参照　二項〔国土交通省令〕規則一二の一八

（第一議定書締約国等の政府が発行する海洋汚染防止条約証書等）

第一九条の五二　検査対象船舶である日本船舶の船舶所有者又は船長は、第一議定書締約国の政府から海洋汚染防止条約証書（第一議定書締約国の政府が第一議定書に定める証書として交付する書面であつて、当該船舶の海洋汚染防止設備等（有害水バラスト処理設備を除く。次条第一項において同じ。）及び海洋汚染防止緊急措置手引書等（有害水バラスト汚染防止措置手引書を除く。同項において同じ。）が第一議定書に定める基準に適合していることを証するものをいう。以下同じ。）の交付を受けようとする場合には、日本の領事官を通じて申請しなければならない。

2　検査対象船舶である日本船舶の船舶所有者又は船長は、船舶バラスト水規制管理条約締約国の政府から船舶バラスト水規制管理条約証書（船舶バラスト水規制管理条約締約国の政府が船舶バラスト水規制管理条約に定める証書として交付する書面であつて、当該船舶の有害水バラスト処理設備及び有害水バラスト汚染防止措置手引書が船舶バラスト水規制管理条約に定める基準に適合していることを証するものをいう。第四項において同じ。）の交付を受けようとする場合には、日本の領事官を通じて申請しなければならない。

3　検査対象船舶である日本船舶の船舶所有者又は船長は、第二議定書締約国の政府から大気汚染防止条約証書（第二議定書締約国の政府が第二議定書に定める証書として交付する書面であつて、当該船舶の大気汚染防止検査対象設備及び揮発性物質放出防止措置手引書が第二議定書に定める基準に適合していることを証するものをいう。以下同じ。）の交付を受けようとする場合には、日本の領事官を通じて申請しなければならない。

4　前三項の規定により交付を受けた海洋汚染防止条約証書、船舶バラスト水規制管理条約証書及び大気汚染防止条約証書（以下「海洋汚染防止条約証書等」という。）は、第十九条の四十三第一項の規定により国土交通大臣が交付した国際海洋汚染等防止証書とみなす。

〔本条追加・平一六法三六、二項改正・平二二法三三、一項改正・二項追加・旧二項を三項に繰下・旧三項を改正し四項に繰下・平二六法七三〕

（第一議定書締約国等の船舶に対する証書の交付）

第一九条の五三　国土交通大臣は、第一議定書締約国の政府から当該第一議定書締約国の船舶（第十九条の五十ただし書に規定する外国船舶を除く。）について国際海洋汚染等防止証書（海洋汚染防止設備等及び海洋汚染防止緊急措置手引書等に係るものに限る。以下この項において同じ。）に相当する証書を交付することの要請があつた場合には、当該船舶に設置されている海洋汚染防止設備等及び当該船舶に備え置き、又は掲示されている海洋汚染防止緊急措置手引書等について、第十九条の三十六の検査に相当する検査を行うものとし、その検査の結果、当該海洋汚染防止設備等及び当該海洋汚染防止緊急措置手引書等が技術基準に適合すると認めるときは、当該船舶の船舶所有者又は船長に対し、国際海洋汚染等防止証書に相当する証書を交付するものとする。

2　国土交通大臣は、船舶バラスト水規制管理条約締約国の政府から当該船舶バラスト水規制管理条約締約国の船舶（第十九条の五十ただし書に規定する外国船舶を除く。）について国際海洋汚染等防止証書（有害水バラスト処理設備及び有害水バラスト汚染防止措置手引書に係るものに限る。以下この項において同じ。）に相当する証書を交付することの要請があつた場合には、当該船舶に設置されている有害水バラスト処理設備及び当該船舶に備え置き、又は掲示されている有害水バラスト汚染防止措置手引書について、第十九条の三十六の検査に相当する検査を行うものとし、その検査の結果、当該有害水バラスト処理設備及び当該有害水バラスト汚染防止措置手引書が技術基準に適合すると認めるときは、当該船舶の船舶所有者又は船長に対し、国際海洋汚染等防止証書に相当する証書を交付するものとする。

3 国土交通大臣は、第二議定書締約国の政府から当該第二議定書締約国の船舶（第十九条の五十ただし書に規定する外国船舶を除く。）について国際海洋汚染等防止証書（大気汚染防止検査対象設備及び揮発性物質放出防止措置手引書に係るものに限る。以下この項において同じ。）に相当する証書を交付することの要請があつた場合には、当該船舶に設置されている大気汚染防止検査対象設備及び当該船舶に備え置き、又は掲示されている揮発性物質放出防止措置手引書について、第十九条の三十六の検査に相当する検査を行うものとし、その検査の結果、当該大気汚染防止検査対象設備及び当該揮発性物質放出防止措置手引書が技術基準に適合すると認めるときは、当該船舶の船舶所有者又は船長に対し、国際海洋汚染等防止証書に相当する証書を交付するものとする。

〔本条追加・平一六法三六、二項改正・平二二法三三、二項追加・旧二項を三項に繰下・平二六法七三〕

（国土交通省令への委任）

第一九条の五四 検査の申請書の様式、検査の実施方法その他海洋汚染防止設備等、海洋汚染防止緊急措置手引書等、大気汚染防止検査対象設備及び揮発性物質放出防止措置手引書の検査に関し必要な事項並びに海洋汚染等防止証書、臨時海洋汚染等防止証書及び国際海洋汚染等防止証書の様式、これらの証書の交付、再交付及び書換えその他これらの証書に関し必要な事項は、国土交通省令で定める。

〔本条追加・平一六法三六、改正・平二二法三三〕

参照 〔国土交通省令〕海洋汚染等及び海上災害の防止に関する法律の規定に基づく船舶の設備等の検査等に関する規則

第五章 廃油処理事業等

（事業の許可及び届出）

第二〇条 港湾管理者及び漁港管理者以外の者は、廃油処理事業を行なおうとするときは、廃油処理施設ごとに、国土交通大臣の許可を受けなければならない。

2 港湾管理者又は漁港管理者は、廃油処理事業を行なおうとするときは、その廃油処理施設の設置の工事の開始の日（工事を要しないときは、その事業の開始の日）の六十日前までに、その旨を国土交通大臣に届け出なければならない。

〔一・二項改正・昭四八法五四・平一一法一六〇〕

第二一条 前条第一項の許可を受けようとする者は、次の事項を記載した申請書を国土交通大臣に提出しなければならない。

一 当該廃油処理事業を行なう者の氏名又は名称及び住所並びに法人にあつてはその代表者の氏名及び住所

二 当該廃油処理施設に関する次の事項

イ 設置の場所（船舶である廃油処理設備については、主たる根拠地）

ロ 船舶又は自動車により廃油の収集を行なう場合にあつては、その収集の対象となる廃油を排棄する船舶の存する海域

ハ 廃油処理設備の種類及び能力

ニ 処理する廃油の種類

2 前条第二項の規定による届出をする港湾管理者又は漁港管理者は、前項第二号の事項を記載した届出書を国土交通大臣に提出しなければならない。

3 第一項の申請書又は前項の届出書には、事業計画書、廃油処理施設の工事設計書その他の国土交通省令で定める書類を添附しなければならない。

〔二項改正・昭四八法五四、一－三項改正・平一一法一六〇〕

参照 三項〔国土交通省令〕規則一三

（許可の欠格条項）

第二二条 次の各号の一に該当する者は、第二十条第一項の許可を受けることができない。

一 この法律の規定に違反して刑に処せられ、その執行を終わり、又は執行を受けることがなくなつた日から一年を経過しない者

二 第三十三条第一項の規定により第二十条第一項の許可を取り消され、その取消しの日から一年を経過しない者

三 法人で、その業務を行なう役員のうちに前二号の一に該当する者があるもの

（許可の基準）

第二三条 国土交通大臣は、第二十条第一項の許可の申請が次の各号に適合していると認めるときでなければ、同項の許可をしてはならない。

一 当該事業の遂行上適切な計画を有するものであること。

二 当該事業の用に供する廃油処理施設が国土交通省令で定める技術上の基準に適合するものであること。

三 申請者が当該事業を適確に遂行するに足りる能力を有するものであること。

〔本条改正・平一〇法六八・平一一法一六〇〕

参照 二号〔国土交通省令〕規則一四

（事業開始前の廃油処理施設の変更命令）

第二四条 国土交通大臣は、第二十条第二項の規定による届出があつた場合において、当該事業の用に供する廃油処理施設が前条第二号の国土交通省令で定める技術上の基準に適合するものでないと認めるときは、その届出に係る工事の開始前（工事を要しないときは、その事業の開始前）に限り、その届出をした港湾管理者又は漁港管理者に対し、廃油処理施設の工事設計の変更（工事を要しないときは、修理又は改造）をすべきことを命ずることができる。

〔本条改正・昭四八法五四・平一〇法六八・平一一法一六〇〕

第二五条 削除〔平七法九〇〕

（廃油処理規程）

第二六条 廃油処理事業者（第二十条第一項の許可を受け、又は同条第二項の規定による届出をした者をいう。以下同じ。）は、廃油の処理の料金その他の廃油の処理の引受けの

条件について廃油処理規程を定め、あらかじめ、国土交通大臣に届け出なければならない。これを変更しようとするときも、同様とする。

2　前項の廃油処理規程は、次の各号に適合するものでなければならない。

一　料金が能率的な経営の下における適正な原価に照らし公正妥当なものであること。

二　料金の収受及び廃油処理事業者の責任に関する事項が適正かつ明確に定められていること。

三　特定の者に対し不当な差別的取扱いをするものでないこと。

四　他の廃油処理事業者との間に不当な競争を引き起こすおそれがないものであること。

3　国土交通大臣は、港湾管理者及び漁港管理者以外の廃油処理事業者が第一項の規定により届け出た廃油処理規程が前項各号のいずれかに適合していないと認めるときは、当該廃油処理事業者に対し、期限を定めてその廃油処理規程を変更すべきことを命ずることができる。

〔一・二項改正・昭四八法五四、一項改正・平七法九〇、一項改正・二項削除・旧三項を改正し二項に繰下・三項追加・平一〇法六八、一・三項改正・平一一法一六〇〕

（差別的取扱いの禁止）

第二十七条　廃油処理事業者は、特定の者に対して不当な差別的取扱いをしてはならない。

〔本条全改・平一〇法六八〕

（廃油処理施設等の変更）

第二十八条　港湾管理者及び漁港管理者以外の廃油処理事業者は、第二十一条第一項第二号の事項を変更しようとするときは、国土交通大臣の許可を受けなければならない。ただし、国土交通省令で定める軽微な変更については、この限りでない。

2　第二十三条の規定は、前項の許可に準用する。

3　港湾管理者又は漁港管理者である廃油処理事業者は、第二十一条第一項第二号の事項を変更しようとするときは、その変更に係る廃油処理施設の変更の工事の開始の日（工事を要しないときは、その変更日）の三十日前までに、その旨を国土交通大臣に届け出なければならない。ただし、第一項ただし書の国土交通省令で定める軽微な変更については、この限りでない。

4　第二十四条の規定は、前項の規定による届出があつた場合に準用する。この場合において、同条中「その事業の開始前」とあるのは、「その変更前」と読み替えるものとする。

5　廃油処理事業者は、第一項ただし書の国土交通省令で定める軽微な変更をしたときは、遅滞なく、その旨を国土交通大臣に届け出なければならない。

〔一・三項改正・昭四八法五四、一・三・五項改正・平一一法一六〇〕

参照　一項〔国土交通省令〕規則一九

（氏名等の変更）

第二十九条　港湾管理者及び漁港管理者以外の廃油処理事業者は、第二十一条第一項第一号の事項に変更があつたときは、遅滞なく、その旨を国土交通大臣に届け出なければならない。

〔本条改正・昭四八法五四・平一一法一六〇〕

（廃油処理施設の維持等）

第三十条　廃油処理事業者は、当該事業の用に供する廃油処理施設を第二十三条第二号の国土交通省令で定める技術上の基準に適合するように維持しなければならない。

2　廃油処理事業者は、廃油の処理の方法に関する国土交通省令で定める技術上の基準に従つて廃油を処理しなければならない。

3　国土交通大臣は、当該事業の用に供する廃油処理施設又は当該事業における廃油の処理の方法が、第二十三条第二号又は前項の国土交通省令で定める技術上の基準に適合していないと認めるときは、廃油処理事業者に対し、当該事業の用に供する廃油処理施設の使用を停止し、その技術上の基準に適合するように当該事業の用に供する廃油処理施設を修理し、若しくは改造し、又はその技術上の基準に従つて廃油を処理すべきことを命ずることができる。

〔一・三項改正・平一〇法六八、一－三項改正・平一一法一六〇〕

参照　二項〔国土交通省令〕規則二一

（承継）

第三十一条　港湾管理者及び漁港管理者以外の廃油処理事業者について、相続、合併又は分割（当該廃油処理事業を承継させるものに限る。）があつたときは、相続人、合併後存続する法人若しくは合併により設立された法人又は分割により当該廃油処理事業を承継した法人は、廃油処理事業者の地位を承継する。

2　前項の規定により廃油処理事業者の地位を承継した者は、遅滞なく、その旨を国土交通大臣に届け出なければならない。

〔一項改正・昭四八法五四、二項改正・平一一法一六〇、一項改正・平一二法九一〕

（事業の休止及び廃止）

第三十二条　廃油処理事業者は、事業の全部又は一部を休止し、又は廃止しようとするときは、国土交通省令で定めるところにより、その旨を国土交通大臣に届け出なければならない。

〔本条改正・平一一法一六〇〕

参照　〔国土交通省令〕規則二四

（事業の許可の取消し等）

第三十三条　国土交通大臣は、港湾管理者及び漁港管理者以外の廃油処理事業者が次の各号の一に該当するときは、六月以内の期間を定めて事業の停止を命じ、又は第二十条第一項の許可を取り消すことができる。

一　この法律又はこの法律に基づく処分に違反したとき。

二　第二十二条第一号又は第三号に該当することとなつたとき。

2 国土交通大臣は、前項の規定により事業の停止を命じようとするときは、行政手続法第十三条第一項の規定による意見陳述のための手続の区分にかかわらず、聴聞を行わなければならない。

3 第一項の規定による処分に係る聴聞の期日における審理は、公開により行わなければならない。

4 前項の聴聞の主宰者は、行政手続法第十七条第一項の規定により当該処分に係る利害関係人が当該聴聞に関する手続に参加することを求めたときは、これを許可しなければならない。

〔一項改正・昭四八法五四、二－四項全改・平五法八九、一項改正・平一〇法六八、一・二項改正・平一一法一六〇、二項改正・平一二法三三〕

（自家用廃油処理施設）

第三四条 廃油処理事業の用に供する廃油処理施設以外の廃油処理施設（国土交通省令で定める小規模のものを除く。以下「自家用廃油処理施設」という。）により廃油の処理を行なおうとする者は、その廃油処理施設の設置の工事の開始の日（工事を要しないときは、その廃油の処理の開始の日）の六十日前までに、その旨を国土交通大臣に届け出なければならない。

2 第二十一条第一項及び第三項の規定は、前項の規定による届出に準用する。

3 第二十四条の規定は、第一項の規定による届出があつた場合に準用する。この場合において、同条中「その事業の開始前」とあるのは、「その廃油の処理の開始前」と読み替えるものとする。

〔二項改正・平一一法一六〇〕

参照 一項〔国土交通省令〕規則二五

（準用規定）

第三五条 第二十八条第三項から第五項まで及び第二十九条から第三十二条までの規定は、前条第一項の規定による届出をした者（以下「自家用廃油処理施設の設置者」という。）に準用する。

〔本条改正・平七法九〇〕

（港湾管理者への勧告等）

第三六条 国土交通大臣は、港湾又は漁港について、当該港湾又は漁港における廃油の処理の一般の需要に適合する廃油処理施設の能力が十分に存しないと認められる場合において、船舶の油による海洋の汚染の防止のため必要があるときは、当該港湾又は漁港に係る港湾管理者又は漁港管理者に対し、所要の廃油処理施設を整備すべきことを勧告することができる。

2 国は、必要があると認めるときは、廃油処理施設の建設又は改良を行なう港湾管理者に対し、予算の範囲内において、その建設又は改良に要する費用の十分の五を補助するものとする。

〔一項改正・昭四八法五四・平一一法一六〇〕

（都道府県知事への通知等）

第三七条 国土交通大臣は、第二十条第一項の許可の申請があり、又は同条第二項の規定による届出があつたときは、その旨を都道府県知事に通知するものとする。ただし、当該届け出た者が都道府県知事である港湾管理者又は漁港管理者であるときは、この限りでない。

2 都道府県知事は、廃油処理事業者（当該廃油処理事業者が都道府県である港湾管理者又は漁港管理者である場合を除く。）の用に供する廃油処理施設又はその廃油の処理の方法に関し必要があると認めるときは、国土交通大臣に対し、第三十条第三項の規定による措置を講ずべきことを要請することができる。

3 国土交通大臣は、前項の規定による要請があつた場合において講じた措置について当該都道府県知事に通知するものとする。

〔一・二項改正・昭四八法五四、一－三項改正・平一一法一六〇〕

第六章 海洋の汚染及び海上災害の防止措置

〔章名改正・昭五一法四七〕

（油等の排出の通報等）

第三八条 船舶から次に掲げる油その他の物質（以下この条において「油等」という。）の排出があつた場合には、当該船舶の船長は、国土交通省令で定めるところにより、当該排出があつた日時及び場所、排出の状況、海洋の汚染の防止のために講じた措置その他の事項を直ちに最寄りの海上保安機関に通報しなければならない。ただし、当該排出された油等が国土交通省令で定める範囲を超えて広がるおそれがないと認められるときは、この限りでない。

一 蒸発しにくい油で国土交通省令で定めるもの（以下「特定油」という。）の排出であつて、その濃度及び量が国土交通省令で定める基準以上であるもの

二 油の排出（前号に掲げる特定油の排出を除く。）であつて、その濃度及び量が国土交通省令で定める基準以上であるもの

三 有害液体物質等の排出であつて、その量が有害液体物質等の種類に応じ国土交通省令で定める量以上であるもの

四 ばら積み以外の方法で貨物として輸送される物質のうち海洋環境に特に悪影響を及ぼすものとして国土交通省令で定めるものの排出であつて、その量が当該物質の種類に応じ国土交通省令で定める量以上であるもの

2 船舶の衝突、乗揚げ、機関の故障その他の海難が発生した場合において、船舶から前項各号に掲げる油等の排出のおそれがあるときは、当該船舶の船長は、国土交通省令で定めるところにより、当該海難があつた日時及び場所、海難の状況、油等の排出が生じた場合に海洋の汚染の防止のために講じようとする措置その他の事項を直ちに最寄りの海上保安機関に通報しなければならない。ただし、油等の排出が生じた場合に当該排出された油等が同項ただし書の国土交通省令で定める範囲を超えてひろがるおそれがないと予想されるとき

は、この限りでない。

3　海洋施設等から第一項第一号若しくは第二号に掲げる油の排出又は同項第三号に掲げる有害液体物質等の排出のうち有害液体物質の排出（以下「大量の油又は有害液体物質の排出」という。）があつた場合には、当該海洋施設等の管理者は、国土交通省令で定めるところにより、その日時及び場所、排出の状況、海洋の汚染の防止のために講じた措置その他の事項を直ちに最寄りの海上保安庁の事務所に通報しなければならない。ただし、当該排出された油又は有害液体物質が第一項ただし書の国土交通省令で定める範囲を超えて広がるおそれがないと認められるときは、この限りでない。

4　海洋施設等の損傷その他の海洋施設等に係る異常な現象が発生した場合において、当該海洋施設等から大量の油又は有害液体物質の排出のおそれがあるときは、当該海洋施設等の管理者は、国土交通省令で定めるところにより、当該異常な現象が発生した日時及び場所、異常な現象の状況、大量の油又は有害液体物質の排出が生じた場合に海洋の汚染の防止のために講じようとする措置その他の事項を直ちに最寄りの海上保安庁の事務所に通報しなければならない。ただし、大量の油又は有害液体物質の排出が生じた場合に当該排出された油又は有害液体物質が第一項ただし書の国土交通省令で定める範囲を超えて広がるおそれがないと予想されるとき、又は石油コンビナート等災害防止法（昭和五十年法律第八十四号）第二十三条第一項の規定による通報をしたときは、この限りでない。

5　大量の油又は有害液体物質の排出があつた場合には、第一項の船舶内にある者及び第三項の海洋施設等の従業者である者以外の者で当該大量の油又は有害液体物質の排出の原因となる行為をしたもの（その者が船舶内にある者であるときは、当該船舶の船長）は、第一項又は第三項の規定に準じて通報を行わなければならない。ただし、第一項の船舶の船長又は第三項の海洋施設等の管理者が通報を行つたことが明らかなときは、この限りでない。

6　第一項若しくは第二項の船舶の船舶所有者その他当該船舶の運航に関し権原を有する者又は第三項若しくは第四項の海洋施設等の設置者は、海上保安機関から、第一項から第四項までに規定する油等の排出又は海難若しくは異常な現象による海洋の汚染を防止するために必要な情報の提供を求められたときは、できる限り、これに応じなければならない。

7　油又は有害液体物質が第一項ただし書の国土交通省令で定める範囲を超えて海面に広がつていることを発見した者は、遅滞なく、その旨を最寄りの海上保安機関に通報しなければならない。

〔本条全改・見出し・一・二・五項改正・昭五八法五八、三項改正・四項追加・旧四－六項を改正し五－七項に繰下・平七法九〇、一－四・七項改正・平一一法一六〇、一・三－五・七項改正・平一八法六八〕

参照　一項－四項〔国土交通省令〕規則二七－三〇の五

（大量の油又は有害液体物質の排出があつた場合の防除措置等）

第三九条　大量の油又は有害液体物質の排出があつたときは、次に掲げる者は、直ちに、国土交通省令で定めるところにより、排出された油又は有害液体物質の広がり及び引き続く油又は有害液体物質の排出の防止並びに排出された油又は有害液体物質の除去（以下「排出油等の防除」という。）のための応急措置を講じなければならない。

一　当該排出された油若しくは有害液体物質が積載されていた船舶の船長又は当該排出された油若しくは有害液体物質が管理されていた施設の管理者

二　前号の船舶内にある者及び同号の施設の従業者である者以外の者で当該大量の油又は有害液体物質の排出の原因となる行為をしたもの（その者が船舶内にある者であるときは、当該船舶の船長）

2　大量の油又は有害液体物質の排出があつたときは、次に掲げる者は、直ちに、国土交通省令で定めるところにより、排出油等の防除のため必要な措置を講じなければならない。ただし、前項に定める者が同項の規定による措置を講じた場合において、これらの者が講ずる措置のみによつて確実に排出油等の防除ができると認められるときは、この限りでない。

一　前項第一号の船舶の船舶所有者

二　前項第一号の施設の設置者

三　前二号に掲げる者のほか、その業務に関し当該大量の油又は有害液体物質の排出の原因となる行為をした者の使用者（当該行為をした者が船舶の乗組員であるときは、当該船舶の船舶所有者）

3　前項の場合において、同項各号に掲げる者が同項の規定により講ずべき措置を講じていないと認められるときは、海上保安庁長官は、これらの者に対し、同項の規定により講ずべき措置を講ずべきことを命ずることができる。

4　大量の油又は有害液体物質の排出があつた場合において、当該大量の油又は有害液体物質の排出が港内又は港の付近にある船舶から行われたものであるときは、次に掲げる者は、第一項及び第二項に定める者に対しこれらの規定により講ずべき措置の実施について援助し、又はこれらの者と協力して排出油等の防除のため必要な措置を講ずるよう努めなければならない。

一　当該港が当該排出された油又は有害液体物質の船積港であるときは、当該油又は有害液体物質の荷送人

二　当該港が当該排出された油又は有害液体物質の陸揚港であるときは、当該油又は有害液体物質の荷受人

三　当該大量の油又は有害液体物質の排出が船舶の係留中に行われたときは、当該係留施設の管理者

5　海上保安庁長官は、船舶の衝突、乗揚げ、機関の故障その他の海難が発生した場合又は海洋施設の損傷その他の海洋施設に係る異常な現象が発生した場合において、当該船舶又は海洋施設からの大量の油又は有害液体物質の排出のおそれがあり、緊急にこれを防止する必要があると認めるときは、次

に掲げる者に対し、国土交通省令で定めるところにより、排出のおそれがある油又は有害液体物質の抜取りその他当該大量の油又は有害液体物質の排出の防止のため必要な措置を講ずべきことを命ずることができる。

一　当該船舶の船長又は船舶所有者

二　当該海洋施設の管理者又は設置者

〔見出し追加・一・二・四項改正・昭五八法五八、一・二・四項改正・平七法九〇、一・二項改正・平一一法一六〇、見出し・一・二・四項改正・五項追加・平一八法六八〕

参照　一項・二項・五項〔国土交通省令〕規則三一・三二・三三の二

第三九条の二　海上保安庁長官は、大量の油又は有害液体物質の排出があつた場合において、緊急に排出油等の防除のための措置を講ずる必要があると認めるときは、当該措置を講ずる現場の海域にある船舶の船長に対しその船舶をその海域から退去させることを命じ、若しくはその海域に進入してくる船舶の船長に対しその進入を中止させることを命じ、又はその海域を航行する船舶の航行を制限することができる。

〔本条追加・昭五一法四七、改正・昭五八法五八・平七法九〇・平一八法六八〕

（排出特定油の防除のための資材）

第三九条の三　次に掲げる者は、当該船舶若しくは施設又は当該係留施設を利用する船舶から特定油が排出された場合において、排出された特定油の広がり及び引き続く特定油の排出の防止並びに排出された特定油の除去（第三十九条の五において「排出特定油の防除」という。）のための措置を講ずることができるよう、国土交通省令で定めるところにより、当該船舶若しくは施設内又は国土交通省令で定める場所にオイルフェンス、薬剤その他の資材を備え付けておかなければならない。ただし、第一号に掲げる船舶にあつては、港湾その他の国土交通省令で定める海域を航行中である場合に限る。

一　国土交通省令で定める船舶の船舶所有者

二　船舶から陸揚げし、又は船舶に積載する特定油で国土交通省令で定める量以上の量のものを保管することができる施設の設置者

三　第一号に掲げる船舶を係留することができる係留施設（専ら同号に掲げる船舶以外の船舶を係留させる係留施設を除く。）の管理者

〔本条追加・昭四八法五四、旧三九条の二を繰下・昭五一法四七、本条改正・昭五八法五八、見出し・本条改正・平七法九〇、本条改正・平一一法一六〇・平一八法六八〕

参照　〔国土交通省令〕規則三三の三―三三の七

（油回収船等の配備）

第三九条の四　総トン数が国土交通省令で定める総トン数以上のタンカー（その貨物艙の一部分がばら積みの液体貨物の輸送のための構造を有するタンカーにあつては、当該貨物艙の一部分の容量が国土交通省令で定める容量以上であるものに限る。以下「特定タンカー」という。）の船舶所有者は、特定タンカーが常時航行する海域で地形、潮流その他の自然的条件からみて特定油の排出があつたならば海洋が著しく汚染されるおそれがある海域として国土交通省令で定めるものを、特定タンカーに貨物としてばら積みの特定油を積載して航行させるときは、油回収船又は特定油を回収するための機械器具で国土交通省令で定めるものを配備しなければならない。

2　前項の油回収船及び特定油を回収するための機械器具の配備の場所その他配備に関し必要な事項は、国土交通省令で定める。

〔本条追加・昭五一法四七、一・二項改正・昭五八法五八・平一一法一六〇〕

参照　一項・二項〔国土交通省令〕規則三三の八―三三の一一

（特定油以外の油及び有害液体物質の防除のための資材等）

第三九条の五　油（特定油を除く。以下この条において同じ。）又は有害液体物質を輸送する国土交通省令で定める船舶の船舶所有者は、当該船舶が常時航行する海域で地形、潮流その他の自然的条件からみて油又は有害液体物質の排出があつたならば海洋が著しく汚染されるおそれがある海域として国土交通省令で定める海域を、当該船舶に貨物として油又は有害液体物質を積載して航行させるときは、国土交通省令で定めるところにより、当該船舶の所在する場所へ速やかに到達することができる場所その他の国土交通省令で定める場所に、排出油等の防除（排出特定油の防除を除く。以下この条において同じ。）のために必要な資材を備え付け、機械器具を配備し、及び排出油等の防除に関し必要な知識を有する要員を確保しておかなければならない。

〔本条追加・平一八法六八〕

参照　〔国土交通省令〕規則三三の一二―三三の一八

（廃棄物等の排出があつた場合の防除措置等）

第四〇条　海上保安庁長官は、廃棄物その他の物（油及び有害液体物質を除く。以下この条及び第四十一条の二第二号において同じ。）の排出により、又は船舶の沈没若しくは乗揚げに起因して海洋が汚染され、又は汚染されるおそれがあり、当該汚染が海洋環境の保全に著しい障害を及ぼし、又は及ぼすおそれがあると認める場合は、当該廃棄物その他の物を排出したと認められる者又は当該沈没し、若しくは乗り揚げた船舶の船舶所有者に対し、国土交通省令で定めるところにより、当該廃棄物その他の物の除去又は当該船舶の撤去その他当該汚染の防止のため必要な措置を講ずべきことを命ずることができる。

〔見出し・本条改正・昭五八法五八・平一〇法六八、本条改正・平一一法一六〇、見出し・本条改正・平一八法六八〕

参照　〔国土交通省令〕規則三四

（油保管施設等の油濁防止緊急措置手引書等）

第四〇条の二　次の各号に掲げる者は、国土交通省令で定める技術上の基準に従い、当該各号の施設又は当該係留施設を利用する船舶から油又は有害液体物質の不適正な排出があり、又は排出のおそれがある場合において当該施設内にある者その他の者が直ちにとるべき措置に関する事項について、油濁

防止緊急措置手引書又は有害液体汚染防止緊急措置手引書を作成し、これを当該施設内（当該施設内に備え置き、又は掲示することが困難である場合にあつては、当該施設の管理者の事務所内）に備え置き、又は掲示しておかなければならない。

一　船舶から陸揚げし、又は船舶に積載する油又は有害液体物質で国土交通省令で定める量以上の量のものを保管することができる施設の設置者

二　国土交通省令で定める船舶を係留することができる係留施設（専ら当該国土交通省令で定める船舶以外の船舶を係留させる係留施設を除く。）の管理者

2　国土交通大臣は、前項各号に掲げる者が、同項の技術上の基準に従つて同項の油濁防止緊急措置手引書又は有害液体汚染防止緊急措置手引書の作成又は備置き若しくは掲示をしていないと認めるときは、その者に対し、同項の技術上の基準に従つて同項の油濁防止緊急措置手引書又は有害液体汚染防止緊急措置手引書を作成し、又は備え置き、若しくは掲示すべきことを命ずることができる。

3　第一項各号の施設の管理者は、同項の油濁防止緊急措置手引書又は有害液体汚染防止緊急措置手引書に定められた事項を、当該施設の従業者及び当該従業者である者以外の者で当該施設に係る業務を行う者のうち油又は有害液体物質の取扱いに関する作業を行うものに周知させなければならない。

〔本条追加・平七法九〇、一項改正・平一一法一六〇、見出し・一―三項改正・平一八法六八〕

参照　一項〔国土交通省令〕規則三四の二・三四の三

（海上保安庁長官の措置に要した費用の負担）

第四一条　海上保安庁長官は、第三十九条第一項から第三項まで及び第五項並びに第四十条の規定により措置を講ずべき者がその措置を講ぜず、又はこれらの者が講ずる措置のみによつては海洋の汚染を防止することが困難であると認める場合において、排出された油、有害液体物質、廃棄物その他の物の除去、排出のおそれがある油若しくは有害液体物質の抜取り又は沈没し、若しくは乗り揚げた船舶の撤去その他の海洋の汚染を防止するため必要な措置を講じたときは、当該措置に要した費用で国土交通省令で定める範囲のものについて、国土交通省令で定めるところにより、当該排出された油、有害液体物質、廃棄物その他の物若しくは排出のおそれがある油若しくは有害液体物質が積載されていた船舶の船舶所有者、これらの物が管理されていた海洋施設等の設置者又は沈没し、若しくは乗り揚げた船舶の船舶所有者に負担させることができる。ただし、異常な天災地変その他の国土交通省令で定める事由により、当該油、有害液体物質、廃棄物その他の物が排出されたとき、当該油若しくは有害液体物質の排出のおそれが生じたとき又は船舶が沈没し、若しくは乗り揚げたときは、この限りでない。

2　前項の規定により負担させる費用の徴収については、行政代執行法（昭和二十三年法律第四十三号）第五条及び第六条の規定を準用する。

3　第一項の規定による費用の負担の履行については、海上保安庁長官が適当と認めるときは、金銭の納付に代え当該措置のために消費した薬剤その他の資材に相当する資材の納付によることができる。

4　第一項の場合において、当該油、有害液体物質、廃棄物その他の物の排出、当該油若しくは有害液体物質の排出のおそれ又は当該船舶の沈没若しくは乗揚げにつき責任を負う者があるときは、同項の船舶所有者又は海洋施設等の設置者は、その者に対し、同項の規定により負担した費用について求償権を有する。

5　第一項に規定する場合において、その海洋の汚染が船舶油濁等損害賠償保障法（昭和五十年法律第九十五号）第二条第十四号イに規定する汚染に該当するときは、その講じられた措置に要した費用については、前各項の規定は、適用しない。ただし、その講じられた措置に要した費用の負担の履行であつて同法第三条第一項又は第二項の規定に基づくタンカー油濁損害の賠償の義務の履行であるものについては、第三項の規定の例による。

〔四項改正・昭四八法五四、五項追加・昭五〇法九五、一・四項改正・昭五八法五八、五項改正・平六法五三、一・四項改正・平七法九〇、五項改正・平一〇法六八、一項改正・平一一法一六〇、五項改正・平一四法一八五・平一六法三七、一・四項改正・平一八法六八、四・五項改正・令元法一八〕

参照　一項〔国土交通省令〕規則三五―三七

（関係行政機関の長等に対する防除措置等の要請）

第四一条の二　海上保安庁長官は、次に掲げる場合において、特に必要があると認めるときは、関係行政機関の長又は関係地方公共団体（港務局を含む。）の長その他の執行機関（以下「関係行政機関の長等」という。）に対し、政令で定めるところにより、排出された油、有害液体物質、廃棄物その他の物の除去、排出のおそれがある油若しくは有害液体物質の抜取り又は沈没し、若しくは乗り揚げた船舶の撤去その他の海洋の汚染を防止するため必要な措置を講ずることを要請することができる。

一　第三十九条第一項から第三項まで及び第五項並びに第四十条の規定により措置を講ずべき者がその措置を講ぜず、又はこれらの者が講ずる措置のみによつては海洋の汚染を防止することが困難であると認められるとき。

二　本邦の領海の外側の海域にある政令で定める外国船舶（以下この号及び第四十二条の十五第二項において「特定外国船舶」という。）から大量の油又は有害液体物質の排出があつた場合又は特定外国船舶からの排出に係る第四十条に規定する場合であつて、当該特定外国船舶の船舶所有者及び第三十九条第二項第三号に掲げる者若しくは当該特定外国船舶から廃棄物その他の物を排出したと認められる者が海洋の汚染を防止するための必要な措置を講ぜず、又はこれらの者が講ずる措置のみによつては海洋の汚染を防止することが困難であると認められるとき。

〔本条追加・平一〇法六八、改正・平一四法一八五、見出し・本条改正・平一八法六八、本条改正・平二四法八九〕

参照 〔政令〕令一五の三・一五の四

（関係行政機関の長等の措置に要した費用の負担）

第四一条の三 関係行政機関の長等は、前条第一号に掲げる場合において、同条の規定により海上保安庁長官が要請した措置を講じたときは、当該措置に要した費用で政令で定める範囲のものについて、当該措置に係る排出された油、有害液体物質、廃棄物その他の物若しくは排出のおそれがある油若しくは有害液体物質が積載されていた船舶の船舶所有者、これらの物が管理されていた海洋施設等の設置者又は沈没し、若しくは乗り揚げた船舶の船舶所有者に負担させることができる。ただし、第四十一条第一項ただし書に規定する場合は、この限りでない。

2 関係行政機関の長等は、前項の規定による負担金を徴収しようとするときは、当該負担金の納付義務者に対し、負担金の額、納付期限及び納付方法その他必要な事項を通知しなければならない。

3 関係行政機関の長等は、前項の通知を受けた納付義務者が納付期限までに同項の負担金を納付しないときは、期限を指定してこれを督促しなければならない。

4 関係行政機関の長等は、前項の規定により督促をするときは、納付義務者に対し、督促状を発する。この場合において、督促状により指定すべき期限は、督促状を発する日から起算して二十日以上経過した日でなければならない。

5 関係行政機関の長等は、第三項の規定による督促を受けた納付義務者がその指定の期限までに負担金及び第七項の規定による延滞金を納付しないときは、国税の滞納処分の例により、滞納処分をすることができる。

6 前項の規定による徴収金の先取特権の順位は、国税及び地方税に次ぐものとし、その時効については、国税の例による。

7 関係行政機関の長等は、第三項の規定により督促をしたときは、負担金の額につき年十四・五パーセントの割合で、納付期限の翌日からその負担金の完納の日又は財産の差押えの日の前日までの日数により計算した額の延滞金を徴収することができる。ただし、やむを得ない事情があると認められる場合は、この限りでない。

8 第四十一条第三項から第五項までの規定は、第一項の場合について準用する。この場合において、同条第三項から第五項までの規定中「第一項」とあるのは「第四十一条の三第一項」と、同条第五項中「前各項」とあるのは「第四十一条の三第一項から第七項まで並びに同条第八項において準用する前二項」と読み替えるものとする。

〔本条追加・平一〇法六八、一項改正・平一八法六八〕

参照 一項〔政令〕令一五の五

（油又は有害液体物質による著しい汚染の防除のための財産の処分）

第四二条 海上保安庁長官は、本邦の沿岸海域において排出された著しく大量の油又は有害液体物質により海洋が著しく汚染され、当該汚染が広範囲の沿岸海域において、海洋環境の保全に著しい障害を及ぼし、人の健康を害し、財産に重大な損害を与え、若しくは事業活動を困難にし、又はこれらの障害が生ずるおそれがある場合において、緊急にこれらの障害を防止するため排出油等の防除の措置を講ずる必要があると認めるときは、当該排出油等の防除の措置を講ずるためやむを得ない限度において、当該排出された油又は有害液体物質が積載されていた船舶を破壊し、当該排出された油又は有害液体物質を焼却するほか、当該排出された油又は有害液体物質のある現場付近の海域にある財産の処分をすることができる。

〔見出し・本条改正・昭五八法五八、本条改正・平七法九〇、見出し・本条改正・平一八法六八〕

（危険物の排出があつた場合の措置）

第四二条の二 危険物の排出（海域の大気中に流すことを含む。以下この条、第四十二条の四の二、第四十二条の五第一項、第四十二条の八及び第四十二条の九第一項において同じ。）があつた場合において、当該排出された危険物の海上火災が発生するおそれがあるときは、次に掲げる者は、国土交通省令で定めるところにより、危険物の排出があつた日時及び場所、排出された危険物の量及び広がりの状況並びに排出された危険物が積載されていた船舶又は管理されていた海洋危険物管理施設（海域に設けられる工作物で危険物を管理するものをいう。以下同じ。）その他の施設（陸地にあるものを含む。）に関する事項を直ちに最寄りの海上保安庁の事務所に通報しなければならない。ただし、第三十八条第一項から第五項までの規定又は石油コンビナート等災害防止法第二十三条第一項の規定による通報をした場合は、この限りでない。

一 当該排出された危険物が積載されていた船舶の船長又は当該排出された危険物が管理されていた施設の管理者

二 前号の船舶内にある者及び同号の施設の従業者である者以外の者で当該危険物の排出の原因となる行為をしたもの（その者が船舶内にある者であるときは、当該船舶の船長）

2 前項に規定する事態を発見した者は、遅滞なく、その旨を最寄りの海上保安庁の事務所に通報しなければならない。

3 第一項に規定する場合において、同項各号に掲げる者は、直ちに、引き続く危険物の排出の防止及び排出された危険物の火災の発生の防止のための応急措置を講ずるとともに、危険物の排出があつた現場付近にある者又は船舶に対し注意を喚起するための措置を講じなければならない。

4 第一項に規定する場合において、海上保安庁長官は、海上災害の発生を防止するため必要があると認めるときは、次に掲げる者に対し、国土交通省令で定めるところにより、引き続く危険物の排出の防止、排出された危険物の火災の発生の防止その他の海上災害の発生の防止のため必要な措置を講ずべきことを命ずることができる。
一　第一項第一号の船舶の船舶所有者又は同号の施設の設置者
二　前号に掲げる者のほか、その業務に関し当該危険物の排出の原因となる行為をした者の使用者（当該行為をした者が船舶の乗組員であるときは、当該船舶の船舶所有者）
〔本条追加・昭五一法四七、一項改正・昭五八法五八・平七法九〇・平一一法一六〇、見出し・一項改正・四項追加・平一八法六八〕

参照　一項・四項〔国土交通省令〕規則三七の二・三七の二の二

（海上火災が発生した場合の措置）

第四二条の三　貨物としてばら積みの危険物を積載している船舶、海洋危険物管理施設又は危険物の海上火災が発生したときは、次に掲げる者は、国土交通省令で定めるところにより、海上火災が発生した日時及び場所、海上火災の状況並びに海上火災が発生した危険物が積載されていた船舶若しくは海洋危険物管理施設又は管理されていた海洋危険物管理施設その他の施設（陸地にあるものを含む。）に関する事項を直ちに最寄りの海上保安庁の事務所に通報しなければならない。ただし、第三十八条第一項から第五項まで、前条第一項又は石油コンビナート等災害防止法第二十三条第一項の規定による通報をした場合は、この限りでない。
一　当該海上火災が発生した船舶の船長又は当該海上火災が発生した海洋危険物管理施設の管理者
二　当該海上火災が発生した危険物が積載されていた船舶の船長又は当該海上火災が発生した危険物が管理されていた施設の管理者
三　前二号の船舶内にある者及び前二号の施設の従業者である者以外の者で当該海上火災の原因となる行為をしたもの（その者が船舶内にある者であるときは、当該船舶の船長）

2　前項に規定する場合において、同項各号に掲げる者は、直ちに、消火若しくは延焼の防止又は人命の救助のための応急措置を講ずるとともに、海上火災の現場付近にある者又は船舶に対し注意を喚起するための措置を講じなければならない。

3　第一項に規定する場合において、海上保安庁長官は、海上災害の拡大を防止するため必要があると認めるときは、次に掲げる者に対し、国土交通省令で定めるところにより、消火、延焼の防止その他の海上災害の拡大の防止のため必要な措置を講ずべきことを命ずることができる。
一　第一項第一号又は第二号の船舶の船舶所有者
二　第一項第一号の海洋危険物管理施設又は同項第二号の施設の設置者
三　前二号に掲げる者のほか、その業務に関し当該海上火災の原因となる行為をした者の使用者（当該行為をした者が船舶の乗組員であるときは、当該船舶の船舶所有者）
〔本条追加・昭五一法四七、一項改正・昭五八法五八・平七法九〇・平一一法一六〇、三項追加・平一八法六八〕

参照　一項・三項〔国土交通省令〕規則三七の二の三・三七の二の四

第四二条の四　海上火災を発見した者は、遅滞なく、その旨を最寄りの海上保安庁の事務所に通報しなければならない。
〔本条追加・昭五一法四七〕

（危険物の排出が生ずるおそれがある場合の措置）

第四二条の四の二　船舶の衝突、乗揚げ、機関の故障その他の海難が発生した場合又は海洋危険物管理施設の損傷その他の海洋危険物管理施設に係る異常な現象が発生した場合において、当該船舶又は海洋危険物管理施設から危険物の排出が生ずるおそれがあるときは、当該船舶の船長又は当該海洋危険物管理施設の管理者は、国土交通省令で定めるところにより、当該海難又は異常な現象が発生した日時及び場所、海難又は異常な現象の状況、危険物の排出が生じた場合に海上災害の発生の防止のために講じようとする措置その他の事項を直ちに最寄りの海上保安庁の事務所に通報しなければならない。ただし、第三十八条第一項から第五項までの規定又は石油コンビナート等災害防止法第二十三条第一項の規定による通報をした場合は、この限りでない。

2　前項に規定する場合において、海上保安庁長官は、海上災害の発生を防止するため、緊急に当該危険物の排出を防止する必要があると認めるときは、次に掲げる者に対し、国土交通省令で定めるところにより、当該危険物の抜取りその他当該排出の防止のため必要な措置を講ずべきことを命ずることができる。
一　当該船舶の船長又は船舶所有者
二　当該海洋危険物管理施設の管理者又は設置者
〔本条追加・平一八法六八〕

参照　一項・二項〔国土交通省令〕規則三七の二の五・三七の三

（緊急の場合における行為の制限）

第四二条の五　海上保安庁長官は、危険物の排出があつた場合において、当該排出された危険物による海上火災が発生するおそれが著しく大であり、かつ、海上火災が発生したならば著しい海上災害が発生するおそれがあるときは、海上火災が発生するおそれのある海域にある者に対し火気の使用を制限し、若しくは禁止し、又はその海域にある船舶の船長に対しその船舶をその海域から退去させることを命じ、若しくはその海域に進入してくる船舶の船長に対しその進入を中止させることを命ずることができる。

2　海上保安庁長官は、海上火災が発生した場合は、当該海上火災の現場の海域にある船舶の船長に対しその船舶をその海域から退去させることを命じ、又はその海域に進入してくる船舶の船長に対しその進入を中止させることを命ずることができる。

3　前二項に規定する場合において、海上保安庁長官は、当該海域にある者に対しその海域からの退去を命じ、又は当該海域への人の出入を禁止し、若しくは制限することができる。

〔本条追加・昭五一法四七〕

（海上火災が発生した船舶の処分等）

第四二条の六　海上保安庁長官は、消火若しくは延焼の防止又は人命の救助のため必要がある場合は、海上火災が発生し、又はまさに発生しようとしている船舶、海洋危険物管理施設その他の財産を、延焼の防止のためやむを得ないと認められる場合は、海域にある延焼のおそれのある船舶、海洋危険物管理施設その他の財産を使用し、移動し、若しくは処分し、又はその使用を制限することができる。

〔本条追加・昭五一法四七〕

（船舶交通の危険の防止）

第四二条の七　海上保安庁長官は、船舶の海上火災による船舶交通の障害の発生により、当該障害の発生した海域の周辺の海域において船舶交通の危険が生じ、又は生ずるおそれがあると認められる場合は、当該船舶の船舶所有者に対し、その船舶の海上火災による海上災害及び船舶交通の障害が新たに発生するおそれのない海域にその船舶を曳航すべきことを命ずることができる。

〔本条追加・昭五一法四七〕

第四二条の八　海上保安庁長官は、油、有害液体物質若しくは危険物の排出又は海上火災による船舶交通の障害の発生により、当該障害の発生した海域の周辺の海域において船舶交通の危険が生じ、又は生ずるおそれがある場合であつて、緊急に船舶交通の危険を防止する必要があると認めるときは、当該周辺の海域を航行する船舶の航行を制限し、又は禁止することができる。

〔本条追加・昭五一法四七、改正・昭五八法五八・平一八法六八〕

（消防機関等との関係）

第四二条の九　消防機関（消防組織法（昭和二十二年法律第二百二十六号）第九条各号に掲げる機関をいう。以下同じ。）の長は、次の各号に掲げる場合は、第四十二条の五又は第四十二条の六の権限を行うことができる。

一　第四十二条の五又は第四十二条の六に規定する場合において、当該危険物の排出又は海上火災がふ頭に係留された船舶又は陸地にある施設（海域にある施設で固定施設により当該施設と陸地との間を人が往来できるものを含む。）に係るものであるとき（消防機関の長又はその委任を受けてその権限を行う消防吏員若しくは消防団員が現場にいないとき、及び消防機関の長が海上保安庁長官又は管区海上保安本部長等（第五十三条第一項の規定により海上保安庁長官の権限に属する事項を行うことができる管区海上保安本部長及び同条第二項の規定により管区海上保安本部長の権限に属する事項を行うことができる管区海上保安本部の事務所の長をいう。以下同じ。）に対しその権限を行うことを要請したときを除く。）。

二　第四十二条の五又は第四十二条の六に規定する場合において、当該危険物の排出又は海上火災が前号の船舶及び施設以外の船舶又は施設に係るものである場合にあつては、海上保安庁長官若しくは管区海上保安本部長等若しくはその委任を受けてその権限を行う海上保安官が現場にいないとき、又は海上保安庁長官若しくは管区海上保安本部長等からその権限を行うことを要請されたとき。

2　前項各号に掲げる場合においては、海上保安庁長官は、第四十二条の五又は第四十二条の六の規定にかかわらず、その権限を行うことができない。

〔本条追加・昭五一法四七〕

第四二条の一〇　海上保安庁長官又は管区海上保安本部長等及び消防機関の長は、第四十二条の二第一項に規定する事態若しくは海上火災が発生したことを知つたとき、又は第四十二条の五若しくは第四十二条の六の権限を行つたときは、相互に密接な連絡をとるとともに、海上火災の発生及び拡大の防止のための措置の実施について協力しなければならない。

〔本条追加・昭五一法四七〕

第四二条の一一　第四十二条の五に規定する場合において、海上保安庁長官若しくは管区海上保安本部長等若しくはその委任を受けてその権限を行う海上保安官及び消防機関の長若しくはその委任を受けてその権限を行う消防吏員若しくは消防団員が現場にいないとき、又は海上保安庁長官若しくは管区海上保安本部長等若しくは消防機関の長の要請があつたときは、警察署長は、これらの者に代わつて同条の権限を行うことができる。この場合において、警察署長は、当該権限を行つたときは、直ちにその旨を海上保安庁長官若しくは管区海上保安本部長等又は消防機関の長に通知しなければならない。

〔本条追加・昭五一法四七〕

（他の法律の適用除外）

第四二条の一二　消防法（昭和二十三年法律第百八十六号）第二十三条の二、第二十八条並びに第二十九条第一項及び第二項の規定は、第四十二条の五又は第四十二条の六に規定する場合には、適用しない。

2　行政手続法第三章の規定は、第三十九条の二、第四十二条の五、第四十二条の六又は第四十二条の八の規定による命令又は処分については、適用しない。

〔本条追加・昭五一法四七、見出し改正・二項追加・平五法八九〕

第六章の二　指定海上防災機関

〔本章追加・昭五一法四七、全改・平一四法一八五・平二四法八九〕

（指定海上防災機関）

第四二条の一三　海上保安庁長官は、次条に規定する業務（以下「海上防災業務」という。）を行うことにより、人の生命及び身体並びに財産の保護に資することを目的とする一般財団法人であつて、海上防災業務に関し次に掲げる基準に適合すると認められるものを、その申請により、全国に一を限つて、指定海上防災機関として指定することができる。

一　職員、海上防災業務の実施の方法その他の事項についての海上防災業務の実施に関する計画が、海上防災業務の適確な実施のために適切なものであること。

二　前号の海上防災業務の実施に関する計画を適確に実施するに足りる経理的基礎及び技術的能力を有するものであること。

三　役員又は職員の構成が、海上防災業務の公正な実施に支障を及ぼすおそれがないものであること。

四　海上防災業務以外の業務を行つている場合には、その業務を行うことによつて海上防災業務の公正かつ適確な実施に支障を及ぼすおそれがないこと。

五　第四十二条の二十六第一項の規定により指定を取り消され、その取消しの日から二年を経過しない者でないこと。

六　役員のうちに次のいずれかに該当する者がないこと。

イ　禁錮以上の刑に処せられ、その刑の執行を終わり、又は執行を受けることがなくなつた日から二年を経過しない者

> 本条一項六号イは、令和四法六八により改正され、令和七年六月一日から施行
>
> イ　拘禁刑以上の刑に処せられ、その刑の執行を終わり、又は執行を受けることがなくなつた日から二年を経過しない者

ロ　この法律の規定により罰金の刑に処せられ、その刑の執行を終わり、又は執行を受けることがなくなつた日から二年を経過しない者

2　海上保安庁長官は、前項の規定による指定（以下この章において単に「指定」という。）をしたときは、指定海上防災機関の名称及び住所並びに事務所の所在地を官報に公示しなければならない。

3　指定海上防災機関は、その名称若しくは住所又は海上防災業務を行う事務所の所在地を変更しようとするときは、あらかじめ、その旨を海上保安庁長官に届け出なければならない。

4　海上保安庁長官は、前項の規定による届出があつたときは、当該届出に係る事項を官報に公示しなければならない。

〔本条追加・昭五一法四七、改正・平七法九〇、全改・平一四法一八五・平二四法八九〕

参照　一項〔指定〕海洋汚染等及び海上災害の防止に関する法律等の一部を改正する法律附則第七条の規定に基づき、同法第一条の規定による改正後の海洋汚染等及び海上災害の防止に関する法律第四十二条の十三第一項の指定海上防災機関を指定した件三項、指定海上防災機関に関する省令二条

（業務）

第四十二条の十四　指定海上防災機関は、次に掲げる業務を行うものとする。

一　次条の規定による海上保安庁長官の指示により排出油等の防除のための措置を実施し、当該措置に要した費用を第四十二条の十六の規定により徴収すること。

二　船舶所有者その他の者の委託により、排出油等の防除、消防船による消火及び延焼の防止その他の海上防災（海上災害の発生及び拡大の防止をいう。以下この条及び第五十一条の二において同じ。）のための措置を実施すること。

三　海上防災のための措置に必要な油回収船、油を回収するための機械器具、オイルフェンスその他の船舶、機械器具及び資材を保有し、これらを船舶所有者その他の者の利用に供すること。

四　海上防災のための措置に関する訓練を行うこと。

五　海上防災のための措置に必要な機械器具及び資材並びに海上防災のための措置に関する技術について調査及び研究を行い、その成果を普及すること。

六　海上防災のための措置に関する情報を収集し、整理し、及び提供すること。

七　船舶所有者その他の者の委託により、海上防災のための措置に関する指導及び助言を行うこと。

八　海外における海上防災のための措置に関する指導及び助言、海外からの研修員に対する海上防災のための措置に関する訓練の実施その他海上災害の防止に関する国際協力の推進に資する業務を行うこと。

九　前各号に掲げる業務に附帯する業務を行うこと。

〔本条追加・昭五一法四七、全改・平一四法一八五・平二四法八九〕

（指定海上防災機関に対する指示）

第四十二条の十五　海上保安庁長官は、緊急に排出油等の防除のための措置を講ずる必要がある場合において、第三十九条第三項の規定により措置を講ずべき者がその措置を講じていないと認めるとき、又は同項の規定により措置を講ずべきことを命ずるいとまがないと認めるときは、同項に規定する措置のうち必要と認めるものを講ずべきことを、指定海上防災機関に対し、指示することができる。

2　海上保安庁長官は、前項の規定によるほか、特定外国船舶から大量の油又は有害液体物質の排出があり、緊急に排出油等の防除のための措置を講ずる必要がある場合において、当該特定外国船舶の船舶所有者及び第三十九条第二項第三号に掲げる者が当該措置を講じていないと認めるときは、当該措置のうち必要と認めるものを講ずべきことを、指定海上防災機関に対し、指示することができる。

〔本条追加・昭五一法四七、全改・平一四法一八五・平二四法八九〕

（指定海上防災機関の措置に要した費用の負担）

第四十二条の十六　指定海上防災機関は、前条第一項の規定により海上保安庁長官が指示した措置を講じたときは、当該措置に要した費用で国土交通省令で定める範囲のものについて、国土交通省令で定めるところにより、海上保安庁長官の承認を受けて、当該措置に係る排出された油若しくは有害液体物質が積載されていた船舶の船舶所有者又は排出された油若し

くは有害液体物質が管理されていた海洋施設等の設置者に負担させることができる。ただし、第四十一条第一項ただし書に規定する場合は、この限りでない。

2　指定海上防災機関は、前項の規定による負担金を徴収しようとするときは、当該負担金の納付義務者に対し、負担金の額、納付期限及び納付方法その他必要な事項を通知しなければならない。

3　指定海上防災機関は、前項の通知を受けた納付義務者が納付期限までに同項の負担金を納付しないときは、期限を指定してこれを督促しなければならない。

4　指定海上防災機関は、前項の規定により督促をするときは、納付義務者に対し、督促状を発する。この場合において、督促状により指定すべき期限は、督促状を発する日から起算して二十日以上経過した日でなければならない。

5　指定海上防災機関は、第三項の規定により督促をしたときは、負担金の額につき年十四・五パーセントの割合により計算した額の範囲内の延滞金及び督促に要した費用に相当する金額の納付を求めることができる。ただし、やむを得ない事情があると認められる場合は、この限りでない。

6　指定海上防災機関は、第三項の規定による督促を受けた納付義務者がその指定の期限までに負担金並びに前項の延滞金及び督促に要した費用に相当する金額（以下この条において「負担金等」という。）を納付しないときは、海上保安庁長官に対し、その徴収を申請することができる。

7　海上保安庁長官は、前項の規定による負担金等の徴収の申請があつたときは、国税の滞納処分の例により滞納処分をするものとする。この場合においては、指定海上防災機関は、海上保安庁長官の徴収した金額の百分の四に相当する金額を国に納付しなければならない。

8　前項の規定による徴収金の先取特権の順位は、国税及び地方税に次ぐものとする。

9　納付され、又は徴収された負担金等は、指定海上防災機関の収入とする。

10　負担金等の請求権は、これを行使することができる時から五年間行使しない場合においては、時効により消滅する。

11　第三項の規定による督促は、時効の更新の効力を有する。

12　国は、指定海上防災機関が前条第一項又は第二項の規定により海上保安庁長官が指示した措置を講じた場合であつて、当該措置に要した費用が次の各号のいずれかに該当するときは、指定海上防災機関に対し、予算の範囲内において、当該各号に掲げる費用で政令で定める範囲のものを交付する。

一　前条第一項の規定による措置（船舶油濁等損害賠償保障法第二条第十四号イに規定する汚染の防除のための措置であつて、同号ロに規定する措置（次号において「油濁損害防止措置」という。）に該当しないものに限る。）に要した費用

二　前条第二項の規定による措置（油濁損害防止措置に該当しないものに限る。）に要した費用

13　第四十一条第四項及び第五項の規定は、第一項の場合について準用する。この場合において、同条第四項中「第一項」とあるのは「第四十二条の十六第一項」と、同条第五項中「第一項に」とあるのは「第四十二条の十六第一項に」と、「前各項」とあるのは「第四十二条の十六第一項から第十一項まで及び同条第十三項において準用する前項」と読み替えるものとする。

〔本条追加・昭五一法四七、二項改正・平一一法一六〇、本条全改・平一四法一八五、改正・平一六法三六、全改・平二四法八九、一〇・一一項改正・平二九法四五、一二項改正・令元法一八〕

参照　一項〔国土交通省令〕指定海上防災機関に関する省令四、一二項〔政令〕令一五の五

（海上防災業務規程）

第四二条の一七　指定海上防災機関は、海上防災業務の開始前に、海上防災業務に関する規程（以下「海上防災業務規程」という。）を定め、海上保安庁長官の認可を受けなければならない。これを変更しようとするときも、同様とする。

2　海上保安庁長官は、前項の認可をした海上防災業務規程が海上防災業務の適正かつ確実な実施上不適当となつたと認めるときは、その海上防災業務規程を変更すべきことを命ずることができる。

3　海上防災業務規程には、海上防災業務の実施方法その他の国土交通省令で定める事項を定めておかなければならない。

〔本条追加・昭五一法四七、全改・平一四法一八五・平二四法八九〕

参照　三項〔国土交通省令〕指定海上防災機関に関する省令六

（基金）

第四二条の一八　指定海上防災機関は、第四十二条の十四第一号及び第二号の業務に関する基金を設けるものとする。

〔本条追加・昭五一法四七、全改・平一四法一八五、一項改正・平二三法三七、本条全改・平二四法八九〕

（役員の選任及び解任）

第四二条の一九　指定海上防災機関の役員の選任及び解任は、海上保安庁長官の認可を受けなければ、その効力を生じない。

2　海上保安庁長官は、指定海上防災機関の役員が、この法律、この法律に基づく命令若しくは処分に違反したとき、第四十二条の十七第一項の認可を受けた海上防災業務規程に違反する行為をしたとき、又は海上防災業務の実施に関し著しく不適当な行為をしたときは、指定海上防災機関に対し、その役員を解任すべきことを命ずることができる。

〔本条追加・昭五一法四七、全改・平一四法一八五、三項追加・平一八法一〇九、本条全改・平二四法八九〕

（役員及び職員の公務員たる性質）

第四二条の二〇　指定海上防災機関の役員及び職員で第四十二条の十四第一号又は第二号に掲げる業務に従事するものは、刑法その他の罰則の適用については、法令により公務に従事する職員とみなす。

〔本条追加・昭五一法四七、全改・平一四法一八五・平二四法八九〕

（事業計画等）

第四二条の二一　指定海上防災機関は、毎事業年度開始前に（指定を受けた日の属する事業年度にあつては、その指定を受けた後速やかに）、国土交通省令で定めるところにより、その事業年度の事業計画及び収支予算を作成し、海上保安庁長官の認可を受けなければならない。これを変更しようとするときも、同様とする。

2　指定海上防災機関は、毎事業年度経過後三月以内に、その事業年度の事業報告書、貸借対照表、収支決算書及び財産目録を作成し、海上保安庁長官に提出しなければならない。

〔本条追加・昭五一法四七、改正・昭五八法五八、全改・平一四法一八五・平二四法八九〕

参照　一項〔国土交通省令〕指定海上防災機関に関する省令八

（区分経理）

第四二条の二二　指定海上防災機関は、第四十二条の十四第一号及び第二号に掲げる業務並びにこれらに附帯する業務に係る経理とその他の業務に係る経理とを区分し、それぞれ勘定を設けて整理しなければならない。

〔本条追加・昭五一法四七、三項改正・平一一法一六〇、本条全改・平一四法一八五・平二四法八九〕

（業務の休廃止）

第四二条の二三　指定海上防災機関は、海上保安庁長官の許可を受けなければ、海上防災業務の全部又は一部を休止し、又は廃止してはならない。

2　海上保安庁長官が前項の規定により海上防災業務の全部の廃止を許可したときは、当該指定海上防災機関に係る指定は、その効力を失う。

3　海上保安庁長官は、第一項の許可をしたときは、その旨を官報に公示しなければならない。

〔本条追加・昭五一法四七、改正・平一一法一六〇、全改・平一四法一八五・平二四法八九〕

（監督命令）

第四二条の二四　海上保安庁長官は、この法律を施行するため必要があると認めるときは、指定海上防災機関に対し、海上防災業務に関し監督上必要な命令をすることができる。

〔本条追加・昭五一法四七、改正・平七法九〇・平一一法一六〇、全改・平一四法一八五・平二四法八九〕

（報告及び検査）

第四二条の二五　海上保安庁長官は、この法律の施行に必要な限度において、指定海上防災機関に対し、海上防災業務若しくは経理の状況に関し報告をさせ、又はその職員に、指定海上防災機関の事務所その他の事業場（その業務の用に供している船舶を含む。）に立ち入り、海上防災業務の実施状況若しくは帳簿書類その他の物件を検査させることができる。

2　前項の規定により立入検査をする職員は、その身分を示す証明書を携帯し、関係人にこれを提示しなければならない。

3　第一項の規定による立入検査の権限は、犯罪捜査のために認められたものと解してはならない。

〔本条追加・昭五一法四七、全改・平一四法一八五、改正・平一六法四八・平一八法六八、全改・平二四法八九〕

（指定の取消し等）

第四二条の二六　海上保安庁長官は、指定海上防災機関が次の各号のいずれかに該当するときは、その指定を取り消し、又は期間を定めて海上防災業務の全部若しくは一部の停止を命ずることができる。

一　海上防災業務を適正かつ確実に実施することができないと認められるとき。

二　指定に関し不正の行為があつたとき。

三　この法律、この法律に基づく命令若しくは処分に違反したとき、又は第四十二条の十七第一項の認可を受けた海上防災業務規程によらないで海上防災業務を行つたとき。

2　海上保安庁長官は、前項の規定により指定を取り消し、又は海上防災業務の全部若しくは一部の停止を命じたときは、その旨を官報に公示しなければならない。

〔本条追加・昭五一法四七、全改・平一四法一八五、一・二項改正・平一八法六八、本条全改・平二四法八九〕

（指定を取り消した場合等における措置等）

第四二条の二七　第四十二条の二十三第一項の規定により海上防災業務の全部の廃止を許可した場合又は前条第一項の規定により指定を取り消した場合において、海上保安庁長官がその後に新たに指定海上防災機関を指定したときは、従前の指定海上防災機関の海上防災業務に係る財産及び負債は、新たに指定を受けた指定海上防災機関が承継する。

2　第四十二条の二十三第一項の規定により海上防災業務の全部の廃止を許可した場合又は前条第一項の規定により指定を取り消した場合における海上防災業務に係る財産の管理その他所要の経過措置（罰則に関する経過措置を含む。）は、合理的に必要と判断される範囲内において、政令で定める。

〔本条追加・昭五一法四七、二項改正・平一一法一六〇、本条全改・平一四法一八五、二項改正・平一六法三七、一・二項改正・平一八法六八、本条全改・平二四法八九〕

（帳簿の記載）

第四二条の二八　指定海上防災機関は、国土交通省令で定めるところにより、帳簿を備え、海上防災業務に関し国土交通省令で定める事項を記載し、これを保存しなければならない。

〔本条追加・昭五一法四七、二項改正・平一一法一六〇、本条全改・平一四法一八五・平二四法八九〕

参照　〔国土交通省令〕指定海上防災機関に関する省令九

（審査請求）

第四二条の二九　この法律に基づいてした指定海上防災機関の処分に不服がある者は、国土交通大臣に対し審査請求をすることができる。この場合において、国土交通大臣は、行政不服審査法第二十五条第二項及び第三項、第四十六条第一項並びに第四十七条の規定の適用については、指定海上防災機関の上級行政庁とみなす。

〔本条追加・昭五一法四七、五項改正・平一一法一六〇、本条全改・平一四法一八五・平二四法八九、改正・平二六法六九〕

第七章　雑則

（船舶等の廃棄の規制）

第四三条　何人も、船舶、海洋施設又は航空機（以下「船舶等」という。）を海洋に捨ててはならない。ただし、海洋施設を次条第一項の許可を受けて捨てる場合又は遭難した船舶等であつて除去することが困難なものを放置する場合は、この限りでない。

2　第三章及び第四章の規定は、船舶又は海洋施設若しくは航空機から船舶等を捨てる場合には、適用しない。

〔見出し・一項改正・二－六項追加・昭五五法四一、五項改正・平一一法一六〇、一項改正・二－五項削除・旧六項を二項に繰上・平一六法四八〕

（海洋施設廃棄の許可）

第四三条の二　海洋施設を海洋に捨てようとする者は、環境大臣の許可を受けなければならない。

2　前項の許可を受けようとする者は、環境省令で定めるところにより、次の事項を記載した申請書を環境大臣に提出しなければならない。

一　氏名又は名称及び住所並びに法人にあつてはその代表者の氏名及び住所

二　海洋に捨てようとする海洋施設の概要

三　当該海洋施設の廃棄に関する実施計画

四　当該海洋施設の廃棄海域の汚染状況の監視に関する計画

〔本条追加・平一六法四八〕

参照　二項〔環境省令〕廃棄物海洋投入処分の許可等に関する省令一二

（許可の基準）

第四三条の三　環境大臣は、前条第一項の許可の申請が次の各号のいずれにも適合していると認めるときでなければ、同項の許可をしてはならない。

一　廃棄海域及び廃棄方法が、環境省令で定める基準に適合するものであり、かつ、当該廃棄海域の海洋環境の保全に著しい障害を及ぼすおそれがないものであること。

二　海洋に捨てる方法以外に適切な処分の方法がないものであること。

〔本条追加・平一六法四八〕

参照　一号〔環境省令〕廃棄物海洋投入処分の許可等に関する省令一三

（準用）

第四三条の四　第十条の六第三項から第七項まで、第十条の七、第十条の八第二項及び第十条の九から第十条の十一までの規定は、第四十三条の二第一項の許可について準用する。この場合において、これらの規定中「排出海域」とあるのは「廃棄海域」と、「海洋投入処分」とあるのは「廃棄」と読み替えるほか、これらの規定に関し必要な技術的読替えは、政令で定める。

〔本条追加・平一六法四八〕

参照　〔政令〕令一六

（排出油等防除計画）

第四三条の五　海上保安庁長官は、海上保安管区の区域その他の事情を考慮して国土交通省令で定める海域ごとに、油又は有害液体物質が著しく大量に排出された場合における排出油等の防除に関する計画（以下「排出油等防除計画」という。）を作成するものとする。

2　排出油等防除計画は、前項の国土交通省令で定める海域に係る次の事項について定めるものとする。

一　油又は有害液体物質が著しく大量に排出された場合における海洋の汚染の想定に関すること。

二　前号の場合における排出油等の防除のために必要な油回収船その他の船舶、機械器具及び資材の整備の目標に関すること。

三　第一号の場合における排出油等の防除のための関係行政機関、関係地方公共団体、船舶所有者の団体その他の関係者との連絡及び情報の交換に関すること。

四　第一号の場合における排出油等の防除及びこれに伴う危険の防止に関すること。

3　海上保安庁長官は、第一項の規定により排出油等防除計画を作成しようとするときは、関係行政機関の長又は関係地方公共団体の長の意見を聴かなければならない。これを修正しようとするときも、同様とする。

4　海上保安庁長官は、第一項の規定により排出油等防除計画を作成したときは、速やかに、これを前項に規定する者に通知するとともに、その要旨を公表しなければならない。これを修正したときも、同様とする。

〔本条追加・昭五一法四七、一・二項改正・昭五八法五八・平七法九〇・平一一法一六〇、旧四三条の二を繰下・平一六法四八、見出し・一－四項改正・平一八法六八〕

参照　一項〔国土交通省令〕規則三七の一六

（排出油等の防除に関する協議会）

第四三条の六　管区海上保安本部長、タンカー又は有害液体物質を輸送する船舶の船舶所有者、油又は有害液体物質の取扱いを行う海洋施設等の設置者、前条第三項に規定する者その他の関係者は、同条第一項の国土交通省令で定める海域のうち港湾及びその周辺海域その他の海域ごとに、共同して次の事項を行う協議会を組織することができる。

一　当該海域における排出油等の防除に関する自主基準の作成

二　排出油等の防除に関する技術の調査及び研究

三　排出油等の防除に関する教育及び共同訓練の実施

四　その他排出油等の防除に関する重要事項の協議

2　前項の協議会は、当該協議会が組織された海域に係る排出油等防除計画について、海上保安庁長官に対し、意見を述べることができる。

〔本条追加・昭五一法四七、見出し・一項改正・二項削除・旧三項を改正し二項に繰上・平七法九〇、一項改正・平一一法一六〇、旧四三条の三を繰下・平一六法四八、見出し・一・二項改正・平一八法六八〕

（油又は有害液体物質による海洋の汚染の防止のための薬剤）

第四三条の七　油又は有害液体物質による海洋の汚染の防止の

ために使用する薬剤であつて国土交通省令・環境省令で定めるものは、国土交通省令・環境省令で定める技術上の基準に適合するものでなければ、使用してはならない。

2　前項の薬剤は、その用法に従い、当該海洋の汚染状況及び当該海域の状況に応じて、適切に使用しなければならない。

〔本条追加・見出し・一項改正・昭五八法五八、一項改正・平一一法一六〇、旧四三条の四を繰下・平一六法四八〕

参照　一項〔国土交通省令・環境省令〕油又は有害液体物質による海洋の汚染の防止のために使用する薬剤の技術上の基準を定める省令一・二

（有害な物質の容器、表示、積載方法等）

第四三条の八　船舶によりばら積み以外の方法で行う第三十八条第一項第四号の国土交通省令で定める物質の輸送は、容器、表示、積載方法その他その物質の排出による海洋の汚染を防止するために必要な輸送方法に関する事項に関し国土交通省令で定める基準に従つて行わなければならない。

2　国土交通大臣は、前項の物質の輸送が同項の国土交通省令で定める基準に適合して行われていないと認められるときは、当該船舶の船舶所有者又は船長に対し、輸送方法を改善すべきことを命ずることができる。

〔本条追加・昭五八法五八・昭六一法六九、一・二項改正・平一一法一六〇、旧四三条の五を繰下・平一六法四八〕

参照　一項〔国土交通省令〕規則三七の一七

（粉砕設備等の型式承認等）

第四三条の九　海洋の汚染又は海上災害の防止のために使用する粉砕設備（船舶発生廃棄物を粉砕することにより処理する設備をいう。）その他の設備又はオイルフェンス、薬剤その他の資材であつて国土交通省令で定めるもの（以下「粉砕設備等」という。）を製造する者は、当該粉砕設備等が国土交通省令で定める技術上の基準に適合することについて、当該粉砕設備等の型式ごとに国土交通大臣の型式承認を受けるとともに、当該型式承認を受けた粉砕設備等ごとに国土交通大臣又は国土交通大臣の登録を受けた者の検定を受けることができる。

2　船舶安全法第九条第四項及び第十一条の規定は前項の検定について、同法第三章第一節（第二十五条の六十三から第二十五条の六十六までを除く。）及び第二十九条ノ五第一項の規定は前項の登録、登録を受けた者及び登録を受けた者が行う検定について準用する。この場合において、同法第二十五条の四十七第一項第一号中「別表第一」とあるのは「海洋汚染等及び海上災害の防止に関する法律別表第三」と、同条第二項第一号中「この法律又はこの法律に基づく命令」とあるのは「この法律若しくは海洋汚染等及び海上災害の防止に関する法律又はこれらの法律に基づく命令」と、同法第二十五条の五十四中「第二十五条の二十六」とあるのは「海洋汚染等及び海上災害の防止に関する法律第四十三条の九第二項において準用する船舶安全法第二十五条の二十六」と読み替えるものとする。

〔本条追加・平一五法九六、二項改正・平一六法三六、二項改正・旧四三条の六を繰下・平一六法四八〕

参照　一項〔国土交通省令〕規則三七の一五

（港湾における廃油処理施設等の整備計画）

第四四条　港湾管理者は、当該港湾の港湾区域及びその周辺地域において生ずる廃油、廃有害液体物質等及び廃棄物並びに排出ガス（以下この条において「廃油等」という。）の種類及び量等に照らし、当該港湾区域及びその周辺海域において船舶又は海洋施設から廃油等が排出又は放出されることによる海洋汚染等を防止するため必要があると認めるときは、当該港湾において廃油処理施設、廃有害液体物質等処理施設及び廃棄物処理施設並びに廃棄物の処理場所並びに排出ガス処理施設（排出ガスの処理の用に供する設備の総体をいう。）が確保されるようこれらの建設又は配置について港湾法（昭和二十五年法律第二百十八号）第三条の三第一項の港湾計画その他の港湾の整備に関する計画に定めなければならない。

〔本条改正・昭四八法五四、見出し・本条改正・昭五八法五八、本条改正・平一六法三六〕

（海洋の汚染状況の監視等）

第四五条　海上保安庁長官は、本邦の沿岸海域における海洋の汚染状況について、必要な監視を行なわなければならない。

2　海上保安庁長官は、著しい海洋の汚染があると認めるときは、その汚染の状況について、当該汚染海域を地先水面とする地方公共団体の長に通知するものとする。

（水路業務及び気象業務の成果の活用等）

第四六条　海上保安庁長官及び気象庁長官は、水路業務又は気象業務による成果及び資料を海洋の汚染の防止及び海洋環境の保全並びに海上災害の防止のために活用するとともに、これらの業務に関連する海洋の汚染の防止及び海洋環境の保全並びに海上災害の防止のための科学的調査を実施するものとする。

〔本条改正・昭五一法四七〕

（関係行政機関の協力）

第四七条　国土交通大臣は、この法律の目的を達成するため必要があると認めるときは、関係行政機関の長、関係地方公共団体の長、関係する独立行政法人（独立行政法人通則法（平成十一年法律第百三号）第二条第一項に規定する独立行政法人をいう。第五十一条の三第一項において同じ。）の長又は関係する地方独立行政法人（地方独立行政法人法（平成十五年法律第百十八号）第二条第一項に規定する地方独立行政法人をいう。）の理事長に対し、海洋汚染等（船舶類からの排出が行われた有害水バラストによる湖沼等の汚染を含む。次項及び第四十九条の二から第五十一条の二までにおいて同じ。）の防止及び海洋環境の保全等に関し、資料又は情報の提供、意見の開陳その他必要な協力を求めることができる。

2　関係地方公共団体の長は、海洋汚染等の防止及び海洋環境の保全等のため必要があると認めるときは、この法律の施行に関し、国土交通大臣に対し、意見を述べることができる。

3 農林水産大臣は、油、有害液体物質等、廃棄物又は有害水バラストの排出又は焼却により漁場の効用が著しく低下し、又は低下するおそれがあると認められるときは、国土交通大臣に対し、この法律の施行に関し、当該漁場及びその周辺海域（有害水バラストの排出に係るものである場合にあつては、当該漁場の周辺の湖沼等を含む。）における油、有害液体物質等、廃棄物又は有害水バラストの排出又は焼却の規制のための適切な措置を講ずることを要請することができる。

〔三項改正・昭五三法八七・昭五五法四一・昭五八法五八、一－三項改正・平一一法一六〇、一項改正・平一一法二二〇・平一五法一一九、一・二項改正・平一六法三六、一項改正・平二四法八九、一・三項改正・平二六法七三〕

（報告の徴収等）

第四八条 国土交通大臣は、この法律の施行に必要な限度において、国土交通省令で定めるところにより、有害水バラスト処理設備製造者等に対し、その事業に関し報告をさせることができる。

2 国土交通大臣は、この法律の施行に必要な限度において、国土交通省令で定めるところにより、廃油処理事業者又は自家用廃油処理施設の設置者に対し、その事業又はその廃油処理施設による廃油の処理に関し報告をさせることができる。

3 環境大臣は、この法律の施行に必要な限度において、環境省令で定めるところにより、第十条の六第一項、第十八条の二第一項、第十八条の八第一項又は第四十三条の二第一項の許可を受けた者に対し、許可を受けた廃棄物の海洋投入処分、特定二酸化炭素ガスの海底下廃棄又は海洋施設の廃棄に関し報告させることができる。

4 国土交通大臣又は海上保安庁長官は、この法律の施行に必要な限度において、国土交通省令で定めるところにより、船舶所有者若しくは船長、海洋施設の設置者若しくは管理者又は航空機の使用者に対し、当該船舶、海洋施設又は航空機に係る油、有害液体物質等、廃棄物又は有害水バラストの排出、海底下廃棄又は焼却、排出ガスの放出その他油、有害液体物質等、廃棄物又は有害水バラストの取扱いに関する作業に関し報告をさせることができる。

5 国土交通大臣又は海上保安庁長官は、この法律の施行に必要な限度において、国土交通省令で定めるところにより、第三十九条の三各号に掲げる者、特定タンカー若しくは第三十九条の五に規定する船舶の船舶所有者又は第四十条の二第一項各号に掲げる者に対し、オイルフェンス、薬剤その他の資材の備付け、油回収船若しくは特定油を回収するための機械器具その他の排出油等の防除のために必要な機械器具の配備、排出油等の防除に関し必要な知識を有する要員の確保又は同項の油濁防止緊急措置手引書若しくは有害液体汚染防止緊急措置手引書の作成、備置き若しくは掲示に関し報告をさせることができる。

6 国土交通大臣は、この法律の施行に必要な限度において、その職員に、有害水バラスト処理設備製造者等の工場、事務所その他の事業場に立ち入り、設備、帳簿書類その他の物件を検査させ、又は関係者に質問させることができる。

7 国土交通大臣は、この法律の施行に必要な限度において、その職員に、廃油処理事業者又は自家用廃油処理施設の設置者の事務所その他の事業場に立ち入り、廃油処理設備、帳簿書類その他の物件を検査させることができる。

8 環境大臣は、この法律の施行に必要な限度において、その職員に、第十条の六第一項、第十八条の二第一項、第十八条の八第一項又は第四十三条の二第一項の許可を受けた者の事務所その他の事業場に立ち入り、帳簿書類その他の物件を検査させ、又は関係者に質問させることができる。

9 国土交通大臣又は海上保安庁長官は、この法律の施行に必要な限度において、その職員に、船舶若しくは海洋施設等又は船舶所有者若しくは海洋施設等の設置者若しくは管理者の事務所に立ち入り、海洋汚染防止設備等、油濁防止規程、第七条の二第一項又は第四十条の二第一項の油濁防止緊急措置手引書、油記録簿、有害液体物質記録簿、船舶発生廃棄物汚染防止規程、船舶発生廃棄物記録簿、有害水バラスト汚染防止措置手引書、水バラスト記録簿、海洋施設発生廃棄物汚染防止規程、大気汚染防止検査対象設備、海洋汚染等防止証書、海洋汚染防止条約証書等その他の物件を検査させ、又は関係者に質問させることができる。

10 国土交通大臣又は海上保安庁長官は、この法律の施行に必要な限度において、その職員に、第三十九条の三各号に規定する船舶若しくは施設若しくは同条の国土交通省令で定める場所又は第三十九条の四第一項の油回収船若しくは特定油を回収するための機械器具の所在する場所若しくは第三十九条の五の資材若しくは機械器具の所在する場所に立ち入り、排出油等の防除のために必要なオイルフェンス、薬剤その他の資材又は油回収船若しくは特定油を回収するための機械器具その他の機械器具を検査させることができる。

11 第六項から前項までの規定により立入検査をする職員は、その身分を示す証明書を携帯し、関係人にこれを提示しなければならない。

12 第六項から第十項までの規定による立入検査の権限は、犯罪捜査のために認められたものと解してはならない。

〔三・六項追加・旧三・四項を四・五項に繰下・旧五・六項を改正し七・八項に繰下・昭四八法五四、三・六項改正・昭五一法四七、二・五項改正・昭五五法四一、二・三・五項改正・昭五八法五八、五項改正・平四法三八、三・五項改正・平七法九〇、五項改正・平八法八四・平九法七八、一－六項改正・平一一法一六〇、二・五項改正・平一六法三六、二・六項追加・旧二－四・六項を三－五・八項に繰下・旧五・七・八項を改正し七・九・一〇項に繰下・平一六法四八、四・八項改正・平一八法六八、二・三・六項改正・平一九法六二、一・六項追加・旧一・二・四・五・六・八項を二・三・五・七・八・一〇項に繰下・旧三・七・九・一〇項を改正し四・九・一一・一二項に繰下・平二六法七三〕

参照 一－五項〔国土交通省令〕規則三八、三項〔環境省令〕廃棄物海洋投入処分の許可等に関する省令二二

（油記録簿等の写しの証明）

第四九条 前条第九項の規定により船舶若しくは海洋施設又は

船舶所有者若しくは海洋施設の管理者の事務所に立ち入つた職員は、この法律の施行に必要な限度において、油記録簿、有害液体物質記録簿、船舶発生廃棄物記録簿、水バラスト記録簿又は燃料油供給証明書の記載事項の写しを作成し、その写しが真正である旨の証明を船長若しくは船舶所有者又は海洋施設の管理者に対して求めることができる。

（本条改正・昭四八法五四、見出し・本条改正・昭五八法五八、本条改正・平九法七八・平一六法三六・法四八・平二六法七三）

（指導等）

第四九条の二　国土交通大臣又は海上保安庁長官は、この法律の目的を達成するため必要があると認めるときは、船舶所有者、船長その他油、有害液体物質等、廃棄物若しくは有害水バラストの排出若しくは焼却又は排出ガスの放出その他の海洋汚染等又は海上災害の防止と密接な関連を有する業務に携わる者に対し、これらの者が海洋汚染等又は海上災害の防止の見地に照らしてその業務を適正に処理するよう必要な指導、助言及び勧告をすることができる。

（本条追加・昭五五法四一、改正・昭五八法五八・平一一法一六〇・平一六法三六・平二六法七三）

（国の援助）

第五〇条　国は、海洋汚染防止設備等、廃油処理施設、油回収船その他海洋汚染等又は海上災害を防止するための設備、施設又は船舶の設置若しくは保有又は改善に必要な資金の確保、技術的な助言その他の援助に努めるものとする。

（本条改正・昭五一法四七・昭五八法五八・平一六法三六）

（研究及び調査の推進等）

第五一条　国は、船舶及び海洋施設からの油、有害液体物質等、廃棄物及び有害水バラストの排出並びに排出ガスの放出の防止、特定二酸化炭素ガスの処分、廃油及び廃船の処理、排出された油、有害液体物質等及び危険物の除去並びに海上火災の防除に関する技術の研究及び調査その他海洋汚染等及び海上災害の防止に関する研究及び調査を推進し、その成果の普及に努めるものとする。

（本条改正・昭五一法四七・昭五八法五八・平一六法三六・平一九法六二・平二六法七三）

（国際協力の推進）

第五一条の二　国は、海洋汚染等及び海上災害の防止に関する国際的な連携の確保及び技術協力の推進、海外の地域における海上防災のための緊急援助の実施その他の海洋汚染等及び海上災害の防止に関する国際協力の推進に努めるものとする。

（本条追加・平七法九〇、改正・平一六法三六）

（手数料の納付）

第五一条の三　次の各号のいずれかに掲げる者（国及び独立行政法人（業務の内容その他の事情を勘案して政令で定めるものに限る。）を除く。）は、実費を勘案して国土交通省令で定める額の手数料を国（機構の放出量確認（第十九条の七第二項（同条第三項において準用する場合を含む。）に規定する放出量確認に相当する確認を含む。）及び原動機取扱手引書の承認を受けようとする者にあつては、機構）に納付しなければならない。

一　第九条の二第四項の確認（海上保安庁長官が行うものに限る。）を受けようとする者

二　第十一条の登録を受けようとする者

三　第十七条の二第二項第一号（第十七条の六において準用する場合を含む。以下この号において同じ。）の確認（第十七条の二第三項（第十七条の六において準用する場合を含む。）に規定する第十七条の二第二項第一号の確認に相当する確認を含む。）を受けようとする者

四　第十七条の七第一項の規定による指定を受けようとする者

五　放出量確認（第十九条の七第二項（同条第三項において準用する場合を含む。）及び第十九条の十八に規定する放出量確認に相当する確認を含む。次項において同じ。）及び原動機取扱手引書の承認を受けようとする者

六　二酸化炭素放出抑制航行手引書の承認（第十九条の三十五第一項に規定する二酸化炭素放出抑制航行手引書の承認に相当する承認を含む。）を受けようとする者

七　二酸化炭素放出抑制指標に係る確認（第十九条の三十五第二項に規定する二酸化炭素放出抑制指標に係る確認に相当する確認を含む。）を受けようとする者

八　国際二酸化炭素放出抑制船舶証書の交付を受けようとする者（船級協会が船級の登録をした二酸化炭素放出抑制対象船舶に係る国際二酸化炭素放出抑制船舶証書の交付を受けようとする者に限る。）

九　法定検査又は第十九条の五十三の検査を受けようとする者

十　海洋汚染等防止証書又は臨時海洋汚染等防止証書の交付を受けようとする者（船級協会が船級の登録をした検査対象船舶に係るこれらの証書の交付を受けようとする者に限る。）

十一　国際海洋汚染等防止証書の交付を受けようとする者

十二　国際大気汚染防止原動機証書、国際二酸化炭素放出抑制船舶証書、海洋汚染等防止証書、臨時海洋汚染等防止証書、海洋汚染等防止検査手帳又は国際海洋汚染等防止証書の再交付又は書換えを受けようとする者

十三　第四十三条の九第一項の型式承認又は検定（国土交通大臣が行うものに限る。）を受けようとする者

2　前項の手数料の納付は、機構に納める場合を除き、収入印紙をもつてしなければならない。

3　第一項の規定により機構に納付された手数料は、機構の収入とする。

（本条追加・昭五八法五八、一・二項改正・三項追加・昭五八法五八、旧五一条の二を繰下・平七法九〇、一項改正・平一一法一六〇・法二二〇、二項改正・平一四法一五二、一・二項改正・三項削除・平一五法九六、一・二項改正・三項追加・平一六法三六、一項改正・平一六法四八・平二四法八九、一・二項改正・平二六法七三、二項改正・令元法一六）

参照 一項〔政令〕令一五の二、〔国土交通省令〕規則三九の一・四〇、海洋汚染等及び海上災害の防止に関する法律の規定に基づく船舶の設備等の検査等に関する規則四五

（総トン数）

第五一条の四 この法律を適用する場合における総トン数は、次の各号に掲げる船舶の区分に応じ、それぞれ当該各号に定める総トン数とする。

一 トン数法第八条第一項の国際トン数証書又は同条第七項の国際トン数確認書の交付を受けている日本船舶 トン数法第四条第一項の国際総トン数

二 前号に定める日本船舶以外の日本船舶（次号に定めるものを除く。） トン数法第五条第一項の総トン数

三 第一号に定める日本船舶以外の日本船舶であつてトン数法附則第三条第一項の規定の適用があるもの 同項本文の規定による総トン数

四 外国船舶 国土交通省令で定める総トン数

〔本条追加・昭五八法五八、旧五一条の三を繰下・平七法九〇、本条改正・平一一法一六〇・平二四法八九〕

参照 四号〔国土交通省令〕規則四〇の二

（排他的経済水域等における適用関係）

第五一条の五 第二議定書締約国の船舶から放出される排出ガスによる大気の汚染、地球温暖化及びオゾン層の破壊に係る環境の保全についての排他的経済水域及び大陸棚に関する法律（平成八年法律第七十四号）の規定の適用については、同法第三条第一項中「次に掲げる事項」とあるのは「排他的経済水域又は大陸棚における千九百七十三年の船舶による汚染の防止のための国際条約に関する千九百七十八年の議定書によつて修正された同条約を改正する千九百九十七年の議定書の締約国である外国の船舶から放出される排出ガスによる大気の汚染、地球温暖化及びオゾン層の破壊に係る環境の保全並びに第四号に掲げる事項」と、同項第四号中「前三号に掲げる事項」とあるのは「排他的経済水域又は大陸棚における千九百七十三年の船舶による汚染の防止のための国際条約に関する千九百七十八年の議定書によつて修正された同条約を改正する千九百九十七年の議定書の締約国である外国の船舶から放出される排出ガスによる大気の汚染、地球温暖化及びオゾン層の破壊に係る環境の保全」と、同条第三項中「前二項」とあるのは「第一項」とする。

〔本条追加・平一六法三六、改正・平二四法八九〕

（適用除外）

第五二条 この法律の規定は、放射性物質による海洋汚染等及びその防止については、適用しない。

〔本条改正・平一六法三六〕

（権限の委任）

第五三条 この法律の規定により国土交通大臣又は海上保安庁長官の権限に属する事項は、国土交通省令で定めるところにより、地方整備局長、北海道開発局長、地方運輸局長（運輸監理部長を含む。）又は管区海上保安本部長に行わせることができる。

2 地方整備局長、北海道開発局長、地方運輸局長又は管区海上保安本部長は、国土交通省令で定めるところにより、前項の規定によりその権限に属させられた事項の一部を地方整備局の事務所の長、開発建設部の長、運輸支局長、地方運輸局、運輸監理部若しくは運輸支局の事務所の長又は管区海上保安本部の事務所の長に行わせることができる。

〔二項改正・昭五五法四一、一項改正・昭五五法八五、一・二項改正・昭五九法二五・平一一法一六〇・平一四法五四・平一八法六八〕

参照 一項・二項〔国土交通省令〕規則四一、海洋汚染等及び海上災害の防止に関する法律の規定に基づく船舶の設備等の検査等に関する規則四六、海洋汚染等及び海上災害の防止に関する法律の規定に基づく事業場の認定に関する規則二九

（経過措置）

第五四条 この法律の規定に基づき、命令を制定し、又は改廃する場合においては、その命令で、その制定又は改廃に伴い合理的に必要と判断される範囲内において、所要の経過措置（罰則に関する経過措置及び経過措置に関する罰則を含む。）を定めることができる。

〔本条改正・昭五五法四二〕

参照 〔命令〕海洋汚染防止法施行令の一部を改正する政令（昭和四七年二月政令一六号）附則③－⑤、海洋汚染防止法施行令の一部を改正する政令（昭和四七年六月政令二二五号）附則②－⑦、海洋汚染及び海上災害の防止に関する法律施行令の一部を改正する政令（昭和五二年七月政令二三一号）附則②、廃棄物の処理及び清掃に関する法律施行令及び海洋汚染及び海上災害の防止に関する法律施行令の一部を改正する政令（昭和五五年一〇月政令二五五号）附則二

第八章 罰則

第五四条の二 日本の船級協会（第十九条の十五第二項、第十九条の三十第二項又は第十九条の四十六第二項に規定する船級協会をいう。以下同じ。）の役員又は職員が、第十九条の十五第二項の確認、原動機取扱手引書の承認若しくは書面の交付、第十九条の三十第二項の承認若しくは確認又は第十九条の四十六第二項の検査に関して、賄賂を収受し、又はその要求若しくは約束をしたときは、三年以下の懲役に処する。これによつて不正の行為をし、又は相当の行為をしなかつたときは、一年以上十年以下の懲役に処する。

本条一項は、令和四法六八により改正され、令和七年六月一日から施行

第五四条の二 日本の船級協会（第十九条の十五第二項、第十九条の三十第二項又は第十九条の四十六第二項に規定する船級協会をいう。以下同じ。）の役員又は職員が、第十九条の十五第二項の確認、原動機取扱手引書の承認若しくは書面の交付、第十九条の三十第二項の承認若しくは確認又は第十九条の四十六第二項の検査に関して、賄賂を収受し、又はその要求若しくは約束をしたときは、三年以下の拘禁刑に処する。これによつて不正の行為をし、又は相当の行為をしなかつたときは、一年以上十年以下の拘禁刑に処する。

2　前項の場合において、犯人が収受した賄賂は、没収する。その全部又は一部を没収することができないときは、その価額を追徴する。

〔本条追加・平一五法九六、一項改正・平一六法三六・平二四法八九〕

第五四条の三　前条第一項の賄賂を供与し、又はその申込み若しくは約束をした者は、三年以下の懲役又は百万円以下の罰金に処する。

本条一項は、令和四法六八により改正され、令和七年六月一日から施行

第五四条の三　前条第一項の賄賂を供与し、又はその申込み若しくは約束をした者は、三年以下の拘禁刑又は百万円以下の罰金に処する。

2　前項の罪を犯した者が自首したときは、その刑を減軽し、又は免除することができる。

〔本条追加・平一五法九六〕

第五四条の四　第九条の十九又は第四十二条の二十六第一項の規定による業務の停止の命令に違反したときは、その違反行為をした登録確認機関又は指定海上防災機関の役員又は職員は、一年以下の懲役又は百万円以下の罰金に処する。

本条は、令和四法六八により改正され、令和七年六月一日から施行

第五四条の四　第九条の十九又は第四十二条の二十六第一項の規定による業務の停止の命令に違反したときは、その違反行為をした登録確認機関又は指定海上防災機関の役員又は職員は、一年以下の拘禁刑又は百万円以下の罰金に処する。

〔本条追加・昭五八法五八、改正・平八法七九、旧五四条の二を改正し繰下・平一五法九六、本条改正・平二四法八九〕

第五四条の五　第十九条の十五第三項（第十九条の三十第三項及び第十九条の四十六第三項において準用する場合を含む。）、第十九条の四十九第三項又は第四十三条の九第二項において準用する船舶安全法第二十五条の五十八第一項の規定による業務の停止の命令に違反したときは、その違反行為をした船級協会、登録検定機関又は第四十三条の九第一項の登録を受けた者の役員又は職員は、一年以下の懲役又は五十万円以下の罰金に処する。

本条は、令和四法六八により改正され、令和七年六月一日から施行

第五四条の五　第十九条の十五第三項（第十九条の三十第三項及び第十九条の四十六第三項において準用する場合を含む。）、第十九条の四十九第三項又は第四十三条の九第二項において準用する船舶安全法第二十五条の五十八第一項の規定による業務の停止の命令に違反したときは、その違反行為をした船級協会、登録検定機関又は第四十三条の九第一項の登録を受けた者の役員又は職員は、一年以下の拘禁刑又は五十万円以下の罰金に処する。

〔本条追加・平一五法九六、改正・平一六法三六・法四八・平二四法八九〕

第五五条　次の各号のいずれかに該当する者は、千万円以下の罰金に処する。

一　第四条第一項の規定に違反して、油を排出した者
二　第八条の三第三項の規定による命令に違反した者
三　第九条の二第一項（第九条の六第一項において準用する場合を含む。）の規定に違反して、有害液体物質又は未査定液体物質を排出した者
四　第十条第一項の規定に違反して、廃棄物を排出した者
五　偽りその他不正の行為により第十条の六第一項、第十条の十第一項（第十八条の二第三項、第十八条の十二及び第四十三条の四において準用する場合を含む。）、第十八条の二第一項、第十八条の八第一項又は第四十三条の二第一項の許可を受けた者
六　第十七条第一項（第十七条の六において準用する場合を含む。）の規定に違反して、有害水バラストの排出を行つた者
七　第十八条第一項の規定に違反して、油等を排出した者
八　第十八条の七の規定に違反して、油等の海底下廃棄をした者
九　第十八条の十の規定による命令に違反した者
十　第十九条の七第一項の規定に違反して船舶に設置された原動機若しくは同条第二項の規定に違反して放出量確認に相当する確認若しくは原動機取扱手引書の承認を受けていない原動機を運転した者又は第十九条の九第一項の規定に違反して原動機を運転した者
十一　第十九条の二十一第一項の規定に違反して、燃料油を使用した者
十二　第十九条の二十四第三項の規定に違反して揮発性物質放出防止設備を使用し、又は同項の規定により使用すべき揮発性物質放出防止設備を使用しなかつた者
十三　第十九条の三十五の四第一項又は第二項の規定に違反して、油、有害液体物質等又は廃棄物の焼却をした者
十四　第三十九条第一項の規定に違反した者
十五　第三十九条第三項若しくは第五項、第四十条、第四十二条の二第四項、第四十二条の三第三項又は第四十二条の四の二第二項の規定による命令に違反した者
十六　第四十三条第一項の規定に違反して、船舶等を捨てた者

2　過失により前項第一号、第三号、第四号、第六号又は第七号の罪を犯した者は、五百万円以下の罰金に処する。

〔一・二項改正・昭五一法四七、一項改正・昭五五法四一、一項改正・二項全改・改正・昭五八法五八、一・二項改正・平八法七九、一項改正・平九法七八・平一六法三六、一・二項改正・平一六法四八、一項改正・平一八法六八・平一九法六二・平二一法三三、一・二項改正・平二四法八九・平二六法七三〕

第五五条の二　次の各号のいずれかに該当する者は、二百万円以下の罰金に処する。

一　第九条の六第四項の規定に違反して、未査定液体物質を輸送した者

二　偽りその他不正の行為により国際二酸化炭素放出抑制船舶証書、海洋汚染等防止証書、臨時海洋汚染等防止証書又は国際海洋汚染等防止証書の交付を受けた者

三　第十九条の二十八第一項又は第二項の規定に違反して、船舶を日本国領海等以外の海域において航行の用に供した者

四　第十九条の三十八又は第十九条の三十九の規定による検査を受けないで船舶を航行の用に供した者

五　第十九条の四十四第一項から第四項までの規定に違反して、船舶を航行の用に供し、又は国際航海若しくは一の国の内水、領海若しくは排他的経済水域若しくは公海における航海以外の航海に従事させた者

六　第二十条第一項の規定に違反して、廃油処理事業を行つた者

七　第二十四条（第二十八条第四項（第三十五条において準用する場合を含む。）又は第三十四条第三項において準用する場合を含む。）又は第三十条第三項（第三十五条において準用する場合を含む。）の規定による命令に違反した者

八　第四十二条の七の規定による命令に違反した者

〔本条追加・平八法七九、改正・平一六法三六・平一八法六八・平二四法八九・平二六法七三〕

第五六条　次の各号のいずれかに該当する者は、百万円以下の罰金に処する。

一　第四条第五項（第十八条第四項において準用する場合を含む。）の規定により海上保安庁長官が付し、又は変更した条件に違反して油を排出した者

二　第十一条の規定に違反した者

三　第十七条第三項（第十七条の六において準用する場合を含む。）の規定により国土交通大臣が付し、又は変更した条件に違反して有害水バラストの排出を行つた者

四　第十七条の八第二項の規定に違反して書面を交付した者

五　第十九条の二第四項の規定による命令に違反した者

六　第十九条の四第二項（同条第三項において準用する場合を含む。）又は第十九条の九第二項の規定により国土交通大臣が付し、又は変更した条件に違反して原動機を運転した者

七　偽りその他不正の行為により第十九条の六若しくは第十九条の十第一項の規定による国際大気汚染防止原動機証書又は第十九条の十五第二項の規定による書面の交付を受けた者

八　第十九条の二十一第六項の規定により国土交通大臣が付し、又は変更した条件に違反して燃料油を使用した者

九　第十九条の三十一第二項（第十九条の三十三第二項において準用する場合を含む。）の規定による処分に違反した者

十　第十九条の四十八第二項（第十九条の五十一第四項において準用する場合を含む。）の規定による処分に違反した者

十一　第十九条の四十九第一項において準用する船舶安全法第六条ノ五第二項の規定により確認した海洋汚染防止設備又は大気汚染防止検査対象設備以外の海洋汚染防止設備又は大気汚染防止検査対象設備について第十九条の四十九第一項において準用する同法第九条第五項の標示を付した者

十二　偽りその他不正の行為により第十九条の四十九第一項において準用する船舶安全法第九条第三項又は第四項の合格証明書の交付を受けた者

十三　第二十条第二項、第二十八条第三項（第三十五条において準用する場合を含む。）又は第三十四条第一項の規定による届出をせず、又は虚偽の届出をした者

十四　第二十八条第一項の規定に違反して第二十一条第一項第二号の事項を変更した者

〔本条改正・昭五一法四七・昭五五法四一・昭五八法五八・平八法七九・法八四・平一六法三六・法四八・平一九法六二・平二二法三三・平二四法八九・平二六法七三・令三法四三〕

第五七条　次の各号のいずれかに該当する者は、五十万円以下の罰金に処する。

一　第五条の三第一項又は第三項の規定に違反した者

二　第六条第一項、第七条第一項、第八条の二第四項、第九条の四第一項若しくは第二項、第十条の三第一項、第十七条の三第一項（第十七条の六において準用する場合を含む。）、第十八条の五第一項又は第三十九条の三の規定に違反した者

三　第八条の二第三項の規定に違反して、船舶間貨物油積替えを行つた者

四　第八条の三第一項の規定による通報をせず、又は虚偽の通報をして船舶間貨物油積替えを行つた者

五　第八条の三第二項の規定による通報に際して虚偽の通報をした者（当該タンカーが船舶間貨物油積替えをした場合に限る。）

六　第九条の二第四項の規定に違反した者

七　第十条の九第二項（第十八条の二第三項、第十八条の十二及び第四十三条の四において準用する場合を含む。）の規定による報告をせず、又は虚偽の報告をした者

八　第十条の十二第一項又は第十八条の二第二項の規定に違反した者

九　第十九条の二第一項の規定による届出をせず、又は虚偽の届出をした者

十　第十九条の二十一第四項の規定による通報をせず、又は虚偽の通報をして基準適合燃料油以外の燃料油を使用した者

十一　第十九条の三十一第一項又は第十九条の三十三第一項の規定による命令に違反した者

十二　第十九条の三十五の三の規定に違反して、船舶を航行

の用に供した者
十三　第十九条の四十八第一項又は第十九条の五十一第一項から第三項までの規定による命令に違反した者
十四　第三十三条第一項の規定による命令に違反した者
十五　第三十八条第一項から第五項まで、第四十二条の二第一項、第四十二条の三第一項又は第四十二条の四の二第一項の規定による通報をせず、又は虚偽の通報をした者
十六　第三十九条の二の規定による命令に違反し、又は処分の違反となるような行為をした者
十七　第三十九条の四第一項又は第三十九条の五の規定に違反した者
十八　第四十条の二第二項の規定による命令に違反した者
十九　第四十二条の五第一項若しくは第三項の規定による命令若しくは処分又は同条第二項の規定による命令に違反した者
二十　第四十二条の八の規定による処分の違反となるような行為をした者
二十一　第四十三条の七第一項の規定に違反して、薬剤を使用した者

〔本条改正・昭四八法五四・昭五一法四七・昭五五法四一・昭五八法五八・平七法九〇・平八法七九・法八四・平九法七八・平一〇法六八・平一六法三六・法四八・平一八法六八・平一九法六二・平二二法三三・平二四法八九・平二六法七三〕

第五八条　次の各号のいずれかに該当する者は、三十万円以下の罰金に処する。
一　第五条の三第二項又は第五条の四の規定に違反した者
二　第八条第一項若しくは第三項、第八条の二第七項、第九条の五第一項若しくは第三項、第十条の四第一項若しくは第三項、第十条の五、第十六条第一項若しくは第三項、第十七条の四第一項、第三項若しくは第四項（これらの規定を第十七条の六において準用する場合を含む。）、第十八条の四第一項若しくは第三項、第十八条の六、第十九条の八（承認原動機取扱手引書に係る部分に限る。）、第十九条の二十一の二、第十九条の二十二第一項又は第十九条の三十五の四第三項の規定に違反した者
三　第八条第二項、第九条の五第二項、第十条の四第二項、第十六条第二項、第十七条の四第二項（第十七条の六において準用する場合を含む。）又は第十八条の四第二項の規定により油記録簿、有害液体物質記録簿、船舶発生廃棄物記録簿、廃棄物処理記録簿又は水バラスト記録簿に記載すべき事項を記載せず、又は虚偽の記載をした者
四　第八条の二第六項の規定による記録を作成せず、又は虚偽の記録を作成した者
五　第十条の十二第三項（第十八条の二第三項において準用する場合を含む。）の規定に違反した者
六　第十三条第二項の規定に違反して、第十一条の登録を受けた船舶を第十条第二項第四号又は第五号の規定によつてする廃棄物の排出に使用した者
七　第十四条の規定又は第三十一条第二項若しくは第三十二条（これらの規定を第三十五条において準用する場合を含む。）の規定による届出をせず、又は虚偽の届出をした者
八　第十九条の十五第三項（第十九条の三十第三項及び第十九条の四十六第三項において準用する場合を含む。）、第十九条の四十九第三項又は第四十三条の九第二項において準用する船舶安全法第二十五条の六十一第一項の規定による検査を拒み、妨げ、又は忌避した者
九　第十九条の二十九の規定に違反して、当該船舶を日本国領海等以外の海域において航行の用に供した者
十　第十九条の四十五の規定に違反して、当該船舶を航行の用に供した者
十一　第十九条の四十九第二項において準用する船舶安全法第十二条第一項の規定による臨検を拒み、妨げ、若しくは忌避し、又はその質問に対し陳述をせず若しくは虚偽の陳述をした者
十二　第十九条の四十九第二項において準用する船舶安全法第十二条第二項の規定による届出をせず、又は虚偽の届出をした者
十三　第二十六条第一項の規定による届出をしないで又は届け出た廃油処理規程によらないで廃油を処理した者
十四　第二十六条第三項の規定による命令に違反した者
十五　海上保安機関に対し、第三十八条第七項に規定する事実を発見した旨の虚偽の通報をした者
十六　海上保安庁の事務所に対し、第四十二条の二第一項に規定する事態又は海上火災を発見した旨の虚偽の通報をした者
十七　第四十三条の八第二項の規定による命令に違反した者
十八　第四十八条第一項から第五項までの規定による報告をせず、又は虚偽の報告をした者
十九　第四十八条第六項から第十項までの規定による検査を拒み、妨げ、若しくは忌避し、又は同条第六項、第八項若しくは第九項の規定による質問に対し陳述をせず若しくは虚偽の陳述をした者
二十　第四十九条の規定による証明を拒み、又は忌避した者

〔本条改正・昭四八法五四・昭五一法四七・昭五五法四一・昭五八法五八・平四法三八・平七法九〇・平八法七九・法八四・平九法七八・平一〇法六八・平一五法九六・平一六法三六・法四八・平一九法六二・平二二法三三・平二四法八九・平二六法七三〕

第五八条の二　次の各号のいずれかに該当する場合には、その違反行為をした登録確認機関又は指定海上防災機関の役員又は職員は、三十万円以下の罰金に処する。
一　第九条の十五又は第四十二条の二十三第一項の規定による許可を受けないで確認業務又は海上防災業務の全部を廃止したとき。
二　第九条の十八第一項又は第四十二条の二十五第一項の規定による報告をせず、又は虚偽の報告をしたとき。
三　第九条の二十又は第四十二条の二十八の規定に違反して帳簿を備えず、帳簿に記載せず、若しくは帳簿に虚偽の記載をし、又は帳簿を保存しなかつたとき。

2 次の各号のいずれかに該当する場合には、その違反行為をした船級協会、登録検定機関又は第四十三条の九第一項の登録を受けた者（外国にある事務所において業務を行うこれらの者を除く。）の役員又は職員は、三十万円以下の罰金に処する。

一 第十九条の十五第三項（第十九条の三十第三項及び第十九条の四十六第三項において準用する場合を含む。）、第十九条の四十九第三項又は第四十三条の九第二項において準用する船舶安全法第二十五条の六十の規定による報告をせず、又は虚偽の報告をしたとき。

二 第十九条の四十九第三項又は第四十三条の九第二項において準用する船舶安全法第二十五条の五十二の許可を受けないで業務の全部を廃止したとき。

3 第九条の十八第一項又は第四十二条の二十五第一項の規定による検査を拒み、妨げ、又は忌避した者は、三十万円以下の罰金に処する。

〔本条追加・昭五一法四七、改正・昭五八法五八、全改・昭五八法五八、一・二項改正・平八法七九、一項改正・二項追加・旧二項を改正し三項に繰下・平一五法九六、二項改正・平一六法三六・法四八、一－三項改正・平二四法八九〕

第五九条 法人の代表者又は法人若しくは人の代理人、使用人その他の従業者が、その法人又は人の業務に関し、第五十五条から第五十八条までの違反行為をしたときは、行為者を罰するほか、その法人又は人に対して、各本条の罰金刑を科する。

〔本条改正・昭五一法四七・平八法七九・平一六法三六〕

第五九条の二 第十九条の十一第一項の規定により国土交通大臣の認可を受けなければならない場合において、その認可を受けなかつたときは、その違反行為をした機構の役員は、二十万円以下の過料に処する。

〔本条追加・平一六法三六〕

第六〇条 次の各号のいずれかに該当する者は、二十万円以下の過料に処する。

一 第九条の十四第一項の規定に違反して財務諸表等を備えて置かず、財務諸表等に記載すべき事項を記載せず、若しくは虚偽の記載をし、又は正当な理由がないのに同条第二項各号の規定による請求を拒んだ者

二 第十九条の二第二項又は第三項の規定による届出をせず、又は虚偽の届出をした者

三 第十九条の十五第三項（第十九条の三十第三項及び第十九条の四十六第三項において準用する場合を含む。）、第十九条の四十九第三項若しくは第四十三条の九第二項において準用する船舶安全法第二十五条の五十三第一項の規定に違反して財務諸表等を備えて置かず、財務諸表等に記載すべき事項を記載せず、若しくは虚偽の記載をし、又は正当な理由がないのに第十九条の十五第三項（第十九条の三十第三項及び第十九条の四十六第三項において準用する場合を含む。）、第十九条の四十九第三項若しくは第四十三条の九第二項において準用する船舶安全法第二十五条の五十三第二項各号の規定による請求を拒んだ者（外国にある事務所において業務を行う者を除く。）

〔本条追加・平一五法九六、改正・平一六法三六・法四八・平一九法六二・平二四法八九〕

第六一条 第十条の十第四項（第十八条の二第三項、第十八条の十二及び第四十三条の四において準用する場合を含む。）、第十八条の三又は第二十八条第五項若しくは第二十九条（これらの規定を第三十五条において準用する場合を含む。）の規定による届出をせず、又は虚偽の届出をした者は、十万円以下の過料に処する。

〔本条改正・昭五八法五八、旧六〇条を繰下・平一五法九六、本条改正・平一六法四八・平一八法六八・平一九法六二〕

第六二条 次の各号のいずれかに該当する場合には、その違反行為をした指定海上防災機関の役員は、二十万円以下の過料に処する。

一 第六章の二の規定により海上保安庁長官の認可又は承認を受けなければならない場合において、その認可又は承認を受けなかつたとき。

二 第四十二条の二十一第二項の規定に違反して、事業報告書、貸借対照表、収支決算書若しくは財産目録を提出せず、又は不実の記載をしたこれらの書類を提出したとき。

〔本条追加・昭五一法四七、改正・昭五八法五八・平四法三八・平一一法一六〇、全改・平一四法一八五、旧六一条を繰下・平一五法九六、本条改正・平二四法八九〕

第六三条 削除〔平二四法八九〕

（第一審の裁判権の特例）

第六四条 第五十五条から第五十六条までの罪に係る訴訟の第一審の裁判権は、地方裁判所にも属する。

〔本条追加・平八法七九〕

第九章 外国船舶に係る担保金等の提供による釈放等

〔本章追加・平八法七九〕

（外国船舶に係る担保金等の提供による釈放等）

第六五条 司法警察員である者であつて政令で定めるもの（以下「取締官」という。）は、次に掲げる場合には、当該船舶の船長及び違反者（当該船舶の乗組員に限る。以下同じ。）に対し、遅滞なく、次項各号に掲げる事項を告知しなければならない。

一 この法律の規定に違反した罪に当たる事件であつて外国船舶（政令で定めるものを除く。）に係るもの（以下「事件」という。）に関して船長その他の乗組員の逮捕が行われた場合

二 前号に掲げる場合のほか、事件に関して船舶又は船舶の国籍を証する文書その他の船舶の航行のために必要な文書（以下「船舶国籍証書等」という。）の押収が行われた場合であつて船長その他の乗組員又は船舶所有者が当該罪を犯したことを疑うに足りる相当な理由があると認められるとき。

2 前項の規定により告知しなければならない事項は、次に掲げるものとする。
一 担保金又はその提供を保証する書面が次条第一項の政令で定めるところにより主務大臣に対して提供されたときは、遅滞なく、違反者は釈放され、及び船舶、船舶国籍証書等その他の押収物（以下「押収物」という。）は返還されること。
二 提供すべき担保金の額
三 次項の規定により条件を付する場合は、その条件
3 取締官は、第一項各号に掲げる場合において、当該船舶の航行を継続することが海洋環境の保全等に障害を及ぼすおそれがあると認めるときは、当該船舶の修理その他の必要な措置がとられることを違反者の釈放又は押収物の返還の条件とすることができる。
4 第二項第二号の担保金の額は、事件の種別及び態様その他の情状に応じ、政令で定めるところにより、主務大臣の定める基準に従つて、取締官が決定するものとする。
〔本条追加・平八法七九、三項改正・平一六法三六〕
参照 一項・四項〔政令〕令一八－二〇

第六六条 前条第一項の規定により告知した額の担保金又はその提供を保証する書面が政令で定めるところにより主務大臣に対して提供されたときは、主務大臣は、遅滞なく、その旨を取締官又は検察官に通知するものとする。
2 主務大臣は、前条第三項の規定により条件が付された場合において、同項に規定する必要な措置がとられたと認めるときは、遅滞なく、その旨を取締官又は検察官に通知するものとする。
3 取締官は、第一項の規定による通知を受けたとき（前条第三項の規定により条件が付された場合にあつては、前二項の規定による通知を受けたとき）は、遅滞なく、違反者を釈放し、及び押収物を返還しなければならない。
4 検察官は、第一項の規定による通知を受けたとき（前条第三項の規定により条件が付された場合にあつては、第一項及び第二項の規定による通知を受けたとき）は、遅滞なく、違反者の釈放及び押収物の返還に関し、必要な措置を講じなければならない。
〔本条追加・平八法七九〕
参照 一項〔政令〕令二一

第六七条 担保金は、主務大臣が保管する。
2 担保金は、事件に関する手続において、違反者がその求められた期日及び場所に出頭せず、又は返還された押収物で提出を求められたものがその求められた期日及び場所に提出されなかつたときは、当該期日の翌日から起算して一月を経過した日に、国庫に帰属する。ただし、当該期日の翌日から起算して一月を経過する日までに、当該期日の翌日から起算して三月を経過する日以前の特定の日に出頭し又は当該押収物を提出する旨の申出があつたときは、この限りでない。
3 前項ただし書の場合において、当該申出に係る特定の日に違反者が出頭せず、又は当該押収物が提出されなかつたときは、担保金は、その日の翌日に、国庫に帰属する。
4 担保金は、事件に関する手続が終結した場合等その保管を必要としない事由が生じた場合には、返還する。
〔本条追加・平八法七九〕

（主務省令への委任）
第六八条 前三条の規定の実施のため必要な手続その他の事項は、主務省令で定める。
〔本条追加・平八法七九〕
参照 〔主務省令〕海洋汚染等及び海上災害の防止に関する法律第六十五条第二項第一号に規定する担保金の提供等に関する命令

（主務大臣等）
第六九条 第六十五条から第六十七条までにおける主務大臣及び前条における主務省令は、政令で定める。
〔本条追加・平八法七九〕
参照 〔政令〕令二二

附　則

（施行期日等）

第一条 この法律は、公布の日から起算して六月をこえない範囲内において政令で定める日から施行する。ただし、第四条、第五条及び第八条の規定は、公布の日から起算して一年六月を経過した日又は千九百五十四年の油による海水の汚濁の防止のための国際条約第十六条の規定に基づき政府間海事協議機関が昭和四十四年十月二十一日に採択した同条約の改正が日本国について効力を生ずる日（以下「条約改正発効日」という。）のうちいずれか早い日〔昭四七・六・二五〕から、第三章及び第四章の規定は、公布の日から起算して一年六月を経過した日から施行する。

〔昭四六政二〇〇により、昭四六・六・二四から施行〕
2 第十一条の規定による登録は、同条の規定の施行前においても行なうことができる。

（船舶の油による海水の汚濁の防止に関する法律の廃止）
第二条 船舶の油による海水の汚濁の防止に関する法律（昭和四十二年法律第百二十七号。以下「旧海水油濁防止法」という。）は、廃止する。

（経過措置）
第三条 旧海水油濁防止法第五条から第九条まで及び第十条第一項の規定は、第四条、第五条及び第八条の規定の施行の日の前日までは、なおその効力を有する。
第四条 第四条の規定は、昭和四十八年三月三十一日までは、タンカー以外の船舶又は平水区域若しくは沿海区域を航行区域とするタンカー（これに準ずる運輸省令で定めるタンカーを含む。）が、次の各号の一に該当する場合における当該船舶からのその運航又は修理に関し必要な油の排出については、適用しない。ただし、条約改正発効日以後の日については、この限りでない。
一 廃油処理施設が整備されていない港であつて運輸省令で

定めるもの（以下この項において「施設未整備港」という。）に入港するため当該港に向かつて航行中の場合（施設未整備港以外の港において航行中の場合を除く。）

二　施設未整備港において航行中の場合（施設未整備港以外の港に入港するため当該港に向かつて航行中の場合を除く。）

2　前項に規定する油の排出は、海岸からできる限り離れて行なうよう努めなければならない。

3　前二項の規定は、旧海水油濁防止法第六条第一項に規定する船舶については、適用しない。

参照　一項〔運輸省令〕海洋汚染等防止法施行規則の一部を改正する省令（昭和四七年運輸省令三八号）

第五条　廃棄物の処理及び清掃に関する法律の施行の日から第三章及び第四章の規定の施行の日の前日までの間は、船舶又は海洋施設からふん尿を捨てる行為については、清掃法（昭和二十九年法律第七十二号）第十一条第三号の規定は、なおその効力を有する。

〔本条改正・昭四五法一三七〕

第六条　第十七条の規定は、同条の規定の施行の際現に航海中である第十一条の登録を受けた船舶以外の船舶の当該航海に係る廃棄物の排出のための使用については、適用しない。

第七条　この法律の施行前に旧海水油濁防止法の規定によりした処分、手続その他の行為は、この法律の相当規定によつてした処分、手続その他の行為とみなす。

2　旧海水油濁防止法第十一条第一項の規定により港湾管理者以外の廃油処理事業者が受けた許可に係る事業区域に係る海域は、当該廃油処理事業者が廃油の収集を船舶又は自動車により行なう場合は、第二十一条第一項第二号ロの海域とみなす。

第八条　この法律の施行前にした行為又は附則第三条の規定によりなお効力を有することとされた旧海水油濁防止法第五条第一項、第六条、第八条若しくは第九条第一項から第三項までの規定若しくは附則第五条の規定によりなお効力を有することとされた清掃法第十一条第三号の規定に係るこの法律の施行後にした行為に対する罰則の適用については、なお従前の例による。

第九条～第一三条　〔他の法令改正に付き略〕

附　則　〔昭四五・一二・二五法一三七抄〕

（施行期日）

第一条　この法律は、公布の日から起算して九月をこえない範囲内において政令で定める日から施行する。

〔昭四六政二一八により、昭四六・九・二四から施行〕

（罰則に関する経過措置）

第三条　この法律の施行前にした行為に対する罰則の適用については、なお従前の例による。

附　則　〔昭四八・九・二〇法八四抄〕

（施行期日）

1　この法律は、公布の日から起算して六月をこえない範囲内において政令で定める日から施行する。

〔昭四九政五五により、昭四九・三・一九から施行〕

（経過措置）

8　この法律の施行前にした行為に対する罰則の適用については、なお従前の例による。

附　則　〔昭五一・六・一法四七抄〕

（施行期日）

第一条　この法律は、公布の日から起算して六月を超えない範囲内において政令で定める日から施行する。ただし、第四十条の前に一条を加える改正規定、第四十八条第三項の改正規定（「第三十九条の二」を「第三十九条の三」に改める部分を除く。）及び第五十七条に四号を加える改正規定（同条第六号に係る部分に限る。）は、公布の日から起算して三年を超えない範囲内において政令で定める日から施行する。

〔昭五一政二一七により、昭五一・九・一から施行。ただし書の規定は、昭五四政八により、昭五四・五・二二から施行〕

（財団法人海上防災センターからの引継ぎ）

第二条　昭和四十九年十二月六日に設立された財団法人海上防災センター（以下「財団法人」という。）は、寄附行為で定めるところにより、発起人に対して、センターにおいてその一切の権利及び義務を承継すべき旨を申し出ることができる。

2　発起人は、前項の規定による申出があつたときは、遅滞なく、運輸大臣の認可を申請しなければならない。

3　前項の認可があつたときは、財団法人の一切の権利及び義務は、センターの成立の時においてセンターに承継されるものとし、財団法人は、その時において解散するものとする。この場合においては、他の法令中法人の解散及び清算に関する規定は、適用しない。

4　前項の規定により財団法人が解散した場合における解散の登記については、政令で定める。

参照　四項〔政令〕海洋汚染防止法の一部を改正する法律の一部の施行に伴う関係政令の整備に関する政令（昭和五一年八月政令二一八号）三

（非課税）

第三条　前条第三項の規定によりセンターが権利を承継する場合における当該承継に係る不動産の取得については、不動産取得税を課することができない。

（経過措置）

第四条　この法律の施行の際現にその名称中に海上災害防止センターという文字を用いている者については、改正後の第四十二条の十九第二項の規定は、この法律の施行後六月間は適用しない。

第五条　センターの最初の事業年度は、改正後の第四十二条の四十一の規定にかかわらず、その成立の日に始まり、翌年三月三十一日に終わるものとする。

第六条　センターの最初の事業年度の予算、事業計画及び資金計画については、改正後の第四十二条の四十二中「当該事業年度の開始前に」とあるのは、「センターの成立後遅滞なく」とする。

附　則〔昭五五・五・七法四一抄〕

改正　昭五八・五・二六法五八、平一六・四・二一法三六

（施行期日）

第一条　この法律は、廃棄物その他の物の投棄による海洋汚染の防止に関する条約が日本国について効力を生ずる日〔昭五五・一一・一四〕から施行する。ただし、第四条第三項及び第九条第一項の改正規定並びに次条の規定は、公布の日から起算して三月を超えない範囲内において政令で定める日から施行する。

〔昭五五政一九八により、ただし書の規定は、昭五五・八・六から施行〕

（経過措置）

第二条　海洋汚染及び海上災害の防止に関する法律等の一部を改正する法律（平成十六年法律第三十六号）第一条の規定による改正後の海洋汚染等及び海上災害の防止に関する法律（以下「新法」という。）第五条から第八条までの規定は、タンカー以外の船舶で総トン数百トン以上二百トン未満のものであつて前条ただし書の政令で定める日前に建造され又は建造に着手された船舶については、適用しない。

2　新法第四条第一項本文の規定又は新法第五条から第八条までの規定は、タンカー以外の船舶で総トン数二百トン以上三百トン未満のものであつて前条ただし書の政令で定める日前に建造され若しくは建造に着手されたものからのビルジの排出又は当該船舶については、当該日から起算して三年を経過する日までの間は、適用しない。

第三条　この法律の施行前にした行為に対する罰則の適用については、なお従前の例による。

附　則〔昭五五・一一・一九法八五抄〕

（施行期日）

第一条　この法律は、昭和五十六年四月一日から施行する。

（経過措置）

第二〇条　この法律の施行前にしたこの法律による改正に係る国の機関の法律若しくはこれに基づく命令の規定による許可、認可その他の処分又は契約その他の行為（以下この条において「処分等」という。）は、政令で定めるところにより、この法律による改正後のそれぞれの法律若しくはこれに基づく命令の規定により又はこれらの規定に基づく所掌事務の区分に応じ、相当の国の機関のした処分等とみなす。

第二一条　この法律の施行前にこの法律による改正に係る国の機関に対してした申請、届出その他の行為（以下この条において「申請等」という。）は、政令で定めるところにより、この法律による改正後のそれぞれの法律若しくはこれに基づく命令の規定により又はこれらの規定に基づく所掌事務の区分に応じ、相当の国の機関に対してした申請等とみなす。

附　則〔昭五八・五・二六法五八抄〕

改正　昭六一・五・二七法六九、平九・六・一三法八三、平一四・一二・一八法一八〇、平一六・四・二一法三六

（施行期日）

第一条　この法律の規定は、次の各号に掲げる区分に応じ、それぞれ当該各号に定める日から施行する。

一　第一条中海洋汚染及び海上災害の防止に関する法律第三章の次に一章を加える改正規定（第十七条の十二第一項及び第三項並びに第十七条の十五に係る部分に限る。）、同法第五十六条中第四号を第九号とし、第三号を第八号とし、第二号を第七号とし、第一号を第二号とし、同号の次に四号を加える改正規定（同条第四号及び第五号に係る部分に限る。）並びに同法第五十八条中第十一号を第十五号とし、第十号を第十四号とし、第六号から第九号までを四号ずつ繰り下げ、第五号を第六号とし、同号の次に三号を加える改正規定（同条第八号及び第九号に係る部分に限る。）並びに次条、附則第十三条及び附則第十四条の規定　公布の日から起算して三月を超えない範囲内において政令で定める日

〔昭五八政一八二により、昭五八・八・二五から施行〕

二　第一条（前号に規定する規定を除く。）の規定及び附則第三条から第六条までの規定　千九百七十三年の船舶による汚染の防止のための国際条約に関する千九百七十八年の議定書（以下「議定書」という。）により千九百七十三年の船舶による汚染の防止のための国際条約（以下「条約」という。）本文及び附属書Ⅰが日本国について効力を生ずる日〔昭五八・一〇・二〕

三　第二条中海洋汚染及び海上災害の防止に関する法律第十七条の十五第一項及び第三項の改正規定並びに附則第七条の規定　議定書が効力を生ずる日（昭和五十八年十月二日）から起算して三年（議定書第二条の規定により国際海事機関においてこれより長い期間が決定された場合にあつては、当該期間）を経過する日（次号において「条約附属書Ⅱの実施日」という。）前の政令で定める日

〔昭六一政三五六により、昭六一・一二・一から施行〕

四　第二条（前号に規定する規定を除く。）の規定並びに附則第八条及び第九条の規定　条約附属書Ⅱの実施日〔昭六二・四・六〕

五　第三条中海洋汚染及び海上災害の防止に関する法律第三十八条第一項の改正規定　議定書により国際海事機関が昭和六十年十二月五日に採択した条約議定書Ⅰの改正が日本国について効力を生ずる日〔昭六二・四・六〕

六　第三条（前号に規定する規定を除く。）の規定　議定書により条約附属書Ⅲが日本国について効力を生ずる日〔平四・七・一〕

七　第四条及び附則第十条の規定　議定書により条約附属書Ⅳが日本国について効力を生ずる日又は議定書により条約附属書Ⅴが日本国について効力を生ずる日のいずれか早い日〔昭六三・一二・三一〕

八　第五条並びに附則第十一条及び第十二条の規定　議定書により条約附属書Ⅳが日本国について効力を生ずる日〔平

一五・九・二七）

（ふん尿等の排出に係る経過措置）

第二条　条約附属書Ⅳが効力を生じた日（平成十五年九月二十七日。以下この条及び次条において単に「発効日」という。）前に建造契約が結ばれた船舶（建造契約がない船舶にあつては、発効日前に建造に着手されたもの）であつて、発効日の翌日から起算して三年を経過する日以前に船舶所有者に対し引き渡されるものからの海洋汚染及び海上災害の防止に関する法律等の一部を改正する法律（平成十六年法律第三十六号）第一条の規定による改正後の海洋汚染等及び海上災害の防止に関する法律（以下「新海洋汚染等防止法」という。）第十条第二項第一号に規定するふん尿等の排出については、発効日の翌日から起算して五年以上十年以内において政令で定める期間を経過する日までの間は、同項の規定にかかわらず、なお従前の例による。

参照　〔政令〕海洋汚染及び海上災害の防止に関する法律の一部を改正する法律附則第二条等の期間を定める政令（平成一七年六月政令二一八号）

（ふん尿等排出防止設備に係る経過措置）

第三条　発効日前に建造契約が結ばれた船舶（建造契約がない船舶にあつては、発効日前に建造に着手されたもの）であつて、発効日の翌日から起算して三年を経過する日以前に船舶所有者に対し引き渡されるものについては、発効日の翌日から起算して五年以上十年以内において政令で定める期間を経過する日までの間は、新海洋汚染等防止法第十条の二、第十九条の四十一第一項（新海洋汚染等防止法第十条の二第一項に規定するふん尿等排出防止設備に係る部分に限る。）並びに第十九条の四十四第一項及び第二項（新海洋汚染等防止法第十条の二第一項に規定するふん尿等排出防止設備に係る海洋汚染等防止証書に係る部分に限る。）の規定は、適用しない。

2　前項に規定する船舶についての新海洋汚染等防止法第十九条の三十六（新海洋汚染等防止法第十条の二第一項に規定するふん尿等排出防止設備に係る部分に限る。）の規定の適用については、新海洋汚染等防止法第十九条の三十六中「初めて」とあるのは、「海洋汚染及び海上災害の防止に関する法律の一部を改正する法律附則第二条に規定する発効日の翌日から起算して五年以上十年以内において政令で定める期間を経過する日以後初めて」とする。

参照　一項・二項〔政令〕海洋汚染及び海上災害の防止に関する法律の一部を改正する法律附則第二条等の期間を定める政令（平成一七年六月政令二一八号）

（罰則に関する経過措置）

第四条　この法律の施行前にした行為及びこの法律の附則においてなお従前の例によることとされる場合におけるこの法律の施行後にした行為に対する罰則の適用については、なお従前の例による。

（政令への委任）

第五条　附則第二条及び第三条に定めるもののほか、この法律の施行に関し必要となる経過措置は、政令で定めることができる。

参照　〔政令〕海洋汚染及び海上災害の防止に関する法律の一部を改正する法律の一部の施行に伴う経過措置を定める政令（昭和五八年八月政令一八四号）

附　則〔昭五九・五・八法二五抄〕

（施行期日）

第一条　この法律は、昭和五十九年七月一日から施行する。

（経過措置）

第二十三条　この法律の施行前に海運局長、海運監理部長、海運局若しくは海運監理部の支局その他の地方機関の長（以下「支局長等」という。）又は陸運局長が法律若しくはこれに基づく命令の規定によりした許可、認可その他の処分又は契約その他の行為（以下この条において「処分等」という。）は、政令（支局長等がした処分等にあつては、運輸省令）で定めるところにより、この法律による改正後のそれぞれの法律若しくはこれに基づく命令の規定により相当の地方運輸局長、海運監理部長又は地方運輸局若しくは海運監理部の海運支局その他の地方機関の長（以下「海運支局長等」という。）がした処分等とみなす。

第二十四条　この法律の施行前に海運局長、海運監理部長、支局長等又は陸運局長に対してした申請、届出その他の行為（以下この条において「申請等」という。）は、政令（支局長等に対してした申請等にあつては、運輸省令）で定めるところにより、この法律による改正後のそれぞれの法律若しくはこれに基づく命令の規定により相当の地方運輸局長、海運監理部長又は海運支局長等に対してした申請等とみなす。

第二十五条　この法律の施行前にした行為に対する罰則の適用については、なお従前の例による。

附　則〔平四・五・六法三八抄〕

（施行期日）

第一条　この法律は、千九百七十三年の船舶による汚染の防止のための国際条約に関する千九百七十八年の議定書により国際海事機関が平成三年七月四日に採択した千九百七十三年の船舶による汚染の防止のための国際条約附属書Ⅰの改正が日本国について効力を生ずる日〔平五・四・四〕から施行する。ただし、第十七条の十二第一項及び第五十八条第五号の改正規定並びに次条及び附則第五条の規定は、同日前の政令で定める日から施行する。

〔平四政三四六により、ただし書の規定は、平四・一一・一から施行〕

（経過措置）

第二条　運輸大臣又は船級協会（この法律による改正後の海洋汚染及び海上災害の防止に関する法律（以下「新法」という。）第十七条の十二第一項の認定を受けた法人をいう。以下同じ。）は、前条ただし書の政令で定める日以後においては、この法律の施行の日（以下「施行日」という。）前においても、船舶に備え置き、又は掲示された油濁防止緊急措置手引書（新法第七条の二第一項の油濁防止緊急措置手引書をいう。以下同じ。）について、新法第十七条の二又は第十七条の十二第二項に規定する検査に相当する検査を行うことができる。

2　運輸大臣は、前条ただし書の政令で定める日以後においては、施行日前においても、油濁防止緊急措置手引書に係る新法第十七条の三第一項の海洋汚染防止証書に相当する証書を交付することができる。

3　前項の規定により交付した証書は、その交付後施行日までの間に運輸省令で定める事由が生じたときを除き、施行日以後は、油濁防止緊急措置手引書に係る新法第十七条の三第一項の海洋汚染防止証書とみなす。この場合において、当該証書の有効期間の起算日は、前項の規定によりその交付をした日とする。

4　次に掲げる者（国を除く。）は、実費を勘案して運輸省令で定める額の手数料を収入印紙をもって国に納付しなければならない。

一　第一項の運輸大臣の行う検査を受けようとする者

二　第二項の海洋汚染防止証書に相当する証書の交付を受けようとする者（船級協会が第一項に規定する検査を行った船舶に係る当該証書の交付を受けようとする者に限る。）

三　第二項の海洋汚染防止証書に相当する証書の再交付又は書換えを受けようとする者

5　偽りその他不正の行為により第二項の海洋汚染防止証書に相当する証書の交付を受けた者は、六月以下の懲役又は五十万円以下の罰金に処する。

6　船舶安全法（昭和八年法律第十一号）第八条第二項及び第二十四条ノ二の規定は船級協会の第一項に規定する検査の業務に関する監督について、同法第二十三条及び第二十四条の規定は船級協会の同項に規定する検査の業務に従事する役員又は職員について準用する。この場合において、同法第二十三条第一項中「第八条第一項ニ掲グル船舶ニ付第二条第一項各号ニ掲グル事項又ハ満載吃水線ニ関スル検査（第八条第一項ノ命令ヲ以テ定ムルモノヲ除ク）」とあり、及び同法第二十四条第一項中「前条ニ掲グル検査」とあるのは、「海洋汚染及び海上災害の防止に関する法律の一部を改正する法律（平成四年法律第三十八号）（以下改正法ト称ス）ニ依ル改正後ノ海洋汚染及び海上災害の防止に関する法律第七条の二第一項ノ油濁防止緊急措置手引書ニ付キ改正法附則第二条第一項ニ規定スル検査」と読み替えるものとする。

第三条　施行日前に建造された船舶（以下「現存船」という。）については、施行日の翌日から起算して二年を経過する日（以下「経過日」という。）までの間は、新法第七条、第七条の二、第十七条の七第一項（油濁防止緊急措置手引書に係る部分に限る。）並びに第十七条の十第一項及び第二項（油濁防止緊急措置手引書に係る海洋汚染防止証書に係る部分に限る。）の規定は、適用しない。

2　現存船についての新法第十七条の二（油濁防止緊急措置手引書に係る部分に限る。）の規定の適用については、同条中「初めて」とあるのは、「海洋汚染及び海上災害の防止に関する法律の一部を改正する法律（平成四年法律第三十八号）の施行の日の翌日から起算して二年を経過する日以後初めて」とする。

3　現存船についてのこの法律による改正前の海洋汚染及び海上災害の防止に関する法律第七条第一項の規定による油濁防止規程の備置き又は掲示及び同条第二項の規定による油濁防止規程の周知については、経過日までの間は、なお従前の例による。

（罰則に関する経過措置）

第四条　この法律の施行前にした行為及び前条第三項の規定によりなお従前の例によることとされる場合におけるこの法律の施行後にした行為に対する罰則の適用については、なお従前の例による。

（政令への委任）

第五条　前三条に定めるもののほか、この法律の施行に関し必要となる経過措置（罰則に関する経過措置を含む。）は、政令で定めることができる。

参照　〔政令〕海洋汚染及び海上災害の防止に関する法律の一部を改正する法律の施行に伴う経過措置を定める政令（平成四年一〇月政令三四七号）

附　則〔平五・一一・一二法八九抄〕

（施行期日）

第一条　この法律は、行政手続法（平成五年法律第八十八号）の施行の日〔平六・一〇・一〕から施行する。

（諮問等がされた不利益処分に関する経過措置）

第二条　この法律の施行前に法令に基づき審議会その他の合議制の機関に対し行政手続法第十三条に規定する聴聞又は弁明の機会の付与の手続その他の意見陳述のための手続に相当する手続を執るべきことの諮問その他の求めがされた場合においては、当該諮問その他の求めに係る不利益処分の手続に関しては、この法律による改正後の関係法律の規定にかかわらず、なお従前の例による。

（罰則に関する経過措置）

第一三条　この法律の施行前にした行為に対する罰則の適用については、なお従前の例による。

（聴聞に関する規定の整理に伴う経過措置）

第一四条　この法律の施行前に法律の規定により行われた聴聞、聴問若しくは聴聞会（不利益処分に係るものを除く。）又はこれらのための手続は、この法律による改正後の関係法律の相当規定により行われたものとみなす。

（政令への委任）

第一五条　附則第二条から前条までに定めるもののほか、この法律の施行に関して必要な経過措置は、政令で定める。

附　則〔平六・六・二九法五三抄〕

（施行期日）

第一条　この法律の規定は、次の各号に掲げる区分に応じ、それぞれ当該各号に定める日から施行する。

一　第一条並びに次条、附則第七条及び第八条の規定　千九百六十九年の油による汚染損害についての民事責任に関する国際条約の議定書及び千九百七十一年の油による汚染損害の補償のための国際基金の設立に関する国際条約の議定書が日本国について効力を生ずる日〔平六・一一・二二〕

二　第二条（次号に規定する改正規定を除く。）並びに附則第三条第一項及び第四条の規定　千九百六十九年の油による汚染損害についての民事責任に関する国際条約を改正する千九百九十二年の議定書が日本国について効力を生ずる日〔平八・五・三〇〕

三　〔略〕

四　第三条並びに附則第五条及び第六条の規定　油による汚染損害についての民事責任に関する国際条約及び油による汚染損害の補償のための国際基金の設立に関する国際条約（千九百六十九年の油による汚染損害についての民事責任に関する国際条約の補足）（附則第五条第二項において「千九百七十一年国際基金条約」という。）の廃棄が日本国について効力を生ずる日〔平一〇・五・一五〕

（罰則に関する経過措置）

第七条　この法律の各改正規定の施行前にした行為に対する罰則の適用については、それぞれなお従前の例による。

（政令への委任）

第八条　附則第二条、第三条、第五条及び前条に定めるもののほか、この法律の施行に関し必要となる経過措置は、政令で定める。

附　則〔平七・五・一二法九〇抄〕

（施行期日）

第一条　この法律は、千九百九十年の油による汚染に係る準備、対応及び協力に関する国際条約が日本国について効力を生ずる日〔平八・一・一七〕から施行する。ただし、第二十五条、第二十六条第一項及び第三十五条の改正規定、第五十八条の改正規定（第六号に係る部分に限る。）並びに次条の規定は、公布の日から施行する。

（罰則に関する経過措置）

第二条　この法律（前条ただし書に規定する規定については、当該規定）の施行前にした行為に対する罰則の適用については、なお従前の例による。

附　則〔平八・六・一四法七九〕

（施行期日）

第一条　この法律は、海洋法に関する国際連合条約が日本国について効力を生ずる日〔平八・七・二〇〕から施行する。ただし、第四十二条の四十三の改正規定及び次条の規定は、公布の日から施行する。

（経過措置）

第二条　改正後の第四十二条の四十三第二項及び第三項の規定は、平成七年四月一日に始まる事業年度に係る同条第二項及び第三項に規定する書類から適用する。

第三条　この法律の施行前にした行為に対する罰則の適用については、なお従前の例による。

附　則〔平九・五・二八法六一抄〕

（施行期日）

第一条　この法律は、次の各号に掲げる規定ごとに、それぞれ当該各号に定める日〔平一〇・七・一四〕から施行する。

（経過措置）

第八条　〔前略〕次条の規定の施行前にした行為〔中略〕に対する罰則の適用については、なお従前の例による。

附　則〔平九・六・一一法七八抄〕

（施行期日）

第一条　この法律は、公布の日から起算して三月を超えない範囲内において政令で定める日から施行する。ただし、次の各号に掲げる規定は、当該各号に定める日から施行する。

〔平九政二〇一により、平九・七・一から施行〕

一　〔略〕

二　第二条の規定（海洋汚染及び海上災害の防止に関する法律第十七条の三第二項の改正規定を除く。）並びに附則第四条及び第五条の規定　平成九年七月一日

（海洋汚染及び海上災害の防止に関する法律の改正に伴う経過措置）

第三条　この法律の施行の際現に交付されている海洋汚染防止証書の有効期間については、なお従前の例による。

第四条　附則第一条第二号に掲げる規定の施行前に建造された船舶又は海洋施設については、同号に定める日から起算して一年を経過する日までの間は、第二条の規定による改正後の海洋汚染及び海上災害の防止に関する法律第十条の二から第十条の四まで又は第十九条の二及び第十九条の二の二の規定は、適用しない。

附　則〔平一〇・五・二七法六八抄〕

（施行期日）

第一条　この法律は、公布の日から施行する。

（経過措置）

第二条　この法律の施行の際現にこの法律による改正前の海洋汚染及び海上災害の防止に関する法律（以下「旧法」という。）第二十六条第一項の規定により認可を受けている廃油処理規程は、この法律による改正後の海洋汚染及び海上災害の防止に関する法律（以下「新法」という。）第二十六条第一項の規定により届け出た廃油処理規程とみなす。

2　この法律の施行の際現にされている旧法第二十六条第一項の規定による廃油処理規程の認可の申請は、新法第二十六条第一項の規定によりした届出とみなす。

第三条　この法律の施行前にした行為に対する罰則の適用については、なお従前の例による。

附　則〔平一二・五・一七法六四抄〕

改正　平一一・一二・二二法一六〇、法二二〇、平一六・四・二一法三六

（施行期日）

第一条　この法律は、千九百七十三年の船舶による汚染の防止のための国際条約に関する千九百七十八年の議定書により国際海事機関が平成十一年七月一日に採択した千九百七十三年の船舶による汚染の防止のための国際条約附属書Ⅱの改正が日本国について効力を生ずる日から起算して二年を経過した日〔平一五・一・一〕から施行する。ただし、次の各号に掲げる規定は、それぞれ当該各号に定める日から施行する。

一　第四十二条の四十三の改正規定及び附則第四条から第七条までの規定　公布の日

二　第十七条の十二第一項の改正規定及び次条の規定　この法律の施行の日（以下「施行日」という。）前の政令で定める日

〔平一二政四六三により、平一三・一・一から施行〕

（経過措置）

第二条　国土交通大臣又は船級協会（この法律による改正後の海洋汚染及び海上災害の防止に関する法律（以下「新法」という。）第十七条の十二第一項の規定により新法第九条の四第六項の有害液体汚染防止緊急措置手引書又は同条第七項の海洋汚染防止緊急措置手引書（以下「有害液体汚染防止緊急措置手引書等」という。）についての検査を行う者として認定を受けた法人をいう。以下同じ。）は、施行日前においても、有害液体汚染防止緊急措置手引書等について、新法第十七条の二又は第十七条の十二第二項に規定する検査に相当する検査を行うことができる。

2　国土交通大臣又は船級協会が前項の検査の結果当該有害液体汚染防止緊急措置手引書等について国土交通省令で定める新法第九条の四第九項において準用する新法第七条の二第二項に規定する技術上の基準に相当する基準に適合すると認めたときは、国土交通大臣は、有害液体汚染防止緊急措置手引書等に係る新法第十七条の三第一項の海洋汚染防止証書に相当する証書を交付しなければならない。

3　前項の規定により交付した証書は、その交付後施行日までの間に国土交通省令で定める事由が生じたときを除き、施行日以後は、有害液体汚染防止緊急措置手引書等に係る新法第十七条の三第一項の規定により交付した海洋汚染防止証書とみなす。この場合において、当該証書の有効期間の起算日は、前項の規定によりその交付をした日とする。

4　次に掲げる者（国及び独立行政法人（独立行政法人通則法（平成十一年法律第百三号）第二条第一項に規定する独立行政法人であって当該独立行政法人の業務の内容その他の事情を勘案して政令で定めるものに限る。）を除く。）は、実費を勘案して国土交通省令で定める額の手数料を収入印紙をもって国に納付しなければならない。

一　第一項の国土交通大臣の検査を受けようとする者

二　第二項の海洋汚染防止証書に相当する証書の交付を受けようとする者（船級協会が第一項に規定する検査を行った船舶に係る当該証書の交付を受けようとする者に限る。）

三　第二項の海洋汚染防止証書に相当する証書の再交付又は書換えを受けようとする者

5　偽りその他不正の行為により第二項の海洋汚染防止証書に相当する証書の交付を受けた者は、二百万円以下の罰金に処する。

6　船舶安全法（昭和八年法律第十一号）第八条第二項及び第二十四条ノ二の規定は船級協会の第一項に規定する検査の業務に関する監督について、同法第二十三条及び第二十四条の規定は船級協会の同項に規定する検査の業務に従事する役員又は職員について準用する。この場合において、同法第二十三条第一項中「第八条第一項ニ掲グル船舶ニ付第二条第一項各号ニ掲グル事項又ハ満載喫水線ニ関スル検査（第八条第一項ノ国土交通省令ヲ以テ定ムルモノヲ除ク）」とあり、及び同法第二十四条第一項中「前条ニ掲グル検査」とあるのは、「海洋汚染及び海上災害の防止に関する法律の一部を改正する法律（平成十二年法律第六十四号）（以下改正法ト称ス）ニ依ル改正後ノ海洋汚染及び海上災害の防止に関する法律第九条の四第六項ノ有害液体汚染防止緊急措置手引書又ハ同条第七項ノ海洋汚染防止緊急措置手引書ニ付改正法附則第二条第一項ニ規定スル検査」と読み替えるものとする。

参照　二項－四項〔国土交通省令〕海洋汚染及び海上災害の防止に関する法律の一部を改正する法律の一部の施行に伴う経過措置を定める省令（平成一二年一〇月運輸令三六号）二・四・五

第三条　施行日前に建造された船舶についての新海洋汚染等防止法第十九条の三十六（有害液体汚染防止緊急措置手引書及び海洋汚染防止緊急措置手引書に係る部分に限る。）の規定の適用については、同条中「初めて」とあるのは、「海洋汚染及び海上災害の防止に関する法律の一部を改正する法律（平成十二年法律第六十四号）の施行の日以後初めて」とする。

第四条　新法第四十二条の四十三第三項の規定は、平成十一年四月一日に始まる事業年度に係る同項に規定する書類から適用する。

（政令への委任）

第五条　前三条に定めるもののほか、この法律の施行に関し必要となる経過措置（罰則に関する経過措置を含む。）は、政令で定めることができる。

参照　〔政令〕海洋汚染及び海上災害の防止に関する法律の一部を改正する法律の一部の施行に伴う経過措置を定める政令（平成一二年一〇月政令四六四号）

附　則〔平一四・五・三一法五四抄〕

（施行期日）

第一条　この法律は、平成十四年七月一日から施行する。

（経過措置）

第二十八条　この法律の施行前にこの法律による改正前のそれぞれの法律若しくはこれに基づく命令（以下「旧法令」という。）の規定により海運監理部長、陸運支局長、海運支局長又は陸運支局の事務所の長（以下「海運監理部長等」という。）がした許可、認可その他の処分又は契約その他の行為

（以下「処分等」という。）は、国土交通省令で定めるところにより、この法律による改正後のそれぞれの法律若しくはこれに基づく命令（以下「新法令」という。）の規定により相当の運輸監理部長、運輸支局長又は地方運輸局、運輸監理部若しくは運輸支局の事務所の長（以下「運輸監理部長等」という。）がした処分等とみなす。

第二九条　この法律の施行前に旧法令の規定により海運監理部長等に対して申請、届出その他の行為（以下「申請等」という。）は、国土交通省令で定めるところにより、新法令の規定により相当の運輸監理部長等に対してした申請等とみなす。

第三〇条　この法律の施行前にした行為に対する罰則の適用については、なお従前の例による。

附　則〔平一四・一二・一三法一五二抄〕

（施行期日）

第一条　この法律〔中略〕は、当該各号に定める日〔この法律の公布の日から起算して二年を超えない範囲内において政令で定める日〕から施行する。

〔平一六政五二により、平一六・三・三一から施行〕

（罰則に関する経過措置）

第四条　この法律の施行前にした行為に対する罰則の適用については、なお従前の例による。

（その他の経過措置の政令への委任）

第五条　前三条に定めるもののほか、この法律の施行に関し必要な経過措置は、政令で定める。

附　則〔平一四・一二・一八法一八五抄〕

（施行期日）

第一条　この法律は、平成十五年十月一日から施行する。ただし、第六章の二の改正規定（第四十二条の三十七に係る部分に限る。）並びに次条及び附則第八条の規定は、同年七月一日から施行する。

（海上災害防止センターの解散等）

第二条　海上災害防止センター（以下「旧センター」という。）は、独立行政法人海上災害防止センター（以下「センター」という。）の成立の時において解散するものとし、その一切の権利及び義務は、次項の規定により国が承継する資産を除き、その時においてセンターが承継する。

2　センターの成立の際現に旧センターが有する権利のうち、センターがその業務を確実に実施するために必要な資産以外の資産は、センターの成立の時において国が承継する。

3　前項の規定により国が承継する資産の範囲その他当該資産の国への承継に関し必要な事項は、政令で定める。

4　旧センターの解散の日の前日を含む事業年度は、その日に終わるものとする。

5　旧センターの解散の日の前日を含む事業年度に係る決算並びに財産目録、貸借対照表及び損益計算書については、なお従前の例による。

6　第一項の規定によりセンターが旧センターの権利及び義務を承継したときは、その承継の際、この法律による改正前の海洋汚染及び海上災害の防止に関する法律（以下「旧法」という。）第四十二条の三十六第一項第一号及び第二号の業務に係るものについては、センターが承継する資産の価額（旧法第四十二条の四十第一項の基金に充てるために出資され、又は出えんされた金額を除く。）から負債の金額を差し引いた額は、この法律による改正後の海洋汚染及び海上災害の防止に関する法律（以下「新法」という。）第四十二条の二十九に規定する防災措置業務の財源に充てるための積立金又は当該業務に係る勘定に属する新法第四十二条の三十第一項に規定する積立金若しくは繰越欠損金として整理するものとする。

7　第一項の規定によりセンターが旧センターの権利及び義務を承継したときは、その承継の際、旧法第四十二条の三十六第一項第一号及び第二号の業務以外の業務に係るものについては、センターが承継する資産の価額（当該業務に要する資金に充てるために政府以外の者から旧センターに出えんされた金額を除く。）から負債の金額を差し引いた額は、新法第四十二条の二十九に規定するその他の業務の財源に充てるための積立金又は当該業務に係る勘定に属する新法第四十二条の三十第一項に規定する積立金若しくは繰越欠損金として整理するものとする。

8　前二項の資産の価額は、センターの成立の日現在における時価を基準として評価委員が評価した価額とする。

9　前項の評価委員その他評価に関し必要な事項は、政令で定める。

10　第一項の規定によりセンターが旧センターの権利及び義務を承継したときは、その承継の際、旧法第四十二条の三十六第一項第一号及び第二号の業務以外の業務に要する資金に充てるために政府以外の者から旧センターに出えんされた金額は、新法第四十二条の二十九に規定するその他の業務に係る勘定に属する出えん金として整理するものとする。

11　第一項の規定によりセンターが旧センターの権利及び義務を承継したときは、政府若しくは政府以外の者から旧法第四十二条の四十第一項の基金に充てるために出資され、又は政府以外の者から同項の基金に出えんされた金額に相当する金額は、それぞれ、センターの設立に際し、政府及び政府以外の者から新法第四十二条の二十八の基金に充てるために出資され、又は政府以外の者から同条の基金に出えんされたものとする。

12　旧センターの解散については、旧法第四十二条の五十二第一項の規定による残余財産の分配は、行わない。

13　第一項の規定により旧センターが解散した場合における解散の登記については、政令で定める。

参照　九項・一三項〔政令〕独立行政法人海上災害防止センターの設立に伴う関係政令の整備及び経過措置に関する政令（平成一五年六月政令二九七号）九・一〇

（政府が有する債権の免除）

第三条　政府は、旧法第四十二条の三十六第一項第一号及び第二号の業務に必要な費用に充てるため政府から旧センターに貸し付けた資金であって政令で定めるものに係る旧センターに対する債権並びにこれに係る延滞金及び利息を免除するものとする。

参照　〔政令〕独立行政法人海上災害防止センターの設立に伴う関係政令の整備及び経過措置に関する政令一一

（権利及び義務の承継に伴う経過措置）

第四条　附則第二条第一項の規定によりセンターが承継する債務に係るセンターの長期借入金は、新法第四十二条の三十二の規定の適用については、同条の長期借入金とみなす。

（持分の払戻し）

第五条　附則第二条第十一項の規定によりセンターに出資したものとされた政府以外の者は、センターに対し、センターの成立の日から一月以内に限り、当該出資に係る持分の払戻しを請求することができる。

2　センターは、前項の規定による請求があったときは、新法第四十二条の十八第一項の規定にかかわらず、政令で定めるところにより、当該政府以外の者が有するセンターの成立の日におけるセンターの純資産額に対する持分に相当する金額（その金額が当該持分に係る出資金を超えるときは、当該出資額に相当する金額）により持分の払戻しをしなければならない。この場合において、センターは、その払戻しをした金額により資本金を減少するものとする。

参照　二項〔政令〕独立行政法人海上災害防止センターの設立に伴う関係政令の整備及び経過措置に関する政令一二

（海洋汚染及び海上災害の防止に関する法律の一部改正に伴う経過措置）

第六条　旧法（第四十二条の二十八第二項を除く。）の規定によりした処分、手続その他の行為は、独立行政法人通則法又は新法中の相当する規定によりした処分、手続その他の行為とみなす。

（罰則の適用に関する経過措置）

第七条　この法律の施行前にした行為及び附則第二条第五項の規定によりなお従前の例によることとされる事項に係るこの法律の施行後にした行為に対する罰則の適用については、なお従前の例による。

（政令への委任）

第八条　附則第二条から前条までに定めるもののほか、センターの設立に伴い必要な経過措置その他この法律の施行に関し必要な経過措置は、政令で定める。

附　則〔平一五・六・一八法九六抄〕

（施行期日）

第一条　この法律は、平成十六年三月一日から施行する。

（海洋汚染及び海上災害の防止に関する法律の一部改正に伴う経過措置）

第九条　第八条の規定による改正後の海洋汚染及び海上災害の防止に関する法律（以下この条において「新海洋汚染防止法」という。）第九条の二第四項の登録、第十七条の十二第一項の登録、第十七条の十五第三項において準用する新船舶安全法第六条ノ四第一項の登録又は新海洋汚染防止法第四十三条の六第一項の登録を受けようとする者は、第八条の規定の施行前においても、その申請を行うことができる。新海洋汚染防止法第九条の十一第一項の規定による確認業務規程又は新海洋汚染防止法第十七条の十二第三項、第十七条の十五第三項若しくは第四十三条の六第二項において準用する新船舶安全法第二十五条の五十一第一項の規定による検定業務規程その他の規程の認可の申請についても、同様とする。

2　第八条の規定の施行の際現に同条の規定による改正前の海洋汚染及び海上災害の防止に関する法律（以下この条において「旧海洋汚染防止法」という。）第九条の二第四項の指定、第十七条の十二第一項の認定、第十七条の十五第三項において準用する旧船舶安全法第六条ノ四第一項の指定又は旧海洋汚染防止法第十条第二項若しくは第三十九条の三の規定を実施するための国土交通省令の規定による新海洋汚染防止法第四十三条の六第一項の登録に相当する処分を受けている者は、第八条の規定の施行の日から起算して六月を経過する日までの間は、それぞれ新海洋汚染防止法第九条の二第四項の登録、第十七条の十二第一項の登録、第十七条の十五第三項において準用する新船舶安全法第六条ノ四第一項の登録又は新海洋汚染防止法第四十三条の六第一項の登録を受けているものとみなす。

3　第八条の規定の施行前にされた旧海洋汚染防止法第九条の二第五項の規定による確認の申請又は旧海洋汚染防止法第十七条の十五第一項において準用する旧船舶安全法第六条ノ四第一項の規定による検定の申請であって、第八条の規定の施行の際、確認をするかどうかの処分又は検定の合格若しくは不合格の処分がなされていないものについての処分については、なお従前の例による。

4　第八条の規定の施行の際現に旧海洋汚染防止法第九条の二第四項の指定又は第十七条の十五第三項において準用する旧船舶安全法第六条ノ四第一項の指定を受けている者が行うべき第八条の規定の施行の日の属する事業年度の確認業務に関する事業報告書及び収支決算書の作成並びにこれらの書類の海上保安庁長官に対する提出又は決算報告書及び事業報告書の作成並びにこれらの書類の国土交通大臣に対する提出については、なお従前の例による。

5　第八条の規定の施行前に旧海洋汚染防止法第九条の二第四項の規定により指定確認機関がした確認業務（第三項の規定によりなお従前の例によることとされる場合におけるものを含む。）に係る処分又はその不作為に関する行政不服審査法による審査請求については、なお従前の例による。

6　第八条の規定の施行前に旧海洋汚染防止法第十七条の十五第一項において準用する旧船舶安全法第六条ノ四第一項の規定により旧海洋汚染防止法第十七条の十五第三項において準用する旧船舶安全法第六条ノ四第一項に規定する指定検定機関がした検定（第三項の規定によりなお従前の例によること

とされる場合におけるものを含む。）に係る再検定及びその取消しの訴えについては、なお従前の例による。

（処分、手続等の効力に関する経過措置）

第一四条　附則第二条から前条までに規定するもののほか、この法律の施行前にこの法律による改正前のそれぞれの法律（これに基づく命令を含む。）の規定によってした処分、手続その他の行為であって、この法律による改正後のそれぞれの法律（これに基づく命令を含む。）中相当する規定があるものは、これらの規定によってした処分、手続その他の行為とみなす。

（罰則の適用に関する経過措置）

第一五条　この法律の施行前にした行為及びこの附則の規定によりなお従前の例によることとされる場合におけるこの法律の施行後にした行為に対する罰則の適用については、なお従前の例による。

（その他の経過措置の政令への委任）

第一六条　附則第二条から前条までに定めるもののほか、この法律の施行に関し必要となる経過措置（罰則に関する経過措置を含む。）は、政令で定める。

附　則（平一五・七・一六法一一九抄）

（施行期日）

第一条　この法律は、地方独立行政法人法（平成十五年法律第百十八号）の施行の日〔平一六・四・一〕から施行する。

（以下略）

（その他の経過措置の政令への委任）

第六条　この附則に規定するもののほか、この法律の施行に伴い必要な経過措置は、政令で定める。

附　則（平一六・四・二一法三六抄）

改正　平二二・五・一九法三三、平二四・九・一二法八九、平二五・六・一二法三九

（施行期日）

第一条　この法律は、千九百七十三年の船舶による汚染の防止のための国際条約に関する千九百七十八年の議定書によって修正された同条約を改正する千九百九十七年の議定書（以下「第二議定書」という。）が日本国について効力を生ずる日〔平一七・五・一九〕（以下「施行日」という。）から施行する。ただし、次の各号に掲げる規定は、当該各号に定める日から施行する。

一　第一条中海洋汚染及び海上災害の防止に関する法律第四十二条の十六の改正規定　公布の日

二　次条から附則第六条まで、附則第十二条、第十四条、第十六条及び第十九条の規定　施行日前の政令で定める日
〔平一六政二九二により、平一六・一一・一から施行〕

三　第三条中海洋汚染及び海上災害の防止に関する法律の一部を改正する法律附則第十条の改正規定（「船舶又は海洋施設」を「船舶」に改める部分及び「十年」を「五年以上十年以内において政令で定める期間」に改める部分並びに「又は海洋施設の設置者」を削る部分及び「又は同法第十八条第二項」を削る部分に限る。）及び同法附則第十一条の改正規定（「十年」を「五年以上十年以内において政令で定める期間」に改める部分に限る。）　公布の日から起算して一年六月を超えない範囲内において政令で定める日
〔平一七政二一七により、平一七・八・一から施行〕

（海洋汚染及び海上災害の防止に関する法律の一部改正に伴う経過措置）

第二条　国土交通大臣は、施行日前においても、第一条の規定による改正後の海洋汚染等及び海上災害の防止に関する法律（以下「新海洋汚染等防止法」という。）第十九条の四第一項の原動機について当該原動機からの窒素酸化物の放出量が新海洋汚染等防止法第十九条の三の放出基準に相当する基準（以下「相当放出基準」という。）に適合するものであることについて新海洋汚染等防止法第十九条の四第一項の確認に相当する確認（以下「相当確認」という。）をし、かつ、新海洋汚染等防止法第十九条の五の原動機取扱手引書に相当する図書（以下「相当手引書」という。）の承認を行うことができる。

2　国土交通大臣は、相当確認をし、かつ、相当手引書を承認したときは、当該原動機に係る相当確認を受けた者に対し、新海洋汚染等防止法第十九条の六の国際大気汚染防止原動機証書に相当する証書（以下「相当原動機証書」という。）を交付しなければならない。

3　国土交通大臣が相当確認をし、相当手引書の承認を行い、及び相当原動機証書を交付したときは、当該原動機に係る相当確認、承認された相当手引書及び交付された相当原動機証書は、施行日までの間に国土交通省令で定める事由が生じたときを除き、施行日以後は、それぞれ国土交通大臣が行った放出量確認、承認をした原動機取扱手引書及び交付した国際大気汚染防止原動機証書とみなす。

4　次の各号のいずれかに掲げる者（国及び独立行政法人（独立行政法人通則法（平成十一年法律第百三号）第二条第一項に規定する独立行政法人であって、当該独立行政法人の業務の内容その他の事情を勘案して政令で定めるものに限る。）を除く。）は、実費を勘案して国土交通省令で定める額の手数料を国に納付しなければならない。

一　国土交通大臣の行う相当確認及び相当手引書の承認を受けようとする者

二　相当原動機証書の再交付又は書換えを受けようとする者

5　前項の手数料の納付は、収入印紙をもってしなければならない。ただし、行政手続等における情報通信の技術の利用に関する法律（平成十四年法律第百五十一号）第三条第一項の規定により同項に規定する電子情報処理組織を使用して相当確認及び承認又は再交付若しくは書換えに係る申請をする場合には、国土交通省令で定めるところにより、現金をもってすることができる。

6　偽りその他不正の行為により国土交通大臣から相当原動機証書の交付を受けた者は、百万円以下の罰金に処する。

7　法人の代表者又は法人若しくは人の代理人、使用人その他の従業者が、その法人又は人の業務に関し、前項の違反行為をしたときは、行為者を罰するほか、その法人又は人に対して、同項の罰金刑を科する。

参照　三項・四項〔国土交通省令〕海洋汚染及び海上災害の防止に関する法律施行規則等の一部を改正する省令（平成一六年一〇月国土交通省令九三号）附則九・一〇、四項〔政令〕海洋汚染及び海上災害の防止に関する法律施行令の一部を改正する政令（平成一六年九月政令二九三号）附則二

第三条　国土交通大臣は、施行日前においても、小型船舶検査機構（以下「機構」という。）に、総トン数が二十トン未満の船舶であって国土交通省令で定めるものに設置される原動機に係る相当確認、相当手引書の承認及び相当原動機証書の交付に関する事務（以下「小型船舶用原動機相当確認等事務」という。）を行わせることができる。

2　国土交通大臣は、前項の規定により機構に小型船舶用原動機相当確認等事務を行わせるときは、機構が小型船舶用原動機相当確認等事務を開始する日及び小型船舶用原動機相当確認等事務を行う事務所の所在地を官報で公示しなければならない。

3　国土交通大臣は、第一項の規定により機構に小型船舶用原動機相当確認等事務を行わせるときは、自ら小型船舶用原動機相当確認等事務を行わないものとする。

4　機構は、小型船舶用原動機相当確認等事務の開始前に、小型船舶用原動機相当確認等事務に関する規程（以下「小型船舶用原動機相当確認等事務規程」という。）を定め、国土交通大臣の認可を受けなければならない。これを変更しようとするときも、同様とする。

5　国土交通大臣は、前項の認可をした小型船舶用原動機相当確認等事務規程が小型船舶用原動機相当確認等事務の適正かつ確実な実施上不適当となったと認めるときは、その小型船舶用原動機相当確認等事務規程を変更すべきことを命ずることができる。

6　小型船舶用原動機相当確認等事務規程で定めるべき事項は、国土交通省令で定める。

7　機構は、小型船舶用原動機相当確認等事務を行う場合において、小型船舶用原動機からの窒素酸化物の放出量が相当放出基準に適合するかどうかの判定に関する業務及び相当手引書の承認に関する業務については、小型船舶用原動機相当確認等業務員に行わせなければならない。

8　小型船舶用原動機相当確認等業務員は、相当確認又はこれに準ずる業務に関する知識及び経験に関する国土交通省令で定める要件を備える者のうちから、選任しなければならない。

9　機構は、小型船舶用原動機相当確認等業務員を選任したときは、その日から十五日以内に、国土交通大臣にその旨を届け出なければならない。これを変更したときも、同様とする。

10　国土交通大臣は、小型船舶用原動機相当確認等業務員が、この法律、この法律に基づく命令若しくは処分若しくは小型船舶用原動機相当確認等事務規程に違反する行為をしたとき、又は小型船舶用原動機相当確認等事務に関し著しく不適当な行為をしたときは、機構に対し、当該小型船舶用原動機相当確認等業務員の解任を命ずることができる。

11　前項の規定による命令により小型船舶用原動機相当確認等業務員の職を解任され、解任の日から二年を経過しない者は、小型船舶用原動機相当確認等業務員又は新海洋汚染等防止法第十九条の十二第一項の小型船舶用原動機放出量確認等業務員となることができない。

12　機構は、小型船舶用原動機相当確認等事務を行う事務所ごとに、国土交通省令で定めるところにより、相当確認設備を備え、かつ、これを維持しなければならない。

13　機構が小型船舶用原動機相当確認等事務を行う場合における前条（第五項から第七項までを除く。）の規定の適用については、同条第一項から第四項までの規定中「国土交通大臣」とあるのは「小型船舶検査機構」と、同条第四項中「国に納付」とあるのは「小型船舶検査機構に納付」とし、この場合における同項の規定により機構に納付された手数料は、機構の収入とする。

14　国土交通大臣は、第三項の規定にかかわらず、機構が天災その他の事由により小型船舶用原動機相当確認等事務の全部又は一部を実施することが困難となった場合において必要があると認めるときは、当該小型船舶用原動機相当確認等事務の全部又は一部を自ら行うものとする。

15　国土交通大臣は、前項の規定により小型船舶用原動機相当確認等事務の全部若しくは一部を自ら行うこととし、又は同項の規定により自ら行っている小型船舶用原動機相当確認等事務を行わないこととするときは、あらかじめ、その旨を官報で公示しなければならない。

16　国土交通大臣が第十四項の規定により小型船舶用原動機相当確認等事務の全部又は一部を自ら行う場合における小型船舶用原動機相当確認等事務の引継ぎその他の必要な事項については、国土交通省令で定める。

17　偽りその他不正の行為により機構から相当原動機証書の交付を受けた者は、百万円以下の罰金に処する。

18　法人の代表者又は法人若しくは人の代理人、使用人その他の従業者が、その法人又は人の業務に関し、前項の違反行為をしたときは、行為者を罰するほか、その法人又は人に対して、同項の罰金刑を科する。

19　第四項の規定により国土交通大臣の認可を受けなければならない場合において、その認可を受けなかったときは、その違反行為をした機構の役員は、二十万円以下の過料に処する。

参照　一項・六項・八項・一六項〔国土交通省令〕海洋汚染及び海上災害の防止に関する法律施行規則等の一部を改正する省令（平成一六年一〇月国土交通省令九三号）附則一一～一四・一七

第四条　機構がした小型船舶用原動機相当確認等事務に係る処

分又はその不作為については、国土交通大臣に対し行政不服審査法（昭和三十七年法律第百六十号）による審査請求をすることができる。

第五条 機構は、施行日前においても、船舶安全法（昭和八年法律第十一号）第二十五条の二十七に規定する業務のほか、小型船舶用原動機相当確認等事務及びこれに附帯する業務を行うことができる。

2 前項の規定により小型船舶用原動機相当確認等事務が行われる場合には、船舶安全法第二十五条の二十第二項中「この法律若しくは小型船舶登録法」とあるのは「この法律、小型船舶登録法若しくは海洋汚染及び海上災害の防止に関する法律等の一部を改正する法律」と、「規程若しくは小型船舶登録法」とあるのは「規程、小型船舶登録法」と、「登録測度事務規程」とあるのは「登録測度事務規程若しくは海洋汚染及び海上災害の防止に関する法律等の一部を改正する法律附則第三条第四項に規定する小型船舶用原動機相当確認等事務規程」と、第二十五条の三十九及び第二十五条の四十第一項中「又は小型船舶登録法」とあるのは「、小型船舶登録法又は海洋汚染及び海上災害の防止に関する法律等の一部を改正する法律」と、第二十五条の四十五第三号中「に規定する」とあるのは「及び海洋汚染及び海上災害の防止に関する法律等の一部を改正する法律附則第五条第一項に規定する」とする。

第六条 国土交通大臣は、船級の登録に関する業務を行う者の申請により、施行日前においても、その者を附則第三条第一項の国土交通省令で定める船舶に設置される原動機に係る相当確認、相当手引書の承認及び相当原動機証書の交付に関する事務（以下「相当確認等事務」という。）を行う者として登録することができる。

2 前項の規定による登録を受けた者（以下この条において「船級協会」という。）が相当確認をし、相当手引書の承認を行い、及び相当原動機証書に相当する書面を交付したときは、当該原動機に係る相当確認、承認された相当手引書及び交付された書面は、施行日までの間に国土交通省令で定める事由が生じたときを除き、施行日以後は、それぞれ国土交通大臣が行った放出量確認、承認をした原動機取扱手引書及び交付した国際大気汚染防止原動機証書とみなす。

3 船舶安全法第三章第一節（第二十五条の四十六、第二十五条の四十九第一項、第三項及び第四項、第二十五条の五十二、第二十五条の五十四並びに第二十五条の五十七及び第二十五条の五十八第二項第二号（第二十五条の三十第四項の規定の準用に係る部分に限る。）並びに第二十五条の六十三から第二十五条の六十六までを除く。）の規定は、第一項の登録並びに前項の船級協会並びに相当確認、承認及び交付について準用する。この場合において、同法第二十五条の四十七第一項第一号中「別表第一に掲げる機械器具その他の設備」とあるのは「ガス分析装置」と、同条第二項第一号中「この法律又はこの法律に基づく命令」とあるのは「この法律若しくは海洋汚染及び海上災害の防止に関する法律等の一部を改正する法律又はこれらの法律に基づく命令」と読み替えるものとする。

4 日本の船級協会の役員又は職員が、第二項の相当確認、相当手引書の承認又は書面の交付に関して、賄賂を収受し、又はその要求若しくは約束をしたときは、三年以下の懲役に処する。これによって不正の行為をし、又は相当の行為をしなかったときは、一年以上十年以下の懲役に処する。

5 前項の場合において、犯人が収受した賄賂は、没収する。その全部又は一部を没収することができないときは、その価額を追徴する。

6 第四項の賄賂を供与し、又はその申込み若しくは約束をした者は、三年以下の懲役又は百万円以下の罰金に処する。

7 前項の罪を犯した者が自首したときは、その刑を減軽し、又は免除することができる。

8 第三項において準用する船舶安全法第二十五条の五十八第一項の規定による業務の停止の命令に違反したときは、その違反行為をした船級協会の役員又は職員は、一年以下の懲役又は五十万円以下の罰金に処する。

9 偽りその他不正の行為により船級協会から相当原動機証書に相当する書面の交付を受けた者は、百万円以下の罰金に処する。

10 第三項において準用する船舶安全法第二十五条の六十の規定による報告をせず、又は虚偽の報告をした場合には、その違反行為をした船級協会（外国にある事務所において業務を行う者を除く。）の役員又は職員は、三十万円以下の罰金に処する。

11 第三項において準用する船舶安全法第二十五条の六十一第一項の規定による検査を拒み、妨げ、又は忌避した者は、三十万円以下の罰金に処する。

12 法人の代表者又は法人若しくは人の代理人、使用人その他の従業者が、その法人又は人の業務に関し、第九項又は前項の違反行為をしたときは、行為者を罰するほか、その法人又は人に対して、各項の罰金刑を科する。

13 第三項において準用する船舶安全法第二十五条の五十三第一項の規定に違反して財務諸表等を備えて置かず、財務諸表等に記載すべき事項を記載せず、若しくは虚偽の記載をし、又は正当な理由がないのに第三項において準用する船舶安全法第二十五条の五十三第二項各号の規定による請求を拒んだ者（外国にある事務所において業務を行う者を除く。）は、二十万円以下の過料に処する。

14 船級協会は、施行日において、新海洋汚染等防止法第十九条の十五第一項に規定する登録を受けたものとみなす。

参照 二項〔国土交通省令〕海洋汚染及び海上災害の防止に関する法律施行規則等の一部を改正する省令（平成一六年一〇月国土交通省令九三号）附則一九

第七条 海洋汚染等及び海上災害の防止に関する法律等の一部を改正する法律（平成二十二年法律第三十三号）第一条の規

定による改正後の海洋汚染等及び海上災害の防止に関する法律（以下「平成二十二年新法」という。）第十九条の三から第十九条の九までの規定は、次の各号に掲げる区分に応じ、それぞれ当該各号に定める日前に建造され又は建造に着手された船舶に設置された原動機であって当該各号に定める日前に製造されたもの（平成二年一月一日から平成十一年十二月三十一日までの間に建造され又は建造に着手された国際航海に従事する船舶に設置された原動機であって同日までに製造されたもののうち、当該原動機からの窒素酸化物の放出量を平成二十二年新法第十九条の三の放出基準に適合させる改造（以下この条において「基準適合改造」という。）を行うことができるものとして国土交通大臣が指定する型式のもの（以下この条において「指定原動機」という。）を除く。）及び指定原動機が設置された船舶のうち当該指定原動機について基準適合改造を行うことが困難な事情があるものとして国土交通大臣が指定する船舶に設置されたものについては、適用しない。ただし、当該原動機につき当該各号に定める日以後に国土交通省令で定める改造を行ったときは、この限りでない。

一　国際航海に従事する船舶　平成十二年一月一日

二　前号に掲げる船舶以外の船舶　第二議定書が効力を生じた日（平成十七年五月十九日。附則第十条において「発効日」という。）

参照　〔国土交通省令〕海洋汚染及び海上災害の防止に関する法律施行規則等の一部を改正する省令（平成一六年一〇月国土交通省令九三号）附則二四

第八条　新海洋汚染等防止法第十九条の二十二第一項の規定は、施行日前に船舶に搭載された燃料油については、適用しない。

第九条　海洋汚染等及び海上災害の防止に関する法律（昭和四十五年法律第百三十六号。以下この条及び次条において「海洋汚染等防止法」という。）第十九条の三十五の三の規定は、この法律の施行の際現に船舶に使用されている材料又は設置されている設備及び平成三十二年一月一日前において政令で定める日以前に船舶に使用されている政令で定めるオゾン層破壊物質（以下この項において「特定オゾン層破壊物質」という。）を含む材料又は同日以前に船舶に設置されている特定オゾン層破壊物質を含む設備については、適用しない。

2　フロン類の使用の合理化及び管理の適正化に関する法律（平成十三年法律第六十四号）第八十六条に定めるもののほか、何人も、海域において、前項の規定により海洋汚染等防止法第十九条の三十五の三の規定の適用を受けないこととされている材料又は設備に含まれる平成二十二年新法第三条第六号の二のオゾン層破壊物質であっても、これをみだりに放出してはならない。

3　国際航海に従事する船舶のうち国土交通省令で定める総トン数以上のものの船長（専ら他の船舶に引かれ、又は押されて航行する船舶（以下この項において「引かれ船等」という。）にあっては、船舶所有者。次項及び第五項において同じ。）は、当該船舶に設置している前項に規定する設備（海洋汚染等防止法第十九条の三十五の三の国土交通省令で定めるものを除く。）の名称及び設置場所を記載した一覧表（第六項において単に「一覧表」という。）を当該船舶内（引かれ船等にあっては、当該船舶を管理する船舶所有者の事務所。次項において同じ。）に備え置き、又は掲示しておかなければならない。

4　前項の船舶の船長は、オゾン層破壊物質記録簿を当該船舶内に備え付けなければならない。

5　第三項の船舶の船長は、同項の設備の修理その他当該設備の取扱いに関する作業で国土交通省令で定めるものが行われたときは、その都度、国土交通省令で定めるところにより、オゾン層破壊物質記録簿への記載を行わなければならない。

6　国土交通大臣又は海上保安庁長官は、前三項の規定の施行に必要な限度において、その職員に、船舶又は船舶所有者の事務所に立ち入り、一覧表若しくはオゾン層破壊物質記録簿を検査させ、又は関係者に質問させることができる。

7　前項の規定により立入検査をする職員は、その身分を示す証明書を携帯し、関係人にこれを提示しなければならない。

8　第六項の規定による立入検査の権限は、犯罪捜査のために認められたものと解してはならない。

9　第二項の規定に違反した者は、五十万円以下の罰金に処する。

10　第三項、第四項又は第五項の規定に違反した者は、三十万円以下の罰金に処する。

11　第六項の規定による検査を拒み、妨げ、若しくは忌避し、又は質問に対し陳述をせず若しくは虚偽の陳述をした者は、三十万円以下の罰金に処する。

12　法人の代表者又は法人若しくは人の代理人、使用人その他の従業者が、その法人又は人の業務に関し、前三項の違反行為をしたときは、行為者を罰するほか、その法人又は人に対して、当該各項の刑を科する。

参照　一項〔政令〕海洋汚染及び海上災害の防止に関する法律施行令の一部を改正する政令（平成一六年九月政令二九三号）附則五・六、三項・五項〔国土交通省令〕海洋汚染及び海上災害の防止に関する法律施行規則等の一部を改正する省令（平成一六年一〇月国土交通省令九三号）附則二四の二・二四の三

第一〇条　海洋汚染等防止法第十九条の三十五の四第二項本文の規定は、次の各号に掲げる区分に応じ、それぞれ当該各号に定める日前に船舶に設置された設備であって専ら同項の船舶発生油等の焼却の用に供されるものを用いて行う焼却については、適用しない。

一　次号に掲げる船舶以外の船舶　平成十二年一月一日

二　日本国の内水、領海又は排他的経済水域（排他的経済水域及び大陸棚に関する法律（平成八年法律第七十四号）第一条第一項に規定する排他的経済水域をいう。）のみを航

行する船舶　発効日

第一一条　施行日前に建造され又は建造に着手された船舶（以下「現存船」という。）については、施行日以後最初に行われる船舶安全法第五条の規定による定期検査若しくは中間検査（国土交通省令で定めるものに限る。）が開始される日又は第二議定書が効力を生ずる日から起算して三年を経過する日のいずれか早い日までの間は、新海洋汚染等防止法第十九条の七第四項、第十九条の二十一第二項、第十九条の二十四第一項及び第二項、第十九条の二十六第二項本文、第十九条の四十一第一項（大気汚染防止検査対象設備に係る部分に限る。）並びに第十九条の四十四第一項及び第二項（大気汚染防止検査対象設備に係る海洋汚染等防止証書に係る部分に限る。）の規定は、適用しない。

2　現存船についての新海洋汚染等防止法第十九条の三十六（大気汚染防止検査対象設備に係る部分に限る。）の規定の適用については、同条中「初めて」とあるのは、「海洋汚染及び海上災害の防止に関する法律等の一部を改正する法律の施行の日以後最初に行われる船舶安全法第五条の規定による定期検査若しくは中間検査（国土交通省令で定めるものに限る。）が開始される日又は第二議定書が効力を生ずる日から起算して三年を経過する日のいずれか早い日以後初めて」とする。

参照　一項・二項〔国土交通省令〕海洋汚染及び海上災害の防止に関する法律施行規則等の一部を改正する省令（平成一六年一〇月国土交通省令九三号）附則二五

第一二条　国土交通大臣は、施行日前においても、大気汚染防止検査対象設備（新海洋汚染等防止法第十九条の七第一項及び第二項に規定する原動機を除く。以下この条において同じ。）について、新海洋汚染等防止法第十九条の四十九第一項において準用する船舶安全法第六条第三項の規定による検査又は同法第六条ノ四第一項の規定による型式承認若しくは検定を行うことができる。この場合において、同法第六条第三項中「第二条第一項各号ニ掲グル事項ニ係ル」とあり、及び同法第六条ノ四第一項中「船舶又ハ第二条第一項各号ニ掲グル事項ニ係ル」とあるのは「海洋汚染及び海上災害の防止に関する法律等の一部を改正する法律第一条ノ規定ニ依ル改正後ノ海洋汚染等及び海上災害の防止に関する法律第十九条の二十一第二項、第十九条の二十四第一項又ハ第十九条の二十六第二項ニ規定スル」と、同項中「第二十五条の四十六及第二十五条の四十七」とあるのは「海洋汚染及び海上災害の防止に関する法律等の一部を改正する法律附則第十二条第二項」と、「第五条ノ検査（特別検査ヲ除ク）及第六条ノ検査」とあるのは「海洋汚染及び海上災害の防止に関する法律等の一部を改正する法律第一条ノ規定ニ依ル改正後ノ海洋汚染等及び海上災害の防止に関する法律第十九条の四十二ニ規定スル法定検査及同法第十九条の四十九第一項ニ於テ準用スル第六条第三項ノ検査」と読み替えるものとする。

2　国土交通大臣の登録を受けた者（以下この条において「登録検定機関」という。）は、施行日前においても、前項の検定を行うことができる。

3　船舶安全法第九条第三項及び第四項、第十一条、第二十九条ノ三第一項並びに第二十九条ノ四第一項の規定は、第一項の検査又は同項若しくは前項の検定について準用する。

4　船舶安全法第三章第一節（第二十五条の六十三から第二十五条の六十六までを除く。）及び第二十九条ノ五第一項の規定は、第二項の登録、登録検定機関及び登録検定機関が行う検定について準用する。この場合において、同法第二十五条の四十七第一項第一号中「別表第一」とあるのは「海洋汚染及び海上災害の防止に関する法律別表第二」と、同条第二項第一号中「この法律又はこの法律に基づく命令」とあるのは「この法律若しくは海洋汚染及び海上災害の防止に関する法律等の一部を改正する法律又はこれらの法律に基づく命令」と、同法第二十五条の五十四中「第二十五条の二十六」とあるのは「海洋汚染及び海上災害の防止に関する法律等の一部を改正する法律附則第十二条第四項において準用する船舶安全法第二十五条の二十六」と読み替えるものとする。

5　第一項の規定により受けた型式承認又は第三項において準用する船舶安全法第九条第三項若しくは第四項の規定により交付された合格証明書若しくは付された証印は、施行日において、新海洋汚染等防止法の相当する規定により受けた型式承認又は交付された合格証明書若しくは付された証印とみなす。

6　第四項において準用する船舶安全法第二十五条の五十八第一項の規定による検定業務の停止の命令に違反したときは、その違反行為をした登録検定機関の役員又は職員は、一年以下の懲役又は五十万円以下の罰金に処する。

7　偽りその他不正の行為により第三項において準用する船舶安全法第九条第三項又は第四項の合格証明書の交付を受けた者は、百万円以下の罰金に処する。

8　第四項において準用する船舶安全法第二十五条の五十二の許可を受けないで検定業務の全部を廃止し、又は同項において準用する同法第二十五条の六十の規定による報告をせず、若しくは虚偽の報告をした場合には、その違反行為をした登録検定機関（外国にある事務所において検定業務を行う者を除く。）の役員又は職員は、三十万円以下の罰金に処する。

9　第四項において準用する船舶安全法第二十五条の六十一第一項の規定による検査を拒み、妨げ、又は忌避した者は、三十万円以下の罰金に処する。

10　法人の代表者又は法人若しくは人の代理人、使用人その他の従業者が、その法人又は人の業務に関し、第七項又は前項の違反行為をしたときは、行為者を罰するほか、その法人又は人に対して、各項の罰金刑を科する。

11　第四項において準用する船舶安全法第二十五条の五十三第一項の規定に違反して財務諸表等を備えて置かず、財務諸表等に記載すべき事項を記載せず、若しくは虚偽の記載をし、又は正当な理由がないのに第四項において準用する同法第二十五条の五十三第二項各号の規定による請求を拒んだ者（外国にある事務所において検定業務を行う者を除く。）は、二十万円以下の過料に処する。

12　登録検定機関は、施行日において、新海洋汚染等防止法第十九条の四十九第一項において準用する船舶安全法第六条ノ四第一項の登録を受けたものとみなす。

第一三条　この法律の施行の際現に交付され、又は備え付け若しくは保存している焼却設備検査証、焼却記録簿、海洋汚染防止証書、臨時海洋汚染防止証書、海洋汚染防止検査手帳及び国際海洋汚染防止証書は、施行日において、それぞれ新海洋汚染等防止法第十九条の二十七第二項の要焼却確認廃棄物焼却設備検査証、新海洋汚染等防止法第十九条の三十三第一項又は第三項の要焼却確認廃棄物焼却記録簿、新海洋汚染等防止法第十九条の三十七第一項の海洋汚染等防止証書、新海洋汚染等防止法第十九条の四十一第二項の臨時海洋汚染等防止証書、新海洋汚染等防止法第十九条の四十二の海洋汚染等防止検査手帳及び新海洋汚染等防止法第十九条の四十三第一項の国際海洋汚染等防止証書とみなす。

（海洋汚染及び海上災害の防止に関する法律の一部改正に伴う準備行為）

第一四条　国土交通大臣は、施行日から機構に新海洋汚染等防止法第十九条の十第一項に規定する小型船舶用原動機放出量確認等事務を行わせようとするときは、施行日前においても、施行日から機構が小型船舶用原動機放出量確認等事務を行う旨及び機構が小型船舶用原動機放出量確認等事務を行う事務所の所在地を官報で公示することができる。

2　前項の公示があったときは、新海洋汚染等防止法第十九条の十第二項の規定による公示があったものとみなす。

3　機構は、施行日前においても、新海洋汚染等防止法第十九条の十一第一項の規定による小型船舶用原動機放出量確認等事務規程の認可の申請を行うことができる。

4　新海洋汚染等防止法第十九条の十五第一項の登録、第十九条の四十六第一項の登録又は第十九条の四十九第一項において準用する船舶安全法第六条ノ四第一項の登録を受けようとする者は、施行日前においても、その申請を行うことができる。新海洋汚染等防止法第十九条の十五第三項、第十九条の四十六第三項又は第十九条の四十九第三項において準用する船舶安全法第二十五条の五十一第一項の規定による検定業務規程その他の規程の認可の申請についても、同様とする。

（処分、手続等の効力に関する経過措置）

第一七条　この法律の各改正規定の施行前にこの法律による改正前のそれぞれの法律（これに基づく命令を含む。）の規定によってした処分、手続その他の行為であって、この法律による改正後のそれぞれの法律（これに基づく命令を含む。）中相当する規定があるものは、これらの規定によってした処分、手続その他の行為とみなす。

（罰則の適用に関する経過措置）

第一八条　この法律の施行前にした行為に対する罰則の適用については、なお従前の例による。

（政令への委任）

第一九条　附則第二条から第十三条まで、附則第十五条及び前二条に定めるもののほか、この法律の施行に関し必要となる経過措置（罰則に関する経過措置を含む。）は、政令で定めることができる。

附　則〔平一六・四・二一法三七抄〕

（施行期日）

第一条　この法律は、平成十七年三月一日（以下「施行日」という。）から施行する。〔以下略〕

（調整規定）

第九条　海洋汚染及び海上災害の防止に関する法律等の一部を改正する法律（平成十六年法律第三十六号）の施行の日が施行日前となる場合における前条の規定の適用については、同条（見出しを含む。）中「海洋汚染及び海上災害の防止に関する法律」とあるのは、「海洋汚染等及び海上災害の防止に関する法律」とする。

附　則〔平一六・五・一九法四八抄〕

（施行期日）

第一条　この法律は、公布の日から起算して三年を超えない範囲内において政令で定める日から施行する。ただし、次条の規定は、公布の日から起算して二年六月を超えない範囲内において政令で定める日から施行する。

〔平一七政二〇八により、平一九・四・一から施行。ただし書の規定は、平一八・一〇・一から施行〕

（廃棄物海洋投入処分の許可及び海洋施設廃棄の許可に関する経過措置）

第二条　この法律による改正後の海洋汚染等及び海上災害の防止に関する法律（以下「新法」という。）第十条の六第一項、第十八条の二第一項又は第四十三条の二第一項の許可を受けようとする者は、この法律の施行の日（以下「施行日」という。）前においても、新法第十条の六、第十八条の二又は第四十三条の二の規定の例により、その許可の申請をすることができる。

2　環境大臣は、前項の規定により許可の申請があった場合には、施行日前においても、新法第十条の六から第十条の八まで（これらの規定を新法第十八条の二第三項又は第四十三条の四において準用する場合を含む。）、第十八条の二第一項又は第四十三条の二及び第四十三条の三の規定の例により、その許可をすることができる。この場合において、これらの規定の例により許可を受けたときは、施行日において新法第十条の六第一項、第十八条の二第一項又は第四十三条の二第一項の規定により許可を受けたものとみなす。

3　前項の場合において、新法第十条の六第四項（新法第十八条の二第三項又は第四十三条の四において準用する場合を含む。）の規定の例により公告があったときは、第一項の許可の申請に係る廃棄物の排出又は海洋施設の廃棄に関し海洋環境の保全の見地からの意見を有する者は、施行日前においても、新法第十条の六第五項（新法第十八条の二第三項又は第四十三条の四において準用する場合を含む。）の規定の例により、環境大臣に意見書を提出することができる。

（罰則の適用に関する経過措置）

第三条　この法律の施行前にした行為に対する罰則の適用については、なお従前の例による。

改正　平一六・四・二一法三六

附　則〔平一六・六・二三法一三〇抄〕

（施行期日）

第一条　この法律〔中略〕は、当該各号に定める日〔平一七・四・一〕から施行する。

（調整規定）

第三二条の二　海洋汚染及び海上災害の防止に関する法律等の一部を改正する法律（平成十六年法律第三十六号）の施行の日が前条の規定の施行の日前となる場合における同条の規定の適用については、同条（見出しを含む。）中「海洋汚染及び海上災害の防止に関する法律」とあるのは、「海洋汚染等及び海上災害の防止に関する法律」とする。

附　則〔平一七・七・二六法八七抄〕

この法律は、会社法の施行の日〔平一八・五・一〕から施行する。〔以下略〕

○会社法の施行に伴う関係法律の整備等に関する法律（抄）〔平一七・七・二六法八七〕

第十二章　罰則に関する経過措置及び政令への委任

（罰則に関する経過措置）

第五二七条　施行日前にした行為及びこの法律の規定によりなお従前の例によることとされる場合における施行日以後にした行為に対する罰則の適用については、なお従前の例による。

（政令への委任）

第五二八条　この法律に定めるもののほか、この法律の規定による法律の廃止又は改正に伴い必要な経過措置は、政令で定める。

附　則〔平一八・六・一四法六八抄〕

改正　平一九・五・三〇法六二

（施行期日）

第一条　この法律は、平成十九年四月一日（以下「施行日」という。）から施行する。ただし、次の各号に掲げる規定は、当該各号に定める日から施行する。

一　附則第九条の規定　公布の日

二　第九条の六、第五十五条の二及び第六十一条の改正規定　公布の日から起算して一年六月を超えない範囲内において政令で定める日

〔平一八政三四七により、平一九・一・一から施行〕

三　第三十九条の四の次に一条を加える改正規定、第四十八条第四項の改正規定（「油濁防止緊急措置手引書」の下に「若しくは有害液体汚染防止緊急措置手引書」を加える部分を除く。）及び同条第八項の改正規定（「に立ち入り、」を「若しくは第三十九条の五の資材若しくは機械器具の所在する場所に立ち入り、排出油等の防除のために必要な」に、「を検査させる」を「その他の機械器具を検査させる」に改める部分に限る。）並びに第五十七条第十二号の改正規定　平成二十年四月一日

（命令に関する経過措置）

第二条　施行日前に海上保安庁長官がこの法律による改正前の海洋汚染等及び海上災害の防止に関する法律（以下「旧法」という。）第四十条の規定によりした命令（排出された油（特定油を除く。）及び有害液体物質に係るものに限る。）は、この法律による改正後の海洋汚染等及び海上災害の防止に関する法律（以下「新法」という。）第三十九条第三項の規定により海上保安庁長官がした命令とみなす。

第三条　施行日前に海上保安庁長官が旧法第四十条の二第二項の規定によりした命令は、新法第四十条の二第二項の規定により国土交通大臣がした命令とみなす。

（罰則の適用に関する経過措置）

第四条　この法律の施行前にした行為に対する罰則の適用については、なお従前の例による。

（検討）

第五条　政府は、この法律の施行後五年を目途として、新法第十八条及び第十九条の規定の施行の状況を勘案し、必要があると認めるときは、これらの規定について検討を加え、その結果に基づいて必要な措置を講ずるものとする。

附　則〔平一八・一二・一五法一〇九〕

この法律は、新信託法〔平成一八年法律第一〇八号〕の施行の日〔平一九・九・三〇〕から施行する。〔以下略〕

○信託法の施行に伴う関係法律の整備等に関する法律（抄）〔平一八・一二・一五法一〇九〕

（罰則に関する経過措置）

第八〇条　施行日前にした行為及びこの法律の規定によりなお従前の例によることとされる場合における施行日以後にした行為に対する罰則の適用については、なお従前の例による。

（政令への委任）

第八一条　この法律に定めるもののほか、この法律の規定による法律の改正に伴い必要な経過措置（第三条、第六条第一項、第十一条第二項、第十五条第二項、第二十六条第一項、第三十条第二項及び第五十六条第二項の規定による新法信託への信託の変更に関し必要な経過措置を含む。）は、政令で定める。

附　則〔平一九・五・三〇法六二抄〕

（施行期日）

第一条　この法律は、千九百七十二年の廃棄物その他の物の投

棄による海洋汚染の防止に関する条約の千九百九十六年の議定書が日本国について効力を生ずる日〔平一九・一一・一〕から施行する。ただし、第三条第十号の改正規定（「油」の下に「、有害液体物質」を加える部分に限る。）並びに第九条の六及び第十九条の二十六第一項ただし書の改正規定並びに附則第四条の規定は、公布の日から施行する。

（特定二酸化炭素ガスの海底下廃棄に係る経過措置）

第二条　この法律の施行の際現に特定二酸化炭素ガスの海底下廃棄をしている者は、この法律の施行の日から起算して六月間（当該期間内にこの法律による改正後の海洋汚染等及び海上災害の防止に関する法律（以下「新法」という。）第十八条の八第一項の許可の申請について不許可の処分があったときは、当該処分のあった日までの間）は、新法第十八条の七及び第十八条の八第一項の規定にかかわらず、引き続き当該海底下廃棄をすることができる。その者がその期間内に同項の許可の申請をした場合において、その期間を経過したときは、その申請について許可又は不許可の処分があるまでの間も、同様とする。

2　前項の規定により引き続き特定二酸化炭素ガスの海底下廃棄をする場合においては、その者を新法第十八条の八第一項の許可を受けた者とみなして、新法第十八条の十、新法第十八条の十二において読み替えて準用する新法第十条の九並びに新法第四十八条第二項及び第六項の規定（これらの規定に係る罰則を含む。）を適用する。この場合において、新法第十八条の十中「次の各号のいずれかに該当する」とあるのは「海底下廃棄をする海域及び海底下廃棄の方法が、環境省令で定める基準に適合せず、又は当該海底下廃棄をする海域の海洋環境の保全に障害を及ぼすおそれがあると認める」と、新法第十八条の十二において読み替えて準用する新法第十条の九第一項中「環境省令で定めるところにより、当該許可に係る第十八条の八第二項第三号の監視に関する計画（この計画について次条第一項の許可を受けたときは、変更後のもの）」とあるのは「環境省令で定める基準」とする。

（罰則に関する経過措置）

第三条　この法律の施行前にしたこの法律による改正前の海洋汚染等及び海上災害の防止に関する法律第十条第一項の違反行為に対する罰則の適用については、なお従前の例による。

（政令への委任）

第四条　前二条に定めるもののほか、この法律の施行に関し必要な経過措置は、政令で定める。

（検討）

第五条　政府は、この法律の施行後五年を経過した場合において、新法の施行の状況を勘案し、必要があると認めるときは、新法の規定について検討を加え、その結果に基づいて必要な措置を講ずるものとする。

附　則〔平二二・五・一九法三三〕

（施行期日）

第一条　この法律は、平成二十二年七月一日（以下この条及び次条において「施行日」という。）から施行する。ただし、次の各号に掲げる規定は、当該各号に定める日から施行する。

一　附則第三条及び第九条の規定　公布の日

二　第一条中海洋汚染等及び海上災害の防止に関する法律第十九条の四十六第一項の改正規定並びに次条及び附則第七条の規定　施行日前の政令で定める日

〔平二二政一二八により、平二二・五・二〇から施行〕

三　第一条中海洋汚染等及び海上災害の防止に関する法律第六条第一項及び第七条第一項の改正規定、同法第八条の次に二条を加える改正規定（第六号に掲げる部分を除く。）、同法第九条第一項の改正規定（次号に掲げる部分を除く。）、同法第十九条の三十六の改正規定（同条の表の上欄中「又は有害液体汚染防止緊急措置手引書」を「若しくは有害液体汚染防止緊急措置手引書又は船舶間貨物油積替作業手引書」に、「又は海洋汚染防止緊急措置手引書」を「若しくは海洋汚染防止緊急措置手引書又は船舶間貨物油積替作業手引書」に改め、「という。）が」の下に「それぞれ」を、「において同じ。）」の下に「又は第八条の二第二項」を加える部分に限る。）、同法第十九条の三十七第一項の改正規定（「第七条の二第二項」の下に「若しくは第八条の二第二項」を加える部分に限る。）、同法第五十七条第二号の改正規定、同号の次に三号を加える改正規定（第六号に掲げる部分を除く。）、同法第五十八条第二号の改正規定（「第八条第一項若しくは第三項」の下に「、第八条の二第七項」を加える部分に限る。）並びに同条第三号の次に一号を加える改正規定並びに附則第四条の規定　平成二十三年一月一日

四　第一条中海洋汚染等及び海上災害の防止に関する法律第五条の三に一項を加える改正規定、同法第九条第一項の改正規定（「第五条の三及び」を「第五条の三第一項及び第二項並びに」に改める部分に限る。）及び同法第五十七条第一号の改正規定　公布の日から起算して一年六月を超えない範囲内において政令で定める日

〔平二三政二〇六により、平二三・八・一から施行〕

五　附則第五条の規定　平成二十四年三月一日

六　第一条中海洋汚染等及び海上災害の防止に関する法律第八条の次に二条を加える改正規定（第八条の三に係る部分に限る。）、同法第三十三条第二項の改正規定、同法第五十五条第一項第一号の次に一号を加える改正規定及び同法第五十七条第二号の次に三号を加える改正規定（同条第二号の三及び第二号の四に係る部分に限る。）　平成二十四年四月一日

（海洋汚染等及び海上災害の防止に関する法律の一部改正に伴う経過措置）

第二条　国土交通大臣又は船級協会（第一条の規定による改正後の海洋汚染等及び海上災害の防止に関する法律（以下「新法」という。）第十九条の四十六第一項の規定による登録を

受けた者をいう。以下この条において同じ。）は、施行日前においても、新法第十九条の二十四の二第一項の揮発性物質放出防止措置手引書（以下この条において「揮発性物質放出防止措置手引書」という。）について、新法第十九条の三十六又は第十九条の四十六第二項に規定する検査に相当する検査（以下この条において「相当検査」という。）を行うことができる。

2 国土交通大臣が相当検査の結果当該揮発性物質放出防止措置手引書について国土交通省令で定める新法第十九条の二十四の二第二項に規定する技術上の基準に相当する基準（第六項において「相当技術基準」という。）に適合すると認めたときは、国土交通大臣は、揮発性物質放出防止措置手引書に係る新法第十九条の三十七第一項の海洋汚染等防止証書に相当する証書（以下この条において「相当証書」という。）を交付しなければならない。

3 前項の規定により交付した相当証書は、その交付後施行日までの間に国土交通省令で定める事由が生じたときを除き、施行日以後は、揮発性物質放出防止措置手引書に係る新法第十九条の三十七第一項の規定により交付した海洋汚染等防止証書とみなす。この場合において、当該相当証書の有効期間の起算日は、前項の規定によりその交付をした日とする。

4 次に掲げる者（国及び独立行政法人（独立行政法人通則法（平成十一年法律第百三号）第二条第一項に規定する独立行政法人であって当該独立行政法人の業務の内容その他の事情を勘案して政令で定めるものに限る。）を除く。）は、実費を勘案して国土交通省令で定める額の手数料を国に納付しなければならない。

一 国土交通大臣の行う相当検査を受けようとする者

二 相当証書の交付を受けようとする者（船級協会が相当検査を行い、かつ、船級の登録をした原油の輸送の用に供するタンカーに係る相当証書の交付を受けようとする者に限る。）

三 相当証書の再交付又は書換えを受けようとする者

5 前項の手数料の納付は、収入印紙をもってしなければならない。ただし、行政手続等における情報通信の技術の利用に関する法律（平成十四年法律第百五十一号）第三条第一項の規定により同項に規定する電子情報処理組織を使用して前項各号の相当検査、交付又は再交付若しくは書換えに係る申請をする場合には、国土交通省令で定めるところにより、現金をもってすることができる。

6 船級協会が相当検査を行い、かつ、船級の登録をした原油の輸送の用に供するタンカーは、当該船級を有する間は、国土交通大臣が当該揮発性物質放出防止措置手引書について相当検査を行い、相当技術基準に適合すると認めたものとみなす。

7 船舶安全法（昭和八年法律第十一号）第二十五条の四十九第二項、第二十五条の五十一、第二十五条の五十三、第二十五条の五十六、第二十五条の五十七（第二十五条の三十第四項及び第二十五条の五十五の規定の準用に係る部分を除く。）、第二十五条の五十八（第一項第一号、第二号、第三号（第二十五条の五十及び第二十五条の五十二に係る部分に限る。）、第七号（第二十五条の五十五に係る部分に限る。）及び第八号並びに第二項第一号（第二十五条の五十八第一項第一号及び第八号に係る部分に限る。）及び第二号（第二十五条の五十七の規定により読み替えて準用する第二十五条の三十第四項及び第二十五条の五十五に係る部分に限る。）に係る部分を除く。）、第二十五条の五十九から第二十五条の六十一まで及び第二十五条の六十二（第一号から第三号までに係る部分を除く。）の規定は、第一項の規定により船級協会が相当検査を行う場合について準用する。

8 偽りその他不正の行為により相当証書の交付を受けた者は、二百万円以下の罰金に処する。

9 日本の船級協会の役員又は職員が、相当検査に関して、賄賂を収受し、又はその要求若しくは約束をしたときは、三年以下の懲役に処する。これによって不正の行為をし、又は相当の行為をしなかったときは、一年以上十年以下の懲役に処する。

10 前項の場合において、犯人が収受した賄賂は、没収する。その全部又は一部を没収することができないときは、その価額を追徴する。

11 第九項の賄賂を供与し、又はその申込み若しくは約束をした者は、三年以下の懲役又は百万円以下の罰金に処する。

12 前項の罪を犯した者が自首したときは、その刑を減軽し、又は免除することができる。

13 第七項において準用する船舶安全法第二十五条の五十八第一項の規定による業務の停止の命令に違反したときは、その違反行為をした船級協会の役員又は職員は、一年以下の懲役又は五十万円以下の罰金に処する。

14 第七項において準用する船舶安全法第二十五条の六十の規定による報告をせず、又は虚偽の報告をした場合には、その違反行為をした船級協会（外国にある事務所において業務を行う者を除く。）の役員又は職員は、三十万円以下の罰金に処する。

15 第七項において準用する船舶安全法第二十五条の六十一第一項の規定による検査を拒み、妨げ、又は忌避した者は、三十万円以下の罰金に処する。

16 法人の代表者又は法人若しくは人の代理人、使用人その他の従業者が、その法人又は人の業務に関し、第八項又は前項の違反行為をしたときは、行為者を罰するほか、その法人又は人に対して、当該各項の刑を科する。

17 第七項において準用する船舶安全法第二十五条の五十三第一項の規定に違反して財務諸表等を備えて置かず、財務諸表等に記載すべき事項を記載せず、若しくは虚偽の記載をし、又は正当な理由がないのに第七項において準用する同条第二項各号に掲げる請求を拒んだ者（外国にある事務所において業務を行う者を除く。）は、二十万円以下の過料に処する。

参照 二項・三項・四項〔国土交通省令〕海洋汚染等及び海上災害の防止に関する法律等の一部を改正する法律の一部の施行に伴う経過措置を定める省令（平成二二年五月国土交通省令三一号）二・四・五、四項〔政令〕海洋汚染等及び海上災害の防止に関する法律施行令の一部を改正する政令（平成二二年五月政令一三九号）附則三

第三条 新法第十九条の四十六第一項の登録を受けようとする者は、附則第一条第二号に定める日前においても、その申請を行うことができる。新法第十九条の四十六第三項において準用する新法第十九条の十五第三項において準用する船舶安全法第二十五条の五十一第一項の規定による認可の申請についても、同様とする。

第四条 新法第八条の二の規定は、次の各号に掲げる区分に応じ、それぞれ当該各号に定める日までの間は、適用しない。

一 附則第一条第三号に定める日前に建造され又は建造に着手された船舶（次号に掲げる船舶を除く。） 同日以後最初に行われる新法第十九条の三十六の表の下欄に掲げる設備等（船舶間貨物油積替作業手引書を除く。）についての同条若しくは新法第十九条の三十八の規定による定期検査若しくは中間検査（新法第十九条の四十六第二項の規定によりこれらの検査を行ったものとみなされる同項の検査を含む。）が開始される日又は附則第一条第六号に定める日のいずれか早い日

二 外国船舶 附則第一条第六号に定める日

第五条 新法第八条の三第一項の規定による通報は、同条の規定の例により、附則第一条第六号に掲げる規定の施行前においても行うことができる。

（海洋汚染及び海上災害の防止に関する法律等の一部を改正する法律の一部改正に伴う経過措置）

第六条 第二条の規定による改正後の海洋汚染及び海上災害の防止に関する法律等の一部を改正する法律附則第七条に規定する指定原動機については、同条の規定により指定した型式ごとに国土交通大臣が告示で定める日から起算して一年を経過する日以後最初に行われる当該指定原動機が設置されている船舶の新法第十九条の三十六の表の下欄に掲げる設備等（当該指定原動機を除く。）についての同条の規定による定期検査（新法第十九条の四十六第二項の規定により当該検査を行ったものとみなされる同項の検査を含む。）が開始される日までの間は、新法第十九条の三から第十九条の九までの規定は、適用しない。

（処分、手続等の効力に関する経過措置）

第七条 この法律の各改正規定の施行前にこの法律による改正前のそれぞれの法律（これに基づく命令を含む。）の規定によってした処分、手続その他の行為であって、この法律による改正後のそれぞれの法律（これに基づく命令を含む。）に相当する規定があるものは、これらの規定によってした処分、手続その他の行為とみなす。

（罰則の適用に関する経過措置）

第八条 この法律の施行前にした行為に対する罰則の適用については、なお従前の例による。

（政令への委任）

第九条 附則第二条から前条までに定めるもののほか、この法律の施行に関し必要となる経過措置（罰則に関する経過措置を含む。）は、政令で定める。

参照 〔政令〕海洋汚染等及び海上災害の防止に関する法律施行令の一部を改正する政令（平成二二年五月政令一三九号）附則二・六

附　則〔平二二・五・二八法三七抄〕

（施行期日）

第一条 この法律は、公布の日から起算して六月を超えない範囲内において政令で定める日（以下「施行日」という。）から施行する。

〔平二二政二二五により、平二二・一一・二七から施行〕

（罰則の適用に関する経過措置）

第三四条 この法律の施行前にした行為に対する罰則の適用については、なお従前の例による。

（その他の経過措置の政令への委任）

第三五条 この附則に規定するもののほか、この法律の施行に関し必要な経過措置は、政令で定める。

附　則〔平二四・九・一二法八九抄〕

（施行期日）

第一条 この法律は、平成二十五年一月一日から施行する。ただし、次の各号に掲げる規定は、当該各号に定める日から施行する。

一 附則第七条、第九条及び第二十二条の規定 公布の日

二 附則第四条及び第十八条の規定 平成二十四年十一月一日

三 附則第八条の規定 平成二十五年七月一日

四 第一条中海洋汚染等及び海上災害の防止に関する法律目次の改正規定（「第十九条の二十五」を「第十九条の三十五の三」に、「第十九条の二十六―第十九条の三十五」を「第十九条の三十五の四」に改める部分を除く。）、同法第四十一条の二第二号、第六章の二、第四十七条第一項及び第五十四条の四の改正規定、同法第五十八条の二の改正規定（同条第二項第一号の改正規定を除く。）並びに同法第六十二条及び第六十三条の改正規定並びに附則第十条から第十七条までの規定 平成二十五年十月一日

五 （略）

（海洋汚染等及び海上災害の防止に関する法律の一部改正に伴う経過措置）

第二条 この法律の施行の日（以下「施行日」という。）前に建造契約が結ばれた船舶（建造契約がない船舶にあっては、平成二十五年六月三十日以前に建造に着手されたもの）であって、平成二十七年六月三十日以前に船舶所有者に対し引き渡されるもの（以下「現存船」という。）については、施行日以後最初に行われる第一条の規定による改正後の海洋汚染等及び海上災害の防止に関する法律（以下「新海洋汚染等

防止法」という。）第十九条の三十六の規定による定期検査（以下単に「定期検査」という。）若しくは新海洋汚染等防止法第十九条の三十八の規定による中間検査（国土交通省令で定めるものに限る。以下単に「中間検査」という。）又は新海洋汚染等防止法第十九条の四十六第二項の規定によりこれらの検査を行ったものとみなされる同項の検査（以下「船級協会検査」という。）が開始される日までの間は、新海洋汚染等防止法第十九条の二十五第一項及び第十九条の二十八第一項の規定は、適用しない。

２　現存船についての新海洋汚染等防止法第十九条の二十五第一項前段の規定の適用については、同項前段中「初めて」とあるのは、「海洋汚染等及び海上災害の防止に関する法律等の一部を改正する法律（平成二十四年法律第八十九号）の施行の日以後最初に行われる第十九条の三十六の規定による定期検査若しくは第十九条の三十八の規定による中間検査（同法附則第二条第一項の国土交通省令で定めるものに限る。）又は第十九条の四十六第二項の規定によりこれらの検査を行つたものとみなされる同項の検査が開始される日以後初めて」とする。

第三条　現存船については、新海洋汚染等防止法第十九条の二十六第一項の規定は、適用しない。

第四条　新海洋汚染等防止法第十九条の三十第一項の登録を受けようとする者は、施行日前においても、その申請を行うことができる。同条第三項において準用する新海洋汚染等防止法第十九条の十五第三項において準用する第二条の規定による改正後の船舶安全法（以下「新船舶安全法」という。）第二十五条の五十一第一項の規定による認可の申請についても、同様とする。

第五条　監督対象外国船舶（新海洋汚染等防止法第十九条の三十三第一項に規定する監督対象外国船舶をいう。次項において同じ。）である現存船については、施行日以後最初に行われる定期検査若しくは中間検査に相当する検査又は船級協会検査に相当する検査が開始される日（新海洋汚染等防止法第九条の二第四項に規定する第一議定書締約国の現存船以外の現存船にあっては、施行日から起算して五年を超えない範囲内において国土交通省令で定める日（平二八・三・三一））までの間は、新海洋汚染等防止法第十九条の三十三第一項の規定（同項第二号に係る部分を除く。）は、適用しない。

２　監督対象外国船舶である現存船については、新海洋汚染等防止法第十九条の三十三第一項の規定（同項第二号に係る部分に限る。）は、適用しない。

第六条　施行日前に開始された第一条の規定による改正前の海洋汚染等及び海上災害の防止に関する法律（以下「旧海洋汚染等防止法」という。）第十九条の三十六後段の検査の結果施行日以後に新海洋汚染等防止法第十九条の三十七第一項の規定による海洋汚染等防止証書の交付を受けることができる新海洋汚染等防止法第十九条の三十六に規定する検査対象船舶であって、新海洋汚染等防止法第十九条の三十七第五項の国土交通省令で定める事由により従前の海洋汚染等防止証書の有効期間が満了するまでの間において当該検査に係る海洋汚染等防止証書の交付を受けることができなかったものに係る従前の海洋汚染等防止証書の有効期間については、同項の規定にかかわらず、なお従前の例による。

第七条　新海洋汚染等防止法第四十二条の十三第一項の規定による指定及び新海洋汚染等防止法第四十二条の十七第一項の規定による海上防災業務規程の認可並びにこれらに関し必要な手続その他の行為は、附則第一条第四号に掲げる規定の施行の日（以下「一部施行日」という。）前においても、新海洋汚染等防止法第四十二条の十三及び第四十二条の十七の規定の例により行うことができる。

第八条　独立行政法人海上災害防止センター（以下「センター」という。）は、附則第一条第三号に掲げる規定の施行の日から一月以内に、政府以外の出資者に対し、その持分の全部又は一部の払戻しの請求をすることができる旨を催告しなければならない。

２　政府以外の出資者は、センターに対し、前項の規定による催告を受けた日から起算して一月を経過する日までの間に限り、その持分の全部又は一部の払戻しの請求をすることができる。

３　センターは、前項の請求があったときは、旧海洋汚染等防止法第四十二条の十八第一項の規定にかかわらず、当該請求をした者に対し、当該請求に係る持分に係る出資額に相当する金額により払戻しをしなければならない。

４　前項の規定による払戻しをした場合においては、センターはその払戻しをした金額により資本金を減少するものとし、旧海洋汚染等防止法第四十二条の二十八の基金はその払戻しをした金額により減少するものとする。

第九条　センターは、政府以外の者から旧海洋汚染等防止法第四十二条の二十八の基金に出えんされた金額（以下「出えん金」という。）について、旧海洋汚染等防止法第四十二条の二十五第一号及び第二号の業務の実施の状況、当該基金の状況その他の状況を勘案して、当該業務に支障がないと認めるときは、国土交通大臣の認可を受けて、これを当該出えん金を出えんした者に対し、その出えん金の額を限度として返還することができる。

２　前項の規定により出えん金の返還がなされたときは、旧海洋汚染等防止法第四十二条の二十八の基金は、その返還した金額により減少するものとする。

第一〇条　センターは、附則第一条第四号に掲げる規定の施行の時において解散するものとし、次項の規定により政府に対して払い戻される金額に相当する金銭を除き、その一切の権利及び義務は、その時において新海洋汚染等防止法第四十二条の十三第一項の規定により海上保安庁長官が指定する者（以下「指定海上防災機関」という。）が承継する。この場合において、旧海洋汚染等防止法第四十二条の三十五の規定は、適用しない。

2　前項の規定による解散に際し、センターは、政府の持分に係る出資額について、政府に対してその全額を払い戻すものとする。

3　第一項の規定により指定海上防災機関がセンターの権利及び義務を承継したときは、その承継の際、旧海洋汚染等防止法第四十二条の二十五第一号及び第二号の業務以外の業務に要する資金に充てるために政府以外の者からセンターに出えんされた金額は、新海洋汚染等防止法第四十二条の二十二に規定するその他の業務に係る勘定に属する出えん金として整理するものとする。

4　第一項の規定により指定海上防災機関がセンターの権利及び義務を承継したときは、政府以外の者から旧海洋汚染等防止法第四十二条の二十八の基金に充てるために出資され、又は同条の基金に出えんされた金額に相当する金額は、政府以外の者から新海洋汚染等防止法第四十二条の十八の基金に出えんされたものとする。

5　センターの解散の日の前日を含む事業年度（以下「最終事業年度」という。）は、独立行政法人通則法（平成十一年法律第百三号。以下「通則法」という。）第三十六条第一項の規定にかかわらず、同日に終わるものとする。

6　センターの最終事業年度に係る通則法第三十八条及び第三十九条の規定により財務諸表、事業報告書及び決算報告書に関し独立行政法人が行わなければならないとされる行為は、指定海上防災機関が従前の例により行うものとする。

7　センターの最終事業年度における業務の実績については、指定海上防災機関が従前の例により評価を受けるものとする。この場合において、通則法第三十二条第三項の規定による通知及び勧告は、指定海上防災機関に対してなされるものとする。

8　センターの最終事業年度における利益及び損失の処理については、指定海上防災機関が従前の例により行うものとする。

9　センターの解散の日の前日を含む中期目標の期間（通則法第二十九条第二項第一号に規定する中期目標の期間をいう。以下この条において同じ。）に係る通則法第三十三条の規定による事業報告書の提出及び公表については、同日において センターの中期目標の期間が終了したものとして、指定海上防災機関が従前の例により行うものとする。

10　センターの解散の日の前日を含む中期目標の期間における業務の実績については、同日においてセンターの中期目標の期間が終了したものとして、指定海上防災機関が従前の例により評価を受けるものとする。この場合において、通則法第三十四条第三項において準用する通則法第三十二条第三項の規定による通知及び勧告は、指定海上防災機関に対してなされるものとする。

11　通則法第三十五条の規定は、センターの解散の日の前日を含む中期目標の期間については、適用しない。

12　第一項の規定によりセンターが解散した場合における解散の登記については、政令で定める。

第一一条　前条第一項の規定により指定海上防災機関が権利の承継をする場合における当該承継に伴う登記については、一部施行日から一年以内に登記を受けるものに限り、登録免許税を課さない。

2　前条第一項の規定により指定海上防災機関が権利を承継する場合における当該承継に係る不動産又は自動車の取得に対しては、不動産取得税又は自動車取得税を課することができない。

第一二条　一部施行日の前日において旧海洋汚染等防止法第四十二条の二十七第三項において準用する旧海洋汚染等防止法第四十一条の三第五項の規定によりセンターが行っている滞納処分は、新海洋汚染等防止法第四十二条の十六第七項の規定により海上保安庁長官が行っている滞納処分とみなす。

第一三条　旧海洋汚染等防止法の規定に基づきセンターがした処分（前条の規定により海上保安庁長官が行った処分とみなされるものを含む。）に関する行政不服審査法（昭和三十七年法律第百六十号）による審査請求については、なお従前の例による。

第一四条　前二条に規定するもののほか、一部施行日の前日までに旧海洋汚染等防止法の規定によってした処分、手続その他の行為であって、新海洋汚染等防止法に相当する規定があるものは、これらの規定によってした処分、手続その他の行為とみなす。

第一五条　一部施行日前に行政事件訴訟法（昭和三十七年法律第百三十九号）の規定に基づき提起されたセンターを被告とする抗告訴訟（附則第十条第一項の規定により指定海上防災機関が承継することとなる権利及び義務に関するものに限る。）の管轄については、なお従前の例による。

第一六条　一部施行日前に独立行政法人等の保有する情報の公開に関する法律（平成十三年法律第百四十号）の規定に基づきセンターがした行為及びセンターに対してなされた行為（附則第十条第一項の規定により指定海上防災機関が承継することとなる権利及び義務に関するものに限る。）については、指定海上防災機関を同法第二条第一項に規定する独立行政法人等とみなす。

第一七条　一部施行日前に独立行政法人等の保有する個人情報の保護に関する法律（平成十五年法律第五十九号）の規定に基づきセンターがした行為及びセンターに対してなされた行為（附則第十条第一項の規定により指定海上防災機関が承継することとなる権利及び義務に関するものに限る。）については、指定海上防災機関を同法第二条第一項に規定する独立行政法人等とみなす。

（罰則の適用に関する経過措置）

第二一条　この法律（附則第一条第四号に掲げる規定にあっては、当該規定）の施行前にした行為及びこの附則の規定によりなお従前の例によることとされる場合における一部施行日後にした行為に対する罰則の適用については、なお従前の例による。

（政令への委任）

第二二条　附則第二条から前条までに定めるもののほか、この法律の施行に関し必要となる経過措置（罰則に関する経過措置を含む。）は、政令で定める。

附　則〔平二五・六・一二法三九抄〕

（施行期日）

第一条　この法律は、公布の日から起算して二年を超えない範囲内において政令で定める日から施行する。〔以下略〕

〔平二七政三二により、平二七・四・一から施行〕

附　則〔平二六・六・一三法六九抄〕

（施行期日）

第一条　この法律は、行政不服審査法（平成二十六年法律第六十八号）の施行の日〔平二八・四・一〕から施行する。

（経過措置の原則）

第五条　行政庁の処分その他の行為又は不作為についての不服申立てであってこの法律の施行前にされた行政庁の処分その他の行為又はこの法律の施行前にされた申請に係る行政庁の不作為に係るものについては、この附則に特別の定めがある場合を除き、なお従前の例による。

（訴訟に関する経過措置）

第六条　この法律による改正前の法律の規定により不服申立てに対する行政庁の裁決、決定その他の行為を経た後でなければ訴えを提起できないこととされる事項であって、当該不服申立てを提起しないでこの法律の施行前にこれを提起すべき期間を経過したもの（当該不服申立てが他の不服申立てに対する行政庁の裁決、決定その他の行為を経た後でなければ提起できないとされる場合にあっては、当該他の不服申立てを提起しないでこの法律の施行前にこれを提起すべき期間を経過したものを含む。）の訴えの提起については、なお従前の例による。

2　この法律の規定による改正前の法律の規定（前条の規定によりなお従前の例によることとされる場合を含む。）により異議申立てが提起された処分その他の行為であって、この法律の規定による改正後の法律の規定により審査請求に対する裁決を経た後でなければ取消しの訴えを提起することができないこととされるものの取消しの訴えの提起については、なお従前の例による。

3　不服申立てに対する行政庁の裁決、決定その他の行為の取消しの訴えであって、この法律の施行前に提起されたものについては、なお従前の例による。

（罰則に関する経過措置）

第九条　この法律の施行前にした行為並びに附則第五条及び前二条の規定によりなお従前の例によることとされる場合におけるこの法律の施行後にした行為に対する罰則の適用については、なお従前の例による。

（その他の経過措置の政令への委任）

第一〇条　附則第五条から前条までに定めるもののほか、この法律の施行に関し必要な経過措置（罰則に関する経過措置を含む。）は、政令で定める。

附　則〔平二六・六・一八法七三〕

（施行期日）

第一条　この法律は、二千四年の船舶のバラスト水及び沈殿物の規制及び管理のための国際条約（次条第一項において「船舶バラスト水規制管理条約」という。）が日本国について効力を生ずる日〔平二九・九・八〕から施行する。ただし、次の各号に掲げる規定は、当該各号に定める日から施行する。

一　附則第八条の規定　公布の日

二　附則第三条から第七条までの規定　この法律の施行の日（以下「施行日」という。）前の政令で定める日

（経過措置）

第二条　船舶バラスト水規制管理条約第十八条1の規定により船舶バラスト水規制管理条約が効力を生ずる日前に建造され又は建造に着手された船舶（湖沼等（湖、沼又は河川の区域（港則法（昭和二十三年法律第百七十四号）に基づく港の区域を除く。）をいう。以下この項において同じ。）において航行の用に供する船舶類を含む。以下この条において「現存船」という。）からの有害水バラスト排出（有害水バラストを水域に流し、又は落とすことをいう。以下この条において同じ。）のうち、特定水バラスト交換排出（特定水バラスト交換（水域環境の保全の見地から有害となるおそれが比較的少ない水バラストの積込みが可能なものとして政令で定める水域において、当該船舶（湖沼等において航行の用に供する船舶類を含む。以下同じ。）に積まれている水バラストを流し、又は落とし、代わりに当該水域の水を水バラストとして積み込むことをいう。以下この項において同じ。）を行うための有害水バラスト排出及び当該特定水バラスト交換を行った後新たに水バラストを積み込むことなく行う有害水バラスト排出であって、水域環境の保全の見地から有害となるおそれが比較的少ないものとして政令で定める要件に該当するものをいう。以下この条において同じ。）については、公布の日から起算して十年を超えない範囲内において政令で定める日までの間は、この法律による改正後の海洋汚染等及び海上災害の防止に関する法律（以下「新法」という。）第十七条第一項本文（新法第十七条の六において準用する場合を含む。）の規定は、適用しない。

2　現存船については、特定水バラスト交換排出以外の有害水バラスト排出を行わない場合に限り、前項に規定する政令で定める日までの間は、新法第十七条の二（新法第十七条の六において準用する場合を含む。）、第十九条の四十一第一項（新法第十七条の二第一項に規定する有害水バラスト処理設備（以下「有害水バラスト処理設備」という。）に係る部分に限る。）並びに第十九条の四十四第一項及び第三項（それぞれ有害水バラスト処理設備に係る部分に限る。）の規定は、適用しない。

3　特定水バラスト交換排出以外の有害水バラスト排出を行わ

ない現存船についての新法第十九条の三十六（有害水バラスト処理設備に係る部分に限る。）の規定の適用については、同条中「初めて」とあるのは、「海洋汚染等及び海上災害の防止に関する法律の一部を改正する法律（平成二十六年法律第七十三号）附則第二条第一項の政令で定める日以後初めて」とする。

第三条　国土交通大臣は、施行日前においても、有害水バラスト処理設備が国土交通省令で定める新法第十七条の二第二項第一号（新法第十七条の六において準用する場合を含む。以下この条において同じ。）の技術上の基準に相当する基準（第三項において「相当技術基準」という。）に適合するものであることについての同号の確認に相当する確認（以下「相当確認」という。）又は新法第十七条の七第一項に規定する有害水バラスト処理設備製造者等の申請に係る有害水バラスト処理設備の型式についての同項の規定による指定に相当する指定（以下この条において「相当指定」という。）を行うことができる。

2　国土交通大臣は、有害水バラスト処理設備のうち、薬剤の使用その他環境省令で定める方法により有害水バラストの処理を行うものについて相当確認又は相当指定をしようとするときは、当該有害水バラスト処理設備が使用されることにより排出される物質が水域環境の保全の見地から有害であるかどうかについて、あらかじめ、環境大臣の意見を聴かなければならない。

3　国土交通大臣は、第一項の規定によりその型式について相当指定を受けた有害水バラスト処理設備（次項において「型式相当指定有害水バラスト処理設備」という。）が相当技術基準に適合しなくなり、又は均一性を有するものでなくなったときは、その相当指定を取り消すことができる。この場合において、国土交通大臣は、取消しの日までに製造された有害水バラスト処理設備について取消しの効力の及ぶ範囲を限定することができる。

4　第一項の規定による相当指定の申請をした者は、施行日前においても、その申請に係る型式相当指定有害水バラスト処理設備につき、国土交通省令で定めるところにより、新法第十七条の八第一項の有害水バラスト処理設備証明書に相当する書面（以下「相当証明書」という。）を交付することができる。

5　何人も、前項に規定する場合を除くほか、有害水バラスト処理設備につき相当証明書又はこれと紛らわしい書面を交付してはならない。

6　国土交通大臣が相当確認をし、及び相当指定をし、並びに当該相当指定の申請をした者が相当証明書を交付したときは、当該有害水バラスト処理設備に係る相当確認及び相当指定並びに交付された相当証明書は、施行日までの間に国土交通省令で定める事由が生じたときを除き、施行日以後は、それぞれ国土交通大臣が行った新法第十七条の二第二項第一号の確認及び新法第十七条の七第一項の指定並びに新法第十七条の八第一項の規定により当該指定の申請をした者が交付した有害水バラスト処理設備証明書とみなす。

7　相当確認及び相当指定の申請書の様式その他相当確認及び相当指定に関し必要な事項並びに相当証明書の様式その他相当証明書に関し必要な事項は、国土交通省令で定める。

8　国土交通大臣の行う相当確認又は相当指定を受けようとする者（国及び独立行政法人（独立行政法人通則法（平成十一年法律第百三号）第二条第一項に規定する独立行政法人であって、当該独立行政法人の業務の内容その他の事情を勘案して政令で定めるものに限る。次条第六項において同じ。）を除く。）は、実費を勘案して国土交通省令で定める額の手数料を国に納付しなければならない。

9　前項の手数料の納付は、収入印紙をもってしなければならない。ただし、行政手続等における情報通信の技術の利用に関する法律（平成十四年法律第百五十一号）第三条第一項の規定により同項に規定する電子情報処理組織を使用して相当確認又は相当指定に係る申請をする場合には、国土交通省令で定めるところにより、現金をもってすることができる。

第四条　国土交通大臣の登録を受けた者又は船級協会（次条第一項の規定による国土交通大臣の登録を受けた者をいう。以下同じ。）は、施行日前においても、相当確認又は相当証明書の交付を受けた有害水バラスト処理設備及び新法第十七条の三第二項の有害水バラスト汚染防止措置手引書（以下この条において「有害水バラスト汚染防止措置手引書」という。）について、新法第十九条の三十六又は第十九条の四十六第二項に規定する検査に相当する検査（以下「相当検査」という。）を行うことができる。

2　国土交通大臣が相当検査の結果当該有害水バラスト処理設備及び当該有害水バラスト汚染防止措置手引書についてそれぞれ国土交通省令で定める新法第十七条の二第五項（新法第十七条の六において準用する場合を含む。）又は新法第十七条の三第四項（新法第十七条の六において準用する場合を含む。）において準用する新法第七条の二第二項に規定する技術上の基準に相当する基準（第八項において「相当技術基準」と総称する。）に適合すると認めたときは、国土交通大臣は、有害水バラスト処理設備及び有害水バラスト汚染防止措置手引書に係る新法第十九条の三十七第一項の海洋汚染等防止証書に相当する証書（次項において「相当証書」という。）を交付しなければならない。

3　前項の規定により交付した相当証書は、その交付後施行日までの間に国土交通省令で定める事由が生じたときを除き、施行日以後は、有害水バラスト処理設備及び有害水バラスト汚染防止措置手引書に係る新法第十九条の三十七第一項の規定により交付した海洋汚染等防止証書とみなす。この場合において、当該相当証書の有効期間の起算日は、前項の規定によりその交付をした日とする。

4　国土交通大臣は、新法第十九条の四十三第一項に規定する船舶所有者の申請により、施行日前においても、有害水バラスト処理設備及び有害水バラスト汚染防止措置手引書に係る同項の国際海洋汚染等防止証書に相当する証書（次項において「相当証書」という。）を交付することができる。

5　前項の規定により交付した相当証書は、その交付後施行日までの間に国土交通省令で定める事由が生じたときを除き、施行日以後は、有害水バラスト処理設備及び有害水バラスト汚染防止措置手引書に係る新法第十九条の四十三第一項の規定により交付した国際海洋汚染等防止証書とみなす。この場合において、当該相当証書の有効期間の起算日は、前項の規定によりその交付をした日とする。

6　次に掲げる者（国及び独立行政法人を除く。）は、実費を勘案して国土交通省令で定める額の手数料を国に納付しなければならない。

一　国土交通大臣の行う相当検査を受けようとする者

二　第二項に規定する相当証書の交付を受けようとする者（船級協会が相当検査を行い、かつ、船級の登録をした船舶に係る相当証書の交付を受けようとする者に限る。）

三　第四項に規定する相当証書の交付を受けようとする者

四　第二項に規定する相当証書又は第四項に規定する相当証書の再交付又は書換えを受けようとする者

7　前条第九項の規定は、前項の手数料の納付について準用する。この場合において、同条第九項中「相当確認又は相当指定」とあるのは、「次条第六項各号の相当検査、交付又は再交付若しくは書換え」と読み替えるものとする。

8　船級協会が相当検査を行い、かつ、船級の登録をした船舶は、当該船級を有する間は、国土交通大臣が当該有害水バラスト処理設備及び当該有害水バラスト汚染防止措置手引書について相当検査を行い、相当技術基準に適合すると認めたものとみなす。

第五条　国土交通大臣は、船級の登録に関する業務を行う者の申請により、施行日前においても、その者を相当検査を行う者として登録することができる。

2　船舶安全法（昭和八年法律第十一号）第二十五条の四十七、第二十五条の四十八（第二項（第二十五条の四十六の規定の準用に係る部分に限る。）に係る部分を除く。）、第二十五条の四十九第二項、第二十五条の五十、第二十五条の五十一、第二十五条の五十三、第二十五条の五十五、第二十五条の五十六、第二十五条の五十七（第二十五条の三十第四項の規定の準用に係る部分を除く。）、第二十五条の五十八（第一項第二号及び第三号（第二十五条の五十二に係る部分に限る。）並びに第二項第二号（第二十五条の五十七の規定により読み替えて準用する第二十五条の三十第四項に係る部分に限る。）に係る部分を除く。）、第二十五条の五十九から第二十五条の六十一まで及び第二十五条の六十二（第三号に係る部分を除く。）の規定は、前項の登録並びに前条第一項の船級協会及び相当検査について準用する。この場合において、同法第二十五条の四十七第一項第一号中「別表第一」とあるのは「海洋汚染等及び海上災害の防止に関する法律別表第二」と、同条第二項第一号中「この法律又はこの法律に基づく命令」とあるのは「この法律、海洋汚染等及び海上災害の防止に関する法律若しくは海洋汚染等及び海上災害の防止に関する法律の一部を改正する法律（平成二十六年法律第七十三号）又はこれらの法律に基づく命令」と読み替えるほか、これらの規定に関し必要な技術的読替えは、政令で定める。

3　船級協会は、施行日において、新法第十九条の四十六第一項に規定する登録を受けた者とみなす。

第六条　日本の船級協会の役員又は職員が、相当検査に関して、賄賂を収受し、又はその要求若しくは約束をしたときは、三年以下の懲役に処する。これによって不正の行為をし、又は相当の行為をしなかったときは、一年以上十年以下の懲役に処する。

2　前項の場合において、犯人が収受した賄賂は、没収する。その全部又は一部を没収することができないときは、その価額を追徴する。

3　第一項の賄賂を供与し、又はその申込み若しくは約束をした者は、三年以下の懲役又は百万円以下の罰金に処する。

4　前項の罪を犯した者が自首したときは、その刑を減軽し、又は免除することができる。

5　前条第二項において準用する船舶安全法第二十五条の五十八第一項の規定による業務の停止の命令に違反したときは、その違反行為をした船級協会の役員又は職員は、一年以下の懲役又は五十万円以下の罰金に処する。

6　偽りその他不正の行為により附則第四条第二項に規定する相当証書又は同条第四項に規定する相当証書の交付を受けた者は、二百万円以下の罰金に処する。

7　附則第三条第五項の規定に違反して書面を交付した者は、百万円以下の罰金に処する。

8　前条第二項において準用する船舶安全法第二十五条の六十一の規定による報告をせず、又は虚偽の報告をした場合には、その違反行為をした船級協会（外国にある事務所において業務を行う者を除く。）の役員又は職員は、三十万円以下の罰金に処する。

9　前条第二項において準用する船舶安全法第二十五条の六十一第一項の規定による検査を拒み、妨げ、又は忌避した者は、三十万円以下の罰金に処する。

10　法人の代表者又は法人若しくは人の代理人、使用人その他の従業者が、その法人又は人の業務に関し、第六項、第七項又は前項の違反行為をしたときは、行為者を罰するほか、その法人又は人に対して、当該各項の刑を科する。

11　前条第二項において準用する船舶安全法第二十五条の五十三第一項の規定に違反して財務諸表等を備えて置かず、財務諸表等に記載すべき事項を記載せず、若しくは虚偽の記載をし、又は正当な理由がないのに同条第二項各号に掲げる請求を拒んだ者（外国にある事務所において業務を行う者を除く。）は、二十万円以下の過料に処する。

（準備行為）

第七条　新法第十九条の四十六第一項の登録を受けようとする者は、施行日前においても、その申請を行うことができる。同条第三項において準用する新法第十九条の十五第三項において準用する船舶安全法第二十五条の五十一第一項の規定による認可の申請についても、同様とする。

（政令への委任）

第八条　附則第二条から前条までに定めるもののほか、この法律の施行に関し必要となる経過措置（罰則に関する経過措置を含む。）は、政令で定める。

附　則〔平二九・五・三一法四一抄〕

（施行期日）

第一条　この法律は、平成三十一年四月一日から施行する。ただし、次条及び附則第四十八条の規定は、公布の日から施行する。

（政令への委任）

第四八条　この附則に規定するもののほか、この法律の施行に関し必要な経過措置は、政令で定める。

附　則〔平二九・六・二法四五〕

この法律は、民法改正法の施行の日〔令二・四・一〕から施行する。〔以下略〕

○民法の一部を改正する法律の施行に伴う関係法律の整備等に関する法律（抄）〔平二九・六・二法四五〕

（海洋汚染等及び海上災害の防止に関する法律の一部改正に伴う経過措置）

第三三七条　施行日前に前条の規定による改正前の海洋汚染等及び海上災害の防止に関する法律第四十二条の十六第十一項に規定する時効の中断の事由が生じた場合におけるその事由の効力については、なお従前の例による。

（罰則に関する経過措置）

第三六一条　施行日前にした行為及びこの法律の規定によりなお従前の例によることとされる場合における施行日以後にした行為に対する罰則の適用については、なお従前の例による。

（政令への委任）

第三六二条　この法律に定めるもののほか、この法律の施行に伴い必要な経過措置は、政令で定める。

附　則〔令三・五・一二法四三抄〕

（施行期日）

第一条　この法律〔中略〕は、当該各号に定める日から施行する。

一・二　〔略〕

三　〔前略〕附則〔中略〕第十五条の規定　公布の日から起算して六月を超えない範囲内において政令で定める日

〔令三政二三二により、令三・一一・二〇から施行〕

四　〔略〕

附　則〔令四・六・一七法六八抄〕

（施行期日）

1　この法律は、刑法等一部改正法〔令和四年法律第六十七号〕施行日〔令七・六・一〕から施行する。ただし、次の各号に掲げる規定は、当該各号に定める日から施行する。

一　第五百九条の規定　公布の日

二　〔略〕

○刑法等の一部を改正する法律の施行に伴う関係法律の整理等に関する法律（抄）〔令四・六・一七法六八〕

（罰則の適用等に関する経過措置）

第四四一条　刑法等の一部を改正する法律（令和四年法律第六十七号。以下「刑法等一部改正法」という。）及びこの法律（以下「刑法等一部改正法等」という。）の施行前にした行為の処罰については、次章に別段の定めがあるもののほか、なお従前の例による。

2　刑法等一部改正法等の施行後にした行為に対して、他の法律の規定によりなお従前の例によることとされ、なお効力を有することとされ又は改正前若しくは廃止前の法律の規定の例によることとされる罰則を適用する場合において、当該罰則に定める刑（刑法施行法第十九条第一項の規定又は第八十二条の規定による改正後の沖縄の復帰に伴う特別措置に関する法律第二十五条第四項の規定の適用後のものを含む。）に刑法等一部改正法第二条の規定による改正前の刑法（明治四十年法律第四十五号。以下この項において「旧刑法」という。）第十二条に規定する懲役（以下「懲役」という。）、旧刑法第十三条に規定する禁錮（以下「禁錮」という。）又は旧刑法第十六条に規定する拘留（以下「旧拘留」という。）が含まれるときは、当該刑のうち無期の懲役又は禁錮はそれぞれ無期拘禁刑と、有期の懲役又は禁錮はそれぞれその刑と長期及び短期（刑法施行法第二十条の規定の適用後のものを含む。）を同じくする有期拘禁刑と、旧拘留は長期及び短期（刑法施行法第二十条の規定の適用後のものを含む。）を同じくする拘留とする。

（裁判の効力とその執行に関する経過措置）

第四四二条　懲役、禁錮及び旧拘留の確定裁判の効力並びにその執行については、次章に別段の定めがあるもののほか、なお従前の例による。

（人の資格に関する経過措置）

第四四三条　懲役、禁錮又は旧拘留に処せられた者に係る人の資格に関する法令の規定の適用については、無期の懲役又は禁錮に処せられた者はそれぞれ無期拘禁刑に処せられた者と、有期の懲役又は禁錮に処せられた者はそれぞれ刑期を同じくする有期拘禁刑に処せられた者と、旧拘留に処せられた者は拘留に処せられた者とみなす。

2 拘禁刑又は拘留に処せられた者に係る他の法律の規定によりなお従前の例によることとされ、なお効力を有することとされ又は改正前若しくは廃止前の法律の規定の例によることとされる人の資格に関する法令の規定の適用については、無期拘禁刑に処せられた者は無期禁錮に処せられた者と、有期拘禁刑に処せられた者は刑期を同じくする有期禁錮に処せられた者と、拘留に処せられた者は刑期を同じくする旧拘留に処せられた者とみなす。

（経過措置の政令への委任）

第五〇九条 この編に定めるもののほか、刑法等一部改正法等の施行に伴い必要な経過措置は、政令で定める。

別表第一（第九条の七関係）

一 確認業務又は有害液体物質を輸送する船舶の貨物艙の洗浄に係る状態の確認の業務について、次の表の上欄に掲げる学歴の区分に応じ、それぞれ同表の下欄に掲げる期間以上の期間実務の経験を有する者

学歴	期間
イ 学校教育法（昭和二十二年法律第二十六号）による大学院若しくは大学（短期大学を除く。）又は旧大学令（大正七年勅令第三百八十八号）による大学（以下「大学等」という。）において化学又は商船に関する学科を修得して卒業した者	六月
ロ 大学等において化学又は商船に関する学科以外の理科に関する学科を修得して卒業した者	
ハ 学校教育法による短期大学若しくは高等専門学校又は旧専門学校令（明治三十六年勅令第六十一号）による専門学校（以下「短期大学等」という。）において化学又は商船に関する学科を修得して卒業した者（当該学科を修得して同法による専門職大学の前期課程を修了した者を含む。）	一年
ニ 短期大学等において化学又は商船に関する学科以外の理科に関する学科を修得して卒業した者（当該学科を修得して学校教育法による専門職大学の前期課程を修了した者を含む。）	
ホ 学校教育法による高等学校又は旧中等学校令（昭和十八年勅令第三十六号）による実業学校において化学又は商船に関する学科を修得して卒業した者	二年

二 確認業務又は有害液体物質を輸送する船舶の貨物艙の洗浄に係る状態の確認の業務について三年以上の実務の経験を有する者

三 前二号に掲げる者と同等以上の知識経験を有する者

〔本表追加・平一五法九六、改正・平一八法六八・平二九法四二〕

別表第一の二（第十九条の十五関係）

一 ガス分析装置

〔本表追加・平一六法三六〕

別表第一の三（第十九条の三十関係）

一 温度計
二 回転計
三 動力計
四 船速計

〔本表追加・平二四法八九〕

別表第二（第十九条の四十六、第十九条の四十九関係）

一 寸法計測機器
二 圧力計
三 流量計
四 油分濃度計
五 絶縁抵抗計

〔本表追加・平一五法九六、改正・平一六法三六〕

別表第三（第四十三条の九関係）

一 質量計
二 比重計
三 引張強度試験機
四 分光光度計
五 絶縁抵抗計

〔本表追加・平一五法九六、改正・平一六法四八〕

○海洋汚染等及び海上災害の防止に関する法律施行令

（昭和四十六年六月二十二日政令第二百一号）

〔沿革〕 昭和四七年二月一四日政令第一六号、六月一五日第二二五号、四八年二月一日第九号、五〇年一二月二〇日第三六〇号、五一年八月一四日第二一八号、五二年三月九日第二五号、七月一五日第二三一号、五五年一〇月三日第二五五号、五八年八月一六日第一八三号、六〇年一〇月二九日第二八五号、六一年一〇月三一日第三三六号、六二年四月三日第一一五号、六三年七月一九日第二三〇号、平成元年四月四日第一〇三号、九月一日第二五〇号、二年四月二日第九九号、六月一九日第一六七号、一二月一八日第三五六号、三年一二月一〇日第三六五号、四年六月二六日第二一八号、五年二月二四日第二二号、七月二日第二四二号、一二月三日第三八五号、六年二月九日第二一号、九月二六日第三〇六号、七年七月一四日第二九〇号、八年六月二六日第一九二号、七月五日第二〇六号、九年六月二〇日第二〇二号、七月九日第二三九号、一二月一〇日第三五三号、一〇年二月四日第二〇号、五月二七日第一七九号、一一年五月二八日第一六一号、七月二二日第二三二号、一二月二七日第四三四号、一二年六月七日第三一二号、第三三三号、七月二四日第三九一号、一三年七月一一日第二三九号、一二月二八日第四四二号、一四年一月一七日第二号、一〇月二三日第三一三号、一五年五月一四日第二二三号、六月二七日第二九七号、九月一〇日第四〇二号、一二月三日第四八三号、一〇日第四九六号、一六年九月二九日第二九三号、第二九六号、一七年四月一日第一一八号、六月一〇日第二〇九号、二二日第二一九号、一八年七月二六日第二五〇号、一〇月一一日第三三八号、一一月一日第三四八号、一九年三月二八日第七二号、五月三〇日第一七三号、九月七日第二八二号、二〇年七月二日第二一六号、九月一八日第二八八号、一二月五日第三七〇号、二一年四月八日第一一九号、二二年五月一九日第一三九号、二三年四月六日第九七号、七月一日第二〇七号、一二月二日第三七三号、二四年六月二九日第一七九号、一二月一二日第二九七号、二五年一月二三日第一二号、六月一二日第一七四号、一一月二九日第三二四号、一二月二七日第三七二号、二六年九月三日第二九九号、二七年三月一八日第七四号、八月一二日第二九五号、一一月一一日第三七六号、二八年三月九日第五七号、三〇日第八六号、一二月一六日第三八三号、三一年四月二六日第一六三号、令和元年六月二八日第四四号、一二月二五日第二〇八号、二年八月一三日第二四五号、九月三〇日第二九八号、六年六月五日第二〇四号改正

注 令和六年六月五日政令第二〇四号の改正の一部は、令和七年五月一日から施行のため、現行の条文の次に改正後の条文を掲載いたしました。

（常温において液体でない物質）

第一条 海洋汚染等及び海上災害の防止に関する法律（以下「法」という。）第三条第三号の政令で定める常温において液体でない物質は、次に掲げる物質とする。

一 アンモニア

二 液化石油ガス

三 液化メタンガス

四 エチレン

五 塩化ビニル

六 塩素

七 酸化エチレン

八 窒素

九 二酸化炭素

十 ブタジエン

十一 ブチレン

十二 前各号に掲げるもののほか、次のイ又はロのいずれかに該当する物質

イ 温度三十七・八度において蒸気圧が〇・二八メガパスカルを超えるもの

ロ 臨界温度が三十七・八度未満であるもの

〔本条追加・昭六一政三三六、改正・平六政三〇六・平一六政二九三〕

（海洋環境の保全の見地から有害である物質）

第一条の二 法第三条第三号の政令で定める海洋環境の保全の見地から有害である物質は、別表第一のとおりとする。

〔本条追加・昭六一政三三六〕

（海洋環境の保全の見地から有害でない物質）

第一条の三 法第三条第四号の政令で定める海洋環境の保全の見地から有害でない物質は、別表第一の二のとおりとする。

〔本条追加・昭六一政三三六〕

（有害水バラストの要件）

第一条の四 法第三条第六号の二の政令で定める要件は、次の各号のいずれかに該当することとする。

一 当該水バラストに含まれる最小径五十マイクロメートル以上の水中の生物の数が一立方メートル当たり十個以上であること。

二 当該水バラストに含まれる最小径十マイクロメートル以上五十マイクロメートル未満の水中の生物の数が一立方センチメートル当たり十個以上であること。

三 当該水バラストに含まれる大腸菌その他の国土交通省令・環境省令で定める細菌の数が国土交通省令・環境省令で定める基準に該当するものであること。

〔本条追加・平二六政二九九〕

（オゾン層破壊物質）

第一条の五 法第三条第六号の三の政令で定めるオゾン層を破壊する物質は、別表第一の三のとおりとする。

〔本条追加・平一六政二九三、旧一条の四を改正し繰下・平二六政二九九〕

（大気を汚染する物質）

第一条の六 法第三条第六号の四の政令で定める船舶において発生する物質であつて大気を汚染するものは、窒素酸化物、硫黄酸化物及び揮発性有機化合物質（同号に規定する揮発性有機化合物質をいう。）とする。

〔本条追加・平一六政二九三、改正・平二四政二九七、旧一条の五を改正し繰下・平二六政二九九〕

（海洋施設）

第一条の七 法第三条第十号の政令で定める工作物は、次に掲げる工作物とする。

一 人を収容することができる構造を有する工作物

二　物の処理、輸送又は保管の用に供される工作物

2　油、有害液体物質並びに法第十条第二項第三号及び第五号に定める廃棄物（法第十八条第二項第一号及び第二号に定める廃棄物を除く。）に係る法第十八条第一項の規定、法第十八条の四の規定並びに法第十八条の五第一項に規定する海洋施設発生廃棄物（第十一条の三第一号に掲げる廃棄物を除く。）に係る法第十八条の五及び第十八条の六の規定の適用については、海域にある鉱山保安法（昭和二十四年法律第七十号）第二条第二項に規定する鉱山に属する工作物（廃水及び鉱さいの排出に関しては、同項ただし書の附属施設を含む。）は、海洋施設でないものとする。

〔本条追加・昭四七政一六、一項改正・昭五一政二一八・昭五五政二五五、二項改正・昭五八政一八三、一項改正・旧一条を繰下・昭六一政三三六、二項改正・昭六三政三〇・平九政二〇二、旧一条の四を繰下・平一六政二九三、二項改正・平一七政二〇九・平一九政七二・政二八二、旧一条の六を繰下・平二六政二九九〕

（危険物）

第一条の八　法第三条第十六号の政令で定める引火性の物質は、別表第一の四のとおりとする。

〔本条追加・昭五一政二一八、改正・昭五五政二五五、旧一条の二を改正し繰下・昭六一政三三六、旧一条の五を改正し繰下・平一六政二九三、旧一条の七を繰下・平二六政二九九〕

（船舶からのビルジその他の油の排出基準）

第一条の九　法第四条第二項に規定する船舶からのビルジその他の油の排出に係る同項の排出される油中の油分の濃度（以下「油分濃度」という。）、排出海域及び排出方法に関し政令で定める基準（以下この条において「排出基準」という。）は、次のとおりとする。

一　希釈しない場合の油分濃度が一万立方センチメートル当たり〇・一五立方センチメートル以下であること。

二　別表第一の五に掲げる南極海域（次項、次条第一項第三号、第一条の十一、第二条、第四条第四項並びに第九条の六第一項及び第二項において「南極海域」という。）及び同表に掲げる北極海域（次項及び第一条の十一において「北極海域」という。）以外の海域において排出すること。

三　当該船舶の航行中に排出すること。

四　ビルジ等排出防止設備のうち国土交通省令で定める装置を作動させながら排出すること。

2　前項の規定にかかわらず、海底及びその下における鉱物資源の掘採に従事している船舶（南極海域又は北極海域にあるものを除く。）からのビルジその他の油の排出に係る排出基準は、希釈しない場合の油分濃度が一万立方センチメートル当たり〇・一五立方センチメートル以下であることとする。

3　第一項の規定にかかわらず、公用に供する船舶のうち海難救助その他の緊急用務を行うための船舶であつて、当該緊急用務の遂行上必要とされる船舶の構造からみて当該船舶について同項の排出基準を適用することが困難であると認めて国土交通大臣が指定するものからのビルジその他の油の排出に係る排出基準は、当該船舶の航行中に排出することとする。

4　第一項及び前項の排出基準に従つてするビルジその他の油の排出は、できる限り海岸から離れて行うよう努めなければならない。

5　公用に供する潜水船であつて、その構造上当該船舶の燃料油タンクに積載された水バラストを航行中に排出することが困難であると認めて国土交通大臣が指定するものからの当該水バラストの排出に係る排出基準についての第一項の規定の適用については、同項第三号中「当該船舶の航行中に排出すること」とあるのは、「国土交通省令で定める方法により排出すること」とする。

〔本条追加・昭五八政一八三、一項改正・旧一条の三を繰下・昭六一政三三六、一項改正・五項追加・平五政二二、三・五項改正・平一一政三一二、一・五項改正・旧一条の六を繰下・平一六政二九三、一・二・五項改正・平一八政三四八、一項改正・平二三政二〇七、一・二項改正・平二八政三八三、一項改正・旧一条の八を繰下・平二六政二九九、一項改正・令六政二〇四〕

参照　一項四号〔国土交通省令〕規則四

（タンカーからの貨物油を含む水バラスト等の排出基準）

第一条の一〇　法第四条第三項に規定するタンカーからの貨物油を含む水バラスト等の排出（次項に規定する水バラストの排出を除く。）に係る同条第三項の油分の総量、油分の瞬間排出率、排出海域及び排出方法に関し政令で定める基準（以下この条において「排出基準」という。）は、次のとおりとする。

一　バラスト航海のための当該タンカーへの水バラストの積込みの開始時から当該タンカーに積載された貨物油の取卸しの完了時までの間の航海において排出される油分の総量が、当該航海の直前の航海において積載されていた貨物油の総量の三万分の一以下であること。

二　油分の瞬間排出率が一海里当たり三十リットル以下であること。

三　全ての国の領海の基線（海洋法に関する国際連合条約に規定する領海の幅を測定するための基線（南極海域にあつては、氷棚を陸地とみなして引かれる同条約に規定する領海の幅を測定するための基線）をいう。ただし、オーストラリア本土の北東海岸のうち南緯十一度東経百四十二度八分の点から南緯二十四度四十二分東経百五十三度十五分の点に至る部分に係る基線は、南緯十一度東経百四十二度八分の点、南緯十度三十五分東経百四十一度五十五分の点、南緯十度東経百四十二度の点、南緯九度十分東経百四十三度五十二分の点、南緯九度東経百四十四度三十分の点、南緯十度四十一分東経百四十五度の点、南緯十三度東経百四十五度の点、南緯十五度東経百四十六度の点、南緯十七度三十分東経百四十七度の点、南緯二十一度東経百五十二度五十五分の点、南緯二十四度三十分東経百五十四度の点及び南緯二十四度四十二分東経百五十三度十五分の点を順次結んだ線をいう。以下同じ。）からその外側五十海里の線を超える海域（別表第一の五に掲げる海域を除く。）において排出すること。

四　当該タンカーの航行中に排出すること。

五　海面より上の位置から排出すること。ただし、貨物油を含む水バラスト等（国土交通省令で定めるものを除く。）であつて油水分離したものを、国土交通省令で定めるところにより、当該水バラスト等の油水境界面を確認した上、ポンプを使用することなく排出する場合は、この方法に限定しない。

六　水バラスト等排出防止設備のうち国土交通省令で定める装置を作動させながら排出すること。

2　法第四条第三項に規定するタンカーの国土交通省令で定める程度以上に洗浄された貨物艙からの貨物油を含む水バラストの排出に係る排出基準は、海面より上の位置から排出することとする。ただし、国土交通省令で定める方法により排出する場合は、この方法に限定しない。

〔本条追加・昭五八政一八三、旧一条の四を繰下・昭六一政三三六、一項改正・平三政三六五・平五政三二・平八政一九二、一・二項改正・平一二政三一二、一項改正・平一二政四四二、一項改正・旧一条の七を繰下・平一六政二九三、一項改正・平一七政二一九・平一八政三四八、一項改正・旧一条の九を繰下・平二六政二九九〕

参照　一項五号・六号・二項〔国土交通省令〕規則六－八の三

（油が水温その他の自然的条件により滞留することによる汚染を特に防止する必要がある海域）

第一条の一一　法第五条の三第三項の政令で定める海域は、南極海域及び北極海域とする。

〔本条追加・平二三政二〇七、旧一条の一〇を繰下・平二六政二九九、本条改正・令六政二〇四〕

（船舶からの有害液体物質の排出基準）

第一条の一二　法第九条の二第三項の政令で定める事前処理の方法に関する基準は、別表第一の六の有害液体物質の区分の欄ごとに、それぞれ同表の事前処理の方法に関する基準の欄に掲げるとおりとする。

2　法第九条の二第三項の政令で定める排出海域及び排出方法に関する基準は、別表第一の七の有害液体物質の区分の欄ごとに、それぞれ同表の排出海域に関する基準の欄及び排出方法に関する基準の欄に掲げるとおりとする。

〔本条追加・昭六一政三三六、三項改正・平一二政三一二、一・二項改正・旧一条の八を繰下・平一六政二九三、三項削除・平一八政三二八、一・二項改正・平一八政三四八、旧一条の一〇を繰下・平二三政二〇七、旧一条の一一を繰下・平二六政二九九〕

（船舶からの排出のための事前処理につき確認を要する有害液体物質）

第一条の一三　法第九条の二第四項の政令で定める有害液体物質は、別表第一の六第一号の有害液体物質の区分の欄に掲げる有害液体物質とする。

〔本条追加・昭六一政三三六、旧一条の九を改正し繰下・平一六政二九三、本条改正・平一八政三四八、旧一条の一一を繰下・平二三政二〇七、旧一条の一二を繰下・平二六政二九九〕

（第一議定書締約国間における未査定液体物質の輸送）

第一条の一四　法第九条の六第五項の政令で定める要件は、次のとおりとする。

一　当該未査定液体物質について海洋環境の保全の見地から有害であると合意をした第一議定書締約国（法第九条の二第四項に規定する第一議定書締約国をいう。以下同じ。）のいずれかの国籍を有する船舶により当該合意をした第一議定書締約国間において輸送されるものであること。

二　本邦の内水（領海法の一部を改正する法律（平成八年法律第七十三号）による改正後の領海及び接続水域に関する法律（昭和五十二年法律第三十号）第二条第一項に規定する直線基線により新たに本邦の内水に加えることとされた海域を除く。第一条の十六第二号において同じ。）を除く海域において輸送されるものであること。

〔本条追加・平一九政一七三、見出し削除・追加・旧一条の一二を改正し繰下・平二三政二〇七、見出し削除・追加・旧一条の一三を改正し繰下・平二六政二九九〕

第一条の一五　法第九条の六第五項の規定により有害液体物質とみなされる未査定液体物質について、法第九条の二から第九条の五までの規定を適用する場合においては、海洋環境の保全の見地から、第一議定書（法第九条の二第四項に規定する第一議定書をいう。以下同じ。）に規定するＸ類に分類されている物質と同程度に有害であると合意されて輸送される物質を別表第一第一号に掲げるＸ類物質等と、第一議定書に規定するＹ類に分類されている物質と同程度に有害であると合意されて輸送される物質を同表第二号に掲げるＹ類物質等と、第一議定書に規定するＺ類に分類されている物質と同程度に有害であると合意されて輸送される物質を同表第三号に掲げるＺ類物質等とみなす。

〔本条追加・平一九政一七三、旧一条の一三を繰下・平二三政二〇七、旧一条の一四を繰下・平二六政二九九〕

第一条の一六　法第九条の六第六項の政令で定める要件は、次のとおりとする。

一　当該未査定液体物質について海洋環境の保全の見地から有害でないと合意をした第一議定書締約国のいずれかの国籍を有する船舶により当該合意をした第一議定書締約国間において輸送されるものであること。

二　本邦の内水を除く海域において輸送されるものであること。

〔本条追加・平一九政一七三、旧一条の一四を繰下・平二三政二〇七、旧一条の一五を繰下・平二六政二九九〕

（登録確認機関の登録の有効期間）

第一条の一七　法第九条の八第一項の政令で定める期間は、五年とする。

〔本条追加・平一五政四九六、旧一条の一〇を繰下・平一六政二九三、旧一条の一二を繰下・平一九政一七三、旧一条の一五を繰下・平二三政二〇七、旧一条の一六を繰下・平二六政二九九〕

（船内の日常生活に伴い生ずるふん尿等の排出の規制の対象となる船舶の総トン数又は搭載人員）

第二条　法第十条第二項第一号の政令で定める総トン数又は搭載人員は、次の各号に掲げる区分に応じ、それぞれ当該各号に定める総トン数又は最大搭載人員（最大搭載人員の定めのない船舶にあつては、これに相当する搭載人員。以下同じ。）とする。

一　国際航海に従事する船舶　四百トン又は十六人（南極海域にある船舶にあつては、四百トン又は十一人）

二　国際航海に従事しない船舶　百人（南極海域にある船舶にあつては、十一人）

〔本条追加・昭四七政一六、改正・昭六三政二三〇・平九政二三九、見出し削除・追加・本条全改・平一五政四〇二、本条改正・平一六政二九三・平一八政三四八、見出し削除・追加・令六政二〇四〕

（船内の日常生活に伴い生ずるふん尿等の種類及び排出基準）

第三条　法第十条第二項第一号の政令で定めるふん尿等は、別表第二上欄に掲げるふん尿等とする。

2　法第十条第二項第一号の排出海域及び排出方法に関し政令で定める基準は、別表第二上欄に掲げる船舶及びふん尿等の区分に応じ、それぞれ同表中欄に掲げる排出海域ごとにそれぞれ同表下欄に掲げる排出方法によることとする。

3　前項の規定にかかわらず、公用に供する潜水船であつてその構造上当該船舶について同項の基準を適用することが困難であると認めて国土交通大臣が指定するものからのふん尿等については、海面下に排出することができる。

4　前二項の基準に従つてする排出は、できる限り、海岸から離れて少量ずつ行い、かつ、当該ふん尿等が速やかに海中において拡散するように必要な措置を講じて行うよう努めなければならない。

5　別表第二第二号の表第一号から第四号までの上欄に掲げるふん尿等を第二項の基準に従つて排出する場合においても、できる限り氷の密接度が国土交通省令で定める密接度以上である海域（同表第三号及び第四号上欄に掲げるふん尿等を同項の基準に従つて排出する場合にあつては、領海の基線、氷棚、定着氷及び氷の密接度が国土交通省令で定める密接度以上である海域）から離れて行うよう努めなければならない。

〔本条追加・昭四七政一六、全改・昭六三政二三〇、一－三項改正・平九政二三九、二項改正・三項追加・旧三項を改正し四項に繰下・平一五政四〇二、五項追加・平一八政三八三、見出し追加・二一・五項改正・令六政二〇四〕

参照　五項〔国土交通省令〕規則一二の二の四三

（船内の日常生活に伴い生ずるごみ又はこれに類する廃棄物の種類及び排出基準）

第四条　法第十条第二項第二号の政令で定める廃棄物は、食物くずとする。

2　法第十条第二項第二号の排出海域及び排出方法に関し政令で定める基準は、別表第三上欄に掲げる廃棄物の区分に応じ、それぞれ同表中欄に掲げる排出海域ごとにそれぞれ同表下欄に掲げる排出方法によることとする。

3　前条第四項の規定は、別表第三上欄に掲げる廃棄物の前項の基準に従つてする船舶からの排出について準用する。

4　前条第五項の規定は、別表第三上欄に掲げる廃棄物を南極海域（同表備考第二号に規定する海洋施設等周辺海域を除く。）又は北極海域（同表備考第三号に規定する北極海域をいう。）において第二項の基準に従つて排出する場合について準用する。この場合において、同条第五項中「海域（同表第三号及び第四号上欄に掲げるふん尿等を同項の基準に従つて排出する場合にあつては、領海の基線、氷棚、定着氷及び氷の密接度が国土交通省令で定める密接度以上である海域）」とあるのは、「海域」と読み替えるものとする。

〔本条追加・昭四七政一六、一－三項改正・昭四七政二二五・昭五一政二一八、本条全改・昭六三政二三〇、一項追加・旧一・二項を二・三項に繰下・平一三政四四二、一・三項改正・平二四政二九七、四項追加・平一八政三八三、見出し追加・二－四項改正・令六政二〇四〕

（船舶の通常の活動に伴い生ずる廃棄物の種類及び排出基準）

第四条の二　法第十条第二項第三号の政令で定める船舶の通常の活動に伴い生ずる廃棄物は、次に掲げる廃棄物とする。

一　ばら積みの貨物として輸送された物質であつて当該物質の取卸しが完了した後に貨物倉に残留するもの（国土交通省令で定める物質を含むものを除く。）

二　貨物として輸送される動物であつてその輸送中に死亡したものの死体

三　生鮮魚及びその一部（漁ろう活動に伴い生ずるものに限る。）

四　汚水（その水質が国土交通省令で定める基準に適合しないものを除く。）

2　法第十条第二項第三号の排出海域及び排出方法に関し政令で定める基準は、別表第四上欄に掲げる廃棄物の区分に応じ、それぞれ同表中欄に掲げる排出海域ごとにそれぞれ同表下欄に掲げる排出方法によることとする。

3　前項の基準を異にする二以上の廃棄物が混合している場合においては、当該二以上のそれぞれの廃棄物につき、これに係る同項の基準が適用されるものとする。

4　別表第四第一号、第二号、第五号及び第六号上欄に掲げる廃棄物の第二項の基準に従つてする排出は、当該廃棄物を少量ずつ排出し、かつ、当該廃棄物ができる限り速やかに海中において拡散するよう必要な措置を講ずるよう努めなければならない。

5　別表第四上欄に掲げる廃棄物を第二項の基準に従つて排出する場合においても、水産動植物の生育に支障を及ぼすおそれがある場所を避けるよう努めなければならない。

6　第三条第五項の規定は、別表第四第一号及び第五号上欄に掲げる廃棄物を南極海域（同表備考第八号に規定する南極海域をいう。）又は北極海域（同表備考第九号に規定する北極海域をいう。）において第二項の基準に従つて排出する場合について準用する。この場合において、同条第五項中「海域（同表第三号及び第四号上欄に掲げるふん尿等を同項の基準に従つて排出する場合にあつては、領海の基線、氷棚、定着氷及び氷の密接度が国土交通省令で定める密接度以上である海域）」とあるのは、「海域」と読み替えるものとする。

〔本条追加・平一七政二〇九、一・四項改正・平二四政二九七、

六項追加・平二八政三八三、見出し・二一六項改正・令六政二〇四）

参照 一項一号〔国土交通省令〕規則一二の三の二の一〇、一項四号〔国土交通省令〕船舶の通常の活動に伴い生ずる汚水であつて海洋において処分することができるものの水質の基準を定める省令

（埋立場所等に排出する廃棄物の排出方法に関する基準）

第五条 廃棄物（次項各号に掲げるものを除く。）を法第十条第二項第四号に規定する場所（以下「埋立場所等」という。）に排出する場合における同号の政令で定める排出方法に関する基準は、次に掲げるとおりとする。

一 水底土砂で廃棄物の処理及び清掃に関する法律施行令（昭和四十六年政令第三百号。以下「廃棄物処理令」という。）別表第三の三第二十五号から第三十一号までに掲げる物質を含むもの（環境省令で定める基準に適合しないものに限る。以下「特定水底土砂」という。）及び水底土砂で環境大臣が指定する水域から除去されたもののうち熱しやく減量二十パーセント以上の状態であるもの（以下「指定水底土砂」という。）以外の水底土砂、金属くず（自動車（原動機付自転車を含む。）若しくは電気機械器具又はこれらのものの一部（環境大臣が指定するものを除く。）の破砕に伴つて生じたもの、廃棄物処理令第六条第一項第三号イ(1)に規定する廃プリント配線板、鉛蓄電池の電極であつて不要物であるもの、鉛製の管又は板であつて不要物であるもの、同号イ(1)に規定する廃容器包装及び同項第一号ロに規定する水銀使用製品産業廃棄物を除く。）その他環境大臣が指定する廃棄物をこれらの廃棄物以外の廃棄物が排出されていない埋立場所等に排出する場合においては、当該埋立場所等に廃棄物が海洋に流出しないよう必要な措置が講じられている場合を除き、当該埋立場所等から廃棄物が海洋に流出しないよう必要な措置を講じた上で排出すること。この場合において、海洋に流出してはならない廃棄物には、当該埋立場所等にある他の廃棄物を含み、特定水底土砂及び指定水底土砂以外の水底土砂を含まないものとする。

二 前号の規定により排出する場合以外の場合においては、当該埋立場所等に廃棄物及び海水が海洋に流出しないよう必要な措置が講じられている場合を除き、当該埋立場所等から廃棄物及び海水が海洋に流出しないよう必要な措置を講じた上で排出すること。この場合において、海洋に流出してはならない廃棄物には、当該埋立場所等にある他の廃棄物を含み、海水には、当該埋立場所等に設けられている余水吐きから流出する海水でその水質が環境省令で定める基準に適合しているものを含まないものとする。

三 液状廃棄物又は液状廃棄物以外の水溶性の廃棄物を排出する場合においては、水素イオン濃度指数五・〇以上九・〇以下の状態（液状廃棄物以外の水溶性の廃棄物にあつては、その全てを水素イオン濃度指数七・〇の水に飽和状態となるように溶解したとした場合における水素イオン濃度指数の状態とする。）にして排出すること。

四 油性廃棄物（ピッチその他の温度五十度において固体状であるもの、廃ポリ塩化ビフェニル等（廃棄物処理令第二条の四第五号イに規定する廃ポリ塩化ビフェニル等をいう。以下同じ。）及びポリ塩化ビフェニル処理物（同号ハに規定するポリ塩化ビフェニル処理物をいう。以下同じ。）を除く。第三項の表第二号において同じ。）を排出する場合においては、熱しやく減量十五パーセント以下の状態にして排出すること。

五 廃棄物の処理及び清掃に関する法律（昭和四十五年法律第百三十七号。以下「廃棄物処理法」という。）第二条第二項に規定する廃棄物並びに同条第四項第二号に規定する廃棄物及び当該廃棄物を処分するために処理したもの（それぞれ熱しやく減量十五パーセント以下の状態であるものを除く。）を排出する場合においては廃棄物処理令第三条第三号ハ及びへの規定の例により、廃棄物処理令第六条第一項第三号ヲに規定する廃棄物を排出する場合においては同号へ、ト及びヲの規定の例により、廃棄物処理令第六条の五第一項第三号レに規定する廃棄物を排出する場合においては同号カ、ヨ及びレの規定の例により排出すること。

六 廃棄物処理令第三条第二号へに規定する特定家庭用機器一般廃棄物又は廃棄物処理令第六条第一項第二号ハに規定する特定家庭用機器産業廃棄物（廃棄物処理法第二条第四項第二号に掲げる廃棄物であるものに限る。）を排出する場合においては、廃棄物処理令第三条第三号トの規定により処理した状態にして排出すること。

七 廃棄物処理令第六条第一項第二号ハに規定する特定家庭用機器産業廃棄物（廃棄物処理法第二条第四項第二号に掲げる廃棄物であるものを除く。）を排出する場合においては、廃棄物処理令第六条第一項第三号カの規定により処理した状態にして排出すること。

八 廃棄物処理令第三条第一号ホに規定する石綿含有一般廃棄物又は廃棄物処理令第六条第一項第一号ロに規定する石綿含有産業廃棄物（廃棄物処理法第二条第四項第二号に掲げる廃棄物であるものに限る。）を排出する場合においては、廃棄物処理令第三条第二号ト(2)本文の規定により処理し、当該処理により生じた廃棄物を同条第三号リに規定する基準に適合する状態にして排出すること。ただし、同号チの規定の例により排出する場合は、この限りでない。

九 廃棄物処理令第六条第一項第一号ロに規定する石綿含有産業廃棄物（廃棄物処理法第二条第四項第二号に掲げる廃棄物であるものを除く。）を排出する場合においては、廃棄物処理令第六条第一項第二号ニ(2)本文の規定により処理し、当該処理により生じた廃棄物を同項第三号ムに規定する基準に適合する状態にして排出すること。ただし、同号ヨの規定の例により排出する場合は、この限りでない。

十 廃棄物処理令第二条の四第五号リ(6)、第七号及び第十号に掲げる廃棄物（環境省令で定める基準に適合しないもの

に限る。）を排出する場合においては、環境省令で定める基準に適合する状態にして排出すること。

十一　廃棄物処理令第二条の四第八号及び第十一号に掲げる廃棄物又は廃棄物処理令第六条第一項第三号ハ(5)若しくは同号ソ若しくは第六条の五第一項第三号イ(5)若しくは同号ナに規定する汚泥若しくはこれらの汚泥を処分するために処理したもの（環境省令で定める基準に適合しないものに限る。）を排出する場合においては、環境省令で定める基準に適合する状態にして排出すること。

十二　廃棄物処理令第一条第一号に規定する部品を含む廃エアコンディショナー、廃テレビジョン受信機又は廃電子レンジを排出する場合においては当該部品を除去し、廃ポリ塩化ビフェニル等、ポリ塩化ビフェニル汚染物（廃棄物処理令第二条の四第五号ロに規定するポリ塩化ビフェニル汚染物をいう。）及びポリ塩化ビフェニル処理物を排出する場合においては廃棄物処理令第六条の五第一項第三号チからヌまでの規定により処理した状態にして排出すること。

十三　廃棄物処理令第一条第二号若しくは第三号又は第二条の四第六号若しくは第九号に掲げる廃棄物を排出する場合においては、廃棄物処理令第四条の二第二号ロの規定により処理し、当該処理により生じた廃棄物を廃棄物処理令第三条第三号ルに規定する基準に適合する状態にして排出すること。

十四　感染性一般廃棄物（廃棄物処理令第一条第八号に規定する感染性一般廃棄物をいう。）又は感染性産業廃棄物（廃棄物処理令第二条の四第四号に規定する感染性産業廃棄物をいう。以下同じ。）（廃棄物処理法第二条第四項第二号に規定する廃棄物であるものに限る。）を排出する場合においては、廃棄物処理令第四条の二第二号ハの規定により処理し、当該処理により生じた廃棄物を廃棄物処理令第三条第三号ヲに規定する基準に適合する状態にして排出すること。

十五　感染性産業廃棄物（廃棄物処理法第二条第四項第二号に規定する廃棄物であるものを除く。）を排出する場合においては、廃棄物処理令第六条の五第一項第二号ハの規定により処理し、当該処理により生じた廃棄物を廃棄物処理令第六条第一項第三号ツに規定する基準に適合する状態にして排出すること。

十六　廃石綿等（廃棄物処理令第二条の四第五号トに規定する廃石綿等をいう。）を排出する場合においては、廃棄物処理令第六条の五第一項第二号トの規定により処理し、当該処理により生じた廃棄物を廃棄物処理令第六条第一項第三号ムに規定する基準に適合する状態にして排出すること。ただし、廃棄物処理令第六条の五第一項第三号ワの規定の例により排出する場合は、この限りでない。

十七　廃酸又は廃アルカリで廃棄物処理令別表第五の下欄に掲げる物質を含むもの（国内において生じた廃酸又は廃アルカリにあつては、同表の中欄に掲げる施設を有する工場又は事業場において生じた廃酸又は廃アルカリでそれぞれ同表の下欄に掲げる物質を含むものに限る。）（環境省令で定める基準に適合しないものに限る。）を排出する場合においては、環境省令で定める基準に適合する状態にして排出すること。

十八　廃棄物を次項各号に掲げる廃棄物の埋立場所等として同項に規定する必要な措置が講じられている埋立場所等に排出する場合においては、当該埋立場所等の護岸その他の施設に設けられている余水吐きから同項各号に掲げる廃棄物及びその水質が環境省令で定める基準に適合しない海水が流出しないよう必要な措置を講じた上で排出すること。

2　次に掲げる廃棄物を埋立場所等に排出する場合における法第十条第二項第四号の政令で定める排出方法に関する基準は、当該埋立場所等に廃棄物及び海水が海岸（第一号から第三号までに掲げる廃棄物にあつては、当該埋立場所等以外の場所。以下この項において同じ。）に流出し、又は浸出しないよう護岸、外周仕切施設その他の施設が設けられ、当該埋立場所等が当該埋立場所等以外の海域（第一号から第三号までに掲げる廃棄物にあつては、当該埋立場所等以外の場所。以下この項において同じ。）と遮断されている場合を除き、当該埋立場所等から廃棄物及び海水が海洋に流出し、又は浸出しないよう護岸、外周仕切施設その他の施設を設けることにより当該埋立場所等を当該埋立場所等以外の海域と遮断した上で排出することとする。この場合において、当該埋立場所等から海洋に流出し、又は浸出してはならない廃棄物には、当該埋立場所等にある他の廃棄物を含み、海水には、当該埋立場所等に設けられている余水吐きから流出する海水でその水質が環境省令で定める基準に適合しているものを含まないものとする。

一　廃棄物処理令第六条第一項第三号ハ(1)、(3)及び(5)並びに第六条の五第一項第三号イ(1)、(3)及び(5)に掲げる廃棄物

二　廃棄物処理令第六条第一項第三号ハ(2)及び(4)並びに第六条の五第一項第三号イ(2)、(4)及び(7)に掲げる廃棄物

三　廃棄物処理令第六条第一項第三号タ及び第六条の五第一項第三号ソに規定する廃棄物

四　廃棄物処理令別表第三の三第一号、第二号、第八号から第二十二号まで、第二十四号及び第三十三号に掲げる物質並びにダイオキシン類（ダイオキシン類対策特別措置法（平成十一年法律第百五号）第二条第一項に規定するダイオキシン類をいう。）を含む水底土砂（環境省令で定める基準に適合しないものに限る。）

五　廃棄物処理令別表第三の三第三号から第七号まで及び第二十三号に掲げる物質を含む水底土砂（環境省令で定める基準に適合しないものに限る。）

3　前項各号に掲げる廃棄物のうち次の表の上欄に掲げるものを埋立場所等に排出する場合における法第十条第二項第四号の政令で定める排出方法に関する基準は、前項に定めるもののほか、それぞれ同表下欄に掲げるとおりとする。ただし、

当該埋立場所等に余水吐きが設けられていない場合には、同表第一号及び第三号の上欄に掲げる廃棄物についてはそれぞれ同表第一号下欄イ及び同表第三号下欄イに掲げる排出方法に関する基準は、適用しないものとする。

廃棄物	排出方法に関する基準
一　前項第二号に掲げる廃棄物（同項第一号及び第三号に掲げるものを除く。）並びに同項第四号及び第五号に掲げる水底土砂	イ　水面又は水中に排出する場合以外の場合においては、当該廃棄物の一層の厚さは二メートル以下とし、かつ、一層ごとにその表面を当該廃棄物以外の土砂で五十センチメートル（当該土砂の上に当該廃棄物を排出しない場合にあつては、一メートル）以上覆う方法により排出すること。 ロ　当該廃棄物が第一項第一号に規定する廃棄物である場合においては、環境省令で定める基準に適合する状態にして排出すること。
二　廃棄物処理令第六条第一項第三号ハ(4)及び第六条の五第一項第三号イ(4)に掲げる廃棄物のうち油性廃棄物であるもの（前項第一号及び第三号に掲げるものを除く。）	熱しやく減量十五パーセント以下の状態にして排出すること。
三　廃棄物処理令第六条第一項第三号ハ(4)及び第六条の五第一項第三号イ(4)に掲げる廃棄物のうち有機性のもの（前項第一号及び第三号に掲げるものを除く。）	イ　熱しやく減量十五パーセント以下の状態にして排出すること。 ロ　浮遊しないようにして排出すること。
四　前項第三号に掲げる廃棄物	当該廃棄物を環境大臣が定めるところにより固型化して排出すること。

4　前三項の規定による排出方法に関する基準を異にする二以上の廃棄物が混合している場合においては、当該二以上のそれぞれの廃棄物につき、これに係る前三項の規定による基準が適用されるものとする。

5　前各項の規定による排出方法に関する基準に従つてする埋立場所等への排出は、次に掲げるところにより行うよう努めなければならない。

一　第一項第一号に掲げる基準に適合している場合においても、埋立場所等に設けられている廃棄物の運搬船の通路又は余水吐きからできる限り廃棄物が海洋に流出しないよう必要な措置を講ずること。

二　埋立場所等の外に廃棄物が飛散しないよう必要な措置を講ずること。

三　埋立場所等の外に悪臭が発散しないよう必要な措置を講ずること。

〔本条追加・昭四七政二二五、一―三項改正・昭四八政九・昭五〇政三六〇・昭五二政二五、一―三・五項改正・昭五二政二三一、一―三項改正・昭五五政二五五・昭六三政二三〇、一項改正・平元政一〇三、一―三項改正・平四政二一八・平五政三八五、一項改正・平六政二一、一・二項改正・平六政三〇六・平七政二九〇、一―三項改正・平九政三五三、一項改正・平一〇政二〇、一―三項改正・平一一政一六一、一・三項改正・平一一政四三四、一―三項改正・平一二政三一二・政三九一、一項改正・平一三政二三九・平一四政三一三、二項改正・平一五政二二三、一項改正・平一六政二九六、一―三項改正・平一七政二〇九・平一八政二五〇、一項改正・平二五政一二、二項改正・平二五政三七二、一・二項改正・平二七政三七六〕

参照　一項一号〔環境大臣の指定〕海洋汚染等及び海上災害の防止に関する法律施行令の規定に基づき環境大臣が指定する廃棄物、一項一号・一〇号・一一号・一七号・二項四号・五号・三項表一号〔環境省令〕海洋汚染等及び海上災害の防止に関する法律施行令第五条第一項に規定する埋立場所等に排出しようとする金属等を含む廃棄物に係る判定基準を定める省令一―三、一項二号・一八号・二項〔環境省令〕余水吐きから流出する海水の水質についての基準を定める省令、三項表四号〔環境大臣の定め〕金属等を含む廃棄物の固型化等に関する基準

（海域において排出することのできる水底土砂の基準）

第六条　法第十条第二項第五号ロの政令で定める基準は、水底土砂が、次の各号のいずれにも該当しないものであることとする。

一　特定水底土砂

二　指定水底土砂

三　前条第二項第四号に規定する水底土砂

四　前条第二項第五号に規定する水底土砂

〔本条追加・昭四七政二二五、改正・昭五二政二三一・昭五五政二五五・昭六一政三三六・昭六三政二三〇・平一二政三一二・平一三政四四二、全改・平一七政二〇九〕

（本邦周辺海域）

第七条　法第十条第二項第七号の政令で定める本邦の周辺の海域は、本邦の領海の基線から二百海里の線（その線が中間線（領海及び接続水域に関する法律第一条第二項に規定する中間線をいう。）を超えているときは、その超えている部分については、中間線とする。）の内側の海域とする。

〔本条追加・昭五五政二五五、改正・昭六三政二三〇・平八政二〇六・平一七政二〇九・平一九政一七三、旧八条を繰上・平二六政二九九〕

（船舶発生廃棄物）

第八条　法第十条の三第一項の政令で定める廃棄物は、次に掲げる廃棄物とする。

一　船舶内にある船員その他の者の日常生活に伴い生ずるごみ又はこれに類する廃棄物

二　輸送活動、漁ろう活動その他の船舶の通常の活動に伴い生ずる廃棄物（船舶の通常の活動に伴い生じた油、有害液体物質等又は廃棄物（以下「油等」という。）以外の油等

を焼却したもの、生鮮魚及びその一部、汚水並びに水底土砂を除く。）

〔本条追加・平九政二〇二、改正・平一五政四〇二・平二四政二九七、旧九条の二を繰上・平二六政二九九〕

（船舶からの有害水バラストの排出の基準）

第九条　法第十七条第二項第二号の政令で定める基準は、次の表上欄に掲げる排出海域の区分ごとに、それぞれ同表下欄に掲げるとおりとする。

排出海域	基準
一　公海	次のイ又はロに掲げる要件に適合する有害水バラストの排出であること。 イ　主として公海において積み込まれたものとして国土交通省令で定める要件に適合する有害水バラストの排出であること。 ロ　特定船舶（旅客又は貨物の運送を行う事業の用に供される船舶以外の船舶のうち、有害水バラストの排出量、排出頻度その他の有害水バラストの排出に関する事項を勘案して海洋環境に及ぼす影響が少ないものとして国土交通省令で定める船舶をいう。次号において同じ。）からの有害水バラストの排出であつて、海洋環境の保全に障害を及ぼさないものとして国土交通省令で定める措置が講じられているものであること。
二　公海以外の海域	次のイ、ロ又はハに掲げる要件に適合する有害水バラストの排出であること。 イ　当該有害水バラストが排出される場所とおおむね同一の場所で積み込まれたものとして国土交通省令で定める要件に適合する有害水バラストの排出であること。 ロ　日本国と一以上の船舶バラスト水規制管理条約締約国（法第十七条第二項第三号に規定する船舶バラスト水規制管理条約締約国をいう。以下同じ。）との間において海洋環境の保全の見地から有害となるおそれがないものとして合意をした有害水バラストの積込みを行う区域及び排出を行う区域その他の国土交通省令で定める事項を遵守して日本国の内水、領海若しくは排他的経済水域又は当該船舶バラスト水規制管理条約締約国の内水、領海若しくは排他的経済水域において行われる有害水バラストの排出であること。 ハ　特定船舶からの有害水バラストの排出であつて、前号下欄ロに規定する措置が講じられているものであること。

〔本条追加・平二六政二九九〕

参照　一号イ・ロ〔国土交通省令〕規則一二の一四の二・一二の一四の三、二号イ・ロ〔国土交通省令〕規則一二の一四の四・一二の一四の五

（二以上の船舶バラスト水規制管理条約締約国間において合意されて行われる有害水バラストの排出）

第九条の二　法第十七条第二項第四号の政令で定める要件は、当該船舶バラスト水規制管理条約締約国間において合意をした有害水バラストの積込みを行う区域及び排出を行う区域その他の国土交通省令で定める事項を遵守して行われる有害水バラストの排出であることとする。

〔本条追加・平二六政二九九〕

参照　〔国土交通省令〕規則一二の一四の六

（湖、沼又は河川に関する読替え）

第九条の三　法第十七条の六の規定による技術的読替えは、次の表のとおりとする。

法の規定中読み替える規定	読み替えられる字句	読み替える字句
第十七条第二項	が海洋環境	が湖沼等（第十七条の六に規定する湖沼等をいう。以下同じ。）の環境
	おいて海洋環境	おいて湖沼等の環境
	海洋の	湖沼等の
第十七条第三項	海洋	湖沼等
第十七条の三第一項	有害水バラストの不適正な排出	不適正な有害水バラスト湖沼等排出（有害水バラストを湖沼等に流し、又は落とすことをいう。以下同じ。）
第十七条の三第二項	有害水バラストの不適正な排出	不適正な有害水バラスト湖沼等排出
第十七条の三第三項	第十七条の三第二項	第十七条の六において準用する第十七条の三第二項
第十七条の四第二項	有害水バラストの排出	有害水バラスト湖沼等排出
第十七条の五第二項	外国船舶	日本船舶以外の湖沼等において航行の用に供する船舶類

〔本条追加・平二六政二九九〕

（湖沼等において航行の用に供する船舶類からの有害水バラスト湖沼等排出の基準）

第九条の四　法第十七条の六において準用する法第十七条第二項第二号の政令で定める基準は、次の各号に掲げる要件のいずれかに適合する有害水バラスト湖沼等排出（有害水バラストを湖沼等（法第十七条の六に規定する湖沼等をいう。以下同じ。）に流し、又は落とすことをいう。以下同じ。）であることとする。

一　当該有害水バラストが流され、又は落とされる場所とおおむね同一の場所で積み込まれたものとして国土交通省令

で定める要件に適合する有害水バラストについての有害水バラスト湖沼等排出であること。

二　日本国と一以上の船舶バラスト水規制管理条約締約国との間において湖沼等の環境の保全の見地から有害となるおそれがないものとして合意をした有害水バラストの積込みを行う区域及び有害水バラスト湖沼等排出を行う区域その他の国土交通省令で定める事項を遵守して日本国の湖沼等又は当該船舶バラスト水規制管理条約締約国の湖沼等において行われる有害水バラスト湖沼等排出であること。

三　特定船舶類（旅客又は貨物の運送を行う事業の用に供される船舶類以外の船舶類のうち、有害水バラストの排出量、排出頻度その他の有害水バラスト湖沼等排出に関する事項を勘案して湖沼等の環境に及ぼす影響が少ないものとして国土交通省令で定める船舶類をいう。）からの有害水バラスト湖沼等排出であつて、湖沼等の環境の保全に障害を及ぼさないものとして国土交通省令で定める措置が講じられているものであること。

〔本条追加・平二六政二九九〕

（二以上の船舶バラスト水規制管理条約締約国間において合意されて行われる有害水バラスト湖沼等排出）

第九条の五　第九条の二の規定は、法第十七条の六において準用する法第十七条第二項第四号の政令で定める要件について準用する。この場合において、第九条の二中「排出を」とあるのは「有害水バラスト湖沼等排出（第九条の四に規定する有害水バラスト湖沼等排出をいう。以下この条において同じ。）を」と、「有害水バラストの排出」とあるのは「有害水バラスト湖沼等排出」と読み替えるものとする。

〔本条追加・平二六政二九九〕

（海洋施設内の日常生活に伴い生ずる廃棄物の排出基準）

第九条の六　法第十八条第二項第二号の排出海域及び排出方法に関し政令で定める基準は、次の各号に掲げる海洋施設の区分に応じ、同項第二号に規定する廃棄物を当該各号に定めるところにより排出することとする。

一　海底及びその下における鉱物資源の掘採のために設けられている海洋施設　全ての国の領海の基線（南極海域にあつては、領海の基線）からその外側十二海里の線を超える海域において、粉砕式排出方法（国土交通省令で定める技術上の基準に適合する粉砕装置で処理して排出する方法をいう。次号及び別表第三において同じ。）により排出すること。

二　前号に掲げる海洋施設以外の海洋施設　南極海域以外の海域のうち本邦の領海の基線からその外側三海里以遠十二海里以内の海域及び南極海域のうち領海の基線からその外側十二海里以遠の海域において粉砕式排出方法により排出すること並びに南極海域以外の海域のうち本邦の領海の基線からその外側十二海里以遠の海域において排出すること。

2　鳥綱に属する種の個体（その個体の一部を含むものとし、その加工品を除く。別表第三において同じ。）を含む食物くずを排出する場合における法第十八条第二項第二号の排出海域及び排出方法に関し政令で定める基準は、前項に定めるもののほか、南極海域においては国土交通省令で定める加熱殺菌その他の殺菌するための措置を講じて排出することとする。

3　前二項の基準に従つてする海洋施設からの食物くずの排出は、できる限り少量ずつ行うよう努めなければならない。

〔本条追加・昭六三政三三〇、旧九条の三を繰下・平九政二〇二、旧九条の二を繰下・平一五政四九六、旧九条の五を繰上・平一六政二九三、一・二項改正・平二四政二九七、旧九条の三を繰下・平二六政二九九、見出し・一項改正・二項追加・旧二項を改正し三項に繰下・令六政二〇四〕

（海洋施設から排出する油の排出方法に関する基準）

第一〇条　油を海洋施設から排出する場合における法第十八条第二項第三号の政令で定める排出方法に関する基準は、油分濃度が一万立方センチメートル当たり〇・一立方センチメートル未満であるようにして排出することとする。

〔本条追加・昭四七政二二五、見出し・本条改正・旧八条を繰下・昭五五政二五五、本条改正・昭五八政八三・昭六三政三三〇・平一二政三一二、見出し・本条改正・平一七政二〇九〕

（航空機から排出することがやむを得ない油又は廃棄物）

第一一条　法第十八条第三項第一号の政令で定める油又は廃棄物は、次に掲げるものとする。

一　当該航空機内にある者の日常生活に伴い生ずる尿

二　航空機の安全性を確認するための飛行において燃料放出装置の機能を点検するため排出される燃料

〔本条追加・昭五五政二五五〕

（海洋施設からの廃棄物海洋投入処分の許可等に関する読替え）

第一一条の二　法第十八条の二第三項の規定による技術的読替えは、次の表のとおりとする。

法の規定中読み替える規定	読み替えられる字句	読み替える字句
第十条の六第二項	前項	第十八条の二第一項
第十条の六第四項から第七項まで	第一項	第十八条の二第一項
第十条の七	前条第一項	第十八条の二第一項
	第十条の十一	第十八条の二第三項において準用する第十条の十一
第十条の八	第十条の六第一項	第十八条の二第一項
第十条の九第一項	第十条の六第一項	第十八条の二第一項
	同条第二項第四号	同条第三項において準用する第十条の六第二項第四号
	次条第一項	第十八条の二第三項

		において準用する次条第一項
第十条の九第二項	第十条の六第一項	第十八条の二第一項
第十条の十第一項	第十条の六第一項	第十八条の二第一項
	同条第二項第二号から第四号まで	同条第三項において準用する第十条の六第二項第二号から第四号まで
第十条の十第三項	第十条の六第三項から第七項まで、第十条の七及び第十条の八	第十八条の二第三項において準用する第十条の六第三項から第七項まで、第十条の七及び第十条の八
第十条の十第四項	第十条の六第一項	第十八条の二第一項
	同条第二項第一号	同条第三項において準用する第十条の六第二項第一号
第十条の十一	第十条の六第一項	第十八条の二第一項
	同条第二項第三号	同条第三項において準用する第十条の六第二項第三号
	前条第一項	第十八条の二第三項において準用する前条第一項
	第十条の七第一号又は第三号	同条第三項において準用する第十条の七第一号又は第三号
第十条の十二第二項	前項	第十八条の二第二項
	それぞれ第十条の六第一項	同条第一項
	同条第二項第三号の実施計画又は第十条第二項第六号の環境大臣が定める基準	同条第三項において準用する第十条の六第二項第三号の実施計画（この計画について第十八条の二第三項において準用する第十条の十第一項の許可を受けたときは、変更後のもの）
第十条の十二第三項	船舶内	海洋施設内
第十条の十二第四項	前三項	第十八条の二第二項及び前二項

〔本条追加・平一七政二〇九〕

（海洋施設発生廃棄物）

第一一条の三　法第十八条の五第一項の政令で定める廃棄物は、次に掲げる廃棄物とする。

一　海洋施設内にある者の日常生活に伴い生ずるごみ又はこれに類する廃棄物

二　輸送活動、漁ろう活動その他の海洋施設の通常の活動に伴い生ずる廃棄物（海洋施設の通常の活動に伴い生じた油等以外の油等を焼却したもの、生鮮魚及びその一部、汚水並びに水底土砂を除く。）

〔本条追加・平九政二〇一、旧一一条の二を繰下・平一七政二〇九、本条改正・平一九政二八二〕

（鉱物資源の掘採に伴い発生する油等の海底下廃棄をする海域等に関する基準）

第一一条の四　法第十八条の七第一号の海底下廃棄をする海域及び海底下廃棄の方法に関し政令で定める基準は、次のとおりとする。

一　当該鉱物資源の掘採に係る鉱業権の鉱区である海域において海底下廃棄をすること。

二　鉱山保安法第八条の規定に従つて鉱害の防止のため必要な措置を講じた上で海底下廃棄をすること。

〔本条追加・平一九政二八二〕

（海底下廃棄をすることのできるガスの基準）

第一一条の五　法第十八条の七第二号の政令で定める基準は、次のとおりとする。

一　アミン類と二酸化炭素との化学反応を利用して二酸化炭素を他の物質から分離する方法により集められたものであること。

二　当該ガスに含まれる二酸化炭素の濃度が体積百分率九十九パーセント以上（当該ガスが石油の精製に使用する水素の製造のために前号に規定する方法が用いられたことにより集められたものである場合には、体積百分率九十八パーセント以上）であること。

三　二酸化炭素以外の油等が加えられていないこと。

2　前項第二号の基準に適合するかどうかの判定のために行う二酸化炭素の濃度の測定の方法は、環境省令で定める。

〔本条追加・平一九政二八二〕

（指定海域として指定する特定二酸化炭素ガスの海底下廃棄がされた海域）

第一一条の六　法第十八条の十五第一項の政令で定める海域は、法第十八条の八第二項第二号の特定二酸化炭素ガスの海底下廃棄に関する実施計画に従つて特定二酸化炭素ガス（法第十八条の七第二号に規定する特定二酸化炭素ガスをいう。）の海底下廃棄がされた海域とする。

〔本条追加・平一九政二八二〕

（窒素酸化物の放出量に係る放出基準）

第一一条の七　法第十九条の三の政令で定める窒素酸化物の放出量に係る放出基準は、次の表上欄に掲げる放出海域の区分並びに同表中欄に掲げる原動機の種類、能力及び用途の区分ごとに、それぞれ同表下欄に掲げるとおりとする。

放出海域	原動機の種類、能力及び用途	窒素酸化物の放出量に係る放出基準
一　別表第	イ　ディーゼル機関で	一キロワット時当

一の五に掲げるバルティック海海域、別表第三備考第六号イからハまでに掲げる海域並びに別表第五に掲げる北米海域及び米国カリブ海海域	あつて、定格出力が百三十キロワットを超え、かつ、定格回転数が毎分百三十回転未満のもの（法第十九条の四第一項第二号又は第三号に掲げる原動機（以下この表において「特定用途原動機」という。）に該当するもの及び特定用途原動機以外の原動機で原動機の設置に相当の制約を伴うものとして国土交通省令で定める船舶に設置されるもの（以下この号において「特定船舶設置原動機」という。）に該当するものを除く。）	たりの窒素酸化物の放出量（単位は、グラムとする。以下同じ。）の値が三・四以下であること。
	ロ　ディーゼル機関であつて、定格出力が百三十キロワットを超え、かつ、定格回転数が毎分百三十回転未満のもの（特定船舶設置原動機に該当するものに限る。）	一キロワット時当たりの窒素酸化物の放出量の値が十四・四以下であること。
	ハ　ディーゼル機関であつて、定格出力が百三十キロワットを超え、かつ、定格回転数が毎分百三十回転以上二千回転未満のもの（特定用途原動機に該当するもの及び特定船舶設置原動機に該当するものを除く。）	一キロワット時当たりの窒素酸化物の放出量の値が九を当該原動機の毎分の定格回転数の値を〇・二乗して得た値で除して得た値以下であること。
	ニ　ディーゼル機関であつて、定格出力が百三十キロワットを超え、かつ、定格回転数が毎分百三十回転以上二千回転未満のもの（特定船舶設置原動機に該当するものに限る。）	一キロワット時当たりの窒素酸化物の放出量の値が四十四を当該原動機の毎分の定格回転数の値を〇・二三乗して得た値で除して得た値以下であること。
	ホ　ディーゼル機関であつて、定格出力が百三十キロワットを超え、かつ、定格回転数が毎分二千回転以上のもの（特定用途原動機に該当するもの及び特定船舶設置原動機に該当するものを除く。）	一キロワット時当たりの窒素酸化物の放出量の値が二・〇以下であること。
	ヘ　ディーゼル機関であつて、定格出力が百三十キロワットを超え、かつ、定格回転数が毎分二千回転以上のもの（特定船舶設置原動機に該当するものに限る。）	一キロワット時当たりの窒素酸化物の放出量の値が七・七以下であること。
	ト　イからヘまでに掲げるもの以外の原動機	窒素酸化物の放出量は、限定しない。
二　前号に掲げる海域以外の海域	イ　ディーゼル機関であつて、定格出力が百三十キロワットを超え、かつ、定格回転数が毎分百三十回転未満のもの（特定用途原動機に該当するものを除く。）	一キロワット時当たりの窒素酸化物の放出量の値が十四・四以下であること。
	ロ　ディーゼル機関であつて、定格出力が百三十キロワットを超え、かつ、定格回転数が毎分百三十回転以上二千回転未満のもの（特定用途原動機に該当するものを除く。）	一キロワット時当たりの窒素酸化物の放出量の値が四十四を当該原動機の毎分の定格回転数の値を〇・二三乗して得た値で除して得た値以下であること。
	ハ　ディーゼル機関であつて、定格出力が百三十キロワットを超え、かつ、定格回転数が毎分二千回転以上のもの（特定用途原動機に該当するものを除く。）	一キロワット時当たりの窒素酸化物の放出量の値が七・七以下であること。
	ニ　イからハまでに掲げるもの以外の原動機	窒素酸化物の放出量は、限定しない。

備考　一キロワット時当たりの窒素酸化物の放出量の算出方法は、国土交通省令で定める。

本表は、令和六政二〇四により改正され、令和七年五月一日から施行

放出海域	原動機の種類、能力及び用途	窒素酸化物の放出量に係る放出基準
一　別表第一の五に掲げるバルティッ	イ　ディーゼル機関であつて、定格出力が百三十キロワットを超	一キロワット時当たりの窒素酸化物の放出量（単位

ク海海域、別表第三備考第六号イからハまでに掲げる海域並びに別表第五に掲げる北米排出規制海域及び米国カリブ海排出規制海域	え、かつ、定格回転数が毎分百三十回転未満のもの（法第十九条の四第一項第二号又は第三号に掲げる原動機（以下この表において「特定用途原動機」という。）に該当するもの及び特定用途原動機以外の原動機で原動機の設置に相当の制約を伴うものとして国土交通省令で定める船舶に設置されるもの（以下この号において「特定船舶設置原動機」という。）に該当するものを除く。）	は、グラムとする。以下同じ。）の値が三・四以下であること。
	ロ〜ト〔略〕	
二〔略〕		
備考〔略〕		

〔本条追加・平一六政二九三、旧一一条の三を繰下・平一七政二〇九、旧一一条の四を繰下・平一九政二八二、本条改正・平二二政一三九・平二七政二九五・令二政二九八・令六政二〇四〕

参照 〔国土交通省令〕海洋汚染等及び海上災害の防止に関する法律の規定に基づく船舶の設備等に関する技術上の基準等に関する省令四一

（船級協会等の登録の有効期間）

第一一条の八 法第十九条の十五第三項（法第十九条の三十第三項及び第十九条の四十六第三項において準用する場合を含む。次条において同じ。）、法第十九条の四十九第三項及び法第四十三条の九第二項において準用する船舶安全法（昭和八年法律第十一号）第二十五条の四十八第一項の政令で定める期間については、船舶安全法施行令（昭和九年勅令第十三号）第三条の規定を準用する。

〔本条追加・平一六政二九三、旧一一条の四を繰下・平一七政二〇九、旧一一条の五を繰下・平一九政二八二、本条改正・平二四政二九七〕

（外国船級協会等の事務所等における検査に要する費用）

第一一条の九 法第十九条の十五第三項、第十九条の四十九第三項及び第四十三条の九第二項において準用する船舶安全法第二十五条の五十八第三項の政令で定める費用については、船舶安全法施行令第四条の規定を準用する。

〔本条追加・平一六政二九三、旧一一条の五を繰下・平一七政二〇九、旧一一条の六を繰下・平一九政二八二、本条改正・平二四政二九七〕

（燃料油の品質の基準等）

第一一条の一〇 法第十九条の二十一第一項の政令で定める海域は、次の表の上欄に掲げるとおりとし、同項の政令で定める基準は、当該海域ごとにそれぞれ同表下欄に掲げるとおりとする。

海域	基準
一 別表第一の五に掲げるバルティック海海域、別表第三備考第六号イからハまでに掲げる海域並びに別表第五に掲げる北米海域及び米国カリブ海海域	硫黄分の濃度が質量百分率〇・一パーセント以下であり、かつ、無機酸を含まないこと。
二 前号に掲げる海域以外の海域	硫黄分の濃度が質量百分率〇・五パーセント以下であり、かつ、無機酸を含まないこと。

本条は、令和六政二〇四により改正され、令和七年五月一日から施行

（燃料油の品質の基準等）

第一一条の一〇 法第十九条の二十一第一項の政令で定める海域は、次の表の上欄に掲げる海域とし、同項の政令で定める基準は、当該海域ごとにそれぞれ同表下欄に掲げるとおりとする。

海域	基準
一 別表第一の五に掲げるバルティック海海域、別表第三備考第六号イからハまでに掲げる海域並びに別表第五に掲げる北米排出規制海域、米国カリブ海排出規制海域及び地中海排出規制海域	硫黄分の濃度が質量百分率〇・一パーセント以下であり、かつ、無機酸を含まないこと。
二〔略〕	

〔本条追加・平一六政二九三、一・二項改正・平一八政三四八、旧一一条の六を繰下・平一七政二〇九、旧一一条の七を繰下・平一九政二八二、二項改正・平二二政一三九・平二三政七三、一項改正・二項削除・平二四政一七九、本条改正・平二四政二九七・平二五政三二四・平二六政二九九・平二八政三八三・平三一政一六三・令二政二九八・令六政二〇四〕

第一一条の一一 法第十九条の二十一第二項の政令で定める基準は、無機酸を含まないこととする。

〔本条追加・平一六政二九三、一項改正・平一八政三四八、旧一一条の七を繰下・平一七政二〇九、旧一一条の八を繰下・平一九政二八二、一項改正・平二四政一七九、一項削除・旧二項を改正し本条に改正・平二四政二九七〕

（船舶において焼却することが禁止される油等）

第一二条 法第十九条の三十五の四第一項ただし書の政令で定める油等は、船舶内にある船員その他の者の日常生活に伴い生じ、又は輸送活動、漁ろう活動その他の当該船舶の通常の

活動に伴い生ずる不要な油等であつて、次に掲げるものとする。ただし、第六号に掲げるものにあつては、同条第二項本文の国土交通省令で定める技術上の基準に適合する船舶発生油等焼却設備を用いて焼却する場合を除く。

一　ばら積みの液体貨物として輸送される油、有害液体物質等若しくはばら積み以外の方法で貨物として輸送される法第三十八条第一項第四号の国土交通省令で定める物質の残留物又は当該残留物が染み込み、若しくは付着したもの

二　ポリ塩化ビフェニル、ポリ塩化ビフェニルを含む油又はポリ塩化ビフェニルが塗布され、染み込み、付着し、若しくは封入されたもの

三　鉛若しくはカドミウム又はこれらの化合物（電池その他の製品であつて、これらの物質を含むものを含む。）

四　ハロゲン化合物を含む精製された油又は当該油が染み込み、若しくは付着したもの

五　船舶からの窒素酸化物又は硫黄酸化物の放出量を低減させるための装置の使用に伴い生ずる廃棄物

六　ポリ塩化ビニル（漁網その他の製品であつて、ポリ塩化ビニルを含むものを含む。）

〔本条追加・昭五五政二五五、見出し・本条改正・昭六一政三三六、本条改正・平四政二一八・平五政三八五・平六政二一一・平九政二〇二・平一二政三一二・平一六政二九三、全改・平一七政二〇九、改正・平二二政一三九・平二四政二九七〕

（船舶発生油等の焼却の方法）

第一二条の二　法第十九条の三十五の四第二項本文の規定により船舶発生油等の焼却をしようとする者は、船舶発生油等焼却設備取扱手引書に定められた事項を遵守してこれを行わなければならない。

〔見出し・本条追加・平一六政二九三、本条改正・平二四政二九七〕

第一二条の三　法第十九条の三十五の四第二項第一号の政令で定める焼却海域及び焼却方法に関する基準は、港則法（昭和二十三年法律第百七十四号）に基づく港の区域又は外国の港の区域のいずれにも属さない海域において、船舶に設置された原動機又はボイラーを用いて焼却することとする。

〔本条追加・平一六政二九三、改正・平二四政二九七〕

第一三条及び第一四条　削除〔平一七政二〇九〕

（海洋施設内において生ずる不要な油等）

第一五条　法第十九条の三十五の四第五項第一号の政令で定める当該海洋施設内において生ずる不要な油等は、海底及びその下における鉱物資源の掘採その他の当該海洋施設の通常の活動に伴い生ずる不要な油等とする。

〔本条追加・昭五五政二五五、見出し・本条改正・昭六一政三三六、本条改正・平九政二〇二、見出し・本条改正・平一六政二九三、本条改正・平一七政二〇九・平二四政二九七〕

（手数料の納付を要しない独立行政法人）

第一五条の二　法第十九条の四十九第一項において準用する船舶安全法第二十九条ノ四第一項ただし書及び法第五十一条の三第一項の政令で定める独立行政法人は、国立研究開発法人水産研究・教育機構、独立行政法人海技教育機構及び独立行政法人国立高等専門学校機構とする。

〔本条追加・平一六政二九三、改正・平二七政七四・平二八政五七・政八六〕

（関係行政機関の長等に対する防除措置等の要請の手続）

第一五条の三　法第四十一条の二の規定により海上保安庁長官が必要な措置を講ずることを要請しようとする場合には、次の事項を明らかにするものとする。

一　要請する事由

二　排出された油、有害液体物質、廃棄物その他の物、排出のおそれがある油若しくは有害液体物質又は沈没し、若しくは乗り揚げた船舶の状況

三　その他参考となるべき事項

2　前項の要請は、文書により行うものとする。ただし、事態が急迫して文書によることができない場合には、口頭又は電信若しくは電話によることができる。

3　前項ただし書の場合においては、事後において速やかに文書を提出するものとする。

〔本条追加・平一〇政一七九、旧一五条の二を繰下・平一六政二九三、見出し・一項改正・平一九政七二〕

（特定外国船舶）

第一五条の四　法第四十一条の二第二号の政令で定める外国船舶は、次に掲げる外国船舶以外の外国船舶とする。

一　本邦の大陸棚における天然資源の探査及び開発並びに本邦の大陸棚の掘削に従事している外国船舶

二　本邦の各港間のみを航行する外国船舶

三　船舶油濁等損害賠償保障法（昭和五十年法律第九十五号）第二条第八号に規定する難破物に該当する外国船舶（本邦の排他的経済水域にあるものに限る。）及び同号に規定する難破物に該当する排出された油、有害液体物質、廃棄物その他の物（本邦の内水、領海又は排他的経済水域にあるものに限る。）が積載されていた外国船舶

〔本条追加・平一〇政一七九、旧一五条の三を繰下・平一六政二九三、本条改正・令元政二〇八〕

（費用の範囲）

第一五条の五　法第四十一条の三第一項及び第四十二条の十六第十二項の政令で定める範囲の費用は、当該措置のため特に必要となつた人件費、船舶運航費、機械器具費、消耗品費その他の費用とする。

〔本条追加・平一〇政一七九、改正・平一五政二九七、旧一五条の四を繰下・平一六政二九三、改正・平二五政一七四〕

（海洋施設廃棄の許可等に関する読替え）

第一六条　法第四十三条の四の規定による技術的読替えは、次の表のとおりとする。

法の規定中読み替える規定	読み替えられる字句	読み替える字句
第十条の六第三項	前項	第四十三条の二第二項
	廃棄物	海洋施設

第十条の六第四項	第一項	第四十三条の二第一項
	第二項	同条第二項
第十条の六第五項	第一項	第四十三条の二第一項
第十条の六第六項及び第七項	廃棄物の排出	海洋施設の廃棄
	第一項	第四十三条の二第一項
第十条の七	前条第一項	第四十三条の二第一項
	第十条の十一	第四十三条の四において準用する第十条の十一
第十条の八第二項	第十条の六第一項	第四十三条の二第一項
第十条の九第一項	第十条の六第一項	第四十三条の二第一項
	次条第一項	第四十三条の四において準用する次条第一項
	廃棄物	海洋施設
第十条の九第二項	第十条の六第一項	第四十三条の二第一項
第十条の十第一項	第十条の六第一項	第四十三条の二第一項
第十条の十第三項	第十条の六第三項から第七項まで、第十条の七及び第十条の八	第四十三条の三並びに第四十三条の四において準用する第十条の六第三項から第七項まで、第十条の七及び第十条の八第二項
第十条の十第四項	第十条の六第一項	第四十三条の二第一項
第十条の十一	第十条の六第一項	第四十三条の二第一項
	廃棄物	海洋施設
	前条第一項	第四十三条の四において準用する前条第一項
	第十条の七第一号又は第三号	第四十三条の四において準用する第十条の七第一号又は第三号

〔本条追加・昭五五政二五五、一項改正・平一二政三一二、本条全改・平一七政二〇九〕

第一七条　削除〔平一七政二〇九〕

（排他的経済水域等における適用関係）

第一七条の二　法第五十一条の五の規定により読み替えて適用される排他的経済水域及び大陸棚に関する法律（平成八年法律第七十四号）第三条第一項の規定に基づき、排他的経済水域又は大陸棚における第二議定書締約国（法第十九条の十七第一項に規定する第二議定書締約国をいう。）の船舶から放出される排出ガスによる大気の汚染、地球温暖化及びオゾン層の破壊に係る環境の保全並びに排他的経済水域及び大陸棚に関する法律第三条第一項第四号に掲げる事項に法の規定が適用される場合における当該船舶に対するこの政令の規定の適用については、第十一条の十の表第一号中「無機酸」とあるのは「第二議定書（法第十九条の十七第一項に規定する第二議定書をいう。）によって改正された千九百七十三年の船舶による汚染の防止のための国際条約に関する千九百七十八年の議定書によって修正された同条約附属書VI（以下「条約附属書VI」という。）第十八規則に規定する無機酸、添加物質又は廃化学物質であって、第二議定書締約国（法第十九条の十七第一項に規定する第二議定書締約国をいう。）の船舶（排他的経済水域における海洋汚染等及び海上災害の防止に関する法律等の適用関係の整理に関する政令（平成八年政令第二百号）第一条に規定する特定外国船舶であるものに限る。以下「第二議定書締約国特定船舶」という。）が国籍を有する国の法令で船舶において使用される燃料油に含まれてはならないものとして定めるもの（以下「特定無機酸等」という。）」と、同表第二号及び第十一条の十一中「無機酸」とあるのは「特定無機酸等」と、第十二条第三号中「鉛若しくはカドミウム又はこれらの化合物（電池その他の製品であって、これらの物質を含むものを含む。）」とあるのは「条約附属書VI第十六規則に規定する微量でない量の重金属を含む廃物であって、第二議定書締約国特定船舶が国籍を有する国の法令で船上での焼却を禁止するもの」とする。

2　前項に規定するもののほか、法第五十一条の五の規定により読み替えて適用される排他的経済水域及び大陸棚に関する法律第三条第一項の規定により我が国の排他的経済水域に適用される法に基づく命令の適用関係の整理のため必要な事項は、国土交通省令で定める。

〔本条追加・平一二政三一三、改正・平一五政四八三、全改・平一六政二九三、一項改正・平一七政二〇九・平一九政一八二・平二四政一七九・政二九七〕

参照　二項〔国土交通省令〕海洋汚染等及び海上災害の防止に関する法律の規定に基づく船舶の設備等に関する技術上の基準等に関する省令五〇

（取締官）

第一八条　法第六十五条第一項の政令で定める者は、海上保安官及び警察官とする。

〔本条追加・平八政一九二〕

（担保金等の提供による釈放等の規定を適用しない外国船舶）

第一九条 法第六十五条第一項第一号の政令で定める外国船舶は、次に掲げる外国船舶とする。

一 本邦の内水及び領海の海底及びその下における活動に従事している外国船舶

二 本邦の大陸棚における天然資源の探査及び開発並びに本邦の大陸棚の掘削に従事している外国船舶

〔本条追加・平八政一九二〕

(担保金の額に関する基準)

第二〇条 法第六十五条第四項の基準は、違反の類型、その罪につき定められた刑、違反の程度、違反の回数等を考慮して定めなければならない。

〔本条追加・平八政一九二〕

(担保金等の提供)

第二一条 担保金(担保金の提供を保証する書面(以下「保証書」という。)に記載されているところに従つて提供されるものを除く。第一号において同じ。)又は保証書は、次に掲げるところに従つて提供されなければならない。

一 担保金にあつては、法第六十五条第一項の規定による告知があつた日の翌日から起算して十日以内(取締官がやむを得ない事由があると認めて当該告知があつた日の翌日から起算して二十日を超えない範囲内において当該期間を延長したときは、その期間内)に、違反者又は同項の事件に係る船舶の船長その他主務大臣が担保金を提供する者として適当と認める者から、本邦通貨で提供されること。

二 保証書にあつては、次に掲げる要件に適合するものが前号の期間内に提供されること。

イ 当該保証書が提供された日の翌日から起算して一月以内に本邦通貨で担保金が提供されることを保証するものであり、かつ、当該保証書に記載されているところに従つて担保金が確実に提供されると認められるものであること。

ロ 当該保証書に係る担保金を提供する者が前号に規定する者に該当するものであること。

2 前項第一号及び第二号イの期間の末日が日曜日若しくは土曜日、国民の祝日に関する法律(昭和二十三年法律第百七十八号)に規定する休日又は一月二日、同月三日若しくは十二月三十一日に当たるときは、その日は、当該期間に算入しない。

〔本条追加・平八政一九二〕

(主務大臣及び主務省令)

第二二条 法第六十五条第二項、第六十六条第一項及び第六十七条第一項並びに前条第一項における主務大臣は、海上保安官に係る事件については国土交通大臣、警察官に係る事件については内閣総理大臣とし、法第六十五条第四項における主務大臣は、国土交通大臣及び内閣総理大臣とし、法第六十六条第二項における主務大臣は、国土交通大臣又は内閣総理大臣とする。

2 法第六十八条における主務省令は、国土交通省令・内閣府令とする。

〔本条追加・平八政一九二、一・二項改正・平一二政三一二〕

附　則

1 この政令は、法の施行の日(昭和四十六年六月二十四日)から施行する。

2・3 〔他の法令改正に付き略〕

附　則〔昭四七・二・一四政一六〕

改正 昭四七・六・一五政二二五

1 この政令は、昭和四十七年六月二十五日から施行する。

2 この政令の施行の日以後に建造に着手した船舶以外の船舶については、改正後の第四条第一項の規定にかかわらず、この政令の施行の日から起算して二年を経過する日までは、法第十条第二項第一号の政令で定める廃棄物は、別表第一上欄第一号、第二号及び第三号に掲げるものとする。

3 この政令の施行の際現に改正後の第一条第一項に規定する工作物を設置している者(設置の工事をしている者を含む。)は、この政令の施行の日から起算して二月を経過する日までに、運輸省令で定めるところにより、法第十九条第一項各号に掲げる事項を海上保安庁長官に届け出なければならない。

4 法第十九条第二項の規定の適用については、前項の規定による届出をした者及びその届出に係る事項は、同条第一項の規定による届出をした者及びその届出に係る事項とみなす。

5 附則第三項の規定による届出をせず、又は虚偽の届出をした者は、三万円以下の過料に処する。

参照 三項〔運輸省令〕海洋汚染防止法施行規則の一部を改正する省令(昭和四七年六月運輸令三八号)附則⑥・⑦

附　則〔昭四七・六・一五政二二五抄〕

改正 昭四八・二・一政九、昭五〇・一二・二〇政三六〇

(施行期日)

1 この政令は、昭和四十七年六月二十五日から施行する。

(経過措置)

2 昭和四十九年六月二十四日までは、改正後の海洋汚染防止法施行令第六条第二号中「植物性のもの(木くずにあつては、最大径おおむね十五センチメートル以下に破砕し、又は切断したものに限る。)」とあるのは、「植物性のもの」とする。

3 廃棄物の処理及び清掃に関する法律施行令(以下「廃棄物処理令」という。)第三条第六号ハに掲げる廃棄物及び同令第六条第三号イに掲げる汚でいのうち公共下水道又は流域下水道から除去したもの(以下「下水汚でい」という。)に係る海洋汚染防止法第十条第二項第三号の政令で定める排出海域に関する基準は、改正後の海洋汚染防止法施行令第七条の規定にかかわらず、昭和四十八年三月三十一日までは次に掲げる海域以外の海域とし、同年四月一日から昭和五十一年三月三十一日(下水汚でいにあつては、昭和四十八年十二月三十一日)まではすべての国の領海の基線から十五海里をこえる海域とする。

一　旧清掃法施行令（昭和二十九年政令第百八十三号）別表に掲げる区域

二　港則法（昭和二十三年法律第百七十四号）に基づく港の区域及びその境界外一万メートル以内の海域

三　前二号に掲げる海域以外の海域のうち本邦の領海の基線から三海里をこえない海域。ただし、環境庁長官が指定する海域にあつては沿岸から一海里をこえない海域とする。

4　廃棄物処理令第六条第三号イに掲げる廃棄物のうち燃えがら及び汚でい（下水汚でいを除く。）並びに同号ニ及びヘに掲げる廃棄物に係る海洋汚染防止法第十条第二項第三号の政令で定める排出海域に関する基準は、改正後の海洋汚染防止法施行令第七条の規定にかかわらず、昭和四十八年十二月三十一日まではすべての国の領海の基線から十五海里をこえる海域とする。

5　廃棄物処理令附則第二条第三項の規定により同項に規定する期日まで海洋に投入することができることとされる油分を含む汚でい（海洋に投入した場合に油膜を生じないものに限る。）に係る海洋汚染防止法第十条第二項第三号の政令で定める排出海域に関する基線は、すべての国の領海の基線から十五海里をこえる海域とし、同号の排出方法に関する基準は、無機性の汚でい（水溶性のものを除く。）にあつては改正後の海洋汚染防止法施行令別表第二第一号下欄に規定する集中型排出方法により排出することとし、その他の汚でいにあつては同表第三号下欄に規定する拡散型排出方法により排出することとする。

6　廃棄物処理令附則第二条第四項の規定により同項に規定する期日まで海洋に投入することができることとされる次の表の上欄に掲げる廃棄物に係る海洋汚染防止法第十条第二項第三号の政令で定める排出海域及び排出方法に関する基準は、それぞれ同表の中欄及び下欄に掲げるとおりとする。

一　廃棄物処理令附則第二条第四項第一号	すべての国の領海の基線から十五海里をこえる海域	拡散型排出方法により排出すること。
二　廃棄物処理令附則第二条第四項第二号に掲げる廃棄物	改正後の海洋汚染防止法施行令別表第二に規定するC海域	集中型排出方法により排出すること。

7　前四項に規定する廃棄物の当該各項に規定する排出海域及び排出方法に関する基準に従つてする排出については、改正後の海洋汚染防止法施行令第七条第二項から第四項までの規定を準用する。

附　則〔昭五二・七・一五政二三一〕

1　この政令は、昭和五十二年九月一日から施行する。

2　この政令の施行の際現に存する埋立場所等に改正後の海洋汚染及び海上災害の防止に関する法律施行令第五条第二項各号に掲げる廃棄物以外の廃棄物を排出する場合には、同条第一項第一号及び第二号の規定にかかわらず、改正前の海洋汚染及び海上災害の防止に関する法律施行令第五条第一項第一号の規定の例による。

附　則〔昭五五・一〇・三政二五五抄〕

改正　昭六一・一〇・三一政三三六、昭六三・七・一九政二三〇、平一六・九・二九政二九三

（施行期日）

第一条　この政令は、廃棄物その他の物の投棄による海洋汚染の防止に関する条約が日本国について効力が生ずる日（昭五五・一一・一四）から施行する。

（経過措置）

第二条　この政令の施行の際現に油、有害液体物質等又は廃棄物（以下「油等」という。）の焼却に常用している船舶において当該船舶がその際現に有する要焼却確認廃棄物焼却設備を用いて海洋汚染等及び海上災害の防止に関する法律施行令（以下「海洋汚染等防止令」という。）別表第四第七号上欄に掲げる油等を焼却する場合の海洋汚染等及び海上災害の防止に関する法律第十九条の二十六第五項の政令で定める焼却海域に関する基準は、海洋汚染等防止令第十三条第一項の規定にかかわらず、当分の間、海洋汚染等防止令別表第四備考第五号に規定するH海域とする。

附　則〔昭五八・八・一六政一八三抄〕

改正　昭六一・一〇・三一政三三六、平三・一二・一〇政三六五、平五・二・二四政三二、平一二・六・七政三一二、平一六・九・二九政二九三、平一八・一一・一政三四八、平二六・九・三政二九九

（施行期日）

第一条　この政令は、海洋汚染及び海上災害の防止に関する法律の一部を改正する法律（昭和五十八年法律第五十八号。以下「改正法」という。）附則第一条第二号に定める日（昭和五十八年十月二日）から施行する。

（経過措置）

第二条　昭和五十年十二月三十一日以前に建造契約が結ばれたタンカー（建造契約がないタンカーにあつては、昭和五十一年六月三十日以前に建造に着手されたもの）であつて昭和五十四年十二月三十一日以前に船舶所有者に対し引き渡されたもの（昭和五十一年一月一日以後に改正法附則第四条第二項第二号の運輸省令で定める改造に該当する改造に関する契約が結ばれたタンカー（改造に関する契約がないタンカーにあつては、昭和五十一年七月一日以後に当該改造が開始されたもの）又は昭和五十五年一月一日以後に当該改造が完了したタンカーを除く。以下「現存旧タンカー」という。）からの貨物油を含む水バラスト等の排出についての海洋汚染等及び海上災害の防止に関する法律施行令（昭和四十六年政令第二百一号。以下「海洋汚染等防止令」という。）第一条の十第一項第一号の規定の適用については、同号中「三万分の一」とあるのは、「一万五千分の一」とする。

2　現存旧タンカーからの貨物油を含む水バラスト等の排出であつて次の各号に掲げる要件に適合するものについては、海洋汚染等防止令第一条の十第一項第五号の規定にかかわらず、当該水バラスト等は、海面下に排出することができる。

一　排出される水バラスト等の一部を上甲板上又はこれより上の位置において目視により監視することができる装置が備え付けられた排出管により排出すること。

二　排出される水バラスト等の一部を前号の装置を使用して監視すること。

3　昭和五十四年六月一日以前に建造契約が結ばれたタンカー（建造契約がないタンカーにあつては、昭和五十五年一月一日以前に建造に着手されたもの）であつて昭和五十七年六月一日以前に船舶所有者に対し引き渡されたもの（昭和五十四年六月二日以後に改正法附則第四条第二項第二号の運輸省令で定める改造に該当する改造に関する契約が結ばれたタンカー（改造に関する契約がないタンカーにあつては、昭和五十五年一月二日以後に当該改造が開始されたもの）又は昭和五十七年六月二日以後に当該改造が完了したタンカーを除く。以下「現存タンカー」という。）であつて国土交通省令で定めるところによりクリーンバラストタンク（タンカーの貨物艙及び燃料油タンクからの配管に二重に弁を設けることによりこれらの貨物艙及び燃料油タンクから分離されているタンクであつて水バラストの積載のためのものをいう。）を設置するものから、当該クリーンバラストタンクに積載された貨物油を含む水バラスト（以下「クリーンバラスト」という。）を国土交通省令で定めるところにより当該クリーンバラスト中の油分の監視をして排出する場合は、当該クリーンバラストを海洋汚染等防止令第一条の十第二項に規定する水バラストとみなして、同項の規定を適用する。

4　前項のタンカーであつてこの政令の施行の際現にクリーンバラストを海面より上の位置から排出するための設備を有しないものについては、海洋汚染等防止令第一条の十第二項の規定にかかわらず、クリーンバラストは、海面下に排出することができる。

5　海洋汚染等防止令第一条の十の規定は、現存タンカーのうち本邦の各港間のみの航行等の用に供するタンカーであつて国土交通省令で定めるものからの水バラスト及び貨物艙の洗浄水であつて貨物油を含むものの排出については、適用しない。

参照　三項・五項〔国土交通省令〕海洋汚染及び海上災害の防止に関する法律施行規則の一部を改正する省令（昭和五八年八月運輸令三六号）附則二・三

附　則〔平二・四・二政九九〕

（施行期日）

1　この政令は、平成二年十月十三日から施行する。

（経過措置）

2　この政令の施行の際現に海洋汚染及び海上災害の防止に関する法律第九条の六第三項の規定により査定されている物質のうち改正後の別表第一第一号イ若しくはハ、第二号イ若しくはハ、第三号イ若しくはハ、第四号イ若しくはハ又は別表第一の二（第八十九号を除く。）に掲げる物質に該当するものについては、その査定は、この政令の施行の日にその効力を失う。

3　この政令の施行前にした行為に対する罰則の適用については、なお従前の例による。

附　則〔平四・六・二六政二一八抄〕

（施行期日）

第一条　この政令は、廃棄物の処理及び清掃に関する法律及び廃棄物処理施設整備緊急措置法の一部を改正する法律（以下「改正法」という。）の施行の日（平成四年七月四日）から施行する。

（海洋汚染及び海上災害の防止に関する法律施行令の一部改正に伴う経過措置）

第一〇条　新廃棄物処理令第一条第二号に掲げる廃棄物については、平成七年三月三十一日までは、第八条の規定による改正後の海洋汚染及び海上災害の防止に関する法律施行令第五条第一項第八号中「廃棄物処理令第四条の二第二号ロの規定により処理し、当該処理により生じた廃棄物を廃棄物処理令第三条第三号トに規定する基準に適合する状態にして」とあるのは、「当該廃棄物を排出する場所であることの表示がされている埋立場所等に」とする。

附　則〔平五・二・二四政二二抄〕

（施行期日）

1　この政令は、平成五年七月六日から施行する。

（経過措置）

2　この政令の施行の日前に建造された船舶であつて、この政令の施行の際現にこの政令による改正前の海洋汚染及び海上災害の防止に関する法律施行令別表第一の五第一号の排出方法に関する基準の欄のロ又は同表第二号の排出方法に関する基準の欄のロのビルジ等排出防止設備のうち運輸省令で定める装置（以下この項において「旧装置」という。）を設置しているものからこの政令による改正後の海洋汚染及び海上災害の防止に関する法律施行令（以下この項において「新令」という。）第一条の六第一項の一般海域におけるビルジその他の油の排出であつて旧装置を作動させながら行うものに係る同項の排出基準は、平成十年七月五日までの間は、なお従前の例による。ただし、当該船舶が新令別表第一の五第一号の排出方法に関する基準の欄のビルジ等排出防止設備のうち運輸省令で定める装置を設置した後においては、この限りでない。

3　前項の規定によりなお従前の例によることとされる場合におけるこの政令の施行後にした行為に対する罰則の適用については、なお従前の例による。

附　則〔平六・二・九政二一〕

改正　平一六・九・二九政二九三

（施行期日）

1　この政令は、平成六年二月二十日から施行する。ただし、第一条中海洋汚染及び海上災害の防止に関する法律施行令別表第一、別表第一の二、別表第一の七及び別表第一の八の改正規定並びに附則第三項の規定は、平成六年七月一日から施行する。

（経過措置）

2　この政令の施行の際現に、第一条の規定による改正後の海洋汚染及び海上災害の防止に関する法律施行令別表第四第七号上欄に掲げる廃棄物であって同条の規定による改正前の海洋汚染及び海上災害の防止に関する法律施行令第十四条に規定する油等以外のものの焼却の用に供している要焼却確認廃棄物焼却設備（船舶に設置しているものに限る。）については、海洋汚染等及び海上災害の防止に関する法律第十九条の二十七第一項及び第十九条の三十一第一項の規定は、適用しない。

3　この政令（附則第一項ただし書に規定する規定にあっては、当該規定）の施行前にした行為に対する罰則の適用については、なお従前の例による。

附　則〔平六・九・二六政三〇六抄〕

（施行期日）

1　この政令は、平成七年四月一日から施行する。〔以下略〕

3　この政令の施行前にした行為に対する罰則の適用については、なお従前の例による。

附　則〔平七・七・一四政二九〇〕

（施行期日）

1　この政令は、平成八年一月一日から施行する。

（経過措置）

2　この政令の施行前にした行為に対する罰則の適用については、なお従前の例による。

附　則〔平九・一二・一〇政三五三抄〕

（施行期日）

第一条　この政令は、廃棄物の処理及び清掃に関する法律の一部を改正する法律（以下この条において「改正法」という。）附則第一条第一号に掲げる規定の施行の日（平成十年六月十七日）から施行する。〔以下略〕

第六条　この政令の施行前にした行為に対する罰則の適用については、なお従前の例による。

附　則〔平一〇・二・四政二〇〕

（施行期日）

1　この政令は、平成十年七月一日から施行する。ただし、第五条第一項第六号の改正規定は、平成十年六月十七日から施行する。

（経過措置）

2　この政令の施行の際現に海洋汚染及び海上災害の防止に関する法律第九条の六第三項の規定により査定されている物質のうち、改正後の別表第一第一号イ若しくはハ、第二号イ若しくはハ、第三号イ若しくはハ、第四号イ若しくはハ又は別表第一の二（第百一号を除く。）に掲げる物質に該当するものについては、当該査定は、この政令の施行の日にその効力を失う。

3　この政令の施行前にした行為に対する罰則の適用については、なお従前の例による。

附　則〔平一一・五・二八政六一〕

（施行期日）

1　この政令は、平成十三年四月一日から施行する。

（経過措置）

2　この政令の施行の際現に収集、運搬又は処分（再生を含む。以下同じ。）が行われている第一条の規定による改正後の廃棄物の処理及び清掃に関する法律施行令（以下「新廃棄物処理令」という。）第三条第二号ホに規定する特定家庭用機器一般廃棄物又は新廃棄物処理令第六条第一項第二号ハに規定する特定家庭用機器産業廃棄物についてこの政令の施行後行う処分については、平成十三年九月三十日までの間は、新廃棄物処理令第三条第二号ホ及び第三号ト並びに第六条第一項第二号ハ及び第三号カの規定にかかわらず、なお従前の例による。

3　前項に規定する廃棄物についてこの政令の施行後行う埋立場所等への排出については、平成十三年九月三十日までの間は、第二条の規定による改正後の海洋汚染及び海上災害の防止に関する法律施行令第五条第一項第六号及び第七号の規定にかかわらず、なお従前の例による。

附　則〔平一一・一二・二七政四三四〕

（施行期日）

1　この政令は、ダイオキシン類対策特別措置法の施行の日（平成十二年一月十五日）から施行する。〔以下略〕

（経過規定）

2　この政令の施行前にした行為に対する罰則の適用については、なお従前の例による。

附　則〔平一四・一・一七政二抄〕

改正　平一六・九・二九政二九三

（施行期日）

第一条　この政令は、平成十四年二月一日から施行する。

（海洋汚染及び海上災害の防止に関する法律施行令の一部改正に伴う経過措置）

第三条　この政令の施行の際現に第二条の規定による改正前の海洋汚染及び海上災害の防止に関する法律施行令別表第三第三号上欄に規定する廃棄物の処理及び清掃に関する法律施行令第三条第四号イ(2)に掲げる廃棄物の排出を行っている者に係る同表第三号上欄に規定する同条第四号イ(2)に掲げる廃棄物の排出については、海洋汚染等及び海上災害の防止に関する法律施行令別表第三の規定にかかわらず、この政令の施行の日から起算して五年を経過する日までの間は、なお従前の例による。

（罰則に関する経過措置）

第四条　この政令の施行前にした行為及びこの政令の附則においてなお従前の例によることとされる場合におけるこの政令の施行後にした行為に対する罰則の適用については、なお従前の例による。

附　則〔平一四・一〇・二三政三一三〕

（施行期日）

第一条　この政令は、平成十五年四月一日から施行する。

（経過措置）

第二条　この政令の施行前にした行為に対する罰則の適用については、なお従前の例による。

附　則〔平一五・五・一四政二二三〕

（施行期日）

1　この政令は、平成十五年十月一日から施行する。

（経過措置）

2　この政令の施行前にした行為に対する罰則の適用については、なお従前の例による。

附　則〔平一五・九・一〇政四〇二〕

改正　平一六・九・二九政二九三

（施行期日）

第一条　この政令は、平成十五年九月二十七日から施行する。

（経過措置）

第二条　千九百七十三年の船舶による汚染の防止のための国際条約附属書Ⅳの締約国である外国が、国際海事機関海洋環境保護委員会決議第八十八号に従った同附属書の改正が日本国について効力を生ずる日までの間において、当該改正前の同附属書に規定されたふん尿等の排出に関する規制を行う場合にあっては、当該外国の内水、領海又は排他的経済水域にある船舶に係る海洋汚染等及び海上災害の防止に関する法律第十条第二項第一号の政令で定める総トン数又は搭載人員は、海洋汚染等及び海上災害の防止に関する法律施行令（以下「海洋汚染等防止令」という。）第二条の規定にかかわらず、それぞれ二百トン又は最大搭載人員（最大搭載人員の定めのない船舶にあっては、これに相当する搭載人員）十一人とする。この場合における海洋汚染等防止令第三条第一項及び第二項並びに別表第二第一号の表第一号及び第二号の適用については、海洋汚染等防止令第三条第一項及び第二項中「別表第二上欄」とあるのは「別表第二第一号の表第一号及び第二号上欄」と、海洋汚染等防止令別表第二第一号の表第一号中「国際航海に従事する船舶（総トン数四百トン以上又は最大搭載人員十六人以上のものに限る。次号並びに第二号の表第一号及び第二号において同じ。）」とあり、同表第二号中「国際航海に従事する船舶」とあるのは「船舶（総トン数二百トン以上又は最大搭載人員十一人以上のものに限る。）」と、同号中「三海里」とあるのは「四海里」とする。

附　則〔平一六・九・二九政二九三抄〕

改正　令元・六・二八政四四

（施行期日）

第一条　この政令は、海洋汚染及び海上災害の防止に関する法律等の一部を改正する法律（以下「改正法」という。）の施行の日〔平一七・五・一九〕から施行する。ただし、次条から附則第四条まで及び附則第七条の規定並びに附則第二十条中国土交通省組織令（平成十二年政令第二百五十五号）附則第五条の四を同令附則第五条の五とし、同令附則第五条の三を同令附則第五条の四とし、同令附則第五条の二の次に一条を加える改正規定及び同令附則第二十六条の次に二条を加える改正規定は、改正法附則第一条第二号の政令で定める日（平成十六年十一月一日）から施行する。

（手数料の納付を要しない独立行政法人）

第二条　改正法附則第二条第四項及び改正法附則第十二条第三項において準用する船舶安全法（昭和八年法律第十一号）第二十九条ノ四第一項ただし書の政令で定める独立行政法人は、独立行政法人水産大学校、独立行政法人水産総合研究センター、独立行政法人航海訓練所及び独立行政法人国立高等専門学校機構とする。

（船級協会等の登録の有効期間）

第三条　改正法附則第六条第三項及び第十二条第四項において準用する船舶安全法第二十五条の四十八第一項の政令で定める期間については、船舶安全法施行令（昭和九年勅令第十三号）第三条の規定を準用する。

（外国船級協会等の事務所等における検査に要する費用）

第四条　改正法附則第六条第三項及び第十二条第四項において準用する船舶安全法第二十五条の五十八第三項の政令で定める費用については、船舶安全法施行令第四条の規定を準用する。

（特定オゾン層破壊物質を含む材料の使用又は設備の設置が禁止される日）

第五条　改正法附則第九条第一項の政令で定める日は、令和元年十二月三十一日とする。

（特定オゾン層破壊物質）

第六条　改正法附則第九条第一項の政令で定めるオゾン層破壊物質は、この政令による改正後の海洋汚染等及び海上災害の防止に関する法律施行令（附則第八条において「新令」という。）別表第一の三第二十一号から第五十四号までに掲げる物質とする。

（権限の委任）

第七条　改正法附則の規定により国土交通大臣の権限に属する事項は、国土交通省令で定めるところにより、地方運輸局長（運輸監理部長を含む。次項において同じ。）に行わせることができる。

2　地方運輸局長は、国土交通省令で定めるところにより、前項の規定によりその権限に属させられた事項の一部を運輸支局長又は地方運輸局、運輸監理部若しくは運輸支局の事務所の長に行わせることができる。

参照　一項・二項〔国土交通省令〕海洋汚染及び海上災害の防止に関する法律施行規則の一部を改正する省令（平成一六年一〇月国土交通省令九三号）附則三〇・三〇②

（経過措置）

第八条　この政令の施行の日から起算して一年を経過する日までの間は、新令第十一条の六第二項第一号イ中「質量百分率一・五パーセント」とあるのは、「質量百分率四・五パーセント」とする。

附　則〔平一八・七・二六政二五〇抄〕

（施行期日）

第一条 この政令は、平成十八年十月一日から施行する。

（罰則に関する経過措置）

第三条 この政令の施行前にした行為に対する罰則の適用については、なお従前の例による。

附　則〔平一八・一〇・一二政三二八抄〕

（施行期日）

第一条 この政令は、平成十九年一月一日から施行する。

（経過措置）

第二条 この政令による改正後の海洋汚染等及び海上災害の防止に関する法律施行令（以下「新令」という。）別表第一の九第一号ロ及びハの規定は、この政令の施行の日（以下「施行日」という。）前に建造され又は建造に着手された船舶からの新令別表第一第三号に掲げるZ類物質等の排出については、適用しない。

第三条 施行日前に海洋汚染等及び海上災害の防止に関する法律（次条において「法」という。）第九条の六第三項の規定により査定されている物質に係る当該査定（次条第二項の規定による査定を除く。）は、施行日にその効力を失う。

第四条 この政令による改正前の海洋汚染等及び海上災害の防止に関する法律施行令別表第一又は別表第一の二に掲げる物質のうち、新令別表第一及び別表第一の二に掲げられていないものを施行日以後船舶により輸送しようとする者は、施行日前においても、法第九条の六第二項の規定による届出をすることができる。

2　環境大臣は、前項の届出があったときは、施行日前においても、同項の届出に係る物質が海洋環境の保全の見地から有害であるかどうかについて査定を行うことができる。この場合において、当該査定は、施行日にその効力を生ずる。

第五条 この政令の施行前にした行為に対する罰則の適用については、なお従前の例による。

附　則〔平一八・一一・一政三四八抄〕

改正 平一八・一一・二二政三六二、平一九・三・二八政七一、九・七政二八二

（施行期日）

1　この政令は、平成十九年一月一日から施行する。ただし、第十一条の六及び第十一条の七第一項の改正規定、別表第二の二の改正規定並びに次項の規定は、平成十八年十一月二十二日から施行する。

（経過措置）

2　前項ただし書に規定する規定の施行の日から起算して一年を経過する日までの間は、この政令による改正後の海洋汚染等及び海上災害の防止に関する法律施行令第十一条の十第一項の表第二号に掲げる海域についての同条第二項の規定の適用については、同項第一号イ中「質量百分率一・五パーセント」とあるのは、「質量百分率四・五パーセント」とする。

（罰則に関する経過措置）

3　この政令の施行前にした行為に対する罰則の適用については、なお従前の例による。

附　則〔平二〇・一二・五政三七〇〕

（施行期日）

1　この政令は、平成二十一年一月一日から施行する。

（罰則に関する経過措置）

2　この政令の施行前にした行為に対する罰則の適用については、なお従前の例による。

附　則〔平二二・五・一九政一三九抄〕

（施行期日）

第一条 この政令は、平成二十二年七月一日から施行する。ただし、次条から附則第五条まで〔中略〕の規定は、海洋汚染等及び海上災害の防止に関する法律等の一部を改正する法律（以下「改正法」という。）附則第一条第二号に掲げる規定の施行の日（平成二十二年五月二十日）から施行する。

（揮発性物質放出防止措置手引書に係る海洋汚染等防止証書の有効期間に関する経過措置）

第二条 改正法附則第二条第二項の規定により国土交通大臣が揮発性物質放出防止措置手引書に係る同項に規定する相当証書を交付する場合において、当該相当証書の交付を受ける船舶が現に有効な大気汚染防止検査対象設備に係る海洋汚染等防止証書（改正法による改正前の海洋汚染等及び海上災害の防止に関する法律（以下この条において「旧法」という。）第十九条の三十七第一項の海洋汚染等防止証書であって旧法第十九条の三十六の表に規定する大気汚染防止検査対象設備に係るものをいう。以下この条において同じ。）の交付を受けているときは、改正法附則第二条第三項の規定により改正法による改正後の海洋汚染等及び海上災害の防止に関する法律第十九条の三十七第一項の規定により交付した海洋汚染等防止証書とみなされる当該相当証書の有効期間は、同条第二項の規定にかかわらず、当該船舶が交付を受けている大気汚染防止検査対象設備に係る海洋汚染等防止証書の有効期間の満了する日までとする。

（手数料の納付を要しない独立行政法人）

第三条 改正法附則第二条第四項の政令で定める独立行政法人は、独立行政法人水産大学校、独立行政法人水産総合研究センター、独立行政法人航海訓練所及び独立行政法人国立高等専門学校機構とする。

（外国船級協会の事務所等における検査に要する費用）

第四条 改正法附則第二条第七項において準用する船舶安全法第二十五条の五十八第三項の政令で定める費用については、船舶安全法施行令（昭和九年勅令第十三号）第四条の規定を準用する。

（権限の委任）

第五条 改正法附則第二条第一項及び第二項の規定により国土交通大臣の権限に属する事項は、国土交通省令で定めるところにより、地方運輸局長（運輸監理部長を含む。次項において同じ。）に行わせることができる。

2 地方運輸局長は、国土交通省令で定めるところにより、前項の規定によりその権限に属させられた事項の一部を運輸支局長又は地方運輸局、運輸監理部若しくは運輸支局の事務所の長に行わせることができる。

参照 一項・二項〔国土交通省令〕海洋汚染等及び海上災害の防止に関する法律等の一部を改正する法律の一部の施行に伴う経過措置を定める省令（平成二二年五月国土交通省令三一号）七

（窒素酸化物の放出量に係る放出基準に関する経過措置）

第六条 次に掲げる原動機（この政令による改正後の海洋汚染等及び海上災害の防止に関する法律施行令（以下この条において「新令」という。）第十一条の七の表第一号に規定する特定用途原動機に該当するものを除く。）に係る海洋汚染等及び海上災害の防止に関する法律第十九条の三の政令で定める窒素酸化物の放出量に係る放出基準については、新令第十一条の七の規定にかかわらず、なお従前の例による。

一 この政令の施行の際現に船舶に設置されている原動機

二 この政令の施行の日から平成二十二年十二月三十一日までの間に船舶に設置される原動機

三 平成二十二年十二月三十一日以前に建造に着手された船舶に平成二十三年一月一日以後に設置される原動機（当該船舶が建造された後に設置されるものを除く。）

四 平成二十三年一月一日以後に前三号に掲げる原動機との交換により船舶に設置されるこれらと同一の型式の原動機（これに類するものとして国土交通省令で定めるものを含む。）

参照 四号〔国土交通省令〕海洋汚染等及び海上災害の防止に関する法律施行規則等の一部を改正する省令（平成二二年六月国土交通省令三七号）附則二

附　則〔平二四・一二・一二政二九七〕

（施行期日）

1 この政令は、平成二十五年一月一日から施行する。

（罰則に関する経過措置）

2 この政令の施行前にした行為に対する罰則の適用については、なお従前の例による。

附　則〔平二五・一二・二七政三七二〕

（施行期日）

1 この政令は、平成二十六年六月一日から施行する。

（罰則に関する経過措置）

2 この政令の施行前にした行為に対する罰則の適用については、なお従前の例による。

附　則〔平二六・九・三政二九九抄〕

改正 平二七・三・一八政七四、平二八・三・九政五七、三〇政八六、平二九・八・一八政二二五、令元・六・二八政四四

（施行期日）

第一条 この政令は、海洋汚染等及び海上災害の防止に関する法律の一部を改正する法律（以下「改正法」という。）の施行の日〔平二九・九・八〕から施行する。ただし、第十一条の十の表第一号の改正規定及び附則第五条から第七条までの規定は、平成二十七年一月一日から施行する。

（改正法附則第二条第一項の政令で定める水域）

第二条 改正法附則第二条第一項の政令で定める水域は、次に掲げる水域とする。

一 全ての国の領海の基線（この政令による改正後の海洋汚染等及び海上災害の防止に関する法律施行令第一条の十第一項第三号に規定する領海の基線をいう。）からその外側五十海里以遠であって水深二百メートル以上の海域

二 前号に掲げる水域以外の水域のうち次のイ又はロのいずれかに該当するもの

イ その周辺に前号に掲げる水域が存在しない水域であって、水域環境の保全の見地から有害となるおそれが比較的少ない水バラストの積込みが可能なものとして日本国の領海等（内水、領海又は排他的経済水域をいう。以下同じ。）において国土交通大臣及び環境大臣が指定するもの

ロ 船舶バラスト水規制管理条約締約国（改正法による改正後の海洋汚染等及び海上災害の防止に関する法律（以下「新法」という。）第十七条第二項第三号に規定する船舶バラスト水規制管理条約締約国をいう。以下同じ。）の領海等において当該船舶バラスト水規制管理条約締約国の政府が指定する水域

（改正法附則第二条第一項の政令で定める要件）

第三条 改正法附則第二条第一項の政令で定める要件は、次の各号に掲げる区分に応じ、それぞれ当該各号に定める要件とする。

一 特定水バラスト交換（改正法附則第二条第一項に規定する特定水バラスト交換をいう。以下この条において同じ。）を行うための有害水バラスト排出（同項に規定する有害水バラスト排出をいう。以下この条において同じ。）

次の表の上欄に掲げる特定水バラスト交換を行う水域の区分ごとに、それぞれ同表の下欄に掲げる要件

特定水バラスト交換を行う水域	要　件
一 前条第一号に掲げる水域	次に掲げる要件に適合する有害水バラスト排出であること。 イ 船舶（湖沼等（改正法附則第二条第一項に規定する湖沼等をいう。）において航行の用に供する船舶類を含む。以下同じ。）に積まれている水バラストの大部分が当該水域の水と入れ替わるものとして国土交通省令で定める方法により行う特定水バラスト交換のための有害水バラスト排出であること。 ロ 水域環境の保全に及ぼす影響をできる限り少なくするものとして国土交通省令で定める方法により

	行われる有害水バラスト排出であること。
二　前条第二号に掲げる水域	次に掲げる要件に適合する有害水バラスト排出であること。 イ　船舶に積まれている水バラストの大部分が当該水域の水と入れ替わるものとして国土交通省令で定める方法により行う特定水バラスト交換のための有害水バラスト排出であること。 ロ　次の(1)又は(2)に掲げる区分に応じ、それぞれ(1)又は(2)に定める要件に適合する有害水バラスト排出であること。 (1)　日本国の領海等において行われる有害水バラスト排出　日本国の領海等の水域環境の保全に影響を及ぼすおそれが少なく、かつ、当該領海等において有害水バラスト排出を行うことがやむを得ないものとして国土交通大臣及び環境大臣が定める要件に適合する有害水バラスト排出であること。 (2)　船舶バラスト水規制管理条約締約国の領海等において行われる有害水バラスト排出　当該船舶バラスト水規制管理条約締約国の政府が定める要件に適合する有害水バラスト排出であること。

二　特定水バラスト交換を行った後新たに水バラストを積み込むことなく行う有害水バラスト排出　次の表の上欄に掲げる特定水バラスト交換を行った水域の区分ごとに、それぞれ同表の下欄に掲げる要件

特定水バラスト交換を行った水域	要　件
一　前条第一号に掲げる水域	前号の表第一号下欄イに規定する方法により行われた特定水バラスト交換の後新たに水バラストを積み込むことなく行う有害水バラスト排出であること。
二　前条第二号に掲げる水域	次に掲げる要件に適合する有害水バラスト排出であること。 イ　前号の表第二号下欄イに規定する方法により行われた特定水バラスト交換の後新たに水バラストを積み込むことなく行う有害水バラスト排出であること。 ロ　次の(1)又は(2)に掲げる区分に応じ、それぞれ(1)又は(2)に定める要件に適合する有害水バラスト排出であること。 (1)　日本国の領海等において行われる有害水バラスト排出　日本国の領海等の水域環境の保全に影響を及ぼすおそれが少なく、かつ、当該領海等において有害水バラスト排出を行うことがやむを得ないものとして国土交通大臣及び環境大臣が定める要件に適合する有害水バラスト排出であること。 (2)　船舶バラスト水規制管理条約締約国の領海等において行われる有害水バラスト排出　当該船舶バラスト水規制管理条約締約国の政府が定める要件に適合する有害水バラスト排出であること。

（改正法附則第二条第一項の政令で定める日）

第四条　改正法附則第二条第一項の政令で定める日は、次の各号に掲げる船舶の区分に応じ、それぞれ当該各号に定める日とする。

一　船舶バラスト水規制管理条約（新法第十七条第二項第三号に規定する船舶バラスト水規制管理条約をいう。以下この号において同じ。）第十八条1の規定により船舶バラスト水規制管理条約が効力を生ずる日（平成二十九年九月八日。以下この条において「条約発効日」という。）前に建造され又は建造に着手された船舶（次号に掲げる船舶を除く。）　条約発効日以後最初に行われる新法第十九条の三十六の表の下欄に掲げる設備等（新法第五条第一項から第三項までに規定する設備に限る。以下この条において「特定設備」という。）についての新法第十九条の三十六の規定による定期検査（新法第十九条の四十六第二項の規定により当該定期検査を行ったものとみなされる同項の検査を含む。以下この条において「新定期検査」という。）が開始される日（当該新定期検査が開始される日が当該船舶を初めて航行の用に供しようとするときに行われる新定期検査が開始される日であるときは、その次に行われる特定設備についての新定期検査が開始される日）又は令和六年六月十七日のいずれか早い日

二　条約発効日前に建造され又は建造に着手された船舶であって、条約発効日以後最初に行われる特定設備についての新定期検査が令和元年九月七日以前に行われるもの（改正法による改正前の海洋汚染等及び海上災害の防止に関する法律（以下この号において「旧法」という。）第十九条の三十六の表の下欄に掲げる設備等（旧法第五条第一項から第三項までに規定する設備に限る。）についての旧法第十九条の三十六の規定による定期検査（旧法第十九条の四十六第二項の規定により当該定期検査を行ったものとみなされる同項の検査を含み、当該船舶を初めて航行の用に供しようとするときに行われるものを除く。）が平成二十六年九月八日以後平成二十九年九月七日以前に行われた船舶を除く。）　条約発効日以後二回目に行われる特定設備についての新定期検査が開始される日又は令和六年六月十七

日のいずれか早い日

（特定現存船に関する経過措置）

第五条　特定現存船（前条各号に掲げる船舶であって、その航路の周辺に附則第二条に掲げる水域が存在しないため特定水バラスト交換排出（改正法附則第二条第一項に規定する特定水バラスト交換排出をいう。）を行うことができないものとして国土交通省令・環境省令で定めるものをいう。以下この条において同じ。）からの有害水バラスト排出（同項に規定する有害水バラスト排出をいう。）については、前条各号に掲げる船舶の区分に応じそれぞれ当該各号に定める日までの間は、新法第十七条第一項本文（新法第十七条の六において準用する場合を含む。）の規定は、適用しない。

2　特定現存船については、前条各号に掲げる船舶の区分に応じそれぞれ当該各号に定める日までの間は、新法第十七条の二（新法第十七条の六において準用する場合を含む。）、第十九条の四十一第一項（新法第十七条の二第一項に規定する有害水バラスト処理設備（以下この条において「有害水バラスト処理設備」という。）に係る部分に限る。）並びに第十九条の四十四第一項及び第三項（それぞれ有害水バラスト処理設備に係る部分に限る。）の規定は、適用しない。

3　特定現存船についての新法第十九条の三十六（有害水バラスト処理設備に係る部分に限る。）の規定の適用については、同条中「初めて」とあるのは、「海洋汚染等及び海上災害の防止に関する法律の一部を改正する法律（平成二十六年法律第七十三号）附則第二条第一項の政令で定める日以後初めて」とする。

（手数料の納付を要しない独立行政法人）

第六条　改正法附則第三条第八項の政令で定める独立行政法人は、国立研究開発法人水産研究・教育機構、独立行政法人海技教育機構及び独立行政法人国立高等専門学校機構とする。

（外国船級協会の事務所等における検査に要する費用）

第七条　改正法附則第五条第二項において準用する船舶安全法第二十五条の五十八第三項の政令で定める費用については、船舶安全法施行令（昭和九年勅令第十三号）第四条の規定を準用する。

（権限の委任）

第八条　改正法附則第四条第一項、第二項及び第四項の規定により国土交通大臣の権限に属する事項は、国土交通省令で定めるところにより、地方運輸局長（運輸監理部長を含む。次項において同じ。）に行わせることができる。

2　地方運輸局長は、国土交通省令で定めるところにより、前項の規定によりその権限に属させられた事項の一部を運輸支局長又は地方運輸局、運輸監理部若しくは運輸支局の事務所の長に行わせることができる。

附　則〔平二七・八・一二政二九五〕

（施行期日）

1　この政令は、平成二十七年九月一日から施行する。

（経過措置）

2　次に掲げる原動機に係る海洋汚染等及び海上災害の防止に関する法律第十九条の三の政令で定める窒素酸化物の放出量に係る放出基準については、この政令による改正後の第十一条の七の規定にかかわらず、なお従前の例による。

一　この政令の施行の際現に船舶に設置されている原動機

二　この政令の施行の日から平成二十七年十二月三十一日までの間に船舶に設置される原動機

三　平成二十七年十二月三十一日以前に建造に着手された船舶に平成二十八年一月一日以後に設置される原動機（当該船舶が建造された後に設置されるものを除く。）

四　平成二十八年一月一日以後に前三号に掲げる原動機との交換により船舶に設置されるこれらと同一の型式の原動機（これに類するものとして国土交通省令で定めるものを含む。）

附　則〔平三一・四・二六政一六三〕

改正　令元・一二・二五政二〇八

（施行期日）

1　この政令は、令和元年六月一日から施行する。ただし、第十一条の十の表第二号の改正規定は、令和二年一月一日から施行する。

（経過措置）

2　この政令の施行の日前に建造契約が結ばれた船舶（建造契約がない船舶にあっては、同日前に建造に着手されたもの）であって、令和三年六月一日前に船舶所有者に対し引き渡されたものからの海洋汚染等及び海上災害の防止に関する法律第十条第二項第一号に規定するふん尿等の排出については、この政令による改正後の海洋汚染等及び海上災害の防止に関する法律施行令別表第二の規定にかかわらず、同年五月三十一日までの間は、なお従前の例による。

附　則〔令二・八・一三政二四五〕

（施行期日）

1　この政令は、令和三年一月一日から施行する。

（罰則に関する経過措置）

2　この政令の施行前にした行為に対する罰則の適用については、なお従前の例による。

附　則〔令二・九・三〇政二九八〕

（施行期日）

1　この政令は、令和二年十月一日から施行する。

（経過措置）

2　次に掲げる原動機に係る海洋汚染等及び海上災害の防止に関する法律第十九条の三の政令で定める窒素酸化物の放出量に係る放出基準については、この政令による改正後の第十一条の七の規定にかかわらず、なお従前の例による。

一　この政令の施行の際現に船舶に設置されている原動機

二　この政令の施行の日から令和二年十二月三十一日までの間に船舶に設置される原動機

三　令和二年十二月三十一日以前に建造に着手された船舶に令和三年一月一日以後に設置される原動機（当該船舶が建

造された後に設置されるものを除く。）

四　令和三年一月一日以後に前三号に掲げる原動機との交換により船舶に設置されるこれらと同一の型式の原動機（これに類するものとして国土交通省令で定めるものを含む。）

附　則〔令六・六・五政二〇四抄〕

（施行期日）

1　この政令は、令和七年一月一日から施行する。ただし、次の各号に掲げる規定は、当該各号に定める日から施行する。

一　第一条の九第一項第二号の改正規定（「及び第二条」を「、第二条、第四条第四項並びに第九条の六第一項及び第二項」に改める部分を除く。）及び第一条の十一の改正規定　令和六年七月一日

二　第十一条の七の表第一号の改正規定（「別表第二の二備考第六号イ」を「別表第三備考第六号イ」に改める部分を除く。）、第十一条の十の表第一号の改正規定（「別表第二の二備考第六号イ」を「別表第三備考第六号イ」に改める部分を除く。）及び別表第五の改正規定　令和七年五月一日

（罰則に関する経過措置）

2　この政令の施行前にした行為に対する罰則の適用については、なお従前の例による。

別表第一（第一条の二関係）

一　X類物質等

イ　X類物質

(1)　アクリル酸デシル

(2)　アジピン酸ジノルマルヘキシル

(3)　アセトクロール

(4)　アラクロール（濃度が九十重量パーセント以上のものに限る。）

(5)　アルカン（炭素数が六から九までのもの（ヘキサンを除く。）及び炭素数が六から九までのものの混合物に限る。）

(6)　アルキルジメチルアミン（アルキル基の炭素数が十二以上のもの及びその混合物に限る。）

(7)　アルキルベンゼン（アルキル基の炭素数が四から八までのもの及びその混合物に限る。）

(8)　アルキルベンゼンの混合物（ナフタレンを含むものに限る。）

(9)　アルケン酸アミド（アルケニル基の炭素数が十一以上のもの及びその混合物に限る。）

(10)　ウンデシルアルコール

(11)　一―ウンデセン

(12)　エトキシ化タローアミン（濃度が九十五重量パーセントを超えるものに限る。）

(13)　エトキシ化プロポキシアルキルアミン（アルキル基の炭素数が十二から十六までのもの及びその混合物に限る。）

(14)　塩化パラフィン（炭素数が十から十三までのもの及びその混合物に限る。）

(15)　塩化パラフィン（炭素数が十四から十七までのもの及びその混合物であって、塩素の含有量が五十重量パーセント以上かつ炭素数が十三以下のものの濃度が一重量パーセント未満のものに限る。）

(16)　オレイルアミン

(17)　オレフィン（炭素数が五から十五までのものの混合物（炭素数が八から十二までのものを含むものに限り、炭素数が六以上のアルファオレフィンの混合物を除く。）に限る。）

(18)　アルファオレフィン（炭素数が六から十八までのものの混合物（炭素数が八から十二までのものを含むものに限る。）に限る。）

(19)　海底及びその下における鉱物資源の探査及び掘採に伴い発生する廃水（その廃水の排出による海洋の汚染に起因して人の健康に係る被害を生ずるおそれがあるものに限る。）

(20)　掘削用ブライン（塩化亜鉛を含むものに限る。）

(21)　クレオソート（コールタールから得られたものに限る。）

(22)　クロトンアルデヒド

(23)　航空用アルキラート（炭素数が八のパラフィンであつて、沸点が九十五度以上百二十度以下のものに限る。）

(24)　コールタール

(25)　コールタールピッチ

(26)　一・五・九―シクロドデカトリエン

(27)　シクロヘプタン

(28)　次亜塩素酸カルシウム溶液（濃度が十五重量パーセントを超えるものに限る。）

(29)　ジイソプロピルベンゼン

(30)　ジクロロプロパン及びジクロロプロペンの混合物

(31)　一・三―ジクロロプロペン

(32)　ジクロロベンゼン

(33)　二・六―ジ―ターシャリブチルフェノール

(34)　ジチオカルバミン酸アルキル（アルキル基の炭素数が七から十八までのもの及びアルキル基の炭素数が七

から三十五までのものの混合物（アルキル基の炭素数が七から十八までのものを含むものに限る。）に限る。）
(35) 自動車燃料用アンチノック剤（アルキル鉛を含むものに限る。）
(36) ジニトロトルエン
(37) ジフェニル
(38) ジフェニル及びジフェニルエーテルの混合物
(39) ジフェニルエーテル
(40) ジフェニルエーテル及びビフェニルフェニルエーテルの混合物
(41) 多環式芳香族化合物（環の数が二以上のもの及びその混合物に限る。）
(42) 炭化水素ワックス
(43) テトラメチルベンゼン
(44) テレピン油
(45) デカン酸（ネオデカン酸を除く。）
(46) デシルオキシテトラヒドロチオフェン―一・一―ジオキシド
(47) デセン
(48) トリエチルベンゼン
(49) 一・二・三―トリクロロベンゼン
(50) 一・二・四―トリクロロベンゼン
(51) トリメチルベンゼン
(52) ドデシルヒドロキシプロピルスルフィド
(53) ドデシルフェノール
(54) ドデシルフェノキシベンゼンジスルホン酸塩溶液
(55) ドデセン（一―ドデセンを除く。）
(56) ナフタレン
(57) ノニルフェノール
(58) ノルマルオクタンメルカプタン
(59) ノルマルドデカンメルカプタン
(60) 廃食用油（トリグリセリド（飽和脂肪酸の炭素数が十六から十八までのもの及び不飽和脂肪酸の炭素数が十八のものの混合物であつて、濃度が八十重量パーセント以上のものに限る。）を除く。）
(61) 白燐（黄燐を含む。）
(62) パイン油
(63) パラフィンワックス（精製されたものであつて、鉱油の含有量が〇・五重量パーセントを超え五重量パーセント以下のものに限る。）
(64) ビスフェノールAエピクロロヒドリン樹脂
(65) ビスフェノールAのジグリシジルエーテル
(66) アルファピネン
(67) ベータピネン
(68) フタル酸ジアルキル（アルキル基の炭素数が七から十三までのもの（フタル酸ジオクチル、フタル酸ジウンデシル、フタル酸ジトリデシル、フタル酸ジノニル及びフタル酸ジヘプチルを除く。）及びアルキル基の炭素数が七から十三までのものの混合物（フタル酸ジオクチル、フタル酸ジウンデシル、フタル酸ジトリデシル、フタル酸ジノニル及びフタル酸ジヘプチルのみから成る混合物並びにフタル酸ジデシル及びフタル酸ジノニルの混合物を除く。）に限る。）
(69) フタル酸ジブチル
(70) フタル酸ブチルベンジル
(71) ブテンオリゴマー
(72) プロピレン四量体
(73) ペンタエチレンヘキサミン
(74) ポリイソブチレン（重合度が四以上のものであつて分子量が二百二十四を超えるもの及びその混合物に限る。）
(75) ミルセン
(76) メチルシクロペンタジエニルマンガントリカルボニル
(77) N―メチルジチオカルバミン酸ナトリウム塩溶液
(78) メチルターシャリペンチルエーテル
(79) メチルナフタレン
(80) N―（二―メトキシ―一―メチルエチル）―二―エチル―六―メチルクロロアセトアニリド
(81) メルカプトベンゾチアゾールナトリウム塩溶液
(82) ラウリン酸
(83) 燐酸アルキルアリール（燐酸ジフェニルトリルの含有率が四十重量パーセントを超えるものであつて、オルト異性体が〇・〇二重量パーセント未満のものに限る。）
(84) 燐酸トリイソプロピルフェニル
(85) 燐酸トリキシリル
(86) 法第三条第二号の規定により国土交通省令で定める油性混合物のうち、環境大臣が海洋環境の保全の見地から有害である物質として指定するもの

ロ　国際海事機関海洋環境保護委員会の判定に基づき、環境大臣が海洋環境の保全の見地からX類物質と同程度に有害であるものとして指定する物質

ハ　法第九条の六第三項の規定により海洋環境の保全の見地からX類物質と同程度に有害であるものと査定されている物質

ニ　イ（(86)を除く。）、ロ又はハに掲げる物質のみから成る混合物並びにイ（(86)を除く。）、ロ若しくはハ、次号イ、ロ若しくはハ、第三号イ、ロ若しくはハ又は別表第一の二（第二十三号を除く。）に掲げる物質から成る混合物及び法第三条第二号の規定により国土交通省令で定める油性混合物（イ(86)に掲げる油性混合物を除き、同号に規定する原油、重油、潤滑油、軽油、灯油、揮発油その他の国土交通省令で定める油とイ（(86)を除く。）、ロ若しくはハ、次号イ、ロ若しくはハ、第三号イ、ロ若しくはハ

又は同表（第二十三号を除く。）に掲げる物質との混合物に限る。）であつて、これを構成する各物質の濃度を重量パーセントで表した数値に当該物質の有害性の程度に応じそれぞれ環境大臣の定める係数を乗じて得た数値の合計が環境大臣の定める数値以上であるもの

ホ　化学廃液（イ、ロ若しくはハ、次号イ、ロ若しくはハ又は第三号イ、ロ若しくはハに掲げる物質を一以上含む廃液であつて、イから二まで、次号、第三号及び別表第一の二に掲げる物質に該当するもの以外のものをいう。）

二　Y類物質等

イ　Y類物質

(1) アクリルアミド溶液（濃度が五十重量パーセント以下のものに限る。）
(2) アクリル酸
(3) アクリル酸アルキル及びビニルピリジンの共重合体のトルエン溶液
(4) アクリル酸エチル
(5) アクリル酸二―エチルヘキシル
(6) アクリル酸二―ヒドロキシエチル
(7) アクリル酸ブチル
(8) アクリル酸メチル
(9) アクリロニトリル
(10) アクリロニトリル及びスチレンの共重合体（ポリエーテルポリオール中に分散されたものに限る。）
(11) アシッドオイル（植物油、パーム油又はパーム核油の精製の際に生ずるものに限る。）
(12) アシッドオイル（大豆油、とうもろこし油及びひまわり油の精製の際に生ずるものの混合物に限る。）
(13) 亜硝酸ナトリウム溶液
(14) アジピン酸オクチルデシル
(15) アジピン酸ジイソノニル
(16) アジピン酸ジ―二―エチルヘキシル
(17) アジピン酸ジトリデシル
(18) アジピン酸ジメチル
(19) アセトニトリル（濃度が八十重量パーセント以上八十五重量パーセント以下のものに限る。）
(20) アセトフェノン及び一―フェニルエタノールの混合物（アセトフェノンの濃度が十五重量パーセント以下のものに限る。）
(21) アセトンシアノヒドリン
(22) アニリン
(23) アマナズナ種子油
(24) 亜麻仁油
(25) 二―アミノイソプロピルアルコール
(26) アリールポリオレフィン（ポリオレフィン基の炭素数が十一から五十までのもの及びその混合物に限る。）
(27) 亜硫酸ナトリウム溶液（濃度が二十五重量パーセント以下のものに限る。）
(28) アリルアルコール
(29) 亜燐酸アルキル（アルキル基の炭素数が十から二十までのもの及びその混合物に限る。）
(30) アルカノール（炭素数が四又は五のもの及びその混合物に限る。）及びシクロアルカノール（炭素数が四又は五のもの及びその混合物に限る。）の混合物
(31) 長鎖アルカン酸銅塩（炭素数が十七以上のもの及びその混合物に限る。）
(32) アルキルアミン燐酸エステル（アルキル基の炭素数が十二から十四までのもの及びその混合物に限る。）
(33) アルキルアリールジチオ燐酸亜鉛（アルキル基の炭素数が七から十六までのもの及びその混合物に限る。）
(34) 長鎖アルキルアリールスルホン酸（アルキル基の炭素数が十六から六十までのもの及びその混合物に限る。）
(35) 長鎖アルキルアリールスルホン酸バリウム（アルキル基の炭素数が十一から五十までのもの及びその混合物に限る。）
(36) 長鎖アルキルアリールスルホン酸マグネシウム（アルキル基の炭素数が十一から五十までのもの及びその混合物に限る。）
(37) 長鎖アルキルアリールポリエーテル（アルキル基の炭素数が九から二十までのもの及びその混合物に限る。）
(38) アルキルエステル及びオレフィンの共重合体（分子量が二千以上のもの及びその混合物に限る。）
(39) アルキルエステル共重合体（アルキル基の炭素数が四から二十までのもの及びその混合物に限る。）
(40) アルキル化ヒンダードフェノール（アルキル基の炭素数が四から九までのもの及びその混合物に限る。）
(41) アルキルカルボン酸ナトリウム、エチレングリコール及びホウ砂の混合物（エチレングリコールの濃度が七十五重量パーセントを超えるものに限る。）
(42) 長鎖アルキルサリチル酸カルシウム（アルキル基の炭素数が十以上のもの及びその混合物に限る。）
(43) 長鎖アルキルサリチル酸マグネシウム（アルキル基の炭素数が十一以上のもの及びその混合物に限る。）
(44) 長鎖アルキルジチオカルバミドのモリブデンポリスルフィド錯体
(45) アルキルジチオチアジアゾール（アルキル基の炭素数が六から二十四までのもの及びその混合物に限る。）
(46) アルキルジチオ燐酸亜鉛（アルキル基の炭素数が三から十四までのもの及びその混合物に限る。）
(47) アルキルジフェニルアミン

(48) アルキルスルホン酸ナトリウム塩溶液（アルキル基の炭素数が十四から十七までのもの及びその混合物であつて、濃度が六十重量パーセント以上六十五重量パーセント以下のものに限る。）
(49) アルキルトルエン（アルキル基の炭素数が十八以上のもの及びその混合物に限る。）
(50) アルキルトルエンスルホン酸（アルキル基の炭素数が十八から二十八までのもの及びその混合物に限る。）
(51) アルキルトルエンスルホン酸カルシウム（アルキル基の炭素数が十八から二十八までのもの及びその混合物に限る。）とほう酸カルシウムとの複塩
(52) アルキルトルエンスルホン酸カルシウム塩（アルキル基の炭素数が十八から二十八までのもの及びその混合物に限る。）
(53) アルキルフェニルアミン（アルキル基の炭素数が八又は九のもの及びその混合物に限る。）の芳香族系の物質を溶媒とする溶液
(54) 長鎖アルキルフェノール（アルキル基の炭素数が十四から三十までのもの及びその混合物に限る。）
(55) 長鎖アルキルフェノール塩及び硫化フェノールの混合物
(56) 長鎖アルキルフェノールカルシウム塩（アルキル基の炭素数が五から四十までのもの及びその混合物に限る。）
(57) アルキルフェノールポリエトキシラート（アルキル基の炭素数が七から十一までのものであつて重合度が四から十二までのもの及びその混合物に限る。）
(58) アルキルフェノールポリエトキシラート（アルキル基の炭素数が十から十五までのものであつて重合度が四から十二までのものの混合物（アルキル基の炭素数が十二のものを含むものに限る。）に限る。）
(59) アルキルベンゼン（アルキル基の炭素数が三又は四のもの及びその混合物並びにアルキル基の炭素数が九以上のもの（ドデシルベンゼンを除く。）及びアルキル基の炭素数が九以上のものの混合物に限る。）
(60) アルキルベンゼンスルホン酸（アルキル基の炭素数が十一から十七までのもの及びその混合物に限る。）
(61) アルキルベンゼンスルホン酸ナトリウム塩溶液
(62) アルキルベンゼンの混合物（トルエンを五十重量パーセント以上含むものに限る。）
(63) アルキルベンゼンの蒸留残留物
(64) アルキルポリグルコシド溶液（アルキル基の炭素数が八から十までのもの及びアルキル基の炭素数が十二から十四までのものの混合物（アルキル基の炭素数が八から十までのものの濃度が四十重量パーセント以下のもの、五十重量パーセントのもの又は六十重量パーセント以上のものに限る。）であつて、濃度が五十五重量パーセント以下のものに限る。）
(65) アルキルポリグルコシド溶液（アルキル基の炭素数が八から十までのもの及びその混合物であつて、濃度が六十五重量パーセント以下のものに限る。）
(66) アルキルポリグルコシド溶液（アルキル基の炭素数が十二から十四までのもの及びその混合物であつて、濃度が五十五重量パーセント以下のものに限る。）
(67) アルケン酸カルボキシアミド亜鉛
(68) アルケン酸ポリヒドロキシアルキルエステルのほう酸塩
(69) アンモニア水（濃度が二十八重量パーセント以下のものに限る。）
(70) イソアルカン（炭素数が十以上のもの及びその混合物に限る。）
(71) イソアルカン（炭素数が十以上のもの及びその混合物に限る。）及びシクロアルカン（炭素数が十以上のもの及びその混合物に限る。）の混合物
(72) イソプレン
(73) イソプロピルアミン及びその溶液（濃度が七十重量パーセント以下のものに限る。）
(74) イソプロピルエーテル
(75) イソプロピルシクロヘキサン
(76) イソホロン
(77) イソホロンジアミン
(78) イソホロンジイソシアナート
(79) イソ酪酸二・二・四―トリメチル―三―イソブトキシペンチル
(80) イソ酪酸二・二・四―トリメチル―三―ヒドロキシペンチル
(81) イリッペ油
(82) ウンデカン酸
(83) エタノールアミン
(84) エチリデンノルボルネン
(85) エチルアミン及びその溶液（濃度が七十二重量パーセント以下のものに限る。）
(86) エチルシクロヘキサン
(87) N―エチルシクロヘキシルアミン
(88) エチルトルエン
(89) 二―エチル―二―（ヒドロキシメチル）プロパン―一・三―ジオールアルキルエステル（アルキル基の炭素数が八から十までのもの及びその混合物に限る。）
(90) 二―エチル―三―プロピルアクロレイン
(91) 二―エチルヘキシルアミン
(92) エチルベンゼン
(93) エチルペンチルケトン
(94) N―エチルメチルアリルアミン
(95) エチレン及び酢酸ビニルの共重合体
(96) エチレンクロロヒドリン

(97) エチレングリコールジアセタート
(98) エチレングリコールモノアセタート
(99) エチレングリコールモノアルキルエーテル
(100) エチレングリコールモノブチルエーテル及び多分岐ポリエステルアミドの混合物（エチレングリコールモノブチルエーテルの濃度が五十八重量パーセントのものに限る。）
(101) エチレングリコールモノブチルエーテルアセタート
(102) エチレングリコールモノメチルエーテルアセタート
(103) エチレンシアノヒドリン
(104) エチレンジアミン
(105) エチレンジアミン四酢酸四ナトリウム塩溶液
(106) エトキシ化長鎖アルコキシアルキルアミン（アルキル基の炭素数が十六以上のもの及びその混合物に限る。）
(107) 二―エトキシ―二・二―ジメチルエタン
(108) 三―エトキシプロピオン酸エチル
(109) エピクロロヒドリン
(110) 塩化アリル
(111) 塩化アルミニウム及び塩酸の混合物
(112) 塩化第二鉄溶液
(113) 塩化ビニリデン
(114) 塩化ベンジル
(115) 塩化ベンゼンスルホニル
(116) オクタメチルシクロテトラシロキサン
(117) オクタン酸
(118) オクチルアルコール
(119) オクチルアルデヒド
(120) オクテン
(121) オリーブ油
(122) オレイン酸
(123) オレイン酸カリウム

(124) オレフィン（炭素数が五から七まで又は十三以上のもの及びその混合物に限る。）
(125) カカオ脂
(126) 過酸化水素溶液（濃度が八重量パーセントを超え七十重量パーセント以下のものに限る。）
(127) カシュウナッツシェル油（未精製のものに限る。）
(128) キシレノール
(129) キシレノール、クレゾール及びフェノールの混合物
(130) キシレン
(131) キシレン及びエチルベンゼンの混合物（エチルベンゼンの濃度が十重量パーセント以上のものに限る。）
(132) 吉草酸
(133) 吉草酸及び酪酸二―メチルの混合物（吉草酸の濃度が六十四重量パーセントのものに限る。）
(134) ぎ酸
(135) ぎ酸セシウム溶液
(136) 魚油
(137) クレゾール
(138) クレゾールナトリウム塩溶液
(139) クロロ酢酸（濃度が八十重量パーセント以下のものに限る。）
(140) クロロスルホン酸
(141) クロロトルエン
(142) オルトクロロニトロベンゼン
(143) クロロヒドリン（粗製のものに限る。）
(144) 一―（四―クロロフェニル）―四・四―ジメチルペンタン―三―オン
(145) クロロベンゼン
(146) クロロホルム
(147) 四―クロロ―二―メチルフェノキシ酢酸ジメチルアミン塩溶液
(148) グリオキサール溶液（濃度が四十重量パーセント以下のものに限る。）

(149) グリオキシル酸溶液（濃度が五十重量パーセント以下のものに限る。）
(150) グリセリンプロポキシラート及びソルビトールプロポキシラートの混合物（アミンの含有量が十重量パーセント以上のものに限る。）
(151) グリセリンモノオレイン酸
(152) グリホサート溶液（界面活性剤を含まないものに限る。）
(153) グルタルアルデヒド溶液（濃度が五十重量パーセント以下のものに限る。）
(154) グルタル酸ジメチル
(155) けい酸ナトリウム溶液
(156) コールタールナフサソルベント
(157) こはく酸ジメチル
(158) 米ぬか油
(159) 混酸（硝酸及び硫酸の混合物に限る。）
(160) 魚サイレージ（ぎ酸の含有量が四重量パーセント以下のものに限る。）
(161) 酢酸二―エトキシエチル
(162) 酢酸シクロヘキシル
(163) 酢酸トリデシル
(164) 酢酸ノルマルオクチル
(165) 酢酸ノルマルプロピル
(166) 酢酸ビニル
(167) 酢酸ブチル
(168) 酢酸ヘキシル
(169) 酢酸ヘプチル
(170) 酢酸ベンジル
(171) 酢酸ペンチル
(172) 酢酸三―メトキシブチル
(173) サフラワー油

(174) サリチル酸メチル
(175) 酸化エチレン及び酸化プロピレンの混合物（酸化エチレンの濃度が三十重量パーセント以下のものに限る。）
(176) 一・二—酸化ブチレン
(177) 酸化プロピレン
(178) シアバター
(179) 四塩化炭素
(180) シクロアルカン（炭素数が十以上のもの及びその混合物に限る。）
(181) シクロヘキサノール
(182) シクロヘキサノール及びシクロヘキサノンの混合物
(183) シクロヘキサン
(184) 一・二—シクロヘキサンジカルボン酸ジイソノニルエステル
(185) シクロヘキシルアミン
(186) 一・三—シクロペンタジエン二量体
(187) シクロペンタン
(188) シクロペンテン
(189) シクロペンテン、一・三—ペンタジエン及びそれらの異性体の混合物（一・三—ペンタジエンの濃度が五十重量パーセントを超えるものに限る。）
(190) 脂肪酸（炭素数が八から十までのもの及びその混合物に限る。）
(191) 脂肪酸（炭素数が十二以上のもの及びその混合物に限る。）
(192) 脂肪酸蒸留物（植物油の精製の際に生ずるものに限る。）
(193) 直鎖脂肪酸の二—エチルヘキシルエステル（直鎖脂肪酸の炭素数が六から十八までのもの及びその混合物に限る。）
(194) 脂肪酸メチルエステル
(195) 直鎖脂肪族アルコール（炭素数が八以上のもの及びその混合物に限る。）
(196) 脂肪族アルコール（炭素数が十三以上のもの及びその混合物に限る。）
(197) 脂肪族アルコールポリエトキシラート（アルコールの炭素数が九から十一までのものであつて重合度が二・五から九までのもの（セコンダリアルコールであつて重合度が三から六まで及び七以上のものを除く。）及びその混合物に限る。）
(198) 脂肪族アルコールポリエトキシラート（アルコールの炭素数が十二から十六までのものであつて重合度が一から六までのもの（セコンダリアルコールであつて重合度が三以上のものを除く。）及びその混合物に限る。）
(199) 脂肪族アルコールポリエトキシラート（アルコールの炭素数が十二から十六までのものであつて重合度が七から十九までのもの（セコンダリアルコールであつて重合度が七から十二までのものを除く。）及びその混合物に限る。）
(200) 脂肪族アルコールポリエトキシラート（アルコールの炭素数が十二から十六までのものであつて重合度が二十以上のもの及びその混合物に限る。）
(201) 脂肪族アルコールポリエトキシラート（アルコールの炭素数が十七又は十八のものであつて重合度が七のもの（セコンダリアルコールでその炭素数が十七のものを除く。）及びその混合物に限る。）
(202) 脂肪族アルコールポリエトキシラート（セコンダリアルコールでその炭素数が六から十七までのものであつて重合度が三から六までのもの及びその混合物に限る。）
(203) 脂肪族アルコールポリエトキシラート（セコンダリアルコールでその炭素数が六から十七までのものであつて重合度が七から十二までのもの及びその混合物に限る。）
(204) パラシメン
(205) 臭化ナトリウム溶液（濃度が五十重量パーセント未満のものに限る。）
(206) 硝酸
(207) 硝酸及び硝酸第二鉄の混合溶液
(208) 硝酸アルキル（アルキル基の炭素数が七から九までのもの及びその混合物に限る。）
(209) 硝酸アンモニウム及び尿素の混合溶液
(210) 植物油の混合物（遊離脂肪酸の含有量が十五重量パーセント未満のものに限る。）
(211) 次亜塩素酸カルシウム溶液（濃度が十五重量パーセント以下のものに限る。）
(212) 次亜塩素酸ナトリウム溶液（濃度が十五重量パーセント以下のものに限る。）
(213) ジイソブチルケトン
(214) ジイソブチレン
(215) ジイソプロピルアミン
(216) ジイソプロピルナフタレン
(217) ジエタノールアミン
(218) 二・六—ジエチルアニリン
(219) ジエチルアミノエタノール
(220) ジエチルアミン
(221) ジエチルベンゼン
(222) 一・四—ジオキサン
(223) 一・二—ジクロロエタン
(224) 二・四—ジクロロフェノール
(225) 二・四—ジクロロフェノキシ酢酸ジエタノールアミン塩溶液
(226) 二・四—ジクロロフェノキシ酢酸ジメチルアミン塩溶液（濃度が七十重量パーセント以下のものに限

る。）
(227) 二・四―ジクロロフェノキシ酢酸トリイソプロパノールアミン塩溶液
(228) 三・四―ジクロロ―一―ブテン
(229) 一・一―ジクロロプロパン
(230) 一・二―ジクロロプロパン
(231) 二・二―ジクロロプロピオン酸
(232) 一・六―ジクロロヘキサン
(233) ジクロロメタン
(234) ジシクロペンタジエン及びジシクロペンタジエン二量体の混合物（ジシクロペンタジエンの濃度が八十一重量パーセント以上八十九重量パーセント以下のものに限る。）
(235) ジチオカルバミン酸アルキル（アルキル基の炭素数が十九から三十五までのもの及びその混合物に限る。）
(236) ジノルマルプロピルアミン
(237) ジフェニルアミン
(238) ジフェニルアミン及び二・二・四―トリメチルペンテンの反応生成物
(239) ジフェニルメタンジイソシアナート
(240) ジブチルアミン
(241) 一・二―ジブロモエタン
(242) ジブロモメタン
(243) ジプロピルチオカルバミン酸S―エチル
(244) ジペンテン
(245) ジメチルアミン溶液（濃度が六十五重量パーセント以下のものに限る。）
(246) ジメチルエタノールアミン
(247) ジメチルオクタン酸
(248) N・N―ジメチルシクロヘキシルアミン
(249) ジメチルジスルフィド
(250) N・N―ジメチルドデシルアミン
(251) ジメチルホルムアミド
(252) ジメチルポリシロキサン
(253) ジャトロファ油
(254) 重クロム酸ナトリウム溶液（濃度が七十重量パーセント以下のものに限る。）
(255) 水酸化アルミニウム、水酸化ナトリウム及び炭酸ナトリウムの混合溶液（濃度が四十重量パーセント以下のものに限る。）
(256) 水酸化カリウム溶液
(257) 水酸化カルシウム
(258) 水酸化ナトリウム溶液
(259) 水酸化ナトリウム及び水素化ほう素ナトリウム溶液（濃度が十五重量パーセント以下のものに限る。）の混合溶液
(260) スチレン
(261) スルホラン
(262) 石炭酸油
(263) 石油スルホン酸ナトリウム
(264) ターシャリドデカンチオール
(265) タロー
(266) タロー脂肪酸
(267) 大豆油
(268) 大豆油脂肪酸メチルエステル
(269) チオシアン酸ナトリウム溶液（濃度が五十六重量パーセント以下のものに限る。）
(270) チオ硫酸カリウム（濃度が五十重量パーセント以下のものに限る。）
(271) チオ燐酸ジアルキルナトリウム塩溶液
(272) テトラクロロエタン
(273) テトラクロロエチレン
(274) テトラデシルアミン及びドデシルアミンの混合物
(275) テトラデシルアルコール、デシルアルコール及びドデシルアルコールの混合物
(276) テトラヒドロナフタレン
(277) テレフタル酸ジ―二―エチルヘキシル
(278) テレフタル酸ジブチル
(279) デカヒドロナフタレン
(280) デシルアルコール
(281) とうもろこし油
(282) 桐（とう）油
(283) トール油
(284) トール油脂肪酸（樹脂酸分が二十重量パーセント未満のものに限る。）
(285) トール油のナトリウム塩（粗製のものに限る。）
(286) トール油ピッチ
(287) トリアルキル酢酸グリシジル（トリアルキルの炭素数が十のものに限る。）
(288) トリエチルアミン
(289) 一・三・五―トリオキサン
(290) 一・一・一―トリクロロエタン
(291) 一・一・二―トリクロロエタン
(292) トリクロロエチレン
(293) 一・一・二―トリクロロ―一・二・二―トリフルオロエタン
(294) 一・二・三―トリクロロプロパン
(295) トリデカン
(296) トリデカン酸
(297) トリメチル酢酸
(298) オルトトルイジン
(299) トルエン
(300) トルエンジアミン
(301) トルエンジイソシアナート
(302) ドデカン

(303) ドデシルアルコール
(304) ドデシルキシレン
(305) ドデシルベンゼン
(306) 一―ドデセン
(307) 菜種油
(308) 菜種油脂肪酸メチルエステル
(309) ナトリウムメトキシド（濃度が二十一重量パーセント以上三十重量パーセント以下のメチルアルコール溶液に限る。）
(310) ナフタレン（粗製のものに限る。）
(311) ニトリロ三酢酸三ナトリウム塩溶液
(312) ニトロエタン
(313) ニトロエタン及び一―ニトロプロパンの混合物（それぞれの濃度が十五重量パーセント以上のものに限る。）
(314) ニトロエタン及びニトロプロパンの混合物（ニトロエタンの濃度が四十重量パーセント又は八十重量パーセントのものに限る。）
(315) オルトニトロトルエン
(316) パラニトロトルエン
(317) オルトニトロフェノール
(318) 一―ニトロプロパン
(319) 二―ニトロプロパン
(320) ニトロベンゼン
(321) 尿素及び燐酸アンモニウムの混合溶液
(322) 二硫化炭素
(323) ネオデカン酸
(324) ネオデカン酸ビニル
(325) ノナン酸
(326) ノニルアルコール
(327) ノニルフェノールポリエトキシラート（重合度が四以上のもの及びその混合物に限る。）
(328) ノネン
(329) ノルマルアルカン（炭素数が九から十一までのものの混合物（炭素数が九のものを含むものに限る。）に限る。）
(330) ノルマルアルカン（炭素数が十から二十までのもの及びその混合物に限る。）
(331) ノルマルブチルエーテル
(332) ノルマルプロパノールアミン
(333) ノルマルプロピルアルコール
(334) ノルマルヘキサン酸
(335) 廃食用油（トリグリセリド（飽和脂肪酸の炭素数が十六から十八までのもの及び不飽和脂肪酸の炭素数が十八のものの混合物であつて、濃度が八十重量パーセント以上のものに限る。）に限る。）
(336) 廃硫酸
(337) 発煙硫酸
(338) バレルアルデヒド
(339) パームオレイン
(340) パーム核オレイン
(341) パーム核ステアリン
(342) パーム核油
(343) パーム核油脂肪酸（蒸留物に限る。）
(344) パームステアリン
(345) パーム油
(346) パーム油脂肪酸（蒸留物に限る。）
(347) パーム油脂肪酸メチルエステル
(348) パーム油の分別物
(349) パラアルデヒド及びアンモニアの反応生成物
(350) パラフィンワックス（精製されたものであつて、鉱油の含有量が〇・五重量パーセント以下のものに限る。）
(351) N―（ヒドロキシエチル）エチレンジアミン三酢酸三ナトリウム塩溶液
(352) ひまし油
(353) ひまわり油
(354) ビス（二―クロロイソプロピル）エーテル
(355) ビス（二―クロロエチル）エーテル
(356) ビスフェノールFのジグリシジルエーテル
(357) ビニルトルエン
(358) ピペラジン溶液（濃度が六十八重量パーセントのものに限る。）
(359) ピリジン
(360) 一―フェニル―一―キシリルエタン
(361) フェノール
(362) フェノールのスルホン酸アルキルエステル
(363) フタル酸ジウンデシル
(364) フタル酸ジエチル
(365) フタル酸ジオクチル
(366) フタル酸ジデシル及びフタル酸ジノニルの混合物
(367) フタル酸ジトリデシル
(368) フタル酸ジノニル
(369) フタル酸ジヘキシル
(370) フタル酸ジヘプチル
(371) フタル酸ジメチル
(372) フタル酸二―ヒドロキシエトキシエチル
(373) ふつ化けい酸水溶液（濃度が二十重量パーセント以上三十重量パーセント以下のものに限る。）
(374) 直鎖不飽和脂肪酸（炭素数が十六以上のもの及びその混合物に限る。）
(375) フルフラール
(376) フルフリルアルコール
(377) ブチルアミン
(378) ブチルアルデヒド
(379) ガンマブチロラクトン

(380) ぶどう油
(381) 分解ガソリン（ベンゼンを含むものに限る。）
(382) プロピオニトリル
(383) ベータプロピオラクトン
(384) プロピオンアルデヒド
(385) プロピオン酸
(386) プロピオン酸エチル
(387) プロピオン酸ノルマルブチル
(388) プロピオン酸ノルマルペンチル
(389) プロピルベンゼン
(390) プロピレン三量体
(391) 一―ヘキサデシルナフタレン及び一・四―ビス（ヘキサデシル）ナフタレンの混合物
(392) ヘキサメチレンイミン
(393) ヘキサメチレンジアミン及びその溶液
(394) ヘキサメチレンジイソシアナート
(395) ヘキサン
(396) 一・六―ヘキサンジオール（蒸留物に限る。）
(397) ヘキシルアルコール（メチルペンチルアルコールを除く。）
(398) ヘプチルアルコール
(399) ベンジルアルコール
(400) ベンゼン（濃度が十重量パーセント以上の粗製ベンゼンを含み、前号に掲げる物質を含むものを除く。）
(401) ベンゼントリカルボン酸トリオクチル
(402) ペンタクロロエタン
(403) 一・三―ペンタジエン
(404) ペンタン
(405) 飽和脂肪酸（炭素数が十三以上のもの及びその混合物に限る。）
(406) ホスホン酸水素ジブチル
(407) ホスホン酸水素ジメチル
(408) ホルムアミド
(409) ホルムアルデヒド溶液（濃度が四十五重量パーセント以下のものに限る。）
(410) ホワイトスピリット（芳香族系成分の含有量が十五重量パーセント以上二十重量パーセント以下のものに限る。）
(411) ポリアクリル酸アルキル（アルキル基の炭素数が十八から二十二までのもの及びその混合物に限る。）のキシレン溶液
(412) ポリアルキレングリコールモノアルキルエーテルアセタート（アルキル基の炭素数が一から六までのものであつて重合度が二から八までのもの及びその混合物に限る。）
(413) ポリイソブチレン（重合度が四以上のものであつて分子量が二百二十四を超えるもの及びその混合物を除く。）
(414) ポリイソブチレンアミン化合物の脂肪族炭化水素を溶媒とする溶液
(415) ポリイソブチレンアミンの脂肪族炭化水素（炭素数が十から十四までのもの及びその混合物に限る。）を溶媒とする溶液
(416) ポリエーテル（分子量が千三百五十以上のもの及びその混合物に限る。）
(417) ポリエチレンポリアミン（ペンタエチレンヘキサミンを除く。）
(418) ポリエチレンポリアミン及び流動パラフィンの混合溶液（炭素数が五から二十までの流動パラフィンの濃度が五十重量パーセントを超えるものに限る。）
(419) ポリオレフィン（分子量が三百以上のもの及びその混合物に限る。）
(420) ポリオレフィンアミドアルケンアミン（ポリオレフィン基の炭素数が十七以上のもの及びその混合物に限る。）
(421) ポリオレフィンアミドアルケンアミンほう酸塩（ポリオレフィン基の炭素数が二十八から二百五十までのもの及びその混合物に限る。）
(422) ポリオレフィンアミドアルケンアミンポリオール
(423) ポリオレフィンアミノエステル塩（分子量が二千以上のもの及びその混合物に限る。）
(424) ポリオレフィンアミン（ポリオレフィン基の炭素数が二十八から二百五十までのもの及びその混合物に限る。）
(425) ポリオレフィンアミンの芳香族系の物質を溶媒とする溶液
(426) ポリオレフィンエステル（ポリオレフィン基の炭素数が二十八から二百五十までのもの及びその混合物に限る。）
(427) ポリオレフィンチオホスホン酸バリウム塩（ポリオレフィン基の炭素数が二十八から二百五十までのもの及びその混合物に限る。）
(428) ポリオレフィンフェノールアミン（ポリオレフィン基の炭素数が二十八から二百五十までのもの及びその混合物に限る。）
(429) ポリオレフィンポリアミンこはく酸イミドのオキシスルフィドモリブデン錯体
(430) ポリシロキサン
(431) ポリ（ジアリルジメチルアンモニウムクロライド）溶液
(432) ポリブテニルこはく酸イミド
(433) ポリブテン
(434) ポリプロピレン（重合度が五以上のもの及びその混合物に限る。）
(435) ポリメチレンポリフェニルイソシアナート
(436) ポリ硫酸第二鉄溶液

(437) マンゴー核油
(438) 無水フタル酸
(439) 無水プロピオン酸
(440) 無水ポリオレフィン
(441) 無水マレイン酸
(442) メタクリル酸
(443) メタクリル酸エイコシル及びメタクリル酸セチルの混合物
(444) メタクリル酸エイコシル、メタクリル酸セチル、メタクリル酸デシル及びメタクリル酸ブチルの混合物
(445) メタクリル酸エチル
(446) メタクリル酸ドデシル
(447) メタクリル酸ドデシル及びメタクリル酸オクタデシルの混合物
(448) メタクリル酸ドデシル及びメタクリル酸ペンタデシルの混合物
(449) メタクリル酸ノニル
(450) メタクリル酸ポリアルキル（アルキル基の炭素数が十から十八までのもの及びその混合物に限る。）及びエチレン―プロピレン共重合体の混合物
(451) メタクリル酸ポリアルキル（アルキル基の炭素数が十から二十までのもの及びその混合物に限る。）
(452) メタクリル酸メチル
(453) メタクリル樹脂の一・二―ジクロロエタン溶液
(454) メタクリロニトリル
(455) N―メチルアニリン
(456) メチルアミン溶液（濃度が四十二重量パーセント以下のものに限る。）
(457) メチルアルコール
(458) 二―メチル―六―エチルアニリン
(459) 二―メチル―五―エチルピリジン
(460) メチルシクロヘキサン
(461) メチルシクロペンタジエン二量体
(462) メチルジエタノールアミン
(463) アルファメチルスチレン
(464) 三―（メチルチオ）プロピオンアルデヒド
(465) N―メチル―二―ピロリドン
(466) メチルブチルケトン（メチルイソブチルケトンを除く。）
(467) メチルブテノール
(468) 綿実油
(469) モノオレイン酸ポリオキシエチレンソルビタン（重合度が二十のものに限る。）
(470) モルホリン
(471) やし油
(472) やし油脂肪酸
(473) やし油脂肪酸メチルエステル
(474) ラード
(475) 酪酸
(476) 酪酸エチル
(477) 酪酸ブチル
(478) 酪酸メチル
(479) ラクトニトリル溶液（濃度が八十重量パーセント以下のものに限る。）
(480) 落花生油
(481) ラテックス（安定剤として一重量パーセント以下のアンモニアを含むものに限る。）
(482) 長鎖硫化アルキルフェノールカルシウム塩（アルキル基の炭素数が八から四十までのもの及びその混合物に限る。）
(483) 硫化アンモニウム溶液（濃度が四十五重量パーセント以下のものに限る。）
(484) 硫化アンモニウム及び硫化水素ナトリウムの混合溶液
(485) 硫化炭化水素（炭素数が三から八十八までのもの及びその混合物に限る。）
(486) 硫化ナトリウム溶液（濃度が十五重量パーセント以下のものに限る。）
(487) 硫酸
(488) 硫酸アルミニウム溶液
(489) 硫酸ジエチル
(490) 燐酸水素ジ―二―エチルヘキシル
(491) 燐酸トリトリル（オルト異性体を含むものに限る。）
(492) 燐酸トリブチル
(493) レジン油（蒸留物に限る。）
(494) ロジン

ロ　国際海事機関海洋環境保護委員会の判定に基づき、環境大臣が海洋環境の保全の見地からY類物質と同程度に有害であるものとして指定する物質

ハ　法第九条の六第三項の規定により海洋環境の保全の見地からY類物質と同程度に有害であるものと査定されている物質

ニ　イ、ロ又はハに掲げる物質のみから成る混合物並びに前号イ（(86)を除く。）、ロ若しくはハ、イ、ロ若しくはハ、次号イ、ロ若しくはハ又は別表第一の二（第二十三号を除く。以下この表において同じ。）に掲げる物質から成る混合物及び法第三条第二号の規定により国土交通省令で定める油性混合物（前号イ(86)に掲げる油性混合物を除き、同条第二号に規定する原油、重油、潤滑油、軽油、灯油、揮発油その他の国土交通省令で定める油と前号イ（(86)を除く。）、ロ若しくはハ、イ、ロ若しくはハ、次号イ、ロ若しくはハ又は別表第一の二に掲げる物質との混合物に限る。）であつて、これを構成する各物質の濃度を重量パーセントで表した数値に当該物質の有害性の程度に応じそれぞれ環境大臣の定める係数を乗じて得

た数値の合計が環境大臣の定める数値の範囲内であるもの

三　Z類物質等

イ　Z類物質

(1)　アクリル酸及びエチレンスルホン酸の共重合体のナトリウム塩並びにホスホン酸塩の混合溶液

(2)　アジポニトリル

(3)　アセト酢酸エチル

(4)　アセト酢酸メチル

(5)　アセトニトリル（濃度が八十五重量パーセントを超えるものに限る。）

(6)　アセトン

(7)　アミノエチルエタノールアミン

(8)　アミノエチルエタノールアミン及びアミノエチルジエタノールアミンの混合溶液

(9)　N―アミノエチルピペラジン

(10)　二―（二―アミノエトキシ）エタノール

(11)　二―アミノ―二―メチル―一―プロパノール

(12)　亜硫酸水素ナトリウム溶液（濃度が四十五重量パーセント以下のものに限る。）

(13)　アルキルアリールスルホン酸カルシウム（アルキル基の炭素数が十一から五十までのもの及びその混合物に限る。）

(14)　アルキルインダン（アルキル基の炭素数が十二から十七までのもの及びその混合物に限る。）、アルキルインデン（アルキル基の炭素数が十二から十七までのもの及びその混合物に限る。）及びアルキルベンゼン（アルキル基の炭素数が十二から十七までのもの及びその混合物に限る。）の混合物

(15)　アルキルカルボン酸ナトリウム及びエチレングリコールの混合物（エチレングリコールの濃度が八十五重量パーセントを超えるものに限る。）

(16)　アルキルフェニルプロポキシラート（アルキル基の炭素数が九から十五までのもの及びその混合物に限る。）

(17)　アルミノけい酸ナトリウム

(18)　安息香酸ナトリウム

(19)　硫黄

(20)　イソプロピルアルコール

(21)　エチルアルコール

(22)　エチルターシャリペンチルエーテル

(23)　二―エチルブタンジニトリル及び二―メチルグルタロニトリルの混合物（二―エチルブタンジニトリルの濃度が十二重量パーセント以下のものに限る。）

(24)　エチレングリコール

(25)　エチレングリコールモノフェニルエーテル

(26)　エチレングリコールモノフェニルエーテル及びジエチレングリコールモノフェニルエーテルの混合物

(27)　エトキシ化ポリエチレンイミン溶液（濃度が九十重量パーセント以下のものに限る。）

(28)　塩化アンモニウム溶液（濃度が二十五重量パーセント未満のものに限る。）

(29)　塩化カリウム溶液（濃度が二十六重量パーセント以上のものに限る。）

(30)　塩化カリウム、硝酸カルシウム及び硝酸マグネシウムの混合溶液

(31)　塩化コリン溶液

(32)　塩化マグネシウム溶液

(33)　塩酸

(34)　塩素酸ナトリウム溶液（濃度が五十重量パーセント以下のものに限る。）

(35)　カプロラクタム及びその溶液

(36)　ぎ酸イソブチル

(37)　ぎ酸カリウム溶液

(38)　ぎ酸の混合物（ぎ酸ナトリウムの含有量が二十五重量パーセント以下であつて、プロピオン酸の含有量が十八重量パーセント以下のものに限る。）

(39)　ぎ酸メチル

(40)　くえん酸（濃度が七十重量パーセント以下のものに限る。）

(41)　掘削用ブライン（臭化カルシウムを含むものに限る。）

(42)　二―クロロプロピオン酸

(43)　三―クロロプロピオン酸

(44)　グリコール酸溶液（濃度が七十重量パーセント以下のものに限る。）

(45)　グリシンナトリウム塩溶液

(46)　グリセリン

(47)　グリセリンエトキシラート及びグリセリンプロポキシラートの混合物

(48)　グリセリンエトキシラート、グリセリンプロポキシラート、スクロースエトキシラート及びスクロースプロポキシラートの混合物

(49)　グリセリンプロポキシラート

(50)　グリセリンプロポキシラート及びソルビトールプロポキシラートの混合物（アミンの含有量が十重量パーセント未満のものに限る。）

(51)　魚たんぱく質濃縮物（ぎ酸の含有量が四重量パーセント以下のものに限る。）

(52)　酢酸

(53)　酢酸イソプロピル

(54)　酢酸エチル

(55)　酢酸ナトリウム溶液

(56)　酢酸ナトリウム、しゆう酸ナトリウム及びリグニン（木材から生成するものに限る。）の混合物

(57)　酢酸メチル

(58) 酸化チタン
(59) 酸化メシチル
(60) 酸素含有脂肪族炭化水素
(61) シクロヘキサノン
(62) シクロヘキサンカルボン酸ナトリウム塩溶液
(63) 酒類
(64) 硝酸アンモニウム溶液（濃度が九十三重量パーセント以下のものに限る。）
(65) 硝酸カルシウム溶液（濃度が五十重量パーセント以下のものに限る。）
(66) ジアセトンアルコール
(67) 二・六―ジアミノヘキサン酸燐酸塩溶液
(68) ジアルキルジフェニルアミン（アルキル基の炭素数が八又は九のもの及びその混合物に限る。）
(69) ジイソプロパノールアミン
(70) ジエチルエーテル
(71) ジエチレングリコール
(72) ジエチレングリコールジエチルエーテル
(73) ジエチレングリコールジブチルエーテル
(74) ジエチレントリアミン五酢酸五ナトリウム塩溶液
(75) 一・一―ジクロロエタン
(76) ジプロピレングリコール
(77) N・N―ジメチルアセトアミド及びその溶液（濃度が四十重量パーセント以下のものに限る。）
(78) 二・二―ジメチルプロパン―一・三―ジオール及びその溶液
(79) 水酸化マグネシウム
(80) スルホン化ポリアクリル酸エステル溶液
(81) 炭酸エチレン
(82) 炭酸ナトリウム溶液
(83) 炭酸ナトリウム及び硫化水素ナトリウムの混合溶液（炭酸ナトリウムの濃度が三重量パーセント以下のものであつて、硫化水素ナトリウムの濃度が六重量パーセント以下のものに限る。）
(84) 炭酸プロピレン
(85) チオ硫酸アンモニウム溶液（濃度が六十重量パーセント以下のものに限る。）
(86) テトラエチレングリコール
(87) テトラエトキシシランのモノマー又はオリゴマー（濃度が二十重量パーセントのエタノール溶液に限る。）
(88) テトラヒドロフラン
(89) トリアセチルグリセリン
(90) トリイソプロパノールアミン
(91) トリエタノールアミン
(92) トリプロピレングリコール
(93) トリメチルアミン溶液（濃度が三十重量パーセント以下のものに限る。）
(94) トリメチロールプロパンプロポキシラート
(95) ナフタレンスルホン酸及びホルムアルデヒドの共重合体のナトリウム塩溶液
(96) 乳酸
(97) 尿素溶液
(98) ノルマルプロピルアミン
(99) ノルマルヘプタン酸
(100) パラアルデヒド
(101) 二―ヒドロキシ―四―（メチルチオ）酪酸
(102) ビニルエチルエーテル
(103) ブチルアルコール
(104) ブチレングリコール
(105) ブレーキ液基剤（ポリアルキレングリコール（アルキレングリコールの炭素数が二又は三のものであつて、重合度が二から八までのものに限る。）、ポリアルキレングリコールモノアルキルエーテル（アルキレングリコールの炭素数が二から十までのものであつて、アルキル基の炭素数が一から四までのものに限る。）及びそれらのほう酸エステルの混合物に限る。）
(106) ブロモクロロメタン
(107) プロピレングリコールフェニルエーテル
(108) プロピレングリコールメチルエーテルアセタート
(109) プロピレングリコールモノアルキルエーテル
(110) ヘキサメチレンジアミンアジペート溶液（濃度が五十重量パーセントのものに限る。）
(111) ヘキサメチレンテトラミン溶液
(112) 一・六―ヘキサンジオール（蒸留物を除く。）
(113) ヘキシレングリコール
(114) ペンチルアルコール
(115) ホスホン酸トリエチル
(116) ポリアクリル酸溶液（濃度が四十重量パーセント以下のものに限る。）
(117) ポリアクリル酸ナトリウム溶液（重合度が四以上のもの及びその混合物に限る。）
(118) ポリアルキレングリコールモノアルキルエーテル（アルキル基の炭素数が一から六までのものであつて重合度が二から八までのもの及びその混合物に限る。）
(119) ポリイソブチレンの酸無水物付加物
(120) ポリエチレングリコール
(121) ポリエチレングリコールジメチルエーテル
(122) ポリエチレングリコールメチルブテニルエーテル（分子量が千を超えるもの及びその混合物に限る。）
(123) ポリ塩化アルミニウム溶液
(124) ポリグリセリンナトリウム塩溶液（水酸化ナトリウムの含有量が三重量パーセント未満のものに限る。）
(125) ポリプロピレングリコール
(126) ポリ燐酸アンモニウム溶液

(127) 無水こはく酸アルケニル（アルケニル基の炭素数が十六から二十までのもの及びその混合物に限る。）
(128) 無水酢酸
(129) 無水マレイン酸及びアリルスルホン酸ナトリウムの共重合体の溶液
(130) メタクリル酸及びメタクリル酸アルコキシポリ（オキシアルキレン）の共重合体のナトリウム塩水溶液（濃度が四十五重量パーセント以下のものに限る。）
(131) メタクリル酸ブチル
(132) メチルイソブチルケトン
(133) メチルエチルケトン
(134) N―メチルグルカミン溶液（濃度が七十重量パーセント以下のものに限る。）
(135) メチルターシャリブチルエーテル
(136) 二―メチルピリジン
(137) 三―メチルピリジン
(138) 四―メチルピリジン
(139) メチルブチノール
(140) 二―メチル―一・三―プロパンジオール
(141) メチルプロピルケトン
(142) メチルペンチルアルコール
(143) メチルペンチルケトン
(144) 三―メチル―三―メトキシブタノール
(145) 三―メトキシ―一―ブタノール
(146) ラテックス（スチレン及びブタジエンの共重合体をカルボキシル化したもの並びにスチレンブタジエンゴムに限る。）
(147) リグニンスルホン酸アンモニウム溶液
(148) リグニンスルホン酸カルシウム溶液
(149) リグニンスルホン酸ナトリウム塩溶液
(150) リグニンスルホン酸マグネシウム塩溶液
(151) L―リジン溶液（濃度が六十重量パーセント以下のものに限る。）
(152) 硫化アルキルフェノール（アルキル基の炭素数が八から四十までのもの及びその混合物に限る。）
(153) 硫化脂肪（炭素数が十四から二十までのもの及びその混合物に限る。）
(154) 硫化水素ナトリウム溶液（濃度が四十五重量パーセント以下のものに限る。）
(155) 硫化ポリオレフィンアミドアルケンアミン（ポリオレフィン基の炭素数が二十八から二百五十までのもの及びその混合物に限る。）
(156) 硫酸アンモニウム溶液
(157) 硫酸ナトリウム溶液
(158) 燐酸
(159) 燐酸水素アンモニウム溶液
(160) 燐酸トリエチル

ロ　国際海事機関海洋環境保護委員会の判定に基づき、環境大臣が海洋環境の保全の見地からZ類物質と同程度に有害であるものとして指定する物質

ハ　法第九条の六第三項の規定により海洋環境の保全の見地からZ類物質と同程度に有害であるものと査定されている物質

ニ　イ、ロ又はハに掲げる物質のみから成る混合物並びに第一号イ（(86)を除く。）、ロ若しくはハ、前号イ、ロ若しくはハ、イ、ロ若しくはハ又は別表第一の二に掲げる物質から成る混合物（別表第一の二に掲げる物質のみから成るものを除く。）及び法第三条第二号の規定により国土交通省令で定める油性混合物（第一号イ(86)に掲げる油性混合物を除き、同条第二号に規定する原油、重油、潤滑油、軽油、灯油、揮発油その他の国土交通省令で定める油と第一号イ（(86)を除く。）、ロ若しくはハ、前号イ、ロ若しくはハ、イ、ロ若しくはハ又は別表第一の二に掲げる物質との混合物に限る。）であつて、これを構成する各物質の濃度を重量パーセントで表した数値に当該物質の有害性の程度に応じそれぞれ環境大臣の定める係数を乗じて得た数値の合計が環境大臣の定める数値未満であるもの

備考　この表において「重量パーセント」とは、溶液中の表示物質の重量の溶液の全重量に対する比の百倍をいう。

〔本表追加・昭六一政三三六、改正・平二政九九・平六政二一・平一〇政二〇・平一二政三一二・平一六政二九三、全改・平一八政三一八、改正・平二〇政三七〇・平二五政三七二・令二政二四五〕

参照　〔環境大臣の定める数値〕海洋汚染等及び海上災害の防止に関する法律施行令別表第一各号ニの規定に基づく環境大臣の定める数値（平成一八年一二月環告一四六号）〔環境大臣の定める係数〕海洋汚染等及び海上災害の防止に関する法律施行令別表第一各号ニの規定に基づく物質の有害性の程度に応じ環境大臣の定める係数（平成一八年一二月環告一四七号）

別表第一の二（第一条の三関係）

一　塩化カリウム溶液（濃度が二十六重量パーセント未満のものに限る。）
二　オレンジ果汁
三　カオリン
四　還元でん粉加水分解物
五　グリセリンエトキシラート
六　グルコース溶液
七　植物性たんぱく質溶液（加水分解したものに限る。）
八　石炭
九　ソルビトール溶液
十　炭酸カルシウム
十一　炭酸水素ナトリウム溶液（濃度が十重量パーセント未満のものに限る。）
十二　糖みつ
十三　トリエチレングリコール
十四　二酸化けい素
十五　粘土
十六　プロピレングリコール
十七　マルチトール溶液
十八　水
十九　りんご果汁
二十　レシチン
二十一　国際海事機関海洋環境保護委員会の判定に基づき、環境大臣が海洋環境の保全の見地から有害でないものとして指定する物質
二十二　法第九条の六第三項の規定により、海洋環境の保全の見地から有害でないものと査定されている物質
二十三　前各号に掲げる物質のみから成る混合物

備考　この表において「重量パーセント」とは、溶液中の表示物質の重量の溶液の全重量に対する比の百倍をいう。

〔本表追加・昭六一政三三六、改正・平二政九九・平六政二一・平一〇政二〇、全改・平一八政三二八、改正・平二〇政三七〇・平二五政三七二・令二政二四五〕

別表第一の三（第一条の五関係）

一　トリクロロフルオロメタン（別名ＣＦＣ―一一）
二　ジクロロジフルオロメタン（別名ＣＦＣ―一二）
三　トリクロロトリフルオロエタン（別名ＣＦＣ―一一三）
四　ジクロロテトラフルオロエタン（別名ＣＦＣ―一一四）
五　クロロペンタフルオロエタン（別名ＣＦＣ―一一五）
六　ブロモクロロジフルオロメタン（別名ハロン―一二一一）
七　ブロモトリフルオロメタン（別名ハロン―一三〇一）
八　ジブロモテトラフルオロエタン（別名ハロン―二四〇二）
九　クロロトリフルオロメタン（別名ＣＦＣ―一三）
十　ペンタクロロフルオロエタン（別名ＣＦＣ―一一一）
十一　テトラクロロジフルオロエタン（別名ＣＦＣ―一一二）
十二　ヘプタクロロフルオロプロパン（別名ＣＦＣ―二一一）
十三　ヘキサクロロジフルオロプロパン（別名ＣＦＣ―二一二）
十四　ペンタクロロトリフルオロプロパン（別名ＣＦＣ―二一三）
十五　テトラクロロテトラフルオロプロパン（別名ＣＦＣ―二一四）
十六　トリクロロペンタフルオロプロパン（別名ＣＦＣ―二一五）
十七　ジクロロヘキサフルオロプロパン（別名ＣＦＣ―二一六）
十八　クロロヘプタフルオロプロパン（別名ＣＦＣ―二一七）
十九　四塩化炭素
二十　一・一・一―トリクロロエタン
二十一　ジクロロフルオロメタン（別名ＨＣＦＣ―二一）
二十二　クロロジフルオロメタン（別名ＨＣＦＣ―二二）
二十三　クロロフルオロメタン（別名ＨＣＦＣ―三一）
二十四　テトラクロロフルオロエタン（別名ＨＣＦＣ―一二一）

二十五　トリクロロジフルオロエタン（別名ＨＣＦＣ―一二二）
二十六　ジクロロトリフルオロエタン（別名ＨＣＦＣ―一二三）
二十七　クロロテトラフルオロエタン（別名ＨＣＦＣ―一二四）
二十八　トリクロロフルオロエタン（別名ＨＣＦＣ―一三一）
二十九　ジクロロジフルオロエタン（別名ＨＣＦＣ―一三二）
三十　クロロトリフルオロエタン（別名ＨＣＦＣ―一三三）
三十一　ジクロロフルオロエタン（別名ＨＣＦＣ―一四一）
三十二　クロロジフルオロエタン（別名ＨＣＦＣ―一四二）
三十三　クロロフルオロエタン（別名ＨＣＦＣ―一五一）
三十四　ヘキサクロロフルオロプロパン（別名ＨＣＦＣ―二二一）
三十五　ペンタクロロジフルオロプロパン（別名ＨＣＦＣ―二二二）
三十六　テトラクロロトリフルオロプロパン（別名ＨＣＦＣ―二二三）
三十七　トリクロロテトラフルオロプロパン（別名ＨＣＦＣ―二二四）
三十八　ジクロロペンタフルオロプロパン（別名ＨＣＦＣ―二二五）
三十九　クロロヘキサフルオロプロパン（別名ＨＣＦＣ―二二六）
四十　ペンタクロロフルオロプロパン（別名ＨＣＦＣ―二三一）
四十一　テトラクロロジフルオロプロパン（別名ＨＣＦＣ―二三二）
四十二　トリクロロトリフルオロプロパン（別名ＨＣＦＣ―二三三）
四十三　ジクロロテトラフルオロプロパン（別名ＨＣＦＣ―二三四）
四十四　クロロペンタフルオロプロパン（別名ＨＣＦＣ―二三五）
四十五　テトラクロロフルオロプロパン（別名ＨＣＦＣ―二四一）
四十六　トリクロロジフルオロプロパン（別名ＨＣＦＣ―二四二）
四十七　ジクロロトリフルオロプロパン（別名ＨＣＦＣ―二四三）
四十八　クロロテトラフルオロプロパン（別名ＨＣＦＣ―二四四）
四十九　トリクロロフルオロプロパン（別名ＨＣＦＣ―二五一）
五十　ジクロロジフルオロプロパン（別名ＨＣＦＣ―二五二）
五十一　クロロトリフルオロプロパン（別名ＨＣＦＣ―二五三）
五十二　ジクロロフルオロプロパン（別名ＨＣＦＣ―二六一）
五十三　クロロジフルオロプロパン（別名ＨＣＦＣ―二六二）
五十四　クロロフルオロプロパン（別名ＨＣＦＣ―二七一）
五十五　ジブロモフルオロメタン
五十六　ブロモジフルオロメタン（別名ＨＢＦＣ―二二Ｂ一）
五十七　ブロモフルオロメタン
五十八　テトラブロモフルオロエタン
五十九　トリブロモジフルオロエタン
六十　ジブロモトリフルオロエタン
六十一　ブロモテトラフルオロエタン
六十二　トリブロモフルオロエタン
六十三　ジブロモジフルオロエタン
六十四　ブロモトリフルオロエタン
六十五　ジブロモフルオロエタン
六十六　ブロモジフルオロエタン
六十七　ブロモフルオロエタン
六十八　ヘキサブロモフルオロプロパン
六十九　ペンタブロモジフルオロプロパン
七十　テトラブロモトリフルオロプロパン
七十一　トリブロモテトラフルオロプロパン
七十二　ジブロモペンタフルオロプロパン
七十三　ブロモヘキサフルオロプロパン
七十四　ペンタブロモフルオロプロパン
七十五　テトラブロモジフルオロプロパン
七十六　トリブロモトリフルオロプロパン
七十七　ジブロモテトラフルオロプロパン
七十八　ブロモペンタフルオロプロパン
七十九　テトラブロモフルオロプロパン
八十　トリブロモジフルオロプロパン
八十一　ジブロモトリフルオロプロパン
八十二　ブロモテトラフルオロプロパン
八十三　トリブロモフルオロプロパン
八十四　ジブロモジフルオロプロパン
八十五　ブロモトリフルオロプロパン
八十六　ジブロモフルオロプロパン
八十七　ブロモジフルオロプロパン
八十八　ブロモフルオロプロパン
八十九　ブロモクロロメタン
九十　臭化メチル

〔本表追加・平一六政二九三、改正・平二六政二九九〕

別表第一の四（第一条の八関係）

一　アクリロニトリル
二　アセトン
三　液化石油ガス
四　液化メタンガス
五　エチルベンゼン
六　ガソリン
七　キシレン
八　クメン
九　原油
十　酢酸エチル
十一　酢酸ビニル
十二　シクロヘキサン
十三　スチレン
十四　灯油
十五　トルエン
十六　ナフサ
十七　二塩化エチレン
十八　ブタノール
十九　ヘキサン
二十　ベンゼン
二十一　ペンタン
二十二　メチルエチルケトン
二十三　前各号に掲げるもののほか、次のイ又はロのいずれかに該当する物質
イ　温度二十度、圧力一気圧において液体又は固体である物質であつて、海上保安庁長官が指定する日本産業規格に適合する方法により試験したときの引火点が六十度以下であるもの
ロ　温度二十度、圧力一気圧において気体である物質であつて、当該物質と空気との混合物が燃焼する状態における当該物質の最小の濃度が体積百分率十三パーセント以下であるもの又は当該混合物が燃焼する状態における当該物質の最大の濃度と最小の濃度との差が体積百分率十二パーセント以上であるもの

〔本表追加・昭五一政二一八、改正・昭五五政二五五、旧別表一を改正し繰下・昭六一政三三六、旧別表一の三を改正し繰下・平一六政二九三、本表改正・平一九政七二・平二三政二〇七・平二六政二九九・令元政四四〕

別表第一の五（第一条の九、第一条の十、第十一条の七、第十一条の十関係）

海域名	海域の範囲
地中海海域	北緯四十一度の緯度線を地中海と黒海の境界線とし、ジブラルタル海峡における西経五度三十六分の子午線を西端とする地中海（湾を含む。）の海域
バルティック海海域	ボスニア湾、フィンランド湾及びスカゲラック海峡のスカウを通る北緯五十七度四十四・八分の緯度線を境界線とするバルティック海への入口の海域を含むバルティック海の海域
黒海海域	北緯四十一度の緯度線を地中海と黒海の境界線とする黒海の海域
南極海域	南緯六十度以南の海域
北西ヨーロッパ海域	北緯四十八度二十七分西経六度二十五分の点から陸岸まで九十度に引いた線、同点、北緯四十九度五十二分西経七度四十四分の点、北緯五十度三十分西経十二度の点、北緯五十六度三十分西経十二度の点及び北緯六十二度西経三度の点を順次結んだ線、同点から陸岸まで九十度に引いた線並びに陸岸により囲まれた海域のうちバルティック海海域以外の海域
ガルフ海域	北緯二十二度三十分東経五十九度四十八分の点と北緯二十五度四分東経六十一度二十五分の点を結んだ線以西の海域
南アフリカ南部海域	南緯三十一度十四分東経十七度五十分の点、南緯三十一度三十分東経十七度十二分の点、南緯三十二度三十二分東経十六度五十二分の点、南緯三十四度六分東経十七度二十四分の点、南緯三十六度五十八分東経二十度五十四分の点、南緯三十六度東経二十二度三十分の点、南緯三十五度十四分東経二十

	二度五十四分の点、南緯三十四度三十分東経二十六度の点、南緯三十三度四十八分東経二十七度二十五分の点及び南緯三十三度二十七分東経二十七度十二分の点を順次結んだ線並びに陸岸により囲まれた海域
北極海域	北緯五十八度西経四十二度の点、北緯六十四度三十七分西経三十五度二十七分の点、北緯六十七度三・九分西経二十六度三十三・四分の点、北緯七十度四十九・五六分西経八度五十九・六一分の点、北緯七十三度三十一・六分東経十九度一分の点及び北緯六十八度三十八・二九分東経四十三度二十三・〇八分の点を順次結んだ線、イリピルスコエの陸岸の北緯六十度の点からエトリン海峡を通る陸岸まで九十度に引いた線、ハドソン湾西岸の北緯六十度の点と北緯六十度西経五十六度三十七・一分の点を結んだ線、同点及び北緯五十八度西経四十二度の点を結んだ線並びに北緯六十度以北の陸岸により囲まれた海域
紅海海域	スエズ湾及びアカバ湾を含む北緯十二度二十八・五分東経四十三度十九・六分の点及び北緯十二度四十・四分東経四十三度三十・二分の点を結んだ線（アデン湾境界線）（アデン湾海域の項において「紅海・アデン湾境界線」という。）を南端とする紅海の海域
アデン湾海域	紅海とアラビア海との間にあるアデン湾のうち、紅海・アデン湾境界線以東であつて、かつ、北緯十一度五十分東経五十一度十六・九分の点及び北緯十五度三十五分東経五十二度十三・八分の点を結んだ線以西の海域

〔本表追加・昭五八政八三、旧別表一の二を改正し繰下・昭六一政三三六、本表改正・平三政三六五・平一一政二三二、旧別表一の四を改正し繰下・平一六政二九三、本表改正・平一八政三四八・平一九政二八二・平二〇政二一六・平二六政二九九・平二八政三八三・令二政二九八・令六政二〇四〕

別表第一の六（第一条の十二、第一条の十三関係）

有害液体物質の区分	事前処理の方法に関する基準
一　別表第一第一号に掲げるX類物質等であつて船舶によりばら積みの液体貨物として輸送されるもの	次に掲げる要件に適合する方法により当該物質の輸送の用に供されていた貨物艙について事前処理を行うこと。 イ　当該物質の取卸しが完了した後、有害液体物質排出防止設備のうち国土交通省令・環境省令で定める装置を国土交通省令・環境省令で定めるところにより用いて当該貨物艙の底部及び関連管系内に残留する当該物質を除去すること。 ロ　イの方法により当該物質の除去が完了した後、(1)又は(2)に掲げる要件に適合する方法（別表第一第一号ホに掲げる物質を排出しようとする場合にあつては、(2)に掲げる方法に限る。）により洗浄水を除去すること。 (1)　洗浄水中に含まれる当該物質の濃度が一キログラム当たり一グラム以下になるまで貨物艙を十分に洗浄し、かつ、当該洗浄水を当該貨物艙から除去すること。 (2)　貨物艙を有害液体物質排出防止設備のうち国土交通省令・環境省令で定める装置を国土交通省令・環境省令で定めるところにより用いて洗浄し、かつ、当該洗浄水を当該貨物艙から除去すること。
二　別表第一第二号に掲げるY類物質等又は同表第三号に掲げるZ類物質等であつて船舶によりばら積みの液体貨物として輸送されるもの	イ又はロに掲げる要件に適合する方法により当該物質の輸送の用に供されていた貨物艙について事前処理を行うこと。 イ　当該物質（国土交通省令・環境省令で定める基準に適合するものに限る。）の取卸しが完了した後、有害液体物質排出防止設備のうち国土交通省令・環境省令で定める装置を国土交通省令・環境省令で定めるところにより用いて当該貨物艙の底部及び関連管系内に残留する当該物質を除去すること。 ロ　当該物質の取卸しが完了した後、貨物艙を有害液体物質排出防止設備のうち国土交通省令・環境省令で定める装置を国土交通省令・環境省令で定めるところにより用いて洗浄し、かつ、当該洗浄水を当該貨物艙から除去すること。

〔本表追加・昭六一政三三六、改正・昭六二政一五・平六政二一・平一二政三一二、旧別表一の七を改正し繰下・平一六政二九三、本表全改・平一八政三二八、旧別表一の八を繰上・平一八政三四八、本表改正・平二三政二〇七・平二六政二九九〕

参照　一号・二号〔国土交通省令・環境省令〕船舶からの有害液体物質の排出に係る事前処理の方法等に関する省令二―五

別表第一の七（第一条の十二関係）

有害液体物質の区分	排出海域に関する基準	排出方法に関する基準
一　別表第一の六各号の事前処理の方法に関する基準の欄に掲げる方法により事前処理が行われた貨物艙に残留する有害液体物質と当該貨物艙に初めて洗浄水又は水バラストとして加えられた水との混合物である有害液体物質（次号に掲げるものを除く。）	全ての国の領海の基線からその外側十二海里以遠であつて水深二十五メートル以上の海域（南極海域及び北極海域を除く。）	イからハまでに掲げる要件に適合する排出方法により排出すること。 イ　当該船舶の航行中（引かれ船等にあつては対水速度四ノット、その他の船舶にあつては対水速度七ノット以上の速度で航行する場合をいう。）に排出すること。 ロ　海面下に排出すること。 ハ　有害液体物質排出防止設備のうち環境省令で定める装置を用いて環境省令で定める排出率（単位時間当たりの排出量をいう。以下同じ。）以下の排出率で排出すること。
二　別表第一の六第二号の事前処理の方法に関する基準の欄に掲げる方法により事前処理が行われた貨物艙に残留する有害液体物質と当該貨物艙に初めて洗浄水又は水バラストとして加えられた水との混合物である有害液体物質（当該残留する有害液体物質の濃度が一キログラム当たり一ミリグラム未満である場合に限る。）	全ての国の領海の基線からその外側十二海里以遠であつて水深二十五メートル以上の海域（南極海域及び北極海域を除く。）	排出方法は、限定しない。
三　前二号に掲げる有害液体物質を除去した貨物艙に残留する有害液体物質と当該貨物艙に初めて加えられた水との混合物である有害液体物質	全ての海域（南極海域及び北極海域を除く。）	排出方法は、限定しない。

備考
一　この表において「南極海域」とは、別表第一の五に掲げる南極海域をいう。
二　この表において「北極海域」とは、別表第一の五に掲げる北極海域をいう。

〔本表追加・昭六一政三三六、改正・平六政二一・平一二政三一二、旧別表一の八を改正し繰下・平一六政二九三、本表改正・平一八政三二八、旧別表一の九を改正し繰上・平一八政三四八、本表改正・平二〇政二八八・平二三政二〇七・平二六政二九九・平二八政三八三〕

参照　一号〔環境省令〕有害液体物質の排出率等を定める省令一・二

別表第二（第三条関係）

一　南極海域及び北極海域以外における排出

船舶及びふん尿等の区分	排出海域	排出方法
一　国際航海に従事する船舶（総トン数四百トン以上又は最大搭載人員十六人以上のものに限る。次号から第四号まで及び第二号の表第一号から第五号までにおいて同じ。）（旅客船（旅客定員十三人以上の船舶をいう。次号から第四号までにおいて同じ。）を除く。）から排出されるふん尿又は船舶内にある診療室その他の医療が行われる設備内において生ずる汚水（以下単に「汚水」という。）であつて、国土交通省令で定める技術上の基準に適合するふん尿等排出防止設備のうち国土交通省令で定める装置（次号から第四号まで並びに同表第一号、第二号、第四号及び第五号において「ふ	全ての国の領海の基線からその外側十二海里の線を超える海域	イ　海面下に排出すること。ただし、国土交通省令で定める排出率以下の排出率で排出する場合は、この限りでない。 ロ　当該船舶の航行中（対水速度四ノット以上の速度で航行する場合をいう。）に排出すること。

ん尿等排出防止装置」という。）により処理されていないもの		
二　国際航海に従事する船舶（旅客船を除く。）から排出されるふん尿又は汚水であつて、ふん尿等排出防止装置により処理されたもの（ふん尿等排出防止装置のうち国土交通省令で定める装置により浄化することにより処理されたものを除く。）	全ての国の領海の基線からその外側三海里の線を超える海域	前号下欄イ及びロに掲げる排出方法により排出すること。
三　国際航海に従事する船舶（旅客船に限る。）から排出されるふん尿又は汚水であつて、ふん尿等排出防止装置により処理されていないもの	全ての国の領海の基線からその外側十二海里の線を超える海域（バルティック海海域を除く。）	第一号下欄イ及びロに掲げる排出方法により排出すること。
四　国際航海に従事する船舶（旅客船に限る。）から排出されるふん尿又は汚水であつて、ふん尿等排出防止装置により処理されたもの（ふん尿等排出防止装置のうち国土交通省令で定める装置により浄化することにより処理されたものを除く。）	全ての国の領海の基線からその外側三海里の線を超える海域（バルティック海海域を除く。）	第一号下欄イ及びロに掲げる排出方法により排出すること。
五　国際航海に従事しない船舶（最大搭載人員百人以上のものに限る。）から排出されるふん尿であつて、国土交通省令で定める技術上の基準に適合するふん尿等排出防止設備のうち国土交通省令で定める装置により処理されていないもの	特定沿岸海域	イ　粉砕して排出すること。 ロ　海面下に排出すること。ただし、国土交通省令で定める排出率以下の排出率で排出する場合は、この限りでない。 ハ　当該船舶の航行中（対水速度三ノット以上の速度で航行する場合をいう。別表第三において同じ。）に排出すること。
	特定沿岸海域以外の海域	排出方法は、限定しない。

二　南極海域及び北極海域における排出

船舶及びふん尿等の区分	排出海域	排出方法
一　国際航海に従事する船舶（第四号及び第五号に掲げるものを除く。）から排出されるふん尿又は汚水であつて、ふん尿等排出防止装置により処理されていないもの	南極海域のうち領海の基線及び定着氷からその外側十二海里の線を超える海域並びに北極海域のうち全ての国の領海の基線、氷棚及び定着氷からその外側十二海里の線を超える海域	イ　海面下に排出すること。ただし、国土交通省令で定める排出率以下の排出率で排出する場合は、この限りでない。 ロ　当該船舶の航行中（対水速度四ノット以上の速度で航行する場合をいう。）に排出すること。
二　国際航海に従事する船舶（第四号及び第五号に掲げるものを除く。）から排出されるふん尿又は汚水であつて、ふん尿等排出防止装置により処理されたもの（ふん尿等排出防止装置のうち国土交通省令で定める装置により浄化することにより処理されたものを除く。）	南極海域のうち領海の基線及び定着氷からその外側三海里の線を超える海域並びに北極海域のうち全ての国の領海の基線、氷棚及び定着氷からその外側三海里の線を超える海域	前号下欄イ及びロに掲げる排出方法により排出すること。
三　国際航海に従事する船舶（次号及び第五号に掲げるものを除く。）から排出されるふん尿又は汚水であつて、前二号に掲げるもの以外のもの	南極海域及び北極海域	排出方法は、限定しない。
四　国際航海に従事する船舶（次号に掲げるものを除く。）のうちふん尿又は汚水の排出につき海洋環境の保全の見地から特に注意を払う必要があるものとして	南極海域及び北極海域	ふん尿等排出防止装置のうち国土交通省令で定める装置により浄化することにより処理して排出すること。

国土交通省令で定める船舶から排出されるふん尿又は汚水		
五　国際航海に従事する船舶のうち南極海域又は北極海域において長期間の航行の用に供するものとして国土交通省令で定める船舶から排出されるふん尿又は汚水	南極海域及び北極海域	国土交通省令で定めるところにより、あらかじめ国土交通大臣の承認を受けて、ふん尿等排出防止装置のうち国土交通省令で定める装置により浄化することにより処理して排出すること。
六　前各号に掲げる船舶以外の船舶（最大搭載人員十一人未満のものを除く。）から排出されるふん尿又は汚水であつて、国土交通省令で定める技術上の基準に適合するふん尿等排出防止設備のうち国土交通省令で定める装置により処理されていないもの	南極海域のうち領海の基線からその外側十二海里の線を超える海域	排出方法は、限定しない。

備考
一　この表において「南極海域」とは、別表第一の五に掲げる南極海域をいう。
二　この表において「北極海域」とは、別表第一の五に掲げる北極海域をいう。
三　この表において「バルティック海海域」とは、別表第一の五に掲げるバルティック海海域をいう。

四　この表において「特定沿岸海域」とは、次に掲げる海域をいう。
イ　港則法に基づく港の区域
ロ　海図に記載されている海岸の低潮線（港則法に基づく港にあつては、その境界）から一万メートル以内の海域
ハ　愛知県伊良湖岬灯台から三重県大王埼灯台まで引いた線及び陸岸により囲まれた海域
ニ　和歌山県紀伊日ノ御埼灯台から徳島県伊島灯台を経て蒲生田岬灯台まで引いた線、山口県網代鼻から福岡県八幡岬まで引いた線、愛媛県佐田岬灯台から大分県関埼灯台まで引いた線及び陸岸により囲まれた海域

〔本表追加・昭四七政一六、旧別表を改正・昭四七政二二五、本表改正・昭五〇政三六〇、旧別表一を繰下・昭五一政二一八、本表全改・昭六三政二三〇・平九政二三九、改正・平一二政三一二、全改・平一五政四〇二、改正・平一六政二九三・平一七政二一九・平一八政三四八・平二〇政二八八・平二八政三八三・平三一政一六三・令六政二〇四〕

参照　一号表一号・三号・二号表六号〔国土交通省令〕海洋汚染等及び海上災害の防止に関する法律の規定に基づく船舶の設備等に関する技術上の基準等に関する省令三六–四〇、一号表一号・三号・二号表二号・六号〔国土交通省令で定める装置〕規則一二の二、一号表一号・三号・二号表一号・四号・五号〔国土交通省令で定める排出率〕規則一二の三の二、二号表四号・五号〔国土交通省令で定める船舶〕規則一二の三の二の二–一二の三の二の四

別表第三（第四条、第九条の六、第十一条の七、第十一条の十関係）

廃棄物の区分	排出海域	排出方法
一　食物くず（次号上欄に掲げるものを除く。）	南極海域（海洋施設等周辺海域を除く。）のうち領海の基線及び定着氷からその外側十二海里以遠の海域	イ　粉砕式排出方法により排出すること。 ロ　国土交通省令で定める加熱殺菌その他の殺菌するための措置を講じて排出すること。 ハ　当該船舶の航行中に排出すること。 ニ　氷上に排出しないこと。
	北極海域のうち全ての国の領海の基線、氷棚及び定着氷からその外側十二海里以遠の海域	イ　粉砕式排出方法により排出すること。 ロ　当該船舶の航行中に排出すること。 ハ　氷上に排出しないこと。
	甲海域並びにバルティック海海域、ガルフ海域、北海海域、地中海海域、拡大カリブ海海域及び紅海海域のうち全ての国の領海の基線からその外側十二海里以遠の海域	イ　粉砕式排出方法により排出すること。 ロ　当該船舶の航行中に排出すること。
	海洋施設等周辺海	イ　粉砕式排出方

	域（南極海域のうち領海の基線からその外側十二海里の線を超える海域にある船舶又は海洋施設に係るものに限る。）	法により排出すること。 ロ　国土交通省令で定める加熱殺菌その他の殺菌するための措置を講じて排出すること。
	海洋施設等周辺海域（南極海域以外の海域のうち全ての国の領海の基線からその外側十二海里の線を超える海域にある船舶又は海洋施設に係るものに限る。）	粉砕式排出方法により排出すること。
	乙海域	当該船舶の航行中に排出すること。
二　食物くずであつて、鳥綱に属する種の個体を含まないもの	南極海域（海洋施設等周辺海域を除く。）のうち領海の基線及び定着氷からその外側十二海里以遠の海域並びに北極海域のうち全ての国の領海の基線、氷棚及び定着氷からその外側十二海里以遠の海域	イ　粉砕式排出方法により排出すること。 ロ　当該船舶の航行中に排出すること。 ハ　氷上に排出しないこと。
	甲海域並びにバルティック海海域、北海海域、ガルフ海域、地中海海域、拡大カリブ海海域及び紅海海域の	イ　粉砕式排出方法により排出すること。 ロ　当該船舶の航行中に排出すること。

	うち全ての国の領海の基線からその外側十二海里以遠の海域	
	海洋施設等周辺海域（南極海域以外の海域のうち全ての国の領海の基線からその外側十二海里の線を超える海域又は南極海域のうち領海の基線からその外側十二海里の線を超える海域にある船舶又は海洋施設に係るものに限る。）	粉砕式排出方法により排出すること。
	乙海域	当該船舶の航行中に排出すること。

備考

一　この表において「南極海域」とは、別表第一の五に掲げる南極海域をいう。

二　この表において「海洋施設等周辺海域」とは、海底及びその下における鉱物資源の掘採に従事している船舶又は当該鉱物資源の掘採のために設けられている海洋施設の周辺五百メートル以内の海域をいう。

三　この表において「北極海域」とは、別表第一の五に掲げる北極海域（海洋施設等周辺海域を除く。）をいう。

四　この表において「甲海域」とは、全ての国の領海の基線からその外側三海里以遠の海域（乙海域、バルティック海海域、北海海域、南極海域、ガルフ海域、地中海海域、拡大カリブ海海域、北極海域、紅海海域及び海洋施設等周辺海域を除く。）をいう。

五　この表において「バルティック海海域」とは、別表第一の五に掲げるバルティック海海域（海洋施設等周辺海域を除く。）をいう。

六　この表において「北海海域」とは、次に掲げる海域（海洋施設等周辺海域を除く。）をいう。

イ　北緯六十二度の緯度線を北端とし、西経四度の子午線を西端とする北海の海域

ロ　スカウを通る北緯五十七度四十四・八分の緯度線をバルティック海海域との境界線とするスカゲラック海峡の海域

ハ　北緯四十八度三十分の緯度線を南端とし、西経五度の子午線を西端とする英国海峡への入口の海域を含む英国海峡の海域

七　この表において「ガルフ海域」とは、別表第一の五に掲げるガルフ海域（海洋施設等周辺海域を除く。）をいう。

八　この表において「地中海海域」とは、別表第一の五に掲げる地中海海域（海洋施設等周辺海域を除く。）をいう。

九　この表において「拡大カリブ海域」とは、北緯三十度西経七十七度三十分の点から陸岸まで二百七十度に引いた線、同点、北緯二十度西経五十九度の点、北緯七度二十分西経五十度の点及びフランス領ギアナの陸岸の東端を順次結んだ線並びに陸岸により囲まれた海域（海洋施設等周辺海域を除く。）をいう。

十　この表において「紅海海域」とは、別表第一の五に掲げる紅海海域（海洋施設等周辺海域を除く。）をいう。

十一　この表において「乙海域」とは、全ての国の領海の基線からその外側十二海里以遠の海域（バルティック海海域、北海海域、南極海域、ガルフ海域、地中海海域、拡大カリブ海域、北極海域、紅海海域及び海洋施設等周辺海域を除く。）をいう。

〔本表追加・昭六三政二三〇、改正・平元政二五〇・平二政三五六・平三政三六五・平九政二〇二・政二三九・平一一政三二一・平一三政四二・平一五政四九六・平一六政二九三・平一七政二一九・平一八政三四八・平一九政二八二・平二〇政二一六・平二

一政一一九・平二三政九七、全改・平二四政二九七、改正・平二八政三八三・令二政二九八、旧別表二の二を改正し繰下・令六政二〇四）

参照 一号〔国土交通省令〕規則一二の三の二の八・一二の三の二の九

別表第四（第四条の二関係）

廃棄物	排出海域	排出方法
一　第四条の二第一項第一号に掲げる廃棄物のうち特定船舶から排出されるもの	バルティック海海域、北海海域、ガルフ海域、地中海海域、拡大カリブ海域及び紅海海域のうち全ての国の領海の基線からその外側十二海里以遠の海域、南極海域のうち領海の基線及び定着氷からその外側十二海里以遠の海域並びに北極海域のうち全ての国の領海の基線、氷棚及び定着氷からその外側十二海里以遠の海域	イ　最小限度にとどめて排出すること。 ロ　当該船舶の航行中に排出すること。
二　第四条の二第一項第一号に掲げる廃棄物（前号上欄に掲げるものを除く。）	全ての国の領海の基線からその外側十二海里以遠の海域（バルティック海海域、北海海域、南極海域、ガルフ海域、地中海海域、拡大カリブ海域、北極海域、紅海海域、海洋施設等周辺海域及び指定海域を除く。）	当該船舶の航行中に排出すること。
三　第四条の二第一項第二号に掲げる廃棄物	全ての国の領海の基線からその外側百海里以遠の海域（バルティック海海域、北海海域、南極海域、ガルフ海域、地中海海域、拡大カリブ海域、北極海域、紅海海域及び海洋施設等周辺海域を除く。）	イ　できる限り速やかに海底に沈降するよう必要な措置を講じて排出すること。 ロ　当該船舶の航行中に排出すること。
四　第四条の二第一項第三号に掲げる廃棄物	全ての海域（特定沿岸海域及び指定海域を除く。）	排出方法は、限定しない。
五　第四条の二第一項第四号に掲げる廃棄物のうち特定船舶の貨物倉の洗浄水	バルティック海海域、北海海域、ガルフ海域、地中海海域、拡大カリブ海域及び紅海海域のうち全ての国の領海の基線からその外側十二海里以遠の海域、南極海域のうち領海の基線及び定着氷からその外側十二海里以遠の海域並びに北極海域のうち全ての国の領海の基線、氷棚及び定着氷からその外側十二海里以遠の海域	当該船舶の航行中に排出すること。
六　第四条の二第一項第四号に掲げる廃棄物のうち貨物倉の洗浄水（前号上欄に掲げるものを除く。）	全ての海域（バルティック海海域、北海海域、ガルフ海域、南極海域、地中海海域、拡大カリブ海域、北極海域、紅海海域、海洋施設等周辺海	当該船舶の航行中に排出すること。

	域及び指定海域を除く。）	
七　第四条の二第一項第四号に掲げる廃棄物のうち船体の外側の洗浄水	全ての海域（海洋施設等周辺海域及び指定海域を除く。）	排出方法は、限定しない。
八　第四条の二第一項第四号に掲げる廃棄物（前三号上欄に掲げるものを除く。）	全ての海域（指定海域を除く。）	排出方法は、限定しない。

備考

一　この表において「特定船舶」とは、陸地にある施設の故障その他やむを得ない事由によつて第四条の二第一項第一号に掲げる廃棄物を陸地にある施設において処理することができないために当該廃棄物をバルティック海海域、北海海域、南極海域、ガルフ海域、地中海海域、拡大カリブ海域、北極海域又は紅海海域において排出する必要があるものとして国土交通省令で定める船舶をいう。

二　この表において「バルティック海海域」とは、別表第三備考第五号に規定するバルティック海海域をいう。

三　この表において「北海海域」とは、別表第三備考第六号に規定する北海海域をいう。

四　この表において「ガルフ海域」とは、別表第三備考第七号に規定するガルフ海域をいう。

五　この表において「地中海海域」とは、別表第三備考第八号に規定する地中海海域をいう。

六　この表において「拡大カリブ海域」とは、別表第三備考第九号に規定する拡大カリブ海域をいう。

七　この表において「紅海海域」とは、別表第三備考第十号に規定する紅海海域をいう。

八　この表において「南極海域」とは、別表第一の五に掲げる南極海域（海洋施設等周辺海域を除く。）をいう。

九　この表において「北極海域」とは、別表第三備考第三号に規定する北極海域をいう。

十　この表において「海洋施設等周辺海域」とは、別表第三備考第二号に規定する海洋施設等周辺海域をいう。

十一　この表において「指定海域」とは、本邦の領海の基線からその外側五十海里の線を超えない海域のうち水産動植物の生育環境その他の海洋環境の保全上支障があると認めて環境大臣が指定する海域をいう。

十二　この表において「特定沿岸海域」とは、別表第二備考第四号に規定する特定沿岸海域をいう。

〔本表追加・昭四七政二一五、改正・昭四八政九・昭五〇政三六〇、旧別表二を繰下・昭五一政二一八、本表改正・昭五二政二五・昭五五政二五五・昭五八政一八三・昭六三政二三〇・平元政二五〇・平二政三五六・平三政三六五・平四政二一八・平五政三八五・平六政二一・平七政二九〇・平九政二三九・平一二政三一二・平一四政二・平一五政四〇二・平一六政二九三・平一七政二〇九・平二〇政二一六・平二一政一一九・平二三政九七、全改・平二四政二九七、改正・平二八政三八三・平三一政一六三、旧別表三を改正し繰下・令六政二〇四〕

参照　備考一号〔国土交通省令〕規則一二の三の二の一二

別表第五（第十一条の七、第十一条の十関係）

海域名	海域の範囲
北米海域	一　北緯三十二度三十二分十秒西経百十七度六分十一秒の点、北緯三十二度三十二分四秒西経百十七度七分二十九秒の点、北緯三十二度三十一分三十九秒西経百十七度十四分二十秒の点、北緯三十二度三十三分十三秒西経百十七度十五分五十秒の点、北緯三十二度三十四分二十一秒西経百十七度二十二分一秒の点、北緯三十二度三十五分二十三秒西経百十七度二十七分五十三秒の点、北緯三十二度三十七分三十八秒西経百十七度四十九分三十四秒の点、北緯三十一度七分五十九秒西経百十八度三十六分二十一秒の点、北緯三十度三十三分二十五秒西経百二十一度四十七分二十九秒の点、北緯三十一度四十六分十一秒西経百二十三度十七分二十二秒の点、北緯三十二度二十一分五十八秒西経百二十三度五十分四十四秒の点、北緯三十二度五十六分三十九秒西経百二十四度十一分四十七秒の点、北緯三十三度四十分十二秒西経百二十四度二十七分十五秒の点、北緯三十四度三十一分二十八秒西経百二十五度十六分五十二秒の点、北緯三十五度十四分三十八秒西経百二十五度四十三分二十三秒の点、北緯三十五度四十四分西経百二十六度十八分五十三秒の点、北緯三十六度十六分二十五秒西経百二十六度四十五分三十秒の点、北緯三十七度一分三十五秒西経百二十七度七分十八秒の点、北緯三十七度四十五分三十九秒西経百二十七度三十八分二秒の点、北緯三十八度二十五分八秒西経百二十七度五十三分の点、北緯三十九度二十五分五秒西経百二十八度三十一分二十三秒の点、北緯四十度十八分四十七秒西経百二十八度四十五分四十六秒の点、北緯四十一度十三分三十九秒西経百二十八度四十分二十二秒の点、北緯四十二度十二分

四十九秒西経百二十九度三十八秒の点、北緯四十二度四十七分三十四秒西経百二十九度五分四十二秒の点、北緯四十三度二十六分二十二秒西経百二十九度一分二十六秒の点、北緯四十四度二十四分四十三秒西経百二十八度四十一分二十三秒の点、北緯四十五度三十分四十三秒西経百二十八度四十分二秒の点、北緯四十六度十一分一秒西経百二十八度四十九分一秒の点、北緯四十六度三十三分五十五秒西経百二十九度四分二十九秒の点、北緯四十七度三十九分五十五秒西経百三十一度十五分四十一秒の点、北緯四十八度三十二分三十二秒西経百三十二度四十一分の点、北緯四十八度五十七分四十七秒西経百三十三度十四分四十七秒の点、北緯四十九度二十二分三十九秒西経百三十四度十五分五十一秒の点、北緯五十度一分五十二秒西経百三十五度十九分一秒の点、北緯五十一度三分十八秒西経百三十六度四十五分四十五秒の点、北緯五十一度五十四分四秒西経百三十七度四十一分五十四秒の点、北緯五十二度四十五分十二秒西経百三十八度二十分十四秒の点、北緯五十三度二十九分二十秒西経百三十八度四十分三十六秒の点、北緯五十三度四十分三十九秒西経百三十八度四十八分五十三秒の点、北緯五十四度十三分四十五秒西経百三十九度三十二分三十八秒の点、北緯五十四度三十九分二十五秒西経百三十九度五十六分十九秒の点、北緯五十五度二十分十八秒西経百四十度五十五分四十五秒の点、北緯五十六度七分十二秒西経百四十一度三十六分十八秒の点、北緯五十六度二十八分三十二秒西経百四十二度十七分十九秒の点、北緯五十六度三十七分十九秒西経百四十二度四十八分五十七秒の点及び北緯五十八度五十一分四秒西経百五十三度十五分三秒の点を順次結んだ線並びに陸岸により囲まれた海域

二　北緯六十度西経六十四度九分三十六秒の点、北緯六十度西経五十六度四十三分の点、北緯五十八度五十四分一秒西経五十五度三十八分五秒の点、北緯五十七度五十分五十二秒西経五十五度三分四十七秒の点、北緯五十七度三十五分十三秒西経五十四度五十九秒の点、北緯五十七度十四分二十秒西経五十三度七分五十八秒の点、北緯五十六度四十八分九秒西経五十二度二十三分二十九秒の点、北緯五十六度十八分十三秒西経五十一度四十九分十二秒の点、北緯五十四度二十三分二十一秒西経五十度十七分四十四秒の点、北緯五十三度四十四分五十四秒西経五十度七分十七秒の点、北緯五十三度四分五十九秒西経五十度十分五秒の点、北緯五十二度二十分六秒西経四十九度五十七分九秒の点、北緯五十一度三十四分二十秒西経四十八度五十一分四十五秒の点、北緯五十度四十分十五秒西経四十八度十六分四秒の点、北緯五十度二分二十八秒西経四十八度七分三秒の点、北緯四十九度二十四分三秒西経四十八度九分三十五秒の点、北緯四十八度三十九分二十二秒西経四十七度五十五分十七秒の点、北緯四十七度二十四分二十五秒西経四十七度四十六分五十六秒の点、北緯四十六度三十五分十二秒西経四十八度五十四秒の点、北緯四十五度十九分四十五秒西経四十八度四十三分二十八秒の点、北緯四十四度四十三分三十八秒西経四十九度十六分五十秒の点、北緯四十四度十六分三十八秒西経四十九度五十一分二十三秒の点、北緯四十三度五十三分十五秒西経五十度三十四分一秒の点、北緯四十三度三十六分六秒西経五十一度二十分四十一秒の点、北緯四十三度二十三分五十九秒西経五十二度十七分二十二秒の点、北緯四十三度十九分五十秒西経五十三度二十分十三秒の点、北緯四十三度二十一分二十四秒西経五十四度九分二十秒の点、北緯四十三度二十九分四十一秒西経五十五度七分四十一秒の点、北緯四十二度四十分十二秒西経五十五度三十一分四十四秒の点、北緯四十一度五十八分十九秒西経五十六度九分三十四秒の点、北緯四十一度二十分二十一秒西経五十七度五分十三秒の点、北緯四十度五十五分三十四秒西経五十八度二分五十五秒の点、北緯四十度四十一分三十八秒西経五十九度五分十八秒の点、北緯四十度三十八分三十三秒西経六十度十二分二十秒の点、北緯四十度四十五分四十六秒西経六十一度十四分三秒の点、北緯四十一度四分五十一秒西経六十二度十七分四十九秒の点、北緯四十度三十六分五十五秒西経六十三度十分四十九秒の点、北緯四十度十七分三十二秒西経六十四度八分三十七秒の点、北緯四十度七分四十六秒西経六十四度五十九分三十一秒の点、北緯四十度五分四十四秒西経六十五度五十三分七秒の点、北緯三十九度五十八分五秒西経六十五度五十九分五十一秒の点、北緯三十九度二十八分二十四秒西経六十六度二十一分十四秒の点、北緯三十九度一分五十四秒西経六十六度四十八分三十三秒の点、北緯三十八度三十九分十六秒西経六十七度二十分五十九秒の点、北緯三十八度十九分二十秒西経六十八度二分一秒の点、北緯三十八度五分二十九秒西経六十八度四十六分五十五秒の点、北緯三十七度五十八分十四秒西経六十九度三十四分七秒の点、北緯三十七度五十七分四十七秒西経七十度二十四分九秒の点、北緯三十七度五十二分四十六秒西経七十度三十七分五十秒の点、北緯三十七度十八分三十七秒西経七十一度八分三十三秒の点、北緯三十六度三十二分二十五秒西経七十一度三十三分五十九秒の点、北緯三十五度三十四分五十八秒西経七十一度二十六分二秒の点、北緯三十四度三十三分十秒西経七十一度三十七分四秒の点、北緯三十三度五十四分四十九秒西経七十一度五十二分三十五秒の点、北緯三十

三度十九分二十三秒西経七十二度十七分十二秒の点、北緯三十二度四十五分三十一秒西経七十二度五十四分五秒の点、北緯三十一度五十五分十三秒西経七十四度十二分二秒の点、北緯三十一度二十七分十四秒西経七十五度十五分二十秒の点、北緯三十一度三分十六秒西経七十五度五十一分十八秒の点、北緯三十度四十五分四十二秒西経七十六度三十一分三十八秒の点、北緯三十度十二分四十八秒西経七十七度十八分二十九秒の点、北緯二十九度二十五分十七秒西経七十六度五十六分四十二秒の点、北緯二十八度三十六分五十九秒西経七十六度四十八分の点、北緯二十八度十七分十三秒西経七十六度四十分十秒の点、北緯二十八度十七分十二秒西経七十九度十一分二十三秒の点、北緯二十七度五十二分五十六秒西経七十九度二十八分三十五秒の点、北緯二十七度二十六分一秒西経七十九度三十一分三十八秒の点、北緯二十七度十六分十三秒西経七十九度三十四分十八秒の点、北緯二十七度十一分五十四秒西経七十九度三十四分五十六秒の点、北緯二十七度五分五十九秒西経七十九度三十五分十九秒の点、北緯二十七度二十八秒西経七十九度三十五分十七秒の点、北緯二十六度五十五分十六秒西経七十九度三十四分三十九秒の点、北緯二十六度五十三分五十八秒西経七十九度三十四分二十七秒の点、北緯二十六度四十五分四十六秒西経七十九度三十二分四十一秒の点、北緯二十六度四十四分三十秒西経七十九度三十二分二十三秒の点、北緯二十六度四十三分四十秒西経七十九度三十二分二十秒の点、北緯二十六度四十一分十二秒西経七十九度三十二分一秒の点、北緯二十六度三十八分十三秒西経七十九度三十一分三十二秒の点、北緯二十六度三十六分三十秒西経七十九度三十一分六秒の点、北緯二十六度三十五分二十一秒西経七十九度三十分五十秒の点、北緯二十六度三十四分五十一秒西経七十九度三十分四十六秒の点、北緯二十六度三十四分十一秒西経七十九度三十分三十八秒の点、北緯二十六度三十一分十二秒西経七十九度三十分十五秒の点、北緯二十六度二十九分五秒西経七十九度二十九分五十三秒の点、北緯二十六度二十五分三十一秒西経七十九度二十九分五十八秒の点、北緯二十六度二十三分二十九秒西経七十九度二十九分五十五秒の点、北緯二十六度二十三分二十一秒西経七十九度二十九分五十四秒の点、北緯二十六度十九分五十七秒西経七十九度三十一分五十五秒の点、北緯二十六度十五分二十六秒西経七十九度三十三分十七秒の点、北緯二十六度十五分十三秒西経七十九度三十三分二十三秒の点、北緯二十六度八分九秒西経七十九度三十五分五十三秒の点、北緯二十六度七分四十七秒西経七十九度三十六分九秒の点、北緯二十六度六分五十九秒西経七十九度三十六分三十五秒の点、北緯二十六度二分五十二秒西経七十九度三十八分二十二秒の点、北緯二十五度五十九分三十秒西経七十九度四十分三秒の点、北緯二十五度五十九分十六秒西経七十九度四十分八秒の点、北緯二十五度五十七分四十八秒西経七十九度四十分三十八秒の点、北緯二十五度五十六分十八秒西経七十九度四十一分六秒の点、北緯二十五度五十四分四秒西経七十九度四十一分三十八秒の点、北緯二十五度五十三分二十四秒西経七十九度四十一分四十六秒の点、北緯二十五度五十一分五十四秒西経七十九度四十一分五十九秒の点、北緯二十五度四十九分三十三秒西経七十九度四十二分十六秒の点、北緯二十五度四十八分二十四秒西経七十九度四十二分二十三秒の点、北緯二十五度四十八分二十秒西経七十九度四十二分二十四秒の点、北緯二十五度四十六分二十六秒西経七十九度四十二分四十四秒の点、北緯二十五度四十六分十六秒西経七十九度四十二分四十五秒の点、北緯二十五度四十三分四十秒西経七十九度四十二分五十九秒の点、北緯二十五度四十二分三十一秒西経七十九度四十二分四十八秒の点、北緯二十五度四十分三十七秒西経七十九度四十二分二十七秒の点、北緯二十五度三十七分二十四秒西経七十九度四十二分二十七秒の点、北緯二十五度三十七分八秒西経七十九度四十二分二十七秒の点、北緯二十五度三十一分三秒西経七十九度四十二分十二秒の点、北緯二十五度二十七分五十九秒西経七十九度四十二分十一秒の点、北緯二十五度二十四分四秒西経七十九度四十二分十二秒の点、北緯二十五度二十二分二十一秒西経七十九度四十二分二十秒の点、北緯二十五度二十一分二十九秒西経七十九度四十二分八秒の点、北緯二十五度十六分五十二秒西経七十九度四十一分二十四秒の点、北緯二十五度十五分五十七秒西経七十九度四十一分三十一秒の点、北緯二十五度十分三十九秒西経七十九度四十一分三十一秒の点、北緯二十五度九分五十一秒西経七十九度四十一分三十六秒の点、北緯二十五度九分三秒西経七十九度四十一分四十五秒の点、北緯二十五度五分五十五秒西経七十九度四十二分二十九秒の点、北緯二十五度三分西経七十九度四十二分五十六秒の点、北緯二十五度三十秒西経七十九度四十四分五秒の点、北緯二十四度五十九分三秒西経七十九度四十四分二十八秒の点、北緯二十四度五十五分五十七秒西経七十九度四十四分十八秒の点、北緯二十四度四十九分二十四秒の点、北緯二十四度四十三分四十秒西経七十九度四十九分三十八秒の点、北緯二十四度四十二分三十六秒西経七十九度五十分五十秒の点、北緯二十四度四十一分四十七秒西経七十九度五十二分五十七秒の点、北緯二十四度三十八分三十二秒西経七十九度五十九分五十八秒の点、北緯二十四度三十六分二十七秒西経八十度三分五十一秒の点、北緯二十四度三十三分十八秒西経八十度十二分四十三秒の点、北緯二十四度三十三分五秒西経八十度十三分二十一秒の点、北緯二十四度三十二分十三秒西経八十度十五分十六秒の点、北緯二十四度三十一分二十七秒西経八十度十六分五十五秒の点、北緯二十四度三十分五十七秒西経八十度十七分四十七秒の点、北緯二十四度三十分十四秒西経八十度十九分二十一秒の点、北緯二十四度三十分六秒西経八十度十九分四十四秒の点、北緯二十四度二十九分三十八秒西経八十度二十一分五秒の点、北緯二十四度二十八分十八秒西経八十度二十四分三十五秒の点、北緯二十四度二十八分六秒西経八十度二十五分十秒の点、北緯二十四度二十七分二十三秒西経八十度二十七分二十秒の点、北緯二十四度二十六分三十秒西経八十度二十九分三十秒の点、北緯二十四度二十五分七秒西経八十度三十二分二十二秒の点、北緯二十四度二十三分三十秒西経八十度三十六分九秒の点、北緯二十四度二十二分三十三秒西経八十度三十八分五十六秒の点、北緯二十四度二十二分七秒西経八十度三十九分五十一秒の点、北緯二十四度十九分三十一秒西経八十度四十五分二十一秒の点、北緯二十四度十九分十六秒西経八十度四十五分四十七秒の点、北緯二十四度十八分三十八秒西経八十度四十六分四十九秒の点、北緯二十四度十八分三十五秒西経八十度四十六分五十四秒の点、北緯二十四度九分五十一秒西経八十度五十九分四十七秒の点、北緯二十四度九分十八秒西経八十度五十九分五十一秒の点、北緯二十四度八分五十八秒西経八十一度一分七秒の点、北緯二十四度八分三十秒西経八十一度一分五十一秒の点、北緯二十四度八分二十六秒西経八十一度一分五十七秒の点、北緯二十四度七分二十八秒西経八十一度三分六秒の点、北緯二十四度二分二十秒西経八十一度九分五秒の点、北緯二十四度西経八十一度十一分十六秒の点、北緯二十三度五十五分三十二秒西経八十一度十二分五十五秒の点、北緯二十三度五十三分五十二秒西経八十一度十九分四十三秒の点、北緯二十三度五十分五十二秒西経八十一度二十九分五十九秒の点、北緯二十三度五十分二秒西経八十一度三十九分五十九秒の点、北緯二十三度四十九分五秒西経八十一度四十九分五十九秒の点、北緯二十三度四十九分五秒西経八十二度十一秒の点、北緯二十三度四十九分四十二秒西経八十二度九分五十九秒の点、北緯二十三度五十一分十四秒西経八十二度二十四分五十九秒の点、北緯二十三度五十一分十四秒西経八十二度三十九分五十九秒の点、北緯二十三度四十九分四十二秒西経八十二度四十八分五十三秒の点、北緯二十三度四十九分三十二秒西経八十二度五十一分十一秒の点、北緯二十三度四十九分二十四秒西経八十二度五十九分五十九秒の点、北緯二十三度四十九分五十二秒西経八十三度十四分五十九秒の点、北緯二十三度五十一分二十二秒西経八十三度二十五分四十九秒の点、北緯二十三度五十二分二十七秒西経八十三度三十三分一秒の点、北緯二十三度五十四分四秒西経八十三度四十一分三十五秒の点、北緯二十三度五十五分四十七秒西経八十三度四十八分十一秒の点、北緯二十三度五十八分三十八秒西経八十三度五十九分五十九秒の点、北緯二十四度九分三十七秒西経八十四度二十九分二十七秒の点、北緯二十四度十三分二十秒西経八十四度三十八分三十九秒の点、北緯二十四度十六分四十一秒西経八十四度四十六分七秒の点、北緯二十四度二十三分三十秒西経八十四度五十九分五十九秒の点、北緯二十四度二十六分三十七秒西経八十五度六分十九秒の点、北緯二十四度三十八分五十七秒西経八十五度三十一分五十四秒の点、北緯二十四度四十四分十七秒西経八十五度四十三分十一秒の点、北緯二十四度五十三分五十七秒西経八十五度五十九分五十九秒の点、北緯二十五度十分四十四秒西経八十六度三十分七秒の点、北緯二十五度四十三分十五秒西経八十六度二十一分十四秒の点、北緯二十六度十三分十三秒西経八十六度六分四十五秒の点、北緯二十六度二十七分二十二秒西経八十六度十三分十五秒の点、北緯二十六度三十三分四十六秒西経八十六度三十七分七秒の点、北緯二十六度一分二十四秒西経八十七度二十九分三十五秒の点、北緯二十五度四十二分二十五秒西経八十八度三十三分の点、北緯二十五度四十六分五十四秒西経九十度二十九分四十一秒の点、北緯二十五度四十四分三十九秒西経九十度四十七分五秒の点、北緯二十五度五十一分四十三秒西経九十一度五十二分五十秒の点、北緯二十六度十七分四十四秒西経九十三度三分五十九秒の点、北緯二十五度五十九分五十五秒西経九十三度三十三分五十二秒の点、北緯二十六度三十二秒西経九十五度三十九分二十七秒の点、北緯二十六度三十三秒西経九十六度四十八分三十秒の点、北緯二十五度五十八分三十二秒西経九十六度五十五分二十八秒の点、北緯二十五度五十八分十五秒西経九十六度五十八分四十一秒の点、北緯二十五度五十七分五十八秒西経九十七度一分五十四秒の点、北緯二十五度五十七分四十一秒西経九十七度五分八秒の点、北緯二十五度五十七分二十四秒西経九十七度八分二十一秒の点及び北緯二十五度五十七分二十四秒西経九十七度八分四十七秒の点を順次結んだ線並びに陸岸により囲まれた海域

三　北緯二十二度三十二分五十四秒西経百五十三度三十三秒の点、北緯二十三度六分五

秒西経百五十三度二十八分三十六秒の点、北緯二十三度三十二分十一秒西経百五十四度二分十二秒の点、北緯二十三度五十一分四十七秒西経百五十四度三十六分四十八秒の点、北緯二十四度二十一分四十九秒西経百五十五度五十一分十三秒の点、北緯二十四度四十一分四十七秒西経百五十六度二十七分二十七秒の点、北緯二十四度五十七分三十三秒西経百五十七度二十二分十七秒の点、北緯二十五度十三分四十一秒西経百五十七度五十四分十三秒の点、北緯二十五度二十五分三十一秒西経百五十八度三十分三十六秒の点、北緯二十五度三十一分十九秒西経百五十九度九分四十七秒の点、北緯二十五度三十分三十一秒西経百五十九度五十四分二十一秒の点、北緯二十五度二十一分五十三秒西経百六十度三十九分五十三秒の点、北緯二十五度六秒西経百六十一度三十八分三十三秒の点、北緯二十四度四十分四十九秒西経百六十二度十三分十三秒の点、北緯二十四度十五分五十三秒西経百六十二度四十三分八秒の点、北緯二十三度四十分五十秒西経百六十三度十三分の点、北緯二十三度三分二十秒西経百六十三度三十二分五十八秒の点、北緯二十二度二十分九秒西経百六十三度四十四分四十一秒の点、北緯二十一度三十六分四十五秒西経百六十三度四十六分三秒の点、北緯二十度五十五分二十六秒西経百六十三度三十七分四十四秒の点、北緯二十度十三分三十四秒西経百六十三度十九分十三秒の点、北緯十九度三十九分三秒西経百六十二度五十三分四十八秒の点、北緯十九度九分四十三秒西経百六十二度二十分三十五秒の点、北緯十八度三十九分十六秒西経百六十一度十九分十四秒の点、北緯十八度三十分三十一秒西経百六十度三十八分三十秒の点、北緯十八度二十九分三十一秒西経百五十九度五十六分十七秒の点、北緯十八度十分四十一秒西経百五十九度十四分八秒の点、北緯十七度三十一分十七秒西経百五十八度五十六分五十五秒の点、北緯十六度五十四分六秒西経百五十八度三十分二十九秒の点、北緯十六度二十五分四十九秒西経百五十七度五十九分二十五秒の点、北緯十五度五十九分五十七秒西経百五十七度十七分三十五秒の点、北緯十五度四十分三十七秒西経百五十六度二十一分六秒の点、北緯十五度三十七分三十六秒西経百五十五度二十二分十六秒の点、北緯十五度四十三分四十六秒西経百五十四度四十六分三十七秒の点、北緯十五度五十五分三十二秒西経百五十四度十三分五秒の点、北緯十六度四十六分二十七秒西経百五十二度四十九分十一秒の点、北緯十七度三十三分四十二秒西経百五十二度三十二秒の点、北緯十八度三十分十六秒西経百五十一度三十分二十四秒の点、北緯十九度二分四十七秒西経百五十一度二十二分十七秒の点、北緯十九度三十四分四十六秒西経百五十一度十九分四十七秒の点、北緯二十度七分四十二秒西経百五十一度二十二分五十八秒の点、北緯二十度三十八分四十三秒西経百五十一度三十一分三十六秒の点、北緯二十一度二十九分九秒西経百五十一度五十九分五十秒の点、北緯二十二度六分五十八秒西経百五十二度三十一分二十五秒の点及び北緯二十二度三十二分五十四秒西経百五十三度三十三秒の点を順次結んだ線により囲まれた海域

米国カリブ海海域

北緯十七度十八分三十七秒西経六十七度三十二分十四秒の点、北緯十九度十一分十四秒西経六十七度二十六分四十五秒の点、北緯十九度三十分二十八秒西経六十五度十六分四十八秒の点、北緯十九度十二分二十五秒西経六十五度六分八秒の点、北緯十八度四十五分十三秒西経六十五度二十二秒の点、北緯十八度四十一分十四秒西経六十四度五十九分三十三秒の点、北緯十八度二十九分二十二秒西経六十四度五十三分五十一秒の点、北緯十八度二十七分三十五秒西経六十四度五十三分二十二秒の点、北緯十八度二十五分二十一秒西経六十四度五十二分三十九秒の点、北緯十八度二十四分三十秒西経六十四度五十二分十九秒の点、北緯十八度二十三分五十一秒西経六十四度五十一分五十秒の点、北緯十八度二十三分四十二秒西経六十四度五十一分二十三秒の点、北緯十八度二十三分三十六秒西経六十四度五十分十七秒の点、北緯十八度二十三分四十八秒西経六十四度四十九分四十一秒の点、北緯十八度二十四分十一秒西経六十四度四十九分の点、北緯十八度二十四分二十八秒西経六十四度四十七分五十七秒の点、北緯十八度二十四分十八秒西経六十四度四十七分一秒の点、北緯十八度二十三分十三秒西経六十四度四十六分三十七秒の点、北緯十八度二十二分三十七秒西経六十四度四十五分二十秒の点、北緯十八度二十二分三十九秒西経六十四度四十四分四十二秒の点、北緯十八度二十二分四十二秒西経六十四度四十四分三十六秒の点、北緯十八度二十二分三十七秒西経六十四度四十四分二十四秒の点、北緯十八度二十二分三十九秒西経六十四度四十三分四十二秒の点、北緯十八度二十二分三十秒西経六十四度四十三分三十六秒の点、北緯十八度二十二分二十五秒西経六十四度四十二分五十八秒の点、北緯十八度二十二分二十六秒西経六十四度四十二分二十八秒の点、北緯十八度二十二分十五秒西経六十四度四十二分三秒の点、北緯十八度二十二分二十二秒西経六十四度四十一分の点、北緯十八度二十一分五十七秒西経六十四度四十分十五秒の点、北緯十八度二十一分五十一秒西経六十四度三十八分二十三秒の点、北緯十八度二十一分二十二秒西経六十四度三十八分十六秒の点、北緯十八度二十分三十九秒西経六十四度三十八分三十三秒の点、北緯十八度十九分十五秒西経六十四度三十八分十四秒の点、北緯十八度十九分七秒西経六十四

	度三十八分十六秒の点、北緯十八度十七分二十三秒西経六十四度三十九分三十八秒の点、北緯十八度十六分四十三秒西経六十四度三十九分四十一秒の点、北緯十八度十一分三十三秒西経六十四度三十八分五十八秒の点、北緯十八度三分二秒西経六十四度三十八分三秒の点、北緯十八度二分五十六秒西経六十四度二十九分三十五秒の点、北緯十八度二分五十一秒西経六十四度二十七分二秒の点、北緯十八度二分三十秒西経六十四度二十一分八秒の点、北緯十八度二分三十一秒西経六十四度二十分八秒の点、北緯十八度二分三秒西経六十四度十五分五十七秒の点、北緯十八度十二秒西経六十四度二分二十九秒の点、北緯十七度五十九分五十八秒西経六十四度一分四秒の点、北緯十七度五十八分四十七秒西経六十三度五十七分一秒の点、北緯十七度五十七分五十一秒西経六十三度五十三分五十四秒の点、北緯十七度五十六分三十八秒西経六十三度五十三分二十一秒の点、北緯十七度三十九分四十秒西経六十三度五十四分五十三秒の点、北緯十七度三十七分八秒西経六十三度五十五分十秒の点、北緯十七度三十分二十一秒西経六十三度五十五分五十六秒の点、北緯十七度十一分三十六秒西経六十三度五十七分五十七秒の点、北緯十七度五分西経六十三度五十八分四十一秒の点、北緯十六度五十九分四十九秒西経六十三度五十九分十八秒の点及び北緯十七度十八分三十七秒西経六十七度三十二分十四秒の点を順次結んだ線により囲まれた海域

本表は、令和六政二〇四により改正され、令和七年五月一日から施行

別表第五（第十一条の七、第十一条の十関係）

海域名	海域の範囲
北米排出規制海域	一〜三〔略〕
米国カリブ海排出規制海域	〔略〕
地中海排出規制海域	北緯三十六度十一分西経六度二・一分の点及び北緯三十五度四十七・五分西経五度五十五・四分の点を結んだ線、北緯四十度二・七分東経二十六度十・五分の点及び北緯四十度〇・五分東経二十六度十一・九分の点を結んだ線、スエズ運河の北側入口並びに陸岸により囲まれた海域のうち、北緯三十一度二十九分東経三十二度十六分の点から陸岸まで百八十度に引いた線、同点、北緯三十一度二十九分東経三十二度二十八・四八分の点及び北緯三十一度十四分東経三十二度三十二・六二分の点を順次結んだ線、同点から陸岸まで二百七十度に引いた線、スエズ運河の北側入口並びに陸岸により囲まれた海域以外の海域

〔本表追加・平二四政一七九、旧別表四を繰下・平二四政二九七、本表改正・平二五政三二四・平二七政二九五〕

○海洋汚染等及び海上災害の防止に関する法律施行規則(抄)

(昭和四十六年六月二十三日運輸省令第三十八号)

改正　前略…令和六年五月二〇日国土交通省令第六〇号

第一章　総則

(用語)

第一条　この省令において使用する用語は、海洋汚染等及び海上災害の防止に関する法律(昭和四十五年法律第百三十六号。以下「法」という。)において使用する用語の例による。

(油)

第二条　法第三条第二号の国土交通省令で定める油は、次に掲げる油とする。

一　原油

二　重油

三　潤滑油

四　軽油

五　灯油

六　揮発油

七　アスファルト

八　前各号に掲げる油以外の炭化水素油(石炭から抽出されるものを除く。)であつて、化学的に単一の有機化合物及び二以上の当該有機化合物を調合して得られる混合物以外のもの

第二条の二　法第三条第二号の国土交通省令で定める油性混合物は、次に掲げる油性混合物であつて、船舶によりばら積みの液体貨物として輸送されるもの及びこれを含む水バラスト、貨物艙の洗浄水その他船舶内において生じた不要な液体物質(有害液体物質等の範囲から除かれる液体物質を定める省令(昭和六十二年総理府令第三号)で定める液体物質を除く。)並びに海洋施設等において管理されるものとする。

一　潤滑油添加剤

二　次に掲げるいずれかの物質と重油又は軽油との混合物(重油又は軽油の濃度が体積百分率七十五パーセント未満のものに限る。)

イ　脂肪酸メチルエステル

ロ　植物油

ハ　イ及びロに掲げるもののほか、国土交通大臣が告示で定める物質

三　次に掲げるいずれかの物質と揮発油との混合物(揮発油の濃度が体積百分率七十五パーセント未満のものに限る。)

イ　エチルアルコール

ロ　イに掲げるもののほか、国土交通大臣が告示で定める物質

(貨物艙の容量)

第三条　法第三条第九号の国土交通省令で定める容量は、二百立方メートルとする。

第三章　廃油処理事業等

(許可の申請書等の添付書類)

第一三条　法第二十一条第三項の国土交通省令で定める書類は、次のとおりとする。

一　事業計画書(第二号様式)

二　廃油処理施設工事設計書(第三号様式)(工事を要しない場合は、廃油処理施設状況書(第四号様式))

三　申請者が既存の法人である場合は、次の書類

イ　定款及び登記事項証明書

ロ　最近の事業年度の貸借対照表及び損益計算書

ハ　その業務を行う役員の名簿

四　申請者が法人を設立中である場合は、次の書類

イ　定款(会社法(平成十七年法律第八十六号)第三十条第一項又はその準用規定により認証を必要とする場合は、認証のある定款)の謄本

ロ　発起人又は社員の名簿

ハ　設立しようとする法人が株式会社であるときは、株式の引受けの状況及び見込みを記載した書類

五　申請者が個人である場合は、次の書類

イ　資産目録

ロ　戸籍抄本又は本籍の記載のある住民票の写し

六　申請者(申請者が法人である場合は、その業務を行う役員)が法第二十二条第一号及び第二号に該当しない者である旨の宣誓書

(廃油処理施設の技術上の基準)

第一四条　法第二十三条第二号の国土交通省令で定める廃油処理施設の技術上の基準は、次のとおりとする。

一　処理すべき量の廃油を処理する能力を有すること。

二　水圧、土圧、地震力その他の荷重に対して充分な耐力を有すること。

三　必要な予備装置を備えていること。

四　必要な防油堤を備えていること。

五　受入設備については、次の要件を備えていること。

イ　船舶から廃油を円滑に受け入れるためのホース、ポンプ、貯槽及び廃油の受入量を測定するための装置を有すること。

ロ　船舶が安全、かつ、容易に利用することができる場所にあること。

六　油水分離設備については、次の要件を備えていること。

イ　油水分離器並びに流量及び水圧を制御するための装置を有すること。

ロ　日本産業規格K二二〇五（重油）に規定する重油一種（A重油）（以下単に「A重油」という。）の含有量が一万立方センチメートルにつき百立方センチメートルである海水について当該海水中のA重油の含有量を一万立方センチメートルにつき〇・〇五立方センチメートル以下とする性能を有すること。

七　回収油貯蔵設備については、回収油を貯蔵するためのタンクを有すること。

八　固形物処理設備については、分離された固形物を貯蔵するための貯槽を有するとともに、分離された固形物の処分の方法に応じ必要な脱油又は脱水をするための装置を有すること。

九　固形物処理設備については、前号の貯槽又は脱油若しくは脱水をするための装置から発生した油（油分の濃度が一万立方センチメートル当たり〇・〇五立方センチメートルを超えるものに限る。第二十一条第一項第六号において同じ。）を受入設備に移送するための装置を有すること。

十　水質汚濁防止法（昭和四十五年法律第百三十八号）第二条第一項に規定する公共用水域（以下単に「公共用水域」という。）に排水を排出する廃油処理施設の固形物処理設備については、第八号の貯槽又は脱油若しくは脱水をするための装置から発生した油で当該公共用水域に係る同法第三条第一項又は第三項の排水基準（以下単に「排水基準」という。）に適合しないものを受入設備に移送するための装置を有すること。

十一　焼却設備については、回収油又は分離された固形物を焼却するための焼却炉を有すること。

十二　排水設備については、次の要件を備えていること。

イ　排水を排出するための排水管、排水の排出を停止するための装置及び排水を受入設備に移送するための装置を有すること。

ロ　指定地域内廃油処理施設（水質汚濁防止法第四条の五第一項に規定する指定地域内事業場に設置される廃油処理施設をいう。以下同じ。）であつて総量規制基準（同項又は同条第二項の総量規制基準をいう。以下同じ。）が適用されるものについては、排水の化学的酸素要求量及び排水量を測定するための装置を有すること。

ハ　排出口は、できるだけ排水の拡散が促進されるような場所に設けること。

ニ　排水を採取できること。

2　前項第五号（同号ロに係る部分を除く。）から第十二号（同号ロ及びハに係る部分を除く。）までの規定は、廃油処理船の受入装置、油水分離装置、回収油貯蔵装置、固形物処理装置、焼却装置及び排水装置について準用する。

（廃油処理規程の設定の届出）

第一六条　法第二十六条第一項の規定により廃油処理規程の設定の届出をしようとする港湾管理者及び漁港管理者以外の廃油処理事業者は、当該廃油処理規程の実施予定の年月日の三十日前までに、次の事項を記載した届出書を提出しなければならない。

一　氏名又は名称及び住所並びに法人にあつてはその代表者の氏名及び住所

二　設定しようとする廃油処理規程

三　実施予定の年月日

2　法第二十六条第一項の規定により廃油処理規程の設定の届出をしようとする港湾管理者又は漁港管理者である廃油処理事業者は、前項第二号及び第三号の事項を記載した届出書を提出しなければならない。

3　前二項の届出書には、廃油の処理の料金の額の算定基礎を記載した書類及び当該料金による事業の収支見積書を添附しなければならない。

（廃油処理規程の変更の届出）

第一七条　法第二十六条第一項の規定により廃油処理規程の変更の届出をしようとする港湾管理者及び漁港管理者以外の廃油処理事業者は、当該廃油処理規程の変更予定の年月日の三十日前までに、次の事項を記載した届出書を提出しなければならない。

一　氏名又は名称及び住所並びに法人にあつてはその代表者の氏名及び住所

二　変更しようとする内容（新旧の対照を明示すること。）

三　変更予定の年月日

四　変更を必要とする理由

2　法第二十六条第一項の規定により廃油処理規程の変更の届出をしようとする港湾管理者又は漁港管理者である廃油処理事業者は、前項第二号から第四号までの事項を記載した届出書を提出しなければならない。

3　廃油の処理の料金の変更を伴う廃油処理規程の変更に係る前二項の届出書には、当該料金の額の算定基礎を記載した書類及び当該料金による事業の収支見積書を添付しなければならない。

（廃油処理施設の変更の許可の申請等）

第一八条　法第二十八条第一項の規定により廃油処理施設の変更の許可を申請しようとする者は、次の事項を記載した申請書を提出しなければならない。

一　氏名又は名称及び住所並びに法人にあつてはその代表者の氏名及び住所

二　変更しようとする法第二十一条第一項第二号の事項

三　変更予定の年月日

四　変更を必要とする理由

2　法第二十八条第三項の規定により廃油処理施設の変更の届出をしようとする者は、前項第二号から第四号までの事項を記載した届出書を提出しなければならない。

3　第一項の申請書又は前項の届出書には、第十三条第一号及び第二号の書類（廃油処理施設の形状の変更を伴わない場合は、同条第一号の書類に限る。）を添附しなければならない。

（軽微な事項の変更）

第一九条　法第二十八条第一項ただし書の国土交通省令で定める軽微な変更は、次のとおりとする。

一　船舶である廃油処理設備の主たる根拠地の同一港内における変更

二　廃油処理設備（油水分離設備及び廃油処理船の油水分離装置を除く。）の能力の十パーセント未満の変更

2　前条第一項の規定は法第二十八条第五項の規定により港湾管理者及び漁港管理者以外の廃油処理事業者がする届出に、前条第二項の規定は法第二十八条第五項の規定により港湾管理者又は漁港管理者である廃油処理事業者がする届出に、それぞれ準用する。

（氏名等の変更の届出）

第二〇条　法第二十九条の規定により氏名等の変更の届出をしようとする者は、次の事項を記載した届出書を提出しなければならない。

一　氏名又は名称及び住所並びに法人にあつてはその代表者の氏名及び住所

二　変更した法第二十一条第一項第一号の事項

三　変更の年月日

（廃油処理方法の技術上の基準）

第二一条　法第三十条第二項の国土交通省令で定める廃油の処理の方法の技術上の基準は、次のとおりとする。

一　排水基準に適合しない油を公共用水域に排出又は地下に浸透させないこと。

二　水質汚濁防止法第二条第四項に規定する指定物質を含む油が公共用水域へ排出され、又は地下に浸透したことにより当該指定物質による人の健康又は生活環境に係る被害が生じないようにすること。

三　廃油処理施設の破損その他の事故が発生したことにより、油の公共用水域への排出又は地下への浸透が第一号又は前号の基準に適合しないおそれが生じたときは、直ちに、引き続く油の排出又は浸透の防止のための応急の措置を講ずること。

四　指定地域内廃油処理施設については、当該廃油処理施設に係る総量規制基準を超えて排水を公共用水域に排出しないこと。

五　湖沼特定廃油処理施設（湖沼水質保全特別措置法（昭和五十九年法律第六十一号）第七条第一項に規定する湖沼特定事業場に設置される廃油処理施設をいう。以下同じ。）については、当該廃油処理施設に係る同項の規制基準を超えて排水を公共用水域に排出しないこと。

六　油を希釈しないこと。ただし、油水分離器の操作上やむを得ない場合を除く。

七　点検整備規程を定め、これに従つて廃油処理施設の点検整備を行うこと。

八　事業場内には、作業に必要な者又は特に必要がある者以外の者を立ち入らせないこと。

九　廃油の受入れに当たつては、廃油が漏れ、あふれ、又は飛散しないようにすること。

十　排水中の油分の濃度を七日を超えない作業期間ごとに一回以上日本産業規格K〇一〇二（工場排水試験方法）により測定し、その結果を記録すること。

2　前項第四号の規定は、法第二十条第一項の許可又は同条第二項の届出若しくは法第三十四条第一項の届出があつた後において、当該許可又は届出に係る廃油処理施設が新たに指定地域内廃油処理施設となつた場合は、当該廃油処理施設を用いて行う廃油の処理については、当該廃油処理施設が指定地域内廃油処理施設となつた日から六月間は、適用しない。

3　第一項第五号の規定は、湖沼水質保全特別措置法第三条第二項に規定する指定地域に係る同法第七条第一項の規制基準の適用の日（以下「適用日」という。）前に法第二十条第一項の許可又は同条第二項の届出若しくは法第三十四条第一項の届出があつた廃油処理施設を用いて行う廃油の処理については、適用しない。ただし、適用日以後に、当該廃油処理施設について法第二十一条第一項第二号に掲げる事項の変更（適用日前に法第二十八条第一項の許可又は同条第三項（法第三十五条において準用する場合を含む。）の届出があつたものを除く。）があつた場合及び当該廃油処理施設を設置する湖沼水質保全特別措置法第七条第一項に規定する湖沼特定事業場について当該廃油処理施設以外の同項に規定する湖沼特定施設が設置された場合は、この限りでない。

（相続による承継の届出）

第二二条　法第三十一条第二項の規定により相続による廃油処理事業者の地位の承継の届出をしようとする者は、次の事項を記載した届出書を提出しなければならない。

一　氏名及び住所並びに被相続人との続柄

二　被相続人の氏名及び住所

三　相続した事業

四　相続開始の年月日

2　前項の届出書には、被相続人との続柄を証する書類を添付しなければならない。

（合併による承継の届出）

第二三条　法第三十一条第二項の規定により合併による廃油処理事業者の地位の承継の届出をしようとする者は、次の事項を記載した届出書を提出しなければならない。

一　名称、住所並びに代表者の氏名及び住所

二　合併により消滅した法人の名称、住所及び代表者の氏名

三　合併の年月日

2　前項の届出書には、登記事項証明書を添付しなければならない。

（分割による承継の届出）

第二三条の二　法第三十一条第二項の規定により分割による廃油処理事業者の地位の承継の届出をしようとする者は、次の事項を記載した届出書を提出しなければならない。

一　名称、住所並びに代表者の氏名及び住所

二　分割をした法人の名称、住所及び代表者の氏名
三　分割の年月日
2　前項の届出書には、登記事項証明書を添付しなければならない。

（事業の休廃止の届出）

第二四条　法第三十二条の規定により事業の休止又は廃止の届出をしようとする港湾管理者及び漁港管理者以外の廃油処理事業者は、次の事項を記載した届出書を提出しなければならない。
一　氏名又は名称及び住所並びに法人にあつてはその代表者の氏名及び住所
二　休止し、又は廃止しようとする事業の内容
三　休止又は廃止予定の年月日
四　休止の場合は、休止予定の期間
2　法第三十二条の規定により事業の休止又は廃止の届出をしようとする港湾管理者又は漁港管理者である廃油処理事業者は、前項第二号から第四号までの事項を記載した届出書を提出しなければならない。
3　前二項の届出書は、休止し、又は廃止しようとする日の十日前までに提出しなければならない。

（聴聞の方法の特例）

第二四条の二　国土交通大臣又は地方運輸局長は、法第三十三条第一項の規定による処分に係る聴聞を行うに当たつては、あらかじめ、聴聞の期日及び場所を公示しなければならない。

（小規模な廃油処理施設）

第二五条　法第三十四条第一項の国土交通省令で定める小規模な廃油処理施設は、日間最大廃油処理量が一立方メートル未満の廃油処理施設とする。

（自家用廃油処理施設）

第二六条　法第三十四条第二項において準用する法第二十一条第三項の国土交通省令で定める書類は、第十三条第一号及び第二号の書類とする。
2　第十八条第一項及び第三項の規定は、法第三十五条において準用する法第二十八条第三項の規定による届出に準用する。
3　第十八条第一項の規定は、法第三十五条において準用する法第二十八条第五項の規定による届出に準用する。
4　第二十条の規定は、法第三十五条において準用する法第二十九条の規定による届出に準用する。
5　第二十一条の規定は、法第三十五条において準用する法第三十条第二項の国土交通省令で定める技術上の基準に準用する。
6　第二十二条第一項、第二十三条第一項及び第二十三条の二第一項の規定は、法第三十五条において準用する法第三十一条第二項の規定による届出に準用する。
7　第二十四条第一項及び第三項の規定は、法第三十五条において準用する法第三十二条の規定による届出に準用する。

第四章　海洋の汚染及び海上災害の防止措置

（油保管施設等の油濁防止緊急措置手引書等の技術上の基準）

第三四条の二　法第四十条の二第一項の国土交通省令で定める油濁防止緊急措置手引書及び有害液体汚染防止緊急措置手引書の作成に関する技術上の基準は、次に掲げる事項が定められていることとする。
一　管理者が当該施設又は当該係留施設を利用する船舶からの油又は有害液体物質の不適正な排出に関する通報を行うべき場合、通報するべき内容その他当該通報に係る遵守するべき手続に関する事項
二　前号の通報を行うべき海上保安庁の事務所及び関係者並びにこれらの者の連絡先に関する事項
三　油又は有害液体物質の排出による汚染の防除に関する業務に必要な組織、資材等に関する事項
四　油又は有害液体物質の排出による汚染の防除のため当該施設内にある者その他の者が直ちにとるべき措置に関する事項
五　油又は有害液体物質の排出による汚染の防除のための措置について海上保安庁と調整するための手続及び当該施設の連絡先に関する事項
2　油濁防止緊急措置手引書及び有害液体汚染防止緊急措置手引書の備置き又は掲示に関する技術上の基準は、当該施設内にある者その他の者が直ちに参照することができる場所に備え置き、又は掲示しておくこととする。

（法第四十条の二第一項第一号の国土交通省令で定める量等）

第三四条の三　法第四十条の二第一項第一号の国土交通省令で定める量は、五百キロリットルとする。
2　法第四十条の二第一項第二号の国土交通省令で定める船舶は、次の各号に掲げる船舶とする。
一　総トン数百五十トン以上のタンカー（兼用タンカーにあつては、当該兼用タンカーのばら積みの液体貨物を積載する貨物艙の容量が三百立方メートル以上であるものに限る。）であつて、貨物として油を積載しているもの
二　総トン数百五十トン以上の船舶（その貨物艙の大部分がばら積みの液体貨物の輸送のための構造を有する船舶及びその貨物艙の一部分がばら積みの液体貨物の輸送のための構造を有する船舶であつて当該貨物艙の一部分の容量が三百立方メートル以上であるものに限る。）であつて、貨物として有害液体物質を積載しているもの

第五章　雑則

（報告の徴収）

第三八条　次の表の第一欄に掲げる者は、第二欄に掲げる事項に関し、第三欄に掲げる提出の期限により、第四欄に掲げる報告書を提出しなければならない。ただし、同表第五号に規定する報告書に相当する書面を船級協会に提出したときは、当該報告書については、提出することを要しない。

報告者	報告事項	提出の期限	報告書
一 廃油処理事業者	毎事業年度の事業の実績	毎事業年度終了後三月以内	事業実績報告書（第五号様式）
二 自家用廃油処理施設の設置者	三月三十一日以前の一年間の廃油処理の実績	毎年六月三十日まで	廃油処理実績報告書（第六号様式）
三 廃油処理事業者又は自家用廃油処理施設の設置者	事業場における火災、爆発その他の事故の発生	当該事故の発生後二週間以内	その旨を記載した報告書
四 法第十一条の登録を受けた船舶の船舶所有者	十二月三十一日以前の一年間の法第十条第二項第四号及び第五号の規定によつてする廃棄物の排出	毎年一月三十一日まで	廃棄物排出状況報告書（第六号の二様式）
五 法第十九条の二十五第一項に規定する二酸化炭素放出抑制対象船舶（海上保安庁の使用する船舶を除く。）であつて総トン数五千トン以上のものの船舶所有者	十二月三十一日以前の一年間において消費した船舶に係る燃料油の実績及び当該船舶に係る二酸化炭素放出実績指標（技術基準省令第四十七条第一項第六号に規定する国土交通大臣が定める船舶にあつては、当該燃料油の実績に限る。）	毎年三月三十一日まで	燃料油消費実績・二酸化炭素放出実績指標報告書（第六号の三様式）

2　廃油処理事業者又は自家用廃油処理施設の設置者は、その事業又はその廃油処理施設による廃油の処理に関し、第一項の表第一号から第三号までに規定するもの以外の報告を求められたときは、直ちに、これに関する報告をしなければならない。

3　船舶所有者若しくは船長、海洋施設の設置者若しくは管理者又は航空機の使用者は、当該船舶、海洋施設又は航空機に係る油、有害液体物質等又は廃棄物（以下この項及び第四十一条第三項第五号において「油等」という。）の排出又は焼却、排出ガスの放出その他油等の取扱いに関する作業に関し、第一項の表第四号及び第五号に規定するもの以外の報告を求められたときは、直ちに、これらに関する報告をしなければならない。

4　法第三十九条の三各号に掲げる者は、特定油防除資材を備え付けたときは、速やかに、次に掲げる書類を提出しなければならない。これを変更したときも、同様とする。

一　次に掲げる事項を記載した書類

イ　次の表の上欄に掲げる者の区分に応じ、それぞれ同表の下欄に掲げる事項

(1) 法第三十九条の三第一号に掲げる船舶の船舶所有者	(i) 当該船舶の船舶番号、船名、総トン数及び航行区域 (ii) 主な航路 (iii) 貨物として積載する特定油の種類及び量
(2) 法第三十九条の三第二号に掲げる施設の設置者	(i) 当該施設の名称、用途及び所在地 (ii) 保管する特定油の種類及び量
(3) 法第三十九条の三第三号に掲げる係留施設の管理者	(i) 当該係留施設の名称、用途及び所在地 (ii) 係留することができる最大の船舶の総トン数

ロ　備え付けている特定油防除資材の種類、数量及び場所

二　特定油防除資材の備付けを他の者に委託している場合には、当該委託契約書の写し

5　法第三十九条の三各号に掲げる者は、特定油防除資材の備付けに関し、前項各号に掲げるもの以外の報告を求められたときは、直ちに、これに関する報告をしなければならない。

6　特定タンカーの船舶所有者は、配備している油回収船等の種類、油回収能力、配備場所その他油回収船等の配備に関し、報告を求められたときは、直ちに、これらに関する報告をしなければならない。

7　法第三十九条の五に規定する船舶の船舶所有者は、同条の規定により資材を備え付け、機械器具を配備し、及び要員を確保したときは、速やかに、次に掲げる書類を提出しなければならない。これを変更したときも、同様とする。

一　次に掲げる事項を記載した書類

イ　当該船舶の船舶番号、船名、総トン数及び航行区域

ロ　主な航路

ハ　貨物として積載する油又は有害液体物質の種類及び量

ニ　備え付けている資材及び配備している機械器具の種類、数量及び場所

ホ　確保している要員の人数及び場所

二　確保している要員が有している第三十三条の十五第一号に掲げる免許に係る海技免状の写し並びに同条第二号及び第三号に掲げる講習の修了証明書の写し

三　資材の備付け、機械器具の配備及び要員の確保を他の者に委託している場合には、当該委託契約書の写し

8　法第三十九条の五に規定する船舶の船舶所有者は、同条の規定による資材の備付け、機械器具の配備及び要員の確保に関し、前項各号に掲げるもの以外の報告を求められたときは、直ちに、これらに関する報告をしなければならない。

9　法第四十条の二第一項各号に掲げる者は、油濁防止緊急措置手引書又は有害液体汚染防止緊急措置手引書の作成又は備置き若しくは掲示に関し、報告を求められたときは、直ちに、これらに関する報告をしなければならない。

（権限の委任）

第四十一条　法第二十条第一項、法第二十一条第一項、法第二十六条第一項（港湾管理者及び漁港管理者以外の廃油処理事業者に関するものに限る。）及び第三項、法第二十八条第一項（法第二十一条第一項第二号ロの海域を変更する場合であつて変更後の当該海域が二以上の地方運輸局（運輸監理部を含む。以下同じ。）の管轄区域（近畿運輸局にあつては、神戸運輸監理部の管轄区域を除く。以下同じ。）にわたることとなる場合を除く。）、法第三十三条第一項及び第二項並びに法第三十七条第一項に規定する国土交通大臣の権限は、当該廃油処理事業に係る廃油処理施設の設置される場所の周辺海域（船舶又は自動車により廃油の収集を行う場合にあつては、その収集の対象となる廃油を排棄する船舶の存する海域）が一の地方運輸局の管轄区域内に存するときは、当該海域を管轄する地方運輸局長が行う。

2　法に規定する国土交通大臣の権限で次の表の上欄に掲げるものは、それぞれ同表の下欄に掲げる地方運輸局長が行う。

権限	地方運輸局長
一　法第二十八条第五項、法第二十九条、法第三十一条第二項及び法第三十二条に規定する権限（港湾管理者及び漁港管理者以外の廃油処理事業者に関するものに限る。）	当該廃油処理事業に係る廃油処理施設の所在地（当該所在地が二以上の地方運輸局の管轄区域にわたるときは、主たる廃油処理設備の所在地）を管轄する地方運輸局長
二　法第三十四条及び法第三十五条に規定する権限並びに法第四十八条第二項及び第七項に規定する権限（自家用廃油処理施設の設置者に関するものに限る。）	当該自家用廃油処理施設の所在地（当該所在地が二以上の地方運輸局の管轄区域にわたるときは、主たる廃油処理設備の所在地）を管轄する地方運輸局長

3　法に規定する国土交通大臣の権限で次の表の上欄に掲げるものは、それぞれ同表の下欄に掲げる地方整備局長、北海道開発局長又は地方運輸局長も行うことができる。

権限	地方整備局長、北海道開発局長又は地方運輸局長
一　法第十九条の二十一第四項に規定する権限	1　日本船舶の船長（引かれ船等にあつては、船舶所有者）が通報する場合にあつては、基準不適合燃料油を搭載する場所を管轄する地方運輸局長（本邦外で基準不適合燃料油を搭載する場合にあつては、関東運輸局長） 2　外国船舶の船長（引かれ船等にあつては、船舶所有者）が通報する場合にあつては、入港をしようとする本邦の港又は利用しようとする本邦の沿岸の係留施設の所在地を管轄する地方運輸局長
二　法第十九条の二十一第五項に規定する権限	当該船舶の所在地を管轄する地方運輸局長（当該所在地が本邦外であるときは、関東運輸局長）
三　法第三十条第三項並びに法第四十八条第二項及び第七項に規定する権限（港湾管理者及び漁港管理者以外の廃油処理事業者に関するものに限る。）	当該廃油処理事業に係る廃油処理施設の所在地（当該所在地が二以上の地方運輸局の管轄区域にわたるときは、主たる廃油処理設備の所在地）を管轄する地方運輸局長
四　法第四十条の二第二項、法第四十八条第五項及び第九項並びに法第四十九条の二に規定する権限（油保管施設等の油濁防止緊急措置手引書等に関するものに限る。）	当該施設の所在地を管轄する地方整備局長又は北海道開発局長
五　法第四十八条第一項及び第六項に規定する権限	当該有害水バラスト処理設備製造者等の事務所又は事業所の所在地（以下この号及び第五項において「有害水バラスト処理設備製造者等の所在地」という。）を管轄する地方運輸局長（当該有害水バラスト処理設備製造者等の所在地が本邦外であるときは、関東運輸局長）
六　法第四十八条第四項（海洋施設（粉砕装置に限る。）又は航空機に関するものを除く。）及び法第四十八条第九項（油保管施設等の油濁防止緊急措置手引書等及び海洋施設に設置される粉砕装置に関するものを除く。）に規定する権限	当該船舶又は海洋施設等の所在地を管轄する地方運輸局長（当該所在地が本邦外であるときは、関東運輸局長）
七　法第四十八条第五項（油保管施設等の油濁防止緊急措置手引書等に関	当該船舶若しくは施設の所在地又は第三十三条の五第一項各号に掲げる場所（随

するものを除く。）及び第十項に規定する権限	伴船にあつては、その所在地）を管轄する地方運輸局長（当該所在地が本邦外であるときは、関東運輸局長）
八　法第四十九条の二に規定する権限（船舶、港湾管理者及び漁港管理者以外の者が行う廃油処理事業並びに自家用廃油処理施設に関するものに限る。）	当該船舶所有者、船長その他油等の排出又は焼却その他の海洋の汚染又は海上災害の防止と密接な関連を有する業務に携わる者の所在地を管轄する地方運輸局長（当該所在地が本邦外であるときは、関東運輸局長）

4　前項の規定により地方整備局長又は北海道開発局長が行うことができることとされた権限は、当該施設の所在地が地方整備局組織規則（平成十三年国土交通省令第二十一号）別表第五に掲げる事務所（空港整備事務所を除く。）、開発建設部で北海道開発局において所掌することとされている事務のうち国土交通省設置法（平成十一年法律第百号）第四条第一項第百一号に規定する事務を分掌するもの又は内閣府設置法第四十七条第一項の規定により沖縄総合事務局に置かれる事務所で地方整備局において所掌することとされている事務のうち国土交通省組織令第二百六条第二項に規定する事務を分掌するもの（以下「地方整備局の事務所等」という。）の管轄区域内に存するときは、当該所在地を管轄する地方整備局の事務所等の長も行うことができる。

5　第三項の規定により地方運輸局長が行うことができることとされた権限のうち同項の表第二号及び第五号の上欄に掲げるもの並びに同表第六号及び第八号の上欄に掲げるもの（海洋汚染防止設備等、大気汚染防止検査対象設備、海洋汚染等防止証書、海洋汚染等防止検査手帳、海洋汚染防止条約証書等、ふん尿処理装置及び船舶に設置される粉砕装置に関するものに限る。）は、当該船舶の所在地又は有害水バラスト処理設備製造者等の所在地が運輸支局等の管轄区域内に存するときは、当該所在地を管轄する運輸支局等の長も行うことができる。

6　法に規定する海上保安庁長官の権限で次の表の上欄に掲げるものは、それぞれ同表の下欄に掲げる管区海上保安本部長が行う。

権　　限		管区海上保安本部長
一　法第四条第四項に規定する権限（法第十八条第四項において準用する場合を含む。）		当該油が排出される海域（当該海域が二以上の管区海上保安本部の管轄区域にわたるときは、主たる排出海域）を管轄する管区海上保安本部長
二　法第八条の三第一項に規定する権限		当該船舶間貨物油積替えが行われる海域（当該海域が二以上の管区海上保安本部の管轄区域にわたるときは、主たる実施海域）を管轄する管区海上保安本部長
三　法第九条の二第四項に規定する権限（確認に関するものに限る。）		当該事前処理を実施する場所を管轄する管区海上保安本部長
四　法第十条の十二第一項及び第二項に規定する権限		当該廃棄物の積込地を管轄する管区海上保安本部長（当該積込地が本邦外であるときは、第三管区海上保安本部長）
五　法第三章に規定する権限（前号に掲げるものを除く。）		当該船舶に係る廃棄物の主な積込地（法第十四条に規定する海上保安庁長官の権限であつて当該船舶に係る廃棄物の主な積込地が一の管区海上保安本部の管轄区域内から他の管区海上保安本部の管轄区域内に変更された場合に関するものにあつては、その変更前の主な積込地）を管轄する管区海上保安本部長（当該積込地が本邦外であるときは、第三管区海上保安本部長）
六　法第十八条の二第二項及び同条第三項において準用する法第十条第二項並びに法第十条の十二の三に規定する権限		当該海洋施設の設置の場所を管轄する管区海上保安本部長
七　法第四十一条第一項及び第三項に規定する権限		当該油、有害液体物質、廃棄物その他の物が排出された海域、当該油若しくは有害液体物質の排出のおそれがあつた海域又は当該船舶が沈没し、若しくは乗り揚げた場所を管轄する管区海上保安本部長
八　法第四十八条第四項に規定する権限（第三十八条第一項の表第四号に係るものに限る。）		当該船舶の登録簿を備える管区海上保安本部長
九　法第四十八条第五項に規定する権限	第三十八条第四項に係る権限	1　法第三十九条の三第一号に掲げる船舶の船舶所有者に対する場合にあつては、当該特定油の主な積込地又は揚荷地を管轄する管区海上保安本部長 2　法第三十九条の三第二号に掲げる施設の設置者又は同条第三号に掲げる係留施設の管理者に対する場合にあつては、当該施設又は当該係留施設の所在地を管轄する管区海上保安本部長
	第三十八条	当該油又は有害液体物質の

第七項に係る権限	主な積込地又は揚荷地を管轄する管区海上保安本部長

7 法第八条の三第三項、法第九条の十八第一項、法第三十九条第三項及び第五項、法第三十九条の二、法第四十条、法第四十一条の二、法第四十二条の二第四項、法第四十二条の三第三項、法第四十二条の四の二第二項、法第四十二条の五から法第四十二条の八まで、法第四十二条の十五、法第四十八条第三項（第三十八条第三項に係るものに限る。）、第四項（第三十八条第四項及び第七項に係るものを除く。）、第七項及び第八項並びに法第四十九条の二に規定する海上保安庁長官の権限は、管区海上保安本部長も行うことができる。

8 第六項の規定により管区海上保安本部長が行うこととされた権限のうち同項の表第二号から第四号まで、第六号（法第十八条の三に規定する権限を除く。）及び第九号上欄に掲げるものは、海上保安監部、海上保安部及び海上保安航空基地の長も行うことができる。

9 第七項の規定により管区海上保安本部長が行うことができることとされた権限（法第九条の十八第一項に規定する権限を除く。）は、海上保安監部、海上保安部及び海上保安航空基地の長も行うことができる。

（書類の提出）

第四十二条 法及びこの省令（第十二条の二の二、第十二条の二の三十二、第十二条の二の三十四、第十二条の二の三十五、第十二条の二の三十七、第十二条の二の四十、第十二条の三の八、第十二条の三の十（第十二条の十六の二第二項において準用する場合を含む。）及び第十二条の十六を除く。）の規定による申請、届出又は報告に係る書類には、副本一通を添えなければならない。

2 前項の申請、届出又は報告であつて国土交通大臣にするもの（船舶又は港湾管理者及び漁港管理者以外の者が行う廃油処理事業に関するものに限る。）は、当該申請、届出又は報告に係る船舶の所在地又は廃油処理事業に係る廃油処理施設の設置される場所の周辺海域（船舶又は自動車により廃油の収集を行う場合にあつては、その収集の対象となる廃油を排棄する船舶の存する海域）のうち処理の対象となる廃油を排棄する船舶が主として存する海域若しくは廃油処理施設の所在地（当該所在地が二以上の地方運輸局の管轄区域にわたるときは、主たる廃油処理設備の所在地）を管轄する地方運輸局長を、同項の申請、届出又は報告であつて管区海上保安本部長にするもの（第十一管区海上保安本部長にするものにあつては、石垣海上保安部の管轄区域に係るものに限る。）は、海上保安監部、海上保安部又は海上保安航空基地の長を経由してしなければならない。

附　則〔抄〕

（施行期日）

1 この省令は、法の施行の日（昭和四十六年六月二十四日）から施行する。ただし、第二章（第九条、第十条及び第十一条を除く。）の規定は、法第四条、第五条及び第八条の規定の施行の日から施行する。

（経過措置）

5 この省令の施行の際現に設置されている廃油処理施設（設置の工事がなされているものを含む。）であつて公共用水域の水質の保全に関する法律（昭和三十三年法律第百八十一号）第五条第一項の指定水域に油を排出するものについては、第十四条第一項第十号中「当該公共水域に係る同法第三条第一項又は第三項の排水基準（以下単に「排水基準」という。）」とあり、第二十一条第二号中「排水基準」とあるのは、水質汚濁防止法の施行の日から六月間は「水質汚濁防止法施行令（昭和四十六年政令第百八十八号）附則第三項の規定により読み替えられた水質汚濁防止法第十三条第一項の総理府令で定める特別の水質基準」と読み替え、同法施行の日から六月を経過した日以後同法の施行の日から二年を経過する日までの間は「水質汚濁防止法施行令（昭和四十六年政令第百八十八号）附則第四項の規定により読み替えられた水質汚濁防止法第十三条第一項の総理府令で定める特別の水質基準又は同法第三条第一項若しくは第三項の排水基準」と読み替えて法第三十条（法第三十五条において準用する場合を含む。）の規定を適用する。

第2号様式（第13条関係）

事業計画書

1　事業開始予定年月日

年　月　日

2　廃油処理施設の操業の系統図（別紙）

3　廃油処理施設の能力

(1)　年間稼動日数

(2)　1日平均稼動時間

(3)　1時間当たり処理能力

4　予定料金

区分	内訳			単位予定金額
廃油の処理の料金	廃油の種類	廃重質油	ビルジ	
			水バラスト	
			タンク洗浄水	
			コレクトオイル	
			スロップオイル	
			スラッジ	
			その他	
		廃軽質油	水バラスト	
			タンク洗浄水	
			スロップオイル	
			スラッジ	
			その他	
その他の料金	料金名			

5　今後5年間の需要の見通し

廃油の種類／年度	廃重質油							廃軽質油				
	ビルジ	水バラスト	タンク洗浄水	コレクトオイル	スロップオイル	スラッジ	その他	水バラスト	タンク洗浄水	スロップオイル	スラッジ	その他

6　利用者名

7　今後5年間の収支の見積

区分＼年度							
収入	料金収入		千円	千円	千円	千円	千円
	回収油売却収入						
	雑収入						
	合計						
支出	維持管理費	人件費					
		変動費					
		修繕費					
		管理諸費					
	租税公課						
	減価償却費						
	支払利息						
	保険料						
	雑費						
	合計						
差引き							

8　廃油処理施設建設年度別計画

費用＼年度				
受入設備建設費	千円		千円	千円
油水分離設備建設費				
回収油貯蔵設備建設費				
固形物処理設備建設費				
焼却設備建設費				
排水設備建設費				
廃油処理船建設費				
附属設備建設費				
用地取得費				
関係港湾基本施設整備費				
その他				
計				

9　建設資金調達年度別計画

資金区分＼年度				合計
	千円		千円	千円
合計				（　　）

10　建設資金償還年度別計画

資金区分（　）				
事項／年度	償還額			年度末決済元金
	元金	支払利息	合計	
	千円	千円	千円	千円
摘要				

備考　1　用紙の大きさは、日本産業規格Ａ列４番とすること。

2　法第20条第１項又は法第28条第１項の許可を受けようとする者は、６は、記載しないこと。

3　法第20条第２項又は法第28条第３項の規定による届出をしようとする者は、６、９及び10は、記載しないこと。

4　法第34条第１項又は法第35条において準用する法第28条第３項の規定による届出をしようとする者は、１、２、５及び６を記載すること。

5　廃油処理施設の変更の場合は、その変更に係るもののみを記載すること。

6　３の記載は、廃油処理設備の種類ごとに行うこと。ただし、廃油処理船にあつては、廃油処理のための装置の種類ごとに行うこと。

7　４及び５の記載は、次の要領によること。

(1)　廃重質油の欄は、次に掲げる油に係る廃油について記載すること。

イ　原油

ロ　日本産業規格Ｋ2205（重油）に適合する重油

ハ　ロに掲げる重油以外の重油で日本工業規格Ｋ2254（石油製品－蒸留試験方法）の５により試験したときに摂氏340度以下の温度で体積の50パーセントを超える量が蒸留される重油以外の重油

ニ　潤滑油

(2)　廃軽質油の欄は、(1)のイからニまでに掲げる油以外の油に係る廃油について記載すること。

8　７の記載は、次の要領によること。

(1)　人件費の欄は、給料、手当、役員給与、退職給与、厚生費及び雑給の額を記載すること。

(2)　変動費の欄は、燃料費、油水分離用薬品費、引船費等廃油処理費に応じて変動する費用の額を記載すること。

(3)　管理諸費の欄は、通信費、旅費交通費、広告宣伝費等一般管理のために必要な費用の額を記載すること。

9　料金収入、維持管理費及び租税公課は、それぞれの明細書を添附すること。

10　９の記載は、次の要領によること。

(1)　資金区分は、資金の償還条件が異なるものごとに区分して記載すること。

(2)　合計欄の（　）内は、建設資金の利息の合計の見積額を記載すること。

11　10の記載は、次の要領によること。

(1)　資金の償還条件が異なるものごとに一表を用いて記載すること。

(2)　摘要欄は、資金の償還条件を記載すること。

第３号様式（第13条関係）

廃油処理施設工事設計書

１　廃油処理施設の位置、規模及び構造

(1)　工事計画の概要

(2)　工事計画

費目	工種	形状	数量	単価	金額
					千円

(3)　設計図面（別紙）

(4)　設計基礎計算書（別紙）

(5)　配置図面（別紙）

２　廃油処理方法の概要

(1)　油水分離方法

(2)　回収油処分方法

(3)　固形物処理方法

３　排水中の油分の濃度

最大	最小	平均
立方センチメートル ／ 立方メートル	立方センチメートル ／ 立方メートル	立方センチメートル ／ 立方メートル

４　排水系統別の排水の化学的酸素要求量及び排水量

５　化学的酸素要求量で表示した汚濁負荷量の測定手法の概要

(1)　特定排水（排水のうち、廃油処理施設を設置した工場又は事業場において事業活動その他の人の活動に使用された水であつて、専ら冷却用その他の用途でその用途に供することにより排水の化学的酸素要求量で表示した汚濁負荷量が増加しないものに供された水以外のものをいう。）の化学的酸素要求量、特定排水の量その他の化学的酸素要求量で表示した汚濁負荷量の測定に必要な事項の計測方法及び計測場所

(2)　特定排水の１日当たりの化学的酸素要求量で表示した汚濁負荷量の算定方法

(3)　その他化学的酸素要求量で表示した汚濁負荷量の測定手法について参考となるべき事項

６　関係港湾基本施設の状況及び整備計画の概要

７　工事の着手及び完了予定の年月日

着手　　　年　　月　　日

完了　　　年　　月　　日

備考　１　用紙の大きさは、日本産業規格Ａ列４番とすること。

２　廃油処理施設の変更の場合は、その変更に係るもののみを記載すること。

３　１の(2)の費目の欄は、受入設備建設費、油水分離設備建設費、回収油貯蔵設備建設費、固形物処理設備建設費、焼却設備建設費、排水設備建設費、廃油処理船建設費、附属設備建設費、用地取得費、関係港湾基本施設整備費、その他の別に記載すること。

４　４については、指定地域内廃油処理施設又は湖沼特定廃油処理施設である場合に記載すること。

５　５については、総量規制基準が適用される指定地域内廃油処理施設である場合に記載すること。

第４号様式（第13条関係）

廃油処理施設状況書

1　廃油処理施設の位置、規模及び構造

(1)　廃油処理施設の概要

(2)　廃油処理施設の内容

廃油処理設備の種類	設備内訳	形状	数量

(3)　設計図面（別紙）

(4)　配置図面（別紙）

2　廃油処理方法の概要

(1)　油水分離方法

(2)　回収油処分方法

(3)　固形物処理方法

3　排水中の油分の濃度

最大	最小	平均
立方センチメートル／立方メートル	立方センチメートル／立方メートル	立方センチメートル／立方メートル

4　排水系統別の排水の化学的酸素要求量及び排水量

5　化学的酸素要求量で表示した汚濁負荷量の測定手法の概要

(1)　特定排水（排水のうち、廃油処理施設を設置した工場又は事業場において事業活動その他の人の活動に使用された水であつて、専ら冷却用その他の用途でその用途に供することにより排水の化学的酸素要求量で表示した汚濁負荷量が増加しないものに供された水以外のものをいう。）の化学的酸素要求量、特定排水の量その他の化学的酸素要求量で表示した汚濁負荷量の測定に必要な事項の計測方法及び計測場所

(2)　特定排水の１日当たりの化学的酸素要求量で表示した汚濁負荷量の算定方法

(3)　その他化学的酸素要求量で表示した汚濁負荷量の測定手法について参考となるべき事項

6　関係港湾基本施設の状況

備考　1　用紙の大きさは、日本産業規格Ａ列４番とすること。

2　廃油処理設備の種類の欄は、受入設備、油水分離設備、回収油貯蔵設備、固形物処理設備、焼却設備、排水設備、廃油処理船、附属設備、用地、その他の別に記載すること。

3　４については、指定地域内廃油処理施設又は湖沼特定廃油処理施設である場合に記載すること。

4　５については、総量規制基準が適用される指定地域内廃油処理施設である場合に記載すること。

第５号様式（第38条関係）

事　業　実　績　報　告　書

（　　年　月　日から　　年　月　日まで）

年　月　日

国土交通大臣　　殿

氏名又は名称及び住所並びに法人に
あってはその代表者の氏名及び住所

海洋汚染等及び海上災害の防止に関する法律第48条第１項の規定により、次のとおり報告します。

１　事業の概要

２　廃油処理の状況

(1)　廃油処理量

廃重質油								廃軽質油					
ビルジ	水バラスト	タンク洗浄水	コレクトオイル	スロップオイル	スラッジ	その他	合　計	水バラスト	タンク洗浄水	スロップオイル	スラッジ	その他	合　計
立方メートル／年	立方メートル／年	立方メートル／年	立方メートル／年	立方メートル／年	立方メートル／年	立方メートル／年	立方メートル／年	立方メートル／年	立方メートル／年	立方メートル／年	立方メートル／年	立方メートル／年	立方メートル／年

(2)　排水中の油分の濃度

最　大	最　小	平　均
立方センチメートル／立方メートル	立方センチメートル／立方メートル	立方センチメートル／立方メートル

３　取扱船舶

種別／総トン数	タンカー	その他の船舶	合　計
総トン数300トン未満	隻	隻	隻
総トン数300トン以上3,000トン未満			

総トン数3,000トン以上20,000トン未満			
総トン数20,000トン以上			
合　計			

4　収支の状況

収　入		支　出	
	千円		千円
料金収入		維持管理費	
回収油売却収入		人件費	
雑収入		変動費	
損失		修繕費	
		管理諸費	
		租税公課	
		減価償却費	
		支払利息	
		保険料	
		雑費	
		利益	
合　計		合　計	

備考　1　用紙の大きさは、日本産業規格Ａ列４番とすること。

2　２の⑴の記載は、次の要領によること。

⑴　廃重質油の欄は、次に掲げる油に係る廃油について記載すること。

イ　原油

ロ　日本産業規格 K2205（重油）に適合する重油

ハ　ロに掲げる重油以外の重油で日本工業規格 K2254（石油製品－蒸留試験方法）の５により試験したときに摂氏340度以下の温度で体積の50パーセントを超える量が蒸留される重油以外の重油

ニ　潤滑油

⑵　廃軽質油の欄は、⑴のイからニまでに掲げる油以外の油に係る廃油について記載すること。

3　４の記載は、次の要領によること。

⑴　人件費の欄は、給料、手当、役員給与、退職給与、厚生費及び雑給の額を記載すること。

⑵　変動費の欄は、燃料費、油水分離用薬品費、引船費等廃油処理量に応じて変動する費用の額を記載すること。

⑶　管理諸費の欄は、通信費、旅費交通費、広告宣伝費等一般管理のために必要な費用の額を記載すること。

4　料金収入、維持管理費及び租税公課は、それぞれその明細書を添附すること。

第6号様式（第38条関係）

廃油処理実績報告書

（　年　月　日から　年　月　日まで）

年　月　日

地方運輸局長
運輸監理部長（　　）殿

氏名又は名称及び住所並びに法人にあってはその代表者の氏名及び住所

海洋汚染等及び海上災害の防止に関する法律第48条第1項の規定により、次のとおり報告します。

1　事業の概要

2　廃油処理の状況

(1)　廃油処理量

廃重質油								廃軽質油					
ビルジ	水バラスト	タンク洗浄水	コレクトオイル	スロップオイル	スラッジ	その他	合計	水バラスト	タンク洗浄水	スロップオイル	スラッジ	その他	合計
立方メートル／年	立方メートル／年	立方メートル／年	立方メートル／年	立方メートル／年	立方メートル／年	立方メートル／年	立方メートル／年	立方メートル／年	立方メートル／年	立方メートル／年	立方メートル／年	立方メートル／年	立方メートル／年

(2)　排水中の油分の濃度

最大	最小	平均
立方センチメートル／立方メートル	立方センチメートル／立方メートル	立方センチメートル／立方メートル

備考　1　用紙の大きさは、日本産業規格A列4番とすること。

2　2の(1)の記載は、次の要領によること。

(1)　廃重質油の欄は、次に掲げる油に係る廃油について記載すること。

イ　原油

ロ　日本産業規格K2205（重油）に適合する重油

ハ　ロに掲げる重油以外の重油で日本産業規格K2254（石油製品－蒸留試験方法）の5により試験したときに摂氏340度以下の温

度で体積の50パーセントを超える量が蒸留される重油以外の重油

ニ　潤滑油

(2)　廃軽質油の欄は、(1)のイからニまでに掲げる油以外の油に係る廃油について記載すること。

第６号の２様式（第38条関係）

廃　棄　物　排　出　状　況　報　告　書

（　　　年　月　日から　　　年　月　日まで）

年　　月　　日

管区海上保安本部長　殿

氏名又は名称及び住所並びに法人にあつてはその代表者の氏名及び住所

海洋汚染等及び海上災害の防止に関する法律第48条第３項の規定により、次のとおり報告します。

船　　名		登録番号	
廃棄物の排出のための航海に従事した回数	回	廃棄物の排出のための航海に従事した日数	日

廃棄物の種類	年間排出量	排出海域

備考　１　用紙の大きさは、日本産業規格Ａ列４番とすること。

２　排出海域は、経緯度又はその他の当該海域を特定できる方法により表示すること。

第６号の３様式（第38条関係）

燃料油消費実績・二酸化炭素放出実績指標報告書
（　　　年　月　日から　　　年　月　日まで）

年　　月　　日

殿

氏名又は名称及び住所
並びに法人にあつては
その代表者の氏名

海洋汚染等及び海上災害の防止に関する法律第48条第４項の規定により、次のとおり報告します。

船名		船舶番号	
船舶所有者の氏名又は名称及び住所並びに法人にあつてはその代表者の氏名			
船籍港又は定係港			
総トン数		載貨重量トン数	
燃料油の種類	燃料油の消費量 （トン）	航行距離 （海里）	航行時間 （時間）
二酸化炭素放出実績指標			
備考			

（注）　1　用紙の大きさは、日本産業規格Ａ列４番とすること。
　　　　2　総トン数の欄には、法第51条の３の規定による総トン数を記載すること。

○広域臨海環境整備センター法

（昭和五十六年六月十日法律第七十六号）

〔沿革〕　昭和五八年一二月二日法律第七八号、六二年九月四日第八七号、平成三年一〇月五日第九五号、一一年七月一六日第八七号、一二月二二日第一六〇号、一六年四月二一日第三六号、六月二日第七六号、一八日第一二四号、一七年五月一八日第四二号、七月二六日第八七号、一八年六月二日第五〇号、二三年三月三一日第九号、五月二五日第五三号、八月三〇日第一〇五号改正

第一章　総則

（目的）

第一条　広域臨海環境整備センターは、廃棄物の広域的な処理が必要であると認められる区域において生じた廃棄物の適正な海面埋立てによる処理及びこれによる港湾の秩序ある整備を図るため、環境の保全に留意しつつ港湾において広域処理場の建設、管理等の業務を行うことにより、生活環境の保全及び地域の均衡ある発展に資することを目的とする。

（定義等）

第二条　この法律において「広域処理場」とは、二以上の都府県において生じた廃棄物による海面埋立てを行うための施設であつて、次に掲げるものによつて構成されるものをいう。

一　港湾法（昭和二十五年法律第二百十八号）第二条第五項第九号の二に規定する廃棄物埋立護岸

二　廃棄物の処理及び清掃に関する法律（昭和四十五年法律第百三十七号。以下「廃棄物処理法」という。）第二条第二項に規定する一般廃棄物（以下「一般廃棄物」という。）の最終処分場であつて、港湾区域（港湾法第二条第三項に規定する港湾区域をいう。次号において同じ。）内に設置されるもの（前号に掲げるものを除く。）

三　廃棄物処理法第二条第四項に規定する産業廃棄物（以下「産業廃棄物」という。）の最終処分場であつて、港湾区域内に設置されるもの（第一号に掲げるものを除く。）

四　前三号に掲げる施設の円滑かつ効率的な運営を確保するために必要な廃棄物の搬入施設その他の政令で定める施設

2　この法律において「広域処理対象区域」とは、一の都府県の区域をこえた廃棄物の広域的な処理が適当であり、かつ、その処理のために海面埋立てを行うことが特に必要であると認められる区域として環境大臣が指定するものをいう。

3　この法律において「広域処理場整備対象港湾」とは、広域処理対象区域において生じた廃棄物の処理を行う広域処理場の整備を行うことがその秩序ある整備に資することとなると認められる港湾として国土交通大臣が指定するものをいう。

4　環境大臣又は国土交通大臣は、それぞれ、第二項又は前項に規定する広域処理対象区域又は広域処理場整備対象港湾を指定しようとするときは、あらかじめ、相互に協議するほか、その区域の全部又は一部を広域処理対象区域とすることが適当と認められる都府県及び市町村又は広域処理場整備対象港湾とすることが適当と認められる港湾の港湾管理者の意見を聴かなければならない。これを変更しようとするときも、同様とする。

一項…一部改正〔平成三年一〇月法律九五号〕、二－四項…一部改正〔平成一一年一二月法律一六〇号〕

参照　一項四号〔政令〕令一、二項〔環境大臣の指定〕広域臨海環境整備センター法第二条第二項の規定に基づき、広域処理対象区域を指定する件、三項〔国土交通大臣の指定〕広域処理場整備対象港湾を指定する告示

（法人格）

第三条　広域臨海環境整備センター（以下「センター」という。）は、法人とする。

（名称）

第四条　センターは、その名称中に広域臨海環境整備センターという文字を用いなければならない。

2　センターでない者は、その名称中に広域臨海環境整備センターという文字を用いてはならない。

（資本金）

第五条　センターの資本金は、その区域の全部又は一部が広域処理対象区域内にある地方公共団体（以下「関係地方公共団体」という。）及び広域処理場整備対象港湾の港湾管理者（以下「関係港湾管理者」という。）の出資する額の合計額とする。

二項…一部改正〔平成一一年七月法律八七号・一二月一六〇号〕、二項…削除〔平成二三年八月法律一〇五号〕

（定款記載事項）

第六条　センターの定款には、次の事項を記載しなければならない。

一　目的

二　名称

三　広域処理対象区域及び広域処理場整備対象港湾

四　事務所の所在地

五　資本金、出資及び資産に関する事項

六　管理委員会の委員の定数、任期、選任、解任その他の管理委員会に関する事項

七　役員の定数、任期、選任、解任その他の役員に関する事項

八　業務及びその執行に関する事項

九　財務及び会計に関する事項

十　定款の変更に関する事項

十一　解散に関する事項

十二　公告の方法

2　センターの定款の変更は、主務大臣の認可を受けなければ、その効力を生じない。

（登記）

第七条　センターは、政令で定めるところにより、登記しなければならない。

2　前項の規定により登記しなければならない事項は、登記の後でなければ、これをもつて第三者に対抗することができない。

参照　一項〔政令〕組合等登記令

（一般社団法人及び一般財団法人に関する法律の準用）

第八条　一般社団法人及び一般財団法人に関する法律（平成十八年法律第四十八号）第四条及び第七十八条の規定は、センターについて準用する。

本条…全部改正〔平成一八年六月法律五〇号〕

第二章　設立

（発起人）

第九条　センターを設立するには、関係地方公共団体の長及び関係港湾管理者の長十人以上が発起人となることを必要とする。

2　発起人は、定款及び主務省令で定める事項を記載した書面（以下「定款等」という。）を作成し、関係地方公共団体及び関係港湾管理者に対しセンターに対する出資を募集しなければならない。

参照　二項〔主務省令〕規則二

（設立の認可）

第一〇条　発起人は、前条第二項の規定による募集が終わつたときは、定款等を主務大臣に提出して、設立の認可を受けなければならない。

（役員となるべき者の指名等）

第一一条　発起人は、センターの役員となるべき者を指名する。

2　前項の規定により指名されたセンターの役員となるべき者は、センターの成立の時においてセンターの役員となるものとし、その任期は、最初の管理委員会において理事長及び監事が選任されるまでの間とする。

（事務の引継ぎ）

第一二条　設立の認可があつたときは、発起人は、遅滞なく、その事務をセンターの理事長となるべき者に引き継がなければならない。

2　センターの理事長となるべき者は、前項の規定による事務の引継ぎを受けたときは、遅滞なく、出資の募集に応じた関係地方公共団体及び関係港湾管理者に対し、出資金の払込みを求めなければならない。

（設立の登記）

第一三条　センターの理事長となるべき者は、前条第二項の規定による出資金の払込みがあつたときは、遅滞なく、政令で定めるところにより、設立の登記をしなければならない。

2　センターは、設立の登記をすることによつて成立する。

参照　一項〔政令〕組合等登記令

第三章　管理

（管理委員会の設置及び委員）

第一四条　センターに、管理委員会（以下「委員会」という。）を置く。

2　委員会に委員長を置き、委員の互選により選任する。

3　委員長は、委員会の会務を総理する。

4　委員の選任は、センターに出資した地方公共団体の長及び港湾管理者の長のそれぞれの互選による。

（管理委員会の権限）

第一五条　次の事項については、委員会の議決を経なければならない。

一　定款の変更

二　広域処理場の整備に関する基本計画及び実施計画の作成又は変更

三　予算、事業計画及び資金計画の作成又は変更

四　前三号に掲げるもののほか、定款で定める重要事項

（委員の公務員たる性質）

第一六条　委員は、刑法（明治四十年法律第四十五号）その他の罰則の適用については、法令により公務に従事する職員とみなす。

（役員等）

第一七条　センターに、役員として、理事長、副理事長、理事及び監事を置く。ただし、センターは、定款で定めるところにより、副理事長を置かないことができる。

2　理事長及び監事は、委員会が選任する。

3　副理事長及び理事は、委員会の同意を得て、理事長が任命する。

4　センターの職員は、理事長が任命する。

（役員の職務及び権限等）

第一八条　理事長は、センターを代表し、その業務を総理する。

2　副理事長は、センターを代表し、定款で定めるところにより、理事長を補佐してセンターの業務を掌理し、理事長に事故があるときはその職務を代理し、理事長が欠員のときはその職務を行う。

3　理事は、定款で定めるところにより、理事長及び副理事長を補佐してセンターの業務を掌理し、理事長及び副理事長に事故があるときはその職務を代理し、理事長及び副理事長が欠員のときはその職務を行う。

4　監事は、センターの業務を監査する。

5　監事は、監査の結果に基づき、必要があると認めるときは、理事長、委員会又は主務大臣に意見を提出することができる。

6　センターと理事長又は副理事長との利益が相反する事項については、これらの者は、代表権を有しない。この場合には、監事がセンターを代表する。

7　第十六条の規定は、役員及び職員について準用する。

第四章　業務

（業務）

第一九条　センターは、第一条の目的を達成するため、次の業務を行う。

一　港湾管理者の委託を受けて、次の業務を行うこと。

イ　第二条第一項第一号に掲げる施設の建設及び改良、維持その他の管理
ロ　イに掲げる施設における廃棄物による海面埋立てにより行う土地の造成
二　地方公共団体の委託を受けて、次の業務を行うこと。
イ　第二条第一項第二号に掲げる施設及び同項第三号に掲げる施設（政令で定める部分に限る。）の建設及び改良、維持その他の管理
ロ　イに掲げる施設における一般廃棄物及び政令で定める産業廃棄物による海面埋立て
ハ　第二条第一項第四号に掲げる施設の建設及び改良、維持その他の管理
三　第二条第一項第三号に掲げる施設（前号イの政令で定める部分を除く。）の建設及び改良、維持その他の管理並びに当該施設における産業廃棄物（同号ロの政令で定める産業廃棄物を除く。）による海面埋立てを行うこと。
四　前三号に掲げる業務に附帯する業務を行うこと。

参照　二号イ・ロ〔政令〕令二・三

（基本計画）

第二〇条　センターは、前条第一号から第三号までの業務に関し、次の事項を定めた基本計画を作成しなければならない。
一　広域処理場の位置及び規模に関する事項
二　広域処理場において処理する廃棄物の受入対象区域並びに廃棄物の種類、量及び受入れの基準に関する事項
三　広域処理場の建設工事の施行に関する事項
四　広域処理場における廃棄物による海面埋立ての実施に関する事項
五　広域処理場における廃棄物による海面埋立てにより造成される土地に関する事項
六　広域処理場の整備に伴う環境保全上の措置に関する事項
七　前各号に掲げるもののほか、広域処理場の整備に関する事項

2　前項の基本計画は、次の基準に適合したものでなければならない。
一　広域処理場の位置及び規模と受け入れる廃棄物の種類及び量並びに受入対象区域が相応していること。
二　広域処理場の建設工事の施行並びに廃棄物の搬入及びこれによる海面埋立てが、円滑かつ能率的に行われるよう配慮されていること。
三　造成された土地が、港湾の機能の増進及び周辺地域における生活環境の向上に寄与するように利用されるものであること。
四　廃棄物の受入れの基準が、関係地方公共団体が実施する廃棄物の減量化等の施策の推進に寄与するものであること。
五　広域処理場の位置及び規模の決定並びにその建設工事の施行並びに廃棄物の搬入及びこれによる海面埋立てに当たつて、輸送活動、漁業生産活動その他の港湾及びその周辺の海域における活動との調整並びに周辺地域における生活環境並びに港湾及びその周辺の海洋環境の保全等（海洋汚染等及び海上災害の防止に関する法律（昭和四十五年法律第百三十六号）第三条第十八号に規定する海洋環境の保全等をいう。）について十分配慮することとされていること。

3　センターは、基本計画を作成し、又はこれを変更しようとするとき（主務省令で定める軽微な変更をしようとするときを除く。第七項において同じ。）は、主務大臣の認可を受けなければならない。

4　主務大臣は、前項の認可をしようとするときは、関係行政機関の長に協議しなければならない。

5　国土交通大臣は、第三項の認可をしようとするときは、あらかじめ、交通政策審議会の意見を聴くものとする。

6　センターは、基本計画について第三項の主務省令で定める軽微な変更をしたときは、遅滞なく、その旨を主務大臣に届け出なければならない。

7　センターは、基本計画を作成し、又はこれを変更しようとするときは、あらかじめ、その区域の全部又は一部が広域処理対象区域内にある都府県及び広域処理場整備対象港湾の港湾管理者に協議しなければならない。

参照　三項〔主務省令〕規則五

五項…一部改正〔昭和五八年一二月法律七八号・平成一一年一二月一六〇号〕、二項…一部改正〔平成一六年四月法律三六号〕

（実施計画）

第二一条　センターは、第十九条第一号から第三号までの業務を行おうとするときは、主務省令で定めるところにより、基本計画に基づいて実施計画を作成し、主務大臣に提出しなければならない。これを変更しようとするときも、同様とする。

2　センターは、前項の実施計画を作成し、又はこれを変更しようとするときは、あらかじめ、センターが委託を受けてその業務を行う地方公共団体及び港湾管理者に協議しなければならない。

参照　一項〔主務省令〕規則六

第五章　財務及び会計

（事業年度）

第二二条　センターの事業年度は、毎年四月一日に始まり、翌年三月三十一日に終わる。ただし、最初の事業年度は、成立の日に始まり、その後最初の三月三十一日に終わる。

（予算等）

第二三条　センターは、毎事業年度、予算、事業計画及び資金計画を作成し、当該事業年度の開始前に（最初の事業年度にあつては、成立後遅滞なく）、主務大臣並びにセンターに出資した地方公共団体及び港湾管理者に提出しなければならない。これを変更したときも、同様とする。

（財務諸表等）

第二四条　センターは、毎事業年度、貸借対照表、損益計算書

及び事業報告書（以下「財務諸表等」という。）を作成し、当該事業年度終了後三月以内に主務大臣並びにセンターに出資した地方公共団体及び港湾管理者に提出しなければならない。

2　センターは、前項の規定により財務諸表等を提出するときは、これに、財務諸表等に関する監事の意見書を添付しなければならない。

（予納金）

第二五条　センターは、主務省令で定めるところにより、地方公共団体及び港湾管理者以外の者であつて、センターに対し廃棄物の処理を委託するものから、広域処理場に係る経費の一部を予納金として徴収することができる。

参照　〔主務省令〕規則七

（補助金の交付等）

第二六条　センターが第十九条の規定により地方公共団体又は港湾管理者の委託を受けて広域処理場の建設又は改良の工事を行う場合におけるその工事に要する費用に関する国の補助については、地方公共団体又は港湾管理者に対し交付すべき補助金は、センターに対し交付することができる。

2　前項の規定により補助金がセンターに交付された場合には、センターは、補助金等に係る予算の執行の適正化に関する法律（昭和三十年法律第百七十九号）の適用については、補助事業者等とみなす。

（財産の処分等）

第二七条　第十九条の業務の実施により建設される広域処理場に係る財産の管理及び処分の方法その他その財産の管理及び処分に関し必要な事項は、政令で定める。

2　前項の財産について政令で定める期間内に処分が行われた場合において、その処分価額から政令で定める費用の額を控除してなお残余があるときは、その残余の額は、政令で定めるところにより、その広域処理場の建設又は改良の工事に要した費用を自ら負担した者及び補助した者に分配する。その財産についてその期間を超えて管理が行われることとなる場合においてその財産に係るその期間満了の時における評価額から政令で定める費用の額を控除してなお残余があるときも、同様とする。

参照　一項・二項〔政令〕令四―八

（主務省令への委任）

第二八条　この法律に規定するもののほか、センターの財務及び会計に関し必要な事項は、主務省令で定める。

参照　〔主務省令〕規則八―一七

第六章　解散及び清算

（解散）

第二九条　センターは、次の事由によつて解散する。

一　定款で定める解散事由の発生

二　破産手続開始の決定

2　センターは、前項第一号の規定により解散しようとするときは、主務省令で定めるところにより、主務大臣の認可を受けなければならない。この場合において、センターは、その認可により解散する。

一項…一部改正〔平成一六年六月法律七六号〕

参照　二項〔主務省令〕規則一八

（清算中のセンターの能力）

第二九条の二　解散したセンターは、清算の目的の範囲内において、その清算の結了に至るまではなお存続するものとみなす。

本条…追加〔平成一八年六月法律五〇号〕

（清算人）

第三〇条　センターが解散したときは、破産手続開始の決定によつて解散した場合を除き、理事長、副理事長及び理事がその清算人となる。

2　理事長、副理事長又は理事であつた清算人には、それぞれ第十八条第一項から第三項までの規定を準用する。

一項…一部改正〔平成一六年六月法律七六号〕

（裁判所による清算人の選任）

第三〇条の二　前条第一項の規定により清算人となる者がないとき、又は清算人が欠けたため損害を生ずるおそれがあるときは、裁判所は、利害関係人若しくは検察官の請求により又は職権で、清算人を選任することができる。

本条…追加〔平成一八年六月法律五〇号〕

（清算人の解任）

第三〇条の三　重要な事由があるときは、裁判所は、利害関係人若しくは検察官の請求により又は職権で、清算人を解任することができる。

本条…追加〔平成一八年六月法律五〇号〕

（清算人の届出）

第三〇条の四　清算中に就職した清算人は、その氏名及び住所を主務大臣に届け出なければならない。

本条…追加〔平成一八年六月法律五〇号〕

（清算人の職務及び権限）

第三〇条の五　清算人の職務は、次のとおりとする。

一　現務の結了

二　債権の取立て及び債務の弁済

三　残余財産の引渡し

2　清算人は、前項各号に掲げる職務を行うために必要な一切の行為をすることができる。

本条…追加〔平成一八年六月法律五〇号〕

（債権の申出の催告等）

第三〇条の六　清算人は、その就職の日から二月以内に、少なくとも三回の公告をもつて、債権者に対し、一定の期間内にその債権の申出をすべき旨の催告をしなければならない。この場合において、その期間は、二月を下ることができない。

2　前項の公告には、債権者がその期間内に申出をしないときは清算から除斥されるべき旨を付記しなければならない。ただし、清算人は、知れている債権者を除斥することができない。

3 清算人は、知れている債権者には、各別にその申出の催告をしなければならない。

4 第一項の公告は、官報に掲載してする。

本条…追加〔平成一八年六月法律五〇号〕

（期間経過後の債権の申出）

第三〇条の七 前条第一項の期間の経過後に申出をした債権者は、法人の債務が完済された後まだ権利の帰属すべき者に引き渡されていない財産に対してのみ、請求をすることができる。

本条…追加〔平成一八年六月法律五〇号〕

（清算中のセンターについての破産手続の開始）

第三〇条の八 清算中にセンターの財産がその債務を完済するのに足りないことが明らかになつたときは、清算人は、直ちに破産手続開始の申立てをし、その旨を公告しなければならない。

2 清算人は、清算中のセンターが破産手続開始の決定を受けた場合において、破産管財人にその事務を引き継いだときは、その任務を終了したものとする。

3 前項に規定する場合において、清算中のセンターが既に債権者に支払い、又は権利の帰属すべき者に引き渡したものがあるときは、破産管財人は、これを取り戻すことができる。

4 第一項の規定による公告は、官報に掲載してする。

本条…追加〔平成一八年六月法律五〇号〕

（清算事務）

第三一条 清算人は、センターの債務を弁済してなお残余財産があるときは、これをセンターに出資した地方公共団体及び港湾管理者に対し、その出資の額に応じて分配しなければならない。

（裁判所による監督）

第三一条の二 センターの解散及び清算は、裁判所の監督に属する。

2 裁判所は、職権で、いつでも前項の監督に必要な検査をすることができる。

3 センターの解散及び清算を監督する裁判所は、主務大臣に対し、意見を求め、又は調査を嘱託することができる。

4 主務大臣は、前項に規定する裁判所に対し、意見を述べることができる。

本条…追加〔平成一八年六月法律五〇号〕

（清算結了の届出）

第三一条の三 清算が結了したときは、清算人は、その旨を主務大臣に届け出なければならない。

本条…追加〔平成一八年六月法律五〇号〕

（解散及び清算の監督等に関する事件の管轄）

第三一条の四 センターの解散及び清算の監督並びに清算人に関する事件は、その主たる事務所の所在地を管轄する地方裁判所の管轄に属する。

本条…追加〔平成一八年六月法律五〇号〕

（不服申立ての制限）

第三一条の五 清算人の選任の裁判に対しては、不服を申し立てることができない。

本条…追加〔平成一八年六月法律五〇号〕

（裁判所の選任する清算人の報酬）

第三一条の六 裁判所は、第三十条の二の規定により清算人を選任した場合には、センターが当該清算人に対して支払う報酬の額を定めることができる。この場合においては、裁判所は、当該清算人及び監事の陳述を聴かなければならない。

本条…追加〔平成一八年六月法律五〇号〕

（検査役の選任）

第三二条 裁判所は、センターの解散及び清算の監督に必要な調査をさせるため、検査役を選任することができる。

2 前二条の規定は、前項の規定により裁判所が検査役を選任した場合について準用する。この場合において、前条中「清算人及び監事」とあるのは、「センター及び検査役」と読み替えるものとする。

一項…一部改正・二・三項…追加〔平成一七年七月法律八七号〕、本条…全部改正〔平成一八年六月法律五〇号〕、二項…一部改正〔平成二三年五月法律五三号〕

第七章 監督

（報告及び検査）

第三三条 主務大臣は、この法律を施行するため必要があると認めるときは、センターに対しその業務及び資産の状況に関し報告をさせ、又はその職員に、センターの事務所その他の事業所に立ち入り、業務の状況若しくは帳簿、書類その他の物件を検査させることができる。

2 前項の規定により立入検査をする職員は、その身分を示す証明書を携帯し、関係人にこれを提示しなければならない。

3 第一項の規定による立入検査の権限は、犯罪捜査のために認められたものと解釈してはならない。

（監督命令）

第三四条 主務大臣は、この法律を施行するため必要があると認めるときは、センターに対し、その業務に関し監督上必要な命令をすることができる。

第八章 雑則

（他の法令の準用）

第三五条 不動産登記法（平成十六年法律第百二十三号）及び政令で定めるその他の法令については、政令で定めるところにより、センターを地方公共団体とみなして、これらの法令を準用する。

本条…一部改正〔平成一六年六月法律一二四号〕

参照 〔政令〕令九

（主務大臣等）

第三六条 この法律において、主務大臣は環境大臣及び国土交通大臣とし、主務省令は主務大臣の発する命令とする。

本条…一部改正〔平成一一年一二月法律一六〇号〕

第九章 罰則

第三七条 第三十三条第一項の規定による報告をせず、若しくは虚偽の報告をし、又は同項の規定による検査を拒み、妨げ、若しくは忌避した場合には、その違反行為をしたセンターの役員、清算人又は職員は、十万円以下の罰金に処する。

第三八条　次の各号のいずれかに該当する場合には、その違反行為をしたセンターの役員又は清算人は、十万円以下の過料に処する。

一　この法律の規定により主務大臣の認可を受けなければならない場合において、その認可を受けなかつたとき。
二　第七条第一項の規定に違反して、登記することを怠つたとき。
三　第十九条に規定する業務以外の業務を行つたとき。
四　第二十条第六項の規定に違反して、届出をせず、又は虚偽の届出をしたとき。
五　第二十一条第一項の規定に違反して、実施計画を提出せず、又は虚偽の記載をしてこれを提出したとき。
六　第二十三条又は第二十四条第一項の規定に違反して、提出すべき書類を提出せず、又は虚偽の書類を提出したとき。
七　第三十一条の規定に違反したとき。
八　第三十条の六第一項又は第三十条の八第一項の規定に違反して、公告することを怠り、又は虚偽の公告をしたとき。
九　第三十条の六第一項に規定する期間内に債権者に弁済したとき。
十　第三十条の八第一項の規定に違反して、破産手続開始の申立てを怠つたとき。
十一　第三十四条の規定による命令に違反したとき。

本条…一部改正〔平成一六年六月法律七六号・一七年七月八七号・一八年六月五〇号〕

第三九条　第四条第二項の規定に違反した者は、五万円以下の過料に処する。

附　則

（施行期日）

第一条　この法律は、公布の日から起算して六月を超えない範囲内において政令で定める日から施行する。

〔昭和五六年一一月政令三三九号により、昭和五六・一二・一から施行〕

（経過措置）

第二条　この法律の施行の際現にその名称中に広域臨海環境整備センターという文字を用いている者については、第四条第二項の規定は、この法律の施行後一年間は適用しない。

（国の無利子貸付け等）

第三条　第二十六条第一項の規定は、センターが第十九条の規定により地方公共団体又は港湾管理者の委託を受けて広域処理場の建設又は改良の工事で廃棄物処理法附則第四条第一項又は港湾法附則第四項の規定による貸付けの対象となるものを行う場合について準用する。この場合において、第二十六条第一項中「国の補助」とあるのは「国の貸付け」と、「交付すべき補助金」とあるのは「貸し付けるべき貸付金」と、「交付する」とあるのは「貸し付ける」と読み替えるものとする。

2　廃棄物処理法附則第四条第五項及び第六項並びに港湾法附則第十項及び第十二項の規定は、前項の規定により準用される第二十六条第一項の規定によりセンターに対し貸付けが行われた場合について準用する。

本条…全部改正〔昭和六二年九月法律八七号〕、一・二項…一部改正〔平成一七年五月法律四二号・二三年三月九号〕

附　則〔平成一一年七月一六日法律第八七号抄〕

（施行期日）

第一条　この法律は、平成十二年四月一日から施行する。ただし、次の各号に掲げる規定は、当該各号に定める日から施行する。

一　〔前略〕附則〔中略〕第百六十条、第百六十三条、第百六十四条並びに第二百二条の規定　公布の日
二～六　〔略〕

（広域臨海環境整備センター法の一部改正に伴う経過措置）

第一一六条　施行日前に第三百六十六条の規定による改正前の広域臨海環境整備センター法（以下この条において「旧広域臨海環境整備センター法」という。）第五条第二項の規定による承認を受けた関係地方公共団体又は関係港湾管理者は、第三百六十六条の規定による改正後の広域臨海環境整備センター法（以下この条において「新広域臨海環境整備センター法」という。）第五条第二項の規定による協議を行った関係地方公共団体又は関係港湾管理者とみなす。

2　この法律の施行の際現に旧広域臨海環境整備センター法第五条第二項の規定によりされている承認の申請は、新広域臨海環境整備センター法第五条第二項の規定によりされた協議の申出とみなす。

附　則〔平成一七年七月二六日法律第八七号〕

この法律は、会社法の施行の日〔平成一八年五月一日〕から施行する。〔以下略〕

○会社法の施行に伴う関係法律の整備等に関する法律（抄）

〔平成十七年七月二十六日法律第八十七号〕

第十一章　環境省関係

（広域臨海環境整備センター法の一部改正に伴う経過措置）

第五二〇条　施行日前に生じた前条の規定による改正前の広域臨海環境整備センター法第二十九条第一項各号に掲げる事由により広域臨海環境整備センターが解散した場合における広域臨海環境整備センターの清算については、なお従前の例による。ただし、清算に関する登記の登記事項については、前条の規定による改正後の広域臨海環境整備センター法の定めるところによる。

第十二章　罰則に関する経過措置及び政令への委任

（罰則に関する経過措置）

第五二七条　施行日前にした行為及びこの法律の規定によりなお従前の例によることとされる場合における施行日以後にした行為に対する罰則の適用については、なお従前の例による。

（政令への委任）

第五二八条　この法律に定めるもののほか、この法律の規定による法律の廃止又は改正に伴い必要な経過措置は、政令で定める。

附　則〔平成一八年六月二日法律第五〇号〕

改正　平二三・六・二四法七四

この法律は、一般社団・財団法人法の施行の日〔平成二〇年一二月一日〕から施行する。〔以下略〕

○一般社団法人及び一般財団法人に関する法律及び公益社団法人及び公益財団法人の認定等に関する法律の施行に伴う関係法律の整備等に関する法律（抄）〔平成十八年六月二日法律第五十号〕

第十三章　罰則に関する経過措置及び政令への委任

（罰則に関する経過措置）

第四五七条　施行日前にした行為及びこの法律の規定によりなお従前の例によることとされる場合における施行日以後にした行為に対する罰則の適用については、なお従前の例による。

（政令への委任）

第四五八条　この法律に定めるもののほか、この法律の規定による法律の廃止又は改正に伴い必要な経過措置は、政令で定める。

附　則〔平成二三年五月二五日法律第五三号〕

この法律は、新非訟事件手続法〔平成二三年法律第五一号〕の施行の日〔平成二五年一月一日〕から施行する。

○非訟事件手続法及び家事事件手続法の施行に伴う関係法律の整備等に関する法律（抄）〔平成二十三年五月二十五日法律第五十三号〕

（罰則に関する経過措置）

第一六八条　第六条又は第七条に規定するもののほか、この法律の施行前にした行為及びこの法律の他の規定によりなお従前の例によることとされる場合におけるこの法律の施行後にした行為に対する罰則の適用については、なお従前の例による。

（政令への委任）

第一六九条　この法律に定めるもののほか、この法律の規定による法律の廃止又は改正に伴い必要な経過措置は、政令で定める。

附　則〔平成二三年八月三〇日法律第一〇五号抄〕

（施行期日）

第一条　この法律は、公布の日から施行する。〔以下略〕

（罰則に関する経過措置）

第八一条　この法律（附則第一条各号に掲げる規定にあっては、当該規定。以下この条において同じ。）の施行前にした行為及びこの附則の規定によりなお従前の例によることとされる場合におけるこの法律の施行後にした行為に対する罰則の適用については、なお従前の例による。

（政令への委任）

第八二条　この附則に規定するもののほか、この法律の施行に関し必要な経過措置（罰則に関する経過措置を含む。）は、政令で定める。

○広域臨海環境整備センター法施行令

（昭和五十六年十一月三十日政令第三百三十号）

〔沿革〕　昭和五七年七月七日政令第一九〇号、五九年六月六日第一七六号、六二年九月四日第二九七号、平成五年二月一〇日第一七号、六年九月一九日第三〇三号、七年六月一四日第二四〇号、一二年六月七日第三一三号、七月二四日第三九一号、一六年九月二九日第二九三号、一七年二月一八日第二四号、九月三〇日第三一〇号、一二月二一日第三七二号、一八年八月一八日第二七七号、二三年一月一八日第三四三号、二九年一〇月二五日第二六六号、三〇年一月三一日第一九号、令和三年六月二三日第一七九号、四年七月二一日第二四九号改正

（法第二条第一項第四号の政令で定める施設）

第一条　広域臨海環境整備センター法（以下「法」という。）第二条第一項第四号の政令で定める施設は、廃棄物の搬入施設及び廃棄物の受入れを調整するための通信、情報処理等の用に供する施設とする。

（法第十九条第二号イの政令で定める部分）

第二条　法第十九条第二号イの政令で定める部分は、地方公共団体が、廃棄物の処理及び清掃に関する法律（昭和四十五年法律第百三十七号）第十一条第一項の規定により処理する産業廃棄物並びに同条第二項及び第三項の規定により処理する産業廃棄物のうち地方公共団体がその事務として焼却、破砕等の処理を行うことが適切であると認めて処理するものに係る部分とする。

本条…一部改正〔平成一二年七月政令三九一号〕

（法第十九条第二号ロの政令で定める産業廃棄物）

第三条　法第十九条第二号ロの政令で定める産業廃棄物は、前条に規定する産業廃棄物とする。

（財産の管理及び処分）

第四条　法第十九条の業務の実施により建設される広域処理場に係る財産の管理及び処分に関しては、公有水面埋立法（大正十年法律第五十七号）、港湾法（昭和二十五年法律第二百十八号）、廃棄物の処理及び清掃に関する法律その他の関係法律及びこれらに基づく命令の規定に従うほか、次に掲げる事項に配慮して適切に行うものとする。

一　暴風、高潮等による災害の発生の予防及び拡大の防止のために必要な措置を講ずること。

二　広域処理場の周辺地域における生活環境並びに港湾及びその周辺の海洋環境の保全等（海洋汚染等及び海上災害の防止に関する法律（昭和四十五年法律第百三十六号）第三条第十八号に規定する海洋環境の保全等をいう。）に支障を及ぼさないこと。

三　廃棄物による海面埋立てにより造成される土地については、当該土地の適切な利用に資するよう良好な状態に維持すること。

本条…一部改正〔平成一六年九月政令二九三号〕

（法第二十七条第二項の政令で定める期間）

第五条　法第二十七条第二項の政令で定める期間は、広域処理場に係る財産のうち、法第十九条の業務の実施により造成された土地及びその上に存する機械その他の財産にあつては広域臨海環境整備センター（以下「センター」という。）がその業務を開始した日から、埋立区域（公有水面埋立法第二条第二項第二号の埋立区域をいう。以下同じ。）について竣功認可の告示（同法第二十二条第二項の規定による告示をいう。以下同じ。）があつた日（埋立区域の一部について竣功認可の告示があつた場合における当該一部の埋立区域において造成された土地については、当該一部の埋立区域に係る竣功認可の告示があつた日）から起算して十年を経過する日（道路、緑地等の公共施設の用に供される土地及び廃棄物による海面埋立て又は当該造成された土地の維持、保存その他の管理の用に供される機械その他の財産であつて、主務大臣が指定するものについては、主務大臣が別に定める日）までとし、第一条の施設にあつてはセンターがその業務を開始した日から主務大臣が別に定める日までとする。

本条…追加〔昭和五七年七月政令一九〇号〕

（法第二十七条第二項の政令で定める費用）

第六条　法第二十七条第二項前段の政令で定める費用は、次のとおりとする。

一　広域処理場に係る財産のうち土地については、次に掲げる費用であつて当該土地の所有者であつた者の負担するもの

イ　当該土地の維持、保存その他の管理に要する費用

ロ　当該土地の造成と併せて整備されるべき道路、緑地等の公共施設の整備に要する費用

ハ　当該土地の処分に要する費用

二　土地以外の広域処理場に係る財産については、次に掲げる費用であつて当該財産の所有者であつた者の負担するもの

イ　当該財産の維持、保存その他の管理に要する費用

ロ　当該財産の処分に要する費用

2　法第二十七条第二項後段の政令で定める費用は、前項第一号の土地については同号イ及びロに掲げる費用であつて当該土地の所有者の負担するものとし、同項第二号の財産については同号イに掲げる費用であつて当該財産の所有者の負担するものとする。

本条…追加〔昭和五七年七月政令一九〇号〕

（残余の額の分配）

第七条　法第二十七条第二項の規定に基づき、広域処理場に係る財産のうち埋立区域において造成された土地について広域処理場の建設又は改良の工事に要した費用を自ら負担した者に対して残余の額を分配する場合には、当該土地の所有者であつた者（同項後段の規定により評価が行われる場合にあつては、当該土地の所有者。以下この項において「土地所有者等」という。）の建設費用等負担額（法第二条第一項各号に掲げる施設の建設又は改良の工事に要する費用を負担すべき者が負担した額をいい、当該費用に関しその者に対し交付された補助金又はその者に対し交付すべき補助金が法第二十六条第一項の規定によりセンターに交付された場合における当該補助金をもつて負担した額を含む。以下この項及び次項において同じ。）であつて法第二条第一項第一号に掲げる施設に係るもの及び当該土地に付合した施設（以下この項において「付合施設」という。）の所有者であつた者の建設費用等負担額であつて当該付合施設に係るものに応じて当該残余の額を分配するものとする。この場合において、当該付合施設の所有者であつた者に対して分配しようとする額が当該土地について竣功認可の告示があつた時の当該付合施設に係る時価相当額を超えるときにおけるこれらの者に対する分配額は、当該付合施設の所有者であつた者に対しては当該時価相当額とし、土地所有者等に対しては当該残余の額から当該時価相当額を控除した額とする。

2　法第二十七条第二項の規定に基づき、広域処理場に係る財産のうち前項の土地以外の広域処理場に係る土地又は施設について広域処理場の建設又は改良の工事に要した費用を自ら負担した者に対して残余の額を分配する場合には、当該土地又は施設に係る建設費用等負担額に応じて当該残余の額を分配するものとする。

3　前二項の規定により残余の額の分配を受けた者は、その分配に係る広域処理場の建設又は改良の工事に要した費用に関し補助金（その者に対し交付すべき補助金が法第二十六条第一項の規定によりセンターに交付された場合における当該補助金を含む。以下この項において同じ。）が交付されている場合には、当該補助金の額に達するまで、その分配を受けた額に、当該補助金の額のその分配に係る広域処理場の建設又は改良の工事に要した費用の額に対する割合を乗じて得た額を当該補助した者に分配するものとする。

本条…追加〔昭和五七年七月政令一九〇号〕

（財産の評価額）

第八条　法第二十七条第二項の広域処理場に係る財産の評価額の算定方法は、次のとおりとする。

一　土地については、近傍類地の取引価額、当該土地の造成又は取得に要した費用並びに当該土地の位置、品位及び用途等を考慮して算定すること。

二　土地以外の広域処理場に係る財産については、当該財産の建設若しくは改良又は取得に要した費用、減価償却費等を考慮して算定すること。

本条…追加〔昭和五七年七月政令一九〇号〕

（他の法令の準用）

第九条　次の法令の規定については、センターを地方公共団体とみなして、これらの規定を準用する。

一　港湾法第三十七条第三項及び第四項、第三十八条の二第一項、第九項及び第十項並びに第五十六条の三第三項から第五項まで

二　海上交通安全法（昭和四十七年法律第百十五号）第四十条第七項並びに第四十一条第四項及び第五項

三　絶滅のおそれのある野生動植物の種の保存に関する法律（平成四年法律第七十五号）第十二条第一項第八号及び第五十四条

四　不動産登記法（平成十六年法律第百二十三号）第十六条、第百十六条及び第百十七条（これらの規定を船舶登記令（平成十七年政令第十一号）第三十五条第一項及び第二項において準用する場合を含む。）

五　登記手数料令（昭和二十四年政令第百四十号）第十八条

六　不動産登記令（平成十六年政令第三百七十九号）第七条第一項第六号（同令別表の七十三の項に係る部分に限る。）並びに第十六条第四項、第十七条第二項、第十八条第四項及び第十九条第二項（これらの規定を船舶登記令第三十五条第一項及び第二項において準用する場合を含む。）

七　船舶登記令第十三条第一項第五号（同令別表一の三十二の項に係る部分に限る。）及び第二十七条第一項第四号（同令別表二の二十二の項に係る部分に限る。）

2　前項第五号の規定により登記手数料令第十八条の規定を準用する場合においては、同条中「国又は地方公共団体の職員」とあるのは、「広域臨海環境整備センターの役員又は職員」とする。

3　勅令及び政令以外の命令であつて主務省令で定めるものについては、主務省令で定めるところにより、センターを地方公共団体とみなして、これらの命令を準用する。

旧五条…一部改正し繰下〔昭和五七年七月政令一九〇号〕、一項…一部改正〔平成五年二月政令一七号・六年九月三〇三号〕、一・二項…一部改正〔平成一七年二月政令二四号・一二月三七二号〕、一項…一部改正〔平成二九年一〇月政令二六六号・三〇年一月一九号・令和三年六月一七九号〕、一・二項…一部改正〔令和四年七月政令二四九号〕

附　則

1　この政令は、法の施行の日（昭和五十六年十二月一日）から施行する。

2　法附則第三条第二項において準用する廃棄物の処理及び清掃に関する法律附則第四条第六項又は港湾法附則第十二項の政令で定める場合は、それぞれ、廃棄物の処理及び清掃に関する法律施行令（昭和四十六年政令第三百号）附則第三条第四項又は港湾法施行令（昭和二十六年政令第四号）附則第六項の規定により償還期限を繰り上げて償還を行つた場合とする。

二項…追加〔昭和六二年九月政令二九七号〕、一部改正〔平成一七年九月政令三一〇号・一八年八月二七七号・二三年一一月三四三号〕

附　則〔令和三年六月二三日政令第一七九号〕

この政令は、海上交通安全法等の一部を改正する法律の施行の日（令和三年七月一日）から施行する。〔以下略〕

附　則〔令和四年七月二一日政令第二四九号抄〕

（施行期日）

第一条　この政令は、会社法の一部を改正する法律附則第一条ただし書に規定する規定の施行の日（令和四年九月一日）から施行する。

○広域臨海環境整備センター法施行規則

（昭和五十六年十二月五日厚生・運輸省令第二号）

〔沿革〕 平成一二年一一月一三日厚生・運輸省令第二号、一七年三月七日国土交通・環境省令第一号、一八年四月二八日第三号、令和六年三月二九日第二号改正

（定款の変更の認可の申請）

第一条 広域臨海環境整備センター（以下「センター」という。）は、広域臨海環境整備センター法（以下「法」という。）第六条第二項の認可を受けようとするときは、次に掲げる事項を記載した申請書を主務大臣に提出しなければならない。

一 変更しようとする事項
二 変更を必要とする理由

（法第九条第二項の主務省令で定める事項）

第二条 法第九条第二項の主務省令で定める事項は、次に掲げる事項とする。

一 法第十九条各号に掲げる業務の開始の時期
二 法第十九条各号に掲げる業務に関する計画の概要
三 資金の調達方法及び使途
四 センターの組織
五 その他必要な事項

（設立の認可の申請）

第三条 法第十条の認可を受けようとする者は、次に掲げる事項を記載した申請書に、定款及び前条各号に掲げる事項を記載した書面を添えて主務大臣に提出しなければならない。

一 発起人の氏名、住所及び経歴
二 センターを設立しようとする時期
三 設立しようとするセンターの名称
四 発起人が指名する役員となるべき者の氏名、住所及び経歴
五 設立の認可を申請するまでの経過の概要

（基本計画の認可の申請）

第四条 センターは、法第二十条第三項の基本計画の認可を受けようとするときは、基本計画に、同条第七項の規定による都府県及び港湾管理者との協議をしたことを証する書類を添えて主務大臣に提出しなければならない。

2 センターは、法第二十条第三項の基本計画の変更の認可を受けようとするときは、当該変更の理由及び内容を明らかにした書類に、前項の書類を添えて主務大臣に提出しなければならない。

（基本計画の軽微な変更）

第五条 法第二十条第三項の主務省令で定める軽微な変更は、同条第一項第一号、第二号及び第五号に掲げる事項のうち次に掲げるもののみに係る変更とする。

一 広域処理場の規模に関する事項であつて次に掲げるもの
イ 埋立場所（港湾法（昭和二十五年法律第二百十八号）第二条第三項の港湾区域において法第二条第一項第一号に掲げる施設及び同項第二号又は第三号に掲げる施設が建設される場所をいう。以下同じ。）の規模の変更であつて、その面積が埋立場所ごとに十ヘクタール以上増減せず、かつ、その埋立容量が埋立場所ごとに十パーセント以上増減しないもの
ロ 廃棄物の搬入施設の規模の変更であつて、その取扱可能廃棄物量が搬入施設ごとに十パーセント以上増減しないもの
二 広域処理場において処理する廃棄物の種類、量及び受入れの基準に関する事項であつて次に掲げるもの
イ 埋立場所において処理する廃棄物の量の変更であつて、その種類ごとの量が埋立場所ごとにそれぞれ十パーセント以上増減しないもの
ロ 広域処理場において処理する廃棄物の受入れの基準の変更であつて、法令の変更に伴うもの
三 広域処理場における廃棄物による海面埋立てにより造成される土地の利用形態の変更であつて、その変更に係る部分の土地の面積の合計が埋立場所ごとに十ヘクタール以上増減しないもの

（実施計画）

第六条 法第二十一条第一項の実施計画には、法第十九条第一号から第三号までの業務に関し、次に掲げる事項を定めなければならない。

一 広域処理場の名称並びに位置及び規模
二 広域処理場において処理する廃棄物の受入対象区域
三 広域処理場において処理する廃棄物の種類及び量
四 広域処理場において処理する廃棄物の受入れの基準及び検査方法
五 広域処理場を構成する施設の種類、規模及び構造
六 広域処理場の建設工事の着手及び完成の予定時期
七 広域処理場の建設工事に要する費用
八 広域処理場における廃棄物による海面埋立ての方法
九 広域処理場における廃棄物による海面埋立ての開始及び終了の予定時期
十 広域処理場における廃棄物による海面埋立てに要する費用
十一 広域処理場における廃棄物による海面埋立てにより造成される土地の利用形態別の面積
十二 広域処理場の整備に伴う環境保全上の措置
十三 廃棄物の搬入に関する事項
十四 資金の調達方法及び使途に関する事項
十五 前各号に掲げるもののほか、法第十九条第一号から第三号までの業務の実施に関し必要な事項

2 センターは、法第二十一条第一項の規定に基づき実施計画を主務大臣に提出するときは、法第二十一条第二項の規定に

よる地方公共団体及び港湾管理者との協議をしたことを証する書類を添付しなければならない。

（予納金）

第七条　センターは、予納金を徴収する場合には、特定の者に対し不当な差別的取扱いをしてはならない。

２　センターは、予納金を徴収する場合には、予納金を徴収することができる者の範囲、予納金として徴収することができる経費の範囲、予納金の額、納期限、納付方法その他予納金の徴収に関する事項を定め、これを定款で定める公告方法に従つて、公告しなければならない。これを変更したときも、同様とする。

３　センターは、前項の事項を定め、又はこれを変更しようとするときは、あらかじめ、管理委員会の議決を経なければならない。

（経理原則）

第八条　センターは、その事業の財政状態及び経営成績を明らかにするため、財産の増減及び異動並びに収益及び費用をその発生の事実に基づいて経理しなければならない。

（勘定区分）

第九条　センターの会計においては、貸借対照表勘定及び損益勘定を設け、貸借対照表勘定においては資産、負債及び純資産を計算し、損益勘定においては収益及び費用を計算する。

２　センターは、次に掲げるところにより経理を区分し、それぞれについて貸借対照表勘定及び損益勘定を設けて経理するものとする。

一　法第十九条第一号に掲げる業務及びこれに附帯する業務に係る経理

二　法第十九条第二号に掲げる業務及びこれに附帯する業務に係る経理

三　その他の経理

　一項…一部改正〔平成一八年四月国土交通・環境省令三号〕

（予算の内容）

第一〇条　センターの予算は、予算総則及び収入支出予算とする。

（予算総則）

第一一条　予算総則には、収入支出予算に関する総括的規定を設けるほか、次に掲げる事項に関する規定を設けるものとする。

一　第十四条の規定による債務を負担する行為についての事項ごとの限度額及び支出すべき年限並びにその必要な理由

二　第十五条第二項の規定による経費の指定

三　第十六条ただし書の規定による経費の指定

四　借入金の借入限度額

五　その他予算の実施に関し必要な事項

（収入支出予算）

第一二条　収入支出予算は、第九条第二項の規定により区分した経理ごとに勘定を設け、収入にあつてはその性質、支出にあつてはその目的に従つて区分するものとする。

（予備費）

第一三条　センターは、予見することができない理由による支出予算の不足を補うため、収入支出予算に予備費を設けることができる。

（債務を負担する行為）

第一四条　センターは、支出予算の金額の範囲内におけるもののほか、その業務を行うため必要があるときは、毎事業年度、予算総則で定めた金額の範囲内において、債務を負担する行為をすることができる。

（予算の流用等）

第一五条　センターは、支出予算については、当該予算に定める目的のほかに使用してはならない。ただし、予算の実施上必要かつ適当であるときは、第十二条の規定による区分にかかわらず、相互流用することができる。

２　センターは、予算総則で指定する経費の金額については、管理委員会の議決を経なければ、それらの経費の間又は他の経費との間に相互流用し、又はこれに予備費を使用することはできない。

（予算の繰越し）

第一六条　センターは、予算の実施上必要があるときは、支出予算の経費の金額のうち当該事業年度内に支出決定を終わらなかつたものを翌事業年度に繰り越して使用することができる。ただし、予算総則で指定する経費の金額については、あらかじめ、管理委員会の議決を経なければならない。

（会計規程）

第一七条　センターは、その財務及び会計に関し、法及びこの省令に定めるもののほか、会計規程を定めなければならない。

２　センターは、前項の会計規程を定めようとするときは、その基本的事項について管理委員会の議決を経なければならない。これを変更しようとするときも、同様とする。

（解散）

第一八条　センターは、法第二十九条第二項の認可を受けようとするときは、解散事由を記載した認可申請書に当該解散事由の発生を明らかにする書類を添付しなければならない。

（証明書）

第一九条　法第三十三条第二項の証明書は、別記様式によるものとする。

（不動産登記規則等の準用）

第二〇条　次の法令の規定については、センターを地方公共団体とみなして、これらの規定を準用する。

一　不動産登記規則（平成十七年法務省令第十八号）第四十三条第一項第四号（同令第五十一条第八項、第六十五条第九項、第六十八条第十項及び第七十条第七項において準用する場合を含む。）、第六十三条第三項、第六十四条第一項第一号及び第四号、第百八十二条第二項（これらの規定を船舶登記規則（平成十七年法務省令第二十七号）第四十九条において準用する場合を含む。）並びに附則第十五条第四項第

一号及び第三号

二　船舶登記規則附則第三条第八項第一号及び第三号

本条…全改〔平成一七年三月国土交通・環境省令一号〕

附　則

（施行期日）

1　この省令は、公布の日から施行する。

2　〔他の法令改正に付き略〕

附　則〔令和六年三月二九日国土交通・環境省令第二号〕

（施行期日）

第一条　この省令は、令和六年四月一日から施行する。

（経過措置）

第二条　この省令の施行の際現にあるこの省令による改正前の様式（次項において「旧様式」という。）により使用されている身分証明書は、この省令による改正後の様式によるものとみなす。

2　この省令の施行の際現にある旧様式による用紙は、当分の間、これを取り繕って使用することができる。

別記様式（第19条関係）

（第１面）

第　　　号

立入検査等をする職員の携帯する身分を示す証明書

職　　名
氏　　名
生年月日　　　　年　　　月　　　日生

　　年　　月　　日交付
　　年　　月　　日限り有効

発　行　者　　　　　　　印

写
真

（第２面）

この証明書を携帯する者は、下表に掲げる法令の条項のうち、該当の有無の欄に丸印のある法令の条項により立入検査等をする職権を有するものです。

法　令　の　条　項	該当の有無

（備考）１　この証明書は、用紙１枚で作成することとする。
２　法令の条項の欄に、この証明書を使用して行う立入検査等に係る法令の条項を記載すること。
３　該当の有無の欄に、立入検査等をする職権を有する場合は「○」を、有しない場合は「―」を記載すること。
４　記載する法令の条項の数に応じて、行を適宜追加すること。第２面については、その全部又は一部を裏面に記載することができる。
５　裏面には、参照条文を記載することができる。
６　この証明書の記載事項については、必要に応じて英文を併記の上、発行することができる。

○広域臨海環境整備センター法施行令に規定する主務大臣が指定する財産及び主務大臣が定める日を定める件

（平成二十三年一月十四日国土交通・環境省告示第一号）

〔沿革〕平成二九年五月一〇日国土交通・環境省告示第一号改正

（主務大臣が指定する財産）

第一条　広域臨海環境整備センター法施行令（以下「令」という。）第五条に規定する主務大臣が指定する財産は、次の各号に掲げる施設の用に供される土地（廃棄物の処理及び清掃に関する法律施行令（昭和四十六年政令第三百号）第七条第十四号イに規定する産業廃棄物の最終処分場に係る埋立地を除く。）とする。

一　広域臨海環境整備センター法（昭和五十六年法律第七十六号）第十九条の業務に係る港湾法（昭和二十五年法律第二百十八号）第三条の三第九項の規定により公示された港湾計画において定められた同法第二条第五項第二号から第四号まで及び第六号から第九号の三までに掲げる施設（公共の用に供するものに限る。）

二　広域臨海環境整備センター法第十九条の業務に係る公有水面埋立法（大正十年法律第五十七号）第二条第一項の免許に係る同条第三項の規定により添付された図書（当該免許に係る埋立てに関し同法第十三条ノ二第一項の規定による許可がされた場合にあっては、当該許可に係る公有水面埋立法施行規則（昭和四十九年運輸省・建設省令第一号）第七条第二項に規定する図書）に記載された道路、公園、緑地及び広場並びに排水施設（公共の用に供するものに限る。）

（主務大臣が定める日）

第二条　前条に規定する財産に係る令第五条に規定する主務大臣が定める日は、次に掲げる日のいずれか遅い日とする。

一　前条各号に掲げる施設の用に供される土地が造成された埋立区域（公有水面埋立法第二条第二項第二号の埋立区域をいう。）について竣功認可の告示（同法第二十二条第二項の規定による告示をいう。）があった日（埋立区域の一部について竣功認可の告示があった場合における当該一部の埋立区域において造成された土地については、当該一部の埋立区域に係る竣功認可の告示があった日）から起算して十年を経過した日

二　前条各号に掲げる施設について、その用途を廃止し、又は公共の用に供する施設以外の施設に変更した日

2　令第一条の施設に係る令第五条に規定する主務大臣が定める日は、当該施設の用途を廃止した日とする。

○広域処理場整備対象港湾を指定する告示

（昭和五十七年一月八日運輸省告示第一号）

広域臨海環境整備センター法（昭和五十六年法律第七十六号）第二条第三項の規定に基づき、広域処理場整備対象港湾を指定する告示を次のように定める。

広域処理場整備対象港湾を指定する告示

広域臨海環境整備センター法（昭和五十六年法律第七十六号）第二条第三項の広域処理場整備対象港湾は、大阪港、堺泉北港、神戸港及び尼崎西宮芦屋港とする。

海上交通の安全

○港則法

（昭和二十三年七月十五日法律第百七十四号）

〔沿革〕 昭和**二四**年五月二四日法律第九八号、**二五**年五月二三日第一九八号、**二六**年四月二日第一二三号、第一二四号、**二八**年八月一日第一五一号、**二九**年三月二〇日第七号、**三四**年三月一三日第一四号、**三七**年三月八日第九号、**三八**年七月一二日第一四一号、**三九**年七月七日第一五七号、**四〇**年五月二二日第七八号、第八〇号、**四五**年五月二〇日第七九号、六月一日第一一一号、**四六**年六月一日第九六号、**五一**年六月一日第四七号、**五二**年六月一日第六二号、**五三**年七月五日第八六号、**五八**年四月五日第二二号、五月二六日第五八号、平成**五**年一一月一二日第八九号、**七**年五月一二日第九〇号、**一一**年一二月二二日第一六〇号、**一六**年四月二一日第三六号、**一七**年五月二〇日第四五号、**一八**年六月一四日第六八号、**二一**年七月三日第六九号、**二八**年五月一八日第四二号、令和**三**年六月二日第五三号改正

注 令和四年六月一七日法律第六八号の改正は、令和七年六月一日から施行のため、現行の条文の次に改正後の条文を掲載いたしました。

第一章 総則

（法律の目的）

第一条 この法律は、港内における船舶交通の安全及び港内の整とんを図ることを目的とする。

（港及びその区域）

第二条 この法律を適用する港及びその区域は、政令で定める。

〔本条全改・昭四〇法八〇、改正・昭四六法九六〕

（定義）

第三条 この法律において「汽艇等」とは、汽艇（総トン数二十トン未満の汽船をいう。）、はしけ及び端舟その他ろかいのみをもつて運転し、又は主としてろかいをもつて運転する船舶をいう。

２ この法律において「特定港」とは、喫水の深い船舶が出入できる港又は外国船舶が常時出入する港であつて、政令で定めるものをいう。

３ この法律において「指定港」とは、指定海域（海上交通安全法（昭和四十七年法律第百十五号）第二条第四項に規定する指定海域をいう。以下同じ。）に隣接する港のうち、レーダーその他の設備により当該港内における船舶交通を一体的に把握することができる状況にあるものであつて、非常災害が発生した場合に当該指定海域と一体的に船舶交通の危険を防止する必要があるものとして政令で定めるものをいう。

〔二項改正・昭四〇法八〇、一・二項改正・三項追加・平二八法四二〕

第二章 入出港及び停泊

（入出港の届出）

第四条 船舶は、特定港に入港したとき又は特定港を出港しようとするときは、国土交通省令の定めるところにより、港長に届け出なければならない。

〔本条改正・平一一法一六〇〕

（びよう地）

第五条 特定港内に停泊する船舶は、国土交通省令の定めるところにより、各々そのトン数又は積載物の種類に従い、当該特定港内の一定の区域内に停泊しなければならない。

２ 国土交通省令の定める船舶は、国土交通省令の定める特定港内に停泊しようとするときは、けい船浮標、さん橋、岸壁その他船舶がけい留する施設（以下「けい留施設」という。）にけい留する場合の外、港長からびよう泊すべき場所（以下「びよう地」という。）の指定を受けなければならない。この場合には、港長は、特別の事情がない限り、前項に規定する一定の区域内においてびよう地を指定しなければならない。

３ 前項に規定する特定港以外の特定港でも、港長は、特に必要があると認めるときは、入港船舶に対しびよう地を指定することができる。

４ 前二項の規定により、びよう地の指定を受けた船舶は、第一項の規定にかかわらず、当該びよう地に停泊しなければならない。

５ 特定港のけい留施設の管理者は、当該けい留施設を船舶のけい留の用に供するときは、国土交通省令の定めるところにより、その旨をあらかじめ港長に届け出なければならない。

６ 港長は、船舶交通の安全のため必要があると認めるときは、特定港のけい留施設の管理者に対し、当該けい留施設を船舶のけい留の用に供することを制限し、又は禁止することができる。

７ 港長及び特定港のけい留施設の管理者は、びよう地の指定又はけい留施設の使用に関し船舶との間に行う信号その他の通信について、互に便宜を供与しなければならない。

〔一・五項全改・六・七項追加・昭二四法九八、一・二・五項改正・平一一法一六〇〕

（移動の制限）

第六条 汽艇等以外の船舶は、第四条、次条第一項、第九条及び第二十二条の場合を除いて、港長の許可を受けなければ、前条第一項の規定により停泊した一定の区域外に移動し、又は港長から指定されたびよう地から移動してはならない。ただし、海難を避けようとする場合その他やむを得ない事由のある場合は、この限りでない。

２ 前項ただし書の規定により移動したときは、当該船舶は、遅滞なくその旨を港長に届け出なければならない。

〔一・二項改正・平二八法四二、一項改正・旧七条を繰上・令三法五三〕

（修繕及び係船）

第七条 特定港内においては、汽艇等以外の船舶を修繕し、又は係船しようとする者は、その旨を港長に届け出なければならない。

２ 修繕中又は係船中の船舶は、特定港内においては、港長の指定する場所に停泊しなければならない。

3　港長は、危険を防止するため必要があると認めるときは、修繕中又は係船中の船舶に対し、必要な員数の船員の乗船を命ずることができる。

〔見出し・一―三項改正・平二八法四二、旧八条を繰上・令三法五三〕

（係留等の制限）

第八条　汽艇等及びいかだは、港内においては、みだりにこれを係船浮標若しくは他の船舶に係留し、又は他の船舶の交通の妨げとなるおそれのある場所に停泊させ、若しくは停留させてはならない。

〔見出し・本条改正・平二八法四二、旧九条を繰上・令三法五三〕

（移動命令）

第九条　港長は、特に必要があると認めるときは、特定港内に停泊する船舶に対して移動を命ずることができる。

〔旧一〇条を繰上・令三法五三〕

（停泊の制限）

第一〇条　港内における船舶の停泊及び停留を禁止する場所又は停泊の方法について必要な事項は、国土交通省令でこれを定める。

〔本条改正・昭二四法九八・平一一法一六〇、旧一一条を繰上・令三法五三〕

第三章　航路及び航法

（航路）

第一一条　汽艇等以外の船舶は、特定港に出入し、又は特定港を通過するには、国土交通省令で定める航路（次条から第三十九条まで及び第四十一条において単に「航路」という。）によらなければならない。ただし、海難を避けようとする場合その他やむを得ない事由のある場合は、この限りでない。

〔本条改正・昭四〇法七八・平一一法一六〇・平二一法六九・平二八法四二、見出し削除・追加・旧一二条を繰上・令三法五三〕

第一二条　船舶は、航路内においては、次に掲げる場合を除いては、投びようし、又はえい航している船舶を放してはならない。

一　海難を避けようとするとき。

二　運転の自由を失つたとき。

三　人命又は急迫した危険のある船舶の救助に従事するとき。

四　第三十一条の規定による港長の許可を受けて工事又は作業に従事するとき。

〔旧一三条を改正し繰上・令三法五三〕

（航法）

第一三条　航路外から航路に入り、又は航路から航路外に出ようとする船舶は、航路を航行する他の船舶の進路を避けなければならない。

2　船舶は、航路内においては、並列して航行してはならない。

3　船舶は、航路内において、他の船舶と行き会うときは、右側を航行しなければならない。

4　船舶は、航路内においては、他の船舶を追い越してはならない。

〔五項削除・昭三八法一四一、見出し削除・追加・旧一四条を繰上・令三法五三〕

第一四条　港長は、地形、潮流その他の自然的条件及び船舶交通の状況を勘案して、航路を航行する船舶の航行に危険を生ずるおそれのあるものとして航路ごとに国土交通省令で定める場合において、航路を航行し、又は航行しようとする船舶の危険を防止するため必要があると認めるときは、当該船舶に対し、国土交通省令で定めるところにより、当該危険を防止するため必要な間航路外で待機すべき旨を指示することができる。

〔本条追加・平二一法六九、旧一四条の二を繰上・令三法五三〕

第一五条　汽船が港の防波堤の入口又は入口附近で他の汽船と出会う虞のあるときは、入航する汽船は、防波堤の外で出航する汽船の進路を避けなければならない。

第一六条　船舶は、港内及び港の境界附近においては、他の船舶に危険を及ぼさないような速力で航行しなければならない。

2　帆船は、港内では、帆を減じ又は引船を用いて航行しなければならない。

第一七条　船舶は、港内においては、防波堤、ふとうその他の工作物の突端又は停泊船舶を右げんに見て航行するときは、できるだけこれに近寄り、左げんに見て航行するときは、できるだけこれに遠ざかつて航行しなければならない。

第一八条　汽艇等は、港内においては、汽艇等以外の船舶の進路を避けなければならない。

2　総トン数が五百トンを超えない範囲内において国土交通省令で定めるトン数以下である船舶であつて汽艇等以外のもの（以下「小型船」という。）は、国土交通省令で定める船舶交通が著しく混雑する特定港内においては、小型船及び汽艇等以外の船舶の進路を避けなければならない。

3　小型船及び汽艇等以外の船舶は、前項の特定港内を航行するときは、国土交通省令で定める様式の標識をマストに見やすいように掲げなければならない。

〔二項改正・二・三項追加・昭三八法一四一、二・三項改正・平一一法一六〇・平二一法六九、一―三項改正・平二八法四二〕

第一九条　国土交通大臣は、港内における地形、潮流その他の自然的条件により第十三条第三項若しくは第四項、第十五条又は第十七条の規定によることが船舶交通の安全上著しい支障があると認めるときは、これらの規定にかかわらず、国土交通省令で当該港における航法に関して特別の定めをすることができる。

2　第十三条から前条までに定めるもののほか、国土交通大臣は、国土交通省令で一定の港における航法に関して特別の定めをすることができる。

〔本条改正・昭二四法九八、一項追加・旧一項を改正し二項に繰下・昭三八法一四一、一・二項改正・平一一法一六〇、二項改正・平二一法六九、一・二項改正・令三法五三〕

第四章　危険物

第二〇条　爆発物その他の危険物（当該船舶の使用に供するものを除く。以下同じ。）を積載した船舶は、特定港に入港しようとするときは、港の境界外で港長の指揮を受けなければならない。

2　前項の危険物の種類は、国土交通省令でこれを定める。

〔二項改正・平一一法一六〇、旧二一条を繰上・令三法五三〕

第二一条　危険物を積載した船舶は、特定港においては、びよう地の指定を受けるべき場合を除いて、港長の指定した場所でなければ停泊し、又は停留してはならない。ただし、港長が爆発物以外の危険物を積載した船舶につきその停泊の期間並びに危険物の種類、数量及び保管方法に鑑み差し支えがないと認めて許可したときは、この限りでない。

〔旧二二条を改正し繰上・令三法五三〕

第二二条　船舶は、特定港において危険物の積込、積替又は荷卸をするには、港長の許可を受けなければならない。

2　港長は、前項に規定する作業が特定港内においてされることが不適当であると認めるときは、港の境界外において適当の場所を指定して同項の許可をすることができる。

3　前項の規定により指定された場所に停泊し、又は停留する船舶は、これを港の境界内にある船舶とみなす。

4　船舶は、特定港内又は特定港の境界付近において危険物を運搬しようとするときは、港長の許可を受けなければならない。

〔一・四項改正・旧二三条を繰上・令三法五三〕

第五章　水路の保全

第二三条　何人も、港内又は港の境界外一万メートル以内の水面においては、みだりに、バラスト、廃油、石炭から、ごみその他これらに類する廃物を捨ててはならない。

2　港内又は港の境界付近において、石炭、石、れんがその他散乱するおそれのある物を船舶に積み、又は船舶から卸そうとする者は、これらの物が水面に脱落するのを防ぐため必要な措置をしなければならない。

3　港長は、必要があると認めるときは、特定港内において、第一項の規定に違反して廃物を捨て、又は前項の規定に違反して散乱するおそれのある物を脱落させた者に対し、その捨て、又は脱落させた物を取り除くべきことを命ずることができる。

〔本条全改・昭二四法九八、二項削除・旧三項を二項に繰上・旧四項を改正し三項に繰上・昭四五法一一一、一－三項改正・旧二四条を繰上・令三法五三〕

第二四条　港内又は港の境界付近において発生した海難により他の船舶交通を阻害する状態が生じたときは、当該海難に係る船舶の船長は、遅滞なく標識の設定その他危険予防のため必要な措置をし、かつ、その旨を、特定港にあつては港長に、特定港以外の港にあつては最寄りの管区海上保安本部の事務所の長又は港長に報告しなければならない。ただし、海洋汚染等及び海上災害の防止に関する法律（昭和四十五年法律第百三十六号）第三十八条第一項、第二項若しくは第五項、第四十二条の二第一項、第四十二条の三第一項又は第四十二条の四の二第一項の規定による通報をしたときは、当該通報をした事項については報告をすることを要しない。

〔本条改正・昭二四法九八・昭二五法一九八・昭五一法四七・昭五八法五八・平七法九〇・平一一法一六〇・平一六法三六・平一八法六八、旧二五条を繰上・令三法五三〕

第二五条　特定港内又は特定港の境界付近における漂流物、沈没物その他の物件が船舶交通を阻害するおそれのあるときは、港長は、当該物件の所有者又は占有者に対しその除去を命ずることができる。

〔旧二六条を改正し繰上・令三法五三〕

第六章　灯火等

〔章名改正・昭五八法三二〕

第二六条　海上衝突予防法（昭和五十二年法律第六十二号）第二十五条第二項本文及び第五項本文に規定する船舶は、これらの規定又は同条第三項の規定による灯火を表示している場合を除き、同条第二項ただし書及び第五項ただし書の規定にかかわらず、港内においては、これらの規定に規定する白色の携帯電灯又は点火した白灯を周囲から最も見えやすい場所に表示しなければならない。

2　港内にある長さ十二メートル未満の船舶については、海上衝突予防法第二十七条第一項ただし書及び第七項の規定は適用しない。

〔本条全改・昭二八法一五一、改正・昭三九法一五七、全改・昭五二法六二、二項改正・昭五八法三二、旧二七条を繰上・令三法五三〕

第二七条　船舶は、港内においては、みだりに汽笛又はサイレンを吹き鳴らしてはならない。

〔本条改正・昭二八法一五一、旧二八条を繰上・令三法五三〕

第二八条　特定港内において使用すべき私設信号を定めようとする者は、港長の許可を受けなければならない。

〔旧二九条を繰上・令三法五三〕

（火災警報）

第二九条　特定港内にある船舶であつて汽笛又はサイレンを備えるものは、当該船舶に火災が発生したときは、航行している場合を除き、火災を示す警報として汽笛又はサイレンをもつて長音（海上衝突予防法第三十二条第三項の長音をいう。）を五回吹き鳴らさなければならない。

2　前項の警報は、適当な間隔をおいて繰り返さなければならない。

〔本条追加・昭二六法一二三、一項改正・三項削除・昭二八法一五一、一項改正・昭三九法一五七、旧三〇条の二を繰上・昭四六法九六、一項改正・昭五二法六二、見出し削除・追加・旧三〇条を繰上・令三法五三〕

第三〇条　特定港内に停泊する船舶であつて汽笛又はサイレンを備えるものは、船内において、汽笛又はサイレンの吹鳴に従事する者が見やすいところに、前条に定める火災警報の方法を表示しなければならない。

〔本条追加・昭二六法一二三、改正・昭二八法一五一、旧三〇条の三を繰上・昭四六法九六、旧三〇条の二を改正し繰上・令三法五三〕

第七章　雑則

（工事等の許可及び進水等の届出）

第三一条　特定港内又は特定港の境界附近で工事又は作業をしようとする者は、港長の許可を受けなければならない。

2　港長は、前項の許可をするに当り、船舶交通の安全のために必要な措置を命ずることができる。

第三二条　特定港内において端艇競争その他の行事をしようとする者は、予め港長の許可を受けなければならない。

第三三条　特定港の国土交通省令で定める区域内において長さが国土交通省令で定める長さ以上である船舶を進水させ、又はドックに出入させようとする者は、その旨を港長に届け出なければならない。

〔本条改正・昭四五法一一一・平一一法一六〇〕

第三四条　特定港内において竹木材を船舶から水上に卸そうとする者及び特定港内においていかだをけい留し、又は運行しようとする者は、港長の許可を受けなければならない。

2　港長は、前項の許可をするに当り船舶交通安全のために必要な措置を命ずることができる。

（漁ろうの制限）

第三五条　船舶交通の妨となる虞のある港内の場所においては、みだりに漁ろうをしてはならない。

〔本条改正・昭二四法九八〕

（灯火の制限）

第三六条　何人も、港内又は港の境界附近における船舶交通の妨となる虞のある強力な灯火をみだりに使用してはならない。

2　港長は、特定港内又は特定港の境界附近における船舶交通の妨となる虞のある強力な灯火を使用している者に対し、その灯火の減光又は被覆を命ずることができる。

（喫煙等の制限）

第三七条　何人も、港内においては、相当の注意をしないで、油送船の付近で喫煙し、又は火気を取り扱つてはならない。

2　港長は、海難の発生その他の事情により特定港内において引火性の液体が浮流している場合において、火災の発生のおそれがあると認めるときは、当該水域にある者に対し、喫煙又は火気の取扱いを制限し、又は禁止することができる。ただし、海洋汚染等及び海上災害の防止に関する法律第四十二条の五第一項の規定の適用がある場合は、この限りでない。

〔本条追加・昭三八法一四一、二項改正・昭五一法四七・平一六法三六、一項改正・旧三六条の二を繰下・平二八法四二〕

（船舶交通の制限等）

第三八条　特定港内の国土交通省令で定める水路を航行する船舶は、港長が信号所において交通整理のため行う信号に従わなければならない。

2　総トン数又は長さが国土交通省令で定めるトン数又は長さ以上である船舶は、前項に規定する水路を航行しようとするときは、国土交通省令で定めるところにより、港長に次に掲げる事項を通報しなければならない。通報した事項を変更するときも、同様とする。

一　当該船舶の名称

二　当該船舶の総トン数及び長さ

三　当該水路を航行する予定時刻

四　当該船舶との連絡手段

五　当該船舶が停泊し、又は停泊しようとする当該特定港の係留施設

3　次の各号に掲げる船舶が、海上交通安全法第二十二条の規定による通報をする際に、あわせて、当該各号に定める水路に係る前項第五号に掲げる係留施設を通報したときは、同項の規定による通報をすることを要しない。

一　第一項に規定する水路に接続する海上交通安全法第二条第一項に規定する航路を航行しようとする船舶　当該水路

二　指定港内における第一項に規定する水路を航行しようとする船舶であつて、当該水路を航行した後、途中において寄港し、又はびよう泊することなく、当該指定港に隣接する指定海域における海上交通安全法第二条第一項に規定する航路を航行しようとするもの　当該水路

三　指定海域における海上交通安全法第二条第一項に規定する航路を航行しようとする船舶であつて、当該航路を航行した後、途中において寄港し、又はびよう泊することなく、当該指定海域に隣接する指定港内における第一項に規定する水路を航行しようとするもの　当該水路

4　港長は、第一項に規定する水路のうち当該水路内の船舶交通が著しく混雑するものとして国土交通省令で定めるものにおいて、同項の信号を行つてもなお第二項に規定する船舶の当該水路における航行に伴い船舶交通の危険が生ずるおそれがある場合であつて、当該危険を防止するため必要があると認めるときは、当該船舶の船長に対し、国土交通省令で定めるところにより、次に掲げる事項を指示することができる。

一　当該水路（海上交通安全法第二条第一項に規定する航路に接続するものを除く。以下この号において同じ。）を航行する予定時刻を変更すること（前項（第二号及び第三号に係る部分に限る。）の規定により第二項の規定による通報がされていない場合にあつては、港長が指定する時刻に従つて当該水路を航行すること。）。

二　当該船舶の進路を警戒する船舶を配備すること。

三　前二号に掲げるもののほか、当該船舶の運航に関し必要な措置を講ずること。

5　第一項の信号所の位置並びに信号の方法及び意味は、国土交通省令で定める。

〔本条追加・昭三八法一四一、一―三項改正・平一一法一六〇、一項改正・二項全改・三項追加・旧三項を四項に繰下・平二一法六九、見出し削除・追加・二・三項改正・四項追加・旧四項を五項に繰下・旧三六条の三を繰下・平二八法四二〕

第三九条　港長は、船舶交通の安全のため必要があると認めるときは、特定港内において航路又は区域を指定して、船舶の交通を制限し又は禁止することができる。

2　前項の規定により指定した航路又は区域及び同項の規定による制限又は禁止の期間は、港長がこれを公示する。

3　港長は、異常な気象又は海象、海難の発生その他の事情により特定港内において船舶交通の危険が生じ、又は船舶交通の混雑が生ずるおそれがある場合において、当該水域における危険を防止し、又は混雑を緩和するため必要があると認めるときは、必要な限度において、当該水域に進行してくる船舶の航行を制限し、若しくは禁止し、又は特定港内若しくは特定港の境界付近にある船舶に対し、停泊する場所若しくは方法を指定し、移動を制限し、若しくは特定港内若しくは特定港の境界付近から退去することを命ずることができる。ただし、海洋汚染等及び海上災害の防止に関する法律第四十二条の八の規定の適用がある場合は、この限りでない。

4　港長は、異常な気象又は海象、海難の発生その他の事情により特定港内において船舶交通の危険を生ずるおそれがあると予想される場合において、必要があると認めるときは、特定港内又は特定港の境界付近にある船舶に対し、危険の防止の円滑な実施のために必要な措置を講ずべきことを勧告することができる。

〔見出し削除・三項追加・昭三八法一四一、三項改正・昭五一法四七・平一六法三六、三項改正・四項追加・平二一法六九、旧三七条を繰下・平二八法四二〕

（原子力船に対する規制）

第四〇条　港長は、核原料物質、核燃料物質及び原子炉の規制に関する法律（昭和三十二年法律第百六十六号）第三十六条の二第四項の規定による国土交通大臣の指示があつたとき、又は核燃料物質（使用済燃料を含む。以下同じ。）、核燃料物質によつて汚染された物（原子核分裂生成物を含む。）若しくは原子炉による災害を防止するため必要があると認めるときは、特定港内又は特定港の境界付近にある原子力船に対し、航路若しくは停泊し、若しくは停留する場所を指定し、航法を指示し、移動を制限し、又は特定港内若しくは特定港の境界付近から退去することを命ずることができる。

2　第二十条第一項の規定は、原子力船が特定港に入港しようとする場合に準用する。

〔本条追加・昭四〇法七八、一項改正・昭五三法八六・平一一法一六〇、旧三七条の二を繰下・平二八法四二、二項改正・令三法五三〕

（港長が提供する情報の聴取）

第四一条　港長は、特定船舶（小型船及び汽艇等以外の船舶であつて、第十八条第二項に規定する特定港内の船舶交通が特に著しく混雑するものとして国土交通省令で定める航路及び当該航路の周辺の特に船舶交通の安全を確保する必要があるものとして国土交通省令で定める当該特定港内の区域を航行するものをいう。以下この条及び次条において同じ。）に対し、国土交通省令で定めるところにより、船舶の沈没等の船舶交通の障害の発生に関する情報、他の船舶の進路を避けることが容易でない船舶の航行に関する情報その他の当該航路及び区域を安全に航行するために当該特定船舶において聴取することが必要と認められる情報として国土交通省令で定めるものを提供するものとする。

2　特定船舶は、前項に規定する航路及び区域を航行している間は、同項の規定により提供される情報を聴取しなければならない。ただし、聴取することが困難な場合として国土交通省令で定める場合は、この限りでない。

〔本条追加・平二一法六九、一項改正・旧三七条の三を繰下・平二八法四二〕

（航法の遵守及び危険の防止のための勧告）

第四二条　港長は、特定船舶が前条第一項に規定する航路及び区域において適用される交通方法に従わないで航行するおそれがあると認める場合又は他の船舶若しくは障害物に著しく接近するおそれその他の特定船舶の航行に危険が生ずるおそれがあると認める場合において、当該交通方法を遵守させ、又は当該危険を防止するため必要があると認めるときは、必要な限度において、当該特定船舶に対し、国土交通省令で定めるところにより、進路の変更その他の必要な措置を講ずべきことを勧告することができる。

2　港長は、必要があると認めるときは、前項の規定による勧告を受けた特定船舶に対し、その勧告に基づき講じた措置について報告を求めることができる。

〔本条追加・平二一法六九、旧三七条の四を繰下・平二八法四二〕

（異常気象等時特定船舶に対する情報の提供等）

第四三条　港長は、異常な気象又は海象による船舶交通の危険を防止するため必要があると認めるときは、異常気象等時特定船舶（小型船及び汽艇等以外の船舶であつて、特定港内及び特定港の境界付近の区域のうち、異常な気象又は海象が発生した場合に特に船舶交通の安全を確保する必要があるものとして国土交通省令で定める区域において航行し、停留し、又はびよう泊をしているものをいう。以下この条及び次条において同じ。）に対し、国土交通省令で定めるところにより、当該異常気象等時特定船舶の進路前方にびよう泊をしている他の船舶に関する情報、当該異常気象等時特定船舶のびよう泊に異状が生ずるおそれに関する情報その他の当該区域において安全に航行し、停留し、又はびよう泊をするために当該異常気象等時特定船舶において聴取することが必要と認められる情報として国土交通省令で定めるものを提供するものとする。

2　前項の規定により情報を提供する期間は、港長がこれを公示する。

3　異常気象等時特定船舶は、第一項に規定する区域において航行し、停留し、又はびよう泊をしている間は、同項の規定により提供される情報を聴取しなければならない。ただし、聴取することが困難な場合として国土交通省令で定める場合は、この限りでない。

〔本条追加・令三法五三〕

（**異常気象等時特定船舶に対する危険の防止のための勧告**）

第四四条　港長は、異常な気象又は海象により、異常気象等時特定船舶が他の船舶又は工作物に著しく接近するおそれその他の異常気象等時特定船舶の航行、停留又はびよう泊に危険が生ずるおそれがあると認める場合において、当該危険を防止するため必要があると認めるときは、必要な限度において、当該異常気象等時特定船舶に対し、国土交通省令で定めるところにより、進路の変更その他の必要な措置を講ずべきことを勧告することができる。

2　港長は、必要があると認めるときは、前項の規定による勧告を受けた異常気象等時特定船舶に対し、その勧告に基づき講じた措置について報告を求めることができる。

〔本条追加・令三法五三〕

（**準用規定**）

第四五条　第九条、第二十五条、第二十八条、第三十一条、第三十六条第二項、第三十七条第二項及び第三十八条から第四十条までの規定は、特定港以外の港について準用する。この場合において、これらに規定する港長の職権は、当該港の所在地を管轄する管区海上保安本部の事務所であつて国土交通省令で定めるものの長がこれを行うものとする。

〔本条追加・昭二四法九八、改正・昭二五法一九八・昭二六法一一三・昭三八法一四一、旧三七条の二を改正し繰下・昭四〇法七八、本条改正・平一二法一六〇、旧三七条の三を改正し繰下・平二一法六九、旧三七条の五を改正し繰下・平二八法四二、旧四三条を改正し繰下・令三法五三〕

（**非常災害時における海上保安庁長官の措置等**）

第四六条　海上保安庁長官は、海上交通安全法第三十七条第一項に規定する非常災害発生周知措置（以下この項において「非常災害発生周知措置」という。）をとるときは、あわせて、非常災害が発生した旨及びこれにより当該非常災害発生周知措置に係る指定海域に隣接する指定港内において船舶交通の危険が生ずるおそれがある旨を当該指定港内にある船舶に対し周知させる措置（次条及び第四十八条第二項において「指定港非常災害発生周知措置」という。）をとらなければならない。

2　海上保安庁長官は、海上交通安全法第三十七条第二項に規定する非常災害解除周知措置（以下この項において「非常災害解除周知措置」という。）をとるときは、あわせて、当該非常災害解除周知措置に係る指定海域に隣接する指定港内において、当該非常災害の発生により船舶交通の危険が生ずるおそれがなくなつた旨又は当該非常災害の発生により生じた船舶交通の危険がおおむねなくなつた旨を当該指定港内にある船舶に対し周知させる措置（次条及び第四十八条第二項において「指定港非常災害解除周知措置」という。）をとらなければならない。

〔本条追加・平二八法四二、見出し削除・追加・一・二項改正・旧四四条を繰下・令三法五三〕

第四七条　海上保安庁長官は、指定港非常災害発生周知措置をとつたときは、指定港非常災害解除周知措置をとるまでの間、当該指定港非常災害発生周知措置に係る指定港内にある海上交通安全法第四条本文に規定する船舶（以下この条において「指定港内船舶」という。）に対し、国土交通省令で定めるところにより、非常災害の発生の状況に関する情報、船舶交通の制限の実施に関する情報その他の当該指定港内船舶が航行の安全を確保するために聴取することが必要と認められる情報として国土交通省令で定めるものを提供するものとする。

2　指定港内船舶は、指定港非常災害発生周知措置がとられたときは、指定港非常災害解除周知措置がとられるまでの間、前項の規定により提供される情報を聴取しなければならない。ただし、聴取することが困難な場合として国土交通省令で定める場合は、この限りでない。

〔本条追加・平二八法四二、旧四五条を繰下・令三法五三〕

（**海上保安庁長官による港長等の職権の代行**）

第四八条　海上保安庁長官は、海上交通安全法第三十二条第一項第三号の規定により同項に規定する海域からの退去を命じ、又は同条第二項の規定により同項に規定する海域からの退去を勧告しようとする場合において、これらの海域及び当該海域に隣接する港からの船舶の退去を一体的に行う必要があると認めるときは、当該港が特定港である場合にあつては当該特定港の港長に代わつて第三十九条第三項及び第四項に規定する職権を、当該港が特定港以外の港である場合にあつては当該港に係る第四十五条に規定する管区海上保安本部の事務所の長に代わつて同条において準用する第三十九条第三項及び第四項に規定する職権を行うものとする。

2　海上保安庁長官は、指定港非常災害発生周知措置をとつたときは、指定港非常災害解除周知措置をとるまでの間、当該指定港非常災害発生周知措置に係る指定港が特定港である場合にあつては当該特定港の港長に代わつて第五条第二項及び第三項、第六条、第九条、第十四条、第二十条第一項、第二十一条、第二十四条、第三十八条第一項、第二項及び第四項、第三十九条第三項、第四十条、第四十一条第一項、第四十二条、第四十三条第一項並びに第四十四条に規定する職権を、当該指定港が特定港以外の港である場合にあつては当該港に係る第四十五条に規定する管区海上保安本部の事務所の長に代わつて同条において準用する第九条、第三十八条第一項、第二項及び第四項、第三十九条第三項並びに第四十条に規定する職権を行うものとする。

〔本条追加・平二八法四二、見出し・一項追加・旧一項を改正し二項に繰下・旧四六条を繰下・令三法五三〕

（**職権の委任**）

第四九条　この法律の規定により海上保安庁長官の職権に属する事項は、国土交通省令で定めるところにより、管区海上保安本部長に行わせることができる。

2　管区海上保安本部長は、国土交通省令で定めるところにより、前項の規定によりその職権に属させられた事項の一部を管区海上保安本部の事務所の長に行わせることができる。

〔本条追加・平二八法四二、旧四七条を繰下・令三法五三〕

（行政手続法の適用除外）

第五〇条　第九条（第四十五条において準用する場合を含む。）、第十四条、第二十条第一項（第四十条第二項（第四十五条において準用する場合を含む。）において準用する場合を含む。）又は第三十七条第二項若しくは第三十九条第三項（これらの規定を第四十五条において準用する場合を含む。）の規定による処分については、行政手続法（平成五年法律第八十八号）第三章の規定は、適用しない。

2　前項に定めるもののほか、この法律に基づく国土交通省令の規定による処分であつて、港内における船舶交通の安全又は港内の整頓を図るためにその現場において行われるものについては、行政手続法第三章の規定は、適用しない。

〔本条追加・平五法八九、二項改正・平一一法一六〇、一項改正・旧三七条の四を繰下・平二一法六九、一・二項改正・旧三七条の六を繰下・平二八法四二、一項改正・旧四八条を繰下・令三法五三〕

第八章　罰則

第五一条　次の各号のいずれかに該当する者は、六月以下の懲役又は五十万円以下の罰金に処する。

一　第二十一条、第二十二条第一項若しくは第四項又は第四十条第二項（第四十五条において準用する場合を含む。）において準用する第二十条第一項の規定の違反となるような行為をした者

二　第四十条第一項（第四十五条において準用する場合を含む。）の規定による処分の違反となるような行為をした者

本条は、令和四法六八により改正され、令和七年六月一日から施行

第五一条　次の各号のいずれかに該当する者は、六月以下の拘禁刑又は五十万円以下の罰金に処する。

一・二〔略〕

〔本条改正・昭二四法九八、全改・昭四〇法七八、改正・平二一法六九、旧三八条を改正し繰下・平二八法四二、旧四九条を改正し繰下・令三法五三〕

第五二条　次の各号のいずれかに該当する者は、三月以下の懲役又は三十万円以下の罰金に処する。

一　第五条第一項、第六条第一項、第十一条、第十二条又は第三十八条第一項（第四十五条において準用する場合を含む。）の規定の違反となるような行為をした者

二　第五条第二項の規定による指定を受けないで船舶を停泊させた者又は同条第四項に規定するびよう地以外の場所に船舶を停泊させた者

三　第七条第三項、第九条（第四十五条において準用する場合を含む。）、第十四条又は第三十九条第一項若しくは第三項（これらの規定を第四十五条において準用する場合を含む。）の規定による処分の違反となるような行為をした者

四　第二十四条の規定に違反した者

2　次の各号のいずれかに該当する場合には、その違反行為をした者は、三月以下の懲役又は三十万円以下の罰金に処する。

一　第二十三条第一項又は第三十一条第一項（第四十五条において準用する場合を含む。）の規定に違反したとき。

二　第二十三条第三項又は第二十五条、第三十一条第二項、第三十六条第二項若しくは第三十八条第四項（これらの規定を第四十五条において準用する場合を含む。）の規定による処分に違反したとき。

本条は、令和四法六八により改正され、令和七年六月一日から施行

第五二条　次の各号のいずれかに該当する者は、三月以下の拘禁刑又は三十万円以下の罰金に処する。

一〜四〔略〕

2　次の各号のいずれかに該当する場合には、その違反行為をした者は、三月以下の拘禁刑又は三十万円以下の罰金に処する。

一・二〔略〕

〔本条改正・昭二四法九八・昭三八法一四一・昭四〇法七八、全改・平二一法六九、旧三九条を改正し繰下・平二八法四二、一項改正・二項追加・旧五〇条を繰下・令三法五三〕

第五三条　第三十七条第二項（第四十五条において準用する場合を含む。）の規定による処分に違反した者は、三十万円以下の罰金に処する。

〔本条追加・昭三八法一四一、改正・昭四〇法七八、旧四一条の二を改正し繰上・平二一法六九、旧四〇条を改正し繰下・平二八法四二、旧五一条を改正し繰下・令三法五三〕

第五四条　第四条、第七条第二項、第二十条第一項又は第三十五条の規定の違反となるような行為をした者は、三十万円以下の罰金又は科料に処する。

2　次の各号のいずれかに該当する場合には、その違反行為をした者は、三十万円以下の罰金又は科料に処する。

一　第七条第一項、第二十三条第二項、第二十八条（第四十五条において準用する場合を含む。）、第三十二条、第三十三条又は第三十四条第一項の規定に違反したとき。

二　第三十四条第二項の規定による処分に違反したとき。

〔本条追加・令三法五三〕

第五五条　第十条の規定による国土交通省令の規定の違反となるような行為をした者は、三十万円以下の罰金又は拘留若しくは科料に処する。

〔本条改正・昭二四法九八・平一一法一六〇、旧四四条を改正し繰上・平二一法六九、旧四二条を繰下・平二八法四二、旧五三条を改正し繰下・令三法五三〕

第五六条　法人の代表者又は法人若しくは人の代理人、使用人その他の従業者がその法人又は人の業務に関して第五十二条第二項又は第五十四条第二項の違反行為をしたときは、行為者を罰するほか、その法人又は人に対しても各本条の罰金刑を科する。

〔旧四五条を改正し繰上・平二一法六九、旧四三条を改正し繰下・平二八法四二、旧五四条を改正し繰下・令三法五三〕

附　則

1　この法律施行の期日は、公布の日から六十日を超えない期間内において、政令でこれを定める。
〔昭二三政一六三により、昭二三・七・一六から施行〕

2　開港港則（明治三十一年勅令第百三十九号）は、これを廃止する。

附　則〔平二一・七・三法六九抄〕

（施行期日）

第一条　この法律は、公布の日から起算して一年を超えない範囲内において政令で定める日から施行する。ただし、次の各号に掲げる規定は、当該各号に定める日から施行する。
〔平二二政一六九により、平二二・七・一から施行〕

一　〔略〕

二　次条の規定　この法律の施行の日前の政令で定める日
〔平二二政一六九により、平二二・六・一から施行〕

（経過措置）

第二条　この法律による改正後の港則法第三十六条の三第二項及び第三項並びに海上交通安全法第二十二条の規定による通報は、これらの規定の例により、この法律の施行前においても行うことができる。

（罰則に関する経過措置）

第三条　この法律の施行前にした行為に対する罰則の適用については、なお従前の例による。

附　則〔平二八・五・一八法四二抄〕

（施行期日）

第一条　この法律は、公布の日から起算して二年を超えない範囲内において政令で定める日から施行する。ただし、次の各号に掲げる規定は、当該各号に定める日から施行する。
〔平二九政二六五により、平三〇・一・三一から施行〕

一　附則第四条の規定　公布の日

二　第二条中港則法第三条第一項及び第二項並びに第七条から第九条までの改正規定、同法第十二条の改正規定（「雑種船」を「汽艇等」に改める部分に限る。）並びに同法第十八条及び第三十七条の三第一項の改正規定並びに附則第三条の規定　公布の日から起算して六月を超えない範囲内において政令で定める日
〔平二八政二七六により、平二八・一一・一から施行〕

三　〔略〕

（罰則に関する経過措置）

第三条　附則第一条第二号に掲げる規定の施行前にした行為に対する罰則の適用については、なお従前の例による。

（政令への委任）

第四条　前二条に定めるもののほか、この法律の施行に関し必要な経過措置は、政令で定める。

附　則〔令三・六・二法五三抄〕

（施行期日）

第一条　この法律は、公布の日から起算して二月を超えない範囲内において政令で定める日から施行する。〔以下略〕
〔令三政一七八により、令三・七・一から施行〕

（政令への委任）

第二条　この法律の施行に関し必要な経過措置は、政令で定める。

附　則〔令四・六・一七法六八抄〕

（施行期日）

1　この法律は、刑法等一部改正法〔令和四年法律第六十七号〕施行日〔令七・六・一〕から施行する。ただし、次の各号に掲げる規定は、当該各号に定める日から施行する。

一　第五百九条の規定　公布の日

二　〔略〕

○刑法等の一部を改正する法律の施行に伴う関係法律の整理等に関する法律（抄）

〔令四・六・一七法六八〕

（罰則の適用等に関する経過措置）

第四四一条　刑法等の一部を改正する法律（令和四年法律第六十七号。以下「刑法等一部改正法」という。）及びこの法律（以下「刑法等一部改正法等」という。）の施行前にした行為の処罰については、次章に別段の定めがあるもののほか、なお従前の例による。

2　刑法等一部改正法等の施行後にした行為に対して、他の法律の規定によりなお従前の例によることとされ、なお効力を有することとされ又は改正前若しくは廃止前の法律の規定の例によることとされる罰則を適用する場合において、当該罰則に定める刑（刑法施行法第十九条第一項の規定又は第八十二条の規定による改正後の沖縄の復帰に伴う特別措置に関する法律第二十五条第四項の規定の適用後のものを含む。）に刑法等一部改正法第二条の規定による改正前の刑法（明治四十年法律第四十五号。以下この項において「旧刑法」という。）第十二条に規定する懲役（以下「懲役」という。）、旧刑法第十三条に規定する禁錮（以下「禁錮」という。）又は旧刑法第十六条に規定する拘留（以下「旧拘留」という。）が含まれるときは、当該刑のうち無期の懲役又は禁錮はそれぞれ無期拘禁刑と、有期の懲役又は禁錮はそれぞれその刑と長期及び短期（刑法施行法第二十条の規定の適用後のものを含む。）を同じくする有期拘禁刑と、旧拘留は長期及び短期（刑法施行法第二十条の規定の適用後のものを含む。）を同じくする拘留とする。

（裁判の効力とその執行に関する経過措置）

第四四二条　懲役、禁錮及び旧拘留の確定裁判の効力

並びにその執行については、次章に別段の定めがあるもののほか、なお従前の例による。

（人の資格に関する経過措置）

第四四三条　懲役、禁錮又は旧拘留に処せられた者に係る人の資格に関する法令の規定の適用については、無期の懲役又は禁錮に処せられた者はそれぞれ無期拘禁刑に処せられた者と、有期の懲役又は禁錮に処せられた者はそれぞれ刑期を同じくする有期拘禁刑に処せられた者と、旧拘留に処せられた者は拘留に処せられた者とみなす。

2　拘禁刑又は拘留に処せられた者に係る他の法律の規定によりなお従前の例によることとされ、なお効力を有することとされ又は改正前若しくは廃止前の法律の規定の例によることとされる人の資格に関する法令の規定の適用については、無期拘禁刑に処せられた者は無期禁錮に処せられた者と、有期拘禁刑に処せられた者は刑期を同じくする有期禁錮に処せられた者と、拘留に処せられた者は刑期を同じくする旧拘留に処せられた者とみなす。

（経過措置の政令への委任）

第五〇九条　この編に定めるもののほか、刑法等一部改正法等の施行に伴い必要な経過措置は、政令で定める。

○港則法施行令

（昭和四十年六月二十二日政令第二百十九号）

〔沿革〕　昭和四一年一二月一二日政令第三七七号、四二年七月一〇日第一八四号、四三年四月一一日第六七号、四四年六月四日第一四一号、四五年五月二七日第一四四号、四六年五月一日第一四三号、六月一日第一七一号、四七年四月二八日第一一三号、五月三〇日第二〇九号、四八年一月二六日第五号、一一月二〇日第三四〇号、四九年四月二日第九九号、一〇月二二日第三五三号、五〇年七月二日第二〇五号、五一年七月九日第一九四号、五三年一月一八日第四号、五四年一月一九日第六号、五五年一月二一日第二号、五六年一月二七日第一〇号、五七年七月六日第一八八号、五八年八月三〇日第一九四号、五九年八月二四日第二六〇号、六〇年七月九日第二二〇号、六一年六月三日第二〇一号、六二年七月三日第二五五号、六三年七月一二日第二二七号、平成元年七月二一日第二三〇号、二年八月一七日第二五二号、三年一〇月二二日第三二九号、四年一二月九日第三七二号、五年八月二五日第二七九号、六年七月一日第二二一号、一〇月一三日第三三二号、七年一二月二二日第四二七号、八年七月一九日第二二五号、一〇月九日第三〇二号、九年一〇月一七日第三一七号、一〇年九月二日第三〇〇号、一一年一〇月二〇日第三三〇号、一二年八月三〇日第四一〇号、一三年八月一〇日第二六九号、一二月二八日第四三四号、一四年一〇月三〇日第三二四号、一五年七月三〇日第三三九号、一六年八月二七日第二六二号、一七年一二月二一日第三七七号、一九年七月二〇日第二二六号、一一月二日第三一七号、二一年八月七日第二〇三号、二三年一〇月一四日第三一四号、二四年九月二〇日第二四〇号、二五年八月一三日第二三三号、二六年七月一一日第二五四号、二七年七月三一日第二八五号、二九年九月二一日第二四七号、一〇月二五日第二六六号、令和三年四月二一日第一四五号、四年四月二〇日第一七八号、五年四月一四日第一六五号改正

（港及びその区域）

第一条　港則法（以下「法」という。）第二条の港及びその区域は、別表第一のとおりとする。

〔見出し・本条改正・昭四六政一七一〕

（特定港）

第二条　法第三条第二項に規定する特定港は、別表第二のとおりとする。

（指定港）

第三条　法第三条第三項に規定する指定港は、別表第三のとおりとする。

〔本条追加・平二九政二六六〕

附　則

（施行期日）

1　この政令は、港則法の一部を改正する法律（昭和四十年法律第八十号）の施行の日（昭和四十年七月一日）から施行する。

2～7　〔他の法令改正に付き略〕

附　則〔令三・四・二一政一四五〕

この政令は、令和三年五月一日から施行する。

附　則〔令四・四・二〇政一七八〕

この政令は、令和四年五月一日から施行する。

附　則〔令五・四・一四政一六五〕

この政令は、令和五年五月一日から施行する。

別表第一（第一条関係）

都道府県	港名	港の区域
北海道	枝幸	北見枝幸港島防波堤灯台（北緯四四度五五分四八秒東経一四二度三六分二秒）から三〇六度一、一六五メートルの地点を中心とする半径一、二〇〇メートルの円内の海面
	雄武	雄武港新北防波堤灯台（北緯四四度三五分一〇秒東経一四二度五八分八秒）から三〇三度五三〇メートルの地点を中心とする半径一、〇〇〇メートルの円内の海面
	紋別	紋別灯台（北緯四四度二一分二二秒東経一四三度二〇分五五秒）から九三度一、〇九五メートルの地点から九〇度二、〇六五メートルの地点まで引いた線、同地点から一五四度一、七八〇メートルの地点まで引いた線、同地点から二一〇度三〇分一、三九五メートルの地点まで引いた線、同地点から二七〇度に引いた線及び陸岸により囲まれた海面
	網走	網走港東防波堤灯台（北緯四四度一分二三秒東経一四四度一七分一五秒）から二七九度六〇〇メートルの地点を中心とする半径二、一〇〇メートルの円弧のうち同地点からそれぞれ九〇度及び三〇五度に引いた線以北の部分、同地点から九〇度二、一〇〇メートルの地点から一八〇度一、二三〇メートルの地点まで引いた線、同地点から二三三度に引いた線並びに陸岸により囲まれた海面並びに新橋下流の網走川水面
	羅臼	羅臼港第三西防波堤灯台（北緯四四度一分一七秒東経一四五度一二分一〇秒）から二五三度六五五メートルの地点を中心とする半径一、〇〇〇メートルの円内の海面
	根室	根室港北副防波堤灯台（北緯四三度二〇分五三秒東経一四五度三四分四四秒）から一九二度五〇〇メートルの地点を中心とする半径一、八〇〇メートルの円内の海面
	花咲	花咲灯台（北緯四三度一六分四三秒東経一四五度三五分二〇秒）から一八三度一、七〇〇メートルの地点まで引いた線、同地点から二八五度に引いた線及び陸岸により囲まれた海面
	霧多布	霧多布三角点（四七メートル）（北緯四三度四分五〇秒東経一四五度八分二五秒）から〇度一、五〇〇メートルの地点まで引いた線、同地点から二七〇度に引いた線、同三角点から二六三度三〇分一、五九〇メートルの地点から二〇四度三〇分八五〇メートルの地点まで引いた線、同地点から二八八度三〇分四四〇メートルの地点まで引いた線、同地点から一三度に引いた線及び陸岸により囲まれた海面
	厚岸	アイカップ埼から二六二度に引いた線及び陸岸により囲まれた海面
	釧路	釧路埼灯台（北緯四二度五八分一〇秒東経一四四度二二分二四秒）から三五三度二〇メートルの地点から一八〇度三〇〇メートルの地点まで引いた線、同地点から二七〇度八、五九〇メートルの地点まで引いた線、同地点から二八度三〇分に引いた線及び陸岸により囲まれた海面並びに雪裡橋下流の釧路川水面
	十勝	広尾三角点（二六メートル）（北緯四二度一七分一一秒東経一四三度一九分一〇秒）から一〇度三〇分二、六六〇メートルの地点から一〇二度二、八四〇メートルの地点まで引いた線、同地点から二一五度三〇分四、二五〇メートルの地点まで引いた線、同地点から二九一度に引いた線及び陸岸により囲まれた海面
	えりも	住吉山山頂から二〇八度一八五メートルの地点を中心とする半径一、〇〇〇メートルの円内の海面
	様似	様似港外西防波堤灯台（北緯四二度七分二六秒東経一四二度五四分四〇秒）から二八度七九五メートルの地点を中心とする半径一、五〇〇メートルの円内の海面
	浦河	浦河灯台（北緯四二度九分四六秒東経一四二度四六分三六秒）から三一九度一、四七〇メートルの地点から二五六度一、四〇五メートルの地点まで引いた線、同地点から一八六度八四〇メートルの地点まで引いた線、同地点から一〇七度三〇分二、二一〇メートルの地点まで引いた線、同地点から六二度に引いた線及び陸岸により囲まれた海面
	苫小牧	真小牧三角点（六・六メートル）（北緯四二度三七分五二秒東経一四一度三九分一六秒）から二六三度五、四一〇メートルの地点から一七四度五、〇〇〇メートルの地点まで引いた線、同地点と苫小牧港東港地区東防波堤灯台（北緯四二度三四分九秒東経一四一度四六分一七秒）から一二〇度三〇分七、八四〇メートルの地点とを結んだ線、同地点から二〇度三〇分に引いた線及び陸岸により囲まれた海面
	室蘭	室蘭港南外防波堤灯台（北緯四二度二〇分五六秒東経一四〇度五四分五八秒）から二五〇度五六〇メートルの地点から一二五度に引いた線、同地点から七度に引いた線及び陸岸により囲まれた海面

伊達	東浜三角点（三メートル）（北緯四二度二七分四二秒東経一四〇度五二分一三秒）から二九〇度一、〇六〇メートルの地点を中心とする半径一、〇〇〇メートルの円内の海面
森	高森三角点（二五メートル）（北緯四二度六分二〇秒東経一四〇度三五分四〇秒）から三七度七〇〇メートルの地点を中心とする半径一、五〇〇メートルの円内の海面
臼尻	弁天島三角点（一〇メートル）（北緯四一度五六分一一秒東経一四〇度五七分一秒）から二五六度八七〇メートルの地点を中心とする半径一、〇〇〇メートルの円内の海面
函館	穴澗岬から一八〇度九五〇メートルの地点から六九度に引いた線、同地点から大野川口左岸突端まで引いた線及び陸岸により囲まれた海面
松前	松前灯台（北緯四一度二五分八秒東経一四〇度五分二〇秒）を中心とする半径一、〇〇〇メートルの円内の海面
福島	福島港外東防波堤灯台（北緯四一度二八分三五秒東経一四〇度一五分四五秒）から二五六度四七〇メートルの地点を中心とする半径一、〇〇〇メートルの円内の海面
江差	鴎島灯台（北緯四一度五二分五秒東経一四〇度六分五〇秒）から一一五度三〇分五四〇メートルの地点を中心とする半径一、八〇〇メートルの円内の海面
瀬棚	三本杉三角点（九五メートル）（北緯四二度二七分二四秒東経一三九度五一分七秒）から一九〇度一、七八〇メートルの地点から二七七度一、四一五メートルの地点まで引いた線、同地点から六度一、五〇〇メートルの地点まで引いた線、同地点から三〇度一、四七〇メートルの地点まで引いた線、同地点から八〇度に引いた線及び陸岸により囲まれた海面
寿都	寿都港北防波堤灯台（北緯四二度四七分四三秒東経一四〇度一四分一七秒）から一八八度三五〇メートルの地点を中心とする半径一、八〇〇メートルの円内の海面
岩内	岩内港西防波堤灯台（北緯四二度五九分四八秒東経一四〇度三〇分三四秒）から二〇九度三〇分二、三一五メートルの地点から三四四度七四〇メートルの地点まで引いた線、同地点から二六度二、五六〇メートルの地点まで引いた線、同地点から一一七度三〇分に引いた線及び陸岸により囲まれた海面

余市	シリパ岬から一三五度に引いた線及び陸岸により囲まれた海面
小樽	平磯岬から茅柴岬まで引いた線及び陸岸により囲まれた海面
石狩湾	鯨塚三角点（一〇メートル）（北緯四三度一二分五五秒東経一四一度一八分五一秒）から二八度六〇〇メートルの地点から三一五度三、五〇〇メートルの地点まで引いた線、同地点から二二八度五、九〇〇メートルの地点まで引いた線、同地点から一四〇度に引いた線及び陸岸により囲まれた海面
増毛	増毛灯台（北緯四三度五一分一八秒東経一四一度三一分三九秒）を中心とする半径一、八〇〇メートルの円内の海面
留萌	留萌灯台（北緯四三度五七分三九秒東経一四一度三八分四二秒）から二一八度一、八〇五メートルの地点から二七〇度一、三〇〇メートルの地点まで引いた線、同地点から〇度三、六六〇メートルの地点まで引いた線、同地点から九〇度に引いた線及び陸岸により囲まれた海面
苫前	苫前岬三角点（六〇メートル）（北緯四四度一八分三四秒東経一四一度三九分三秒）を中心とする半径一、五〇〇メートルの円内の海面
羽幌	港町三角点（一四メートル）（北緯四四度二二分東経一四一度四一分四三秒）から二三五度四一五メートルの地点から三二六度一四〇メートルの地点まで引いた線、同地点から九度二〇分一、四九〇メートルの地点まで引いた線、同地点から八七度四四五メートルの地点まで引いた線、同地点から一一四度に引いた線及び陸岸により囲まれた海面
天塩	天塩港西防波堤灯台（北緯四四度五二分一二秒東経一四一度四四分四秒）から一三一度一、一〇五メートルの地点から二五三度一、三四〇メートルの地点まで引いた線、同地点から三四三度四、三〇〇メートルの地点まで引いた線、同地点から七三度に引いた線及び陸岸により囲まれた海面並びに同線を延長した線以南の天塩川水面
稚内	野寒布岬から声問埼まで引いた線及び陸岸により囲まれた海面
青苗	青苗岬から九〇度一、〇〇〇メートルの地点まで引いた線、同地点から〇度に引いた線及び陸岸により囲まれた海面
天売	天売港北防波堤灯台（北緯四四度二六分二二秒東経一四一度一九分五二秒）から二九二度三〇分三〇五メートルの地点を中心とする半径一、五〇〇メートルの円内の海面

	焼尻	焼尻島三角点（五九・九メートル）（北緯四四度二六分三七秒東経一四一度二五分二一秒）を中心とする半径一、〇〇〇メートルの円内の海面
	沓形	沓形岬灯台（北緯四五度一一分一〇秒東経一四一度七分四八秒）から二八〇度二六五メートルの地点から三度七六〇メートルの地点まで引いた線、同地点から四三度に引いた線及び陸岸により囲まれた海面
	鬼脇	石埼灯台（北緯四五度九分一秒東経一四一度一九分四三秒）から二二五度二、二八〇メートルの地点を中心とする半径一、〇〇〇メートルの円内の海面
	鴛泊	鴛泊灯台（北緯四五度一四分四七秒東経一四一度一三分五三秒）から一三五度五〇メートルの地点から一二三度三〇分四四〇メートルの地点まで引いた線、同地点から一三八度三〇分に引いた線及び陸岸により囲まれた海面
	香深	香深港北島防波堤灯台（北緯四五度一八分九秒東経一四一度三分一一秒）から二四七度三〇分五一五メートルの地点を中心とする半径一、〇〇〇メートルの円内の海面
	船泊	金田ノ岬灯台（北緯四五度二七分三七秒東経一四一度二分一秒）から一七五度九五〇メートルの地点を中心とする半径一、二〇〇メートルの円内の海面中同灯台から〇度に引いた線以西の部分
青森県	深浦	入前埼から行合埼まで引いた線及び陸岸により囲まれた海面
	鯵ケ沢	弁天埼を中心とする半径二、〇〇〇メートルの円内の海面及び明海橋下流の中村川水面
	小泊	弁天埼から七ツ石埼まで引いた線及び陸岸により囲まれた海面並びに小泊橋下流の小泊川水面
	三厩	厩石を中心とする半径二、〇〇〇メートルの円内の海面及び増川橋下流の増川川水面
	平館	北防波堤突端（北緯四一度九分三三秒東経一四〇度三八分二八秒）を中心とする半径二、〇〇〇メートルの円内の海面
	青森	鼻繰埼から二七〇度に引いた線及び陸岸により囲まれた海面並びに石森橋下流の堤川水面
	小湊	安井埼から金附埼まで引いた線及び陸岸により囲まれた海面並びに雷電橋下流の汐立川水面
	野辺地	野辺地町と平内町との境界海岸（北緯四〇度五三分一〇秒東経一四一度五分五秒）から九〇度に引いた線及び陸岸により囲まれた海面並びに野辺地橋下流の野辺地川水面
	大湊	大湊港下北防波堤灯台（北緯四一度一六分三一秒東経一四一度一〇分三三秒）から二二二度二、二〇〇メートルの地点を中心とする半径三、六〇〇メートルの円内の海面及び下北橋下流の田名部川水面
	川内	川内橋西端（北緯四一度一一分五二秒東経一四〇度五九分三一秒）を中心とする半径二、〇〇〇メートルの円内の海面及び同橋下流の川内川水面
	脇野沢	脇野沢川導水堤突端を中心とする半径二、〇〇〇メートルの円内の海面並びに脇野沢川脇野沢橋及び瀬野川瀬野橋各下流の河川水面
	佐井	佐井港北防波堤灯台（北緯四一度二六分一一秒東経一四〇度五一分三八秒）から二二七度三〇分四八五メートルの地点を中心とする半径二、〇〇〇メートルの円内の海面
	大間	大間港西防波堤灯台（北緯四一度三一分五四秒東経一四〇度五四分一一秒）から一九二度五二五メートルの地点を中心とする半径二、〇〇〇メートルの円内の海面
	大畑	大畑港東防波堤灯台（北緯四一度二四分五〇秒東経一四一度一〇分八秒）から一六二度一八〇メートルの地点を中心とする半径一、八〇〇メートルの円内の海面及び大畑橋下流の大畑川水面
	尻屋岬	弁天島島頂（二一メートル）を中心とする半径一、五〇〇メートルの円内の海面
	むつ小川原	棚ノ沢三角点（一二メートル）（北緯四一度一分三二秒東経一四一度二二分五七秒）から一七二度三〇分一、九六〇メートルの地点から九〇度五、二九〇メートルの地点まで引いた線、同地点から一七七度九、九八〇メートルの地点まで引いた線、同地点から二三八度に引いた線及び陸岸により囲まれた海面、尾駮沼水面並びに同三角点から二七〇度四、六八〇メートルの地点から一八〇度に引いた線以東の鷹架沼水面
	八戸	日出岩（三・三メートル）（北緯四〇度三二分四六秒東経一四一度三三分五九秒）から一八〇度に引いた線、同地点から三一九度三〇分三、八〇〇メートルの地点まで引いた線、同地点から三〇五度三、九二〇メートルの地点まで引いた線、同地点から二七〇度に引いた線及び陸岸により囲まれた海面、新井田川湊橋及び馬淵川新大

		橋各下流の河川水面並びに旧馬淵川水面
岩手県	久慈	丑島三角点（六三メートル）（北緯四〇度一三分六秒東経一四一度五〇分四秒）から九〇度一、三〇〇メートルの地点まで引いた線、同地点から一八〇度四、五〇〇メートルの地点まで引いた線、同地点から二七〇度に引いた線及び陸岸により囲まれた海面並びに湊橋下流の久慈川水面
	八木	八木港導灯（前灯）（北緯四〇度二〇分四六秒東経一四一度四五分五〇秒）を中心とする半径九〇〇メートルの円内の海面
	宮古	館ケ埼（北緯三九度三八分四九秒東経一四一度五九分）から一七七度二〇分二、二〇〇メートルの地点まで引いた線、同地点から牛鼻（北緯三九度三六分四二秒東経一四一度五七分五〇秒）まで引いた線及び陸岸により囲まれた海面並びに宮古橋下流の閉伊川水面
	山田	小島東端から伝作鼻及び熊ケ埼東端まで引いた線並びに陸岸により囲まれた海面並びに大沢川門坂橋及び関口川宝来橋各下流の河川水面
	大槌	七戻埼から雀島南端を見とおした線及び陸岸により囲まれた海面並びに大槌川大槌大橋及び小槌川小槌橋各下流の河川水面
	釜石	釜石港湾口北防波堤灯台（北緯三九度一五分三三秒東経一四一度五五分五四秒）から三四三度一、〇三五メートルの地点から一四二度に引いた線及び陸岸により囲まれた海面並びに矢ノ浦橋下流の甲子川水面
	大船渡	コオリ埼灯台（北緯三九度一分六秒東経一四一度四五分三〇秒）から碁石埼灯台（北緯三八度五九分一〇秒東経一四一度四四分三〇秒）まで引いた線及び陸岸により囲まれた海面並びに川口橋下流の盛川水面
	広田	大森山三角点（一四六メートル）（北緯三八度五七分二〇秒東経一四一度四二分二六秒）から二五七度七〇〇メートルの地点を中心とする半径一、二〇〇メートルの円内の海面
宮城県	気仙沼	梶ケ浦防波堤突端（北緯三八度五三分東経一四一度三六分七秒）から一四八度四六〇メートルの地点から二七〇度に引いた線及び陸岸により囲まれた海面
	志津川	荒島南端から二二八度に引いた線、同島北端から〇度に引いた線及び陸岸により囲まれた海面並びに水尻川水尻橋、八幡川汐見橋及び新井田川曙橋各下流の河川水面
	女川	大貝埼からアゴシマ南西端を見とおした線及び陸岸により囲まれた海面
	鮎川	清埼から一三九度に引いた線及び陸岸により囲まれた海面
	荻浜	狐穴埼から割石埼まで引いた線及び陸岸により囲まれた海面
	渡波	尾埼から三三三度に引いた線、万石橋及び陸岸により囲まれた海面
	石巻	下台三角点（三・三メートル）（北緯三八度二四分四九秒東経一四一度一四分二三秒）から二三二度三〇分二七〇メートルの地点から一六一度三、九〇〇メートルの地点まで引いた線、同地点から八三度五、八〇〇メートルの地点まで引いた線、同地点から〇度一、四八〇メートルの地点まで引いた線、同地点から八五度二、七〇〇メートルの地点まで引いた線、同地点から三五四度三〇分に引いた線及び陸岸により囲まれた海面、東内海橋及び西内海橋下流の旧北上川水面並びに北緯三八度二五分五秒の線以南の定川水面
	仙台塩釜	腕埼（北緯三八度二一分五秒東経一四一度三分五七秒）から一一七度五、六〇〇メートルの地点まで引いた線、同地点から一〇九度に引いた線、唐戸島南端から二〇九度九、二〇〇メートルの地点まで引いた線、同地点から二七七度に引いた線及び陸岸により囲まれた海面並びに貞山橋以北の貞山堀水面
秋田県	象潟	小潤埼を中心とする半径二、〇〇〇メートルの円内の海面及び腰丈橋下流の象潟川水面
	金浦	金浦港灯台（北緯三九度一五分二二秒東経一三九度五四分四一秒）を中心とする半径一、五〇〇メートルの円内の海面
	平沢	芹田埼から二三度三、〇〇〇メートルの地点まで引いた線、同地点から九〇度に引いた線及び陸岸により囲まれた海面
	本荘	子吉川口右岸突端を中心とする半径一、五〇〇メートルの円内の海面及び由利橋下流の子吉川水面
	秋田船川	鵜ノ埼（北緯三九度五一分二九秒東経一三九度四九分一六秒）から一二九度三、三〇〇メートルの地点まで引いた線、同地点から六五度七、六六〇メートルの地点まで引いた線、同地点から一三五度五、九五〇メートルの地点まで引いた線、同地点から一六七度一二、三〇〇メートルの地点まで引いた線、同地点から七七度に引いた線及び陸岸により囲まれた海面並びに旧雄物川水面
	戸賀	弁天岬を中心とする半径一、五〇〇メートルの円内の海面

	北浦	八斗埼から九〇度二、〇〇〇メートルの地点まで引いた線、同地点から一八〇度に引いた線及び陸岸により囲まれた海面並びに北浦門前橋下流の賀茂川水面
	能代	能代三角点（二四メートル）（北緯四〇度一二分四三秒東経一四〇度一分一五秒）から二一二度三〇分四、六六〇メートルの地点から二七七度四、三三〇メートルの地点まで引いた線、同地点から一三二度三〇分二、五六〇メートルの地点まで引いた線、同地点から一〇二度三〇分一、二六〇メートルの地点まで引いた線、同地点から一七度五、四一〇メートルの地点まで引いた線、同地点から一〇〇度に引いた線及び陸岸により囲まれた海面並びに米代川能代橋下流の河川水面
山形県	酒田	日和山三角点（三二メートル）（北緯三八度五五分一一秒東経一三九度四九分四九秒）から三三三度一、六〇〇メートルの地点を中心とする半径三、四五〇メートルの円弧のうち同地点からそれぞれ一〇度及び一九〇度に引いた線以西の部分並びに陸岸により囲まれた海面並びに新内橋下流の新井田川水面
	加茂	鉄砲埼を中心とする半径一、五〇〇メートルの円内の海面
	由良	由良港倉泉岩灯標（北緯三八度四三分二八秒東経一三九度四〇分二五秒）から一六四度三〇分に引いた線、同灯標から七六度に引いた線及び陸岸により囲まれた海面
	鼠ケ関	鼠ケ関灯台（北緯三八度三三分三〇秒東経一三九度三二分二三秒）から沖ノ芽西端まで引いた線、同地点から一〇度一、二五〇メートルの地点まで引いた線、同地点から九〇度四八〇メートルの地点まで引いた線、同地点から沖平島北端（北緯三八度三四分四秒東経一三九度三二分四八秒）まで引いた線、同地点から九〇度に引いた線及び陸岸により囲まれた海面
福島県	相馬	松川崎三角点（三〇メートル）（北緯三七度四九分二八秒東経一四〇度五八分四一秒）を中心とする半径一、六〇〇メートルの円弧のうち同三角点からそれぞれ七三度三〇分及び二六三度に引いた線以南の部分、同三角点から七三度三〇分一、六〇〇メートルの地点から三四二度三〇分五、七三〇メートルの地点まで引いた線、同地点から二五七度二、〇四〇メートルの地点まで引いた線、同地点から一九〇度に引いた線並びに陸岸により囲まれた海面
	四倉	四倉港東防波堤灯台（北緯三七度六分二九秒東経一四一度六秒）から二九四度六一五メートルの地点を中心とする半径一、五〇〇メー

		トルの円内の海面
	江名	安竜三角点（八一メートル）（北緯三六度五七分五九秒東経一四〇度五六分五七秒）から二九度一九五メートルの地点を中心とする半径一、五〇〇メートルの円内の海面中いわき市江名と同市折戸との境界海岸（北緯三六度五七分四七秒東経一四〇度五七分一九秒）から一三六度に引いた線以北の部分
	中之作	安竜三角点から二九度一九五メートルの地点を中心とする半径一、五〇〇メートルの円内の海面中江名港の区域に属する部分を除いた海面
	小名浜	下神白三角点（四六メートル）（北緯三六度五六分一九秒東経一四〇度五五分一二秒）から一七三度二、五九〇メートルの地点まで引いた線、同地点から二五〇度四、三三〇メートルの地点まで引いた線、同地点から三一三度に引いた線及び陸岸により囲まれた海面並びに玉川橋下流の藤原川水面
茨城県	平潟	鵜子岬を中心とする半径一、〇〇〇メートルの円内の海面
	大津	大津岬灯台（北緯三六度四九分四七秒東経一四〇度四八分一一秒）から三一八度九〇〇メートルの地点を中心とする半径一、五〇〇メートルの円内の海面
	会瀬	会瀬港防波堤灯台（北緯三六度三四分三三秒東経一四〇度三九分三七秒）から三一七度三〇分三六五メートルの地点を中心とする半径二、〇〇〇メートルの円内の海面
	日立	日立灯台（北緯三六度三〇分三四秒東経一四〇度三七分五六秒）から二〇八度三〇分一、八二五メートルの地点を中心とする半径一、八〇〇メートルの円弧のうち同地点からそれぞれ三〇度三〇分及び九八度に引いた線以東の部分、同地点から九八度一、八〇〇メートルの地点から一八八度二、三二五メートルの地点まで引いた線、同地点から二九二度三〇分に引いた線及び陸岸により囲まれた海面並びに久慈川久慈大橋及び茂宮川新茂宮橋各下流の河川水面
	常陸那珂	磯埼灯台（北緯三六度二三分五一秒東経一四〇度三七分三三秒）から一九一度一、六三五メートルの地点から六四度二、五八〇メートルの地点まで引いた線、同地点から〇度八、二〇〇メートルの地点まで引いた線、同地点から二七〇度に引いた線及び陸岸により囲まれた海面
	那珂湊	那珂湊港南防波堤灯台（北緯三六度二〇分一五秒東経一四〇度三六

		分九秒）から一四二度四七〇メートルの地点から〇度に引いた線、同地点から二七〇度に引いた線及び陸岸により囲まれた海面並びに那珂川湊大橋及び涸沼川涸沼橋各下流の河川水面
	大洗	大洗港沖防波堤南灯台（北緯三六度一七分二六秒東経一四〇度三五分一三秒）から二九三度三〇分二、三六五メートルの地点から一二九度一、七九〇メートルの地点まで引いた線、同地点から九〇度一、四一〇メートルの地点まで引いた線、同地点から六度二、六一〇メートルの地点まで引いた線、同地点から三四四度に引いた線及び陸岸により囲まれた海面
	鹿島	鹿嶋灯台（北緯三五度五九分三七秒東経一四〇度三八分五五秒）から八九度四五分五、二〇〇メートルの地点から二四一度に引いた線、同地点から一五一度九、七三〇メートルの地点まで引いた線、同地点から二四一度に引いた線及び陸岸により囲まれた海面
茨城県 千葉県	銚子	銚子一ノ島灯台（北緯三五度四四分五二秒東経一四〇度五一分二四秒）から一八六度五五〇メートルの地点を中心とする半径三、〇〇〇メートルの円内の海面及び松岸三角点（五二メートル）（北緯三五度四三分五三秒東経一四〇度四七分三二秒）から一〇度三〇分に引いた線以東の利根川水面
千葉県	勝浦	黒鼻から八幡埼まで引いた線及び陸岸により囲まれた海面
	白浜	安房白浜港灯台（北緯三四度五四分五三秒東経一三九度五六分八秒）から二三一度三〇分七四五メートルの地点を中心とする半径一、〇〇〇メートルの円内の海面
	館山	館山港防波堤灯台（北緯三四度五九分一六秒東経一三九度五〇分五二秒）から一〇八度六一〇メートルの地点を中心とする半径三、〇〇〇メートルの円内の海面及び汐入橋下流の汐入川水面
	木更津	木更津港防波堤西灯台（北緯三五度二二分三七秒東経一三九度五一分四〇秒）から四九度四、八三〇メートルの地点から二九〇度八、〇四〇メートルの地点まで引いた線、同地点から二三二度四、五〇〇メートルの地点まで引いた線、同地点から二〇一度二、五〇〇メートルの地点まで引いた線、同地点から一四七度三〇分に引いた線及び陸岸により囲まれた海面並びに矢那川矢那川橋及び小糸川人見橋各下流の河川水面
	千葉	千葉灯標（北緯三五度三四分五秒東経一四〇度二分四五秒）から二三八度四〇分一二、八七〇メートルの地点から〇度に陸岸まで引いた線、同地点から一六三度に引いた線及び陸岸により囲まれた海面
		並びに江戸川行徳橋、海老川市道海神宮本線海老川橋、都川寒川大橋及び養老川送油橋各下流の河川水面
東京都	岡田	岡田港防波堤灯台（北緯三四度四七分三四秒東経一三九度二三分一九秒）から一九〇度七〇五メートルの地点を中心とする半径九〇〇メートルの円内の海面
	波浮	竜王埼灯台（北緯三四度四一分九秒東経一三九度二六分三六秒）から一三四度三〇分一、九〇〇メートルの地点から二八度四、五〇〇メートルの地点まで引いた線、同地点から二一八度六、八〇〇メートルの地点まで引いた線、同地点から三〇八度に引いた線及び陸岸により囲まれた海面
	元町	仲之原三角点（一四メートル）（北緯三四度四五分一七秒東経一三九度二一分六秒）から一八二度五六〇メートルの地点を中心とする半径七〇〇メートルの円内の海面
	新島	新島三角点（四二九メートル）（北緯三四度二三分三八秒東経一三九度一五分五六秒）からナダラ岩東端を見とおした線、鳥ケ島西端から鵜ノ根を見とおした線及び陸岸により囲まれた海面
	大久保	北風平三角点（一一九メートル）（北緯三四度七分四秒東経一三九度三〇分四九秒）を中心とする半径九〇〇メートルの円内の海面
	神湊	横石鼻から〇度三〇〇メートルの地点まで引いた線、同地点から二八二度に引いた線及び陸岸により囲まれた海面
	八重根	前埼ケ鼻（北緯三三度五分五五秒東経一三九度四六分一五秒）を中心とする半径一、〇〇〇メートルの円内の海面
東京都 神奈川県	京浜	十五号地南信号所（北緯三五度三六分五〇秒東経一三九度五〇分五秒）から四八度四、五八〇メートルの地点から一九九度五、三七〇メートルの地点まで引いた線、同地点から一九〇度一〇、六一〇メートルの地点まで引いた線、同地点から二三三度九、三六〇メートルの地点まで引いた線、同地点から二一九度六、〇〇〇メートルの地点まで引いた線、同地点から二〇四度七、二三〇メートルの地点まで引いた線、同地点から二六度三〇分一、四五〇メートルの地点まで引いた線、同地点から横須賀市夏島町北端（北緯三五度一九分四九秒東経一三九度三八分二七秒）まで引いた線及び陸岸により囲まれた海面、中川及び荒川葛西橋、大横川練兵橋、大島川西支川巽橋、隅田川永代橋、亀島川南高橋、築地川南門橋、古川最下流東海道本線鉄道橋、目黒川昭和橋、多摩川大師橋、鶴見川鶴見線鉄道橋、入江川入江橋、滝の川万代橋、新田間川金港橋、帷子川築地

		橋、大岡川弁天橋、堀川山下橋、千代崎川小港橋並びに堀割川八幡橋各下流の河川水面、月島川、汐留川、海老取川、鶴見川第一派川、鶴見川第二派川、入江川第一派川、入江川第一小派川、入江川第二派川、入江川第二小派川、入江川第三小派川、入江川第四小派川、入江川小派常盤川、入江川第五小派川及び入江川小派台川の各河川水面並びにこれらの海面及び水面に接続する各運河水面
神奈川県	横須賀	横須賀市夏島町北端（北緯三五度一九分四九秒東経一三九度三八分二七秒）、同地点から六四度二、四七〇メートルの地点、同地点から四六度三〇分一、四五〇メートルの地点、観音埼灯台（北緯三五度一五分二二秒東経一三九度四四分四三秒）から九〇度一、〇〇〇メートルの地点及び同地点から海獺島灯台（北緯三五度一二分四四秒東経一三九度四四分六秒）を見通し七、〇〇〇メートルの地点を順次に結んだ線、同地点から二九〇度に引いた線並びに陸岸により囲まれた海面
	三崎	観音山鼻から城ケ島安房埼まで引いた線、同島西端から二八一度一六〇メートルの地点まで引いた線、同地点から三四八度二、六〇〇メートルの地点まで引いた線、同地点と西ノ埼とを結んだ線及び陸岸により囲まれた海面
	真鶴	磯埼から九〇度四〇〇メートルの地点まで引いた線、同地点から真鶴埼北東端まで引いた線及び陸岸により囲まれた海面
新潟県	姫川	姫川港沖防波堤東灯台（北緯三七度三分八秒東経一三七度五〇分五九秒）から一三一度九八〇メートルの地点から〇度一、六三〇メートルの地点まで引いた線、同地点から二三六度二、五七〇メートルの地点まで引いた線、同地点から一八〇度に引いた線及び陸岸により囲まれた海面
	能生	能生港北防波堤灯台（北緯三七度六分五六秒東経一三七度五九分五七秒）から二一九度九二五メートルの地点を中心とする半径二、〇〇〇メートルの円内の海面
	直江津	直江津港導流堤北灯台（北緯三七度一一分一六秒東経一三八度一四分三八秒）から二一一度一、六一五メートルの地点から三二五度三、〇三〇メートルの地点まで引いた線、同地点から五五度七、七〇〇メートルの地点まで引いた線、同地点から一八〇度に引いた線及び陸岸により囲まれた海面並びに関川直江津橋及び保倉川信越本線鉄道橋各下流の河川水面
	柏崎	大久保三角点（四五メートル）（北緯三七度二一分四四秒東経一三八度三二分九秒）から二五八度一、六五〇メートルの地点から三二三度一、六〇〇メートルの地点まで引いた線、同地点から五三度三、七〇〇メートルの地点まで引いた線、同地点から一四三度に引いた線及び陸岸により囲まれた海面並びに鵜川八坂橋下流の河川水面
	寺泊	長峰三角点（一五〇メートル）（北緯三七度三七分二四秒東経一三八度四五分五七秒）から〇度二、〇〇〇メートルの地点を中心とする半径一、三〇〇メートルの円弧のうち同地点からそれぞれ二〇二度三〇分及び二九〇度に引いた線以西の部分、同地点から二九〇度一、三〇〇メートルの地点から二〇度一、一三〇メートルの地点まで引いた線、同地点から一〇一度三〇分に引いた線並びに陸岸により囲まれた海面
	新潟	新潟港西区西突堤灯台（北緯三七度五七分三二秒東経一三九度四分七秒）から二二〇度五五分四、〇四〇メートルの地点、同地点から三四〇度五、〇〇〇メートルの地点、次第浜三角点（三〇メートル）（北緯三八度四四秒東経一三九度一六分三〇秒）から三二〇度五、〇〇〇メートルの地点及び同三角点を順次に結んだ線並びに陸岸により囲まれた海面並びに信濃川万代橋及び通船川山ノ下橋各下流の河川水面
	岩船	岩船三角点（七三メートル）（北緯三八度一二分四秒東経一三九度二六分一秒）から一八七度三〇分三、〇〇〇メートルの地点から二八五度一、八九〇メートルの地点まで引いた線、同地点から一四度五、一一五メートルの地点まで引いた線、同地点から一〇四度に引いた線及び陸岸により囲まれた海面並びに明神橋下流の石川水面
	両津	金剛山三角点（九六二メートル）（北緯三八度一〇分二〇秒東経一三八度二五分一〇秒）から一四九度に引いた線及び陸岸により囲まれた海面
	羽茂	市振埼から五〇度一、二五〇メートルの地点を中心とする半径一、三〇〇メートルの円内の海面及び羽茂大橋下流の羽茂川水面
	小木	城山山頂（北緯三七度四八分四六秒東経一三八度一六分四三秒）を中心とする半径一、八〇〇メートルの円内の海面
富山県	魚津	魚津港北区北防波堤灯台（北緯三六度四九分一四秒東経一三七度二三分二九秒）から一六九度一、〇四〇メートルの地点を中心とする半径二、〇〇〇メートルの円内の海面
	伏木富山	岩崎ノ鼻灯台（北緯三六度四八分三〇秒東経一三七度二分五九秒）から三〇八度一、一〇〇メートルの地点から四〇度二、〇〇〇メー

		トルの地点まで引いた線、富山東防波堤灯台（北緯三六度四五分五六秒東経一三七度一三分四〇秒）から一〇二度三〇分一、四〇〇メートルの地点から〇度二、〇〇〇メートルの地点まで引いた線、これらの地点を結んだ線及び陸岸により囲まれた海面、小矢部川城光寺橋、庄川新庄川橋及び神通川萩浦橋各下流の河川水面、内川水面、放生津潟水面並びに岩瀬運河及び中島閘門以北の富岩運河の各運河水面
	氷見	唐島三角点（一二メートル）（北緯三六度五一分五一秒東経一三六度五九分四四秒）を中心とする半径一、九〇〇メートルの円内の海面並びに余川川間島橋、上庄川北の橋及び新川野尻屋橋各下流の河川水面
石川県	七尾	屛風埼南端から石崎屛風北西端まで引いた線、能登島指向灯（北緯三七度六分四一秒東経一三七度一分二二秒）から新埼まで引いた線及び陸岸により囲まれた海面並びに大谷川新大谷川橋及び御祓川尾湾橋各下流の河川水面
	穴水	タケガ鼻から二二九度に引いた線及び陸岸により囲まれた海面並びに城山橋下流の小又川水面
	宇出津	宇出津灯台（北緯三七度一七分五九秒東経一三七度九分八秒）から八六度六九五メートルの地点から一八〇度八二〇メートルの地点まで引いた線、同地点から二七〇度一、五〇〇メートルの地点まで引いた線、同地点から三三三度三〇分に引いた線及び陸岸により囲まれた海面並びに笹谷川笹谷川橋、梶川港大橋及び薬師川薬師橋各下流の河川水面
	小木	城ケ鼻（北緯三七度一八分一二秒東経一三七度一四分二〇秒）から一八〇度一、四一〇メートルの地点まで引いた線、同地点から二七〇度一、三五〇メートルの地点まで引いた線、同地点から〇度に引いた線及び陸岸により囲まれた海面
	飯田	妙見山三角点（五四メートル）（北緯三七度二六分五四秒東経一三七度一六分二四秒）から二一〇度一、六〇〇メートルの地点を中心とする半径一、〇〇〇メートルの円内の海面及び吾妻橋下流の若山川水面
	輪島	竜ケ埼から一一四度に引いた線及び陸岸により囲まれた海面並びにいろは橋下流の河原田川水面
	福浦	藻ノ埼を中心とする半径一、〇〇〇メートルの円内の海面
	滝	滝埼灯台（北緯三六度五五分四五秒東経一三六度四五分）から一五七度九六〇メートルの地点を中心とする半径八〇〇メートルの円内の海面
	金沢	大野灯台（北緯三六度三六分五八秒東経一三六度三六分一〇秒）から二一七度三〇分五、〇二〇メートルの地点から三〇六度二、二〇〇メートルの地点まで引いた線、同地点から三六度八、五四五メートルの地点まで引いた線、同地点から一二六度に引いた線及び陸岸により囲まれた海面、大野川水面並びに普正寺橋下流の犀川水面
福井県	内浦	蒂ケ埼北西端（北緯三五度三二分二六秒東経一三五度一九分四四秒）から二四〇度五〇〇メートルの地点まで引いた線、同地点からダン鼻（北緯三五度三一分四八秒東経一三五度二九分二七秒）まで引いた線及び陸岸により囲まれた海面
	和田	犬見埼から津埼まで引いた線及び陸岸により囲まれた海面並びに城山山頂から八〇度に引いた線及び陸岸により囲まれた海面
	小浜	二児島埼から波懸鼻まで引いた線及び陸岸により囲まれた海面
	敦賀	松ケ埼から明神埼まで引いた線及び陸岸により囲まれた海面並びに笙ノ橋下流の旧笙ノ川水面
	福井	三国防波堤南西方照射灯（北緯三六度一三分一一秒東経一三六度七分五三秒）から六度一、一三〇メートルの地点から二四九度一、一九〇メートルの地点まで引いた線、同地点から二二〇度六、四〇〇メートルの地点まで引いた線、同地点から一八一度三、四〇〇メートルの地点まで引いた線、同地点から一三三度に引いた線及び陸岸により囲まれた海面並びに九頭竜川新保橋及び竹田川港橋各下流の河川水面
静岡県	熱海	稲村弁天岩（八メートル）（北緯三五度七分東経一三九度五分四八秒）から一八六度三〇分に引いた線及び陸岸により囲まれた海面
	網代	網代村三角点（一六三メートル）（北緯三五度二分四四秒東経一三九度五分四九秒）を中心とする半径二、〇〇〇メートルの円内の海面中熱海港の区域に属する部分を除いた海面
	伊東	伊東港東防波堤灯台（北緯三四度五八分二六秒東経一三九度六分一三秒）から二六四度一、二五〇メートルの地点を中心とする半径二、八〇〇メートルの円内の海面

	稲取	稲取岬から〇度に引いた線及び陸岸により囲まれた海面
	下田	狼煙埼から赤島南西端まで引いた線及び陸岸により囲まれた海面並びにみなと橋下流の稲生沢川水面
	手石	タライ埼から二六二度に引いた線及び陸岸により囲まれた海面並びに青野川と前田川との合流点下流の河川水面
	松崎	アジホガ鼻から一八〇度に引いた線及び陸岸により囲まれた海面
	宇久須	廻崎三角点（一五〇メートル）（北緯三四度五一分五八秒東経一三八度四五分二八秒）から一七四度に引いた線及び陸岸により囲まれた海面
	土肥	丸山埼から二八度に引いた線及び陸岸により囲まれた海面
	戸田	大川左岸突端を中心とする半径一、〇〇〇メートルの円内の海面
	静浦	金桜山山頂（二五一メートル）から淡島島頂まで引いた線、同地点から大久保護岸南西端まで引いた線及び陸岸により囲まれた海面
	沼津	下香貫村三角点（五〇メートル）（北緯三五度四分二六秒東経一三八度五一分四一秒）を中心とする半径一、八〇〇メートルの円内の海面中同三角点から二三五度三五〇メートルの地点まで引いた線及び同地点から二七〇度に引いた線以北の部分並びに港大橋下流の狩野川水面
	田子の浦	沼川東海道本線鉄道橋南西端を中心とする半径一、六〇〇メートルの円内の海面並びに沼川沼川新橋、和田川新和田川橋、潤井川田子の浦橋及び江川江川水門各下流の河川水面
	清水	清水灯台（北緯三五度三八秒東経一三八度三一分五〇秒）から六度六〇〇メートルの地点から三度に引いた線及び陸岸により囲まれた海面並びに千歳橋下流の巴川水面
	焼津	焼津港焼津南防波堤北灯台（北緯三四度五二分九秒東経一三八度二〇分一四秒）から二度一、二六五メートルの地点から八〇度八〇メートルの地点まで引いた線、同地点から一三〇度八五メートルの地点まで引いた線、同地点から一八〇度三、六〇〇メートルの地点まで引いた線、同地点から一九五度に引いた線及び陸岸により囲まれた海面並びに瀬戸川当目大橋、小石川須原橋、旧黒石川新川橋、黒石川小川橋及び木屋川港橋各下流の河川水面
	大井川	上新田三角点（一六メートル）（北緯三四度四九分八秒東経一三八度一六分二三秒）から一五一度四、二七〇メートルの地点を中心とする半径一、六〇〇メートルの円内の海面
	榛原	仁田村三角点（八七メートル）（北緯三四度四分五六秒東経一三八度一三分二〇秒）から一八〇度一、四五〇メートルの地点を中心とする半径一、五〇〇メートルの円内の海面及び港橋下流の勝間田川水面
	相良	愛鷹岩（北緯三四度四〇分三六秒東経一三八度一三分二五秒）から三〇〇度二、四〇〇メートルの地点を中心とする半径二、〇〇〇メートルの円内の海面及び新橋下流の萩間川水面
	御前崎	御前埼灯台（北緯三四度三五分四五秒東経一三八度一三分三三秒）から四七度一、〇〇〇メートルの地点から一〇度四、七〇〇メートルの地点まで引いた線、同地点から三二三度二、一〇〇メートルの地点まで引いた線、同地点から二三三度に引いた線及び陸岸により囲まれた海面
	浜名	弁天島駅（北緯三四度四一分二五秒東経一三七度三六分一一秒）を中心とする半径二、〇〇〇メートルの円内の海面並びに湖西市鷲津と同市新居町中之郷との境界湖岸（北緯三四度四二分三六秒東経一三七度三三分一六秒）から九〇度に引いた線、宇布見橋及び陸岸により囲まれた浜名湖水面
愛知県	伊良湖	伊良湖岬灯台（北緯三四度三四分四六秒東経一三七度五八秒）を中心とする半径二、〇〇〇メートルの円内の海面中同灯台から二七二度三〇分二、四〇〇メートルの地点と一七一度二、六一〇メートルの地点とを結んだ線から二〇〇メートルの距離にある北東側の線の南西側の部分を除いた海面
	福江	畠村三角点（六・〇メートル）（北緯三四度三八分四秒東経一三七度五分三九秒）を中心とする半径一、〇〇〇メートルの円内の海面
	泉	泉港西防波堤灯台（北緯三四度三九分二六秒東経一三七度九分二七秒）から二一九度三〇分一、二〇〇メートルの地点を中心とする半径五〇〇メートルの円内の海面
	三河	橋田鼻灯台（北緯三四度四五分五六秒東経一三七度一〇分一二秒）から一四三度三〇分に引いた線及び陸岸により囲まれた海面並びに汐川田原新橋、梅田川大崎橋、柳生川小池橋、豊川渡津橋、豊川放水路前芝大橋、佐奈川浜田橋及び音羽川永久橋各下流の河川水面
	東幡豆	中柴海岸南端と寺部海岸南端とを結んだ線及び陸岸により囲まれた

		海面
	吉田	吉田港灯標（北緯三四度四六分四九秒東経一三七度四分三九秒）から三五五度六三〇メートルの地点を中心とする半径一、四〇〇メートルの円内の海面及び鉄道橋下流の矢崎川水面
	一色	一色港西防波堤灯台（北緯三四度四七分一七秒東経一三七度四九秒）から四三度二〇分五九五メートルの地点を中心とする半径一、〇〇〇メートルの円内の海面
	衣浦	布土大橋基標（北緯三四度四八分一六秒東経一三六度五五分六秒）から九〇度に引いた線及び陸岸により囲まれた海面並びに最下流東海道本線鉄道橋下流の逢妻川及び境川の各河川水面
	師崎	鳶ケ埼から九〇度に引いた線、羽豆埼から九〇度五〇〇メートルの地点まで引いた線、同地点から〇度に引いた線及び陸岸により囲まれた海面
	篠島	蛭子ケ鼻から二七〇度二五〇メートルの地点まで引いた線、同地点から〇度六〇〇メートルの地点まで引いた線、同地点から五八度一、〇三〇メートルの地点まで引いた線、同地点から中手島北端まで引いた線及び陸岸により囲まれた海面
	豊浜	豊浜港西防波堤灯台（北緯三四度四二分一五秒東経一三六度五六分一二秒）を中心とする半径九〇〇メートルの円内の海面
	内海	内海港第四号防波堤灯台（北緯三四度四四分一六秒東経一三六度五一分二九秒）から一二〇度三〇分二、〇八〇メートルの地点から二一八度一、〇六〇メートルの地点まで引いた線、同地点から三一二度三〇分二、四五〇メートルの地点まで引いた線、同地点から五三度に引いた線及び陸岸により囲まれた海面並びに内海橋下流の内海川水面
	常滑	常滑港南防波堤灯台（北緯三四度五二分四二秒東経一三六度五〇分一一秒）から一二六度一、五一〇メートルの地点から二三〇度二、二〇〇メートルの地点まで引いた線、同地点から一八八度三〇分八九〇メートルの地点まで引いた線、同地点から二五九度五〇〇メートルの地点まで引いた線、同地点から三三七度三、一五〇メートルの地点まで引いた線、同地点から四八度三〇分一、三六〇メートルの地点まで引いた線、同地点から三七度三〇分に引いた線及び陸岸により囲まれた海面
	名古屋	大野港北防波堤灯台（北緯三四度五五分五八秒東経一三六度四九分

		一九秒）から三四〇度一〇〇メートルの地点から伊勢湾灯標（北緯三四度五六分一六秒東経一三六度四七分三三秒）まで引いた線、同灯標から三五三度三〇分九八〇メートルの地点まで引いた線、同地点から三三一度三〇分四、五二〇メートルの地点まで引いた線、同地点から三八度二、四二〇メートルの地点まで引いた線、同地点から名古屋港高潮防波堤（鍋田堤）屈曲部南西角（北緯三五度一分六秒東経一三六度四六分五三秒）まで引いた線及び陸岸により囲まれた海面、天白川千鳥橋、大江川名古屋鉄道常滑線鉄道橋、山崎川忠治橋、堀川朝日橋、荒子川樋門、庄内川一色大橋、新川庄内新川橋及び日光川水こう門各下流の河川水面、新堀川水面並びに中川運河水面
三重県	桑名	揖斐川口灯台（北緯三四度五九分五八秒東経一三六度四三分一一秒）から三四六度五、四六〇メートルの地点から一一八度に引いた線と伊勢大橋との間の揖斐川水面
	四日市	四日市港東防波堤北灯台（北緯三四度五七分五九秒東経一三六度四〇分一一秒）から二五度三〇分六、一五〇メートルの地点から一五八度四、〇〇〇メートルの地点まで引いた線、同地点から一三五度一、五一〇メートルの地点まで引いた線、同地点から一九三度八、一六〇メートルの地点まで引いた線、同地点から二七〇度に引いた線及び陸岸により囲まれた海面並びに朝明川朝明大橋、海蔵川三重橋、天白川大井ノ川橋、鈴鹿川磯津橋、鈴鹿川派川新五味塚橋及び三滝川大正橋各下流の河川水面
	千代崎	千代崎港南防波堤灯台（北緯三四度五一分一八秒東経一三六度三七分）から二二四度三〇分二二〇メートルの地点を中心とする半径一、五〇〇メートルの円内の海面及び千代崎橋下流の金沢川水面
	津	贄埼灯台（北緯三四度四二分四〇秒東経一三六度三一分二七秒）から一二九度一、五〇〇メートルの地点から二七〇度に引いた線、同地点から三五七度に引いた線及び陸岸により囲まれた海面並びに岩田川津興橋、安濃川安濃津橋及び志登茂川江戸橋各下流の河川水面並びに同灯台から一四九度五、五一〇メートルの地点から七七度二、七五〇メートルの地点まで引いた線、同地点から三二四度三、二五〇メートルの地点まで引いた線、同地点から二五七度に引いた線及び陸岸により囲まれた海面並びに相川橋下流の相川水面
	松阪	松阪港東防波堤灯台（北緯三四度三七分東経一三六度三三分四一秒）を中心とする半径二、〇〇〇メートルの円内の海面

	宇治山田	宇治山田港大湊防波堤灯台（北緯三四度三一分四五秒東経一三六度四五分三三秒）から二二八度二、六三〇メートルの地点を中心とする半径三、〇〇〇メートルの円内の海面並びに同円内の宮川、大湊川、勢田川及び五十鈴川の各河川水面
	鳥羽	西埼、日向島北端、答志島島ケ埼、阪手島丸山埼及び加布良古埼を順次に結んだ線並びに陸岸により囲まれた海面
	波切	波切港北防波堤灯台（北緯三四度一六分五三秒東経一三六度五三分五八秒）を中心とする半径二、〇〇〇メートルの円内の海面
	浜島	浜島港灯台（北緯三四度一七分二八秒東経一三六度四五分五五秒）から三一二度三〇分三二〇メートルの地点を中心とする半径一、五〇〇メートルの円内の海面
	五ケ所	止埼から田曽埼まで引いた線及び陸岸により囲まれた海面
	長島	大崎三角点（一三六メートル）（北緯三四度一〇分五八秒東経一三六度一九分五六秒）から大石を経て千鳥鼻まで引いた線及び陸岸により囲まれた海面
	引本	尾南曽鼻から佐波留島東端まで引いた線、同島北端から投石北端を経て猪ノ鼻（北緯三四度五分一四秒東経一三六度一四分一二秒）まで引いた線及び陸岸により囲まれた海面、船津川汐見橋及び銚子川銚子橋各下流の河川水面並びに白石湖水面
	尾鷲	モト鼻から佐波留島南端まで引いた線、同島北端から投石北端を経て猪ノ鼻まで引いた線及び陸岸により囲まれた海面
	木本	鬼ケ城三角点（一五三メートル）（北緯三三度五三分三〇秒東経一三六度六分四八秒）を中心とする半径二、〇〇〇メートルの円内の海面
京都府	久美浜	大向三角点（一七三・五メートル）（北緯三五度三八分三八秒東経一三四度五三分二六秒）から〇度一、〇〇〇メートルの地点まで引いた線、同地点から九〇度一、五〇〇メートルの地点まで引いた線、同地点から一八〇度に引いた線及び陸岸により囲まれた海面
	浅茂川	下岡三角点（二八六メートル）（北緯三五度四〇分二八秒東経一三五度二三秒）から三〇度一、九〇〇メートルの地点を中心とする半径六〇〇メートルの円内の海面及び同円内の福田川水面
	間人	鳶口岬を中心とする半径一、〇〇〇メートルの円内の海面

	中浜	大呂岬から友ケ鼻まで引いた線及び陸岸により囲まれた海面
	本庄	林ノ下突端（北緯三五度四四分四五秒東経一三五度一五分二六秒）から甲埼亀礁まで引いた線及び陸岸により囲まれた海面
	伊根	城山鼻から青島南端を経て鋤埼まで引いた線及び陸岸により囲まれた海面
	宮津	片島鼻から日置埼まで引いた線及び陸岸により囲まれた海面（阿蘇海を含む。）並びに大手橋下流の大手川水面
	舞鶴	金ケ埼から〇度に引いた線、博奕岬から二七〇度に引いた線及び陸岸により囲まれた海面並びに高野川新橋、伊佐津川大和橋、寺川前島みなと歩道橋、与保呂川新川橋、祖母谷川富士橋及び志楽川松島橋各下流の河川水面
	野原	コットイ埼から三ツグリ鼻まで引いた線及び陸岸により囲まれた海面
	田井	小埼から椎埼まで引いた線及び陸岸により囲まれた海面
大阪府	深日	豊国埼（北緯三四度一九分二四秒東経一三五度六分五六秒）から〇度に引いた線、長埼から二七〇度に引いた線及び陸岸により囲まれた海面並びに大川尾和橋及び東川落合橋各下流の河川水面
	阪南	阪南港岸和田新東防波堤灯台（北緯三四度二九分二四秒東経一三五度二二分一一秒）から四五度二、〇七〇メートルの地点から三一〇度三、〇〇〇メートルの地点まで引いた線、同地点から二〇六度七、二〇〇メートルの地点まで引いた線、同地点から二二七度三、三四〇メートルの地点まで引いた線、同地点から一五〇度二、〇〇〇メートルの地点まで引いた線、同地点から一二三度一、二五〇メートルの地点まで引いた線、同地点から一三三度に引いた線及び陸岸により囲まれた海面並びに大津川槙並橋、春木川新春木橋、津田川岸見橋、近木川永久橋、見出川最下流床止えん堤及び佐野川臨海橋各下流の河川水面
	泉州	阪南港泉佐野沖防波堤灯台（北緯三四度二六分九秒東経一三五度一九分四秒）から二七度六、二九〇メートルの地点から三二一度二〇〇メートルの地点まで引いた線、同地点から五一度一、一四〇メートルの地点まで引いた線、同地点から一四一度一、九五〇メートルの地点まで引いた線、同地点から二三一度五、一七〇メートルの地点まで引いた線、同地点から三二一度五〇〇メートルの地点まで引いた線、同地点から五一度に陸岸まで引いた線及び陸岸により

		囲まれた海面
大阪府兵庫県	阪神	播磨塩屋港南防波堤灯台（北緯三四度三七分五〇秒東経一三五度四分四九秒）から六九度三〇分一、二八〇メートルの地点から九〇度三、九二〇メートルの地点まで引いた線、同地点から一二一度五、四三〇メートルの地点まで引いた線、同地点から七九度一一、九四〇メートルの地点まで引いた線、同地点から三五五度二、七一〇メートルの地点まで引いた線、同地点から七三度三〇分七、二二〇メートルの地点まで引いた線、同地点から二一四度三、七〇〇メートルの地点まで引いた線、同地点から二一八度三〇分四、七五〇メートルの地点まで引いた線、同地点から一五一度三〇分四二〇メートルの地点まで引いた線、同地点から二一四度五、九九〇メートルの地点まで引いた線、同地点から一三〇度に引いた線及び陸岸により囲まれた海面、東経一三五度二七分三八秒の線から下流の大和川水面、内川堅川橋、内川放水路古川橋、住吉川住之江大橋、木津川大浪橋、尻無川岩松橋、旧淀川端建蔵橋及び船津橋、六軒家川春日出橋、正蓮寺川正蓮寺川水門、淀川伝法大橋、神崎川城島橋、中島川中島出来島橋、左門殿川辰巳橋、旧左門殿川五合橋、蓬川蓬川橋、武庫川南武橋、宮川汐凪橋、高橋川高橋川橋、新湊川駒栄橋並びに妙法寺川古川橋各下流の河川水面並びに木津川運河、三軒家川、福町堀、大正内港、天保山運河、三十間堀川、安治川内港、桜島入堀、島屋北入堀、東堀運河、北堀運河、中堀運河、西堀運河、新川運河及び兵庫運河の各水面
兵庫県	明石	明石港東外港西防波堤灯台（北緯三四度三八分二八秒東経一三四度五九分二六秒）を中心とする半径九〇〇メートルの円弧のうち同灯台からそれぞれ八二度三〇分及び二三四度に引いた線以南の部分、同灯台から二三四度九〇〇メートルの地点から三二四度六一〇メートルの地点まで引いた線、同地点から一八度に引いた線並びに陸岸により囲まれた海面
	東播磨	瀬戸川口左岸突端から二四〇度二、八八〇メートルの地点まで引いた線、同地点から二八九度二〇分三、八一〇メートルの地点まで引いた線、同地点から二三二度二、六五〇メートルの地点まで引いた線、同地点から三二二度五三〇メートルの地点まで引いた線、同地点から五二度二、四四〇メートルの地点まで引いた線、同地点から三一六度三〇分三、六四〇メートルの地点まで引いた線、同地点から三四四度三〇分一、二七〇メートルの地点まで引いた線、同地点から三〇四度四、三六〇メートルの地点まで引いた線、同地点から天川口右岸突端まで引いた線及び陸岸により囲まれた海面並びに喜瀬川本荘下橋、別府川対潮橋、加古川相生橋、堀川永楽橋、法華山

	谷川山陽電気鉄道鉄道橋、松村川松村水門及び天川山陽電気鉄道鉄道橋各下流の河川水面
八木	姫路八木港西防波堤灯台（北緯三四度四六分一六秒東経一三四度四三分二一秒）から三五二度二一〇メートルの地点を中心とする半径五〇〇メートルの円内の海面及び八家川水門下流の八家川水面
姫路	中川口右岸突端から一八〇度二、七〇〇メートルの地点まで引いた線、同地点から九七度三〇分四、八〇〇メートルの地点まで引いた線、同地点から八七度九、〇〇〇メートルの地点まで引いた線、同地点から〇度に引いた線及び陸岸により囲まれた海面並びに市川潮止堰、野田川向島橋、船場川飾磨港大橋、水尾川西浜橋、夢前川最下流床止えん堤、汐入川水門、西汐入川水門、大津茂川大吉橋、網干川東雲橋、揖保川本町橋、中川中川橋及び元川元川橋各下流の河川水面
相生	釜埼から金ケ埼まで引いた線及び陸岸により囲まれた海面
赤穂	御埼から御前岩を経て取揚島北端まで引いた線、同地点から三二二度に引いた線及び陸岸により囲まれた海面並びに大津川石ケ崎橋、野々内澪樋門、千種川赤穂大橋及び御埼澪元禄橋各下流の河川水面
津居山	津居山島猿ケ城から赤島を見通した線及び陸岸により囲まれた海面並びに港大橋下流の円山川水面及び気比の浜橋以西の気比運河水面
柴山	柴山港灯台（北緯三五度三九分五七秒東経一三四度三九分四八秒）から一一八度一、一四〇メートルの地点から〇度一、二七〇メートルの地点まで引いた線、同地点から二七〇度一、二八〇メートルの地点まで引いた線、同地点から一八〇度に引いた線及び陸岸により囲まれた海面
香住	白石島北端から黒島北端を見とおした線、白石島北端から二四四度に引いた線及び陸岸により囲まれた海面
浜坂	矢城ケ鼻から観音山三角点（二四五メートル）（北緯三五度三八分東経一三四度二七分四四秒）まで引いた線及び陸岸により囲まれた海面並びに清富橋下流の岸田川水面
岩屋	岩屋港西防波堤東灯台（北緯三四度三五分三一秒東経一三五度一分五秒）から六八度八〇〇メートルの地点を中心とする半径一、〇〇〇メートルの円内の海面
津名	生穂三角点（一五九メートル）（北緯三四度二七分三九秒東経一三四度五五分一五秒）から七六度一、九七〇メートルの地点から一四

		七度一、一三〇メートルの地点まで引いた線、同地点から二二一度に引いた線及び陸岸により囲まれた海面並びに志筑川志筑大橋及び生穂川生穂橋各下流の河川水面
	洲本	洲本港南防波堤灯台（北緯三四度二〇分四九秒東経一三四度五四分一二秒）から二七三度三三〇メートルの地点を中心とする半径一、〇〇〇メートルの円内の海面及び洲本橋下流の洲本川水面
	由良	由良三角点（一一四メートル）（北緯三四度一七分三七秒東経一三四度五六分二六秒）から三四七度七八〇メートルの地点から四〇度六〇〇メートルの地点まで引いた線、同地点から一二〇度二、二〇〇メートルの地点まで引いた線、同地点から一八二度二、五六〇メートルの地点まで引いた線、同地点から生石鼻（北緯三四度一六分二秒東経一三四度五七分七秒）まで引いた線及び陸岸により囲まれた海面
	福良	釣島鼻から一三五度に引いた線及び陸岸により囲まれた海面
	湊	湊港西防波堤灯台（北緯三四度一九分五八秒東経一三四度四三分三一秒）から七八度三〇分一二五メートルの地点を中心とする半径一、〇〇〇メートルの円内の海面及び同円内の三原川水面
	都志	都志港北防波堤灯台（北緯三四度二五分八秒東経一三四度四六分三八秒）から一四六度三三〇メートルの地点を中心とする半径五〇〇メートルの円内の海面及び都志大橋下流の都志川水面
	郡家	郡家港西防波堤灯台（北緯三四度二八分四〇秒東経一三四度五〇分三六秒）から一八九度二三〇メートルの地点を中心とする半径五〇〇メートルの円内の海面及び大川橋下流の郡家川水面
	富島	富島港北防波堤灯台（北緯三四度三三分四秒東経一三四度五五分五七秒）から二二五度五五〇メートルの地点を中心とする半径一、〇〇〇メートルの円内の海面
和歌山県	新宮	目覚ノガマ（北緯三三度三九分三七秒東経一三五度五九分一七秒）から赤島南端まで引いた線、同島東端から三五一度に孔島まで引いた線、漁港東防波堤、漁港北防波堤及び陸岸により囲まれた海面
	宇久井	宇久井鼻から駒埼まで引いた線及び陸岸により囲まれた海面並びに鉄道橋下流の長野川水面
	勝浦	シケ島鼻から乙島南端まで引いた線、同地点から鶴島南端まで引いた線、鶴島東北端から三四六度に引いた線及び陸岸により囲まれた海面

	浦神	懐山山頂から耳ノ鼻まで引いた線及び陸岸により囲まれた海面
	古座西向	九龍島頂から三一〇度に引いた線、同島南東端から四三度三〇分に引いた線及び陸岸により囲まれた海面並びに古座川橋下流の古座川水面
	串本	橋杭一ノ島から稲荷島を見とおした線、橋杭一ノ島から戸島埼まで引いた線、遠見山山頂（一二四メートル）から二二四度九八五メートルの地点から二四六度に引いた線及び陸岸により囲まれた海面
	日置	日置川口両岸突端を結んだ線と日置大橋及び日置小橋との間の河川水面
	田辺	番所鼻から斎田埼（北緯三三度四三分三八秒東経一三五度二一分八秒）まで引いた線及び陸岸により囲まれた海面
	日高	壁川崎三角点（三八メートル）（北緯三三度五〇分四六秒東経一三五度九分五四秒）から二五二度二、二四〇メートルの地点まで引いた線、同地点から三四三度三、七〇〇メートルの地点まで引いた線、同地点から四八度に引いた線及び陸岸により囲まれた海面並びに日高川天田橋、下川西川小橋及び西川西川大橋各下流の河川水面
	由良	神谷埼から蟻島北端まで引いた線、同島南端から長埼まで引いた線及び陸岸により囲まれた海面並びに由良橋下流の由良川水面
	湯浅広	タタキノ鼻から一八一度に引いた線及び陸岸により囲まれた海面並びに広川広橋及び山田川北橋各下流の河川水面
	和歌山下津	宮崎ノ鼻から地ノ島南端まで引いた線、同島鹿ノ首から田倉埼まで引いた線及び陸岸により囲まれた海面、土入川土入橋、紀の川北島橋、女良川旭橋及び有田川安諦橋各下流の河川水面並びに下津牛ケ首防波堤灯台（北緯三四度六分五二秒東経一三五度八分二三秒）から二四度一、一五〇メートルの地点から一六四度三〇分に引いた線以西の加茂川水面
鳥取県	米子	八尋鼻から三一五度に引いた線及び陸岸により囲まれた海面
	赤碕	赤碕港沖防波堤灯台（北緯三五度三〇分五一秒東経一三三度三九分三五秒）から二〇九度三〇分二七五メートルの地点を中心とする半径一、八〇〇メートルの円内の海面
	鳥取	鳥取港灯台（北緯三五度三二分三四秒東経一三四度一一分二秒）から一四七度三七〇メートルの地点を中心とする半径一、五〇〇メー

		トルの円内の海面並びに同円内の湖山川及び千代川の各河川水面
	網代	網代埼北端から二七〇度に引いた線、駟馳山埼から〇度に引いた線及び陸岸により囲まれた海面並びに岩本橋下流の蒲生川水面
	田後	向島島頂を中心とする半径八〇〇メートルの円内の海面
鳥取県島根県	境	美保関三角点（一六七メートル）（北緯三五度三四分東経一三三度一八分二七秒）から二一三度三〇分一、二六〇メートルの地点から二〇六度四、一一五メートルの地点まで引いた線、同地点から二四四度三〇分一、七一五メートルの地点まで引いた線、境港指向灯（北緯三五度三二分五二秒東経一三三度一四分二二秒）を中心とする半径四、〇〇〇メートルの円弧のうち同灯から一四八度に引いた線以南であつて、かつ、一六四度に引いた線以東の部分、和名鼻（北緯三五度三一分五三秒東経一三三度一〇分四九秒）から一五五度に江島まで引いた線、大根島亀埼東端から九〇度に引いた線及び陸岸により囲まれた海面
島根県	益田	益田市中島町と同市高津八丁目との境界海岸（北緯三四度四一分四二秒東経一三一度四九分三秒）を中心とする半径一、五〇〇メートルの円内の海面及び鴨島大橋下流の高津川水面
	三隅	庵寺山三角点（八九メートル）（北緯三四度四六分三五秒東経一三一度五五分五〇秒）から二七〇度四〇分一、三四〇メートルの地点から三五六度三〇分二、三〇〇メートルの地点まで引いた線、同地点から四三度三〇分三、六〇〇メートルの地点まで引いた線、同地点から大崎鼻まで引いた線及び陸岸により囲まれた海面並びに岡見川鉄道橋及び三隅川鉄道橋各下流の河川水面
	浜田	日和山三角点（七七メートル）（北緯三四度五四分二秒東経一三二度四分三秒）から二六度三〇分二、四二〇メートルの地点から二九五度三〇分五九〇メートルの地点まで引いた線、同地点から三三二度に馬島まで引いた線、同島水島鼻から二二八度三〇分四、〇六〇メートルの地点まで引いた線、同地点から一四〇度に引いた線及び陸岸により囲まれた海面並びに浜田川亀山橋及び周布川鉄道橋各下流の河川水面
	江津	渡津三角点（一三八・八メートル）（北緯三五度五五秒東経一三二度一四分二九秒）から二七〇度一、四〇〇メートルの地点を中心とする半径二、三〇〇メートルの円内の海面及び江川橋下流の江川水面
	仁万	荒布場鼻から麦島西端まで引いた線、同島東端から広出鼻まで引いた線及び陸岸により囲まれた海面
	久手	大田市久手町と同市鳥井町との境界海岸（北緯三五度一三分四一秒東経一三二度三〇分四秒）を中心とする半径一、三〇〇メートルの円内の海面
	大社	神戸川口右岸突端から笹子島北西端を見とおした線及び陸岸により囲まれた海面
	恵曇	生洲鼻から男島北端を見とおした線及び陸岸により囲まれた海面
	加賀	獅子鼻から馬島北端まで引いた線、同島南西端から松ケ鼻まで引いた線及び陸岸により囲まれた海面
	七類	九島西端から二二二度に引いた線、同島東端から青木島北端まで引いた線、同島南端から二二二度に引いた線及び陸岸により囲まれた海面
	美保関	美保関港沖防波堤灯台（北緯三五度三三分二九秒東経一三三度一八分三二秒）から三八度三〇五メートルの地点を中心とする半径五〇〇メートルの円内の海面
	松江	大谷三角点（一一四メートル）（北緯三五度二七分二六秒東経一三三度六分三六秒）から一〇六度二、一二〇メートルの地点を中心とする半径二、〇〇〇メートルの円内の海面並びに末次鼻から嫁ケ島を見とおした線以東の宍道湖水面及び大橋川水面
	安来	油壺鼻から亀島北端まで引いた線、同地点から二八六度に引いた線及び陸岸により囲まれた海面
	西郷	高瀬埼から鳥貝埼まで引いた線及び陸岸により囲まれた海面
	浦郷	白崎鼻からニグ鼻まで引いた線、獅子ケ鼻から島根鼻まで引いた線及び陸岸により囲まれた海面
岡山県	日生	松ケ鼻からツブロ鼻まで引いた線及び陸岸により囲まれた海面並びに新橋下流の中州川水面
	片上	伊里川口右岸突端から前島東端まで引いた線、同島北端から生埼まで引いた線及び陸岸により囲まれた海面
	鶴海	臍尾鼻から高目鼻まで引いた線及び陸岸により囲まれた海面
	牛窓	馬立鼻から前島荒埼まで引いた線、同島城ノ鼻から〇度に引いた線及び陸岸により囲まれた海面

	西大寺	九蟠西突堤突端（北緯三四度三六分一六秒東経一三四度一分四七秒）から外波埼まで引いた線及び陸岸により囲まれた海面並びに広谷三角点（二三三メートル）（北緯三四度四〇分一七秒東経一三四度五六秒）から一三六度二、九〇〇メートルの地点から一二六度三〇分に引いた線以南の吉井川水面
	小串	外波埼から二〇七度三〇分に引いた線、同地点から九蟠西突堤突端まで引いた線、西大寺港九蟠東一号防波堤灯台（北緯三四度三六分一五秒東経一三四度一分五一秒）から三二七度二九〇メートルの地点から二二五度三〇分に引いた線及び陸岸により囲まれた海面
	岡山	高島北端から〇度に引いた線、同島南端から一八〇度に引いた線及び陸岸により囲まれた海面並びに京橋、中橋及び小橋各下流の旭川水面
	宇野	童埼（北緯三四度三一分八秒東経一三三度五七分四三秒）から一二四度三〇分六〇〇メートルの地点まで引いた線、同地点から一九五度七八〇メートルの地点まで引いた線、同地点から一五二度三〇分三八〇メートルの地点まで引いた線、同地点から一六四度六三〇メートルの地点まで引いた線、同地点から一七六度三〇分八五〇メートルの地点まで引いた線、同地点から二二六度八四〇メートルの地点まで引いた線、同地点から下烏島西端まで引いた線、同地点から飛州（四・九メートル）まで引いた線、同地点から一九九度三〇分に引いた線及び陸岸により囲まれた海面
	日比	松ケ鼻から二六八度に引いた線及び陸岸により囲まれた海面
	琴浦	味野三角点（二〇九メートル）（北緯三四度二七分五三秒東経一三三度四七分二一秒）から八四度三〇分二、五六〇メートルの地点から九三度に引いた線及び陸岸により囲まれた海面
	味野	味野三角点から八四度三〇分二、五六〇メートルの地点から一八〇度一、二〇〇メートルの地点まで引いた線、同地点から二七〇度に引いた線及び陸岸により囲まれた海面並びに大正橋下流の小田川水面
	下津井	西ノ埼から九〇度に引いた線及び陸岸により囲まれた海面
	水島	三百山三角点（一三五メートル）（北緯三四度二六分五八秒東経一三三度四六分五〇秒）から二二六度一、三一〇メートルの地点まで引いた線、同地点から二七七度三〇分九一〇メートルの地点まで引いた線、同地点から三二一度二、〇三〇メートルの地点まで引いた線、同地点から二八八度三〇分三、八〇〇メートルの地点まで引いた線、同地点から二七〇度四、四八〇メートルの地点まで引いた線、同地点から〇度二、八九五メートルの地点まで引いた線、同地点から三二二度に引いた線及び陸岸により囲まれた海面並びに水島港八幡防波堤灯台（北緯三四度三〇分五〇秒東経一三三度三九分五四秒）から六五度三〇分二、五九〇メートルの地点から五四度に引いた線以南の高梁川水面
	笠岡	古城山三角点（六九メートル）（北緯三四度三〇分四秒東経一三三度三〇分二三秒）を中心とする半径九〇〇メートルの円内の海面
広島県	福山	狐埼から仙酔島鳥ノ口岬まで引いた線、同地点から九〇度五、二〇〇メートルの地点まで引いた線、同地点から三五九度七、二二〇メートルの地点まで引いた線、同地点から御埼まで引いた線及び陸岸により囲まれた海面並びに芦田川河口ぜき下流の芦田川水面
	尾道糸崎	犬吠山山頂から西岩岳三角点（一三〇メートル）（北緯三四度二二分五八秒東経一三三度九分二〇秒）まで引いた線、鶏小島から向島布刈鼻まで引いた線、同島女法埼から宝間鼻まで引いた線及び陸岸により囲まれた海面
	忠海	猿ケ鼻から大谷鼻（北緯三四度一九分四八秒東経一三三度二二秒）まで引いた線及び陸岸により囲まれた海面
	竹原	太郎ケ鼻（北緯三四度一八分九秒東経一三二度五二分二七秒）から阿波島源氏ケ鼻（北緯三四度一九分二七秒東経一三二度五六分一二秒）まで引いた線、同地点から八〇度二、七五〇メートルの地点まで引いた線、同地点から観喜山三角点（二六三メートル）（北緯三四度二〇分二九秒東経一三二度五八分三五秒）まで引いた線及び陸岸により囲まれた海面
	安芸津	風早三角点（二九六メートル）（北緯三四度一八分四秒東経一三二度四六分五九秒）から木谷三角点（一三八メートル）（北緯三四度一八分三二秒東経一三二度五一分四秒）まで引いた線及び陸岸により囲まれた海面
	呉	豆倉鼻から一九九度一、八〇〇メートルの地点まで引いた線、同地点から一四一度に引いた線及び陸岸により囲まれた海面、下猫埼から二七〇度に引いた線及び陸岸により囲まれた海面並びに犬戻ケ鼻から二六五度に引いた線及び陸岸により囲まれた海面
	広島	観音埼から峠島南端を経て似島南東端まで引いた線、同島地獄鼻から大カクマ島南端まで引いた線、同地点から沖ノ山鼻（北緯三四度

	一九分五七秒東経一三二度一九分一七秒）の方向に四、九五〇メートルの地点まで引いた線、同地点から三一八度に引いた線及び陸岸により囲まれた海面並びに瀬野川明神橋、猿猴川仁保橋、京橋川御幸橋、元安川南大橋、旧太田川住吉橋、天満川昭和大橋及び太田川庚午橋各下流の河川水面
大竹	油見三角点（二三三メートル）（北緯三四度一三分二七秒東経一三二度一二分四二秒）から六五度一、六〇〇メートルの地点を中心とする半径二、三〇〇メートルの円弧のうち同地点から六度三〇分に引いた線以東であつて、かつ、八六度三〇分に引いた線以北の部分、同地点から八六度三〇分二、三〇〇メートルの地点から一七六度三〇分一、七一〇メートルの地点まで引いた線、同地点から二五三度に引いた線及び陸岸により囲まれた海面
土生	平内島北端から三二九度に引いた線、同島東端から生名島波間田鼻まで引いた線、同島厳島北端から弓削島伊勢ケ鼻まで引いた線、同地点から二五度三、七〇〇メートルの地点まで引いた線、同地点と奥山山頂（三九一メートル）とを結んだ線及び陸岸により囲まれた海面
重井	長串鼻から小細島北端まで引いた線、同島西端から一八八度に引いた線及び陸岸により囲まれた海面
佐木	佐木島鍋ケ鼻から八〇度一、〇〇〇メートルの地点まで引いた線、同地点から一八〇度三、三七〇メートルの地点まで引いた線、同地点から二六一度三〇分に引いた線及び陸岸により囲まれた海面
瀬戸田	向上寺山三角点（六六メートル）（北緯三四度一八分二六秒東経一三三度五分一三秒）から七六度八四〇メートルの地点を中心とする半径二、六〇〇メートルの円弧、高根島三角点（三一〇メートル）（北緯三四度一八分三六秒東経一三三度四分一四秒）と生口島婿戻ノ鼻とを結んだ線及び陸岸により囲まれた海面
鮴崎	鮴埼から佐組島東端まで引いた線、同島西端から生野島馬取鼻（北緯三四度一七分一八秒東経一三二度五五分三三秒）まで引いた線、同島カンネ鼻から船島険ケ鼻まで引いた線、同島南端から象頭鼻まで引いた線及び陸岸により囲まれた海面
木ノ江	高山鼻から中ノ鼻まで引いた線及び陸岸により囲まれた海面
御手洗	御手洗島三角点（四四九メートル）（北緯三四度一〇分一九秒東経一三二度五〇分五五秒）から岡村島観音埼まで引いた線、同島戸町山山頂（八八メートル）から三一〇度一、一〇〇メートルの地点まで引いた線、同地点から三角島三角点（一一〇メートル）（北緯三四度一一分三六秒東経一三二度四八分四六秒）まで引いた線、同三角点から一八四度に引いた線及び陸岸により囲まれた海面

	大西	七々見山山頂（五七メートル）から長島三角点（七四メートル）（北緯三四度一五分五九秒東経一三二度五二分一八秒）まで引いた線、同三角点から長九郎鼻まで引いた線、同地点から舞鶴新開明神（北緯三四度一四分五七秒東経一三二度五四分五秒）まで引いた線及び陸岸により囲まれた海面
	蒲刈	大平山山頂から九五度に上蒲刈島まで引いた線、下蒲刈島白埼から八〇度五、二〇〇メートルの地点まで引いた線、同地点から一〇七度二、六〇〇メートルの地点まで引いた線、同地点から上蒲刈島三埼まで引いた線及び陸岸により囲まれた海面
	厳島	小名切岬（一四メートル）から二二八度三〇分に引いた線及び陸岸により囲まれた海面
山口県	岩国	岩国港北防波堤灯台（北緯三四度一一分三八秒東経一三二度一四分五秒）から四一度二、七五〇メートルの地点から二五八度三〇分に引いた線、同地点から兜島三角点（一〇二メートル）（北緯三四度七分一六秒東経一三二度一八分五六秒）まで引いた線、面高鼻から九〇度四、〇〇〇メートルの地点まで引いた線、同地点から兜島三角点まで引いた線及び陸岸により囲まれた海面、小瀬川最下流送油橋下流の山口県の区域内の河川水面並びに今津川連帆橋及び門前川鉄道橋各下流の河川水面
	久賀	大崎鼻から二八一度三〇分に引いた線及び陸岸により囲まれた海面
	安下庄	安下埼から龍埼まで引いた線及び陸岸により囲まれた海面
	小松	津長鼻から一七度に引いた線及び陸岸により囲まれた海面並びに新明新橋下流の屋代川水面
	柳井	柳井港東防波堤灯台（北緯三三度五七分七秒東経一三二度八分一七秒）から三八度六八〇メートルの地点から一八〇度二、三一〇メートルの地点まで引いた線、同地点から二七〇度に引いた線及び陸岸により囲まれた海面並びに片野橋下流の片野川水面
	室津	唐釜（一九メートル）から長島奈古屋埼まで引いた線、同島赤石鼻から横島大石鼻まで引いた線、同地点から四五度に引いた線及び陸岸により囲まれた海面中上関港の区域に属する部分を除いた海面
	上関	唐釜から長島奈古屋埼まで引いた線、同島赤石鼻から横島大石鼻ま

	で引いた線、同地点から四五度一、〇〇〇メートルの地点まで引いた線、同地点から二八〇度一、一二五メートルの地点まで引いた線、同地点から三四二度に引いた線及び陸岸により囲まれた海面
平生	梶取岬から用害三角点（一〇九メートル）（北緯三三度五三分四五秒東経一三二度二分四二秒）まで引いた線、同三角点から六四度に引いた線及び陸岸により囲まれた海面並びに八海橋下流の田布施川水面
室積	赤埼から赤岩まで引いた線及び陸岸により囲まれた海面
徳山下松	赤崎三角点（七一メートル）（北緯三四度二分四二秒東経一三一度四〇分三〇秒）から郷屋三角点（一四二メートル）（北緯三四度一分五秒東経一三一度四二分二九秒）まで引いた線、馬島金埼から笠戸嶋三角点（二五六メートル）（北緯三三度五六分一四秒東経一三一度四九分三五秒）まで引いた線、同三角点から九二度一〇、九〇〇メートルの地点まで引いた線、同地点から二五度に引いた線及び陸岸により囲まれた海面並びに最下流鉄道橋下流の島田川水面
三田尻中関	三田尻中関港築地東防波堤南灯台（北緯三四度五四秒東経一三一度三六分四三秒）から二七度三〇分三二〇メートルの地点を中心とする半径一、一〇〇メートルの円弧のうち同地点からそれぞれ二一度及び二五二度に引いた線以南の部分、中関灯台（北緯三三度五九分五八秒東経一三一度三二分三八秒）から一五五度九九〇メートルの地点を中心とする半径九〇〇メートルの円弧のうち同地点からそれぞれ九六度三〇分及び三三五度に引いた線以南の部分並びに陸岸により囲まれた海面
秋穂	岩屋ノ鼻から七八度二、八〇〇メートルの地点まで引いた線及び陸岸により囲まれた海面
山口	岩屋ノ鼻から二九三度三〇分に引いた線、阿知須干拓地東北端（北緯三四度一分一九秒東経一三一度二二分五八秒）から幸埼干拓地南西端（北緯三四度一分三二秒東経一三一度二三分四四秒）まで引いた線及び陸岸により囲まれた海面
丸尾	月埼から丸尾埼まで引いた線及び陸岸により囲まれた海面
宇部	黒埼から本山灯標（北緯三三度五二分五四秒東経一三一度一四分五九秒）まで引いた線、同灯標から二七五度に引いた線、本山岬から一六〇度に引いた線及び陸岸により囲まれた海面並びに真締川真締大橋及び厚東川大橋各下流の河川水面
小野田	小野田港防波堤灯台（北緯三三度五八分二四秒東経一三一度九分五

		三秒）を中心とする半径一、七〇〇メートルの円内の海面及び小野田橋下流の有帆川水面
	厚狭	宮崎三角点（一一四メートル）（北緯三四度二二秒東経一三一度七分三七秒）から一五〇度一、三〇〇メートルの地点から一〇七度に引いた線及び陸岸により囲まれた海面並びに下津橋下流の厚狭川水面
	小串	竜宮島北端から七三度に引いた線、同島南端から一五〇度に引いた線及び陸岸により囲まれた海面
	特牛	特牛灯台（北緯三四度一九分九秒東経一三〇度五三分三〇秒）から二〇〇度に引いた線及び陸岸により囲まれた海面
	角島	角島三角点（三〇メートル）（北緯三四度二〇分三七秒東経一三〇度五一分二秒）から〇度四〇〇メートルの地点を中心とする半径六〇〇メートルの円内の海面
	粟野	串山三角点（五六メートル）（北緯三四度二一分四三秒東経一三〇度五八分六秒）から九〇度八〇〇メートルの地点を中心とする半径八〇〇メートルの円内の海面及び鉄道橋下流の粟野川水面
	仙崎	屋海鼻から青海島千貫瀬鼻まで引いた線、王子鼻から一八〇度に引いた線及び陸岸により囲まれた海面並びに琴橋下流の三隅川水面
	萩	大瀬鼻から笠山山頂まで引いた線及び陸岸により囲まれた海面並びに雁島橋下流の松本川水面
	須佐	海苔石から天神三角点（四六メートル）（北緯三四度三七分五〇秒東経一三一度三四分五四秒）を見とおした線及び陸岸により囲まれた海面
	江崎	宇生ケ埼から布鼻まで引いた線及び陸岸により囲まれた海面
山口県 福岡県	関門	一　部埼灯台（北緯三三度五七分三四秒東経一三一度一分二三秒）から五六度三〇分一、九五〇メートルの地点まで引いた線、同地点から三三九度三、一四〇メートルの地点まで引いた線、同地点から三三七度一、一一〇メートルの地点まで引いた線、同地点から三〇九度一、二三〇メートルの地点まで引いた線、同地点から三〇〇度に引いた線、根岳山頂（七一メートル）から太郎ケ瀬鼻まで引いた線、南風泊東防波堤、同防波堤突端から南風泊北防波堤突端まで引いた線、同防波堤、竹ノ子島台場鼻から三一〇度三七〇メートルの地点まで引いた線、同地点から四二度に引いた線、六連島灯台（北緯三三度五八分四一秒東経一三〇度五二分四

徳島県	撫養	秒）から五六度四、八〇〇メートルの地点から〇度八〇メートルの地点まで引いた線、同地点から二七〇度一、七二〇メートルの地点まで引いた線、同地点から六連島鵜ノ石鼻まで引いた線、同島ウドノ鼻から二二三度四八〇メートルの地点まで引いた線、同地点から一三三度六〇〇メートルの地点まで引いた線、同地点から二四四度八七〇メートルの地点まで引いた線、同地点から和合良島島頂（二五メートル）まで引いた線、同島頂から二五七度一、八〇〇メートルの地点まで引いた線、同地点から三二四度三〇分三〇〇メートルの地点まで引いた線、同地点から三一〇度三〇分一、九〇〇メートルの地点まで引いた線、同地点から三一二度三〇分一、七七〇メートルの地点まで引いた線、白洲灯台（北緯三三度五九分一秒東経一三〇度四七分三〇秒）から四九度三〇分二、三九〇メートルの地点を中心とする半径二、〇〇〇メートルの円弧のうち同地点から一九〇度に引いた線以西であつて、かつ、同地点から二五四度三〇分に引いた線以南の部分、同地点から二五四度三〇分二、〇〇〇メートルの地点から三一二度三〇分一、九四〇メートルの地点まで引いた線、同地点から三一九度三〇分四、七八〇メートルの地点まで引いた線、同地点から二七〇度八〇〇メートルの地点まで引いた線、同地点から一九五度三〇分に白島まで引いた線、白島三角点（一一八メートル）（北緯三四度四一秒東経一三〇度四三分三七秒）から一八一度一、七一〇メートルの地点まで引いた線、同地点から二七〇度二、六四〇メートルの地点まで引いた線、同地点から一七八度五、八四〇メートルの地点まで引いた線、同地点から九〇度二、六五〇メートルの地点まで引いた線、同地点から一八三度三〇分二四〇メートルの地点まで引いた線、同地点から九〇度四一〇メートルの地点まで引いた線、同地点から一四〇度三〇分に引いた線及び陸岸により囲まれた海面並びに砂津川砂津大橋、紫川紫川大橋及び境川西港橋各下流の河川水面 二　新門司防波堤灯台（北緯三三度五二分二三秒東経一三一度三六秒）から二三五度三〇分一、〇二〇メートルの地点まで引いた線、同地点から二七二度三〇分に陸岸まで引いた線、同灯台から二九〇度九六〇メートルの地点まで引いた線、同地点から一二度三〇分に引いた線及び陸岸により囲まれた海面並びに松ケ江大橋下流の相割川水面
		遠見ノ鼻から〇度一、七五〇メートルの地点から九〇度二、三〇〇メートルの地点まで引いた線、同地点から一八〇度四、八〇〇メートルの地点まで引いた線、同地点から二七〇度に引いた線、竹島北端から二七〇度に引いた線及び陸岸により囲まれた海面並びに文明

		橋下流の撫養川水面
	今切	今切港長原導流堤灯台（北緯三四度六分一四秒東経一三四度三六分三四秒）から二四九度九七〇メートルの地点を中心とする半径一、五〇〇メートルの円内の海面及び三ツ合橋下流の今切川水面
	徳島小松島	徳島市北沖洲東端（北緯三四度四分二二秒東経一三四度三五分四九秒）から一一四度一、五〇〇メートルの地点まで引いた線、同地点から一六四度に引いた線及び陸岸により囲まれた海面並びに沖洲川沖洲大橋、福島川福島新橋、新町川かちどき橋、御座船入江川山城橋、冷田川樋門、園瀬川鉄道橋、勝浦川勝浦浜橋、神田瀬川千歳橋及び立江川鷺橋各下流の河川水面
	富岡	亀埼東端から丸島島頂（七二メートル）まで引いた線、同島頂から四六度三〇分一、一〇五メートルの地点まで引いた線、同地点から青島三角点（五三メートル）（北緯三三度五五分三一秒東経一三四度四三分二〇秒）まで引いた線、同三角点から三〇六度三〇分に陸岸まで引いた線並びに陸岸により囲まれた海面並びに富岡港防砂堤灯台（北緯三三度五五分三三秒東経一三四度四二分四二秒）から二八四度三、五〇〇メートルの地点から一六二度に引いた線以東の桑野川及び派川那賀川水面
	橘	阿南市大潟町袙の東端（北緯三三度五三分一秒東経一三四度四〇分四〇秒）から楠ケ浦北端（北緯三三度五一分一五秒東経一三四度四一分三一秒）まで引いた線及び陸岸により囲まれた海面
	由岐	足摺岬から篦野島北端を経て東由岐浦南端（北緯三三度四五分五〇秒東経一三四度三五分五九秒）まで引いた線及び陸岸により囲まれた海面
	日和佐	阿瀬比ノ鼻から大磯東端まで引いた線、大磯西端から二七〇度に引いた線及び陸岸により囲まれた海面並びに日和佐川厄除橋及び奥潟川奥潟樋門下流の河川水面
	牟岐	小張埼から仏埼（北緯三三度三九分二四秒東経一三四度二五分二秒）まで引いた線及び陸岸により囲まれた海面並びに大川橋下流の牟岐川水面
	浅川	網代埼から〇度に引いた線及び陸岸により囲まれた海面
	宍喰	古愛宕三角点（一九六メートル）（北緯三三度三三分二八秒東経一三四度一七分四五秒）から七四度一、五五〇メートルの地点を中心とする半径一、〇〇〇メートルの円内の海面及び宍喰橋下流の宍喰

		川水面
香川県	豊浜	余木埼（北緯三四度二分三八秒東経一三三度三五分五五秒）から四四度五、二五〇メートルの地点を中心とする半径一、〇〇〇メートルの円内の海面
	観音寺	観音寺港南防波堤灯台（北緯三四度七分二六秒東経一三三度三七分五四秒）から七二度四四〇メートルの地点を中心とする半径一、五〇〇メートルの円内の海面並びに財田川琴弾橋及び一ノ谷川港橋各下流の河川水面
	仁尾	大蔦島北東端から五四度に引いた線、同島南端から小蔦島北西端まで引いた線、同島南端から一三五度に引いた線及び陸岸により囲まれた海面
	詫間	三玉岩灯標（北緯三四度一四分五三秒東経一三三度四〇分二一秒）から一二三度二、四四〇メートルの地点から岩島島頂（三・四メートル）まで引いた線、同島頂から二七〇度五、五九〇メートルの地点まで引いた線、同地点から一八〇度に引いた線及び陸岸により囲まれた海面並びに詫間水門下流の高瀬川水面
	多度津	城ケ下三角点（九三メートル）（北緯三四度一六分八秒東経一三三度四四分四一秒）から三五七度五八〇メートルの地点を中心とする半径一、三〇〇メートルの円内の海面
	丸亀	丸亀港蓬莱町防波堤灯台（北緯三四度一八分三九秒東経一三三度四六分五八秒）から一一九度一、七五五メートルの地点から上真島三角点（三六メートル）（北緯三四度一九分東経一三三度四七分三一秒）まで引いた線、同三角点から二三七度三〇分に昭和町防波堤まで引いた線、同防波堤及び陸岸により囲まれた海面
	坂出	蛸埼（北緯三四度一九分二四秒東経一三三度四九分四九秒）から沙弥島ママコ鼻まで引いた線、同地点から総社川口左岸突端まで引いた線及び陸岸により囲まれた海面
	香西	芝山山頂（四五メートル）から〇度一五〇メートルの地点を中心とする半径一、〇〇〇メートルの円内の海面
	高松	高松港朝日町外防波堤南灯台（北緯三四度二一分四〇秒東経一三四度三分一九秒）から一七九度三〇分六九五メートルの地点を中心とする半径二、八〇〇メートルの円内の海面、同円内の新川及び春日川の各河川水面並びに高松琴平電気鉄道志度線鉄道橋下流の詰田川水面
	志度	灯籠鼻から二七四度に引いた線及び陸岸により囲まれた海面
	津田	長尾鼻から三一九度に引いた線及び陸岸により囲まれた海面並びに津田川ゲート下流の津田川水面
	三本松	湊村三角点（九・七メートル）（北緯三四度一五分二秒東経一三四度二一分二八秒）から二七二度一、五三〇メートルの地点を中心とする半径一、五〇〇メートルの円内の海面
	引田	引田鼻から馬宿川口左岸突端まで引いた線及び陸岸により囲まれた海面並びに御幸橋下流の小海川水面
	坂手	大滝三角点（四三五メートル）（北緯三四度二〇分一八秒東経一三四度二七分五〇秒）から二四七度一、八五〇メートルの地点を中心とする半径一、五〇〇メートルの円弧のうち同地点からそれぞれ一四三度及び二七二度に引いた線以南の部分並びに陸岸により囲まれた海面
	内海	赤埼から三一五度に引いた線及び陸岸により囲まれた海面
	池田	飛火埼から沖ノ鼻まで引いた線及び陸岸により囲まれた海面
	土庄	室埼から一八〇度に引いた線、永代橋及び陸岸により囲まれた海面
	直島	角埼北東端、向島荒崎鼻、家島東端、同島西端及び重石鼻を順次に結んだ線並びに陸岸により囲まれた海面
愛媛県	深浦	荷碆鼻から〇度に引いた線及び陸岸により囲まれた海面
	宇和島	戎ケ鼻から〇度に引いた線及び陸岸により囲まれた海面
	吉田	竜王鼻（北緯三三度一五分三五秒東経一三二度三〇分五六秒）から七一度二、一〇〇メートルの地点から一三五度に引いた線及び陸岸により囲まれた海面並びに立間川長栄橋、立間尻川口橋、南谷川新港橋及び鶴間川犬日大橋各下流の河川水面
	三瓶	御手洗鼻から龍王埼まで引いた線及び陸岸により囲まれた海面
	八幡浜	城ケ浦鼻から三四〇度に引いた線及び陸岸により囲まれた海面
	川之石	松ケ鼻から丸岩鼻まで引いた線及び陸岸により囲まれた海面
	三崎	オミ岬から大島井碆を見とおした線及び陸岸により囲まれた海面
	三机	襖鼻から走手鼻まで引いた線及び陸岸により囲まれた海面
	長浜	長浜港北防波堤灯台（北緯三三度三七分一二秒東経一三二度二九分

		二二秒）から二四三度八〇〇メートルの地点を中心とする半径九〇〇メートルの円弧のうち同地点からそれぞれ二二〇度及び二八六度に引いた線以西の部分、同地点から二八六度九〇〇メートルの地点から一六度五〇〇メートルの地点まで引いた線、同地点から五二度三、一九〇メートルの地点まで引いた線、同地点から一四二度に引いた線及び陸岸により囲まれた海面
	郡中	郡中港西防波堤灯台（北緯三三度四五分三七秒東経一三二度四一分三八秒）から一四二度三〇分四〇〇メートルの地点を中心とする半径一、〇〇〇メートルの円内の海面
	松山	興居島黒埼から一八五度三〇分四、一四〇メートルの地点まで引いた線、同地点から九〇度に陸岸まで引いた線、同島神埼から白石ノ鼻まで引いた線及び陸岸により囲まれた海面
	北条	鹿島三角点（一一四メートル）（北緯三三度五八分二六秒東経一三二度四五分四九秒）から七一度三〇分六九〇メートルの地点を中心とする半径一、〇〇〇メートルの円内の海面
	菊間	菊間港防波堤灯台（北緯三四度二分一八秒東経一三二度五〇分一六秒）から一九八度一八〇メートルの地点を中心とする半径七〇〇メートルの円内の海面及び更生橋下流の菊間川水面
	今治	大浜潮流信号所（北緯三四度五分二五秒東経一三二度五九分一六秒）から九六度三三〇メートルの地点から一二〇度三、二〇〇メートルの地点まで引いた線、同地点から一四八度三、一一〇メートルの地点まで引いた線、同地点から二三一度に引いた線及び陸岸により囲まれた海面並びに東門橋下流の蒼社川水面並びに来島山尻ノ鼻からそれぞれ一一七度及び二五四度に引いた線並びに陸岸により囲まれた海面
	吉海	鴨磯から七〇度に引いた線、同地点から津倉北端まで引いた線及び陸岸により囲まれた海面
	壬生川	壬生川港壬生川西防波堤灯台（北緯三三度五七分二五秒東経一三三度六分三九秒）から二六六度三〇分二、五五〇メートルの地点から六七度四、〇〇〇メートルの地点まで引いた線、同地点から一四七度一、五九〇メートルの地点まで引いた線、同地点から一九九度に引いた線及び陸岸により囲まれた海面
	西条	西条港導灯（後灯）（北緯三三度五五分四五秒東経一三三度一〇分三一秒）から一四五度三五メートルの地点を中心とする半径二、〇〇〇メートルの円内の海面

	新居浜	新居浜市と西条市との境界海岸（北緯三三度五六分五三秒東経一三三度一四分九秒）から三五一度三〇分に引いた線、大島虎埼から二七〇度三、〇〇〇メートルの地点まで引いた線、同地点から二五四度に引いた線、大島中山埼から一九六度に引いた線及び陸岸により囲まれた海面並びに元塚橋下流の尻無川水面
	寒川	寒川港防波堤灯台（北緯三三度五八分二六秒東経一三三度三〇分五〇秒）から二一五度三〇分三二五メートルの地点を中心とする半径四〇〇メートルの円内の海面
	三島川之江	川之江三角点（六二メートル）（北緯三四度四七秒東経一三三度三四分三秒）から四四度一、六四〇メートルの地点から三三一度一、二二〇メートルの地点まで引いた線、同地点から二三五度六、五七〇メートルの地点まで引いた線、同地点から一六三度一、一〇〇メートルの地点まで引いた線、同地点から六〇度八七〇メートルの地点まで引いた線、同地点から一三〇度に引いた線及び陸岸により囲まれた海面
	岡村	岡村島三角点（一六〇メートル）（北緯三四度一一分二三秒東経一三二度五三分二〇秒）から一九三度三〇分六四〇メートルの地点から一五八度二五〇メートルの地点まで引いた線、同地点から二二一度に引いた線及び陸岸により囲まれた海面
	宮浦	泊ケ鼻（北緯三四度一四分五二秒東経一三二度五九分一四秒）から道明ケ鼻（北緯三四度一五分八秒東経一三二度五九分二一秒）まで引いた線及び陸岸により囲まれた海面
	伯方	金ケ埼から波戸名鼻まで引いた線及び陸岸により囲まれた海面
高知県	甲浦	唐人ケ鼻を中心とする半径一、〇〇〇メートルの円内の海面
	室戸岬	外防波堤突端（北緯三三度一五分四九秒東経一三四度九分四七秒）を中心とする半径一、〇〇〇メートルの円内の海面
	室津	後免一号防波堤突端（北緯三三度一七分八秒東経一三四度八分三四秒）を中心とする半径一、〇〇〇メートルの円内の海面及び港橋下流の室津川水面
	奈半利	奈半利川口左岸突端を中心とする半径一、五〇〇メートルの円内の海面及び奈半利川橋下流の奈半利川水面
	高知	高知灯台（北緯三三度二九分四六秒東経一三三度三四分二三秒）から一八〇度五〇六メートルの地点まで引いた線、同地点から九〇度

		三、〇二五メートルの地点まで引いた線、同地点から三四二度三〇分に引いた線及び陸岸により囲まれた海面並びに下田川五台山橋、国分川青柳橋、堀川大鋸屋橋、鏡川九反田橋及び新川川御倉橋各下流の河川水面
	宇佐	白ノ鼻から〇度に引いた線及び陸岸により囲まれた海面
	須崎	コーギノ鼻から二五七度一、五五〇メートルの地点まで引いた線、同地点から角谷岬まで引いた線及び陸岸により囲まれた海面並びに大峰橋下流の桜川水面
	久礼	大野埼から二一五度に引いた線及び陸岸により囲まれた海面
	上ノ加江	加江埼から押岡埼まで引いた線及び陸岸により囲まれた海面
	佐賀	鹿島東端を中心とする半径一、〇〇〇メートルの円内の海面及び佐賀橋下流の伊与木川水面
	上川口	上川口港第五防波堤西灯台（北緯三三度二分二秒東経一三三度三分一二秒）から四七度三〇分七四五メートルの地点を中心とする半径一、一〇〇メートルの円内の海面及び王迎橋下流の蜷川水面
	下田	西道埼灯台（北緯三二度五五分五一秒東経一三二度五九分五八秒）から三五四度三〇分一、八〇〇メートルの地点を中心とする半径三、〇〇〇メートルの円内の海面並びに四万十川山路渡船場（北緯三二度五八分一五秒東経一三二度五七分九秒）から〇度に引いた線以東の後川及び四万十川の各河川水面
	清水	尾浦埼から遠見埼まで引いた線及び陸岸により囲まれた海面
	宿毛湾	大島三角点（九一メートル）（北緯三二度五四分五四秒東経一三二度四二分一秒）から六九度四三五メートルの地点から〇度に引いた線、同三角点から二八八度一、二一五メートルの地点から二三九度三五五メートルの地点まで引いた線、同地点から二二七度一、八一五メートルの地点まで引いた線、同地点から御殿山三角点（三二一メートル）（北緯三二度五五分一一秒東経一三二度四〇分一六秒）まで引いた線及び陸岸により囲まれた海面
福岡県	加布里	鷺ノ首から配埼まで引いた線及び陸岸により囲まれた海面
	博多	能古島天狗鼻（北緯三三度三八分一〇秒東経一三〇度一七分五六秒）から三二度三〇分に引いた線、同地点から碁石鼻まで引いた線及び陸岸により囲まれた海面並びに新千鳥橋下流の御笠川水面及び博多港西防波堤北灯台（北緯三三度三七分五秒東経一三〇度二二分

		五五秒）から一四〇度二、五四〇メートルの地点から二三〇度に引いた線以北の那珂川水面
	大島	大島加代鼻から一八〇度に引いた線、同島曽根鼻から九〇度に引いた線及び陸岸により囲まれた海面
	芦屋	魚見山山頂を中心とする半径一、七〇〇メートルの円内の海面及び芦屋橋下流の遠賀川水面
	苅田	苅田港東防波堤灯台（北緯三三度四七分四九秒東経一三一度四八秒）から二〇二度五二〇メートルの地点を中心とする半径三、〇〇〇メートルの円内の海面
	宇島	宇島港西三号防波堤灯台（北緯三三度三八分一秒東経一三一度七分三〇秒）から一七六度五一五メートルの地点を中心とする半径二、五〇〇メートルの円内の海面及び経済橋下流の経済川水面
	三池	三池港北防砂堤灯台（北緯三三度一六秒東経一三〇度二三分三二秒）を中心とする半径二、七〇〇メートルの円内の海面（ドックを含む。）
	大牟田	四ツ山山頂から八度一、九〇〇メートルの地点を中心とする半径四、五〇〇メートルの円内の海面中三池港境界線以北の部分並びに諏訪川諏訪橋及び大牟田川中島橋各下流の河川水面
	若津	浜武三角点（五・一メートル）（北緯三三度八分五六秒東経一三〇度二二分三一秒）から二二〇度五二〇メートルの地点を中心とする半径二、七〇〇メートルの円内の海面及び大中島北東端から一三五度に引いた線以南の筑後川水面（福岡県の地先部分に限る。）
佐賀県	呼子	友埼から加部島宮埼まで引いた線、同島立石埼から波戸埼まで引いた線及び陸岸により囲まれた海面
	唐津	高島北端から二九三度に引いた線、同島南東端から一八〇度に引いた線及び陸岸により囲まれた海面並びに舞鶴橋下流の松浦川水面
	住ノ江	住ノ江港第一号灯標（北緯三三度一一分東経一三〇度一四分七秒）から二三三度五四〇メートルの地点から九〇度に引いた線及び陸岸により囲まれた海面並びに住の江橋下流の住ノ江川水面
	諸富	寺井三角点（一七メートル）（北緯三三度一三分二八秒東経一三〇度二一分二〇秒）から一七八度一、四〇〇メートルの地点から一八〇度に引いた線、大中島南西端から一三五度に引いた線、佐賀江川口左岸突端から一三五度に引いた線及び同地点から三一五度に引い

		た線により囲まれた河川水面中佐賀県の区域内の部分
佐賀県 長崎県	伊万里	佐賀県と長崎県の境界海岸（北緯三三度二〇分二六秒東経一二九度四七分二八秒）から六六度三〇分一、〇一五メートルの地点まで引いた線、同地点から三五〇度二、七九〇メートルの地点まで引いた線、同地点から矢柄鼻まで引いた線、煤屋埼から三一五度に引いた線及び陸岸により囲まれた海面並びに松島橋下流の伊万里川水面
長崎県	島原	モソ瀬灯標（北緯三二度四五分四六秒東経一三〇度二二分四三秒）から二五一度三〇分七四〇メートルの地点から九〇度一、〇〇〇メートルの地点まで引いた線、同地点から〇度三五〇メートルの地点まで引いた線、同地点から一三度二、二二〇メートルの地点まで引いた線、同地点から二六四度三〇分に引いた線及び陸岸により囲まれた海面
	口之津	宮崎鼻から一八〇度に引いた線、白間埼から九〇度に引いた線及び陸岸により囲まれた海面
	小浜	弁天埼から穴ノ口埼まで引いた線及び陸岸により囲まれた海面
	茂木	潮見埼を中心とする半径二、〇〇〇メートルの円内の海面
	脇岬	井上鼻（北緯三二度三五分八秒東経一二九度四七分三六秒）から甲ノ瀬及び中島南端を経て祇園埼まで引いた線並びに陸岸により囲まれた海面
	長崎	端埼から大中瀬戸北灯台（北緯三二度四一分四三秒東経一二九度四七分二九秒）に引いた線、同灯台から一一六度に引いた線及び陸岸により囲まれた海面並びに稲佐橋下流の浦上川水面及び長崎港旭町防波堤灯台（北緯三二度四四分四二秒東経一二九度五一分五二秒）から八九度六一〇メートルの地点から〇度に引いた線以西の中島川水面
	三重式見	端埼から三一三度に神楽島まで引いた線、同島西端から三重埼まで引いた線及び陸岸により囲まれた海面並びに新港大橋下流の多以良川水面
	瀬戸	シラゴ鼻から七五度に引いた線、同地点から福島拝崎鼻まで引いた線、同島南端から一一六度に引いた線及び陸岸により囲まれた海面並びに板浦三角点（二〇九メートル）（北緯三二度五六分五三秒東経一二九度三八分四七秒）から一五二度三、三九〇メートルの地点から一〇五度に引いた線以南の雪浦川水面
	松島	青山三角点（五九メートル）（北緯三二度五六分一五秒東経一二九度三五分四一秒）から三〇度一、〇一五メートルの地点を中心とする半径一、五〇〇メートルの円弧のうち同地点からそれぞれ一〇六度及び三五二度に引いた線以東の部分、同地点から三五二度一、五〇〇メートルの地点から一八〇度に引いた線及び陸岸により囲まれた海面
	大村	玖島埼から臼島南端まで引いた線、同地点から三一一度に箕島まで引いた線、臼島三角点（七八メートル）（北緯三二度五四分九秒東経一二九度五六分三〇秒）から三一〇度二、四三〇メートルの地点から二五度に引いた線及び陸岸により囲まれた海面
	崎戸	鶴埼から崎戸島北西端まで引いた線、同島南端から芋島島頂まで引いた線、同地点から折瀬ノ鼻まで引いた線及び陸岸により囲まれた海面
	佐世保	高後埼から寄船埼まで引いた線、猪ノ首鼻から口木埼まで引いた線、フル埼から針尾島三ツ岳山頂（二八メートル）まで引いた線及び陸岸により囲まれた海面並びに佐世保川平瀬橋及び日宇川白岳橋各下流の河川水面
	相浦	大埼から三四〇度に引いた線及び陸岸により囲まれた海面
	臼浦	魚見埼からコウゴ瀬まで引いた線、同地点から黒島北端を見とおした線及び陸岸により囲まれた海面
	江迎	銭立鼻から小島（高梻島）西端を見とおした線及び陸岸により囲まれた海面並びに江迎大橋下流の江迎川水面
	田平	南風埼から平戸島南竜埼まで引いた線、同地点から九〇度に引いた線及び陸岸により囲まれた海面
	松浦	蛭子埼（北緯三三度二一分三秒東経一二九度四二分八秒）から三一六度一五〇メートルの地点から〇度一、九一〇メートルの地点まで引いた線、同地点から二七〇度に引いた線及び陸岸により囲まれた海面
	今福	野埼から雇尾鼻（北緯三三度二二分一秒東経一二九度四四分四三秒）まで引いた線及び陸岸により囲まれた海面
	福江	石切鼻から一〇九度一、〇〇〇メートルの地点まで引いた線、同地点から一八四度に引いた線及び陸岸により囲まれた海面
	富江	和島北端から三一五度に引いた線、同島東端から一八〇度に引いた線及び陸岸により囲まれた海面

玉之浦	小浦北端から島山島西端まで引いた線、同島黒瀬埼から九〇度に引いた線及び陸岸により囲まれた海面
岐宿	針ノメンズ鼻から沖ノ平瀬北端を経て尼埼まで引いた線、団助鼻からヒキ瀬北端を見とおした線及び陸岸により囲まれた海面
奈留島	掛り先鼻から末津島西端まで引いた線、同島南端から奈留神鼻まで引いた線及び陸岸により囲まれた海面
奈良尾	福見埼から二二〇度に引いた線及び陸岸により囲まれた海面
有川	野首埼から二四九度に引いた線及び陸岸により囲まれた海面
青方	金剛埼から祝言島西ノ鼻まで引いた線、同島唐埼から七五度に引いた線、相河大橋、三日ノ浦橋及び陸岸により囲まれた海面
小値賀	小値賀港黒島南防波堤灯台（北緯三三度一〇分五七秒東経一二九度三分五一秒）から二四四度一、一九〇メートルの地点から三〇七度七七〇メートルの地点まで引いた線、同地点から二三五度に引いた線、同灯台から二三五度三〇分三三〇メートルの地点から六〇度三八〇メートルの地点まで引いた線、同地点から四〇度に引いた線及び陸岸により囲まれた海面
平戸	山姥埼から黒子島東端を経て獅子駒埼まで引いた線及び陸岸により囲まれた海面
津吉	坊山埼から待鹿埼まで引いた線及び陸岸により囲まれた海面
生月	鳥瀬埼から九〇度一、五〇〇メートルの地点まで引いた線、同地点から一八〇度に引いた線、呼埼から潮見埼まで引いた線及び陸岸により囲まれた海面
大島	曲り鼻から一八〇度六〇〇メートルの地点まで引いた線、同地点から九〇度に引いた線、ツルノサガリ鼻から一八〇度に引いた線及び陸岸により囲まれた海面
芦辺	若宮埼から竜神埼まで引いた線及び陸岸により囲まれた海面
郷ノ浦	細埼から烏帽子埼まで引いた線及び陸岸により囲まれた海面
勝本	名烏島南東端から一三七度に引いた線、同島北端から若宮島北東端まで引いた線、同島北西端から鳥屋鼻まで引いた線及び陸岸により囲まれた海面
比田勝	尉殿埼から戸ノ埼まで引いた線及び陸岸により囲まれた海面

	佐須奈	立場埼からトロク埼まで引いた線及び陸岸により囲まれた海面並びに佐須奈川昭和橋及び大戸川佐須奈橋各下流の河川水面
	厳原	耶良埼灯台（北緯三四度一一分三九秒東経一二九度一七分五四秒）から八三度七〇メートルの地点から一五八度五五〇メートルの地点まで引いた線、同地点から二二〇度に引いた線及び陸岸により囲まれた海面
	豆酘	豆酘埼から小母埼まで引いた線及び陸岸により囲まれた海面
熊本県	水俣	明神埼（北緯三二度一二分一一秒東経一三〇度二二分二二秒）を中心とする半径一、七〇〇メートルの円弧、同地点からツツワ埼（北緯三二度一一分二秒東経一三〇度二二分一九秒）まで引いた線及び陸岸により囲まれた海面
	佐敷	鶴木山西端（北緯三二度一八分四四秒東経一三〇度二八分一〇秒）から唐船岩を経て唐船鼻まで引いた線及び陸岸により囲まれた海面、同山西端から一三五度三、〇〇〇メートルの地点から二二五度に引いた線以北の湯浦川水面並びに白岩橋下流の佐敷川水面
	八代	八代港北防砂堤灯台（北緯三二度三三分四九秒東経一三〇度三三分四秒）から五六度三〇分三、一八〇メートルの地点から二六一度三〇分七、二九〇メートルの地点まで引いた線、同地点から一九七度三〇分一二、一二〇メートルの地点まで引いた線、同地点から一一七度三〇分三、〇一〇メートルの地点まで引いた線、同地点から六二度三〇分に引いた線及び陸岸により囲まれた海面並びに水無川産島橋、前川八代大橋、南川南川橋及び球磨川金剛橋各下流の河川水面
	三角	瀬戸ノ鼻から三角灯台（北緯三二度三七分三〇秒東経一三〇度二六分三九秒）まで引いた線、大矢野島塔ケ埼から千束島六四郎鼻まで引いた線、黒埼から一八〇度に引いた線、戸馳島灯台（北緯三二度三四分三四秒東経一三〇度二九分一九秒）から二一〇度に引いた線及び陸岸により囲まれた海面
	熊本	白川左岸突端から二六五度三、〇五〇メートルの地点まで引いた線、同地点から二四九度三、二六〇メートルの地点まで引いた線、同地点から一七四度三〇分一、五〇〇メートルの地点まで引いた線、同地点から一〇四度三、四五〇メートルの地点まで引いた線、同地点から八五度に引いた線及び陸岸により囲まれた海面
	百貫	楢崎山三角点（二七三メートル）（北緯三二度四七分二〇秒東経一三〇度三七分四九秒）から二九八度二、八五〇メートルの地点を中

		心とする半径一、八〇〇メートルの円内の海面及び同三角点から一八〇度に引いた線以西の坪井川水面
	長洲	長洲港北防波堤灯台（北緯三二度五五分二三秒東経一三〇度二六分一九秒）から一四度三〇分一、〇二〇メートルの地点を中心とする半径一、三〇〇メートルの円弧のうち同地点からそれぞれ一一〇度及び二七〇度に引いた線以北の部分、同地点から二七〇度一、三〇〇メートルの地点から一八三度九九〇メートルの地点まで引いた線、同灯台を中心とする半径一、一〇〇メートルの円弧のうち同灯台からそれぞれ一五〇度及び二七〇度に引いた線以南の部分並びに陸岸により囲まれた海面
	合津	ソベノ埼（北緯三二度三一分二九秒東経一三〇度二五分五秒）から六六度に前島まで引いた線、同島沖ノ鼻（北緯三二度三一分四七秒東経一三〇度二五分四五秒）から三五度に中島まで引いた線、同島中島ノ鼻（北緯三二度三一分四一秒東経一三〇度二六分九秒）から鬼塚ノ鼻（北緯三二度三一分三八秒東経一三〇度二六分一八秒）まで引いた線及び陸岸により囲まれた海面
	姫戸	小島鼻（北緯三二度二六分二七秒東経一三〇度二四分五二秒）から小島島頂を経て雨龍埼まで引いた線及び陸岸により囲まれた海面
	本渡	茂木根埼から一三五度に引いた線、須森南端から二七一度に引いた線及び陸岸により囲まれた海面並びに広瀬川大矢橋、小松原川市安橋、町山口川昭和橋、南川昭南橋及び亀川明亀橋各下流の河川水面
	牛深	牛深港灯台三角点（七六メートル）（北緯三二度一一分二九秒東経一三〇度一分一〇秒）から三三八度三〇分二五〇メートルの地点を中心とする半径二、二〇〇メートルの円弧のうち同地点からそれぞれ二六度及び一二四度に引いた線以東の部分、同三角点から一四七度五〇〇メートルの地点から〇度に引いた線並びに陸岸により囲まれた海面
	富岡	巴埼から一六〇度に引いた線及び陸岸により囲まれた海面
	鬼池	鬼池港防波堤A東灯台（北緯三二度三二分五八秒東経一三〇度一一分二九秒）から二〇二度三〇分三六〇メートルの地点を中心とする半径九〇〇メートルの円内の海面
福岡県 大分県	中津	大塚三角点（四・一メートル）（北緯三三度三六分五六秒東経一三一度一二分一五秒）を中心とする半径三、〇〇〇メートルの円弧のうち同三角点からそれぞれ一〇度及び二七九度に引いた線以北の部分、同三角点から一〇度三、〇〇〇メートルの地点から二五度四〇

		メートルの地点まで引いた線、同地点から七一度六、二一〇メートルの地点まで引いた線、同地点から一〇九度二、一五〇メートルの地点まで引いた線、同地点から二〇九度に引いた線及び陸岸により囲まれた海面並びに山国川下流の山国川水面
大分県	長洲	小松橋東端を中心とする半径一、八〇〇メートルの円内の海面及び小松橋下流の駅館川水面
	高田	川口三角点（二・八メートル）（北緯三三度三四分三八秒東経一三一度二五分三八秒）から一一五度三〇分一四〇メートルの地点を中心とする半径二、五〇〇メートルの円内の海面並びに桂川桂橋及び寄藻川浮殿橋各下流の河川水面
	竹田津	琵琶埼から太郎岩を経て亀埼まで引いた線及び陸岸により囲まれた海面
	国東	国東港南防波堤灯台（北緯三三度三四分東経一三一度四四分二三秒）から二四一度三〇分三二五メートルの地点を中心とする半径一、〇〇〇メートルの円内の海面及び港橋下流の田深川水面
	守江	権現鼻から四五度に引いた線及び陸岸により囲まれた海面並びに八坂川錦江橋及び高山川永代橋各下流の河川水面
	別府	高崎山山頂から松ケ鼻まで引いた線及び陸岸により囲まれた海面
	大分	大分港北突堤灯台（北緯三三度一五分五秒東経一三一度三五分一三秒）から二七〇度三〇分一、七〇〇メートルの地点から二四度一、二五〇メートルの地点まで引いた線、同地点から七四度一二、〇〇〇メートルの地点まで引いた線、同地点から一一九度四、九五〇メートルの地点まで引いた線、同地点から九二度三、七〇〇メートルの地点まで引いた線、同地点から一八〇度に引いた線及び陸岸により囲まれた海面並びに大野川鶴崎橋、乙津川海原橋、裏川裏川橋及び大分川弁天大橋各下流の河川水面
	佐賀関	踊鼻から六六度に引いた線及び陸岸により囲まれた海面
	臼杵	天神ケ鼻から三三七度に引いた線及び陸岸により囲まれた海面
	津久見	横浦埼から一一六度三〇分に引いた線及び陸岸により囲まれた海面並びに下青江橋下流の青江川水面
	佐伯	番匠川口右岸突端から東島東端まで引いた線、高松戎鼻から宮島島頂を経て浪太鼻まで引いた線及び陸岸により囲まれた海面並びに中川海運橋、中江川美国橋及び番匠川水路橋各下流の河川水面

	蒲江	米揚鼻から雀研鼻まで引いた線及び陸岸により囲まれた海面
宮崎県	北浦	投石礁東端から烏帽子碆南端まで引いた線、同地点から三四二度に引いた線、投石礁東端から三四六度に引いた線及び陸岸により囲まれた海面
	延岡	東海山山頂（二五八メートル）から二六〇度一、〇〇〇メートルの地点を中心とする半径二、五〇〇メートルの円内の海面並びに同円内の五ケ瀬川、祝子川、友内川及び北川の各河川水面
	土々呂	洋望埼からタカチ碆に引いた線、同地点から一七八度に引いた線及び陸岸により囲まれた海面
	細島	倉戸鼻から乙島三角点（七九メートル）（北緯三二度二七分五五秒東経一三一度四〇分六秒）まで引いた線、同三角点から九二度三〇分二、七一五メートルの地点まで引いた線、同地点から一七七度三〇分一、七五〇メートルの地点まで引いた線、同地点から戒の上三角点（一〇二メートル）（北緯三二度二五分二五秒東経一三一度四一分六秒）まで引いた線及び陸岸により囲まれた海面
	宮崎	檍村水神松三角点（二・一メートル）（北緯三一度五四分二七秒東経一三一度二七分二四秒）を中心とする半径四、〇〇〇メートルの円内の海面並びに大淀川高松橋及び新別府川一ッ葉橋各下流の河川水面
	内海	内海港沖防波堤灯台（北緯三一度四五分八秒東経一三一度二八分三二秒）から三四八度三八〇メートルの地点を中心とする半径一、三〇〇メートルの円内の海面及び内海橋下流の内海川水面
	油津	裸碆灯台（北緯三一度三三分五四秒東経一三一度二四分五九秒）から三一八度三〇分六六〇メートルの地点から一八〇度二四〇メートルの地点まで引いた線、同地点から二〇〇度三〇分一、〇九〇メートルの地点まで引いた線、同地点から二七〇度に引いた線及び陸岸により囲まれた海面並びに堀川運河水面
	外浦	観音埼から祇園埼まで引いた線及び陸岸により囲まれた海面並びに黒島橋下流の潟上川水面
	福島	隠現鼻を中心とする半径一、三〇〇メートルの円内の海面並びに同円内の善田川、天神川及び福島川の各河川水面
鹿児島県	志布志	志布志港防波堤灯台（北緯三一度二八分二六秒東経一三一度六分三二秒）から一〇一度一、九〇〇メートルの地点から二一八度六、五〇〇メートルの地点まで引いた線、同地点から三四六度三〇分に引いた線及び陸岸により囲まれた海面
	内之浦	火埼から高埼まで引いた線及び陸岸により囲まれた海面並びに内之浦橋下流の広瀬川水面
	大泊	波山鼻を中心とする半径一、五〇〇メートルの円内の海面
	大根占	城ケ埼突端を中心とする半径一、五〇〇メートルの円内の海面
	鹿屋	鹿屋港北沖防波堤南灯台（北緯三一度二四分九秒東経一三〇度四五分三一秒）から八〇度八四〇メートルの地点を中心とする半径一、〇〇〇メートルの円内の海面
	垂水	垂水港南防波堤灯台（北緯三一度二九分四一秒東経一三〇度四一分四二秒）から三八度三〇分八八〇メートルの地点を中心とする半径二、〇〇〇メートルの円弧のうち同地点からそれぞれ二五九度及び三五一度に引いた線以西の部分、同地点から二五九度二、〇〇〇メートルの地点から一六七度二、五七〇メートルの地点まで引いた線、同地点から八四度に引いた線及び陸岸により囲まれた海面並びに本城橋下流の本城川水面
	福山	若御子鼻から宮浦川口右岸突端まで引いた線及び陸岸により囲まれた海面
	加治木	加治木港基本水準標識（北緯三一度四三分四八秒東経一三〇度四〇分二秒）から二七五度三〇分二〇〇メートルの地点を中心とする半径八〇〇メートルの円内の海面並びに綱掛川綱掛橋及び日木山川日木山橋各下流の河川水面
	鹿児島	平川三角点（一二六メートル）（北緯三一度二七分四二秒東経一三〇度三〇分三一秒）から一四七度一、七〇〇メートルの地点から九〇度一、七〇〇メートルの地点まで引いた線、同地点から沖小島三角点（三九メートル）（北緯三一度三一分三九秒東経一三〇度三六分五五秒）まで引いた線、同三角点から神瀬灯台（北緯三一度三四分一秒東経一三〇度三五分二四秒）まで引いた線、同灯台から三四二度に引いた線及び陸岸により囲まれた海面並びに甲突川天保山橋及び永田川小松原橋各下流の河川水面
	喜入	ＥＮＥＯＳ喜入基地船だまり東防波堤灯台（北緯三一度二三分四〇秒東経一三〇度三二分二八秒）を中心とする半径四、五〇〇メートルの円内の海面
	山川	山川港番所鼻灯台（北緯三一度一二分三六秒東経一三〇度三八分一二秒）を中心とする半径二、三〇〇メートルの円内の海面

	港名	区域
	枕崎	赤崩鼻からカク鼻まで引いた線及び陸岸により囲まれた海面
	野間池	山神鼻を中心とする半径一、〇〇〇メートルの円内の海面
	串木野	串木野港A防波堤灯台（北緯三一度四二分三六秒東経一三〇度一五分八秒）から一〇九度二、六六〇メートルの地点から二二八度二、八七〇メートルの地点まで引いた線、同地点から二二一度三〇分三、九四〇メートルの地点まで引いた線、同地点から二五二度三〇分五〇メートルの地点まで引いた線、同地点から三二一度三〇分一、三〇〇メートルの地点まで引いた線、同地点から三九度三〇分に引いた線及び陸岸により囲まれた海面並びに酔尾川須賀橋、五反田川平江橋及びオコン川野元橋各下流の河川水面
	川内	唐山三角点（四四メートル）（北緯三一度五一分四四秒東経一三〇度一二分六秒）から二〇三度二、九六〇メートルの地点から三一八度二、五〇〇メートルの地点まで引いた線、同地点から一九度二、六二〇メートルの地点まで引いた線、同地点から牛ノ頸北端まで引いた線及び陸岸により囲まれた海面並びに月屋山三角点（一六〇メートル）（北緯三一度五〇分四九秒東経一三〇度一三分一六秒）から二二五度三〇分に引いた線以北の川内川及び原田川の各河川水面
	阿久根	阿久根港西防波堤灯台（北緯三二度一分一三秒東経一三〇度一一分二二秒）から一八五度六〇メートルの地点を中心とする半径二、〇〇〇メートルの円内の海面及び港橋下流の高松川水面
	米ノ津	米ノ津港西防波堤北灯台（北緯三二度八分六秒東経一三〇度二〇分一二秒）から一三四度三〇分六九〇メートルの地点を中心とする半径一、九〇〇メートルの円内の海面及び米之津橋下流の米ノ津川水面
	西之表	西之表港沖防波堤北灯台（北緯三〇度四四分三七秒東経一三〇度五八分五七秒）から一一三度三〇分八二五メートルの地点から三〇六度三〇分一、二六〇メートルの地点まで引いた線、同地点から一八一度に引いた線及び陸岸により囲まれた海面
	島間	島間港沖防波堤灯台（北緯三〇度二八分一一秒東経一三〇度五一分五六秒）から一九八度三〇分七二〇メートルの地点を中心とする半径五〇〇メートルの円内の海面
	中甑	倉妻埼から串埼まで引いた線及び陸岸により囲まれた海面
	手打	釣掛埼灯台（北緯三一度三七分二三秒東経一二九度四一分二七秒）から七〇度三〇分一、九〇〇メートルの地点を中心とする半径一、〇〇〇メートルの円内の海面
	一湊	湊鼻から二二一度三〇分四二〇メートルの地点を中心とする半径一、八〇〇メートルの円内の海面及び一湊川橋下流の一湊川水面
	宮之浦	肥瀬ノ埼から〇度八〇〇メートルの地点まで引いた線、同地点から塚埼まで引いた線及び陸岸により囲まれた海面並びに宮之浦橋下流の宮之浦水面
	名瀬	赤埼から九〇度に引いた線及び陸岸により囲まれた海面
	古仁屋	皆通埼から二四四度に引いた線、油井埼から一八〇度に引いた線及び陸岸により囲まれた海面
沖縄県	金武中城	金武岬南端から伊計島北端まで引いた線、同島南端、宮城島東端、浮原島東端、津堅島南端及び久高島東端を順次に結んだ線、同島南端から知念岬南端まで引いた線並びに陸岸により囲まれた海面
	那覇	大嶺鼻西端から三二〇度三、〇〇〇メートルの地点まで引いた線、同地点から三〇度六、五〇〇メートルの地点まで引いた線、同地点から九〇度に引いた線及び陸岸により囲まれた海面並びに国場川明治橋及び安里川泊高橋各下流の河川水面
	渡久地	渡久地港南防波堤灯台（北緯二六度三九分三八秒東経一二七度五三分一八秒）から一一度一五分九〇〇メートルの地点から二六二度一、五〇〇メートルの地点まで引いた線、同地点から瀬底島東端まで引いた線、同地点から一九〇度二、三〇〇メートルの地点まで引いた線、同地点から九七度に引いた線及び陸岸により囲まれた海面
	運天	屋我地島ウフグチ埼西端から二八五度に引いた線、屋我地大橋、羽地奥武橋及び陸岸により囲まれた海面
	平良	下埼西端から二七〇度に引いた線、野川埼北端から〇度に同線まで引いた線及び陸岸により囲まれた海面
	石垣	観音埼西端から一八〇度三、五〇〇メートルの地点まで引いた線、同地点から一三〇度一、五〇〇メートルの地点まで引いた線、同地点から九〇度四、九〇〇メートルの地点まで引いた線、同地点から〇度に引いた線及び陸岸により囲まれた海面

〔本表改正・昭四一政三七七・昭四二政一八四・昭四三政六七・昭四四政一四一・昭四五政一四四・昭四六政一四三・政一七一・昭四七政一一三・政二〇九・昭四八政五・政三四〇・昭四九政九九・政三五三・昭五〇政二〇五・昭五一政一九四・昭五三政四・昭五四政六・昭五五政二・昭五六政一〇・昭五七政一八八・昭五八政一九四・昭五九政二六〇・昭六〇政二二〇・昭六一政二〇一・昭六二政二五五・昭

六三政二二七・平元政二三〇・平二政二五二・平三政三二九・平四政三七二・平五政二七九・平六政二二二・政三三二・平七政四二七・平八政二二五・政三〇二・平九政三一七・平一〇政三〇〇・平一一政三三〇・平一二政四一〇・平一三政二六九・政四三四・平一四政三二四・平一五政三三九・平一六政二六二・平一七政三七七・平一九政二二六・政三二七・平二一政二〇三・平二三政三一四・平二四政二四〇・平二五政二三三・平二六政二五四・平二七政二八五・平二九政二四七・令三政一四五・令四政一七八・令五政一六五〕

別表第二（第二条関係）

都道府県	特定港
北海道	根室、釧路、苫小牧、室蘭、函館、小樽、石狩湾、留萌、稚内
青森県	青森、むつ小川原、八戸
岩手県	釜石
宮城県	石巻、仙台塩釜
秋田県	秋田船川
山形県	酒田
福島県	相馬、小名浜
茨城県	日立、鹿島
千葉県	木更津、千葉
東京都 神奈川県	京浜
神奈川県	横須賀
新潟県	直江津、新潟、両津
富山県	伏木富山
石川県	七尾、金沢
福井県	敦賀、福井
静岡県	田子の浦、清水
愛知県	三河、衣浦、名古屋
三重県	四日市
京都府	宮津、舞鶴
大阪府	阪南、泉州
大阪府 兵庫県	阪神
兵庫県	東播磨、姫路
和歌山県	田辺、和歌山下津
鳥取県 島根県	境
島根県	浜田
岡山県	宇野、水島
広島県	福山、尾道糸崎、呉、広島
山口県	岩国、柳井、徳山下松、三田尻中関、宇部、萩
山口県 福岡県	関門
徳島県	徳島小松島
香川県	坂出、高松
愛媛県	松山、今治、新居浜、三島川之江
高知県	高知
福岡県	博多、三池
佐賀県	唐津
佐賀県 長崎県	伊万里
長崎県	長崎、佐世保、厳原
熊本県	八代、三角
大分県	大分
宮崎県	細島
鹿児島県	鹿児島、喜入、名瀬
沖縄県	金武中城、那覇

〔本表改正・昭四一政三七七・昭四二政一八四・昭四三政六七・昭四四政一四一・昭四五政一四四・昭四六政一四三・政一七一・昭四七政一一三・昭四八政三四〇・昭四九政九九・政三五三・昭五七政一八八・昭五八政一九四・昭六〇政二二〇・昭六二政二五五・昭六三政三二七・平五政二七九・平六政二二一・平九政三一七・平一九政三三七・平二四政二四〇・平二五政二三三・平二九政二四七〕

別表第三（第三条関係）

都道府県	特定港
千葉県	館山、木更津、千葉
東京都 神奈川県	京浜
神奈川県	横須賀

〔本表追加・平二九政二六六〕

安全保障

〇国際航海船舶及び国際港湾施設の保安の確保等に関する法律

（平成十六年四月十四日法律第三十一号）

〔沿革〕 平成一六年四月二一日法律第三六号、一七年七月二六日第八七号、一八年三月三一日第一八号、二三年三月三一日第九号、二四年九月一二日第八九号、二六年六月一三日第六九号、二九年五月三一日第四一号改正

注 令和四年六月一七日法律第六八号の改正は、令和七年六月一日から施行のため、現行の条文の次に改正後の条文を掲載いたしました。

第一章　総則

（目的）

第一条 この法律は、国際航海船舶及び国際港湾施設についてその所有者等が講ずべき保安の確保のために必要な措置を定めることにより国際航海船舶及び国際港湾施設に対して行われるおそれがある危害行為の防止を図るとともに、保安の確保のために必要な措置が適確に講じられているかどうか明らかでない国際航海船舶の本邦の港への入港に係る規制に関する措置を定めることにより当該国際航海船舶に係る危害行為に起因して国際航海船舶又は国際港湾施設に対して生ずるおそれがある危険の防止を図り、併せてこれらの事項に関する国際約束の適確な実施を確保し、もって人の生命及び身体並びに財産の保護に資することを目的とする。

（定義）

第二条 この法律において「国際航海船舶」とは、国際航海（一国の港と他の国の港との間の航海をいう。以下同じ。）に従事する次に掲げる船舶をいう。

一　日本船舶（船舶法（明治三十二年法律第四十六号）第一条に規定する日本船舶をいう。以下同じ。）であって、旅客船（十三人以上の旅客定員を有するものをいう。以下同じ。）又は総トン数が五百トン以上の旅客船以外のもの（漁船法（昭和二十五年法律第百七十八号）第二条第一項第一号に規定する漁船その他の国土交通省令で定める船舶を除く。）

二　日本船舶以外の船舶のうち、本邦の港（東京湾、伊勢湾（伊勢湾の湾口に接する海域及び三河湾を含む。）及び瀬戸内海その他の国土交通省令で定める海域（以下この号において「特定海域」という。）を含む。以下同じ。）にあり、又は本邦の港に入港（特定海域への入域を含む。以下同じ。）をしようとする船舶であって、旅客船又は総トン数が五百トン以上の旅客船以外のもの（専ら漁業に従事する船舶その他の国土交通省令で定める船舶を除く。）

2　この法律において「国際港湾施設」とは、国際埠頭施設及び国際水域施設をいう。

3　この法律において「国際埠頭施設」とは、国際航海船舶の係留の用に供する岸壁その他の係留施設（当該係留施設に附帯して、当該係留施設に係留される国際航海船舶に係る貨物の積込み若しくは取卸しのための荷さばきの用に供する施設又は当該係留施設に係留される国際航海船舶に係る旅客の乗船若しくは下船の用に供する施設がある場合には、これらの施設を含む。）をいう。

4　この法律において「国際水域施設」とは、国際航海船舶の停泊の用に供する泊地その他の水域施設をいう。

5　この法律において「危害行為」とは、船舶又は港湾施設を損壊する行為、船舶又は港湾施設に不法に爆発物を持ち込む行為その他の船舶又は港湾施設に対して行われる行為であって、船舶又は港湾施設の保安の確保に著しい支障を及ぼし、又は及ぼすおそれがあるものとして国土交通省令で定めるものをいう。

6　この法律において「国際海上運送保安指標」とは、次条の規定により、国際航海船舶及び国際港湾施設の保安の確保のために必要な措置の程度を示すものとして設定される指標をいう。

（国際海上運送保安指標の設定等）

第三条 国土交通大臣は、国土交通省令で定めるところにより、国際航海船舶及び国際港湾施設について、次に掲げる事項を勘案して国際海上運送保安指標を設定し、公示しなければならない。

一　国際航海船舶又は国際港湾施設に対して行われるおそれがある危害行為の内容

二　国際航海船舶又は国際港湾施設に対して危害行為が行われるおそれがある地域

三　国際航海船舶又は国際港湾施設に対して危害行為が行われるおそれの程度

2　国土交通大臣は、国際海上運送保安指標を設定するため必要があると認めるときは、関係行政機関の長（関係行政機関が国家公安委員会である場合にあっては、国家公安委員会。次項において同じ。）の意見を求めることができる。

3　関係行政機関の長は、国際海上運送保安指標の設定について、国土交通大臣に意見を述べることができる。

4　前三項の規定は、国際海上運送保安指標の変更について準用する。

第二章　国際航海船舶の保安の確保

第一節　国際航海日本船舶に関する措置

（国際航海日本船舶の保安の確保のために必要な措置）

第四条 国際航海船舶のうち第二条第一項第一号に掲げる船舶（以下「国際航海日本船舶」という。）の所有者（当該国際航海日本船舶が共有されているときは管理人、当該国際航海日本船舶が貸し渡されているときは借入人。以下同じ。）は、当該国際航海日本船舶に対して行われるおそれがある危害行為を防止するため、次条から第十一条までに規定するところにより、当該国際航海日本船舶の保安の確保のために必要な措置を適確に講じなければならない。

（船舶警報通報装置等）

第五条　国際航海日本船舶の所有者は、当該国際航海日本船舶に、船舶警報通報装置（船舶に対する危害行為が発生した場合に、速やかにその旨を海上保安庁に伝達する機能を有する装置をいう。附則第二条において同じ。）その他国土交通省令で定める船舶の保安の確保のために必要な装置（以下「船舶警報通報装置等」という。）を設置しなければならない。

2　前項の規定による船舶警報通報装置等の設置に関する技術上の基準は、国土交通省令で定める。

（船舶指標対応措置）

第六条　国際航海日本船舶の所有者は、国土交通省令で定めるところにより、船舶指標対応措置（当該国際航海日本船舶の保安の確保のために必要な制限区域の設定及び管理、当該国際航海日本船舶の周囲の監視、積荷及び船用品の管理その他の当該国際航海日本船舶について国土交通大臣が設定する国際海上運送保安指標（当該国際海上運送保安指標が変更されたときは、その変更後のもの。第二十九条第一項及び第三十七条において同じ。）に対応して当該国際航海日本船舶の保安の確保のためにとるべき国土交通省令で定める措置をいう。以下同じ。）を実施しなければならない。

（船舶保安統括者）

第七条　国際航海日本船舶の所有者は、当該国際航海日本船舶に係る保安の確保に関する業務を統括管理させるため、当該国際航海日本船舶の乗組員以外の者であって、船舶の保安の確保に関する知識及び能力について国土交通省令で定める要件を備えるもののうちから、国土交通省令で定めるところにより、船舶保安統括者を選任しなければならない。

2　国際航海日本船舶の所有者は、前項に規定する船舶保安統括者（以下「船舶保安統括者」という。）を選任したときは、遅滞なく、その旨を国土交通大臣に届け出なければならない。これを解任したときも、同様とする。

3　船舶保安統括者は、誠実にその業務を遂行しなければならない。

4　国土交通大臣は、船舶保安統括者がこの法律又はこの法律に基づく命令の規定に違反したときは、国際航海日本船舶の所有者に対し、当該船舶保安統括者の解任を命ずることができる。

5　この法律に定めるもののほか、船舶保安統括者の業務の範囲は、国土交通省令で定める。

（船舶保安管理者）

第八条　国際航海日本船舶の所有者は、当該国際航海日本船舶に係る保安の確保に関する業務を当該国際航海日本船舶において管理させるため、当該国際航海日本船舶の乗組員であって、国土交通大臣の行う船舶の保安の確保に関する講習を修了したもののうちから、国土交通省令で定めるところにより、船舶保安管理者を選任しなければならない。

2　国土交通大臣は、独立行政法人海技教育機構（以下「機構」という。）に前項の講習の実施に関する業務の全部又は一部を行わせることができる。

3　国際航海日本船舶の所有者は、第一項に規定する船舶保安管理者（以下「船舶保安管理者」という。）を選任したときは、遅滞なく、その旨を国土交通大臣に届け出なければならない。これを解任したときも、同様とする。

4　前条第三項から第五項までの規定は、船舶保安管理者について準用する。

5　国際航海日本船舶の乗組員その他船内にある者は、船舶保安管理者がこの法律若しくはこの法律に基づく命令の規定を遵守し、又は第十一条に規定する船舶保安規程に定められた事項の適確な実施を確保するためにする指示に従わなければならない。

〔二項改正・平一八法二八〕

（操練）

第九条　国際航海日本船舶の所有者は、船長（船長以外の者が船長に代わってその職務を行うべきときは、その者。以下同じ。）に、国土交通省令で定めるところにより、当該国際航海日本船舶の乗組員について、船舶指標対応措置の実施を確保するために必要な操練（以下単に「操練」という。）を実施させなければならない。

2　国際航海日本船舶の船舶保安統括者は、国土交通省令で定めるところにより、操練の実施に際し、船舶保安管理者その他の関係者との連絡及び調整を実施しなければならない。

（船舶保安記録簿）

第一〇条　国際航海日本船舶の所有者は、国土交通省令で定めるところにより、船舶保安記録簿を当該国際航海日本船舶内に備え付けなければならない。

2　国際航海日本船舶の船舶保安管理者は、当該国際航海日本船舶について国土交通大臣が設定した国際海上運送保安指標の変更その他の国土交通省令で定める事由があったときは、その都度、国土交通省令で定めるところにより、前項に規定する船舶保安記録簿（以下「船舶保安記録簿」という。）への記載を行わなければならない。

3　国際航海日本船舶の所有者は、船舶保安記録簿をその最後の記載をした日から三年間当該国際航海日本船舶内に保存しなければならない。

4　前三項に定めるもののほか、船舶保安記録簿の様式その他船舶保安記録簿に関し必要な事項は、国土交通省令で定める。

（船舶保安規程）

第一一条　国際航海日本船舶の所有者は、当該国際航海日本船舶に係る船舶保安規程（当該国際航海日本船舶に係る船舶警報通報装置等の設置に関する事項、船舶指標対応措置の実施に関する事項、船舶保安統括者の選任に関する事項、船舶保安管理者の選任に関する事項、操練の実施に関する事項及び船舶保安記録簿の備付けに関する事項その他の当該国際航海日本船舶の保安の確保のために必要な国土交通省令で定める事項について記載した規程をいう。以下同じ。）を定め、国土交通省令で定めるところにより、これを当該国際航海日本船舶内に備え置かなければならない。

2　国際航海日本船舶の所有者は、船舶保安規程に定められた事項を適確に実施しなければならない。

3　国際航海日本船舶の船舶保安管理者は、船舶保安規程に定められた事項を、当該国際航海日本船舶の乗組員に周知させなければならない。

4　船舶保安規程は、国土交通大臣の承認を受けなければ、その効力を生じない。その変更（操練の実施に際しての関係者との連絡及び調整に関する事項に係る変更その他の国土交通省令で定める軽微な変更を除く。）をしたときも、同様とする。

5　船舶保安規程の承認の申請書には、国際航海日本船舶の所有者が作成した船舶保安評価書（当該国際航海日本船舶について、その構造、設備等を勘案して、当該国際航海日本船舶に対して危害行為が行われた場合に当該国際航海日本船舶の保安の確保に及ぼし、又は及ぼすおそれがある支障の内容及びその程度について国土交通省令で定めるところによりあらかじめ評価を行った結果を記載した書面をいう。以下同じ。）を添付しなければならない。

6　国土交通大臣は、船舶保安規程が当該国際航海日本船舶の保安の確保のために十分でないと認めるときは、第四項の承認をしてはならない。

7　国際航海日本船舶の所有者は、第四項に規定する国土交通省令で定める軽微な変更をしたときは、遅滞なく、その旨を国土交通大臣に届け出なければならない。

8　国土交通大臣は、国際航海日本船舶の保安の確保のために必要があると認めるときは、当該国際航海日本船舶の所有者に対し、船舶保安規程の変更を命ずることができる。

9　国際航海日本船舶の所有者は、国土交通省令で定めるところにより、船舶保安評価書を主たる事務所に備え置かなければならない。

（定期検査）

第一二条　国際航海日本船舶の所有者は、当該国際航海日本船舶を初めて国際航海に従事させようとするときは、当該国際航海日本船舶に係る船舶警報通報装置等の設置、船舶指標対応措置の実施、船舶保安統括者の選任、船舶保安管理者の選任、操練の実施、船舶保安記録簿の備付け並びに船舶保安規程の備置き及びその適確な実施について国土交通大臣の行う定期検査を受けなければならない。次条第一項の船舶保安証書又は第十七条第二項の臨時船舶保安証書の交付を受けた国際航海日本船舶をその有効期間満了後も国際航海に従事させようとするときも、同様とする。

（船舶保安証書）

第一三条　国土交通大臣は、前条の検査の結果、当該国際航海日本船舶が次に掲げる要件を満たしていると認めるときは、当該国際航海日本船舶の所有者に対し、船舶保安証書を交付しなければならない。

一　当該国際航海日本船舶に、第五条第二項の技術上の基準に適合する船舶警報通報装置等が同条第一項の規定により設置されていること。

二　第六条の規定により船舶指標対応措置が実施されていること。

三　第七条第一項の規定により船舶保安統括者が選任されていること。

四　第八条第一項の規定により船舶保安管理者が選任されていること。

五　第九条第一項の規定により操練が実施されていること。

六　当該国際航海日本船舶内に、第十条第一項の規定により船舶保安記録簿が備え付けられていること。

七　当該国際航海日本船舶内に、第十一条第四項の承認を受けた船舶保安規程が同条第一項の規定により備え置かれていること。

八　前各号に掲げるもののほか、前号の船舶保安規程に定められた事項が適確に実施されていること。

2　前項の船舶保安証書（以下「船舶保安証書」という。）の有効期間は、五年とする。ただし、その有効期間が満了するまでの間において、国土交通省令で定める事由により前条後段の検査を受けることができなかった国際航海日本船舶については、国土交通大臣は、当該事由に応じて三月を超えない範囲で国土交通省令で定める日までの間、その有効期間を延長することができる。

3　前項ただし書に規定する事務は、外国にあっては、日本の領事官が行う。

4　行政不服審査法（平成二十六年法律第六十八号）に定めるもののほか、領事官の行う前項の事務に係る処分又はその不作為についての審査請求に関して必要な事項は、政令で定める。

5　前条後段の検査の結果第一項の規定による船舶保安証書の交付を受けることができる国際航海日本船舶であって、国土交通省令で定める事由により従前の船舶保安証書の有効期間が満了するまでの間において当該検査に係る船舶保安証書の交付を受けることができなかったものについては、従前の船舶保安証書の有効期間は、第二項の規定にかかわらず、当該検査に係る船舶保安証書が交付される日又は従前の船舶保安証書の有効期間が満了する日の翌日から起算して五月を経過する日のいずれか早い日までの期間とする。

6　次に掲げる場合における船舶保安証書の有効期間は、第二項本文の規定にかかわらず、従前の船舶保安証書の有効期間（第二号及び第三号に掲げる場合にあっては、当初の有効期間）が満了する日の翌日から起算して五年を経過する日までの期間とする。

一　従前の船舶保安証書の有効期間が満了する日前三月以内に受けた前条後段の検査に係る船舶保安証書の交付を受けたとき。

二　第二項ただし書の規定により従前の船舶保安証書の有効期間が延長されたとき。

三　従前の船舶保安証書の有効期間について前項の規定の適用があったとき。

7　第二項及び前二項の規定にかかわらず、国際航海日本船舶の所有者の変更があったときは、当該国際航海日本船舶に交付された船舶保安証書の有効期間は、その変更があった日に満了したものとみなす。

8　第二項、第五項及び第六項の規定にかかわらず、第二十条第二項に規定する国際航海日本船舶がその船級の登録を抹消されたときは、当該国際航海日本船舶に交付された船舶保安証書の有効期間は、その抹消の日に満了したものとみなす。

9　国土交通大臣は、船舶保安証書を交付する場合には、当該国際航海日本船舶の航行する海域その他の事項に関し必要な条件を付し、これを当該船舶保安証書に記載することができる。

10　船舶保安証書の様式並びに交付、再交付及び書換えその他船舶保安証書に関し必要な事項は、国土交通省令で定める。

〔二項改正・五・六項追加・旧五・六項を改正し七・八項に繰下・旧七・八項を九・一〇項に繰下・平二四法八九、四項改正・平二六法六九〕

（中間検査）

第一四条　船舶保安証書の交付を受けた国際航海日本船舶の所有者は、当該船舶保安証書の有効期間中において国土交通省令で定める時期に、当該国際航海日本船舶に係る船舶警報通報装置等の設置、船舶指標対応措置の実施、船舶保安統括者の選任、船舶保安管理者の選任、操練の実施、船舶保安記録簿の備付け並びに船舶保安規程の備置き及びその適確な実施について国土交通大臣の行う中間検査を受けなければならない。

（臨時検査）

第一五条　船舶保安証書の交付を受けた国際航海日本船舶の所有者は、当該国際航海日本船舶に設置された船舶警報通報装置等について国土交通省令で定める改造又は修理を行ったとき、当該国際航海日本船舶に係る船舶保安規程の変更（第十一条第四項に規定する国土交通省令で定める軽微な変更を除く。）をしたとき、その他国土交通省令で定めるときは、当該船舶警報通報装置等の設置、当該船舶保安規程の備置き及びその適確な実施その他国土交通省令で定める事項について国土交通大臣の行う臨時検査を受けなければならない。

（船舶保安証書の効力の停止）

第一六条　国土交通大臣は、前二条の検査の結果、当該国際航海日本船舶が次の各号に掲げる場合に該当すると認めるときは、それぞれ当該各号に定める措置が講じられたものと認めるまでの間、当該船舶保安証書の効力を停止するものとする。

一　当該国際航海日本船舶に、第五条第二項の技術上の基準に適合する船舶警報通報装置等が同条第一項の規定により設置されていない場合　当該国際航海日本船舶に、同条第二項の技術上の基準に適合する船舶警報通報装置等を同条第一項の規定により設置すること。

二　第六条の規定により船舶指標対応措置が実施されていない場合　同条の規定により船舶指標対応措置を実施すること。

三　第七条第一項の規定により船舶保安統括者が選任されていない場合　同項の規定により船舶保安統括者を選任すること。

四　第八条第一項の規定により船舶保安管理者が選任されていない場合　同項の規定により船舶保安管理者を選任すること。

五　第九条第一項の規定により操練が実施されていない場合　同項の規定により操練を実施すること。

六　当該国際航海日本船舶内に、第十条第一項の規定により船舶保安記録簿が備え付けられていない場合　同項の規定により船舶保安記録簿を備え付けること。

七　当該国際航海日本船舶内に、第十一条第四項の承認を受けた船舶保安規程が同条第一項の規定により備え置かれていない場合　同条第四項の承認を受けた船舶保安規程を同条第一項の規定により備え置くこと。

八　前各号に掲げるもののほか、前号の船舶保安規程に定められた事項が適確に実施されていない場合　当該事項を適確に実施すること。

（臨時船舶保安証書）

第一七条　国際航海日本船舶の所有者は、当該国際航海日本船舶について所有者の変更があったことその他の国土交通省令で定める事由により有効な船舶保安証書の交付を受けていない当該国際航海日本船舶を臨時に国際航海に従事させようとするときは、当該国際航海日本船舶に係る船舶警報通報装置等の設置、船舶指標対応措置の実施、船舶保安統括者の選任、船舶保安管理者の選任、操練の実施、船舶保安記録簿の備付け並びに第十一条第四項の承認を受けるべき船舶保安規程の写しの備置き及びその適確な実施について国土交通大臣の行う臨時航行検査を受けなければならない。

2　国土交通大臣は、前項の検査の結果、当該国際航海日本船舶が次に掲げる要件を満たしていると認めるときは、当該国際航海日本船舶の所有者に対し、臨時船舶保安証書を交付しなければならない。

一　第十三条第一項第一号から第六号までに掲げる要件

二　当該国際航海日本船舶内に、第十一条第四項の承認を受けるべき船舶保安規程の写しが国土交通省令で定めるところにより備え置かれていること。

三　前二号に掲げるもののほか、前号の船舶保安規程の写しに定められた事項が適確に実施されていること。

3　前項の臨時船舶保安証書（以下「臨時船舶保安証書」という。）の有効期間は、六月とする。ただし、その有効期間は、当該国際航海日本船舶の所有者が当該国際航海日本船舶について船舶保安証書の交付を受けたときは、満了したものとみなす。

4　第十三条第七項から第十項までの規定は、臨時船舶保安証書について準用する。この場合において、同条第七項中「第二項及び前二項の」とあり、及び同条第八項中「第二項、第五項及び第六項の」とあるのは「第十七条第三項の」と、同項中「第二十条第二項」とあるのは「第二十条第三項」と読み替えるものとする。

〔四項改正・平二四法八九〕

（国際航海日本船舶の航行）

第一八条　国際航海日本船舶は、有効な船舶保安証書又は臨時船舶保安証書の交付を受けているものでなければ、国際航海に従事させてはならない。

2　国際航海日本船舶は、船舶保安証書又は臨時船舶保安証書に記載された条件に従わなければ、国際航海に従事させてはならない。

（船舶保安証書等の備置き）

第一九条　船舶保安証書又は臨時船舶保安証書の交付を受けた国際航海日本船舶の所有者は、当該国際航海日本船舶内に、これらの証書を備え置かなければならない。

（船級協会の審査及び検査）

第二〇条　国土交通大臣は、船級の登録に関する業務を行う者の申請により、その者を船舶保安規程の審査並びに船舶警報通報装置等の設置、船舶指標対応措置の実施、船舶保安統括者の選任、船舶保安管理者の選任、操練の実施、船舶保安記録簿の備付け並びに船舶保安規程又は第十一条第四項の承認を受けるべき船舶保安規程の写しの備置き及びその適確な実施についての検査を行う者として登録する。

2　前項の規定による登録を受けた者（以下単に「船級協会」という。）が船舶保安規程についての審査並びに船舶警報通報装置等の設置、船舶指標対応措置の実施、船舶保安統括者の選任、船舶保安管理者の選任、操練の実施、船舶保安記録簿の備付け並びに船舶保安規程の備置き及びその適確な実施についての検査を行い、かつ、船級の登録をした国際航海日本船舶（旅客船を除く。）は、当該船級を有する間は、当該船舶保安規程について第十一条第四項の承認を受け、かつ、国土交通大臣による第十二条、第十四条又は第十五条の検査の結果、第十三条第一項各号に掲げる要件を満たしていると認められたものとみなす。

3　第十七条第一項の検査を受けなければならない国際航海日本船舶であって、船級協会が船舶警報通報装置等の設置、船舶指標対応措置の実施、船舶保安統括者の選任、船舶保安管理者の選任、操練の実施、船舶保安記録簿の備付け並びに第十一条第四項の承認を受けるべき船舶保安規程の写しの備置き及びその適確な実施についての検査を行い、かつ、船級の登録をしたもの（旅客船を除く。）は、当該船級を有する間は、国土交通大臣による第十七条第一項の検査の結果、同条第二項各号に掲げる要件を満たしていると認められたものとみなす。

4　前二項の国際航海日本船舶の所有者は、船舶保安証書又は臨時船舶保安証書の交付を受けようとするときは、当該国際航海日本船舶に係る船舶保安規程の写しを添付した申請書を、国土交通大臣に提出しなければならない。

5　国土交通大臣は、第一項の規定により登録の申請をした者（以下「登録申請者」という。）が次に掲げる要件のすべてに適合しているときは、その登録をしなければならない。この場合において、登録に関して必要な手続は、国土交通省令で定める。

一　別表第一に掲げる機械器具その他の設備を用いて第二項の審査及び検査又は第三項の検査を行うものであること。

二　次に掲げる条件のいずれかに適合する知識経験を有する者が第二項の審査及び検査又は第三項の検査を行うものであること。

イ　船舶に係る保安の確保に関する業務について、別表第二の上欄に掲げる学歴の区分に応じ、それぞれ同表の下欄に掲げる年数以上の実務の経験を有すること。

ロ　船舶に係る保安の確保に関する業務について六年以上の実務の経験を有すること。

ハ　イ又はロに掲げる者と同等以上の知識経験を有すること。

三　登録申請者が、船舶の所有者又は船舶若しくは船舶警報通報装置等の製造、改造、修理、整備、輸入若しくは販売を業とする者（以下この号において「船舶関連事業者」という。）に支配されているものとして次のいずれかに該当するものでないこと。

イ　登録申請者が株式会社である場合にあっては、船舶関連事業者がその親法人（会社法（平成十七年法律第八十六号）第八百七十九条第一項に規定する親法人をいう。）であること。

ロ　登録申請者の役員（持分会社（会社法第五百七十五条第一項に規定する持分会社をいう。）にあっては、業務を執行する社員）に占める船舶関連事業者の役員又は職員（過去二年間に当該船舶関連事業者の役員又は職員であった者を含む。）の割合が二分の一を超えていること。

ハ　登録申請者（法人にあっては、その代表権を有する役員）が、船舶関連事業者の役員又は職員（過去二年間に当該船舶関連事業者の役員又は職員であった者を含む。）であること。

四　登録申請者が、次のいずれかに該当するものでないこと。

イ　日本の国籍を有しない人

ロ　外国又は外国の公共団体若しくはこれに準ずるもの

ハ　外国の法令に基づいて設立された法人その他の団体

ニ　法人であって、イからハまでに掲げる者がその代表者であるもの又はこれらの者がその役員の三分の一以上若しくは議決権の三分の一以上を占めるもの

6　船級協会の役員若しくは職員又はこれらの職にあった者は、第二項の審査及び検査又は第三項の検査に関して知り得

た秘密を漏らしてはならない。

7　船舶安全法（昭和八年法律第十一号）第三章第一節（第二十五条の四十六、第二十五条の四十七第一項、第二十五条の四十九第一項、第三項及び第四項、第二十五条の五十二、第二十五条の五十四、第二十五条の五十七、第二十五条の五十八第二項及び第三項並びに第二十五条の六十三から第二十五条の六十六までを除く。）の規定は、第一項の登録並びに第二項又は第三項の船級協会並びに船級協会の審査及び検査について準用する。この場合において、同法第二十五条の四十七第二項第一号中「この法律又はこの法律に基づく命令」とあるのは「この法律若しくは国際航海船舶及び国際港湾施設の保安の確保等に関する法律又はこれらの法律に基づく命令」と、同法第二十五条の四十九第二項中「第二十五条の四十七第一項第一号及び第二号」とあるのは「国際航海船舶及び国際港湾施設の保安の確保等に関する法律第二十条第五項第一号及び第二号」と、同法第二十五条の五十五中「第二十五条の四十七第一項各号」とあるのは「国際航海船舶及び国際港湾施設の保安の確保等に関する法律第二十条第五項各号」と読み替えるものとする。

〔五項改正・平一七法八七、一・三項改正・平二四法八九〕

（再検査）

第二一条　第十二条、第十四条、第十五条又は第十七条第一項の検査（以下「法定検査」という。）の結果に不服がある者は、当該検査の結果に関する通知を受けた日の翌日から起算して三十日以内に、その理由を記載した文書を添えて国土交通大臣に再検査を申請することができる。

2　法定検査又は前項の再検査の結果に不服がある者は、その取消しの訴えを提起することができる。

3　再検査を申請した者は、国土交通大臣の許可を受けた後でなければ関係部分の現状を変更してはならない。

4　法定検査の結果に不服がある者は、第一項及び第二項の規定によることによってのみこれを争うことができる。

〔二項改正・平二六法六九〕

（改善命令等）

第二二条　国土交通大臣は、船舶保安証書の交付を受けた国際航海日本船舶が第十六条各号に掲げる場合に該当すると認めるときは、当該国際航海日本船舶の所有者に対し、それぞれ当該各号に定める措置、船舶保安証書の返納その他の必要な措置をとるべきことを命ずることができる。

2　国土交通大臣は、臨時船舶保安証書の交付を受けた国際航海日本船舶が次の各号に掲げる場合に該当すると認めるときは、当該国際航海日本船舶の所有者に対し、それぞれ当該各号に定める措置、臨時船舶保安証書の返納その他の必要な措置をとるべきことを命ずることができる。

一　第十六条第一号から第六号までに掲げる場合　それぞれ同条第一号から第六号までに定める措置

二　当該国際航海日本船舶内に、第十一条第四項の承認を受けるべき船舶保安規程の写しが国土交通省令で定めるところにより備え置かれていない場合　同項の承認を受けるべき船舶保安規程の写しを国土交通省令で定めるところにより備え置くこと。

三　前二号に掲げるもののほか、前号の船舶保安規程の写しに定められた事項が適確に実施されていない場合　当該事項を適確に実施すること。

3　国土交通大臣は、前二項、第七条第四項（第八条第四項において準用する場合を含む。）又は第十一条第八項の規定による命令を発したにもかかわらず当該国際航海日本船舶の所有者がその命令に従わない場合において、当該国際航海日本船舶の保安の確保のためにこれらの規定に規定する措置を確実にとらせることが必要と認めるときは、当該国際航海日本船舶の所有者又は船長に対し、当該国際航海日本船舶の航行の停止を命じ、又はその航行を差し止めることができる。

4　国土交通大臣があらかじめ指定する国土交通省の職員は、前項に規定する場合において、当該国際航海日本船舶の保安の確保のために同項に規定する規定に係る措置を確実にとらせることが緊急に必要と認めるときは、同項に規定する国土交通大臣の権限を即時に行うことができる。

5　国土交通大臣は、第三項の規定による処分に係る国際航海日本船舶について、第一項若しくは第二項、第七条第四項（第八条第四項において準用する場合を含む。）又は第十一条第八項の規定による命令に従って必要な措置が適確に講じられたと認めるときは、直ちに、その処分を取り消さなければならない。

（報告の徴収等）

第二三条　国土交通大臣は、この節の規定の施行に必要な限度において、国土交通省令で定めるところにより、国際航海日本船舶の所有者に対し、当該国際航海日本船舶の保安の確保のために必要な措置に関し報告をさせることができる。

2　国土交通大臣は、この節の規定の施行に必要な限度において、その職員に、国際航海日本船舶又は国際航海日本船舶の所有者の事務所に立ち入り、当該国際航海日本船舶の保安の確保のために必要な措置が適確に講じられているかどうかについて船舶警報通報装置等その他の物件を検査させ、又は当該国際航海日本船舶の乗組員その他の関係者に質問させることができる。

3　前項の規定により立入検査をする職員は、その身分を示す証明書を携帯し、関係者に提示しなければならない。

4　第二項の規定による立入検査の権限は、犯罪捜査のために認められたものと解釈してはならない。

第二節　国際航海外国船舶に関する措置

（国際航海外国船舶の保安の確保のために必要な措置）

第二四条　国際航海船舶のうち第二条第一項第二号に掲げる船舶（以下「国際航海外国船舶」という。）の所有者は、当該国際航海外国船舶に対して行われるおそれがある危害行為を防止するため、次に掲げるところにより、当該国際航海外国船舶の保安の確保のために必要な措置を適確に講じなければならない。
一　当該国際航海外国船舶に、第五条第二項の技術上の基準に適合する船舶警報通報装置等に相当する装置を設置すること。
二　当該国際航海外国船舶に係る船舶指標対応措置に相当する措置を実施すること。
三　当該国際航海外国船舶の乗組員以外の者のうちから、船舶保安統括者に相当する者を選任すること。
四　当該国際航海外国船舶の乗組員であって、第八条第一項の講習を修了した者と同等以上の知識及び能力を有するものとして国土交通省令で定める要件を備えるもののうちから、船舶保安管理者に相当する者を選任すること。
五　当該国際航海外国船舶の船長に、当該国際航海外国船舶の乗組員について、操練に相当するものを実施させること。
六　当該国際航海外国船舶内に、船舶保安記録簿に相当する記録簿を備え付けること。
七　当該国際航海外国船舶内に、船舶保安規程に相当する規程を備え置くこと。
八　前各号に掲げるもののほか、前号の規程に定められた事項を適確に実施すること。

（改善命令等）

第二五条　国土交通大臣は、国際航海外国船舶について前条各号に掲げるところにより保安の確保のために必要な措置が適確に講じられていないと認めるときは、当該国際航海外国船舶の船長に対し、前条各号（第三号を除く。）に掲げる措置その他の必要な措置をとるべきことを命ずることができる。

2　第二十二条第三項から第五項までの規定は、国際航海外国船舶について準用する。この場合において、同条第三項中「前二項、第七条第四項（第八条第四項において準用する場合を含む。）又は第十一条第八項」とあり、同条第五項中「第一項若しくは第二項、第七条第四項（第八条第四項において準用する場合を含む。）又は第十一条第八項」とあるのは「前項」と、同条第三項中「所有者が」とあるのは「船長が」と、「これら」とあるのは「同項」と、「所有者又は船長」とあるのは「船長」と、同条第四項中「前項」とあり、同条第五項中「第三項」とあるのは「第二十五条第二項において準用する第二十二条第三項」と読み替えるものとする。

（条約締約国の船舶に対する証書の交付）

第二六条　国土交通大臣は、千九百七十四年の海上における人命の安全のための国際条約（以下単に「条約」という。）の締約国である外国（以下「条約締約国」という。）の政府から当該条約締約国の船舶（旅客船その他の国土交通省令で定める船舶に限る。以下この条において同じ。）について船舶保安証書に相当する証書を交付することの要請があった場合には、当該船舶に係る船舶警報通報装置等に相当する装置の設置、船舶指標対応措置に相当する措置の実施、船舶保安統括者に相当する者の選任、船舶保安管理者に相当する者の選任、操練に相当するものの実施、船舶保安記録簿に相当する記録簿の備付け並びに船舶保安規程に相当する規程の備置き及びその適確な実施について第十二条の検査に相当する検査を行うものとし、その検査の結果、当該船舶が次に掲げる要件を満たしていると認めるときは、当該船舶の所有者又は船長に対し、船舶保安証書に相当する証書を交付するものとする。
一　当該船舶に、第五条第二項の技術上の基準に適合する船舶警報通報装置等に相当する装置が設置されていること。
二　当該船舶に係る船舶指標対応措置に相当する措置が実施されていること。
三　船舶保安統括者に相当する者が選任されていること。
四　船舶保安管理者に相当する者が選任されていること。
五　操練に相当するものが実施されていること。
六　当該船舶内に、船舶保安記録簿に相当する記録簿が備え付けられていること。
七　当該船舶内に、船舶保安規程に相当する規程が備え置かれていること。
八　前各号に掲げるもののほか、前号の規程に定められた事項が適確に実施されていること。

2　第十三条第十項の規定は、前項の船舶保安証書に相当する証書について準用する。

〔二項改正・平二四法八九〕

（報告の徴収等）

第二七条　第二十三条の規定は、国際航海外国船舶又は国際航海外国船舶の所有者について準用する。

第三章　国際港湾施設の保安の確保

第一節　国際埠頭施設に関する措置

（国際埠頭施設の保安の確保のために必要な措置）

第二八条　国際埠頭施設の設置者及び管理者（当該国際埠頭施設の管理者が複数あるときは、当該複数の管理者。以下同じ。）は、当該国際埠頭施設に対して行われるおそれがある危害行為を防止するため、次条から第三十三条までに規定するところにより、当該国際埠頭施設の保安の確保のために必要な措置を適確に講じなければならない。

（埠頭指標対応措置）

第二九条　国際戦略港湾等（港湾法（昭和二十五年法律第二百十八号）第二条第二項に規定する国際戦略港湾、国際拠点港湾又は重要港湾をいう。以下同じ。）における国際埠頭施設（国際航海船舶の利用の状況その他の事情を勘案して国土交通省令で定める基準に該当しないものを除く。以下「重要国際埠頭施設」という。）の管理者は、国土交通省令で定めるところにより、埠頭指標対応措置（当該重要国際埠頭施設の保安の確保のために必要な制限区域の設定及び管理、当該重要国際埠頭施設の内外の監視、国際航海船舶に積み込む貨物の管理その他の当該重要国際埠頭施設について国土交通大臣が設定する国際海上運送保安指標に対応して当該重要国際埠頭施設の保安の確保のためにとるべき国土交通省令で定める措置をいう。以下同じ。）を実施しなければならない。

2　重要国際埠頭施設の管理者は、国土交通省令で定める技術上の基準に従って、埠頭指標対応措置を講ずるために必要な設備（以下「埠頭保安設備」という。）を設置し、及び維持しなければならない。重要国際埠頭施設の設置者が埠頭保安設備を設置し、及び維持する場合も、同様とする。

3　重要国際埠頭施設の管理者は、埠頭指標対応措置の実施に際し、相互に、情報の提供その他必要な協力を行わなければならない。

〔二項改正・平二三法九〕

（埠頭保安管理者）

第三〇条　重要国際埠頭施設の管理者は、当該重要国際埠頭施設に係る保安の確保に関する業務を管理させるため、国際埠頭施設の保安の確保に関する知識及び能力について国土交通省令で定める要件を備える者のうちから、国土交通省令で定めるところにより、埠頭保安管理者を選任しなければならない。

2　重要国際埠頭施設の管理者は、前項に規定する埠頭保安管理者（以下「埠頭保安管理者」という。）を選任したときは、遅滞なく、その旨を国土交通大臣に届け出なければならない。これを解任したときも、同様とする。

3　第七条第三項から第五項までの規定は、埠頭保安管理者について準用する。この場合において、同条第四項中「国際航海日本船舶の所有者」とあるのは、「重要国際埠頭施設の管理者」と読み替えるものとする。

4　重要国際埠頭施設内にある者は、埠頭保安管理者がこの法律若しくはこの法律に基づく命令の規定を遵守し、又は第三十二条に規定する埠頭保安規程に定められた事項の適確な実施を確保するためにする指示に従わなければならない。

（埠頭訓練）

第三一条　重要国際埠頭施設の管理者は、国土交通省令で定めるところにより、当該重要国際埠頭施設に係る保安の確保に関する業務に従事する者について、埠頭指標対応措置の実施を確保するために必要な訓練（以下「埠頭訓練」という。）を実施しなければならない。

（埠頭保安規程）

第三二条　重要国際埠頭施設の管理者は、当該重要国際埠頭施設に係る埠頭保安規程（当該重要国際埠頭施設に係る埠頭指標対応措置の実施に関する事項、埠頭保安設備の設置及び維持に関する事項、埠頭保安管理者の選任に関する事項並びに埠頭訓練の実施に関する事項その他の当該重要国際埠頭施設の保安の確保のために必要な国土交通省令で定める事項について記載した規程をいう。以下同じ。）を定めなければならない。

2　前項の場合において、重要国際埠頭施設の設置者（国を除く。以下この項において同じ。）と管理者とが異なり、かつ、重要国際埠頭施設の設置者が埠頭保安設備を設置し、及び維持するときは、埠頭保安規程のうち当該埠頭保安設備の設置及び維持に係る部分については、当該重要国際埠頭施設の設置者及び管理者が共同して定めなければならない。

3　第一項の場合において、重要国際埠頭施設が複数あるときは、当該複数の重要国際埠頭施設に係る同項の埠頭保安規程を一体のものとして定めることができる。

4　重要国際埠頭施設の管理者又は設置者及び管理者は、埠頭保安規程に定められた事項を適確に実施しなければならない。

5　埠頭保安規程は、国土交通大臣の承認を受けなければ、その効力を生じない。その変更（埠頭訓練の実施に際しての関係者との連絡及び調整に関する事項に係る変更その他の国土交通省令で定める軽微な変更を除く。）をしたときも、同様とする。

6　埠頭保安規程は、国土交通大臣があらかじめ交付する港湾施設保安評価書（当該重要国際埠頭施設について、その構造、設備等を勘案して、当該重要国際埠頭施設に対して危害行為が行われた場合に当該重要国際埠頭施設の保安の確保に及ぼし、又は及ぼすおそれがある支障の内容及びその程度について国土交通省令で定めるところによりあらかじめ評価を行った結果を記載した書面をいう。以下同じ。）を踏まえて定めなければならない。

7　国土交通大臣は、埠頭保安規程が当該重要国際埠頭施設の保安の確保のために十分でないと認めるときは、第五項の承認をしてはならない。

8　第五項の承認を受けた埠頭保安規程に係る重要国際埠頭施設の管理者又は設置者及び管理者は、同項に規定する国土交通省令で定める軽微な変更をしたときは、遅滞なく、その旨を国土交通大臣に届け出なければならない。

9　国土交通大臣は、重要国際埠頭施設の保安の確保のために必要があると認めるときは、第五項の承認を受けた埠頭保安規程に係る重要国際埠頭施設の管理者又は設置者及び管理者に対し、埠頭保安規程の変更を命ずることができる。

10　国土交通大臣は、次のいずれかに該当するときは、第五項の承認を取り消すことができる。

一　第五項の承認を受けた埠頭保安規程に係る重要国際埠頭施設の管理者又は設置者及び管理者が、この節（第二十九条第三項を除く。）の規定又は当該規定による命令若しくは処分に違反したとき。

二　重要国際埠頭施設の管理者又は設置者及び管理者が、不正な手段によって第五項の承認を受けたとき。

11　国土交通大臣は、第五項の規定により埠頭保安規程を承認したとき、又は前項の規定により埠頭保安規程の承認を取り消したときは、その旨を公示しなければならない。

（重要国際埠頭施設以外の国際埠頭施設の保安の確保のために必要な措置）

第三三条　重要国際埠頭施設以外の国際埠頭施設の管理者は、当該国際埠頭施設に係る埠頭指標対応措置に相当する措置の実施に関する事項、埠頭保安設備に相当する設備の設置及び維持に関する事項、埠頭保安管理者に相当する者の選任に関する事項並びに埠頭訓練に相当するものの実施に関する事項その他の当該国際埠頭施設の保安の確保のために必要な国土交通省令で定める事項について記載した埠頭保安規程に相当する規程を定め、国土交通省令で定めるところにより、国土交通大臣の承認を受けることができる。

2　第二十九条から前条まで（同条第一項を除く。）の規定は、前項の承認を受けた埠頭保安規程に相当する規程に係る重要国際埠頭施設以外の国際埠頭施設について準用する。

3　第一項の承認を受けた埠頭保安規程に相当する規程に係る重要国際埠頭施設以外の国際埠頭施設が重要国際埠頭施設となった場合には、同項の規定による埠頭保安規程に相当する規程の承認は、前条第五項の規定による埠頭保安規程の承認とみなす。

4　前項の場合には、第二項において準用する第三十条第二項の規定による埠頭保安管理者に相当する者の選任の届出は、同項の規定による埠頭保安管理者の選任の届出とみなす。

（改善勧告等）

第三四条　国土交通大臣は、重要国際埠頭施設が次の各号に掲げる場合に該当すると認めるときは、当該重要国際埠頭施設の管理者又は設置者及び管理者に対し、それぞれ当該各号に定める措置その他の必要な措置をとるべきことを勧告することができる。

一　第二十九条第一項の規定により埠頭指標対応措置が実施されていない場合　同項の規定により埠頭指標対応措置を実施すること。

二　第二十九条第二項の技術上の基準に従って埠頭保安設備が設置され、又は維持されていない場合　同項の技術上の基準に従って埠頭保安設備を設置し、及び維持すること。

三　第三十条第一項の規定により埠頭保安管理者が選任されていない場合　同項の規定により埠頭保安管理者を選任すること。

四　第三十一条の規定により埠頭訓練が実施されていない場合　同条の規定により埠頭訓練を実施すること。

五　第三十二条第一項及び第二項の規定により埠頭保安規程が定められていない場合又はこれらの規定により定められた埠頭保安規程について同条第五項の承認を受けていない場合　同条第一項及び第二項の規定により埠頭保安規程を定めること又はこれらの規定により定められた埠頭保安規程について同条第五項の承認を受けること。

六　前各号に掲げるもののほか、前号の埠頭保安規程に定められた事項が適確に実施されていない場合　当該事項を適確に実施すること。

2　国土交通大臣は、前項の規定による勧告をしたにもかかわらず当該重要国際埠頭施設の管理者又は設置者及び管理者がその勧告に従わない場合において、当該重要国際埠頭施設の保安の確保のために同項各号に掲げる規定に規定する措置を確実にとらせることが必要と認めるときは、当該重要国際埠頭施設の管理者又は設置者及び管理者に対し、これらの規定に規定する措置をとるべきことを命ずることができる。

（報告の徴収等）

第三五条　国土交通大臣は、この節の規定の施行に必要な限度において、国土交通省令で定めるところにより、第三十二条第五項の承認を受けた埠頭保安規程に係る重要国際埠頭施設の管理者又は設置者及び管理者並びに第三十三条第一項の承認を受けた埠頭保安規程に相当する規程に係る者に対し、当該国際埠頭施設の保安の確保のために必要な措置に関し報告をさせることができる。

2　国土交通大臣は、この節の規定の施行に必要な限度において、その職員に、第三十二条第五項の承認を受けた埠頭保安規程又は第三十三条第一項の承認を受けた埠頭保安規程に相当する規程により国際埠頭施設の保安の確保のために必要な措置を講ずべき場所に立ち入り、当該国際埠頭施設の保安の確保のために必要な措置が適確に講じられているかどうかについて埠頭保安設備その他の物件を検査させ、又は当該国際埠頭施設に係る保安の確保に関する業務に従事する者その他の関係者に質問させることができる。

3　第二十三条第三項及び第四項の規定は、前項の立入検査について準用する。

第二節　国際水域施設に関する措置

（国際水域施設の保安の確保のために必要な措置）

第三六条　国際水域施設の管理者は、当該国際水域施設に対して行われるおそれがある危害行為を防止するため、次条から第四十一条までに規定するところにより、当該国際水域施設の保安の確保のために必要な措置を適確に講じなければならない。

（水域指標対応措置）

第三七条　特定港湾管理者（国際戦略港湾等（重要国際埠頭施設のある国際戦略港湾等に限る。）における国際水域施設の管理者である港湾管理者（港湾法第二条第一項に規定する港湾管理者をいう。）をいう。以下同じ。）は、国土交通省令で定めるところにより、水域指標対応措置（当該国際水域施設の保安の確保のために必要な制限区域の設定及び管理その他の当該国際水域施設について国土交通大臣が設定する国際海上運送保安指標に対応して当該国際水域施設の保安の確保のためにとるべき国土交通省令で定める措置をいう。以下同じ。）を実施しなければならない。

〔本条改正・平二三法九〕

（水域保安管理者）

第三八条　特定港湾管理者は、当該国際水域施設に係る保安の確保に関する業務を管理させるため、国際水域施設の保安の確保に関する知識及び能力について国土交通省令で定める要件を備える者のうちから、国土交通省令で定めるところにより、水域保安管理者を選任しなければならない。

2　特定港湾管理者は、前項に規定する水域保安管理者（以下「水域保安管理者」という。）を選任したときは、遅滞なく、その旨を国土交通大臣に届け出なければならない。これを解任したときも、同様とする。

3　第七条第三項から第五項まで及び第三十条第四項の規定は、水域保安管理者について準用する。この場合において、第七条第四項中「国際航海日本船舶の所有者」とあるのは「特定港湾管理者」と、第三十条第四項中「重要国際埠頭施設内」とあるのは「国際水域施設内」と、「第三十二条に規定する埠頭保安規程」とあるのは「第四十条に規定する水域保安規程」と読み替えるものとする。

（水域訓練）

第三九条　特定港湾管理者は、国土交通省令で定めるところにより、当該国際水域施設に係る保安の確保に関する業務に従事する者について、水域指標対応措置の実施を確保するために必要な訓練（以下「水域訓練」という。）を実施しなければならない。

（水域保安規程）

第四〇条　特定港湾管理者は、当該国際水域施設に係る水域保安規程（当該国際水域施設に係る水域指標対応措置の実施に関する事項、水域保安管理者の選任に関する事項及び水域訓練の実施に関する事項その他の当該国際水域施設の保安の確保のために必要な国土交通省令で定める事項について記載した規程をいう。以下同じ。）を定めなければならない。

2　特定港湾管理者は、水域保安規程に定められた事項を適確に実施しなければならない。

3　水域保安規程は、国土交通大臣の承認を受けなければ、その効力を生じない。その変更（水域訓練の実施に際しての関係者との連絡及び調整に関する事項に係る変更その他の国土交通省令で定める軽微な変更を除く。）をしたときも、同様とする。

4　第三十二条第六項から第十一項までの規定は、水域保安規程について準用する。この場合において、同条第六項、第七項及び第九項中「重要国際埠頭施設」とあるのは「国際水域施設」と、同条第六項中「構造、設備等」とあるのは「構造、利用の形態等」と、同条第七項、第十項各号列記以外の部分、同項第二号及び第十一項中「第五項」とあり、同条第八項中「同項」とあるのは「前項」と、同項、同条第九項及び第十項第一号中「第五項の承認を受けた埠頭保安規程に係る重要国際埠頭施設の管理者又は設置者及び管理者」とあり、同項第二号中「重要国際埠頭施設の管理者又は設置者及び管理者」とあるのは「特定港湾管理者」と、同項第一号中「この節（第二十九条第三項を除く。）の規定」とあるのは「この節の規定」と読み替えるものとする。

（特定港湾管理者が管理する国際水域施設以外の国際水域施設の保安の確保のために必要な措置）

第四一条　特定港湾管理者が管理する国際水域施設以外の国際水域施設の管理者は、当該国際水域施設に係る水域指標対応措置に相当する措置の実施に関する事項、水域保安管理者に相当する者の選任に関する事項及び水域訓練に相当するものの実施に関する事項その他の当該国際水域施設の保安の確保のために必要な国土交通省令で定める事項について記載した水域保安規程に相当する規程を定め、国土交通省令で定めるところにより、国土交通大臣の承認を受けることができる。

2　第三十七条から前条まで（同条第一項を除く。）の規定は、前項の承認を受けた水域保安規程に相当する規程に係る特定港湾管理者が管理する国際水域施設以外の国際水域施設について準用する。

3　第一項の承認を受けた水域保安規程に相当する規程に係る特定港湾管理者が管理する国際水域施設以外の国際水域施設が特定港湾管理者が管理する国際水域施設となった場合には、同項の規定による水域保安規程に相当する規程の承認は、前条第三項の規定による水域保安規程の承認とみなす。

4　前項の場合には、第二項において準用する第三十八条第二項の規定による水域保安管理者に相当する者の選任の届出は、同項の規定による水域保安管理者の選任の届出とみなす。

（改善勧告等）

第四二条　国土交通大臣は、特定港湾管理者が管理する国際水域施設が次の各号に掲げる場合に該当すると認めるときは、当該特定港湾管理者に対し、それぞれ当該各号に定める措置その他の必要な措置をとるべきことを勧告することができる。

一　第三十七条の規定により水域指標対応措置が実施されていない場合　同条の規定により水域指標対応措置を実施すること。

二　第三十八条第一項の規定により水域保安管理者が選任されていない場合　同項の規定により水域保安管理者を選任すること。

三　第三十九条の規定により水域訓練が実施されていない場合　同条の規定により水域訓練を実施すること。

四　第四十条第一項の規定により水域保安規程が定められていない場合又は同項の規定により定められた水域保安規程について同条第三項の承認を受けていない場合　同条第一項の規定により水域保安規程を定めること又は同項の規定により定められた水域保安規程について同条第三項の承認を受けること。

五　前各号に掲げるもののほか、前号の水域保安規程に定められた事項が適確に実施されていない場合　当該事項を適確に実施すること。

2　国土交通大臣は、前項の規定による勧告をしたにもかかわらず特定港湾管理者がその勧告に従わない場合において、当該特定港湾管理者が管理する国際水域施設の保安の確保のために同項各号に掲げる規定に規定する措置を確実にとらせることが必要と認めるときは、当該特定港湾管理者に対し、これらの規定に規定する措置をとるべきことを命ずることができる。

（報告の徴収）

第四三条　国土交通大臣は、この節の規定の施行に必要な限度において、国土交通省令で定めるところにより、第四十条第三項の承認を受けた水域保安規程に係る特定港湾管理者及び第四十一条第一項の承認を受けた水域保安規程に相当する規程に係る者に対し、当該国際水域施設の保安の確保のために必要な措置に関し報告をさせることができる。

第四章　国際航海船舶の入港に係る規制

（船舶保安情報）

第四四条　本邦以外の地域の港から本邦の港に入港をしようとする国際航海船舶の船長は、第三項に規定する場合を除き、国土交通省令で定めるところにより、あらかじめ、当該国際航海船舶の名称、船籍港、直前の出発港、当該国際航海船舶に係る船舶保安証書又は船舶保安証書に相当する証書に記載された事項その他の国土交通省令で定める事項（以下「船舶保安情報」という。）を海上保安庁長官に通報しなければならない。通報した船舶保安情報を変更しようとするときも、同様とする。

2　前項の規定により船長がしなければならない通報は、当該国際航海船舶の所有者又は船長若しくは所有者の代理人もすることができる。

3　荒天、遭難その他の国土交通省令で定めるやむを得ない事由によりあらかじめ船舶保安情報を通報しないで本邦以外の地域の港から本邦の港に入港をした国際航海船舶の船長は、国土交通省令で定めるところにより、入港後直ちに、船舶保安情報を海上保安庁長官に通報しなければならない。

4　海上保安庁長官は、第一項又は前項の規定による通報があったときは、速やかに、通報された船舶保安情報を国土交通大臣に通知しなければならない。

（国際航海船舶の入港に係る規制）

第四五条　海上保安庁長官は、前条第一項又は第三項の規定による通報があった場合において、通報された船舶保安情報のみによっては当該国際航海船舶の保安の確保のために必要な措置が適確に講じられているかどうか明らかでないときは、当該国際航海船舶に係る危害行為に起因して当該国際航海船舶又は当該本邦の港にある他の国際航海船舶若しくは国際港湾施設に対して生ずるおそれがある危険を防止するため、当該国際航海船舶の船長に対し、必要な情報の提供を更に求め、又はその職員に、当該国際航海船舶の航行を停止させてこれに立ち入り、当該措置が適確に講じられていないため当該危険が生ずるおそれがあるかどうかについて検査させ、若しくは当該国際航海船舶の乗組員その他の関係者に質問させることができる。

2　海上保安庁長官は、前項の規定により必要な情報の提供を更に求め、又は同項の規定によりその職員に立入検査をさせたときは、速やかに、当該国際航海船舶の保安の確保のために必要な措置に関する情報を国土交通大臣に通知しなければならない。

3　海上保安庁長官は、国際航海船舶の船長が第一項の情報の提供の求め又は立入検査を拒否したときは、当該国際航海船舶の当該本邦の港への入港の禁止又は当該本邦の港からの退去を命ずることができる。

4　海上保安官は、前条第一項又は第三項の規定による通報があった場合において、通報された船舶保安情報の内容、第一項の規定により更に提供された情報の内容、同項の規定による立入検査の結果その他の事情から合理的に判断して、当該国際航海船舶に係る危害行為に起因して当該国際航海船舶又は当該本邦の港にある他の国際航海船舶若しくは国際港湾施設に対して急迫した危険が生ずるおそれがあり、当該危険を防止するため他に適当な手段がないと認めるときは、次に掲げる措置を講ずることができる。

一　当該国際航海船舶の当該本邦の港への入港を禁止し、又は当該国際航海船舶を当該本邦の港から退去させること。

二　当該国際航海船舶の航行を停止させ、又は当該国際航海船舶を指定する場所に移動させること。

三　乗組員、旅客その他当該国際航海船舶内にある者を下船させ、又は積荷を陸揚げさせ、若しくは一時保管すること。

四　他船又は陸地との交通を制限し、又は禁止すること。

五　前各号に掲げる措置のほか、海上における人の生命若しくは身体に対する危険又は財産に対する重大な損害を及ぼすおそれがある行為を制止すること。

5　海上保安庁長官が第一項の規定によりその職員に立入検査をさせようとするとき若しくは第三項の規定による命令を発しようとするとき、又は海上保安官が前項各号に掲げる措置を講じようとするときは、あらかじめ、その旨を当該国際航海船舶の所有者又は船長に通知しなければならない。

6　第二十三条第三項及び第四項の規定は、第一項の立入検査について準用する。

（国際航海船舶以外の船舶への準用）

第四六条　前二条（第四十四条第四項及び前条第二項を除く。）の規定は、国際航海船舶以外の船舶であって国際航海に従事するもののうち、国土交通省令で定める船舶について準用する。この場合において、第四十四条第一項中「直前の出発港、当該国際航海船舶に係る船舶保安証書又は船舶保安証書に相当する証書に記載された事項」とあるのは、「直前の出発港」と読み替えるものとする。

第五章　雑則

（国家公安委員会等との関係）

第四七条　国家公安委員会又は海上保安庁長官は、公共の安全の維持又は海上の安全の維持のため特に必要があると認めるときは、第五条、第六条、第七条第一項若しくは第五項（第八条第四項、第三十条第三項（第三十三条第二項において準用する場合を含む。）及び第三十八条第三項（第四十一条第二項において準用する場合を含む。）において準用する場合を含む。）、第八条第一項、第九条、第十条第一項、第二項若しくは第四項、第十一条第一項、第四項若しくは第八項、第二十四条若しくは第二十九条第一項若しくは第二項、第三十条第一項、第三十一条、第三十二条第一項若しくは第五項（これらの規定を第三十三条第二項において準用する場合を含む。）、第三十二条第九項（第三十三条第二項及び第四十条第四項（第四十一条第二項において準用する場合を含む。）において準用する場合を含む。）、第三十三条第一項若しくは第三十七条、第三十八条第一項、第三十九条、第四十条第一項若しくは第三項（これらの規定を第四十一条第二項において準用する場合を含む。）又は第四十一条第一項の規定の運用に関し、国土交通大臣に意見を述べることができる。

（手数料の納付）

第四八条　第一号及び第三号から第五号までに掲げる者（第三号から第五号までに掲げる者にあっては、国及び独立行政法人（独立行政法人通則法（平成十一年法律第百三号）第二条第一項に規定する独立行政法人であって、当該独立行政法人の業務の内容その他の事情を勘案して政令で定めるものに限る。附則第四条第九項において同じ。）を除く。）は、実費を勘案して国土交通省令で定める額の手数料を国に、第二号に掲げる者は、実費を勘案して国土交通省令で定める額の手数料を機構に納付しなければならない。

一　第八条第一項の講習（国土交通大臣の行うものに限る。）を受けようとする者

二　第八条第一項の講習（機構の行うものに限る。）を受けようとする者

三　法定検査又は第二十六条第一項の検査を受けようとする者

四　船舶保安証書又は臨時船舶保安証書の交付を受けようとする者（船級協会が船級の登録をした国際航海日本船舶に係るこれらの証書の交付を受けようとする者に限る。）

五　船舶保安証書又は臨時船舶保安証書の再交付又は書換えを受けようとする者

2　前項（第二号に係る部分に限る。）の規定により機構に納付された手数料は、機構の収入とする。

〔一・二項改正・平一八法二八〕

（総トン数）

第四九条　この法律を適用する場合における総トン数は、船舶のトン数の測度に関する法律（昭和五十五年法律第四十号）第四条第二項の規定の例により算定した数値にトンを付して表したものとする。

（本邦以外の地域とみなす地域）

第五〇条　この法律の適用については、国土交通省令で定める本邦の地域は、当分の間、本邦以外の地域とみなす。

（権限の委任）

第五一条　この法律の規定により国土交通大臣又は海上保安庁長官の権限に属する事項は、国土交通省令で定めるところにより、地方整備局長、北海道開発局長、地方運輸局長（運輸監理部長を含む。次項において同じ。）又は管区海上保安本部長に行わせることができる。

2　地方整備局長、北海道開発局長、地方運輸局長又は管区海上保安本部長は、国土交通省令で定めるところにより、前項の規定によりその権限に属させられた事項の一部を地方整備局の事務所の長、開発建設部の長、運輸支局長、地方運輸局、運輸監理部若しくは運輸支局の事務所の長又は管区海上保安本部の事務所の長に行わせることができる。

（行政手続法の適用除外）

第五二条　第四十五条第三項（第四十六条において準用する場合を含む。）の規定による命令については、行政手続法（平成五年法律第八十八号）第三章の規定は、適用しない。

（経過措置）

第五三条　この法律の規定に基づき、命令を制定し、又は改廃する場合においては、その命令で、その制定又は改廃に伴い合理的に必要と判断される範囲内において、所要の経過措置（罰則に関する経過措置を含む。）を定めることができる。

（国土交通省令への委任）

第五四条　この法律に定めるもののほか、この法律の実施のため必要な手続その他の事項は、国土交通省令で定める。

第六章　罰則

第五五条　船級協会の役員又は職員が、第二十条第二項の審査若しくは検査又は同条第三項の検査に関して、賄賂を収受し、又はその要求若しくは約束をしたときは、三年以下の懲役に処する。これによって不正の行為をし、又は相当の行為をしなかったときは、一年以上十年以下の懲役に処する。

2　前項の場合において、犯人が収受した賄賂は、没収する。その全部又は一部を没収することができないときは、その価額を追徴する。

本条一項は、令和四法六八により改正され、令和七年六月一日から施行

第五五条　船級協会の役員又は職員が、第二十条第二項の審査若しくは検査又は同条第三項の検査に関して、賄賂を収受し、又はその要求若しくは約束をしたときは、三年以下の拘禁刑に処する。これによって不正の行為をし、又は相当の行為をしなかったときは、一年以上十年以下の拘禁刑に処する。

第五六条　前条第一項の賄賂を供与し、又はその申込み若しくは約束をした者は、三年以下の懲役又は百万円以下の罰金に処する。

本条一項は、令和四法六八により改正され、令和七年六月一日から施行

第五六条　前条第一項の賄賂を供与し、又はその申込み若しくは約束をした者は、三年以下の拘禁刑又は百万円以下の罰金に処する。

2　前項の罪を犯した者が自首したときは、その刑を減軽し、又は免除することができる。

第五七条　次の各号のいずれかに該当する者は、一年以下の懲役又は五十万円以下の罰金に処する。

一　第二十条第六項の規定に違反してその職務に関して知り得た秘密を漏らした者
二　第四十四条第一項（第四十六条において準用する場合を含む。）の規定による通報をせず、又は虚偽の通報をして入港をした船長
三　第四十四条第二項（第四十六条において準用する場合を含む。）の規定による通報に際して虚偽の通報をした船舶の所有者又は船長若しくは所有者の代理人（当該船舶が入港をした場合に限る。）
四　第四十四条第三項（第四十六条において準用する場合を含む。）の規定による通報をせず、又は虚偽の通報をした船長
五　第四十五条第三項（第四十六条において準用する場合を含む。）の規定による命令に違反した船長

本条は、令和四法六八により改正され、令和七年六月一日から施行

第五七条　次の各号のいずれかに該当する者は、一年以下の拘禁刑又は五十万円以下の罰金に処する。
一～五〔略〕

第五八条　第二十条第七項において準用する船舶安全法第二十五条の五十八第一項の規定による業務の停止の命令に違反したときは、その違反行為をした船級協会の役員又は職員は、一年以下の懲役又は五十万円以下の罰金に処する。

本条は、令和四法六八により改正され、令和七年六月一日から施行

第五八条　第二十条第七項において準用する船舶安全法第二十五条の五十八第一項の規定による業務の停止の命令に違反したときは、その違反行為をした船級協会の役員又は職員は、一年以下の拘禁刑又は五十万円以下の罰金に処する。

第五九条　次の各号のいずれかに該当する者は、二百万円以下の罰金に処する。
一　偽りその他不正の行為により船舶保安証書又は臨時船舶保安証書の交付、再交付又は書換えを受けた者
二　第十四条又は第十五条の規定による検査を受けないで国際航海日本船舶を国際航海に従事させた者
三　第十八条第一項又は第二項の規定に違反して国際航海日本船舶を国際航海に従事させた者

第六〇条　第二十二条第三項（第二十五条第二項において準用する場合を含む。）の規定による処分に違反した者は、百万円以下の罰金に処する。

第六一条　第七条第四項（第八条第四項、第三十条第三項及び第三十八条第三項において準用する場合を含む。）、第十一条第八項、第二十二条第一項若しくは第二項、第二十五条第一項、第三十二条第九項（第四十条第四項において準用する場合を含む。）、第三十四条第二項又は第四十二条第二項の規定による命令に違反した者は、五十万円以下の罰金に処する。

第六二条　次の各号のいずれかに該当する者は、三十万円以下の罰金に処する。
一　第十九条の規定に違反して国際航海日本船舶を国際航海に従事させた者
二　第二十条第七項において準用する船舶安全法第二十五条の六十一第一項の規定による検査を拒み、妨げ、又は忌避した者
三　第二十三条第一項（第二十七条において準用する場合を含む。）、第三十五条第一項又は第四十三条の規定による報告をせず、又は虚偽の報告をした者
四　第二十三条第二項（第二十七条において準用する場合を含む。）又は第三十五条第二項の規定による検査を拒み、妨げ、若しくは忌避し、又は質問に対し陳述をせず、若しくは虚偽の陳述をした者

第六三条　第二十条第七項において準用する船舶安全法第二十五条の六十の規定による報告をせず、又は虚偽の報告をした船級協会の役員又は職員は、三十万円以下の罰金に処する。

第六四条　法人の代表者又は法人若しくは人の代理人、使用人その他の従業者が、その法人又は人の業務に関し、第五十七条第三号及び第五十九条から第六十二条までの違反行為をしたときは、行為者を罰するほか、その法人又は人に対しても、各本条の罰金刑を科する。

第六五条　第二十条第七項において準用する船舶安全法第二十五条の五十三第一項の規定に違反して財務諸表等を備えて置かず、財務諸表等に記載すべき事項を記載せず、若しくは虚偽の記載をし、又は正当な理由がないのに第二十条第七項において準用する船舶安全法第二十五条の五十三第二項各号の規定による請求を拒んだ者は、二十万円以下の過料に処する。

附　則

（施行期日）

第一条　この法律は、平成十四年十二月十二日に採択された条約附属書の改正が日本国について効力を生ずる日〔平一六・七・一〕から施行する。ただし、第八条第二項、第二十条第一項、第五項及び第七項、第四十八条（第一項第二号及び第二項に係る部分に限る。）、第五十一条並びに附則第四条から第八条までの規定は、同日前の政令で定める日から施行する。

〔平一六政一六三により、平一六・四・二三から施行〕

（経過措置）

第二条　この法律の施行の日（以下「施行日」という。）前に建造され、又は建造に着手された国際航海船舶については、次の各号に掲げる船舶の区分に応じ、それぞれ当該各号に定める時期までは、国土交通省令で定めるところにより、第五条の規定並びに第十一条第一項、第十二条、第十三条第一項、第十四条から第十六条まで、第十七条第一項及び第二項、第二十条第二項及び第三項、第二十二条第一項及び第二項、第二十四条、第二十五条第一項、第二十六条第一項並びに附則第四条第六項の規定（船舶警報通報装置の設置に係る

部分に限る。）は、適用しないことができる。

一　日本船舶であって、旅客船、タンカー（海洋汚染等及び海上災害の防止に関する法律（昭和四十五年法律第百三十六号）第三条第九号に規定するタンカーをいう。第四号において同じ。）その他の国土交通省令で定める船舶　平成十六年七月一日以後最初に行われる船舶安全法第五条の規定による定期検査、中間検査又は臨時検査の時期

二　日本船舶であって、前号に掲げる船舶以外の船舶　平成十八年七月一日以後最初に行われる船舶安全法第五条の規定による定期検査、中間検査又は臨時検査の時期

三　日本船舶以外の船舶であって、旅客船　平成十六年七月一日以後最初に行われる条約附属書第一章第七規則の規定による無線設備に係る検査の時期

四　日本船舶以外の船舶であって、タンカーその他の国土交通省令で定める船舶　平成十六年七月一日以後最初に行われる条約附属書第一章第九規則の規定による検査の時期

五　日本船舶以外の船舶であって、前二号に掲げる船舶以外の船舶　平成十八年七月一日以後最初に行われる条約附属書第一章第九規則の規定による検査の時期

第三条　施行日前に建造された国際航海日本船舶についての第十二条の規定の適用については、同条中「初めて」とあるのは、「この法律の施行の日以後初めて」とする。

2　施行日前に建造された国際航海船舶のうち国土交通省令で定めるものについての第四十九条の規定の適用については、同条中「船舶のトン数の測度に関する法律（昭和五十五年法律第四十号）第四条第二項の規定の例により算定した数値にトンを付して表したもの」とあるのは、「国土交通省令で定める総トン数」とする。

第四条　国際航海日本船舶の所有者は、施行日前においても、第七条又は第八条の規定の例により、船舶保安統括者又は船舶保安管理者を選任し、国土交通大臣に届け出ることができる。

2　前項の規定による届出は、施行日以後は、それぞれ第七条第二項又は第八条第三項の規定による届出とみなす。

3　附則第一条ただし書の政令で定める日前に大学校が行った講習（第八条第一項の講習と同等以上の内容を有すると国土交通大臣が認めるものに限る。）を修了した者は、附則第一条ただし書の政令で定める日において、同項の講習を修了したものとみなす。

4　国土交通大臣は、施行日前においても、国際航海日本船舶に係る第十一条第四項の承認に相当する承認又は船舶警報通報装置等の設置、船舶指標対応措置の実施、船舶保安統括者の選任、船舶保安管理者の選任、操練の実施、船舶保安記録簿の備付け並びに船舶保安規程の備置き及びその適確な実施について第十二条若しくは第十七条第一項の検査に相当する検査を行うことができる。

5　船級協会は、施行日前においても、国際航海日本船舶（旅客船を除く。）に係る第二十条第二項の審査に相当する審査並びに船舶警報通報装置等の設置、船舶指標対応措置の実施、船舶保安統括者の選任、船舶保安管理者の選任、操練の実施、船舶保安記録簿の備付け並びに船舶保安規程の備置き及びその適確な実施について同項又は同条第三項の検査に相当する検査を行うことができる。

6　国土交通大臣は、国土交通大臣又は船級協会が前二項の検査の結果当該国際航海日本船舶が第十三条第一項各号又は第十七条第二項各号に掲げる要件に相当する要件を満たしていると認めるときは、当該国際航海日本船舶の所有者に対し、船舶保安証書に相当する証書又は臨時船舶保安証書に相当する証書を交付しなければならない。

7　前項の規定により交付した証書は、その交付後施行日までの間に国土交通省令で定める事由が生じたときを除き、施行日以後は、それぞれ船舶保安証書又は臨時船舶保安証書とみなす。この場合において、当該証書の有効期間の起算日は、同項の規定によりその交付をした日とする。

8　第六項の証書の様式並びに交付、再交付及び書換えその他当該証書に関し必要な事項は、国土交通省令で定める。

9　次に掲げる者（国及び独立行政法人を除く。）は、実費を勘案して国土交通省令で定める額の手数料を国に納付しなければならない。

一　第四項の検査を受けようとする者

二　第六項の証書の交付を受けようとする者（船級協会が第五項の検査を行った国際航海日本船舶に係る当該証書の交付を受けようとする者に限る。）

三　第六項の証書の再交付又は書換えを受けようとする者

10　第二十条第六項の規定は第五項の審査及び検査の業務に従事する船級協会の役員若しくは職員又はこれらの職にあった者について、船舶安全法第三章第一節（第二十五条の四十六、第二十五条の四十七第一項、第二十五条の四十九第一項、第三項及び第四項、第二十五条の五十二、第二十五条の五十四、第二十五条の五十七、第二十五条の五十八第二項及び第三項並びに第二十五条の六十三から第二十五条の六十六までを除く。）の規定は第五項の船級協会並びに船級協会の審査及び検査について準用する。この場合において、第二十条第六項中「第二項の審査及び検査又は第三項の検査」とあるのは「附則第四条第五項の審査及び検査」と、同法第二十五条の四十七第二項第一号中「この法律又はこの法律に基づく命令」とあるのは「この法律若しくは国際航海船舶及び国際港湾施設の保安の確保等に関する法律又はこれらの法律に基づく命令」と、同法第二十五条の四十九第二項中「第二十五条の四十七第一項第一号及び第二号」とあるのは「国際航海船舶及び国際港湾施設の保安の確保等に関する法律第二十条第五項第一号及び第二号」と、同法第二十五条の五十五中「第二十五条の四十七第一項各号」とあるのは「国際航海船舶及び国際港湾施設の保安の確保等に関する法律第二十条第五項各号」と読み替えるものとする。

11　船級協会の役員又は職員が、第五項の審査又は検査に関し

て、賄賂を収受し、又はその要求若しくは約束をしたときは、三年以下の懲役に処する。これによって不正の行為をし、又は相当の行為をしなかったときは、一年以上十年以下の懲役に処する。

12　前項の場合において、犯人が収受した賄賂は、没収する。その全部又は一部を没収することができないときは、その価額を追徴する。

13　第十一項の賄賂を供与し、又はその申込み若しくは約束をした者は、三年以下の懲役又は百万円以下の罰金に処する。

14　前項の罪を犯した者が自首したときは、その刑を減軽し、又は免除することができる。

15　第十項において準用する第二十条第六項の規定に違反してその職務に関して知り得た秘密を漏らした者は、一年以下の懲役又は五十万円以下の罰金に処する。

16　第十項において準用する船舶安全法第二十五条の五十八第一項の規定による業務の停止の命令に違反したときは、その違反行為をした船級協会の役員又は職員は、一年以下の懲役又は五十万円以下の罰金に処する。

17　偽りその他不正の行為により第六項の証書の交付、再交付又は書換えを受けた者は、二百万円以下の罰金に処する。

18　第十項において準用する船舶安全法第二十五条の六十の規定による報告をせず、又は虚偽の報告をした船級協会の役員又は職員は、三十万円以下の罰金に処する。

19　第十項において準用する船舶安全法第二十五条の六十一第一項の規定による検査を拒み、妨げ、又は忌避した者は、三十万円以下の罰金に処する。

20　法人の代表者又は法人若しくは人の代理人、使用人その他の従業者が、その法人又は人の業務に関し、第十七項及び前項の違反行為をしたときは、行為者を罰するほか、その法人又は人に対しても、各本項の罰金刑を科する。

21　第十項において準用する船舶安全法第二十五条の五十三第一項の規定に違反して財務諸表等を備えて置かず、財務諸表等に記載すべき事項を記載せず、若しくは虚偽の記載をし、又は正当な理由がないのに第十項において準用する船舶安全法第二十五条の五十三第二項各号の規定による請求を拒んだ者は、二十万円以下の過料に処する。

第五条　重要国際埠頭施設の管理者又は重要国際埠頭施設以外の国際埠頭施設の管理者は、施行日前においても、第三十条（第三十三条第二項において準用する場合を含む。）の規定の例により、埠頭保安管理者又は埠頭保安管理者に相当する者を選任し、国土交通大臣に届け出ることができる。

2　前項の規定による届出は、施行日以後は、第三十条第二項（第三十三条第二項において準用する場合を含む。）の規定による届出とみなす。

3　国土交通大臣は、施行日前においても、埠頭保安規程又は埠頭保安規程に相当する規程について、第三十二条第五項又は第三十三条第一項の規定による承認に相当する承認を行うことができる。

4　前項の規定による承認は、施行日以後は、それぞれ第三十二条第五項又は第三十三条第一項の規定による承認とみなす。

5　特定港湾管理者又は特定港湾管理者が管理する国際水域施設以外の国際水域施設の管理者は、施行日前においても、第三十八条（第四十一条第二項において準用する場合を含む。）の規定の例により、水域保安管理者又は水域保安管理者に相当する者を選任し、国土交通大臣に届け出ることができる。

6　前項の規定による届出は、施行日以後は、第三十八条第二項（第四十一条第二項において準用する場合を含む。）の規定による届出とみなす。

7　国土交通大臣は、施行日前においても、水域保安規程又は水域保安規程に相当する規程について、第四十条第三項又は第四十一条第一項の規定による承認に相当する承認を行うことができる。

8　前項の規定による承認は、施行日以後は、それぞれ第四十条第三項又は第四十一条第一項の規定による承認とみなす。

第六条・第七条　〔他の法令改正に付き略〕

（政令への委任）

第八条　附則第二条から第五条までに定めるもののほか、この法律の施行に関し必要な経過措置（罰則に関する経過措置を含む。）は、政令で定める。

附　則　〔平一七・七・二六法八七〕

この法律は、会社法の施行の日〔平一八・五・一〕から施行する。〔以下略〕

○会社法の施行に伴う関係法律の整備等に関する法律（抄）

〔平一七・七・二六 法八七〕

第十二章　罰則に関する経過措置及び政令への委任

（罰則に関する経過措置）

第五二七条　施行日前にした行為及びこの法律の規定によりなお従前の例によることとされる場合における施行日以後にした行為に対する罰則の適用については、なお従前の例による。

（政令への委任）

第五二八条　この法律に定めるもののほか、この法律の規定による法律の廃止又は改正に伴い必要な経過措置は、政令で定める。

附　則　〔平二四・九・一二法八九抄〕

（施行期日）

第一条　この法律は、平成二十五年一月一日から施行する。ただし、次の各号に掲げる規定は、当該各号に定める日から施行する。

一　附則〔中略〕第二十二条の規定　公布の日

二〜五　〔略〕

（国際航海船舶及び国際港湾施設の保安の確保等に関する法律の一部改正に伴う経過措置）

第二〇条 施行日前に開始された第三条の規定による改正前の国際航海船舶及び国際港湾施設の保安の確保等に関する法律第十二条後段の検査の結果施行日以後に第三条の規定による改正後の国際航海船舶及び国際港湾施設の保安の確保等に関する法律（以下「新国際航海船舶等保安法」という。）第十三条第一項の規定による船舶保安証書の交付を受けることができる新国際航海船舶等保安法第四条に規定する国際航海日本船舶であって、新国際航海船舶等保安法第十三条第五項の国土交通省令で定める事由により従前の船舶保安証書の有効期間が満了するまでの間において当該検査に係る船舶保安証書の交付を受けることができなかったものに係る従前の船舶保安証書の有効期間については、同項の規定にかかわらず、なお従前の例による。

（罰則の適用に関する経過措置）

第二一条 この法律（附則第一条第四号に掲げる規定にあっては、当該規定）の施行前にした行為及びこの附則の規定によりなお従前の例によることとされる場合における一部施行日後にした行為に対する罰則の適用については、なお従前の例による。

（政令への委任）

第二二条 附則第二条から前条までに定めるもののほか、この法律の施行に関し必要となる経過措置（罰則に関する経過措置を含む。）は、政令で定める。

附 則〔平二六・六・一三法六九抄〕

（施行期日）

第一条 この法律は、行政不服審査法（平成二十六年法律第六十八号）の施行の日〔平二八・四・一〕から施行する。

（経過措置の原則）

第五条 行政庁の処分その他の行為又は不作為についての不服申立てであってこの法律の施行前にされた行政庁の処分その他の行為又はこの法律の施行前にされた申請に係る行政庁の不作為に係るものについては、この附則に特別の定めがある場合を除き、なお従前の例による。

（訴訟に関する経過措置）

第六条 この法律による改正前の法律の規定により不服申立てに対する行政庁の裁決、決定その他の行為を経た後でなければ訴えを提起できないこととされる事項であって、当該不服申立てを提起しないでこの法律の施行前にこれを提起すべき期間を経過したもの（当該不服申立てが他の不服申立てに対する行政庁の裁決、決定その他の行為を経た後でなければ提起できないとされる場合にあっては、当該他の不服申立てを提起しないでこの法律の施行前にこれを提起すべき期間を経過したものを含む。）の訴えの提起については、なお従前の例による。

2 この法律の規定による改正前の法律の規定（前条の規定によりなお従前の例によることとされる場合を含む。）により異議申立てが提起された処分その他の行為であって、この法律の規定による改正後の法律の規定により審査請求に対する裁決を経た後でなければ取消しの訴えを提起することができないこととされるものの取消しの訴えの提起については、なお従前の例による。

3 不服申立てに対する行政庁の裁決、決定その他の行為の取消しの訴えであって、この法律の施行前に提起されたものについては、なお従前の例による。

（罰則に関する経過措置）

第九条 この法律の施行前にした行為並びに附則第五条及び前二条の規定によりなお従前の例によることとされる場合におけるこの法律の施行後にした行為に対する罰則の適用については、なお従前の例による。

（その他の経過措置の政令への委任）

第一〇条 附則第五条から前条までに定めるもののほか、この法律の施行に関し必要な経過措置（罰則に関する経過措置を含む。）は、政令で定める。

附 則〔令四・六・一七法六八抄〕

（施行期日）

1 この法律は、刑法等一部改正法（令和四年法律第六十七号）施行日〔令七・六・一〕から施行する。ただし、次の各号に掲げる規定は、当該各号に定める日から施行する。

一 第五百九条の規定 公布の日

二 〔略〕

○刑法等の一部を改正する法律の施行に伴う関係法律の整理等に関する法律（抄）〔令四・六・一七 法六八〕

（罰則の適用等に関する経過措置）

第四四一条 刑法等の一部を改正する法律（令和四年法律第六十七号。以下「刑法等一部改正法」という。）及びこの法律（以下「刑法等一部改正法等」という。）の施行前にした行為の処罰については、次章に別段の定めがあるもののほか、なお従前の例による。

2 刑法等一部改正法等の施行後にした行為に対して、他の法律の規定によりなお従前の例によることとされ、なお効力を有することとされ又は改正前若しくは廃止前の法律の規定の例によることとされる罰則を適用する場合において、当該罰則に定める刑（刑法施行法第十九条第一項の規定又は第八十二条の規定による改正後の沖縄の復帰に伴う特別措置に関する法律第二十五条第四項の規定の適用後のものを含む。）に刑法等一部改正法第二条の規定による改正前の刑法（明治四十年法律第四十五号。以下この項において「旧刑法」という。）第十二条に規定する懲役（以下「懲役」という。）、旧刑法第十三条に規定する禁錮（以下「禁錮」という。）又は旧刑法第十六条に規定する拘留（以下「旧拘留」という。）が含まれるときは、当該刑のうち無期の懲役又は禁錮はそれぞれ無期拘禁刑と、有期の懲役又は禁錮はそれぞれその刑と長期及び短期（刑法施行法第二十条の規定の適用後のものを含む。）を同じくする有期拘禁刑と、旧拘留は長期及び短期（刑法施行法第二十条の規定の適用後のものを含む。）を同じくする拘留とする。

（裁判の効力とその執行に関する経過措置）

第四四二条　懲役、禁錮及び旧拘留の確定裁判の効力並びにその執行については、次章に別段の定めがあるもののほか、なお従前の例による。

（人の資格に関する経過措置）

第四四三条　懲役、禁錮又は旧拘留に処せられた者に係る人の資格に関する法令の規定の適用については、無期の懲役又は禁錮に処せられた者はそれぞれ無期拘禁刑に処せられた者と、有期の懲役又は禁錮に処せられた者はそれぞれ刑期を同じくする有期拘禁刑に処せられた者と、旧拘留に処せられた者は拘留に処せられた者とみなす。

2　拘禁刑又は拘留に処せられた者に係る他の法律の規定によりなお従前の例によることとされ、なお効力を有することとされ又は改正前若しくは廃止前の法律の規定の例によることとされる人の資格に関する法令の規定の適用については、無期拘禁刑に処せられた者は無期禁錮に処せられた者と、有期拘禁刑に処せられた者は刑期を同じくする有期禁錮に処せられた者と、拘留に処せられた者は刑期を同じくする旧拘留に処せられた者とみなす。

（経過措置の政令への委任）

第五〇九条　この編に定めるもののほか、刑法等一部改正法等の施行に伴い必要な経過措置は、政令で定める。

別表第一（第二十条関係）

一　電圧計
二　電流計
三　周波数計
四　高周波電力計
五　シンクロスコープ
六　スペクトル分析器
七　絶縁抵抗計

別表第二（第二十条関係）

学歴	年数
学校教育法（昭和二十二年法律第二十六号）による大学院若しくは大学（短期大学を除く。）又は旧大学令（大正七年勅令第三百八十八号）による大学（以下「大学等」という。）において船舶又は機械に関する学科を修得して卒業した者	一年
大学等において船舶若しくは機械に関する学科以外の工学に関する学科を修得して卒業した者又は学校教育法による短期大学若しくは高等専門学校若しくは旧専門学校令（明治三十六年勅令第六十一号）による専門学校（以下「短期大学等」という。）において船舶若しくは機械に関する学科を修得して卒業した者（当該学科を修得して同法による専門職大学の前期課程を修了した者を含む。）	二年
短期大学等において船舶若しくは機械に関する学科以外の工学に関する学科を修得して卒業した者（当該学科を修得して学校教育法による専門職大学の前期課程を修了した者を含む。）又は同法による高等学校若しくは中等教育学校若しくは旧中等学校令（昭和十八年勅令第三十六号）による実業学校において船舶若しくは機械に関する学科を修得して卒業した者	四年

○国際航海船舶及び国際港湾施設の保安の確保等に関する法律施行令

（平成十六年四月十四日政令第百六十四号）

〔沿革〕平成二七年三月一八日政令第七四号、二八年三月九日第五七号、三〇日第八六号改正

（船級協会の登録の有効期間）

第一条 国際航海船舶及び国際港湾施設の保安の確保等に関する法律（以下「法」という。）第二十条第七項及び附則第四条第十項において準用する船舶安全法第二十五条の四十八第一項の規定に基づく登録の更新については、船舶安全法施行令（昭和九年勅令第十三号）第三条の規定を準用する。

（手数料の納付を要しない独立行政法人）

第二条 法第四十八条第一項の政令で定める独立行政法人は、国立研究開発法人水産研究・教育機構及び独立行政法人海技教育機構とする。

〔本条改正・平二七政七四・平二八政五七・政八六〕

附 則

（施行期日）

第一条 この政令は、法附則第一条ただし書に規定する規定の施行の日（平成十六年四月二十三日）から施行する。

第二条・第三条 〔他の法令改正に付き略〕

附 則〔平二八・三・九政五七抄〕

（施行期日）

1 この政令は、平成二十八年四月一日から施行する。〔以下略〕

附 則〔平二八・三・三〇政八六抄〕

（施行期日）

第一条 この政令は、平成二十八年四月一日から施行する。〔以下略〕

○国際航海船舶及び国際港湾施設の保安の確保等に関する法律施行規則

（平成十六年四月二十三日国土交通省令第五十九号）

〔沿革〕平成一六年四月一日国土交通省令第五一号、一七年三月七日第一二号、九月二一日第九一号、一八年二月六日第七号、三月三一日第三〇号、第四九号、一一月一日第一〇三号、一九年三月三〇日第二五号、二〇年四月一日第三〇号、一二月一九日第一〇〇号、二三年三月三一日第三三号、一二月二日第九三号、二四年九月一四日第七五号、一二月一八日第九一号、二五年五月一六日第四七号、二八年三月三一日第三八号、三〇年四月一七日第四二号、令和元年六月二八日第二〇号、一二月一六日第四七号、二年一二月二三日第九八号、六年三月二九日第二六号改正

第一章 総則

（用語）

第一条 この省令において「国際規則」とは、条約附属書第十一章の二第一規則に規定する船舶及び港湾施設の保安に関する国際規則をいう。

2 この省令において「地方運輸局長等」とは、地方運輸局長（運輸監理部長を含む。以下同じ。）並びに運輸支局（地方運輸局組織規則（平成十四年国土交通省令第七十三号）別表第二第一号に掲げる運輸支局（福岡運輸支局を除く。）を除く。）、同令別表第五第二号に掲げる海事事務所及び内閣府設置法（平成十一年法律第八十九号）第四十七条第一項の規定により沖縄総合事務局に置かれる事務所で地方運輸局において所掌することとされている事務のうち国土交通省組織令（平成十二年政令第二百五十五号）第二百十二条第二項に規定する事務を分掌するもの（以下「運輸支局等」という。）の長（以下「運輸支局長等」という。）をいう。

3 この省令において「所有者所在地官庁」とは、国際航海日本船舶の所有者の所在地を管轄する地方運輸局長（国際航海日本船舶の所有者が本邦外にある場合にあっては関東運輸局長）をいう。

4 この省令において「船舶所在地官庁」とは、国際航海日本船舶の所在地を管轄する地方運輸局長等（国際航海日本船舶が本邦外にある場合にあっては関東運輸局長）をいう。

5 この省令において「地方整備局の事務所長等」とは、地方整備局組織規則（平成十三年国土交通省令第二十一号）別表第五に掲げる事務所（空港整備事務所を除く。）、開発建設部で北海道開発局において所掌することとされている事務のうち国土交通省設置法（平成十一年法律第百号）第四条第一項第百一号に規定する事務を分掌するもの及び内閣府設置法第四十七条第一項の規定により沖縄総合事務局に置かれる事務所で地方整備局において所掌することとされている事務のうち国土交通省組織令第二百六条第二項に規定する事務を分掌するもの（以下「地方整備局の事務所等」という。）の長をいう。

6 この省令において「港湾施設所在地官庁」とは、国際埠頭施設又は国際水域施設の所在地を管轄する地方整備局長又は北海道開発局長をいう。

7 前各項に規定するもののほか、この省令において使用する用語は、国際航海船舶及び国際港湾施設の保安の確保等に関する法律（以下「法」という。）において使用する用語の例による。

〔五項改正・平二八国交令三八〕

（非国際航海船舶の範囲）

第二条 法第二条第一項第一号の国土交通省令で定める船舶は、次に掲げる船舶とする。

一 漁船法（昭和二十五年法律第百七十八号）第二条第一項第一号に規定する漁船

二 推進機関を有しない船舶

三 国が所有し又は運航する船舶であって非商業的目的のみ

に使用されるもの

四　スポーツ又はレクリエーションの用に供するヨット、モーターボートその他これらに準ずる船舶

五　前各号に掲げるもののほか、国土交通大臣がその航海の目的、態様、運航体制等を勘案して船舶の保安の確保上差し支えないと認めた船舶

2　法第二条第一項第二号の国土交通省令で定める船舶は、次に掲げる船舶とする。

一　専ら漁業に従事する船舶

二　条約附属書第一章第三規則(a)(i)から(v)までに掲げる船舶

三　条約附属書第十一章の二第二規則第三項に規定する船舶

四　前各号に掲げるもののほか、国土交通大臣がその航海の目的、態様、運航体制等を勘案して船舶の保安の確保上差し支えないと認めた船舶

（特定海域）

第三条　法第二条第一項第二号の国土交通省令で定める海域は、次に掲げる海域とする。

一　東京湾（千葉県洲埼灯台から神奈川県剣埼灯台まで引いた線及び陸岸により囲まれた海域をいう。）

二　伊勢湾（愛知県渥美郡渥美町大山三角点から三重県石鏡灯台まで引いた線及び陸岸により囲まれた海域をいう。）

三　瀬戸内海（和歌山県紀伊日ノ御埼灯台から徳島県蒲生田岬灯台まで引いた線、愛媛県佐田岬灯台から大分県関埼灯台まで引いた線、山口県六連島灯台から五六度四、八〇〇メートルの地点から〇度八〇メートルの地点まで引いた線、同地点から二七〇度一、七二〇メートルの地点まで引いた線、同地点から山口県六連島鵜ノ石鼻まで引いた線、同島ウドノ鼻から二二三度四八〇メートルの地点まで引いた線、同地点から一三三度六〇〇メートルの地点まで引いた線、同地点から二四四度八七〇メートルの地点まで引いた線、同地点から福岡県和合良島島頂まで引いた線、同島頂から二五七度二、九四〇メートルの地点まで引いた線、同地点から二四六度三〇分に陸岸まで引いた線及び陸岸により囲まれた海域をいう。）

（危害行為）

第四条　法第二条第五項の国土交通省令で定めるものは、次に掲げるものとする。

一　船舶又は港湾施設を損壊する行為

二　船舶又は港湾施設に不法に武器又は爆発物その他の危険物を持ち込む行為

三　正当な理由なく船舶又は港湾施設に立ち入る行為

四　船舶の運航を不法に支配する行為

（国際海上運送保安指標の設定及び公示の方法）

第五条　法第三条第一項の規定による国際海上運送保安指標の設定は、当該国際海上運送保安指標を国際航海船舶及び国際港湾施設の保安の確保のために必要な措置の程度に応じて低いものから順に保安レベル一、保安レベル二又は保安レベル三とし、それらのいずれかを定めることにより行うものとする。

2　法第三条第一項の規定による国際海上運送保安指標の公示は、地方整備局、北海道開発局、地方整備局の事務所等、地方運輸局（運輸監理部を含む。）及び運輸支局等の掲示板における掲示並びにインターネットの利用その他の適切な方法により行うものとする。

第二章　国際航海船舶の保安の確保

第一節　国際航海日本船舶に関する措置

第一款　国際航海日本船舶の保安の確保のために必要な措置

（船舶警報通報装置）

第六条　法第五条第二項の国土交通省令で定める船舶警報通報装置の設置に関する技術上の基準は、次に掲げる基準とする。

一　次に掲げる情報を速やかに海上保安庁に送信できるものであること。

イ　国際航海日本船舶の船名、国際海事機関船舶識別番号その他の当該国際航海日本船舶を特定することができる情報

ロ　国際航海日本船舶に対する危害行為が発生したことを示す情報

ハ　国際航海日本船舶の位置を示す情報

二　船舶警報通報装置の作動を停止させるまで前号に掲げる情報を継続的に送信するものであること。

三　航海船橋及びそれ以外の適当な場所において第一号に掲げる情報の送信を操作できるものであること。

四　誤操作による第一号に掲げる情報の送信を防止するための措置が講じられているものであること。

五　他の船舶に第一号に掲げる情報を送信しないものであること。

六　可視可聴の警報を発しないものであること。

2　前項に定めるもののほか、船舶警報通報装置の設置に関する技術上の基準の細目は、国土交通大臣が告示で定める。

（船舶指標対応措置）

第七条　法第六条の規定による船舶指標対応措置の実施は、法第三条第一項（同条第四項において準用する場合を含む。次項において同じ。）の規定により国土交通大臣が国際航海日本船舶について国際海上運送保安指標を設定し、かつ、これを公示した場合に、速やかに、船舶保安規程に定めるところにより行うものとする。

2　国際航海日本船舶が条約締約国の港にあり、又は条約締約国の港に入港をしようとする場合であって、次の各号に掲げるときにおける法第六条の規定による船舶指標対応措置の実施は、当該国際航海日本船舶について当該条約締約国の政府が設定（当該条約締約国の政府が設定した国際海上運送保安指標に相当する指標を変更した場合を含む。以下この項において同じ。）した国際海上運送保安指標に相当する指標を当該国際航海日本船舶について国土交通大臣が設定した国際海

上運送保安指標とみなして、これに対応する船舶指標対応措置を行うものとする。

一　当該国際航海日本船舶について国土交通大臣が保安レベル一を設定した場合に、当該条約締約国の政府が保安レベル二又は保安レベル三に相当する指標を設定したとき。

二　当該国際航海日本船舶について国土交通大臣が保安レベル二を設定した場合に、当該条約締約国の政府が保安レベル三に相当する指標を設定したとき。

3　法第六条の国土交通省令で定める措置は、次の表の上欄に掲げる国際海上運送保安指標に対応して、それぞれ同表の下欄に掲げるものとする。ただし、国際航海日本船舶について国土交通大臣がその構造、設備等を勘案して保安上差し支えないと認める場合にあっては、この限りでない。

国際海上運送保安指標	措置
一　保安レベル一	イ　制限区域を設定し、施錠その他の措置を講ずること。 ロ　国際航海日本船舶に人又は車両が正当な理由なく立ち入ることを防止するため、本人確認その他の措置を講ずること。 ハ　積荷、船用品その他の国際航海日本船舶に持ち込まれる物（以下この表において「積荷等」という。）について点検をすること。 ニ　船内の巡視又は監視をすること。 ホ　国際航海日本船舶の周囲の監視をすること。 ヘ　関係行政機関及び埠頭保安管理者その他の関係者との連絡及び調整を図ること。 ト　その他国土交通大臣が特に必要と認めた措置を講ずること。
二　保安レベル二	イ　制限区域を設定し、施錠その他の措置を講ずること。 ロ　国際航海日本船舶に人又は車両が正当な理由なく立ち入ることを防止するため、本人確認その他の措置を強化すること。 ハ　積荷等について点検を強化すること。 ニ　船内の巡視又は監視を強化すること。 ホ　国際航海日本船舶の周囲の監視を強化すること。 ヘ　関係行政機関及び埠頭保安管理者その他の関係者との連絡及び調整を図ること。 ト　その他国土交通大臣が特に必要と認めた措置を講ずること。
三　保安レベル三	イ　制限区域を設定し、施錠その他の措置を講ずること。 ロ　国際航海日本船舶に当該国際航海日本船舶における業務の関係者以外の者又は当該関係者に係る車両以外の車両が立ち入ることを禁止すること。 ハ　積荷等の積卸しを一時停止すること。 ニ　全ての照明の点灯、監視設備の作動等により国際航海日本船舶の船内及びその周囲の監視を徹底すること。 ホ　船内の巡視を強化すること。 ヘ　関係行政機関及び埠頭保安管理者その他の関係者との連絡及び調整を図ること。 ト　その他国土交通大臣が特に必要と認めた措置を講ずること。

4　前項に定めるもののほか、国際航海日本船舶であって国際不定期旅客船（海上運送法（昭和二十四年法律第八十七号）第二条第六項に規定する不定期航路事業に使用する旅客船をいう。以下同じ。）であるもの（以下この条において「国際不定期日本旅客船」という。）が重要国際埠頭施設及び法第三十三条第一項の規定により承認を受けた埠頭保安規程に相当する規程に係る重要国際埠頭施設以外の国際埠頭施設（以下この条において「重要国際埠頭施設等」という。）に係留される場合における法第六条の国土交通省令で定める措置は、保安確認書（当該国際不定期日本旅客船の船長又はその船舶保安管理者と当該重要国際埠頭施設等の埠頭保安管理者又は埠頭保安管理者に相当する者との間で当該国際不定期日本旅客船及び重要国際埠頭施設等の保安の確保のために必要な措置について協議した結果を国土交通大臣が告示で定めるところにより相互に確認する書面をいう。以下同じ。）の作成及び当該保安確認書において確認された事項の実施とする。

5　前項の保安確認書は、作成した日から三年間保存するものとする。

（船舶保安統括者）

第八条　法第七条第一項の国土交通省令で定める要件は、次に掲げる事項についての知識及び能力を有する者であることとする。

一　法及び法に基づく命令並びに条約附属書第十一章の二及び国際規則に規定する事項

二　船舶警報通報装置に関する事項

三　船舶指標対応措置に関する事項

四　操練その他教育訓練の実施に関する事項

五　船舶保安記録簿に関する事項

六　船舶保安規程及び船舶保安評価書に関する事項

七　危害行為に用いられるおそれのある武器及び爆発物その他の危険物に関する事項

八　危害行為が発生した場合の対処方法に関する事項

九　船舶の保安に関する情報の管理方法に関する事項

十　船舶の運航に関する事項

十一　港湾施設の運営に関する事項

2　法第七条第一項の規定による船舶保安統括者の選任は、次の各号のいずれにも該当しない者であって、国際航海日本船舶の保安の確保に関する業務を適切に遂行することができる管理的又は監督的地位にある者のうちから、一人を選任することにより行う。

一　法又は法に基づく命令の規定に違反して罰金以上の刑に処せられ、その執行を終わり、又は執行を受けることがなくなった日から二年を経過しない者

二　法第七条第四項の命令により解任され、解任の日から二年を経過しない者

3　法第七条第二項の規定による届出をしようとする者は、次に掲げる事項を記載した船舶保安統括者選任（解任）届出書を、原子力船等（原子力船特殊規則（昭和四十二年運輸省令第八十四号）第二条に規定する原子力船及び危険物船舶運送及び貯蔵規則（昭和三十二年運輸省令第三十号）第四十五条に規定する船舶をいう。以下同じ。）に係るものにあっては国土交通大臣に、原子力船等以外の船舶に係るものにあっては所有者所在地官庁に、提出しなければならない。

一　所有者の氏名又は名称及び住所並びに法人にあっては、その代表者の氏名

二　船名、船舶番号及び国際海事機関船舶識別番号

三　選任し、又は解任した船舶保安統括者の氏名及び生年月日

四　選任し、又は解任した年月日

五　選任の届出の場合にあっては、次に掲げる事項

イ　船舶保安統括者が第一項に規定する要件に該当する旨の説明

ロ　船舶保安統括者が前項の規定に適合する者である旨の説明

ハ　船舶保安統括者の住所及び緊急連絡用の電話番号その他緊急時における連絡方法

六　解任の届出の場合にあっては、解任の理由

4　前項の届出書を提出した者は、前項第一号から第三号まで及び第五号ハに係る事項に変更を生じた場合においては、遅滞なくその旨を、原子力船等に係るものにあっては国土交通大臣に、原子力船等以外の船舶に係るものにあっては当該届出書を提出した所有者所在地官庁に、届け出なければならない。

5　法第七条第五項の業務の範囲は、次に掲げるものとする。

一　船舶保安規程の作成及びその変更に関すること。

二　船舶保安評価書の作成に関すること。

三　法第十一条第四項の承認、法定検査、法第二十条第二項の審査及び検査並びに同条第三項の検査に係る申請その他の行為に関すること。

四　船舶保安管理者、当該国際航海日本船舶に係る保安の確保に関する業務に従事する者（船舶保安管理者を除く。以下「船舶保安従事者」という。）その他の乗組員に対する教育訓練の実施の管理に関すること。

五　行われるおそれのある危害行為に関する情報の提供に関すること。

六　国際航海日本船舶に係る保安の確保に関する業務に関する監査に関すること。

七　船舶保安管理者その他の関係者との連絡及び調整に関すること。

〔五項改正・平二三国交令九三、三項改正・平二四国交令七五〕

（船舶保安管理者）

第九条　法第八条第一項の規定による船舶保安管理者の選任は、次の各号のいずれにも該当しない者であって、国際航海日本船舶に係る保安の確保に関する業務を適切に遂行することができる管理的又は監督的地位にある者のうちから、国際航海日本船舶ごとに一人を選任することにより行う。

一　法又は法に基づく命令の規定に違反して罰金以上の刑に処せられ、その執行を終わり、又は執行を受けることがなくなった日から二年を経過しない者

二　法第八条第四項の規定において準用する法第七条第四項の命令により解任され、解任の日から二年を経過しない者

2　法第八条第三項の規定による届出をしようとする者は、次に掲げる事項を記載した船舶保安管理者選任（解任）届出書を、原子力船等に係るものにあっては国土交通大臣に、原子力船等以外の船舶に係るものにあっては所有者所在地官庁に、提出しなければならない。

一　前条第三項第一号及び第二号に掲げる事項

二　選任し、又は解任した船舶保安管理者の氏名及び生年月日

三　選任し、又は解任した年月日

四　選任の届出の場合にあっては、次に掲げる事項

イ　船舶保安管理者が法第八条第一項の講習（以下「船舶保安管理者講習」という。）を修了した者である旨の説明

ロ　船舶保安管理者が前項の規定に適合する者である旨の説明

五　解任の届出の場合にあっては、解任の理由

3　前項の届出書を提出した者は、前項第一号及び第二号に係る事項に変更を生じた場合においては、遅滞なくその旨を、原子力船等に係るものにあっては国土交通大臣に、原子力船等以外の船舶に係るものにあっては当該届出書を提出した所有者所在地官庁に、届け出なければならない。

4　法第八条第四項において準用する法第七条第五項の業務の範囲は、次に掲げるものとする。

一　船舶警報通報装置の保守点検又は較正の実施に関すること。

二　船舶指標対応措置の実施に関すること。

三　乗組員に対する操練その他教育訓練の実施に関すること。

四　行われた危害行為に関する情報の船舶保安統括者への報告に関すること。

五　船舶指標対応措置の実施に関し、船舶保安統括者その他の関係者との連絡及び調整に関すること。

（機構による船舶保安管理者講習の実施）

第一〇条　国土交通大臣は、法第八条第二項の規定により、機

構に船舶保安管理者講習の実施に関する業務の全部を行わせるものとする。

2　国土交通大臣は、前項の規定により機構に行わせるものとした船舶保安管理者講習の実施に関する業務については、これを行わないものとする。

〔見出し・一・二項改正・平一八国交令四九〕

（船舶保安管理者講習の内容）

第一一条　法第八条第二項の規定により機構が実施する船舶保安管理者講習は、次に掲げる事項について行うものとする。

一　法及び法に基づく命令並びに条約附属書第十一章の二及び国際規則に規定する事項
二　船舶警報通報装置に関する事項
三　船舶指標対応措置の実施に関する事項
四　操練その他教育訓練の実施に関する事項
五　船舶保安記録簿の記載に関する事項
六　船舶保安規程に定められた事項の実施に関する事項
七　危害行為に用いられるおそれのある武器及び爆発物その他の危険物に関する事項
八　危害行為が発生した場合の対処方法に関する事項
九　船舶の保安に関する情報の管理方法に関する事項
十　前各号に掲げるもののほか、船舶保安管理者の業務の遂行について国土交通大臣が必要と認める知識及び能力に関する事項

2　前項の規定にかかわらず、条約締約国の船舶に船舶保安管理者として乗り組むことができる者に対して法第八条第二項の規定により機構が実施する船舶保安管理者講習は、前項第一号（法及び法に基づく命令に規定する事項に限る。）に掲げる事項並びに同号（法及び法に基づく命令に規定する事項を除く。）から第十号までに掲げる事項のうちその知識及び能力に応じて必要なものについて行うものとする。

〔本条改正・平一八国交令四九、二項追加・平一九国交令二五〕

（船舶保安管理者講習修了証の交付）

第一二条　機構は、船舶保安管理者講習を修了した者に対し、船舶保安管理者講習修了証を交付する。

〔本条改正・平一八国交令四九〕

（船舶保安管理者講習修了証の再交付）

第一三条　独立行政法人海技大学校又は機構が行う船舶保安管理者講習を修了した者は、船舶保安管理者講習修了証を滅失し、又はき損した場合は、機構に申請して、その再交付を受けることができる。

〔本条改正・平一八国交令四九〕

（操練）

第一四条　法第九条第一項の規定による操練の実施は、船舶指標対応措置の実施を確保するため、船舶保安規程に定めるところにより、少なくとも三月に一回行わせるものとする。ただし、過去三月間に実施された操練に参加した乗組員の数が乗組員の数の四分の三を下回った場合は、その日から一週間以内に行わせるものとする。

2　法第九条第二項の規定による連絡及び調整の実施は、少なくとも毎年一回、かつ、十八月を超えない間隔で行うものとする。

（船舶保安記録簿）

第一五条　法第十条第一項の規定による船舶保安記録簿の備付けは、正当な権限を有しない者による閲覧その他の行為を防止するための措置を講じて行うものとする。

2　法第十条第二項の国土交通省令で定める事由は、次の表の上欄に掲げるものとし、同項の規定による船舶保安記録簿への記載は、同表の上欄に掲げる事由に応じ、それぞれ同表の下欄に掲げる事項につき行うものとする。

事由	事項
一　国際航海日本船舶についての国際海上運送保安指標（第七条第二項の規定により国際海上運送保安指標とみなされる指標を含む。以下この表において同じ。）の設定及び変更	イ　当該国際海上運送保安指標が設定され、又は変更された年月日 ロ　設定され、又は変更された当該国際海上運送保安指標
二　国際航海日本船舶の保安の確保に関する設備の保守点検及び較正の実施	イ　保守点検又は較正を実施した年月日 ロ　保守点検又は較正を実施した設備の名称 ハ　保守点検又は較正の内容
三　操練その他教育訓練の実施	イ　操練その他教育訓練の参加者の氏名 ロ　操練その他教育訓練を実施した年月日 ハ　操練その他教育訓練の内容
四　船舶保安規程の見直し	イ　見直しの年月日 ロ　見直しの結果に基づく変更の有無
五　船舶保安評価書の見直し	イ　見直しの年月日 ロ　見直しの結果に基づく作成の有無
六　国際航海日本船舶に係る保安の確保に関する業務に関する監査	イ　監査を行った年月日 ロ　監査の結果に基づき講じた措置
七　国際航海日本船舶の保安に関する情報に関する通信	イ　通信の内容 ロ　通信を行った年月日 ハ　通信を行った相手
八　危害行為の発生	イ　危害行為が発生した年月日 ロ　危害行為が発生した時における当該国際航海日本船舶の位置 ハ　危害行為の内容及び講じた措置

3　法第十条第二項の規定による船舶保安記録簿の記載は、船

員法施行規則（昭和二十二年運輸省令第二十三号）第三条の十六の規定により決定した作業言語で行うものとする。この場合において、作業言語が英語でないときは、英語による訳文を付さなければならない。

4　第二項の表の下欄の各号に掲げる事項が、電子計算機（入出力装置を含む。）に備えられたファイル又は磁気ディスク（これに準ずる方法により一定の事項を確実に記録しておくことができる物を含む。）に記録され、電子計算機その他の機器を用いて明確に紙面に表示される場合は、当該記録をもって法第十条第二項に規定する船舶保安記録簿への記載に代えることができる。

（船舶保安規程）

第一六条　法第十一条第一項の国土交通省令で定める事項は、次に掲げる事項とする。

一　船舶警報通報装置に関する事項
二　船舶指標対応措置の実施に関する事項
三　船舶保安統括者の選任に関する事項
四　船舶保安管理者の選任に関する事項
五　操練その他教育訓練の実施に関する事項
六　船舶保安記録簿の備付けに関する事項
七　船舶保安従事者の職務及び組織に関する事項
八　国際航海日本船舶の保安の確保に関する設備に関する事項
九　国際航海日本船舶に係る保安の確保に関する業務に関する監査に関する事項
十　国際航海日本船舶の保安に関する情報の管理方法に関する事項
十一　危害行為が発生した場合の対処方法に関する事項
十二　前各号に掲げるもののほか、国際航海日本船舶の保安の確保のために必要な事項として国土交通大臣が告示で定める事項

2　前条第一項の規定は、法第十一条第一項の規定による船舶保安規程の備置きについて準用する。

3　前条第三項及び第四項の規定は、法第十一条第一項の規定による船舶保安規程の記載について準用する。この場合において、同条第四項中「第二項の表の下欄の各号に掲げる事項」とあるのは、「第十六条第一項各号に掲げる事項」と読み替えるものとする。

（船舶保安規程の承認の申請）

第一七条　法第十一条第四項の承認を受けようとする者は、船舶保安規程承認申請書（第一号様式）を、原子力船等に係るものにあっては国土交通大臣に、原子力船等以外の船舶に係るものにあっては所有者所在地官庁に、提出しなければならない。

2　船舶保安規程承認申請書には、船舶保安規程及び次に掲げる書類を添付しなければならない。

一　船舶保安評価書
二　一般配置図
三　船体中央横断面図
四　船舶警報通報装置の構造及び配置を示す図面
五　制限区域を示す図面

3　国土交通大臣又は所有者所在地官庁は、前項に規定するもののほか、承認のため必要な書類の提出を求め、又は同項に規定する書類の一部についてその提出を免除することができる。

（船舶保安規程の変更の承認の申請）

第一八条　船舶保安規程の承認を受けた者は、当該承認を受けた船舶保安規程について変更（第二十条各号に掲げる変更を除く。）をしようとする場合は、船舶保安規程変更承認申請書（第二号様式）を、原子力船等に係るものにあっては国土交通大臣に、原子力船等以外の船舶に係るものにあっては所有者所在地官庁に、提出しなければならない。

2　船舶保安規程変更承認申請書には、船舶保安規程の変更部分の抜粋及び前条第二項各号に掲げる書類のうち当該変更に係るものを添付しなければならない。

（船舶保安規程の承認の引継ぎ）

第一九条　第十七条又は前条の規定により申請をした者は、当該申請をした者の所在地が所有者所在地官庁の管轄する区域外に移転した場合は、当該申請をした所有者所在地官庁に船舶保安規程承認引継申請書（第三号様式）を提出して、新たな所有者所在地官庁への船舶保安規程の承認の引継ぎを受けることができる。

（船舶保安規程の軽微な変更）

第二〇条　法第十一条第四項の国土交通省令で定める軽微な変更は、次に掲げるものとする。

一　操練の実施に際しての関係者との連絡及び調整に関する事項に係る変更
二　船舶保安統括者の選任に関する事項の変更
三　船舶保安管理者の選任に関する事項の変更
四　前三号に掲げるもののほか、国際航海日本船舶の保安の確保に支障がないと国土交通大臣が認める事項の変更

（船舶保安規程の軽微な変更の届出）

第二一条　船舶保安規程の承認を受けた者は、当該承認を受けた船舶保安規程について前条各号に掲げる変更をした場合は、遅滞なく、変更した事項及びその理由を記載した届出書を、原子力船等に係るものにあっては国土交通大臣に、原子力船等以外の船舶に係るものにあっては所有者所在地官庁に、提出しなければならない。

（船舶保安評価書）

第二二条　法第十一条第五項の船舶保安評価書は、次に掲げるところにより評価を行った結果を記載したものとする。

一　国際航海日本船舶の構造、設備等について実地にその状況を調査すること。
二　船舶保安評価書の作成に関する知識及び能力を有する者により評価が行われること。

2　第十五条第一項の規定は、法第十一条第九項の規定による

船舶保安評価書の備置きについて準用する。

3　第十五条第四項の規定は、法第十一条第二項の規定による船舶保安評価書の記載について準用する。この場合において、同条第四項中「第二項の表の下欄の各号に掲げる事項」とあるのは「法第十一条第五項の規定により行った評価の結果」と読み替えるものとする。

第二款　国際航海日本船舶の検査等

（検査の申請）

第二三条　定期検査、中間検査又は臨時検査を受けようとする者は、船舶保安検査申請書（第四号様式）を、原子力船等に係るものにあっては国土交通大臣に、原子力船等以外の船舶に係るものにあっては船舶所在地官庁に、提出しなければならない。

2　船舶保安検査申請書には、次に掲げる書類を添付しなければならない。

一　定期検査を初めて受ける場合は、次の書類

イ　臨時船舶保安証書（臨時船舶保安証書の交付を受けている国際航海日本船舶に限る。）

ロ　第十七条第二項第二号から第五号までに掲げる書類

ハ　船舶保安規程の写し

二　前号の場合を除き、定期検査、中間検査又は臨時検査を受ける場合は、次の書類

イ　船舶保安証書

ロ　船舶警報通報装置を変更する場合にあっては、第十七条第二項第二号から第五号までに掲げる書類のうち当該変更に係るもの

ハ　船舶保安規程を変更する場合にあっては、第十七条第二項第二号から第五号までに掲げる書類のうち当該変更に係るもの

ニ　船舶保安規程の写し

3　臨時航行検査を受けようとする者は、船舶保安臨時航行検査申請書（第五号様式）を、原子力船等に係るものにあっては国土交通大臣に、原子力船等以外の船舶に係るものにあっては船舶所在地官庁に、提出しなければならない。

4　船舶保安臨時航行検査申請書には、次に掲げる書類を添付しなければならない。

一　第十七条第二項第二号から第五号までに掲げる書類

二　法第十一条第四項の承認を受けるべき船舶保安規程の写し

三　第三十三条第一項各号に掲げる事由のいずれかに該当することを示す書類

5　国土交通大臣又は船舶所在地官庁は、検査のため必要があると認める場合において第二項各号若しくは前項各号に掲げる書類のほか必要な書類の添付を求め、又は第二項各号若しくは前項各号に掲げる書類の一部についてその添付の省略を認めることができる。

（検査の引継ぎ又は委嘱）

第二四条　法定検査を申請した者は、当該申請に係る原子力船等以外の国際航海日本船舶が船舶所在地官庁の管轄する区域外に移転した場合は、当該申請をした船舶所在地官庁に検査引継申請書（第六号様式）を提出して、新たな船舶所在地官庁への検査の引継ぎを受けることができる。

2　国土交通大臣又は船舶所在地官庁は、法定検査に係る国際航海日本船舶の一部の物件が他の地方運輸局長等の管轄する区域内にある場合であって、当該法定検査を申請した者の申請によりやむを得ない理由があると認めるときは、その検査を当該他の地方運輸局長等に委嘱することができる。

（法定検査の準備）

第二五条　法定検査を受けようとする者は、当該法定検査を受けるべき事項について、次に掲げる準備をするものとする。

一　定期検査、中間検査又は臨時航行検査を受ける場合の準備にあっては、次に掲げるもの

イ　船舶警報通報装置にあっては効力試験の準備

ロ　船舶保安規程に定められた事項を適確に実施するために船舶保安管理者その他船舶保安従事者が立ち会うこと。

ハ　船舶保安記録簿、船舶保安規程その他の当該国際航海日本船舶の保安の確保に関する書類を、速やかに提示できるようにすること。

二　臨時検査を受ける場合の準備にあっては、前号に掲げる準備のうち国土交通大臣又は船舶所在地官庁の指示するもの

2　国土交通大臣又は船舶所在地官庁は、前項の規定にかかわらず、定期検査、中間検査又は臨時航行検査の準備の一部を免除することができる。

（定期検査）

第二六条　定期検査は、船舶保安証書の有効期間の満了前に受けることができる。

（船舶保安証書）

第二七条　法第十三条第一項の規定により交付する船舶保安証書は、第七号様式によるものとする。

（船舶保安証書の有効期間）

第二八条　船舶保安証書の有効期間は、交付の日から定期検査（船級船（船級の登録をした国際航海日本船舶（旅客船を除く。）をいう。以下同じ。）にあっては、船級協会が法第二十条第二項の規定により行う定期検査に相当する検査。以下この条、第二十九条第一項、第二十九条の二第一項及び第三十条において「定期検査等」という。）に合格した日から起算して五年を経過する日までの間とする。ただし、法第十三条第六項各号に掲げる場合又は国際航海日本船舶が船舶保安証書の有効期間が満了する日以降に定期検査等に合格した場合（改造又は修理のため当該国際航海日本船舶を長期間航行の用に供することができない場合その他船舶所在地官庁がやむを得ないと認める場合を除く。）は、交付の日から当該船舶保安証書の有効期間が満了する日の翌日から起算して五年を経過する日までの間とする。

〔本条改正・平二四国交令九二〕

（船舶保安証書の有効期間の延長）

第二九条　法第十三条第二項ただし書の国土交通省令で定める事由は、次に掲げる事由とする。

一　国際航海日本船舶（次号の船舶を除く。）が、船舶保安証書の有効期間が満了する時において、外国の港から本邦の港又は定期検査等を受ける予定の外国の他の港に向け航海中となること。

二　国際航海日本船舶であって航海を開始する港から最終の到着港までの距離が千海里を超えない航海に従事するものが、船舶保安証書の有効期間が満了する時において、航海中となること。

2　前項第一号に掲げる事由がある国際航海日本船舶については、当該国際航海日本船舶が原子力船等である場合にあっては国土交通大臣、当該国際航海日本船舶が原子力船等以外の船舶である場合にあっては船舶所在地官庁又は日本の領事官は、申請により、当該船舶保安証書の有効期間が満了する日の翌日から起算して三月を超えない範囲内においてその指定する日まで当該船舶保安証書の有効期間を延長することができる。ただし、指定を受けた日前に当該航海を終了した場合は、その終了した日を当該船舶保安証書の有効期間が満了する日とする。

3　第一項第二号に掲げる事由がある国際航海日本船舶については、当該国際航海日本船舶が原子力船等である場合にあっては国土交通大臣、当該国際航海日本船舶が原子力船等以外の船舶である場合にあっては船舶所在地官庁又は日本の領事官は、申請により、当該船舶保安証書の有効期間が満了する日から起算して一月を超えない範囲内においてその指定する日まで当該船舶保安証書の有効期間を延長することができる。

4　前二項の申請をしようとする者は、船舶保安証書有効期間延長申請書（第八号様式）を、原子力船等に係るものにあっては国土交通大臣に、原子力船等以外の船舶に係るものにあっては船舶所在地官庁又は日本の領事官に、提出しなければならない。

5　前項の船舶保安証書有効期間延長申請書には、船舶保安証書を添付しなければならない。

6　第二項及び第三項の規定による指定は、船舶保安証書に記入して行う。

〔二項改正・平二四国交令九二〕

第二九条の二　法第十三条第五項の国土交通省令で定める事由は、国際航海日本船舶が、定期検査等を外国において受けた場合その他地理的条件、交通事情その他の事情により、当該定期検査等に合格した後速やかに、当該定期検査等に係る船舶保安証書の交付を受けることが困難であることとする。

2　法第十三条第五項の規定の適用を受けようとする者は、その旨を記載した書面を、原子力船等に係るものにあっては国土交通大臣に、原子力船等以外の船舶に係るものにあっては船舶所在地官庁に、提出し、国際航海日本船舶に前項に規定する事由がある旨の確認を受けなければならない。この場合において、船級船に係る確認を受けようとする者にあっては、当該書面に次に掲げる書類を添付しなければならない。

一　船舶保安証書の写し

二　船級協会の船級の登録を受けている旨の証明書

3　国土交通大臣又は船舶所在地官庁は、船級船以外の国際航海日本船舶に係る前項の確認を行ったときは、第二十三条第二項の規定により提出された船舶保安証書に当該国際航海日本船舶が法第十三条第五項の規定の適用を受けている旨を記載して、定期検査を申請した者に返付するものとする。

4　船級協会は、船級船に係る第二項の確認を受けた者からの申請により、船舶保安証書に当該船級船が法第十三条第五項の規定の適用を受けている旨を記載するものとする。

5　第三項の規定により船舶保安証書の返付を受けた者は、当該船舶保安証書の有効期間の満了前に受けた定期検査に係る船舶保安証書の交付を受けようとするときは、従前の船舶保安証書を、原子力船等に係るものにあっては国土交通大臣に、原子力船等以外の船舶に係るものにあっては船舶所在地官庁に、提出しなければならない。

〔本条追加・平二四国交令九二〕

（船舶保安証書の有効期間の満了）

第三〇条　従前の船舶保安証書の有効期間の満了前に、定期検査等を受け、当該定期検査等に係る船舶保安証書の交付を受けた場合は、従前の船舶保安証書の有効期間は、満了したものとみなす。

〔本条改正・平二四国交令九二〕

（中間検査）

第三一条　中間検査の時期は、船舶保安証書の有効期間の起算日の後の二回目の検査基準日（船舶保安証書の有効期間が満了する日に相当する毎年の日をいう。以下同じ。）から三回目の検査基準日までの間とする。ただし、法第十三条第二項ただし書の規定により船舶保安証書の有効期間が延長されたことにより当該延長期間内に当該時期が到来する場合における当該時期を除く。

2　中間検査は、その時期を繰り上げて受けることができる。

3　前項の規定によりその時期を繰り上げて受けた中間検査に合格した船舶の次回以降の中間検査の時期についての第一項の適用については、「船舶保安証書の有効期間の起算日」とあるのは「中間検査に合格した日」と、「船舶保安証書の有効期間が満了する日」とあるのは「中間検査に合格した日の前日」とする。

（臨時検査）

第三二条　法第十五条の国土交通省令で定める改造又は修理は、船舶警報通報装置の全部若しくは一部の変更又は取替えを伴う改造若しくは修理（当該船舶警報通報装置の性能に影響を及ぼすおそれのない軽微な変更を除く。）とする。

2　法第十五条の国土交通省令で定めるときは、海難その他の事由により、検査を受けた事項について船舶警報通報装置の性能又は船舶保安規程の機能に影響を及ぼすおそれのある変更が生じたときとする。

3　法第十五条の国土交通省令で定める事項は、次に掲げる事項のうち変更が生じたものとする。

一　船舶指標対応措置の実施に関する事項

二　操練の実施に関する事項

三　船舶保安記録簿の備付けに関する事項

4　臨時検査を受けるべき場合に、定期検査又は中間検査を受けるときは、当該臨時検査を受けることを要しない。

〔三項改正・平二四国交令九一〕

（臨時航行検査）

第三三条　法第十七条第一項の国土交通省令で定める事由は、次に掲げるものとする。

一　国際航海日本船舶について所有者の変更があったこと。

二　国際航海船舶について日本船舶以外の船舶が日本船舶になったこと。

三　新たに建造された国際航海日本船舶その他船舶保安証書を受有しないものを臨時に国際航海に従事させようとすること。

2　第十五条第一項の規定は、法第十七条第二項第二号の規定による法第十一条第四項の承認を受けるべき船舶保安規程の写しの備置きについて準用する。

（臨時船舶保安証書）

第三四条　法第十七条第二項の規定により交付する臨時船舶保安証書は、第九号様式によるものとする。

（船舶保安証書等の再交付）

第三五条　国際航海日本船舶の所有者は、船舶保安証書又は臨時船舶保安証書（以下この条から第三十七条までにおいて単に「証書」という。）を滅失し、又はき損した場合は、当該証書（き損した場合に限る。）を添付して、船舶保安証書等再交付申請書（第十号様式）を、原子力船等に係るものにあっては国土交通大臣に、原子力船等以外の船舶に係るものにあっては船舶所在地官庁に、提出し、その再交付を受けることができる。

2　証書を滅失したことにより再交付を受けた場合は、滅失した証書は、その効力を失うものとする。

（船舶保安証書等の書換え）

第三六条　国際航海日本船舶の所有者は、証書の記載事項を変更しようとする場合又はその記載事項に変更を生じた場合は、速やかに、当該証書を添付して船舶保安証書等書換申請書（第十一号様式）を、原子力船等に係るものにあっては国土交通大臣に、原子力船等以外の船舶に係るものにあっては船舶所在地官庁に、提出し、その書換えを受けなければならない。

（証書の返納）

第三七条　国際航海日本船舶の所有者は、次の各号に掲げる場合には、遅滞なく、その受有する証書（第四号の場合にあっては、発見した証書）を、原子力船等に係るものにあっては国土交通大臣に、原子力船等以外の船舶に係るものにあっては船舶所在地官庁に、返納しなければならない。

一　船舶が滅失し、沈没し、又は解撤されたとき。

二　船舶が国際航海日本船舶でなくなったとき。

三　証書の有効期間が満了したとき。

四　証書を滅失したことにより証書の再交付を受けた後、その滅失した証書を発見したとき。

五　前各号に掲げる場合のほか、船舶が証書を受有することを要しなくなったとき。

（船舶保安証書の返付等）

第三八条　国土交通大臣又は船舶所在地官庁は、中間検査又は臨時検査の結果、法第十三条第一項各号に掲げる要件に適合すると認める場合は、当該検査を申請した者に第二十三条第二項の規定により提出された船舶保安証書を返付するものとする。この場合において、当該証書に当該検査に合格した旨を記載するものとする。

第三款　船級協会

（船級協会の登録の申請）

第三九条　法第二十条第一項（法第二十条第七項において準用する船舶安全法（昭和八年法律第十一号）第二十五条の四十八において準用する場合を含む。）の規定により法第二十条第一項の規定による登録を受けようとする者は、次に掲げる事項を記載した申請書を国土交通大臣に提出しなければならない。

一　登録を受けようとする者の氏名又は名称及び住所並びに法人にあっては、その代表者の氏名

二　登録を受けようとする者が法第二十条第二項の審査若しくは検査又は同条第三項の検査を行おうとする事務所及び事業所の名称及び所在地

三　登録を受けようとする者が法第二十条第二項の審査及び検査の業務並びに同条第三項の検査の業務を開始しようとする年月日

2　前項の申請書には、次に掲げる書類を添付しなければならない。

一　登録を受けようとする者が法人である場合には、次に掲げる事項を記載した書類

イ　定款又は寄附行為及び登記事項証明書

ロ　役員の氏名、住所及び経歴を記載した書類

二　登録を受けようとする者が個人である場合には、その住民票の写し及び履歴書

三　法第二十条第二項の審査及び検査又は同条第三項の検査に用いる法別表第一に掲げる機械器具その他の設備の数、性能、所在の場所及びその所有又は借入れの別を記載した書類

四　法第二十条第二項の審査若しくは検査又は同条第三項の検査を行う者の氏名及び経歴を記載した書類

五　法第二十条第二項の審査若しくは検査又は同条第三項の

検査を行う者が、法第二十条第五項第二号に該当する者であることを証する書類

六　登録を受けようとする者が、法第二十条第五項第三号及び同条第七項において準用する船舶安全法第二十五条の四十七第二項各号のいずれにも該当しない者であることを信じさせるに足る書類

〔二項改正・平一七国交令一一〕

（船舶保安証書等の交付）

第四〇条　法第二十条第四項の規定により船舶保安証書の交付を受けようとする者は、船舶保安証書交付申請書（第十二号様式）を、原子力船等に係るものにあっては国土交通大臣に、原子力船等以外の船舶に係るものにあっては船舶所在地官庁に、提出しなければならない。

2　船舶保安証書交付申請書には、次に掲げる書類（初めて船舶保安証書の交付を受ける場合にあっては、第一号、第三号及び第四号に掲げる書類及び船級協会の検査に関する事項を記録した書類）を添付しなければならない。

一　船舶保安規程の写し

二　船舶保安証書

三　臨時船舶保安証書の交付を受けている場合にあっては、臨時船舶保安証書

四　船級協会の船級の登録を受けている旨の証明書

3　船級協会は、船舶保安証書を受有する船級船が法第二十条第二項に規定する検査（定期検査に相当するものを除く。）に合格した場合は、当該船舶保安証書に当該検査に合格した旨を記載するものとする。

4　法第二十条第四項の規定により臨時船舶保安証書の交付を受けようとする者は、臨時船舶保安証書交付申請書（第十三号様式）を、原子力船等に係るものにあっては国土交通大臣に、原子力船等以外の船舶に係るものにあっては船舶所在地官庁に、提出しなければならない。

5　臨時船舶保安証書交付申請書には、次に掲げる書類を添付しなければならない。

一　船舶保安規程の写し

二　船級協会の船級の登録を受けている旨の証明書

〔三項改正・平二四国交令九一〕

（帳簿の記載等）

第四一条　法第二十条第七項において準用する船舶安全法第二十五条の五十九の国土交通省令で定める事項は、次に掲げるものとする。

一　船名

二　船舶番号及び国際海事機関船舶識別番号

三　総トン数

四　所有者の氏名又は名称及び住所

五　法第二十条第二項の審査及び検査又は同条第三項の検査の種類

六　法第二十条第二項の審査及び検査又は同条第三項の検査を行った年月日及び場所

七　法第二十条第二項の審査及び検査又は同条第三項の検査を行った事業所の名称

八　法第二十条第二項の審査及び検査又は同条第三項の検査の結果

九　その他法第二十条第二項の審査及び検査又は同条第三項の検査の実施状況に関する事項

2　法第二十条第七項において準用する船舶安全法第二十五条の五十九の帳簿は、法第二十条第二項の審査及び検査又は同条第三項の検査の業務を行う事務所ごとに備え付け、記載の日から五年間保存しなければならない。

（報告書の提出等）

第四二条　船級協会は、法第二十条第二項の審査若しくは検査又は同条第三項の検査を行った場合は、速やかに、同条第二項の審査若しくは検査又は同条第三項の検査に関する報告書を、原子力船等に係るものにあっては国土交通大臣に、原子力船等以外の船舶に係るものにあっては所有者所在地官庁に、提出しなければならない。

2　前項の報告書には、次に掲げる事項を記載しなければならない。

一　船名

二　船舶番号及び国際海事機関船舶識別番号

三　総トン数

四　所有者の氏名又は名称及び住所

五　法第二十条第二項の審査若しくは検査又は同条第三項の検査の種類

六　法第二十条第二項の審査若しくは検査又は同条第三項の検査を行った年月日及び場所

七　法第二十条第二項の審査若しくは検査又は同条第三項の検査を行った事務所及び事業所の名称

八　法第二十条第二項の審査若しくは検査又は同条第三項の検査の結果

九　船舶保安証書又は臨時船舶保安証書に記載された条件を変更する必要があると認めるときは、変更すべき内容及びその理由

3　船級協会は、法第二十条第二項の審査若しくは検査又は同条第三項の検査を行った場合において、船舶保安証書又は臨時船舶保安証書に記載された条件を変更する必要があると認めるときは、国際航海日本船舶の所有者に対し、船舶保安証書又は臨時船舶保安証書の書換えを受けるべき旨の通知をしなければならない。

4　船級協会は、船級船が、法第二十条第二項の審査若しくは検査又は同条第三項の検査を行い合格しないものと認めた場合であって、当該船級船が条約締約国にあるときは、当該条約締約国の政府に対し、速やかに、その旨を報告しなければならない。

5　国土交通大臣又は所有者所在地官庁は、第一項の規定により提出された報告書の審査に当たり必要があると認めるときは、船級協会に対し、法第二十条第二項の審査若しくは検査

又は同条第三項の検査の依頼者から提出された図面その他必要な書類の提出を求めることができる。

6　国土交通大臣は、船級協会の行った法第二十条第二項の審査若しくは検査又は同条第三項の検査が適当でないと認める場合は、それぞれ法第二十条第二項の審査若しくは検査又は同条第三項の検査のやり直しその他の処分を命ずることができる。

（準用）

第四三条　船舶安全法施行規則（昭和三十八年運輸省令第四十一号）第三章の二第一節（第四十七条、第四十七条の三、第四十七条の八、第四十七条の十一及び第四十七条の十二を除く。）の規定は、法第二十条第一項の登録並びに同条第二項又は第三項の船級協会並びに船級協会の審査及び検査について準用する。この場合において、第四十七条の七第五号中「検定員」とあるのは「検査員」と読み替えるものとする。

第四款　雑則

（再検査）

第四四条　法第二十一条第一項の規定による再検査を申請しようとする者は、検査に対する不服の事項及びその理由を記載した再検査申請書を国土交通大臣に提出しなければならない。

（改善命令等）

第四五条　第十五条第一項の規定は、法第二十二条第二項第二号の規定による法第十一条第四項の承認を受けるべき船舶保安規程の写しの備置きについて準用する。

（報告の徴収）

第四六条　国際航海日本船舶の所有者は、当該国際航海日本船舶の保安の確保のために必要な措置に関し法第二十三条第一項の規定による報告を求められたときは、直ちに、これに関する報告をしなければならない。

第四七条　削除〔令六国交令二六〕

第二節　国際航海外国船舶に関する措置

（国際航海外国船舶の船舶保安管理者に相当する者の要件）

第四八条　法第二十四条第四号の国土交通省令で定める要件は、国際規則A部第十三項2に定めるところにより、船舶の保安の確保に関する知識を有し、かつ、船舶の保安の確保のために必要な訓練を受けていることとする。

（証書を交付する条約締約国の船舶の範囲）

第四九条　法第二十六条第一項の国土交通省令で定める船舶は、旅客船及び総トン数が五百トン以上の旅客船以外の船舶（第二条第二項各号に掲げる船舶を除く。）とする。

（条約締約国の船舶に対する証書の交付）

第五〇条　法第二十六条第一項の規定により交付する船舶保安証書に相当する証書は、第十四号様式によるものとする。

2　第二十三条第一項、第二項及び第五項、第二十四条、第二十五条（第一項第二号に係るものを除く。）並びに第二十六条の規定は、法第二十六条第一項に規定する法第十二条の検査に相当する検査について準用する。この場合において、第四号様式中「第23条第1項」とあるのは「第50条第2項において準用する第23条第1項」と、第六号様式中「第24条第1項」とあるのは「第50条第2項において準用する第24条第1項」と読み替えるものとする。

3　第二十八条及び第三十条の規定は、船舶保安証書に相当する証書の有効期間について準用する。

〔一項改正・令六国交令二六〕

（報告の徴収）

第五一条　第四十六条の規定は、国際航海外国船舶の所有者について準用する。この場合において、「法第二十三条第一項」とあるのは「法第二十七条の規定により準用する法第二十三条第一項」と読み替えるものとする。

第五二条　削除〔令六国交令二六〕

第三章　国際港湾施設の保安の確保

第一節　国際埠頭施設に関する措置

（埠頭指標対応措置を行う必要がある国際埠頭施設に係る基準）

第五三条　法第二十九条第一項の国土交通省令で定める基準は、国際戦略港湾等における国際埠頭施設が次の各号のいずれかに該当することとする。

一　国際航海船舶である旅客船の利用に供する回数が年間一回以上であること。

二　前号以外の国際航海船舶の利用に供する回数が年間十二回以上であること。

2　前項各号に規定する回数には、次の各号に掲げる回数を含まないものとする。

一　荒天等により避難した国際航海船舶の利用に供する回数

二　国際航海船舶の建造又は修繕のために当該国際航海船舶の利用に供する回数

三　本邦と本邦以外の地域との間の運送に係る貨物の積込み及び取卸し並びに旅客の乗船及び下船が行われない国際航海船舶の利用に供する回数

四　その他国土交通大臣が前項の回数に含めることが適当でないと認めた国際航海船舶の利用に供する回数

3　第一項各号に規定する船舶の利用に供する年間の回数（前項各号に規定する回数を除く。）がそれぞれ当該各号に規定する回数以上となった国際埠頭施設については、その年の翌年以降も、当該船舶の利用に供する回数は当該各号に規定する回数以上であるとみなす。ただし、当該船舶の利用に供する年間の回数が当該各号に規定する回数以上となる見込みがないことについて国土交通大臣の確認を受けた場合は、この限りでない。

4　国際戦略港湾等における国際埠頭施設（重要国際埠頭施設を除く。）の管理者は、当該国際埠頭施設が第一項に定める基準に該当することが見込まれる場合には、速やかにその旨を、国際戦略港湾又は国際拠点港湾（港湾法（昭和二十五年法律第二百十八号）第二条第二項に規定する国際戦略港湾又は国際拠点港湾をいう。以下同じ。）の国際コンテナ埠頭施設（国際航海に従事するコンテナ船に貨物を積み込み、又は当該コンテナ船から貨物を取り卸すための荷さばきの用に供する施設をいう。以下同じ。）、国際車両航送施設（国際航海に従事する自動車航送船又はロールオン・ロールオフ船に車両その他の貨物を積み込み、又はこれらの船舶から貨物を取り卸すための荷さばきの用に供する施設をいう。以下同じ。）若しくは国際不定期旅客施設（国際不定期旅客船に係る国際旅客施設（国際航海船舶に係る旅客の乗船又は下船の用に供する施設をいう。以下同じ。）をいう。以下同じ。）を含む国際埠頭施設又は国際定期旅客施設（海上運送法第二条第三項に規定する定期航路事業に使用する旅客船に係る国際旅客施設をいう。以下同じ。）を含む国際埠頭施設に係るものにあっては国土交通大臣に、それ以外の国際埠頭施設に係るものにあっては港湾施設所在地官庁に、届け出なければならない。

〔四項改正・平二〇国交令三〇、一・四項改正・平二三国交令三三〕

（埠頭指標対応措置）

第五四条　法第二十九条第一項の規定による埠頭指標対応措置の実施は、法第三条第一項（同条第四項において準用する場合を含む。）の規定により重要国際埠頭施設について国土交通大臣が国際海上運送保安指標を設定し、かつ、公示した場合であって、当該重要国際埠頭施設が国際航海船舶の利用に供するときに、当該重要国際埠頭施設における貨物の積込みその他の当該重要国際埠頭施設の利用状況を考慮して、速やかに、埠頭保安規程に定めるところにより行うものとする。

2　法第二十九条第一項の国土交通省令で定める措置は、次の表の上欄に掲げる国際海上運送保安指標に対応して、それぞれ同表の下欄に掲げるものとする。ただし、重要国際埠頭施設について国土交通大臣がその構造、設備等を勘案して保安上差し支えないと認める場合にあっては、この限りでない。

国際海上運送保安指標	措置
一　保安レベル一	イ　制限区域を設定すること。 ロ　制限区域に人又は車両が正当な理由なく立ち入ることを防止するため、本人確認その他の措置を講ずること。 ハ　貨物、船用品その他の制限区域に持ち込まれる物（以下この表において「貨物等」という。）について点検をすること。 ニ　重要国際埠頭施設内の巡視又は監視をすること。 ホ　重要国際埠頭施設の前面の水域の監視をすること。 ヘ　関係行政機関及び船舶保安管理者その他の関係者との連絡及び調整を図ること。 ト　その他国土交通大臣が特に必要と認めた措置を講ずること。
二　保安レベル二	イ　制限区域を設定すること。 ロ　制限区域に人又は車両が正当な理由なく立ち入ることを防止するため、本人確認その他の措置を強化すること。 ハ　貨物等について点検を強化すること。 ニ　重要国際埠頭施設内の巡視又は監視を強化すること。 ホ　重要国際埠頭施設の前面の水域の監視を強化すること。 ヘ　関係行政機関及び船舶保安管理者その他の関係者との連絡及び調整を図ること。 ト　その他国土交通大臣が特に必要と認めた措置を講ずること。
三　保安レベル三	イ　制限区域を設定すること。 ロ　制限区域に重要国際埠頭施設における業務の関係者以外の者又は当該関係者に係る車両以外の車両が立ち入ることを禁止すること。 ハ　貨物等の制限区域への受入れを一時停止すること。 ニ　重要国際埠頭施設内を常時監視すること。 ホ　重要国際埠頭施設の前面の水域を常時監視すること。 ヘ　関係行政機関及び船舶保安管理者その他の関係者との連絡及び調整を図ること。 ト　その他国土交通大臣が特に必要と認めた措置を講ずること。

3　前項に定めるもののほか、重要国際埠頭施設が国際航海船舶であって国際不定期旅客船であるものの利用に供する場合における法第二十九条第一項の国土交通省令で定める措置は、保安確認書の作成及び当該保安確認書において確認された事項の実施とする。

4　前項の保安確認書は、作成した日から三年間保存するものとする。

（埠頭保安設備に係る技術上の基準）

第五五条　法第二十九条第二項の国土交通省令で定める技術上の基準は、次に掲げる基準とする。ただし、重要国際埠頭施設について国土交通大臣がその構造、設備等を勘案して保安上差し支えないと認める場合にあっては、この限りでない。

一　制限区域をさく、壁その他の障壁（以下「障壁」という。）で明確に区画し、かつ、見やすい位置に当該制限区域を示す標識を設けること。

二　障壁は人が容易に侵入することを防止できる十分な高さ及び構造を有するものであること。

三　制限区域の出入口にある扉には、容易に開けることができず、かつ、壊されることがない構造を有するかぎ又は錠を施すこと。

四　重要国際埠頭施設の内外の監視のために十分な照度を確保した照明設備を設けること。

五　車両が制限区域に容易に侵入できないように車止めを設けること。

六　重要国際埠頭施設が国際コンテナ埠頭施設、国際車両航送施設又は国際旅客施設を含む場合にあっては、次に掲げる基準に適合する監視装置を設けること。

イ　国際コンテナ埠頭施設又は国際車両航送施設を含む場合にあっては、重要国際埠頭施設の内外の監視ができること。

ロ　国際旅客施設を含む場合にあっては、国際旅客施設内の制限区域の監視ができること。

ハ　一定期間記録を保存できる機能を備えていること。

2　前項に規定するもののほか、埠頭保安設備に係る技術上の基準の細目は、国土交通大臣が告示で定める。

（埠頭保安管理者）

第五六条　法第三十条第一項の国土交通省令で定める要件は、次に掲げる事項についての知識及び能力を有する者であることとする。

一　法及び法に基づく命令並びに条約附属書第十一章の二及び国際規則に規定する事項

二　埠頭指標対応措置に関する事項

三　埠頭保安設備に関する事項

四　埠頭訓練その他教育訓練の実施に関する事項

五　埠頭保安規程及び第五十八条第三項に規定する埠頭施設保安評価準備書に関する事項

六　危害行為に用いられるおそれのある武器及び爆発物その他の危険物に関する事項

七　危害行為が発生した場合の対処方法に関する事項

八　港湾施設の保安に関する情報の管理方法に関する事項

九　船舶の運航に関する事項

十　港湾施設の運営に関する事項

2　法第三十条第一項の規定による埠頭保安管理者の選任は、次の各号のいずれにも該当しない者であって、重要国際埠頭施設に係る保安の確保に関する業務を適切に遂行することができる管理的又は監督的地位にある者のうちから、重要国際埠頭施設について（法第三十二条第三項の規定により複数の重要国際埠頭施設に係る埠頭保安規程を一体のものとして定める場合にあっては、当該複数の重要国際埠頭施設について）一人を選任することにより行うものとする。

一　法又は法に基づく命令の規定に違反して罰金以上の刑に処せられ、その執行を終わり、又は執行を受けることがなくなった日から二年を経過しない者

二　法第三十条第三項（法第三十三条第二項において準用する場合を含む。）において準用する法第七条第四項の命令により解任され、解任の日から二年を経過しない者

3　法第三十条第二項の規定による届出をしようとする者は、次に掲げる事項を記載した埠頭保安管理者選任（解任）届出書を、国際戦略港湾又は国際拠点港湾の国際コンテナ埠頭施設、国際車両航送施設若しくは国際不定期旅客施設を含む重要国際埠頭施設又は国際定期旅客施設を含む重要国際埠頭施設（以下「特定重要コンテナ埠頭施設等」という。）に係るものにあっては国土交通大臣に、特定重要コンテナ埠頭施設等以外の重要国際埠頭施設に係るものにあっては港湾施設所在地官庁に、提出しなければならない。

一　管理者の氏名又は名称及び住所並びに法人にあっては、その代表者の氏名

二　重要国際埠頭施設の所在地

三　選任し、又は解任した埠頭保安管理者の氏名及び生年月日

四　選任し、又は解任した年月日

五　選任の届出の場合にあっては、次に掲げる事項

イ　埠頭保安管理者が第一項に規定する要件に該当する旨の説明

ロ　埠頭保安管理者が前項の規定に適合する者である旨の説明

ハ　埠頭保安管理者の住所及び緊急連絡用の電話番号その他緊急時における連絡方法

六　解任の届出の場合にあっては、解任の理由

4　前項の届出書を提出した者は、同項第一号から第三号まで及び第五号ハに係る事項に変更を生じた場合においては、遅滞なくその旨を、特定重要コンテナ埠頭施設等に係るものにあっては国土交通大臣に、特定重要コンテナ埠頭施設等以外の重要国際埠頭施設に係るものにあっては当該届出書を提出した港湾施設所在地官庁に、届け出なければならない。

5　法第三十条第三項において準用する法第七条第五項の業務の範囲は、次に掲げるものとする。

一　埠頭指標対応措置の実施に関すること。

二　埠頭保安設備の保守点検の実施に関すること。

三　重要国際埠頭施設に係る保安の確保に関する業務に従事する者（以下「埠頭保安従事者」という。）に対する埠頭訓練その他教育訓練の実施に関すること。

四　埠頭保安規程の作成及びその変更に関すること。

五　第五十八条第三項に規定する埠頭施設保安評価準備書の作成に関すること。

六　法第三十二条第五項の承認に係る申請その他の行為に関すること。

七　行われるおそれのある危害行為に関する情報の提供に関すること。

八　重要国際埠頭施設に係る保安の確保に関する業務に関する監査に関すること。

九　船舶保安管理者その他の関係者との連絡及び調整に関すること。

〔三項改正・平二〇国交令三〇・平二三国交令三三〕

（埠頭訓練）

第五七条　法第三十一条の規定による埠頭訓練の実施は、埠頭指標対応措置の実施を確保するため、埠頭保安規程に定めるところにより、少なくとも三月に一回行うものとする。この

場合において、水域保安管理者その他の関係者との連携に係る埠頭訓練は、少なくとも毎年一回、かつ、十八月を超えない間隔で行うものとする。

（埠頭保安規程）

第五八条　法第三十二条第一項の国土交通省令で定める事項は、次に掲げる事項とする。

一　埠頭指標対応措置の実施に関する事項
二　埠頭保安設備の設置及び維持に関する事項
三　埠頭保安管理者の選任に関する事項
四　埠頭訓練その他教育訓練の実施に関する事項
五　埠頭保安従事者の職務及び組織に関する事項
六　重要国際埠頭施設に係る保安の確保に関する業務に関する監査に関する事項
七　重要国際埠頭施設の保安に関する情報の管理方法に関する事項
八　危害行為が発生した場合の対処方法に関する事項
九　前各号に掲げるもののほか、重要国際埠頭施設の保安の確保のために必要な事項として国土交通大臣が告示で定める事項

2　法第三十二条第五項の国土交通省令で定める軽微な変更は、次に掲げるものとする。

一　埠頭訓練の実施に際しての関係者との連絡及び調整に関する事項に係る変更
二　埠頭保安管理者の選任に関する事項の変更
三　前二号に掲げるもののほか、重要国際埠頭施設の保安の確保に支障がないと国土交通大臣が認める事項の変更

3　重要国際埠頭施設の管理者は、国土交通大臣又は港湾施設所在地官庁から当該重要国際埠頭施設の保安の確保のために必要な事項について報告を求められた場合には、遅滞なく、埠頭施設保安評価準備書（重要国際埠頭施設の管理者が当該重要国際埠頭施設の構造、設備等その他の当該重要国際埠頭施設の保安の確保のために必要な事項の現況について記載した書面をいう。以下同じ。）を、特定重要コンテナ埠頭施設等に係るものにあっては国土交通大臣に、特定重要コンテナ埠頭施設等以外の重要国際埠頭施設に係るものにあっては港湾施設所在地官庁に、提出しなければならない。ただし、法第三十二条第三項の規定により複数の重要国際埠頭施設に係る埠頭保安規程を一体のものとして定めようとする場合であって、当該複数の重要国際埠頭施設が国際コンテナ埠頭施設若しくは国際車両航送施設（国際戦略港湾又は国際拠点港湾にあるものに限る。）又は国際定期旅客施設を含むときは、当該埠頭施設保安評価準備書を国土交通大臣に提出しなければならない。

4　前項の場合において、重要国際埠頭施設の設置者（国を除く。以下この項において同じ。）と管理者とが異なり、かつ、当該重要国際埠頭施設の設置者が埠頭保安設備を設置し、及び維持するときは、埠頭施設保安評価準備書のうち当該埠頭保安設備の設置及び維持に係る部分については、当該重要国際埠頭施設の設置者及び管理者が共同して作成したものでなければならない。

5　法第三十二条第六項の規定による評価は、第三項の規定により提出された埠頭施設保安評価準備書の内容を確認した上で行うものとする。

〔三項改正・平二三国交令三三〕

（埠頭保安規程の承認の申請）

第五九条　法第三十二条第五項の承認を受けようとする者は、埠頭保安規程承認申請書を、特定重要コンテナ埠頭施設等に係るものにあっては国土交通大臣に、特定重要コンテナ埠頭施設等以外の重要国際埠頭施設に係るものにあっては港湾施設所在地官庁に、提出しなければならない。

2　埠頭保安規程承認申請書には、埠頭保安規程及び次に掲げる書類を添付しなければならない。

一　港湾施設保安評価書を踏まえて埠頭保安規程を定めたことについて説明する書類
二　重要国際埠頭施設の構造及び配置を示す図面
三　埠頭保安設備の品名及び設計図その他当該設備の仕様を明らかにする書類

3　国土交通大臣又は港湾施設所在地官庁は、前項に規定するもののほか、承認のために必要な書類の提出を求め、又は同項に規定する書類の一部についてその提出を免除することができる。

（埠頭保安規程の変更の承認の申請）

第六〇条　埠頭保安規程の承認を受けた者は、当該承認を受けた埠頭保安規程について次に掲げる重要な事項の変更を行おうとする場合又は複数の重要国際埠頭施設について当該複数の重要国際埠頭施設に係る埠頭保安規程を一体のものとして定めようとする場合には、あらかじめその旨を、特定重要コンテナ埠頭施設等に係るものにあっては国土交通大臣に、特定重要コンテナ埠頭施設等以外の重要国際埠頭施設に係るものにあっては港湾施設所在地官庁に、申し出なければならない。

一　制限区域に関する事項
二　埠頭保安設備の構造及び配置に関する事項
三　前二号に掲げるもののほか、重要国際埠頭施設の保安の確保のために必要な事項として国土交通大臣が告示で定める事項

2　埠頭保安規程の承認を受けた者は、当該承認を受けた埠頭保安規程について変更（前項に規定する重要な事項の変更を含み、第五十八条第二項各号に掲げる変更を除く。）をしようとする場合は、埠頭保安規程変更承認申請書を、特定重要コンテナ埠頭施設等に係るものにあっては国土交通大臣に、特定重要コンテナ埠頭施設等以外の重要国際埠頭施設に係るものにあっては港湾施設所在地官庁に、提出しなければならない。

3　埠頭保安規程変更承認申請書には、埠頭保安規程の変更部分の抜粋及び前条第二項各号に掲げる書類のうち当該変更に

係るものを添付しなければならない。

（埠頭保安規程の軽微な変更の届出）

第六一条　埠頭保安規程の承認を受けた者は、当該承認を受けた埠頭保安規程について第五十八条第二項各号に掲げる変更をした場合は、遅滞なく、変更した事項及びその理由を記載した届出書を、特定重要コンテナ埠頭施設等に係るものにあっては国土交通大臣に、特定重要コンテナ埠頭施設等以外の重要国際埠頭施設に係るものにあっては港湾施設所在地官庁に、提出しなければならない。

（埠頭保安規程に相当する規程）

第六二条　法第三十三条第一項の国土交通省令で定める事項は、次に掲げる事項とする。

一　埠頭指標対応措置に相当する措置の実施に関する事項

二　埠頭保安設備に相当する設備の設置及び維持に関する事項

三　埠頭保安管理者に相当する者の選任に関する事項

四　埠頭訓練に相当する訓練その他教育訓練の実施に関する事項

五　埠頭保安従事者に相当する者の職務及び組織に関する事項

六　重要国際埠頭施設以外の国際埠頭施設に係る保安の確保に関する業務に関する監査に関する事項

七　重要国際埠頭施設以外の国際埠頭施設の保安に関する情報の管理方法に関する事項

八　危害行為が発生した場合の対処方法に関する事項

九　前各号に掲げるもののほか、重要国際埠頭施設以外の国際埠頭施設の保安の確保のために必要な事項として国土交通大臣が告示で定める事項

2　法第三十三条第一項の規定により重要国際埠頭施設以外の国際埠頭施設の管理者が埠頭保安規程に相当する規程の承認を受けようとする場合は、あらかじめその旨を、重要国際埠頭施設以外の国際埠頭施設（国際戦略港湾又は国際拠点港湾にあるものに限る。）であって国際コンテナ埠頭施設若しくは国際車両航送施設を含むもの又は重要国際埠頭施設以外の国際埠頭施設であって国際定期旅客施設を含むもの（以下「特定コンテナ埠頭施設等」という。）に係るものにあっては国土交通大臣に、特定コンテナ埠頭施設等を除いた重要国際埠頭施設以外の国際埠頭施設に係るものにあっては港湾施設所在地官庁に、申し出なければならない。

3　第五十四条から前条まで（第五十八条第一項を除く。）の規定は、埠頭保安規程に相当する規程に係る重要国際埠頭施設以外の国際埠頭施設について準用する。

〔二項改正・平二三国交令三三〕

（報告の徴収）

第六三条　法第三十二条第五項の承認を受けた埠頭保安規程に係る重要国際埠頭施設の管理者又は設置者及び管理者並びに法第三十三条第一項の承認を受けた埠頭保安規程に相当する規程に係る者は、当該国際埠頭施設の保安の確保のために必要な措置に関し法第三十五条第一項の規定による報告を求められたときは、直ちに、これに関する報告をしなければならない。

第六四条　削除〔令六国交令二六〕

第二節　国際水域施設に関する措置

（水域指標対応措置）

第六五条　法第三十七条の規定による水域指標対応措置の実施は、法第三条第一項（同条第四項において準用する場合を含む。）の規定により特定港湾管理者が管理する国際水域施設について国土交通大臣が国際海上運送保安指標を設定し、かつ、公示した場合であって、当該国際水域施設に接続する重要国際埠頭施設が国際航海船舶の利用に供するときに、当該国際水域施設における船舶の航行その他の当該国際水域施設の利用状況を考慮して、速やかに、水域保安規程に定めるところにより行うものとする。

2　法第三十七条の国土交通省令で定める措置は、次の表の上欄に掲げる国際海上運送保安指標に対応して、それぞれ同表の下欄に掲げるものとする。ただし、国際水域施設について国土交通大臣がその構造、設備等を勘案して保安上差し支えないと認める場合にあっては、この限りでない。

国際海上運送保安指標	措置
一　保安レベル一	イ　重要国際埠頭施設の前面の泊地において、制限区域を設定すること。 ロ　制限区域に人又は船舶が正当な理由なく立ち入ることを防止するため、警告その他の措置を講ずること。 ハ　関係行政機関及び船舶保安管理者その他の関係者との連絡及び調整を図ること。 ニ　その他国土交通大臣が特に必要と認めた措置を講ずること。
二　保安レベル二	イ　重要国際埠頭施設の前面の泊地において、制限区域を設定すること。 ロ　制限区域に人又は船舶が正当な理由なく立ち入ることを防止するため、警告その他の措置を講ずること。 ハ　重要国際埠頭施設の前面の泊地及びこれに接続する主な航路の巡視又は監視をすること。 ニ　関係行政機関及び船舶保安管理者その他の関係者との連絡及び調整を図ること。 ホ　その他国土交通大臣が特に必要と認めた措置を講ずること。
三　保安レベル三	イ　重要国際埠頭施設の前面の泊地において、制限区域を設定すること。 ロ　制限区域に人又は船舶が正当な理由なく立ち入ることを防止するため、警告その他の措置を講ずること。 ハ　重要国際埠頭施設の前面の泊地及びこれに接続する主な航路の巡視又は監視を

強化すること。
ニ　関係行政機関及び船舶保安管理者その他の関係者との連絡及び調整を図ること。
ホ　その他国土交通大臣が特に必要と認めた措置を講ずること。

（水域保安管理者）

第六六条　法第三十八条第一項の国土交通省令で定める要件は、次に掲げる事項についての知識及び能力を有する者であることとする。

一　法及び法に基づく命令並びに条約附属書第十一章の二及び国際規則に規定する事項
二　水域指標対応措置に関する事項
三　水域訓練その他教育訓練の実施に関する事項
四　水域保安規程及び第六十八条第三項に規定する水域施設保安評価準備書に関する事項
五　危害行為に用いられるおそれのある武器及び爆発物その他の危険物に関する事項
六　危害行為が発生した場合の対処方法に関する事項
七　港湾施設の保安に関する情報の管理方法に関する事項
八　船舶の運航に関する事項
九　港湾施設の運営に関する事項

2　法第三十八条第一項の規定による水域保安管理者の選任は、次の各号のいずれにも該当しない者であって、国際水域施設に係る保安の確保に関する業務を適切に遂行することができる管理的又は監督的地位にある者のうちから、一人を選任することにより行うものとする。

一　法又は法に基づく命令の規定に違反して罰金以上の刑に処せられ、その執行を終わり、又は執行を受けることがなくなった日から二年を経過しない者
二　法第三十八条第三項（法第四十一条第二項において準用する場合を含む。）において準用する法第七条第四項の命令により解任され、解任の日から二年を経過しない者

3　法第三十八条第二項の規定による届出をしようとする者は、次に掲げる事項を記載した水域保安管理者選任（解任）届出書を港湾施設所在地官庁に提出しなければならない。

一　特定港湾管理者の名称及び住所並びにその代表者の氏名
二　国際戦略港湾等の名称
三　選任し、又は解任した水域保安管理者の氏名及び生年月日
四　選任し、又は解任した年月日
五　選任の届出の場合にあっては、次に掲げる事項
イ　水域保安管理者が第一項に規定する要件に該当する旨の説明
ロ　水域保安管理者が前項の規定に適合する者である旨の説明
ハ　水域保安管理者の住所及び緊急連絡用の電話番号その他緊急時における連絡方法
六　解任の届出の場合にあっては、解任の理由

4　前項の届出書を提出した者は、同項第一号から第三号まで及び第五号ハに係る事項に変更を生じた場合においては、遅滞なく、その旨を当該届出書を提出した港湾施設所在地官庁に届け出なければならない。

5　法第三十八条第三項において準用する法第七条第五項の業務の範囲は、次に掲げるものとする。

一　水域指標対応措置の実施に関すること。
二　国際水域施設に係る保安の確保に関する業務に従事する者（以下「水域保安従事者」という。）に対する水域訓練その他教育訓練の実施に関すること。
三　水域保安規程の作成及びその変更に関すること。
四　第六十八条第三項に規定する水域施設保安評価準備書の作成に関すること。
五　法第四十条第三項の承認に係る申請その他の行為に関すること。
六　行われるおそれのある危害行為に関する情報の提供に関すること。
七　国際水域施設に係る保安の確保に関する業務に関する監査に関すること。
八　船舶保安管理者その他の関係者との連絡及び調整に関すること。

〔三項改正・平二三国交令三三〕

（水域訓練）

第六七条　法第三十九条の規定による水域訓練の実施は、水域指標対応措置の実施を確保するため、水域保安規程に定めるところにより、少なくとも三月に一回行うものとする。この場合において、埠頭保安管理者その他の関係者との連携に係る水域訓練は、少なくとも毎年一回、かつ、十八月を超えない間隔で行うものとする。

（水域保安規程）

第六八条　法第四十条第一項の国土交通省令で定める事項は、次に掲げる事項とする。

一　水域指標対応措置の実施に関する事項
二　水域保安管理者の選任に関する事項
三　水域訓練その他教育訓練の実施に関する事項
四　水域保安従事者の職務及び組織に関する事項
五　国際水域施設に係る保安の確保に関する業務に関する監査に関する事項
六　国際水域施設の保安に関する情報の管理方法に関する事項
七　危害行為が発生した場合の対処方法に関する事項
八　前各号に掲げるもののほか、国際水域施設の保安の確保のために必要な事項として国土交通大臣が告示で定める事項

2　法第四十条第三項の国土交通省令で定める軽微な変更は、次に掲げるものとする。

一　水域訓練の実施に際しての関係者との連絡及び調整に関する事項に係る変更

二　水域保安管理者の選任に関する事項の変更
三　前二号に掲げるもののほか、国際水域施設の保安の確保に支障がないと国土交通大臣が認める事項の変更

3　特定港湾管理者は、港湾施設所在地官庁から当該国際水域施設の保安の確保のために必要な事項について報告を求められた場合には、遅滞なく、水域施設保安評価準備書（特定港湾管理者が管理する国際水域施設の構造、利用の形態等の状況その他の当該国際水域施設の保安の確保のために必要な事項の現況について記載した書面をいう。以下同じ。）を当該港湾施設所在地官庁に提出しなければならない。

4　法第四十条第四項において準用する法第三十二条第六項の規定による評価は、前項の規定により提出された水域施設保安評価準備書の内容を確認した上で行うものとする。

（水域保安規程の承認の申請）

第六九条　法第四十条第三項の承認を受けようとする者は、水域保安規程承認申請書を港湾施設所在地官庁に提出しなければならない。

2　水域保安規程承認申請書には、水域保安規程及び次に掲げる書類を添付しなければならない。
一　港湾施設保安評価書を踏まえて水域保安規程を定めたことについて説明する書類
二　国際水域施設の構造及び配置を示す図面

3　港湾施設所在地官庁は、前項に規定するもののほか、承認のために必要な書類の提出を求め、又は同項に規定する書類の一部についてその提出を免除することができる。

（水域保安規程の変更の承認の申請）

第七〇条　水域保安規程の承認を受けた者は、当該承認を受けた水域保安規程について次に掲げる重要な事項の変更を行おうとする場合には、あらかじめ、その旨を港湾施設所在地官庁に申し出なければならない。
一　制限区域に関する事項
二　国際水域施設の追加に関する事項
三　国際水域施設の監視の方法に関する事項
四　前三号に掲げるもののほか、国際水域施設の保安の確保のために必要な事項として国土交通大臣が告示で定める事項

2　水域保安規程の承認を受けた者は、当該承認を受けた水域保安規程について変更（前項に規定する重要な事項の変更を含み、第六十八条第二項各号に掲げる変更を除く。）をしようとする場合は、水域保安規程変更承認申請書を港湾施設所在地官庁に提出しなければならない。

3　水域保安規程変更承認申請書には、水域保安規程の変更部分の抜粋及び前条第二項各号に掲げる書類のうち当該変更に係るものを添付しなければならない。

（水域保安規程の軽微な変更の届出）

第七一条　水域保安規程の承認を受けた者は、当該承認を受けた水域保安規程について第六十八条第二項各号に掲げる変更をした場合は、遅滞なく、変更した事項及びその理由を記載した届出書を港湾施設所在地官庁に提出しなければならない。

（水域保安規程に相当する規程）

第七二条　法第四十一条第一項の国土交通省令で定める事項は、次に掲げる事項とする。
一　水域指標対応措置に相当する措置の実施に関する事項
二　水域保安管理者に相当する者の選任に関する事項
三　水域訓練に相当する訓練その他教育訓練の実施に関する事項
四　水域保安従事者に相当する者の職務及び組織に関する事項
五　特定港湾管理者が管理する国際水域施設以外の国際水域施設に係る保安の確保に関する業務に関する監査に関する事項
六　特定港湾管理者が管理する国際水域施設以外の国際水域施設の保安に関する情報の管理方法に関する事項
七　危害行為が発生した場合の対処方法に関する事項
八　前各号に掲げるもののほか、特定港湾管理者が管理する国際水域施設以外の国際水域施設の保安の確保のために必要な事項として国土交通大臣が告示で定める事項

2　法第四十一条第一項の規定により特定港湾管理者が管理する国際水域施設以外の国際水域施設の管理者が水域保安規程に相当する規程の承認を受けようとする場合は、あらかじめ、その旨を港湾施設所在地官庁に申し出なければならない。

3　前項に規定する申出は、同項に規定する国際水域施設に接続する重要国際埠頭施設以外の国際埠頭施設の管理者が第六十二条第二項に規定する承認の申出を行った後でなければ、することができない。

4　第六十五条から前条まで（第六十八条第一項を除く。）の規定は、水域保安規程に相当する規程に係る特定港湾管理者が管理する国際水域施設以外の国際水域施設について準用する。この場合において、第六十五条第二項の表中「重要国際埠頭施設」とあるのは、「国際埠頭施設」と読み替えるものとする。

（報告の徴収）

第七三条　法第四十条第三項の承認を受けた水域保安規程に係る特定港湾管理者及び法第四十一条第一項の承認を受けた水域保安規程に相当する規程に係る者は、当該国際水域施設の保安の確保のために必要な措置に関し法第四十三条の規定による報告を求められたときは、直ちに、これに関する報告をしなければならない。

第四章　国際航海船舶の入港に係る規制

（船舶保安情報の通報の方法）

第七四条　法第四十四条第一項前段の規定による本邦以外の地域の港から本邦の港（特定海域を除く。以下この項並びに次条第十三号、第十五号及び第十六号において同じ。）に入港（特定海域への入域を除く。以下この項並びに次条第十三号

及び第十五号において同じ。）をしようとする国際航海船舶（特定海域に入域をする国際航海船舶を除く。）の船長が行う通報は、本邦の港に入港をする二十四時間前までに、入港をしようとする本邦の港を管轄する海上保安官署（海上保安監部、海上保安部、海上保安航空基地又は海上保安署をいう。第八十三条を除き、以下同じ。）の長に対して行うものとする。

2　法第四十四条第一項前段の規定による本邦以外の地域の港から特定海域に入域をしようとする国際航海船舶の船長が行う通報は、特定海域に入域をする二十四時間前までに、入港をしようとする本邦の港を管轄する海上保安官署の長（特定海域に入域をする二十四時間前までに入港（特定海域への入域を除く。以下この項において同じ。）をしようとする本邦の港（特定海域を除く。）が定められない国際航海船舶又は入港をする予定のない国際航海船舶が特定海域に入域をしようとする場合にあっては、海上保安庁長官が告示で定める海上保安官署の長）に対して行うものとする。

3　法第四十四条第一項後段の規定による船舶保安情報の変更の通報は、当該船舶保安情報に変更があった場合に、直ちに、当該船舶保安情報の通報を行った海上保安官署の長に対して行うものとする。この場合においては、当該通報の変更の理由を、併せて通報するものとする。

〔二項改正・平一六国交令五一、一・二項改正・平一七国交令九一、一項改正・平二五国交令四七〕

（船舶保安情報の通報事項）

第七五条　法第四十四条第一項の国土交通省令で定める事項は、国際航海船舶に係る次に掲げるものとする。

一　名称
二　国際海事機関船舶識別番号
三　船種
四　国籍
五　船籍港
六　総トン数
七　航行速力
八　所有者の氏名又は名称及び住所
九　運航者の氏名又は名称及び住所
十　船長の氏名
十一　船長又は所有者の代理人の氏名又は名称及び住所
十二　通報の時点における当該国際航海船舶の位置
十三　入港をしようとする本邦の港及び当該本邦の港の係留しようとする係留施設の名称並びに入港の予定時刻
十四　入域をしようとする特定海域の入域の位置及び入域の予定時刻
十五　本邦の港から出港をした後に入港をしようとする他の本邦の港及び当該本邦の港の係留しようとする係留施設の名称並びに入港の予定時刻
十六　本邦の港から出港をした後に入域をしようとする特定海域の入域の位置及び入域の予定時刻
十七　船舶警報通報装置又は船舶警報通報装置に相当する装置の有無
十八　当該国際航海船舶が実施する船舶指標対応措置に対応した国際海上運送保安指標又は船舶指標対応措置に相当する措置に対応した国際海上運送保安指標に相当する指標
十九　船舶保安統括者又は船舶保安統括者に相当する者の氏名及び連絡先
二十　船舶保安管理者又は船舶保安管理者に相当する者の氏名及び職名
二十一　船舶保安証書若しくは臨時船舶保安証書又は船舶保安証書若しくは臨時船舶保安証書に相当する証書の番号及び発給機関
二十二　本邦の港に入港をする直前の寄港までの過去十回の寄港（当該寄港に本邦の港への寄港が含まれる場合にあっては、直近の本邦の港への寄港以降のもの）に関する事項であって次に掲げるもの
イ　各寄港地が所在する国の名称及び港名並びに入港及び出港の年月日
ロ　各寄港地において実施した船舶指標対応措置に対応した国際海上運送保安指標又は船舶指標対応措置に相当する措置に対応した国際海上運送保安指標に相当する指標
ハ　各寄港地において実施した船舶指標対応措置に加えて実施した措置があった場合は、当該措置
ニ　各寄港地において積載した貨物のうち本邦内において荷揚げする予定のもの及び本邦内において荷揚げする予定のない危険物（港則法施行規則（昭和二十三年運輸省令第二十九号）第十二条に定めるものをいう。）の船積地、種類及び数量
二十三　次のイ又はロに掲げる船舶の区分に応じ、それぞれイ又はロに定める日以後における北朝鮮の港への寄港の有無
イ　国際航海日本船舶　平成二十八年十二月九日
ロ　国際航海外国船舶　平成二十八年二月十九日
二十四　乗船している乗組員の氏名、国籍、生年月日、乗員手帳の番号及び職名
二十五　乗船している旅客の氏名、国籍、生年月日、旅券の番号、出発地及び最終目的地
二十六　航行中の異変その他当該国際航海船舶の保安の確保に関し参考となる事項
二十七　通報者の氏名
二十八　呼出符号
二十九　海上保安庁との連絡方法

〔本条改正・平一七国交令九一・平一八国交令一〇三・平三〇国交令四二〕

（やむを得ない事由）

第七六条　法第四十四条第三項の国土交通省令で定めるやむを得ない事由は、国際航海船舶に係る次に掲げるものとする。

一　荒天又は異常な気象若しくは海象のため、当該国際航海船舶に急迫した危難があること。
二　船体又は機関の重大な損傷により、当該国際航海船舶に急迫した危難があること。
三　当該国際航海船舶内にある者が重傷病を負い、速やかに、医師による診察又は処置を受けさせる必要があること。
四　前三号に掲げるもののほか、当該国際航海船舶に急迫した危難があること。

2　法第四十四条第三項の規定により本邦以外の地域の港から本邦の港に入港をした国際航海船舶の船長が行う通報は、前条各号に掲げる事項について、入港後直ちに、入港をした本邦の港を管轄する海上保安官署の長（特定海域に入域をした場合にあっては、海上保安庁長官が告示で定める海上保安官署の長）に対して行うものとする。

（国際航海船舶以外の船舶）

第七七条　法第四十六条の国土交通省令で定める船舶は、次に掲げる船舶以外の船舶とする。
一　第二条第一項第三号及び同条第二項第三号に掲げる船舶
二　海上保安庁長官がその航海の目的、態様、運航体制等を勘案して、本邦の港にある他の国際航海船舶及び国際港湾施設に対して生ずるおそれがある危険の防止上差し支えないと認めた船舶

（国際航海船舶以外の船舶への準用）

第七八条　法第四十六条において準用する法第四十四条第一項に規定する船舶保安情報は、次に掲げるものとする。
一　第七十五条第一号から第十六号まで、第二十二号イ及び二並びに第二十三号から第二十九号までに掲げる事項
二　漁船登録番号（第二条第一項第一号に掲げる船舶に限る。）
三　船舶の保安の確保のために講ずる措置

〔本条改正・平一七国交令九一・平一八国交令一〇三・平三〇国交令四二〕

第五章　雑則

（手数料）

第七九条　船舶保安管理者講習（機構の行うものに限る。）を受けようとする者が納付すべき手数料の額は、一五、四〇〇円とする。

2　法定検査又は法第二十六条第一項の検査を受けようとする者が納付すべき手数料の額は、次の各号に掲げる区分ごとに、それぞれ当該各号に定める額とする。ただし、臨時検査の回数は、検査官一人一日につき四時間を超えない臨時検査時間をもって一回とし、一日の臨時検査時間が四時間を超える場合は、これを二回として算出する。
一　定期検査　五七、六〇〇円
二　中間検査　四六、一〇〇円
三　臨時検査　一八、二〇〇円
四　臨時航行検査　五〇、五〇〇円
五　法第二十六条第一項の検査　五七、六〇〇円

3　外国において法定検査を受ける場合における法定検査の手数料の額は、前項の規定にかかわらず、同項の規定による手数料の額に一二二、六〇〇円を加算した額とする。

4　船舶保安証書若しくは臨時船舶保安証書の再交付若しくは書換えを受けようとする者又は船級船に係る船舶保安証書若しくは臨時船舶保安証書の交付を受けようとする者が納付すべき手数料の額は、次の各号に掲げる区分ごとに、それぞれ当該各号に定める額とする。
一　船級船に係る船舶保安証書の交付　一六、〇〇〇円
二　船舶保安証書の再交付又は書換え　一六、〇〇〇円
三　船級船に係る臨時船舶保安証書の交付　一〇、五〇〇円
四　臨時船舶保安証書の再交付又は書換え　一〇、五〇〇円

5　前三項の規定による手数料は、手数料の額に相当する収入印紙を手数料納付書（第十五号様式）に貼って納付しなければならない。

〔二項改正・平一八国交令四九、五項改正・令元国交令四七・令六国交令二六〕

（本邦以外の地域とみなす地域）

第八〇条　法第五十条に規定する省令で定める本邦の地域は、歯舞群島、色丹島、国後島及び択捉島とする。

（権限の委任等）

第八一条　原子力船等以外の国際航海船舶に係る法第七条第二項、法第八条第三項並びに法第十一条第四項及び第七項に規定する国土交通大臣の権限は所有者所在地官庁が、原子力船等以外の国際航海船舶に係る法第十二条、法第十三条第一項、第二項ただし書及び第九項（法第十七条第四項において準用する場合を含む。）、法第十四条、法第十五条、法第十七条第一項及び第二項、法第二十条第四項並びに法第二十六条第一項に規定する国土交通大臣の権限は国際航海船舶の所在地を管轄する地方運輸局長（当該国際航海船舶が本邦外にある場合にあっては関東運輸局長。以下この条において同じ。）が行う。

2　原子力船等以外の国際航海船舶に係る法第七条第四項（法第八条第四項において準用する場合を含む。）及び法第十一条第八項並びに第七条第三項及び第二十条に規定する国土交通大臣の権限は、所有者所在地官庁も行うことができる。

3　原子力船等以外の国際航海船舶に係る法第十六条、法第二十二条第一項及び第二項、同条第三項から第五項まで（法第二十五条第二項において準用する場合を含む。）、法第二十三条第一項及び第二項（第二十七条において準用する場合を含む。）並びに法第二十五条第一項に規定する国土交通大臣の権限は、国際航海船舶の所在地を管轄する地方運輸局長も行うことができる。

4　第一項の規定により国際航海船舶の所在地を管轄する地方運輸局長が行うこととされた権限は、当該国際航海船舶の所在地が運輸支局等の管轄区域内に存する場合は、当該所在地

を管轄する運輸支局長等が行う。

5　第三項の規定により国際航海船舶の所在地を管轄する地方運輸局長が行うことができることとされた権限は、当該国際航海船舶の所在地が運輸支局等の管轄区域内に存する場合は、当該所在地を管轄する運輸支局長等も行うことができる。

〔二項改正・平二四国交令九二〕

第八二条　特定重要コンテナ埠頭施設等以外の重要国際埠頭施設に係る法第三十条第二項並びに法第三十二条第五項、第六項及び第八項に規定する国土交通大臣の権限、特定コンテナ埠頭施設等以外の国際埠頭施設に係る法第三十三条第一項、同条第二項において準用する法第三十条第二項並びに法第三十二条第五項、第六項及び第八項並びに第五十三条第二項及び第三項に規定する国土交通大臣の権限並びに法第三十八条第二項、法第四十条第三項、同条第四項において準用する法第三十二条第六項及び第八項（これらの規定を法第四十一条第二項において準用する場合を含む。）並びに法第四十一条第一項に規定する国土交通大臣の権限は、港湾施設所在地官庁が行う。

2　特定重要コンテナ埠頭施設等以外の重要国際埠頭施設に係る法第三十条第三項において準用する法第七条第四項、法第三十二条第九項及び第十項、法第三十四条第一項及び第二項並びに法第三十五条第一項及び第二項並びに第五十四条第二項、第五十五条第一項及び第五十八条第二項に規定する国土交通大臣の権限、特定コンテナ埠頭施設等以外の国際埠頭施設に係る法第三十三条第二項において準用する法第三十条第三項において準用する法第七条第四項、法第三十三条第二項において準用する法第三十二条第九項及び第十項並びに法第三十五条第一項及び第二項並びに第六十二条第三項において準用する第五十四条第二項、第五十五条第一項及び第五十八条第二項に規定する国土交通大臣の権限並びに法第三十八条第三項（法第四十一条第二項において準用する場合を含む。）において準用する法第七条第四項、法第四十条第四項（法第四十一条第二項において準用する場合を含む。）において準用する法第三十二条第九項及び第十項、法第四十二条第一項及び第二項並びに法第四十三条並びに第六十五条第二項及び第六十八条第二項（これらの規定を第七十二条第四項において準用する場合を含む。）に規定する国土交通大臣の権限は、港湾施設所在地官庁が行うことができる。

3　前項の規定により港湾施設所在地官庁が行うことができることとされた権限のうち、法第三十五条第一項及び第二項並びに法第四十三条の規定によるものは、国際埠頭施設又は国際水域施設の所在地が地方整備局の事務所等の管轄区域内に存する場合は、当該所在地を管轄する地方整備局の事務所長等も行うことができる。

第八三条　法第四十四条第一項並びに法第四十五条第一項、第三項及び第五項の規定による海上保安庁長官の権限は、国際航海船舶が入港をしようとする本邦の港を管轄する管区海上保安本部長（国際航海船舶が特定海域に入域をしようとする場合であって、入港（特定海域への入域を除く。以下この項において同じ。）をしようとするときは入港をしようとする本邦の港（特定海域を除く。以下この項において同じ。）を管轄する管区海上保安本部長、特定海域に入域をする二十四時間前までに入港をしようとする本邦の港が定められないとき又は入港をする予定のないときは海上保安庁長官が告示で定める管区海上保安本部長）に行わせる。

2　法第四十四条第三項の規定による海上保安庁長官の権限は、国際航海船舶が入港をした本邦の港を管轄する管区海上保安本部長（特定海域に入域をした場合にあっては、海上保安庁長官が告示で定める管区海上保安本部長）に行わせる。

3　管区海上保安本部長は、法第四十四条第一項の規定による権限及び法第四十五条第一項の規定による必要な情報の提供を更に求める権限を入港をしようとする本邦の港を管轄する海上保安官署（海上保安監部、海上保安部、海上保安航空基地又は海上保安署をいう。以下この項及び次項において同じ。）の長（特定海域に入域をする二十四時間前までに入港（特定海域への入域を除く。以下この項において同じ。）をしようとする本邦の港（特定海域を除く。）が定められない又は入港をする予定のない国際航海船舶が特定海域に入域をしようとする場合にあっては、海上保安庁長官が告示で定める海上保安官署の長）に行わせるものとする。ただし、必要な情報の提供を更に求める権限にあっては、管区海上保安本部長が自ら行うことを妨げない。

4　管区海上保安本部長は、法第四十四条第三項の規定による権限を入港をした本邦の港を管轄する海上保安官署の長（特定海域に入域をした場合にあっては、海上保安庁長官が告示で定める海上保安官署の長）に行わせるものとする。

5　管区海上保安本部長は、法第四十五条第一項、第三項及び第五項の規定による権限を、他の管区海上保安本部長に委嘱することができる。

〔三項改正・平一六国交令五一、一・三項改正・平一七国交令九二〕

（経由機関）

第八四条　第二章（第一節第三款及び第四款を除く。）に規定する申請その他の手続であって国土交通大臣にするものは地方運輸局長等を経由して、第四十四条に規定する国土交通大臣にする申請は同条に規定する当該検査を行った船舶所在地官庁を経由して、第三章に規定する申請その他の手続であって国土交通大臣にするものは港湾施設所在地官庁を経由して、それぞれ行うものとする。

2　前項の規定にかかわらず、第八条第三項に規定する船舶保安統括者選任（解任）届出書の提出及び同条第四項に規定する届出、第九条第二項に規定する船舶保安管理者選任（解任）届出書の提出及び同条第三項に規定する届出、第十七条第一項に規定する船舶保安規程承認申請書の提出、第十八条第一項に規定する船舶保安規程変更承認申請書の提出、第十九条の規定による船舶保安規程承認引継申請書の提出並びに第二十一条の規定による届出書の提出は、最寄りの地方運輸局長等を経由して行うことができる。

附　則

（施行期日）

第一条　この省令は、法の施行の日〔平一六・七・一〕から施行する。ただし、第十条から第十三条まで、第三十九条から第四十三条まで、第七十九条第一項、第八十一条から第八十四条まで、附則第五条から第十五条までの規定並びに附則第十六条から第十九条までの改正規定は法律附則第一条ただし書に規定する規定の施行の日（平成十六年四月二十三日）から施行する。

（経過措置）

第二条　法附則第二条に規定する国際航海船舶（法の施行の日の前に船舶警報通報装置を設置して国土交通大臣の行う法第十二条の検査若しくは第十七条第一項の検査に相当する検査又は船級協会の行う法第二十条第二項の検査に相当する検査（当該検査において船舶警報通報装置の設置に関する検査が行われたものに限る。）を受けた国際航海日本船舶を除く。）については、同条各号に掲げる船舶の区分に応じ、それぞれ当該各号に定める時期まで（国際航海日本船舶が、当該時期の前に当該国際航海船舶に船舶警報通報装置を設置して国土交通大臣の行う定期検査若しくは臨時航行検査又は船級協会の行う法第二十条第二項の検査を受けたとき（当該検査において船舶警報通報装置の設置に係る検査が行われたときに限る。）は、その時まで）は、法第五条の規定並びに法第十一条第一項、第十二条、第十三条第一項、第十四条から第十六条まで、第十七条第一項及び第二項、第二十条第二項及び第三項、第二十二条第一項及び第二項、第二十四条、第二十五条第一項、第二十六条第一項並びに附則第四条第六項の規定（船舶警報通報装置の設置に係る部分に限る。）は、適用しない。

第三条　法附則第二条第一号の国土交通省令で定める船舶は、次に掲げる船舶とする。

一　旅客船

二　タンカー

三　バルクキャリア（船舶区画規程（昭和二十七年運輸省令第九十七号）第一条の五に規定するバルクキャリアをいう。）

四　液化ガスばら積船（危険物船舶運送及び貯蔵規則第百四十二条に規定する液化ガスばら積船をいう。）

五　液体化学薬品ばら積船（危険物船舶運送及び貯蔵規則第二百五十七条に規定する液体化学薬品ばら積船をいう。）

六　前各号に掲げる船舶以外の船舶であって、船舶安全法施行規則第十三条の四第一項の規定に基づいて管海官庁の指示するところにより船舶安全法第二条第一項各号に掲げる事項を施設した船舶

2　法附則第二条第四号の国土交通省令で定める船舶は、前項第二号から第六号までに掲げる船舶とする。

第四条　削除〔平一八国交令七〕

第五条　第十七条及び第十九条から第二十二条までの規定は、法附則第四条第四項の規定による法第十一条第四項の承認に相当する承認について準用する。この場合において、第一号様式中「第17条第1項」とあるのは「附則第5条第1項において準用する第17条第1項」と、第三号様式中「第19条」とあるのは「附則第5条第1項において準用する第19条」と読み替えるものとする。

2　第二十三条第一項、第二項（第二号に係るものを除く。）及び第五項、第二十四条並びに第二十五条（第一項第二号に係るものを除く。）の規定は、法附則第四条第四項の規定による法第十二条の検査に相当する検査について準用する。この場合において、第四号様式中「第23条第1項」とあるのは「附則第5条第2項において準用する第23条第1項」と、第六号様式中「第24条第1項」とあるのは「附則第5条第2項において準用する第24条第1項」と読み替えるものとする。

3　第二十三条（第一項及び第二項を除く。）、第二十四条、第二十五条（第一項第二号に係るものを除く。）及び第三十三条の規定は、法附則第四条第四項の規定による法第十七条第一項の検査に相当する検査について準用する。この場合において、第五号様式中「第23条第3項」とあるのは「附則第5条第3項において準用する第23条第3項」と、第六号様式中「第24条第1項」とあるのは「附則第5条第3項において準用する第24条第1項」と読み替えるものとする。

第六条　第四十一条及び第四十二条（第三項及び第四項を除く。）の規定は、法附則第四条第五項の規定による法第二十条第二項の審査に相当する審査並びに船舶警報通報装置等の設置、船舶指標対応措置の実施、船舶保安統括者の選任、船舶保安管理者の選任、操練の実施、船舶保安記録簿の備付け並びに船舶保安規程の備置き及びその適確な実施について同項又は同条第三項の検査に相当する検査について準用する。

第七条　第二十七条及び第四十条第一項から第三項までの規定は、法附則第四条第六項の船舶保安証書に相当する証書について準用する。この場合において、第七号様式中「第13条第1項」とあるのは「附則第4条第6項」と、「第12条」とあるのは「附則第4条第4項」と、第十二号様式中「第40条第1項」とあるのは「附則第7条第1項において準用する第40条第1項」と読み替えるものとする。

2　第三十四条並びに第四十条第四項及び第五項の規定は、法附則第四条第六項の臨時船舶保安証書に相当する証書について準用する。この場合において、第九号様式中「第17条第2項」とあるのは「附則第4条第6項」と、「第17条第2項各号に掲げる要件」とあるのは「附則第4条第6項に規定する第17条第2項各号に掲げる要件に相当する要件」と、第十三号様式中「第40条第3項」とあるのは「附則

「附則第７条第２項において準用する第40条第４項」と読み替えるものとする。

第八条　第三十五条、第三十六条及び第三十七条の規定は、法附則第四条第八項の規定による同条第六項の証書について準用する。この場合において、第十号様式中「第35条第１項」とあるのは「附則第８条において準用する第35条第１項」と、第十一号様式中「第36条」とあるのは「附則第８条において準用する第36条」と読み替えるものとする。

第九条　法附則第四条第七項の国土交通省令で定める事由は、次に掲げる事由とする。

一　船舶警報通報装置について、その全部又は一部の変更又は取替えを伴う改造若しくは修理（船舶警報通報装置の性能に影響を及ぼすおそれのない軽微な変更を除く。）

二　船舶保安規程の変更（第二十条各号に掲げる変更を除く。）

三　海難その他の事由により、法附則第四条第四項の規定による法第十二条又は第十七条第一項の検査に相当する検査を受けた事項について船舶警報通報装置の性能又は船舶保安規程の機能に影響を及ぼすおそれのある変更が生じたとき

第一〇条　法附則第四条第九項の国土交通省令で定める額は、次の各号に掲げる区分に応じ、それぞれ当該各号に掲げる額とする。

一　法附則第四条第四項の規定による法第十二条の検査に相当する検査　五七、六〇〇円

二　法附則第四条第四項の規定による法第十七条第一項の検査に相当する検査　五〇、五〇〇円

三　法附則第四条第六項の船舶保安証書に相当する証書の交付、再交付又は書換え　一六、〇〇〇円

四　法附則第四条第六項の臨時船舶保安証書に相当する証書の交付、再交付又は書換え　一〇、五〇〇円

2　外国において法附則第四条第四項の規定による法第十二条又は第十七条第一項の検査に相当する検査を受ける場合における当該検査の手数料については、前項の規定にかかわらず、前項の規定による手数料の額に一二二、六〇〇円を加算した額とする。

3　第七十九条第五項の規定は、法附則第四条第九項の規定による手数料の納付について準用する。

第一一条　第五十三条第四項、第五十八条第三項から第五項まで、第五十九条及び第六十一条の規定は、法附則第五条第三項の規定による法第三十二条第五項の規定による承認に相当する承認について準用する。

2　第六十二条第二項並びに同条第三項において準用する第五十八条第三項から第五項まで、第五十九条及び第六十一条の規定は、法附則第五条第三項の規定による法第三十三条第一項の規定による承認に相当する承認について準用する。

第一二条　第六十八条第三項及び第四項、第六十九条並びに第七十一条の規定は、法附則第五条第七項の規定による法第四十条第三項の規定による承認に相当する承認について準用する。

2　第七十二条第二項及び第三項並びに同条第四項において準用する第六十八条第三項及び第四項、第六十九条並びに第七十一条の規定は、法附則第五条第七項の規定による法第四十一条第一項の規定による承認に相当する承認について準用する。

第一三条　法附則第四条第四項及び第六項に規定する国土交通大臣の権限（原子力船等に係る権限を除く。）のうち、法附則第四条第四項に規定する法第十一条第四項の承認に相当する承認に係る権限にあっては所有者所在地官庁が、法附則第四条第四項に規定する法第十二条又は第十七条第一項の検査に相当する検査に係る権限及び法附則第四条第六項に規定する権限にあっては国際航海日本船舶の所在地を管轄する地方運輸局長（当該国際航海日本船舶が本邦外にある場合にあっては関東運輸局長。以下この条において同じ。）が行う。

2　前項の規定により国際航海日本船舶の所在地を管轄する地方運輸局長が行うこととされた権限は、当該国際航海日本船舶の所在地が運輸支局等の管轄区域内に存する場合は、当該所在地を管轄する運輸支局長等が行う。

第一四条　法附則第五条第三項に規定する国土交通大臣の権限（特定重要コンテナ埠頭施設等及び特定コンテナ埠頭施設等に係る権限を除く。）及び同条第七項に規定する国土交通大臣の権限は、港湾施設所在地官庁が行う。

第一五条　附則第五条第一項において準用する第十七条及び第二十一条、附則第五条第二項において準用する第二十三条第一項、第二項（第二号に係るものを除く。）及び第五項並びに附則第五条第三項において準用する第二十三条（第一項及び第二項を除く。）に規定する申請であって国土交通大臣にするものは地方運輸局長等を経由して、附則第十一条第一項において準用する第五十三条第四項、第五十八条第三項、第五十九条及び第六十一条（これらの規定を附則第十一条第二項において準用する第六十二条第三項において準用する場合を含む。）並びに附則第十二条第一項において準用する第六十八条第三項、第六十九条及び第七十一条（これらの規定を附則第十二条第二項において準用する第七十二条第四項において準用する場合を含む。）に規定する申請その他の手続であって国土交通大臣にするものは港湾施設所在地官庁を経由して、それぞれ行うものとする。

第一六条～第一九条　〔他の法令改正に付き略〕

附　則〔平一八・二・六国交令七〕

（施行期日）

第一条　この省令は、公布の日から施行する。

（経過措置）

第二条　この省令による改正前の国際航海船舶及び国際港湾施設の保安の確保等に関する法律施行規則（以下「旧省令」と

いう。）附則第四条の表第一号上欄及び第二号上欄に掲げる船舶のうち、同表第一号下欄及び第二号下欄に掲げる総トン数が五百トン未満であって、船舶のトン数の測度に関する法律（昭和五十五年法律第四十号）第四条第一項の総トン数が五百トン以上のものに係る総トン数については、この省令による改正後の国際航海船舶及び国際港湾施設の保安の確保等に関する法律施行規則（以下「新省令」という。）の規定にかかわらず、平成二十年六月三十日までは、なお従前の例によることができる。ただし、国際航海船舶及び国際港湾施設の保安の確保等に関する法律（以下「法」という。）第十三条第一項の規定による船舶保安証書又は法第十七条第二項の規定による臨時船舶保安証書の交付を受けた後においては、この限りでない。

2　旧省令附則第四条の表第一号上欄及び第二号上欄に掲げる船舶のうち、同表第一号下欄及び第二号下欄に掲げる総トン数が五百トン以上のものに係る総トン数については、新省令の規定にかかわらず、この省令の施行の日以後最初に受ける法第十二条の定期検査の日又は平成二十年六月三十日のいずれか早い日までの間は、なお従前の例によることができる。

3　旧省令附則第四条の表第三号上欄に掲げる船舶に係る総トン数については、新省令の規定にかかわらず、平成二十年六月三十日までは、なお従前の例によることができる。

附　則〔令六・三・二九国交令二六抄〕

（施行期日）

第一条　この省令は、令和六年四月一日から施行する。〔以下略〕

第一号様式～第十五号様式〔略〕

○国際航海船舶及び国際港湾施設の保安の確保等に関する法律施行規則第七条第四項の保安確認書に関する告示

（平成十六年四月二十三日国土交通省告示第四百九十三号）

（用語）

第一条　この告示において使用する用語は、国際航海船舶及び国際港湾施設の保安の確保等に関する法律（平成十六年法律第三十一号）及び国際航海船舶及び国際港湾施設の保安の確保等に関する法律施行規則（平成十六年国土交通省令第五十九号）において使用する用語の例による。

（保安確認書の作成）

第二条　保安確認書は、国際不定期日本旅客船が重要国際埠頭施設等に係留される場合は、その都度、作成しなければならない。

2　前項の規定にかかわらず、当該国際不定期日本旅客船及び当該重要国際埠頭施設等に設定された国際海上運送保安指標が保安レベル一又は二の場合は、保安レベルに応じ次に掲げる期間を超えない範囲内で有効な保安確認書を作成することができる。ただし、保安確認書が作成された後、当該国際不定期日本旅客船又は当該重要国際埠頭施設等に設定された国際海上運送保安指標が変更された場合は、当該保安確認書は、その効力を失うものとする。

一　保安レベル一　九十日
二　保安レベル二　三十日

（保安確認書の記載事項）

第三条　保安確認書には、次の各号に掲げる事項を記載し、保安の確保のために必要な措置について協議した者が署名しなければならない。

一　当該保安確認書に係る国際不定期日本旅客船の船名、船籍港及び国際海事機関船舶識別番号並びに重要国際埠頭施設等の名称
二　協議し確認した者の氏名、役職名及び連絡先
三　前条第二項の規定により有効期間を有する保安確認書を作成した場合にあっては、当該有効期間
四　当該保安確認書に係る国際不定期日本旅客船及び重要国際埠頭施設等に設定された国際海上運送保安指標
五　国際不定期日本旅客船及び重要国際埠頭施設等の保安の確保のために必要な措置

○国際航海船舶及び国際港湾施設の保安の確保等に関する法律施行規則第五十四条第二項に掲げる措置の細目を定める告示

（平成二十二年三月三十日国土交通省告示第二百五十一号）

第一条　国際航海船舶及び国際港湾施設の保安の確保等に関する法律施行規則（平成十六年国土交通省令第五十九号）第五十四条第二項の本人確認その他の措置は、原則として次の各号に掲げる措置により実施することとする。

一　身分証明書に記載された写真その他の個人識別情報との照合により、制限区域に立ち入ろうとする者が身分証明書に記載された本人であることを確認すること。

二　身分証明書に記載された情報により、制限区域に立ち入ろうとする者が所属する事業者を確認すること。

三　搬出入票の確認その他の措置により、制限区域に立ち入ろうとする者の立入りの目的について確認すること。

第二条　前条第一号及び第二号の措置は、国土交通大臣が発行する高度に偽造防止措置が施された身分証明書又はそれと同等と認められる身分証明書により実施するものとする。

第三条　埠頭保安管理者は、制限区域に立ち入ろうとする者の所持する身分証明書が前条のものと同等と認められない場合にあっては、第一条第三号の措置を行うほか、次の各号に掲げる措置を行うことにより、本人確認その他の措置を行ったものとして取り扱うことができる。

一　制限区域に立ち入ろうとする者の氏名、所属その他の個人識別情報について、埠頭保安管理者が保管する管理台帳に記入させること。

二　制限区域に入場する際に一時的な立入りの許可証を発行し、制限区域内において常に携帯させるとともに、制限区域から出場する際には当該許可証を返却させること。

○埠頭保安設備等に係る技術上の基準の細目を定める告示

（平成十六年四月二十三日国土交通省告示第四百九十五号）

（技術上の基準の細目）

第一条　国際航海船舶及び国際港湾施設の保安の確保等に関する法律施行規則（平成十六年国土交通省令第五十九号）第五十五条第二項の告示で定める細目は、次のとおりとする。

一　標識は、制限区域に人又は車両が正当な理由なく立ち入ることを禁止する旨を表示したものであること。

二　障壁の構造は、次に掲げるものであること。

イ　忍び返しを取り付けていること。

ロ　下部から容易に侵入できないこと。

ハ　塩害等により腐食のおそれのある部分にあっては、腐食防止のための措置が講じられていること。

ニ　風荷重及び雪荷重に耐える強度を有すること。

三　監視装置は、次に掲げる要件に適合するものであり、かつ、地形、気象その他の自然状況、貨物の種類、数量その他の利用状況並びに照明設備の照度及びその設置する場所を勘案して保安上適切な位置に配置すること。

イ　遠隔操作ができること。

ロ　電磁的干渉により他の監視装置の機能に障害を与え、又は他の監視装置からの電磁的干渉によりその機能に障害が生じることを防止するための措置が講じられていること。

（準用）

第二条　前条の規定は、埠頭保安規程に相当する規程に係る重要国際埠頭施設以外の国際埠頭施設について準用する。

附　則

この告示は、国際航海船舶及び国際港湾施設の保安の確保等に関する法律（平成十六年法律第三十一号）の施行の日〔平一六・七・一〕から施行する。

○埠頭保安規程等に記載すべき事項に関する告示

（平成十六年四月二十三日国土交通省告示第四百九十六号）

1　国際航海船舶及び国際港湾施設の保安の確保等に関する法律施行規則（平成十六年国土交通省令第五十九号。以下「規則」という。）第五十八条第一項第九号の告示で定める事項は、埠頭保安規程の見直しに関する事項とする。

2　規則第六十二条第一項第九号の告示で定める事項は、埠頭保安規程に相当する規程の見直しに関する事項とする。

附　則

この告示は、国際航海船舶及び国際港湾施設の保安の確保等に関する法律（平成十六年法律第三十一号）の施行の日〔平一六・七・一〕から施行する。

○埠頭保安規程等に係る重要な事項に関する告示

（平成十六年四月二十三日国土交通省告示第四百九十七号）

（重要な事項）

第一条　国際航海船舶及び国際港湾施設の保安の確保等に関する法律施行規則（平成十六年国土交通省令第五十九号）第六十条第一項第三号の告示で定める事項は、次に掲げる事項とする。

一　重要国際埠頭施設の用途に関する事項

二　重要国際埠頭施設の構造及び配置に関する事項

（準用）

第二条　前条の規定は、埠頭保安規程に相当する規程に係る重要国際埠頭施設以外の国際埠頭施設について準用する。

附　則

この告示は、国際航海船舶及び国際港湾施設の保安の確保等に関する法律（平成十六年法律第三十一号）の施行の日〔平一六・七・一〕から施行する。

○水域保安規程等に記載すべき事項に関する告示

（平成十六年四月二十三日国土交通省告示第四百九十八号）

1　国際航海船舶及び国際港湾施設の保安の確保等に関する法律施行規則（平成十六年国土交通省令第五十九号。以下「規則」という。）第六十八条第一項第八号の告示で定める事項は、水域保安規程の見直しに関する事項とする。

2　規則第七十二条第一項第八号の告示で定める事項は、水域保安規程に相当する規程の見直しに関する事項とする。

附　則

この告示は、国際航海船舶及び国際港湾施設の保安の確保等に関する法律（平成十六年法律第三十一号）の施行の日〔平一六・七・一〕から施行する。

港湾行政に係る法令一覧表

・本表は、「令和５年港湾小六法」を基に、港湾行政に係る法令を収録した。

・本書に登載のあるものはゴシック体で示した。

	件　　名	発令番号
港　湾	〈港湾の整備・運営〉	
	港湾法	昭25法218
	港湾法施行令	昭26政４
	港湾法施行規則	昭26運令98
	港湾計画の基本的な事項に関する基準を定める省令	昭49運令35
	開発保全航路において確保すべき水深を定める件	平21国交告125
	港湾法第44条の２第２項の同意の基準を定める件	平20国交告878
	港湾法第48条の４第１項第１号の電子情報処理組織を使用する港湾管理者を告示する件	令６国交告68
	港湾法第48条の４第６項第１号の国土交通大臣の指定する電子計算機	平20国交告1166
	港湾法第48条の４第６項第４号の国土交通大臣の指定する電子計算機	令５国交告991
	港湾法第48条の４第６項第５号の国土交通大臣の指定する電子計算機	令５国交告992
	港湾法施行規則第15条の３第１項の国土交通大臣が定める使用料の額等	令６国交告67
	港湾法施行規則第15条の３第４項の国土交通大臣が定める使用料の額等	令５国交告989
	港湾法施行規則第15条の３第５項の国土交通大臣が定める使用料の額等	令５国交告990
	堺泉北港港湾広域防災区域の区域を変更した件	平28国交告570
	川崎港港湾広域防災区域の区域を変更した件	平28国交告571
	港湾法の規定に基づき国土交通大臣が指定する二以上の国際戦略港湾を定める件	平23国交告1277
	大阪港及び神戸港における埠頭群を運営する者を指定した件	平26国交告1144

	京浜港における埠頭群を運営する者を指定した件	平28国交告530
	名古屋港及び四日市港における埠頭群を運営する者を指定した件	平29国交告849
	港湾の施設の技術上の基準を定める省令	平19国交令15
	港湾の施設の技術上の基準の細目を定める告示	平19国交告395
	技術基準対象施設の施工に関する基準を定める告示	平19国交告363
	技術基準対象施設の維持に関し必要な事項を定める告示	平19国交告364
	港湾法第56条の２の２第３項ただし書の設計方法	平19国交告396
	公募対象施設等又はその維持管理の方法の基準に関し必要な事項を定める告示	平28国交告858
	港湾の開発、利用及び保全並びに開発保全航路の開発に関する基本方針	令６国交告337
	陸域を定める告示	令５国交告1081
	社会資本整備重点計画法	平15法20
	社会資本整備重点計画法施行令	平15政162
	社会資本整備重点計画法施行規則	平15内府・農水・国交令１
	交通政策基本法	平25法92
	特定港湾施設整備特別措置法	昭34法67
	特定港湾施設整備特別措置法施行令	昭34政108
	特定港湾施設整備特別措置法施行規則	昭38運令38
	特別会計に関する法律	平19法23
	特別会計に関する法律施行令	平19政124
	港湾整備促進法	昭28法170
	港湾整備促進法施行令	昭28政280
	国が施行する内国貿易設備に関する港湾工事に因り生ずる土地又は工作物の譲与又は貸付及び使用料の徴収に関する法律	昭22法231
	日本電信電話株式会社の株式の売払収入の活用による社会資本の整備の促進に関する特別措置法	昭62法86

	日本電信電話株式会社の株式の売払収入の活用による社会資本の整備の促進に関する特別措置法施行令	昭62政291
	海上運送法	昭24法187
	海上運送法施行令	昭30政276
	海上運送法施行規則	昭24運令49
	港湾運送事業法	昭26法161
	港湾運送事業法施行令	昭26政215
	港湾運送事業法施行規則	昭34運令46
	港湾運送事業報告規則	昭53運令10
	流通業務の総合化及び効率化の促進に関する法律	平17法85
	流通業務の総合化及び効率化の促進に関する法律施行令	平17政298
	流通業務の総合化及び効率化の促進に関する法律施行規則	平17農水・経産・国交令1
	流通業務総合効率化事業の実施に関する基本的な方針	平28農水・経産・国交告2
	排他的経済水域及び大陸棚に関する法律	平8法74
	排他的経済水域及び大陸棚に関する法律第2条第2号の海域を定める政令	平26政302
	排他的経済水域及び大陸棚の保全及び利用の促進のための低潮線の保全及び拠点施設の整備等に関する法律	平22法41
	排他的経済水域及び大陸棚の保全及び利用の促進のための低潮線の保全及び拠点施設の整備等に関する法律施行令	平22政157
	排他的経済水域及び大陸棚の保全及び利用の促進のための低潮線の保全及び拠点施設の整備等に関する法律施行規則	平22国交令35
	海洋再生可能エネルギー発電設備の整備に係る海域の利用の促進に関する法律	平30法89
	海洋再生可能エネルギー発電設備の整備に係る海域の利用の促進に関する法律施行令	平31政46

	海洋再生可能エネルギー発電設備の整備に係る海域の利用の促進に関する法律施行規則	平31経産・国交令1
	国土交通省関係海洋再生可能エネルギー発電設備の整備に係る海域の利用の促進に関する法律施行規則	平31国交令17
	海洋再生可能エネルギー発電設備又はその維持管理の方法の基準に関し必要な事項を定める告示	令2国交告388
	海洋再生可能エネルギー発電設備等拠点港湾を指定した件	令6国交告381
	〈民活事業〉	
	民間都市開発の推進に関する特別措置法	昭62法62
	民間都市開発の推進に関する特別措置法施行令	昭62政275
	民間都市開発の推進に関する特別措置法施行規則	昭62建令19
	多極分散型国土形成促進法	昭63法83
	多極分散型国土形成促進法施行令	昭63政194
	振興拠点地域に係る中核的民間施設及び業務核都市に係る中核的民間施設に関する細分を定める省令	平4総府令51
	振興拠点地域基本構想の同意に当たっての基準	平元総府告18
	業務核都市基本方針	平元総府告19
	海外社会資本事業への我が国事業者の参入の促進に関する法律	平30法40
	〈地域特例〉	
	株式会社海外交通・都市開発事業支援機構法	平26法24
	株式会社海外交通・都市開発事業支援機構法第5条第3項の倍数を定める政令	平26政235
	株式会社海外交通・都市開発事業支援機構法施行規則	平26国交令64
	株式会社海外交通・都市開発事業支援機構支援基準	平26国交告981
	北海道開発のためにする港湾工事に関する法律	昭26法73
	北海道開発のためにする港湾工事に関する法律附則第7項の規定による国の貸付金の償還期間等を定める政令	昭62政298
	沖縄振興特別措置法	平14法14
	離島振興法	昭28法72

	後進地域の開発に関する公共事業に係る国の負担割合の特例に関する法律	昭36法112
	後進地域の開発に関する公共事業に係る国の負担割合の特例に関する法律施行令	昭36政258
	奄美群島振興開発特別措置法	昭29法189
	奄美群島振興開発特別措置法施行令	昭29政239
	小笠原諸島振興開発特別措置法	昭44法79
	小笠原諸島振興開発特別措置法施行令	昭45政13
	原子力発電施設等立地地域の振興に関する特別措置法	平12法148
	原子力発電施設等立地地域の振興に関する特別措置法施行令	平13政105
	原子力発電施設等立地地域の振興に関する特別措置法施行令第２条第７号に規定する原子力発電による電気の安定供給に寄与する原子力の研究及び開発の用に供する施設を定める命令	平13内府・文科・経産令１
	〈外貿埠頭〉	
	特定外貿埠頭の管理運営に関する法律	昭56法28
	特定外貿埠頭の管理運営に関する法律施行令	平18政278
	特定外貿埠頭の管理運営に関する法律施行規則	平18国交令88
	〈国有財産・補助金〉	
	国有財産法	昭23法73
	国有財産法施行令	昭23政246
	補助金等に係る予算の執行の適正化に関する法律	昭30法179
	補助金等に係る予算の執行の適正化に関する法律施行令	昭30政255
	〈地方自治〉	
	地方自治法	昭22法67
	地方財政法	昭23法109
	〈統　計〉	
	統計法	平19法53
	港湾調査規則	昭26運令13

公有水面埋立・運河	**公有水面埋立法**	大10法57
	公有水面埋立法施行令	大11勅194
	公有水面埋立法施行規則	昭49運・建令１
	公有水面埋立法施行令第32条第１号の甲号港湾及び乙号港湾を指定する告示	平２運告164
	運河法	大２法16
	運河法施行規則	大２内務令17
海　岸	**海岸法**	昭31法101
	海岸法施行令	昭31政332
	海岸法施行規則	昭31農・運・建令１
	海岸法第37条の２第１項の海岸を指定する政令	平11政193
	海岸保全施設の技術上の基準を定める省令	平16農水・国交令１
	海岸保全区域等に係る海岸の保全に関する基本的な方針	令２農水・国交告１
	津波防災地域づくりに関する法律	平23法123
	津波防災地域づくりに関する法律施行令	平23政426
災害対策等	災害対策基本法	昭36法223
	災害対策基本法施行令	昭37政288
	災害対策基本法施行規則	昭37総府令52
	強くしなやかな国民生活の実現を図るための防災・減災等に資する国土強靱化基本法	平25法95
	激甚災害に対処するための特別の財政援助等に関する法律	昭37法150
	激甚災害に対処するための特別の財政援助等に関する法律施行令	昭37政403
	阪神・淡路大震災についての激甚災害の指定及びこれに対し適用すべき措置の指定に関する政令	平７政11
	東日本大震災についての激甚災害及びこれに対し適用すべき措置の指定に関する政令	平23政18

	阪神・淡路大震災に対処するための特別の財政援助及び助成に関する法律	平７法16
	阪神・淡路大震災に対処するための特別の財政援助及び助成に関する法律による神戸港の特定用途港湾施設の災害復旧事業に対する補助の対象となる施設等を定める政令	平７政45
	東日本大震災に対処するための特別の財政援助及び助成に関する法律	平23法40
	東日本大震災に対処するための特別の財政援助及び助成に関する法律の国土交通省関係規定の施行等に関する政令	平23政134
	東日本大震災による被害を受けた公共土木施設の災害復旧事業等に係る工事の国等による代行に関する法律	平23法33
	東日本大震災による被害を受けた公共土木施設の災害復旧事業等に係る工事の国等による代行に関する法律施行令	平23政114
	東日本大震災についての特定非常災害及びこれに対し適用すべき措置の指定に関する政令	平23政19
	公共土木施設災害復旧事業費国庫負担法	昭26法97
	公共土木施設災害復旧事業費国庫負担法施行令	昭26政107
	公共土木施設災害復旧事業費国庫負担法施行規則	平12運・建令14
	東日本大震災復興特別区域法	平23法122
	農林水産省・国土交通省・環境省関係東日本大震災復興特別区域法施行規則	平23農水・国交・環令３
	農林水産省・国土交通省・環境省関係東日本大震災復興特別区域法施行規則第１条及び第２条の農林水産大臣、国土交通大臣及び環境大臣が定める書類	平23農水・国交・環告３
	福島復興再生特別措置法	平24法25
	福島復興再生特別措置法施行令	平24政115
	国土交通省関係福島復興再生特別措置法第７条第８項に規定する省令の特例に関する措置及びその適用を受ける産業復興再生事業を定める命令	平24復興庁・国交令１

	大規模災害からの復興に関する法律	平25法55
	大規模災害からの復興に関する法律施行令	平25政237
	農林水産省・国土交通省・環境省関係大規模災害からの復興に関する法律施行規則	平25農水・国交・環令１
	農林水産省・国土交通省・環境省関係大規模災害からの復興に関する法律施行規則第１条及び第２条の農林水産大臣、国土交通大臣及び環境大臣が定める書類	平25農水・国交・環告１
	地震防災対策特別措置法	平７法111
	地震防災対策特別措置法施行令	平７政295
	大規模地震対策特別措置法	昭53法73
	大規模地震対策特別措置法施行令	昭53政385
	大規模地震対策特別措置法施行規則	昭54総府令38
	地震防災対策強化地域における地震対策緊急整備事業に係る国の財政上の特別措置に関する法律	昭55法63
	地震防災対策強化地域における地震対策緊急整備事業に係る国の財政上の特別措置に関する法律施行令	昭55政174
	地震防災対策強化地域における地震対策緊急整備事業に係る国の財政上の特別措置に関する法律施行規則	昭55総府令27
	緊急輸送を確保するため必要な港湾施設の基準及び円滑な避難を確保するため必要な海岸保全施設の基準を定める件	昭55運告346
	津波対策の推進に関する法律	平23法77
環　境	環境基本法	平５法91
	環境影響評価法	平９法81
	環境影響評価法施行令	平９政346
	環境影響評価法施行規則	平10総府令37
	港湾環境影響評価の項目並びに当該項目に係る調査、予測及び評価を合理的に行うための手法を選定するための指針、環境の保全のための措置に関する指針等を定める省令	平10運令39

	公有水面の埋立て又は干拓の事業に係る環境影響評価の項目並びに当該項目に係る調査、予測及び評価を合理的に行うための手法を選定するための指針、環境の保全のための措置に関する指針等を定める省令	平10農水・運・建令１
	公害防止事業費事業者負担法	昭45法133
	公害防止事業費事業者負担法施行令	昭46政146
	公害の防止に関する事業に係る国の財政上の特別措置に関する法律	昭46法70
	公害の防止に関する事業に係る国の財政上の特別措置に関する法律施行令	昭46政325
	海洋汚染等及び海上災害の防止に関する法律	昭45法136
	海洋汚染等及び海上災害の防止に関する法律施行令	昭46政201
	海洋汚染等及び海上災害の防止に関する法律施行規則	昭46運令38
	海洋汚染等及び海上災害の防止に関する法律施行令第５条第１項に規定する埋立場所等に排出しようとする金属等を含む廃棄物に係る判定基準を定める省令	昭48総府令６
	土壌汚染対策法	平14法53
	土壌汚染対策法施行令	平14政336
	土壌汚染対策法施行規則	平14環令29
	広域臨海環境整備センター法	昭56法76
	広域臨海環境整備センター法施行令	昭56政330
	広域臨海環境整備センター法施行規則	昭56厚・運令２
	広域臨海環境整備センター法第２条第２項の規定に基づき、広域処理対象区域を指定する件	昭57厚告１
	広域臨海環境整備センター法施行令に規定する主務大臣が指定する財産及び主務大臣が定める日を定める件	平23国交・環告１
	広域処理場整備対象港湾を指定する告示	昭57運告１
	産業廃棄物の処理に係る特定施設の整備の促進に関する法律	平４法62
	産業廃棄物の処理に係る特定施設の整備の促進に関する法律施行令	平４政304

	産業廃棄物の処理に係る特定施設の整備の促進に関する法律施行規則	平４厚令54
	産業廃棄物の処理に係る特定施設の整備の促進に関する法律第２条第２項に規定する特定施設の整備に関する基本指針	平４厚・農水・通産・運・建・自告１
	瀬戸内海環境保全特別措置法	昭48法110
	瀬戸内海環境保全特別措置法施行令	昭48政327
	瀬戸内海環境保全特別措置法施行規則	昭48総府令61
	瀬戸内海環境保全臨時措置法第13条第１項の埋立てについての規定の運用に関する基本方針について	昭49答申２・瀬環審12
	有明海及び八代海等を再生するための特別措置に関する法律	平14法120
	有明海及び八代海等を再生するための特別措置に関する法律施行令	平14政354
	廃棄物の処理及び清掃に関する法律	昭45法137
	廃棄物の処理及び清掃に関する法律施行令	昭46政300
	一般廃棄物の最終処分場及び産業廃棄物の最終処分場に係る技術上の基準を定める省令	昭52総府・厚令１
	自然環境保全法	昭47法85
	自然再生推進法	平14法148
	都市の低炭素化の促進に関する法律	平24法84
	都市の低炭素化の促進に関する法律施行規則	平24国交令86
国土利用	地域再生法	平17法24
	地域再生法施行令	平17政151
	地域再生法施行規則	平17内府令53
	国土交通省関係地域再生法施行規則	平27国交令58
	北海道開発法	昭25法126
	発電用施設周辺地域整備法	昭49法78
	大阪湾臨海地域開発整備法	平４法110
	大阪湾臨海地域及び関連整備地域の整備等に関する基本方針	平５環境庁・国土庁・通産・運・郵・建・自告２

都市計画	都市計画法	昭43法100
	都市計画法施行令	昭44政158
	都市計画法施行規則	昭44建令49
	都市再生特別措置法	平14法22
	都市再生特別措置法施行令	平14政190
	都市再生特別措置法施行規則	平14国交令66
	景観法	平16法110
	流通業務市街地の整備に関する法律	昭41法110
	広域的地域活性化のための基盤整備に関する法律	平19法52
	広域的地域活性化のための基盤整備に関する法律施行令	平19政249
	広域的地域活性化のための基盤整備に関する法律施行規則	平19国交令74
	広域的地域活性化のための基盤整備に関する基本的な方針	平28国交告254
	建築基準法	昭25法201
海上交通の安全	**港則法**	昭23法174
	港則法施行令	昭40政219
	海上交通安全法	昭47法115
安全保障	重要影響事態に際して我が国の平和及び安全を確保するための措置に関する法律	平11法60
	重要影響事態に際して我が国の平和及び安全を確保するための措置に関する法律第３条第１項第４号の関係行政機関を定める政令	平11政253
	武力攻撃事態等及び存立危機事態における我が国の平和と独立並びに国及び国民の安全の確保に関する法律	平15法79
	武力攻撃事態等及び存立危機事態における我が国の平和と独立並びに国及び国民の安全の確保に関する法律施行令	平15政252
	武力攻撃事態等における国民の保護のための措置に関する法律	平16法112

	武力攻撃事態等における国民の保護のための措置に関する法律施行令	平16政275
	武力攻撃事態等における特定公共施設等の利用に関する法律	平16法114
	武力攻撃事態等における特定公共施設等の利用に関する法律施行令	平16政280
	国際航海船舶及び国際港湾施設の保安の確保等に関する法律	平16法31
	国際航海船舶及び国際港湾施設の保安の確保等に関する法律施行令	平16政164
	国際航海船舶及び国際港湾施設の保安の確保等に関する法律施行規則	平16国交令59
	国際航海船舶及び国際港湾施設の保安の確保等に関する法律施行規則第７条第４項の保安確認書に関する告示	平16国交告493
	国際航海船舶及び国際港湾施設の保安の確保等に関する法律施行規則第54条第２項に掲げる措置の細目を定める告示	平22国交告251
	埠頭保安設備等に係る技術上の基準の細目を定める告示	平16国交告495
	埠頭保安規程等に記載すべき事項に関する告示	平16国交告496
	埠頭保安規程等に係る重要な事項に関する告示	平16国交告497
	水域保安規程等に記載すべき事項に関する告示	平16国交告498
	特定船舶の入港の禁止に関する特別措置法	平16法125
	重要施設周辺及び国境離島等における土地等の利用状況の調査及び利用の規制等に関する法律	令３法84
諸　法	行政手続法	平５法88
	行政手続法施行令	平６政265
	国土交通省聴聞手続規則	平12総府・運・建令１
	行政代執行法	昭23法43
	国家賠償法	昭22法125

	公共団体ノ管理スル公共用土地物件ノ使用ニ関スル法律	大３法37
	漁港漁場整備法	昭25法137
	漁港漁場整備法施行令	昭25政239
	漁港漁場整備法施行規則	昭26農令47
	港湾労働法	昭63法40
	企業合理化促進法	昭27法５
	企業合理化促進法施行規則	昭27大・厚・農・通産・運・建令２
	関税法	昭29法61
	関税法施行令	昭29政150
	出入国管理及び難民認定法	昭26政319
	出入国管理及び難民認定法施行規則	昭56法令54
	検疫法	昭26法201
	検疫法施行令	昭26政377
	検疫法施行規則	昭26厚令53
	電子情報処理組織による輸出入等関連業務の処理等に関する法律	昭52法54
	電子情報処理組織による輸出入等関連業務の処理等に関する法律施行令	昭52政220
	電子情報処理組織による輸出入等関連業務の処理等に関する法律施行規則	昭52大令30
	海洋基本法	平19法33
行政組織	国土交通省設置法	平11法100
	国土交通省組織令	平12政255
	国土交通省組織規則	平13国交令１
	地方整備局組織規則	平13国交令21
	北海道開発局組織規則	平13国交令22
	地方運輸局組織規則	平14国交令73
	沖縄総合事務局組織規則	平13内府令４
	国土技術政策総合研究所組織規則	平13国交令79

	国立研究開発法人海上・港湾・航空技術研究所法	平11法208
	国立研究開発法人海上・港湾・航空技術研究所に関する省令	平13国交令47

令和6年版　港湾小六法

令和6年9月1日　初版発行

監　修　国土交通省港湾局

発行者　星　沢　卓　也

発行所　東京法令出版株式会社

112-0002　東京都文京区小石川5丁目17番3号　03(5803)3304

534-0024　大阪市都島区東野田町1丁目17番12号　06(6355)5226

062-0902　札幌市豊平区豊平2条5丁目1番27号　011(822)8811

980-0012　仙台市青葉区錦町1丁目1番10号　022(216)5871

460-0003　名古屋市中区錦1丁目6番34号　052(218)5552

730-0005　広島市中区西白島町11番9号　082(212)0888

810-0011　福岡市中央区高砂2丁目13番22号　092(533)1588

380-8688　長野市南千歳町1005番地

〔営業〕TEL 026(224)5411　FAX 026(224)5419

〔編集〕TEL 026(224)5412　FAX 026(224)5439

https://www.tokyo-horei.co.jp/

ISBN978-4-8090-5135-7